D1479116

学汉语用例词典

A LEARNER'S CHINESE DICTIONARY: ILLUSTRATIONS OF THE USAGES

编委会

主编：刘川平

副主编：潘先军

编写人员：陈子骄　丁立群　郝本发　康庆玮　李　鹍　林秀英　刘川平　刘志成　潘先军　宋慧敏　汪灵灵　肖　莉　张永昱　郑桂芬
（按姓氏音序排列）

参加修改人员：陈子骄　丁立群　康庆玮　林秀英　刘川平　潘先军　汪灵灵　王　端　王松岩　肖　莉　杨东升　杨　洁　郑桂芬
（按姓氏音序排列）

英文注释：隋荣谊

中国国家汉办规划项目

CHINESE REFERENCE SERIES FOR FOREIGNERS

外国人学汉语工具书

学汉语用例词典

A LEARNER'S CHINESE DICTIONARY: ILLUSTRATIONS OF THE USAGES

刘川平 主编　潘先军 副主编

北京语言大学出版社
BEIJING LANGUAGE AND CULTURE UNIVERSITY PRESS

图书在版编目(CIP)数据

学汉语用例词典/刘川平主编.
—北京:北京语言大学出版社,2008 重印
ISBN 978-7-5619-1460-1

Ⅰ.学… Ⅱ.刘… Ⅲ.汉语-词典 Ⅳ.H164

中国版本图书馆 CIP 数据核字(2005)第 069867 号

书　　名:学汉语用例词典
中文编辑:周　鹂　王亚莉　李钊祥
英文编辑:望　震　武思敏　鲁　霞
责任印制:汪学发

出版发行:北京语言大学出版社
社　　址:北京市海淀区学院路 15 号　邮政编码:100083
网　　址:http://www.blcup.com
电　　话:发行部　82303650/3591/3651
编辑部　82303647
读者服务部　82303653/3908
印　　刷:北京中科印刷有限公司
经　　销:全国新华书店

版　　次:2005 年 11 月第 1 版　2008 年 4 月第 2 次印刷
开　　本:880 毫米×1230 毫米　1/32　**印张**:51.875
字　　数:1950 千字　　**印数**:3501—5500
书　　号:ISBN　978-7-5619-1460-1/H·05074
定　　价:98.00 元

总　目

前言 …………………………………………………… 1

凡例 …………………………………………………… 4

音序索引 ……………………………………………… 7

笔画索引 ……………………………………………… 102

词典正文 ……………………………………… 1～1472

附录 ………………………………………… 1473～1487

附录一　汉语拼音方案 ………………………… 1473

附录二　常用标点符号用法简表 ……………… 1476

附录三　汉字笔画名称表 ……………………… 1479

附录四　汉字笔顺规则表 ……………………… 1480

附录五　汉字间架结构表 ……………………… 1481

附录六　中国各省(自治区)、省会(自治区首府)、直辖市一览表 ……………… 1484

附录七　中国民族简表 ………………………… 1485

附录八　中国主要节日表 ……………………… 1487

前　言

近年来，随着世界范围内学习汉语的人日益增多，对学习辅助工具——词典的需求也越来越大。《学汉语用例词典》就是适应这一形势而编写的。与已经出版的同类词典不同，本词典针对使用群体的特殊性，以提供大量的词语运用实例为突出特色，同时在其他方面也做了一些努力，从而增强了实用性。具体有如下几个特点：

1. 用例丰富实用。这是本词典的着力点和主要部分。本着学习词语是为了应用，也只有在应用中才能真正掌握所学词语的理念，每个条目及义项都依如下原则提供了若干实际用例：

a. 语言生活化。讲求语言的鲜活和常用性，如“特别”：我左看右看，没发现什么特别的地方；“小朋友”：现在比一比，看看哪个小朋友的衣服穿得最快。

b. 语义语境化。恰当的语境，既可凸显词语的语义，又说明了用法，如“反而”：我们坐公共汽车，小李骑自行车，他反而先到了；“勿”：（公共场所的标牌用语）请勿吸烟。

c. 内容贴近现实。具有时代气息的用例有助于对词语的理解和使用，如“喇叭”：为了防止噪音污染，许多城市不许汽车鸣喇叭；“产业”：政府鼓励下岗工人从事第三产业。

d. 体现句法功能。尽量反映词语经常充当哪些句法成分的情况，如“休息”：这个星期天我不休息（做谓语）；中午我们没有休息的地方（做定语）；休息是为了更好地工作（做主语）；你病了，需要休息（做宾语）。

2. 收词重在常用。本词典所收条目范围包括：①《汉语水平词汇与汉字等级大纲》（国家汉语水平考试委员会办公室考试中心）的词语，但排除其中部分非常用词语，如“镁、粮票、流寇”等。②近300个使用度较高而又相对稳定的新词语，如“百分点、超市、品牌、爱心、减肥”等。③部分较常用或构词能力较强的字。④300 余个较常用的成语。条目总数共约 10000 条。此外,具有多个义项的条目只选常用义项。

3. 释义简明通俗。释义主要参照《现代汉语词典》,但为降低理解难度,作了部分简明和通俗化的处理:

a. 对偏繁、偏难的释义,适当减少文字并降低词语难度。如“革命”,将原释义“被压迫阶级用暴力夺取政权,摧毁旧的腐朽的社会制度,建立新的进步的社会制度。……”改为:“人们对自然或社会所进行的根本变革。”

b. 尽量避免以难释易。选用常用度较高的词语注释常用度偏低的词语,而不是相反。如“为什么”,把“询问原因或目的”中的“询问”用“问”替换。

c. 尽量避免释义中包含被释词语。如“供”,以“用钱、物等满足需要”替代原释义“供给;供应”。

4. 重视文化差异。鉴于中外文化差异对汉语学习的影响,本词典做了一些沟通工作:一是选词,补充了“热门”、“插足”、“下海”等字面不难,又需要一定背景知识才能理解的词语;同时收入一批包含丰富文化内涵的常用成语,如“坐井观天”、“亡羊补牢”等。二是在例句中提供文化信息,例如“爱”,依不同义项有“爸爸很爱这个独生女儿”、“老年人好像比年轻人更爱运动”、“别太爱面子了”、“老张打扑克总爱输”、“车在那儿放着,爱骑不骑,随便”、“让世界充满爱”等,从中可以透视出中国的社会生活和中国人的文化心理。三是通过附录补充介绍文化知识,如中国行政区划、中国的民族、中国的主要节日等。

5. 提供相关信息。为使读者更好地理解与正确使用词语,本词典列出了诸如:词语的性质、名词与量词的搭配、反义词与近义词等多种信息,部分词语作了词义辨析。此外每个条目及义项都配有简略的英文释义。

本词典的编纂过程前后历时八载。作为对外汉语教学第一线的教师，编者在繁忙的教学工作之余，年复一年地辛勤劳作，终于有了这样一个成果。整个编写过程包括三项主要工作。第一，编写条目初稿。分工如下：汪灵灵 A、Z；肖莉 B、G；李鹢 C；潘先军 D、L、S、E、O；林秀英 F、X；郑桂芬 H；刘川平、郑桂芬 T；宋慧敏 J、R；丁立群 K；刘志成 M、附录；刘川平 N；张永昱 P；陈子骄 Q、Y；郝本发 W；康庆玮，成语。徐甲申也做了一些相关工作。第二，反复修改，前后共历经三次：第一次从 1998 年到 2001 年中期，首先由刘川平、潘先军、丁立群、刘志成、陈子骄、林秀英、郝本发、肖莉对初稿分头进行初审，历时一年；接着由刘川平对初审稿作总体修改。第二次从 2001 年中期到 2002 年末，由刘川平、丁立群、王端、杨洁、王松岩、肖莉、康庆玮等以突出例句为重点对修改稿作较大的修改与调整，再由刘川平审改。杨东升、陈子骄等承担了部分校对工作。第三次从 2003 年至 2004 年 9 月，由潘先军、刘川平、林秀英、丁立群、郑桂芬、汪灵灵、杨东升在第二次修改的基础上作全面修改与完善，进一步调整充实例句以及补缺勘误、规范体例等。第三，统改定稿。由主编、副主编负责。英文翻译隋荣谊。

本词典作为国家汉办“十五”科研规划项目，得到了国家汉办的资助和北京语言大学出版社的鼎力支持。值此即将付梓之时，谨对以上各方致以诚挚的谢意。我们热切期望得到来自使用者的宝贵意见，以克服舛讹，使之不断完善。

编　者

2005 年 9 月于大连外国语学院

凡　例

一、条目安排。本词典使用现代汉语简化字和汉语拼音，所收条目一律按单字和多字词语首字的汉语拼音字母次序排列。数条多字词语第一单字相同时，按第二字拼音字母顺序排列。同音字按笔画从少到多排列。笔画相同时，按第一笔笔形“一”、“丨”、“丿”、“丶”、“乛”的顺序排列。同音同形而性质、意义不同的单字，如形容词的“白”和副词的“白”，只列一条，再按性质、意义分别说明。同形不同音的词语则分列两条，如“好”(hǎo)和“好”(hào)。个别既做短语也做词的词语因拼音连写情况不同，也分列两条，如“谈话(tán huà—动词短语)”和“谈话(tánhuà—名词)”。

二、注音。每条后加注汉语拼音。另有读音且较常用的，用“另读”引出。轻声字不标调号。

三、词语性质。均标注于“〔〕”中。有以下几种情况：1. 词类。本词典共设12种：名词、动词、形容词、数词、量词、代词、象声词、副词、介词、连词、助词、叹词，分别用〔名〕、〔动〕、〔形〕等表示。2. “词头”、“词尾”、“语素”，用〔头〕、〔尾〕、〔素〕表示。3. 短语(含离合词)。按性质或用途加以标注，如“闹笑话”〔动短〕、“毕业”〔动短〕、“有意思”〔形短〕、“人道主义”〔名短〕、“一边…一边…”〔关联短语〕等。成语单列，用〔成〕标注。

四、释义。同一词语如有不同性质则分别解释；同一性质如常用义项不止一个，也分别解释，用“❶❷❸……”标明。如“新生”：〔形〕刚产生的；刚出现的。〔名〕❶新入学的学生。❷新的生命。此外，每个条目及义项均配有英文释义。

五、词语用法。每个条目或义项下注明其经常充当什么句法成分，或经常如何使用(连词、数词、量词)等，或说明某单字常用于构词或构成词语等。随后引出相对应的词例。词例不止一个时用“|”隔开。

六、本词典尽可能地给出了词语的主要反义词、近(同)义词以及常用量词。反义词也包括意义相对的词语,如“笔试—口试”,均用〈反〉注于释义后。近(同)义词用〈近〉引出,列于每个条目或义项末尾;部分附有词义和用法辨析,用辨析标注。量词用[量]引出,附于词语用法说明之后。错误的用“ * ”引出并在句后改正。

七、本词典正文前设有音序索引和笔画索引。正文后设有若干附录,介绍一些与学习汉语、了解中国有关的文化知识,供使用者参考。

音序索引

A

阿 ā 1
阿拉伯语(文) Ālābóyǔ(wén) 1
阿姨 āyí 1
啊 ā 1
啊 a 1
哎 āi 2
哎呀 āiyā 2
哎哟 āiyō 2
哀悼 āidào 2
哀求 āiqiú 2
哀思 āisī 3
挨 āi 3
唉 āi(ài) 3
挨 ái 3
癌 ái 3
矮 ǎi 3
艾滋病 àizībìng 4
爱 ài 4
爱不释手 ài bú shì shǒu 4
爱戴 àidài 4
爱好 àihào 4
爱护 àihù 5
爱面子 ài miànzi 5
爱情 àiqíng 5
爱人 àiren 5
爱惜 àixī 5
爱心 àixīn 5
碍 ài 6
碍事 ài shì 6
安 ān 6
安定 āndìng 6
安家 ān jiā 6
安静 ānjìng 6
安乐死 ānlèsǐ 7
安宁 ānníng 7
安排 ānpái 7
安全 ānquán 7
安然无恙 ānrán wú yàng 8
安慰 ānwèi 8
安稳 ānwěn 8
安详 ānxiáng 8
安心 ān xīn 8
安置 ānzhì 8
安装 ānzhuāng 8
岸 àn 9
按 àn 9
按部就班 àn bù jiù bān 9
按劳分配 àn láo fēnpèi 9
按期 ànqī 9
按时 ànshí 9
按照 ànzhào 9
案 àn 9
案件 ànjiàn 10
案情 ànqíng 10
暗 àn 10
暗暗 àn'àn 10
暗淡 àndàn 10
暗杀 ànshā 10
暗示 ànshì 10
暗中 ànzhōng 11
暗自 ànzì 11
昂 áng 11
昂贵 ángguì 11
昂扬 ángyáng 11
凹 āo 11
熬 áo 11
奥秘 àomì 11

B

八 bā 12
八仙过海,各显神通 bā xiān guò hǎi, gè xiǎn shén tōng 12
巴结 bājie 12
扒 bā 12
芭蕾舞 bālěiwǔ 12
疤 bā 12
捌 bā 12
拔 bá 12
拔苗助长 bá miáo zhù zhǎng 13
把 bǎ 13
把柄 bǎbǐng 14
把关 bǎ guān 14
把手 bǎshǒu 14
把握 bǎwò 14
把戏 bǎxì 14
坝 bà 14

爸 bà 14
爸爸 bàba 14
罢 bà 15
罢工 bà gōng 15
霸道 bàdào 15
霸权 bàquán 15
霸占 bàzhàn 15
吧 ba 15
掰 bāi 16
白 bái 16
白白 báibái 16
白菜 báicài 16
白酒 báijiǔ 16
白日做梦
báirì zuò mèng 16
白天 báitiān 16
百 bǎi 17
百倍 bǎibèi 17
百尺竿头，更进一步
bǎi chǐ gān tóu,
gèng jìn yí bù 17
百分比 bǎifēnbǐ 17
百花齐放
bǎi huā qí fàng 17
百货 bǎihuò 17
百家争鸣
bǎi jiā zhēng míng 17
百里挑一
bǎi lǐ tiāo yī 17
百年不遇
bǎinián bú yù 17
百年大计
bǎinián dàjì 18
百闻不如一见
bǎi wén bù rú yí jiàn 18
百折不挠
bǎi zhé bù náo 18
柏树 bǎishù 18
摆 bǎi 18
摆动 bǎidòng 18
摆脱 bǎituō 18
败 bài 18
败坏 bàihuài 19
拜 bài 19
拜访 bàifǎng 19
拜会 bàihuì 19
拜年 bài nián 19
扳 bān 19
班 bān 19
班机 bānjī 20
班门弄斧
Bān mén nòng fǔ 20
班长 bānzhǎng 20
班子 bānzi 20
般 bān 20
颁布 bānbù 20
颁发 bānfā 20
斑 bān 21
搬 bān 21
搬运 bānyùn 21
板 bǎn 21
版 bǎn 21
办 bàn 21
办法 bànfǎ 22
办公 bàn gōng 22
办公室 bàngōngshì 22
办理 bànlǐ 22
办事 bàn shì 22
办学 bàn xué 22
半 bàn 22
半边天 bànbiāntiān 22
半导体 bàndǎotǐ 23
半岛 bàndǎo 23
半截 bànjié 23
半斤八两
bàn jīn bā liǎng 23
半径 bànjìng 23
半拉 bànlǎ 23
半路 bànlù 23
半数 bàn shù 23
半天 bàntiān 23
半途而废
bàn tú ér fèi 23
半信半疑
bàn xìn bàn yí 24
半夜 bànyè 24
半夜三更
bànyè sāngēng 24
半真半假
bàn zhēn bàn jiǎ 24
扮 bàn 24
扮演 bànyǎn 24
伴 bàn 24
伴侣 bànlǚ 24
伴随 bànsuí 25
伴奏 bànzòu 25
拌 bàn 25
瓣 bàn 25
帮 bāng 25
帮忙 bāng máng 25
帮助 bāngzhù 25
绑 bǎng 26
绑架 bǎngjià 26
榜样 bǎngyàng 26
棒 bàng 26
棒球 bàngqiú 26
傍晚 bàngwǎn 26
磅 bàng 26
包 bāo 26
包办 bāobàn 27
包袱 bāofu 27
包干儿 bāogānr 27
包裹 bāoguǒ 27
包含 bāohán 27
包括 bāokuò 28
包罗万象

bāo luó wàn xiàng 28
包围 bāowéi 28
包装 bāozhuāng 28
包子 bāozi 28
剥 bāo 28
雹子 báozi 28
薄 báo 28
饱 bǎo 29
饱和 bǎohé 29
饱满 bǎomǎn 29
宝 bǎo 29
宝贝 bǎobèi 29
宝贵 bǎoguì 29
宝剑 bǎojiàn 30
宝库 bǎokù 30
宝石 bǎoshí 30
保 bǎo 30
保持 bǎochí 30
保存 bǎocún 30
保管 bǎoguǎn 30
保护 bǎohù 31
保健 bǎojiàn 31
保留 bǎoliú 31
保密 bǎo mì 31
保姆 bǎomǔ 31
保守 bǎoshǒu 32
保卫 bǎowèi 32
保温 bǎowēn 32
保险 bǎoxiǎn 32
保养 bǎoyǎng 32
保障 bǎozhàng 32
保证 bǎozhèng 33
保重 bǎozhòng 33
堡垒 bǎolěi 33
报 bào 33
报仇 bào chóu 33
报酬 bàochou 33
报答 bàodá 33
报到 bào dào 34
报道(报导)
bàodào(bàodǎo) 34
报复 bàofù 34
报告 bàogào 34
报刊 bàokān 34
报考 bàokǎo 34
报名 bào míng 34
报社 bàoshè 35
报销 bàoxiāo 35
报纸 bàozhǐ 35
抱 bào 35
抱负 bàofù 35
抱歉 bàoqiàn 35
抱怨 bàoyuàn 35
暴 bào 35
暴动 bàodòng 36
暴风骤雨
bào fēng zhòu yǔ 36
暴力 bàolì 36
暴露 bàolù 36
暴雨 bàoyǔ 36
爆 bào 36
爆发 bàofā 36
爆破 bàopò 36
爆炸 bàozhà 37
爆竹 bàozhú 37
杯 bēi 37
杯水车薪
bēi shuǐ chē xīn 37
杯子 bēizi 37
卑鄙 bēibǐ 37
背 bēi 37
背包 bēibāo 38
悲哀 bēi'āi 38
悲惨 bēicǎn 38
悲愤 bēifèn 38
悲观 bēiguān 38
悲剧 bēijù 38
悲伤 bēishāng 38
悲痛 bēitòng 38
碑 bēi 38
北 běi 39
北边 běibian 39
北部 běibù 39
北方 běifāng 39
北面 běimiàn 39
贝壳 bèiké 39
备 bèi 39
备用 bèiyòng 39
背 bèi 39
背后 bèihòu 40
背井离乡
bèi jǐng lí xiāng 40
背景 bèijǐng 40
背面 bèimiàn 40
背叛 bèipàn 40
背诵 bèisòng 40
背心 bèixīn 40
倍 bèi 40
倍数 bèishù 41
被 bèi 41
被动 bèidòng 41
被告 bèigào 41
被迫 bèi pò 41
被子 bèizi 41
辈 bèi 41
奔 bēn 42
奔驰 bēnchí 42
奔跑 bēnpǎo 42
奔腾 bēnténg 42
本 běn 42
本来 běnlái 42
本领 běnlǐng 43
本末倒置
běn mò dào zhì 43
本能 běnnéng 43
本钱 běnqián 43
本人 běnrén 43

本身 běnshēn 43
本事 běnshi 43
本性 běnxìng 43
本性难移 běnxìng nán yí 43
本质 běnzhì 44
本着 běnzhe 44
本子 běnzi 44
奔 bèn 44
笨 bèn 44
笨蛋 bèndàn 44
笨重 bènzhòng 44
笨拙 bènzhuō 45
崩 bēng 45
崩溃 bēngkuì 45
绷 bēng 45
绷带 bēngdài 45
甭 béng 45
蹦 bèng 45
逼 bī 45
逼近 bījìn 46
逼迫 bīpò 46
鼻 bí 46
鼻涕 bíti 46
鼻子 bízi 46
比 bǐ 46
比方 bǐfāng 46
比分 bǐfēn 47
比价 bǐjià 47
比较 bǐjiào 47
比例 bǐlì 47
比如 bǐrú 47
比赛 bǐsài 47
比喻 bǐyù 47
比重 bǐzhòng 48
彼 bǐ 48
彼此 bǐcǐ 48
笔 bǐ 48
笔记 bǐjì 48
笔迹 bǐjì 49
笔试 bǐshì 49
笔直 bǐzhí 49
币 bì 49
必 bì 49
必定 bìdìng 49
必将 bìjiāng 49
必然 bìrán 49
必修 bìxiū 49
必须 bìxū 49
必需 bìxū 49
必要 bìyào 50
必由之路 bì yóu zhī lù 50
毕竟 bìjìng 50
毕业 bì yè 50
闭 bì 50
闭关自守 bì guān zì shǒu 50
闭幕 bì mù 50
闭幕式 bìmùshì 50
闭塞 bìsè 50
碧绿 bìlǜ 51
弊 bì 51
弊病 bìbìng 51
弊端 bìduān 51
壁 bì 51
避 bì 51
避免 bìmiǎn 51
臂 bì 51
边 biān 51
边…边… biān…biān… 52
边防 biānfáng 52
边疆 biānjiāng 52
边界 biānjiè 52
边境 biānjìng 52
边缘 biānyuán 52
编 biān 52
编号 biānhào 53
编辑 biānjí 53
编者按 biānzhě'àn 53
编制 biānzhì 53
鞭 biān 53
鞭策 biāncè 53
鞭炮 biānpào 54
鞭子 biānzi 54
贬 biǎn 54
贬低 biǎndī 54
贬义 biǎnyì 54
贬值 biǎnzhí 54
扁 biǎn 54
变 biàn 54
变本加厉 biàn běn jiā lì 55
变成 biàn chéng 55
变动 biàndòng 55
变革 biàngé 55
变更 biàngēng 55
变化 biànhuà 55
变换 biànhuàn 55
变迁 biànqiān 55
变形 biànxíng 56
变质 biàn zhì 56
便 biàn 56
便道 biàndào 56
便利 biànlì 56
便条 biàntiáo 57
便于 biànyú 57
遍 biàn 57
遍地 biàndì 57
辨 biàn 57
辨别 biànbié 57
辨认 biànrèn 57
辩 biàn 57
辩护 biànhù 58
辩解 biànjiě 58
辩论 biànlùn 58

辩证 biànzhèng 58
辩证法 biànzhèngfǎ 58
辫子 biànzi 58
标 biāo 59
标本 biāoběn 59
标点 biāodiǎn 59
标题 biāotí 59
标语 biāoyǔ 59
标志 biāozhì 59
标准 biāozhǔn 59
表 biǎo 59
表达 biǎodá 60
表里如一
biǎo lǐ rú yī 60
表面 biǎomiàn 60
表明 biǎomíng 60
表情 biǎoqíng 60
表示 biǎoshì 60
表现 biǎoxiàn 61
表演 biǎoyǎn 61
表扬 biǎoyáng 61
表彰 biǎozhāng 61
憋 biē 61
别 bié 61
别出心裁
bié chū xīn cái 62
别处 biéchù 62
别的 biéde 62
别具一格
bié jù yì gé 62
别人 biérén 62
别有用心
bié yǒu yòng xīn 63
别字 biézì 63
别 biè 63
别扭 bièniu 63
宾 bīn 63
宾馆 bīnguǎn 63
宾至如归
bīn zhì rú guī 63
冰 bīng 63
冰棍儿 bīnggùnr 63
冰淇淋 bīngqílín 64
兵 bīng 64
丙 bǐng 64
秉性 bǐngxìng 64
柄 bǐng 64
饼 bǐng 64
饼干 bǐnggān 64
并 bìng 64
并存 bìngcún 65
并非 bìngfēi 65
并列 bìngliè 65
并排 bìngpái 65
并且 bìngqiě 65
病 bìng 65
病虫害 bìngchónghài 66
病床 bìngchuáng 66
病毒 bìngdú 66
病房 bìngfáng 66
病号 bìnghào 66
病菌 bìngjūn 66
病情 bìngqíng 66
病人 bìngrén 66
拨 bō 66
拨款 bō kuǎn 67
波 bō 67
波动 bōdòng 67
波浪 bōlàng 67
波涛 bōtāo 67
玻璃 bōli 67
剥削 bōxuē 67
菠菜 bōcài 67
播 bō 67
播放 bōfàng 68
播送 bōsòng 68
播音 bō yīn 68
播种 bōzhǒng 68
伯父(伯伯)
bófù(bóbo) 68
伯母 bómǔ 68
驳 bó 68
驳斥 bóchì 69
脖子 bózi 69
博 bó 69
博大精深
bódà jīngshēn 69
博览会 bólǎnhuì 69
博览群书
bó lǎn qún shū 69
博士 bóshì 69
博物馆 bówùguǎn 69
搏斗 bódòu 69
薄 bó 70
薄膜 bómó 70
薄弱 bóruò 70
不必 búbì 70
不错 búcuò 70
不大 búdà 70
不但 búdàn 70
不当 búdàng 70
不定 búdìng 71
不断 búduàn 71
不对 bú duì 71
不够 bú gòu 71
不顾 búgù 71
不过 búguò 71
不见 bújiàn 71
不见得 bújiànde 71
不近人情
bú jìn rénqíng 71
不愧 búkuì 72
不利 búlì 72
不料 búliào 72
不露声色
bú lù shēngsè 72
不论 búlùn 72

不入虎穴，焉得虎子 bú rù hǔ xué, yān dé hǔ zǐ 72
不是 búshi 72
不是…而是… bú shì…ér shì… 72
不是…就是… bú shì…jiù shì… 72
不是吗 bú shì ma 73
不痛不痒 bú tòng bù yǎng 73
不像话 bú xiànghuà 73
不幸 búxìng 73
不要 búyào 73
不要紧 bú yàojǐn 73
不用 búyòng 73
不在乎 búzàihu 73
不正之风 bú zhèng zhī fēng 74
不至于 búzhìyú 74
不住 búzhù 74
不自量力 bú zì liàng lì 74
卜 bǔ 74
补 bǔ 74
补偿 bǔcháng 74
补充 bǔchōng 74
补救 bǔjiù 75
补课 bǔ kè 75
补贴 bǔtiē 75
补习 bǔxí 75
补助 bǔzhù 75
捕 bǔ 75
捕风捉影 bǔ fēng zhuō yǐng 75
捕捞 bǔlāo 76
捕捉 bǔzhuō 76
不 bù 76
不安 bù'ān 76
不卑不亢 bù bēi bú kàng 76
不比 bùbǐ 77
不曾 bùcéng 77
不耻下问 bù chǐ xià wèn 77
不辞而别 bù cí ér bié 77
不得 bù dé 77
不得不 bùdébù 77
不得了 bùdéliǎo 77
不得已 bùdéyǐ 77
不等 bùděng 77
不法 bùfǎ 78
不妨 bùfáng 78
不分彼此 bù fēn bǐcǐ 78
不敢当 bù gǎn dāng 78
不公 bùgōng 78
不管 bùguǎn 78
不寒而栗 bù hán ér lì 78
不好意思 bù hǎo yìsi 78
不解 bùjiě 78
不禁 bùjīn 79
不仅 bùjǐn 79
不久 bùjiǔ 79
不拘小节 bù jū xiǎojié 79
不觉 bù jué 79
不堪 bù kān 79
不可 bùkě 79
不可救药 bù kě jiù yào 80
不可理喻 bù kě lǐ yù 80
不可收拾 bù kě shōushi 80
不可思议 bù kě sīyì 80
不可捉摸 bù kě zhuōmō 80
不良 bùliáng 80
不了了之 bù liǎo liǎo zhī 80
不伦不类 bù lún bú lèi 80
不满 bùmǎn 81
不免 bùmiǎn 81
不平 bùpíng 81
不求甚解 bù qiú shèn jiě 81
不然 bùrán 81
不容 bùróng 81
不如 bùrú 81
不三不四 bù sān bú sì 82
不少 bùshǎo 82
不时 bùshí 82
不停 bùtíng 82
不同 bù tóng 82
不惜 bùxī 82
不相上下 bù xiāng shàngxià 82
不行 bú xíng 82
不朽 bùxiǔ 83
不许 bù xǔ 83
不学无术 bù xué wú shù 83
不言而喻 bù yán ér yù 83
不宜 bùyí 83
不一定 bù yídìng 83
不遗余力 bù yí yú lì 83
不由得 bùyóude 83
不怎么样

bù zěnmeyàng 83
不着边际
bù zháo biānjì 84
不知不觉
bù zhī bù jué 84
不止 bùzhǐ 84
不只 bùzhǐ 84
不足 bùzú 84
布 bù 84
布告 bùgào 84
布局 bùjú 85
布置 bùzhì 85
步 bù 85
步兵 bùbīng 85
步伐 bùfá 85
步行 bùxíng 86
步骤 bùzhòu 86
步子 bùzi 86
部 bù 86
部队 bùduì 86
部分 bùfen 86
部件 bùjiàn 86
部门 bùmén 86
部署 bùshǔ 86
部位 bùwèi 87
部长 bùzhǎng 87
埠 bù 87

C

擦 cā 88
猜 cāi 88
猜测 cāicè 88
猜想 cāixiǎng 88
才 cái 88
才干 cáigàn 89
才能 cáinéng 89
才智 cáizhì 89
材 cái 90
材料 cáiliào 90
财 cái 90
财产 cáichǎn 90
财富 cáifù 90
财经 cáijīng 90
财会 cáikuài 91
财力 cáilì 91
财务 cáiwù 91
财政 cáizhèng 91
裁 cái 91
裁缝 cáifeng 91
裁决 cáijué 91
裁军 cáijūn 92
裁判 cáipàn 92
采 cǎi 92
采访 cǎifǎng 92
采购 cǎigòu 92
采集 cǎijí 93
采纳 cǎinà 93
采取 cǎiqǔ 93
彩 cǎi 93
彩电 cǎidiàn 93
彩卷 cǎijuǎn 93
彩色 cǎisè 93
踩 cǎi 94
菜 cài 94
菜单 càidān 94
参观 cānguān 94
参加 cānjiā 94
参军 cān jūn 94
参考 cānkǎo 94
参谋 cānmóu 95
参议院 cānyìyuàn 95
参与 cānyù 95
参阅 cānyuè 95
参照 cānzhào 95
餐 cān 95
餐车 cānchē 96
餐风宿露
cān fēng sù lù 96
餐厅 cāntīng 96
残 cán 96
残暴 cánbào 96
残疾 cánjí 96
残酷 cánkù 96
残忍 cánrěn 96
残余 cányú 97
蚕 cán 97
惭愧 cánkuì 97
惨 cǎn 97
灿烂 cànlàn 97
仓促 cāngcù 97
仓库 cāngkù 97
苍白 cāngbái 97
苍蝇 cāngying 98
沧海桑田
cāng hǎi sāng tián 98
沧海一粟
cāng hǎi yí sù 98
舱 cāng 98
藏 cáng 98
操 cāo 98
操场 cāochǎng 99
操劳 cāoláo 99
操练 cāoliàn 99
操心 cāo xīn 99
操之过急
cāo zhī guò jí 99
操纵 cāozòng 99
操作 cāozuò 99
槽 cáo 99
草 cǎo 100
草案 cǎo'àn 100
草地 cǎodì 100
草木皆兵
cǎo mù jiē bīng 100
草率 cǎoshuài 100

草原 cǎoyuán 101
册 cè 101
厕所 cèsuǒ 101
侧 cè 101
侧面 cèmiàn 101
测 cè 101
测定 cèdìng 101
测量 cèliáng 101
测试 cèshì 102
测算 cèsuàn 102
测验 cèyàn 102
策划 cèhuà 102
策略 cèlüè 103
参差不齐 cēncī bù qí 103
层 céng 103
层出不穷 céng chū bù qióng 103
层次 céngcì 103
曾 céng 104
曾经 céngjīng 104
蹭 cèng 104
叉 chā 104
叉子 chāzi 104
差别 chābié 104
差错 chācuò 105
差距 chājù 105
差异 chāyì 105
插 chā 105
插秧 chā yāng 105
插足 chāzú 105
插嘴 chā zuǐ 105
插座 chāzuò 105
茶 chá 106
茶馆 cháguǎn 106
茶话会 cháhuàhuì 106
茶叶 cháyè 106
查 chá 106
查处 cháchǔ 106
查获 cháhuò 107
查明 chámíng 107
查阅 cháyuè 107
岔 chà 107
刹那 chànà 107
诧异 chàyì 107
差 chà 107
差不多 chàbuduō 108
差点儿 chàdiǎnr 108
拆 chāi 108
拆迁 chāiqiān 109
拆台 chāi tái 109
柴 chái 109
柴油 cháiyóu 109
掺 chān 109
搀 chān 109
谗言 chányán 109
馋 chán 109
缠 chán 109
蝉 chán 110
产 chǎn 110
产地 chǎndì 110
产量 chǎnliàng 110
产品 chǎnpǐn 110
产区 chǎnqū 110
产生 chǎnshēng 111
产物 chǎnwù 111
产业 chǎnyè 111
产值 chǎnzhí 111
铲 chǎn 111
阐明 chǎnmíng 111
阐述 chǎnshù 111
颤 chàn 111
颤动 chàndòng 112
颤抖 chàndǒu 112
昌盛 chāngshèng 112
猖狂 chāngkuáng 112
长 cháng 112
长处 chángchù 112
长度 chángdù 112
长短 chángduǎn 112
长久 chángjiǔ 113
长命百岁 cháng mìng bǎi suì 113
长期 chángqī 113
长寿 chángshòu 113
长途 chángtú 113
长远 chángyuǎn 113
长征 chángzhēng 114
肠 cháng 114
尝 cháng 114
尝试 chángshì 114
常 cháng 114
常常 chángcháng 115
常规 chángguī 115
常见 cháng•jiàn 115
常年 chángnián 115
常识 chángshí 115
常务 chángwù 115
常用 chángyòng 115
偿 cháng 115
偿还 chánghuán 116
厂 chǎng 116
厂房 chǎngfáng 116
厂家 chǎngjiā 116
厂商 chǎngshāng 116
厂长 chǎngzhǎng 116
场 chǎng 116
场地 chǎngdì 116
场合 chǎnghé 117
场面 chǎngmiàn 117
场所 chǎngsuǒ 117
敞 chǎng 117
敞开 chǎngkāi 117
畅谈 chàngtán 117
畅通 chàngtōng 117
畅销 chàngxiāo 117

倡议 chàngyì 117
唱 chàng 118
唱反调 chàng fǎndiào 118
抄 chāo 118
抄写 chāoxiě 118
钞票 chāopiào 118
超 chāo 119
超标 chāobiāo 119
超产 chāochǎn 119
超出 chāochū 119
超额 chāo'é 119
超过 chāoguò 119
超级 chāojí 119
超市 chāoshì 119
超越 chāoyuè 120
朝 cháo 120
朝代 cháodài 120
嘲笑 cháoxiào 120
潮 cháo 120
潮流 cháoliú 121
潮湿 cháoshī 121
吵 chǎo 121
吵架 chǎo jià 121
吵闹 chǎonào 121
吵嘴 chǎo zuǐ 121
炒 chǎo 121
炒鱿鱼 chǎo yóuyú 122
车 chē 122
车床 chēchuáng 122
车间 chējiān 122
车辆 chēliàng 122
车水马龙
chē shuǐ mǎ lóng 122
车厢 chēxiāng 122
车站 chēzhàn 123
扯 chě 123
彻底 chèdǐ 123
彻头彻尾
chè tóu chè wěi 123
撤 chè 123
撤退 chètuì 123
撤销 chèxiāo 123
尘 chén 123
尘土 chéntǔ 124
沉 chén 124
沉淀 chéndiàn 124
沉静 chénjìng 124
沉闷 chénmèn 124
沉默 chénmò 125
沉思 chénsī 125
沉痛 chéntòng 125
沉重 chénzhòng 125
沉着 chénzhuó 125
陈 chén 125
陈规陋习
chén guī lòu xí 125
陈旧 chénjiù 126
陈列 chénliè 126
陈述 chénshù 126
衬 chèn 126
衬衫 chènshān 126
衬衣 chènyī 126
称心 chèn xīn 126
称心如意
chèn xīn rú yì 126
趁 chèn 127
趁热打铁
chèn rè dǎ tiě 127
称 chēng 127
称号 chēnghào 127
称呼 chēnghu 127
称赞 chēngzàn 127
撑 chēng 128
成 chéng 128
成本 chěngběn 128
成分 chéngfèn 129
成功 chénggōng 129
成果 chéngguǒ 129
成绩 chéngjì 129
成家立业
chéng jiā lì yè 129
成交 chéng jiāo 129
成就 chéngjiù 129
成立 chénglì 130
成品 chéngpǐn 130
成千上万
chéng qiān shàng wàn 130
成人 chéngrén 130
成事不足,败事有余
chéng shì bù zú, bài shì yǒu yú 130
成熟 chéngshú 130
成套 chéng tào 130
成天 chéngtiān 131
成为 chéngwéi 131
成效 chéngxiào 131
成心 chéngxīn 131
成语 chéngyǔ 131
成员 chéngyuán 131
成长 chéngzhǎng 131
呈 chéng 131
呈现 chéngxiàn 132
诚 chéng 132
诚恳 chéngkěn 132
诚实 chéngshí 132
诚心诚意
chéng xīn chéng yì 132
诚意 chéngyì 132
诚挚 chéngzhì 132
承 chéng 132
承办 chéngbàn 132
承包 chéngbāo 133
承担 chéngdān 133
承认 chéngrèn 133
承受 chéngshòu 133

城 chéng 133
城市 chéngshì 133
城镇 chéngzhèn 134
乘 chéng 134
乘风破浪 chéng fēng pò làng 134
乘机 chéngjī 134
乘客 chéngkè 134
乘人之危 chéng rén zhī wēi 134
乘务员 chéngwùyuán 134
盛 chéng 135
程度 chéngdù 135
程序 chéngxù 135
惩 chéng 135
惩办 chéngbàn 135
惩罚 chéngfá 135
惩前毖后 chéng qián bì hòu 135
澄清 chéngqīng 135
秤 chèng 136
吃 chī 136
吃皇粮 chī huángliáng 136
吃惊 chī jīng 137
吃苦 chī kǔ 137
吃亏 chī kuī 137
吃香 chīxiāng 137
嗤之以鼻 chī zhī yǐ bí 137
痴心妄想 chī xīn wàng xiǎng 137
池 chí 137
池塘 chítáng 138
迟 chí 138
迟到 chídào 138
迟缓 chíhuǎn 138
迟疑 chíyí 138
持 chí 138
持久 chíjiǔ 138
持续 chíxù 138
持之以恒 chí zhī yǐ héng 138
尺 chǐ 139
尺寸 chǐcun 139
尺子 chǐzi 139
齿 chǐ 139
齿轮 chǐlún 139
赤 chì 139
赤道 chìdào 139
赤手空拳 chì shǒu kōng quán 140
赤字 chìzì 140
翅膀 chìbǎng 140
充当 chōngdāng 140
充分 chōngfèn 140
充满 chōngmǎn 140
充沛 chōngpèi 140
充实 chōngshí 140
充足 chōngzú 141
冲 chōng 141
冲锋 chōngfēng 141
冲击 chōngjī 141
冲破 chōngpò 141
冲突 chōngtū 141
虫 chóng 141
虫子 chóngzi 141
重 chóng 142
重蹈覆辙 chóng dǎo fù zhé 142
重叠 chóngdié 142
重复 chóngfù 142
重申 chóngshēn 142
重新 chóngxīn 142
崇拜 chóngbài 142
崇高 chónggāo 142
崇敬 chóngjìng 143
宠物 chǒngwù 143
冲 chòng 143
抽 chōu 143
抽空 chōu kòng 143
抽屉 chōuti 144
抽象 chōuxiàng 144
仇 chóu 144
仇恨 chóuhèn 144
绸子 chóuzi 144
酬宾 chóubīn 144
稠密 chóumì 144
愁 chóu 144
愁眉苦脸 chóu méi kǔ liǎn 144
筹备 chóubèi 145
筹建 chóujiàn 145
踌躇 chóuchú 145
踌躇满志 chóuchú mǎn zhì 145
丑 chǒu 145
丑恶 chǒu'è 145
臭 chòu 145
出 chū 146
出版 chūbǎn 146
出差 chū chāi 146
出产 chūchǎn 146
出动 chūdòng 146
出发 chūfā 147
出发点 chūfādiǎn 147
出访 chūfǎng 147
出境 chū jìng 147
出口 chū kǒu 147
出口成章 chū kǒu chéng zhāng 147
出来 chū lái 148
出类拔萃 chū lèi bá cuì 148

出路 chūlù 148
出卖 chūmài 148
出门 chū mén 148
出面 chū miàn 148
出名 chū míng 149
出难题 chū nántí 149
出品 chūpǐn 149
出去 chū qù 149
出人头地
chū rén tóu dì 149
出入 chūrù 149
出色 chūsè 149
出身 chūshēn 149
出神 chū shén 150
出生 chūshēng 150
出生入死
chū shēng rù sǐ 150
出世 chūshì 150
出事 chū shì 150
出售 chūshòu 150
出台 chū tái 150
出席 chū xí 151
出息 chūxi 151
出现 chūxiàn 151
出线 chū xiàn 151
出洋相
chū yángxiàng 151
出院 chū yuàn 151
出租 chūzū 151
出租汽车
chūzū qìchē 151
初 chū 152
初步 chūbù 152
初出茅庐
chū chū máolú 152
初级 chūjí 152
初期 chūqī 152
初中 chūzhōng 152
除 chú 153
除此之外
chú cǐ zhīwài 153
除非 chúfēi 153
除了…以外…
chúle…yǐwài… 153
除外 chúwài 153
除夕 chúxī 154
厨房 chúfáng 154
厨师 chúshī 154
锄 chú 154
处 chǔ 154
处罚 chǔfá 154
处方 chǔfāng 154
处分 chǔfèn 155
处境 chǔjìng 155
处决 chǔjué 155
处理 chǔlǐ 155
处心积虑
chǔ xīn jī lǜ 155
处于 chǔyú 155
处置 chǔzhì 156
储备 chǔbèi 156
储藏 chǔcáng 156
储存 chǔcún 156
储蓄 chǔxù 156
处 chù 156
处处 chùchù 157
触 chù 157
触犯 chùfàn 157
触目惊心
chù mù jīng xīn 157
川 chuān 157
川流不息
chuān liú bù xī 157
穿 chuān 157
穿小鞋 chuān xiǎoxié 158
传 chuán 158
传播 chuánbō 158
传达 chuándá 158
传单 chuándān 158
传递 chuándì 159
传呼机 chuánhūjī 159
传媒 chuánméi 159
传染 chuánrǎn 159
传授 chuánshòu 159
传说 chuánshuō 159
传送 chuánsòng 159
传统 chuántǒng 159
传真 chuánzhēn 160
船 chuán 160
船舶 chuánbó 160
船只 chuánzhī 160
喘 chuǎn 160
串 chuàn 160
疮 chuāng 160
窗 chuāng 160
窗户 chuānghu 161
窗口 chuāngkǒu 161
窗帘 chuānglián 161
窗台 chuāngtái 161
床 chuáng 161
床单 chuángdān 161
床铺 chuángpù 161
床位 chuángwèi 162
闯 chuǎng 162
创 chuàng 162
创办 chuàngbàn 162
创汇 chuànghuì 162
创建 chuàngjiàn 162
创立 chuànglì 162
创收 chuàngshōu 162
创新 chuàngxīn 162
创业 chuàngyè 163
创意 chuàngyì 163
创造 chuàngzào 163
创作 chuàngzuò 163
吹 chuī 163
吹毛求疵

chuī máo qiú cī 163
吹牛 chuī niú 164
吹捧 chuīpěng 164
炊事员 chuīshìyuán 164
垂直 chuízhí 164
捶 chuí 164
锤 chuí 164
春 chūn 164
春耕 chūngēng 164
春季 chūnjì 164
春节 Chūn Jié 165
春天 chūntiān 165
纯 chún 165
纯粹 chúncuì 165
纯洁 chúnjié 165
蠢 chǔn 165
蠢蠢欲动
chǔnchǔn yù dòng 165
绰绰有余
chuòchuò yǒu yú 165
词 cí 166
词典 cídiǎn 166
词汇 cíhuì 166
词句 cíjù 166
瓷 cí 166
辞 cí 166
辞职 cí zhí 167
慈爱 cí'ài 167
慈祥 cíxiáng 167
磁带 cídài 167
磁卡 cíkǎ 167
磁铁 cítiě 167
雌 cí 167
此 cǐ 167
此后 cǐhòu 168
此刻 cǐkè 168
此起彼伏 cǐ qǐ bǐ fú 168
此时 cǐshí 168
此外 cǐwài 168
次 cì 168
次品 cìpǐn 168
次数 cìshù 168
次序 cìxù 169
次要 cìyào 169
伺候 cìhou 169
刺 cì 169
刺激 cìjī 169
匆匆 cōngcōng 169
匆忙 cōngmáng 170
葱 cōng 170
聪明 cōngming 170
从 cóng 170
从不(没)
cóngbù(méi) 170
从…出发
cóng…chūfā 170
从此 cóngcǐ 170
从…到…
cóng…dào… 171
从而 cóng'ér 171
从…看来
cóng…kànlái 171
从来 cónglái 171
从…起 cóng…qǐ 171
从前 cóngqián 171
从容 cóngróng 171
从容不迫
cóngróng bú pò 172
从事 cóngshì 172
从头 cóngtóu 172
从未 cóngwèi 172
从小 cóngxiǎo 172
从中 cóngzhōng 172
丛 cóng 172
凑 còu 172
凑合 còuhe 173
凑巧 còuqiǎo 173
粗 cū 173
粗暴 cūbào 173
粗茶淡饭
cū chá dàn fàn 174
粗粮 cūliáng 174
粗鲁 cūlǔ 174
粗细 cūxì 174
粗心 cūxīn 174
粗心大意
cūxīn dàyì 174
粗制滥造
cū zhì làn zào 174
促 cù 174
促进 cùjìn 175
促使 cùshǐ 175
醋 cù 175
窜 cuàn 175
催 cuī 175
摧残 cuīcán 175
摧毁 cuīhuǐ 175
脆 cuì 176
脆弱 cuìruò 176
翠绿 cuìlǜ 176
村 cūn 176
村庄 cūnzhuāng 176
村子 cūnzi 176
存 cún 176
存放 cúnfàng 177
存款 cún kuǎn 177
存在 cúnzài 177
寸 cùn 177
搓 cuō 177
磋商 cuōshāng 177
挫折 cuòzhé 177
措施 cuòshī 177
错 cuò 178
错误 cuòwù 178
错字 cuòzì 178

D

搭 dā 179
搭配 dāpèi 179
答应 dāying 179
达 dá 180
达标 dábiāo 180
达成 dá chéng 180
达到 dá dào 180
答 dá 180
答案 dá'àn 180
答辩 dábiàn 180
答复 dáfù 181
答卷 dájuàn 181
打 dǎ 181
打败 dǎ bài 183
打扮 dǎban 183
打草惊蛇
dǎ cǎo jīng shé 183
打成一片
dǎ chéng yí piàn 183
打倒 dǎ dǎo 184
打的 dǎ dí 184
打发 dǎfa 184
打工 dǎ gōng 184
打击 dǎjī 184
打架 dǎ jià 184
打交道 dǎ jiāodao 184
打量 dǎliang 185
打猎 dǎ liè 185
打破 dǎ pò 185
打气 dǎ qì 185
打扰 dǎrǎo 185
打扫 dǎsǎo 185
打算 dǎsuan 185
打听 dǎting 186
打印 dǎyìn 186
打仗 dǎ zhàng 186
打招呼 dǎ zhāohu 186
打折扣 dǎ zhékòu 186
打针 dǎ zhēn 186
大 dà 186
大半 dàbàn 187
大包大揽
dà bāo dà lǎn 187
大便 dàbiàn 187
大臣 dàchén 187
大大 dàdà 188
大胆 dàdǎn 188
大刀阔斧
dà dāo kuò fǔ 188
大道 dàdào 188
大道理 dàdàoli 188
大地 dàdì 188
大都 dàdū 188
大队 dàduì 188
大多 dàduō 189
大多数 dàduōshù 189
大发雷霆
dà fā léitíng 189
大方 dàfang 189
大腹便便
dà fù piánpián 189
大概 dàgài 189
大哥 dàgē 190
大公无私
dà gōng wú sī 190
大锅饭 dàguōfàn 190
大会 dàhuì 190
大伙儿 dàhuǒr 190
大家 dàjiā 191
大街 dàjiē 191
大惊失色
dà jīng shī sè 191
大惊小怪
dà jīng xiǎo guài 191
大局 dàjú 191
大快人心
dà kuài rén xīn 191
大款 dàkuǎn 192
大理石 dàlǐshí 192
大力 dàlì 192
大量 dàliàng 192
大陆 dàlù 192
大米 dàmǐ 192
大名鼎鼎
dà míng dǐngdǐng 192
大拇指 dàmǔzhǐ 193
大脑 dànǎo 193
大炮 dàpào 193
大批 dàpī 193
大气压 dàqìyā 193
大人 dàren 193
大嫂 dàsǎo 193
大煞风景
dà shā fēngjǐng 193
大厦 dàshà 194
大声 dà shēng 194
大声疾呼
dà shēng jí hū 194
大失所望
dà shī suǒ wàng 194
大使 dàshǐ 194
大使馆 dàshǐguǎn 194
大势所趋
dà shì suǒ qū 194
大势已去
dà shì yǐ qù 194
大肆 dàsì 195
大体 dàtǐ 195
大同小异
dà tóng xiǎo yì 195
大无畏 dàwúwèi 195
大相径庭
dà xiāng jìngtíng 195

大小 dàxiǎo 195
大型 dàxíng 195
大学 dàxué 196
大雁 dàyàn 196
大摇大摆
dà yáo dà bǎi 196
大衣 dàyī 196
大义灭亲
dà yì miè qīn 196
大意 dàyì 196
大有可为
dà yǒu kě wéi 196
大于 dàyú 196
大约 dàyuē 197
大致 dàzhì 197
大智若愚
dà zhì ruò yú 197
大众 dàzhòng 197
大自然 dàzìrán 197
呆 dāi 197
歹徒 dǎitú 198
大夫 dàifu 198
代 dài 198
代办 dàibàn 198
代表 dàibiǎo 198
代号 dàihào 199
代价 dàijià 199
代理 dàilǐ 199
代数 dàishù 199
代替 dàitì 199
带 dài 199
带儿 dàir 200
带动 dàidòng 200
带劲 dàijìn 200
带领 dàilǐng 200
带头 dài tóu 200
贷 dài 200
贷款 dài kuǎn 200
待 dài 200
待业 dài yè 200
待遇 dàiyù 201
怠工 dài gōng 201
怠慢 dàimàn 201
袋 dài 201
逮捕 dàibǔ 201
戴 dài 201
丹 dān 201
担 dān 201
担保 dānbǎo 202
担负 dānfù 202
担任 dānrèn 202
担心 dān xīn 202
担忧 dānyōu 202
单 dān 202
单纯 dānchún 203
单词 dāncí 203
单刀直入
dān dāo zhí rù 203
单调 dāndiào 203
单独 dāndú 203
单枪匹马
dān qiāng pǐ mǎ 203
单位 dānwèi 204
单元 dānyuán 204
耽误 dānwu 204
胆 dǎn 204
胆大包天
dǎn dà bāo tiān 204
胆量 dǎnliàng 204
胆怯 dǎnqiè 205
胆子 dǎnzi 205
但 dàn 205
但是 dànshì 205
担 dàn 206
担子 dànzi 206
诞辰 dànchén 206
诞生 dànshēng 206
淡 dàn 206
淡化 dànhuà 207
淡季 dànjì 207
淡水 dànshuǐ 207
弹 dàn 207
弹药 dànyào 207
蛋 dàn 207
蛋白质 dànbáizhì 208
蛋糕 dàngāo 208
氮 dàn 208
当 dāng 208
当场 dāngchǎng 208
当初 dāngchū 208
当代 dāngdài 209
当…的时候
dāng…de shíhou 209
当地 dāngdì 209
当机立断
dāng jī lì duàn 209
当家 dāng jiā 209
当局 dāngjú 209
当面 dāng miàn 209
当年 dāngnián 209
当前 dāngqián 210
当然 dāngrán 210
当时 dāngshí 210
当事人 dāngshìrén 210
当心 dāngxīn 210
当选 dāngxuǎn 210
当中 dāngzhōng 210
挡 dǎng 211
党 dǎng 211
党派 dǎngpài 211
党委 dǎngwěi 211
党性 dǎngxìng 211
党员 dǎngyuán 211
党章 dǎngzhāng 211
当 dàng 211
当天 dàngtiān 212
当做 dàngzuò 212

荡 dàng 212
档 dàng 212
档案 dàng'àn 213
档次 dàngcì 213
刀 dāo 213
刀刃 dāorèn 213
刀子 dāozi 213
叨唠 dāolao 213
导 dǎo 213
导弹 dǎodàn 214
导航 dǎoháng 214
导师 dǎoshī 214
导体 dǎotǐ 214
导向 dǎoxiàng 214
导演 dǎoyǎn 214
导游 dǎoyóu 215
导致 dǎozhì 215
岛 dǎo 215
岛屿 dǎoyǔ 215
捣 dǎo 215
捣蛋 dǎo dàn 215
捣乱 dǎo luàn 215
倒 dǎo 216
倒闭 dǎobì 216
倒霉 dǎo méi 216
倒腾 dǎoteng 216
倒爷 dǎoyé 216
到 dào 216
到处 dàochù 217
到达 dàodá 217
到底 dào dǐ 217
到家 dào jiā 217
到来 dàolái 217
到期 dào qī 218
到…为止
dào…wéizhǐ 218
到位 dào wèi 218
倒 dào 218
倒退 dàotuì 219
悼念 dàoniàn 219
盗 dào 219
盗窃 dàoqiè 219
道 dào 219
道不拾遗
dào bù shí yí 220
道德 dàodé 220
道理 dàoli 220
道路 dàolù 221
道貌岸然
dàomào ànrán 221
道歉 dào qiàn 221
稻子 dàozi 221
得 dé 221
得病 dé bìng 221
得不偿失
dé bù cháng shī 222
得寸进尺
dé cùn jìn chǐ 222
得到 dé dào 222
得了 dé le 222
得力 délì 222
得心应手
dé xīn yìng shǒu 222
得以 déyǐ 222
得意 déyì 222
得意忘形
dé yì wàng xíng 223
得罪 dézuì 223
德 dé 223
德才兼备
dé cái jiān bèi 223
德语(文)
Déyǔ(wén) 223
地 de 224
的 de 224
…的话 …de huà 224
得 de 224
…得很 …de hěn 225
得 děi 225
灯 dēng 225
灯火 dēnghuǒ 225
灯笼 dēnglong 225
灯泡 dēngpào 225
登 dēng 225
登记 dēngjì 226
登陆 dēng lù 226
蹬 dēng 226
等 děng 226
等待 děngdài 227
等到 děngdào 227
等候 děnghòu 227
等级 děngjí 227
等于 děngyú 227
凳 dèng 227
瞪 dèng 228
低 dī 228
低级 dījí 228
低劣 dīliè 228
低三下四
dī sān xià sì 228
低温 dīwēn 229
低下 dīxià 229
堤 dī 229
滴 dī 229
的确 díquè 229
的士 díshì 229
敌 dí 230
敌对 díduì 230
敌人 dírén 230
敌视 díshì 230
笛 dí 230
笛子 dízi 230
抵 dǐ 230
抵达 dǐdá 231
抵抗 dǐkàng 231
抵制 dǐzhì 231
底 dǐ 231

底片 dǐpiàn 231
底下 dǐxia 232
地 dì 232
地板 dìbǎn 232
地步 dìbù 232
地带 dìdài 232
地道 dìdao 233
地点 dìdiǎn 233
地方 dìfāng 233
地方 dìfang 233
地理 dìlǐ 233
地面 dìmiàn 233
地球 dìqiú 234
地区 dìqū 234
地势 dìshì 234
地毯 dìtǎn 234
地铁 dìtiě 234
地图 dìtú 234
地位 dìwèi 235
地下 dìxià 235
地形 dìxíng 235
地震 dìzhèn 235
地址 dìzhǐ 235
地主 dìzhǔ 235
弟 dì 235
弟弟 dìdi 236
弟兄 dìxiong 236
帝国 dìguó 236
帝国主义 dìguó zhǔyì 236
递 dì 236
递交 dìjiāo 236
递增 dìzēng 236
第 dì 237
缔 dì 237
缔结 dìjié 237
掂 diān 237
颠 diān 237
颠簸 diānbǒ 237
颠倒 diāndǎo 237
颠倒黑白 diāndǎo hēi bái 237
颠倒是非 diāndǎo shì fēi 238
颠覆 diānfù 238
颠沛流离 diānpèi liúlí 238
典 diǎn 238
典礼 diǎnlǐ 238
典型 diǎnxíng 238
点 diǎn 239
点火 diǎn huǒ 240
点名 diǎn míng 240
点燃 diǎnrán 240
点石成金 diǎn shí chéng jīn 241
点心 diǎnxin 241
点钟 diǎnzhōng 241
点缀 diǎnzhuì 241
点子 diǎnzi 241
电 diàn 241
电报 diànbào 242
电冰箱 diànbīngxiāng 242
电车 diànchē 242
电池 diànchí 242
电大 diàn dà 242
电灯 diàndēng 242
电动机 diàndòngjī 243
电风扇 diànfēngshàn 243
电话 diànhuà 243
电力 diànlì 243
电铃 diànlíng 243
电流 diànliú 243
电炉 diànlú 243
电路 diànlù 244
电脑 diànnǎo 244
电钮 diànniǔ 244
电气 diànqì 244
电器 diànqì 244
电视 diànshì 244
电视台 diànshìtái 244
电台 diàntái 244
电梯 diàntī 245
电线 diànxiàn 245
电压 diànyā 245
电影 diànyǐng 245
电影院 diànyǐngyuàn 245
电源 diànyuán 245
电子 diànzǐ 245
电子图书 diànzǐ túshū 246
电子邮件 diànzǐ yóujiàn 246
店 diàn 246
店员 diànyuán 246
垫 diàn 246
惦 diàn 247
惦记 diànjì 247
淀粉 diànfěn 247
奠定 diàndìng 247
殿 diàn 247
刁 diāo 247
叼 diāo 247
雕 diāo 247
雕刻 diāokè 248
雕塑 diāosù 248
吊 diào 248
钓 diào 248
调 diào 248
调查 diàochá 248
调动 diàodòng 249
调度 diàodù 249
调虎离山 diào hǔ lí shān 249

调换 diàohuàn 249
掉 diào 249
掉以轻心
diào yǐ qīng xīn 250
爹 diē 250
跌 diē 250
喋喋不休
diédié bù xiū 250
叠 dié 250
碟 dié 250
丁 dīng 250
叮 dīng 251
叮嘱 dīngzhǔ 251
盯 dīng 251
钉 dīng 251
钉子 dīngzi 252
顶 dǐng 252
顶点 dǐngdiǎn 253
顶端 dǐngduān 253
顶天立地
dǐng tiān lì dì 253
订 dìng 253
订购 dìnggòu 253
订婚 dìng hūn 254
订货 dìng huò 254
订阅 dìngyuè 254
钉 dìng 254
定 dìng 254
定点 dìng diǎn 255
定额 dìng'é 255
定价 dìngjià 255
定居 dìngjū 255
定理 dìnglǐ 255
定量 dìngliàng 255
定律 dìnglǜ 255
定期 dìngqī 256
定向 dìngxiàng 256
定性 dìng xìng 256
定义 dìngyì 256
丢 diū 256
丢人 diū rén 256
丢三落四
diū sān là sì 256
丢失 diūshī 257
东 dōng 257
东北 dōngběi 257
东奔西走
dōng bēn xī zǒu 257
东边 dōngbian 257
东部 dōngbù 257
东倒西歪
dōng dǎo xī wāi 258
东道主 dōngdàozhǔ 258
东方 dōngfāng 258
东面 dōngmiàn 258
东南 dōngnán 258
东西 dōngxi 258
冬 dōng 259
冬瓜 dōngguā 259
冬季 dōngjì 259
冬天 dōngtiān 259
董事 dǒngshì 259
懂 dǒng 259
懂得 dǒngde 259
懂事 dǒng shì 260
动 dòng 260
动荡 dòngdàng 260
动工 dòng gōng 260
动机 dòngjī 261
动静 dòngjing 261
动力 dònglì 261
动乱 dòngluàn 261
动脉 dòngmài 261
动人 dòngrén 261
动身 dòng shēn 261
动手 dòng shǒu 262
动态 dòngtài 262
动物 dòngwù 262
动物园 dòngwùyuán 262
动心 dòng xīn 262
动摇 dòngyáo 262
动用 dòngyòng 263
动员 dòngyuán 263
动作 dòngzuò 263
冻 dòng 263
冻结 dòngjié 263
栋 dòng 263
洞 dòng 263
都 dōu 264
兜 dōu 264
兜儿 dōur 264
抖 dǒu 264
陡 dǒu 265
斗 dòu 265
斗争 dòuzhēng 265
斗志 dòuzhì 265
斗志昂扬
dòuzhì ángyáng 265
豆 dòu 265
豆腐 dòufu 266
豆浆 dòujiāng 266
豆子 dòuzi 266
逗 dòu 266
都 dū 266
都市 dūshì 266
督 dū 266
督促 dūcù 267
毒 dú 267
毒害 dúhài 267
毒品 dúpǐn 267
毒性 dúxìng 267
独 dú 267
独裁 dúcái 267
独当一面
dú dāng yí miàn 268
独立 dúlì 268
独立自主 dúlì zìzhǔ 268

独生子女
dúshēng zǐnǚ 268
独特 dútè 268
独自 dúzì 268
读 dú 268
读书 dú shū 269
读物 dúwù 269
读者 dúzhě 269
堵 dǔ 269
堵塞 dǔsè 269
赌 dǔ 269
赌博 dǔbó 270
杜绝 dùjué 270
肚 dù 270
度 dù 270
度过 dùguò 271
渡 dù 271
渡船 dùchuán 271
渡口 dùkǒu 271
镀 dù 271
端 duān 271
端午节 Duānwǔ Jié 272
端正 duānzhèng 272
短 duǎn 272
短处 duǎnchù 272
短促 duǎncù 272
短期 duǎnqī 272
短小精悍
duǎnxiǎo jīnghàn 273
短暂 duǎnzàn 273
段 duàn 273
断 duàn 273
断定 duàndìng 273
断断续续
duànduàn xùxù 273
断绝 duànjué 274
缎子 duànzi 274
锻炼 duànliàn 274
堆 duī 274
堆积 duījī 274
队 duì 274
队伍 duìwǔ 275
队员 duìyuán 275
队长 duìzhǎng 275
对 duì 275
对岸 duì'àn 276
对比 duìbǐ 276
对不起 duì bu qǐ 276
对策 duìcè 276
对称 duìchèn 276
对待 duìdài 277
对得起 duì de qǐ 277
对方 duìfāng 277
对付 duìfu 277
对话 duìhuà 277
对抗 duìkàng 277
对…来说
duì…láishuō 277
对了 duì le 278
对立 duìlì 278
对联 duìlián 278
对门 duìmén 278
对面 duìmiàn 278
对牛弹琴
duì niú tán qín 278
对手 duìshǒu 279
对头 duì tóu 279
对象 duìxiàng 279
对应 duìyìng 279
对于 duìyú 279
对照 duìzhào 280
兑 duì 280
兑换 duìhuàn 280
兑现 duìxiàn 280
吨 dūn 280
蹲 dūn 280
顿 dùn 281
顿开茅塞
dùn kāi máo sè 281
顿时 dùnshí 281
多 duō 281
多半 duōbàn 282
多此一举
duō cǐ yì jǔ 282
多多益善
duōduō yì shàn 282
多亏 duōkuī 282
多劳多得
duō láo duō dé 282
多么 duōme 283
多少 duōshao 283
多数 duōshù 283
多余 duōyú 283
咄咄逼人
duōduō bī rén 283
咄咄怪事
duōduō guài shì 283
哆嗦 duōsuo 284
夺 duó 284
夺得 duódé 284
夺取 duóqǔ 284
朵 duǒ 284
躲 duǒ 284
躲避 duǒbì 284
躲藏 duǒcáng 285
舵 duò 285
堕 duò 285
堕落 duòluò 285
跺 duò 285

E

讹 é 286
俄语(文)Éyǔ(wén) 286
额 é 286
额外 éwài 286

恶心 ěxin 286
恶 è 286
恶毒 èdú 286
恶化 èhuà 286
恶劣 èliè 287
恶性 èxìng 287
饿 è 287
恩 ēn 287
恩爱 ēn'ài 287
恩情 ēnqíng 287
恩人 ēnrén 287
儿 ér 287
儿女 érnǚ 287
儿女情长 érnǚ qíng cháng 288
儿童 értóng 288
儿子 érzi 288
而 ér 288
而后 érhòu 288
而且 érqiě 288
而已 éryǐ 289
耳朵 ěrduo 289
耳目一新 ěr mù yì xīn 289
二 èr 289
二氧化碳 èryǎnghuàtàn 289
二战 Èrzhàn 289
贰 èr 289

F

发 fā 290
发表 fābiǎo 290
发病 fā bìng 290
发布 fābù 291
发财 fā cái 291
发愁 fā chóu 291
发出 fāchū 291
发达 fādá 291
发电 fā diàn 291
发动 fādòng 292
发抖 fādǒu 292
发奋图强 fāfèn tú qiáng 292
发挥 fāhuī 292
发火 fā huǒ 292
发觉 fājué 292
发明 fāmíng 292
发票 fāpiào 293
发起 fāqǐ 293
发热 fā rè 293
发人深省 fā rén shēn xǐng 293
发烧 fā shāo 293
发射 fāshè 293
发生 fāshēng 293
发誓 fā shì 294
发售 fāshòu 294
发现 fāxiàn 294
发行 fāxíng 294
发言 fā yán 294
发炎 fāyán 294
发扬 fāyáng 294
发扬光大 fāyáng guāngdà 294
发育 fāyù 295
发展 fāzhǎn 295
伐 fá 295
罚 fá 295
法 fǎ 295
法定 fǎdìng 295
法官 fǎguān 295
法规 fǎguī 296
法令 fǎlìng 296
法律 fǎlǜ 296
法人 fǎrén 296
法庭 fǎtíng 296
法语（文） Fǎyǔ(wén) 296
法院 fǎyuàn 296
法则 fǎzé 296
法制 fǎzhì 297
法子 fǎzi 297
发 fà 297
发廊 fàláng 297
帆 fān 297
帆船 fānchuán 297
番 fān 297
番茄 fānqié 298
翻 fān 298
翻身 fān shēn 298
翻译 fānyì 298
凡 fán 299
凡是 fánshì 299
烦 fán 299
烦闷 fánmèn 299
烦恼 fánnǎo 299
烦躁 fánzào 299
繁 fán 300
繁多 fánduō 300
繁华 fánhuá 300
繁忙 fánmáng 300
繁荣 fánróng 300
繁体字 fántǐzì 300
繁殖 fánzhí 301
繁重 fánzhòng 301
反 fǎn 301
反驳 fǎnbó 301
反常 fǎncháng 301
反倒 fǎndào 301
反动 fǎndòng 301
反对 fǎnduì 302
反而 fǎn'ér 302
反复 fǎnfù 302
反感 fǎngǎn 302
反攻 fǎngōng 302

反击 fǎnjī 302
反抗 fǎnkàng 302
反馈 fǎnkuì 303
反面 fǎnmiàn 303
反射 fǎnshè 303
反思 fǎnsī 303
反问 fǎnwèn 303
反应 fǎnyìng 303
反映 fǎnyìng 304
反正 fǎnzhèng 304
反之 fǎnzhī 304
返 fǎn 304
返程 fǎnchéng 305
返回 fǎnhuí 305
犯 fàn 305
犯法 fàn fǎ 305
犯浑 fàn hún 305
犯难 fàn nán 305
犯人 fànrén 305
犯罪 fàn zuì 305
饭 fàn 306
饭店 fàndiàn 306
饭馆 fànguǎn 306
饭碗 fànwǎn 306
泛 fàn 306
泛滥 fànlàn 306
范畴 fànchóu 306
范围 fànwéi 307
贩 fàn 307
贩卖 fànmài 307
方 fāng 307
方案 fāng'àn 307
方便 fāngbiàn 308
方便面 fāngbiànmiàn 308
方程 fāngchéng 308
方法 fāngfǎ 308
方面 fāngmiàn 308
方式 fāngshì 308
方向 fāngxiàng 309
方兴未艾
fāng xīng wèi ài 309
方针 fāngzhēn 309
防 fáng 309
防护 fánghù 309
防守 fángshǒu 309
防微杜渐
fáng wēi dù jiàn 309
防伪 fáng wěi 309
防线 fángxiàn 310
防汛 fáng xùn 310
防疫 fáng yì 310
防御 fángyù 310
防止 fángzhǐ 310
防治 fángzhì 310
妨 fáng 310
妨碍 fáng'ài 310
房 fáng 311
房东 fángdōng 311
房改 fánggǎi 311
房间 fángjiān 311
房屋 fángwū 311
房子 fángzi 311
房租 fángzū 311
仿 fǎng 311
仿佛 fǎngfú 312
访 fǎng 312
访问 fǎngwèn 312
纺 fǎng 312
纺织 fǎngzhī 312
放 fàng 312
放大 fàngdà 313
放假 fàng jià 313
放弃 fàngqì 313
放任自流
fàngrèn zì liú 314
放射 fàngshè 314
放手 fàng shǒu 314
放松 fàngsōng 314
放心 fàng xīn 314
放学 fàng xué 314
放映 fàngyìng 314
飞 fēi 315
飞船 fēichuán 315
飞机 fēijī 315
飞快 fēikuài 315
飞舞 fēiwǔ 315
飞翔 fēixiáng 316
飞行 fēixíng 316
飞跃 fēiyuè 316
非 fēi 316
非…不可 fēi…bùkě 316
非…才… fēi…cái… 317
非常 fēicháng 317
非法 fēifǎ 317
肥 féi 317
肥料 féiliào 317
肥沃 féiwò 318
肥皂 féizào 318
匪徒 fěitú 318
诽谤 fěibàng 318
肺 fèi 318
废 fèi 318
废除 fèichú 318
废话 fèihuà 319
废品 fèipǐn 319
废气 fèiqì 319
废寝忘食
fèi qǐn wàng shí 319
废物 fèiwù 319
废墟 fèixū 319
沸 fèi 319
沸腾 fèiténg 319
费 fèi 320
费力 fèi lì 320
费用 fèiyong 320
分 fēn 320
分辨 fēnbiàn 321

分辩 fēnbiàn 321
分别 fēnbié 321
分布 fēnbù 321
分寸 fēncùn 322
分队 fēnduì 322
分工 fēn gōng 322
分红 fēn hóng 322
分化 fēnhuà 322
分解 fēnjiě 322
分类 fēn lèi 323
分离 fēnlí 323
分裂 fēnliè 323
分泌 fēnmì 323
分明 fēnmíng 323
分母 fēnmǔ 323
分配 fēnpèi 323
分批 fēn pī 324
分期 fēn qī 324
分歧 fēnqí 324
分清 fēn qīng 324
分散 fēnsàn 324
分数 fēnshù 324
分析 fēnxī 325
…分之…fēn zhī… 325
分钟 fēnzhōng 325
分子 fēnzǐ 325
芬芳 fēnfāng 325
吩咐 fēnfù 325
纷 fēn 326
纷纷 fēnfēn 326
坟 fén 326
坟墓 fénmù 326
粉 fěn 326
粉笔 fěnbǐ 326
粉末 fěnmò 327
粉碎 fěnsuì 327
分 fèn 327
分量 fènliàng 327
分外 fènwài 327
分子 fènzǐ 328
份 fèn 328
奋 fèn 328
奋斗 fèndòu 328
奋发图强
fènfā tú qiáng 329
奋勇 fènyǒng 329
奋战 fènzhàn 329
愤恨 fènhèn 329
愤怒 fènnù 329
粪 fèn 329
丰产 fēngchǎn 329
丰富 fēngfù 329
丰满 fēngmǎn 330
丰收 fēngshōu 330
风 fēng 330
风暴 fēngbào 330
风度 fēngdù 330
风格 fēnggé 331
风光 fēngguāng 331
风景 fēngjǐng 331
风浪 fēnglàng 331
风力 fēnglì 331
风马牛不相及
fēng mǎ niú bù xiāng jí 331
风靡一时
fēngmǐ yì shí 331
风平浪静
fēng píng làng jìng 331
风气 fēngqì 332
风趣 fēngqù 332
风沙 fēngshā 332
风尚 fēngshàng 332
风俗 fēngsú 332
风味 fēngwèi 332
风险 fēngxiǎn 333
风雨同舟
fēngyǔ tóng zhōu 333
风筝 fēngzheng 333
封 fēng 333
封闭 fēngbì 333
封顶 fēngdǐng 333
封建 fēngjiàn 333
封锁 fēngsuǒ 334
疯 fēng 334
疯狂 fēngkuáng 334
疯子 fēngzi 334
锋利 fēnglì 334
蜂 fēng 334
蜂蜜 fēngmì 334
逢 féng 335
逢凶化吉
féng xiōng huà jí 335
缝 féng 335
讽 fěng 335
讽刺 fěngcì 335
凤凰 fènghuáng 335
奉 fèng 335
奉献 fèngxiàn 335
缝 fèng 335
佛 fó 336
佛教 Fójiào 336
否 fǒu 336
否定 fǒudìng 336
否决 fǒujué 336
否认 fǒurèn 336
否则 fǒuzé 337
夫 fū 337
夫妇 fūfù 337
夫妻 fūqī 337
夫人 fūrén 337
敷 fū 337
敷衍 fūyǎn 338
敷衍了事
fūyǎn liǎo shì 338
伏 fú 338
扶 fú 338

服 fú 338
服从 fúcóng 339
服气 fúqì 339
服务 fúwù 339
服务员 fúwùyuán 339
服装 fúzhuāng 339
俘 fú 339
俘虏 fúlǔ 340
浮 fú 340
浮雕 fúdiāo 340
浮动 fúdòng 340
符 fú 340
符号 fúhào 341
符合 fúhé 341
幅 fú 341
幅度 fúdù 341
辐射 fúshè 341
福 fú 341
福利 fúlì 341
福气 fúqì 342
抚 fǔ 342
抚养 fǔyǎng 342
抚育 fǔyù 342
斧子 fǔzi 342
俯 fǔ 342
辅导 fǔdǎo 342
辅助 fǔzhù 343
腐败 fǔbài 343
腐化 fǔhuà 343
腐烂 fǔlàn 343
腐蚀 fǔshí 343
腐朽 fǔxiǔ 343
父 fù 343
父亲 fùqīn 344
付 fù 344
付出 fùchū 344
付款 fù kuǎn 344
负 fù 344
负担 fùdān 344
负伤 fù shāng 345
负责 fùzé 345
妇 fù 345
妇女 fùnǚ 345
妇人 fùrén 345
附 fù 345
附带 fùdài 345
附和 fùhè 346
附加 fùjiā 346
附近 fùjìn 346
附属 fùshǔ 346
赴 fù 346
复 fù 346
复辟 fùbì 346
复合 fùhé 347
复活 fùhuó 347
复活节 Fùhuó Jié 347
复述 fùshù 347
复习 fùxí 347
复兴 fùxīng 347
复印 fùyìn 347
复杂 fùzá 347
复制 fùzhì 348
副 fù 348
副食 fùshí 348
副业 fùyè 348
副作用 fùzuòyòng 348
赋 fù 348
赋予 fùyǔ 348
富 fù 348
富强 fùqiáng 349
富有 fùyǒu 349
富余 fùyu 349
富裕 fùyù 349
腹 fù 349
覆盖 fùgài 349

G

该 gāi 350
改 gǎi 350
改编 gǎibiān 350
改变 gǎibiàn 350
改革 gǎigé 351
改建 gǎijiàn 351
改进 gǎijìn 351
改良 gǎiliáng 351
改善 gǎishàn 351
改头换面 gǎi tóu huàn miàn 352
改邪归正 gǎi xié guī zhèng 352
改造 gǎizào 352
改正 gǎizhèng 352
改组 gǎizǔ 352
盖 gài 352
盖棺论定 gài guān lùn dìng 353
盖子 gàizi 353
概况 gàikuàng 353
概括 gàikuò 353
概念 gàiniàn 353
干 gān 353
干杯 gān bēi 354
干脆 gāncuì 354
干旱 gānhàn 354
干净 gānjìng 354
干扰 gānrǎo 355
干涉 gānshè 355
干预 gānyù 355
干燥 gānzào 355
甘 gān 355
甘心 gānxīn 355
甘蔗 gānzhe 355

杆 gān 356
肝 gān 356
肝胆相照
gān dǎn xiāng zhào 356
肝炎 gānyán 356
竿 gān 356
赶 gǎn 356
赶紧 gǎnjǐn 357
赶快 gǎnkuài 357
赶忙 gǎnmáng 357
赶上 gǎn shàng 357
敢 gǎn 357
敢怒不敢言
gǎn nù bù gǎn yán 357
敢于 gǎnyú 357
感 gǎn 358
感到 gǎndào 358
感动 gǎndòng 358
感化 gǎnhuà 358
感激 gǎnjī 358
感觉 gǎnjué 358
感慨 gǎnkǎi 358
感冒 gǎnmào 359
感情 gǎnqíng 359
感染 gǎnrǎn 359
感受 gǎnshòu 359
感想 gǎnxiǎng 359
感谢 gǎnxiè 360
感兴趣 gǎn xìngqù 360
干 gàn 360
干部 gànbù 360
干活儿 gàn huór 360
干劲 gànjìn 360
干吗 gàn má 360
干线 gànxiàn 361
刚 gāng 361
刚才 gāngcái 361
刚刚 gānggāng 361
纲 gāng 361
纲领 gānglǐng 361
钢 gāng 362
钢笔 gāngbǐ 362
钢材 gāngcái 362
钢琴 gāngqín 362
缸 gāng 362
岗位 gǎngwèi 362
港 gǎng 362
港币 gǎngbì 362
港口 gǎngkǒu 363
高 gāo 363
高产 gāochǎn 363
高超 gāochāo 363
高潮 gāocháo 363
高大 gāodà 363
高档 gāodàng 363
高等 gāoděng 363
高低 gāodī 364
高度 gāodù 364
高峰 gāofēng 364
高贵 gāoguì 364
高级 gāojí 364
高考 gāokǎo 364
高空 gāokōng 365
高粱 gāoliang 365
高楼大厦
gāo lóu dà shà 365
高明 gāomíng 365
高朋满座
gāo péng mǎn zuò 365
高尚 gāoshàng 365
高烧 gāoshāo 365
高深莫测
gāoshēn mò cè 365
高速 gāosù 365
高谈阔论
gāo tán kuò lùn 366
高温 gāowēn 366
高兴 gāoxìng 366
高血压 gāoxuèyā 366
高压 gāoyā 366
高原 gāoyuán 366
高涨 gāozhǎng 366
高枕无忧
gāo zhěn wú yōu 366
高中 gāozhōng 367
搞 gǎo 367
搞鬼 gǎo guǐ 367
搞活 gǎo huó 367
稿 gǎo 367
稿件 gǎojiàn 367
稿纸 gǎozhǐ 367
稿子 gǎozi 368
告 gào 368
告别 gàobié 368
告辞 gàocí 368
告诫 gàojiè 368
告诉 gàosu 368
告状 gào zhuàng 368
疙瘩 gēda 369
哥哥 gēge 369
胳膊 gēbo 369
鸽子 gēzi 369
搁 gē 369
割 gē 369
歌 gē 369
歌唱 gēchàng 369
歌剧 gējù 370
歌曲 gēqǔ 370
歌手 gēshǒu 370
歌颂 gēsòng 370
歌星 gēxīng 370
革命 gémìng 370
革新 géxīn 370
格 gé 371

格格不入 gégé bú rù 371
格局 géjú 371
格式 géshì 371
格外 géwài 371
隔 gé 371
隔壁 gébì 371
隔阂 géhé 371
隔绝 géjué 371
隔离 gélí 372
个 gè 372
个儿 gèr 372
个别 gèbié 372
个人 gèrén 372
个体 gètǐ 372
个体户 gètǐhù 372
个性 gèxìng 373
个子 gèzi 373
各 gè 373
各奔前程 gè bèn qiánchéng 373
各别 gèbié 373
各行各业 gè háng gè yè 373
各界 gèjiè 373
各式各样 gè shì gè yàng 373
各有千秋 gè yǒu qiānqiū 373
各执己见 gè zhí jǐjiàn 374
各种 gè zhǒng 374
各自 gèzì 374
给 gěi 374
给以 gěiyǐ 374
根 gēn 374
根本 gēnběn 375
根据 gēnjù 375
根深蒂固 gēn shēn dì gù 375
根源 gēnyuán 375
跟 gēn 375
跟前 gēnqián 376
跟随 gēnsuí 376
跟头 gēntou 376
跟踪 gēnzōng 376
更改 gēnggǎi 376
更换 gēnghuàn 376
更新 gēngxīn 376
更正 gēngzhèng 376
耕 gēng 376
耕地 gēngdì 377
更 gèng 377
更加 gèngjiā 377
工 gōng 377
工厂 gōngchǎng 377
工程 gōngchéng 377
工程师 gōngchéngshī 377
工地 gōngdì 378
工夫 gōngfu 378
工会 gōnghuì 378
工具 gōngjù 378
工具书 gōngjùshū 378
工龄 gōnglíng 378
工钱 gōngqian 378
工人 gōngrén 378
工人阶级 gōngrén jiējí 378
工序 gōngxù 379
工业 gōngyè 379
工艺品 gōngyìpǐn 379
工资 gōngzī 379
工作 gōngzuò 379
弓 gōng 379
公 gōng 379
公安 gōng'ān 380
公报 gōngbào 380
公布 gōngbù 380
公道 gōngdao 380
公费 gōngfèi 380
公分 gōngfēn 380
公告 gōnggào 381
公共 gōnggòng 381
公共汽车 gōnggòng qìchē 381
公关 gōngguān 381
公斤 gōngjīn 381
公开 gōngkāi 381
公里 gōnglǐ 381
公路 gōnglù 381
公民 gōngmín 382
公平 gōngpíng 382
公顷 gōngqǐng 382
公然 gōngrán 382
公认 gōngrèn 382
公司 gōngsī 382
公务 gōngwù 382
公用 gōngyòng 382
公用电话 gōngyòng diànhuà 382
公有 gōngyǒu 383
公有制 gōngyǒuzhì 383
公元 gōngyuán 383
公园 gōngyuán 383
公约 gōngyuē 383
公债 gōngzhài 383
公证 gōngzhèng 383
功 gōng 383
功夫 gōngfu 384
功绩 gōngjì 384
功课 gōngkè 384
功亏一篑 gōng kuī yí kuì 384
功劳 gōngláo 384
功能 gōngnéng 384
功效 gōngxiào 385

攻 gōng 385
攻读 gōngdú 385
攻关 gōngguān 385
攻击 gōngjī 385
攻克 gōngkè 385
供 gōng 385
供不应求 gōng bú yìng qiú 386
供给 gōngjǐ 386
供销 gōngxiāo 386
供应 gōngyìng 386
宫 gōng 386
宫殿 gōngdiàn 386
恭敬 gōngjìng 386
巩固 gǒnggù 386
拱 gǒng 387
共 gòng 387
共产党 gòngchǎndǎng 387
共和国 gònghéguó 387
共计 gòngjì 387
共鸣 gòngmíng 387
共青团 gòngqīngtuán 387
共同 gòngtóng 387
共性 gòngxìng 388
贡献 gòngxiàn 388
勾 gōu 388
勾结 gōujié 388
勾心斗角 gōu xīn dòu jiǎo 388
沟 gōu 388
沟通 gōutōng 389
钩 gōu 389
钩子 gōuzi 389
狗 gǒu 389
构 gòu 389
构成 gòuchéng 389
构思 gòusī 389
构想 gòuxiǎng 389
构造 gòuzào 390
购 gòu 390
购买 gòumǎi 390
购买力 gòumǎilì 390
够 gòu 390
估 gū 390
估计 gūjì 390
姑 gū 390
姑姑 gūgu 391
姑娘 gūniang 391
姑且 gūqiě 391
孤 gū 391
孤单 gūdān 391
孤独 gūdú 391
孤立 gūlì 391
孤注一掷 gū zhù yí zhì 392
辜负 gūfù 392
古 gǔ 392
古代 gǔdài 392
古典 gǔdiǎn 392
古怪 gǔguài 392
古迹 gǔjì 392
古老 gǔlǎo 392
古人 gǔrén 392
古色古香 gǔ sè gǔ xiāng 393
古往今来 gǔ wǎng jīn lái 393
古文 gǔwén 393
谷 gǔ 393
股 gǔ 393
股东 gǔdōng 393
股份 gǔfèn 393
股票 gǔpiào 393
骨 gǔ 394
骨干 gǔgàn 394
骨肉 gǔròu 394
骨瘦如柴 gǔ shòu rú chái 394
骨头 gǔtou 394
鼓 gǔ 394
鼓吹 gǔchuī 394
鼓动 gǔdòng 394
鼓励 gǔlì 395
鼓舞 gǔwǔ 395
鼓掌 gǔ zhǎng 395
固定 gùdìng 395
固然 gùrán 395
固体 gùtǐ 395
固有 gùyǒu 395
固执 gùzhí 395
故 gù 396
故事 gùshi 396
故乡 gùxiāng 396
故意 gùyì 396
故障 gùzhàng 396
顾 gù 396
顾不得 gù bu de 397
顾客 gùkè 397
顾虑 gùlǜ 397
顾名思义 gù míng sī yì 397
顾全大局 gùquán dà jú 397
顾问 gùwèn 397
雇 gù 397
雇员 gùyuán 398
瓜 guā 398
瓜分 guāfēn 398
瓜子 guāzǐ 398
刮 guā 398
寡不敌众 guǎ bù dí zhòng 398
寡妇 guǎfu 398
挂 guà 398
挂钩 guà gōu 399

挂号 guà hào 399
挂念 guàniàn 399
乖 guāi 399
拐 guǎi 399
拐弯 guǎi wān 400
怪 guài 400
怪不得 guài bu de 400
关 guān 400
关闭 guānbì 401
关怀 guānhuái 401
关键 guānjiàn 401
关节炎 guānjiéyán 401
关切 guānqiè 401
关头 guāntóu 401
关系 guānxi 401
关心 guānxīn 402
关于 guānyú 402
关照 guānzhào 402
观 guān 402
观测 guāncè 402
观察 guānchá 403
观点 guāndiǎn 403
观光 guānguāng 403
观看 guānkàn 403
观念 guānniàn 403
观赏 guānshǎng 403
观众 guānzhòng 403
官 guān 403
官方 guānfāng 404
官僚 guānliáo 404
官僚主义
guānliáo zhǔyì 404
官员 guānyuán 404
冠冕堂皇
guānmiǎn tánghuáng
404
棺材 guāncai 404
馆 guǎn 404
管 guǎn 405
管道 guǎndào 405
管理 guǎnlǐ 405
管辖 guǎnxiá 405
管子 guǎnzi 405
贯彻 guànchè 405
冠军 guànjūn 405
惯 guàn 406
惯例 guànlì 406
惯用语 guànyòngyǔ 406
灌 guàn 406
灌溉 guàngài 406
罐 guàn 406
罐头 guàntou 406
光 guāng 406
光彩 guāngcǎi 407
光棍儿 guānggùnr 407
光滑 guānghuá 407
光辉 guānghuī 407
光亮 guāngliàng 407
光临 guānglín 408
光芒 guāngmáng 408
光明 guāngmíng 408
光明正大
guāngmíng zhèngdà
408
光荣 guāngróng 408
光线 guāngxiàn 408
光阴似箭
guāngyīn sì jiàn 408
广 guǎng 408
广播 guǎngbō 408
广场 guǎngchǎng 409
广大 guǎngdà 409
广泛 guǎngfàn 409
广告 guǎnggào 409
广阔 guǎngkuò 409
逛 guàng 409
归 guī 409
归根到底
guī gēn dào dǐ 410
归还 guīhuán 410
归结 guījié 410
归纳 guīnà 410
龟 guī 410
规定 guīdìng 410
规范 guīfàn 410
规格 guīgé 411
规划 guīhuà 411
规矩 guīju 411
规律 guīlǜ 411
规模 guīmó 411
规则 guīzé 411
规章 guīzhāng 412
闺女 guīnü 412
轨道 guǐdào 412
鬼 guǐ 412
鬼鬼祟祟
guǐguǐ suìsuì 412
鬼子 guǐzi 412
柜台 guìtái 413
柜子 guìzi 413
贵 guì 413
贵宾 guìbīn 413
贵姓 guì xìng 413
贵重 guìzhòng 413
贵族 guìzú 413
桂冠 guìguān 413
跪 guì 414
滚 gǔn 414
滚动 gǔndòng 414
滚瓜烂熟
gǔn guā làn shú 414
棍子 gùnzi 414
锅 guō 414
锅炉 guōlú 414
国 guó 414
国产 guóchǎn 414
国法 guófǎ 415

国防 guófáng 415
国富民安
guó fù mín ān 415
国会 guóhuì 415
国籍 guójí 415
国际 guójì 415
国际法 guójìfǎ 415
国际主义
guójì zhǔyì 415
国家 guójiā 415
国库券 guókùquàn 415
国力 guólì 416
国民 guómín 416
国民党 guómíndǎng 416
国旗 guóqí 416
国情 guóqíng 416
国庆节 Guóqìng Jié 416
国色天香
guó sè tiān xiāng 416
国土 guótǔ 416
国王 guówáng 416
国务院 guówùyuàn 417
国营 guóyíng 417
国有 guóyǒu 417
果断 guǒduàn 417
果然 guǒrán 417
果实 guǒshí 417
果树 guǒshù 417
裹 guǒ 417
过 guò 417
过程 guòchéng 418
过度 guòdù 418
过渡 guòdù 418
过分 guòfèn 418
过河拆桥
guò hé chāi qiáo 418
过后 guòhòu 419
过来 guò lái 419
过滤 guòlǜ 419
过年 guò nián 419
过去 guòqù 420
过去 guò qù 420
过失 guòshī 420
过问 guòwèn 420
过于 guòyú 420

H

哈哈 hāhā 421
哈欠 hāqian 421
咳 hāi 421
还 hái 421
还是 háishi 421
孩子 háizi 422
海 hǎi 422
海岸 hǎi'àn 422
海拔 hǎibá 422
海滨 hǎibīn 422
海港 hǎigǎng 422
海关 hǎiguān 422
海军 hǎijūn 423
海面 hǎimiàn 423
海外 hǎiwài 423
海峡 hǎixiá 423
海洋 hǎiyáng 423
害 hài 423
害虫 hàichóng 423
害处 hàichu 423
害怕 hàipà 423
害羞 hài xiū 424
含 hán 424
含糊 hánhu 424
含量 hánliàng 424
含辛茹苦
hán xīn rú kǔ 424
含(涵)义 hányì 424
含有 hányǒu 424
寒 hán 425
寒假 hánjià 425
寒冷 hánlěng 425
寒暄 hánxuān 425
罕见 hǎnjiàn 425
喊 hǎn 425
喊叫 hǎnjiào 425
汉学 hànxué 425
汉语 Hànyǔ 426
汉字 Hànzì 426
汗 hàn 426
汗流浃背
hàn liú jiā bèi 426
旱 hàn 426
旱灾 hànzāi 426
捍卫 hànwèi 426
行 háng 426
行列 hángliè 427
行业 hángyè 427
航班 hángbān 427
航道 hángdào 427
航海 hánghǎi 427
航空 hángkōng 427
航天 hángtiān 427
航线 hángxiàn 427
航行 hángxíng 428
航运 hángyùn 428
毫不 háo bù 428
毫米 háomǐ 428
毫无 háo wú 428
豪华 háohuá 428
好 hǎo 428
好比 hǎobǐ 429
好吃 hǎochī 429
好处 hǎochu 429
好多 hǎoduō 429
好感 hǎogǎn 429
好好儿 hǎohāor 429
好坏 hǎohuài 430

好久 hǎojiǔ 430
好看 hǎokàn 430
好容易 hǎoróngyì 430
好说 hǎo shuō 430
好听 hǎotīng 430
好玩儿 hǎowánr 431
好像 hǎoxiàng 431
好些 hǎoxiē 431
好样的 hǎo yàng de 431
好在 hǎozài 431
好转 hǎozhuǎn 431
号 hào 431
号称 hàochēng 432
号码 hàomǎ 432
号召 hàozhào 432
好 hào 433
好客 hàokè 433
好奇 hàoqí 433
好逸恶劳 hào yì wù láo 433
耗 hào 433
耗费 hàofèi 433
浩 hào 434
浩浩荡荡 hàohào dàngdàng 434
呵 hē 434
喝 hē 434
禾 hé 434
禾苗 hémiáo 434
合 hé 434
合并 hébìng 435
合唱 héchàng 435
合成 héchéng 435
合法 héfǎ 435
合格 hégé 435
合乎 héhū 436
合伙 héhuǒ 436
合金 héjīn 436
合理 hélǐ 436
合情合理 hé qíng hé lǐ 436
合适 héshì 436
合算 hésuàn 436
合同 hétong 437
合营 héyíng 437
合资 hézī 437
合作 hézuò 437
何 hé 437
何必 hébì 437
何等 héděng 438
何况 hékuàng 438
和 hé 438
和蔼 hé'ǎi 439
和解 héjiě 439
和睦 hémù 439
和平 hépíng 439
和平共处 hépíng gòng chǔ 439
和气 héqi 439
和尚 héshang 440
和谐 héxié 440
和约 héyuē 440
河 hé 440
河道 hédào 440
河流 héliú 440
荷花 héhuā 440
核 hé 441
核查 héchá 441
核桃 hétao 441
核武器 héwǔqì 441
核心 héxīn 441
盒 hé 442
贺 hè 442
贺词 hècí 442
贺卡 hèkǎ 442
鹤立鸡群 hè lì jī qún 442
黑 hēi 442
黑暗 hēi'àn 443
黑白 hēibái 443
黑板 hēibǎn 443
黑社会 hēishèhuì 443
黑市 hēishì 443
黑夜 hēiyè 444
嘿 hēi 444
痕 hén 444
痕迹 hénjì 444
很 hěn 444
狠 hěn 444
狠毒 hěndú 445
狠心 hěn xīn 445
恨 hèn 445
恨不得 hèn bu de 445
哼 hēng 445
恒 héng 446
恒星 héngxīng 446
横 héng 446
横向 héngxiàng 446
横行 héngxíng 447
横 hèng 447
轰 hōng 447
轰动 hōngdòng 447
轰轰烈烈 hōnghōng lièliè 447
轰炸 hōngzhà 448
烘 hōng 448
红 hóng 448
红包 hóngbāo 448
红茶 hóngchá 448
红火 hónghuo 448
红领巾 hónglǐngjīn 448
红娘 hóngniáng 449
红旗 hóngqí 449
宏 hóng 449
宏大 hóngdà 449
宏观 hóngguān 449
宏伟 hóngwěi 449

虹 hóng 449
洪 hóng 450
洪水 hóngshuǐ 450
哄 hǒng 450
哄 hòng 450
喉 hóu 450
喉咙 hóulóng 450
猴 hóu 450
猴子 hóuzi 450
吼 hǒu 451
后 hòu 451
后边 hòubian 451
后代 hòudài 451
后方 hòufāng 452
后果 hòuguǒ 452
后悔 hòuhuǐ 452
后来 hòulái 452
后来居上 hòu lái jū shàng 452
后面 hòumian 453
后年 hòunián 453
后期 hòuqī 453
后勤 hòuqín 453
后台 hòutái 453
后天 hòutiān 454
后头 hòutou 454
后退 hòutuì 454
厚 hòu 454
厚度 hòudù 455
候 hòu 455
候补 hòubǔ 455
候选人 hòuxuǎnrén 455
呼 hū 455
呼呼 hūhū 456
呼声 hūshēng 456
呼吸 hūxī 456
呼啸 hūxiào 456
呼吁 hūyù 456
忽 hū 456
忽略 hūlüè 457
忽然 hūrán 457
忽视 hūshì 457
狐 hú 457
狐狸 húli 457
狐朋狗友 hú péng gǒu yǒu 457
胡 hú 458
胡来 húlái 458
胡乱 húluàn 458
胡说 húshuō 458
胡思乱想 hú sī luàn xiǎng 458
胡同 hútòng 458
胡子 húzi 459
壶 hú 459
葫芦 húlu 459
湖 hú 459
蝴蝶 húdié 459
糊 hú 459
糊涂 hútu 459
互 hù 460
互利 hù lì 460
互相 hùxiāng 460
互助 hùzhù 460
户 hù 460
户口 hùkǒu 461
护 hù 461
护士 hùshi 461
护照 hùzhào 461
花 huā 461
花朵 huāduǒ 462
花费 huāfèi 462
花架子 huājiàzi 462
花色 huāsè 462
花生 huāshēng 463
花纹 huāwén 463
花言巧语 huā yán qiǎo yǔ 463
花样 huāyàng 463
花园 huāyuán 463
哗 huā 463
哗哗 huāhuā 463
划 huá 464
华 huá 464
华而不实 huá ér bù shí 464
华丽 huálì 464
华侨 huáqiáo 464
华人 huárén 465
滑 huá 465
滑冰 huá bīng 465
滑坡 huápō 465
滑雪 huá xuě 466
化 huà 466
化肥 huàféi 466
化工 huàgōng 466
化合 huàhé 466
化疗 huàliáo 466
化石 huàshí 467
化纤 huàxiān 467
化学 huàxué 467
化验 huàyàn 467
化妆 huà zhuāng 467
划 huà 467
划分 huàfēn 467
画 huà 468
画儿 huàr 468
画报 huàbào 468
画家 huàjiā 468
画龙点睛 huà lóng diǎn jīng 468
画面 huàmiàn 468
画蛇添足 huà shé tiān zú 469
话 huà 469
话剧 huàjù 469
话题 huàtí 469

怀 huái 469
怀念 huáiniàn 470
怀疑 huáiyí 470
怀孕 huái yùn 470
槐树 huáishù 470
坏 huài 470
坏处 huàichu 471
坏蛋 huàidàn 471
欢 huān 471
欢呼 huānhū 471
欢乐 huānlè 471
欢送 huānsòng 471
欢喜 huānxǐ 471
欢笑 huānxiào 472
欢欣鼓舞
huānxīn gǔwǔ 472
欢迎 huānyíng 472
还 huán 472
还手 huán shǒu 472
还原 huán yuán 472
环 huán 472
环节 huánjié 473
环境 huánjìng 473
缓 huǎn 473
缓和 huǎnhé 473
缓缓 huǎnhuǎn 474
缓慢 huǎnmàn 474
幻 huàn 474
幻灯 huàndēng 474
幻想 huànxiǎng 474
换 huàn 474
换取 huànqǔ 475
唤 huàn 475
患 huàn 475
患得患失
huàn dé huàn shī 475
患者 huànzhě 475
焕然一新
huànrán yì xīn 475
荒 huāng 475
荒地 huāngdì 476
荒凉 huāngliáng 476
荒谬 huāngmiù 476
荒唐 huāngtáng 476
慌 huāng 476
慌乱 huāngluàn 477
慌忙 huāngmáng 477
慌张 huāngzhāng 477
皇 huáng 477
皇帝 huángdì 477
皇后 huánghòu 477
黄 huáng 477
黄瓜 huánggua 477
黄昏 huánghūn 477
黄金 huángjīn 478
黄色 huángsè 478
黄油 huángyóu 478
蝗虫 huángchóng 478
晃 huǎng 478
晃 huàng 478
灰 huī 478
灰尘 huīchén 479
灰心 huī xīn 479
挥 huī 479
挥霍 huīhuò 479
恢复 huīfù 480
辉 huī 480
辉煌 huīhuáng 480
回 huí 480
回避 huíbì 481
回答 huídá 481
回顾 huígù 481
回击 huíjī 481
回来 huí lái 481
回去 huí qù 481
回收 huíshōu 482
回头 huítóu 482
回想 huíxiǎng 482
回信 huí xìn 482
回忆 huíyì 482
悔 huǐ 482
悔改 huǐgǎi 482
悔恨 huǐhèn 483
毁 huǐ 483
毁坏 huǐhuài 483
毁灭 huǐmiè 483
汇 huì 483
汇报 huìbào 484
汇集 huìjí 484
汇款 huì kuǎn 484
汇率 huìlǜ 484
会 huì 484
会场 huìchǎng 485
会话 huìhuà 485
会见 huìjiàn 486
会客 huì kè 486
会谈 huìtán 486
会同 huìtóng 486
会晤 huìwù 486
会议 huìyì 486
会员 huìyuán 486
会诊 huì zhěn 487
诲人不倦
huì rén bú juàn 487
绘 huì 487
绘画 huì huà 487
贿 huì 487
贿赂 huìlù 487
昏 hūn 488
昏迷 hūnmí 488
婚 hūn 488
婚姻 hūnyīn 488
浑 hún 488
浑身 húnshēn 488
混 hùn 489
混合 hùnhé 489
混合物 hùnhéwù 489

混乱 hùnluàn 489
混凝土 hùnníngtǔ 489
混为一谈
hùn wéi yì tán 489
混淆 hùnxiáo 489
混浊 hùnzhuó 490
豁 huō 490
活 huó 490
活儿 huór 490
活动 huódòng 490
活该 huógāi 491
活力 huólì 491
活泼 huópo 491
活跃 huóyuè 491
火 huǒ 492
火柴 huǒchái 492
火车 huǒchē 492
火箭 huǒjiàn 492
火力 huǒlì 493
火山 huǒshān 493
火焰 huǒyàn 493
火药 huǒyào 493
火灾 huǒzāi 493
伙 huǒ 493
伙伴 huǒbàn 493
伙计 huǒji 494
伙食 huǒshí 494
或 huò 494
或多或少
huò duō huò shǎo 494
或是 huòshì 494
或许 huòxǔ 494
或者 huòzhě 494
货 huò 495
货币 huòbì 495
货物 huòwù 495
获 huò 495
获得 huòdé 495
获取 huòqǔ 495
祸 huò 495
祸害 huòhài 496

J

几乎 jīhū 497
讥笑 jīxiào 497
击 jī 497
饥饿 jī'è 497
机 jī 497
机场 jīchǎng 498
机车 jīchē 498
机床 jīchuáng 498
机动 jīdòng 498
机构 jīgòu 498
机关 jīguān 498
机会 jīhuì 498
机灵 jīling 499
机密 jīmì 499
机器 jīqì 499
机器人 jīqìrén 499
机枪 jīqiāng 499
机体 jītǐ 499
机械 jīxiè 499
机遇 jīyù 500
机智 jīzhì 500
肌肉 jīròu 500
鸡 jī 500
鸡蛋 jīdàn 500
鸡飞蛋打
jī fēi dàn dǎ 500
鸡毛蒜皮
jī máo suàn pí 500
积 jī 500
积极 jījí 501
积极性 jījíxìng 501
积累 jīlěi 501
积压 jīyā 501
基 jī 501
基本 jīběn 501
基层 jīcéng 502
基础 jīchǔ 502
基地 jīdì 502
基督教 Jīdūjiào 502
基金 jījīn 502
激 jī 502
激动 jīdòng 503
激发 jīfā 503
激光 jīguāng 503
激励 jīlì 503
激烈 jīliè 503
激情 jīqíng 503
激素 jīsù 503
及 jí 503
及格 jí gé 504
及时 jíshí 504
及早 jízǎo 504
吉 jí 504
吉利 jílì 504
吉普车 jípǔchē 504
吉祥 jíxiáng 504
吉祥物 jíxiángwù 504
级 jí 504
级别 jíbié 505
极 jí 505
极度 jídù 505
极端 jíduān 505
…极了… jíle 505
极力 jílì 505
极其 jíqí 505
极限 jíxiàn 506
即 jí 506
即便 jíbiàn 506
即将 jíjiāng 506
即使 jíshǐ 506
急 jí 506
急剧 jíjù 506

急忙 jímáng 507
急切 jíqiè 507
急性 jíxìng 507
急需 jíxū 507
急于 jíyú 507
急躁 jízào 507
疾病 jíbìng 507
集 jí 507
集合 jíhé 508
集会 jíhuì 508
集市 jíshì 508
集体 jítǐ 508
集团 jítuán 508
集邮 jí yóu 508
集中 jízhōng 509
集资 jí zī 509
嫉 jí 509
嫉妒 jídù 509
籍 jí 509
籍贯 jíguàn 509
几 jǐ 509
几何 jǐhé 510
挤 jǐ 510
给予 jǐyǔ 510
脊 jǐ 510
脊梁 jǐliang 510
计 jì 510
计划 jìhuà 511
计划生育
jìhuà shēngyù 511
计较 jìjiào 511
计算 jìsuàn 511
计算机 jìsuànjī 511
记 jì 512
记得 jìde 512
记号 jìhào 512
记录 jìlù 512
记性 jìxing 512
记忆 jìyì 512
记忆力 jìyìlì 513
记载 jìzǎi 513
记者 jìzhě 513
纪 jì 513
纪录 jìlù 513
纪律 jìlǜ 513
纪念 jìniàn 513
纪要 jìyào 514
技 jì 514
技能 jìnéng 514
技巧 jìqiǎo 514
技术 jìshù 514
技术员 jìshùyuán 514
忌 jì 515
季 jì 515
季度 jìdù 515
季节 jìjié 515
迹 jì 515
迹象 jìxiàng 515
既 jì 515
既然 jìrán 515
既往不咎
jì wǎng bú jiù 516
既…也… jì…yě… 516
既…又… jì…yòu… 516
继 jì 516
继承 jìchéng 516
继续 jìxù 516
寄 jì 516
寄托 jìtuō 517
寂静 jìjìng 517
寂寞 jìmò 517
加 jiā 517
加班 jiā bān 517
加工 jiā gōng 517
加急 jiājí 517
加紧 jiājǐn 518
加剧 jiājù 518
加强 jiāqiáng 518
加热 jiā rè 518
加入 jiārù 518
加深 jiāshēn 518
加速 jiāsù 518
加以 jiāyǐ 518
加油 jiā yóu 519
加重 jiāzhòng 519
夹 jiā 519
夹杂 jiāzá 519
夹子 jiāzi 519
佳 jiā 519
家 jiā 519
家常 jiācháng 520
家常便饭
jiācháng biàn fàn 520
家畜 jiāchù 520
家伙 jiāhuo 520
家教 jiājiào 520
家具 jiājù 520
家破人亡
jiā pò rén wáng 521
家属 jiāshǔ 521
家庭 jiātíng 521
家务 jiāwù 521
家乡 jiāxiāng 521
家喻户晓
jiā yù hù xiǎo 521
家长 jiāzhǎng 521
家族 jiāzú 521
嘉奖 jiājiǎng 522
颊 jiá 522
甲 jiǎ 522
甲板 jiǎbǎn 522
假 jiǎ 522
假定 jiǎdìng 522
假冒 jiǎmào 522
假如 jiǎrú 522
假若 jiǎruò 523
假设 jiǎshè 523

假使 jiǎshǐ 523
假装 jiǎzhuāng 523
价 jià 523
价格 jiàgé 523
价钱 jiàqian 523
价位 jiàwèi 524
价值 jiàzhí 524
驾 jià 524
驾驶 jiàshǐ 524
架 jià 524
架子 jiàzi 524
假 jià 525
假期 jiàqī 525
假条 jiàtiáo 525
嫁 jià 525
尖 jiān 525
尖端 jiānduān 525
尖锐 jiānruì 526
尖子 jiānzi 526
奸 jiān 526
歼 jiān 526
歼灭 jiānmiè 526
坚 jiān 526
坚持 jiānchí 526
坚定 jiāndìng 527
坚固 jiāngù 527
坚决 jiānjué 527
坚强 jiānqiáng 527
坚忍 jiānrěn 527
坚实 jiānshí 527
坚信 jiānxìn 527
坚硬 jiānyìng 527
坚贞不屈
jiānzhēn bù qū 528
间 jiān 528
肩 jiān 528
肩膀 jiānbǎng 528
艰巨 jiānjù 528
艰苦 jiānkǔ 528
艰难 jiānnán 528
艰险 jiānxiǎn 528
监 jiān 529
监察 jiānchá 529
监督 jiāndū 529
监考 jiān kǎo 529
监视 jiānshì 529
监狱 jiānyù 529
兼 jiān 529
兼任 jiānrèn 530
兼收并蓄
jiān shōu bìng xù 530
煎 jiān 530
拣 jiǎn 530
茧 jiǎn 530
捡 jiǎn 530
检 jiǎn 530
检测 jiǎncè 530
检查 jiǎnchá 530
检察 jiǎnchá 531
检举 jiǎnjǔ 531
检讨 jiǎntǎo 531
检修 jiǎnxiū 531
检验 jiǎnyàn 531
剪 jiǎn 531
剪彩 jiǎn cǎi 531
剪刀 jiǎndāo 532
减 jiǎn 532
减产 jiǎn chǎn 532
减低 jiǎndī 532
减肥 jiǎn féi 532
减轻 jiǎnqīng 532
减弱 jiǎnruò 532
减少 jiǎnshǎo 532
简 jiǎn 533
简便 jiǎnbiàn 533
简称 jiǎnchēng 533
简单 jiǎndān 533
简短 jiǎnduǎn 533
简化 jiǎnhuà 534
简介 jiǎnjiè 534
简陋 jiǎnlòu 534
简明 jiǎnmíng 534
简体字 jiǎntǐzì 534
简讯 jiǎnxùn 534
简要 jiǎnyào 534
简易 jiǎnyì 535
简直 jiǎnzhí 535
碱 jiǎn 535
见 jiàn 535
见缝插针
jiàn fèng chā zhēn 535
见解 jiànjiě 536
见面 jiàn miàn 536
见识 jiànshi 536
见笑 jiànxiào 536
见效 jiàn xiào 536
见异思迁
jiàn yì sī qiān 536
件 jiàn 537
间 jiàn 537
间隔 jiàngé 537
间接 jiànjiē 537
建 jiàn 537
建交 jiàn jiāo 538
建立 jiànlì 538
建设 jiànshè 538
建议 jiànyì 538
建造 jiànzào 538
建筑 jiànzhù 538
贱 jiàn 539
健 jiàn 539
健康 jiànkāng 539
健美 jiànměi 539
健全 jiànquán 539
健壮 jiànzhuàng 540
渐 jiàn 540
渐渐 jiànjiàn 540

践踏 jiàntà 540
溅 jiàn 540
鉴 jiàn 540
鉴别 jiànbié 540
鉴定 jiàndìng 540
鉴于 jiànyú 541
键 jiàn 541
键盘 jiànpán 541
箭 jiàn 541
江 jiāng 541
姜 jiāng 541
将 jiāng 541
将计就计 jiāng jì jiù jì 542
将近 jiāngjìn 542
将军 jiāngjūn 542
将来 jiānglái 542
将要 jiāngyào 542
僵 jiāng 542
讲 jiǎng 542
讲话 jiǎng huà 543
讲解 jiǎngjiě 543
讲究 jiǎngjiu 543
讲课 jiǎng kè 543
讲理 jiǎng lǐ 544
讲述 jiǎngshù 544
讲演 jiǎngyǎn 544
讲义 jiǎngyì 544
讲座 jiǎngzuò 544
奖 jiǎng 544
奖金 jiǎngjīn 545
奖励 jiǎnglì 545
奖品 jiǎngpǐn 545
奖学金 jiǎngxuéjīn 545
奖状 jiǎngzhuàng 545
桨 jiǎng 545
降 jiàng 545
降低 jiàngdī 545
降价 jiàng jià 546
降临 jiànglín 546
降落 jiàngluò 546
酱 jiàng 546
酱油 jiàngyóu 546
交 jiāo 546
交叉 jiāochā 547
交错 jiāocuò 547
交代 jiāodài 547
交点 jiāodiǎn 547
交付 jiāofù 547
交换 jiāohuàn 547
交际 jiāojì 548
交流 jiāoliú 548
交涉 jiāoshè 548
交手 jiāo shǒu 548
交谈 jiāotán 548
交替 jiāotì 549
交通 jiāotōng 549
交头接耳 jiāo tóu jiē ěr 549
交往 jiāowǎng 549
交易 jiāoyì 549
郊 jiāo 549
郊区 jiāoqū 549
浇 jiāo 549
浇灌 jiāoguàn 550
娇 jiāo 550
娇气 jiāoqì 550
骄 jiāo 550
骄傲 jiāo'ào 550
胶 jiāo 550
胶卷 jiāojuǎn 551
胶片 jiāopiàn 551
胶水 jiāoshuǐ 551
教 jiāo 551
焦 jiāo 551
焦点 jiāodiǎn 551
焦急 jiāojí 552
焦炭 jiāotàn 552
嚼 jiáo 552
角 jiǎo 552
角度 jiǎodù 552
角落 jiǎoluò 552
狡猾 jiǎohuá 553
饺 jiǎo 553
饺子 jiǎozi 553
绞 jiǎo 553
脚 jiǎo 553
脚步 jiǎobù 553
脚踏实地 jiǎo tà shídì 553
搅 jiǎo 554
搅拌 jiǎobàn 554
缴 jiǎo 554
缴纳 jiǎonà 554
叫 jiào 554
叫喊 jiàohǎn 554
叫唤 jiàohuan 555
叫嚷 jiàorǎng 555
叫做 jiàozuò 555
觉 jiào 555
轿 jiào 555
轿车 jiàochē 555
较 jiào 555
较量 jiàoliàng 555
教 jiào 556
教材 jiàocái 556
教导 jiàodǎo 556
教会 jiàohuì 556
教练 jiàoliàn 556
教师 jiàoshī 556
教室 jiàoshì 556
教授 jiàoshòu 557
教唆 jiàosuō 557
教堂 jiàotáng 557
教条 jiàotiáo 557
教学 jiàoxué 557
教训 jiàoxun 557

教研室 jiàoyánshì 558
教养 jiàoyǎng 558
教育 jiàoyù 558
教员 jiàoyuán 558
阶层 jiēcéng 558
阶段 jiēduàn 558
阶级 jiējí 559
皆 jiē 559
结 jiē 559
结果 jiē guǒ 559
结实 jiēshi 559
接 jiē 559
接班 jiē bān 559
接触 jiēchù 560
接待 jiēdài 560
接到 jiē dào 560
接二连三
jiē èr lián sān 560
接见 jiējiàn 560
接近 jiējìn 560
接连 jiēlián 560
接洽 jiēqià 561
接收 jiēshōu 561
接受 jiēshòu 561
接站 jiē zhàn 561
接着 jiēzhe 561
揭 jiē 561
揭发 jiēfā 562
揭露 jiēlù 562
揭示 jiēshì 562
街 jiē 562
街道 jiēdào 562
街坊 jiēfang 562
街头 jiētóu 562
节 jié 562
节目 jiémù 563
节能 jiénéng 563
节日 jiérì 563
节省 jiéshěng 563
节育 jiéyù 563
节约 jiéyuē 563
节奏 jiézòu 564
劫 jié 564
劫持 jiéchí 564
杰出 jiéchū 564
杰作 jiézuò 564
洁 jié 564
洁白 jiébái 564
结 jié 565
结构 jiégòu 565
结果 jiéguǒ 565
结合 jiéhé 565
结婚 jié hūn 566
结晶 jiéjīng 566
结局 jiéjú 566
结论 jiélùn 566
结束 jiéshù 566
结算 jiésuàn 566
结业 jié yè 567
捷 jié 567
捷足先登
jié zú xiān dēng 567
截 jié 567
截止 jiézhǐ 567
竭 jié 567
竭力 jiélì 567
姐 jiě 567
姐姐 jiějie 568
解 jiě 568
解除 jiěchú 568
解答 jiědá 568
解放 jiěfàng 569
解放军 jiěfàngjūn 569
解雇 jiěgù 569
解决 jiějué 569
解铃还须系铃人
jiě líng hái xū
xì líng rén 569
解剖 jiěpōu 569
解散 jiěsàn 570
解释 jiěshì 570
介 jiè 570
介绍 jièshào 570
介意 jiè yì 570
戒 jiè 571
戒严 jièyán 571
届 jiè 571
界 jiè 571
界限 jièxiàn 571
界线 jièxiàn 571
借 jiè 572
借花献佛
jiè huā xiàn fó 572
借鉴 jièjiàn 572
借口 jièkǒu 572
借条 jiètiáo 572
借用 jièyòng 572
借助 jièzhù 572
斤 jīn 573
斤斤计较
jīnjīn jìjiào 573
今 jīn 573
今后 jīnhòu 573
今年 jīnnián 573
今日 jīnrì 573
今天 jīntiān 573
金 jīn 573
金额 jīn'é 574
金黄 jīnhuáng 574
金牌 jīnpái 574
金钱 jīnqián 574
金融 jīnróng 574
金属 jīnshǔ 574
金鱼 jīnyú 574
津津有味
jīnjīn yǒu wèi 574
津贴 jīntiē 575

筋 jīn 575
筋疲力尽 jīn pí lì jìn 575
仅 jǐn 575
仅仅 jǐnjǐn 575
尽 jǐn 575
尽管 jǐnguǎn 576
尽快 jǐnkuài 576
尽量 jǐnliàng 576
紧 jǐn 576
紧急 jǐnjí 577
紧密 jǐnmì 577
紧迫 jǐnpò 577
紧俏 jǐnqiào 577
紧缩 jǐnsuō 577
紧张 jǐnzhāng 577
锦上添花
jǐn shàng tiān huā 578
锦绣 jǐnxiù 578
谨 jǐn 578
谨慎 jǐnshèn 578
尽 jìn 578
尽力 jìn lì 578
进 jìn 579
进步 jìnbù 579
进程 jìnchéng 579
进而 jìn'ér 579
进攻 jìngōng 579
进化 jìnhuà 579
进军 jìnjūn 580
进口 jìn kǒu 580
进来 jìn lái 580
进取 jìnqǔ 580
进去 jìn qù 580
进入 jìnrù 580
进行 jìnxíng 581
进修 jìnxiū 581
进一步 jìn yí bù 581
进展 jìnzhǎn 581
近 jìn 581
近代 jìndài 582
近来 jìnlái 582
近年 jìnnián 582
近期 jìnqī 582
近视 jìnshì 582
近水楼台
jìn shuǐ lóu tái 582
近似 jìnsì 582
劲 jìn 582
劲头 jìntóu 583
晋升 jìnshēng 583
浸 jìn 583
禁 jìn 583
禁区 jìnqū 583
禁止 jìnzhǐ 583
茎 jīng 584
京 jīng 584
京剧 jīngjù 584
经 jīng 584
经常 jīngcháng 585
经典 jīngdiǎn 585
经费 jīngfèi 585
经过 jīngguò 585
经济 jīngjì 585
经理 jīnglǐ 586
经历 jīnglì 586
经商 jīng shāng 586
经受 jīngshòu 586
经销 jīngxiāo 586
经验 jīngyàn 586
经营 jīngyíng 586
惊 jīng 586
惊动 jīngdòng 587
惊慌 jīnghuāng 587
惊奇 jīngqí 587
惊人 jīngrén 587
惊心动魄
jīng xīn dòng pò 587
惊讶 jīngyà 587
惊异 jīngyì 588
兢兢业业
jīngjīng yèyè 588
精 jīng 588
精彩 jīngcǎi 588
精打细算
jīng dǎ xì suàn 588
精华 jīnghuá 589
精减 jīngjiǎn 589
精力 jīnglì 589
精美 jīngměi 589
精密 jīngmì 589
精确 jīngquè 589
精神 jīngshén 589
精神 jīngshen 590
精通 jīngtōng 590
精细 jīngxì 590
精心 jīngxīn 590
精益求精
jīng yì qiú jīng 590
精英 jīngyīng 590
精致 jīngzhì 590
精装 jīngzhuāng 591
鲸 jīng 591
鲸鱼 jīngyú 591
井 jǐng 591
井井有条
jǐngjǐng yǒu tiáo 591
颈 jǐng 591
景 jǐng 591
景点 jǐngdiǎn 591
景色 jǐngsè 591
景物 jǐngwù 592
景象 jǐngxiàng 592
警 jǐng 592
警察 jǐngchá 592
警告 jǐnggào 592
警戒 jǐngjiè 592
警惕 jǐngtì 592

警卫 jǐngwèi 593
净 jìng 593
净化 jìnghuà 593
竞 jìng 593
竞赛 jìngsài 593
竞选 jìngxuǎn 593
竞争 jìngzhēng 594
竟 jìng 594
竟然 jìngrán 594
敬 jìng 594
敬爱 jìng'ài 594
敬而远之
jìng ér yuǎn zhī 594
敬酒 jìng jiǔ 594
敬礼 jìng lǐ 595
静 jìng 595
静悄悄 jìngqiāoqiāo 595
境 jìng 595
境地 jìngdì 595
境界 jìngjiè 595
镜 jìng 595
镜头 jìngtóu 596
镜子 jìngzi 596
纠 jiū 596
纠纷 jiūfēn 596
纠正 jiūzhèng 596
究 jiū 596
究竟 jiūjìng 596
揪 jiū 597
九 jiǔ 597
九死一生
jiǔ sǐ yì shēng 597
久 jiǔ 597
玖 jiǔ 597
酒 jiǔ 597
酒店 jiǔdiàn 598
酒会 jiǔhuì 598
旧 jiù 598
救 jiù 598
救济 jiùjì 598
救灾 jiù zāi 598
就 jiù 599
就餐 jiùcān 600
就地 jiùdì 600
就近 jiùjìn 600
就是 jiùshì 600
就是说 jiùshì shuō 600
就是…也…
jiùshì…yě… 600
就算 jiùsuàn 600
就业 jiù yè 600
就职 jiù zhí 601
舅舅 jiùjiu 601
舅母 jiùmu 601
拘 jū 601
拘留 jūliú 601
拘束 jūshù 601
居 jū 601
居民 jūmín 602
居然 jūrán 602
居室 jūshì 602
居住 jūzhù 602
鞠躬 jū gōng 602
局 jú 602
局部 júbù 603
局面 júmiàn 603
局势 júshì 603
局限 júxiàn 603
局长 júzhǎng 603
菊 jú 603
菊花 júhuā 603
橘子 júzi 603
举 jǔ 603
举办 jǔbàn 604
举动 jǔdòng 604
举世闻名
jǔshì wénmíng 604
举世瞩目
jǔshì zhǔmù 604
举行 jǔxíng 604
举一反三
jǔ yī fǎn sān 604
举足轻重
jǔ zú qīng zhòng 604
巨 jù 605
巨大 jùdà 605
句 jù 605
句子 jùzi 605
拒 jù 605
拒绝 jùjué 605
具 jù 605
具备 jùbèi 605
具体 jùtǐ 605
具有 jùyǒu 606
俱 jù 606
俱乐部 jùlèbù 606
剧 jù 606
剧本 jùběn 606
剧场 jùchǎng 606
剧烈 jùliè 607
剧团 jùtuán 607
剧院 jùyuàn 607
据 jù 607
据点 jùdiǎn 607
据说 jùshuō 607
据悉 jùxī 607
距 jù 607
距离 jùlí 608
锯 jù 608
聚 jù 608
聚会 jùhuì 608
聚集 jùjí 608
聚精会神
jù jīng huì shén 608
捐 juān 608
捐款 juān kuǎn 609
捐献 juānxiàn 609

捐赠 juānzèng 609
卷 juǎn 609
圈 juàn 609
决 jué 609
决不 jué bù 610
决策 juécè 610
决定 juédìng 610
决口 jué kǒu 610
决赛 juésài 610
决算 juésuàn 610
决心 juéxīn 611
决议 juéyì 611
决战 juézhàn 611
觉 jué 611
觉察 juéchá 611
觉得 juéde 611
觉悟 juéwù 611
觉醒 juéxǐng 612
绝 jué 612
绝对 juéduì 612
绝望 juéwàng 612
绝缘 juéyuán 613
掘 jué 613
军 jūn 613
军备 jūnbèi 613
军队 jūnduì 613
军阀 jūnfá 613
军官 jūnguān 613
军舰 jūnjiàn 613
军人 jūnrén 613
军事 jūnshì 614
军医 jūnyī 614
军用 jūnyòng 614
军装 jūnzhuāng 614
均 jūn 614
均匀 jūnyún 614
君 jūn 614
菌 jūn 614
俊 jùn 614

K

咖啡 kāfēi 615
卡 kǎ 615
卡车 kǎchē 615
卡片 kǎpiàn 615
开 kāi 615
开办 kāibàn 616
开采 kāicǎi 616
开除 kāichú 616
开刀 kāi dāo 616
开动 kāidòng 616
开发 kāifā 616
开饭 kāi fàn 617
开放 kāifàng 617
开工 kāi gōng 617
开关 kāiguān 617
开化 kāihuà 617
开会 kāi huì 617
开架 kāijià 617
开课 kāi kè 618
开垦 kāikěn 618
开口 kāi kǒu 618
开阔 kāikuò 618
开朗 kāilǎng 618
开门见山 kāi mén jiàn shān 618
开明 kāimíng 618
开幕 kāi mù 619
开辟 kāipì 619
开设 kāishè 619
开始 kāishǐ 619
开水 kāishuǐ 619
开天辟地 kāi tiān pì dì 619
开通 kāitōng 619
开头 kāitóu 620
开拓 kāituò 620
开玩笑 kāi wánxiào 620
开心 kāixīn 620
开学 kāi xué 620
开演 kāiyǎn 620
开夜车 kāi yèchē 620
开展 kāizhǎn 620
开支 kāizhī 621
凯旋 kǎixuán 621
刊登 kāndēng 621
刊物 kānwù 621
看 kān 621
勘探 kāntàn 621
侃侃而谈 kǎnkǎn ér tán 621
砍 kǎn 621
看 kàn 621
看病 kàn bìng 622
看不起 kàn bu qǐ 622
看待 kàndài 622
看法 kànfǎ 622
看见 kàn jiàn 622
看来 kànlái 622
看起来 kàn qǐlái 622
看透 kàn tòu 622
看望 kànwàng 623
看样子 kàn yàngzi 623
看做 kànzuò 623
慷慨 kāngkǎi 623
慷慨激昂 kāngkǎi jī'áng 623
糠 kāng 623
扛 káng 623
抗 kàng 623
抗旱 kàng hàn 623
抗击 kàngjī 623
抗议 kàngyì 624
抗战 kàngzhàn 624
炕 kàng 624

考 kǎo 624
考察 kǎochá 624
考古 kǎogǔ 624
考核 kǎohé 624
考虑 kǎolǜ 625
考取 kǎo qǔ 625
考试 kǎoshì 625
考验 kǎoyàn 625
烤 kǎo 625
靠 kào 625
靠近 kàojìn 625
科 kē 626
科技 kējì 626
科目 kēmù 626
科普 kēpǔ 626
科学 kēxué 626
科学家 kēxuéjiā 626
科学院 kēxuéyuàn 626
科研 kēyán 626
科长 kēzhǎng 626
棵 kē 626
颗 kē 627
颗粒 kēlì 627
磕 kē 627
壳 ké 627
咳 ké 627
咳嗽 késou 627
可 kě 627
可爱 kě'ài 627
可不是 kě bu shì 628
可歌可泣 kě gē kě qì 628
可观 kěguān 628
可贵 kěguì 628
可见 kějiàn 628
可靠 kěkào 628
可口 kěkǒu 628
可怜 kělián 628
可能 kěnéng 628
可怕 kěpà 629
可巧 kěqiǎo 629
可是 kěshì 629
可望不可即 kě wàng bù kě jí 629
可恶 kěwù 629
可惜 kěxī 629
可喜 kěxǐ 629
可想而知 kě xiǎng ér zhī 629
可笑 kěxiào 629
可行 kěxíng 629
可以 kěyǐ 630
渴 kě 630
渴望 kěwàng 630
克 kè 630
克服 kèfú 630
刻 kè 630
客 kè 630
客车 kèchē 631
客观 kèguān 631
客气 kèqi 631
客人 kèrén 631
客商 kèshāng 631
客厅 kètīng 631
课 kè 631
课本 kèběn 632
课程 kèchéng 632
课时 kèshí 632
课堂 kètáng 632
课题 kètí 632
课外 kèwài 632
课文 kèwén 632
肯 kěn 632
肯定 kěndìng 632
恳切 kěnqiè 633
恳求 kěnqiú 633
啃 kěn 633
坑 kēng 633
空 kōng 633
空洞 kōngdòng 633
空港 kōnggǎng 633
空话 kōnghuà 633
空间 kōngjiān 634
空姐 kōngjiě 634
空军 kōngjūn 634
空气 kōngqì 634
空前 kōngqián 634
空调 kōngtiáo 634
空想 kōngxiǎng 634
空心 kōng xīn 634
空虚 kōngxū 634
空中 kōngzhōng 634
孔 kǒng 635
孔雀 kǒngquè 635
恐怖 kǒngbù 635
恐惧 kǒngjù 635
恐怕 kǒngpà 635
空 kòng 635
空儿 kòngr 635
空白 kòngbái 635
空隙 kòngxì 636
控 kòng 636
控诉 kòngsù 636
控制 kòngzhì 636
抠 kōu 636
口 kǒu 636
口岸 kǒu'àn 636
口袋 kǒudài 637
口干舌燥 kǒu gān shé zào 637
口号 kǒuhào 637
口气 kǒuqì 637
口腔 kǒuqiāng 637
口试 kǒushì 637
口是心非 kǒu shì xīn fēi 637
口头 kǒutóu 637

口香糖 kǒuxiāngtáng 637
口音 kǒuyīn 638
口语 kǒuyǔ 638
扣 kòu 638
枯 kū 638
枯燥 kūzào 638
哭 kū 638
窟 kū 638
窟窿 kūlong 638
苦 kǔ 638
苦难 kǔnàn 639
苦恼 kǔnǎo 639
库 kù 639
库存 kùcún 639
库房 kùfáng 639
裤 kù 639
裤子 kùzi 639
夸 kuā 639
夸夸其谈 kuākuā qí tán 639
夸张 kuāzhāng 640
垮 kuǎ 640
挎 kuà 640
跨 kuà 640
会计 kuàijì 640
块 kuài 641
快 kuài 641
快餐 kuàicān 641
快活 kuàihuo 641
快件 kuàijiàn 641
快乐 kuàilè 641
快速 kuàisù 642
筷子 kuàizi 642
宽 kuān 642
宽敞 kuānchang 642
宽大 kuāndà 642
宽广 kuānguǎng 642
宽阔 kuānkuò 642
款 kuǎn 642
款待 kuǎndài 642
筐 kuāng 642
狂 kuáng 643
狂风 kuángfēng 643
狂妄 kuángwàng 643
旷 kuàng 643
旷工 kuàng gōng 643
旷课 kuàng kè 643
况且 kuàngqiě 643
矿 kuàng 643
矿藏 kuàngcáng 644
矿产 kuàngchǎn 644
矿井 kuàngjǐng 644
矿区 kuàngqū 644
矿山 kuàngshān 644
矿石 kuàngshí 644
矿物 kuàngwù 644
框 kuàng 644
亏 kuī 644
亏待 kuīdài 645
亏损 kuīsǔn 645
葵花 kuíhuā 645
昆虫 kūnchóng 645
捆 kǔn 645
困 kùn 645
困境 kùnjìng 645
困苦 kùnkǔ 645
困难 kùnnan 646
困扰 kùnrǎo 646
扩 kuò 646
扩充 kuòchōng 646
扩大 kuòdà 646
扩建 kuòjiàn 646
扩散 kuòsàn 646
扩展 kuòzhǎn 647
扩张 kuòzhāng 647
阔 kuò 647

L

垃圾 lājī 648
拉 lā 648
拉倒 lādǎo 648
拉肚子 lā dùzi 648
拉关系 lā guānxi 648
喇叭 lǎba 649
落 là 649
腊 là 649
腊月 làyuè 649
蜡 là 649
蜡烛 làzhú 649
辣 là 650
辣椒 làjiāo 650
啦 la 650
来 lái 650
来宾 láibīn 651
来不及 lái bu jí 651
来得及 lái de jí 651
来访 láifǎng 651
来回 láihuí 651
来回来去 lái huí lái qù 652
…来看 …lái kàn 652
来客 láikè 652
来历 láilì 652
来临 láilín 652
来龙去脉 lái lóng qù mài 652
来年 láinián 652
来日方长 lái rì fāng cháng 652
…来说 …lái shuō 652
来往 láiwǎng 653
来信 láixìn 653
来源 láiyuán 653

来自 láizì 653
赖 lài 653
兰 lán 654
兰花 lánhuā 654
拦 lán 654
栏 lán 654
栏杆 lángān 654
蓝 lán 654
篮 lán 654
篮球 lánqiú 654
篮子 lánzi 655
懒 lǎn 655
懒惰 lǎnduò 655
烂 làn 655
滥竽充数
làn yú chōng shù 655
狼 láng 656
狼狈 lángbèi 656
狼狈为奸
láng bèi wéi jiān 656
狼吞虎咽
láng tūn hǔ yàn 656
朗 lǎng 656
朗读 lǎngdú 656
朗诵 lǎngsòng 656
浪 làng 656
浪潮 làngcháo 657
浪费 làngfèi 657
浪漫 làngmàn 657
捞 lāo 657
劳 láo 657
劳动 láodòng 657
劳动力 láodònglì 657
劳驾 láo jià 658
劳民伤财
láo mín shāng cái 658
劳务 láowù 658
牢 láo 658
牢房 láofáng 658
牢固 láogù 658
牢记 láojì 658
牢骚 láosāo 658
老 lǎo 659
老百姓 lǎobǎixìng 659
老板 lǎobǎn 659
老成 lǎochéng 659
老大妈(大妈)
lǎodàmā(dàmā) 659
老大娘(大娘)
lǎodàniáng
(dàniáng) 660
老大爷(大爷)
lǎodàye(dàye) 660
老汉 lǎohàn 660
老虎 lǎohǔ 660
老化 lǎohuà 660
老骥伏枥
lǎo jì fú lì 660
老家 lǎojiā 660
老奸巨猾
lǎo jiān jù huá 661
老龄 lǎolíng 661
老马识途
lǎo mǎ shí tú 661
老年 lǎonián 661
老婆 lǎopo 661
老气横秋
lǎo qì héng qiū 661
老人 lǎorén 661
老人家 lǎorenjia 661
老生常谈
lǎo shēng cháng
tán 662
老师 lǎoshī 662
老(是)lǎo(shì) 662
老实 lǎoshi 662
老鼠 lǎoshǔ 662
老太婆 lǎotàipó 662
老太太 lǎotàitai 662
老天爷 lǎotiānyé 663
老头儿 lǎotóur 663
老外 lǎowài 663
老乡 lǎoxiāng 663
老羞成怒
lǎo xiū chéng nù 663
老爷 lǎoye 663
老一辈 lǎoyíbèi 663
老中青
lǎo zhōng qīng 664
姥姥 lǎolao 664
涝 lào 664
乐 lè — 664
乐不思蜀
lè bù sī Shǔ 664
乐观 lèguān 664
乐趣 lèqù 665
乐意 lèyì 665
了 le 665
勒 lēi 665
雷 léi 665
雷达 léidá 666
雷厉风行
léi lì fēng xíng 666
雷雨 léiyǔ 666
垒 lěi 666
类 lèi 666
类似 lèisì 666
类型 lèixíng 666
累 lèi 667
棱 léng 667
冷 lěng 667
冷淡 lěngdàn 667
冷静 lěngjìng 668
冷气 lěngqì 668
冷却 lěngquè 668
冷饮 lěngyǐn 668
愣 lèng 668

厘 lí 668
厘米 límǐ 669
离 lí 669
离别 líbié 669
离婚 lí hūn 669
离开 lí kāi 669
离奇 líqí 669
离心离德
lí xīn lí dé 669
离休 líxiū 669
梨 lí 670
犁 lí 670
黎明 límíng 670
篱笆 líba 670
礼 lǐ 670
礼拜 lǐbài 670
礼拜天(日)
lǐbàitiān(rì) 671
礼节 lǐjié 671
礼貌 lǐmào 671
礼品 lǐpǐn 671
礼尚往来
lǐ shàng wǎng lái 671
礼堂 lǐtáng 671
礼物 lǐwù 672
礼仪 lǐyí 672
里 lǐ 672
里边 lǐbian 672
里面 lǐmiàn 672
里头 lǐtou 672
理 lǐ 672
理睬 lǐcǎi 673
理发 lǐ fà 673
理会 lǐhuì 673
理解 lǐjiě 673
理论 lǐlùn 673
理事 lǐshì 673
理顺 lǐshùn 674
理所当然
lǐ suǒ dāngrán 674
理想 lǐxiǎng 674
理由 lǐyóu 674
理直气壮
lǐ zhí qì zhuàng 674
力 lì 674
力不从心
lì bù cóng xīn 674
力度 lìdù 675
力量 lìliang 675
力气 lìqi 675
力求 lìqiú 675
力图 lìtú 675
力挽狂澜
lì wǎn kuáng lán 675
力争 lìzhēng 675
历 lì 675
历代 lìdài 676
历来 lìlái 676
历历在目
lìlì zài mù 676
历年 lìnián 676
历史 lìshǐ 676
厉害 lìhai 676
立 lì 676
立场 lìchǎng 677
立方 lìfāng 677
立方米 lìfāngmǐ 677
立即 lìjí 677
立交桥 lìjiāoqiáo 677
立刻 lìkè 677
立体 lìtǐ 677
利 lì 678
利弊 lìbì 678
利害 lìhài 678
利润 lìrùn 678
利息 lìxī 678
利益 lìyì 678
利用 lìyòng 678
沥青 lìqīng 679
例 lì 679
例如 lìrú 679
例外 lìwài 679
例子 lìzi 679
荔枝 lìzhī 679
栗 lì 680
栗子 lìzi 680
粒 lì 680
哩 li 680
俩 liǎ 680
连 lián 680
连…带…
lián…dài… 680
连…都(也)…
lián…dōu(yě)… 681
连队 liánduì 681
连滚带爬
lián gǔn dài pá 681
连接 liánjiē 681
连连 liánlián 681
连忙 liánmáng 681
连绵 liánmián 681
连年 liánnián 681
连篇累牍
lián piān lěi dú 682
连锁店 liánsuǒdiàn 682
连同 liántóng 682
连续 liánxù 682
连续剧 liánxùjù 682
连夜 liányè 682
帘 lián 682
莲 lián 682
莲子 liánzǐ 682
联 lián 683
联邦 liánbāng 683
联合 liánhé 683
联欢 liánhuān 683

联络 liánluò 683
联盟 liánméng 683
联网 liánwǎng 683
联系 liánxì 683
联想 liánxiǎng 684
联谊 liányì 684
廉 lián 684
廉价 liánjià 684
廉洁 liánjié 684
廉政 liánzhèng 684
镰刀 liándāo 684
脸 liǎn 684
脸盆 liǎnpén 685
脸色 liǎnsè 685
练 liàn 685
练兵 liàn bīng 685
练习 liànxí 685
炼 liàn 685
恋 liàn 685
恋爱 liàn'ài 686
恋恋不舍
liànliàn bù shě 686
恋人 liànrén 686
链 liàn 686
链子 liànzi 686
良 liáng 686
良好 liánghǎo 686
良师益友
liáng shī yì yǒu 686
良药苦口
liáng yào kǔ kǒu 687
良莠不齐
liáng yǒu bù qí 687
良种 liángzhǒng 687
凉 liáng 687
凉快 liángkuai 687
凉水 liángshuǐ 687
梁 liáng 687
量 liáng 688
粮 liáng 688
粮食 liángshi 688
两 liǎng 688
两极 liǎngjí 688
两口子 liǎngkǒuzi 688
两旁 liǎngpáng 689
两手 liǎngshǒu 689
两小无猜
liǎng xiǎo wú cāi 689
两袖清风
liǎng xiù qīng fēng 689
亮 liàng 689
亮光 liàngguāng 689
谅解 liàngjiě 689
辆 liàng 690
量 liàng 690
量入为出
liàng rù wéi chū 690
量体裁衣
liàng tǐ cái yī 690
晾 liàng 690
辽阔 liáokuò 690
疗 liáo 690
疗效 liáoxiào 691
疗养 liáoyǎng 691
聊 liáo 691
聊天儿 liáo tiānr 691
寥寥无几
liáoliáo wú jǐ 691
潦草 liáocǎo 691
了 liǎo 691
了不起 liǎobuqǐ 691
了解 liǎojiě 692
料 liào 692
列 liè 692
列车 lièchē 692
列举 lièjǔ 692
列入 liè rù 693
列席 lièxí 693
劣 liè 693
烈 liè 693
烈火 lièhuǒ 693
烈士 lièshì 693
猎 liè 693
猎人 lièrén 693
裂 liè 693
邻 lín 694
邻国 línguó 694
邻居 línjū 694
林 lín 694
林场 línchǎng 694
林区 línqū 694
林业 línyè 694
临 lín 694
临床 línchuáng 695
临近 línjìn 695
临时 línshí 695
临危不惧
lín wēi bú jù 695
临阵磨枪
lín zhèn mó qiāng 695
淋 lín 695
淋漓尽致
línlí jìn zhì 695
伶俐 línglì 696
伶牙俐齿
líng yá lì chǐ 696
灵 líng 696
灵丹妙药
líng dān miào yào 696
灵魂 línghún 696
灵活 línghuó 696
灵敏 língmǐn 697
灵巧 língqiǎo 697
玲珑 línglóng 697
铃 líng 697
凌 líng 697
凌晨 língchén 697

零 líng 697
零件 língjiàn 698
零钱 língqián 698
零售 língshòu 698
零碎 língsuì 698
零星 língxīng 698
岭 lǐng 698
领 lǐng 698
领带 lǐngdài 699
领导 lǐngdǎo 699
领会 lǐnghuì 699
领事 lǐngshì 699
领土 lǐngtǔ 699
领先 lǐngxiān 699
领袖 lǐngxiù 699
领域 lǐngyù 700
领子 lǐngzi 700
另 lìng 700
另外 lìngwài 700
另眼相看 lìng yǎn xiāng kàn 700
令 lìng 700
令人生畏 lìng rén shēng wèi 700
溜 liū 700
留 liú 701
留恋 liúliàn 701
留念 liú niàn 701
留神 liú shén 701
留心 liú xīn 701
留学 liú xué 701
留学生 liúxuéshēng 701
留言 liúyán 702
留意 liú yì 702
流 liú 702
流传 liúchuán 702
流动 liúdòng 702
流浪 liúlàng 702
流利 liúlì 702
流露 liúlù 702
流氓 liúmáng 702
流水 liúshuǐ 703
流通 liútōng 703
流行 liúxíng 703
流言飞语 liúyán fēiyǔ 703
流域 liúyù 703
硫酸 liúsuān 703
柳 liǔ 703
柳树 liǔshù 703
六 liù 704
六神无主 liù shén wú zhǔ 704
陆 liù 704
龙 lóng 704
龙飞凤舞 lóng fēi fèng wǔ 704
龙头 lóngtóu 704
聋 lóng 704
笼子 lóngzi 704
隆重 lóngzhòng 705
垄断 lǒngduàn 705
拢 lǒng 705
笼罩 lǒngzhào 705
楼 lóu 705
楼道 lóudào 705
楼房 lóufáng 705
楼梯 lóutī 705
搂 lǒu 705
漏 lòu 706
漏税 lòu shuì 706
露 lòu 706
露面 lòu miàn 706
喽 lou 706
炉火纯青 lú huǒ chún qīng 706
炉子 lúzi 706
陆 lù 706
陆地 lùdì 707
陆军 lùjūn 707
陆续 lùxù 707
录 lù 707
录取 lùqǔ 707
录像 lù xiàng 707
录音 lù yīn 707
录音机 lùyīnjī 708
录用 lùyòng 708
鹿 lù 708
路 lù 708
路程 lùchéng 708
路过 lùguò 708
路口 lùkǒu 709
路面 lùmiàn 709
路上 lùshang 709
路线 lùxiàn 709
路子 lùzi 709
露 lù 709
驴 lǘ 709
旅 lǚ 709
旅店 lǚdiàn 710
旅馆 lǚguǎn 710
旅客 lǚkè 710
旅途 lǚtú 710
旅行 lǚxíng 710
旅游 lǚyóu 710
旅游业 lǚyóu yè 710
铝 lǚ 710
屡 lǚ 710
屡次 lǚcì 711
屡见不鲜 lǚ jiàn bù xiān 711
履 lǚ 711
履行 lǚxíng 711
律师 lǜshī 711
率 lǜ 711

绿 lǜ 711
绿化 lǜhuà 711
绿色食品 lǜsè shípǐn 711
卵 luǎn 712
乱 luàn 712
乱七八糟 luànqībāzāo 712
掠 lüè 712
掠夺 lüèduó 712
略 lüè 712
略微 lüèwēi 712
抡 lūn 712
轮 lún 712
轮船 lúnchuán 713
轮廓 lúnkuò 713
轮流 lúnliú 713
轮子 lúnzi 713
论 lùn 713
论点 lùndiǎn 713
论述 lùnshù 713
论文 lùnwén 714
论证 lùnzhèng 714
啰唆 luōsuo 714
罗列 luóliè 714
萝卜 luóbo 714
逻辑 luójí 714
锣 luó 714
箩 luó 714
箩筐 luókuāng 715
骡子 luózi 715
螺丝钉 luósīdīng 715
骆驼 luòtuo 715
络绎不绝 luòyì bù jué 715
落 luò 715
落成 luòchéng 716
落地 luòdì 716
落后 luòhòu 716
落花有意，流水无情 luò huā yǒu yì, liú shuǐ wú qíng 716
落井下石 luò jǐng xià shí 716
落落大方 luòluò dàfang 716
落实 luòshí 716
落选 luò xuǎn 716

M

妈 mā 717
妈妈 māma 717
抹 mā 717
抹布 mābù 717
麻 má 717
麻痹 mábì 717
麻袋 mádài 717
麻烦 máfan 718
麻木 mámù 718
麻雀 máquè 718
麻醉 mázuì 718
马 mǎ 718
马车 mǎchē 718
马达 mǎdá 718
马虎 mǎhu 719
马克思主义 Mǎkèsī zhǔyì 719
马力 mǎlì 719
马铃薯 mǎlíngshǔ 719
马路 mǎlù 719
马上 mǎshàng 719
马戏 mǎxì 719
码 mǎ 719
码头 mǎtou 719
蚂蚁 mǎyǐ 720
骂 mà 720
吗 ma 720
嘛 ma 720
埋 mái 720
埋没 máimò 721
埋头 mái tóu 721
埋头苦干 mái tóu kǔ gàn 721
买 mǎi 721
买卖 mǎimai 721
迈 mài 721
卖 mài 721
卖国 mài guó 721
脉 mài 722
脉搏 màibó 722
埋怨 mányuàn 722
馒头 mántou 722
瞒 mán 722
满 mǎn 722
满怀 mǎnhuái 722
满腔 mǎnqiāng 723
满意 mǎnyì 723
满月 mǎn yuè 723
满足 mǎnzú 723
蔓延 mànyán 723
慢 màn 723
慢性 mànxìng 724
漫 màn 724
漫长 màncháng 724
漫山遍野 màn shān biàn yě 724
忙 máng 724
忙碌 mánglù 724
盲 máng 725
盲从 mángcóng 725
盲目 mángmù 725
盲人 mángrén 725
盲人摸象 mángrén mō xiàng 725

茫茫 mángmáng 725
茫然 mángrán 726
猫 māo 726
毛 máo 726
毛笔 máobǐ 726
毛病 máobìng 726
毛巾 máojīn 727
毛遂自荐
Máo Suì zì jiàn 727
毛线 máoxiàn 727
毛衣 máoyī 727
矛盾 máodùn 727
茅台酒 máotáijiǔ 727
茂密 màomì 727
茂盛 màoshèng 728
冒 mào 728
冒充 màochōng 728
冒进 màojìn 728
冒牌 màopái 728
冒险 màoxiǎn 728
贸易 màoyì 728
帽 mào 728
帽子 màozi 729
没 méi 729
没吃没穿
méi chī méi chuān
729
没错 méi cuò 729
没关系 méi guānxi 729
没什么 méi shénme 730
没事儿 méi shìr 730
没说的 méi shuōde 730
没意思 méi yìsi 730
没用 méi yòng 730
没有 méiyǒu 730
没辙 méi zhé 731
玫瑰 méigui 731
枚 méi 731
眉 méi 731
眉开眼笑
méi kāi yǎn xiào 731
眉毛 méimao 731
眉头 méitóu 732
梅花 méihuā 732
媒 méi 732
媒介 méijiè 732
媒体 méitǐ 732
煤 méi 732
煤气 méiqì 732
霉 méi 732
每 měi 732
每况愈下
měi kuàng yù xià 733
美 měi 733
美德 měidé 733
美观 měiguān 733
美好 měihǎo 733
美丽 měilì 733
美满 měimǎn 734
美妙 měimiào 734
美容 měiróng 734
美术 měishù 734
美元 měiyuán 734
美中不足
měi zhōng bù zú 734
妹 mèi 734
妹妹 mèimei 734
闷 mēn 734
门 mén 735
门当户对
mén dāng hù duì 735
门口 ménkǒu 735
门铃 ménlíng 735
门路 ménlu 735
门市部 ménshìbù 735
门诊 ménzhěn 735
闷 mèn 736
们 men 736
萌芽 méngyá 736
蒙 méng 736
猛 měng 736
猛烈 měngliè 736
猛然 měngrán 736
梦 mèng 737
梦想 mèngxiǎng 737
眯 mī 737
弥补 míbǔ 737
弥漫 mímàn 737
迷 mí 737
迷糊 míhu 737
迷惑 míhuò 738
迷恋 míliàn 738
迷失 míshī 738
迷途知返
mí tú zhī fǎn 738
迷信 míxìn 738
谜 mí 738
谜语 míyǔ 738
米 mǐ 739
米饭 mǐfàn 739
秘密 mìmì 739
秘书 mìshū 739
密 mì 739
密度 mìdù 739
密封 mìfēng 739
密切 mìqiè 740
蜜 mì 740
蜜蜂 mìfēng 740
棉 mián 740
棉花 miánhua 740
棉衣 miányī 740
免 miǎn 740
免除 miǎnchú 741
免得 miǎnde 741
免费 miǎn fèi 741
勉励 miǎnlì 741
勉强 miǎnqiǎng 741

面 miàn 741
面包 miànbāo 742
面包车 miànbāochē 742
面对 miànduì 742
面粉 miànfěn 742
面积 miànjī 742
面孔 miànkǒng 742
面临 miànlín 742
面貌 miànmào 743
面面俱到
miànmiàn jù dào 743
面目 miànmù 743
面目一新
miànmù yì xīn 743
面前 miànqián 743
面容 miànróng 743
面条儿 miàntiáor 743
面子 miànzi 743
苗 miáo 744
描 miáo 744
描绘 miáohuì 744
描述 miáoshù 744
描写 miáoxiě 744
秒 miǎo 744
渺小 miǎoxiǎo 744
妙 miào 744
妙趣横生
miào qù héng shēng 745
庙 miào 745
灭 miè 745
灭亡 mièwáng 745
蔑视 mièshì 745
民 mín 745
民兵 mínbīng 745
民工 míngōng 745
民航 mínháng 746
民间 mínjiān 746
民事 mínshì 746
民意 mínyì 746
民用 mínyòng 746
民众 mínzhòng 746
民主 mínzhǔ 746
民族 mínzú 746
敏感 mǐngǎn 747
敏捷 mǐnjié 747
敏锐 mǐnruì 747
名 míng 747
名不副实
míng bú fù shí 747
名称 míngchēng 747
名次 míngcì 748
名单 míngdān 748
名额 míng'é 748
名副其实
míng fù qí shí 748
名贵 míngguì 748
名牌 míngpái 748
名片 míngpiàn 748
名人 míngrén 748
名声 míngshēng 749
名胜 míngshèng 749
名义 míngyì 749
名誉 míngyù 749
名字 míngzi 749
名作 míngzuò 749
明 míng 749
明白 míngbai 750
明亮 míngliàng 750
明明 míngmíng 750
明目张胆
míng mù zhāng dǎn 750
明年 míngnián 751
明确 míngquè 751
明天 míngtiān 751
明显 míngxiǎn 751
明信片 míngxìnpiàn 751
明星 míngxīng 751
明知故犯
míng zhī gù fàn 751
鸣 míng 751
命 mìng 752
命令 mìnglìng 752
命名 mìng míng 752
命题 mìng tí 752
命运 mìngyùn 752
谬论 miùlùn 752
摸 mō 753
摸索 mōsuǒ 753
模 mó 753
模范 mófàn 753
模仿 mófǎng 753
模糊 móhu 753
模式 móshì 754
模型 móxíng 754
膜 mó 754
摩 mó 754
摩擦 mócā 754
摩托车 mótuōchē 754
磨 mó 754
蘑菇 mógu 755
魔 mó 755
魔鬼 móguǐ 755
魔术 móshù 755
抹 mǒ 755
抹杀 mǒshā 755
末 mò 755
陌生 mòshēng 756
莫 mò 756
莫名其妙
mò míng qí miào 756
漠不关心
mò bù guānxīn 756
墨 mò 756
墨水儿 mòshuǐr 756
默 mò 757

默默 mòmò 757
谋 móu 757
谋求 móuqiú 757
某 mǒu 757
某些 mǒuxiē 757
模样 múyàng 757
母 mǔ 757
母亲 mǔqīn 758
亩 mǔ 758
木 mù 758
木材 mùcái 758
木匠 mùjiang 758
木头 mùtou 758
目 mù 758
目标 mùbiāo 759
目不转睛
mù bù zhuǎn jīng 759
目的 mùdì 759
目睹 mùdǔ 759
目光 mùguāng 759
目录 mùlù 759
目前 mùqián 759
目中无人
mù zhōng wú rén 759
牧 mù 760
牧场 mùchǎng 760
牧民 mùmín 760
牧区 mùqū 760
牧业 mùyè 760
墓 mù 760
幕 mù 760
穆斯林 mùsīlín 760

N

拿 ná 761
拿…来说
ná…lái shuō 761
拿手 náshǒu 761
哪 nǎ 761
哪个 nǎge 761
哪里(哪儿)
nǎli(nǎr) 762
哪怕 nǎpà 762
哪些 nǎxiē 762
那 nà 762
那边 nàbian 763
那个 nàge 763
那里(那儿)
nàli(nàr) 763
那么 nàme 763
那时 nàshí 764
那些 nàxiē 764
那样 nàyàng 764
纳 nà 764
纳闷儿 nà mènr 764
纳税 nà shuì 764
哪 na 764
乃 nǎi 764
奶 nǎi 764
奶粉 nǎifěn 765
奶奶 nǎinai 765
耐 nài 765
耐烦 nàifán 765
耐力 nàilì 765
耐心 nàixīn 765
耐用 nàiyòng 765
男 nán 766
男人 nánrén 766
男士 nánshì 766
男性 nánxìng 766
男子 nánzǐ 766
南 nán 766
南北关系
nán běi guānxi 766
南边 nánbian 767
南部 nánbù 767
南方 nánfāng 767
南来北往
nán lái běi wǎng 767
南面 nánmiàn 767
难 nán 767
难道 nándào 767
难得 nándé 767
难度 nándù 768
难怪 nánguài 768
难关 nánguān 768
难过 nánguò 768
难堪 nánkān 768
难看 nánkàn 768
难免 nánmiǎn 769
难受 nánshòu 769
难题 nántí 769
难以 nányǐ 769
难 nàn 769
难民 nànmín 769
恼 nǎo 769
恼火 nǎohuǒ 769
脑 nǎo 770
脑袋 nǎodai 770
脑筋 nǎojīn 770
脑力 nǎolì 770
脑子 nǎozi 770
闹 nào 770
闹事 nào shì 771
闹笑话 nào xiàohua 771
闹着玩儿
nào zhe wánr 771
呢 ne 771
内 nèi 772
内部 nèibù 772
内地 nèidì 772
内阁 nèigé 772
内行 nèiháng 772
内科 nèikē 772
内幕 nèimù 772

内容 nèiróng 772
内向 nèixiàng 773
内心 nèixīn 773
内在 nèizài 773
内脏 nèizàng 773
内战 nèizhàn 773
内政 nèizhèng 773
嫩 nèn 773
能 néng 774
能干 nénggàn 774
能歌善舞 néng gē shàn wǔ 774
能够 nénggòu 774
能力 nénglì 774
能量 néngliàng 774
能手 néngshǒu 775
能源 néngyuán 775
嗯 ńg 775
泥 ní 775
泥土 nítǔ 775
拟 nǐ 775
拟定 nǐdìng 775
你 nǐ 775
你们 nǐmen 776
逆 nì 776
逆反 nìfǎn 776
逆流 nìliú 776
逆水行舟 nì shuǐ xíng zhōu 776
年 nián 776
年代 niándài 777
年度 niándù 777
年级 niánjí 777
年纪 niánjì 777
年龄 niánlíng 777
年青 niánqīng 777
年轻 niánqīng 778
年头儿 niántóur 778
捻 niǎn 778
撵 niǎn 778
念 niàn 778
念书 niàn shū 778
念头 niàntou 778
娘 niáng 778
酿 niàng 779
鸟 niǎo 779
尿 niào 779
捏 niē 779
捏造 niēzào 779
您 nín 779
宁 níng 779
宁静 níngjìng 780
柠檬 níngméng 780
凝 níng 780
凝固 nínggù 780
凝结 níngjié 780
凝聚力 níngjùlì 780
凝视 níngshì 780
拧 nǐng 780
宁 nìng 781
宁可 nìngkě 781
宁肯 nìngkěn 781
宁愿 nìngyuàn 781
牛 niú 781
牛奶 niúnǎi 781
牛仔服 niúzǎifú 781
扭 niǔ 781
扭转 niǔzhuǎn 782
纽 niǔ 782
纽扣 niǔkòu 782
农 nóng 782
农产品 nóngchǎnpǐn 782
农场 nóngchǎng 782
农村 nóngcūn 782
农户 nónghù 782
农具 nóngjù 782
农贸市场 nóng mào shìchǎng 783
农民 nóngmín 783
农田 nóngtián 783
农药 nóngyào 783
农业 nóngyè 783
农作物 nóngzuòwù 783
浓 nóng 783
浓度 nóngdù 783
浓厚 nónghòu 784
弄 nòng 784
弄巧成拙 nòng qiǎo chéng zhuō 784
弄虚作假 nòng xū zuò jiǎ 784
奴隶 núlì 784
奴役 núyì 784
努力 nǔlì 784
怒 nù 785
怒吼 nùhǒu 785
怒火 nùhuǒ 785
女 nǚ 785
女儿 nǚ'ér 785
女人 nǚrén 785
女士 nǚshì 786
女性 nǚxìng 786
女子 nǚzǐ 786
暖 nuǎn 786
暖和 nuǎnhuo 786
暖气 nuǎnqì 786
挪 nuó 786

O

噢 ō 787
哦 ò 787
殴打 ōudǎ 787

呕 ǒu 787
呕吐 ǒutù 787
偶尔 ǒu'ěr 787
偶然 ǒurán 787

P

趴 pā 788
扒 pá 788
爬 pá 788
怕 pà 788
拍 pāi 788
拍板 pāi bǎn 789
拍摄 pāishè 789
拍手称快
pāi shǒu chēng kuài 789
拍照 pāi zhào 789
拍子 pāizi 789
排 pái 789
排斥 páichì 790
排除 páichú 790
排队 pái duì 790
排挤 páijǐ 790
排列 páiliè 790
排球 páiqiú 790
排山倒海
pái shān dǎo hǎi 790
排长 páizhǎng 791
徘徊 páihuái 791
牌 pái 791
牌子 páizi 791
派 pài 791
派别 pàibié 792
派出所 pàichūsuǒ 792
派遣 pàiqiǎn 792
攀 pān 792
攀登 pāndēng 792
盘 pán 792
盘根错节
pán gēn cuò jié 793
盘旋 pánxuán 793
盘子 pánzi 793
判 pàn 793
判处 pànchǔ 793
判定 pàndìng 793
判断 pànduàn 793
判决 pànjué 793
盼 pàn 793
盼望 pànwàng 794
叛 pàn 794
叛变 pànbiàn 794
叛徒 pàntú 794
畔 pàn 794
庞 páng 794
庞大 pángdà 794
庞然大物
pángrán dà wù 794
旁 páng 795
旁边 pángbiān 795
旁门左道
páng mén zuǒ dào 795
旁敲侧击
páng qiāo cè jī 795
旁若无人
páng ruò wú rén 795
胖 pàng 795
胖子 pàngzi 795
抛 pāo 795
抛弃 pāoqì 796
抛头露面
pāo tóu lù miàn 796
抛砖引玉
pāo zhuān yǐn yù 796
刨 páo 796
跑 pǎo 796
跑步 pǎobù 796
跑道 pǎodào 796
泡 pào 797
泡沫 pàomò 797
炮 pào 797
炮弹 pàodàn 797
炮火 pàohuǒ 797
陪 péi 797
陪同 péitóng 797
培 péi 798
培训 péixùn 798
培养 péiyǎng 798
培育 péiyù 798
赔 péi 798
赔偿 péicháng 798
赔款 péi kuǎn 798
佩 pèi 799
佩服 pèifú 799
配 pèi 799
配备 pèibèi 799
配方 pèifāng 799
配合 pèihé 800
配偶 pèi'ǒu 800
配套 pèi tào 800
喷 pēn 800
喷射 pēnshè 800
盆 pén 800
盆地 péndì 800
烹饪 pēngrèn 800
烹调 pēngtiáo 800
朋 péng 800
朋友 péngyou 800
棚 péng 801
蓬勃 péngbó 801
鹏程万里
péng chéng wàn lǐ 801
膨胀 péngzhàng 801
捧 pěng 801
碰 pèng 801

碰钉子 pèng dīngzi 801
碰见 pèng jiàn 802
批 pī 802
批发 pīfā 802
批复 pīfù 802
批改 pīgǎi 802
批判 pīpàn 802
批评 pīpíng 802
批示 pīshì 803
批准 pīzhǔn 803
披 pī 803
披头散发
pī tóu sàn fà 803
劈 pī 803
皮 pí 803
皮包公司
píbāo gōngsī 804
皮带 pídài 804
皮肤 pífū 804
皮革 pígé 804
疲惫 píbèi 804
疲惫不堪
píbèi bù kān 804
疲乏 pífá 804
疲倦 píjuàn 804
疲劳 píláo 805
疲于奔命
pí yú bēn mìng 805
啤酒 píjiǔ 805
脾 pí 805
脾气 píqi 805
匹 pǐ 805
否极泰来
pǐ jí tài lái 805
屁 pì 805
屁股 pìgu 806
譬如 pìrú 806
偏 piān 806
偏差 piānchā 806
偏见 piānjiàn 806
偏僻 piānpì 806
偏偏 piānpiān 806
偏向 piānxiàng 807
偏心 piānxīn 807
篇 piān 807
便宜 piányi 807
片 piàn 807
片刻 piànkè 808
片面 piànmiàn 808
骗 piàn 808
漂 piāo 808
飘 piāo 808
飘扬 piāoyáng 808
票 piào 808
漂亮 piàoliang 808
撇 piē 809
瞥 piē 809
拼 pīn 809
拼搏 pīnbó 809
拼命 pīn mìng 809
贫 pín 809
贫乏 pínfá 809
贫苦 pínkǔ 810
贫困 pínkùn 810
贫民 pínmín 810
贫穷 pínqióng 810
频 pín 810
频繁 pínfán 810
频率 pínlǜ 810
品 pǐn 810
品尝 pǐncháng 811
品德 pǐndé 811
品牌 pǐnpái 811
品位 pǐnwèi 811
品行 pǐnxíng 811
品质 pǐnzhì 811
品种 pǐnzhǒng 811
聘 pìn 811
聘请 pìnqǐng 811
聘任 pìnrèn 812
聘用 pìnyòng 812
乒 pīng 812
乒乓球 pīngpāngqiú 812
平 píng 812
平安 píng'ān 812
平常 píngcháng 813
平淡无奇
píngdàn wú qí 813
平等 píngděng 813
平凡 píngfán 813
平方 píngfāng 813
平分秋色
píng fēn qiū sè 813
平衡 pínghéng 813
平静 píngjìng 814
平均 píngjūn 814
平面 píngmiàn 814
平民 píngmín 814
平日 píngrì 814
平时 píngshí 814
平坦 píngtǎn 814
平稳 píngwěn 814
平心静气
píng xīn jìng qì 815
平行 píngxíng 815
平原 píngyuán 815
平整 píngzhěng 815
平装 píngzhuāng 815
评 píng 815
评比 píngbǐ 815
评定 píngdìng 816
评估 pínggū 816
评价 píngjià 816
评论 pínglùn 816
评审 píngshěn 816
评头品足
píng tóu pǐn zú 816

评选 píngxuǎn 816
苹果 píngguǒ 816
凭 píng 816
瓶 píng 817
瓶子 píngzi 817
萍水相逢
píng shuǐ xiāng
féng 817
屏 píng 817
屏障 píngzhàng 817
坡 pō 817
泼 pō 817
颇 pō 817
婆 pó 817
婆婆 pópo 818
迫 pò 818
迫害 pòhài 818
迫切 pòqiè 818
迫使 pòshǐ 818
破 pò 818
破产 pò chǎn 819
破除 pòchú 819
破釜沉舟
pò fǔ chén zhōu 819
破坏 pòhuài 819
破获 pòhuò 819
破旧 pòjiù 819
破烂 pòlàn 819
破裂 pòliè 820
破碎 pòsuì 820
破涕为笑
pò tì wéi xiào 820
扑 pū 820
扑克 pūkè 820
扑灭 pū miè 820
扑朔迷离
pūshuò mílí 820
铺 pū 820
仆 pú 820
仆人 púrén 821
葡萄 pútao 821
葡萄糖 pútaotáng 821
朴实 pǔshí 821
朴素 pǔsù 821
普 pǔ 821
普遍 pǔbiàn 821
普查 pǔchá 821
普及 pǔjí 821
普通 pǔtōng 822
普通话 pǔtōnghuà 822
谱 pǔ 822
谱曲 pǔ qǔ 822
瀑 pù 822
瀑布 pùbù 822

Q

七 qī 823
七零八落
qī líng bā luò 823
七上八下
qī shàng bā xià 823
七手八脚
qī shǒu bā jiǎo 823
七嘴八舌
qī zuǐ bā shé 823
沏 qī 823
妻 qī 823
妻子 qīzi 823
柒 qī 823
凄惨 qīcǎn 824
凄凉 qīliáng 824
期 qī 824
期待 qīdài 824
期间 qījiān 824
期刊 qīkān 825
期望 qīwàng 825
期限 qīxiàn 825
欺 qī 825
欺负 qīfu 825
欺骗 qīpiàn 825
欺人太甚
qī rén tài shèn 825
欺软怕硬
qī ruǎn pà yìng 825
漆 qī 826
漆黑 qīhēi 826
齐 qí 826
齐全 qíquán 826
齐心协力
qí xīn xié lì 826
其 qí 826
其次 qícì 827
其间 qíjiān 827
其实 qíshí 827
其他 qítā 827
其它 qítā 827
其余 qíyú 827
其中 qízhōng 827
奇 qí 827
奇怪 qíguài 828
奇花异草
qí huā yì cǎo 828
奇货可居
qí huò kě jū 828
奇迹 qíjì 828
奇妙 qímiào 828
奇特 qítè 828
奇形怪状
qí xíng guài zhuàng
828
歧 qí 829
歧视 qíshì 829
骑 qí 829
骑虎难下
qí hǔ nán xià 829

棋 qí 829
旗 qí 829
旗鼓相当
qí gǔ xiāng dāng 829
旗号 qíhào 830
旗袍 qípáo 830
旗帜 qízhì 830
旗子 qízi 830
乞 qǐ 830
乞求 qǐqiú 830
岂 qǐ 830
岂不 qǐ bù 830
岂有此理
qǐ yǒu cǐ lǐ 831
企图 qǐtú 831
企业 qǐyè 831
杞人忧天
Qǐ rén yōu tiān 831
启 qǐ 831
启程 qǐchéng 831
启动 qǐdòng 832
启发 qǐfā 832
启示 qǐshì 832
启事 qǐshì 832
起 qǐ 832
起草 qǐ cǎo 833
起初 qǐchū 833
起床 qǐ chuáng 833
起点 qǐdiǎn 833
起飞 qǐfēi 833
起伏 qǐfú 834
起哄 qǐ hòng 834
起劲 qǐjìn 834
起来 qǐ lái 834
起码 qǐmǎ 835
起身 qǐ shēn 835
起死回生
qǐ sǐ huí shēng 835
起诉 qǐsù 835
起眼儿 qǐyǎnr 835
起义 qǐyì 835
起源 qǐyuán 836
气 qì 836
气喘 qìchuǎn 836
气氛 qìfēn 837
气愤 qìfèn 837
气概 qìgài 837
气功 qìgōng 837
气候 qìhou 837
气力 qìlì 837
气流 qìliú 837
气魄 qìpò 838
气球 qìqiú 838
气势 qìshì 838
气势汹汹
qìshì xiōngxiōng 838
气体 qìtǐ 838
气吞山河
qì tūn shān hé 838
气味 qìwèi 838
气味相投
qìwèi xiāng tóu 839
气温 qìwēn 839
气息 qìxī 839
气息奄奄
qìxī yǎnyǎn 839
气象 qìxiàng 839
气压 qìyā 840
气质 qìzhì 840
气壮山河
qì zhuàng shān hé 840
汽 qì 840
汽车 qìchē 840
汽船 qìchuán 840
汽水 qìshuǐ 841
汽油 qìyóu 841
砌 qì 841
器 qì 841
器材 qìcái 841
器官 qìguān 841
器具 qìjù 841
器械 qìxiè 841
掐 qiā 842
恰 qià 842
恰当 qiàdàng 842
恰到好处
qià dào hǎo chù 842
恰好 qiàhǎo 842
恰恰 qiàqià 842
恰巧 qiàqiǎo 842
恰如其分
qià rú qí fèn 843
洽谈 qiàtán 843
千 qiān 843
千变万化
qiān biàn wàn huà 843
千方百计
qiān fāng bǎi jì 843
千呼万唤
qiān hū wàn huàn 843
千家万户
qiān jiā wàn hù 843
千军万马
qiān jūn wàn mǎ 843
千钧一发
qiān jūn yí fà 844
千克 qiānkè 844
千里迢迢
qiān lǐ tiáotiáo 844
千篇一律
qiān piān yí lǜ 844
千丝万缕
qiān sī wàn lǚ 844
千瓦 qiānwǎ 844
千万 qiānwàn 844

千辛万苦
qiān xīn wàn kǔ 844
千言万语
qiān yán wàn yǔ 845
迁 qiān 845
迁就 qiānjiù 845
牵 qiān 845
牵肠挂肚
qiān cháng guà dù 845
牵扯 qiānchě 845
牵强附会
qiānqiǎng fùhuì 845
牵引 qiānyǐn 846
牵制 qiānzhì 846
铅 qiān 846
铅笔 qiānbǐ 846
谦虚 qiānxū 846
谦逊 qiānxùn 846
签 qiān 846
签订 qiāndìng 847
签发 qiānfā 847
签名 qiān míng 847
签署 qiānshǔ 847
签证 qiān zhèng 847
前 qián 847
前辈 qiánbèi 848
前边 qiánbian 848
前车之鉴
qián chē zhī jiàn 848
前程 qiánchéng 848
前方 qiánfāng 848
前赴后继
qián fù hòu jì 848
前功尽弃
qián gōng jìn qì 848
前后 qiánhòu 849
前进 qiánjìn 849
前景 qiánjǐng 849
前列 qiánliè 849
前面 qiánmian 849
前年 qiánnián 849
前期 qiánqī 849
前人 qiánrén 849
前所未闻
qián suǒ wèi wén 849
前所未有
qián suǒ wèi yǒu 850
前提 qiántí 850
前天 qiántiān 850
前头 qiántou 850
前途 qiántú 850
前往 qiánwǎng 850
前线 qiánxiàn 850
钱 qián 850
钳子 qiánzi 851
潜伏 qiánfú 851
潜力 qiánlì 851
潜移默化
qián yí mò huà 851
黔驴技穷
Qián lǘ jì qióng 851
浅 qiǎn 851
谴责 qiǎnzé 851
欠 qiàn 852
歉意 qiànyì 852
枪 qiāng 852
枪毙 qiāngbì 852
腔 qiāng 852
强 qiáng 852
强大 qiángdà 852
强盗 qiángdào 852
强调 qiángdiào 853
强度 qiángdù 853
强化 qiánghuà 853
强烈 qiángliè 853
强盛 qiángshèng 853
强硬 qiángyìng 853
强制 qiángzhì 853
墙 qiáng 853
墙壁 qiángbì 853
抢 qiǎng 853
抢购 qiǎnggòu 854
抢劫 qiǎngjié 854
抢救 qiǎngjiù 854
强词夺理
qiǎng cí duó lǐ 854
强迫 qiǎngpò 854
悄 qiāo 854
悄悄 qiāoqiāo 854
锹 qiāo 854
敲 qiāo 855
乔装 qiáozhuāng 855
侨 qiáo 855
侨胞 qiáobāo 855
桥 qiáo 855
桥梁 qiáoliáng 855
瞧 qiáo 855
巧 qiǎo 855
巧妙 qiǎomiào 856
翘 qiào 856
切 qiē 856
茄子 qiézi 856
且 qiě 856
切 qiè 856
切实 qièshí 857
窃 qiè 857
窃取 qièqǔ 857
窃听 qiètīng 857
锲而不舍
qiè ér bù shě 857
钦佩 qīnpèi 857
侵 qīn 857
侵犯 qīnfàn 857
侵害 qīnhài 858
侵略 qīnlüè 858
侵权 qīnquán 858

侵入 qīnrù 858
侵蚀 qīnshí 858
侵占 qīnzhàn 858
亲 qīn 858
亲爱 qīn'ài 859
亲笔 qīnbǐ 859
亲密 qīnmì 859
亲戚 qīnqi 859
亲切 qīnqiè 859
亲热 qīnrè 860
亲人 qīnrén 860
亲如一家
qīn rú yì jiā 860
亲身 qīnshēn 860
亲生 qīnshēng 860
亲手 qīnshǒu 860
亲眼 qīnyǎn 860
亲友 qīnyǒu 860
亲自 qīnzì 861
芹菜 qíncài 861
琴 qín 861
禽 qín 861
勤 qín 861
勤奋 qínfèn 861
勤工俭学
qín gōng jiǎn xué 861
勤俭 qínjiǎn 862
勤恳 qínkěn 862
勤劳 qínláo 862
勤能补拙
qín néng bǔ zhuō 862
青 qīng 862
青菜 qīngcài 862
青春 qīngchūn 862
青红皂白
qīng hóng zào bái 862
青年 qīngnián 863
青蛙 qīngwā 863
轻 qīng 863
轻便 qīngbiàn 863
轻车熟路
qīng chē shú lù 863
轻而易举
qīng ér yì jǔ 864
轻工业 qīnggōngyè 864
轻快 qīngkuài 864
轻描淡写
qīng miáo dàn xiě 864
轻视 qīngshì 864
轻松 qīngsōng 864
轻微 qīngwēi 864
轻易 qīngyì 864
轻重缓急
qīng zhòng huǎn jí 865
氢 qīng 865
倾 qīng 865
倾家荡产
qīng jiā dàng chǎn 865
倾盆大雨
qīng pén dà yǔ 865
倾听 qīngtīng 865
倾向 qīngxiàng 865
倾斜 qīngxié 866
清 qīng 866
清查 qīngchá 866
清晨 qīngchén 867
清除 qīngchú 867
清楚 qīngchu 867
清淡 qīngdàn 867
清洁 qīngjié 867
清理 qīnglǐ 867
清晰 qīngxī 867
清新 qīngxīn 868
清醒 qīngxǐng 868
清早 qīngzǎo 868
清真寺 qīngzhēnsì 868
蜻蜓 qīngtíng 868
情 qíng 868
情报 qíngbào 869
情不自禁
qíng bú zì jīn 869
情感 qínggǎn 869
情节 qíngjié 869
情景 qíngjǐng 869
情况 qíngkuàng 869
情理 qínglǐ 869
情形 qíngxíng 869
情绪 qíngxù 870
晴 qíng 870
晴朗 qínglǎng 870
晴天 qíngtiān 870
请 qǐng 870
请假 qǐng jià 870
请柬 qǐngjiǎn 871
请教 qǐngjiào 871
请客 qǐng kè 871
请求 qǐngqiú 871
请示 qǐngshì 871
请帖 qǐngtiě 871
请问 qǐngwèn 871
请愿 qǐng yuàn 871
庆 qìng 872
庆贺 qìnghè 872
庆祝 qìngzhù 872
穷 qióng 872
穷苦 qióngkǔ 872
穷人 qióngrén 872
穷途末路
qióng tú mò lù 872
丘陵 qiūlíng 873
秋 qiū 873
秋季 qiūjì 873
秋收 qiūshōu 873
秋天 qiūtiān 873
求 qiú 873
求得 qiúdé 874
球 qiú 874

球场 qiúchǎng 874
球队 qiúduì 874
球迷 qiúmí 874
区 qū 874
区别 qūbié 875
区分 qūfēn 875
区域 qūyù 875
曲 qū 875
曲线 qūxiàn 875
曲折 qūzhé 875
驱动 qūdòng 876
驱逐 qūzhú 876
屈 qū 876
屈服 qūfú 876
屈指可数 qū zhǐ kě shǔ 876
趋 qū 876
趋势 qūshì 876
趋向 qūxiàng 876
趋炎附势 qū yán fù shì 877
趋之若鹜 qū zhī ruò wù 877
渠 qú 877
渠道 qúdào 877
取 qǔ 877
取长补短 qǔ cháng bǔ duǎn 877
取代 qǔdài 877
取得 qǔdé 878
取而代之 qǔ ér dài zhī 878
取消 qǔxiāo 878
曲 qǔ 878
曲高和寡 qǔ gāo hè guǎ 878
曲子 qǔzi 878
娶 qǔ 878
去 qù 878
去年 qùnián 879
去世 qùshì 879
去向 qùxiàng 879
趣 qù 879
趣味 qùwèi 879
圈 quān 879
圈套 quāntào 880
圈子 quānzi 880
权 quán 880
权力 quánlì 880
权利 quánlì 880
权威 quánwēi 880
权限 quánxiàn 881
权宜之计 quányí zhī jì 881
权益 quányì 881
全 quán 881
全部 quánbù 881
全都 quándōu 881
全会 quánhuì 882
全集 quánjí 882
全局 quánjú 882
全力 quánlì 882
全力以赴 quánlì yǐ fù 882
全面 quánmiàn 882
全民 quánmín 882
全神贯注 quán shén guàn zhù 882
全体 quántǐ 882
全心全意 quán xīn quán yì 883
泉 quán 883
拳 quán 883
拳头 quántou 883
拳头产品 quántou chǎnpǐn 883
犬 quǎn 883
劝 quàn 883
劝告 quàngào 883
劝说 quànshuō 884
劝阻 quànzǔ 884
券 quàn 884
缺 quē 884
缺点 quēdiǎn 884
缺乏 quēfá 884
缺口 quēkǒu 885
缺少 quēshǎo 885
缺席 quē xí 885
缺陷 quēxiàn 885
瘸 qué 885
却 què 885
确 què 885
确保 quèbǎo 885
确定 quèdìng 885
确立 quèlì 886
确切 quèqiè 886
确认 quèrèn 886
确实 quèshí 886
确信 quèxìn 886
确凿 quèzáo 886
裙 qún 886
裙子 qúnzi 887
群 qún 887
群岛 qúndǎo 887
群体 qúntǐ 887
群众 qúnzhòng 887

R

然 rán 888
然而 rán'ér 888
然后 ránhòu 888
燃 rán 888
燃料 ránliào 888
燃烧 ránshāo 888

染 rǎn 888
染料 rǎnliào 888
嚷 rǎng 888
让 ràng 889
让步 ràng bù 889
饶 ráo 889
扰 rǎo 889
扰乱 rǎoluàn 889
绕 rào 890
惹 rě 890
热 rè 890
热爱 rè'ài 890
热潮 rècháo 890
热带 rèdài 890
热泪盈眶
rè lèi yíng kuàng 891
热烈 rèliè 891
热门 rèmén 891
热闹 rènao 891
热情 rèqíng 891
热水瓶 rèshuǐpíng 892
热线 rèxiàn 892
热心 rèxīn 892
人 rén 892
人才 réncái 892
人道主义
réndào zhǔyì 892
人浮于事
rén fú yú shì 893
人格 réngé 893
人工 réngōng 893
人家 rénjiā 893
人家 rénjia 893
人间 rénjiān 893
人杰地灵
rén jié dì líng 894
人尽其才
rén jìn qí cái 894
人均 rénjūn 894
人口 rénkǒu 894
人类 rénlèi 894
人力 rénlì 894
人们 rénmen 894
人民 rénmín 894
人民币 rénmínbì 894
人情 rénqíng 895
人权 rénquán 895
人群 rénqún 895
人山人海
rén shān rén hǎi 895
人身 rénshēn 895
人参 rénshēn 895
人生 rénshēng 895
人士 rénshì 895
人事 rénshì 895
人体 réntǐ 896
人为 rénwéi 896
人物 rénwù 896
人心 rénxīn 896
人性 rénxìng 896
人员 rényuán 896
人造 rénzào 896
人质 rénzhì 896
仁 rén 897
仁慈 réncí 897
忍 rěn 897
忍不住 rěn bu zhù 897
忍耐 rěnnài 897
忍受 rěnshòu 897
认 rèn 897
认得 rènde 898
认定 rèndìng 898
认可 rènkě 898
认识 rènshi 898
认为 rènwéi 898
认真 rènzhēn 898
任 rèn 898
任何 rènhé 899
任劳任怨
rèn láo rèn yuàn 899
任命 rènmìng 899
任务 rènwu 899
任性 rènxìng 899
任意 rènyì 899
任重道远
rèn zhòng dào yuǎn
899
扔 rēng 900
仍 réng 900
仍旧 réngjiù 900
仍然 réngrán 900
日 rì 900
日报 rìbào 900
日常 rìcháng 900
日程 rìchéng 901
日光 rìguāng 901
日记 rìjì 901
日期 rìqī 901
日新月异
rì xīn yuè yì 901
日夜 rìyè 901
日益 rìyì 901
日用 rìyòng 901
日用品 rìyòngpǐn 901
日语(文)Rìyǔ(wén) 901
日元 rìyuán 902
日子 rìzi 902
荣 róng 902
荣幸 róngxìng 902
荣誉 róngyù 902
容 róng 902
容量 róngliàng 903
容纳 róngnà 903
容器 róngqì 903
容忍 róngrěn 903
容许 róngxǔ 903
容易 róngyì 903

溶化 rónghuà 903
溶解 róngjiě 903
溶液 róngyè 903
融 róng 904
融化 rónghuà 904
融洽 róngqià 904
柔 róu 904
柔和 róuhé 904
柔软 róuruǎn 904
揉 róu 904
肉 ròu 904
如 rú 905
如此 rúcǐ 905
如果 rúguǒ 905
如何 rúhé 905
如火如荼
rú huǒ rú tú 905
如饥似渴
rú jī sì kě 906
如胶似漆
rú jiāo sì qī 906
如今 rújīn 906
如履薄冰
rú lǚ bó bīng 906
如同 rútóng 906
如下 rúxià 906
如意 rú yì 906
如鱼得水
rú yú dé shuǐ 906
如醉如痴
rú zuì rú chī 907
如坐针毡
rú zuò zhēn zhān 907
乳 rǔ 907
入 rù 907
入境 rù jìng 907
入口 rùkǒu 907
入迷 rù mí 907
入木三分
rù mù sān fēn 907
入侵 rùqīn 908
入手 rùshǒu 908
入围 rù wéi 908
入学 rù xué 908
软 ruǎn 908
软件 ruǎnjiàn 908
软弱 ruǎnruò 908
锐利 ruìlì 909
瑞雪 ruìxuě 909
若 ruò 909
若干 ruògān 909
弱 ruò 909
弱点 ruòdiǎn 909

S

撒 sā 910
撒谎 sā huǎng 910
洒 sǎ 910
腮 sāi 910
塞 sāi 910
塞翁失马，焉知非福
sài wēng shī mǎ,
yān zhī fēi fú 910
赛 sài 910
赛会 sàihuì 911
赛事 sàishì 911
三 sān 911
三长两短
sān cháng liǎng
duǎn 911
三番五次
sān fān wǔ cì 911
三角 sānjiǎo 911
三令五申
sān lìng wǔ shēn 911
三三两两
sānsānliǎngliǎng 911
三心二意
sān xīn èr yì 912
叁 sān 912
伞 sǎn 912
散 sǎn 912
散文 sǎnwén 912
散 sàn 912
散布 sànbù 912
散步 sàn bù 912
散发 sànfā 913
桑 sāng 913
桑树 sāngshù 913
嗓子 sǎngzi 913
丧 sàng 913
丧失 sàngshī 913
扫 sǎo 913
扫除 sǎochú 913
嫂 sǎo 914
嫂子 sǎozi 914
色 sè 914
色彩 sècǎi 914
森 sēn 915
森林 sēnlín 915
僧多粥少
sēng duō zhōu shǎo
915
杀 shā 915
杀害 shāhài 915
杀鸡取卵
shā jī qǔ luǎn 915
杀一儆百
shā yī jǐng bǎi 915
沙 shā 916
沙发 shāfā 916
沙漠 shāmò 916
沙滩 shātān 916
沙土 shātǔ 916
沙子 shāzi 916

纱 shā 916
刹 shā 916
刹车 shā chē 917
砂 shā 917
啥 shá 917
傻 shǎ 917
傻子 shǎzi 917
筛 shāi 917
筛子 shāizi 917
晒 shài 918
山 shān 918
山地 shāndì 918
山峰 shānfēng 918
山冈 shāngāng 918
山沟 shāngōu 918
山谷 shāngǔ 919
山河 shānhé 919
山脚 shānjiǎo 919
山岭 shānlǐng 919
山脉 shānmài 919
山清水秀
shān qīng shuǐ xiù 919
山穷水尽
shān qióng shuǐ jìn 919
山区 shānqū 919
山水 shānshuǐ 919
山头 shāntóu 920
山腰 shānyāo 920
山珍海味
shān zhēn hǎi wèi 920
删 shān 920
姗姗来迟
shānshān lái chí 920
珊瑚 shānhú 920
闪 shǎn 920
闪电 shǎndiàn 921
闪烁 shǎnshuò 921
闪烁其辞
shǎnshuò qí cí 921
闪耀 shǎnyào 921
扇 shàn 921
扇子 shànzi 921
善 shàn 921
善良 shànliáng 922
善始善终
shàn shǐ shàn zhōng 922
善于 shànyú 922
擅 shàn 922
擅长 shàncháng 922
擅自 shànzì 922
伤 shāng 922
伤害 shānghài 923
伤痕 shānghén 923
伤口 shāngkǒu 923
伤脑筋 shāng nǎojīn 923
伤心 shāng xīn 923
伤员 shāngyuán 923
商 shāng 924
商标 shāngbiāo 924
商场 shāngchǎng 924
商店 shāngdiàn 924
商量 shāngliang 924
商品 shāngpǐn 925
商品房 shāngpǐnfáng 925
商榷 shāngquè 925
商人 shāngrén 925
商讨 shāngtǎo 925
商务 shāngwù 925
商业 shāngyè 925
商议 shāngyì 925
晌 shǎng 925
晌午 shǎngwu 926
赏 shǎng 926
上 shàng 926
上班 shàng bān 927
上报 shàngbào 927
上边 shàngbian 927
上层 shàngcéng 928
上当 shàng dàng 928
上等 shàngděng 928
上帝 Shàngdì 928
上级 shàngjí 928
上交 shàngjiāo 928
上进 shàngjìn 928
上课 shàng kè 929
上空 shàngkōng 929
上来 shàng lái 929
上面 shàngmian 929
上去 shàng qù 929
上任 shàng rèn 929
上升 shàngshēng 930
上述 shàngshù 930
上诉 shàngsù 930
上台 shàngtái 930
上头 shàngtou 930
上网 shàng wǎng 930
上午 shàngwǔ 930
上下 shàngxià 931
上学 shàng xué 931
上旬 shàngxún 931
上衣 shàngyī 931
上瘾 shàng yǐn 931
上游 shàngyóu 931
上涨 shàngzhǎng 932
尚 shàng 932
捎 shāo 932
烧 shāo 932
烧饼 shāobing 932
烧毁 shāohuǐ 932
梢 shāo 932
稍 shāo 933
稍微 shāowēi 933
勺 sháo 933
勺子 sháozi 933
少 shǎo 933
少见多怪

shǎo jiàn duō guài 933
少量 shǎoliàng 933
少数 shǎoshù 933
少数民族
shǎoshù mínzú 934
少 shào 934
少年 shàonián 934
少女 shàonǚ 934
少先队 shàoxiānduì 934
哨 shào 934
哨兵 shàobīng 934
奢 shē 934
奢侈 shēchǐ 935
舌 shé 935
舌头 shétou 935
蛇 shé 935
舍 shě 935
舍不得 shě bu de 935
舍得 shěde 935
舍己为人
shě jǐ wèi rén 935
舍生忘死
shě shēng wàng sǐ
936
设 shè 936
设备 shèbèi 936
设法 shèfǎ 936
设计 shèjì 936
设立 shèlì 936
设施 shèshī 936
设想 shèxiǎng 937
设置 shèzhì 937
社 shè 937
社会 shèhuì 937
社会主义
shèhuì zhǔyì 937
社论 shèlùn 937
社员 shèyuán 937
射 shè 938
射击 shèjī 938
涉 shè 938
涉及 shèjí 938
涉外 shèwài 938
摄 shè 938
摄氏 shèshì 938
摄影 shèyǐng 939
申 shēn 939
申报 shēnbào 939
申请 shēnqǐng 939
申述 shēnshù 939
伸 shēn 939
伸手 shēn shǒu 939
伸展 shēnzhǎn 939
身 shēn 939
身败名裂
shēn bài míng liè 940
身边 shēnbiān 940
身不由己
shēn bù yóu jǐ 940
身材 shēncái 940
身份 shēnfen 940
身份证 shēnfènzhèng 940
身强力壮
shēn qiáng lì zhuàng
941
身体 shēntǐ 941
身体力行
shēn tǐ lì xíng 941
身子 shēnzi 941
呻吟 shēnyín 941
绅士 shēnshì 941
深 shēn 941
深奥 shēn'ào 942
深沉 shēnchén 942
深处 shēnchù 942
深度 shēndù 942
深厚 shēnhòu 943
深化 shēnhuà 943
深刻 shēnkè 943
深谋远虑
shēn móu yuǎn lǜ 943
深浅 shēnqiǎn 943
深切 shēnqiè 943
深情 shēnqíng 944
深情厚谊
shēn qíng hòu yì 944
深入 shēnrù 944
深入浅出
shēn rù qiǎn chū 944
深思熟虑
shēn sī shú lǜ 944
深信 shēnxìn 944
深夜 shēnyè 944
深远 shēnyuǎn 944
深重 shēnzhòng 944
什么 shénme 944
什么的 shénmede 945
神 shén 945
神采奕奕
shéncǎi yìyì 945
神出鬼没
shén chū guǐ mò 945
神话 shénhuà 946
神经 shénjīng 946
神秘 shénmì 946
神奇 shénqí 946
神气 shénqì 946
神情 shénqíng 946
神色 shénsè 947
神圣 shénshèng 947
神态 shéntài 947
神仙 shénxiān 947
审 shěn 947
审查 shěnchá 947
审定 shěndìng 947
审理 shěnlǐ 947
审美 shěnměi 948

审判 shěnpàn 948
审批 shěnpī 948
审时度势
shěn shí duó shì 948
审讯 shěnxùn 948
审议 shěnyì 948
婶 shěn 948
婶子 shěnzi 948
肾 shèn 948
肾炎 shènyán 948
甚 shèn 949
甚至 shènzhì 949
甚至于 shènzhìyú 949
渗 shèn 949
渗透 shèntòu 949
慎 shèn 949
慎重 shènzhòng 949
升 shēng 949
升学 shēng xué 950
生 shēng 950
生病 shēng bìng 951
生产 shēngchǎn 951
生产力 shēngchǎnlì 951
生产率 shēngchǎnlǜ 951
生词 shēngcí 951
生存 shēngcún 951
生动 shēngdòng 951
生活 shēnghuó 952
生机 shēngjī 952
生老病死
shēng lǎo bìng sǐ 952
生理 shēnglǐ 952
生龙活虎
shēng lóng huó hǔ 952
生命 shēngmìng 952
生命力 shēngmìnglì 953
生怕 shēngpà 953
生气 shēng qì 953
生气勃勃
shēngqì bóbó 953
生前 shēngqián 953
生人 shēngrén 953
生日 shēngri 953
生疏 shēngshū 954
生态 shēngtài 954
生吞活剥
shēng tūn huó bō 954
生物 shēngwù 954
生效 shēng xiào 954
生意 shēngyi 954
生育 shēngyù 954
生长 shēngzhǎng 954
生殖 shēngzhí 955
声 shēng 955
声调 shēngdiào 955
声名狼藉
shēngmíng lángjí 955
声明 shēngmíng 955
声势 shēngshì 956
声嘶力竭
shēng sī lì jié 956
声像 shēngxiàng 956
声音 shēngyīn 956
声誉 shēngyù 956
牲畜 shēngchù 956
牲口 shēngkou 956
绳 shéng 956
绳子 shéngzi 956
省 shěng 957
省得 shěngde 957
省会 shěnghuì 957
省略 shěnglüè 957
省长 shěngzhǎng 957
圣 shèng 957
圣诞节
Shèngdàn Jié 957
胜 shèng 958
胜利 shènglì 958
盛 shèng 958
盛产 shèngchǎn 958
盛大 shèngdà 958
盛开 shèngkāi 958
盛气凌人
shèng qì líng rén 959
盛情 shèngqíng 959
盛情难却
shèngqíng nán què 959
盛行 shèngxíng 959
剩 shèng 959
剩余 shèngyú 959
尸 shī 959
尸体 shītǐ 959
失 shī 959
失败 shībài 960
失道寡助
shī dào guǎ zhù 960
失掉 shīdiào 960
失眠 shīmián 960
失去 shīqù 960
失事 shī shì 960
失望 shīwàng 961
失误 shīwù 961
失效 shī xiào 961
失学 shī xué 961
失业 shī yè 961
失约 shī yuē 961
失之毫厘，谬以千里
shī zhī háo lí,
miù yǐ qiān lǐ 961
失之交臂
shī zhī jiāo bì 961
失踪 shī zōng 961
师 shī 962
师范 shīfàn 962
师傅 shīfu 962
师长 shīzhǎng 962

诗 shī 962
诗歌 shīgē 962
诗人 shīrén 962
狮子 shīzi 963
施 shī 963
施肥 shī féi 963
施工 shī gōng 963
施加 shījiā 963
施行 shīxíng 963
施展 shīzhǎn 963
湿 shī 963
湿度 shīdù 964
湿润 shīrùn 964
十 shí 964
十恶不赦
shí è bú shè 964
十分 shífēn 964
十拿九稳
shí ná jiǔ wěn 964
十年树木,百年树人
shí nián shù mù,
bǎi nián shù rén 964
十全十美
shí quán shí měi 964
十室九空
shí shì jiǔ kōng 964
十足 shízú 965
石 shí 965
石沉大海
shí chén dà hǎi 965
石灰 shíhuī 965
石破天惊
shí pò tiān jīng 965
石头 shítou 965
石油 shíyóu 965
时 shí 965
时常 shícháng 966
时代 shídài 966
时而 shí'ér 966
时光 shíguāng 966
时候 shíhou 967
时机 shíjī 967
时间 shíjiān 967
时节 shíjié 967
时刻 shíkè 967
时髦 shímáo 967
时期 shíqī 968
时时 shíshí 968
时事 shíshì 968
时装 shízhuāng 968
识 shí 968
识别 shíbié 968
实 shí 968
实话 shíhuà 968
实惠 shíhuì 969
实际 shíjì 969
实践 shíjiàn 969
实况 shíkuàng 969
实力 shílì 969
实施 shíshī 969
实事求是
shí shì qiú shì 969
实体 shítǐ 970
实物 shíwù 970
实习 shíxí 970
实现 shíxiàn 970
实行 shíxíng 970
实验 shíyàn 970
实用 shíyòng 970
实在 shízài 971
实质 shízhì 971
拾 shí 971
食 shí 971
食品 shípǐn 971
食堂 shítáng 971
食物 shíwù 971
食用 shíyòng 972
食欲 shíyù 972
史 shǐ 972
史料 shǐliào 972
史无前例
shǐ wú qián lì 972
使 shǐ 972
使得 shǐdé 972
使节 shǐjié 972
使劲 shǐ jìn 973
使命 shǐmìng 973
使用 shǐyòng 973
始 shǐ 973
始终 shǐzhōng 973
始终如一
shǐzhōng rú yī 973
驶 shǐ 973
屎 shǐ 973
士兵 shìbīng 974
示 shì 974
示范 shìfàn 974
示威 shìwēi 974
示意图 shìyìtú 974
世 shì 974
世代 shìdài 975
世纪 shìjì 975
世界 shìjiè 975
世界观 shìjièguān 975
世外桃源
shì wài Táoyuán 975
市 shì 975
市场 shìchǎng 976
市民 shìmín 976
市长 shìzhǎng 976
式 shì 976
式样 shìyàng 976
…似的 …shìde 976
事 shì 977
事倍功半
shì bèi gōng bàn 977
事变 shìbiàn 977

事故 shìgù 977
事迹 shìjì 977
事件 shìjiàn 977
事例 shìlì 977
事情 shìqing 978
事实 shìshí 978
事实胜于雄辩 shìshí shèng yú xióngbiàn 978
事态 shìtài 978
事务 shìwù 978
事物 shìwù 978
事先 shìxiān 978
事项 shìxiàng 979
事业 shìyè 979
事与愿违 shì yǔ yuàn wéi 979
势 shì 979
势必 shìbì 979
势不两立 shì bù liǎng lì 979
势均力敌 shì jūn lì dí 979
势力 shìlì 979
势如破竹 shì rú pò zhú 980
侍候 shìhòu 980
试 shì 980
试卷 shìjuàn 980
试行 shìxíng 980
试验 shìyàn 980
试用 shìyòng 980
试制 shìzhì 981
视 shì 981
视察 shìchá 981
视角 shìjiǎo 981
视觉 shìjué 981
视力 shìlì 981
视线 shìxiàn 981
视野 shìyě 981
是 shì 981
是的 shì de 982
是非 shìfēi 982
是非混淆 shìfēi hùnxiáo 982
是否 shìfǒu 982
适 shì 982
适当 shìdàng 982
适合 shìhé 982
适可而止 shì kě ér zhǐ 983
适宜 shìyí 983
适应 shìyìng 983
适用 shìyòng 983
室 shì 983
逝 shì 983
逝世 shìshì 983
释 shì 983
释放 shìfàng 984
誓 shì 984
誓言 shìyán 984
收 shōu 984
收藏 shōucáng 984
收成 shōucheng 984
收复 shōufù 985
收割 shōugē 985
收购 shōugòu 985
收回 shōu huí 985
收获 shōuhuò 985
收集 shōují 985
收看 shōukàn 986
收买 shōumǎi 986
收入 shōurù 986
收拾 shōushi 986
收缩 shōusuō 986
收听 shōutīng 986
收益 shōuyì 986
收音机 shōuyīnjī 986
收支 shōuzhī 987
手 shǒu 987
手表 shǒubiǎo 987
手电 shǒudiàn 987
手段 shǒuduàn 987
手法 shǒufǎ 987
手工 shǒugōng 988
手巾 shǒujīn 988
手绢 shǒujuàn 988
手榴弹 shǒuliúdàn 988
手忙脚乱 shǒu máng jiǎo luàn 988
手枪 shǒuqiāng 988
手势 shǒushì 988
手术 shǒushù 989
手套 shǒutào 989
手续 shǒuxù 989
手艺 shǒuyì 989
手指 shǒuzhǐ 989
守 shǒu 989
守法 shǒu fǎ 989
守口如瓶 shǒu kǒu rú píng 989
守卫 shǒuwèi 990
守株待兔 shǒu zhū dài tù 990
首 shǒu 990
首创 shǒuchuàng 990
首都 shǒudū 990
首领 shǒulǐng 990
首脑 shǒunǎo 991
首席 shǒuxí 991
首先 shǒuxiān 991
首相 shǒuxiàng 991
首要 shǒuyào 991
首长 shǒuzhǎng 991
寿 shòu 991
寿命 shòumìng 992

受 shòu 992
受宠若惊
shòu chǒng ruò jīng 992
受聘 shòu pìn 992
受伤 shòu shāng 992
授 shòu 992
授予 shòuyǔ 992
售 shòu 992
售货 shòu huò 992
瘦 shòu 993
书 shū 993
书包 shūbāo 993
书本 shūběn 993
书店 shūdiàn 993
书法 shūfǎ 993
书籍 shūjí 994
书记 shūji 994
书架 shūjià 994
书刊 shūkān 994
书面 shūmiàn 994
书写 shūxiě 994
书信 shūxìn 994
叔 shū 994
叔叔 shūshu 995
殊途同归
shū tú tóng guī 995
梳 shū 995
梳子 shūzi 995
舒 shū 995
舒畅 shūchàng 995
舒服 shūfu 995
舒适 shūshì 996
舒展 shūzhǎn 996
疏 shū 996
疏忽 shūhu 996
输 shū 996
输出 shūchū 996
输入 shūrù 996
输送 shūsòng 997
蔬菜 shūcài 997
熟 shú 997
熟练 shúliàn 997
熟悉 shúxī 997
暑 shǔ 997
暑假 shǔjià 998
属 shǔ 998
属于 shǔyú 998
鼠目寸光
shǔ mù cùn guāng 998
数 shǔ 998
数一数二
shǔ yī shǔ èr 998
束 shù 998
束缚 shùfù 999
束手无策
shù shǒu wú cè 999
束之高阁
shù zhī gāo gé 999
树 shù 999
树干 shùgàn 999
树立 shùlì 999
树林 shùlín 999
树木 shùmù 999
竖 shù 1000
数 shù 1000
数额 shù'é 1000
数据 shùjù 1000
数量 shùliàng 1000
数目 shùmù 1000
数学 shùxué 1000
数字 shùzì 1000
刷 shuā 1001
刷子 shuāzi 1001
耍 shuǎ 1001
衰 shuāi 1001
衰老 shuāilǎo 1001
衰弱 shuāiruò 1001
衰退 shuāituì 1001
摔 shuāi 1002
甩 shuǎi 1002
帅 shuài 1002
率 shuài 1002
率领 shuàilǐng 1002
拴 shuān 1002
双 shuāng 1002
双方 shuāngfāng 1002
双向 shuāngxiàng 1003
霜 shuāng 1003
爽 shuǎng 1003
谁 shuí 1003
水 shuǐ 1003
水产 shuǐchǎn 1004
水到渠成
shuǐ dào qú chéng 1004
水稻 shuǐdào 1004
水滴石穿
shuǐ dī shí chuān 1004
水电 shuǐdiàn 1004
水分 shuǐfèn 1004
水果 shuǐguǒ 1004
水火无情
shuǐ huǒ wú qíng 1005
水货 shuǐhuò 1005
水库 shuǐkù 1005
水力 shuǐlì 1005
水利 shuǐlì 1005
水落石出
shuǐ luò shí chū 1005
水泥 shuǐní 1005
水平 shuǐpíng 1005
水土 shuǐtǔ 1006
水泄不通
shuǐ xiè bù tōng 1006
水源 shuǐyuán 1006
水灾 shuǐzāi 1006

水涨船高
shuǐ zhǎng chuán gāo 1006
水蒸气 shuǐzhēngqì 1006
税 shuì 1007
税收 shuìshōu 1007
睡 shuì 1007
睡觉 shuì jiào 1007
睡眠 shuìmián 1007
顺 shùn 1007
顺便 shùnbiàn 1007
顺利 shùnlì 1008
顺手 shùnshǒu 1008
顺序 shùnxù 1008
说 shuō 1008
说不定 shuōbudìng 1008
说长道短
shuō cháng dào duǎn 1008
说东道西
shuō dōng dào xī 1008
说法 shuōfa 1009
说服 shuō fú 1009
说谎 shuō huǎng 1009
说明 shuōmíng 1009
说情 shuō qíng 1009
司 sī 1009
司法 sīfǎ 1009
司机 sījī 1010
司令 sīlìng 1010
司令部 sīlìngbù 1010
丝 sī 1010
丝毫 sīháo 1010
私 sī 1010
私人 sīrén 1010
私营 sīyíng 1011
私有 sīyǒu 1011
私有制 sīyǒuzhì 1011
私自 sīzì 1011
思 sī 1011
思潮 sīcháo 1011
思考 sīkǎo 1011
思念 sīniàn 1012
思前想后
sī qián xiǎng hòu 1012
思索 sīsuǒ 1012
思维 sīwéi 1012
思想 sīxiǎng 1012
思绪 sīxù 1012
斯 sī 1012
斯文 sīwen 1012
撕 sī 1013
死 sǐ 1013
死亡 sǐwáng 1013
死刑 sǐxíng 1013
四 sì 1013
四处 sìchù 1013
四方 sìfāng 1014
四分五裂
sì fēn wǔ liè 1014
四季 sìjì 1014
四面八方
sì miàn bā fāng 1014
四通八达
sì tōng bā dá 1014
四肢 sìzhī 1014
四周 sìzhōu 1014
寺 sì 1014
似 sì 1015
似乎 sìhū 1015
似是而非
sì shì ér fēi 1015
似笑非笑
sì xiào fēi xiào 1015
饲料 sìliào 1015
饲养 sìyǎng 1015
驷马难追
sì mǎ nán zhuī 1015
松 sōng 1015
松树 sōngshù 1016
耸 sǒng 1016
送 sòng 1016
送礼 sòng lǐ 1016
送行 sòng xíng 1016
搜 sōu 1016
搜查 sōuchá 1017
搜集 sōují 1017
搜索 sōusuǒ 1017
艘 sōu 1017
苏醒 sūxǐng 1017
俗 sú 1017
俗话 súhuà 1018
诉 sù 1018
诉讼 sùsòng 1018
肃 sù 1018
肃清 sùqīng 1018
肃然起敬
sùrán qǐ jìng 1018
素 sù 1018
素质 sùzhì 1019
速 sù 1019
速成 sùchéng 1019
速递 sùdì 1019
速冻 sùdòng 1019
速度 sùdù 1019
宿 sù 1019
宿舍 sùshè 1020
塑 sù 1020
塑料 sùliào 1020
塑造 sùzào 1020
酸 suān 1020
蒜 suàn 1020
算 suàn 1020
算了 suàn le 1021
算盘 suànpán 1021
算是 suànshì 1021
算术 suànshù 1021

算数 suàn shù 1021
虽 suī 1021
虽然 suīrán 1022
虽说 suīshuō 1022
随 suí 1022
随便 suíbiàn 1022
随后 suíhòu 1022
随即 suíjí 1022
随时 suíshí 1022
随时随地
suí shí suí dì 1023
随手 suíshǒu 1023
随心所欲
suí xīn suǒ yù 1023
随意 suíyì 1023
随着 suízhe 1023
岁 suì 1023
岁数 suìshu 1023
岁月 suìyuè 1023
碎 suì 1024
隧道 suìdào 1024
穗 suì 1024
孙女 sūnnǚ 1024
孙子 sūnzi 1024
损 sǔn 1024
损害 sǔnhài 1024
损耗 sǔnhào 1025
损坏 sǔnhuài 1025
损人利己
sǔn rén lì jǐ 1025
损伤 sǔnshāng 1025
损失 sǔnshī 1025
笋 sǔn 1025
缩 suō 1025
缩短 suōduǎn 1026
缩小 suōxiǎo 1026
所 suǒ 1026
所得 suǒdé 1026
所得税 suǒdéshuì 1026
所属 suǒshǔ 1027
所谓 suǒwèi 1027
所以 suǒyǐ 1027
所有 suǒyǒu 1027
所有权 suǒyǒuquán 1027
所有制 suǒyǒuzhì 1027
所在 suǒzài 1027
索性 suǒxìng 1028
锁 suǒ 1028

T

他 tā 1029
他们 tāmen 1029
他人 tārén 1029
它 tā 1029
它们 tāmen 1029
她 tā 1029
她们 tāmen 1029
塌 tā 1030
踏实 tāshi 1030
塔 tǎ 1030
踏 tà 1030
台 tái 1030
台风 táifēng 1031
台阶 táijiē 1031
抬 tái 1031
太 tài 1031
太空 tàikōng 1032
太平 tàipíng 1032
太太 tàitai 1032
太阳 tàiyáng 1032
太阳能 tàiyángnéng 1032
态度 tàidu 1032
泰然 tàirán 1032
贪 tān 1033
贪污 tānwū 1033
摊 tān 1033
滩 tān 1033
瘫痪 tānhuàn 1033
坛 tán 1034
谈 tán 1034
谈话 tán huà 1034
谈话 tánhuà 1034
谈论 tánlùn 1034
谈判 tánpàn 1034
谈天 tán tiān 1035
弹 tán 1035
痰 tán 1035
潭 tán 1035
坦白 tǎnbái 1035
坦克 tǎnkè 1035
毯子 tǎnzi 1035
叹 tàn 1036
叹气 tàn qì 1036
炭 tàn 1036
探 tàn 1036
探测 tàncè 1036
探亲 tàn qīn 1036
探索 tànsuǒ 1037
探讨 tàntǎo 1037
探头探脑
tàn tóu tàn nǎo 1037
探望 tànwàng 1037
汤 tāng 1037
塘 táng 1037
糖 táng 1037
糖果 tángguǒ 1038
倘若 tǎngruò 1038
躺 tǎng 1038
烫 tàng 1038
趟 tàng 1038
掏 tāo 1038
滔滔不绝
tāotāo bù jué 1039
逃 táo 1039
逃避 táobì 1039

逃荒 táo huāng 1039
逃跑 táopǎo 1039
逃走 táozǒu 1039
桃 táo 1039
陶瓷 táocí 1040
淘气 táoqì 1040
淘汰 táotài 1040
讨 tǎo 1040
讨价还价
tǎo jià huán jià 1040
讨论 tǎolùn 1040
讨厌 tǎoyàn 1040
套 tào 1041
套装 tàozhuāng 1041
特 tè 1041
特别 tèbié 1042
特产 tèchǎn 1042
特此 tècǐ 1042
特地 tèdì 1042
特点 tèdiǎn 1042
特定 tèdìng 1042
特区 tèqū 1043
特权 tèquán 1043
特色 tèsè 1043
特殊 tèshū 1043
特务 tèwu 1043
特性 tèxìng 1043
特意 tèyì 1043
特征 tèzhēng 1044
疼 téng 1044
疼痛 téngtòng 1044
腾 téng 1044
藤 téng 1044
踢 tī 1044
提 tí 1044
提案 tí'àn 1045
提拔 tíbá 1045
提包 tíbāo 1045
提倡 tíchàng 1045
提纲 tígāng 1045
提纲挈领
tí gāng qiè lǐng 1046
提高 tí gāo 1046
提供 tígōng 1046
提交 tíjiāo 1046
提炼 tíliàn 1046
提名 tí míng 1046
提前 tíqián 1046
提取 tíqǔ 1047
提升 tíshēng 1047
提示 tíshì 1047
提问 tíwèn 1047
提醒 tí xǐng 1047
提要 tíyào 1047
提议 tíyì 1047
提早 tízǎo 1048
题 tí 1048
题材 tícái 1048
题目 tímù 1048
蹄 tí 1048
体 tǐ 1049
体操 tǐcāo 1049
体会 tǐhuì 1049
体积 tǐjī 1049
体检 tǐjiǎn 1049
体力 tǐlì 1049
体谅 tǐliàng 1050
体面 tǐmiàn 1050
体贴 tǐtiē 1050
体温 tǐwēn 1050
体系 tǐxì 1050
体现 tǐxiàn 1050
体验 tǐyàn 1050
体育 tǐyù 1051
体育场 tǐyùchǎng 1051
体育馆 tǐyùguǎn 1051
体制 tǐzhì 1051
体质 tǐzhì 1051
体重 tǐzhòng 1051
剃 tì 1052
替 tì 1052
替代 tìdài 1052
替换 tìhuàn 1052
天 tiān 1052
天才 tiāncái 1053
天长地久
tiān cháng dì jiǔ 1053
天地 tiāndì 1053
天翻地覆
tiān fān dì fù 1053
天空 tiānkōng 1053
天气 tiānqì 1053
天然 tiānrán 1053
天然气 tiānránqì 1054
天色 tiānsè 1054
天上 tiānshàng 1054
天生 tiānshēng 1054
天堂 tiāntáng 1054
天文 tiānwén 1054
天下 tiānxià 1054
天线 tiānxiàn 1054
天涯海角
tiān yá hǎi jiǎo 1055
天真 tiānzhēn 1055
天主教 Tiānzhǔjiào 1055
添 tiān 1055
田 tián 1055
田地 tiándì 1055
田间 tiánjiān 1055
田径 tiánjìng 1056
田野 tiányě 1056
恬不知耻
tián bù zhī chǐ 1056
甜 tián 1056
填 tián 1056
填补 tiánbǔ 1056
填写 tiánxiě 1056

挑 tiāo 1056
挑选 tiāoxuǎn 1057
条 tiáo 1057
条件 tiáojiàn 1057
条款 tiáokuǎn 1057
条理 tiáolǐ 1058
条例 tiáolì 1058
条文 tiáowén 1058
条形码 tiáoxíngmǎ 1058
条约 tiáoyuē 1058
条子 tiáozi 1058
调和 tiáohé 1059
调剂 tiáojì 1059
调节 tiáojié 1059
调解 tiáojiě 1059
调皮 tiáopí 1059
调整 tiáozhěng 1060
挑 tiǎo 1060
挑拨 tiǎobō 1060
挑拨离间
tiǎobō líjiàn 1060
挑衅 tiǎoxìn 1060
挑战 tiǎo zhàn 1060
跳 tiào 1061
跳槽 tiào cáo 1061
跳动 tiàodòng 1061
跳高 tiàogāo 1061
跳舞 tiào wǔ 1061
跳远 tiàoyuǎn 1062
跳跃 tiàoyuè 1062
贴 tiē 1062
铁 tiě 1062
铁道 tiědào 1062
铁饭碗 tiěfànwǎn 1062
铁路 tiělù 1062
厅 tīng 1063
听 tīng 1063
听话 tīng huà 1063
听见 tīng jiàn 1063
听讲 tīng jiǎng 1064
听取 tīngqǔ 1064
听说 tīng shuō 1064
听写 tīngxiě 1064
听众 tīngzhòng 1064
亭子 tíngzi 1064
停 tíng 1064
停泊 tíngbó 1065
停顿 tíngdùn 1065
停留 tíngliú 1065
停止 tíngzhǐ 1065
停滞 tíngzhì 1065
挺 tǐng 1065
挺拔 tǐngbá 1066
挺立 tǐnglì 1066
铤而走险
tǐng ér zǒu xiǎn 1066
艇 tǐng 1066
通 tōng 1066
通报 tōngbào 1067
通常 tōngcháng 1067
通道 tōngdào 1067
通风 tōng fēng 1067
通告 tōnggào 1068
通过 tōngguò 1068
通航 tōngháng 1068
通红 tōnghóng 1068
通货膨胀
tōnghuò péng-
zhàng 1069
通情达理
tōng qíng dá lǐ 1069
通商 tōng shāng 1069
通顺 tōngshùn 1069
通俗 tōngsú 1069
通信 tōng xìn 1069
通行 tōngxíng 1070
通讯 tōngxùn 1070
通讯社 tōngxùnshè 1070
通用 tōngyòng 1070
通知 tōngzhī 1070
同 tóng 1071
同伴 tóngbàn 1071
同胞 tóngbāo 1071
同步 tóngbù 1071
同床异梦
tóng chuáng yì
mèng 1071
同等 tóngděng 1072
同甘共苦
tóng gān gòng kǔ 1072
同行 tóngháng 1072
同类 tónglèi 1072
同盟 tóngméng 1072
同年 tóngnián 1072
同期 tóngqī 1072
同情 tóngqíng 1073
同时 tóngshí 1073
同事 tóngshì 1073
同屋 tóngwū 1073
同学 tóngxué 1073
同样 tóngyàng 1074
同意 tóngyì 1074
同志 tóngzhì 1074
铜 tóng 1074
童年 tóngnián 1074
统筹 tǒngchóu 1074
统计 tǒngjì 1074
统统 tǒngtǒng 1075
统一 tǒngyī 1075
统战 tǒngzhàn 1075
统治 tǒngzhì 1075
捅 tǒng 1075
桶 tǒng 1075
筒 tǒng 1076
痛 tòng 1076
痛恨 tònghèn 1076
痛苦 tòngkǔ 1076

痛快 tòngkuai 1076
偷 tōu 1077
偷窃 tōuqiè 1077
偷税 tōu shuì 1077
偷偷 tōutōu 1077
头 tóu 1077
头发 tóufa 1078
头脑 tóunǎo 1078
头头是道
tóutóu shì dào 1078
头子 tóuzi 1079
投 tóu 1079
投标 tóu biāo 1079
投产 tóuchǎn 1079
投放 tóufàng 1079
投机 tóujī 1080
投机倒把
tóujī dǎobǎ 1080
投机取巧
tóujī qǔqiǎo 1080
投票 tóu piào 1080
投入 tóurù 1080
投诉 tóusù 1081
投降 tóuxiáng 1081
投掷 tóuzhì 1081
投资 tóu zī 1081
投资 tóuzī 1081
透 tòu 1081
透彻 tòuchè 1082
透明 tòumíng 1082
透明度 tòumíngdù 1082
凸 tū 1082
秃 tū 1082
突出 tūchū 1082
突击 tūjī 1083
突破 tūpò 1083
突然 tūrán 1083
图 tú 1083
图案 tú'àn 1083
图表 túbiǎo 1083
图画 túhuà 1084
图片 túpiàn 1084
图书馆 túshūguǎn 1084
图像 túxiàng 1084
图形 túxíng 1084
图纸 túzhǐ 1084
徒弟 túdi 1084
途径 tújìng 1085
涂 tú 1085
屠杀 túshā 1085
土 tǔ 1085
土地 tǔdì 1085
土豆 tǔdòu 1085
土壤 tǔrǎng 1086
吐 tǔ 1086
吐 tù 1086
兔子 tùzi 1086
团 tuán 1086
团结 tuánjié 1087
团聚 tuánjù 1087
团体 tuántǐ 1087
团员 tuányuán 1087
团圆 tuányuán 1088
团长 tuánzhǎng 1088
推 tuī 1088
推测 tuīcè 1089
推迟 tuīchí 1089
推辞 tuīcí 1089
推动 tuī dòng 1089
推翻 tuī fān 1089
推广 tuīguǎng 1089
推荐 tuījiàn 1089
推进 tuījìn 1089
推理 tuīlǐ 1089
推论 tuīlùn 1090
推算 tuīsuàn 1090
推销 tuīxiāo 1090
推心置腹
tuī xīn zhì fù 1090
推行 tuīxíng 1090
推选 tuīxuǎn 1090
腿 tuǐ 1090
退 tuì 1090
退步 tuì bù 1091
退出 tuìchū 1091
退还 tuìhuán 1091
退休 tuìxiū 1091
吞 tūn 1091
吞吞吐吐
tūntūn tǔtǔ 1091
屯 tún 1092
托 tuō 1092
托儿所 tuō'érsuǒ 1092
托福 tuō fú 1092
拖 tuō 1092
拖拉机 tuōlājī 1093
拖延 tuōyán 1093
脱 tuō 1093
脱离 tuōlí 1093
脱落 tuōluò 1093
脱颖而出
tuō yǐng ér chū 1094
驮 tuó 1094
妥 tuǒ 1094
妥当 tuǒdang 1094
妥善 tuǒshàn 1094
妥协 tuǒxié 1094
椭圆 tuǒyuán 1094
唾沫 tuòmo 1094

W

挖 wā 1095
挖掘 wājué 1095
娃娃 wáwa 1095
瓦 wǎ 1095

瓦解 wǎjiě 1095
袜子 wàzi 1095
哇 wa 1095
歪 wāi 1096
歪曲 wāiqū 1096
外 wài 1096
外边 wàibian 1096
外表 wàibiǎo 1096
外宾 wàibīn 1097
外部 wàibù 1097
外出 wàichū 1097
外地 wàidì 1097
外电 wàidiàn 1097
外观 wàiguān 1097
外国 wàiguó 1097
外行 wàiháng 1097
外汇 wàihuì 1098
外交 wàijiāo 1098
外界 wàijiè 1098
外科 wàikē 1098
外力 wàilì 1098
外流 wàiliú 1098
外面 wàimian 1098
外婆 wàipó 1098
外企 wàiqǐ 1098
外事 wàishì 1098
外头 wàitou 1099
外向型 wàixiàngxíng 1099
外形 wàixíng 1099
外衣 wàiyī 1099
外语(文) wàiyǔ(wén) 1099
外资 wàizī 1099
外祖父 wàizǔfù 1099
外祖母 wàizǔmǔ 1099
弯 wān 1099
弯曲 wānqū 1100
湾 wān 1100
豌豆 wāndòu 1100
丸 wán 1100
完 wán 1100
完备 wánbèi 1100
完毕 wánbì 1100
完成 wán chéng 1100
完蛋 wán dàn 1100
完美无缺 wánměi wú quē 1101
完全 wánquán 1101
完善 wánshàn 1101
完整 wánzhěng 1101
玩 wán 1101
玩具 wánjù 1101
玩弄 wánnòng 1102
玩物丧志 wán wù sàng zhì 1102
玩笑 wánxiào 1102
玩意儿 wányìr 1102
顽固 wángù 1102
顽强 wánqiáng 1102
挽 wǎn 1102
挽救 wǎnjiù 1102
晚 wǎn 1103
晚报 wǎnbào 1103
晚餐 wǎncān 1103
晚饭 wǎnfàn 1103
晚会 wǎnhuì 1103
晚年 wǎnnián 1103
晚上 wǎnshang 1103
惋惜 wǎnxī 1103
碗 wǎn 1103
万 wàn 1104
万不得已 wàn bù dé yǐ 1104
万分 wànfēn 1104
万古长青 wàn gǔ cháng qīng 1104
万水千山 wàn shuǐ qiān shān 1104
万岁 wànsuì 1104
万万 wànwàn 1104
万无一失 wàn wú yì shī 1104
万一 wànyī 1104
万紫千红 wàn zǐ qiān hóng 1105
汪 wāng 1105
汪洋 wāngyáng 1105
汪洋大海 wāngyáng dà hǎi 1105
亡 wáng 1105
亡羊补牢 wáng yáng bǔ láo 1105
王 wáng 1106
王国 wángguó 1106
网 wǎng 1106
网络 wǎngluò 1106
网球 wǎngqiú 1106
往 wǎng 1106
往常 wǎngcháng 1106
往返 wǎngfǎn 1107
往后 wǎnghòu 1107
往来 wǎnglái 1107
往年 wǎngnián 1107
往日 wǎngrì 1107
往事 wǎngshì 1107
往往 wǎngwǎng 1107
妄 wàng 1107
妄图 wàngtú 1108
妄想 wàngxiǎng 1108
妄自菲薄 wàng zì fěibó 1108
忘 wàng 1108
忘乎所以

wàng hū suǒ yǐ 1108
忘记 wàngjì 1108
忘却 wàngquè 1108
望 wàng 1108
望而生畏
wàng ér shēng wèi 1109
望洋兴叹
wàngyáng xīng tàn 1109
望远镜
wàngyuǎnjìng 1109
危害 wēihài 1109
危机 wēijī 1109
危急 wēijí 1109
危险 wēixiǎn 1109
危在旦夕
wēi zài dànxī 1109
威风 wēifēng 1109
威力 wēilì 1110
威望 wēiwàng 1110
威胁 wēixié 1110
威信 wēixìn 1110
微不足道
wēi bù zú dào 1110
微观 wēiguān 1110
微乎其微
wēi hū qí wēi 1110
微机 wēijī 1110
微小 wēixiǎo 1110
微笑 wēixiào 1111
巍然屹立
wēirán yìlì 1111
为 wéi 1111
为难 wéinán 1111
为期 wéiqī 1111
为首 wéishǒu 1112
为所欲为
wéi suǒ yù wéi 1112
为止 wéizhǐ 1112
违背 wéibèi 1112
违法 wéi fǎ 1112
违反 wéifǎn 1112
违犯 wéifàn 1112
围 wéi 1112
围攻 wéigōng 1112
围巾 wéijīn 1112
围棋 wéiqí 1113
围绕 wéirào 1113
桅杆 wéigān 1113
唯独 wéidú 1113
唯恐 wéikǒng 1113
唯利是图
wéi lì shì tú 1113
唯命是从
wéi mìng shì cóng 1113
唯物论 wéiwùlùn 1113
唯物主义
wéiwù zhǔyì 1113
唯心论 wéixīnlùn 1113
唯心主义
wéixīn zhǔyì 1114
唯一 wéiyī 1114
惟妙惟肖
wéi miào wéi xiào 1114
维持 wéichí 1114
维护 wéihù 1114
维生素 wéishēngsù 1114
维修 wéixiū 1114
伟大 wěidà 1114
伪 wěi 1114
伪劣 wěiliè 1115
伪造 wěizào 1115
尾 wěi 1115
尾巴 wěiba 1115
委屈 wěiqu 1115
委托 wěituō 1115
委员 wěiyuán 1116
卫生 wèishēng 1116
卫生间
wèishēngjiān 1116
卫生筷
wèishēngkuài 1116
卫星 wèixīng 1116
为 wèi 1116
为何 wèihé 1116
为了 wèile 1117
为人作嫁
wèi rén zuò jià 1117
为什么 wèi shénme 1117
未 wèi 1117
未必 wèibì 1117
未来 wèilái 1117
未免 wèimiǎn 1117
未雨绸缪
wèi yǔ chóumóu 1117
位 wèi 1118
位于 wèiyú 1118
位置 wèizhi 1118
味 wèi 1118
味道 wèidao 1118
畏惧 wèijù 1118
胃 wèi 1118
喂 wèi 1118
蔚然成风
wèirán chéng fēng 1119
慰问 wèiwèn 1119
温 wēn 1119
温带 wēndài 1119
温度 wēndù 1119
温度计 wēndùjì 1119
温和 wēnhé 1119
温暖 wēnnuǎn 1120
温柔 wēnróu 1120

瘟疫 wēnyì 1120
文 wén 1120
文化 wénhuà 1120
文件 wénjiàn 1121
文科 wénkē 1121
文盲 wénmáng 1121
文明 wénmíng 1121
文凭 wénpíng 1121
文人 wénrén 1121
文物 wénwù 1121
文献 wénxiàn 1122
文学 wénxué 1122
文学家 wénxuéjiā 1122
文雅 wényǎ 1122
文言 wényán 1122
文艺 wényì 1122
文章 wénzhāng 1122
文质彬彬
wén zhì bīnbīn 1123
文字 wénzì 1123
闻 wén 1123
闻名 wénmíng 1123
闻所未闻
wén suǒ wèi wén 1123
蚊子 wénzi 1123
吻 wěn 1123
稳 wěn 1124
稳当 wěndang 1124
稳定 wěndìng 1124
稳妥 wěntuǒ 1124
问 wèn 1124
问答 wèndá 1124
问好 wèn hǎo 1124
问候 wènhòu 1125
问卷 wènjuàn 1125
问世 wènshì 1125
问题 wèntí 1125
问心无愧
wèn xīn wú kuì 1125
嗡 wēng 1125
窝 wō 1125
窝囊 wōnang 1126
我 wǒ 1126
我们 wǒmen 1126
我行我素
wǒ xíng wǒ sù 1126
卧 wò 1127
卧铺 wòpù 1127
卧室 wòshì 1127
卧薪尝胆
wò xīn cháng dǎn
1127
握 wò 1127
握手 wò shǒu 1127
乌 wū 1127
乌鸦 wūyā 1127
乌烟瘴气
wū yān zhàng qì 1128
乌云 wūyún 1128
污 wū 1128
污染 wūrǎn 1128
巫婆 wūpó 1128
呜 wū 1128
呜咽 wūyè 1128
诬蔑 wūmiè 1128
诬陷 wūxiàn 1128
屋 wū 1129
屋子 wūzi 1129
无 wú 1129
无比 wúbǐ 1129
无病呻吟
wú bìng shēnyín 1129
无产阶级
wúchǎn jiējí 1129
无偿 wúcháng 1129
无耻 wúchǐ 1129
无从 wúcóng 1129
无的放矢
wú dì fàng shǐ 1130
无动于衷
wú dòng yú zhōng
1130
无法 wúfǎ 1130
无法无天
wú fǎ wú tiān 1130
无非 wúfēi 1130
无话可说
wú huà kě shuō 1130
无稽之谈
wú jī zhī tán 1130
无济于事
wú jì yú shì 1130
无拘无束
wú jū wú shù 1131
无可奉告
wú kě fènggào 1131
无可奈何
wú kě nàihé 1131
无孔不入
wú kǒng bú rù 1131
无理 wúlǐ 1131
无聊 wúliáo 1131
无论 wúlùn 1131
无论如何
wúlùn rúhé 1132
无能为力
wú néng wéi lì 1132
无情 wúqíng 1132
无情无义
wú qíng wú yì 1132
无穷 wúqióng 1132
无穷无尽
wú qióng wú jìn 1132
无声无息
wú shēng wú xī 1132
无时无刻
wú shí wú kè 1132

无数 wúshù 1132
无所不能
wú suǒ bù néng 1133
无所不为
wú suǒ bù wéi 1133
无所事事
wú suǒ shì shì 1133
无所谓 wúsuǒwèi 1133
无所作为
wú suǒ zuòwéi 1133
无微不至
wú wēi bú zhì 1133
无限 wúxiàn 1133
无线电 wúxiàndiàn 1134
无效 wúxiào 1134
无疑 wúyí 1134
无意 wúyì 1134
无影无踪
wú yǐng wú zōng 1134
无忧无虑
wú yōu wú lǜ 1134
无缘无故
wú yuán wú gù 1134
无知 wúzhī 1134
无足轻重
wú zú qīng zhòng 1135
梧桐 wútóng 1135
五 wǔ 1135
五彩缤纷
wǔcǎi bīnfēn 1135
五花八门
wǔ huā bā mén 1135
五体投地
wǔ tǐ tóu dì 1135
午 wǔ 1135
午饭 wǔfàn 1135
伍 wǔ 1135
武 wǔ 1135
武警 wǔjǐng 1136
武力 wǔlì 1136
武器 wǔqì 1136
武术 wǔshù 1136
武装 wǔzhuāng 1136
侮辱 wǔrǔ 1136
舞 wǔ 1136
舞蹈 wǔdǎo 1137
舞会 wǔhuì 1137
舞台 wǔtái 1137
舞厅 wǔtīng 1137
勿 wù 1137
务 wù 1137
务必 wùbì 1137
物 wù 1137
物极必反
wù jí bì fǎn 1138
物价 wùjià 1138
物理 wùlǐ 1138
物力 wùlì 1138
物流 wùliú 1138
物品 wùpǐn 1138
物体 wùtǐ 1138
物业 wùyè 1138
物以稀为贵
wù yǐ xī wéi guì 1138
物质 wùzhì 1139
物资 wùzī 1139
误 wù 1139
误差 wùchā 1139
误导 wùdǎo 1139
误会 wùhuì 1139
误解 wùjiě 1140
悟 wù 1140
雾 wù 1140

X

西 xī 1141
西北 xīběi 1141
西边 xībian 1141
西部 xībù 1141
西餐 xīcān 1141
西方 xīfāng 1141
西服 xīfú 1141
西瓜 xīguā 1142
西红柿 xīhóngshì 1142
西面 xīmian 1142
西南 xīnán 1142
西医 xīyī 1142
吸 xī 1142
吸毒 xī dú 1142
吸纳 xīnà 1143
吸取 xīqǔ 1143
吸收 xīshōu 1143
吸烟 xī yān 1143
吸引 xīyǐn 1143
希 xī 1143
希望 xīwàng 1143
希望工程
xīwàng gōngchéng
1144
牺牲 xīshēng 1144
稀 xī 1144
溪 xī 1144
熙熙攘攘
xīxī rǎngrǎng 1144
熄 xī 1145
熄灭 xīmiè 1145
膝 xī 1145
膝盖 xīgài 1145
习惯 xíguàn 1145
习俗 xísú 1145
习题 xítí 1145
习以为常
xí yǐ wéi cháng 1145
席 xí 1146
席位 xíwèi 1146

袭 xí 1146
袭击 xíjī 1146
媳妇 xífù 1146
洗 xǐ 1147
洗涤 xǐdí 1147
洗衣机 xǐyījī 1147
洗澡 xǐ zǎo 1147
喜 xǐ 1147
喜爱 xǐ'ài 1147
喜欢 xǐhuan 1147
喜鹊 xǐquè 1148
喜事 xǐshì 1148
喜讯 xǐxùn 1148
喜悦 xǐyuè 1148
戏 xì 1148
戏剧 xìjù 1148
系 xì 1148
系列 xìliè 1149
系统 xìtǒng 1149
细 xì 1149
细胞 xìbāo 1149
细节 xìjié 1149
细菌 xìjūn 1149
细小 xìxiǎo 1150
细心 xìxīn 1150
细致 xìzhì 1150
虾 xiā 1150
瞎 xiā 1150
峡 xiá 1150
峡谷 xiágǔ 1150
狭隘 xiá'ài 1150
狭窄 xiázhǎi 1151
霞 xiá 1151
下 xià 1151
下班 xià bān 1152
下边 xiàbian 1152
下达 xiàdá 1153
下放 xiàfàng 1153
下岗 xiàgǎng 1153
下海 xià hǎi 1153
下级 xiàjí 1153
下降 xiàjiàng 1153
下课 xià kè 1153
下来 xià lái 1154
下列 xiàliè 1154
下令 xià lìng 1154
下落 xiàluò 1154
下面 xiàmian 1154
下去 xià qù 1154
下台 xià tái 1155
下午 xiàwǔ 1155
下乡 xià xiāng 1155
下旬 xiàxún 1155
下游 xiàyóu 1155
吓 xià 1156
夏 xià 1156
夏季 xiàjì 1156
夏天 xiàtiān 1156
仙 xiān 1156
仙女 xiānnǚ 1156
先 xiān 1156
先锋 xiānfēng 1157
先后 xiānhòu 1157
先进 xiānjìn 1157
先前 xiānqián 1157
先生 xiānsheng 1157
先天不足
xiāntiān bù zú 1158
先行 xiānxíng 1158
先斩后奏
xiān zhǎn hòu zòu
1158
纤维 xiānwéi 1158
掀 xiān 1158
掀起 xiānqǐ 1158
鲜 xiān 1158
鲜红 xiānhóng 1159
鲜花 xiānhuā 1159
鲜明 xiānmíng 1159
鲜血 xiānxuè 1159
鲜艳 xiānyàn 1159
闲 xián 1159
闲话 xiánhuà 1160
贤惠 xiánhuì 1160
弦 xián 1160
咸 xián 1160
衔 xián 1160
衔接 xiánjiē 1160
嫌 xián 1160
嫌疑 xiányí 1160
显 xiǎn 1161
显得 xiǎnde 1161
显而易见
xiǎn ér yì jiàn 1161
显然 xiǎnrán 1161
显示 xiǎnshì 1161
显微镜 xiǎnwēijìng 1161
显著 xiǎnzhù 1161
险 xiǎn 1161
县 xiàn 1162
县城 xiànchéng 1162
县长 xiànzhǎng 1162
现 xiàn 1162
现场 xiànchǎng 1162
现成 xiànchéng 1162
现代 xiàndài 1163
现代化 xiàndàihuà 1163
现金 xiànjīn 1163
现钱 xiànqián 1163
现实 xiànshí 1163
现象 xiànxiàng 1163
现行 xiànxíng 1163
现在 xiànzài 1164
现状 xiànzhuàng 1164
限 xiàn 1164
限度 xiàndù 1164
限期 xiànqī 1164

限于 xiànyú 1164
限制 xiànzhì 1164
线 xiàn 1165
线路 xiànlù 1165
线索 xiànsuǒ 1165
宪法 xiànfǎ 1165
陷 xiàn 1165
陷入 xiànrù 1166
馅 xiàn 1166
羡慕 xiànmù 1166
献 xiàn 1166
献身 xiànshēn 1166
乡 xiāng 1166
乡村 xiāngcūn 1167
乡亲 xiāngqīn 1167
乡下 xiāngxià 1167
相 xiāng 1167
相比 xiāngbǐ 1167
相差 xiāngchà 1167
相当 xiāngdāng 1167
相等 xiāngděng 1168
相对 xiāngduì 1168
相反 xiāngfǎn 1168
相符 xiāngfú 1168
相辅相成
xiāng fǔ xiāng chéng 1168
相关 xiāngguān 1168
相互 xiānghù 1168
相继 xiāngjì 1169
相交 xiāngjiāo 1169
相识 xiāngshí 1169
相似 xiāngsì 1169
相提并论
xiāng tí bìng lùn 1169
相通 xiāngtōng 1169
相同 xiāngtóng 1170
相信 xiāngxìn 1170
相形见绌
xiāng xíng jiàn chù 1170
相应 xiāngyìng 1170
香 xiāng 1170
香肠 xiāngcháng 1170
香蕉 xiāngjiāo 1170
香味 xiāngwèi 1170
香烟 xiāngyān 1170
香皂 xiāngzào 1171
箱 xiāng 1171
箱子 xiāngzi 1171
镶 xiāng 1171
详细 xiángxì 1171
享 xiǎng 1171
享福 xiǎng fú 1171
享乐 xiǎnglè 1171
享受 xiǎngshòu 1172
享有 xiǎngyǒu 1172
响 xiǎng 1172
响亮 xiǎngliàng 1172
响声 xiǎngshēng 1172
响应 xiǎngyìng 1172
想 xiǎng 1172
想法 xiǎngfa 1173
想方设法
xiǎng fāng shè fǎ 1173
想念 xiǎngniàn 1173
想象 xiǎngxiàng 1173
向 xiàng 1173
向导 xiàngdǎo 1173
向来 xiànglái 1174
向往 xiàngwǎng 1174
项 xiàng 1174
项链 xiàngliàn 1174
项目 xiàngmù 1174
巷 xiàng 1174
相 xiàng 1174
相声 xiàngsheng 1174
象 xiàng 1174
象棋 xiàngqí 1175
象征 xiàngzhēng 1175
像 xiàng 1175
像样 xiàngyàng 1175
橡胶 xiàngjiāo 1175
橡皮 xiàngpí 1175
消 xiāo 1176
消除 xiāochú 1176
消毒 xiāo dú 1176
消费 xiāofèi 1176
消耗 xiāohào 1176
消化 xiāohuà 1176
消极 xiāojí 1176
消灭 xiāomiè 1177
消失 xiāoshī 1177
消息 xiāoxi 1177
销 xiāo 1177
销毁 xiāohuǐ 1177
销路 xiāolù 1177
销售 xiāoshòu 1178
小 xiǎo 1178
小便 xiǎobiàn 1178
小吃 xiǎochī 1178
小费 xiǎofèi 1178
小鬼 xiǎoguǐ 1178
小孩儿 xiǎoháir 1178
小皇帝
xiǎohuángdì 1179
小伙子 xiǎohuǒzi 1179
小姐 xiǎojie 1179
小麦 xiǎomài 1179
小米 xiǎomǐ 1179
小朋友
xiǎopéngyǒu 1179
小时 xiǎoshí 1179
小数 xiǎoshù 1179
小数点
xiǎoshùdiǎn 1180
小说 xiǎoshuō 1180

小提琴 xiǎotíqín 1180
小心 xiǎoxīn 1180
小心翼翼 xiǎoxīn yìyì 1180
小型 xiǎoxíng 1180
小学 xiǎoxué 1181
小学生 xiǎoxuéshēng 1181
小子 xiǎozi 1181
小组 xiǎozǔ 1181
晓 xiǎo 1181
晓得 xiǎode 1181
孝 xiào 1181
孝顺 xiàoshùn 1182
肖像 xiàoxiàng 1182
校 xiào 1182
校徽 xiàohuī 1182
校园 xiàoyuán 1182
校长 xiàozhǎng 1182
笑 xiào 1182
笑话 xiàohuà 1182
笑容 xiàoróng 1183
笑容可掬 xiàoróng kě jū 1183
笑逐颜开 xiào zhú yán kāi 1183
效 xiào 1183
效果 xiàoguǒ 1183
效力 xiàolì 1183
效率 xiàolǜ 1184
效益 xiàoyì 1184
些 xiē 1184
歇 xiē 1184
协定 xiédìng 1184
协会 xiéhuì 1184
协商 xiéshāng 1184
协调 xiétiáo 1185
协议 xiéyì 1185
协助 xiézhù 1185
协作 xiézuò 1185
邪 xié 1185
挟持 xiéchí 1186
斜 xié 1186
携 xié 1186
携带 xiédài 1186
鞋 xié 1186
写 xiě 1186
写作 xiězuò 1186
血 xiě 1186
泄 xiè 1187
泄露 xièlòu 1187
泄气 xiè qì 1187
泻 xiè 1187
卸 xiè 1187
屑 xiè 1188
谢 xiè 1188
谢绝 xièjué 1188
谢谢 xièxie 1188
心 xīn 1188
心爱 xīn'ài 1189
心不在焉 xīn bú zài yān 1189
心得 xīndé 1189
心花怒放 xīn huā nù fàng 1189
心灰意懒 xīn huī yì lǎn 1189
心惊肉跳 xīn jīng ròu tiào 1189
心理 xīnlǐ 1189
心里 xīnli 1190
心灵 xīnlíng 1190
心满意足 xīn mǎn yì zú 1190
心目 xīnmù 1190
心平气和 xīn píng qì hé 1190
心情 xīnqíng 1190
心事 xīnshì 1190
心思 xīnsi 1191
心态 xīntài 1191
心疼 xīnténg 1191
心头 xīntóu 1191
心血 xīnxuè 1191
心眼儿 xīnyǎnr 1191
心意 xīnyì 1192
心愿 xīnyuàn 1192
心脏 xīnzàng 1192
心直口快 xīn zhí kǒu kuài 1192
心中 xīnzhōng 1192
辛 xīn 1192
辛苦 xīnkǔ 1192
辛勤 xīnqín 1193
欣 xīn 1193
欣赏 xīnshǎng 1193
欣欣向荣 xīnxīn xiàng róng 1193
锌 xīn 1193
新 xīn 1193
新潮 xīncháo 1194
新陈代谢 xīn chén dàixiè 1194
新房 xīnfáng 1194
新近 xīnjìn 1194
新郎 xīnláng 1194
新年 xīnnián 1194
新娘 xīnniáng 1194
新人 xīnrén 1195
新生 xīnshēng 1195
新式 xīnshì 1195
新闻 xīnwén 1195
新鲜 xīnxiān 1195
新兴 xīnxīng 1196
新型 xīnxíng 1196
新颖 xīnyǐng 1196
薪 xīn 1196

薪金(薪水)
xīnjīn(xīnshui) 1196
信 xìn 1196
信贷 xìndài 1197
信封 xìnfēng 1197
信号 xìnhào 1197
信件 xìnjiàn 1197
信口开河
xìn kǒu kāi hé 1197
信赖 xìnlài 1197
信念 xìnniàn 1197
信任 xìnrèn 1197
信息 xìnxī 1198
信箱 xìnxiāng 1198
信心 xìnxīn 1198
信仰 xìnyǎng 1198
信用 xìnyòng 1198
信用卡 xìnyòngkǎ 1199
信誉 xìnyù 1199
兴 xīng 1199
兴办 xīngbàn 1199
兴奋 xīngfèn 1199
兴风作浪
xīng fēng zuò làng
1199
兴建 xīngjiàn 1199
兴起 xīngqǐ 1200
兴旺 xīngwàng 1200
星 xīng 1200
星级 xīngjí 1200
星期 xīngqī 1200
星期日(星期天)
xīngqīrì(xīngqītiān)
1200
星星 xīngxing 1200
星星之火,可以燎原
xīngxīng zhī huǒ,
kěyǐ liáo yuán 1201
腥 xīng 1201
刑 xíng 1201
刑场 xíngchǎng 1201
刑法 xíngfǎ 1201
刑事 xíngshì 1201
行 xíng 1201
行程 xíngchéng 1202
行动 xíngdòng 1202
行贿 xíng huì 1202
行径 xíngjìng 1202
行军 xíng jūn 1202
行李 xíngli 1202
行人 xíngrén 1203
行使 xíngshǐ 1203
行驶 xíngshǐ 1203
行为 xíngwéi 1203
行星 xíngxīng 1203
行政 xíngzhèng 1203
行之有效
xíng zhī yǒuxiào 1203
形 xíng 1203
形成 xíngchéng 1203
形而上学
xíng ér shàng xué
1203
形容 xíngróng 1204
形式 xíngshì 1204
形势 xíngshì 1204
形态 xíngtài 1204
形象 xíngxiàng 1204
形形色色
xíngxíngsèsè 1205
形影不离
xíng yǐng bù lí 1205
形状 xíngzhuàng 1205
型 xíng 1205
型号 xínghào 1205
醒 xǐng 1205
兴高采烈
xìng gāo cǎi liè 1205
兴趣 xìngqù 1205
兴致勃勃
xìngzhì bóbó 1206
杏 xìng 1206
幸 xìng 1206
幸福 xìngfú 1206
幸好 xìnghǎo 1206
幸亏 xìngkuī 1206
幸运 xìngyùn 1206
性 xìng 1207
性别 xìngbié 1207
性格 xìnggé 1207
性命 xìngmìng 1207
性能 xìngnéng 1207
性情 xìngqíng 1207
性质 xìngzhì 1207
姓 xìng 1208
姓名 xìngmíng 1208
凶 xiōng 1208
凶多吉少
xiōng duō jí shǎo 1208
凶恶 xiōng'è 1208
凶狠 xiōnghěn 1208
凶猛 xiōngměng 1208
兄 xiōng 1209
兄弟 xiōngdì 1209
汹涌 xiōngyǒng 1209
胸 xiōng 1209
胸怀 xiōnghuái 1209
胸膛 xiōngtáng 1209
胸有成竹
xiōng yǒu chéng
zhú 1209
雄 xióng 1210
雄厚 xiónghòu 1210
雄伟 xióngwěi 1210
雄壮 xióngzhuàng 1210
熊 xióng 1210
熊猫 xióngmāo 1210

休 xiū 1210
休戚相关
xiūqī xiāngguān 1211
休息 xiūxi 1211
休闲 xiūxián 1211
休养 xiūyǎng 1211
修 xiū 1211
修订 xiūdìng 1211
修复 xiūfù 1211
修改 xiūgǎi 1212
修建 xiūjiàn 1212
修理 xiūlǐ 1212
修养 xiūyǎng 1212
修正 xiūzhèng 1212
修筑 xiūzhù 1212
羞 xiū 1212
羞耻 xiūchǐ 1213
秀 xiù 1213
袖 xiù 1213
袖子 xiùzi 1213
绣 xiù 1213
锈 xiù 1213
嗅 xiù 1213
须 xū 1213
须知 xūzhī 1213
虚 xū 1214
虚假 xūjiǎ 1214
虚弱 xūruò 1214
虚伪 xūwěi 1214
虚心 xūxīn 1214
需 xū 1215
需求 xūqiú 1215
需要 xūyào 1215
徐徐 xúxú 1215
许 xǔ 1215
许多 xǔduō 1215
许可 xǔkě 1215
序 xù 1216
序言 xùyán 1216
叙 xù 1216
叙述 xùshù 1216
叙谈 xùtán 1216
畜产品 xùchǎnpǐn 1216
畜牧 xùmù 1216
酗酒 xùjiǔ 1216
续 xù 1217
絮叨 xùdao 1217
蓄 xù 1217
宣布 xuānbù 1217
宣称 xuānchēng 1217
宣传 xuānchuán 1217
宣读 xuāndú 1217
宣告 xuāngào 1218
宣誓 xuān shì 1218
宣言 xuānyán 1218
宣扬 xuānyáng 1218
喧宾夺主
xuān bīn duó zhǔ 1218
悬 xuán 1218
悬挂 xuánguà 1218
悬念 xuánniàn 1219
悬崖 xuányá 1219
旋 xuán 1219
旋律 xuánlǜ 1219
旋转 xuánzhuǎn 1219
选 xuǎn 1219
选拔 xuǎnbá 1219
选定 xuǎndìng 1220
选集 xuǎnjí 1220
选举 xuǎnjǔ 1220
选民 xuǎnmín 1220
选取 xuǎnqǔ 1220
选手 xuǎnshǒu 1220
选修 xuǎnxiū 1220
选用 xuǎnyòng 1220
选择 xuǎnzé 1220
削减 xuējiǎn 1221
削弱 xuēruò 1221
靴子 xuēzi 1221
穴 xué 1221
学 xué 1221
学费 xuéfèi 1221
学会 xuéhuì 1222
学科 xuékē 1222
学历 xuélì 1222
学年 xuénián 1222
学派 xuépài 1222
学期 xuéqī 1222
学生 xuésheng 1222
学时 xuéshí 1222
学术 xuéshù 1223
学说 xuéshuō 1223
学位 xuéwèi 1223
学问 xuéwen 1223
学习 xuéxí 1223
学校 xuéxiào 1223
学以致用
xué yǐ zhì yòng 1223
学员 xuéyuán 1224
学院 xuéyuàn 1224
学者 xuézhě 1224
学制 xuézhì 1224
雪 xuě 1224
雪白 xuěbái 1224
雪花 xuěhuā 1224
雪中送炭
xuě zhōng sòng
tàn 1224
血 xuè 1225
血管 xuèguǎn 1225
血汗 xuèhàn 1225
血压 xuèyā 1225
血液 xuèyè 1225
熏 xūn 1225
寻 xún 1225
寻根问底
xún gēn wèn dǐ 1225

寻求 xúnqiú 1226
寻找 xúnzhǎo 1226
巡 xún 1226
巡逻 xúnluó 1226
询问 xúnwèn 1226
循 xún 1226
循环 xúnhuán 1226
循序渐进
xún xù jiàn jìn 1226
循循善诱
xúnxún shàn yòu 1227
训 xùn 1227
训练 xùnliàn 1227
讯 xùn 1227
迅 xùn 1227
迅速 xùnsù 1227
徇私舞弊
xùnsī wǔbì 1227

Y

压 yā 1228
压力 yālì 1228
压迫 yāpò 1228
压缩 yāsuō 1229
压抑 yāyì 1229
压韵(押韵)yā yùn 1229
压制 yāzhì 1229
呀 yā 1229
押 yā 1230
鸦片 yāpiàn 1230
鸦雀无声
yā què wú shēng 1230
鸭 yā 1230
鸭子 yāzi 1230
牙 yá 1230
牙齿 yáchǐ 1230
牙膏 yágāo 1231
牙刷 yáshuā 1231
芽 yá 1231
崖 yá 1231
哑 yǎ 1231
哑口无言
yǎ kǒu wú yán 1231
轧 yà 1231
亚 yà 1231
亚军 yàjūn 1232
呀 ya 1232
烟 yān 1232
烟草 yāncǎo 1232
烟囱 yāncōng 1232
烟卷儿 yānjuǎnr 1232
烟雾 yānwù 1232
淹 yān 1233
淹没 yānmò 1233
延 yán 1233
延长 yáncháng 1233
延缓 yánhuǎn 1233
延期 yán qī 1233
延伸 yánshēn 1233
延续 yánxù 1234
严 yán 1234
严格 yángé 1234
严寒 yánhán 1234
严禁 yánjìn 1234
严峻 yánjùn 1234
严厉 yánlì 1234
严密 yánmì 1235
严肃 yánsù 1235
严重 yánzhòng 1235
言 yán 1235
言过其实
yán guò qí shí 1235
言简意赅
yán jiǎn yì gāi 1235
言论 yánlùn 1236
言外之意
yán wài zhī yì 1236
言语 yányǔ 1236
岩 yán 1236
岩石 yánshí 1236
炎 yán 1236
炎热 yánrè 1236
沿 yán 1236
沿儿 yánr 1237
沿岸 yán'àn 1237
沿海 yánhǎi 1237
沿途 yántú 1237
研究 yánjiū 1237
研究生 yánjiūshēng 1237
研究所 yánjiūsuǒ 1237
研制 yánzhì 1238
盐 yán 1238
颜色 yánsè 1238
掩 yǎn 1238
掩耳盗铃
yǎn ěr dào líng 1238
掩盖 yǎngài 1238
掩护 yǎnhù 1239
掩饰 yǎnshì 1239
眼 yǎn 1239
眼高手低
yǎn gāo shǒu dī 1239
眼光 yǎnguāng 1239
眼睛 yǎnjing 1240
眼镜 yǎnjìng 1240
眼看 yǎnkàn 1240
眼泪 yǎnlèi 1240
眼力 yǎnlì 1240
眼前 yǎnqián 1240
眼色 yǎnsè 1240
眼神 yǎnshén 1241
眼下 yǎnxià 1241
演 yǎn 1241
演变 yǎnbiàn 1241
演唱 yǎnchàng 1241

演出 yǎnchū 1241
演讲 yǎnjiǎng 1242
演说 yǎnshuō 1242
演算 yǎnsuàn 1242
演习 yǎnxí 1242
演员 yǎnyuán 1242
演奏 yǎnzòu 1242
厌 yàn 1242
厌恶 yànwù 1242
咽 yàn 1243
宴 yàn 1243
宴会 yànhuì 1243
宴请 yànqǐng 1243
宴席 yànxí 1243
验 yàn 1243
验收 yànshōu 1243
验证 yànzhèng 1244
燕 yàn 1244
燕子 yànzi 1244
扬 yáng 1244
扬汤止沸 yáng tāng zhǐ fèi 1244
羊 yáng 1244
阳 yáng 1244
阳奉阴违 yáng fèng yīn wéi 1245
阳光 yángguāng 1245
杨 yáng 1245
杨树 yángshù 1245
洋 yáng 1245
仰 yǎng 1245
养 yǎng 1245
养成 yǎngchéng 1246
养分 yǎngfèn 1246
养活 yǎnghuo 1246
养料 yǎngliào 1246
养育 yǎngyù 1246
养殖 yǎngzhí 1246
氧 yǎng 1247
氧化 yǎnghuà 1247
氧气 yǎngqì 1247
痒 yǎng 1247
样 yàng 1247
样品 yàngpǐn 1247
样子 yàngzi 1247
妖 yāo 1248
妖怪 yāoguài 1248
要求 yāoqiú 1248
腰 yāo 1248
邀 yāo 1249
邀请 yāoqǐng 1249
窑 yáo 1249
谣 yáo 1249
谣言 yáoyán 1249
摇 yáo 1249
摇摆 yáobǎi 1250
摇晃 yáohuàng 1250
摇头摆尾 yáo tóu bǎi wěi 1250
摇摇欲坠 yáoyáo yù zhuì 1250
遥 yáo 1250
遥控 yáokòng 1250
遥远 yáoyuǎn 1250
杳无音信 yǎo wú yīnxìn 1250
咬 yǎo 1251
咬文嚼字 yǎo wén jiáo zì 1251
药 yào 1251
药材 yàocái 1251
药方 yàofāng 1251
药品 yàopǐn 1252
药水 yàoshuǐ 1252
药物 yàowù 1252
要 yào 1252
要不 yàobù 1253
要不然 yàobùrán 1253
要不是 yàobúshì 1253
要点 yàodiǎn 1253
要好 yàohǎo 1253
要价 yàojià 1253
要紧 yàojǐn 1253
要领 yàolǐng 1253
要么 yàome 1254
要命 yào mìng 1254
要是 yàoshi 1254
要素 yàosù 1254
钥匙 yàoshi 1254
耀 yào 1254
耀眼 yàoyǎn 1254
爷 yé 1255
爷爷 yéye 1255
也 yě 1255
也许 yěxǔ 1256
冶金 yějīn 1256
冶炼 yěliàn 1256
野 yě 1256
野蛮 yěmán 1256
野生 yěshēng 1257
野兽 yěshòu 1257
野外 yěwài 1257
野心 yěxīn 1257
业 yè 1257
业务 yèwù 1257
业余 yèyú 1258
叶 yè 1258
叶子 yèzi 1258
页 yè 1258
夜 yè 1258
夜班 yèbān 1258
夜不闭户 yè bú bì hù 1258
夜间 yèjiān 1259
夜郎自大 Yèláng zìdà 1259

夜里 yèli 1259
夜生活 yèshēnghuó 1259
夜晚 yèwǎn 1259
夜以继日
yè yǐ jì rì 1259
夜总会 yèzǒnghuì 1259
液 yè 1259
液体 yètǐ 1259
一 yī 1259
一…就…
yī…jiù… 1260
一…也…yī…yě… 1260
一一 yīyī 1261
伊斯兰教
Yīsīlánjiào 1261
衣 yī 1261
衣服 yīfu 1261
衣冠楚楚
yīguān chǔchǔ 1261
衣锦还乡
yī jǐn huán xiāng 1261
衣裳 yīshang 1261
医 yī 1261
医疗 yīliáo 1262
医生 yīshēng 1262
医务 yīwù 1262
医务室 yīwùshì 1262
医学 yīxué 1262
医药 yīyào 1262
医院 yīyuàn 1262
医治 yīzhì 1262
依 yī 1262
依次 yīcì 1263
依旧 yījiù 1263
依据 yījù 1263
依靠 yīkào 1263
依赖 yīlài 1263
依然 yīrán 1263
依依不舍
yīyī bù shě 1264
依照 yīzhào 1264
壹 yī 1264
一半 yíbàn 1264
一辈子 yíbèizi 1264
一步登天
yí bù dēng tiān 1264
一触即发
yí chù jí fā 1264
一次性 yícìxìng 1264
一带 yídài 1265
一旦 yídàn 1265
一道 yídào 1265
一定 yídìng 1265
一度 yídù 1265
一概 yígài 1266
一概而论
yígài ér lùn 1266
一个劲儿
yígejìnr 1266
一共 yígòng 1266
一贯 yíguàn 1266
一哄而散
yí hòng ér sàn 1266
一会儿 yíhuìr 1266
一会儿…一会儿…
yíhuìr…yíhuìr… 1266
一技之长
yí jì zhī cháng 1267
一见如故
yí jiàn rú gù 1267
一块儿 yíkuàir 1267
一路平安
yílù píng'ān 1267
一路顺风
yílù shùnfēng 1267
一律 yílǜ 1267
一面…一面…
yímiàn…yímiàn… 1267
一面之词
yí miàn zhī cí 1267
一目了然
yí mù liǎorán 1267
一切 yíqiè 1268
一事无成
yí shì wú chéng 1268
一视同仁
yí shì tóng rén 1268
一望无际
yí wàng wú jì 1268
一系列 yíxìliè 1268
一下 yíxià 1268
一下子 yíxiàzi 1268
一向 yíxiàng 1268
一泻千里
yí xiè qiān lǐ 1269
一样 yíyàng 1269
一意孤行
yí yì gū xíng 1269
一再 yízài 1269
一阵 yí zhèn 1269
一致 yízhì 1269
仪 yí 1269
仪表 yíbiǎo 1270
仪器 yíqì 1270
仪式 yíshì 1270
姨 yí 1270
移 yí 1270
移动 yídòng 1270
移动电话
yídòng diànhuà 1271
移民 yí mín 1271
遗 yí 1271
遗产 yíchǎn 1271
遗传 yíchuán 1271
遗憾 yíhàn 1271
遗留 yíliú 1272
遗失 yíshī 1272

遗体 yítǐ 1272
遗址 yízhǐ 1272
疑 yí 1272
疑惑 yíhuò 1272
疑难 yínán 1273
疑问 yíwèn 1273
乙 yǐ 1273
已 yǐ 1273
已经 yǐjīng 1273
以 yǐ 1273
以便 yǐbiàn 1274
以后 yǐhòu 1274
以及 yǐjí 1274
以来 yǐlái 1274
以免 yǐmiǎn 1274
以内 yǐnèi 1274
以前 yǐqián 1274
以上 yǐshàng 1275
以身作则 yǐ shēn zuò zé 1275
以外 yǐwài 1275
以往 yǐwǎng 1275
以为 yǐwéi 1275
以下 yǐxià 1275
以至 yǐzhì 1275
以至于 yǐzhìyú 1276
以致 yǐzhì 1276
倚 yǐ 1276
椅 yǐ 1276
椅子 yǐzi 1276
一般 yìbān 1276
一本正经 yì běn zhèng jīng 1277
一边 yìbiān 1277
一边…一边… yìbiān…yìbiān… 1277
一尘不染 yì chén bù rǎn 1277
一刀两断 yì dāo liǎng duàn 1277
一点儿 yìdiǎnr 1277
一帆风顺 yì fān fēng shùn 1277
一方面…一方面… yìfāngmiàn… yìfāngmiàn… 1278
一干二净 yì gān èr jìng 1278
一鼓作气 yì gǔ zuò qì 1278
一国两制 yì guó liǎng zhì 1278
一呼百应 yì hū bǎi yìng 1278
一举 yìjǔ 1278
一举两得 yì jǔ liǎng dé 1278
一口气 yìkǒuqì 1279
一劳永逸 yì láo yǒng yì 1279
一连 yìlián 1279
一毛不拔 yì máo bù bá 1279
一旁 yìpáng 1279
一齐 yìqí 1279
一起 yìqǐ 1279
一清二楚 yì qīng èr chǔ 1279
一穷二白 yì qióng èr bái 1279
一身 yìshēn 1280
一生 yìshēng 1280
一时 yìshí 1280
一手 yìshǒu 1280
一丝不苟 yì sī bù gǒu 1280
一塌糊涂 yì tā hútú 1281
一同 yìtóng 1281
一头 yìtóu 1281
一相情愿 yì xiāng qíng-yuàn 1281
一些 yìxiē 1281
一心 yìxīn 1281
一心一意 yì xīn yí yì 1282
一行 yìxíng 1282
一衣带水 yì yī dài shuǐ 1282
一知半解 yì zhī bàn jiě 1282
一直 yìzhí 1282
亿 yì 1282
亿万 yìwàn 1282
义 yì 1282
义务 yìwù 1283
艺 yì 1283
艺术 yìshù 1283
忆 yì 1283
议 yì 1283
议案 yì'àn 1284
议程 yìchéng 1284
议定书 yìdìngshū 1284
议会 yìhuì 1284
议论 yìlùn 1284
议员 yìyuán 1284
亦 yì 1284
异 yì 1284
异常 yìcháng 1285
异口同声 yì kǒu tóng shēng 1285
异想天开 yì xiǎng tiān kāi 1285
抑制 yìzhì 1285
译 yì 1285

译员 yìyuán 1285
易 yì 1285
易拉罐 yìlāguàn 1286
意 yì 1286
意见 yìjiàn 1286
意料 yìliào 1286
意气风发
yìqì fēngfā 1286
意识 yìshí 1287
意思 yìsi 1287
意图 yìtú 1287
意外 yìwài 1287
意味着 yìwèizhe 1288
意向 yìxiàng 1288
意义 yìyì 1288
意志 yìzhì 1288
毅力 yìlì 1288
毅然 yìrán 1288
翼 yì 1288
因 yīn 1289
因此 yīncǐ 1289
因地制宜
yīn dì zhì yí 1289
因而 yīn'ér 1289
因素 yīnsù 1289
因特网 Yīntèwǎng 1289
因为 yīnwèi 1289
因噎废食
yīn yē fèi shí 1290
阴 yīn 1290
阴暗 yīn'àn 1290
阴谋 yīnmóu 1290
阴天 yīntiān 1291
音 yīn 1291
音响 yīnxiǎng 1291
音像 yīnxiàng 1291
音乐 yīnyuè 1291
银 yín 1291
银行 yínháng 1292
银幕 yínmù 1292
淫秽 yínhuì 1292
引 yǐn 1292
引导 yǐndǎo 1292
引进 yǐnjìn 1292
引经据典
yǐn jīng jù diǎn 1292
引起 yǐnqǐ 1293
引人入胜
yǐn rén rù shèng 1293
引人注目
yǐn rén zhùmù 1293
引入 yǐnrù 1293
引用 yǐnyòng 1293
引诱 yǐnyòu 1293
饮 yǐn 1293
饮料 yǐnliào 1293
饮食 yǐnshí 1294
饮水 yǐnshuǐ 1294
隐 yǐn 1294
隐蔽 yǐnbì 1294
隐藏 yǐncáng 1294
隐瞒 yǐnmán 1294
隐约 yǐnyuē 1295
印 yìn 1295
印染 yìnrǎn 1295
印刷 yìnshuā 1295
印象 yìnxiàng 1295
应 yīng 1295
应当 yīngdāng 1296
应该 yīnggāi 1296
英 yīng 1296
英磅 yīngbàng 1296
英俊 yīngjùn 1296
英明 yīngmíng 1296
英雄 yīngxióng 1296
英勇 yīngyǒng 1296
英语(文)
Yīngyǔ(wén) 1297
婴 yīng 1297
婴儿 yīng'ér 1297
樱花 yīnghuā 1297
鹰 yīng 1297
迎 yíng 1297
迎接 yíngjiē 1297
迎面 yíng miàn 1297
盈 yíng 1298
盈利 yínglì 1298
营 yíng 1298
营养 yíngyǎng 1298
营业 yíngyè 1298
蝇头小利
yíng tóu xiǎo lì 1298
蝇子 yíngzi 1298
赢 yíng 1299
赢得 yíngdé 1299
影 yǐng 1299
影片 yǐngpiàn 1299
影响 yǐngxiǎng 1299
影子 yǐngzi 1299
应 yìng 1300
应酬 yìngchou 1300
应付 yìngfu 1300
应聘 yìngpìn 1300
应邀 yìngyāo 1300
应用 yìngyòng 1301
映 yìng 1301
硬 yìng 1301
硬件 yìngjiàn 1301
哟 yo 1301
拥 yōng 1302
拥抱 yōngbào 1302
拥护 yōnghù 1302
拥挤 yōngjǐ 1302
拥有 yōngyǒu 1302
庸 yōng 1302
庸俗 yōngsú 1303
永垂不朽

yǒng chuí bù xiǔ 1303
永久 yǒngjiǔ 1303
永远 yǒngyuǎn 1303
勇 yǒng 1303
勇敢 yǒnggǎn 1303
勇气 yǒngqì 1303
勇士 yǒngshì 1303
勇往直前
yǒng wǎng zhí qián
1303
勇于 yǒngyú 1303
涌 yǒng 1304
涌现 yǒngxiàn 1304
踊跃 yǒngyuè 1304
用 yòng 1304
用不着
yòng bu zháo 1304
用处 yòngchu 1304
用法 yòngfǎ 1304
用功 yòng gōng 1304
用户 yònghù 1305
用具 yòngjù 1305
用力 yòng lì 1305
用品 yòngpǐn 1305
用途 yòngtú 1305
用心 yòng xīn 1305
用意 yòngyì 1305
优 yōu 1305
优点 yōudiǎn 1306
优惠 yōuhuì 1306
优良 yōuliáng 1306
优美 yōuměi 1306
优胜 yōushèng 1306
优先 yōuxiān 1306
优秀 yōuxiù 1306
优异 yōuyì 1306
优越 yōuyuè 1306
优质 yōuzhì 1307
忧 yōu 1307
忧虑 yōulǜ 1307
忧心忡忡
yōu xīn chōng-
chōng 1307
忧郁 yōuyù 1307
幽静 yōujìng 1307
幽默 yōumò 1307
悠 yōu 1307
悠久 yōujiǔ 1308
尤 yóu 1308
尤其 yóuqí 1308
由 yóu 1308
由此可见
yóu cǐ kě jiàn 1308
由于 yóuyú 1309
邮 yóu 1309
邮包 yóubāo 1309
邮电 yóudiàn 1309
邮购 yóugòu 1309
邮寄 yóujì 1309
邮局 yóujú 1309
邮票 yóupiào 1309
邮政 yóuzhèng 1309
犹 yóu 1310
犹如 yóurú 1310
犹豫 yóuyù 1310
犹豫不决
yóuyù bù jué 1310
油 yóu 1310
油菜 yóucài 1310
油画 yóuhuà 1311
油料 yóuliào 1311
油漆 yóuqī 1311
油腔滑调
yóu qiāng huá
diào 1311
油田 yóutián 1311
铀 yóu 1311
游 yóu 1311
游击 yóujī 1311
游客 yóukè 1312
游览 yóulǎn 1312
游人 yóurén 1312
游戏 yóuxì 1312
游行 yóuxíng 1312
游泳 yóu yǒng 1312
游泳池 yóuyǒngchí 1312
友 yǒu 1312
友爱 yǒu'ài 1313
友好 yǒuhǎo 1313
友情 yǒuqíng 1313
友人 yǒurén 1313
友谊 yǒuyì 1313
有 yǒu 1313
有(一)点儿
yǒu(yì)diǎnr 1314
有备无患
yǒu bèi wú huàn 1314
有待 yǒudài 1314
有的 yǒude 1314
有的是 yǒudeshì 1314
有的放矢
yǒu dì fàng shǐ 1314
有关 yǒuguān 1314
有害 yǒu hài 1314
有机 yǒujī 1314
有口皆碑
yǒu kǒu jiē bēi 1315
有口无心
yǒu kǒu wú xīn 1315
有力 yǒulì 1315
有利 yǒulì 1315
有两下子
yǒu liǎng xià zi 1315
有名 yǒumíng 1315
有名无实
yǒu míng wú shí 1315
有气无力

yǒu qì wú lì 1315
有趣 yǒuqù 1315
有声有色
yǒu shēng yǒu sè 1316
有时 yǒushí 1316
有时候 yǒu shíhou 1316
有始有终
yǒu shǐ yǒu zhōng
1316
有限 yǒuxiàn 1316
有效 yǒuxiào 1316
有些 yǒuxiē 1316
有眼无珠
yǒu yǎn wú zhū 1316
有益 yǒuyì 1317
有意 yǒuyì 1317
有意思 yǒu yìsi 1317
有用 yǒu yòng 1317
又 yòu 1317
右 yòu 1318
右边 yòubian 1318
幼 yòu 1318
幼儿园 yòu'éryuán 1318
幼稚 yòuzhì 1318
诱 yòu 1319
诱惑 yòuhuò 1319
于 yú 1319
于是 yúshì 1319
余 yú 1319
鱼 yú 1320
鱼目混珠
yú mù hùn zhū 1320
娱乐 yúlè 1320
渔民 yúmín 1320
渔业 yúyè 1320
愉快 yúkuài 1320
榆树 yúshù 1320
愚 yú 1321
愚蠢 yúchǔn 1321
愚公移山
Yúgōng yí shān 1321
愚昧 yúmèi 1321
舆论 yúlùn 1321
与 yǔ 1321
与此同时
yǔ cǐ tóng shí 1321
与其 yǔqí 1321
予 yǔ 1322
予以 yǔyǐ 1322
宇宙 yǔzhòu 1322
羽 yǔ 1322
羽毛 yǔmáo 1322
羽毛球 yǔmáoqiú 1322
雨 yǔ 1322
雨水 yǔshuǐ 1322
雨衣 yǔyī 1323
语 yǔ 1323
语调 yǔdiào 1323
语法 yǔfǎ 1323
语气 yǔqì 1323
语文 yǔwén 1323
语言 yǔyán 1323
语音 yǔyīn 1324
语重心长
yǔ zhòng xīn
cháng 1324
与会 yùhuì 1324
玉 yù 1324
玉米 yùmǐ 1324
浴 yù 1324
浴室 yùshì 1324
预 yù 1325
预报 yùbào 1325
预备 yùbèi 1325
预测 yùcè 1325
预订 yùdìng 1325
预定 yùdìng 1325
预防 yùfáng 1325
预告 yùgào 1325
预计 yùjì 1326
预见 yùjiàn 1326
预料 yùliào 1326
预期 yùqī 1326
预赛 yùsài 1326
预算 yùsuàn 1326
预习 yùxí 1326
预先 yùxiān 1326
预言 yùyán 1327
预约 yùyuē 1327
预祝 yùzhù 1327
欲 yù 1327
欲望 yùwàng 1327
遇 yù 1327
遇到 yù dào 1327
遇见 yù jiàn 1328
寓 yù 1328
寓言 yùyán 1328
愈 yù 1328
愈…愈…
yù…yù… 1328
冤 yuān 1328
冤家路窄
yuānjiā lù zhǎi 1328
冤枉 yuānwang 1328
元 yuán 1329
元旦 Yuándàn 1329
元件 yuánjiàn 1329
元首 yuánshǒu 1329
元素 yuánsù 1329
元宵 yuánxiāo 1329
园 yuán 1330
园林 yuánlín 1330
员 yuán 1330
原 yuán 1330
原材料 yuáncáiliào 1330
原告 yuángào 1331
原来 yuánlái 1331

原理 yuánlǐ 1331
原谅 yuánliàng 1331
原料 yuánliào 1331
原始 yuánshǐ 1331
原先 yuánxiān 1331
原因 yuányīn 1332
原油 yuányóu 1332
原原本本
yuányuánběnběn 1332
原则 yuánzé 1332
原子 yuánzǐ 1332
原子弹 yuánzǐdàn 1332
原子能 yuánzǐnéng 1332
圆 yuán 1332
圆满 yuánmǎn 1333
圆珠笔 yuánzhūbǐ 1333
援 yuán 1333
援助 yuánzhù 1333
缘 yuán 1333
缘故 yuángù 1333
猿 yuán 1334
猿人 yuánrén 1334
源 yuán 1334
源泉 yuánquán 1334
远 yuǎn 1334
远大 yuǎndà 1334
远方 yuǎnfāng 1334
远见卓识
yuǎnjiàn zhuóshí 1334
远景 yuǎnjǐng 1334
远走高飞
yuǎn zǒu gāo fēi 1335
怨 yuàn 1335
怨声载道
yuàn shēng zài dào
1335
怨天尤人
yuàn tiān yóu rén 1335
院 yuàn 1335
院长 yuànzhǎng 1335
院子 yuànzi 1336
愿 yuàn 1336
愿望 yuànwàng 1336
愿意 yuànyì 1336
曰 yuē 1336
约 yuē 1336
约会 yuēhuì 1337
约束 yuēshù 1337
月 yuè 1337
月份 yuèfèn 1337
月光 yuèguāng 1338
月亮 yuèliang 1338
月球 yuèqiú 1338
乐 yuè 1338
乐队 yuèduì 1338
乐器 yuèqì 1338
乐曲 yuèqǔ 1338
阅 yuè 1338
阅读 yuèdú 1338
阅览室 yuèlǎnshì 1339
跃 yuè 1339
跃进 yuèjìn 1339
越 yuè 1339
越…越…
yuè…yuè… 1339
越冬 yuè dōng 1339
越过 yuèguò 1339
越来越…
yuè lái yuè… 1339
云 yún 1340
云彩 yúncai 1340
匀 yún 1340
允 yǔn 1340
允许 yǔnxǔ 1340
孕 yùn 1340
孕育 yùnyù 1340
运 yùn 1340
运动 yùndòng 1341
运动会 yùndònghuì 1341
运动员
yùndòngyuán 1341
运气 yùnqi 1341
运输 yùnshū 1341
运送 yùnsòng 1341
运算 yùnsuàn 1341
运行 yùnxíng 1341
运用 yùnyòng 1342
运转 yùnzhuǎn 1342
运作 yùnzuò 1342
晕 yùn 1342
酝酿 yùnniàng 1342
蕴藏 yùncáng 1342

Z

杂 zá 1343
杂技 zájì 1343
杂交 zájiāo 1343
杂乱 záluàn 1343
杂乱无章
záluàn wú zhāng 1343
杂文 záwén 1343
杂志 zázhì 1343
杂质 zázhì 1344
砸 zá 1344
咋 zǎ 1344
灾 zāi 1344
灾害 zāihài 1344
灾荒 zāihuāng 1344
灾难 zāinàn 1344
栽 zāi 1345
栽培 zāipéi 1345
宰 zǎi 1345
再 zài 1345
再见 zàijiàn 1346
再接再厉

zài jiē zài lì 1346
再三 zàisān 1346
再生产
zài shēngchǎn 1346
再说 zàishuō 1346
在 zài 1346
在乎 zàihu 1347
在意 zài yì 1347
在于 zàiyú 1347
在座 zàizuò 1347
载 zài 1347
载歌载舞
zài gē zài wǔ 1348
载重 zàizhòng 1348
咱 zán 1348
咱们 zánmen 1348
攒 zǎn 1348
暂 zàn 1348
暂且 zànqiě 1348
暂时 zànshí 1348
赞成 zànchéng 1348
赞美 zànměi 1348
赞赏 zànshǎng 1349
赞叹 zàntàn 1349
赞同 zàntóng 1349
赞扬 zànyáng 1349
赞助 zànzhù 1349
脏 zāng 1349
葬 zàng 1349
葬礼 zànglǐ 1349
遭 zāo 1350
遭到 zāodào 1350
遭受 zāoshòu 1350
遭殃 zāo yāng 1350
遭遇 zāoyù 1350
糟 zāo 1350
糟糕 zāogāo 1350
糟蹋 zāotà 1351
凿 záo 1351
早 zǎo 1351
早晨(早上)
zǎochén(zǎoshang) 1351
早点 zǎodiǎn 1351
早饭 zǎofàn 1351
早期 zǎoqī 1351
早日 zǎorì 1352
早晚 zǎowǎn 1352
早已 zǎoyǐ 1352
枣 zǎo 1352
灶 zào 1352
造 zào 1352
造反 zào fǎn 1352
造价 zàojià 1352
造句 zào jù 1353
造型 zàoxíng 1353
噪音 zàoyīn 1353
则 zé 1353
责 zé 1353
责备 zébèi 1354
责怪 zéguài 1354
责任 zérèn 1354
责任制 zérènzhì 1354
贼 zéi 1354
贼喊捉贼
zéi hǎn zhuō zéi 1354
怎 zěn 1354
怎么 zěnme 1354
怎么样 zěnmeyàng 1355
怎么着 zěnmezhe 1355
怎样 zěnyàng 1355
增 zēng 1355
增产 zēng chǎn 1356
增加 zēngjiā 1356
增进 zēngjìn 1356
增强 zēngqiáng 1356
增设 zēngshè 1356
增添 zēngtiān 1356
增援 zēngyuán 1356
增长 zēngzhǎng 1356
赠 zèng 1356
赠送 zèngsòng 1357
扎 zhā 1357
扎实 zhāshi 1357
渣 zhā 1357
闸 zhá 1357
炸 zhá 1357
眨 zhǎ 1358
诈 zhà 1358
诈骗 zhàpiàn 1358
炸 zhà 1358
炸弹 zhàdàn 1358
炸药 zhàyào 1358
榨 zhà 1358
摘 zhāi 1358
摘要 zhāiyào 1359
窄 zhǎi 1359
债 zhài 1359
债务 zhàiwù 1359
寨 zhài 1359
沾 zhān 1359
沾光 zhān guāng 1360
沾沾自喜
zhānzhān zì xǐ 1360
粘 zhān 1360
瞻前顾后
zhān qián gù hòu 1360
瞻仰 zhānyǎng 1360
斩 zhǎn 1360
斩草除根
zhǎn cǎo chú gēn 1360
斩钉截铁
zhǎn dīng jié tiě 1360
盏 zhǎn 1361
展 zhǎn 1361
展出 zhǎnchū 1361
展开 zhǎn kāi 1361

展览 zhǎnlǎn 1361
展览会 zhǎnlǎnhuì 1361
展示 zhǎnshì 1362
崭新 zhǎnxīn 1362
占 zhàn 1362
占据 zhànjù 1362
占领 zhànlǐng 1362
占有 zhànyǒu 1362
战 zhàn 1362
战场 zhànchǎng 1363
战斗 zhàndòu 1363
战略 zhànlüè 1363
战胜 zhànshèng 1363
战士 zhànshì 1363
战术 zhànshù 1363
战线 zhànxiàn 1363
战役 zhànyì 1363
战友 zhànyǒu 1364
战战兢兢
zhànzhànjīngjīng 1364
战争 zhànzhēng 1364
站 zhàn 1364
站岗 zhàn gǎng 1364
张 zhāng 1364
张冠李戴
Zhāng guān Lǐ dài
1365
张望 zhāngwàng 1365
张牙舞爪 zhāng yá
wǔ zhǎo 1365
章 zhāng 1365
章程 zhāngchéng 1365
长 zhǎng 1365
涨 zhǎng 1366
涨价 zhǎng jià 1366
掌 zhǎng 1366
掌管 zhǎngguǎn 1366
掌声 zhǎngshēng 1366
掌握 zhǎngwò 1366
丈 zhàng 1366
丈夫 zhàngfu 1366
帐 zhàng 1367
账 zhàng 1367
胀 zhàng 1367
障碍 zhàng'ài 1367
招 zhāo 1367
招待 zhāodài 1367
招待会 zhāodàihuì 1368
招呼 zhāohu 1368
招聘 zhāopìn 1368
招生 zhāo shēng 1368
招收 zhāoshōu 1368
招手 zhāo shǒu 1368
朝令夕改
zhāo lìng xī gǎi 1368
朝气 zhāoqì 1368
朝气蓬勃
zhāoqì péngbó 1369
朝三暮四
zhāo sān mù sì 1369
着 zháo 1369
着急 zháojí 1369
找 zhǎo 1369
沼泽 zhǎozé 1369
召集 zhàojí 1370
召开 zhàokāi 1370
兆 zhào 1370
照 zhào 1370
照常 zhàocháng 1370
照顾 zhàogù 1370
照会 zhàohuì 1371
照旧 zhàojiù 1371
照例 zhàolì 1371
照料 zhàoliào 1371
照明 zhàomíng 1371
照片(相片)zhàopiàn
(xiàngpiàn) 1371
照射 zhàoshè 1371
照相 zhào xiàng 1371
照相机 zhàoxiàngjī 1372
照样 zhàoyàng 1372
照耀 zhàoyào 1372
照应 zhàoyìng 1372
罩 zhào 1372
折 zhē 1372
折腾 zhēteng 1372
遮 zhē 1373
折 zhé 1373
折合 zhéhé 1373
折磨 zhémó 1373
哲学 zhéxué 1373
者 zhě 1373
这 zhè 1374
这边 zhèbian 1374
这个 zhège 1374
这会儿 zhèhuìr 1374
这里(这儿)
zhèlǐ(zhèr) 1374
这么 zhème 1375
这么着 zhèmezhe 1375
这些 zhèxiē 1375
这样 zhèyàng 1375
这样一来
zhèyàng yì lái 1375
着 zhe 1375
针 zhēn 1376
针对 zhēnduì 1376
针灸 zhēnjiǔ 1376
侦察 zhēnchá 1376
侦探 zhēntàn 1376
珍贵 zhēnguì 1376
珍惜 zhēnxī 1376
珍珠 zhēnzhū 1377
真 zhēn 1377
真诚 zhēnchéng 1377
真理 zhēnlǐ 1377
真凭实据

zhēn píng shí jù 1377
真实 zhēnshí 1377
真是 zhēnshi 1377
真是的 zhēnshi de 1377
真相 zhēnxiàng 1377
真心 zhēnxīn 1378
真正 zhēnzhèng 1378
真知灼见
zhēn zhī zhuó jiàn 1378
诊断 zhěnduàn 1378
枕头 zhěntou 1378
阵 zhèn 1378
阵地 zhèndì 1379
阵容 zhènróng 1379
阵线 zhènxiàn 1379
阵营 zhènyíng 1379
振 zhèn 1379
振动 zhèndòng 1379
振奋 zhènfèn 1379
振聋发聩
zhèn lóng fā kuì 1379
振兴 zhènxīng 1379
振振有词
zhènzhèn yǒu cí 1380
震 zhèn 1380
震荡 zhèndàng 1380
震动 zhèndòng 1380
震惊 zhènjīng 1380
镇 zhèn 1380
镇定 zhèndìng 1381
镇静 zhènjìng 1381
镇压 zhènyā 1381
正月 zhēngyuè 1381
争 zhēng 1381
争吵 zhēngchǎo 1381
争端 zhēngduān 1382
争夺 zhēngduó 1382
争分夺秒
zhēng fēn duó
miǎo 1382
争论 zhēnglùn 1382
争气 zhēng qì 1382
争取 zhēngqǔ 1382
争先恐后
zhēng xiān kǒng
hòu 1382
争议 zhēngyì 1382
征 zhēng 1383
征服 zhēngfú 1383
征求 zhēngqiú 1383
征收 zhēngshōu 1383
挣扎 zhēngzhá 1383
睁 zhēng 1384
蒸 zhēng 1383
蒸发 zhēngfā 1384
蒸汽 zhēngqì 1384
蒸蒸日上
zhēngzhēng rì
shàng 1384
整 zhěng 1384
整顿 zhěngdùn 1384
整风 zhěng fēng 1384
整个 zhěnggè 1384
整洁 zhěngjié 1385
整理 zhěnglǐ 1385
整齐 zhěngqí 1385
整数 zhěngshù 1385
整体 zhěngtǐ 1385
整天 zhěngtiān 1385
整整 zhěngzhěng 1385
正 zhèng 1385
正比 zhèngbǐ 1386
正常 zhèngcháng 1386
正当 zhèngdāng 1386
正当 zhèngdàng 1386
正规 zhèngguī 1386
正好 zhènghǎo 1387
正经 zhèngjing 1387
正面 zhèngmiàn 1387
正气 zhèngqì 1387
正巧 zhèngqiǎo 1388
正确 zhèngquè 1388
正人君子
zhèngrén jūnzǐ 1388
正式 zhèngshì 1388
正义 zhèngyì 1388
正在 zhèngzài 1388
证件 zhèngjiàn 1388
证据 zhèngjù 1388
证明 zhèngmíng 1389
证实 zhèngshí 1389
证书 zhèngshū 1389
郑重 zhèngzhòng 1389
政变 zhèngbiàn 1389
政策 zhèngcè 1389
政党 zhèngdǎng 1389
政府 zhèngfǔ 1390
政权 zhèngquán 1390
政协 zhèngxié 1390
政治 zhèngzhì 1390
挣 zhèng 1390
症 zhèng 1390
症状 zhèngzhuàng 1390
之 zhī 1390
…之后 …zhīhòu 1391
…之间 …zhījiān 1391
…之类 …zhīlèi 1391
…之内 …zhīnèi 1391
…之上 …zhīshàng 1391
…之外 …zhīwài 1391
…之下 …zhīxià 1392
…之一 …zhīyī 1392
…之中 …zhīzhōng 1392
支 zhī 1392
支撑 zhīchēng 1393
支持 zhīchí 1393
支出 zhīchū 1393

支付 zhīfù 1393
支配 zhīpèi 1393
支票 zhīpiào 1393
支援 zhīyuán 1394
支柱 zhīzhù 1394
只 zhī 1394
汁 zhī 1394
枝 zhī 1394
知 zhī 1394
知道 zhīdào 1395
知觉 zhījué 1395
知识 zhīshi 1395
知识分子 zhīshifènzi 1395
织 zhī 1395
脂肪 zhīfáng 1395
蜘蛛 zhīzhū 1395
执 zhí 1396
执法 zhífǎ 1396
执勤 zhí qín 1396
执行 zhíxíng 1396
执照 zhízhào 1396
执政 zhí zhèng 1396
直 zhí 1396
直播 zhíbō 1397
直达 zhídá 1397
直到 zhídào 1397
直接 zhíjiē 1397
直径 zhíjìng 1397
直抒己见 zhí shū jǐjiàn 1397
直辖市 zhíxiáshì 1398
直线 zhíxiàn 1398
直至 zhízhì 1398
侄子 zhízi 1398
值 zhí 1398
值班 zhí bān 1398
值得 zhíde 1398
职 zhí 1399
职称 zhíchēng 1399
职工 zhígōng 1399
职能 zhínéng 1399
职权 zhíquán 1399
职务 zhíwù 1399
职业 zhíyè 1399
职员 zhíyuán 1399
植 zhí 1400
植物 zhíwù 1400
殖民地 zhímíndì 1400
殖民主义 zhímín zhǔyì 1400
止 zhǐ 1400
只 zhǐ 1400
只得 zhǐdé 1400
只顾 zhǐgù 1400
只管 zhǐguǎn 1401
只好 zhǐhǎo 1401
只能 zhǐnéng 1401
只是 zhǐshì 1401
只要 zhǐyào 1401
只有 zhǐyǒu 1401
纸 zhǐ 1401
纸上谈兵 zhǐ shàng tán bīng 1402
纸张 zhǐzhāng 1402
指 zhǐ 1402
指标 zhǐbiāo 1402
指出 zhǐchū 1402
指导 zhǐdǎo 1402
指点 zhǐdiǎn 1403
指定 zhǐdìng 1403
指挥 zhǐhuī 1403
指甲 zhǐjia 1403
指令 zhǐlìng 1403
指明 zhǐmíng 1403
指南针 zhǐnánzhēn 1403
指示 zhǐshì 1403
指手画脚 zhǐ shǒu huà jiǎo 1404
指头 zhǐtou 1404
指望 zhǐwàng 1404
指引 zhǐyǐn 1404
指针 zhǐzhēn 1404
咫尺天涯 zhǐchǐ tiānyá 1404
趾高气扬 zhǐ gāo qì yáng 1404
至 zhì 1405
至多 zhìduō 1405
至今 zhìjīn 1405
至少 zhìshǎo 1405
至于 zhìyú 1405
志 zhì 1405
志大才疏 zhì dà cái shū 1405
志气 zhìqì 1405
志愿 zhìyuàn 1405
制 zhì 1405
制裁 zhìcái 1406
制订 zhìdìng 1406
制定 zhìdìng 1406
制度 zhìdù 1406
制服 zhìfú 1406
制品 zhìpǐn 1407
制约 zhìyuē 1407
制造 zhìzào 1407
制止 zhìzhǐ 1407
制作 zhìzuò 1407
质 zhì 1407
质变 zhìbiàn 1407
质量 zhìliàng 1408
质朴 zhìpǔ 1408
炙手可热 zhì shǒu kě rè 1408
治 zhì 1408
治安 zhì'ān 1408
治理 zhìlǐ 1408

治疗 zhìliáo 1409
致 zhì 1409
致辞 zhì cí 1409
致电 zhì diàn 1409
致富 zhìfù 1409
致敬 zhìjìng 1409
致使 zhìshǐ 1409
秩序 zhìxù 1410
掷 zhì 1410
智 zhì 1410
智慧 zhìhuì 1410
智力 zhìlì 1410
智能 zhìnéng 1410
置 zhì 1410
置之不理
zhì zhī bù lǐ 1410
置之度外
zhì zhī dù wài 1411
中 zhōng 1411
中部 zhōngbù 1411
中餐 zhōngcān 1411
中等 zhōngděng 1411
中断 zhōngduàn 1411
中间 zhōngjiān 1411
中立 zhōnglì 1412
中流砥柱
zhōngliú Dǐzhù 1412
中年 zhōngnián 1412
中秋 Zhōngqiū 1412
中途 zhōngtú 1412
中文 Zhōngwén 1412
中午 zhōngwǔ 1412
中心 zhōngxīn 1412
中学 zhōngxué 1413
中旬 zhōngxún 1413
中央 zhōngyāng 1413
中药 zhōngyào 1413
中医 zhōngyī 1413
中游 zhōngyóu 1414
中原 zhōngyuán 1414
忠诚 zhōngchéng 1414
忠实 zhōngshí 1414
忠心耿耿
zhōngxīn gěng-
gěng 1414
忠于 zhōngyú 1414
忠贞 zhōngzhēn 1414
终 zhōng 1414
终点 zhōngdiǎn 1415
终端 zhōngduān 1415
终究 zhōngjiū 1415
终年 zhōngnián 1415
终身 zhōngshēn 1415
终于 zhōngyú 1415
终止 zhōngzhǐ 1415
钟 zhōng 1415
钟表 zhōngbiǎo 1415
钟点 zhōngdiǎn 1416
钟头 zhōngtóu 1416
衷心 zhōngxīn 1416
种 zhǒng 1416
种类 zhǒnglèi 1416
种种 zhǒngzhǒng 1416
种子 zhǒngzi 1417
种族 zhǒngzú 1417
肿 zhǒng 1417
肿瘤 zhǒngliú 1417
中 zhòng 1417
众 zhòng 1417
众多 zhòngduō 1417
众口一词
zhòng kǒu yì cí 1418
众目睽睽
zhòng mù kuíkuí 1418
众叛亲离
zhòng pàn qīn lí 1418
众人 zhòngrén 1418
众矢之的
zhòng shǐ zhī dì 1418
众所周知
zhòng suǒ zhōu zhī
1418
众议院 zhòngyìyuàn 1418
众志成城
zhòng zhì chéng
chéng 1418
种 zhòng 1418
种地 zhòng dì 1418
种植 zhòngzhí 1419
重 zhòng 1419
重大 zhòngdà 1419
重点 zhòngdiǎn 1419
重工业
zhònggōngyè 1419
重量 zhòngliàng 1419
重视 zhòngshì 1419
重心 zhòngxīn 1420
重型 zhòngxíng 1420
重要 zhòngyào 1420
重于泰山 zhòng yú
Tài Shān 1420
舟 zhōu 1420
州 zhōu 1420
周 zhōu 1420
周到 zhōudào 1421
周而复始
zhōu ér fù shǐ 1421
周密 zhōumì 1421
周末 zhōumò 1421
周年 zhōunián 1421
周期 zhōuqī 1421
周围 zhōuwéi 1422
周折 zhōuzhé 1422
周转 zhōuzhuǎn 1422
洲 zhōu 1422
粥 zhōu 1422
昼 zhòu 1422

昼夜 zhòuyè 1422
皱 zhòu 1422
皱纹 zhòuwén 1423
珠 zhū 1423
珠子 zhūzi 1423
株 zhū 1423
诸如此类 zhū rú cǐ lèi 1423
诸位 zhūwèi 1423
猪 zhū 1423
竹子 zhúzi 1423
逐 zhú 1424
逐步 zhúbù 1424
逐渐 zhújiàn 1424
逐年 zhúnián 1424
主 zhǔ 1424
主办 zhǔbàn 1424
主编 zhǔbiān 1424
主持 zhǔchí 1425
主导 zhǔdǎo 1425
主动 zhǔdòng 1425
主观 zhǔguān 1425
主管 zhǔguǎn 1425
主力 zhǔlì 1426
主流 zhǔliú 1426
主权 zhǔquán 1426
主人 zhǔrén 1426
主人翁 zhǔrénwēng 1426
主任 zhǔrèn 1426
主食 zhǔshí 1427
主题 zhǔtí 1427
主体 zhǔtǐ 1427
主席 zhǔxí 1427
主要 zhǔyào 1427
主义 zhǔyì 1427
主意 zhǔyi 1427
主张 zhǔzhāng 1427
拄 zhǔ 1428
煮 zhǔ 1428
嘱咐 zhǔfù 1428
嘱托 zhǔtuō 1428
助 zhù 1428
助理 zhùlǐ 1428
助手 zhùshǒu 1428
助长 zhùzhǎng 1428
住 zhù 1428
住房 zhùfáng 1429
住所 zhùsuǒ 1429
住院 zhù yuàn 1429
住宅 zhùzhái 1429
注 zhù 1429
注册 zhùcè 1430
注解 zhùjiě 1430
注目 zhùmù 1430
注射 zhùshè 1430
注视 zhùshì 1430
注释 zhùshì 1430
注意 zhùyì 1430
注重 zhùzhòng 1431
驻 zhù 1431
驻扎 zhùzhā 1431
柱子 zhùzi 1431
祝 zhù 1431
祝福 zhùfú 1431
祝贺 zhùhè 1431
祝愿 zhùyuàn 1431
著 zhù 1431
著名 zhùmíng 1432
著作 zhùzuò 1432
铸 zhù 1432
铸造 zhùzào 1432
筑 zhù 1432
抓 zhuā 1432
抓紧 zhuā jǐn 1432
爪子 zhuǎzi 1433
拽 zhuài 1433
专 zhuān 1433
专长 zhuāncháng 1433
专程 zhuānchéng 1433
专家 zhuānjiā 1433
专科 zhuānkē 1433
专利 zhuānlì 1434
专门 zhuānmén 1434
专人 zhuānrén 1434
专题 zhuāntí 1434
专心 zhuānxīn 1434
专业 zhuānyè 1434
专业户 zhuānyèhù 1434
专用 zhuānyòng 1434
专政 zhuānzhèng 1435
专制 zhuānzhì 1435
砖 zhuān 1435
转 zhuǎn 1435
转变 zhuǎnbiàn 1435
转播 zhuǎnbō 1435
转达 zhuǎndá 1435
转动 zhuǎndòng 1436
转告 zhuǎngào 1436
转化 zhuǎnhuà 1436
转换 zhuǎnhuàn 1436
转交 zhuǎnjiāo 1436
转让 zhuǎnràng 1436
转入 zhuǎnrù 1436
转弯 zhuǎn wān 1436
转弯抹角 zhuǎn wān mò jiǎo 1436
转危为安 zhuǎn wēi wéi ān 1437
转向 zhuǎnxiàng 1437
转移 zhuǎnyí 1437
转折 zhuǎnzhé 1437
传 zhuàn 1437
传记 zhuànjì 1437
转 zhuàn 1437
转动 zhuàndòng 1437
赚 zhuàn 1438

庄 zhuāng 1438
庄稼 zhuāngjia 1438
庄严 zhuāngyán 1438
庄重 zhuāngzhòng 1438
桩 zhuāng 1438
装 zhuāng 1439
装备 zhuāngbèi 1439
装配 zhuāngpèi 1439
装腔作势
zhuāng qiāng zuò shì 1439
装饰 zhuāngshì 1439
装卸 zhuāngxiè 1439
装置 zhuāngzhì 1440
壮 zhuàng 1440
壮大 zhuàngdà 1440
壮观 zhuàngguān 1440
壮丽 zhuànglì 1440
壮烈 zhuàngliè 1440
壮志 zhuàngzhì 1440
状况 zhuàngkuàng 1440
状态 zhuàngtài 1441
撞 zhuàng 1441
幢 zhuàng 1441
追 zhuī 1441
追查 zhuīchá 1441
追悼 zhuīdào 1441
追赶 zhuīgǎn 1442
追究 zhuījiū 1442
追求 zhuīqiú 1442
追问 zhuīwèn 1442
惴惴不安
zhuìzhuì bù'ān 1442
准 zhǔn 1442
准备 zhǔnbèi 1442
准确 zhǔnquè 1443
准时 zhǔnshí 1443
准许 zhǔnxǔ 1443
准则 zhǔnzé 1443
捉 zhuō 1443
捉襟见肘
zhuō jīn jiàn zhǒu 1443
桌 zhuō 1443
桌子 zhuōzi 1443
卓越 zhuóyuè 1444
酌情 zhuó qíng 1444
啄 zhuó 1444
着 zhuó 1444
着手 zhuóshǒu 1444
着想 zhuóxiǎng 1444
着重 zhuózhòng 1444
孜孜不倦
zīzī bú juàn 1444
咨询 zīxún 1444
姿势 zīshì 1445
姿态 zītài 1445
资本 zīběn 1445
资本家 zīběnjiā 1445
资本主义
zīběn zhǔyì 1445
资产 zīchǎn 1445
资产阶级
zīchǎn jiējí 1445
资格 zīgé 1446
资金 zījīn 1446
资料 zīliào 1446
资源 zīyuán 1446
资助 zīzhù 1446
滋长 zīzhǎng 1446
滋味 zīwèi 1446
子 zǐ 1447
子弹 zǐdàn 1447
子弟 zǐdì 1447
子孙 zǐsūn 1447
子虚乌有
zǐxū wūyǒu 1447
仔细 zǐxì 1447
籽 zǐ 1448
紫 zǐ 1448
自 zì 1448
自暴自弃
zì bào zì qì 1448
自卑 zìbēi 1448
自不量力
zì bú liàng lì 1448
自吹自擂
zì chuī zì léi 1448
自从 zìcóng 1449
自动 zìdòng 1449
自发 zìfā 1449
自费 zìfèi 1449
自负盈亏
zì fù yíngkuī 1449
自高自大
zì gāo zì dà 1449
自古 zìgǔ 1449
自豪 zìháo 1449
自己 zìjǐ 1450
自给自足
zì jǐ zì zú 1450
自觉 zìjué 1450
自来水 zìláishuǐ 1450
自力更生
zì lì gēng shēng 1450
自满 zìmǎn 1450
自欺欺人
zì qī qī rén 1450
自然 zìrán 1451
自杀 zìshā 1451
自身 zìshēn 1451
自始至终
zì shǐ zhì zhōng 1451
自私 zìsī 1451
自私自利
zì sī zì lì 1451
自卫 zìwèi 1451
自我 zìwǒ 1452

自相矛盾
zìxiāng máodùn 1452
自信 zìxìn 1452
自行 zìxíng 1452
自行车 zìxíngchē 1452
自学 zìxué 1452
自言自语
zì yán zì yǔ 1453
自以为是
zì yǐ wéi shì 1453
自由 zìyóu 1453
自由市场
zìyóu shìchǎng 1453
自愿 zìyuàn 1453
自治 zìzhì 1453
自治区 zìzhìqū 1454
自主 zìzhǔ 1454
自作自受
zì zuò zì shòu 1454
字 zì 1454
字典 zìdiǎn 1454
字里行间
zì lǐ háng jiān 1454
字母 zìmǔ 1454
宗 zōng 1454
宗教 zōngjiào 1455
宗派 zōngpài 1455
宗旨 zōngzhǐ 1455
综合 zōnghé 1455
棕色 zōngsè 1455
踪迹 zōngjì 1455
总 zǒng 1455
总(是)zǒng(shì) 1456
总得 zǒngděi 1456
总的来说
zǒng de lái shuō 1456
总督 zǒngdū 1456
总额 zǒng'é 1456
总而言之
zǒng ér yán zhī 1456
总共 zǒnggòng 1456
总和 zǒnghé 1456
总计 zǒngjì 1457
总结 zǒngjié 1457
总理 zǒnglǐ 1457
总数 zǒngshù 1457
总司令 zǒngsīlìng 1457
总算 zǒngsuàn 1457
总统 zǒngtǒng 1457
总务 zǒngwù 1457
总之 zǒngzhī 1457
纵 zòng 1458
纵横 zònghéng 1458
走 zǒu 1458
走道 zǒudào 1459
走访 zǒufǎng 1459
走狗 zǒugǒu 1459
走后门 zǒu hòumén 1459
走廊 zǒuláng 1459
走漏 zǒulòu 1459
走马观花
zǒu mǎ guān huā 1460
走私 zǒu sī 1460
走投无路
zǒu tóu wú lù 1460
走弯路 zǒu wānlù 1460
走向 zǒuxiàng 1460
奏 zòu 1460
揍 zòu 1460
租 zū 1460
租金 zūjīn 1461
足 zú 1461
足球 zúqiú 1461
足以 zúyǐ 1461
族 zú 1461
阻碍 zǔ'ài 1461
阻挡 zǔdǎng 1462
阻拦 zǔlán 1462
阻力 zǔlì 1462
阻挠 zǔnáo 1462
阻止 zǔzhǐ 1462
组 zǔ 1462
组成 zǔchéng 1462
组合 zǔhé 1462
组长 zǔzhǎng 1463
组织 zǔzhī 1463
祖父 zǔfù 1463
祖国 zǔguó 1463
祖母 zǔmǔ 1463
祖先 zǔxiān 1463
钻 zuān 1464
钻研 zuānyán 1464
钻 zuàn 1464
钻石 zuànshí 1464
嘴 zuǐ 1464
嘴巴 zuǐba 1465
嘴唇 zuǐchún 1465
最 zuì 1465
最初 zuìchū 1465
最好 zuìhǎo 1465
最后 zuìhòu 1465
最近 zuìjìn 1465
罪 zuì 1465
罪恶 zuì'è 1465
罪犯 zuìfàn 1465
罪名 zuìmíng 1466
罪行 zuìxíng 1466
罪状 zuìzhuàng 1466
醉 zuì 1466
醉生梦死
zuì shēng mèng sǐ
1466
尊敬 zūnjìng 1466
尊严 zūnyán 1466
尊重 zūnzhòng 1466
遵守 zūnshǒu 1467
遵循 zūnxún 1467

遵照 zūnzhào 1467
昨天 zuótiān 1467
琢磨 zuómo 1467
左 zuǒ 1467
左边 zuǒbian 1467
左右 zuǒyòu 1467
作 zuò 1468
作案 zuò àn 1468
作法 zuòfǎ 1468
作废 zuò fèi 1468
作风 zuòfēng 1468
作家 zuòjiā 1469
作茧自缚
zuò jiǎn zì fù 1469
作品 zuòpǐn 1469
作为 zuòwéi 1469
作文 zuòwén 1469
作物 zuòwù 1469
作业 zuòyè 1469
作用 zuòyòng 1470
作战 zuò zhàn 1470
作者 zuòzhě 1470
做主 zuòzhǔ 1472
坐 zuò 1470
坐班 zuò bān 1471
坐井观天
zuò jǐng guān tiān 1471
座 zuò 1471
座儿 zuòr 1471
座谈 zuòtán 1471
座位 zuòwèi 1471
座右铭 zuòyòumíng 1471
做 zuò 1472
做法 zuòfǎ 1472
做工 zuò gōng 1472
做客 zuò kè 1472
做梦 zuò mèng 1472
做主 zuò zhǔ 1472

笔画索引

本表所列汉字按笔画多少排列。同笔画的字，按第一笔一、丨、丿、丶、乛顺序排列。

一画

一 1259
一一 1261
一刀两断 1277
一干二净 1278
一下 1268
一下子 1268
一口气 1279
一个劲儿 1266
一…也… 1260
一切 1268
一见如故 1267
一毛不拔 1279
一手 1280
一方面…一方面… 1278
一心 1281
一心一意 1281
一本正经 1277
一旦 1265
一目了然 1267
一生 1280
一半 1264
一头 1281
一边 1277
一边…一边… 1277
一丝不苟 1280
一共 1266
一再 1269
一尘不染 1277
一同 1281
一帆风顺 1277
一向 1268
一行 1282
一会儿 1266
一会儿…一会儿… 1266
一齐 1279
一衣带水 1282
一次性 1264
一阵 1269
一块儿 1267
一劳永逸 1279
一技之长 1267
一连 1279
一步登天 1264
一时 1280
一身 1280
一系列 1268
一穷二白 1279
一直 1282
一事无成 1268
一些 1281
一国两制 1278
一呼百应 1278
一知半解 1282
一泻千里 1269
一定 1265
一视同仁 1268
一贯 1266
一带 1265
一面…一面… 1267
一面之词 1267
一点儿 1277
一哄而散 1278
一律 1267
一度 1265
一举 1278
一举两得 1278
一起 1279
一样 1269
一致 1269
一般 1276
一旁 1279
一相情愿 1281
一望无际 1268
一清二楚 1279
一辈子 1264
一…就… 1260
一道 1265
一塌糊涂 1281
一鼓作气 1278
一概 1266
一概而论 1266
一路平安 1267
一路顺风 1267
一触即发 1264
一意孤行 1269
乙 1273

二画

【一】

二 289
二战 289
二氧化碳 289
十 964
十分 964
十年树木，百年树人 964
十全十美 964
十足 965
十室九空 964
十恶不赦 964
十拿九稳 964
厂 116
厂长 116
厂房 116
厂家 116
厂商 116
丁 250
七 823

七上八下 823
七手八脚 823
七零八落 823
七嘴八舌 823

【丨】

卜 74

【丿】

八 12
八仙过海，各显神通 12
人 892
人力 894
人工 893
人士 895
人才 892
人口 894
人山人海 895
人为 896
人心 896
人生 895
人们 894
人民 894
人民币 894
人权 895
人尽其才 894
人均 894
人员 896
人体 896
人身 895
人间 893
人杰地灵 894
人事 895
人物 896
人质 896
人性 896
人参 895
人类 894
人格 893
人造 896
人浮于事 893
人家 893
人情 895
人道主义 892
人群 895
入 907
入口 907
入木三分 907
入手 908
入围 908
入学 908
入侵 908
入迷 907
入境 907
儿 287
儿女 287
儿女情长 288
儿子 288
儿童 288
几 509
几乎 497
几何 510
九 597
九死一生 597

【乛】

刁 247
刀 213
刀刃 213
刀子 213
力 674
力不从心 674
力气 675
力争 675
力求 675
力图 675
力度 675
力挽狂澜 675
力量 675
乃 764
又 1317
了 665
了 691
了不起 691
了解 692

三画

【一】

三 911
三三两两 911
三长两短 911
三心二意 912
三令五申 911
三角 911
三番五次 911
干 353
干 360
干吗 360
干扰 355
干旱 354
干劲 360
干杯 354
干净 354
干线 361
干活儿 360
干脆 354
干部 360
干涉 355
干预 355
干燥 355
亏 644
亏待 645
亏损 645
于 1319
于是 1319
工 377
工厂 377
工人 378
工人阶级 378
工夫 378
工艺品 379
工业 379
工地 378
工会 378
工作 379
工序 379
工具 378
工具书 378
工钱 378
工资 379
工程 377
工程师 377
工龄 378
士兵 974
土 1085
土地 1085
土豆 1085
土壤 1086
下 1151
下乡 1155
下午 1155
下去 1154
下令 1154
下边 1152
下台 1155
下达 1153
下列 1154
下旬 1155
下级 1153
下来 1154
下岗 1153
下放 1153
下降 1153
下面 1154

下班	1152	大批	193	大意	196	上进	928
下海	1153	大体	195	丈	1366	上来	929
下课	1153	大快人心	191	丈夫	1366	上报	927
下落	1154	大局	191	与	1321	上诉	930
下游	1155	大陆	192	与此同时	1321	上层	928
大	186	大势已去	194	与会	1324	上述	930
大人	193	大势所趋	194	与其	1321	上学	931
大刀阔斧	188	大拇指	193	才	88	上空	929
大力	192	大使	194	才干	89	上面	929
大于	196	大使馆	194	才能	89	上帝	928
大大	188	大学	196	才智	89	上班	927
大义灭亲	196	大型	195	万	1104	上涨	932
大小	195	大相径庭	195	万一	1104	上课	929
大夫	198	大便	187	万万	1104	上等	928
大无畏	195	大胆	188	万无一失	1104	上游	931
大气压	193	大炮	193	万不得已	1104	上瘾	931
大公无私	190	大都	188	万分	1104	口	636
大方	189	大哥	190	万水千山	1104	口干舌燥	637
大队	188	大致	197	万古长青	1104	口气	637
大失所望	194	大脑	193	万岁	1104	口号	637
大包大揽	187	大家	191	万紫千红	1105	口头	637
大半	187	大理石	192	寸	177	口岸	636
大发雷霆	189	大惊小怪	191			口试	637
大地	188	大惊失色	191	【丨】		口是心非	637
大臣	187	大款	192	上	926	口香糖	637
大有可为	196	大厦	194	上下	931	口音	638
大同小异	195	大雁	196	上午	930	口语	638
大伙儿	190	大量	192	上升	930	口袋	637
大自然	197	大锅饭	190	上去	929	口腔	637
大会	190	大智若愚	197	上头	930	山	918
大众	197	大街	191	上边	927	山区	919
大名鼎鼎	192	大道	188	上台	930	山冈	918
大多	189	大道理	188	上当	928	山水	919
大多数	189	大嫂	193	上网	930	山头	920
大衣	196	大肆	195	上任	929	山地	918
大米	192	大概	189	上旬	931	山谷	919
大约	197	大摇大摆	196	上交	928	山沟	918
大声	194	大腹便便	189	上衣	931	山穷水尽	919
大声疾呼	194	大煞风景	193	上级	928	山岭	919

山河　919
山珍海味　920
山脉　919
山峰　918
山脚　919
山清水秀　919
山腰　920

【丿】

千　843
千万　844
千瓦　844
千方百计　843
千丝万缕　844
千军万马　843
千克　844
千里迢迢　844
千言万语　845
千辛万苦　844
千呼万唤　843
千变万化　843
千钧一发　843
千家万户　843
千篇一律　844
乞　830
乞求　830
川　157
川流不息　157
亿　1282
亿万　1282
个　372
个人　372
个儿　372
个子　373
个别　372
个体　372
个体户　372
个性　373
义　1282
义务　1283
及　503
及早　504
及时　504
及格　504
凡　299
凡是　299
久　597
勺　933
勺子　933
丸　1100

【丶】

广　408
广大　409
广场　409
广告　409
广泛　409
广阔　409
广播　408
亡　1105
亡羊补牢　1105
门　735
门口　735
门市部　735
门当户对　735
门诊　735
门铃　735
门路　735
之　1390
…之一　1392
…之下　1392
…之上　1391
…之中　1392
…之内　1391
…之外　1391
…之后　1391
…之间　1391
…之类　1391

【乛】

尸　959
尸体　959
弓　379
已　1273
已经　1273
卫生　1116
卫生间　1116
卫生筷　1116
卫星　1116
也　1255
也许　1256
女　785
女人　785
女儿　785
女士　786
女子　786
女性　786
飞　315
飞机　315
飞行　316
飞快　315
飞跃　316
飞船　315
飞翔　316
飞舞　315
小　1178
小子　1181
小心　1180
小心翼翼　1180
小吃　1178
小伙子　1179
小米　1179
小麦　1179
小时　1179
小朋友　1179
小学　1181
小学生　1181
小姐　1179
小组　1181
小型　1180
小便　1178
小皇帝　1179
小鬼　1178
小说　1180
小费　1178
小孩儿　1178
小提琴　1180
小数　1179
小数点　1180
叉　104
叉子　104
习以为常　1145
习俗　1145
习惯　1145
习题　1145
马　718
马力　719
马上　719
马车　718
马达　718
马戏　719
马克思主义　719
马虎　719
马铃薯　719
马路　719
子　1447
子孙　1447
子弟　1447
子虚乌有　1447
子弹　1447
乡　1166
乡下　1167
乡村　1167
乡亲　1167

四画

【一】

丰产 329
丰收 330
丰富 329
丰满 330
王 1106
王国 1106
井 591
井井有条 591
开 615
开刀 616
开工 617
开口 618
开门见山 618
开天辟地 619
开支 621
开化 617
开心 620
开办 616
开水 619
开头 620
开发 616
开动 616
开会 617
开关 617
开设 619
开饭 617
开玩笑 620
开拓 620
开明 618
开采 616
开夜车 620
开放 617
开学 620
开始 619
开垦 618
开除 616
开架 617
开朗 618
开课 618
开展 620
开通 619
开阔 618
开幕 619
开辟 619
开演 620
夫 337
夫人 337
夫妇 337
夫妻 337
天 1052
天下 1054
天才 1053
天上 1054
天气 1053
天长地久 1053
天文 1054
天生 1054
天主教 1055
天地 1053
天色 1054
天空 1053
天线 1054
天真 1055
天堂 1054
天涯海角 1055
天然 1053
天然气 1054
天翻地覆 1053
无 1129
无比 1129
无从 1129
无孔不入 1131
无可奉告 1131
无可奈何 1131
无动于衷 1130
无产阶级 1129
无论 1131
无论如何 1132
无声无息 1132
无时无刻 1132
无足轻重 1135
无忧无虑 1134
无穷 1132
无穷无尽 1132
无拘无束 1130
无非 1130
无知 1134
无的放矢 1130
无所不为 1133
无所不能 1133
无所作为 1133
无所事事 1133
无所谓 1133
无法 1130
无法无天 1130
无话可说 1130
无限 1133
无线电 1134
无济于事 1130
无耻 1129
无效 1134
无病呻吟 1129
无能为力 1132
无理 1131
无聊 1131
无偿 1129
无情 1132
无情无义 1132
无缘无故 1134
无微不至 1133
无意 1134
无数 1132
无疑 1134
无影无踪 1134
无稽之谈 1130
元 1329
元旦 1329
元件 1329
元首 1329
元素 1329
元宵 1329
云 1340
云彩 1340
专 1433
专人 1434
专门 1434
专长 1433
专心 1434
专业 1434
专业户 1434
专用 1434
专利 1434
专制 1435
专政 1435
专科 1433
专家 1433
专程 1433
专题 1434
艺 1283
艺术 1283
木 758
木头 758
木匠 758
木材 758
五 1135
五花八门 1135
五体投地 1135
五彩缤纷 1135
支 1392
支付 1393
支出 1393
支柱 1394

支持 1393
支配 1393
支票 1393
支援 1394
支撑 1393
厅 1063
不 76
不一定 83
不入虎穴，
　焉得虎子 72
不了了之 80
不三不四 82
不大 70
不久 79
不比 77
不止 84
不少 82
不见 71
不见得 71
不仅 79
不分彼此 78
不公 78
不正之风 74
不可 80
不可收拾 80
不可思议 80
不可捉摸 80
不可理喻 80
不可救药 80
不平 81
不由得 83
不只 84
不用 73
不必 70
不对 71
不朽 83
不在乎 73
不至于 74
不过 71
不当 70
不同 82
不伦不类 80
不自量力 74
不行 82
不安 76
不许 83
不论 72
不如 81
不好意思 78
不求甚解 81
不时 82
不足 84
不利 72
不但 70
不住 74
不近人情 71
不免 81
不言而喻 83
不良 80
不妨 78
不幸 73
不拘小节 79
不知不觉 84
不卑不亢 76
不学无术 83
不法 78
不定 71
不宜 83
不相上下 82
不要 73
不要紧 73
不是 72
不是…而是… 72
不是吗 73
不是…就是… 72
不怎么样 83
不觉 79
不耻下问 77
不顾 71
不料 72
不容 81
不停 82
不得 77
不得了 77
不得已 77
不得不 77
不够 71
不惜 82
不着边际 84
不断 71
不敢当 78
不堪 79
不遗余力 83
不等 77
不然 81
不痛不痒 73
不愧 72
不曾 77
不寒而栗 78
不禁 79
不错 70
不辞而别 77
不像话 73
不解 78
不满 81
不管 78
不露声色 72
犬 883
太 1031
太太 1032
太平 1032
太阳 1032
太阳能 1032
太空 1032
区 874
区分 875
区别 875
区域 875
历 675
历历在目 676
历史 676
历代 676
历年 676
历来 676
歹徒 198
尤 1308
尤其 1308
友 1312
友人 1313
友好 1313
友爱 1313
友谊 1313
友情 1313
匹 805
车 122
车水马龙 122
车床 122
车间 122
车站 123
车厢 122
车辆 122
巨 605
巨大 605
扎 1357
扎实 1357
屯 1092
比 46
比分 47
比方 46
比价 47
比如 47
比例 47
比重 48
比较 47
比喻 47
比赛 47

互 460
互助 460
互利 460
互相 460
切 856
切实 857
牙 1230
牙齿 1230
牙刷 1231
牙膏 1231
瓦 1095
瓦解 1095

【丨】

止 1400
少 933
934
少女 934
少见多怪 933
少年 934
少先队 934
少量 933
少数 933
少数民族 934
日 900
日子 902
日元 902
日用 901
日用品 901
日记 901
日光 901
日报 900
日夜 901
日语(文) 901
日益 901
日常 900
日期 901
日程 901
日新月异 901
曰 1336
中 1411
1417
中午 1412
中文 1412
中心 1412
中央 1413
中立 1412
中年 1412
中旬 1413
中医 1413
中间 1411
中学 1413
中药 1413
中秋 1412
中原 1414
中途 1412
中部 1411
中流砥柱 1412
中断 1411
中等 1411
中游 1414
中餐 1411
贝壳 39
内 772
内心 773
内地 772
内在 773
内向 773
内行 772
内政 773
内战 773
内科 772
内阁 772
内脏 773
内部 772
内容 772
内幕 772
见 535
见异思迁 536
见识 536
见面 536
见笑 536
见效 536
见解 536
见缝插针 535

【丿】

牛 781
牛仔服 781
牛奶 781
午 1135
午饭 1135
毛 726
毛巾 727
毛衣 727
毛线 727
毛笔 726
毛病 726
毛遂自荐 727
气 836
气力 837
气功 837
气压 840
气壮山河 840
气吞山河 838
气体 838
气势 838
气势汹汹 838
气味 838
气味相投 839
气氛 837
气质 840
气候 837
气息 839
气息奄奄 839
气流 837
气球 838
气象 839
气喘 836
气愤 837
气温 839
气概 837
气魄 838
手 987
手工 988
手巾 988
手艺 989
手术 989
手电 987
手忙脚乱 988
手表 987
手枪 988
手势 988
手法 987
手指 989
手段 987
手套 989
手绢 988
手续 989
手榴弹 988
升 949
升学 950
长 112
1365
长久 113
长处 112
长寿 113
长远 113
长征 114
长命百岁 113
长度 112
长途 113
长期 113
长短 112
仁 897
仁慈 897

什么 944
什么的 945
片 807
片刻 808
片面 808
仆 820
仆人 821
仇 144
仇根 144
化 466
化工 466
化石 467
化合 466
化妆 467
化纤 467
化疗 466
化肥 466
化学 467
化验 467
币 49
仍 900
仍旧 900
仍然 900
仅 575
仅仅 575
斤 573
斤斤计较 573
爪子 1433
反 301
反之 304
反击 302
反正 304
反对 302
反动 301
反而 302
反问 303
反攻 302
反抗 302
反应 303
反驳 301
反面 303
反映 304
反思 303
反复 302
反倒 301
反射 303
反常 301
反馈 303
反感 302
介 570
介绍 570
介意 570
从 170
从小 172
从不(没) 170
从中 172
从未 172
从头 172
从…出发 170
从而 171
从此 170
从来 171
从事 172
从…到… 171
从…看来 171
从前 171
从…起 171
从容 171
从容不迫 172
父 343
父亲 344
今 573
今天 573
今日 573
今年 573
今后 573
凶 1208
凶多吉少 1208
凶狠 1208
凶恶 1208
凶猛 1208
分 320
327
分工 322
分寸 322
…分之… 325
分子 325
328
分化 322
分队 322
分布 321
分外 327
分母 323
分红 322
分批 324
分别 321
分析 325
分歧 324
分明 323
分泌 323
分钟 325
分类 323
分配 323
分离 323
分清 324
分期 324
分散 324
分裂 323
分量 327
分解 322
分数 324
分辨 321
分辩 321
公 379
公开 381
公元 383
公斤 381
公分 380
公认 382
公布 380
公平 382
公用 382
公用电话 382
公务 382
公司 382
公民 382
公共 381
公共汽车 381
公有 383
公有制 383
公关 381
公安 380
公约 383
公报 380
公里 381
公园 383
公告 381
公证 383
公顷 382
公费 380
公债 383
公然 382
公道 380
公路 381
仓库 97
仓促 97
月 1337
月光 1338
月份 1337
月亮 1338
月球 1338
勿 1137
风 330
风力 331
风马牛不相及 331
风气 332

风平浪静 331
风光 331
风沙 332
风雨同舟 333
风尚 332
风味 332
风俗 332
风度 330
风险 333
风格 331
风浪 331
风景 331
风筝 333
风趣 332
风暴 330
风靡一时 331
欠 852
丹 201
匀 1340
乌 1127
乌云 1128
乌鸦 1127
乌烟瘴气 1128
凤凰 335
勾 388
勾心斗角 388
勾结 388

【丶】

六 704
六神无主 704
文 1120
文人 1121
文艺 1122
文化 1120
文件 1121
文字 1123
文言 1122
文明 1121
文物 1121
文凭 1121
文质彬彬 1123
文盲 1121
文学 1122
文学家 1122
文科 1121
文章 1122
文雅 1122
文献 1122
方 307
方式 308
方向 309
方兴未艾 309
方针 309
方法 308
方面 308
方便 308
方便面 308
方案 307
方程 308
忆 1283
火 492
火力 493
火山 493
火车 492
火灾 493
火药 493
火柴 492
火焰 493
火箭 492
为 1111
1116
为人作嫁 1117
为了 1117
为止 1112
为什么 1117
为何 1116
为所欲为 1112
为首 1112
为难 1111
为期 1111
斗 265
斗争 265
斗志 265
斗志昂扬 265
计 510
计划 511
计划生育 511
计较 511
计算 511
计算机 511
户 460
户口 461
订 253
订购 253
订货 254
订阅 254
订婚 254
认 897
认为 898
认可 898
认识 898
认定 898
认真 898
认得 898
讥笑 497
心 1188
心不在焉 1189
心中 1192
心平气和 1190
心目 1190
心头 1191
心灰意懒 1189
心血 1191
心花怒放 1189
心里 1190
心灵 1190
心直口快 1192
心事 1190
心态 1191
心思 1191
心爱 1189
心脏 1192
心疼 1191
心理 1189
心眼儿 1191
心得 1189
心情 1190
心惊肉跳 1189
心意 1192
心满意足 1190
心愿 1192

【乛】

尺 139
尺寸 139
尺子 139
引 1292
引人入胜 1293
引人注目 1293
引入 1293
引用 1293
引导 1292
引进 1292
引经据典 1292
引诱 1293
引起 1293
丑 145
丑恶 145
巴结 12
队 274
队长 275
队伍 275
队员 275
办 21
办公 22

办公室 22
办事 22
办学 22
办法 22
办理 22
以 1273
以下 1275
以上 1275
以及 1274
以内 1274
以为 1275
以外 1275
以至 1275
以至于 1276
以后 1274
以来 1274
以身作则 1275
以免 1274
以往 1275
以便 1274
以前 1274
以致 1276
允 1340
允许 1340
劝 883
劝告 883
劝阻 884
劝说 884
双 1002
双方 1002
双向 1003
予 1322
予以 1322
孔 635
孔雀 635
书 993
书刊 994
书本 993
书包 993
书写 994
书记 994
书店 993
书法 993
书面 994
书信 994
书架 994
书籍 994
水 1003
水力 1005
水土 1006
水分 1004
水火无情 1005
水平 1005
水电 1004
水产 1004
水利 1005
水库 1005
水灾 1006
水到渠成 1004
水果 1004
水货 1005
水泄不通 1006
水泥 1005
水涨船高 1006
水落石出 1005
水蒸气 1006
水源 1006
水滴石穿 1004
水稻 1004
幻 474
幻灯 474
幻想 474

五画

【一】

玉 1324
玉米 1324
刊物 621
刊登 621
末 755
未 1117
未必 1117
未来 1117
未免 1117
未雨绸缪 1117
击 497
示 974
示范 974
示威 974
示意图 974
巧 855
巧妙 856
正 1385
正人君子 1388
正义 1388
正比 1386
正气 1387
正月 1381
正巧 1388
正式 1388
正在 1388
正当 1386
正好 1387
正规 1386
正经 1387
正面 1387
正常 1386
正确 1388
功 383
功亏一篑 384
功夫 384
功劳 384
功效 385
功课 384
功能 384
功绩 384
去 878
去世 879
去年 879
去向 879
甘 355
甘心 355
甘蔗 355
世 974
世代 975
世外桃源 975
世纪 975
世界 975
世界观 975
艾滋病 4
古 392
古人 392
古文 393
古代 392
古老 392
古色古香 393
古典 392
古往今来 393
古怪 392
古迹 392
节 562
节日 563
节目 563
节约 563
节育 563
节奏 564
节省 563
节能 563
本 42
本人 43
本子 44
本末倒置 43
本来 42
本身 43
本事 43

本质 44
本性 43
本性难移 43
本钱 43
本能 43
本领 43
本着 44
可 627
可口 628
可不是 628
可见 628
可以 630
可巧 629
可行 629
可观 628
可怕 629
可怜 628
可是 629
可贵 628
可恶 629
可笑 629
可爱 627
可能 628
可望不可即 629
可惜 629
可喜 629
可想而知 629
可歌可泣 628
可靠 628
丙 64
左 1467
左右 1467
左边 1467
厉害 676
石 965
石头 965
石灰 965
石沉大海 965
石油 965
石破天惊 965
右 1318
右边 1318
布 84
布告 84
布局 85
布置 85
龙 704
龙飞凤舞 704
龙头 704
平 812
平凡 813
平日 814
平分秋色 813
平方 813
平心静气 815
平民 814
平行 815
平安 812
平均 814
平时 814
平坦 814
平面 814
平原 815
平常 813
平淡无奇 813
平等 813
平装 815
平静 814
平稳 814
平整 815
平衡 813
灭 745
灭亡 745
打 181
打工 184
打气 185
打击 184
打仗 186
打印 186
打发 184
打成一片 183
打扫 185
打交道 184
打扰 185
打折扣 186
打扮 183
打听 186
打针 186
打招呼 186
打败 183
打的 184
打草惊蛇 183
打架 184
打破 185
打倒 184
打猎 185
打量 185
打算 185
扑 820
扑灭 820
扑克 820
扑朔迷离 820
扒 12
788
扔 900
轧 1231
东 257
东方 258
东北 257
东边 257
东西 258
东奔西走 257
东南 258
东面 258
东倒西歪 258
东部 257
东道主 258

【丨】

卡 615
卡车 615
卡片 615
北 39
北方 39
北边 39
北面 39
北部 39
占 1362
占有 1362
占据 1362
占领 1362
凸 1082
业 1257
业务 1257
业余 1258
旧 598
帅 1002
归 409
归还 410
归纳 410
归结 410
归根到底 410
目 758
目不转睛 759
目中无人 759
目光 759
目的 759
目录 759
目标 759
目前 759
目睹 759
且 856
甲 522
甲板 522
申 939
申报 939

申述 939
申请 939
叶 1258
叶子 1258
电 241
电力 243
电大 242
电子 245
电子邮件 246
电子图书 246
电车 242
电气 244
电风扇 243
电台 244
电动机 243
电压 245
电灯 242
电池 242
电冰箱 242
电报 242
电炉 243
电视 244
电视台 244
电话 243
电线 245
电钮 244
电铃 243
电脑 244
电流 243
电梯 245
电路 244
电源 245
电影 245
电影院 245
电器 244
叮 251
叮嘱 251
号 431
号召 432
号码 432
号称 432
田 1055
田地 1055
田间 1055
田径 1056
田野 1056
由 1308
由于 1308
由此可见 1308
史 972
史无前例 972
史料 972
只 1394
1400
只有 1401
只好 1401
只要 1401
只是 1401
只顾 1400
只能 1401
只得 1400
只管 1401
兄 1209
兄弟 1209
叼 247
叫 554
叫唤 555
叫做 555
叫喊 554
叫嚷 555
另 700
另外 700
另眼相看 700
叨唠 213
叹 1036
叹气 1036
凹 11
四 1013
四分五裂 1014
四方 1014
四处 1013
四季 1014
四肢 1014
四周 1014
四面八方 1014
四通八达 1014

【丿】

生 950
生人 953
生日 953
生气 953
生气勃勃 953
生长 954
生龙活虎 952
生动 951
生老病死 952
生机 952
生存 951
生产 951
生产力 951
生产率 951
生吞活剥 954
生词 951
生态 954
生物 954
生命 952
生命力 953
生育 954
生怕 953
生前 953
生活 952
生效 954
生病 951
生理 952
生殖 955
生疏 953
生意 954
失 959
失之交臂 961
失之毫厘，谬以千里 961
失去 960
失业 961
失约 961
失事 960
失败 960
失学 961
失误 961
失眠 960
失效 961
失掉 960
失望 961
失道寡助 960
失踪 961
禾 434
禾苗 434
丘陵 873
代 198
代办 198
代号 199
代价 199
代表 198
代理 199
代替 199
代数 199
付 344
付出 344
付款 344
仙 1156
仙女 1156
仪 1269
仪式 1270
仪表 1270
仪器 1270
们 736

白 16
白天 16
白日做梦 16
白白 16
白酒 16
白菜 16
他 1029
他人 1029
他们 1029
仔细 1447
瓜 398
瓜子 398
瓜分 398
丛 172
令 700
令人生畏 700
用 1304
用力 1305
用不着 1304
用户 1305
用心 1305
用功 1304
用处 1304
用具 1305
用法 1304
用品 1305
用途 1305
用意 1305
甩 1002
印 1295
印刷 1295
印染 1295
印象 1295
句 605
句子 605
匆匆 169
匆忙 170
册 101
犯 305
犯人 305
犯法 305
犯浑 305
犯难 305
犯罪 305
处 154
156
处于 155
处分 155
处方 154
处心积虑 155
处处 157
处决 155
处罚 154
处理 155
处置 156
处境 155
外 1096
外力 1098
外电 1097
外头 1099
外汇 1098
外出 1097
外边 1096
外地 1097
外向型 1099
外行 1097
外企 1098
外交 1098
外衣 1099
外观 1097
外形 1099
外表 1096
外事 1098
外国 1097
外面 1098
外界 1098
外科 1098
外语(文) 1099
外祖父 1099
外祖母 1099
外部 1097
外资 1099
外流 1098
外宾 1097
外婆 1098
冬 259
冬天 259
冬瓜 259
冬季 259
鸟 779
务 1137
务必 1137
包 26
包干儿 27
包子 28
包办 27
包围 28
包含 27
包罗万象 28
包括 28
包袱 27
包装 28
包裹 27
乐 664
1338
乐不思蜀 664
乐队 1338
乐曲 1338
乐观 664
乐意 665
乐趣 665
乐器 1338
饥饿 497

【丶】

主 1424
主人 1426
主人翁 1426
主力 1426
主义 1427
主办 1424
主动 1425
主权 1426
主任 1426
主导 1425
主观 1425
主体 1427
主张 1427
主要 1427
主持 1425
主食 1427
主席 1427
主流 1426
主编 1424
主意 1427
主管 1425
主题 1427
市 975
市长 976
市民 976
市场 976
立 676
立方 677
立方米 677
立场 677
立交桥 677
立体 677
立即 677
立刻 677
闪 920
闪电 921
闪烁 921
闪烁其辞 921
闪耀 921
兰 654
兰花 654

半 22
半天 23
半斤八两 23
半边天 22
半导体 23
半岛 23
半拉 23
半径 23
半夜 24
半夜三更 24
半信半疑 24
半真半假 24
半途而废 23
半路 23
半数 23
半截 23
头 1077
头子 1079
头头是道 1078
头发 1078
头脑 1078
汁 1394
汇 483
汇报 484
汇率 484
汇款 484
汇集 484
汉字 426
汉学 425
汉语 426
宁 779
781
宁可 781
宁肯 781
宁静 780
宁愿 781
穴 1221
它 1029
它们 1029
写 1186
写作 1186
讨 1040
讨厌 1040
讨价还价 1040
讨论 1040
让 889
让步 889
礼 670
礼节 671
礼仪 672
礼尚往来 671
礼物 672
礼品 671
礼拜 670
礼拜天(日) 671
礼堂 671
礼貌 671
训 1227
训练 1227
议 1283
议会 1284
议论 1284
议员 1284
议定书 1284
议案 1284
议程 1284
必 49
必由之路 50
必定 49
必要 50
必修 49
必须 49
必将 49
必然 49
必需 49
讯 1227
记 512
记忆 512
记忆力 513
记号 512
记者 513
记性 512
记录 512
记载 513
记得 512
永久 1303
永远 1303
永垂不朽 1303

【㇕】

司 1009
司令 1010
司令部 1010
司机 1010
司法 1009
民 745
民工 745
民用 746
民主 746
民众 746
民兵 745
民间 746
民事 746
民航 746
民族 746
民意 746
出 146
出人头地 149
出入 149
出口 147
出口成章 147
出门 148
出去 149
出世 150
出生 150
出生入死 150
出发 147
297
出发点 147
出台 150
出动 146
出名 149
出色 149
出产 146
出访 147
出来 148
出身 149
出现 151
出事 150
出卖 148
出版 146
出线 151
出面 148
出品 149
出差 146
出类拔萃 148
出洋相 151
出神 150
出院 151
出租 151
出租汽车 151
出息 151
出席 151
出难题 149
出售 150
出路 148
出境 147
奶 764
奶奶 765
奶粉 765
奴役 784
奴隶 784
加 517
加入 518
加工 517
加以 518

加油 519
加重 519
加急 517
加班 517
加速 518
加热 518
加紧 518
加剧 518
加深 518
加强 518
召开 1370
召集 1370
皮 803
皮包公司 804
皮肤 804
皮革 804
皮带 804
边 51
边…边… 52
边防 52
边界 52
边缘 52
边境 52
边疆 52
发 290
297
发人深省 293
发火 292
发布 291
发电 291
发生 293
发出 291
发动 292
发达 291
发扬 294
发扬光大 294
发行 294
发抖 292
发财 291
发言 294
发现 294
发表 290
发奋图强 292
发明 292
发育 295
发炎 294
发挥 292
发觉 292
发起 293
发热 293
发射 293
发病 290
发烧 293
发展 295
发票 293
发售 294
发廊 297
发愁 291
发誓 294
孕 1340
孕育 1340
圣 957
圣诞节 957
对 275
对了 278
对于 279
对门 278
对不起 276
对比 276
对牛弹琴 278
对手 279
对方 277
对付 277
对立 278
对头 279
对…来说 277
对抗 277
对应 279
对岸 276
对话 277
对面 278
对待 277
对称 276
对得起 277
对象 279
对联 278
对策 276
对照 280
台 1030
台风 1031
台阶 1031
矛盾 727
纠 596
纠正 596
纠纷 596
母 757
母亲 758
幼 1318
幼儿园 1318
幼稚 1318
辽阔 690
丝 1010
丝毫 1010

六画

【一】

式 976
式样 976
刑 1201
刑场 1201
刑事 1201
刑法 1201
动 260
动人 261
动力 261
动工 260
动手 262
动心 262
动用 263
动机 261
动员 263
动乱 261
动作 263
动身 261
动态 262
动物 262
动物园 262
动荡 260
动脉 261
动摇 262
动静 261
寺 1014
吉 504
吉利 504
吉祥 504
吉祥物 504
吉普车 504
考 624
考古 624
考取 625
考试 625
考核 624
考虑 625
考验 625
考察 624
老 659
老(是) 662
老一辈 663
老人 661
老人家 661
老大爷(大爷) 660
老大妈(大妈) 659
老大娘(大娘) 660
老马识途 661
老乡 663

老天爷 663
老太太 662
老太婆 662
老中青 664
老气横秋 661
老化 660
老生常谈 662
老外 663
老头儿 663
老汉 660
老百姓 659
老成 659
老师 662
老年 661
老爷 663
老奸巨猾 661
老板 659
老虎 660
老实 662
老羞成怒 663
老家 660
老婆 661
老龄 661
老鼠 662
老骥伏枥 660
巩固 386
地 224
232
地下 235
地区 234
地方 233
地主 235
地形 235
地址 235
地步 232
地位 235
地板 232
地势 234
地图 234
地带 232
地面 233
地点 233
地铁 234
地球 234
地理 233
地毯 234
地道 233
地震 235
场 116
场地 116
场合 117
场所 117
场面 117
耳目一新 289
耳朵 289
共 387
共计 387
共同 387
共产党 387
共青团 387
共鸣 387
共和国 387
共性 388
亚 1231
亚军 1232
朴实 821
朴素 821
机 497
机车 498
机动 498
机场 498
机会 498
机关 498
机体 499
机床 498
机灵 499
机枪 499
机构 498
机械 499
机密 499
机遇 500
机智 500
机器 499
机器人 499
权 880
权力 880
权利 880
权宜之计 881
权限 881
权威 880
权益 881
再 1345
再三 1346
再见 1346
再生产 1346
再说 1346
再接再厉 1346
协议 1185
协会 1184
协助 1185
协作 1185
协定 1184
协调 1185
协商 1184
西 1141
西方 1141
西北 1141
西瓜 1142
西边 1141
西红柿 1142
西医 1142
西服 1141
西南 1142
西面 1142
西部 1141
西餐 1141
压 1228
压力 1228
压抑 1229
压制 1229
压迫 1228
压韵(押韵) 1229
压缩 1229
厌 1242
厌恶 1242
在 1346
在于 1347
在乎 1347
在座 1347
在意 1347
百 17
百分比 17
百尺竿头，
更进一步 17
百年大计 18
百年不遇 17
百花齐放 17
百折不挠 18
百里挑一 17
百货 17
百闻不如一见 18
百倍 17
百家争鸣 17
有 1313
有(一)点儿 1314
有力 1315
有口无心 1315
有口皆碑 1315
有气无力 1315
有用 1317
有机 1314
有名 1315
有名无实 1315
有关 1314
有声有色 1316
有两下子 1315

有时 1316
有时候 1316
有利 1315
有些 1316
有的 1314
有的放矢 1314
有的是 1314
有备无患 1314
有限 1316
有始有终 1316
有待 1314
有效 1316
有益 1317
有害 1314
有眼无珠 1316
有意 1317
有意思 1317
有趣 1315
而 288
而已 289
而且 288
而后 288
页 1258
存 176
存在 177
存放 177
存款 177
夸 639
夸夸其谈 639
夸张 640
夺 284
夺取 284
夺得 284
灰 478
灰心 479
灰尘 479
达 180
达成 180
达到 180
达标 180
列 692
列入 693
列车 692
列举 692
列席 693
死 1013
死亡 1013
死刑 1013
迈 721
成 128
成人 130
成千上万 130
成天 131
成长 131
成分 129
成为 131
成心 131
成功 129
成本 128
成立 130
成交 129
成员 131
成事不足，败事有余 130
成果 129
成品 130
成语 131
成套 130
成效 131
成家立业 129
成绩 129
成就 129
成熟 130
夹 519
夹子 519
夹杂 519
扛 623
扣 638
托 1092
托儿所 1092
托福 1092
执 1396
执行 1396
执法 1396
执政 1396
执勤 1396
执照 1396
扩 646
扩大 646
扩充 646
扩张 647
扩建 646
扩展 647
扩散 646
扫 913
扫除 913
扬 1244
扬汤止沸 1244
轨道 412
划 464
划 467
划分 467
毕业 50
毕竟 50
至 1405
至于 1405
至少 1405
至今 1405
至多 1405
过 417
过于 420
过分 418
过去 420
过失 420
过年 419
过后 419
过问 420
过来 419
过河拆桥 418
过度 418
过程 418
过渡 418
过滤 419
邪 1185

【丨】

此 167
此外 168
此后 168
此时 168
此刻 168
此起彼伏 168
师 962
师长 962
师范 962
师傅 962
尘 123
尘土 124
尖 525
尖子 526
尖锐 526
尖端 525
劣 693
光 406
光芒 408
光阴似箭 408
光明 408
光明正大 408
光线 408
光荣 408
光临 408
光亮 407
光彩 407
光棍儿 407
光辉 407
光滑 407

当 208
211
当天 212
当中 210
当心 210
当代 209
当地 209
当场 208
当机立断 209
当年 209
当时 210
当初 208
当局 209
当事人 210
当…的时候 209
当面 209
当选 210
当前 210
当家 209
当做 212
当然 210
早 1351
早已 1352
早日 1352
早饭 1351
早点 1351
早晨(早上) 1351
早晚 1352
早期 1351
吐 1086
吓 1156
虫 141
虫子 141
曲 875
878
曲子 878
曲折 875
曲线 875
曲高和寡 878
同 1071
同甘共苦 1072
同年 1072
同行 1072
同志 1074
同步 1071
同时 1073
同伴 1071
同床异梦 1071
同事 1073
同学 1073
同胞 1071
同类 1072
同屋 1073
同样 1074
同情 1073
同期 1072
同等 1072
同盟 1072
同意 1074
吊 248
吃 136
吃亏 137
吃苦 137
吃香 137
吃皇粮 136
吃惊 137
因 1289
因为 1289
因地制宜 1289
因而 1289
因此 1289
因素 1289
因特网 1289
因噎废食 1290
吸 1142
吸引 1143
吸收 1143
吸纳 1143
吸取 1143
吸毒 1142
吸烟 1143
团 1086
团长 1088
团员 1087
团体 1087
团结 1087
团圆 1088
团聚 1087
吗 720
帆 297
帆船 297
岁 1023
岁月 1023
岁数 1023
回 480
回忆 482
回击 481
回去 481
回头 482
回收 482
回来 481
回信 482
回顾 481
回答 481
回想 482
回避 481
岂 830
岂不 830
岂有此理 831
刚 361
刚才 361
刚刚 361
则 1353
肉 904
网 1106
网络 1106
网球 1106

【丿】

年 776
年代 777
年头儿 778
年级 777
年纪 777
年青 777
年轻 778
年度 777
年龄 777
先 1156
先天不足 1158
先生 1157
先后 1157
先行 1158
先进 1157
先斩后奏 1158
先前 1157
先锋 1157
丢 256
丢人 256
丢三落四 256
丢失 257
舌 935
舌头 935
竹子 1423
迁 845
迁就 845
乔装 855
伟大 1114
传 158
1437
传记 1437
传达 158
传呼机 159
传单 158
传送 159
传染 159

传说 159
传统 159
传真 160
传递 159
传授 159
传媒 159
传播 158
乒 812
乒乓球 812
休 1210
休闲 1211
休养 1211
休息 1211
休戚相关 1211
伍 1135
伏 338
优 1305
优先 1306
优异 1306
优秀 1306
优良 1306
优质 1307
优点 1306
优胜 1306
优美 1306
优越 1306
优惠 1306
伐 295
延 1233
延长 1233
延伸 1233
延续 1234
延期 1233
延缓 1233
件 537
任 898
任务 899
任劳任怨 899
任何 899
任命 899
任性 899
任重道远 899
任意 899
伤 922
伤口 923
伤心 923
伤员 923
伤脑筋 923
伤害 923
伤痕 923
价 523
价位 524
价格 523
价钱 523
价值 524
份 328
华 464
华人 465
华而不实 464
华丽 464
华侨 464
仰 1245
仿 311
仿佛 312
伙 493
伙计 494
伙伴 493
伙食 494
伪 1114
伪劣 1115
伪造 1115
自 1448
自力更生 1450
自己 1449
自卫 1451
自不量力 1448
自从 1449
自以为是 1453
自古 1449
自由 1453
自由市场 1453
自主 1454
自发 1449
自动 1449
自行 1452
自行车 1452
自杀 1451
自负盈亏 1449
自来水 1450
自吹自擂 1448
自私 1451
自私自利 1451
自我 1452
自作自受 1454
自身 1451
自言自语 1453
自卑 1448
自学 1452
自治 1453
自治区 1454
自始至终 1451
自相矛盾 1452
自信 1452
自觉 1450
自费 1449
自给自足 1450
自高自大 1449
自欺欺人 1450
自然 1450
自满 1451
自愿 1453
自豪 1449
自暴自弃 1448
伊斯兰教 1261
血 1186
 1225
血压 1225
血汗 1225
血液 1225
血管 1225
向 1173
向导 1173
向来 1174
向往 1174
似 1015
似乎 1015
…似的 976
似是而非 1015
似笑非笑 1015
后 451
后天 454
后方 452
后代 451
后头 454
后边 451
后台 453
后年 453
后来 452
后来居上 452
后果 452
后面 453
后退 454
后悔 452
后期 453
后勤 453
行 426
 1201
行人 1203
行之有效 1203
行为 1203
行业 427
行动 1202
行列 427
行军 1202
行李 1202
行使 1203

行径 1202
行驶 1203
行政 1203
行星 1203
行贿 1202
行程 1202
舟 1420
全 881
全力 882
全力以赴 882
全心全意 883
全民 882
全会 882
全体 882
全局 882
全面 882
全神贯注 882
全都 881
全部 881
全集 882
会 484
会见 486
会计 640
会议 486
会场 485
会同 486
会员 486
会诊 487
会话 485
会客 486
会谈 486
会晤 486
合 434
合乎 436
合成 435
合同 437
合伙 436
合并 435
合作 437
合金 436
合法 435
合适 436
合格 435
合资 437
合理 436
合营 437
合唱 435
合情合理 436
合算 436
杀 915
杀一儆百 915
杀鸡取卵 915
杀害 915
企业 831
企图 831
众 1417
众人 1418
众口一词 1418
众目睽睽 1418
众矢之的 1418
众议院 1418
众多 1417
众志成城 1418
众所周知 1418
众叛亲离 1418
爷 1255
爷爷 1255
伞 912
兆 1370
创 162
创办 162
创业 163
创立 162
创汇 162
创收 162
创作 163
创建 162
创造 163
创新 162
创意 163
肌肉 500
朵 284
危机 1109
危在旦夕 1109
危急 1109
危险 1109
危害 1109
杂 1343
杂文 1343
杂交 1343
杂志 1343
杂技 1343
杂乱 1343
杂乱无章 1343
杂质 1344
负 344
负伤 345
负责 345
负担 344
各 373
各式各样 373
各有千秋 373
各执己见 374
各自 374
各行各业 373
各别 373
各奔前程 373
各界 373
各种 374
名 747
名人 748
名义 749
名不副实 747
名片 748
名次 748
名字 749
名声 749
名作 749
名单 748
名贵 748
名胜 749
名称 747
名副其实 748
名牌 748
名誉 749
名额 748
多 281
多亏 282
多么 283
多少 283
多半 282
多此一举 282
多多益善 282
多劳多得 282
多余 283
多数 283
争 1381
争气 1382
争分夺秒 1382
争议 1382
争夺 1382
争先恐后 1382
争论 1382
争吵 1381
争取 1382
争端 1382
色 914
色彩 914

【丶】

庄 1438
庄严 1438
庄重 1438
庄稼 1438
庆 872
庆祝 872

庆贺 872
齐 826
齐心协力 826
齐全 826
交 546
交叉 547
交手 548
交代 547
交付 547
交头接耳 549
交际 548
交易 549
交往 549
交点 547
交换 547
交涉 548
交流 548
交谈 548
交通 549
交替 549
交错 547
衣 1261
衣服 1261
衣冠楚楚 1261
衣锦还乡 1261
衣裳 1261
亦 1284
产 110
产区 110
产业 111
产生 111
产地 110
产物 111
产品 110
产值 111
产量 110
充分 140
充当 140
充足 141
充沛 140
充实 140
充满 140
妄 1107
妄自菲薄 1108
妄图 1108
妄想 1108
忙 724
忙碌 724
闭 50
闭关自守 50
闭幕 50
闭幕式 50
闭塞 50
问 1124
问心无愧 1125
问世 1125
问好 1124
问卷 1125
问候 1125
问答 1124
问题 1125
闯 162
羊 1244
并 64
并且 65
并存 65
并列 65
并非 65
并排 65
关 400
关于 402
关切 401
关心 402
关节炎 401
关头 401
关闭 401
关系 401
关怀 401
关照 402
关键 401
米 739
米饭 739
灯 225
灯火 225
灯泡 225
灯笼 225
州 1420
壮 1440
壮大 1440
壮观 1440
壮志 1440
壮丽 1440
壮烈 1440
冲 141
143
冲击 141
冲突 141
冲破 141
冲锋 141
兴 1199
兴风作浪 1199
兴办 1199
兴奋 1199
兴旺 1200
兴建 1199
兴起 1200
兴致勃勃 1206
兴高采烈 1205
兴趣 1205
次 168
次序 169
次要 169
次品 168
次数 168
汗 426
汗流浃背 426
污 1128
污染 1128
江 541
池 137
池塘 138
汤 1037
宇宙 1322
决 609
决口 610
决不 610
决心 611
决议 611
决定 610
决战 611
决策 610
决算 610
决赛 610
守 989
守口如瓶 989
守卫 990
守法 989
守株待兔 990
安 6
安心 8
安乐死 7
安宁 7
安全 7
安定 6
安详 8
安家 6
安排 7
安然无恙 8
安装 8
安置 8
安静 6
安稳 8
安慰 8
冰 63
冰淇淋 64
冰棍儿 63

字 1454
字母 1454
字里行间 1454
字典 1454
讲 542
讲义 544
讲究 543
讲述 544
讲话 543
讲座 544
讲课 543
讲理 544
讲解 543
讲演 544
军 613
军人 613
军队 613
军用 614
军医 614
军事 614
军备 613
军官 613
军阀 613
军舰 613
军装 614
许 1215
许可 1215
许多 1215
讹 286
论 713
论文 714
论证 714
论述 713
论点 713
讽 335
讽刺 335
农 782
农户 782
农业 783
农田 783
农民 783
农场 782
农产品 782
农村 782
农作物 783
农具 782
农药 783
农贸市场 783
设 936
设计 936
设立 936
设备 936
设法 936
设施 936
设想 937
设置 937
访 312
访问 312

【㇕】

寻 1225
寻找 1226
寻求 1226
寻根问底 1225
迅 1227
迅速 1227
尽 575
578
尽力 578
尽快 576
尽量 576
尽管 576
异 1284
异口同声 1285
异常 1285
异想天开 1285
导 213
导师 214
导向 214
导体 214
导致 215
导航 214
导弹 214
导游 215
导演 214
阵 1378
阵地 1379
阵线 1379
阵容 1379
阵营 1379
阳 1244
阳光 1245
阳奉阴违 1245
收 984
收入 986
收支 987
收成 984
收回 985
收买 986
收听 986
收购 985
收拾 986
收看 986
收复 985
收音机 986
收获 985
收益 986
收集 985
收割 985
收缩 986
收藏 984
阶级 559
阶层 558
阶段 558
阴 1290
阴天 1291
阴谋 1290
阴暗 1290
防 309
防止 310
防伪 309
防汛 310
防守 309
防护 309
防治 310
防线 310
防疫 310
防御 310
防微杜渐 309
奸 526
那 762
那个 763
那么 763
那边 763
那里(那儿) 763
那时 764
那些 764
那样 764
如 905
如下 906
如今 906
如火如荼 905
如饥似渴 906
如此 905
如同 906
如何 905
如坐针毡 907
如果 905
如鱼得水 906
如胶似漆 906
如意 906
如醉如痴 907
如履薄冰 906
妇 345
妇人 345
妇女 345

她 1029
她们 1029
好 428
433
好久 430
好比 429
好处 429
好在 431
好吃 429
好多 429
好好儿 429
好坏 430
好听 430
好玩儿 431
好奇 433
好转 431
好些 431
好看 430
好客 433
好说 430
好样的 431
好容易 430
好逸恶劳 433
好感 429
好像 431
妈 717
妈妈 717
戏 1148
戏剧 1148
观 402
观光 403
观众 403
观念 403
观点 403
观看 403
观测 402
观赏 403
观察 403
欢 471
欢乐 471
欢迎 472
欢呼 471
欢欣鼓舞 472
欢送 471
欢笑 472
欢喜 471
买 721
买卖 721
羽 1322
羽毛 1322
羽毛球 1322
红 448
红火 448
红包 448
红茶 448
红娘 449
红领巾 448
红旗 449
驮 1094
纤维 1158
级 504
级别 505
约 1336
约会 1337
约束 1337
纪 513
纪念 513
纪录 513
纪要 514
纪律 513
孙女 1024
孙子 1024
巡 1226
巡逻 1226

七画

【一】

寿 991
寿命 992
弄 784
弄巧成拙 784
弄虚作假 784
玖 597
形 1203
形式 1204
形而上学 1203
形成 1203
形形色色 1205
形状 1205
形态 1204
形势 1204
形容 1204
形象 1204
形影不离 1205
进 579
进一步 581
进入 580
进口 580
进化 579
进去 580
进而 579
进行 581
进军 580
进攻 579
进来 580
进步 579
进取 580
进修 581
进展 581
进程 579
戒 571
戒严 571
吞 1091
吞吞吐吐 1091
远 1334
远大 1334
远见卓识 1334
远方 1334
远走高飞 1335
远景 1334
违反 1112
违犯 1112
违法 1112
违背 1112
运 1340
运气 1341
运用 1342
运动 1341
运动会 1341
运动员 1341
运行 1341
运作 1342
运转 1342
运送 1341
运输 1341
运算 1341
坛 1034
坏 470
坏处 471
坏蛋 471
走 1458
走马观花 1460
走向 1460
走后门 1459
走访 1459
走投无路 1460
走私 1460
走狗 1459
走弯路 1460
走廊 1459
走道 1459

走漏 1459
坝 14
贡献 388
攻 385
攻击 385
攻关 385
攻克 385
攻读 385
赤 139
赤手空拳 140
赤字 140
赤道 139
均 614
均匀 614
孝 1181
孝顺 1182
坟 326
坟墓 326
坑 633
壳 627
志 1405
志大才疏 1405
志气 1405
志愿 1405
块 641
声 955
声名狼藉 955
声势 956
声明 955
声音 956
声调 955
声像 956
声誉 956
声嘶力竭 956
却 885
劫 564
劫持 564
芽 1231
花 461
花生 463
花朵 462
花色 462
花园 463
花言巧语 463
花纹 463
花费 462
花架子 462
花样 463
芹菜 861
芬芳 325
苍白 97
苍蝇 98
严 1234
严厉 1234
严肃 1235
严重 1235
严格 1234
严峻 1234
严密 1235
严寒 1234
严禁 1234
劳 657
劳务 658
劳民伤财 658
劳动 657
劳动力 657
劳驾 658
克 630
克服 630
芭蕾舞 12
苏醒 1017
杆 356
杜绝 270
材 90
材料 90
村 176
村子 176
村庄 176
杏 1206
巫婆 1128
极 505
极力 505
…极了 505
极其 505
极限 506
极度 505
极端 505
杞人忧天 831
杨 1245
杨树 1245
更 377
更正 376
更加 377
更改 376
更换 376
更新 376
束 998
束之高阁 999
束手无策 999
束缚 999
豆 265
豆子 266
豆浆 266
豆腐 266
两 688
两口子 688
两小无猜 689
两手 689
两极 688
两旁 689
两袖清风 689
医 1261
医生 1262
医务 1262
医务室 1262
医疗 1262
医学 1262
医治 1262
医药 1262
医院 1262
否 336
否认 336
否则 337
否决 336
否极泰来 805
否定 336
还 421
472
还手 472
还是 421
还原 472
歼 526
歼灭 526
来 650
来不及 651
来历 652
来日方长 652
来龙去脉 652
来回 651
来回来去 652
来年 652
来自 653
来访 651
来往 653
来临 652
…来看 652
来信 653
来客 652
…来说 652
来宾 651
来得及 651
来源 653
扶 338
抚 342
抚育 342
抚养 342

技 514
技巧 514
技术 514
技术员 514
技能 514
抠 636
扰 889
扰乱 889
拒 605
拒绝 605
找 1369
批 802
批示 803
批发 802
批判 802
批评 802
批改 802
批复 802
批准 803
扯 123
连 680
连队 681
连同 682
连年 681
连忙 681
连连 681
连夜 682
连…带… 680
连…都(也)… 681
连接 681
连续 682
连续剧 682
连绵 681
连锁店 682
连滚带爬 681
连篇累牍 682
抄 118
抄写 118
折 1372
1373
折合 1373
折腾 1372
折磨 1373
抓 1432
抓紧 1432
扳 19
抡 712
扮 24
扮演 24
抢 853
抢劫 854
抢购 854
抢救 854
抑制 1285
抛 795
抛头露面 796
抛弃 796
抛砖引玉 796
投 1079
投入 1080
投机 1080
投机取巧 1080
投机倒把 1080
投产 1079
投诉 1081
投放 1079
投降 1081
投标 1079
投资 1081
投票 1080
投掷 1081
抗 623
抗击 623
抗议 624
抗旱 623
抗战 624
抖 264
护 461
护士 461
护照 461
扭 781
扭转 782
把 13
把手 14
把关 14
把戏 14
把柄 14
把握 14
报 33
报仇 33
报刊 34
报考 34
报名 34
报告 34
报社 35
报纸 35
报到 34
报复 34
报销 35
报答 33
报道(报导) 34
报酬 33
拟 775
拟定 775
求 873
求得 874

【丨】

步 85
步子 86
步伐 85
步行 86
步兵 85
步骤 86
坚 526
坚贞不屈 528
坚决 527
坚忍 527
坚固 527
坚定 527
坚实 527
坚持 526
坚信 527
坚硬 527
坚强 527
肖像 1182
旱 426
旱灾 426
盯 251
里 672
里头 672
里边 672
里面 672
呈 131
呈现 132
助 1428
助手 1428
助长 1428
助理 1428
时 965
时节 967
时代 966
时机 967
时而 966
时光 966
时时 968
时间 967
时事 968
时刻 967
时候 967
时常 966
时期 968
时装 968
时髦 967
县 1162
县长 1162

县城　1162
呆　197
呕　787
呕吐　787
园　1330
园林　1330
旷　643
旷工　643
旷课　643
围　1112
围巾　1112
围攻　1112
围绕　1113
围棋　1113
吨　280
呀　1229
足　1461
足以　1461
足球　1461
邮　1309
邮电　1309
邮包　1309
邮局　1309
邮购　1309
邮政　1309
邮票　1309
邮寄　1309
男　766
男人　766
男士　766
男子　766
男性　766
困　645
困扰　646
困苦　645
困难　646
困境　645
吵　121
吵闹　121
吵架　121
吵嘴　121
串　160
员　1330
听　1063
听见　1063
听写　1064
听众　1064
听讲　1064
听取　1064
听话　1063
听说　1064
吩咐　325
吻　1123
吹　163
吹牛　164
吹毛求疵　163
吹捧　164
呜　1128
呜咽　1128
吧　15
别　61
　63
别人　62
别处　62
别出心裁　62
别有用心　63
别字　63
别扭　63
别具一格　62
别的　62
吼　451
岗位　362
帐　1367
财　90
财力　91
财务　91
财会　91
财产　90
财经　90
财政　91
财富　90

【丿】

针　1376
针对　1376
针灸　1376
钉　251
　254
钉子　252
告　368
告别　368
告状　368
告诉　368
告诫　368
告辞　368
乱　712
乱七八糟　712
利　678
利用　678
利息　678
利益　678
利润　678
利害　678
利弊　678
秃　1082
秀　1213
私　1010
私人　1010
私有　1011
私有制　1011
私自　1011
私营　1011
我　1126
我们　1126
我行我素　1126
每　732
每况愈下　733
兵　64
估　390
估计　390
体　1049
体力　1049
体会　1049
体系　1050
体现　1050
体制　1051
体质　1051
体育　1051
体育场　1051
体育馆　1051
体面　1050
体贴　1050
体重　1051
体积　1049
体谅　1050
体验　1050
体检　1049
体温　1050
体操　1049
何　437
何必　437
何况　438
何等　438
但　205
但是　205
伸　939
伸手　939
伸展　939
作　1468
作风　1468
作文　1469
作为　1469
作业　1469
作用　1470
作者　1470
作物　1469

作废 1468
作法 1468
作茧自缚 1469
作战 1470
作品 1469
作家 1469
作案 1468
伯父(伯伯) 68
伯母 68
伶牙俐齿 696
伶俐 696
低 228
低三下四 228
低下 229
低劣 228
低级 228
低温 229
你 775
你们 776
住 1428
住宅 1429
住所 1429
住房 1429
住院 1429
位 1118
位于 1118
位置 1118
伴 24
伴侣 24
伴奏 25
伴随 25
身 939
身子 941
身不由己 940
身边 940
身份 940
身份证 940
身材 940
身体 941
身体力行 941
身败名裂 940
身强力壮 941
伺候 169
佛 336
佛教 336
近 581
近水楼台 582
近代 582
近年 582
近似 582
近来 582
近视 582
近期 582
彻头彻尾 123
彻底 123
返 304
返回 305
返程 305
余 1319
希 1143
希望 1143
希望工程 1144
坐 1470
坐井观天 1471
坐班 1471
谷 393
妥 1094
妥协 1094
妥当 1094
妥善 1094
含 424
含(涵)义 424
含有 424
含辛茹苦 424
含量 424
含糊 424
邻 694
邻国 694
邻居 694
岔 107
肝 356
肝炎 356
肝胆相照 356
肚 270
肠 114
龟 410
免 740
免费 741
免除 741
免得 741
狂 643
狂风 643
狂妄 643
犹 1310
犹如 1310
犹豫 1310
犹豫不决 1310
卵 712
角 552
角度 552
角落 552
删 920
条 1057
条子 1058
条文 1058
条件 1057
条约 1058
条形码 1058
条例 1058
条理 1058
条款 1057
岛 215
岛屿 215
刨 796
迎 1297
迎面 1297
迎接 1297
饭 306
饭店 306
饭馆 306
饭碗 306
饮 1293
饮水 1294
饮食 1294
饮料 1293
系 1148
系列 1149
系统 1149

【、】

言 1235
言外之意 1236
言过其实 1235
言论 1236
言语 1236
言简意赅 1235
亩 758
床 161
床位 162
床单 161
床铺 161
库 639
库存 639
库房 639
应 1295
1300
应付 1300
应用 1301
应当 1296
应该 1296
应聘 1300
应酬 1300
应邀 1300
这 1374
这个 1374
这么 1375

这么着 1375
这边 1374
这会儿 1374
这里(这儿) 1374
这些 1375
这样 1375
这样一来 1375
疗 690
疗养 691
疗效 691
序 1216
序言 1216
辛 1192
辛苦 1192
辛勤 1193
忘 1108
忘乎所以 1108
忘记 1108
忘却 1108
怀 469
怀孕 470
怀念 470
怀疑 470
忧 1307
忧心忡忡 1307
忧郁 1307
忧虑 1307
快 641
快乐 641
快件 641
快活 641
快速 642
快餐 641
闲 1159
闲话 1160
间 528
537
间接 537
间隔 537
闷 734
736
判 793
判处 793
判决 793
判定 793
判断 793
兑 280
兑现 280
兑换 280
灶 1352
灿烂 97
弟 235
弟兄 236
弟弟 236
冻 263
冻结 263
状况 1440
状态 1441
况且 643
冷 667
冷气 668
冷却 668
冷饮 668
冷淡 667
冷静 668
汪 1105
汪洋 1105
汪洋大海 1105
沥青 679
沏 823
沙 916
沙土 916
沙子 916
沙发 916
沙漠 916
沙滩 916
汽 840
汽车 840
汽水 841
汽油 841
汽船 840
汹涌 1209
泛 306
泛滥 306
沧海一粟 98
沧海桑田 98
沟 388
沟通 389
没 729
没什么 730
没用 730
没有 730
没吃没穿 729
没关系 729
没事儿 730
没说的 730
没错 729
没意思 730
没辙 731
沉 124
沉闷 124
沉思 125
沉重 125
沉着 125
沉淀 124
沉痛 125
沉静 124
沉默 125
完 1100
完成 1100
完毕 1100
完全 1101
完备 1100
完美无缺 1101
完蛋 1100
完善 1101
完整 1101
宏 449
宏大 449
宏伟 449
宏观 449
牢 658
牢记 658
牢固 658
牢房 658
牢骚 658
究 596
究竟 596
穷 872
穷人 872
穷苦 872
穷途末路 872
冶金 1256
冶炼 1256
灾 1344
灾荒 1344
灾害 1344
灾难 1344
良 686
良师益友 686
良好 686
良药苦口 687
良种 687
良莠不齐 687
证书 1389
证件 1388
证明 1389
证实 1389
证据 1388
启 831
启示 832
启发 832
启动 832
启事 832
启程 831
评 815

评比 815
评头品足 816
评价 816
评论 816
评估 816
评定 816
评审 816
评选 816
补 74
补习 75
补充 74
补助 75
补贴 75
补课 75
补救 75
补偿 74
初 152
初中 152
初出茅庐 152
初级 152
初步 152
初期 152
社 937
社会 937
社会主义 937
社论 937
社员 937
识 968
识别 968
诈 1358
诈骗 1358
诉 1018
诉讼 1018
罕见 425
诊断 1378
词 166
词句 166
词汇 166
词典 166
译 1285
译员 1285

【乛】

君 614
灵 696
灵丹妙药 696
灵巧 697
灵活 696
灵敏 697
灵魂 696
即 506
即使 506
即便 506
即将 506
层 103
层出不穷 103
层次 103
屁 805
屁股 806
尾 1115
尾巴 1115
迟 138
迟到 138
迟缓 138
迟疑 138
局 602
局长 603
局势 603
局限 603
局面 603
局部 603
尿 779
改 350
改正 352
改头换面 352
改邪归正 352
改进 351
改良 351
改变 350
改建 351
改组 352
改革 351
改造 352
改善 351
改编 350
张 1364
张牙舞爪 1365
张冠李戴 1365
张望 1365
忌 515
陆 704
706
陆地 707
陆军 707
陆续 707
阿 1
阿拉伯语(文) 1
阿姨 1
陈 125
陈旧 126
陈列 126
陈规陋习 125
陈述 126
阻力 1462
阻止 1462
阻拦 1462
阻挠 1462
阻挡 1462
阻碍 1461
附 345
附加 346
附近 346
附和 346
附带 345
附属 346
妙 744
妙趣横生 745
妖 1248
妖怪 1248
妨 310
妨碍 310
努力 784
忍 897
忍不住 897
忍受 897
忍耐 897
劲 582
劲头 583
鸡 500
鸡飞蛋打 500
鸡毛蒜皮 500
鸡蛋 500
驱动 875
驱逐 875
纯 165
纯洁 165
纯粹 165
纱 916
纲 361
纲领 361
纳 764
纳闷儿 764
纳税 764
孜孜不倦 1444
驳 68
驳斥 69
纵 1458
纵横 1458
纷 326
纷纷 326
纸 1401
纸上谈兵 1402
纸张 1402
纺 312
纺织 312
驴 709

纽 782
纽扣 782

八画

【一】

奉 335
奉献 335
玩 1101
玩弄 1102
玩具 1101
玩物丧志 1102
玩笑 1102
玩意儿 1102
环 472
环节 473
环境 473
武 1135
武力 1136
武术 1136
武装 1136
武器 1136
武警 1136
青 862
青年 863
青红皂白 862
青春 862
青菜 862
青蛙 863
责 1353
责任 1354
责任制 1354
责备 1354
责怪 1354
现 1162
现代 1163
现代化 1163
现场 1162
现在 1164
现成 1162
现行 1163
现状 1164
现金 1163
现实 1163
现钱 1163
现象 1163
玫瑰 731
表 59
表示 60
表达 60
表扬 61
表里如一 60
表现 61
表明 60
表面 60
表情 60
表彰 61
表演 61
规划 411
规则 411
规范 410
规定 410
规矩 411
规律 411
规格 411
规章 412
规模 411
坦白 1035
坦克 1035
者 1373
垃圾 648
幸 1206
幸亏 1206
幸好 1206
幸运 1206
幸福 1206
坡 817
其 826
其中 827
其他 827
其它 827
其次 827
其余 827
其间 827
其实 827
取 877
取长补短 877
取代 877
取而代之 878
取消 878
取得 878
苦 638
苦恼 639
苦难 639
若 909
若干 909
茂盛 728
茂密 727
苹果 816
苗 744
英 1296
英明 1296
英俊 1296
英语(文) 1297
英勇 1296
英雄 1296
英磅 1296
范围 307
范畴 306
直 1396
直达 1397
直至 1398
直抒己见 1397
直到 1397
直径 1397
直线 1398
直接 1397
直辖市 1398
直播 1397
茄子 856
茎 584
茅台酒 727
林 694
林区 694
林业 694
林场 694
枝 1394
杯 37
杯子 37
杯水车薪 37
柜子 413
柜台 413
杳无音信 1250
枚 731
板 21
松 1015
松树 1016
枪 852
枪毙 852
构 389
构成 389
构思 389
构造 390
构想 389
杰出 564
杰作 564
枕头 1378
丧 913
丧失 913
或 494
或多或少 494
或许 494
或者 494
或是 494
画 468
画儿 468

画龙点睛 468
画报 468
画面 468
画家 468
画蛇添足 469
卧 1127
卧室 1127
卧铺 1127
卧薪尝胆 1127
事 977
事与愿违 979
事业 979
事务 978
事先 978
事件 977
事态 978
事物 978
事例 977
事变 977
事实 978
事实胜于雄辩 978
事项 979
事故 977
事迹 977
事倍功半 977
事情 978
刺 169
刺激 169
枣 1352
雨 1322
雨水 1322
雨衣 1323
卖 721
卖国 721
矿 643
矿山 644
矿井 644
矿区 644
矿石 644
矿产 644
矿物 644
矿藏 644
码 719
码头 719
厕所 101
奔 42
44
奔驰 42
奔跑 42
奔腾 42
奇 827
奇形怪状 828
奇花异草 828
奇妙 828
奇货可居 828
奇怪 828
奇迹 828
奇特 828
奋 328
奋斗 328
奋发图强 329
奋战 329
奋勇 329
态度 1032
殴打 787
垄断 705
抹 717
755
抹布 717
抹杀 755
妻 823
妻子 823
拢 705
拔 12
拔苗助长 13
拣 530
担 201
206
担子 206
担心 202
担任 202
担负 202
担忧 202
担保 202
押 1230
抽 143
抽空 143
抽屉 144
抽象 144
拐 399
拐弯 400
轰 447
轰动 447
轰轰烈烈 447
轰炸 448
拖 1092
拖延 1093
拖拉机 1093
拍 788
拍子 789
拍手称快 789
拍板 789
拍摄 789
拍照 789
顶 252
顶天立地 253
顶点 253
顶端 253
拆 108
拆台 109
拆迁 109
拥 1302
拥有 1302
拥护 1302
拥抱 1302
拥挤 1302
抵 230
抵达 231
抵抗 231
抵制 231
拘 601
拘束 601
拘留 601
势 979
势力 979
势不两立 979
势必 979
势如破竹 980
势均力敌 979
抱 35
抱负 35
抱怨 35
抱歉 35
拄 1428
拉 648
拉关系 648
拉肚子 648
拉倒 648
拦 654
拌 25
拧 780
招 1367
招手 1368
招生 1368
招收 1368
招呼 1368
招待 1367
招待会 1368
招聘 1368
披 803
披头散发 803
拨 66
拨款 67
抬 1031
转 1435
1437

转入 1436
转化 1436
转让 1436
转动 1436
1437
转达 1435
转向 1437
转危为安 1437
转交 1436
转折 1437
转告 1436
转变 1435
转弯 1436
转弯抹角 1436
转换 1436
转移 1437
转播 1435
斩 1360
斩钉截铁 1360
斩草除根 1360
轮 712
轮子 713
轮流 713
轮船 713
轮廓 713
软 908
软件 908
软弱 908
到 216
到…为止 218
到处 217
到达 217
到来 217
到位 218
到底 217
到家 217
到期 218

【丨】

非 316
非…才… 317
非…不可 316
非法 317
非常 317
叔 994
叔叔 995
歧 829
歧视 829
肯 632
肯定 632
齿 139
齿轮 139
些 1184
卓越 1444
肾 948
肾炎 948
贤惠 1160
尚 932
具 605
具有 606
具体 605
具备 605
果实 417
果树 417
果断 417
果然 417
味 1118
味道 1118
昆虫 645
国 414
国力 416
国土 416
国王 416
国务院 417
国民 416
国民党 416
国有 417
国会 415
国色天香 416
国庆节 416
国产 414
国防 415
国库券 415
国际 415
国际主义 415
国际法 415
国法 415
国家 415
国营 417
国情 416
国富民安 415
国旗 416
国籍 415
哎 2
哎呀 2
哎哟 2
昌盛 112
呵 434
畅谈 117
畅通 117
畅销 117
明 749
明天 751
明目张胆 750
明白 750
明年 751
明明 750
明知故犯 751
明显 751
明星 751
明信片 751
明亮 750
明确 751
易 1285
易拉罐 1286
昂 11
昂扬 11
昂贵 11
典 238
典礼 238
典型 238
固有 395
固执 395
固体 395
固定 395
固然 395
忠于 1414
忠心耿耿 1414
忠贞 1414
忠实 1414
忠诚 1414
呻吟 941
咋 1344
呼 455
呼吁 456
呼吸 456
呼声 456
呼呼 456
呼啸 456
鸣 751
呢 771
咄咄怪事 283
咄咄逼人 283
咖啡 615
岸 9
岩 1236
岩石 1236
罗列 714
岭 698
凯旋 621
败 18
败坏 19
账 1367
贩 307

贩卖 307
贬 54
贬义 54
贬低 54
贬值 54
购 390
购买 390
购买力 390
图 1083
图片 1084
图书馆 1084
图形 1084
图纸 1084
图表 1083
图画 1084
图案 1083
图像 1084

【丿】

钓 248
垂直 164
制 1405
制止 1407
制订 1406
制约 1407
制作 1407
制服 1406
制定 1406
制品 1407
制度 1406
制造 1407
制裁 1406
知 1394
知识 1395
知识分子 1395
知觉 1395
知道 1395
牧 760
牧区 760
牧业 760
牧民 760
牧场 760
物 1137
物力 1138
物以稀为贵 1138
物业 1138
物价 1138
物极必反 1138
物体 1138
物质 1139
物品 1138
物资 1139
物流 1138
物理 1138
乖 399
刮 398
和 438
和气 439
和平 439
和平共处 439
和约 440
和尚 440
和谐 440
和睦 439
和解 439
和蔼 439
委托 1115
委员 1116
委屈 1115
季 515
季节 515
季度 515
秉性 64
佳 519
侍候 980
供 385
供不应求 386
供应 386
供给 386
供销 386
使 972
使节 972
使用 973
使劲 973
使命 973
使得 972
例 679
例子 679
例外 679
例如 679
版 21
侄子 1398
侦探 1376
侦察 1376
侃侃而谈 621
侧 101
侧面 101
凭 816
侨 855
侨胞 855
佩 799
佩服 799
货 495
货币 495
货物 495
依 1262
依旧 1263
依次 1263
依依不舍 1264
依据 1263
依然 1263
依赖 1263
依照 1264
依靠 1263
卑鄙 37
的 224
的士 229
…的话 224
的确 229
迫 818
迫切 818
迫使 818
迫害 818
质 1407
质朴 1408
质变 1407
质量 1408
欣 1193
欣欣向荣 1193
欣赏 1193
征 1383
征收 1383
征求 1383
征服 1383
往 1106
往日 1107
往年 1107
往后 1107
往来 1107
往返 1107
往事 1107
往往 1107
往常 1106
爬 788
彼 48
彼此 48
所 1026
所以 1027
所在 1027
所有 1027
所有权 1027
所有制 1027
所得 1026
所得税 1026
所谓 1027
所属 1027

舍 935
舍己为人 935
舍不得 935
舍生忘死 936
舍得 935
金 573
金鱼 574
金钱 574
金黄 574
金牌 574
金属 574
金额 574
金融 574
命 752
命令 752
命名 752
命运 752
命题 752
刹 916
刹车 917
刹那 107
斧子 342
爸 14
爸爸 14
采 92
采访 92
采纳 93
采取 93
采购 92
采集 93
受 992
受伤 992
受宠若惊 992
受聘 992
乳 907
贪 1033
贪污 1033
念 778
念书 778
念头 778
贫 809
贫乏 809
贫民 810
贫困 810
贫穷 810
贫苦 810
肺 318
肿 1417
肿瘤 1417
服 338
服气 339
服从 339
服务 339
服务员 339
服装 339
胀 1367
朋 800
朋友 800
股 393
股东 393
股份 393
股票 393
肥 317
肥皂 318
肥沃 318
肥料 317
周 1420
周末 1421
周而复始 1421
周年 1421
周折 1422
周围 1422
周转 1422
周到 1421
周密 1421
周期 1421
昏 488
昏迷 488
鱼 1320
鱼目混珠 1320
兔子 1086
狐 457
狐朋狗友 457
狐狸 457
忽 456
忽视 457
忽略 457
忽然 457
狗 389
备 39
备用 39
炙手可热 1408
饱 29
饱和 29
饱满 29
饲养 1015
饲料 1015

【丶】

变 54
变化 55
变本加厉 55
变动 55
变成 55
变迁 55
变形 56
变更 55
变质 56
变革 55
变换 55
京 584
京剧 584
享 1171
享乐 1171
享有 1172
享受 1172
享福 1171
庞 794
庞大 794
庞然大物 794
店 246
店员 246
夜 1258
夜不闭户 1258
夜以继日 1259
夜生活 1259
夜里 1259
夜间 1259
夜郎自大 1259
夜总会 1259
夜班 1258
夜晚 1259
庙 745
底 231
底下 232
底片 231
郊 549
郊区 549
疙瘩 369
放 312
放大 313
放手 314
放心 314
放任自流 314
放弃 313
放松 314
放学 314
放映 314
放射 314
放假 313
废 318
废气 319
废物 319
废话 319
废品 319
废除 318

废寝忘食 319
废墟 319
盲 725
盲人 725
盲人摸象 725
盲从 725
盲目 725
刻 630
性 1207
性别 1207
性质 1207
性命 1207
性格 1207
性能 1207
性情 1207
怕 788
怪 400
怪不得 400
闸 1357
闹 770
闹事 771
闹笑话 771
闹着玩儿 771
郑重 1389
券 884
卷 609
单 202
单刀直入 203
单元 204
单位 204
单词 203
单纯 203
单枪匹马 203
单独 203
单调 203
炒 121
炒鱿鱼 122
炊事员 164
炕 624
炎 1236
炎热 1236
炉子 706
炉火纯青 706
学 1221
学习 1223
学历 1222
学以致用 1223
学术 1223
学生 1222
学年 1222
学会 1222
学问 1223
学时 1222
学员 1224
学位 1223
学者 1224
学制 1224
学科 1222
学派 1222
学说 1223
学费 1221
学院 1224
学校 1223
学期 1222
净 593
净化 593
浅 851
法 295
法人 296
法子 297
法令 296
法则 296
法规 296
法制 297
法定 295
法官 295
法律 296
法庭 296
法语(文) 296
法院 296
泄 1187
泄气 1187
泄露 1187
河 440
河流 440
河道 440
沾 1359
沾光 1360
沾沾自喜 1360
油 1310
油田 1311
油画 1311
油料 1311
油菜 1310
油腔滑调 1311
油漆 1311
沿 1236
沿儿 1237
沿岸 1237
沿途 1237
沿海 1237
泡 797
泡沫 797
注 1429
注目 1430
注册 1430
注视 1430
注重 1431
注射 1430
注释 1430
注解 1430
注意 1430
泻 1187
泥 775
泥土 775
沸 319
沸腾 319
沼泽 1369
波 67
波动 67
波涛 67
波浪 67
泼 817
治 1408
治安 1408
治疗 1409
治理 1408
宝 29
宝贝 29
宝石 30
宝库 30
宝贵 29
宝剑 30
宗 1454
宗旨 1455
宗派 1455
宗教 1455
定 254
定义 256
定价 255
定向 256
定性 256
定居 255
定点 255
定律 255
定理 255
定期 256
定量 255
定额 255
宠物 143
审 947
审议 948
审讯 948
审批 948
审时度势 948
审判 948

审定 947
审查 947
审美 948
审理 947
官 403
官方 404
官员 404
官僚 404
官僚主义 404
空 633
635
空儿 635
空中 634
空气 634
空心 634
空白 635
空军 634
空间 634
空话 633
空姐 634
空前 634
空洞 633
空调 634
空虚 634
空港 633
空隙 636
空想 634
帘 682
实 968
实力 969
实习 970
实用 970
实在 971
实行 970
实体 970
实况 969
实际 969
实现 970
实事求是 969
实物 970
实质 971
实话 968
实施 969
实验 970
实惠 969
实践 969
试 980
试用 980
试行 980
试制 981
试卷 980
试验 980
诗 962
诗人 962
诗歌 962
肩 528
肩膀 528
房 311
房子 311
房东 311
房间 311
房改 311
房屋 311
房租 311
诚 132
诚心诚意 132
诚实 132
诚挚 132
诚恳 132
诚意 132
衬 126
衬衣 126
衬衫 126
视 981
视力 981
视角 981
视线 981
视觉 981
视野 981
视察 981
话 469
话剧 469
话题 469
诞生 206
诞辰 206
询问 1226
该 350
详细 1171
诧异 107

【乛】

建 537
建立 538
建议 538
建交 538
建设 538
建造 538
建筑 538
肃 1018
肃清 1018
肃然起敬 1018
录 707
录用 708
录取 707
录音 707
录音机 708
录像 707
居 601
居民 602
居住 602
居室 602
居然 602
届 571
刷 1001
刷子 1001
屈 876
屈服 876
屈指可数 876
弥补 737
弥漫 737
弦 1160
陌生 756
降 545
降价 546
降低 545
降临 546
降落 546
限 1164
限于 1164
限制 1164
限度 1164
限期 1164
妹 734
妹妹 734
姑 390
姑且 391
姑姑 391
姑娘 391
姐 567
姐姐 568
姓 1208
姓名 1208
姗姗来迟 920
始 973
始终 973
始终如一 973
驾 524
驾驶 524
叁 912
参与 95
参议院 95
参加 94
参考 94
参军 94
参观 94
参差不齐 103

参阅 95
参谋 95
参照 95
艰巨 528
艰苦 528
艰险 528
艰难 528
承 132
承认 133
承办 132
承包 133
承担 133
承受 133
线 1165
线索 1165
线路 1165
练 685
练习 685
练兵 685
组 1462
组长 1463
组成 1462
组合 1462
组织 1463
绅士 941
细 1149
细小 1150
细心 1150
细节 1149
细胞 1149
细致 1150
细菌 1149
驶 973
织 1395
驷马难追 1015
孤 391
孤立 391
孤单 391
孤注一掷 392
孤独 391
终 1414
终于 1415
终止 1415
终年 1415
终身 1415
终究 1415
终点 1415
终端 1415
驻 1431
驻扎 1431
经 584
经历 586
经过 585
经典 585
经受 586
经济 585
经费 585
经验 586
经理 586
经营 586
经常 585
经商 586
经销 586
贯彻 405

九画

【一】

贰 289
奏 1460
春 164
春天 165
春节 165
春季 164
春耕 164
帮 25
帮忙 25
帮助 25
珍贵 1376
珍珠 1377
珍惜 1376
玲珑 697
珊瑚 920
玻璃 67
毒 267
毒性 267
毒品 267
毒害 267
型 1205
型号 1205
封 333
封闭 333
封顶 333
封建 333
封锁 334
项 1174
项目 1174
项链 1174
垮 640
城 133
城市 133
城镇 134
政权 1390
政协 1390
政变 1389
政府 1390
政治 1390
政党 1389
政策 1389
赴 346
某 757
某些 757
甚 949
甚至 949
甚至于 949
革命 370
革新 370
巷 1174
带 199
带儿 200
带头 200
带动 200
带劲 200
带领 200
草 100
草木皆兵 100
草地 100
草原 101
草案 100
草率 100
茧 530
茶 106
茶叶 106
茶话会 106
茶馆 106
荒 475
荒地 476
荒唐 476
荒凉 476
荒谬 476
茫茫 725
茫然 726
荡 212
荣 902
荣幸 902
荣誉 902
故 396
故乡 396
故事 396
故意 396
故障 396
胡 458
胡子 459
胡同 458
胡来 458
胡乱 458

胡思乱想 458
胡说 458
荔枝 679
南 766
南方 767
南北关系 766
南边 767
南来北往 767
南面 767
南部 767
药 1251
药方 1251
药水 1252
药材 1251
药物 1252
药品 1252
标 59
标本 59
标志 59
标点 59
标语 59
标准 59
标题 59
枯 638
枯燥 638
柄 64
栋 263
查 106
查处 106
查明 107
查获 107
查阅 107
相 1167
1174
相比 1167
相互 1168
相反 1168
相对 1168
相当 1167
相同 1170
相似 1169
相交 1169
相关 1168
相形见绌 1170
相声 1174
相应 1170
相识 1169
相信 1170
相差 1167
相通 1169
相继 1169
相辅相成 1168
相符 1168
相提并论 1169
相等 1168
柏树 18
柳 703
柳树 703
柱子 1431
栏 654
栏杆 654
柠檬 780
树 999
树干 999
树木 999
树立 999
树林 999
要 1252
要么 1254
要不 1253
要不是 1253
要不然 1253
要价 1253
要好 1253
要求 1248
要命 1254
要点 1253
要是 1254
要素 1254
要紧 1253
要领 1253
咸 1160
威力 1110
威风 1109
威胁 1110
威信 1110
威望 1110
歪 1096
歪曲 1096
甭 45
研究 1237
研究生 1237
研究所 1237
研制 1238
砖 1435
厘 668
厘米 669
厚 454
厚度 455
砌 841
砂 917
砍 621
面 741
面子 743
面孔 742
面目 743
面目一新 743
面包 742
面包车 742
面对 742
面条儿 743
面面俱到 743
面临 742
面前 743
面积 742
面粉 742
面容 743
面貌 743
耐 765
耐力 765
耐心 765
耐用 765
耐烦 765
耍 1001
牵 845
牵引 846
牵扯 845
牵肠挂肚 845
牵制 846
牵强附会 845
残 96
残余 97
残忍 96
残疾 96
残酷 96
残暴 96
挂 398
挂号 399
挂念 399
挂钩 399
持 138
持久 138
持之以恒 138
持续 138
拱 387
挎 640
挟持 1185
挡 211
拽 1433
挺 1065
挺立 1066
挺拔 1066
拴 1002
拾 971
挑 1056
1060

挑拨 1060
挑拨离间 1060
挑战 1060
挑选 1057
挑衅 1060
指 1402
指手画脚 1404
指引 1404
指示 1403
指甲 1403
指令 1403
指头 1404
指出 1402
指导 1402
指针 1404
指明 1403
指定 1403
指南针 1403
指标 1402
指挥 1403
指点 1403
指望 1404
垫 246
挣 1390
挣扎 1383
挤 510
拼 809
拼命 809
拼搏 809
挖 1095
挖掘 1095
按 9
按劳分配 9
按时 9
按部就班 9
按期 9
按照 9
挥 479
挥霍 479
挪 786
轻 863
轻工业 864
轻车熟路 863
轻而易举 864
轻快 864
轻松 864
轻易 864
轻视 864
轻重缓急 864
轻便 863
轻描淡写 864
轻微 864
皆 559
鸦片 1230
鸦雀无声 1230

【丨】

背 37
39
背井离乡 40
背心 40
背包 38
背后 40
背面 40
背叛 40
背诵 40
背景 40
战 1362
战士 1363
战友 1364
战斗 1363
战术 1363
战场 1363
战争 1364
战役 1363
战线 1363
战战兢兢 1364
战胜 1363
战略 1363
点 239
点子 241
点火 240
点心 241
点石成金 241
点名 240
点钟 241
点缀 241
点燃 240
临 694
临危不惧 695
临阵磨枪 695
临时 695
临近 695
临床 695
竖 1000
省 957
省长 957
省会 957
省略 957
省得 957
削弱 1221
削减 1221
尝 114
尝试 114
是 981
是否 982
是非 982
是非混淆 982
是的 982
盼 793
盼望 794
眨 1358
哇 1095
哄 450
显 1161
显示 1161
显而易见 1161
显著 1161
显得 1161
显然 1161
显微镜 1161
哑 1231
哑口无言 1231
冒 728
冒充 728
冒进 728
冒险 728
冒牌 728
映 1301
星 1200
星级 1200
星星 1200
星星之火，
可以燎原 1201
星期 1200
星期日
（星期天） 1200
昨天 1467
畏惧 1118
趴 788
胃 1118
贵 413
贵姓 413
贵重 413
贵宾 413
贵族 413
界 571
界限 571
界线 571
虹 449
虾 1150
思 1011
思考 1011
思念 1012
思前想后 1012
思索 1012

思绪 1012
思维 1012
思想 1012
思潮 1011
蚂蚁 720
虽 1021
虽说 1022
虽然 1022
品 810
品行 811
品位 811
品质 811
品尝 811
品种 811
品牌 811
品德 811
咽 1243
骂 720
哗 463
哗哗 463
咱 1348
咱们 1348
响 1172
响声 1172
响应 1172
响亮 1172
哈欠 421
哈哈 421
哆嗦 284
咬 1251
咬文嚼字 1251
咳 421
627
咳嗽 627
哪 761
哪个 761
哪里(哪儿) 762
哪些 762
哪怕 762
哟 1301
炭 1036
峡 1150
峡谷 1150
罚 295
贱 539
贴 1062
骨 394
骨干 394
骨头 394
骨肉 394
骨瘦如柴 394
幽静 1307
幽默 1307

【丿】

钞票 118
钟 1415
钟头 1416
钟表 1415
钟点 1416
钢 362
钢材 362
钢笔 362
钢琴 362
钥匙 1254
钦佩 857
钩 389
钩子 389
卸 1187
缸 362
拜 19
拜年 19
拜会 19
拜访 19
看 621
看不起 622
看见 622
看来 622
看法 622
看待 622
看起来 622
看样子 623
看透 622
看病 622
看做 623
看望 623
氢 865
怎 1354
怎么 1354
怎么样 1355
怎么着 1355
怎样 1355
牲口 956
牲畜 956
选 1219
选手 1220
选用 1220
选民 1220
选取 1220
选拔 1219
选择 1220
选定 1220
选修 1220
选举 1220
选集 1220
适 982
适可而止 983
适用 983
适当 982
适合 982
适应 983
适宜 983
秒 744
香 1170
香皂 1171
香肠 1170
香味 1170
香烟 1170
香蕉 1170
种 1416
1418
种子 1417
种地 1418
种种 1416
种类 1416
种族 1417
种植 1419
秋 873
秋天 873
秋收 873
秋季 873
科 626
科长 626
科目 626
科技 626
科学 626
科学院 626
科学家 626
科研 626
科普 626
重 142
1419
重于泰山 1420
重工业 1419
重大 1419
重心 1420
重申 142
重视 1419
重型 1420
重要 1420
重点 1419
重复 142
重量 1419
重新 142
重叠 142
重蹈覆辙 142

复 346
复习 347
复印 347
复合 347
复杂 347
复兴 347
复述 347
复制 348
复活 347
复活节 347
复辟 346
竿 356
段 273
便 56
便于 57
便利 56
便条 57
便宜 807
便道 56
俩 680
贷 200
贷款 200
顺 1007
顺手 1008
顺利 1008
顺序 1008
顺便 1007
修 1211
修订 1211
修正 1212
修改 1212
修建 1212
修复 1211
修养 1212
修理 1212
修筑 1212
保 30
保卫 32
保存 30
保守 32
保护 31
保证 33
保姆 31
保持 30
保重 33
保养 32
保险 32
保健 31
保留 31
保密 31
保温 32
保障 32
保管 30
促 174
促进 175
促使 175
俄语(文) 286
侮辱 1136
俗 1017
俗话 1018
俘 339
俘虏 340
信 1196
信口开河 1197
信心 1198
信号 1197
信用 1198
信用卡 1198
信件 1197
信任 1197
信仰 1198
信念 1197
信封 1197
信贷 1197
信息 1198
信赖 1197
信誉 1199
信箱 1198
皇 477
皇后 477
皇帝 477
鬼 412
鬼子 412
鬼鬼祟祟 412
侵 857
侵入 858
侵占 858
侵犯 857
侵权 858
侵蚀 858
侵害 858
侵略 858
泉 883
追 1441
追问 1442
追求 1442
追究 1442
追查 1441
追赶 1442
追悼 1441
俊 614
待 200
待业 200
待遇 201
徇私舞弊 1227
律师 711
很 444
须 1213
须知 1213
叙 1216
叙述 1216
叙谈 1216
食 971
食用 972
食物 971
食品 971
食堂 971
食欲 972
逃 1039
逃走 1039
逃荒 1039
逃跑 1039
逃避 1039
盆 800
盆地 800
胆 204
胆大包天 204
胆子 205
胆怯 205
胆量 204
胜 958
胜利 958
胖 795
胖子 795
脉 722
脉搏 722
勉励 741
勉强 741
狭窄 1151
狭隘 1150
狮子 963
独 267
独生子女 268
独立 268
独立自主 268
独当一面 268
独自 268
独特 268
独裁 267
狡猾 553
狠 444
狠心 445
狠毒 445
贸易 728
怨 1335
怨天尤人 1335

怨声载道 1335
急 506
急于 507
急切 507
急忙 507
急性 507
急剧 506
急需 507
急躁 507
饶 889
饺 553
饺子 553
饼 64
饼干 64

【、】

弯 1099
弯曲 1100
哀求 2
哀思 3
哀悼 2
亭子 1064
亮 689
亮光 689
度 270
度过 271
疮 160
疯 334
疯子 334
疯狂 334
疤 12
施 963
施工 963
施加 963
施行 963
施肥 963
施展 963
迹 515
迹象 515
亲 858
亲人 860
亲友 860
亲切 859
亲手 860
亲生 860
亲自 861
亲如一家 860
亲身 860
亲热 860
亲笔 859
亲爱 859
亲戚 859
亲眼 860
亲密 859
音 1291
音乐 1291
音响 1291
音像 1291
帝国 236
帝国主义 236
恒 446
恒星 446
恢复 480
恬不知耻 1056
恰 842
恰巧 842
恰当 842
恰如其分 843
恰好 842
恰到好处 842
恰恰 842
恼 769
恼火 769
恨 445
恨不得 445
闺女 412
闻 1123
闻名 1123
闻所未闻 1123
差 107
差不多 108
差异 105
差别 104
差点儿 108
差距 105
差错 105
养 1245
养分 1246
养成 1246
养育 1246
养活 1246
养料 1246
养殖 1246
美 733
美元 734
美中不足 734
美术 734
美好 733
美观 733
美丽 733
美妙 734
美容 734
美满 734
美德 733
姜 541
叛 794
叛变 794
叛徒 794
送 1016
送礼 1016
送行 1016
类 666
类似 666
类型 666
迷 737
迷失 738
迷信 738
迷途知返 738
迷恋 738
迷惑 738
迷糊 737
籽 1448
前 847
前人 849
前天 850
前车之鉴 848
前方 848
前功尽弃 848
前头 850
前边 848
前列 849
前年 849
前后 849
前进 849
前往 850
前所未有 850
前所未闻 849
前线 850
前赴后继 848
前面 849
前途 850
前期 849
前提 850
前辈 848
前景 849
前程 848
首 990
首长 991
首先 991
首创 990
首相 991
首要 991
首都 990
首脑 991
首席 991
首领 990

逆	776	将计就计	542	洗涤	1147	突破	1083
逆反	776	将军	542	洗澡	1147	突然	1083
逆水行舟	776	将来	542	活	490	穿	157
逆流	776	将近	542	活儿	490	穿小鞋	158
总	1455	将要	542	活力	491	窃	857
总(是)	1456	举	603	活动	490	窃听	857
总之	1457	举一反三	604	活泼	491	窃取	857
总计	1457	举办	604	活该	491	客	630
总务	1457	举世闻名	604	活跃	491	客人	631
总司令	1457	举世瞩目	604	派	791	客厅	631
总共	1456	举动	604	派出所	792	客车	631
总而言之	1456	举行	604	派别	792	客气	631
总和	1456	举足轻重	604	派遣	792	客观	631
总的来说	1456	觉	555	洽谈	843	客商	631
总结	1457		611	染	888	冠军	405
总统	1457	觉悟	611	染料	888	冠冕堂皇	404
总理	1457	觉得	611	洋	1245	诬陷	1128
总得	1456	觉察	611	洲	1422	诬蔑	1128
总督	1456	觉醒	612	浑	488	语	1323
总数	1457	咨询	1444	浑身	488	语气	1323
总算	1457	姿态	1445	浓	783	语文	1323
总额	1456	姿势	1445	浓厚	784	语言	1323
炼	685	洁	564	浓度	783	语法	1323
炸	1357	洁白	564	津贴	575	语重心长	1324
	1358	洪	450	津津有味	574	语音	1324
炸药	1358	洪水	450	宣布	1217	语调	1323
炸弹	1358	洒	910	宣扬	1218	扁	54
炮	797	柒	823	宣传	1217	祖父	1463
炮火	797	浇	549	宣告	1218	祖母	1463
炮弹	797	浇灌	550	宣言	1218	祖先	1463
烂	655	洞	263	宣称	1217	祖国	1463
剃	1052	测	101	宣读	1217	神	945
奖	544	测定	101	宣誓	1218	神气	946
奖励	545	测试	102	室	983	神仙	947
奖状	545	测验	102	宫	386	神出鬼没	945
奖金	545	测量	101	宫殿	386	神圣	947
奖学金	545	测算	102	宪法	1165	神色	947
奖品	545	洗	1147	突击	1083	神奇	946
将	541	洗衣机	1147	突出	1082	神态	947

神采奕奕 945
神话 946
神经 946
神秘 946
神情 946
祝 1431
祝贺 1431
祝福 1431
祝愿 1431
误 1139
误会 1139
误导 1139
误差 1139
误解 1140
诱 1318
诱惑 1319
诲人不倦 487
说 1008
说不定 1008
说长道短 1008
说东道西 1008
说明 1009
说服 1009
说法 1009
说情 1009
说谎 1009

【乛】

退 1090
退出 1091
退休 1091
退还 1091
退步 1091
既 515
既…又… 516
既…也… 516
既往不咎 516
既然 515
屋 1128
屋子 1129
昼 1422
昼夜 1422
咫尺天涯 1404
屏 817
屏障 817
屎 973
费 320
费力 320
费用 320
陡 265
眉 731
眉开眼笑 731
眉毛 731
眉头 732
除 153
除了…以外… 153
除夕 153
除外 153
除此之外 153
除非 153
险 1161
院 1335
院子 1336
院长 1335
娃娃 1095
姥姥 664
姨 1270
娇 550
娇气 550
怒 785
怒火 785
怒吼 785
架 524
架子 524
贺 442
贺卡 442
贺词 442
盈 1298
盈利 1298
勇 1303
勇于 1303
勇士 1303
勇气 1303
勇往直前 1303
勇敢 1303
怠工 201
怠慢 201
垒 666
柔 904
柔软 904
柔和 904
绑 26
绑架 26
结 559
565
结业 567
结合 565
结论 566
结束 566
结局 566
结构 565
结果 559
565
结实 559
结婚 566
结晶 566
结算 566
绕 890
骄 550
骄傲 550
绘 487
绘画 487
给 374
给以 374
给予 510
骆驼 715
络绎不绝 715
绝 612
绝对 612
绝望 612
绝缘 613
绞 553
孩子 422
统一 1075
统计 1074
统治 1075
统战 1075
统统 1075
统筹 1074

十画

【一】

耕 376
耕地 377
耗 433
耗费 433
泰然 1032
珠 1423
珠子 1423
班 19
班门弄斧 20
班子 20
班长 20
班机 20
素 1018
素质 1019
蚕 97
顽固 1102
顽强 1102
盏 1361
匪徒 318
栽 1345
栽培 1345
载 1347
载重 1348

载歌载舞 1348
赶 356
赶上 357
赶忙 357
赶快 357
赶紧 357
起 832
起义 835
起飞 833
起死回生 835
起伏 834
起来 834
起身 835
起床 833
起初 833
起诉 835
起劲 834
起码 835
起草 833
起点 833
起哄 834
起眼儿 835
起源 835
盐 1238
埋 720
埋头 721
埋头苦干 721
埋没 721
埋怨 722
都 264
266
都市 266
恐怖 635
恐怕 635
恐惧 635
壶 459
耽误 204
恭敬 386
莲 682
莲子 682
莫 756
莫名其妙 756
荷花 440
获 495
获取 495
获得 495
晋升 583
恶 286
恶化 286
恶心 286
恶劣 287
恶性 287
恶毒 286
真 1377
真心 1378
真正 1378
真知灼见 1378
真凭实据 1377
真实 1377
真诚 1377
真相 1377
真是 1377
真是的 1377
真理 1377
框 644
桂冠 413
档 212
档次 213
档案 213
株 1423
桥 855
桥梁 855
桃 1039
桅杆 1113
格 371
格外 371
格式 371
格局 371
格格不入 371
桩 1438
校 1182
校长 1182
校园 1182
校徽 1182
核 441
核心 441
核武器 441
核查 441
核桃 441
样 1247
样子 1247
样品 1247
根 374
根本 375
根据 375
根深蒂固 375
根源 375
索性 1028
哥哥 369
速 1019
速成 1019
速冻 1019
速度 1019
速递 1019
逗 266
栗 680
栗子 680
酌情 1444
配 799
配方 799
配合 800
配备 799
配套 800
配偶 800
翅膀 140
夏 1156
夏天 1156
夏季 1156
砸 1344
破 818
破旧 819
破产 819
破坏 819
破烂 819
破除 819
破获 819
破釜沉舟 819
破涕为笑 820
破裂 820
破碎 820
原 1330
原子 1332
原子能 1332
原子弹 1332
原因 1332
原则 1332
原先 1331
原材料 1330
原来 1331
原告 1331
原油 1332
原始 1331
原原本本 1332
原料 1331
原谅 1331
原理 1331
套 1041
套装 1041
逐 1424
逐年 1424
逐步 1424
逐渐 1424
烈 693
烈士 693
烈火 693
殊途同归 995

顾 396
顾不得 397
顾全大局 397
顾名思义 397
顾问 397
顾客 397
顾虑 397
捞 657
捕 75
捕风捉影 75
捕捞 76
捕捉 76
振 1379
振动 1379
振兴 1379
振奋 1379
振振有词 1380
振聋发聩 1379
捎 932
捍卫 426
捏 779
捏造 779
捉 1443
捉襟见肘 1443
捆 645
捐 608
捐款 609
捐献 609
捐赠 609
损 1024
损人利己 1025
损失 1025
损伤 1025
损坏 1025
损耗 1025
损害 1024
捌 12
哲学 1373
逝 983
逝世 983
捡 530
挫折 177
换 474
换取 475
挽 1102
挽救 1102
捣 215
捣乱 215
捣蛋 215
热 890
热门 891
热心 892
热水瓶 892
热闹 891
热泪盈眶 891
热线 892
热带 890
热烈 891
热爱 890
热情 891
热潮 890
捅 1075
挨 3
轿 555
轿车 555
较 555
较量 555
顿 281
顿开茅塞 281
顿时 281
致 1409
致电 1409
致使 1409
致敬 1409
致富 1409
致辞 1409

【丨】

柴 109
柴油 109
桌 1443
桌子 1443
监 529
监考 529
监视 529
监狱 529
监督 529
监察 529
紧 576
紧张 577
紧迫 577
紧俏 577
紧急 577
紧密 577
紧缩 577
党 211
党员 211
党委 211
党性 211
党派 211
党章 211
晒 918
晓 1181
晓得 1181
鸭 1230
鸭子 1230
晃 478
晌 925
晌午 926
晕 1342
畔 794
蚊子 1123
哨 934
哨兵 934
哩 680
哭 638
哦 787
恩 287
恩人 287
恩爱 287
恩情 287
唤 475
哼 445
啊 1
唉 3
罢 15
罢工 15
圆 1332
圆珠笔 1333
圆满 1333
贼 1354
贼喊捉贼 1354
贿 487
贿赂 487

【丿】

钱 850
钳子 851
钻 1464
钻石 1464
钻研 1464
铀 1311
铁 1062
铁饭碗 1062
铁道 1062
铁路 1062
铃 697
铅 846
铅笔 846
缺 884
缺口 885
缺少 885
缺乏 884
缺点 884

缺席 885
缺陷 885
氧 1247
氧气 1247
氧化 1247
特 1041
特区 1043
特务 1043
特地 1042
特权 1043
特此 1042
特色 1043
特产 1042
特别 1042
特征 1044
特性 1043
特定 1042
特点 1042
特殊 1043
特意 1043
牺牲 1144
造 1352
造反 1352
造句 1353
造价 1352
造型 1353
乘 134
乘人之危 134
乘风破浪 134
乘务员 134
乘机 134
乘客 134
敌 230
敌人 230
敌对 230
敌视 230
秤 136
租 1460
租金 1461
积 500
积压 501
积极 501
积极性 501
积累 501
秩序 1410
称 127
称心 126
称心如意 126
称号 127
称呼 127
称赞 127
秘书 739
秘密 739
透 1081
透彻 1082
透明 1082
透明度 1082
笔 48
笔记 48
笔直 49
笔试 49
笔迹 49
笑 1182
笑话 1182
笑逐颜开 1183
笑容 1183
笑容可掬 1183
笋 1025
债 1359
债务 1359
借 572
借口 572
借用 572
借花献佛 572
借助 572
借条 572
借鉴 572
值 1398
值班 1398
值得 1398
倚 1276
倾 865
倾向 865
倾听 865
倾盆大雨 865
倾家荡产 865
倾斜 866
倒 216
倒爷 216
倒闭 216
倒退 219
倒腾 216
倒霉 216
倘若 1038
俱 606
俱乐部 606
倡议 117
候 455
候补 455
候选人 455
俯 342
倍 40
倍数 41
健 539
健全 539
健壮 540
健美 539
健康 539
臭 145
射 938
射击 938
徒弟 1084
徐徐 1215
舱 98
般 20
航天 427
航行 428
航运 428
航空 427
航线 427
航班 427
航海 427
航道 427
途径 1085
拿 761
拿手 761
拿…来说 761
耸 1016
爹 250
爱 4
爱人 5
爱不释手 4
爱心 5
爱好 4
爱护 5
爱面子 5
爱情 5
爱惜 5
爱戴 4
颁布 20
颁发 20
脆 176
脆弱 176
脂肪 1395
胸 1209
胸有成竹 1209
胸怀 1209
胸膛 1209
胳膊 369
脏 1349
胶 550
胶片 551
胶水 551
胶卷 551
脑 770
脑力 770

脑子 770
脑袋 770
脑筋 770
逛 409
狼 656
狼吞虎咽 656
狼狈 656
狼狈为奸 656
逢 335
逢凶化吉 335
留 701
留心 701
留言 702
留念 701
留学 701
留学生 701
留神 701
留恋 701
留意 702
皱 1422
皱纹 1423
饿 287

【丶】

恋 685
恋人 686
恋爱 686
恋恋不舍 686
衰 1001
衰老 1001
衰退 1001
衰弱 1001
衷心 1416
高 363
高大 363
高中 367
高考 364
高压 366
高血压 366
高产 363
高兴 366
高级 364
高低 364
高枕无忧 366
高尚 365
高明 365
高朋满座 365
高空 365
高贵 364
高度 364
高档 363
高速 365
高原 366
高峰 364
高烧 365
高涨 366
高谈阔论 366
高深莫测 365
高超 363
高等 363
高温 366
高楼大厦 365
高粱 365
高潮 363
席 1145
席位 1146
座 1471
座儿 1471
座右铭 1471
座位 1471
座谈 1471
效 1183
效力 1183
效果 1183
效益 1184
效率 1184
症 1390
症状 1390
病 65
病人 66
病号 66
病虫害 66
病床 66
病房 66
病毒 66
病菌 66
病情 66
疾病 507
疼 1044
疼痛 1044
疲于奔命 805
疲乏 804
疲劳 805
疲倦 804
疲惫 804
疲惫不堪 804
离 669
离开 669
离心离德 669
离休 669
离别 669
离奇 669
离婚 669
站 1364
站岗 1364
竞 593
竞争 594
竞选 593
竞赛 593
部 86
部门 86
部长 87
部分 86
部队 86
部件 86
部位 87
部署 86
旁 795
旁门左道 795
旁边 795
旁若无人 795
旁敲侧击 795
旅 709
旅行 710
旅店 710
旅客 710
旅途 710
旅馆 710
旅游 710
旅游业 710
畜产品 1216
畜牧 1216
悟 1140
悄 854
悄悄 854
悔 482
悔改 482
悔恨 483
阅 1338
阅览室 1339
阅读 1338
羞 1212
羞耻 1213
瓶 817
瓶子 817
拳 883
拳头 883
拳头产品 883
粉 326
粉末 327
粉笔 326
粉碎 327
料 692
兼 529
兼任 530
兼收并蓄 530

烤 625
烘 448
烦 299
烦闷 299
烦恼 299
烦躁 299
烧 932
烧饼 932
烧毁 932
烟 1232
烟囱 1232
烟卷儿 1232
烟草 1232
烟雾 1232
递 236
递交 236
递增 236
凌 697
凌晨 697
凄凉 824
凄惨 824
桨 545
准 1442
准则 1443
准许 1443
准时 1443
准备 1442
准确 1443
脊 510
脊梁 510
瓷 166
资本 1445
资本主义 1445
资本家 1445
资产 1445
资产阶级 1445
资助 1446
资金 1446
资格 1446
资料 1446
资源 1446
涝 664
凉 687
凉水 687
凉快 687
酒 597
酒会 598
酒店 598
涉 938
涉及 938
涉外 938
消 1176
消化 1176
消灭 1177
消失 1177
消极 1176
消毒 1176
消费 1176
消除 1176
消耗 1176
消息 1177
浩 434
浩浩荡荡 434
海 422
海外 423
海关 422
海军 423
海拔 422
海岸 422
海面 423
海峡 423
海洋 423
海港 422
海滨 422
涂 1085
浴 1324
浴室 1324
浮 340
浮动 340
浮雕 340
流 702
流水 703
流动 702
流传 702
流行 703
流利 702
流言飞语 703
流氓 702
流浪 702
流通 703
流域 703
流露 702
浪 656
浪费 657
浪漫 657
浪潮 657
浸 583
涨 1366
涨价 1366
烫 1038
涌 1304
涌现 1304
害 423
害处 423
害虫 423
害怕 423
害羞 424
宽 642
宽大 642
宽广 642
宽敞 642
宽阔 642
家 519
家乡 521
家长 521
家务 521
家伙 520
家具 520
家庭 521
家破人亡 521
家畜 520
家教 520
家常 520
家常便饭 520
家族 521
家喻户晓 521
家属 521
宴 1243
宴会 1243
宴席 1243
宴请 1243
宾 63
宾至如归 63
宾馆 63
窄 1359
容 902
容许 903
容忍 903
容纳 903
容易 903
容量 903
容器 903
宰 1345
案 9
案件 10
案情 10
请 870
请示 871
请问 871
请求 871
请帖 871
请柬 870
请客 871
请教 871
请假 870
请愿 871

朗 656
朗诵 656
朗读 656
诸如此类 1423
诸位 1423
读 268
读书 269
读者 269
读物 269
扇 921
扇子 921
诽谤 318
袜子 1095
袖 1213
袖子 1213
被 41
被子 41
被动 41
被告 41
被迫 41
课 631
课文 632
课本 632
课外 632
课时 632
课堂 632
课程 632
课题 632
谁 1003
调 248
调节 1059
调皮 1059
调动 249
调虎离山 249
调和 1059
调剂 1059
调查 248
调度 249
调换 249
调解 1059
调整 1060
冤 1328
冤枉 1328
冤家路窄 1328
谅解 689
谈 1034
谈天 1035
谈论 1034
谈判 1034
谈话 1034

【¬】

恳切 633
恳求 633
剥 28
剥削 67
展 1361
展开 1361
展示 1362
展出 1361
展览 1361
展览会 1361
剧 606
剧本 606
剧场 606
剧团 607
剧院 607
剧烈 607
屑 1188
弱 909
弱点 909
陶瓷 1040
陷 1165
陷入 1166
陪 797
陪同 797
娱乐 1320
娘 778
通 1066
通风 1067
通用 1070
通讯 1070
通讯社 1070
通过 1068
通行 1070
通红 1068
通报 1067
通告 1068
通知 1070
通货膨胀 1069
通顺 1069
通俗 1069
通信 1069
通航 1068
通常 1067
通商 1069
通情达理 1069
通道 1067
能 774
能力 774
能干 774
能手 775
能够 774
能量 774
能源 775
能歌善舞 774
难 767
769
难以 769
难民 769
难过 768
难关 768
难免 769
难受 769
难怪 768
难看 768
难度 768
难得 767
难堪 768
难道 767
难题 769
桑 913
桑树 913
预 1325
预习 1326
预见 1326
预计 1326
预订 1325
预先 1326
预防 1325
预约 1327
预报 1325
预告 1325
预言 1327
预备 1325
预定 1325
预测 1325
预祝 1327
预料 1326
预期 1326
预算 1326
预赛 1326
绣 1213
验 1243
验收 1243
验证 1244
继 516
继承 516
继续 516

十一画

【一】

球 874
球队 874
球场 874

球迷 874
理 672
理由 674
理发 673
理会 673
理论 673
理直气壮 674
理事 673
理所当然 674
理顺 674
理想 674
理睬 673
理解 673
堵 269
堵塞 269
堆 274
堆积 274
埠 87
教 551
556
教训 557
教师 556
教会 556
教导 556
教材 556
教员 558
教条 557
教育 558
教学 557
教练 556
教研室 558
教养 558
教室 556
教唆 557
教授 557
教堂 557
培 798
培训 798
培育 798
培养 798
职 1399
职工 1399
职业 1399
职务 1399
职权 1399
职员 1399
职称 1399
职能 1399
基 501
基本 501
基地 502
基层 502
基金 502
基础 502
基督教 502
勘探 621
聊 691
聊天儿 691
娶 878
著 1431
著名 1432
著作 1432
勒 665
黄 477
黄瓜 477
黄色 478
黄金 478
黄昏 477
黄油 478
萌芽 736
萝卜 714
菌 614
菜 94
菜单 94
菊 603
菊花 603
萍水相逢 817
菠菜 67
营 1298
营业 1298
营养 1298
梦 737
梦想 737
梧桐 1135
梢 932
梅花 732
检 530
检讨 531
检查 530
检修 531
检举 531
检测 530
检验 531
检察 531
梳 995
梳子 995
桶 1075
副 348
副业 348
副作用 348
副食 348
票 808
酝酿 1342
酗酒 1216
奢 934
奢侈 935
爽 1003
聋 704
袭 1146
袭击 1146
盛 135
958
盛大 958
盛开 958
盛气凌人 959
盛行 959
盛产 958
盛情 959
盛情难却 959
雪 1224
雪中送炭 1224
雪白 1224
雪花 1224
捧 801
措施 177
描 744
描写 744
描述 744
描绘 744
掩 1238
掩耳盗铃 1238
掩护 1239
掩饰 1239
掩盖 1238
捷 567
捷足先登 567
排 789
排山倒海 790
排长 791
排队 790
排斥 790
排列 790
排挤 790
排除 790
排球 790
掉 249
掉以轻心 250
捶 164
推 1088
推广 1089
推心置腹 1090
推动 1089
推行 1090
推论 1090
推进 1089
推迟 1089

推荐 1089
推选 1090
推测 1089
推理 1089
推销 1090
推辞 1089
推算 1090
推翻 1089
掀 1158
掀起 1158
授 992
授予 992
捻 778
掏 1038
掐 842
掠 712
掠夺 712
掂 237
接 559
接二连三 560
接见 560
接收 561
接连 560
接近 560
接到 560
接受 561
接待 560
接洽 561
接班 559
接站 561
接着 561
接触 560
掷 1410
控 636
控诉 636
控制 636
探 1036
探头探脑 1037
探讨 1037
探亲 1036
探测 1036
探索 1037
探望 1037
据 607
据点 607
据说 607
据悉 607
掘 613
掺 109
辅导 342
辅助 343
辆 690
救 598
救灾 598
救济 598

【丨】

虚 1214
虚心 1214
虚伪 1214
虚弱 1214
虚假 1214
常 114
常见 115
常用 115
常务 115
常年 115
常识 115
常规 115
常常 115
野 1256
野心 1257
野生 1257
野外 1257
野兽 1257
野蛮 1256
睁 1384
眯 737
眼 1239
眼力 1240
眼下 1241
眼光 1239
眼色 1240
眼泪 1240
眼看 1240
眼前 1240
眼神 1241
眼高手低 1239
眼睛 1240
眼镜 1240
悬 1218
悬念 1219
悬挂 1218
悬崖 1219
晚 1103
晚上 1103
晚年 1103
晚会 1103
晚报 1103
晚饭 1103
晚餐 1103
啄 1444
啦 650
距 607
距离 608
趾高气扬 1404
啃 633
跃 1339
跃进 1339
略 712
略微 712
蛇 935
累 667
唱 118
唱反调 118
患 475
患者 475
患得患失 475
啰唆 714
唾沫 1094
唯一 1114
唯心主义 1114
唯心论 1113
唯利是图 1113
唯物主义 1113
唯物论 1113
唯命是从 1113
唯独 1113
唯恐 1113
啤酒 805
啥 917
崖 1231
崭新 1362
逻辑 714
崩 45
崩溃 45
崇拜 142
崇高 142
崇敬 143
婴 1297
婴儿 1297
圈 609
圈 879
圈子 880
圈套 880

【丿】

铝 710
铜 1074
铤而走险 1066
铲 111
银 1291
银行 1292
银幕 1292
甜 1056
梨 670

犁 670
移 1270
移民 1271
移动 1270
移动电话 1271
笨 44
笨拙 45
笨重 44
笨蛋 44
笼子 704
笼罩 705
笛 230
笛子 230
符 340
符号 341
符合 341
第 237
敏捷 747
敏锐 747
敏感 747
做 1472
做工 1472
做主 1472
做法 1472
做客 1472
做梦 1472
袋 201
悠 1307
悠久 1308
偿 115
偿还 116
偶尔 787
偶然 787
偷 1077
偷窃 1077
偷偷 1077
偷税 1077
您 779
售 992
售货 992
停 1064
停止 1065
停泊 1065
停顿 1065
停留 1065
停滞 1065
偏 806
偏见 806
偏心 807
偏向 807
偏差 806
偏偏 806
偏僻 806
兜 264
兜儿 264
假 522
525
假设 523
假如 522
假条 525
假若 523
假使 523
假定 522
假冒 522
假期 525
假装 523
徘徊 791
得 221
得力 222
得了 222
得寸进尺 222
得不偿失 222
得心应手 222
得以 222
得到 222
…得很 225
得病 221
得罪 223
得意 222
得意忘形 223
衔 1160
衔接 1160
盘 792
盘子 793
盘根错节 793
盘旋 793
船 160
船只 160
船舶 160
舵 285
斜 1186
盒 442
鸽子 369
欲 1327
欲望 1327
彩 93
彩电 93
彩色 93
彩卷 93
领 698
领土 699
领子 700
领先 699
领会 699
领导 699
领事 699
领带 699
领袖 699
领域 700
脚 553
脚步 553
脚踏实地 553
脖子 69
脸 684
脸色 685
脸盆 685
脱 1093
脱离 1093
脱落 1093
脱颖而出 1094
象 1174
象征 1175
象棋 1175
够 390
猜 88
猜测 88
猜想 88
猪 1423
猎 693
猎人 693
猫 726
猖狂 112
猛 736
猛烈 736
猛然 736
馅 1166
馆 404

【丶】

毫无 428
毫不 428
毫米 428
烹饪 800
烹调 800
麻 717
麻木 718
麻烦 718
麻雀 718
麻袋 717
麻痹 717
麻醉 718
痒 1247
痕 444
痕迹 444
庸 1302
庸俗 1303

鹿 708
族 1461
旋 1219
旋转 1219
旋律 1219
章 1365
章程 1365
竟 594
竟然 594
商 924
商人 925
商业 925
商务 925
商讨 925
商议 925
商场 924
商店 924
商标 924
商品 925
商品房 925
商量 924
商榷 925
望 1108
望而生畏 1109
望远镜 1109
望洋兴叹 1109
率 711
1002
率领 1002
情 868
情不自禁 869
情节 869
情形 869
情报 869
情况 869
情理 869
情绪 870
情景 869
情感 869
惭愧 97
悼念 219
惟妙惟肖 1114
惊 586
惊人 587
惊心动魄 587
惊动 587
惊讶 587
惊异 588
惊奇 587
惊慌 587
惦 246
惦记 247
惋惜 1103
惨 97
惯 406
惯用语 406
惯例 406
阐述 111
阐明 111
着 1369
1375
1444
着手 1444
着重 1444
着急 1369
着想 1444
盖 352
盖子 353
盖棺论定 353
粘 1360
粗 173
粗心 174
粗心大意 174
粗制滥造 174
粗细 174
粗茶淡饭 174
粗鲁 174
粗粮 174
粗暴 173
粒 680
断 273
断定 273
断绝 274
断断续续 273
剪 531
剪刀 532
剪彩 531
焕然一新 475
凑 172
凑巧 173
凑合 173
减 532
减少 532
减产 532
减低 532
减肥 532
减轻 532
减弱 532
盗 219
盗窃 219
清 866
清早 868
清查 866
清洁 867
清除 867
清真寺 868
清理 867
清晨 867
清淡 867
清晰 867
清楚 867
清新 868
清醒 868
添 1055
淋 695
淋漓尽致 695
淹 1233
淹没 1233
渠 877
渠道 877
渐 540
渐渐 540
混 489
混为一谈 489
混合 489
混合物 489
混乱 489
混浊 490
混淆 489
混凝土 489
淫秽 1292
渔业 1320
渔民 1320
淘气 1040
淘汰 1040
液 1259
液体 1259
淡 206
淡化 207
淡水 207
淡季 207
淀粉 247
深 941
深入 944
深入浅出 944
深切 943
深化 943
深处 942
深远 944
深沉 942
深夜 944
深刻 943
深浅 943
深厚 943
深思熟虑 944
深重 944

深信 944
深度 942
深情 944
深情厚谊 944
深谋远虑 943
深奥 942
婆 817
婆婆 818
梁 687
渗 949
渗透 949
寄 516
寄托 517
寂寞 517
寂静 517
宿 1019
宿舍 1020
窑 1249
密 739
密切 740
密封 739
密度 739
谋 757
谋求 757
祸 495
祸害 496
谗言 109
谜 738
谜语 738

【乛】

逮捕 201
敢 357
敢于 357
敢怒不敢言 357
屠杀 1085
弹 207
弹药 207
堕 285
堕落 285
随 1022
随手 1023
随心所欲 1023
随后 1022
随时 1022
随时随地 1023
随即 1022
随便 1022
随着 1023
随意 1023
蛋 207
蛋白质 208
蛋糕 208
隆重 705
隐 1294
隐约 1295
隐蔽 1294
隐瞒 1294
隐藏 1294
婚 488
婚姻 488
婶 948
婶子 948
颇 817
颈 591
续 1217
骑 829
骑虎难下 829
绰绰有余 165
绳 956
绳子 956
维生素 1114
维护 1114
维持 1114
维修 1114
绷 45
绷带 45
绸子 144
综合 1455
绿 711
绿化 711
绿色食品 711

十二画

【一】

琴 861
琢磨 1467
斑 21
替 1052
替代 1052
替换 1052
款 642
款待 642
塔 1030
越 1339
越冬 1339
越过 1339
越来越… 1339
越…越… 1339
趁 127
趁热打铁 127
趋 876
趋之若鹜 877
趋向 876
趋势 876
趋炎附势 877
超 119
超市 119
超出 119
超过 119
超产 119
超级 119
超标 119
超越 120
超额 119
堤 229
博 69
博士 69
博大精深 69
博物馆 69
博览会 69
博览群书 69
喜 1147
喜讯 1148
喜欢 1147
喜事 1148
喜爱 1147
喜悦 1148
喜鹊 1148
煮 1428
裁 91
裁决 91
裁军 92
裁判 92
裁缝 91
壹 1264
斯 1012
斯文 1012
期 824
期刊 825
期间 824
期限 825
期待 824
期望 825
欺 825
欺人太甚 825
欺负 825
欺软怕硬 825
欺骗 825
联 683
联邦 683
联网 683
联合 683
联欢 683
联系 683

联络 683
联谊 684
联想 684
联盟 683
葫芦 459
散 912
散文 912
散布 912
散发 913
散步 912
惹 890
葬 1349
葬礼 1349
董事 259
葡萄 821
葡萄糖 821
敬 594
敬礼 595
敬而远之 594
敬爱 594
敬酒 594
葱 170
落 649
715
落井下石 716
落地 716
落成 716
落后 716
落花有意，流水无情 716
落实 716
落选 716
落落大方 716
朝 120
朝三暮四 1369
朝气 1368
朝气蓬勃 1369
朝代 120
朝令夕改 1368
辜负 392
葵花 645
棒 26
棒球 26
棱 667
棋 829
植 1400
植物 1400
森 915
森林 915
椅 1276
椅子 1276
棵 626
棍子 414
棉 740
棉衣 740
棉花 740
棚 801
棕色 1455
棺材 404
椭圆 1094
逼 45
逼近 46
逼迫 46
厨师 154
厨房 154
硬 1301
硬件 1301
确 885
确切 886
确认 886
确立 886
确定 885
确实 886
确保 885
确信 886
确凿 886
硫酸 703
殖民主义 1400
殖民地 1400
裂 693
雄 1210
雄伟 1210
雄壮 1210
雄厚 1210
颊 522
揍 1460
搭 179
搭配 179
提 1044
提升 1047
提示 1047
提包 1045
提议 1047
提早 1048
提名 1046
提交 1046
提问 1047
提纲 1045
提纲挈领 1046
提取 1047
提拔 1045
提供 1046
提要 1047
提前 1046
提炼 1046
提倡 1045
提高 1046
提案 1045
提醒 1047
揭 561
揭示 562
揭发 562
揭露 562
插 105
插足 105
插秧 105
插座 105
插嘴 105
揪 597
搜 1016
搜查 1017
搜索 1017
搜集 1017
援 1333
援助 1333
搀 109
搁 369
搓 177
搂 705
搅 554
搅拌 554
握 1127
握手 1127
揉 904
暂 1348
暂且 1348
暂时 1348
翘 856

【丨】

辈 41
悲伤 38
悲观 38
悲哀 38
悲剧 38
悲惨 38
悲痛 38
悲愤 38
紫 1448
凿 1351
辉 480
辉煌 480
敞 117
敞开 117
赏 926
掌 1366

掌声 1366
掌握 1366
掌管 1366
晴 870
晴天 870
晴朗 870
暑 997
暑假 998
最 1465
最后 1465
最好 1465
最近 1465
最初 1465
量 687
690
量入为出 690
量体裁衣 690
喷 800
喷射 800
喋喋不休 250
喇叭 649
遇 1327
遇见 1328
遇到 1327
喊 425
喊叫 425
景 591
景色 591
景物 592
景点 591
景象 592
晾 690
践踏 540
跌 250
跑 796
跑步 796
跑道 796
遗 1271
遗失 1272
遗传 1271
遗产 1271
遗址 1272
遗体 1272
遗留 1272
遗憾 1271
喝 434
喂 1118
喘 160
喉 450
喉咙 450
喽 706
喧宾夺主 1218
幅 341
幅度 341
帽 728
帽子 729
赋 348
赋予 348
赌 269
赌博 270
赔 798
赔偿 798
赔款 798
黑 442
黑白 443
黑市 443
黑社会 443
黑板 443
黑夜 444
黑暗 443

【丿】

铸 1432
铸造 1432
铺 820
链 686
链子 686
销 1177
销售 1178
销路 1177
销毁 1177
锁 1028
锄 154
锅 414
锅炉 414
锈 1213
锋利 334
锌 1193
锐利 909
掰 16
短 272
短小精悍 273
短处 272
短促 272
短期 272
短暂 273
智 1410
智力 1410
智能 1410
智慧 1410
氮 208
毯子 1035
剩 959
剩余 959
稍 933
稍微 933
程序 135
程度 135
稀 1144
税 1007
税收 1007
筐 642
等 226
等于 227
等级 227
等到 227
等待 227
等候 227
筑 1432
策划 102
策略 103
筛 917
筛子 917
筒 1076
答 180
答应 179
答卷 181
答复 181
答案 180
答辩 180
筋 575
筋疲力尽 575
牌 791
牌子 791
堡垒 33
集 507
集中 509
集市 508
集团 508
集会 508
集合 508
集邮 508
集体 508
集资 509
焦 551
焦点 551
焦炭 552
焦急 552
傍晚 26
储存 156
储备 156
储蓄 156
储藏 156
奥秘 11
街 562
街头 562

街坊 562
街道 562
惩 135
惩办 135
惩罚 135
惩前毖后 135
循 1226
循序渐进 1226
循环 1226
循循善诱 1227
艇 1066
舒 995
舒畅 995
舒服 995
舒适 996
舒展 996
番 297
番茄 298
释 983
释放 984
禽 861
腊 649
腊月 649
脾 805
脾气 805
腔 852
猴 450
猴子 450
然 888
然而 888
然后 888
馋 109

【、】

装 1439
装备 1439
装饰 1439
装卸 1439
装配 1439
装腔作势 1439
装置 1440
就 599
就业 600
就地 600
就近 600
就是 600
就是…也… 600
就是说 600
就职 601
就算 600
就餐 600
痛 1076
痛快 1076
痛苦 1076
痛恨 1076
童年 1074
愤恨 329
愤怒 329
慌 476
慌忙 477
慌乱 477
慌张 477
惴惴不安 1442
愣 668
愉快 1320
阔 647
善 921
善于 922
善良 922
善始善终 922
羡慕 1166
普 821
普及 821
普查 821
普通 822
普通话 822
普遍 821
粪 329
奠定 247
尊严 1466
尊重 1466
尊敬 1466
道 219
道不拾遗 220
道理 220
道路 221
道貌岸然 221
道歉 221
道德 220
曾 104
曾经 104
港 362
港口 363
港币 362
湖 459
渣 1357
渺小 744
湿 963
湿度 964
湿润 964
温 1119
温和 1119
温带 1119
温度 1119
温度计 1119
温柔 1120
温暖 1120
渴 630
渴望 630
溅 540
滑 465
滑冰 465
滑坡 465
滑雪 466
湾 1100
渡 271
渡口 271
渡船 271
游 1311
游人 1312
游击 1311
游行 1312
游戏 1312
游泳 1312
游泳池 1312
游览 1312
游客 1312
滋长 1446
滋味 1446
割 369
寒 425
寒冷 425
寒假 425
寒暄 425
富 348
富有 349
富余 349
富裕 349
富强 349
寓 1328
寓言 1328
窜 175
窝 1125
窝囊 1126
窗 160
窗口 161
窗户 161
窗台 161
窗帘 161
遍 57
遍地 57
雇 397
雇员 398
裤 639
裤子 639
裙 886

裙子 887
谢 1188
谢绝 1188
谢谢 1188
谣 1249
谣言 1249
谦逊 846
谦虚 846

【乛】

属 998
属于 998
屡 710
屡见不鲜 711
屡次 711
强 852
强大 852
强化 853
强词夺理 854
强制 853
强迫 854
强度 853
强烈 853
强调 853
强盛 853
强盗 852
强硬 853
粥 1422
疏 996
疏忽 996
隔 371
隔阂 371
隔绝 371
隔离 372
隔壁 371
媒 732
媒介 732
媒体 732
絮叨 1217
嫂 914
嫂子 914
登 225
登记 226
登陆 226
缎子 274
缓 473
缓和 473
缓缓 474
缓慢 474
缔 237
缔结 237
编 52
编号 53
编者按 53
编制 53
编辑 53
骗 808
缘 1333
缘故 1333

十三画

【一】

瑞雪 909
填 1056
填写 1056
填补 1056
塌 1030
鼓 394
鼓动 394
鼓励 395
鼓吹 394
鼓掌 395
鼓舞 395
塘 1037
聘 811
聘用 812
聘任 812
聘请 811
蒜 1020
勤 861
勤工俭学 861
勤劳 862
勤奋 861
勤俭 862
勤恳 862
勤能补拙 862
靴子 1221
蓝 654
墓 760
幕 760
蓬勃 801
蓄 1217
蒙 736
献 1166
献身 1166
蒸 1383
蒸发 1384
蒸汽 1384
蒸蒸日上 1384
禁 583
禁区 583
禁止 583
想 1172
想方设法 1173
想念 1173
想法 1173
想象 1173
槐树 470
榆树 1320
楼 705
楼房 705
楼梯 705
楼道 705
概况 353
概念 353
概括 353
赖 653
酬宾 144
感 358
感化 358
感动 358
感兴趣 360
感到 358
感受 359
感冒 359
感觉 358
感染 359
感情 359
感慨 358
感谢 360
感想 359
感激 358
碍 6
碍事 6
碑 38
碎 1024
碰 801
碰见 802
碰钉子 801
碗 1103
雷 665
雷厉风行 666
雷达 666
雷雨 666
零 697
零件 698
零星 698
零钱 698
零售 698
零碎 698
雾 1140
雹子 28
摄 938
摄氏 938
摄影 939

摸 753
摸索 753
搏斗 69
摆 18
摆动 18
摆脱 18
携 1186
携带 1186
搬 21
搬运 21
摇 1249
摇头摆尾 1250
摇晃 1250
摇摆 1250
摇摇欲坠 1250
搞 367
搞鬼 367
搞活 367
摊 1033
辐射 341
输 996
输入 996
输出 996
输送 997

【丨】

督 266
督促 267
频 810
频率 810
频繁 810
鉴 540
鉴于 541
鉴别 540
鉴定 540
睡 1007
睡觉 1007
睡眠 1007
愚 1321
愚公移山 1321
愚昧 1321
愚蠢 1321
暖 786
暖气 786
暖和 786
歇 1184
暗 10
暗中 11
暗示 10
暗自 11
暗杀 10
暗淡 10
暗暗 10
照 1370
照片(相片) 1371
照旧 1371
照会 1371
照应 1372
照明 1371
照例 1371
照相 1371
照相机 1372
照样 1372
照顾 1370
照射 1371
照料 1371
照常 1370
照耀 1372
跨 640
跳 1061
跳动 1061
跳远 1062
跳高 1061
跳跃 1062
跳舞 1061
跳槽 1061
跺 285
跪 414
路 708
路上 709
路口 709
路子 709
路过 708
路线 709
路面 709
路程 708
跟 375
跟头 376
跟前 376
跟随 376
跟踪 376
蜂 334
蜂蜜 334
嗯 775
嗅 1213
嗡 1125
嗤之以鼻 137
嗓子 913
置 1410
置之不理 1410
置之度外 1411
罪 1465
罪犯 1465
罪行 1466
罪名 1466
罪状 1466
罪恶 1465
罩 1372

【丿】

错 178
错字 178
错误 178
锣 714
锤 164
锦上添花 578
锦绣 578
键 541
键盘 541
锯 608
矮 3
辞 166
辞职 167
稠密 144
愁 144
愁眉苦脸 144
筹备 145
筹建 145
签 846
签订 847
签发 847
签名 847
签证 847
签署 847
筷子 642
简 533
简化 534
简介 534
简讯 534
简体字 534
简直 535
简明 534
简易 535
简单 533
简陋 534
简要 534
简便 533
简称 533
简短 533
毁 483
毁灭 483
毁坏 483
舅母 601
舅舅 601
鼠目寸光 998
催 175

傻 917
傻子 917
像 1175
像样 1175
躲 284
躲避 284
躲藏 285
微小 1110
微不足道 1110
微乎其微 1110
微机 1110
微观 1110
微笑 1111
愈 1328
愈…愈… 1328
遥 1250
遥远 1250
遥控 1250
腰 1248
腥 1201
腮 910
腹 349
鹏程万里 801
腾 1044
腿 1090
猿 1334
猿人 1334
触 157
触目惊心 157
触犯 157
解 568
解决 569
解放 569
解放军 569
解除 568
解铃还须系铃人 569
解剖 569
解散 570
解答 568
解释 570
解雇 569

【丶】

廉 684
廉价 684
廉政 684
廉洁 684
痴心妄想 137
痰 1035
新 1193
新人 1195
新生 1195
新式 1195
新年 1194
新兴 1196
新近 1194
新陈代谢 1194
新郎 1194
新房 1194
新型 1196
新闻 1195
新娘 1194
新颖 1196
新鲜 1195
新潮 1194
意 1286
意义 1288
意见 1286
意气风发 1286
意外 1287
意向 1288
意志 1288
意识 1287
意味着 1288
意图 1287
意思 1287
意料 1286
慎 949
慎重 949
粮 688
粮食 688
数 998
1000
数一数二 998
数目 1000
数字 1000
数学 1000
数据 1000
数量 1000
数额 1000
煎 530
塑 1020
塑造 1020
塑料 1020
慈爱 167
慈祥 167
煤 732
煤气 732
酱 546
酱油 546
满 722
满月 723
满足 723
满怀 722
满腔 723
满意 723
漠不关心 756
源 1334
源泉 1334
滥竽充数 655
滔滔不绝 1039
溪 1144
溜 700
滚 414
滚瓜烂熟 414
滚动 414
溶化 903
溶液 903
溶解 903
滩 1033
塞 910
塞翁失马，焉知非福 910
窟 638
窟窿 638
谨 578
谨慎 578
福 341
福气 342
福利 341
谬论 752

【乛】

群 887
群众 887
群体 887
群岛 887
殿 247
障碍 1367
媳妇 1146
嫉 509
嫉妒 509
嫌 1160
嫌疑 1160
嫁 525
叠 250
缝 335
缠 109

十四画

【一】

静 595
静悄悄 595
碧绿 51

熬 11
墙 853
墙壁 853
嘉奖 522
截 567
截止 567
境 595
境地 595
境界 595
聚 608
聚会 608
聚集 608
聚精会神 608
蔓延 723
蔑视 745
熙熙攘攘 1144
蔚然成风 1119
兢兢业业 588
模 753
模式 754
模仿 753
模范 753
模型 754
模样 757
模糊 753
榜样 26
榨 1358
歌 369
歌手 370
歌曲 370
歌星 370
歌颂 370
歌剧 370
歌唱 369
遭 1350
遭到 1350
遭受 1350
遭殃 1350
遭遇 1350
酿 779
酸 1020
碟 250
碱 535
磋商 177
磁卡 167
磁带 167
磁铁 167
愿 1336
愿望 1336
愿意 1336
需 1215
需求 1215
需要 1215
撇 809
摧残 175
摧毁 175
誓 984
誓言 984
摘 1358
摘要 1359
摔 1002

【丨】

雌 167
弊 51
弊病 51
弊端 51
颗 627
颗粒 627
踌躇 145
踌躇满志 145
踊跃 1304
蜻蜓 868
蜡 649
蜡烛 649
蝇子 1298
蝇头小利 1298
蜘蛛 1395
蝉 110
嘛 720
赚 1438

【丿】

锲而不舍 857
锹 854
锻炼 274
镀 271
舞 1136
舞厅 1137
舞台 1137
舞会 1137
舞蹈 1137
稳 1124
稳当 1124
稳妥 1124
稳定 1124
熏 1225
算 1020
算了 1021
算术 1021
算是 1021
算盘 1021
算数 1021
箩 714
箩筐 715
管 405
管子 405
管理 405
管道 405
管辖 405
舆论 1321
僧多粥少 915
鼻 46
鼻子 46
鼻涕 46
膜 754
鲜 1158
鲜血 1159
鲜红 1159
鲜花 1159
鲜明 1159
鲜艳 1159
疑 1272
疑问 1273
疑难 1273
疑惑 1272
馒头 722

【丶】

裹 417
敲 855
豪华 428
遮 1373
腐化 343
腐朽 343
腐败 343
腐蚀 343
腐烂 343
瘟疫 1120
瘦 993
旗 829
旗子 830
旗号 830
旗帜 830
旗袍 830
旗鼓相当 829
辣 650
辣椒 650
竭 567
竭力 567
端 271
端午节 272
端正 272
慢 723
慢性 724
慷慨 623

慷慨激昂 623
精 588
精力 589
精心 590
精打细算 588
精华 589
精英 590
精细 590
精美 589
精神 589
590
精致 590
精益求精 590
精通 590
精彩 588
精密 589
精确 589
精装 591
精减 589
歉意 852
熄 1145
熄灭 1145
漆 826
漆黑 826
漂 808
漂亮 808
漫 724
漫山遍野 724
漫长 724
滴 229
演 1241
演习 1242
演出 1241
演讲 1242
演员 1242
演变 1241
演奏 1242
演说 1242
演唱 1241
演算 1242
漏 706
漏税 706
寨 1359
赛 910
赛会 911
赛事 911
寡不敌众 398
寡妇 398
蜜 740
蜜蜂 740
寥寥无几 691
谱 822
谱曲 822

【乛】

隧道 1024
嫩 773
熊 1210
熊猫 1210
凳 227
翠绿 176
骡子 715
缩 1025
缩小 1026
缩短 1026

十五画

【一】

趣 879
趣味 879
趟 1038
增 1355
增长 1356
增加 1356
增产 1356
增设 1356
增进 1356
增添 1356
增援 1356
增强 1356
聪明 170
鞋 1186
蔬菜 997
蕴藏 1342
横 446
447
横向 446
横行 447
槽 99
樱花 1297
橡皮 1175
橡胶 1175
敷 337
敷衍 338
敷衍了事 338
豌豆 1100
飘 808
飘扬 808
醋 175
醉 1466
醉生梦死 1466
磕 627
磅 26
震 1380
震动 1380
震荡 1380
震惊 1380
霉 732
撵 778
撕 1013
撒 910
撒谎 910
撑 128
播 67
播放 68
播种 68
播音 68
播送 68
撞 1441
撤 123
撤退 123
撤销 123

【丨】

憋 61
瞒 722
题 1048
题目 1048
题材 1048
暴 35
暴力 36
暴风骤雨 36
暴动 36
暴雨 36
暴露 36
瞎 1150
嘲笑 120
影 1299
影子 1299
影片 1299
影响 1299
踢 1044
踩 94
踪迹 1455
踏 1030
踏实 1030
蝴蝶 459
蝗虫 478
嘿 444
噢 787
嘱托 1428
嘱咐 1428
幢 1441
墨 756
墨水儿 756

【丿】

镇 1380
镇压 1381
镇定 1381
镇静 1381
靠 625
靠近 625
稻子 221
黎明 670
稿 367
稿子 368
稿件 367
稿纸 367
箱 1171
箱子 1171
箭 541
篇 807
僵 542
躺 1038
德 223
德才兼备 223
德语(文) 223
艘 1017
膝 1145
膝盖 1145

【丶】

熟 997
熟练 997
熟悉 997
摩 754
摩托车 754
摩擦 754
瘫痪 1033
颜色 1238
毅力 1288
毅然 1288
懂 259
懂事 260
懂得 259
糊 459
糊涂 459
遵守 1467
遵循 1467
遵照 1467
潜力 851
潜伏 851
潜移默化 851
潮 120
潮流 121
潮湿 121
潭 1035
潦草 691
澄清 135
额 286
额外 286
谴责 851
鹤立鸡群 442

【乛】

慰问 1119
劈 803
履 711
履行 711

十六画

【一】

操 98
操之过急 99
操心 99
操场 99
操劳 99
操作 99
操纵 99
操练 99
擅 922
擅长 922
擅自 922
燕 1244
燕子 1244
薪 1196
薪金(薪水) 1196
薄 28
70
薄弱 70
薄膜 70
颠 237
颠沛流离 238
颠倒 237
颠倒是非 238
颠倒黑白 237
颠覆 238
颠簸 237
橘子 603
整 1384
整个 1384
整天 1385
整风 1384
整齐 1385
整体 1385
整洁 1385
整顿 1384
整理 1385
整数 1385
整整 1385
融 904
融化 904
融洽 904
醒 1205

【丨】

餐 95
餐厅 96
餐车 96
餐风宿露 96
瞥 809
嘴 1464
嘴巴 1465
嘴唇 1465
蹄 1048
器 841
器材 841
器具 841
器官 841
器械 841
噪音 1353
默 757
默默 757
黔驴技穷 851
赠 1356
赠送 1357

【丿】

镜 595
镜子 596
镜头 596
赞叹 1349
赞成 1348
赞扬 1349
赞同 1349
赞助 1349
赞美 1348
赞赏 1349
穆斯林 760
篮 654
篮子 655
篮球 654
篱笆 670
邀 1249
邀请 1249
膨胀 801
雕 247
雕刻 248
雕塑 248

鲸 591
鲸鱼 591

【丶】

凝 780
凝固 780
凝视 780
凝结 780
凝聚力 780
磨 754
瘸 885
辨 57
辨认 57
辨别 57
辩 57
辩论 58
辩护 58
辩证 58
辩证法 58
辩解 58
懒 655
懒惰 655
糖 1037
糖果 1038
燃 888
燃料 888
燃烧 888
激 502
激发 503
激动 503
激光 503
激励 503
激素 503
激烈 503
激情 503

【乛】

壁 51
避 51
避免 51
缴 554
缴纳 554

十七画

【一】

戴 201
鞠躬 602
藏 98
霜 1003
霞 1151
擦 88

【丨】

瞧 855
瞪 228
螺丝钉 715

【丿】

穗 1024
繁 300
繁华 300
繁多 300
繁忙 300
繁体字 300
繁荣 300
繁重 301
繁殖 301

【丶】

癌 3
辫子 58
赢 1299
赢得 1299
糟 1350
糟糕 1350
糟蹋 1351
糠 623
豁 490

【乛】

臂 51
翼 1288

十八画

鞭 53
鞭子 54
鞭炮 54
鞭策 53
藤 1044
覆盖 349
瞻仰 1360
瞻前顾后 1360
蹦 45
镰刀 684
翻 298
翻身 298
翻译 298
鹰 1297
瀑 822
瀑布 822

十九画

警 592
警卫 593
警戒 592
警告 592
警惕 592
警察 592
蘑菇 755
攀 792
攀登 792
攒 1348
蹲 280
蹭 104
蹬 226
颤 111
颤动 112
颤抖 112
瓣 25
爆 36
爆发 36
爆竹 37
爆炸 37
爆破 36

二十画

耀 1254
耀眼 1254
嚼 552
嚷 888
巍然屹立 1111
籍 509
籍贯 509
魔 755
魔术 755
魔鬼 755
灌 406
灌溉 406
譬如 806

二十一画

蠢 165
蠢蠢欲动 165
霸占 15
霸权 15
霸道 15
露 706
露面 706

二十二画

镶　1171

二十三画

罐　406
罐头　406

A

【阿】 ā 〔头〕 另读 ē

❶ 表示关系亲密。(*a prefix used before pet names, monosyllabic surnames, or numbers denoting order of seniority in a family, to form terms of endearment*)用在排行、小名或姓的前面,构成名词。

词语 阿大 阿珍 阿根 阿张

❷ 对和自己亲属年龄相近者的称呼。(*a prefix used before kinship terms*)用在某些单字亲属称呼的前面构成名词。

词语 阿爸 阿妈 阿婆 阿哥 阿妹 阿姨

【阿拉伯语(文)】 Ālābóyǔ(wén) 〔名〕

阿拉伯人的语言,文字是阿拉伯字母。(Arabic)常做主语、宾语、定语。

例句 阿拉伯语是他的母语。|你会说阿拉伯语吗?|世界上使用阿拉伯语的人比较多。|她在大学学阿拉伯语。|我需要一本阿拉伯语词典。

【阿姨】 āyí 〔名〕

❶ 称呼跟母亲年岁差不多的妇女。(*a form of address for a woman of one's mother's generation; auntie*)常做主语、宾语、定语。[量]位,个。

例句 王阿姨上班走了。|隔壁的阿姨很勤快。|大家都喜欢刘阿姨。|我们想明天去看张阿姨。|他是黄阿姨的儿子。|今天这位阿姨的心情不好。

▶"阿姨"可用于称呼语。如:阿姨,小刚在家吗?

❷ 对保育员或保姆的称呼。(a nursemaid in a family or a childcare worker in a nursery school or kindergarden)常做主语、宾语、定语。[量]个。

例句 小朋友都说幼儿园的阿姨好。|我家的小阿姨挺能干。|A:小朋友好!B:阿姨好!|请你帮我找一个阿姨看孩子,行吗?|那家幼儿园阿姨的工作很累。

【啊】 ā(á、ǎ、à) 〔叹〕 另读 a

❶ 表示赞叹、惊异、答应或明白过来。(ah)常用在句首,做独立成分。

例句 啊(ā),你看她跳舞跳得多好!|啊(ā),太阳出来了!|啊(à),你放心吧,我一定给你带来!|啊(à),原来张阿姨就是你妈妈!

❷ 表示惊疑、害怕或追问。(oh)常单独成句,后面用问号或叹号。

例句 啊(ǎ)?这是怎么了?|啊(á)?你说到底是谁干的?|啊(à)!太可怕了。|A:啊(à)!吓死我了!B:你怎么了?

【啊】 a 〔助〕 另读 ā(á、ǎ、à)

❶ 表示感叹、疑问、祈使、肯定等语气。(*used at the end of a sentence, order, warning, etc. to express enthusiasm, obviousness or impatience, imperative or doubtful questioning*)常用在句末。

例句 时间过得多快啊!|你到底去不去啊?|快走啊!|我不去是还有别的事啊。

❷ 表示项目多或在句中稍作停顿,引起注意。(*used in enumerating items*)常用在句中,后面用逗号。

A

例句 你看他的房间，书啊，杂志啊，摆得满满的。|京剧啊，话剧啊，只要是剧，我都看。|这个马克啊，每天就知道玩！|说起他啊，大人啊，小孩儿啊，差不多都知道。

▶助词"啊"用在句末或句中，常发生不同的音变，可以一律写成"啊"，也可以写成不同的字：

前字的韵母或韵尾	"啊"的发音和写法
a,e,i,o,ü	a→ia 呀
u,ao,ou	a→ua 哇
-n	a→na 哪
-ng	a→nga 啊

【哎】 āi 〔叹〕

❶表示惊讶、不满意或答应。(why)常放在句首做独立成分，后面常用叹号。

例句 哎！这真是想不到的事！|哎！你怎么不早说呢！|A：阿里！B：哎！我在屋里，进来吧！

❷表示满意、赞叹、提醒、醒悟、招呼、将信将疑等语气。(yes; look out; hello)常用在句首，后面有停顿。

例句 哎，这么说就不对了。|哎，你看这件衣服多漂亮！|哎，脚步轻点儿！|哎，原来是这样！|哎！大妈，一会儿我再来。|哎，能是他们吗？

【哎呀】 āiyā 〔叹〕

表示惊讶、埋怨、不耐烦、可惜等。(ow; hey; hay; oho; oh)常放在句首做独立成分。

例句 哎呀，今天这么冷啊！|A：哎呀呀，你怎么才来呀？B：对不起！路上塞车了。|哎呀，你少说几句吧。|哎呀呀，太可惜了，HSK差一分没得到8级。

▶"哎呀"也有相当于名词、动词、形容词的用法。如：一看见蛇，她大叫一声："哎呀！"|房间里传出了"哎呀哎呀"的声音。|不知为什么小王"哎呀"了一声。|病人疼得"哎呀哎呀"地直叫。

【哎哟】 āiyō 〔叹〕

表示惊慌、痛苦、可惜等。(ow; oho)常用在句首做独立成分。

例句 哎哟，天这么晚了。|A：哎哟，这不是老同学吗？B：你还认识我，真不错。|哎哟，牙痛得受不了。|哎哟，怎么能把这件事告诉他呢。

▶"哎哟"也有类似名词、动词、形容词的用法。如：她差一点儿滑倒了，叫了一声："哎哟！"|不知是哪儿传来了"哎哟"的声音。|疼得忍不住"哎哟"了一声。|这孩子是怎么了？"哎哟哎哟"地叫个不停。

【哀悼】 āidào 〔动〕

难过地悼念死去的人。(mourn for the deceased)常做谓语、定语、宾语。

例句 我要写篇文章哀悼我的老朋友。|清明那天，许多人去公墓哀悼亲人。|那个好医生死了后，哀悼的人们纷纷去参加追悼会。|朋友们向死者家属表示深切的哀悼。|他们代表单位到遇难者家里进行哀悼。

【哀求】 āiqiú 〔动〕

苦苦请求。(beseech; beg; supplicate)常做谓语、定语、主语。

例句 李钢再三哀求，爸爸才同意他出国上大学。|明知老板不会答应，他仍然苦苦哀求。|她不断地哀求，可我也没有办法呀。|"先生，能不能让我再住一个月？"我用哀求的语气问。|望着那哀求的目光，我的心软了。|他的哀求没起任何作用。

▶〈近〉恳求。"哀求"重在强调用可

怜的样子求对方答应;“恳求”重在强调诚恳地请求对方答应,较郑重。

【哀思】 āisī 〔名〕

悲哀思念的感情。(grief)常做宾语、主语。

例句 作家写了一篇文章,寄托对母亲的哀思。|老人去世了,大家都在以各种方式表达哀思。|失去了亲人,他哀思难平。

【挨】 āi 〔动〕 另读 ái

❶ 靠近。(get close to)常做谓语。

例句 车站挨着学校。|她没挨窗户坐。|我们两家挨得很近。|你别挨着我!|A:我说的不错吧?B:什么呀?根本不挨边儿。

❷ 触,碰,靠。(touch; reach)常做谓语。

例句 奶奶刚挨了一下孩子的手,孩子就笑起来了。|女儿总喜欢挨在我身上。|沙发挨墙放行吗?|电话放在那儿,我挨不到。

▶“挨”还做介词,表示顺着(次序)。如:新郎挨门挨户地给邻居送喜糖。|大家挨个儿讲吧!

【唉】 āi(ài) 〔叹〕

❶ 答应的声音(āi)。(yes; well)常用于句首做独立成分。

例句 A:小张,电话!B:唉,来了。|A:小王,你的考试通过了。B:唉,我知道了,谢谢。

❷ 表示伤感或惋惜(ài)。(alas)常用于句首做独立成分。

例句 唉,他病得这么重,怕是不行了。|唉,好好的工作,怎么就不干了呢?|唉,刚穿的衣裳给弄脏了。

【挨】 ái 〔动〕 另读 āi

❶ 遭受;忍受。(suffer)常做谓语(带动词宾语)。

词语 挨打 挨骂 挨饿

例句 小孩子挨批评是常事。|昨天没带雨伞挨淋了。|因为回家晚,挨过妈妈三次骂。|他不会做饭,常常挨饿。|他可厉害了,我可挨不住他的拳头。

❷ 拖延,困难地度过(时间)。(scrabble for a living)常做谓语。

例句 她好像每天(都)在挨日子。|为了看雪景,我在东北挨了一个多月。|挨过了今年,爸爸的身体就可能好了。

【癌】 ái 〔名〕

恶性肿瘤。(cancer)常做主语、宾语、定语。[量]种。

例句 癌这种可怕的病至今仍很难治好。|一得了癌就像被判了死刑一样。|现在治癌、防癌的药品和方法越来越多了。|A:他得了什么癌?B:现在还不知道。|癌(症)的治愈率正在提高。

【矮】 ǎi 〔形/动〕

〔形〕高度不够。(short)常做谓语、定语、补语。

例句 他的个子很矮。|这张桌子矮不矮?|矮矮的门,矮矮的窗,这个小房子真可爱!|她是矮个儿,大眼睛,可机灵啦。|丽丽嫌她的男朋友长得矮。|这张床做得矮了点儿。

〔动〕“比…低”。(be lower than…)常做谓语。

例句 在大学他矮我一级。|我只矮弟弟一公分。

辨析 〈近〉低。“低”多为书面语,常用于程度、水平、价格、声音、建筑、地势等;“矮”多为口语,多用于身材、树、山、建筑等。如:* 他长得

很低。（"低"应为"矮"）| ＊我的汉语水平比较矮。（"矮"应为"低"）

【艾滋病】 àizībìng 〔名〕

一种传染病。（AIDS）常做主语、宾语、定语。

例句 艾滋病不容易治。|他得了艾滋病，我们要关心他。|那家医院专门治疗艾滋病。|医学专家和患者都在跟艾滋病进行斗争。|艾滋病的传染途径主要有三种。

【爱】 ài 〔动/名〕

〔动〕❶ 对人或事物有很深的感情。（love）常做谓语。

例句 爸爸很爱这个独生女儿。|谁不爱自己的国家呢？|她爱上了教师这一职业。|A：你爱他吗？B：我也不知道。

❷ 喜欢。（like；be fond of）常做谓语。

例句 你爱不爱逛街？|很多人爱吃水果。|她很爱干净。|老年人好像比年轻人更爱运动。

❸ 爱惜；爱护。（care for）常做谓语。

例句 人人都要爱公物。|我们要爱我们的家园。|别太爱面子了。

❹ 容易产生某种行为或变化；常常发生某种行为。（be in the habit of；be apt to）常做谓语（带非名词性宾语）。

例句 那个小姑娘特别爱笑。|爸爸爱发脾气。|他呀，就是爱动。|老张打扑克总爱输。

▶"爱"可构成"爱A不A"式，表示无论选择哪一种都可以，含不满情绪。如：电影票买好了，你爱看不看。|车在那儿放着，爱骑不骑，随便。|你看他那副爱理不理的样儿。

〔名〕指爱情或感情。（love；passion）常做主语、宾语、定语。

例句 爱是崇高和美好的。|大家一起努力，让世界充满爱。|他对妻子怀有深深的爱。|是爱的力量给了病人生活下去的勇气。

【爱不释手】 ài bú shì shǒu 〔成〕

喜欢得舍不得放下。（fondle admiringly）常做谓语、状语。

例句 这本杂志很好看，小王像宝贝似地爱不释手。|这幅画真让人爱不释手。|阿里对手里的工艺品爱不释手。|李先生从营业员手中拿过一部精巧的手机，爱不释手地看了又看，妻子喊他快走也没听见。

【爱戴】 àidài 〔动〕

尊敬热爱并且拥护。（love and esteem）常做谓语、定语、宾语。

例句 学生大都爱戴自己的老师。|小杨眼里流露出尊敬和爱戴的目光。|只有为社会做出重大贡献的人才会得到大家的爱戴。|他深受公司员工的爱戴。|工人们心中充满着对老厂长的爱戴。

辨析 〈近〉热爱。"爱戴"只用于下对上，而且只用于对人；"热爱"没有这些限制。如：＊她十分爱戴自己的职业。（"爱戴"应为"热爱"）|＊李老师怀着对学生们的无限爱戴投身于教育事业。（不用"爱戴"，可用"关爱"）

【爱好】 àihào 〔动/名〕

〔动〕对某种事物具有浓厚的兴趣，并积极参加；喜爱。（like；love；be fond of；be keen on）常做谓语、定语。

例句 奶奶特别爱好京剧。|哥哥爱好踢足球。|小红非常爱好整洁。|A：你爱好什么？B：爱好音乐。|他

爱好画画儿爱好得入了迷。|我爱好中文是受爷爷的影响。|自己爱好的事就要坚持去做。

〔名〕对事物具有的浓厚兴趣。(hobby)常做主语、宾语。

例句 马克的爱好可真不少。|A:你的爱好是什么?B:学汉语。|各人有各人的爱好,不能强求一样。|看书是我的最大爱好。

辨析 〔近〕嗜好(shìhào)。“爱好”的范围较广,多用于好的事情;“嗜好”多指不好的习惯,含贬义。“爱好”既可做动词又可做名词;“嗜好”只做名词。如:他有一个爱好(嗜好)。|*他的爱好是赌博(dǔbó)。(“爱好”应为“嗜好”)|*我嗜好旅行。(“嗜好”应为“爱好”)

【爱护】 àihù 〔动〕

爱惜并保护。(cherish; take good care of)常做谓语、宾语。

例句 王老师非常爱护学生。|人人都应该爱护公物。|我们要爱护留学生宿舍的设备。|父亲的目光中充满了关切和爱护。|大熊猫得到了多方面的爱护。

【爱面子】 ài miànzi 〔动短〕

怕损害自己的体面。(be sensitive about one's reputation)常做主语、谓语、定语。

例句 A:爱面子不好吗?B:要看情况。|老李这个人太爱面子,明明没有多少钱,还偏要掏钱请客。|王老师很爱面子,不让去他家,说房子太小了。|爱面子的人活得有点儿累。

【爱情】 àiqíng 〔名〕

男女相爱的感情。(love; affection)常做主语、宾语、定语。

例句 那段爱情让老人常常回忆。|爱情是幸福婚姻的基础。|不知不觉我对他产生了爱情。|他要离婚,说对妻子已经没有爱情了。|她很珍惜自己的爱情。|玛丽是为了爱情才来到中国的。|他俩品尝到了爱情的甜蜜。|有了这次经历,我更体验到爱情的宝贵。

【爱人】 àiren 〔名〕

丈夫或妻子。(husband or wife; sweetheart)常做主语、宾语、定语。

例句 这两天,我爱人回娘家了。|他爱人是有名的歌唱家。|世界上最了解我的还是我的爱人。|我还不认识你爱人呢,什么时候给我介绍一下?|爱人的单位离家很远。|今天,爱人的老同学请客。

【爱惜】 àixī 〔动〕

因重视而不糟蹋(zāotà)、不浪费;疼爱。(cherish; treasure; value)常做谓语。

例句 我们要爱惜公共财物。|这位老艺术家爱惜名誉远远胜过金钱。|女儿对朋友送的小狗崽(zǎi)特别爱惜。|不爱惜身体怎么能行呢?

辨析 〈近〉爱护。“爱惜”重在“惜”,也指“疼爱、舍不得”,对象多是容易消耗的事物及人。“爱护”重在“护”,指保护,使不受害,对象多是易受到伤害的人、生物及其他事物。如:*我们要爱护时间。(“爱护”应为“爱惜”)

【爱心】 àixīn 〔名〕

关怀、爱护人们的思想感情。(love; sympathy; compassion)常做主语、宾语、定语。[量]份。

例句 大家的爱心让玛丽很感动。|母亲的爱心给了我巨大力量。|那些老人对下一代充满了爱心。|帮

助残疾人，每个人都要献出一份爱心。|爱心的力量使我战胜了疾病。|善良是她爱心的来源。

【碍】 ài 〔动〕
使事物不能顺利进行。(hinder)常用于构词或用于固定短语，也做谓语。
词语 妨碍 阻碍 碍手碍脚
例句 把地下的东西收拾一下，省得碍事。|我们站在这儿，怪碍眼的。|即使他不参加，也无碍大局。

【碍事】 ài shì 〔动短〕
❶ 不便做事；造成不方便。(be in one's way or in the way)常做谓语、定语。中间可插入成分。
例句 这桌子放那儿太碍事了。|人多地方小，不但帮不上忙，反倒碍事。|A：我在这儿碍不碍你的事？B：没关系！|他真是个碍事的家伙。
❷ 严重；大有关系。(matter; be of consequence)常做谓语，多用于否定式。中间可插入成分。
例句 这点儿毛病不碍事。|擦破点儿皮，不碍什么事。

【安】 ān 〔动/形〕
〔动〕❶ 使(心情等)平静。(calm; set at ease)常做谓语。
例句 你先喝杯水，安安神。|A：我们一起去看电影吧，作业就别做了！B：这么做，我的心不安哪！|A：马克学习怎么样？B：他呀，干什么都安不下心来。
❷ 处置；装上；存着(多指不好的念头)。(install; settle down; harbor)常做谓语。
例句 他们在北京安了家。|我家已经安上网络电话了。|大家开玩笑，给他安了个"小气"的绰号。|小心点儿，他没安好心！
〔形〕平静；稳定；没危险。(peaceful; quiet; calm; tranquil)常用于构词或用于固定短语。
词语 平安 安定 安稳 转危为安 心安理得 安于现状

【安定】 āndìng 〔形/动〕
〔形〕(生活、形势等)平静、正常、稳定。(stable; quiet; settled)常做谓语、定语、状语、补语。
例句 玛丽一家现在的生活非常安定。|她的情绪不太安定。|听了医生的话，他才安定下来。|一直忙到现在，总算安定下来了。|战争结束以后，老百姓过上了安定的生活。|人人都应当维护安定的社会局面。|我只想安安定定地过日子。|这个地方的社会秩序显得很安定。|刚才他神经有些紧张，现在变得安定多了。
〔动〕使安然、稳定。(stabilize)常做谓语。
例句 你快去安定安定她的情绪。|水灾刚刚过去，政府的首要任务是维护秩序，安定人心。

【安家】 ān jiā 〔动短〕
安置家庭，也指结婚组成家庭。(settle down; get married)常做谓语、定语。中间可插入成分。
例句 A：毕业后，你们去这座城市安家吗？B：还没决定呢。|李先生都四十岁了，还没安个家。|一群水鸟在河边安家了。|回国以后，我还没选好安家的城市。|安家的费用已经足够了。

【安静】 ānjìng 〔名〕
没有声音，不吵闹。(quiet; still)常做谓语、定语、补语、状语、主语、宾语。
例句 教室里不太安静，我们出去学

吧。|这里安静得出奇。|A:你们宿舍安静吗?B:别提了,一点儿也不安静!|图书馆是校园里最安静的地方。|安静的考场里连掉一根针都听得见。|客人一走,屋子里变得十分安静了。|孩子睡着了,房间显得格外安静。|同学们安安静静地坐在教室里等着老师。|病人正安静地躺在床上看书。|绝对的安静是没有的。|请保持安静。

【安乐死】 ānlèsǐ 〔名〕

让不能治好的病人没有痛苦地死去。(euthanasia)常做主语、宾语、定语。

例句 安乐死其实很早就有了。|安乐死引起过很大的争议。|目前只有极个别国家可以实行安乐死。|这位病人愿意接受安乐死。|A:你说中国会实行安乐死吗?B:可能很难。|荷兰最先通过了安乐死法律。|安乐死的方法有两种,一是主动,二是被动。

【安宁】 ānníng 〔形〕

秩序正常;(心情)安定;宁静。(peaceful;free from worry)常做谓语、定语、补语。

例句 现在,这个国家的边境地区都很安宁。|那时,我们这一带不太安宁。|我们需要一个安宁的学习和生活环境。|我真想马上退休,过几天安宁的日子。|夜里十分吵闹,大家都睡得很不安宁。|只几个人就把这里弄得不安宁。

【安排】 ānpái 〔动/名〕

〔动〕有条理,分先后地处理(事物);安置(人员)。(arrange;fix up)常做谓语。

例句 街道办事处为他安排了工作。|A:明天的活动你都安排好了吗?B:没问题,放心吧!|秘书处把活动日程安排得有条不紊(wěn)。|她还很小的时候,父母就安排好了她的婚事。|学校安排刘老师上数学课。

〔名〕根据情况有计划地对人或事物所做的安置、处理。(arrangement)常做主语、宾语、定语。[量]个,种。

例句 整个安排非常周到。|这种安排对他很合适。|这是特别的安排,必须服从。|到了你这儿,一切听你的安排。|安排的日程怎么样?

【安全】 ānquán 〔形/名〕

〔形〕没有危险,不出事故。(safe;secure)常做谓语、定语、状语、补语。

例句 这里安全得很。|A:这里安全吗?B:没问题!|虽说是核电站,但很安全。|我们已经采取了必要的安全措施。|警察把孩子们送到了安全的地带。|和他在一起,我很有安全感。|(工地、工厂标语)高高兴兴上班,安安全全回家。|探险队安全地通过了冰雪地带。|整个工程进行得很顺利、很安全。

〔名〕有保障,没危险,不受威胁,不出事故。(safety)常做主语、宾语、定语。

例句 旅行的时候安全第一。|安全是顺利生产的基础保障。|A:请大家注意安全。B:放心吧!|他一个人上去后,大家都很担心他的安全。|专家们围绕安全问题展开了讨论。

辨析 〈近〉平安。"安全"重在没有危险,使用范围较广,如人、国家、交通、生产、财产等;"平安"重在顺利、没有意外,多用于人。如:* 要做到平安生产。("平安"应为"安全")|* 祝一路安全!("安全"应为"平安")

A

【安然无恙】 ānrán wú yàng 〔成〕
很平安,没有什么病或事故。(safe and sound)常做谓语、状语。
例句 虽然是七级大地震,住在这栋楼房里的人却奇迹般地安然无恙。|看到亲人都安然无恙地返回了,大家心里的石头才落了地。

【安慰】 ānwèi 〔动/名〕
〔动〕使人心情安静、舒适。(comfort;console)常做谓语。
例句 你朋友心情不好,快去安慰安慰他。|我安慰了半天,孩子才不哭了。|别光安慰别人,自己也得注意身体呀。
〔名〕心情安适。(comfort)常做宾语。
例句 虽然老伴早就离开她了,可孩子们都已长大,这对她也是一个安慰。|同学们的热情帮助给了我很大的安慰。|失业的人不仅需要安慰,更需要实实在在的帮助。

【安稳】 ānwěn 〔形〕
稳当,平稳,没有变化或波动;(举止)沉静,稳重。(smooth and steady;calm and poised)常做谓语、定语、状语、补语。
例句 孩子刚才还哭闹,现在安稳多了。|今天风浪不大,船很安稳。|他辞去了机关安稳的工作来这里经商。|车子安稳地开上了山。|能安安稳稳地过日子就算不错了。|昨天夜里我睡得很安稳。|A:你们在一起,为什么他没事儿?B:当时他比我坐得安稳。

【安详】 ānxiáng 〔形〕
表情平静,动作从容。(composed;sedate;serene)常做谓语、定语、状语、补语及宾语、主语。
例句 老人的表情很安详。|夏医生言谈稳重,举止安详。|看见他安详的样子,我心里也镇静了许多。|从她安详的脸上能看出她的善良。|两位领导人安详地坐在沙发上交谈着。|他不知什么时候变得这么安详。|老人笑了,笑得安详又可亲。|老师也很兴奋,可还保持着安详。|总经理的镇静和安详给谈判对手留下了深刻的印象。

【安心】 ān xīn 〔动短〕
心情安定。(feel at ease;keep one's mind on sth.)常做谓语、状语。中间可插入成分。
例句 把什么都安排好了,王秘书才安心地离开了办公室。|经过大家劝说,她终于安下心来了。|三十多了还没对象,他工作、学习都安不下心。|你要安安心心地学习。

【安置】 ānzhì 〔动〕
使人或事物有着落。(arrange for the placement of;find a place,position,job,etc. for;help settle down)常做谓语、定语、宾语。
例句 A:这些失业工人安置得怎么样?B:有的不好安置。|院子里安置着几张桌子和一些藤椅。|让我来安置这些行李吧。|请各单位做好病人的安置工作。|受灾群众都得到了妥善的安置。
辨析 〈近〉安排。“安置”多用于使人的工作、生活等有适当的位置;“安排”着重反映按先后主次有条理地处置人和事。如:* 安置客人的活动日程。(“安置”应为“安排”)

【安装】 ānzhuāng 〔动〕
按照一定的方法、规格把机械或器材(多指成套的)固定在一定的地方。(install; fix; erect; mount)常做谓语、定语、主语。

例句 我家里也安装了空调。|A:网络设备已经安装好了。B:是吗?我们可以上网了?|A:刚安装的音响质量怎么样?B:还没试呢。|机器运行不好,可能是安装有问题。

【岸】 àn 〔名〕

江、河、湖、海等水边的陆地。(bank; coast; shore)常做宾语、定语。

词语 岸边 河岸 海岸

例句 没等船靠岸,几个人就跳上岸来。|一些游客沿着海岸寻找美丽的小石子。|春天到了,河两岸的柳树也绿了。

【按】 àn 〔介/动〕

〔介〕以某事为根据照着去做。(according to)构成介宾短语做状语。

例句 我们一定要按计划完成任务。|只有按时吃药,病才能好得快。|A:我不能按你说的办。B:为什么?|买东西得按质论价。

〔动〕用手指头压;压住。(press)常做谓语。

例句 A:不知道屋里有没有人。B:先按按电铃,不行再敲门。|他用手按了按,说这张桌子还不错。|把球按住,别让它浮出水面。

【按部就班】 àn bù jiù bān 〔成〕

按照一定的条理,遵循一定的顺序做事。(follow the prescribed order)常做谓语、定语、状语。

例句 这种事必须按部就班,不然就乱了套。|他是一个按部就班的人。|A:你就按部就班地去干吧!B:好的。|马师傅按部就班地工作了一天,填好记录后才回家。

【按劳分配】 àn láo fēnpèi 〔动短〕

按照各人提供的劳动的数量和质量进行个人分配。(distribution according to work)常做主语、宾语、定语。

例句 按劳分配能调动积极性。|A:老师,社会主义有什么特点?B:社会主义实行的是按劳分配。|教授给学生解释了按劳分配的原则。|我们公司主要实行按劳分配制度,但也有按股份分配的情况。

【按期】 ànqī 〔副〕

按照规定的期限。(on schedule; on time)做状语。

例句 他们按期完成了任务。|A:你们能按期交货吗?B:我们保证按期交货。|玛丽按期赶回了公司。

【按时】 ànshí 〔副〕

按规定的时间。(on time)常做状语。

例句 这座楼按时竣工了。|A:火车能不能按时到达?B:不好说。|学生公寓规定学生晚上要按时回来。|学生应该按时完成作业。

辨析 〈近〉按期。"按时"强调具体、规定的时间;"按期"强调较长的期限。"按时"常用于口语,"按期"常用于书面语。

【按照】 ànzhào 〔介〕

根据,依照。(according to)常构成介宾短语做状语。

例句 我们应该按照实际情况做决定。|大家要按照预定的地点集合。|A:请按照票上的号码坐!B:好的。|我按照地图找到了他家。

辨析 〈近〉按。"按照"后面的宾语不能是单音节词;"按"后面的宾语可以是单音节词。如:按照期限完成。|玛丽按图找到了他的家。

【案】 àn 〔名〕

A

❶ 违反法纪的事件。(case)常做主语、宾语。[量]件,起。

例句 那起杀人案终于水落石出了。|现在离婚案比以前多了。|A:为了办案我已经好几天没回家了。B:真辛苦。|公安机关正在抓紧破案。

❷ 文件材料;记录。(record)常做宾语。

例句 这件事请你备一份案。|机关的每项工作都要做到有案可查。|专家们的发言已经记录在案。

【案件】 ànjiàn 〔名〕

有关诉讼(sùsòng)和违法的事件。(case)常做主语、宾语、定语。[量]个,起,桩。

例句 那起案件还没有结果。|现在刑事案件有增多的趋势。|法官正在依法审理这个案件。|如果不做好防范工作还会发生同类案件。|这起案件的发生不是偶然的。|这桩重大贪污案件的性质极其恶劣。

【案情】 ànqíng 〔名〕

有关案件的详细情况。(case; details of a case)常做主语、宾语、定语。

例句 这个案子案情比较复杂。|有关案情还没调查清楚。|了解案情是侦破工作的首要任务。|下午开会再分析一下案情吧。|案情的调查比较顺利。|那个案情的复杂性是始料不及的。

【暗】 àn 〔形〕

不亮;不公开的,秘密的。(dim; dark; secret)常做谓语、定语、状语。

例句 A:这个房间太暗,能换一间吗? B:对不起,没有了。|天色渐渐暗了下来。|俗话说:明枪易躲,暗箭难防。|这里地下有暗河。|这是一间暗室,用来冲洗照片。|通过暗访,才弄清了事情的真相。|我暗想,要是迟到可就糟了。

【暗暗】 àn'àn 〔副〕

在暗中或私下里,不显露出来。(secretly; to oneself)做状语。

例句 他心里暗暗地想:"老李到底是专家,就是有两下子。"|我暗暗下了决心:"一定要考上名牌大学。"|小刚瞒(mán)着父母暗暗地做好了长途旅行的准备。

【暗淡】 àndàn 〔形〕

光线昏暗,没有光彩;也比喻不景气,没有希望。(dim; dismal; faint)常做谓语、定语、补语。

例句 窗外的光线渐渐暗淡下来。|这块布料颜色比较暗淡。|这里各种条件比较差,前景暗淡。|从她那暗淡的眼神里可以看出她确实太累了。|没考上大学,前途似乎一下变得暗淡了。

【暗杀】 ànshā 〔动〕

乘人没准备,进行杀害。(assassinate)常做谓语、定语、宾语。

例句 有人想暗杀他。|前天发生了暗杀事件。|没想到被暗杀的人是他。|那个警察严格执法,差点儿遭到暗杀。

【暗示】 ànshì 〔动〕

用含蓄、间接的方法给人启示,使人领会。(drop a hint; hint; suggest)常做谓语、定语、宾语、主语。

例句 她的眼神已经暗示了她是不会放弃的。|我把我的意思暗示给他,他同意了。|小张暗示我不要勉强小李。|他的话里有暗示的成分。|我注意到了对方暗示的目光。|我不懂他的暗示。|有时只用暗示还不行。|老张的暗示起了作用。

辨析 〈近〉表示。“暗示”着重指不明白、不直接地表达；“表示”则指明白、直接地表达出来。“暗示”的主体一般是人，是叫别人领会一种意思。“表示”的主体可以是人，也可以是物。如：* 海上浮标发出一闪一闪的光，暗示那儿有礁石。（“暗示”应为“表示”）| * 她用手势表示丈夫。（“表示”应为“暗示”）

【暗中】 ànzhōng 〔名〕

黑暗之中；背地里，不公开的。(in the dark; in secret; secretly)常做状语、宾语。

例句 经理曾经暗中调查过这事。| A：你别暗中说坏话！B：我没有！| 奶奶暗中给过我许多零花钱。| 他在暗中摸了半天，才找到钥匙。

【暗自】 ànzì 〔副〕

私下里，暗地里。(inwardly; to oneself)做状语。

例句 小李暗自打算去旅游。| 看到孩子这种情况，父亲暗自高兴。| 女儿暗自准备出国留学。

辨析 〈近〉私自。“暗自”主要是暗地里，而“私自”指背着组织或别人（做违法或违反规定的事）。如：* 这么大的事怎么能暗自决定呢？（“暗自”应为“私自”）

【昂】 áng 〔动〕

仰着（头）。[hold (one's head) high]常做谓语。

例句 士兵们都昂首挺胸等待检阅。| 他昂起头，注视着星空。| 照片上的我昂着头，神气得很。

【昂贵】 ángguì 〔形〕

价格很高。(expensive; costly)常做谓语、定语。

例句 这所房子的造价非常昂贵。| 现在的市场上，宝石的价格很昂贵。| 这件衣服是用昂贵的布料做成的。| 为了完成这项实验，我们付出了昂贵的代价。

【昂扬】 ángyáng 〔形〕

形容情绪高涨；（声音）高昂。(high-spirited)常做谓语、定语。

例句 部队士气昂扬。| 那笛声，有时低沉，有时昂扬。| 这些年轻人充满着昂扬的朝气。

【凹】 āo 〔形〕

中间比周围低。(concave; hollow; sunken; dented)常做谓语、定语。

例句 这块小桌板有点儿凹。| 大雨后，填平的路面一下子凹进去了许多。| 这面是凹面。

【熬】 áo 〔动〕

❶ 煮。(stew)常做谓语。

例句 他正在为妻子熬药。| 妈妈专门为我熬了小米粥(zhōu)。| 光顾着看电视，锅里的水都熬干了。

❷ 忍受（疼痛或艰苦的生活）。(bear; stand)常做谓语。

例句 这里的夏天又热又潮，实在难熬。| 他熬了几年，病最后还是没治好。| 最近特别忙，天天熬夜。| 这日子，什么时候能熬出头呢？

【奥秘】 àomì 〔名〕

高深而神秘的内容或道理。(profound mystery)常做主语、宾语。

例句 自然界的许多奥秘，正等待着我们去揭示。| 宇宙里奥秘无穷。| 科学家正在探测火星的奥秘。| 医学家们至今还没有解开人体的全部奥秘。| 靠现代技术，人们发现了海底世界的奥秘。

B

B

【八】 bā 〔数〕

数目。(eight)常做主语、宾语、定语。

例句 我看这事八九不离十。|“八”真能表示“发(财)”吗?|七加一得八。|八的大写是“捌”。

【八仙过海,各显神通】 bā xiān guò hǎi,gè xiǎn shéntōng 〔成〕

比喻各人有各人的本领或办法。(like the Eight Immortals crossing the sea,each one showing his or her special prowess)常做谓语或小句。

例句 晚会上,同学们“八仙过海,各显神通”,节目一个比一个精彩。|八仙过海,各显神通。一个月后,一个股份制的小超市就办起来了。

▶也可单说“八仙过海”。

【巴结】 bājie 〔动〕

极力讨好、依附有权有钱的人。(fawn on; curry favour with; make up to)常做谓语。

例句 我从来不巴结人。|有的人工作不努力,专门巴结领导。|看人家出名了,她就想巴结人家。

【扒】 bā 〔动〕

❶ 抓着可以依附的物体。(hold on to;cling to)常做谓语。

例句 消防队员扒着梯子,飞快地爬了上去。|小时候我经常扒墙头摘邻居家院子里的苹果。|他曾经扒过一次火车。

❷ 刨;挖;拆。(dig up; rake; pull down)常做谓语。

例句 富起来的农民扒了旧房盖新房。|这墙没有工具扒不动。|一群孩子在海滩上扒沙子玩。

❸ 拨动。(push aside)常做谓语。

例句 几个孩子扒开草丛找蛐蛐。|扒开杂草,露出了一个洞口。|他在荷塘里扒了半天,连一只青蛙也没看见。

❹ 脱掉;剥下。(strip off;take off)常做谓语。

例句 猎人扒下了鹿皮。|他把棉袄一扒就开始干活。|把衣服扒下来好好洗一洗。

【芭蕾舞】 bāléiwǔ 〔名〕

一种源于意大利的舞剧。跳舞时女演员常用脚尖着地。(ballet)常做主语、宾语、定语。[量]场。

例句 芭蕾舞起源于欧洲。|昨天我们去看了一场芭蕾舞——《天鹅湖》。|他女朋友是跳芭蕾舞的。|当一名芭蕾舞演员要付出许多艰辛的劳动。

【疤】 bā 〔名〕

伤口等长好后留下的痕迹。(scar)[量]个;块。常做主语、宾语。

例句 我手上的这块疤是小时候留下的。|伤好了,没留下疤。|这树上有一个碗口大的疤。

【捌】 bā 〔数〕

“八”的大写,用于正式的场合。(eight)常做主语、宾语、定语。

例句 捌是八的大写。|发票金额的“八”一定要写“捌”。|“捌”字一般用于存折、发票等。

【拔】 bá 〔动〕

❶ 把在物体里的东西向外拉出;抽出。(pull out;pull up)常做谓语。

例句 有位园丁正在花园里拔草。|

钉子拔了半天才拔出来。|昨天，我拔了一颗牙，疼死了。

❷ 高出；超出。（stand out among; surpass）常做谓语。

例句 这个年轻的博士是我们研究所的拔尖人才。|近些年城市建设发展很快，许多高楼拔地而起。

❸ 攻取。（capture; seize）常做谓语。

例句 我们拔下了敌人占领的古镇。|一定要把这个据点拔掉。

❹ 吸出（毒气等）。（suck out; draw）常做谓语。

例句 我的肩膀受风后疼得不得了，拔了个罐子，好多了。|贴上膏药，拔拔火气。|背上拔着两个火罐。

【拔苗助长】 bá miáo zhù zhǎng 〔成〕

把苗拔起，帮助它生长。比喻不顾事物的发展规律，急于求成，反而坏事。（try to help the shoots grow by pulling them upward — spoil things by a desire for quick success）常做谓语、定语、宾语。

例句 我们做任何事都要遵循客观规律，不能拔苗助长，否则只会失败。|想用拔苗助长的办法提高学习成绩是不行的。|那么小的孩子，就让她学跳舞、学画画儿、学钢琴，这不是“拔苗助长”吗？

▶古时有个人看到禾苗长得慢，就把禾苗往上拔起一点儿，要帮助它们生长，结果禾苗全枯死了。这就是“拔苗助长”的由来。

【把】 bǎ 〔动/量/介〕

〔动〕❶ 用手握住。（hold; grasp）常做谓语。

例句 你替我把一会儿舵。|手都把酸了。|路况不好，千万要把住方向盘。

❷ 把守；看守。（guard）常做谓语。

例句 放心吧，两只狗把门，万无一失。|仓库被保安把得紧紧的。|把住入口，没票的不准进。

❸ 掌握；控制。（control; monopolise; dominate）常做谓语。

例句 （妈妈对女儿说）找对象我得替你把把关。|当领导也别把着一切不放手。|在家里我老婆把财权。

〔量〕表示某些事物或动作的量。（*for sth. with a handle*; handful of）常构成短语做句子成分。

例句 我每天吃一大把花生米。|一把把扇子图案尺寸各不相同，好看极了。|劳驾，拿把椅子来。|这把剪刀多少钱？|下雨了，带把伞吧。

〔介〕❶ 表示对人或事物的处置。（*used to shift the object before the verb*）构成介宾词组做状语。

例句 请把门关上。|我想把衣服洗洗。|把伞带上，以防下雨。

❷ 表示致使。（*indicating the result*）构成介宾词组做状语。

例句 这两天快把人忙死了。|这事把爸爸乐坏了。|好不容易爬到山顶，把大伙儿累得直喘气。

❸ 表示不如意。（*expressing an unsatisfactory state of affairs*）构成介宾词组做状语。

例句 关键时刻，偏偏把老张病了。|怎么偏偏把这事忘了！|没留神，把个气球飞了。

▶“把”后是跟动作有关的对象。全句表示造成的结果、状态、影响等。“把”后的人或事物是确定的，动词必须有附加成分（补语“了”等），或重叠动词。如：* 把衣服洗。（可以说“把衣服洗了”）

B

【把柄】 bǎbǐng 〔名〕

❶ 器物上的便于用手拿的部分。(handle)常做主语、宾语。[量]个。

例句 这个杯子的把柄掉了。|拿住把柄，别烫着你。|给这个锅配个把柄吧。

❷ 比喻可以被人利用来进行攻击的错误等。(a mistake that can be used against oneself)常做主语、宾语。

例句 大概你的什么把柄让他抓住了。|千万别让人抓住把柄。|我光明正大，能有什么把柄？

【把关】 bǎ guān 〔动短〕

❶ 把守关口。(guard a pass)常做谓语。

例句 每个路口都有交通警察把关。|公安局局长命令通知各路口，严格把关，缉拿凶犯。

❷ 按标准检查，防止出错。(check on)常做谓语，中间可插入词语。

例句 质检部门认真工作，严把质量关。|这篇文章请您好好把把关。

【把手】 bǎshǒu 〔名〕

器物上手拿的地方。(handle; grip for the hand; place to hold by)常做主语、宾语、定语。[量]个。

例句 把手在侧面呢。|他紧紧抓住车把手才站稳。|谁弄坏了这个把手？|这种把手的质量最好。

【把握】 bǎwò 〔动/名〕

〔动〕❶ 抓住（抽象的东西）。(grasp; hold)常做谓语。

例句 你一定要把握机会。|写文章要把握主题。|作为一市之长，应该把握全局。

❷ 握；拿。(hold; grasp)常做谓语。

例句 大雨中，他盯着前方，牢牢地把握着方向盘。

〔名〕成功的根据或信心。(confidence; certainty)常做主语、宾语。

例句 这场比赛，获胜的把握很大。|干这事，他有绝对的把握。|我并没有成功的把握。

【把戏】 bǎxì 〔名〕

❶ 变戏法或杂耍的技术或表演。(acrobatics; jugglery)常做主语、宾语。

例句 他玩扑克的把戏确实高。|老艺人的把戏真叫绝！|父子俩走四方耍把戏。

❷ 花招，计谋。(trick; swindle; deceit)常做主语、宾语。[量]个，种。

例句 这种把戏也太笨了吧！|你这是耍的什么把戏？|他玩什么把戏，谁不知道?!

【坝】 bà 〔名〕

拦水、防水的建筑物。(dam; barrier blocking the flow of water)常做主语、宾语、定语。[量]道，条，座。

例句 那座大坝非常牢固。|这儿还得修一道坝才行。|为了安全，坝的高度还得增加。

【爸】 bà 〔名〕

意义见“爸爸”。(father; dad; pa)常做主语、宾语，也用于称呼。

例句 我爸五十多了，但身体很好。|我老爸每天很晚才下班。|我家有爸、妈和一个弟弟。|爸，来客人了。

【爸爸】 bàba 〔名〕

有子女的男子是子女的爸爸。(father; dad; pa)常做主语、宾语、定语。

例句 爸爸喜欢文学。|我长得像爸爸。|爸爸的脾气不太好。

【罢】 bà 〔动〕

❶ 停止。(stop;cease)常做谓语。

例句 工人罢工怎么办?|学生已经罢课三天了。|我是不想管,可欲罢不能啊。

❷ 解除;免去。(dismiss)常做谓语。

例句 他的职务被罢掉了。|由于受贿,上级罢了他的官。

❸ 完了;完毕。(end;finish)常做补语。

例句 说罢,她就走了。|吃罢晚饭,我们就出发。|桃花刚开罢,杏花又开了。

❹ 算了。(let it pass;be done with it)常做谓语。

例句 罢,罢,算我认错人了。|你不肯去就罢了。|他客气了一下,也就罢了。

【罢工】 bà gōng 〔动短〕

为迫使雇主答应所提要求而暂时停止工作。(go on strike)常做谓语、主语、宾语、定语。

例句 工人们罢工两天了。|罢工持续了三个星期。|资方答应了罢工工人的要求。|他们停止罢工,开始上班了。

【霸道】 bàdào 〔形〕

蛮横不讲理。(domineering;overbearing;high-handed)常做谓语、定语。

例句 他这样横行霸道,早晚会出事。|你别太霸道了!|咱可不干霸道的事。|你看他那霸道样儿,真不像话!

【霸权】 bàquán 〔名〕

靠实力操纵或控制其他国家的行为。(hegemony;supremacy)常做定语、宾语。

例句 反对霸权主义。|霸权行径必然会遭到各国人民的反对。|当今世界,搞霸权越来越行不通了。

【霸占】 bàzhàn 〔动〕

倚仗权势、暴力占为己有。(forcibly occupy)常做谓语、宾语。

例句 他倚仗权势,霸占公房。|这块地被霸占了一年,刚还回来。|别人的东西他都企图霸占。

【吧】 ba 〔助〕

❶ 表示商量、提议、请求、期待、命令等语气。(indicating a suggestion,a request or a mild command)用在句末。

例句 咱们走吧。|帮帮他吧。|你想想吧。|吃吧,吃吧。|你快去吧!

❷ 表示同意、认可语气。(indicating consent or approval)用在句末。

例句 好吧,我一定去。|就这样执行吧。|好吧,我答应你。

❸ 表示疑问,有猜测之意。(implying doubt or supposition)用在句末。

例句 他不会不知道吧?|小王来过这里吧?|你弄明白了吧?|你是留学生吧?

❹ 表示不敢肯定的语气。(indicating doubt without seeking an answer)用在句末。

例句 他自己总该知道吧。|大概是上个月吧,他来过我这儿。

❺ 表示停顿,带假设语气。(implying a difficult choice)用在句中。

例句 说吧,不好;不说吧,也不好。

B

B

【掰】 bāi 〔动〕
用手把东西分开或折断。(break off or divide with the fingers and thumb)常做谓语。
例句 花儿被我不小心掰断了。|你能把苹果掰开吗?|他把饼掰成了两半。|小孩儿掰着指头数数(shǔ shù)。

【白】 bái 〔形/副〕
〔形〕❶ 像霜或雪一样的颜色。(white)常做谓语、定语、补语。
例句 金教授的头发都白了。|我有三件白衬衫。|墙壁刷得很白。
❷ 清楚;明白。(clear; plain)常做谓语、定语。
例句 这件事终于真相大白了。|我相信事情总会大白于天下的。|我曾受过不白之冤。
❸ 没有什么东西的;空白。(pure; plain; blank)常做定语。
例句 吃药应当用白开水。
❹(字音或字形)错误。(wrongly written or mispronounced)常做定语、补语。
例句 注意别写白字。|学生的作文中有几个白字。|这个字他念白了。
〔副〕❶ 付出努力或代价却没有效果。(in vain; to no purpose)做状语。
例句 让你白跑一趟,真不好意思。|一句也不会说,白学了一年汉语。|一天的辛苦都白费了。
❷ 无代价;无报偿。(free of charge; gratis)做状语。
例句 他们不能白吃白拿。|今天白看了一场戏。|这么便宜,跟白给一样!

【白白】 báibái 〔副〕
付出代价却没有成功或没有结果。(invain; to no purpose; for nothing)做状语。
例句 真气人,白白等了一天。|不要让时间白白过去。|水龙头没关好,白白浪费了好多水。

【白菜】 báicài 〔名〕
一种普通蔬菜。(Chinese cabbage)常做主语、宾语、定语。[量]棵。
例句 以前,白菜是北方冬天的主菜。|妈妈买回来几棵大白菜。|北方人常把白菜腌(yān)成酸菜吃。|白菜的营养比较丰富。

【白酒】 báijiǔ 〔名〕
通常用大米、高粱等制成的一种烈酒。(spirit distilled from fermented sorghum, maize, sweet potato or certain fruits)常做主语、宾语、定语。[量]瓶,杯。
例句 白酒可以去寒。|A:怎么样?来杯白酒吧? B:不,我喝不了白酒。|中国人请客常喝点儿白酒。|白酒的酒精含量很高,不能多喝。

【白日做梦】 báirì zuò mèng 〔成〕
比喻幻想不可能实现。(day dream; indulge in wishful thinking)常做谓语、定语、宾语。
例句 小王白日做梦,以为出国就能挣大钱,结果去了不到两年就两手空空地回来了。|这种白日做梦的计划根本无法实现。|考第一?你这不是白日做梦么?

【白天】 báitiān 〔名〕
日出与日落之间或黎明到黑夜之间的时间。(daytime; day)常做主语、宾语、状语、定语、补语。[量]个。
例句 那里白天很热,晚上就凉快了。|我们忙得忘记了白天、黑夜。

|白天，街上车水马龙。|白天的景区到处都是人。|旅行团在北京住了三个白天、两个晚上。

【百】 bǎi 〔数〕

❶ 十个十。(hundred)常做定语、状语。

例句 这条大坝能经受住百年一遇的大洪水。|她射箭百发百中。

❷ 比喻多。(many；numerous)常构成短语。

词语 老百姓 千方百计 百里挑一 百家争鸣 百科全书

例句 (登上长城后)早就听说过长城雄伟，真是百闻不如一见哪！

【百倍】 bǎibèi 〔形〕

比喻多。(a hundredfold；a hundred times)常做谓语、定语、补语。

例句 面对未来，我们信心百倍。|人们以百倍的热情迎接远道而来的朋友。|我们以百倍的努力去争取成功。|改革开放以来，人民的生活比过去好了百倍。

【百尺竿头，更进一步】 bǎi chǐ gān tóu，gèng jìn yí bù 〔成〕

比喻学习成绩虽已达到很高的程度，仍要继续努力。(make still further progress)常做谓语。

例句 祝你们百尺竿头，更进一步，取得更大的成绩。|学无止境。无论什么时候都不能满足，而要百尺竿头，更进一步。

【百分比】 bǎifēnbǐ 〔名〕

用百分数表示的两个数的比例关系。(percentage)常做主语、宾语。[量]个。

例句 工业产值所占总产值的百分比是多少？|按照百分比来计算应该是65%。

【百花齐放】 bǎi huā qí fàng 〔成〕

比喻不同形式和风格的各种艺术作品自由发展；形容艺术界的繁荣。(let a hundred flowers blossom——free development of different forms and styles in the arts)常做谓语、定语、主语。

例句 花展上百花齐放。|百花齐放的文艺园地充满生机。|百花齐放才是春。

【百货】 bǎihuò 〔名〕

以日常生活用品及食品等为主的商品的总称。(general merchandise)常做主语、宾语、定语。

例句 商店里的百货种类繁多。|我得购进一些日用百货。|学校旁边新开的百货商店里东西很便宜。

【百家争鸣】 bǎi jiā zhēng míng 〔成〕

科学上的不同学派自由争论。(let a hundred schools of thought contend)常做主语、谓语、定语。

例句 百家争鸣出现于春秋战国时期。|在科学上应该百家争鸣。|“百花齐放，百家争鸣”的局面令人鼓舞。

【百里挑一】 bǎi lǐ tiāo yī 〔成〕

一百个里挑出一个来。形容十分出众。(one in a hundred；cream of the crop)常做宾语、定语。

例句 参加这次演讲比赛的留学生都是百里挑一。|公司负责人都同意录用像他这样百里挑一的年轻人。

【百年不遇】 bǎinián bú yù 〔成〕

一百年也碰不到，形容罕见或很不容易碰到。(not likely to happen in a century)常做定语、谓语、宾语。

B

B

例句 这是百年不遇的洪水。|这种机会百年不遇,一定要抓住。|去年的严重干旱真是百年不遇啊!

【百年大计】 bǎinián dàjì 〔成〕
关系到长远利益的重要计划或措施。(a project of vital and lasting importance)常做主语、宾语。

例句 百年大计,教育是基础。|工程质量是百年大计,丝毫马虎不得。|这件事关系到国家的百年大计。

【百闻不如一见】 bǎi wén bù rú yí jiàn 〔成〕
听到很多次也不如亲眼看见一次。指看到的远比听到的可靠。(it is better to see once than hear a hundred times;seeing for oneself is better than hearing from others)常做谓语、宾语。

例句 我再说也没用,你自己去看看吧,百闻不如一见嘛!|早就听说大连干净,果然名不虚传,真是百闻不如一见。|百闻不如一见啊,我今天才算真正感受了中华武术的魅力。

【百折不挠】 bǎi zhé bù náo 〔成〕
无论受到多少挫折,都不退缩。(keep on fighting in spite of all setbacks;be indomitable)常做谓语、定语、状语。

例句 只要咱们百折不挠,问题就一定能解决。|没有百折不挠的精神,要取得成功是不可能的。|失败了几十次,可他们小组还是百折不挠地继续试验着。

【柏树】 bǎishù 〔名〕
一种常绿乔木,木质坚硬,纹理细密,可供观赏、建筑等。(cypress)常做主语、宾语、定语。[量]棵。

例句 门口的那两棵柏树已经有几百年了。|公园里种着很多柏树。|有的人在过年时把柏树叶挂在门上,表示去旧迎新。

【摆】 bǎi 〔动〕
❶ 安放;排列;列出。(dispose; arrange)常做谓语、定语。

例句 桌上摆着一盆菊花。|碗筷摆好了,准备吃饭吧。|刚摆的展品哪儿去了?

❷ 摇动。(swing;sway)常做谓语。

例句 他摆摆手,说:“算了。”|看!大金鱼的尾巴一摆一摆的。|柳条在微风中摆个不停。

❸ 显示。(show off; display)常做谓语、定语。

例句 有的人就爱摆阔气。|你怎么动不动就摆出一副老资格唬人?|官不大,摆的架子倒不小。

❹ 说;列举。(talk; say; spell out)常做谓语。

例句 摆摆你的有利条件。

【摆动】 bǎidòng 〔动〕
来回摇动;摇摆。(swing; sway)常做谓语、定语。

例句 柳叶随风摆动。|她们和着音乐,摆动了起来。|摆动着的彩旗烘托出节日的气氛。

【摆脱】 bǎituō 〔动〕
脱离不利或不喜欢的情况。(shake off;cast off; break away from)常做谓语、定语。

例句 她怎么也摆脱不掉那个人的纠缠。|年轻人更应该摆脱旧传统。|母亲的去世,使我陷入了无法摆脱的悲哀。

【败】 bài 〔动〕
❶ 在战争或竞争中失利。(be de-

feated;lose)常做谓语、定语、补语、主语。

例句 常言道:兵败如山倒。|败军之将失去了往日的威严。|客队被打得大败。|既然是比赛,胜败都是可能的。

❷ 搞坏(事情)。(destroy;spoil)常做谓语。

例句 这小子成事不足,败事有余。|伤风败俗的事你也干?

❸ 衰落;凋谢。(decay;wither)常做谓语、定语、补语。

例句 花儿都败了。|深秋,到处都是枯枝败叶。|桃花要开败了。

【败坏】 bàihuài 〔动〕

破坏;损害。(ruin;corrupt;undermine)常做谓语。

例句 厂风被这几个人败坏了。|这件事败坏了公司的声誉。|你别背后败坏人。

【拜】 bài 〔动〕

❶ 行礼时,两腿跪地,两手扶地,低头。(do obeisance)常做谓语。

例句 庙里常有人来烧香拜佛。|他给师傅拜了两拜,才转身离去。|婚礼上,他们拜了天地,再拜高堂。

❷ 敬辞,用于人事往来。(used to show respect)常用于构词。

词语 拜托 拜见 拜读

❸ 结成某种关系。(enter into a relationship)常做谓语。

例句 这孩子准备去少林寺拜师学艺。|他们拜我当大哥。

【拜访】 bàifǎng 〔动〕

看望并谈话(敬辞)。(pay a visit;call on)常做谓语。

例句 父亲去拜访老朋友了。|我们拜访过那位作家。|他不是我要拜访的人。

【拜会】 bàihuì 〔动〕

拜访会见(多用于外交上的正式访问)。(pay an official visit;call on)常做主语、谓语、宾语。

例句 中国外长拜会了法国总统。|两国首脑的私人拜会气氛十分友好。|双方没有正式进行拜会。

【拜年】 bài nián 〔动短〕

向人祝贺新年。(pay a New Year call;wish sb. a Happy New Year)常做谓语、定语。

例句 我给姥姥拜年,祝她长寿。|春节时,人们相互拜年。|拜年的时候,父母常常给孩子压岁钱。

【扳】 bān 〔动〕

❶ 使位置固定的东西改变方向或转动。(change the direction of a fixed object;turn)常做谓语。

例句 水龙头坏了,扳不开。|当时,她越着急越扳不动水闸门。|那时,我天天扳着指头数日子。

❷ 扭转。(turn defeat into victory)常做谓语。

例句 他扳回了一盘棋。|我得把本钱扳回来。|客队经过苦战,终于扳回了一局。

【班】 bān 〔名/量〕

〔名〕❶ 进行工作、学习等的组织;军队最小的基层单位。(class;squad)常做主语、宾语、定语。[量]个。

例句 我们班风气好。|我俩不在一个班。|她是哪个班的学生?

❷ 指一天之内工作的一段时间。(shift;duty)常做主语、宾语、定语。[量]个。

B

例句 我们护士三班倒，二十四小时得有人。|今天晚上我值了一夜的班。|妻子每天上班很早。|这个班的医生是谁？

〔量〕❶ 用于人群。(a group of people)常构成短语做句子成分。

例句 一班人马浩浩荡荡出发了。|这班小青年真能干。

❷ 用于定时开行的交通工具。(mechanism which runs at regular intervals)常用于构词。

词语 班车　班机　班轮

例句 这班车太挤了。|末班车刚走。|我们错过了好几班车。|学校每天发班车接送教职工。

【班机】 bānjī 〔名〕

固定航线上按排定的时间飞行的飞机。(airliner; flight)常做主语、宾语、定语。[量]次，架。

例句 去深圳的班机正点起飞。|每天有十次班机从北京到大连。|班机的时间改了。

【班门弄斧】 Bān mén nòng fǔ 〔成〕

在鲁班(中国古代有名的木匠)门前耍弄斧子。比喻在行家面前卖弄本领。(show off one's skill with the axe before Lu Ban, the master carpenter——display one's slight skill before an expert)常做谓语、宾语。

例句 你别在专家面前班门弄斧！|我怎么敢在您面前瞎说呢，那不成了班门弄斧了？

【班长】 bānzhǎng 〔名〕

❶ 在学校里负责一个班级的学生。(monitor)常做主语、宾语、定语。

例句 班长就是为全班同学服务的。|大家选她当班长。|班长的工作做得不错。

❷ 军队中负责一个班的士兵。(squad leader)常做主语、宾语、定语。[量]个。

例句 李班长在各个方面都很出色。|他是我们的老班长。|班长的老家在河北。

【班子】 bānzi 〔名〕

❶ 为执行一定任务而成立的组织。(group organized to accomplish a specific task)常做主语、宾语、定语。[量]个。

例句 领导班子团结才能干好事业。|组建新班子得按"四化"标准。|班子成员应当互相支持。

❷ 剧团。(theatrical troupe)常做主语、宾语、定语。[量]个。

例句 这个戏班子很有名。|老王请来了一个戏班子。|他是这个班子的台柱子。

【般】 bān 〔助〕

一样；相同。(same as)用在名词、代词后，构成短语做定语。

例句 她的歌声迎来了暴风雨般的掌声。|兄弟般的情谊我终生难忘。|他们两个人是这般的相配。

【颁布】 bānbù 〔动〕

公布；发布。(issue; promulgate)常做谓语、定语。

例句 这条法令颁布得十分及时。|《教师法》颁布多少年了？|新颁布的宪法和原来的哪些地方不一样呢？

【颁发】 bānfā 〔动〕

❶ 由权威人士发布(命令、指令、政策、决定等)。(issue; promulgate)常做谓语、定语。

例句 市领导昨天向见义勇为的个

人颁发嘉奖令。|国家颁发了抗洪救灾的决定。|本条例自颁发之日起执行。

❷ 发给；授予。(award)常做谓语。

例句 奥委会官员向冠军获得者颁发金牌。|学校给他颁发了荣誉证书。|总经理向外国客人颁发纪念品。

【斑】 bān 〔名〕

在一种颜色的东西上面带有别的颜色的点儿或条纹。(spot; speck; stripe)常用于构成词语。也做主语、宾语。[量]个，块。

词语 雀斑　斑斑点点　斑白

例句 人老了，身上的斑也越来越多了。|脸上的斑可以用美容术去掉。|这个瓷盘上有个小黑斑，你看出来了吗？

【搬】 bān 〔动〕

❶ 移动位置。(take away; move; remove)常做谓语。

例句 请你帮我搬一下书架。|我们把柜子搬到墙角了。|宿舍门口的垃圾箱全被搬走了。

❷ 迁移。[move(house)]常做谓语。

例句 他刚搬走一个礼拜。|小娟准备搬到朋友那儿去。|我买了新房子，明天搬家。

【搬运】 bānyùn 〔动〕

搬动；运输。(carry; transport)常做谓语、定语。

例句 工人们正在搬运石头。|码头的搬运工作真辛苦。|我以前干过两个月的搬运工。

【板】 bǎn 〔名〕

较硬的片状物。(board; plank; sheet; flat)常做主语、宾语、定语。[量]块。

例句 这块板打算做什么用？|我需要三块硬纸板。|那块板的尺寸不够，换一块吧。

【版】 bǎn 〔名〕

❶ 上面有文字或图形，供印制用的底子。(plate; block)常做主语、宾语。

例句 这本书的版已经排好了。|现在可以电子排版。

❷ 书籍排版一次为一版，报纸的一面叫一版。(edition; one of a series of printings of the same book; page of a newspaper)常做主语、宾语、定语。

例句 头版登着这条消息呢。|这本书已经出第二版了。|晚报第四版的内容很有意思。

【办】 bàn 〔动〕

❶ 处理。(do; handle; manage; tackle; attend to)常做谓语、定语。

例句 这个问题不太好办。|你办什么事去啦？|我相信他会秉公办案的。|出国前要办的手续太多了。

❷ 创立，经营。(set up; operate)常做谓语、定语。

例句 他们办了个养鸡场。|昨天晚上的留学生晚会办得不错。|市长参观了一家新办的合资公司。

❸ 采购，准备。(procure; purchase; prepare)常做谓语。

例句 下月就过年了，快办年货吧。|办了三天货，总算办齐了。|结婚时他办了二十桌酒席。

❹ 惩罚。(punish; bring to justice)常做谓语。

例句 拿了公家这么多钱，当然要办他个贪污罪。|对破坏森林的犯罪

分子必须严办。

【办法】 bànfǎ 〔名〕

处理事情或解决问题的方法。(method; way to handle affairs)常做主语、宾语、定语。[量]个,种。

例句 这个办法真不错。|我会有办法的,你们放心。|快想个办法吧,不然就来不及了。|这个办法的效果不太好。

【办公】 bàn gōng 〔动短〕

处理公事。(handle official business; work)常做谓语、定语。中间可插入词语。

例句 他外出办公了。|对不起,我们正在办公,请下午来电话。|最近常加班,周末还办了一天公。|在办公时间聊天不太合适吧?|明天上午有办公会。

【办公室】 bàngōngshì 〔名〕

处理公务的屋子或部门。(office)常做主语、宾语、定语。[量]个,间。

例句 办公室现在没有人。|厂长办公室通知明天放假。|谁在校长办公室?|经理在办公室开会。|办公室的工作人员正忙着呢。

【办理】 bànlǐ 〔动〕

处理(事务)。(handle; transact)常做谓语、定语。

例句 小张正在办理出国手续。|这件事请你替他办理吧。|你要尽快地把办理的结果向我报告。

【办事】 bàn shì 〔动短〕

做事。(handle affairs; work)常做谓语、定语。中间可插入词语。

例句 你要是办事不公可不行。|一个孩子能办什么事?|小张总是非常热情地为大家办事。|此人很会办事。|改革就是要提高办事效率。|我看她是个办事的人。

【办学】 bàn xué 〔动短〕

经营管理学校。(run a school)常做谓语、定语。中间可插入词语。

例句 现在很多企业家在社会上投资办学。|我校与国外联合办学成效显著。|办学的目的不应该是钱,应该是培养人才。|西部地区至今还有办不起学的贫困村。

【半】 bàn 〔数〕

❶ 二分之一;一半。(half; one half)常构成短语做句子成分。也用于构词。

词语 两半 半价 半生 半休 半圆

例句 屋里连半个人也没有。|儿子走了半个月了。|昨晚吃了一个半馒头。

❷ 在中间。(in the middle; halfway)常用于构成词语。

词语 半路 半夜 半空 半山腰 半途而废

例句 半山腰有座古庙。

❸ 不完全。(partly; about half)常用于构成词语。

词语 半成品 半封建 半文盲 半自动 半信半疑

例句 这些都是半成品。|现在半文盲有多少?

【半边天】 bànbiāntiān 〔名〕

天空的一部分;有时也比喻妇女。(half of the sky; women of the new society)常做主语、宾语、定语。

例句 太阳快落山了,半边天都变成了红色。|妇女能顶半边天。|她们充分发挥了半边天的作用。

【半导体】 bàndǎotǐ 〔名〕
导电性能介于金属和绝缘体之间的物质。也指这种材料制成的收音机。(semiconductor; radio)常做主语、宾语、定语。[量]种,个。
例句 半导体在电子和信息时代是非常重要的材料。|父亲一边散步,一边听着半导体。|半导体收音机很便宜。

【半岛】 bàndǎo 〔名〕
三面临水,一面连接大陆的陆地。(peninsular)常做主语、宾语、定语。[量]个。
例句 辽东半岛是个美丽的地方。|大连在半岛上。|山东半岛的地理优势很突出。

【半截】 bànjié 〔名〕
某事物的一半。[half (a section)]常做定语、宾语。
例句 连半截粉笔都没有了。|才走了半截路就走不动了。|话说了半截怎么不说了?

【半斤八两】 bàn jīn bā liǎng 〔成〕
比喻彼此一样,不相上下。(six of one and half a dozen of the other; not much to choose between the two; tweedledum and tweedledee)常做谓语、宾语。
例句 他俩半斤八两,谁也不比谁强多少。|怎么办都是半斤八两,都解决不了资金问题。
▶ 以前一市斤是十六两,八两也就是半斤。

【半径】 bànjìng 〔名〕
从圆心到圆周或球心到球面的任意一点的线段。(radius)常做主语、宾语、定语。
例句 这个圆的半径是多少?|这道题不知道半径解不了。|你买多大半径的地球仪?

【半拉】 bànlǎ 〔名〕
半个。(half)常做定语、宾语。
例句 这儿有半拉西瓜,你吃了吧。|给你半拉月,够不够?|这香肠只剩半拉了。

【半路】 bànlù 〔名〕
路程的一半或中间。(halfway; midway)常做状语、补语、定语。
例句 想不到他半路出家当和尚了。|别人发言时,不要半路退场。|我们走到半路,遇见了老师。|虽说是半路夫妻,可感情很好。

【半数】 bàn shù 〔名短〕
某个数量的一半。(half the number)常做主语、宾语、定语。
例句 半数都同意了。|赞成票超过了半数,选举有效。|半数的学生没有参加周末舞会。

【半天】 bàntiān 〔名〕
白天的一半,也指相当长的一段时间。(half of the day; a long time)常做主语、定语、补语、状语。[量]个。
例句 最近身体不大好,半天上班,半天休息。|半天工夫,我就办完了全部手续。|昨天作业太多,我写了半天才写完。|他半天没说话,不知为什么。

【半途而废】 bàn tú ér fèi 〔成〕
做事中途停止,不能坚持到底。(give up halfway; leave sth. unfinished)常做谓语、定语。
例句 干什么都别半途而废。|你总是半途而废,所以一事无成。|别做半途而废的人。

B

【半信半疑】 bàn xìn bàn yí 〔成〕
一半相信，一半怀疑。信又不信。(half-convinced, half-doubtful)常做谓语、宾语、状语。
例句 尽管他这样说，我们还是半信半疑。|对房价上涨的说法，他有点儿半信半疑。|年轻人睁大了眼睛，半信半疑地问："真的吗？"
▶"半信半疑"做谓语不能带宾语。如：*半信半疑这件事。(应为"对这件事半信半疑")

【半夜】 bànyè 〔名〕
夜的中间，特指夜里12点。(midnight)常做状语、补语、定语。
例句 半夜下了场大雪。|为了搞科研，他每天都工作到半夜。|半夜的敲门声令人十分紧张。

【半夜三更】 bànyè sāngēng 〔成〕
午夜时，泛指深夜。(in the depth of night; late at night)常做状语、主语、谓语。
例句 为了到山顶看日出，我们半夜三更就从山脚出发了。|半夜三更来了一位客人。|半夜三更的，你要去哪儿？

【半真半假】 bàn zhēn bàn jiǎ 〔成〕
不完全真，也不完全假。(neither all true nor all false)常做谓语、补语、定语、状语。
例句 他的话半真半假，你别太认真。|你说得半真半假的，谁信啊！|她就是那种半真半假的人。|我半真半假地把事情告诉了他。

【扮】 bàn 〔动〕
❶ 化装成某种人物。(play the part of; be dressed up as; disguise oneself as)常做谓语。
例句 原来是女扮男装啊。|谁扮孙悟空？|他扮农民扮得很像。
❷ 装出(一种表情)。[put on (an expression)]常做谓语。
例句 别扮鬼脸啦！|妈妈一到，他就扮成受了委屈的样子。|她尽量扮出了一副高兴的样子。

【扮演】 bànyǎn 〔动〕
装扮成戏中某一角色。(play the role of; act)常做谓语、定语。
例句 这件事中，他扮演了一个不太光彩的角色。|你扮演女主角吧。|她扮演的朱丽叶真美！

【伴】 bàn 〔动/名〕
〔动〕❶ 陪同。(accompany)常做谓语。
例句 我伴你一起去吧。|谁伴妈妈呢？|我不能总伴着孩子啊。
❷ 配合。(accompany)常做谓语。
例句 我给小王伴奏。|由我来伴唱。|姑娘们给歌手伴舞。
〔名〕❶ 伴侣；同伴。(companion; mate; partner in work, travel or life)常做主语、宾语。[量]个。
例句 旅伴游兴正浓。|这狗是我的伴儿。|我自己去，没有伴儿。
❷ 配偶。(spouse; husband or wife)常做主语、宾语。
例句 她老伴儿比她大四岁。|老伴儿对我照顾得无微不至。|你还这么年轻，得有个伴儿啊。
▶常说"伴儿"。

【伴侣】 bànlǚ 〔名〕
同在一起生活或旅行的人。(companion; mate; partner in work, travel or life)常做主语、宾语。[量]个。
例句 一个好伴侣应该是什么样的？

B

|她终于找到了理想的伴侣。|他们结成了终身伴侣。|这次旅行我有两个中国朋友做伴侣。

【伴随】 bànsuí 〔动〕
跟着;随同。(accompany; follow)常做谓语。
例句 伴随着音乐,人们翩翩起舞。|妈妈送我的项链会伴随我一生的。|我愿终身伴随着他。

【伴奏】 bànzòu 〔动〕
歌唱、跳舞或独奏时用器乐配合。(accompany with musical instruments)常做谓语、定语、主语、宾语。
例句 她的二胡独奏由扬琴伴奏。|伴奏的声音太大了。|整个伴奏出色极了。|他们的合唱不带伴奏。

【拌】 bàn 〔动〕
❶ 混合。(mix)常做谓语、定语。
例句 我想再给马拌点儿草料。|我终于学会了拌饺子馅儿。|现拌的凉菜好吃。
❷ 争吵。(quarrel)常做谓语。
例句 她常跟妈妈拌嘴。|我们从不拌嘴。|两口子拌嘴是常事。

【瓣】 bàn 〔名/量〕
〔名〕❶ 瓜果可以分开的小块儿。(segment or section of a seed, fruit or corn)常做主语、宾语。
例句 蒜瓣散开了。|莲子是两瓣。
❷ 花的每一片。(petal)常做主语、定语、宾语。[量]个。
例句 花瓣全被风吹落了。|大瓣的牡丹最好看了。|梅花有五个瓣。
▶ 常说"瓣儿"。
❸ 物体自然地分成或破碎后分成的部分。(fragment; natural or broken part of a whole; piece)常做宾语。
例句 杯子被摔成了几瓣。|盘子裂成了两瓣。
〔量〕用于瓜果分开的小块儿。(*used for petals, leaves or segments of seeds, fruits and corns*)常构成短语做句子成分。
例句 数一数,这个橘子有多少瓣?|天儿热,来两瓣西瓜凉快凉快。

【帮】 bāng 〔动/名〕
〔动〕帮助。(help; assist; aid)常做谓语。
例句 我会帮你的,放心吧。|帮人要帮到底。|这个忙帮得太及时了。
〔名〕❶ 物体的两侧或周围的部分。(side; edge)常做主语、宾语。
例句 鞋帮都破了。|白菜帮真嫩。|她扒着船帮,向我们招手。
❷ 为各种目的而结成的集团。(gang; band; clique)常做主语、宾语、定语。
例句 以前,马帮常在这座山里活动。|拉帮结派可不好。|匪帮的头子被抓住了。

【帮忙】 bāng máng 〔动短〕
帮助别人做事;泛指在别人有困难时给予帮助。(offer help in a minute of need)常做谓语。中间可加入词语。
例句 最好请几个朋友来帮帮忙。|实在对不起,这个忙我可帮不了。|结婚时,大家帮了我不少忙。
辨析 〈近〉帮助。"帮忙"不能带宾语;"帮助"可带宾语,中间不可插入词语。如:* 帮忙他(应为"帮助他")

【帮助】 bāngzhù 〔动〕
替人出力、出主意或给别人以援助。

B

(help; assist; aid)常做谓语、主语、宾语。

例句 她多次帮助过我。|你们的帮助太及时了!|感谢你对我的帮助。

【绑】 bǎng 〔动〕

用绳、带等捆扎。(bind or tie with strings, ropes, etc.)常做谓语。

例句 用绳子把箱子绑起来比较保险。|车上的行李没绑好,都散了。

【绑架】 bǎngjià 〔动〕

用强力把人劫走。(kidnap)常做谓语、定语。

例句 听说有个出租车司机被绑架了。|劫机犯绑架了两名乘客做人质。|歹徒的绑架计划破产了。

【榜样】 bǎngyàng 〔名〕

值得学习或效仿的人或事。(example; model for others to follow)常做主语、宾语、定语。[量]个。

例句 我的榜样是比尔·盖茨。|学习雷锋好榜样。|榜样的力量是无穷的。

【棒】 bàng 〔名/形〕

〔名〕棍子。(stick; club; cudgel)常做主语、宾语。[量]根。

例句 (东北谚语)三九四九,棒打不走。|交通民警手拿指挥棒,指挥着来往的车辆。

〔形〕❶ 体力良好。(good; fine; strong)常做谓语、定语、补语。

例句 运动员身体真棒。|这班孩子身体个个都棒。|小田是个棒小伙儿。|老李现在身体也练棒了。

❷ 好;(水平)高。(excellent; good; fine)常做补语、谓语。

例句 他毛笔字写得真棒。|玉米长得棒极了。|这场球踢得真棒。|汽车展览会上的车太棒了!

【棒球】 bàngqiú 〔名〕

一种球类运动,也指它用的球。(baseball)常做主语、宾语、定语。[量]个,场。

例句 这个棒球我用了一年了。|下课以后,咱们去打棒球吧。|棒球比赛真有意思。

【傍晚】 bàngwǎn 〔名〕

临近晚上的时候。(at dusk; at nightfall; towards evening)常做主语、宾语、定语、状语。

例句 今天傍晚有小到中雨。|夏天一到傍晚,街上就热闹了。|傍晚的云霞真美。|每天傍晚他都要出去散步。

【磅】 bàng 〔量〕

英美制重量单位。(pound)常构成短语做句子成分。

例句 一磅牛肉几美元?|用磅秤过一下磅。|称称我有多少磅。

【包】 bāo 〔名/量/动〕

〔名〕❶ 装东西的袋子。(bag; sack)常做主语、宾语、定语。[量]个。

例句 你的包是皮的吗?|我想换个包。|这个包的样式很别致。

❷ 包裹起来的东西。(bundle; package; pack)常做主语、宾语、定语。[量]个。

例句 我的包散了。|他把衣服打成了一个包。|这个包的分量不轻。

❸ 鼓起的疙瘩(gēda)。(protuberance; swelling; lump)常做主语、宾语。[量]个。

例句 腿上的包消了。|不小心脑门儿碰了个包。|地毯上有个包,下边肯定有东西。

〔量〕用于成包的东西。(package;

bundle)常构成短语做句子成分。

例句 老王捐了一包衣物给灾区。|他塞给我一小包东西。|我买了一大包瓜子。

〔动〕❶ 用纸、布或其他薄片把东西裹起来。(wrap in paper, cloth or other thin materials)常做谓语。

例句 妈妈包了几件衣服送给亲戚。|大年三十全家人一起包饺子。|礼物最好包起来再送人。|纸包不住火。(比喻无论怎样掩盖,事情总会被人知道)

❷ 围住。(surround; encircle; envelop)常做谓语。

例句 蓝色的海洋包着无数个小岛。|大火把房子都包住了。|警察兵分两路包过去。

❸ 把整个任务承担下来,负责完成。(undertake the entire task)常做谓语。

例句 每月100元,我包你学会。|电脑培训班包教包会。|他忙着搞科研,家务全由妻子包了。

❹ 约定专用。(hire; charter)常做谓语、定语。

例句 我们包了一辆小面包车。|工会今天为职工包了一场电影。|民航的包机按时起飞了。

【包办】 bāobàn 〔动〕

单独负责办理;独自做主办理。(take care of everything concerning a job; monopolize everything)常做谓语、定语。

例句 父母不应该包办儿女的婚事。|他把这事一手包办了。|婚姻不是能包办的事。

【包袱】 bāofu 〔名〕

❶ 包衣服等东西的包儿。(a bundle wrapped in cloth)常做主语、宾语、定语。[量]个。

例句 这个包袱太大了,搬运不方便。|你怎么背这么大个包袱?|老孙急急忙忙送来一个包袱。|用这块布当包袱皮吧。

❷ 思想负担或精神压力。(load on one's mind; inhibiting concerns)常做主语、宾语。

例句 经过反复劝说,他的思想包袱终于放下了。|只有放下包袱,才能轻装前进。|比赛的时候,心里不要有包袱。

【包干儿】 bāogānr 〔动〕

保证完成一定范围的工作。(be responsible for a task until it is completed)常做谓语、主语、宾语。

例句 这活儿我们包干儿了。|中国农村改革是从土地经营大包干儿开始的。|分片儿包干儿调动了人们的积极性。|厂里实行包干儿后,大大提高了效率。

【包裹】 bāoguǒ 〔名〕

包扎成件的包。(bundle; package; parcel)常做主语、宾语、定语。[量]个,件。

例句 请问,这件包裹装的是什么?|她去邮局取包裹了。|妈妈给我寄了一个包裹来。|这个包裹的重量是三公斤。

【包含】 bāohán 〔动〕

里面含有。(contain; embody; include)常做谓语、定语。

例句 文章虽短,却包含着丰富的内容。|失败中往往包含着成功的因素。|每一场胜利,都包含着队员们的努力。|这几句话包含的道理十分深刻。

B

【包括】 bāokuò 〔动〕
统括在一起；包含。(include; consist of)常做谓语。
例句 这次选出的委员，包括了各个方面的代表。|汉语教学主要包括听、说、读、写四个方面。|我讲的是主要的方面，包括不了问题的全部内容。
辨析 〈近〉包含。"包括"的对象一般比较具体；"包含"的对象多为抽象事物。如：* 他的话包括着深刻的道理。("包括"应为"包含")

【包罗万象】 bāo luó wàn xiàng 〔成〕
形容内容丰富复杂，什么东西都有。(all-embracing; all-inclusive)常做谓语、定语、宾语。
例句《红楼梦》以封建社会为背景，包罗万象，意义深刻。|这就像一本包罗万象的百科全书。|贸易展览会上的展品真可谓包罗万象。

【包围】 bāowéi 〔动〕
四面围住。(surround; encircle)常做谓语、定语。
例句 大水包围了村庄。|他被记者包围住了，怎么也出不去。|傍晚时，他们冲出了敌人的包围圈。

【包装】 bāozhuāng 〔动/名〕
〔动〕❶ 在商品外面用纸包起来或把商品装进纸盒、瓶子等。(package; wrap in paper, paper boxes or bottles)常做谓语。
例句 这种产品必须用纸箱来包装。|一定把这些杯子包装好再发货。
❷ 为引人注意而对人或商品等进行形象的宣传。(publicize)常做谓语。
例句 歌手不包装很难走红。|把我们的设计好好包装一下，再隆重推出。
〔名〕包装商品用的东西。(packaging materials)常做主语、宾语、定语。[量]种，个。
例句 这些包装都不合要求。|这个包装很新颖。|优质的产品，还需要精美的包装。|很多公司特别重视包装的设计。|这批彩色电视机包装的质量很好。

【包子】 bāozi 〔名〕
用面(多为发面)包馅蒸成的食品。(bun stuffed with minced vegetables, meat or sugar inside, wrapped in leavened dough and steamed)常做主语、宾语、定语。[量]个。
例句 天津包子很有名。|肉包子打狗——有去无回。|他最喜欢吃包子，可是不会包。|这包子的味道真香啊!

【剥】 bāo 〔动〕 另读 bō
去掉外面的皮或壳。(shell; peel; skin)常做谓语。
例句 用机器剥花生皮又快又好。|把皮儿剥干净再吃。|让我们剥下这种理论的外衣，看看它的实质是什么。

【雹子】 báozi 〔名〕
空中降下来的冰块。(hail)常做主语、宾语、定语。[量]场，个。
例句 这场雹子下了半个多小时。|下雹子了!|那雹子的个头比鸡蛋还大。

【薄】 báo 〔形〕 另读 bó、bò
❶ 扁平物体上下两面之间的距离小。(thin)常做定语、谓语、补语、状语。
例句 这么薄的玻璃一碰就碎了。|

这本字典又薄又轻，可以随时带在身上。|把木板刨薄点儿。|你薄薄地切两片面包给我就可以了。

❷（感情）冷淡；不深。（lacking in warmth; cold）常做谓语、定语、补语。

例句 我待他的情分不薄，他为什么这样对我？|这点儿薄礼是我的一点儿心意。|有人说现在人情变得薄了。

❸ 土地不肥沃。（poor; infertile）常做定语、谓语、补语。

例句 村东头的 20 亩薄地，打不了多少粮食。|李家承包的 5 亩地很薄。|你只种地，不上肥，地不就越变越薄吗？

❹ 指人穿的衣服少。（thinly clad）常做补语。

例句 要是穿得太薄会感冒的。|这么冷的天穿这么薄，不冷吗？

【饱】 bǎo 〔形〕

❶ 饭量满足。（full）常做谓语、定语、补语。

例句 谢谢，我已经很饱了。|那年月，吃不上几顿饱饭。|吃饱了吗？

❷ 足足地。（fully; to the full）常用在单音节动词前做状语。

例句 饱食终日，无所用心。|饱览大好河山。|他是位饱经风霜的老人。

【饱和】 bǎohé 〔形〕

溶液中所含溶质或空气中所含水分的量达到最大限度；比喻事物达到最大限度。（saturate）常做谓语、定语。

例句 这杯盐水已经饱和了。|普通电视机的社会需求快饱和了。|这是饱和溶液吗？|我们单位的员工已经处于饱和状态了。

【饱满】 bǎomǎn 〔形〕

丰满；充足。（full; plump; plenty）常做谓语、定语、补语。

例句 稻穗颗粒饱满得很。|课堂上，同学们精神饱满，态度认真。|大家以饱满的热情投入了工作。|麦穗长得十分饱满。

【宝】 bǎo 〔名〕

珍贵的东西。（treasure）常做宾语。

例句 这座古城地下到处都是宝。|大熊猫可是国宝啊。|有些人到山里寻宝去了。

▶“宝”也做形容词，指珍贵的。常用于构词。如：宝贝　宝贵　宝石　宝剑　宝库

【宝贝】 bǎobèi 〔名〕

❶ 珍奇的东西。（treasured object; treasure）常做主语、宾语。[量]个。

例句 哦，你这儿宝贝可真多啊！|老李家里藏着不少宝贝。

❷ 对小孩儿的爱称。（baby）常做主语、宾语、定语。

例句 小声点儿，小宝贝睡觉呢。|明天把你的宝贝带来给我们看看！|这就是老刘的宝贝儿子。

❸ 无能或奇怪荒唐的人（含讥讽意）。（good-for-nothing or strange character）常做主语、宾语。[量]个。

例句 你们办公室那个宝贝来了吗？|他可真是个活宝贝。

【宝贵】 bǎoguì 〔形〕

极有价值；非常难得。（valuable; precious）常做定语、谓语、补语。

例句 他们从收购的废品中清理出两件十分宝贵的文物。|助人为乐

是最宝贵的品质。|这些资料非常宝贵。|随着时间的推移,这些东西变得越来越宝贵了。

【宝剑】 bǎojiàn 〔名〕

原指稀有而宝贵的剑,后来泛指一般的剑。(rare,valuable double edged sword)常做宾语、主语、定语。[量]把。

例句 我给你看看我的宝剑。|这把宋代宝剑极有收藏价值。|宝剑锋从磨砺出。

【宝库】 bǎokù 〔名〕

❶ 储存珍贵物品的地方。(treasure-house)常做主语、宾语。[量]个,座。

例句 皇帝的墓地简直是一座宝库。|这个宝库被保护得很好。

❷ 比喻丰富、有价值的资源等。(storehouse)常做主语、宾语。[量]个,座。

例句 知识的宝库是无穷无尽的。|古代文明是一座取之不尽的宝库。|海洋是世界上最丰富的宝库。

【宝石】 bǎoshí 〔名〕

颜色美丽,有光泽,硬而较透明的矿石,可加工成装饰品等。(precious stone;gem)常做主语、宾语、定语。[量]块。

例句 蓝宝石是最名贵的。|我很喜欢这块宝石。|她戴着一枚宝石戒指。

【保】 bǎo 〔动〕

❶ 尽力照顾,使不受害。(protect;defend)常做谓语。也用于构词。

词语 保护 保卫 保安 保藏 保存 保健 保密

例句 保家卫国是每个公民的神圣职责。|别想那么多,还是保保身体吧。|团长带领战士舍命死守,终于保住了阵地。|她的脚趾冻坏了,不知保得住保不住。

❷ 维持(原状)。(maintain;keep;preserve)常做谓语。

例句 这个暖瓶已经不保温了。|经过努力,总算保住了先进集体的光荣称号。|这次比赛他们拼命想要保住冠军。

❸ 担保做到;保证。(guarantee;ensure)常做谓语。

例句 这块地旱涝保收。|我保你一辈子幸福。|这种电冰箱可保三年不出毛病。|产品不能光保产量不保质量。

【保持】 bǎochí 〔动〕

维持(原状),使不消失或减弱。(keep;maintain;preserve)常做谓语。

例句 保持国家的稳定至关重要。|他们一直保持着先进集体的称号。|至今我们还保持联系。|公共场所应保持清洁。|优良的传统一定要保持下去。

▶“保持”的对象多是抽象的。如:

*快想办法把这些货物保持好,不要让雨淋了。(“保持”应为“保存”)

【保存】 bǎocún 〔动〕

使事物、性质、作风、意见等继续存在,不受损失或不发生变化。(preserve;conserve;keep)常做谓语。

例句 老人把保存了多年的珍贵文物捐献给了国家。|故宫博物院保存着很多国宝。|这些证据一定要保存好。|蔬菜放在冰箱里能保存较长时间。

【保管】 bǎoguǎn 〔名/动〕

〔名〕在仓库中做保藏和管理工作的人。(warehouseman; custodian)常做主语、宾语、定语。[量]个,位。

例句 老保管已经干了三十多年了。|老张是粮库的保管。|干保管工作就要铁面无私。

〔动〕❶ 保藏和管理。(take care of; store and manage)常做谓语。

例句 保险柜的钥匙由小王保管着。|这些东西你替我保管保管。|上车后一定把东西保管好。

❷ 完全有把握;担保。(assure)常做谓语。

例句 汉语虽然难学,但只要努力,保管能学好。|爸爸穿上这件羊毛衫保管好看。|按我的主意去办,保管你吃不了亏。

【保护】 bǎohù 〔动〕

尽力照顾,使不受损害。(safeguard; care and protect from harm)常做谓语。

例句 得想办法保护保护这些鱼苗。|国家采取有效措施,保护国宝大熊猫。|警察保护着人民生命和财产的安全。|为了保护好眼睛,看书时间不要太长。

辨析〈近〉保卫。"保护"重在"护",使不受损害,语意较轻;"保卫"重在"卫",多指用武力防卫,使得到安全,语意较重。"保护"的对象一般是人或某些事物,使用范围较广;"保卫"多用于抽象的重大事物,或者是重要人物及众多的人群,使用范围较窄。如: * 保护祖国(应为"保卫祖国")

【保健】 bǎojiàn 〔动〕

保护健康。(health protection; health care)常做定语,也构成词语。

词语 保健品 保健操 保健站

例句 大力发展妇幼保健事业。|我爱人是保健医生。

【保留】 bǎoliú 〔动〕

❶ 保持原来的状态,没有变化。(remain as before; retain)常做谓语。

例句 把小说改编成电影要保留原作的风格。|出国后,他的职位还保留过两年。

❷ 保存;留着。(retain)常做谓语、宾语。

例句 父亲保留着一些五十年代的杂志。|童年时画的画儿,他一直保留到现在。|陈师傅把他多年积累的修车经验全部传授给了我,毫无保留。

❸ 暂时留着不处理,多用于抽象事物。(reserve; hold back)常做谓语、宾语。

例句 对这个决定,我保留意见。|黑板上的字请保留到明天。|不同看法允许保留,不必强求一致。

【保密】 bǎo mì 〔动短〕

保守秘密,不使泄漏出去。(maintain secrecy; keep sth. secret; confidential)常做谓语、定语。中间可插入词语。

例句 这件事已经保不了密了。|他是我朋友,对他保什么密?|请替我保密。|她的嘴快,保密的事可别告诉她。|保密文件不能带回家。

【保姆】 bǎomǔ 〔名〕

受雇为人照管儿童或做家务的人。(nurse; housemaid)常做主语、宾语、定语。[量]个,位。

例句 我家的小保姆有点儿文化,家

B

务也做得好。|保姆应当受到社会的尊重。|要不是身体不好,我才不请保姆呢!|她雇了一个保姆来照看孩子。|小保姆的妈妈病了,她想回去看看。

【保守】 bǎoshǒu 〔动/形〕

〔动〕保持使不失去。(guard; keep)常做谓语。

例句 朋友嘱咐我一定要为他保守秘密。|这个阵地保守不住了。

〔形〕维持原状,不求改进,跟不上形势的发展(多指人的思想)。(conservative)常做定语、谓语、状语、补语。

例句 有保守思想的人,干不出大事业来。|她在艺术上从不保守。|我们保守地计算一下,需要两个月才能完成任务。|你现在怎么变得这么保守?

【保卫】 bǎowèi 〔动〕

保护使不受侵犯。(defend; safeguard)常做谓语、定语。

例句 干部群众共同奋斗了半个多月,终于保卫了城市的安全。|边防战士日夜保卫着祖国。|哥哥在保卫部门工作。

【保温】 bǎowēn 〔动〕

保持温度使热不散出去。(preserve heat)常做谓语、定语。

词语 保温杯 保温瓶

例句 我的暖水瓶不保温了。|这种材料具有保温性能。

【保险】 bǎoxiǎn 〔形/名〕

〔形〕稳妥可靠。(sure; safe)常做定语、谓语、补语。

词语 保险箱 保险丝

例句 最保险的办法是你们两个一起去。|出差的时候多带点儿钱比较保险。|买卖要做得保险一点儿,千万不能赔了本儿。

〔名〕❶ 集中分散的社会资金,补偿因自然灾害、意外事故或人身伤亡而造成的损失的方法。(insurance)常做主语、宾语、定语。[量]种。

例句 社会保险很有必要。|我们学校有90%的人参加了保险。|这种事故不属于保险范围。

❷ 特指某种机械的安全装置。(safty device)常做主语、宾语、定语。

例句 检查一下,是保险坏了还是其他问题。|枪支不用时,不要打开保险,以免走火。|保险装置坏了,怪不得没电了。

【保养】 bǎoyǎng 〔动〕

保护性地调养;修理保持正常状态。(take good care of one's health; keep in good repair)常做谓语。

例句 一个人的身体只有靠自己来保养。|你真会保养,一点儿不像五十岁的人。|这台机器没有专人保养可不行。|你的车保养得不错。

【保障】 bǎozhàng 〔动/名〕

〔动〕保护,使不受损害或侵犯。(ensure; guarantee; safeguard)常做谓语。

例句 发展经济,保障供给。|这些优越条件可以保障工作顺利进行。|法律应当保障公民的权利不受侵犯。

〔名〕起保障作用的事物。(guarantee)常做宾语、主语、定语。

例句 军队是国家安全的保障。|目前,灾区人民口粮已经有了保障。|工厂破产后,工人的生活保障成了

问题。|改革越深，社会保障的问题就越突出。

【保证】 bǎozhèng 〔动/名〕

〔动〕❶ 担保；担保做到。(guarantee；assure；ensure)常做谓语。

例句 儿童要保证足够的睡眠。|他当着大家的面保证过不再抽烟。|你穿上这条裙子保证好看。|三天完成五天的任务，我可保证不了。|他保证了半天，还是来晚了。

❷ 确保达到某一标准。(guarantee)常做谓语。

例句 这批服装既要保证数量，又要保证质量。|孩子正在长身体，睡眠时间一定要保证。

〔名〕作为担保的事物。(guarantee)常做宾语、定语。[量]个。

例句 只有严格把关，产品质量才有保证。|你需要做个保证才行。|我的保证书写好了。

【保重】 bǎozhòng 〔动〕

希望别人注意身体健康。[(used to express concern about sb.'s health) take care of oneself]常做谓语。

例句 希望你保重身体。|一人在外，多保重吧。|请多多保重。

▶不能带补语。如：* 爷爷的身体保重得很好。

【堡垒】 bǎolěi 〔名〕

在军事上做防守用的坚固的建筑物，比喻难于攻破的事物等。(fort；fortress；stronghold；blockhouse)常做宾语、主语、定语。[量]个，座。

例句 山顶有一个清代的堡垒。|科学上没有攻不破的堡垒。|敌人最后一个堡垒也很快给我们拿下了。|这个堡垒附近，还有一个古城遗址。

【报】 bào 〔名/动〕

〔名〕传达新闻或消息的文字或信号。(newspaper)常做主语、宾语、定语。

例句 今天的报还没送来吗？|今年我订了两份报。|近年来，许多报的发行量大增。

〔动〕❶ 告诉；传达。(report；announce；declare)常做谓语。

例句 我报了名了，你呢？|由于工作努力，大家一致同意把他报为先进教师。|哎呀，数字报乱了。

❷ 报答；报复。(recompense；requite；revenge)常做谓语、宾语。

例句 滴水之恩，当涌泉相报。|我真替你报不平。|善有善报，恶有恶报。

【报仇】 bào chóu 〔动短〕

采取行动，打击仇敌。(revenge；avenge)常做谓语、定语。中间可插入词语。

例句 他急于为父亲报仇，结果犯了法。|君子报仇，十年不晚。|不要老想着报个人的仇。|对手一直在寻找报仇的机会。

【报酬】 bàochou 〔名〕

由于使用了别人的劳动或东西而付给的钱或实物。(reward；remuneration)常做宾语、定语、主语。

例句 年前，我拿到了一年劳动的报酬。|这些志愿者不要任何报酬。|作为报酬，公司给了他三室一厅。|报酬的数额他不在乎。|这儿的报酬很可观。

【报答】 bàodá 〔动〕

用实际行动来表示感谢。(repay with action；requite)常做谓语、宾语、定语。

B

例句 你应该好好报答报答他。|我当初帮助你,并没想过要什么报答。|面对这么厚重的报答,小王不知道怎么办了。|我只是略微表示一下报答的意思罢了。

【报到】 bào dào 〔动短〕
向有关部门报告自己已经来到。(report for duty; check in; register)常做谓语、定语,中间可插入词语。

例句 新同学已经到学校报到了。|今天只是去学校报个到,还没有开始上课。|报到时间和地点没有变化。

【报道(报导)】 bàodào(bàodǎo)〔动/名〕
〔动〕通过报刊、广播和电视等向公众报告新闻。(report)常做谓语。

例句 这条消息电视报道过一次。|晚报上报道了这次交通事故。|(播音员)新闻报道完了。

〔名〕发表的新闻稿。(news report; story)常做主语、宾语、定语。[量]个,篇。

例句 这篇报道发得非常及时。|他写了篇反映空气污染的报道。|新闻报道的内容必须真实。

【报复】 bàofù 〔动/名〕
〔动〕对批评过自己或损害过自己利益的人进行回击。(make reprisals)常做谓语。

例句 别总想着报复人,宽容一点儿吧。|她常想报复那个使她痛苦一生的人。|我从不报复给自己提意见的人。

〔名〕复仇;回击。(revenge; avengement)常做宾语、定语。

例句 小心对方的报复。|决不能施行非法报复。|别采取报复行动,不然你会后悔的。

【报告】 bàogào 〔名/动〕
〔名〕用口头或书面形式向上级或群众等作的正式陈述。(report; speech; lecture)常做主语、宾语、定语。[量]个。

例句 这个报告太长,得修改一下。|先给局里正式打个报告以便研究。|今天下午全校同学在礼堂听报告。|明天的报告会几点开始?

〔动〕把事情或意见正式告诉上级或群众。(report; make known)常做谓语。

例句 报告你们一个好消息。|你把事情的经过向大家报告报告。|他没向我报告过这一情况。

【报刊】 bàokān 〔名〕
报纸和杂志的总称。(general term for newspaper and periodicals; the press)常做主语、定语、宾语。[量]种。

例句 今年的报刊已经预订完了。|这件事引起很多报刊的评论。|报刊阅读室共有500多种报刊。|她不在,去取报刊了。

【报考】 bàokǎo 〔动〕
报名投考。(enter oneself for an examination)常做谓语、定语。

例句 她已经报考了师范学院。|明年我准备报考美术学院的研究生。|这次HSK报考的人有一千多。

【报名】 bào míng 〔动短〕
把自己的名字报告给主管人或机关、团体等,表示愿意参加某种活动或组织。(give one's name to the person, organization or institute in charge; sign up)常做谓语、定语,中间可插入词语。

例句 我想报名参加百米赛跑。|很多适龄青年积极报名参军。|你先

替我报上名。|报名的人不太多,肯定能报上。

▶"报名"后不能再带宾语。如:* 我报名太极拳学习班。(应为"我报名参加太极拳学习班")

【报社】 bàoshè 〔名〕

编辑、出版报纸的机构。(newspaper office; general office of a newspaper)常做主语、定语、宾语。[量]个,家。

例句 好多报社都自办发行了。|报社记者采访了获奖歌手。|毕业后,他在一家报社当编辑。

【报销】 bàoxiāo 〔动〕

将开支款项或用坏作废的物件向财物部门报告销账。(submit an expense account; apply for reimbursement; report damaged or rejected articles so they can be struck off the list)常做谓语、定语。

例句 这种发票不能报销。|你只能报销往返交通费。|A:房费能报销吗? B:不能。|这么做不符合报销规定。

【报纸】 bàozhǐ 〔名〕

以报道新闻为主的一种散页定期出版物,多为每天出版。(newspaper)常做主语、宾语、定语。[量]张,份。

例句 今天的报纸登了一条重要新闻。|每天看报纸是我的习惯。|请你帮我买一份报纸回来。|你看看今天报纸的第16版。

【抱】 bào 〔动〕

❶ 用手臂围住。(hold; carry in the arms; clasp in the arms)常做谓语。

例句 她抱着孩子上街了。|你帮我抱一下衣服。|老张从商店抱回一台大彩电。

❷ 心中存有;身上带有。(cherish; harbour)常做谓语。

例句 我对未来不抱任何幻想。|父亲抱病在身,还坚持写作。|别对他抱什么希望了。

❸ 得到;领养。[adopt (a child)]常做谓语。

例句 小两口从孤儿院抱了一个孩子。|妈妈从邻居家抱来了一只小猫,但不久就丢了。|这是老王家抱的孩子。

【抱负】 bàofù 〔名〕

远大的志向。(aspiration; ambition; ideal)常做宾语、主语。[量]个。

例句 小刘有理想、有抱负,是个好青年。|我们要树立远大的抱负,将来才能有所作为。|他年纪虽小,但抱负不凡。

【抱歉】 bàoqiàn 〔形〕

心里不安,觉得对不住别人。(sorry; apologetic)常做谓语、状语。

例句 对这件事,我实在抱歉。|你别总抱歉了,不然我也不好意思了。|"我错怪你了。"他抱歉地说。

【抱怨】 bàoyuàn 〔动〕

心中不满,责怪别人。(complain; grumble; grouse)常做谓语。

例句 她老是抱怨别人,很少想自己的不是。|是你自己弄错了,别抱怨别人。|小李抱怨说:"要是早听我的就好了。"

【暴】 bào 〔形〕

突然而猛烈;凶狠;急躁。(sudden and fierce; cruel; savage; violent)常用于构词,也做状语、谓语。

词语 暴病 暴发 暴力 残暴 暴行

例句 过年过节千万不要暴饮暴食。|这孩子像他爸，脾气太暴。

B

【暴动】 bàodòng 〔动/名〕

〔动〕为反抗统治制度、社会秩序而采取的集体武装行动。(raise an insurrection)常做谓语、定语。

例句 这些地方的农民自发组织起来暴动。|工人暴动了。|军队在搜捕暴动群众。

〔名〕起义。(rebellion; uprising; insurrection; class or group's armed resistance against the establishment)常做主语、宾语、定语。[量]次，场。

例句 当时，农民的暴动时有发生。|历史上那次暴动影响很大。|农民们正在酝酿着一场暴动。

【暴风骤雨】 bào fēng zhòu yǔ 〔成〕

来势迅猛的风雨。(violent storm; hurricane; tempest)常做定语、宾语、主语。[量]场。

例句 剧场里暴风骤雨般的掌声经久不息。|这场革命就如同一场暴风骤雨。|暴风骤雨过后，空气格外清新。

【暴力】 bàolì 〔名〕

❶ 强制的力量，泛指侵害他人人身财产的强暴行为。(violence; force)常做定语、宾语、主语。[量]种。

例句 暴力凶杀电影会对青少年产生不良影响。|不得已的时候才使用暴力。|暴力往往达不到目的。|在光天化日之下竟发生了暴力抢劫事件。

❷ 国家的强制力量，如军队、法庭、警察。(force or violence exercised by the state)常做主语、宾语、定语。

例句 暴力完全失效时，调解有可能成功。|军队、警察、法庭是国家的暴力机关。|在特殊情况下，可以使用暴力。

【暴露】 bàolù 〔动〕

(隐蔽的东西)显露出来。(expose; reveal; bring to light; lay bare)常做谓语。

例句 这番话使她的意图暴露无遗。|你的身份还没有暴露。|她的双臂全部都暴露在外面。|千万不要暴露目标。

【暴雨】 bàoyǔ 〔名〕

一般指24小时内降雨量为50～100毫米之间的雨；泛指大而急的雨。(downpour; rainstorm)常做宾语、主语、定语。[量]场，阵。

例句 昨夜下了一场大暴雨。|一场暴雨把街道冲得干干净净。|那场暴雨的降雨量达到了80毫米。

【爆】 bào 〔动〕

猛然破裂或迸出。(explode; burst)常做谓语、补语、定语。

例句 汽车轮胎爆了，得换一个。|大家兴奋得用脚把气球踩爆了。|我是个爆性子。

【爆发】 bàofā 〔动〕

(力量、情绪)突然发作；(事变)突然发生；矛盾尖锐，公开对抗。(erupt; break out)常做谓语、定语。

例句 人群中爆发出了热烈的欢呼声。|历史上爆发过很多次农民起义。|他的腿爆发力不错。

【爆破】 bàopò 〔动〕

用炸药破坏岩石、建筑物等。(blow up; demolish; dynamite; blast)常做谓语、主语、定语、宾语。

B

例句 这个工程的定向爆破圆满完成了。|爆破三点整开始。|他参加了爆破小组。|专家建议对这座旧楼进行定向爆破。

【爆炸】 bàozhà 〔动〕
物体体积急剧增大猛然破裂并发出巨大的声响。(explode; blast; detonate; dynamite)常做谓语、定语、主语。

例句 这个车间的锅炉曾爆炸过一次。|核爆炸的危害实在太大了。|试验结果表明,爆炸成功了。

【爆竹】 bàozhú 〔名〕
用纸把火药卷起来,两头堵死,点着引火线后能爆裂发声的东西,多用于喜庆事。(firecracker; gunpowder rolled into paper blocked at both ends with a fuse that explodes with a loud noise when lit)常做主语、宾语、定语。[量]种,个。

例句 爆竹是中国发明的。|为防止污染环境,许多城市都禁止燃放爆竹。|爆竹的声音太响了,听不见他在说什么。|爆竹声中一岁除。

【杯】 bēi 〔名/量〕
〔名〕盛液体的器具,多为圆柱形;杯状的锦标。(cup)常做主语、宾语、定语。也构成词语。[量]个。

词语 杯弓蛇影 茶杯 杯子 奖杯 捧杯

例句 杯还没洗呢。|快拿几个喝酒的杯来。|杯底垫一下,别烫坏桌子。

〔量〕表示以杯量(liáng)的量。(cup; drink)常构成短语做句子成分。

例句 请给我来一杯水。|我敬您一杯酒。|这杯茶凉了,给您换一杯。

【杯水车薪】 bēi shuǐ chē xīn 〔成〕
用一杯水救一大车着火的柴草,比喻力量太小,无济于事。(trying to put out a burning cartload of faggots with a cup of water — an utterly inadequate measure)常做宾语。

例句 老王瞅瞅刚发的五百元工资,叹道:"杯水车薪啊!"|为了帮助身患绝症的小娟,全校师生共捐款近万元,但相对于十几万元的医药费来说,实在是杯水车薪,解决不了多大的问题。

【杯子】 bēizi 〔名〕
盛饮料或其他液体的器具,多为圆柱状或下部略细,一般容积不大。(cup; glass)常做主语、宾语、定语。[量]只,个。

例句 这只杯子很漂亮。|请给我一个杯子。|杯子盖儿哪去了?

【卑鄙】 bēibǐ 〔形〕
人格低下,行为恶劣。(base; mean; contemptible; despicable)常做谓语、定语。

例句 这些家伙太卑鄙了。|他常干些卑鄙的勾当。|一个卑鄙的人是不会有好下场的。

【背】 bēi 〔动〕 另读 bèi
❶ 指人用背(bèi)驮东西。(carry on the back)常做谓语、定语。

例句 媳妇背着孩子上山去了。|太沉了,我替你背一会儿吧。|你把我背的包放在哪儿了?

❷ 负担。(shoulder; bear)常做谓语。

例句 这个责任我背不起来。|他从来没背过这么重的思想包袱。

B

【背包】 bēibāo 〔名〕
挎在肩上装东西的袋子。(bag)常做主语、宾语、定语。[量]个。
例句 背包这么沉,装的什么?|旅行的背包早准备好了。|昨天孩子开学,又买了个背包。|背包里的东西被偷了。

【悲哀】 bēi'āi 〔形〕
伤心。(sad; sorrow)常做定语、谓语、状语、补语、宾语。
例句 离群的孤雁发出悲哀的叫声。|丈夫死后她很悲哀。|小女孩手里拿着花在寒风中悲哀地叫卖着。|她哭得那么悲哀,在场的人都掉泪了。|大家为他的中年早逝感到十分悲哀。

【悲惨】 bēicǎn 〔形〕
处境或遭遇极其痛苦,令人伤心。(bitter; miserable; tragic)常做定语、谓语、状语、补语。
例句 那时全家人过着悲惨的生活。|他的遭遇十分悲惨。|地震中,数万人悲惨地死去了。|那些难民生活得悲惨极了。

【悲愤】 bēifèn 〔形〕
悲痛愤怒。(grief and indignation)常做谓语、定语、状语、主语、宾语。
例句 噩耗(èhào)传来,村民悲愤异常。|人们强忍住了悲愤的泪水。|老李悲愤地说:"我们一定要为亲人们报仇。"|压抑在心头的悲愤一下子爆发出来了。|她心中有着无限悲愤。

【悲观】 bēiguān 〔形〕
精神不振,对事物的发展缺乏信心。(pessimistic; gloomy and doubtful about the development of sth.)常做谓语、定语、补语、状语。
例句 比赛失败了,但队员们并不悲观。|别让悲观的情绪妨碍正常的生活。|你怎么想得那么悲观?|小王悲观地说:"这辈子都完了。"

【悲剧】 bēijù 〔名〕
戏剧的一种,描写主人公与现实(如命运、环境、社会)之间的冲突和悲惨结局;比喻不幸的遭遇。(tragedy; a sad denouement; sad event)常做主语、宾语、定语。[量]个,场。
例句 悲剧是把人生有价值的东西毁灭了给人看。|包办婚姻往往酿成悲剧。|她是小说中主要的悲剧人物。

【悲伤】 bēishāng 〔形〕
伤心难过。(sad; sorrowful)常做谓语、定语、状语、补语。
例句 听到这消息,他不禁悲伤起来。|这个悲伤的故事令在场的人为之落泪。|我们悲伤地唱起了死者喜爱的那首歌。|听了她的诉说,大家都变得很悲伤。

【悲痛】 bēitòng 〔形〕
十分伤心。(sorrowful; grieved)常做定语、谓语、宾语、状语。
例句 几天来,我们悲痛的心情久久不能平静。|她多想大哭一场,以宣泄心中的悲痛。|这些消息使母女俩悲痛不已。|领导悲痛地告诉了她这个坏消息。

【碑】 bēi 〔名〕
刻着文字或图画,多竖起来作为纪念物或标记的石头。(stele; an upright stone tablet engraved with characters or images, used as monuments or marks)常做主语、宾语、定

语。[量]块。

例句 这块碑是为了纪念二战中的死难烈士而立的。|天安门广场上有人民英雄纪念碑。|年代太久了，碑上的字都模糊了。

【北】 běi 〔名〕

方向之一，指清晨在北半球面向太阳，左手的一方。(north)常做宾语、定语、主语。

例句 这个窗子朝北。|北风呼呼地吹着。|A：北是哪边？B：那边。

【北边】 běibian 〔名〕

方向之一，或指北部地区。(north; the northern part of the country, esp. the area north of the Yellow River)常做主语、定语、宾语。

例句 我家北边有座山。|北边的路不好走。|他来自北边。

【北部】 běibù 〔名〕

北边。(north)常做主语、定语、宾语。

例句 中国北部今春旱情严重。|北部的风俗与南部不同。|我朋友来自黑龙江北部。

【北方】 běifāng 〔名〕

同"北"；中国的北部，特指黄河以北的地区。(north; north part of the country, esp. the area north of the Yellow River)常做主语、宾语、定语。

例句 中国的北方冬天很冷。|经理去北方出差了。|北方人大多性格直爽。

【北面】 běimiàn 〔名〕

北部；北边。(north; the northen side)常做主语、宾语、定语。

例句 春天到了，但高山北面还有积雪。|我坐在他的北面。|北面的山坡上有许多树。

【贝壳】 bèiké 〔名〕

贝类的外表硬壳或软体动物的壳。(shell; hard shell of shellfish)常做主语、宾语、定语。[量]只，个。

例句 这个贝壳像扇子。|那孩子在海边拾到一只美丽的贝壳。|贝壳的花纹真是千奇百怪。

【备】 bèi 〔动〕

❶ 具备；具有。(be equipped with; have; possess)常做谓语。

例句 我们很需要德才兼备的人才。|能把握全局是领导干部必备的素质。

❷ 准备。(prepare; get ready)常做谓语。

例句 明天停水，我们得多备点儿水。|这些东西先别扔，放在那儿备着。

【备用】 bèiyòng 〔动〕

准备着使用。(reserve; alternate; spare; standby)常做定语、宾语或用于"是…的"结构。

例句 车上有备用轮胎。|随身携带以作备用。|那些降落伞是备用的。

【背】 bèi 〔名〕 另读 bēi

❶ 身体的后面，与胸、腹相对。(back; part of one's body opposite the chest and stomach)常做主语、宾语、定语。

例句 老人家的背有点儿驼。|听了这话，他如芒刺在背。|背上的包袱太沉了。

❷ 物体的后面或反面。(the back of an object)常做主语、宾语、定语。

例句 我常用菜刀背剁排骨。|这幅

书法力透纸背。|手背的伤好了吗?

【背后】 bèihòu 〔名〕

❶ 在后面。(behind; at the back; in the rear)常做主语、宾语、定语。

例句 喂,背后好像有人。|她悄悄地走到我背后,捂住了我的眼睛。|山背后的小路直通海边。

❷ 不当面。(behind sb.'s back)常做宾语、定语、状语。

例句 她常在背后说别人的闲话。|那种不负责任的背后议论可以不去理它。|不要当面不说,背后乱说。

【背井离乡】 bèi jǐng lí xiāng 〔成〕

离开家乡,在外地生活。(leave one's native place, esp. against one's will)常做谓语,定语。

例句 为了谋生,一家人背井离乡,来到了这片陌生的土地上。|一想到那背井离乡的日子,我就难受。

【背景】 bèijǐng 〔名〕

❶ 舞台上或电影里衬托前景的布景;美术作品中衬托主体的景物。(stage setting; backdrops; the scenery or ground behind sth.)常做主语、宾语。

例句 背景太暗,效果不好。|这场戏的背景是蓝蓝的天和金色的原野。|这幅画以大海为背景。

❷ 对人物、事件起作用的历史情况和现实环境。(background; setting)常做宾语、主语。

例句 我是个农民,没什么背景。|听他说话的口气,可能很有背景。|这个人的背景我们都不清楚。

【背面】 bèimiàn 〔名〕

与接近的或看到的这一面相对的另一面。(the back; the reverse side; the wrong side)常做主语、宾语。

例句 山的背面是海。|纸背面写着一行字。|把照相的地点和日期写在照片背面,省得忘了。

【背叛】 bèipàn 〔动〕

背离,叛变。(betray; forsake)常做谓语、定语、宾语。

例句 他背叛过自己的信仰。|为参加革命,她背叛了家庭。|这是一种背叛的行为。|忘记过去就意味着背叛。

【背诵】 bèisòng 〔动〕

不看原文而念出读过的文字。(recite; repeat from memory)常做谓语、定语、主语、宾语。

例句 她背诵得很流利。|这孩子能把这些唐诗都背诵出来。|要背诵的内容还没有记住呢。|背诵是一种学习外语的好方法。|老师明天要检查背诵。

【背心】 bèixīn 〔名〕

没有领子和袖子的上衣。(a sleeveless garment; waistcoat)常做主语、宾语、定语。[量]件。

例句 这背心多少钱?|天这么冷,但他只穿了件背心。|背心的款式真多。

【倍】 bèi 〔量〕

表示与原数相等或照原数增加的倍数。(times; -fold)与数词组成短语做句子成分。

例句 5 的两倍是 10。|8 是 2 的四

倍。|今年的水果产量比去年提高了两倍。

【倍数】 bèishù 〔名〕

❶ 一数能被另一数整除时，此数即为另一数的倍数。(multiple)常做主语、宾语。

例句 这个式子中，2 的倍数是 8。|15 是 3 的倍数。

❷ 一数除以另一个数所得的商。(quotient)常做主语、宾语。

例句 倍数为一数除以另一数所得的商。|6 除以 3 得出倍数 2。

【被】 bèi 〔介/助〕

〔介〕用于被动句，表示主语是接受动作的，"被"后是动作的发出者。(*used in a passive sentence to indicate that the subject is the object of action*)常与动作发出者构成介宾短语做状语。

例句 他被大家选为班长。|我们都被她的歌声打动了。|老虎被武松打死了。

〔助〕表示被动。(*used before a verb to form a passive phrase*)做状语，也用于某些词语。

词语 被动 被迫 被告 被害人 被选举权

例句 小王被批评了一顿。|我们的班长被称为"老大哥"。|她被安排到机关工作。

▶"被"还做名词，指"被子"。如：被套 被里 棉被

【被动】 bèidòng 〔形〕

靠外力推动而行动；不能使事物按自己的意图行动。(passive; take action only when pushed by external forces)常做主语、谓语、宾语、定语、状语。

例句 被动可以变为主动。|咱们的工作太被动了。|这样就可以使对手陷入被动。|要想办法尽快扭转被动的局面。|我只是被动地接受了这项任务。

【被告】 bèigào 〔名〕

被指控犯法的人。(defendant; the accused)常做主语、宾语、定语。

例句 结果，此案的被告被宣布无罪。|因为经济问题，这位副市长成了被告。|在事实面前，被告的辩护律师哑口无言了。

【被迫】 bèi pò 〔动短〕

受外界迫使而不得不。(be compelled; be forced)常做状语。或用于"是…的"格式。

例句 她被迫嫁给了自己不爱的人。|那份检查是我被迫写的。|总统被迫于昨日辞职。|我这样做完全是被迫的。

【被子】 bèizi 〔名〕

睡觉时盖的东西，一般有面儿有里儿。(quilt)常做主语、宾语、定语。[量]床。

例句 这床被子真暖和。|孩子，睡觉前要盖好被子。|这被子的里子很柔软。

【辈】 bèi 〔名/量〕

〔名〕❶ 辈分。(rank or position in a general hierarchy)常做主语、宾语、定语。

例句 我们小辈要尊重老一辈。|闹了半天，咱俩同辈。|上辈的恩怨别影响下辈。

❷ 同一类的人。(people of a certain kind)常构成词语。

词语 无能之辈 我辈 鼠辈

B

B

〔量〕代。(generation)常构成短语做句子成分。

例句 他们家三辈人都是教师。|一辈疼一辈呀。

【奔】 bēn 〔动〕 另读 bèn

急走;跑;赶着去(某处)。(run quickly;dash)常做谓语。也用于构词。

词语 奔驰 奔腾 奔走 奔忙

例句 大家急忙开着车奔往出事地点。|部队已奔向前线了。

【奔驰】 bēnchí 〔动〕

车马等快速地跑。(dash;speed;run fast)常做谓语、定语。

例句 汽车奔驰在黄土高原上。|骏马在辽阔的草原上奔驰。|急速奔驰的火车呼啸而过。

【奔跑】 bēnpǎo 〔动〕

很快地跑;奔走。(run;race)常做谓语、定语。

例句 我为这事奔跑了一个多月。|运动员们在跑道上奔跑如飞。|奔跑的马群进入了河谷。

【奔腾】 bēnténg 〔动〕

跳跃着奔跑。比喻水流、思绪等迅速奔涌。(gallop;surge forward)常做谓语、定语。

例句 草原上一马当先,万马奔腾。|浩荡长江,奔腾向前。|一股奔腾的热流在她心中涌动。

【本】 běn 〔副/名/量/代〕

〔副〕原来。(originally;initially)常做状语。

例句 我本善良。|她本不想来,经我一劝,也就来了。|这次比赛,我们本应夺冠。

〔名〕❶ 草本的根或茎;事物的根源。(the root or stem of a plant)常做宾语、定语、主语。

例句 解决城市交通问题需要治本。|水有源,木有本。|努力是胜利之本。|兰花是草本植物。|标本应该兼治。

❷ 为了获利而拿出的钱。(capital;principal)常做主语、宾语。

例句 我这个买卖本小利微。|这可是一本万利的好事啊。|这笔存款应该还本付息了。|去年他卖海产品亏了本。

❸ 册子。(notebook)常做主语、宾语、定语。[量]个,种。

例句 这个本多少钱?|那是谁留下的本?|这种本的质量太差。

▶"本"常说"本儿"。

❹ 版。(version;edition)常用于构词。

词语 手抄本 版本 普及本

〔量〕主要用于表示书籍、簿册。(*for books*)常构成短语做句子成分。

例句 他买了三本书。|这本小说我看过。|这个戏共有五本。

〔代〕自己方面的;现在的。(one's own;native)常做定语。

例句 本校定于七月二十日放暑假。|我本人不同意这个决定。|本月的开支太大了。

【本来】 běnlái 〔形/副〕

〔形〕原有的。(original)常做定语。

例句 她的小说渐渐失去了本来的风格。|我们应该还历史以本来的面貌。|这件衣服本来的颜色是白的,现在被染红了。

〔副〕❶ 原来。(originally;at first)做状语。

例句 他本来是学历史的,后来改学经济了。|我本来不知道,是她告诉我的。

❷ 按道理应该。(as a matter of course;naturally)做状语。

例句 这东西又贵又没用,本来就不该买。

【本领】 běnlǐng 〔名〕

才能;能力。(skill;ability)常做主语、宾语。[量]个,种。

例句 这位老艺人的本领远近闻名。|这个本领传男不传女。|出去三年,他掌握了好几种本领。

【本末倒置】 běn mò dào zhì 〔成〕

比喻把主次的位置颠倒了。(take the branch for the root;put the cart before the horse)常做谓语、宾语。

例句 他把问题本末倒置了。|为赚钱而累坏了身体,这不是本末倒置吗?

【本能】 běnnéng 〔名〕

本身有的,不学就会的能力。(instinct;inborn ability of humans and animals)常做主语、宾语、状语。[量]种,个。

例句 自救的本能几乎一切动物都有。|狗有游泳的本能。|放下电话,她本能地意识到:机会来了。

【本钱】 běnqián 〔名〕

❶ 用来营利、生息的钱财。(capital;principal)常做主语、宾语。

例句 我的本钱是20万。|这是大家给你凑的本钱。|这回把本钱都赔进去了。

❷ 比喻可以凭借的东西。(qualification,ability condition,etc. that one can rely on;asset)常做主语、宾语。

例句 我的本钱就是我的能力。|健康的身体是工作的本钱。|他觉得自己研究生毕业,挺有本钱。

【本人】 běnrén 〔代〕

指当事人自己或前边所提到的人自己。(I;myself;me;oneself)常做主语、宾语、定语。

例句 我本人没意见。|你告诉他本人了吗?|我们尊重本人的意见。

【本身】 běnshēn 〔代〕

自己;自身。(oneself;in oneself)常做定语、主语、宾语。

例句 人类很早就对本身的起源进行了探索。|事实本身就说明了一切。|不是我不会用,而是照相机本身有毛病。|她本身就不爱学习。|应该从自己本身去找原因。

【本事】 běnshi 〔名〕

本领。(skill;ability;capability)常做主语、宾语。[量]种,个。

例句 他的本事可真大,那么难的事也办成了。|你有多少本事,都使出来吧。|要好好学本事,才有前途。

【本性】 běnxìng 〔名〕

本来就有的性质或个性。(nature)常做主语、宾语。[量]个。

例句 他本性善良,心地纯正。|俗话说:江山易改,本性难移。|她的身上还保留着一些天真的本性。

【本性难移】 běnxìng nán yí 〔成〕

原来的性质或个性难以改变。(it is difficult to alter one's character)常做宾语、谓语、定语。

例句 你总是这么不利索,真是江山易改,本性难移。|妻子劝了不知多少次了,可老赵本性难移,仍旧去赌。|本性难移的王小二晚上又出去作案了。

B

【本质】 běnzhì 〔名〕
事物本身具有的、决定事物性质、面貌和发展的根本属性。(essence; nature; innate character)常做主语、宾语、定语。
例句 他虽有缺点,但本质是好的。|我们应该透过现象看本质。|这两件事有本质的区别。

【本着】 běnzhe 〔介〕
介绍动作、行为的凭借或依据。(according to; in the light of)常组成介宾短语做状语。
例句 这个问题要本着实事求是的原则处理。|公务员应当本着为人民服务的精神认真工作。|他本着万事不求人的原则待人处事。

【本子】 běnzi 〔名〕
❶ 记录本、作业本等。(book; notebook)常做主语、宾语、定语。[量]个,种。
例句 这本子特好使。|这是小王的本子吗?|那个本子的封皮真好看。
❷ 版本。(version; edition)常做主语、宾语、定语。[量]种。
例句 这种本子特别少见。|当时流行比较广的有两种本子。|那种本子的发行量很小。

【奔】 bèn 〔动〕 另读 bēn
❶ 向目的地快速运动。(go straight to; head for; make straight for)常做谓语。
例句 我直接奔向实验室。|这条路奔天津。|客气话就不说了,咱们直奔主题。
❷ 接近某年纪。(approach; get close to)常做谓语(带数词或数量短语宾语)。
例句 我是奔七十岁的人了。|老赵都奔八十了,身子还很硬朗。|快奔四十的人,还和小孩子一样。
❸ 为某事奔走。(busy oneself about)常做谓语。
例句 他的事我没少奔过。|这么个小东西,奔了大半个北京才买到。

【笨】 bèn 〔形〕
❶ 大;沉重。(heavy; big)常做谓语、定语。
例句 这个柜子太笨了,换个小点儿的吧。|这些笨东西我搬不动。|那个笨箱子该扔了吧。
❷ 不聪明;不灵巧;不灵活。(stupid; dull; foolish)常做主语、谓语、定语、补语。
例句 经过训练,笨也可以变聪明。|这辆自行车太笨,简直没法儿骑。|我每天都要预习新课,笨鸟先飞嘛。|几个月没说汉语,嘴也变笨了。

【笨蛋】 bèndàn 〔名〕
蠢人(用于骂不聪明的人)。(fool; idiot; dunce)常做主语、宾语、定语。[量]个。
例句 这个笨蛋什么也干不了。|你真是个笨蛋。|他总说别人是笨蛋,好像自己多聪明似的。|那是笨蛋的想法。

【笨重】 bènzhòng 〔形〕
❶ 庞大沉重;不灵巧。(heavy; cumbersome; unwieldy)常做谓语、定语、补语。
例句 这台机器十分笨重。|他是肥胖症,笨重得很。|我喜欢木质笨重的家具。|今天穿多了,显得有些笨重。
❷ 繁重而费力气的。(arduous and strenuous)常做定语、状语。

例句 这种笨重的体力劳动有力气就行。|两只野鸭笨重地拍打着翅膀飞跑了。|老牛笨重地拉着犁的情景如今已经不多见了。

【笨拙】 bènzhuō 〔形〕

笨;不聪明;不灵巧。(clumsy; awkward; stupid)常做谓语、定语、状语、补语。

例句 他得病后动作有些笨拙。|一只笨拙的大狗熊学着人的样子站了起来。|他笨拙地想,事情很容易嘛。|熊猫行动迟缓,显得很笨拙。

【崩】 bēng 〔动〕

❶ 倒塌,裂。(collapse)常做谓语。

例句 地震时,山崩地裂。|盘子掉在地上崩掉了一块瓷。

❷ 破裂。(burst; crack; split)常做补语。

例句 他又把汽球吹崩了。|结果两个人谈崩了。

❸ 被崩裂的东西击中。(hit)常做谓语。

例句 炸起的石头差点儿崩着他。|鞭炮把我手崩了。

【崩溃】 bēngkuì 〔动〕

完全破坏;彻底垮台。(collaps; break down; crumble; fall apart)常做谓语、宾语、定语。

例句 这个打击使她的精神完全崩溃了。|这位百岁老人亲眼目睹了清王朝的崩溃。|那时,整个经济已到了崩溃的边缘。

【绷】 bēng 〔动〕 另读 běng

❶ 拉紧。(stretch tight)常做谓语。

例句 琴弦绷得太紧会断的。|开车时脑子里要绷紧"注意安全"这根神经。

❷ 猛地弹起。(spring; bounce)常做谓语。

例句 盖子一打开,弹簧就绷出来了。|有个小螺丝钉不知绷到哪儿去了。

❸ 稀疏地缝纫或用针别上。(baste; pin; tack; make rough stitches)常做谓语。

例句 我得把被面绷一绷。|执勤人员袖子上绷着臂章。|把这几个剪好的字绷到红布上吧。

【绷带】 bēngdài 〔名〕

包扎伤处或患处的纱布带。(bandage; a piece of gauze for dressing a wound or an infected part)常做主语、宾语、定语。[量]条。

例句 绷带很快被血浸红了。|头上包着绷带的就是小张。|绷带的数量、价钱都写在这儿了。

【甭】 béng 〔副〕

不用;不必;不需要。"不用"的合音。(don't; needn't)常做状语。

例句 您甭客气,有什么就说。|过去的就过去了,您就甭提了。|我们的事您甭操心了。

【蹦】 bèng 〔动〕

跳。(jump; spring)常做谓语、状语、补语。

例句 草丛中蹦出来一只野兔。|小孩一蹦一蹦地跑过来了。|听到这个消息,他高兴得蹦了起来。

【逼】 bī 〔动〕

❶ 强迫;威胁。(force; compel; press; drive)常做谓语。

例句 孩子不爱弹琴,你就别逼孩子。|不要逼我,逼急了我什么都干得出来。|你都快把她逼疯了。

❷ 接近;迫近。(press on towards; advance on)常做谓语。

例句 暴风雨已经逼近那个地区了。|狼群又逼了上来。

【逼近】 bījìn 〔动〕

靠近;接近。(approach; close in on; press on towards)常做谓语。

例句 天色已逼近黄昏了。|战争的阴影一天天逼近了。|他们正在向敌人逼近。

【逼迫】 bīpò 〔动〕

紧紧地催促;用压力迫使。(force; compel; coerce)常做谓语。

例句 他被形势逼迫,只得勉强同意了。|父母逼迫她嫁给了一个五十多岁的有钱人。|我决不逼迫你。

【鼻】 bí 〔名〕

意义同"鼻子"。(nose)常用于构词。

词语 鼻梁 鼻音 鼻子

例句 这两天我鼻子有点儿不舒服。|你鼻梁上有个小黑点儿。|法语里有很多鼻化元音。

【鼻涕】 bíti 〔名〕

鼻腔分泌的液体。(nasal mucus; snivel)常做主语、宾语。

例句 感冒严重时,鼻涕都是浓黄的。|吃了药以后,鼻涕少多了。|我一受风,就流鼻涕。

【鼻子】 bízi 〔名〕

人和高等动物的嗅觉及呼吸器官。(nose)常做主语、宾语、定语。

例句 哎呀,你鼻子出血了。|跑步的时候,应该用鼻子呼吸,别用嘴。|天太冷,鼻子尖都冻红了。

【比】 bǐ 〔介/动〕

〔介〕用来比较性状和程度的差别。(than)构成介宾短语做状语。

例句 哥哥的个子比我高半个头。|人民的生活一天比一天好。|冬天哈尔滨比大连冷多了。|他车开得比我快一点儿。

〔动〕❶ 比较;较量。(compare; contrast; compete; emulate)常做谓语。

例句 咱俩比比手劲儿吧。|不怕不识货,就怕货比货。|你俩比一比谁的汉语好。

❷ 能够相比。(be like; be similar to; match)常做谓语。

例句 今年身体不比往年了。|小孩别和大人比。|我哪能比得了你!

❸ 比画。(gesture; gesticulate)常做谓语。

例句 他比了个手势让我进去。|这位"老外"比了半天,我还是不明白。|小姑娘用手比了比,大家才知道是小兔子。

❹ 仿照。(copy; do according to; model after)常做谓语。

例句 将心比心吧!|比着葫芦画瓢。|你就比着这个样子做吧。

❺ 比喻,比方。(compare to; liken to; draw an analogy)常做谓语。

例句 这样比,真是形象极了。|你把她比成大明星,我看不像。

❻ 表示比赛双方得分的对比。[(of a score) to]常构成"几比几"的格式做句子成分。

例句 场上比分五比二。|A队以三比零战胜了B队。|两队以二比二战平。

【比方】 bǐfāng 〔名〕

指用甲事物来说明乙事物的行为。(analogy; instance; act of illustrating A through comparing it with B)常

做主语、宾语。[量]个。

例句 这个比方不太准确。|你打个比方,大家就会明白了。|这不过是个比方,干吗生气!

▶"比方"还做动词,指用容易明白的事物说明不容易明白的事物。如:他的勤劳可以用蜜蜂来比方。

【比分】 bǐfēn 〔名〕

比赛中双方得分的比较。(score)常做主语、宾语、定语。[量]个。

例句 场上的比分是三比一。|我只知道中国队胜了,不知道具体比分。|两个队比分的差距越来越大。

【比价】 bǐjià 〔名〕

不同货币之间兑换的比率或不同商品的价格比率。(price relations; parity; rate of exchange)常做主语、宾语、定语。

例句 今天美元和人民币的比价是多少?|我不知道这两种产品的比价。|最近欧元与美元比价的变动比较大。

【比较】 bǐjiào 〔动/副〕

〔动〕区别两种或多种同类事物的异同、高下。(compare; contrast)常做谓语、宾语、定语。

例句 你比较一下这两篇文章,看看哪篇更好?|对这两种品牌,我进行过详细比较。|有比较才能鉴(jiàn)别。|比较文学正在逐渐兴起。

〔副〕表示具有一定程度。(fairly; rather)常做状语。

例句 这条路比较近。|他比较有办法。|今年夏天比较凉快。

【比例】 bǐlì 〔名〕

数量之间的对比关系,或指一事物在整体中所占的分量。(proportion; scale)常做主语、定语、宾语。

例句 那个大学的师生比例是1∶8。|这张地图的比例尺是多少?|这桶酒的配料不符合规定的比例。

【比如】 bǐrú 〔动〕

举例时,开始说的话。(for example; for instance; such as)常做谓语。

例句 我非常喜欢体育运动,比如网球、排球、足球我都喜欢。|万事开头难,比如孩子学走路,开头免不了跌跤。|中国有许多历史名城,比如北京、西安、南京。

【比赛】 bǐsài 〔名/动〕

〔名〕在文娱、体育、生产等方面比较本领、技术高低的活动。(match; contest; competition)常做主语、宾语、定语。[量]场,轮。

例句 友谊第一,比赛第二。|足球比赛开始了。|因为腿伤,她退出了下一轮比赛。|比赛场馆已经按期建成。

〔动〕在竞赛中比高低。(compete; contest)常做谓语、定语。

例句 他们正在场上比赛呢。|我们比赛过两次。|亿万观众通过电视了解比赛的情况。

【比喻】 bǐyù 〔名/动〕

〔名〕一种修辞方式,用某些有类似点的事物来比拟想要说的某一事物。(metaphor; analogy; figure of speech)常做主语、宾语、定语。

例句 比喻用得好,能使文章更生动。|这句话中有两个比喻。|这么说只是个比喻罢了。|比喻的类型有明喻、暗喻、借喻等。

〔动〕打比方。(use a metaphor or simile)常做谓语、定语。

例句 人们把体育比喻为一个民族

精神的窗口。|这种景色简直无法比喻。|这里用比喻的笔法描写了主人公的心情。

B

【比重】 bǐzhòng 〔名〕

❶ 物质的重量与4℃的同体积的纯水的重量之比。(specific gravity; ratio between the weight of a substance and that of the same volume of pure water at 4℃)常做主语、宾语、定语。[量]个。

例句 金子的比重是多少? |你知道铁的比重吗? |比重计是测量物质密度的仪器。

❷ 某事物在整体中所占的分量。(proportion; amount of sth. in its entirety)常做主语、宾语、定语。

例句 最近几年,在整个国民经济中,工业的比重有所降低。|少数民族代表在全部代表中占有相当比重。|私营经济比重的增长说明了什么?

【彼】 bǐ 〔代〕

❶ 那。(that; those; the other; another)常用于构成词语。

词语 此起彼伏 此一时,彼一时 彼岸

例句 场内,欢呼声此起彼伏。

❷ 对方。(the other party; one's opponent)常用于构成词语。

词语 知己知彼 彼此 彼退我进 知己知彼,百战百胜

【彼此】 bǐcǐ 〔代〕

❶ 双方;那个和这个。(each other; one another)常做主语、宾语、定语。

例句 老友重逢,彼此都很激动。|全班同学之间关系很好,不分彼此。|此刻,她们彼此的心情无需用语言来表达。

❷ 客套话,表示大家一样。(used in reduplication to indicate that all concerned are about the same)常重叠做谓语、宾语。

例句 A:您辛苦啦! B:彼此彼此。|其实他跟我是彼此彼此。

【笔】 bǐ 〔名/量〕

〔名〕❶ 写字画图的工具。(pen, pencil or writing brush)常做主语、宾语、定语。[量]支。

例句 商店里什么笔都有。|开学前妈妈为孩子新买了几支笔。|我那支笔的尖儿早就坏了。

❷ 写字、画画、作文的手法。(technique or characteristics of calligraphy, drawing or writing)常用于构词。

词语 败笔 曲笔 伏笔 妙笔

〔量〕❶ 用于账目、款项、交易等。(used to indicate sums of money or the matters concerned)常构成短语做句子成分。

例句 他在银行存了两笔钱。一笔是给儿子的,一笔是给女儿的。|这笔账以后再算。|双方谈成了一笔大生意。

❷ 用于书画艺术。(used to indicate painting and calligraphy)常构成短语做句子成分。

例句 你这笔字写得真有功夫。|他能画几笔山水画。|她十岁就写得一笔好字。

【笔记】 bǐjì 〔名〕

❶ 用笔所做的记录。(notes)常做主语、宾语、定语。[量]段,篇。

例句 你的笔记记得真详细。|每次听讲座我都认真做好笔记。|我看看你的课堂笔记好吗? |她笔记上

的特殊符号我一点儿也看不懂。

❷ 一种以随笔为主的著作体裁，多由分条的短篇汇集而成。(pen jottings)常做主语、定语、宾语。

例句 笔记也是一种文学体裁。|笔记小说具有真实性。|这几年他不怎么写小说，但常发表自己的笔记。

【笔迹】 bǐjì 〔名〕

各人写的字所特有的形象；字迹。(handwriting; writing)常做主语、宾语、定语。[量]个。

例句 这两个笔迹十分相似。|这可不像他的笔迹。|笔迹鉴定也是破案的手段之一。

【笔试】 bǐshì 〔名〕

用书面形式回答问题的考试方法。(written examination)常做主语、宾语、定语。

例句 笔试在下午1:30进行。|有的留学生不怕口试，就怕笔试。|笔试成绩怎么样?

【笔直】 bǐzhí 〔形〕

非常直。(perfectly straight)常做定语、谓语、补语。

例句 笔直的公路伸向远方。|那位老人年纪虽大，但腰板笔直。|门口的士兵站得笔直笔直的。

【币】 bì 〔名〕

钱。(money; currency)常用于构词。

词语 人民币　硬币　外币　币值

【必】 bì 〔副〕

必然；一定；必须。(certainly; necessarily; surely)做状语。

例句 骄兵必败。|他从小学起，每天必学一个小时英语。|言必信，行必果。

【必定】 bìdìng 〔副〕

表示判断或推论准确、必须如此；表示意志坚定。(be bound to; be sure to; must)做状语。

例句 用功学习必定会取得好成绩。|看他那么着急，必定是出事了。|我们的目的必定会达到。

【必将】 bìjiāng 〔副〕

必定会。(be certain to)做状语。

例句 破坏世界和平的人，必将受到各国人民的唾弃。|公司的明天，必将更加辉煌。|坏人必将受到惩罚。

【必然】 bìrán 〔形〕

事理上确定不移。(inevitable; certain)常做定语，也构成"的"字短语。

例句 这是历史的必然产物。|这两者之间没有必然联系。|事情发展到这一步是必然的。

【必修】 bìxiū 〔形〕

学生依照学校的规定必须学习的。(required; obligatory; compulsory)常做定语。

例句 这个学期本科二年级的必修课很多。|我们新开了两门必修课。|现代文学是必修科目。

【必须】 bìxū 〔副〕

表示事实上和情理上必要；一定要。(must; have to; be obliged to)常做状语。

例句 做工作必须严格认真。|学生必须遵守学校纪律。|出国必须有护照等旅行证件。|必须他亲自去一趟才行。

【必需】 bìxū 〔动〕

非有不可的；不能少的。(necessary; essential; indispensable)常做谓语、定语。

例句 钱虽必需，但也不是万能的。

B

|水和空气为人所必需。|我可以不买口红等化妆品,但不能不买香皂、牙膏等生活上的必需品。

【必要】 bìyào 〔形〕
不可缺少;非这样不可。(necessary; essential; indispensable)常做定语、谓语。
例句 必要的时候,我会和你联系。|看起来,我们得采取必要的措施。|这样刻苦的训练很有必要。

【必由之路】 bì yóu zhī lù 〔成〕
必须要经过的道路,也比喻必要的条件或途径。(the road one must follow or take; the only way)常做宾语。
例句 这是去北京的必由之路。|事实证明,改革开放是发展的必由之路。

【毕竟】 bìjìng 〔副〕
表示追根到底得到的结论。(after all; all in all; in the final analysis)常做状语。
例句 乌云毕竟遮不住太阳。|虽然实验很艰苦,但我们毕竟成功了。|这个花瓶虽然看起来破旧,但毕竟是明代的东西。

【毕业】 bì yè 〔动短〕
学生在学校或训练班修业期满,达到规定要求,结束在校学习。(graduate; finish school)常做谓语、定语。中间可插入词语。
例句 等毕了业再结婚吧。|他毕业于一所著名大学。|学校明天举行毕业典礼。

【闭】 bì 〔动〕
❶ 关;合上。(shut; close)常做谓语。
例句 闭上眼睛养养神吧。|把灯闭掉!|门变形了,闭不严。
❷ 不通。(obstruct; stop up; block)常用于构成词语。
词语 闭气 闭塞
❸ 结束。(stop; end)常用于构词。
词语 闭会 闭市
例句 大会闭会期间,由常委会行使职权。

【闭关自守】 bì guān zì shǒu 〔成〕
封闭关口,不跟别国来往。(close the country to international intercourse)常做谓语、定语。
例句 中国历史上的清政府闭关自守,导致了近代中国的落后。|要想发展就不能闭关自守。|改革开放后彻底改变了闭关自守的局面,使中国走向了世界,也使世界了解了中国。

【闭幕】 bì mù 〔动短〕
演出结束,合拢幕布;会议等结束。(the curtain falls; close; conclude)常做谓语、定语。
例句 会议闭幕了。|演出闭幕之前我就走了。|由他致闭幕词。

【闭幕式】 bìmùshì 〔名〕
演出或会议结束时举行的仪式。(closing ceremony)常做主语、宾语、定语。[量]个。
例句 大会闭幕式由副市长主持。|明天下午举行服装节闭幕式。|闭幕式的演出精彩极了。

【闭塞】 bìsè 〔形〕
交通不便;偏僻,消息不通。(hard to get to; out-of-the-way; inaccessible)常做谓语、定语。
例句 以前这一带交通十分闭塞。|我们和外界接触少,消息特别闭塞。

|在这种闭塞的环境中，我都快受不了了。

【碧绿】 bìlǜ 〔形〕

青绿色。(dark green)常做谓语、定语、补语。

例句 雨后的山林清新碧绿。|春天的田野一片碧绿。|碧绿的荷叶上有一只青蛙在唱歌。|一场春雨过后，草地变得碧绿碧绿的。

【弊】 bì 〔名〕

❶ 欺诈蒙骗、图占便宜的行为。(fraud; abuse)常做宾语。

例句 这次考试有个别考生作弊。|你身为政府官员，怎么可以营私舞弊！

❷ 害处；毛病。(disadvantage; harm)常做宾语、主语。

例句 我们采取这项措施为的是兴利除弊。|牺牲环境搞生产利少弊多。

【弊病】 bìbìng 〔名〕

弊端；也泛指事情上的毛病、缺点。(malady; evil; malpractice)常做主语、宾语。[量]个，种。

例句 这种做法的弊病太多。|法制不健全的弊病越来越突出了。|必须克服管理上的弊病。

【弊端】 bìduān 〔名〕

由于制度上或工作上的漏洞而发生的损害公益的事情。(flaws in work; practice resulting in harm to public interests; abuse)常做主语、宾语。[量]个，种。

例句 平均主义的弊端很多。|你这样处理虽然避免了一种弊端，但又会产生新的弊端。|传统经济体制有不少弊端。

【壁】 bì 〔名〕

❶ 墙。(wall)用于构词。

词语 墙壁 壁画 壁灯

❷ 物体、身体或生物体等的外围部分。(sth. resembling a wall)常用于构词。

词语 井壁 细胞壁 锅炉壁

❸ 军营；军营的围墙。(barrier)常用于构成词语。

词语 壁垒 壁垒森严 坚壁清野

❹ 直立的山石。(wall-like stone)常用于构词。

词语 绝壁 峭壁

【避】 bì 〔动〕

躲开；防止。(avoid)常做谓语。

例句 那天下午，我们都挤在屋檐下避雨。|你先躲两天，避避风头。|他巧妙地避开了这个话题。

【避免】 bìmiǎn 〔动〕

使不发生。(prevent sth. from happening; avoid; refrain from; avert)常做谓语、状语。

例句 讲话尽量避免啰嗦。|这种错误并不是避免不了的。|年轻人在成长过程中不可避免地会碰到一些新问题。

【臂】 bì 〔名〕

胳膊。(arm)常用于构词。也做主语。

词语 臂膀 臂膊

例句 断臂再植手术要求很高。

【边】 biān 〔名〕

❶ 几何学上构成角的线段。(side of a geometrical figure; lines that form angle or a multi-angle figure in geometry)常做主语、宾语、定语。[量]条。

例句 正多边形的边越多越接近圆。

B

|三角形有三条边。|三角形任意两边的和大于第三边。

❷ 事物外沿的部分。(margin; edge; verge; side)常做宾语、主语。

例句 靠边点儿,车来了。|刚才那个球擦边。|别站在道边儿!|河边很安静。

❸ 界限。(boundary; limit)常构成词语。

词语 无边无际 支边 边界

❹ 靠近物体的地方。(the place next to a person or thing)与名词、方位词或数量词组成短语做句子成分。

例句 旁边是一个小木屋。|我们来到了黄河边。|海浪拍打着岸边的岩石。

【边…边…】 biān…biān… 〔固定结构〕

分别用在动词前,表示动作同时进行。(while, used before verbs to express the simultaneous progression or development of two actions)常做状语。

例句 我们边学边干。|一路上,我边走边打听。|她边走边唱,十分高兴。

【边防】 biānfáng 〔名〕

国家边境地区布置的防务。(frontier or border defence of the state)常做宾语、定语。

例句 这些战士驻守边防两年多了。|这几年,边防地区安定繁荣。|那个边防哨所在高山顶上。

【边疆】 biānjiāng 〔名〕

靠近国界的疆土。(land near the line dividing two countries; border area; borderland; frontier)常做主语、宾语、定语。

例句 边疆需要内地的支援。|他大学毕业后,就奔赴祖国边疆了。|边疆的山山水水令人怀念。

【边界】 biānjiè 〔名〕

国与国、地区与地区之间的界限。(boundary)常做主语、宾语、定语。[量]条。

例句 这条边界尚未最后划定。|从这儿开始就越过边界了。|边界两边的人民世代友好相处。

【边境】 biānjìng 〔名〕

靠近边界的地方。(border; area near the line dividing two countries; frontier)常做主语、宾语、定语。

例句 中国边境有很多少数民族。|他想偷越边境,结果被抓住了。|个别边境地区走私严重。

【边缘】 biānyuán 〔名〕

沿边的部分或靠界限的部分。(margin; edge; fringe; verge; brink; periphery)常做主语、宾语、定语。

例句 草地边缘长着各种各样的小花。|车子几乎滑到了山崖边缘。|我们厂已经从破产的边缘走出来了。|这是一门边缘学科。|这些城市边缘的人群构成了一个新的社会群体。

【编】 biān 〔动〕

❶ 编织。(weave; plait)常做谓语。

例句 编草帽也可以致富。|她编席子编得又快又好。|辫子编松了。

❷ 组织排列;安排。(organize or arrange)常做谓语、定语。

例句 号码编好了吗?|新生共编成了三个班。|新编的小组准备出发了。

❸ 编辑;创作。(write;compose)常做谓语、定语。

例句 他又编了个表现城市生活的剧本。|我怎么也编不出故事来了。|中国朋友送我一部新编的词典。

❹ 假造。(fabricate;concoct;trump up;make up;cook up)常做谓语。

例句 你为什么编谎话来骗我?|这谣言是谁编的?

【编号】 biānhào 〔名〕

编定的号数。(serial number)常做主语、宾语、定语。[量]个。

例句 他的车编号是101。|每门课程都有编号。|现在,编号的顺序已经打乱了。

【编辑】 biānjí 〔动/名〕

〔动〕对资料或现成的作品进行整理、加工。(edit;prepare data for publication or finalize pieces of writing)常做谓语、定语。

例句《鲁迅全集》已经编辑完毕。|我曾编辑过一本小刊物。|这是刚编辑好的稿子,您看一下吧。

〔名〕在出版部门专业处理稿件的人。(editor)常做主语、宾语、定语。[量]个,位,名。

例句 编辑把稿子给退回来了。|我就是这个刊物的编辑。|编辑的责任非常大。

【编者按】 biānzhě'àn 〔名〕

编辑人员对一篇文章或一条消息所加的意见、评论等,常放在文章或消息的前面。(editor's note or editorial note expressing a specific opinion that generally precedes an article or a piece of news)常做主语、宾语、定语。[量]个,篇。

例句 这篇编者按写得非常及时。|新华社为此加了编者按。|你知道编者按的执笔人是谁?

【编制】 biānzhì 〔名/动〕

〔名〕组织机构的设置及其人员数量的定额和职务的分配。(authorized organizational structure, size of staff, and distribution of posts of an organization or institution)常做主语、宾语、定语。[量]个,种。

例句 我系教职工的编制已经满了,不能再进人了。|为了扩大生源,我校增加了编制。|各部门的编制数不能突破。

〔动〕❶ 把细长的东西交叉组织起来,做成器物。(weave; knit; plait; braid)常做谓语。

例句 用柳条可以编制篮子。|他们专门编制手工艺品出售。|一千顶斗笠三天就编制完了。

❷ 根据资料做出(规程、方案、计划等)。[work out (regulations, programmes, plans, etc. on the basis of materials available)]常做谓语。

例句 我想学习电脑编制程序。|新产品的制造工艺已经编制好了。|这个计划需要编制多长时间?

【鞭】 biān 〔名〕

❶ 鞭子。(whip;lash)常做主语、宾语。[量]条。

例句 这条鞭多少钱?|我幻想着策马扬鞭在草原上驰骋。

❷ 成串的小爆竹,放起来响声连续不断。(a string of small firecrackers)常做宾语、主语。[量]挂。

例句 快过春节了,村里家家几乎都买几挂鞭。|结婚,得放放鞭,增加点儿喜庆气氛。|这种鞭又响又脆。

【鞭策】 biāncè 〔动〕

B

用鞭和策赶马，比喻严格督促。（use a crop or whip to urge a house on; spur on; urge on）常做谓语、宾语。

例句 小明不断地鞭策自己，努力学习。|老师鞭策我的话终生难忘。|这些是对我有力的鞭策。

【鞭炮】 biānpào 〔名〕

爆竹。（firecrackers）常做主语、宾语、定语。[量]个，种，挂。

例句 鞭炮最初是用来驱除一种叫"年"的动物的。|春节前夕，这里家家都买一些鞭炮。|在清脆的鞭炮声中，新年到来了。

【鞭子】 biānzi 〔名〕

赶牲畜的用具。（whip; lash）常做主语、宾语、定语。[量]根，条。

例句 鞭子是用来赶牲口的，不是打人的。|放下你的鞭子！|冲刺时，骑手们使劲用鞭子抽打着赛马。|鞭子杆是用什么做的？

【贬】 biǎn 〔动〕

❶ 降低。（demote; relegate）常用于构词，也做谓语。

词语 贬官　贬低　贬值

例句 日元贬了一阵，最近又升了。

❷ 指出缺点或给予不好的评价。（belittle; play down）常用于构词，也做谓语。

词语 贬词　贬义

例句 别把别人贬得一无是处。

【贬低】 biǎndī 〔动〕

故意降低对人或事物的评价。（deliberately underestimate people or things; belittle; depreciate; play down）常做谓语。

例句 他总喜欢贬低别人的能力。|这么做的目的在于贬低这个计划的意义。|以贬低别人来抬高自己是不道德的。

【贬义】 biǎnyì 〔名〕

字句里含有不赞成或坏的意思。（derogatory sense）常做主语、宾语、定语。

例句 文章中的贬义很明显。|他的话含有贬义。|"丑陋"是一个贬义词。

【贬值】 biǎnzhí 〔动〕

❶ 兑换率下降。（depreciate）常做谓语（不带宾语）。

例句 欧元基本上没贬值。|美元已经贬值20%了。

❷ 货币的购买力下降，现泛指事物的价值降低。（devalue; devaluate）常做谓语。

例句 地价贬值不大可能。|通货膨胀会造成货币贬值。|货币贬值的实质是购买力下降。|有的明星已经贬值了。

【扁】 biǎn 〔形〕

指物体宽而薄。（flat）常做定语、补语、谓语。

例句 我朋友长着一个扁鼻子。|袋里的面包被压扁了。|盒子扁了。

【变】 biàn 〔动〕

❶（性质、状态、情形等）跟原来不同。（become different; change）常做谓语。

例句 饭菜应该常变变花样。|他变心了。|春天来了，大地变绿了。|对外开放变不了。

❷ 使改变。（change; turn; transform）常做谓语，也用于"变…为…"格式。

例句 荒山变良田。|变废为宝。|变外行为内行。

❸ 表演(戏法、魔术)。(juggle; conjure; perform conjuring tricks)常做谓语。

例句 他会变戏法。|变了半天,也没变出一条鱼来。|你再给我变变。

【变本加厉】 biàn běn jiā lì 〔成〕

指变得比原来更加严重。(become aggravated; be further intensified)常做谓语、状语。

例句 他不但没有戒赌,反而变本加厉,赌得更厉害了。|一些商家看准了孩子这个消费群体,变本加厉地赚孩子的钱。

【变成】 biàn chéng 〔动短〕

改变了事物的性质和状态,变得和原来不同。(change in nature or state; change into)常做谓语。

例句 经过多年的努力,沙漠变成了良田。|几年工夫,他就由一个小职员变成了总经理。|要把理想变成现实,还要继续奋斗。

【变动】 biàndòng 〔动/名〕

〔动〕发生变化或改变原状。(change; alter; modify)常做谓语、定语。

例句 不要变动文章内容了。|他对什么都看不顺眼,把变动着的社会看成漆黑一团。

〔名〕变化,改变。(change)常做主语、宾语。

例句 这样的变动不知群众满不满意。|机构改革中,这个部门人事变动不大。|安排如有变动,我们马上通知你。

【变革】 biàngé 〔动/名〕

〔动〕改变事物的本质(多指社会制度)。(transform; change)常做谓语。

例句 改革就要变革旧的经济体制。|只有变革原有的制度,才能解放生产力。

〔名〕事物本质的改变。(change)常做主语、宾语。

例句 社会的变革需要我们每个人的努力。|政治体制的变革意义重大。|时代决定诗歌形式的变革。

【变更】 biàngēng 〔动〕

改变;变动。(change; alter; modify)常做谓语、定语。

例句 公共汽车因为马拉松赛变更了行车路线。|出访日程变更了三次才定下来。|父亲老是重复那句永不变更的话。

【变化】 biànhuà 〔动/名〕

〔动〕事物在形态或本质上产生新的情况。(change; vary)常做谓语、定语。

例句 我们的城市每天都在变化。|领导者必须随时去了解变化着的情况。

〔名〕指事物在形态或本质上有了改变后的情况。(change)常做主语、宾语。[量]种,个。

例句 这种化学变化说明了一个原理。|改革带来的变化随处可见。|几年不见,你的变化可不小啊。|近日,情况发生了急剧变化。

【变换】 biànhuàn 〔动〕

〔动〕事物的一种形式、内容换成另一种。(vary; alternate; change in form or content)常做谓语。

例句 这次敌人变换了手法。|屏幕上的数字不断变换着。|下次节目可以变换一下形式。

【变迁】 biànqiān 〔动/名〕

B

〔动〕指事物的逐步变化及转移。(change)常做谓语。

例句 那里近年来气候变迁，环境恶化。|短短两年，部里的人事就多次变迁。

〔名〕变化。(changes; vicissitudes)常做主语、宾语。

例句 牧民生活的变迁实在太大了。|这本书写出了时代的变迁。|他们谈到世事的变迁都十分感慨。

【变形】 biànxíng 〔动〕

❶ 改变原来的形态。(be out of shape)常做谓语。

例句 这种材料容易变形。|病人的脊椎骨已经变形了。

❷ 因受外力作用，物体形状改变。(become deformed)常做谓语、定语、补语，中间可插入词语。

例句 这个箱子很结实，怎么压也变不了形。|这个变形的塑料桶不能用了。|车被撞得变形了。

【变质】 biàn zhì 〔动短〕

本质改变，多指向坏的方面变化。(go bad; deteriorate)常做谓语、定语。中间可插入词语。

例句 这条鱼已经变质，不能吃了。|蔬菜放在冰箱里不容易变质。|变了质的食物千万别吃。

【便】 biàn 〔副〕

〔副〕❶ 表示两种情况或动作紧接着出现或发生。(then; soon afterwards)做状语或用在"一/刚/才…便…"的格式里。

例句 说完他便走了。|累了一天，一躺下便睡着了。|我才看书便犯困。

❷ 强调动作早已发生。(*used to emphasize the action happened in the past*)做状语。

例句 小王从小便爱画画。|他十六岁便上了大学。|小李从小便喜欢踢球。

❸ 加强肯定语气，表示事实正是这样。(just)做状语。

例句 小华便是我的好朋友。|他便是王先生。|田中先生便是总经理。

❹ 表示承接上下文，得出结论。(in that case; then)做状语，常与"如果"、"只要"等配合。

例句 如果下雪，我便不去了。|只要搞好技术改革，生产效率便能提高。|如果睡不好觉，便没有精神。

【便道】 biàndào 〔名〕

❶ 比寻常所走的路更直接、更快的道路。(shortcut)常做主语、宾语。［量］条。

例句 便道就在那座楼左边。|喜欢走这条便道的人太多了。|抄便道走，五分钟就到。

❷ 供步行者使用的走道，通常设在道路两侧。(pavement; sidewalk)常做主语、宾语、定语。

例句 我市的人行便道已经整修一新。|行人走便道最安全。|便道上的梧桐树非常美观。

【便利】 biànlì 〔形/动〕

〔形〕方便的。(suitable for the purpose; convenient; easy)常做谓语、定语、补语。

例句 在山区上学不太便利。|便利的交通促进了这里的经济发展。|现在附近就有商店，买东西变得很便利。

〔动〕使困难少些。(facilitate; be convenient for)常做谓语。

例句 公用电话便利了群众。|为便

B

利附近的居民，小区新建了一个超市。|新政策的出台，便利了职工购房。

【便条】 biàntiáo 〔名〕

写上简单事项的纸条；非正式的书信或通知。(briefly written record; informal letter or notice)常做宾语、主语。[量]张，个。

例句 同屋只留了个便条给我。|小王交给老师一张便条。|这个便条是谁写的？

【便于】 biànyú 〔动〕

比较容易(做某事)。(be easy to; be convenient for)做谓语(多带双音节动词宾语)。

例句 这种包装便于携带。|住在那儿便于了解情况。|使用这种方法便于检验。

【遍】 biàn 〔量/形〕

〔量〕从头到尾经历一次。(once through; a time)常构成短语做句子成分。

例句 这篇文章我看了两遍。|他一遍遍地说个没完没了。|我的第二遍讲演获得了成功。

辨析 〈近〉次。“次”不强调从头至尾的完成。如：这篇文章我看过一次，但没看完。

〔形〕到处；普遍；全面；全部。(all over; everywhere)常做单音节动词、形容词的补语、状语。

例句 有理走遍天下，无理寸步难行。|桃花红遍了全山。|回国时我要摆酒设宴，遍请亲朋。

【遍地】 biàndì 〔名〕

满地；到处。(everywhere; all over the place)常做主语、状语。

例句 这叫遍地开花。|她正遍地寻找那些散落的珍珠。

【辨】 biàn 〔动〕

区别。(differentiate; distinguish)常做谓语。

例句 天漆黑漆黑的，根本辨不清方向。|你得明辨是非才行啊。|两幅字一模一样，难辨真伪。

【辨别】 biànbié 〔动〕

对不同的事物在认识上加以区别。(differentiate; distinguish; discriminate)常做谓语。

例句 队员们在沙漠里努力辨别着前进的方向。|要具有辨别是非的能力。|请专家辨别一下这件古玩的真假。

【辨认】 biànrèn 〔动〕

❶ 分析辨别并做出判断。(identify; recognize)常做谓语。

例句 通过辨认指纹可能发现破案线索。|字迹已经辨认不清了。|这么大的雾，很难辨认方向。

❷ 根据特点看出是以前知道的某物或某人。(recognize)常做谓语。

例句 老人眯起眼睛辨认了一会儿，才走过来跟我握手。|她终于辨认出了失散多年的妹妹。|这件玉器是不是您的，请辨认一下。|他辨认出这是自己的笔迹。

辨析 〈近〉辨别。“辨认”重在根据特点认出某个对象；“辨别”重在区别两个或更多对象。如：辨别它们的真伪。

【辩】 biàn 〔动〕

解释或说明情况、见解。(argue; dispute; debate)常做谓语或用于构词。

词语 辩白 辩解 辩护 辩论

B

例句 真理越辩越明。|他是个能言善辩的人。|你不必再辩白了，大家没有责怪你的意思。

【辩护】 biànhù 〔动〕

为保护某一方面，为其言行进行合理或合法的解释。(argue in favour of; defend)常做谓语(不带宾语)、定语。

例句 他极力为自己的意见辩护。|被告人有权为自己辩护。|可以请律师为犯罪嫌疑人辩护。|辩护律师的辩护词写得很有说服力。|＊我想辩护一下这个案子。(应为"我想为这个案子辩护一下")

【辩解】 biànjiě 〔动〕

对受到指责的某种言论或行为加以解释。(make an explanation for one's opinion or action that has been censured; try to defend oneself)常做谓语、定语。

例句 这小男孩总是为自己的错误辩解。|错了就是错了，你辩解也没有用。|她辩解得再好也无济无事。|你明明是错了，就别找辩解的理由了。

【辩论】 biànlùn 〔名/动〕

〔名〕见解不同的人相互的争论。(argument; debate)常做宾语、主语、定语。[量]场，次。

例句 通过这场辩论，大家的认识又提高了一步。|经过一场激烈的辩论，辩方终于认输了。|比赛双方的辩论进行得很热烈。|辩论的主题是什么？

〔动〕见解不同的人彼此间阐述理由，辩驳争论。(argue; debate)常做谓语、宾语。

例句 代表们热烈地辩论起那个提案。|这个问题得好好辩论辩论才行。|欢迎大家参加辩论。

辨析 〈近〉争论。"争论"指双方各持己见，互不相让，一般短时间难以取得统一结论。"辩论"是通过摆事实、讲道理的方式郑重申诉理由，分辨真伪，求得正确统一的结论。

【辩证】 biànzhèng 〔形/动〕

〔动〕辨析考证。(investigate; authenticate)常做谓语。

例句 对古代汉语里的某些实词，必须仔细辩证，才能准确地理解。|我们在这里咬文嚼字地辩证，似乎有些书呆子气。|跟他辩证也没用，他根本不懂你的话是什么意思。

〔形〕合乎辩证法的。(dialectical)常做定语、状语。

例句 这两者之间是辩证关系。|作者用辩证的方法揭示了这对矛盾的本质。|我们必须辩证地看待一个人。

【辩证法】 biànzhèngfǎ 〔名〕

关于事物处在不断运动、发展和变化中，其原因是事物内部的矛盾斗争的哲学学说。(dialectics)常做主语、宾语、定语。[量]种。

例句 辩证法是一种科学的认识事物的方法。|人人都应该懂一点儿辩证法。|辩证法的作用是无法用数字计算的。

【辫子】 biànzi 〔名〕

❶ 编紧分成股的头发。(plait; pigtail; braid)常做宾语、主语、定语。[量]根，条。

例句 这个小姑娘喜欢扎辫子。|清朝男人留辫子。|她的辫子又粗又亮。|把辫子梢染黄了不好看吗？

❷ 把柄。(mistake or shortcoming)

常做宾语、主语。

例句 我们的政策是不打棍子,不抓辫子。|不要随便抓人家的辫子。|你的小辫子让人抓住了。

【标】 biāo 〔动〕

用文字或其他记号表明。(label)常做谓语。

例句 这批货物还没标价钱。|工人在马路边标了好几个记号。|这里应该标感叹号。

【标本】 biāoběn 〔名〕

专门挑选出来供学习、研究用的动物、植物或矿石样品。(sample; specimen; animal, plant or ore kept in its original form as an example for research and study)常做主语、宾语、定语。[量]件,个。

例句 这些蝴蝶标本来自东南亚。|星期六同学们要上山采集生物标本。|这件标本的价值极高。

【标点】 biāodiǎn 〔名〕

用来表示停顿、语气、词语性质和作用的书写符号。(punctuation)常做主语、宾语、定语。[量]个,种。

例句 这个标点标错了。|学汉语一定要注意正确使用标点。|懂得标点的意思就可以更好地阅读和理解。

【标题】 biāotí 〔名〕

标明文章、作品等内容的简短语句。(title; heading; headline; caption)常做主语、宾语、定语。[量]条,个。

例句 这篇文章的标题很醒目。|给文章加个好标题。|标题的作用不容忽视。

【标语】 biāoyǔ 〔名〕

用简短的文字写出的宣传鼓动口号。(slogan; poster)常做主语、宾语、定语。[量]幅,条。

例句 墙上的那条标语该换了。|挂幅大标语欢迎他们吧。|作文最忌这种标语式的语句。

【标志】 biāozhì 〔动/名〕

〔动〕表明;显示。(mark; symbolize)常做谓语。

例句 这标志我们已经成熟了。|"五四运动"标志着中国进入了一个新的历史阶段。

〔名〕表明特征的记号。(sign; mark)常做主语、宾语。[量]个,种。

例句 这些标志是印第安人留下的。|新时期开始的标志是什么?|绿灯是通行的标志。

辨析 〈近〉标记。"标记"只能用于具体事物。"标志"可以用于具体事物,也可用于抽象事物。如:这些标记是他们留下的。

【标准】 biāozhǔn 〔名/形〕

〔名〕衡量事物的准则。(standard; criterion)常做主语、宾语。[量]个,种。

例句 标准定高了,就很难达到。|你找对象的标准到底是什么呢?|凡事总得有个客观标准。|我们按标准验收。

〔形〕合乎标准。(serving as or conforming to a standard)常做定语、谓语。

例句 我爱人是标准的贤妻良母。|他能说一口标准的普通话。|这台秤太不标准了。

【表】 biǎo 〔名〕

❶ 外面。(surface; appearance)常构成词语。

词语 由表及里 表里如一 外表 表面

B

❷ 表格。(form; table)常做主语、宾语。[量]个,张。

例句 这张表非常清楚。|您报名吗?请填张表。|先画个表,再附上一张说明书。

❸ 测量或计时器具。(metre; gauge; watch)常做主语、宾语、定语。[量]只,块。

例句 这只温度表不准了。|我的表可能慢了,你的表几点?|买一块电子表才 20 元钱。|咱俩对一下表吧。|我觉得表的准确度比表的式样更重要。

【表达】 biǎodá 〔动〕

表示(思想、感情)。(express; convey; voice)常做谓语、定语。

例句 这篇小说表达了作者对美好生活的热爱和追求。|她向我表达过这个意思。|不同的表达方式有不同的效果。

【表里如一】 biǎo lǐ rú yī 〔成〕

形容思想和言行完全一致。(think and act in one and the same way)常做谓语、定语。

例句 这位老干部待人诚恳,表里如一。|我喜欢跟这种表里如一的人打交道。

【表面】 biǎomiàn 〔名〕

物体与外界接触的部分;物体外在现象或非本质的一面。(surface; face; outside; appearance; outer part of a subject)常做主语、宾语、定语。

例句 这张餐桌表面光亮,颜色也好。|怎么能只看人家的表面呢?|他表面上不反对,心里却很不高兴。|不能光做表面文章,而要实干。

【表明】 biǎomíng 〔动〕

清楚明白地表示。(make known; make clear; state clearly; indicate)常做谓语。

例句 全体委员都对这个建议表明了自己反对的态度。|调查结果表明,他讲的全都是事实。|种种迹象表明,地震就要发生了。

辨析 〈近〉说明。"表明"重在把思想态度表示清楚;"说明"是把问题、道理等解释明白。

【表情】 biǎoqíng 〔名〕

表现在面部或姿态上的思想感情。(expression)常做主语、宾语。[量]种。

例句 公关小姐脸上的表情不断变化着。|两个人的表情形成鲜明的对比。|我发现她脸上有一种痛苦的表情。

【表示】 biǎoshì 〔动/名〕

〔动〕❶ 用言语行动显示出某种思想、感情、态度等。(show; express; indicate)常做谓语。

例句 对这件事书记表示了自己的态度。|他对我的意见表示同意。|大家表示一定要按时完成任务。

❷ 事物本身或借某种事物显出某种意义。(express)常做谓语。

例句 绿灯一亮,表示车辆和行人可以通行了。|人们常用红玫瑰表示爱情。|足球场上亮黄牌是表示警告。

〔名〕显示出思想感情的语言、动作或神情。(expression; indication)常做宾语、主语。[量]种。

例句 他俩并没有亲热的表示。|同事结婚,总得有点儿表示嘛。|说了半天,可她一点儿表示也没有。

辨析 〈近〉表现。"表示"重在通过语言、行动来显示某种思想感情、态度,或凭借某种事物来显示其意义,其主体多数是人,也有是事物的;"表现"重在使人的思想、精神或事物的内在方面显现出来,主体多数是事物,也有是人的。如:* 古代四大发明,表示了中国人民的智慧。("表示"应为"表现")

【表现】 biǎoxiàn 〔动/名〕

〔动〕❶ 表示出来;反映出来。(show;display;manifest)常做谓语、定语。

例句 在比赛中她表现得很稳定。|他的作品表现出朴实的风格。|这种艺术形式表现力特别强。

❷ 故意显示(自己的长处)。(show off)常做谓语。

例句 小李总喜欢在大伙儿面前表现表现。|这人好(hào)表现自己。

〔名〕从生活、学习、工作等方面反映出来的行为、作风等,也指事物在运动过程中显示出来的状况、现象等。(behaviour; manifestation)常做主语、宾语。[量]种。

例句 这个同志的表现一贯很好。|劳动中,全班同学的表现都很不错。|捐款救灾是一种爱国的表现。

辨析 〈近〉表示,体现。"表现"重在把人的思想、精神等或事物的内在情况显现出来;"体现"重在抽象的、原则的意义在某一事物上具体显现出来,但没有故意显示自己的意思。如:* 这些变化充分表现了社会主义制度的优越性。("表现"应为"体现")

【表演】 biǎoyǎn 〔动/名〕

〔动〕戏剧、电影、音乐、舞蹈、杂技等演出;做示范性的动作。(act;play;perform)常做谓语、宾语。

例句 他俩正在表演双人舞。|这回要好好表演表演。|下面该你表演了。|新生到校后,由部队官兵为他们进行队列表演。

〔名〕戏剧、舞蹈、杂技等的演出。(performance; exhibition)常做主语、宾语、定语。[量]种,个。

例句 艺术家的精彩表演,博得了观众的热烈掌声。|我不愿意浪费时间去看那种表演。|下面表演的节目是民族舞。

【表扬】 biǎoyáng 〔动〕

对好人好事公开称赞。(praise; commend)常做谓语、宾语。

例句 表扬得太多也可能起反作用。|妈妈表扬我学习有了进步。|他见义勇为,受到了表扬。|对于这种助人为乐的精神,老师给予了表扬。

【表彰】 biǎozhāng 〔动〕

表扬并嘉奖。(praise sb.; cite; commend)常做谓语、宾语、定语。

例句 工会决定年末表彰先进生产者。|这些劳动模范值得表彰。|表彰大会正在进行。

【憋】 biē 〔动/形〕

〔动〕抑制或堵住不让出来。(suppress;hold back)常做谓语。

例句 小张憋着一肚子气没地方说。|运动员们个个憋足了劲,决心夺回上次比赛失去的冠军。|农民把水憋在田里,准备插秧。

〔形〕闷。(suffocated;oppressed)常做谓语。

例句 我憋得难受,想到海边散散心。|这样下去会憋出病来的。|这几天总感到心里憋得慌。

【别】 bié 〔副/动〕 另读 biè

B

〔副〕❶ 表示劝阻或禁止，意思同“不要”。(don't; had better not)做状语。

例句 天要下雨了，别忘带伞。|别把问题看得那么严重。|别着急，有话慢慢说。|最好别去。

❷ 表示猜测。所猜测的事多是不希望出现的。(*indicating conjecture of sth. against one's own wish*)做状语，常与“是”配合。

例句 这么长时间没见他，别是回国了吧。|天黑得要命，别是要下雨吧。|锁打不开了，别是坏了吧。

〔动〕❶ 分离。(leave; part)常做谓语。

例句 别了，故乡。|北京一别，已是两年有余了。

❷ 区分。(differentiate; distinguish)常构成词语。

词语 分门别类　内外有别　区别　分别

❸ 用别针把另一样物体附在或固定在纸、布等物体上。(fasten sth. with a pin or clip to a piece of paper, cloth, etc.)常做谓语。

例句 头发短，发卡别不住。|别得太紧了。|校徽别斜了。|新娘新郎的胸前都别着一朵红花。

❹ 插上。(stick in)常做谓语。

例句 有些人腰间别着手机。|屋里面别上门闩(shuān)了。

▶“别”还做代词，指“另外的”。如：别人　别名　别处

【别出心裁】 bié chū xīn cái 〔成〕

另想出一种与众不同的新主意。(adopt an original approach)常做谓语、定语、状语。

例句 王海别出心裁，把自己的帽子作为礼物送给了李老师。|时代广场别出心裁的设计令人赞叹。|他们别出心裁地搞了个化妆舞会，很有意思。

辨析 〈近〉别具匠心。“别出心裁”侧重于想出与众不同的新主意；“别具匠心”侧重于文学艺术上的创新构思。如：* 他别具匠心，把帽子作礼物送人。(“别具匠心”应为“别出心裁”)

【别处】 biéchù 〔名〕

另外的地方。(other places; elsewhere)常做主语、宾语、定语。

例句 这里太冷清，别处又太热闹。|这儿看过了，咱们到别处去看看。|他不住校内，住在别处。|别处的景致也不错。

【别的】 biéde 〔代〕

另外的；其他的。(other; else)常做主语、宾语、定语。

例句 我就买这双皮面旅游鞋，别的都不要。|(在饭馆)先生，还要不要点儿别的？|教室里只剩下我们两个，别的同学都去上网了。

【别具一格】 bié jù yì gé 〔成〕

具有独特的风格。(have a distinctive style)常做谓语、定语。

例句 这位青年书法家的作品既有继承又有发展，别具一格。|新裤子竟然还有两个洞，真是别具一格。|街头那些别具一格的电话亭给我留下了很深的印象。|我从没见过这种别具一格的表演。

【别人】 biérén 〔代〕

指自己或某人以外的人。(others; other people)常做定语、主语、宾语。

例句 你怎么从不关心别人的困难

呢？|别人说什么他信什么。|家里只有母亲和我，没有别人。

【别有用心】 bié yǒu yòngxīn 〔成〕

言行中另有坏打算。(have ulterior motives; have an axe to grind)常做谓语、定语、状语。

例句 他这样对待你肯定别有用心。|别有用心的张三拉住李四不让他离开。|有人别有用心地散布谣言。

【别字】 biézì 〔名〕

写错或读错的字。也叫“白字”。(incorrectly written or pronounced character)常做主语、宾语。[量]个。

例句 作文中别字就有四五个。|把“句子”写成“包子”是写了个别字。|从上学起就要注意不要写别字。

【别】 biè 〔动〕 另读 bié

改变别人坚持的意见或习性。(persuade sb. to change his opinion or give up his idea)常做谓语。

例句 我不想依他，可是又别不过他。|这次就算了吧，胳膊别不过大腿。|他别着不同意，我们也很难办。

【别扭】 bièniu 〔形〕

❶ 不顺心；难对付。(awkward; difficult; uncomfortable)常做谓语、定语。

例句 穿这件外套参加婚礼，太别扭了。|这天儿真别扭，一会儿热，一会儿冷的。|看到她那别扭的样子真扫兴。

❷ 意见不合。(not get along well; on bad terms; at odds)常做宾语、谓语。

例句 他俩总闹别扭，谈不上三句话就拌嘴。|怎么老是跟我找别扭？|老两口总别别扭扭的，谁也不愿意理谁。

❸ (说话、作文)不通顺，不流畅。(unnatural; awkward)常做谓语。

例句 这段文字读起来怎么那么别扭！|小李说话总是挺别扭。

【宾】 bīn 〔名〕

客人。(guest)常构成词语。

词语 宾客 来宾 宾馆 宾至如归

【宾馆】 bīnguǎn 〔名〕

公家招待来宾住宿的地方。现指较大而设施较好的旅馆。(hotel; guesthouse)常做主语、宾语、定语。[量]个，家。

例句 这家宾馆是四星级的。|旅游主要是为了参观游览，用不着住高档宾馆。|宾馆的服务质量特别重要。

【宾至如归】 bīn zhì rú guī 〔成〕

客人到这里就像回到家里一样。形容旅馆等待客热情、周到。(where guests feel at home; a home from home)常做主语、定语、宾语。

例句 “宾至如归”是我们饭店的一贯宗旨。|客人来到北海酒店，都有一种宾至如归的感觉。|正门上方写着四个大字：宾至如归。

【冰】 bīng 〔名〕

水在摄氏零度或零度以下凝成的固体。(ice)常做主语、宾语、定语。

例句 刚进二月，冰就开始化了。|河里都结冰了，还不冷？|这虾用冰可以保存一周左右。|我喝葡萄酒喜欢加冰块。

【冰棍儿】 bīnggùnr 〔名〕

把水、果汁等混合后，冻结在小棍儿上的冷食。(popsicle; ice-sucker)常

B

做主语、宾语、定语。[量]根,支。

例句 冰棍儿能解渴吗?我觉得越吃越渴。|热了,吃根冰棍儿吧。|现在冰棍儿的品种越来越多了。

【冰淇淋】 bīngqílín 〔名〕

一种半固体冷食,用牛奶、鸡蛋、糖、果汁等加水后制成。(ice cream)常做主语、宾语、定语。[量]个,盒。

例句 冰淇淋特别受青少年欢迎。|冰淇淋自己也能做。|我喜欢买草莓冰淇淋吃。|冰淇淋的味道各种各样。

【兵】 bīng 〔名〕

军人。(soldier; army; troops)常做主语、定语、宾语。[量]个。

例句 兵就要有个兵样儿。|我是一个兵。|父亲曾经当过兵。

【丙】 bǐng 〔名〕

天干的第三位,用做顺序的第三。(the 3rd of the 10 Heavenly Stems)常做主语、宾语、定语。

例句 丙常用来表示"第三"。|天干的第三位叫丙。|我们队顶多算丙级队。

【秉性】 bǐngxìng 〔名〕

性格。(natural disposition)常做主语、宾语。[量]种。

例句 人们的秉性各不相同。|常言道:江山易改,秉性难移。|他有着一种非常淳朴的秉性。

【柄】 bǐng 〔名〕

❶ 器物的把儿。(handle)常做主语、宾语。[量]个。

例句 勺子柄长一点儿好。|握住这个柄,别烫着!

❷ 比喻在言行上被人抓住的材料。(anything affording an advantage or pretext to an opponent)用于构词。

词语 把柄 笑柄 话柄

【饼】 bǐng 〔名〕

泛称烤熟或蒸熟的面食,形状大多扁而圆。(a round flat cake made of flour by baking or steaming)常做主语、宾语、定语。[量]块,张。

词语 月饼 饼干

例句 中国的饼种类很多。|我从小就喜欢吃葱花饼。|这不贵,也就是一张饼的价钱。

【饼干】 bǐnggān 〔名〕

食品,用面加糖、鸡蛋、牛奶等烤成的小而薄的块儿。(biscuit; cracker)常做主语、宾语、定语。[量]块,盒,袋。

例句 一袋饼干就是我的午饭。|孩子连着吃了十多块饼干。|这盒饼干的保质期早过了。

【并】 bìng 〔副/连/动〕

〔副〕❶ 表示不同的事物同时存在或不同的事情同时进行。(side by side; equally; simultaneously)常构成词语。

词语 并存 并肩 并立 并列 并排 并重 相提并论

例句 这两个问题不能相提并论。|比赛结果,两队并列第一。

❷ 用在否定词前面,加强否定语气,略带反驳的意味。(actually; definitely)做状语。

例句 大家给你提意见,并没有伤害你的意思。|并不是我有意来晚,是车坏了。|这并不怨他,是我没说清楚。

〔连〕❶ 表示两个动作同时或连着进行。(and; besides)用在两个动词或动词短语之间,起连接作用。

例句 大会讨论并通过了两项决议。|我们对此进行调查并得出了结论。

❷ 表示更进一步的意思。(furthermore;and)用在复句后一分句开头。

例句 访问团参观了工厂,并跟工人们进行了座谈。|那位空姐为老人办好了手续,并送他上了飞机。

〔动〕❶ 两种或两种以上的事物平排着。(stand or place side by side)常做谓语。

例句 大家手拉手,肩并肩。|他俩并着肩走了好长一段路。|几张桌子并成了一排,上面摆着奖品。

❷ 把两个或两个以上的事物合在一起。(combine; merge; incorporate)常做谓语。

例句 因为人数太少,并了两个班,现在二年级一共还有五个班。|我三步并作两步跑进村里。|在高等教育的改革中,北京医科大学和北京大学并到一起了。

【并存】 bìngcún 〔动〕

同时存在。(exist side by side)常做谓语。

例句 中国目前是多种经济形式并存。|不同的见解可以并存。|跨入新世纪,机遇与挑战同时并存。

【并非】 bìngfēi 〔副〕

并不是。(actually not)做状语、谓语。

例句 并非每个人都能理解你的做法。|事实并非如此。|国际形势并非那么简单。

【并列】 bìngliè 〔动〕

在一起平列,不分主次。(stand side by side;be juxtaposed)常做谓语、定语。

例句 比赛结果是他俩并列第二名。|两张写字台并列放着。|这两个句子是并列关系。

【并排】 bìngpái 〔动〕

不分前后地排列在一条线上;肩并肩地挨着。(side by side; abreast)常做状语。

例句 几个人并排骑车容易出交通事故。|当时,几个人正并排坐在一起看电影。|欢迎的人并排站着。

【并且】 bìngqiě 〔连〕

表示动作同时或先后进行;表示意思的递进。(and;besides;moreover;furthermore)用在动词性词语或形容词之间;连接复句中后一分句。

例句 父母终于理解并且支持我了。|房间宽敞并且明亮。|他不但嘴上这么说,并且行动上也这么做。

【病】 bìng 〔名/动〕

〔名〕❶ 生理或心理上发生的不正常状态。(abnormal physiological or mental condition; disease)常做主语、宾语、定语。[量]个,种,场,次。

例句 母亲的病就要好了,真让人高兴。|一场大病过后,老吴的身体还很虚弱。|这个患者得了一种特殊的病。|出门在外就怕有病。|这个病的症状是低烧。

❷ 缺点。(fault; defect)常用于构词。

词语 通病 语病 毛病

例句 马虎大意是有些人的通病。|稿子语病太多,得好好改改。|他那些毛病的根源是什么?

〔动〕生理或心理发生不正常状态。(experience an abnormal physiological or mental condition; fall ill; be sick)常做谓语。

B

例句 爷爷病了一年多了。|因为天热,刚才又病倒了两位。|您病得不轻啊。

【病虫害】 bìngchónghài 〔名〕
植物的病害和虫害的合称。(plant diseases and insect pests)常做主语、宾语、定语。[量]种,次。

例句 这种病虫害很难对付。|科研人员已经成功地消灭了这片果树的病虫害。|为了防止病虫害的发生,农民们都到地里喷药去了。

【病床】 bìngchuáng 〔名〕
医院、疗养院的病人用床。(sick-bed)常做主语、宾语、定语。[量]张。

例句 目前病床都满了,再来病人怎么办?|病房内摆着两张病床。|病床的数量代表着一所医院的规模。

【病毒】 bìngdú 〔名〕
比病菌更小的病源。(virus)常做主语、宾语、定语。[量]种。

例句 这种病是病毒传染的。|日光也可以杀死某些病毒。|我们要防止流感病毒的继续传播。

【病房】 bìngfáng 〔名〕
医院、疗养院病人住的房间。(sick-room;ward)常做宾语、主语、定语。[量]间。

例句 这是一间有四个床位的病房。|病房要保持安静。|病房的卫生状况直接影响治疗。

【病号】 bìnghào 〔名〕
部队、学校、机关等集体中的病人。(patient; sick personnel in units, school,army,etc.)常做宾语、定语、主语。[量]个,位。

例句 老王是我们单位的老病号。|得知有位留学生病了,餐厅马上做了病号饭送去。|这些病号还需要养几天才能上班。

【病菌】 bìngjūn 〔名〕
能引起疾病的细菌。(pathogenic bacteria)常做主语、宾语、定语。[量]种,个。

例句 病菌时刻威胁着人类的生命。|经过多次消毒,才能彻底消灭病菌。|病菌的传播方式有很多种。

【病情】 bìngqíng 〔名〕
疾病变化的情况。(state of an illness;patient's condition)常做主语、定语、宾语。[量]种,个。

例句 李阿姨的病情目前很稳定。|病人希望了解自己的病情。|病情的变化不定让人担心。

【病人】 bìngrén 〔名〕
生病的人。(a sick person; invalid; patient)常做主语、宾语、定语。[量]个,位。

例句 刚入院的病人情况并不是很好。|我们医院收治了两名艾滋病病人。|要是病人情绪稳定,恢复就快。

【拨】 bō 〔动〕
❶ 手脚或棍棒等横着用力,使东西移动。(move or adjust with the hand,the foot,a stick,etc.)常做谓语。

例句 一群鸭子拨着水游过来。|你帮我把墙上的钟拨正吧。|从中国到日本后,要把表往前拨一个小时。|给她拨过几次电话都没人接。

❷ 分出一部分给;调配。(set aside;assign;allocate)常做谓语、定语。

例句 国家每年都增拨大量经费,以

发展教育事业。|我们这儿人手不够,能不能再拨几个来?|刚拨的粮食必须马上运走。

【拨款】 bō kuǎn 〔动短〕

政府或上级拨给款项。(allocate funds; appropriate money)常做谓语、主语、定语,中间可插入词语。

例句 政府决定给你们拨一笔救灾款。|民政拨款要专款专用。|拨款事宜必须抓紧研究。

【波】 bō 〔名〕

❶ 江湖海洋上起伏不平的水面;振动在介质中的传播过程。(wave)常用于构词。也做主语、宾语。

词语 波动 波浪 波涛 波纹 波长 波及 超声波 微波

例句 波是振动形式的传播。|有的动物可以发出某种波。

❷ 比喻事情的意外变化。(an unexpected turn of events)常构成词语。

词语 风波 一波未平,一波又起 轩然大波

【波动】 bōdòng 〔动〕

波浪式地涨落或起伏地运动;像波浪那样起伏不定;不稳定。(undulate; fluctuate)常做谓语、定语、宾语。

例句 现在老百姓对物价波动已经适应了。|他需要控制一下波动的情绪。|听了这话,她思想上产生了波动。

【波浪】 bōlàng 〔名〕

江河湖海等水面受到外力作用后,呈现的起伏不平现象。(wave)常做主语、定语、宾语。

例句 波浪不断地冲击海岸,发出哗哗的声响。|波浪的力量在减弱,海慢慢平静下来。|八级大风使海面上掀起了巨大的波浪。

【波涛】 bōtāo 〔名〕

大波浪。(huge waves; billows)常做主语、宾语。

例句 海面上波涛汹涌。|澎湃的波涛,既使人胆怯,也锻炼人的意志。|红旗翻动,像滚滚的波涛。

【玻璃】 bōli 〔名〕

一种人工制造的质地较硬而脆的透明物体。(glass)常做主语、宾语、定语。[量]块。

例句 玻璃是一种重要的建筑材料。|小心打碎桌上那块玻璃。|教室里的玻璃窗很明亮。

【剥削】 bōxuē 〔动/名〕

〔动〕占有生产资料,无偿地占有别人的劳动或产品。(exploit)常做谓语。

例句 这笔财富是靠剥削工人积累起来的。

〔名〕指占有别人劳动或产品的行为。(exploitation)常做主语、宾语、定语。

例句 地主的剥削激起了农民的反抗。|消灭剥削需要较长的历史过程。|剥削程度的加深激化了劳资矛盾。

【菠菜】 bōcài 〔名〕

一年生或二年生草本植物,叶子略呈三角形,根略带红色,是普通蔬菜。(spinach)常做主语、宾语、定语。[量]棵。

例句 菠菜含有多种维生素。|小弟喜欢吃菠菜。|菠菜的叶子吃起来很嫩。

【播】 bō 〔动〕

B

❶ 撒种(zhǒng)。(sow; seed; sow seeds)常做谓语。

例句 种子全部播完了。|农民们正在田里播冬小麦。|今年春天来得早,要提前播水稻。

❷ 通过电波等广泛散布。(broadcast;spread)常做谓语。

例句 看电视剧的时候,我总是趁播广告的时间去厕所。|这首歌已经播过好几遍了。|咱们的消息今天恐怕播不了。

【播放】 bōfàng 〔动〕

通过广播发出。(broadcast)常做谓语。

例句 刚才电台播放了一则重要新闻。|听众要求多播放些好听的音乐。|电视台正在播放电视连续剧《西游记》。

【播送】 bōsòng 〔动〕

由发射台向无线接收机发送(广播或电视节目)。(broadcast; transmit)常做谓语。

例句 现在正在播送大会实况录音。|这条消息播送得很及时。|收音机里正在播送足球比赛实况。

【播音】 bō yīn 〔动短〕

广播电台播送节目。(transmit; beam; broadcast over the radio)常做谓语、宾语、定语。中间可插入词语。

例句 她正播着音呢。|我长大了要学播音。|早间新闻的播音时间是几点?

【播种】 bōzhòng 〔动〕

用撒种子的方式种植。(sow; plant)常做谓语、定语。

例句 按节气,农村已经开犁播种了。|他们家正在播种大豆。|今年的小麦播种面积扩大了一倍。

【伯父(伯伯)】 bófù(bóbo) 〔名〕

❶ 对父亲的哥哥的称呼。(father's elder brother; uncle)常做主语、定语、宾语。[量]位,个。

例句 我伯父比父亲大三岁。|二伯父的个子很高。|我喜欢幽默的大伯父。

❷ 对与父亲辈分相同而年纪较大的男子的称呼。(a term of address for a man of one's father's generation who is older than one's father; uncle)常做主语、宾语、定语。[量]位,个。

例句 张伯伯品德高尚,学识渊博。|这位就是我常跟你提起的李伯伯。|王伯伯的工作很忙。

▶ "伯伯"前面多加姓,当面称呼可不加姓。如:伯伯,您好!

【伯母】 bómǔ 〔名〕

❶ 伯父的妻子。(wife of father's elder brother; aunt)常做主语、宾语、定语。[量]个,位。

例句 伯伯和伯母有两个女儿。|我有两位伯母。|大伯母的工作是秘书。

❷ 称呼和母亲同辈而年长的妇女。(a term of address for the wife of a man of one's father's generation who is older than one's father; aunt)常做主语、宾语、定语。

例句 邻家的伯母对我特别好。|来我家做客的小王称我母亲为伯母。|二伯母的心地特别善良。|伯母,您好!

【驳】 bó 〔动〕

❶ 指出对方或别人的意见不合道

理(或事实)。(refute;gainsay)常做谓语,也用于构词。

词语 反驳 驳斥 批驳 驳回

例句 这种说法得好好驳一驳。|她能说会道,我驳不过她。

❷ 在船与岸、船与船之间用小船转运货物或旅客。(transport by lighter)常用于构词,也做谓语。

词语 驳运 驳船

例句 能不能把我们驳过去?

【驳斥】 bóchì 〔动〕

用自己的理由否定别人的言论或意见。(refute;rebut;contradict)常做谓语、主语。

例句 该文章有力地驳斥了这一谬论。|我在会上驳斥了他的观点。|他的驳斥使对方律师哑口无言。

【脖子】 bózi 〔名〕

头和躯干相连接的部分。(neck)常做主语、宾语、定语。

例句 天鹅的脖子又细又长。|女儿常抓住猫脖子把它提起来。|她脖子上那条红围巾真漂亮。

【博】 bó 〔形〕

多;广;丰富。(rich;abundant;plentiful)常构成词语。

词语 博爱 博大 博览 博物 博士 广博 地大物博 博采众长

例句 他有着博大的胸怀。|中国地大物博,但人口众多。

【博大精深】 bódà jīngshēn 〔成〕

形容学识、思想、作品、理论等广博丰富,深奥精微。(have extensive knowledge and profound scholarship)常做谓语、定语。

例句 王先生潜心研究《红楼梦》三十余年,学识博大精深。|中国的传统文化博大精深,不仅我们在研究,国外的汉学家也在研究。|这部著作以其博大精深的思想内涵赢得了读者的喜爱。

【博览会】 bólǎnhuì 〔名〕

大型产品展览会。(fair;exhibition)常做主语、宾语、定语。[量]次,个。

例句 轻工产品博览会已经结束了。|这是一次成功的商品博览会。|本次博览会的规模超过了历届。

【博览群书】 bó lǎn qún shū 〔成〕

读了很多书,学识渊博。(be well-read)常做谓语、定语。

例句 钱钟书先生博览群书,学贯中西。|问题虽然提得很突然,但博览群书的王教授怎么会被它难倒?

【博士】 bóshì 〔名〕

学位的最高一级。(doctor)常做主语、宾语、定语。[量]位,个。

例句 那位法学博士很有水平。|硕士毕业后,我还想考博士。|经过三年苦读,他终于获得了理学博士学位。|这篇博士论文震惊了学术界。

【博物馆】 bówùguǎn 〔名〕

征集、保管、展览和研究有代表性的自然和人类活动的标本或实物,并为公众提供知识的文化机构。(museum)常做主语、宾语、定语。[量]个。

例句 新的博物馆已经正式建成了。|海洋博物馆吸引了大批游客。|老师带我们参观了历史博物馆。|这个博物馆的规模是全国最大的。

【搏斗】 bódòu 〔动〕

徒手或用刀、棒等激烈地对打,也比喻激烈的斗争。(wrestle;fight;combat;struggle)常做谓语、宾语、定语。

例句 她与死神搏斗了一个多小时，终于醒了过来。|队伍强渡长江，同巨浪和炮火展开了搏斗。|在搏斗的过程中，他表现得十分勇敢。

【薄】 bó 〔形〕 另读 báo、bò

❶ 轻微；少；不壮实。(slight; meager; small; weak and unhealthy; frail)常构成词语，也做谓语。

词语 薄礼 薄利多销 广种薄收 薄弱 单薄

例句 这点儿礼是不是太薄了？

❷ 不厚道；不庄重；看不起；慢待。(ungenerous; unkind; mean; harsh)常构成词语。

词语 刻薄 轻薄 鄙薄 厚今薄古

【薄膜】 bómó 〔名〕

厚度很小的膜。(film; membrane)常做主语、宾语、定语。[量]层。

例句 塑料薄膜在农业上用处很大。|美容时需要先在面部涂一层薄膜。|薄膜电阻正在广泛使用。

【薄弱】 bóruò 〔形〕

容易挫折、破坏或动摇；不雄厚；不坚强。(weak; frail)常做谓语、定语、补语。

例句 这个人意志比较薄弱。|这儿是个薄弱环节。|几个人跳槽后，厂里的技术力量显得薄弱一些。

【不必】 búbì 〔副〕

不需要。(need not; not have to)常做状语。

例句 我自己能搬，不必麻烦你了。|生活小事，不必太认真了。|不必为这种人烦恼。|你要再去一趟，就不必了。

【不错】 búcuò 〔形〕

❶ 令人满意的；过得去的。(ok; all right)常做谓语、定语、补语。

例句 小明英文不错。|他的字写得确实不错。|墙上挂着一幅很不错的山水画。

❷ 正确；对。(correct; right; yes)常做独立成分。

例句 这事你做得一点儿不错。|假如我说得不错的话，她一定会来的。|A：情况就这么多吗？B：不错，就是这样。|A：是你干的？B：不错。

▶ 此时的“不错”是由“不”和“错”构成的形容词短语。

【不大】 búdà 〔副〕

程度不深；不经常。(not very; not often)做状语。

例句 她不大喜欢跳舞。|看起来不大可能发生这种事。|我们平时不大见面。

【不但】 búdàn 〔连〕

表示除了所说的以外(后接更进一层的意思)。(not only)常用于复句的前句，与“而且”、“还”、“也”、“连”、“反而”等配合。

例句 这种笔不但样式美观，而且书写方便。|他不但读过，还仔细研究过那篇文章。|不但他们去过北京，我们也去过。|大雨过后，不但没有凉快，反而更闷热了。

▶ 前后两句主语相同时，“不但”多用于主语后；主语不同时，“不但”多用于主语前。

【不当】 búdàng 〔形〕

不合适；不恰当。(unsuitable; improper)常做补语、定语、宾语、谓语。

例句 这件事处理不当会出乱子的。|对于不当的批评你有权不接受。|如有不当，请予指正。|他这样做确

实有些不当。

【不定】 búdìng 〔副〕

表示不肯定。(uncertainly; hard to say)做状语,后面常有表示疑问的词或肯定和否定相叠的短语。

例句 一天不定看多少次呢。|这回不定谁来呢!|这次考试不定能不能过关。|先别打电话,我还不定去不去呢。

【不断】 búduàn 〔副〕

不停地。(unceasing; constant)做状语。

例句 人民的生活水平和文化程度正在不断提高。|只有不断调整自己的心态,才能适应社会和工作。|他不断地给我打电话,非要我帮他的忙。

【不对】 bú duì 〔形短〕

❶ 不正确,错误的。(incorrect; wrong)常做谓语、定语、补语。

例句 工作的方法不对就达不到目的。|有不对的地方请多原谅。|这个字你写得不对。

❷ 不正常的。(amiss; abnormal; queer)常做谓语、补语。

例句 你脸色不对,是不是病了?|这声音听起来不对。|她的行为看起来不对。

❸ 合不来。(in disagreement; at odds)常做谓语。

例句 夫妻俩多年来一直不对脾气。|我俩性格不对,很难相处。

【不够】 bú gòu 〔形短〕

数量或程度达不到要求。(not enough)常做谓语、状语。

例句 因为我们资金不够,所以无法按期完成。|快点儿吧,时间不够用了。|目前,粮食还不够多。

【不顾】 búgù 〔动〕

不关心;不考虑。(have no consideration for; not be concerned with)常做谓语。

例句 这个人说话办事从来不顾别人。|他不顾熊熊烈火,一连救出三个孩子。|我不顾一切地冲了上去。

【不过】 búguò 〔连〕

表示转折(语气比"但是"轻),对上文进行限制或修正;只是。(but; however)用在复句的后句开头,起连接作用。

例句 房间不错,不过光线暗了点儿。|这篇作文内容很好,不过写得不够集中。|今天的天气挺好,不过人来得不多。

【不见】 bújiàn 〔动〕

未见面;找不到了。(not see; not meet)常做谓语。

例句 要开会了,秘书却不见了。|虽然我们多年不见,可彼此一直非常关心。|不见黄河不死心。|早上7点火车站集合,不见不散。

【不见得】 bújiànde 〔副〕

不太可能;不一定。(not necessarily; not likely)做状语。

例句 他今晚不见得会来。|部长不见得同意你这样做。|这雨不见得下得起来。

【不近人情】 bú jìn rénqíng 〔成〕

不合乎人之常情。(not amenable to reason; unreasonable)常做谓语、定语。

例句 刚结婚三天就让他去出差,未免太不近人情了!|人家特意邀请,就一起玩玩吧,不要这样不近人情。

|千万别当面说这种不近人情的话。

【不愧】 búkuì 〔动〕

当得起。(be worthy of; deserve to be called; prove oneself to be)常做谓语。常与“为”、“是”配合。

例句 他们不愧为英雄。|市长一心为老百姓办事,不愧为“人民公仆”。|他不愧是活雷峰。|真不愧是学文学的,出口就能成章啊!

【不利】 búlì 〔形〕

没有好处;不顺利。(unfavourable; disadvantageous; harmful)常做谓语、定语、补语。

例句 这些情况对我们很不利。|目前只有一个合作项目进展不利。|这里的气候条件对农作物生长不利。|我们要充分考虑到这些不利条件。|局势变得很不利。

【不料】 búliào 〔副〕

没想到;没有预先料到。(unexpectedly; to one's surprise)常做状语。

例句 早上天气还好好的,不料下午竟下起冰雹来。|本来安排好了,不料出了这种事。|说好了中午一起去,不料等到3点她也没来。

【不露声色】 bú lù shēngsè 〔成〕

从声音和脸色上看不出心里的打算。(not show one's feelings, intentions, etc.)常做谓语、状语。

例句 别看这个人不露声色,却可能是我们最厉害的对手。|我看穿了他的来意,但尽量不露声色,看看他还有什么要说的。|她不露声色地边应付,边想着怎么摆脱他。|尽管心里很生气,但张老师只是不露声色地望着窗外。

【不论】 búlùn 〔连〕

表示条件或情况不同而结果不变。(no matter what, who, how, etc.; whether... or...; regardless of)常用于复句的上半句,后面往往有并列的词语或表示任指的疑问代词“谁”、“什么”、“怎么”、“怎样”等,下文常与“都”、“也”、“总”等配合。

例句 不论学习还是工作,哥哥总是那么努力。|不论下多大雨,我也要去。|不论嫁给谁,我都要带着这个孤儿。

【不入虎穴,焉得虎子】 bú rù hǔ xué, yān dé hǔ zǐ 〔成〕

不进老虎洞,怎么能捉到小老虎呢?比喻不经历艰险,就不能获得成功。(nothing venture, nothing gain; how can you catch tiger cubs without entering the tiger's lair)

例句 再危险也得去,不入虎穴,焉得虎子? |A:井下救人,你行吗? B:不入虎穴,焉得虎子!

【不是】 búshi 〔名〕

过失;错误。(fault; blame)常做宾语、主语。

例句 别拿着不是当理说。|这是我的不是,别怪他。|你要这么说可就是你的不是了。|我的不是已经有目共睹,我甘愿受罚。

【不是…而是…】 bú shì…ér shì… 〔关联〕

表示对比关系,否定在前,肯定在后。(not... but...)连接两个或两个以上的名词、代词、动词或小句。

例句 这花不是大红的,而是粉红的。|这件衣服不是长了,而是短了。|我这次不是去日本,而是去韩国。

【不是…就是…】 bú shì…jiù shì… 〔关联〕

表示选择关系，两项之中至少有一项是事实。(either... or)用于连接两种不同的选项。

例句 星期天，妻子不是洗衣服就是做饭。|这件事不是你干的，就是他干的。|这孩子走路时不是跑就是跳。|手表出毛病了，不是慢就是快。|我下礼拜去上海出差，不是星期三就是星期四。

【不是吗】 bú shì ma 〔动短〕

表示反问，用来强调对某种看法或事实的肯定。(used to emphasize one's own opinion or conform one's idea)常用于句末。

例句 A：这个建议怎么样？B：这是个好建议，不是吗？|A：我的书在哪儿？B：在桌子上，不是吗？

【不痛不痒】 bú tòng bù yǎng 〔成〕

比喻没触及要害，或是没彻底解决问题。(scratching the surface; superficial; perfunctory)常做谓语、定语、状语。

例句 他就那样，你对他说什么，他都不痛不痒的。|只讲两句不痛不痒的话不行，我们必须拿出切实可行的办法来。|这次出了这么大的错，可陈校长在会上只是不痛不痒地批评了几句就完了。

【不像话】 bú xiànghuà 〔动短〕

言语、行动不合理；坏得无法形容。(unreasonable; shocking; outrageous)常做谓语、补语。

例句 他真不像话，居然不赡(shàn)养父母。|你怎么随地吐痰？太不像话了！|屋里脏得不像话了，也不收拾收拾。

【不幸】 búxìng 〔形〕

运气不好，使人失望、伤心、痛苦的；表示不希望发生而竟然发生。(unfortunate; sad; unfortunately)常做谓语、定语、状语。

例句 小兰在训练中突然受伤，太不幸了。|这个不幸的消息，终于传到了他的耳朵里。|在这次飞机失事中，有75人不幸遇难。

▶“不幸”也做名词，指灾祸。如：她的不幸引起了大家的同情。|轻易相信别人是他最大的不幸。

【不要】 búyào 〔副〕

表示禁止或劝阻。(don't)做状语。

例句 你不要太难过了。|请不要客气。|千万不要告诉她。|不要忘了带照相机啊！

【不要紧】 bú yàojǐn 〔形短〕

❶ 不严重；没有妨碍。(it's not serious; it doesn't matter; never mind)常做谓语。

例句 他的病不要紧，你别担心。|那本书丢了不要紧，这本书可不能丢。|A：你怎么了？B：有点儿感冒，不要紧。

❷ 不重要；不成问题。(it's not important; it doesn't matter; it looks all right, but)常做谓语。

例句 路远也不要紧，我们可以坐车去。|箱子多重也不要紧，不是有我吗？|他这一哭不要紧，搅得全家没过好年。

【不用】 búyòng 〔副〕

表示事实上没有必要。(need not)常做状语。

例句 既然人家来了，你就不用去了。|原来你们认识啊，那我就不用介绍了。|一点儿小病，你不用担心。

【不在乎】 búzàihu 〔动〕

不放在心上。(not mind; not care)常做谓语、定语。

例句 你对这事一点儿也不在乎吗?|我不在乎别人说什么。|你看他那满不在乎的样子,像什么话!

【不正之风】 bú zhèng zhī fēng 〔名短〕

指以种种手段谋取私利和一切违反社会道德准则的现象。(unhealthy tendency)常做宾语、主语、定语。

例句 纠正不正之风是当务之急。|不正之风不打击不行。|不正之风的危害极大。

【不至于】 búzhìyú 〔副〕

不会到某种程度;未必。(can not go so far; be unlikely)做状语。常与"但"、"连"、"还"等配合。

例句 李明学习虽不好,但还不至于留级。|那么大的人,不至于连这点儿道理都不懂。|他不至于做得这么绝吧?

▶"不至于"有时可单用。如:A:听说后天的票也卖光了。B:不至于吧?

【不住】 búzhù 〔副〕

连续不断地。(continuously)常做状语(后带"地")。

例句 整个晚上电话不住地响,我根本无法干别的事。|雨不住地下,没有雨伞,怎么办呢?|听了老师的话,他不住地点头。

【不自量力】 bú zì liàng lì 〔成〕

不能正确地估计自己的力量。指过高地估计自己的力量。(overrate one's own abilities; put a quart into a pint pot)常做谓语、定语、状语。

例句 你们不自量力。|最好别干不自量力的傻事!|他常常不自量力地想改变社会,结果到处碰壁。

【卜】 bǔ 〔动〕

❶ 用钱币、纸牌等推断祸福。(divine; tell fortunes)常做谓语。

例句 还是卜一卦吧!|他常给人卜卦算命。|我想请你卜卜吉凶。

❷ 推断;预料。(fortell; predict)常做谓语。

例句 是福是祸,前途未卜。|你能未卜先知吗?|这事成败难卜啊!

【补】 bǔ 〔动〕

❶ 添上材料,把破损的东西修好。(mend; patch; repair)常做谓语、定语。

例句 这个包儿补一补还能用。|车胎补好了。|现在很少有人穿补的衣服了。

❷ 增加一部分使够数。(fill; supply; make up for)常做谓语、状语。

例句 会上又补了两名委员。|把这句话补上去就好了。|由于已经录取的学生有几个放弃了,又补录了五名。|希望她能补选进去。

❸ 通过饮食或药物等滋养身体。(nourish)常做谓语。

例句 你的身子不补怎么行?|献血后要稍微补一补。|他大病初愈,要好好地补补。

【补偿】 bǔcháng 〔动〕

抵消(损失,消耗);补足(缺乏,差额)。(compensate; offset; make up)常做谓语。

例句 是他们违约,应该补偿我们的损失。|拿什么来补偿农民所做的牺牲?|照原价补偿可以吗?

【补充】 bǔchōng 〔动〕

❶ 在主要部分外另加一些。(additional;complementary)常做定语。

例句 这些书是补充教材。|有关具体政策请看补充说明。

❷ 原来不足或有损失时,增加一部分。(replenish; supplement; complement)常做谓语、宾语。

例句 植物在生长期需要不断补充养料。|防洪前线人手紧张,得马上补充上去。|这两个新战士补充到通讯班。|你了解的情况还不太够,可以再补充补充。|我带的食物不多,幸亏从向导那儿得到了补充。

【补救】 bǔjiù 〔动〕

对不利情况弥补和挽救。(remedy)常做谓语、定语。

例句 问题已经发生了,总得想办法补救才行。|施工虽然出了一点儿问题,但只要及时采取措施,还能补救过来。|领导与大家共同研究补救办法。|她的过失给公司造成了无法补救的损失。

【补课】 bǔ kè 〔动短〕

补学或补教所缺的课程。(make up a missed lesson)常做谓语、定语。中间可插入词语。

例句 张老师常利用休息时间给学生补课。|因感冒耽误了两天,我想趁今天休息补补物理课。|补课的事由教务科决定。

【补贴】 bǔtiē 〔动/名〕

〔动〕从经济上帮助(多指财政上的)。(subsidize; help out financially)常做谓语、定语。

例句 对人民群众的生活必需品,国家财政每年补贴很大金额。|不足部分,从企业利润中补贴。|在粮食销售价格上,国家采取补贴的政策。

〔名〕用于补贴的费用。(subsidy; allowance)常做主语、宾语、定语。[量]些,种,项。

例句 这项补贴由国家财政拨款。|我每月都有交通补贴。|补贴款已经发到个人手中了。

【补习】 bǔxí 〔动〕

为补足或提高某种知识,在业余或课外增加学习。(take a make-up course)常做谓语、定语。

例句 刘老师每星期都利用休息时间给我补习。|我想放假时补习一下英语。|光补习的费用就要五百多块呢。

【补助】 bǔzhù 〔动/名〕

〔动〕提供经济上的援助。(help financially; subsidize)常做谓语、定语。

例句 市政府为该计划补助了100万元。|对这次事故的损失,厂里补助了一些。|补助金要发到每位困难职工手中。

〔名〕补贴的钱物。(subsidy; allowance)常做主语、定语、宾语。[量]种。

例句 这种补助体现了公司对我们的关怀。|工会小组讨论了张师傅的困难补助问题。|我领了二百多块的出差补助。

【捕】 bǔ 〔动〕

捉;逮。(catch; seize; arrest)常做谓语。

例句 他因为犯罪被捕了。|岛上的渔民都出海捕鱼去了。|这条蛇是一个老猎人捕到的。

【捕风捉影】 bǔ fēng zhuō yǐng 〔成〕

比喻(说话、做事)用不准确的迹象作根据。(chase the wind and clutch

B

at shadows; speak or act on hearsay evidence)常做谓语、状语、定语。

例句 当记者的千万别捕风捉影,一定得用事实说话。|你说我们厂年终奖每人一万?纯属捕风捉影,根本没有那回事。|现在看来,这事纯属捕风捉影之谈。|她和老板关系很正常,除非是捕风捉影地去捏造。

【捕捞】 bǔlāo 〔动〕

捕捉和打捞水生生物。(catch)常做谓语、宾语。

例句 我们看到有两艘船正在捕捞对虾。|严禁捕捞国家保护的海洋生物。|每年夏季休渔期禁止捕捞。

【捕捉】 bǔzhuō 〔动〕

❶ 捉拿。(catch; hunt; pursue)常做谓语。

例句 警察正在捕捉逃犯。|捕捉昆虫是老李的一大爱好。|小时候我捕捉过蜻蜓。

❷ 比喻抓住机会。(seize the opportunity)常做谓语。

例句 摄影师捕捉到了这一珍贵的镜头。|作家只有深入生活,才能捕捉到许多细节。|这位年轻人具有随时捕捉商机的头脑。

【不】 bù 〔副〕

❶ 表示否定。(not; no)常做状语或用于动补结构,也可单独回答问题。

例句 你这样不好。|我不知道这件事。|去晚了就买不到了。|这东西可不能吃!|晚上八点,不见不散。|A:你想家吗? B:不,不想。

❷ 用在数词或表时间的数量词之前,表示数量少或时间短。(few; little)做状语,常与"就"配合。

例句 不几天就是春节了。|不一会儿教室就布置好了。|他走了不几步就又回来了。

❸ 在"不"字的前后,叠用相同的词,表示不在乎或不相干。(used to show one's carelessness or indifference)做状语,前面常加"什么"。

例句 说什么感谢不感谢的,这是我应该做的。|什么好不好的,就凑合着用吧。|什么去不去的,快走吧。

【不安】 bù'ān 〔形〕

❶ 不平静;不正常;不稳定。(untranquil; not peaceful; unstable; disturbed)常做谓语、定语。

例句 世界上有些地区的局势动荡不安。|社会上不安因素还有很多。|混乱不安的情况已经结束了。

❷ 感到烦恼、不宁或不祥。(disturbed; annoyed; upset)常做谓语、定语、状语、补语。

例句 考试前,他坐立不安。|出了这么大的事,我实在不安。|不安的心情一时难以平静下来。|沈先生不安地走来走去。|都半夜了还没找到,大家变得不安起来。

❸ 表示歉意或感激(客气话)。(sorry)常做谓语。

例句 老来麻烦您,真是不安。|收下他这么贵重的礼物,我心里有些不安。

【不卑不亢】 bù bēi bú kàng 〔形短〕

不自卑也不高傲,指态度言行有分寸,自然得体。(neither haughty nor humble; neither supercilious nor obsequious)常做谓语、定语、补语、状语。

例句 在谈判中,我们得不卑不亢才行。|人应该有不卑不亢的个性。|无论对谁,他总是显得不卑不亢。|

我方代表不卑不亢地回答了对方提出的问题。

【不比】 bùbǐ 〔动〕

比不上；不同于。(unlike; cannot compare with)常做谓语。

例句 我队的条件不比其他几个队，但我们有信心取胜。|入秋以后不比夏天了，要加点儿衣服。|我不比你，不能熬夜。

【不曾】 bùcéng 〔副〕

没有。(never)做状语。

例句 我以前不曾见过这么狠毒的人。|老妈妈一生不曾求过谁。|我不曾读过她的书。|由于保养得好，身体一直不曾得病。

【不耻下问】 bù chǐ xià wèn 〔成〕

向地位、学问不如自己的人请教而不认为丢面子。(not feel ashamed to ask and learn from one's subordinates)常做谓语、定语。

例句 雷科长虚心向工人学习，不耻下问，很快就找出了影响产品质量的原因。|只有不耻下问，多听群众的意见，才能使自己少犯错误，做出成绩。|做学问，尤其要提倡不耻下问的精神。

【不辞而别】 bù cí ér bié 〔动短〕

指没有告别就离开。(leave without saying goodbye)常做谓语、定语、宾语。

例句 没想到，早上他竟不辞而别了。|不辞而别的做法不礼貌吧？|对他的不辞而别，我深感疑惑。

【不得】 bù dé 〔动短〕

表示不可以或不能够。(must not; may not; not be allowed)常做状语、补语。

例句 工地现场未经允许不得入内。|统计上，不得有半点儿虚假。|那儿危险，你去不得。|那东西有毒，吃不得。

▶做补语时"不得"读轻声。

【不得不】 bùdébù 〔副〕

表示某种动作行为不是情愿的而是没有别的办法。语气上比"只好"更强。(have to; be forced to)做状语。

例句 妻子工作太忙，他不得不请假照顾生病的孩子。|没别的办法，我不得不这样做了。|为了生活，不得不到处找工作。

【不得了】 bùdéliǎo 〔形〕

❶ 表示情况严重。(terrible; horrible; desperately serious)常做谓语、定语。

例句 万一把护照丢了，可不得了。|哎呀，不得了了，车出事了。|这不是什么不得了的大事。

❷ 表示程度很深。(extremely; exceedingly)常做补语。

例句 今年夏天热得不得了。|唉，我牙疼得不得了。|他没去考研究生，后悔得不得了。

【不得已】 bùdéyǐ 〔形〕

无可奈何；不能不如此。(act against one's will; have to)常做定语、谓语、宾语。

例句 当初干个体只是不得已的办法。|我实在不得已，才出此下策。|你得理解她，她这样做也是不得已。|不到万不得已，就别离婚。

【不等】 bùděng 〔形〕

不一样；不齐。(various; different)常做谓语。

例句 这箱苹果大小不等。|这个班的成绩好坏不等。|文化水平高低

B

不等的人很难凑到一起。

【不法】 bùfǎ 〔形〕

违反法律的。(lawless; illegal)常做定语。

例句 偷税是不法行为。|对不法商贩,一定要加强管理。|又有一批不法分子落网了。

【不妨】 bùfáng 〔副〕

表示可以这样做,没有什么妨碍。带有鼓动的语气。(there is no harm in; might as well)做状语。

例句 我用这药挺有效,你不妨试试。|为了让他明白,你不妨对他直说。|我们不妨对他要求严格一些。

【不分彼此】 bù fēn bǐcǐ 〔成〕

形容关系亲密,不分你我。(make no distinction between one's own and sb. else's; share everything; be on very intimate terms)常做谓语、定语、补语。

例句 咱们都是一个地区来的,平时不分彼此,何必为这么点儿小事闹别扭呢?|她和小王不分彼此,都十多年的交情了。|我们关系很好,已经到了不分彼此的程度。|他俩好得不分彼此,像一个人一样。

【不敢当】 bù gǎn dāng 〔动短〕

客气话,表示承当不起对方的夸奖、招待等。(I really don't deserve this; it is too great an honor)常做谓语(不带宾语)。

例句 A:这点儿小礼物请收下。B:这可不敢当。|对于你的感谢,我实在不敢当。|你这么夸我,我可不敢当。

【不公】 bùgōng 〔形〕

不公平。(unjust; unfair)常做谓语、定语。

例句 那位领导办事一贯不公。|这种交易一点儿都不公。|法院的不公判决激起了众怒。

【不管】 bùguǎn 〔连〕

表示在任何假设的条件下,结果或结论都一样。(regardless of; no matter what, how, who, etc.)常用于复句的上半句,后面带疑问代词或选择性词语,下半句常有"都"、"也"、"总"、"始终"、"一直"等配合。

例句 不管怎样,你一定要来。|不管多难,也得担起来不是?|不管什么时候,自动取款机一直开着。|不管热不热,他总戴着帽子。|不管你去还是我去,都要把情况了解清楚。|不管是谁,我都公事公办。

【不寒而栗】 bù hán ér lì 〔成〕

不寒冷而发抖,形容非常恐惧。(shiver all over though not cold — tremble with fear)常做谓语、宾语、补语。

例句 一想起这件事,她就不寒而栗。|走在陡峭的山路上,大家都有点儿不寒而栗。|提起那些阴暗的日子,我就感到不寒而栗。|突然一条蛇窜了过来,把我们吓得不寒而栗。

【不好意思】 bù hǎo yìsi 〔动短〕

害羞;碍于情面而不便或不肯。(be shy; feel embarrassed)常做状语、补语、谓语。

例句 她总不好意思去朋友家。|他被夸得有点儿不好意思。|您这么客气,我都不好意思了。

▶"不好意思"也单用,表示"对不起"、"抱歉"。如:不好意思,经理不在。|让您等了这么久,不好意思。

【不解】 bùjiě 〔动〕

不理解。(not understand)常做宾

语、定语、谓语、状语。

例句 开始时，妻子对我的做法感到不解。|世界上有许多不解之谜。|我们对她的态度大为不解。|妈妈不解地看着我，想知道这一切到底是为什么。

【不禁】 bùjīn 〔副〕
控制不住；不由自主地（产生某种感情，做出某种动作）。(can not help; can not refrain from)做状语。

例句 看到精彩的地方，观众不禁鼓起掌来。|每当提起过去的苦日子，奶奶就不禁掉下泪来。|听他这么一说，大家不禁哈哈大笑。

【不仅】 bùjǐn 〔连〕
意思同“不但”。(not only)用于复句的前一分句，后面常有“而且”、“也”配合。

例句 这不仅是我的意见，也是大家都同意的。|这姑娘不仅漂亮，而且心地善良。|陈刚同学不仅学习好，体育也好。

▶“不仅”也做动词，表示超出某个数量或范围。如：您这次来中国，恐怕不仅为了看我吧？|亲眼见过凶手的不仅她一个人。

【不久】 bùjiǔ 〔名〕
指离某个时期或某件事不长时间。(not long after; before long; soon)常做状语、宾语、补语。

例句 水库不久就能完工。|老师不久就回来了。|过了不久，太阳出来了。|我出国不久，还不太习惯。

【不拘小节】 bù jū xiǎojié 〔成〕
不受非原则的小事约束，多指不注意生活小事。(not bother about trifles)常做谓语、定语。

例句 父亲为人不拘小节，办事却很认真。|原则问题他很坚定，但由于不拘小节，别人常常看不惯。|不拘小节的人容易被人看不起。

【不觉】 bù jué 〔动短〕
没有意识到。(be unable to find)常做谓语、状语。

例句 我们谈得太投缘了，不觉时间已经很晚了。|边走边想，不觉到了家门口。|我不知不觉地犯了个错误。

【不堪】 bù kān 〔动短〕
❶ 承受不了。(cannot bear; can not stand)常做谓语。

例句 老李不堪此重负，已经病倒了。|这种观点，实在不堪一击。|我不堪这种侮辱，决定辞职。

❷ 不可；不能（用于不好的事情）(cannot)常做状语。

例句 往事不堪回首。|如果不是及时发现和制止，后果不堪设想。|那些黄色 VCD 简直不堪入目。

❸ 用于消极意义的形容词后面表示程度深。(utterly; extremely)常做补语。

例句 我们现在一天到晚，忙碌不堪。|熬了两夜，大家都疲惫不堪。|经过治理，这一带混乱不堪的状况已经彻底改观。

【不可】 bùkě 〔动〕
❶ 不可以；不能够。(cannot; should not; must not)常做状语、谓语。

例句 我们的信心不可动摇。|这个人真是不可理喻。|历史的潮流不可抗拒。|两个文明缺一不可。

❷ 表示必须或一定。(must; necessary to)构成“非…不可”的格式，做谓语。

例句 这件事，非解决不可。|明天的谈判你非参加不可。|父母劝我学德语，但我非学汉语不可。

【不可救药】 bù kě jiù yào 〔成〕

病重得无法医治。比喻坏到无法挽救的地步。(incurable; hopeless) 常做谓语、定语、补语。

例句 看来他已经不可救药了。|李某出狱不久再次犯罪，被从重处罚，成了不可救药的犯罪分子。|事情已经到了不可救药的地步了。|几年前还好端端的厂子，现在竟变得濒临破产，不可救药了。

【不可理喻】 bù kě lǐ yù 〔成〕

不能用道理使对方明白。形容蛮不讲理。(be impervious to reason) 常做谓语、定语、宾语。

例句 你这个人简直不可理喻！|我讲了半天，她连一句也没听进去，你要是看见她那副不可理喻的样子，能把你气死。|别说了，他这人实在是不可理喻！

【不可收拾】 bù kě shōushi 〔成〕

事情坏到无法挽回的地步。(irremediable; unmanageable; out of hand; hopeless) 常做谓语、定语、补语

例句 别逞强了，不然事情就不可收拾了。|你怎么干违法的事呢？一旦被人发现就不可收拾了。|别怕，还没到不可收拾的地步，我们还有希望。|好端端的一件事最后被弄得乱七八糟，不可收拾。

【不可思议】 bù kě sīyì 〔成〕

不可想象或很难理解。(inconceivable; unimaginable) 常做谓语、宾语、定语。

例句 这几天的离奇经历，简直太不可思议了。|高级知识分子也搞迷信，实在不可思议。|不要认为不可思议，其实原因很简单。|多么不可思议的事情，李伟竟然主动退学了。

【不可捉摸】 bù kě zhuōmō 〔成〕

无法猜测、预料。(subtle; elusive; intangible) 常做谓语、定语。

例句 奇怪呀，他倒给您送钱来了，真让人不可捉摸！|老头子的脾气不可捉摸，喜怒无常，你可要小心啊！|这番不可捉摸的谈话让我大伤脑筋。

【不良】 bùliáng 〔形〕

不好。(bad; harmful; unhealthy) 常做定语、谓语。

例句 决不能让这种不良现象继续存在下去。|用药后还没有发生不良反应。|经调查，他并无不良动机。|我这几天消化不良，还是少吃点儿吧。

【不了了之】 bù liǎo liǎo zhī 〔成〕

事情没办完放在一边不去管它，就算完事。(settle a matter by leaving it unsettled; end up with nothing definite) 常做谓语。

例句 谈好的合同由于对方资金不到位，也就这样不了了之了。|老张请客的事一推再推，最后竟不了了之了。

【不伦不类】 bù lún bú lèi 〔成〕

不像这一类，也不像那一类。形容不像样，不规范。(neither fish nor fowl; nondescript) 常做谓语、定语、补语。

例句 这个故事实在不伦不类。|考官见这位应聘者的回答不伦不类，赶紧使眼色叫他停住。|晚会上，他们演了一个既不像小品，也不算相

声的不伦不类的节目。|她使劲憋住嗓子,想装老头儿,但是办不到,结果弄得不伦不类。|马克今天穿得不伦不类,上面是西服领带,下面是运动裤,外加一双拖鞋。

【不满】 bùmǎn 〔动/形〕

〔动〕不满意。(resent; discontent)常做谓语。

例句 几个打工妹不满经理的刁难,决定向法院起诉。|她因不满包办婚姻而离家出走。|父母常常对我的成绩不满。

〔形〕不满意。(resentful; discontented)常做定语、状语。

例句 这是故意引发人们的不满情绪。|顾客不满地说:"这家商店服务太差了。"

【不免】 bùmiǎn 〔副〕

表示由于某种原因不能避免发生某种情况。(can not avoid; cannot help but; inevitably)做状语。

例句 刚学会走路的孩子,不免要摔跤。|时间快到了,卷子还没答完,心里不免慌乱起来。|他是新手,工作中不免会出点儿差错。

【不平】 bùpíng 〔形/名〕

〔形〕因不公平的事愤怒或不满。(indignant; resentful)常做谓语、定语、状语。

例句 事情处理得很不公,大家心中十分不平。|对以权谋私的现象人们愤愤不平。|社会上不平的事太多了。|小张不平地帮我争辩。

〔名〕不公平的事;由不公平的事引起的愤怒和不满。(injustice; grievance)常做宾语、主语。

例句 路见不平,拔刀相助。|您有什么不平,都说出来吧。|时间一久,我心中的不平也渐渐消除了。

【不求甚解】 bù qiú shèn jiě 〔成〕

只求大概懂得,不求深刻理解或了解。(not seek to understand things thoroughly)常做谓语、定语。

例句 我那孩子有个很大的毛病,读书不求甚解。|可惜当时太年轻,对一些基础性的知识不感兴趣,也不求甚解,给后来的学习和工作造成了很大影响。|现在,有些干部还有那种不求甚解的作风,甚至完全不了解下情,就在那里指导工作,这是非常危险的现象。

【不然】 bùrán 〔连〕

如果不是这样;否则。(or else; if not; otherwise)用于复句的后半句。

例句 我得早点儿去,不然就赶不上车了。|幸亏买了空调,不然今年夏天就热死了。|明天我还有点儿事,不然就回家了。|坐10路车去就行,不然就"打的"。

▶口语中可以说成"要不然"或"不然的话"以加强假设的语气。

▶"不然"还做形容词,表示"不是这样"。如:原以为工作很轻松,其实不然。|A:当演员多好啊!B:不然,演员是很辛苦的。

【不容】 bùróng 〔动〕

不许;不让。(not tolerate; not allow; not brook)常做谓语。

例句 这份报告的内容十分详尽,不容我有任何怀疑。|价格都说定了,不容你反悔。|这种现象为国法所不容。

【不如】 bùrú 〔动/连〕

〔动〕用于比较,表示比不上。(not equal to; not as good as; inferior to)常做谓语。

例句 我的成绩不如你。|老堵车，坐车还不如骑车快。|你都是大学生了，可生活能力连小孩都不如。

〔连〕表示选择后面的。(it would be better to)用于复句后半句，常构成“与其…不如…”。

例句 文章与其长而杂，不如短而精。|竞走运动，与其说是走，不如说是跑。|与其在这儿等，不如去找一找。|这么热的天还工作啊！不如去海滨度假吧。

【不三不四】 bù sān bú sì 〔成〕

言行不正派。(dubious; shady; indecent)常做谓语、定语。

例句 早就听说他跟一个女工不三不四的，不知现在怎么样了？|你说的是什么话？不三不四的！|别整天跟一伙不三不四的朋友吃吃喝喝。|你怎么能净干这种不三不四的事？

【不少】 bùshǎo 〔形〕

比较多。(more than; a lot)常做谓语、定语。

例句 你得到的已经不少了。|嗬，买年货的人真不少！|今年的收成不少于往年。|不少人都读夜大。

【不时】 bùshí 〔副〕

经常不断地；时而。(from time to time; frequently; often)做状语。

例句 炼钢工人不时察看炉火的颜色。|远处不时传来轮船的汽笛声。|他一边想一边写，还不时地翻翻字典。

【不停】 bùtíng 〔副〕

不间断地。(continuously)做状语。

例句 妈妈不停地追问事情的经过。|电视里在不停地播放着同一条新闻。|孩子病了，不停地哭闹。

【不同】 bù tóng 〔形短〕

不一样。(not alike; different; distinct)常做定语、谓语。

例句 不同的时代会产生不同的英雄人物。|不同的人想法也不同。|这两个人的性格完全不同。|虽然我们俩语言不同，可是心是相通的。

【不惜】 bùxī 〔动〕

不考虑；不爱惜；舍得。(not stint; not spare; not hesitate)常做谓语。

例句 要不惜代价夺取这场比赛的胜利。|为了将产品打入国际市场，公司不惜工本地去做广告。|妈妈为了我们，不惜牺牲自己的幸福。

【不相上下】 bù xiāng shàngxià 〔动短〕

分不出高低，形容程度相等。(equally matched; about the same; almost on a par)常做谓语。

例句 他俩的能力不相上下。|这两处房子的价格不相上下，但质量却差多了。|考试结果，两班的成绩不相上下。

【不行】 bù xíng 〔动短/形〕

〔动短〕不可以；不被允许。(not be allowed; will not do; be impossible)常做谓语。

例句 这也不行，那也不行，烦死了。|你一个人去可不行。|这事到底行不行？

〔形〕❶ 不中用；没本领。(be no good; will not work)常做谓语。

例句 我喝酒不行，一喝就醉。|他从小就贪玩儿，长大了干什么都不行。|唱歌我可不行。

❷ 接近于死亡。(dying)常做谓语(带“了”)。

例句 这个伤员要不行了。|病人已经不行了,准备后事吧。

❸ 表示程度很深。有"不得了"的意思。(awfully; extremely)常做补语。

例句 他累得不行了,一头倒在床上。|大夫,我头疼得不行。|听了这话,他气得不行。

【不朽】 bùxiǔ 〔动〕

永不磨灭。(immortal)常做谓语、定语。

例句 人民英雄永垂不朽。|烈士们的精神不朽。|"一国两制"是一座不朽的丰碑。

【不许】 bù xǔ 〔动短〕

不允许;不让。(not allow; must not)常做谓语。

例句 小孩子不许说谎。|关上门,不许外人进来。|不许骂人。

辨析 〈近〉禁止。"禁止"常用于书面。

【不学无术】 bù xué wú shù 〔成〕

没有学问,没有本领。(have neither learning nor skill; be ignorant and incompetent)常做谓语、定语。

例句 我们必须努力学习,如果不学无术,就会被淘汰。|别看此人不学无术,搞关系倒是有一套。|我们机关有两个唯唯诺诺不学无术的草包。

【不言而喻】 bù yán ér yù 〔形短〕

形容事理极其明显,不用说就能明白。(it goes without saying; it is self-evident)常做定语、谓语。

例句 赡养父母是做儿女的不言而喻的义务。|这样做的后果不言而喻。|不言而喻,要成功就必须付出辛苦。

【不宜】 bùyí 〔副〕

不合适;不恰当。(not suitable; inadvisable)做状语。

例句 此事不宜操之过急。|小孩不宜多吃糖。|这种地不宜种水稻。

▶"不宜"也做动词。如:这类电影儿童不宜。

【不一定】 bù yídìng 〔副短〕

不能确定,或不见得。(not certain; not necessary)做状语。

例句 我的看法不一定对,仅供参考。|这个结果不一定准确,你再算算。|他今天不一定来这儿。

【不遗余力】 bù yí yú lì 〔成〕

毫无保留地使出全部力量。(spare no pains; do one's utmost)常做谓语、状语。

例句 他们干起这种事来,往往不遗余力。|执行上级规定,刘科长一向不遗余力。|新市长一上任,就不遗余力地推行他的城市改造计划。

【不由得】 bùyóude 〔副〕

表示某种感情或行为是不由自主地产生的。(cannot help; can not but)做状语。

例句 一见面,我不由得大吃一惊。|听到这首歌,我不由得回想起那段留学的经历。|表演到精彩之处,观众不由得鼓起掌来。

▶"不由得"还做动词,表示"不容"。如:话说得那么透彻,不由得你不信他。|多么美丽的花啊,不由得她不喜欢。

【不怎么样】 bù zěnmeyàng 〔形短〕

平平常常;不太好。(just so-so; not

B

particularly good)常做谓语、补语。

例句 他这个人不怎么样。|我觉得这部电影不怎么样。|A:最近怎么样啊? B:不怎么样。|她汉语说得不怎么样。

【不着边际】 bù zháo biānjì 〔成〕

形容言论空泛,不切实际,离题太远。(not to thc point; irrelevant)常做谓语、定语、状语、补语。

例句 文章写的什么呀,太不着边际了。|一到关键地方,他就东拉西扯,尽说些不着边际的话。|他显然没有准备,只是不着边际地胡侃。|简直是浪费时间,说得太不着边际了。

【不知不觉】 bù zhī bù jué 〔动短〕

没有意识到。(not realize; be unable to find)常做状语。

例句 我不知不觉地犯了个错误。|听到这个消息,她不知不觉流下了眼泪。|孩子不知不觉地睡着了。|不知不觉地人就老了。

【不止】 bùzhǐ 〔动〕

❶ 继续不停。(go without stopping; continuously)常做谓语。

例句 这个伤员血流不止,必须马上抢救。|老张整天咳嗽不止。|女儿被害的消息使她终日伤心不止。

❷ 表示超出某个数目或范围。(more than; not limited to)常做谓语。

例句 参加工程设计的不止老陈一人。|不止我们,提意见的还有好多人。|田经理看上去不止五十岁。

【不只】 bùzhǐ 〔连〕

不仅。(not only; not merely)用于复句的前半句。

例句 河水不只可供灌溉,还可用来发电。|我不只喜好排球,更喜好网球。|他的医术不只在国内是第一流的,在国际上也是领先的。|我出国不只是为个人。

【不足】 bùzú 〔形〕

❶ 不充分;不够。(not enough; insufficient)常做谓语、定语。

例句 停工是因为建设资金不足。|师资不足的问题依然严重。|目前人员还不足。|不足的部分,由谁来解决?

❷ 缺少或没有。(lacking in or without)常做谓语。

例句 队员们有些信心不足。|高原上氧气不足。

❸ 少于;不到(某个数目)。(less than)常做谓语。

例句 这笔款不足一万元。|参加会议的人还不足五百。|举手的人不足半数,不能通过。

❹ 不值得;不能。(not worth)做状语。

例句 这点儿小事不足为过。|一本日记不足为凭。|这么严重的事故还不足为训吗?

【布】 bù 〔名〕

用棉、麻等织成的,可以做衣服或其他物件的材料。(cloth; cotton cloth)常做主语、宾语、定语。[量]种,块,匹,尺,米。

例句 这种布做外衣很合适。|这块布有几尺?|我的衬衣都是用棉布做的。|为做裙子姐姐扯了一米花布。|布的花色越来越丰富。

【布告】 bùgào 〔名〕

政府等张贴出来的告知群众的文件。(notice; bulletin; proclamation)常做宾语、主语、定语。[量]个,张。

例句 许多地方都贴着人口普查的布告。|一张布告引来好多人围观。|按照这个布告的规定,污染环境者将受到法律的制裁。

【布局】 bùjú 〔名〕

❶ 全面的规划和安排。(overall arrangement; structure; layout)常做主语、宾语、定语。[量]个,种。

例句 工业的合理布局至关重要。|市长们在研究新市区的整体布局。|布局的合理化使城市功能得到了充分发挥。

❷(绘画、文学作品等的)设计。(composition)常做主语、宾语、定语。[量]种,个。

例句 这种绘画布局可以使人产生联想。|陈先生的小说特点之一是有他自己的独特布局。|文章的成败首先取决于布局的合适与否。

❸ 指开始下棋时棋子的分布态势。(position)常做主语、宾语、定语。[量]个,种。

例句 这个布局使黑棋处于被动。|开始他不太习惯对手的布局。|布局的技巧靠长期练习才能掌握。

【布置】 bùzhì 〔动〕

❶ 在一个地方安排和摆放某些物件,使适合某种需要。(fix up; arrange; decorate)常做谓语。

例句 工人们在大厅里布置了许多彩灯。|婚期就要到了,小两口紧张地布置着新房。|教室已经布置好了,可以开晚会了。

❷ 安排活动。(assign; make arrangements for; give instructions about)常做谓语。

例句 班长向大家布置了一下今天下午的活动内容。|布置任务的时候别忘了请老张。|上级并没给我们布置过这项工作,怎么要来检查呢?

辨析 〈近〉安排。"布置"除用于"任务"、"工作"等外,还有陈列物件,装饰环境义;"安排"侧重于有序地处理事物或安置人员。如:安排(布置)好婚礼的场所。|*要把下岗人员的生活布置好。("布置"应为"安排")

【步】 bù 〔名〕

❶ 行走时两脚之间的距离。(step; pace)常做宾语、主语。

例句 情况紧急,大家跑步前进。|晚饭后,我在校园里散了一会儿步。|太累了,脚都迈不开步了。|开始的时候,每一步都很艰难。|你的步大,我跟不上。

❷ 阶段。(stage; step)常做主语、宾语。

例句 对年轻人来说,走上社会的最初几步非常重要。|这项改革使工程大大推进了一步。|虽然失去了双臂,但他仍以顽强的毅力迈开了生活的第一步。

【步兵】 bùbīng 〔名〕

徒步作战的兵种。(infantry; foot soldier)常做主语、宾语、定语。[量]个,名。

例句 步兵们跟在坦克后面跑步前进。|占领这座城市,主要靠步兵。|即使在现代战争中,步兵的作用也是不可忽视的。

【步伐】 bùfá 〔名〕

指队伍操练时脚步的大小快慢。(step; pace)常做主语、宾语、定语。[量]种。

例句 受阅队伍步伐整齐有力。|方队迈着坚定的步伐通过天安门。|这种步伐的掌握要靠严格的训练。

B

【步行】 bùxíng 〔动〕

用脚走路。(go on foot; walk)常做状语、谓语(不带宾语)。

例句 我每天步行上学。|车子坏了,今天只能步行上班。|他步行了两个小时才到目的地。

【步骤】 bùzhòu 〔名〕

事情进行的程序。(step; measure)常做宾语、主语。[量]个。

例句 做任何事情都要有计划、有步骤地进行。|一定要按实验步骤做。|解题的步骤是这样的。

【步子】 bùzi 〔名〕

❶ 脚步。(step; pace)常做主语、宾语。

例句 仪仗队的步子走得非常齐。|战士们迈着整齐的步子通过了检阅台。|请你把步子放慢点儿,后面跟不上了。

❷ 速度;步骤(只用于抽象事物)。(speed; pace; measure)常做主语、宾语。

例句 改革的步子还要再大些。|他的思想总是跟不上时代的步子。

【部】 bù 〔名/量〕

〔名〕❶ 部分;位置。(part; section)常用于构词。

词语 内部 头部 局部 部位

❷ 某些机关的名称或机关企业中按业务而分的单位;也指军队中连以上的领导机构。(unit; ministry)常做主语、定语、宾语,也用于构词。[量]个。

词语 外交部 教育部 人事部 生产部 后勤部

例句 这两个部合并了。|我部奉命出击。|你部的下岗人员已经安排好了。|李伟不在这个部,在开发部。

〔量〕多用于影片、书籍。(classifier)常构成短语做句子成分。

例句 最近新出了一部纪录片。|我寄了两部字典给你。|你看过那部书吗?|美国电影中这部最好看。|这套丛书我只看过一部。

【部队】 bùduì 〔名〕

军队的通称。(army; armed forces)常做主语、宾语、定语。[量]个,支。

例句 这支野战部队早上就出发了。|那时候你在哪个部队?|部队的编制经过了几次大幅度缩减。

【部分】 bùfen 〔名〕

整体中的局部;整体里的一些个体。(part; section; share)常做主语、宾语、定语。

例句 收入的主要部分归你们。|要去掉表面的部分,才能食用。|部分领导的工作还不够深入。

【部件】 bùjiàn 〔名〕

机器的一个组成部分,由若干零件构成。(components)常做主语、宾语。[量]个。

例句 机器部件都准备好了,可以安装了。|请清点好仪器的每个部件。|怎么少了一个部件?

【部门】 bùmén 〔名〕

组成某一整体的部分或单位。(department; branch)常做主语、宾语、定语。[量]个。

例句 各部门齐心协力,终于完成了任务。|我离开这个部门已经好几年了。|办公室是个关键部门。|每个部门的经理都是总经理任命的。

【部署】 bùshǔ 〔动/名〕

〔动〕安排。(dispose; deploy)常做谓语。

例句 敌人在这里部署了很多兵力。|部署完工作已是后半夜了。|防洪工作应尽早部署。

〔名〕布置。(plan)常做主语、宾语。[量]个。

例句 炮兵的部署都标在地图上了。|我们的行动打乱了敌人的部署。|按照国家的战略部署,西部大开发已经展开。

辨析 〈近〉布置。"部署"多用于全局性和重大的事情;"布置"则多用于一般性的事情,而且有陈列装饰义。如:* 作业还没部署。("部署"应为"布置")

【部位】 bùwèi 〔名〕

整体中各部分的位置。(position; location)常做主语、宾语。[量]个。

例句 发音部位对不对是外语发音好坏的关键之一。|毛病就出在这个部位。|想保持体形得多练练这两个部位。

【部长】 bùzhǎng 〔名〕

某些机关或企业中各部的负责人。(minister; department leader)常做主语、宾语、定语。[量]位。

例句 部长出国还没回来。|他被提拔为产品开发部部长。|部长的专车已经取消了。

【埠】 bù 〔名〕

停船的码头,多指有码头的城市。(port; wharf; pier)常用于构词,也做宾语。

词语 船埠 外埠 商埠 埠头

例句 船已抵埠,请注意。|大连开埠只有百年。

C

C

【擦】 cā 〔动〕

❶ 两个物体紧密接触；来回移动。(rub)常做谓语。

词语 擦火柴 摩拳擦掌

例句 他不小心手擦破了皮。|她擦背的技术提高得很快，顾客都说她擦得很舒服。

❷ 用布、毛巾等贴在物体表面移动使干净。(wipe)常做谓语。

词语 擦汗 擦脸 擦桌子 擦亮眼睛

例句 A：你有刷子吗？我想擦擦鞋。B：有，在抽屉里。|你把那个地方擦擦吧。|小时工很快就把玻璃擦干净了。|一下课，她就主动去擦黑板。

❸ 抹。(apply or spread sth. on)常做谓语。

词语 擦油 擦红药水

例句 女孩子大都喜欢往脸上擦粉。|A：你擦了什么，这么香？B：我用了朋友送给我的一种新化妆品。

❹ 贴近。(be near to)常做谓语。

例句 直升飞机擦着山顶飞过去。|难得的机遇却与我擦肩而过了。

❺ 把瓜果等放在礤(cǎ)床上来回摩擦，使成细丝。(scrape into shreds)常做谓语。

例句 妈妈正擦土豆呢。|把萝卜擦成丝。

【猜】 cāi 〔动〕

❶ 根据不明显的线索或凭想象来寻找正确的答案。(guess; conjecture; speculate)常做谓语。

例句 A：你猜谁来了？B：我哪猜得到，快告诉我。|A：你猜猜我多大？B：猜不出来。|他一猜就猜中了。|我怎么也猜不透他的意图。

❷ 怀疑，疑心。(suspect)常用于构成词语。

词语 猜忌 两小无猜

例句 他们俩两小无猜，感情很好。

【猜测】 cāicè 〔动/名〕

〔动〕凭某些线索估计。(guess; surmise)常做谓语。

例句 A：请不要胡乱猜测。B：我可不是乱猜，我有证据。|我真无法猜测他此时此刻的心情。|我猜测会议并不成功。

辨析 〈近〉推测。"猜测"着重于凭经验或根据想象估计；"推测"着重于"推"，从已知推断未知。

〔名〕猜想，推测。(guess; conjecture)常做主语、宾语。

例句 你的猜测是没有根据的。|这只是我的猜测，不一定对。

【猜想】 cāixiǎng 〔动/名〕

〔动〕估计，猜测。(guess; suspect)常做谓语。

例句 A：你猜想一下结果。B：这个结果不好猜。|猜想一下他究竟是什么样的心情。|我猜想明天他可能不会来。

〔名〕某种推想、推测。(guess)常做主语、宾语。

例句 这种猜想是否正确？|"哥德巴赫猜想"是世界著名的数学难题。|试验结果证实了他的猜想。

【才】 cái 〔名/副〕

〔名〕❶ 才能。(ability; talent)常做主语、宾语。

例句 她多才多艺。|干部应该德才兼备。|他很有才。

❷ 有才能的人。(a capable person)常做宾语,也用于构词。

例句 我们公司的总裁特别爱才。|这样的奇才到哪儿去找?

〔副〕❶ 表示以前不久。(just)做状语。

例句 A:才来,怎么就要走?再坐会儿吧。B:不了,我还有点儿事。|他才工作不久,就打算自己买房子。|我才干了一会儿,不累。

❷ 表示事情发生得晚或结束得晚。(so late)做状语。

例句 A:电影已经开演了,你怎么才来? B:别提了,路上塞车。|昨天晚上睡得太晚,今天早上8点才起床。|我排了半天队才买到这张球票。

❸ 表示数量少,时间短,程度低等。(only)常用在表示时间或数量的词语前做状语。

例句 A:该吃晚饭了吧?我有些饿了。B:才四点半,离吃饭还早着呢。|他才学了半年,基础还差得很。|我在旧货市场买了一台29寸彩电,才花了500块钱。

辨析 〈近〉只。"只"后面一般不接表示时间的词;"才"比"只"更口语化。如:* 只三点。("只"应为"才")

❹ 表示只有在某种条件下或由于某种原因产生的结果。前面常用"只有、必须"或含有此类意思的词。(then; then and only then)常用于条件复句的第二个分句前。

例句 必须修满规定的学分,才有资格撰写毕业论文。|只有在冬天,才能看到这种景色。|到了最后,我才明白发生了什么。

❺ 表示强调、辩驳、确定的语气,句尾常用"呢"。(used in an assertion or contradiction emphasizing what comes before"才"; usually with"呢" at the end of the sentence)常用在某些感叹句中,做状语。

例句 A:这事我可不知道。B:你要是不知道,那才怪呢!|春天去看桃花,那才叫开心呢!

【才干】 cáigàn 〔名〕

办事的能力。(ability; competence)常做宾语。

词语 增长才干 有才干

例句 年轻人要锻炼自己,增长才干。|他是个有才干的好领导,大家都拥护他。|A:我真担心干不好这差事,辜负了大家。B:凭你的才干,这点儿事算什么?

辨析 〈近〉才能,才智,才华。"才干"多指办事方面的能力;"才能"指知识及能力;"才智"偏重于智慧及思考方面的能力;"才华"着重指在文艺方面、科技方面的突出能力。

【才能】 cáinéng 〔名〕

知识和能力。(ability; capability; talent)常做宾语、主语。

词语 有才能 施展才能

例句 小王在电脑开发研究方面很有才能。|管理才能是一个领导者不可缺少的基本素质。

【才智】 cáizhì 〔名〕

才能和智慧。(ability and wisdom)常做主语、宾语。

例句 这个小伙子才智过人,很有发展前途。|人的聪明才智,是国家的

宝贵资源。|希望你能充分发挥聪明才智,把这项工作做好。|他有着过人的才智。

【材】 cái 〔素〕

❶ 木料,泛指材料。(timber; material)用于构成词语。

词语 木材 钢材 材料 材质 就地取材

❷ 资料。(material)常用于构词。

词语 教材 题材 素材

❸ 有才能的人。(a capable person)常用于构词。

词语 人材

【材料】 cáiliào 〔名〕

❶ 可以直接制造成品的东西,如建筑用的砖瓦、纺织用的棉纱等。(material; substance)常做主语、宾语、定语。[量]种,些,批。

词语 建筑材料 纺织材料

例句 这种材料十分紧俏。|我厂急需一批耐热材料。|建筑材料的供给不足严重影响了工程进度。

❷ 提供著作内容的事物。(facts; information; material)常做主语、宾语。[量]份,些。

例句 这些文字材料对他的写作帮助很大。|这次出去,他搜集了大量有价值的材料。|A:你为我们提供了这么重要的材料,太感谢你了! B:没什么,只要对你们有用就行。

❸ 可供参考的事实。(data; material)常做主语、宾语。[量]份,些。

词语 档案材料 人事材料

例句 这份材料大体属实。|法院根据他提供的材料对此案作出了公正的裁决。

❹ 比喻适于做某种事情的人才。(makings; stuff)常做宾语。

例句 一看就知道这孩子是弹钢琴的材料。|他不是演戏的材料,怎么教也学不会。

【财】 cái 〔名〕

金钱和物资的总称。(wealth; money)常做主语、宾语。也用于构成词语。

词语 财物 理财 发财 人财两空 财迷心窍 劳民伤财

例句 他太贪心了,结果却人财两空。|A:听说你最近发大财了。B:发什么大财呀,只不过赚了几个辛苦钱。|他生财有道,生意越做越兴隆。

【财产】 cáichǎn 〔名〕

指拥有的金钱、物资、房屋、土地等物质财富。(property)常做主语、宾语、定语。[量]笔。

词语 私人财产 公共财产

例句 在这场大火中,他所有的财产都化为灰烬。|这儿的一草一木都是国家的财产。|他变卖了所有的财产,才还上了贷款。|奶奶死了,给他留下了一大笔财产。|他是唯一的财产继承人。

【财富】 cáifù 〔名〕

具有价值的东西。(wealth; riches)常做主语、宾语。

词语 物质财富 精神财富

例句 物质财富和精神财富都很重要。|这个地区的野生动物,是中国宝贵的财富。|改革开放,给农民带来了巨大的财富。

【财经】 cáijīng 〔名〕

财政、经济的总称。(finance and economics)常做定语。

例句 老张搞了几十年财经工作。|财经问题是关系到国计民生的大问题。|他终于考上了财经学院。

【财会】 cáikuài 〔名〕

财务、会计的总称。(finance and accounting)常做定语、宾语。

例句 她在财会科工作了二十多年。|财会人员必须有证书,才可以从事财会工作。|A:我不大懂财会,你帮我看看这个报表好吗?B:真对不起,我也看不懂。

【财力】 cáilì 〔名〕

经济力量,多指资金。(financial resources)常做主语、宾语。

词语 财力不足 财力有限

例句 一个国家的财力,代表着国民经济的发展水平。|这个公司财力雄厚。|我们的老板很有财力,又建了一个分店。

【财务】 cáiwù 〔名〕

机关、企业、团体等单位中,有关财产的管理以及现金的出纳、保管、计算等事务。(financial affairs)常做定语、宾语。

例句 财务工作 财务报告 财务管理

例句 王女士一直在公司的财务处工作。|中国的大型企业已逐步实现了财务管理的电脑程序化。|目前,全国都在进行财务工作大检查。|由他负责公司的财务比较合适。|你们单位谁管财务?

【财政】 cáizhèng 〔名〕

政府部门对资金、财物的收入与支出的管理活动。(finance)常做主语、宾语、定语。

词语 财政收入 财政机关

例句 由于经济危机,这个国家财政出现了赤字。|现在,李部长主管财政。|财政机关要加强廉政工作。|这几年,市里的财政收入稳步增长。

C

【裁】 cái 〔动〕

❶ 用刀、剪等把片状物分成若干部分。(cut)常做谓语、定语。

例句 按规定尺寸裁衣服。|裁一条裤子,要多少钱?|衣服裁好了。|A:昨天裁的纸哪儿去了?B:我放到你的抽屉里了。

辨析 〈近〉剪。“裁”多指有设计地剪,仅用于片状物,如“布、纸”等;剪可用于片状物,也可用于条状物,如“线、头发”等。“裁”也可用刀;“剪”只能用剪子。

❷ 削减。(reduce; cut down)常做谓语。

词语 裁员 裁军

例句 工厂三月份曾裁过一批职工。|这100万军队必须裁下去。|不必要的开支该裁一裁。

【裁缝】 cáifeng 〔名〕

做衣服的技术工人。(tailor)常做主语、宾语、定语。[量]个,位。

例句 这位裁缝手艺很好,我这件衣服就是找他做的。|学徒十年,他终于成了一名裁缝。|你能不能帮我找一个好的裁缝师傅?

【裁决】 cáijué 〔动/名〕

〔动〕经过考虑,作出决定。(adjudicate)常做谓语。

例句 A:你们公司那个案子有结果了吗?B:法院已经裁决过了,我们赢了。|这桩财产纷纠案由民事厅裁决。

〔名〕法院或主管部门依照法律或规

定作出的判决。(adjudication)常做主语、宾语。

例句 法院的裁决将以书面形式通知被告。|这是最后的裁决。

【裁军】 cáijūn 〔动〕

减少军队人数和军事装备。(reduce armaments)常做谓语、主语、宾语、定语。

例句 世界上多数国家都在裁军。|裁军使国家节省了一大笔军费开支。|和平年代,很多国家都主张裁军。|中国的裁军政策是积极、合理的。

【裁判】 cáipàn 〔动/名〕

〔动〕❶ 法院根据法律对案件做出的决定,分为判决和裁定两种。(judge)常做谓语。

例句 法院裁判了一桩遗产纠纷案。

❷ 根据体育运动的竞赛规则,对运动员竞赛的成绩和竞赛中发生的问题作出评判。(act as referee; judge)常做谓语。

例句 这场比赛裁判得很不公平。|请专家来裁判是很必要的。

〔名〕❶ 在体育比赛中执行评判工作的人。(referee)常做主语、宾语、定语。[量]个,位,名。

例句 这个裁判一向很公正。|他是位有影响的国际裁判。|裁判的误判往往会影响运动员的情绪。

❷ 法院依照法律作出的裁决和判决。(judgement)常做主语、宾语。

例句 法院的裁判代表了公众的愿望。|裁判公布以后,引起了强烈的反响。|这一问题请大法官作出最后的裁判。

【采】 cǎi 〔动〕

❶ 从生物体上取(花、叶等)。(pick; pluck or gather)常做谓语。

词语 采血 采珍珠

例句 A:你爷爷呢? B:一清早就上山采药去了。|女孩出去采了些野花,插在妈妈床前的花瓶里。|姑娘们一边采茶,一边唱歌,茶园里充满了欢声笑语。

❷ 开挖(矿物)。(mine; extract)常做谓语。

词语 采油 采矿

例句 这些人到这儿来是为了采金子。|有些煤矿已经被采光了。

❸ 收集。(collect)常做谓语。

例句 他在森林里采到了很多有价值的昆虫标本。|作家应该不断到民间去采风,以便写出更好的作品。

【采访】 cǎifǎng 〔动/名〕

〔动〕❶ 搜集寻访。(hunt for and collect)常做谓语。

例句 图书馆要加强图书采访。

❷ 新闻记者打听、获取消息。(gather news; cover)常做谓语、宾语。

例句 记者采访了在场的工人,了解到了事故发生的真正原因。|为报道活动的全过程,她先后去采访过三次。|我采访到了一些最新消息。|我打算近期到农村搞采访。

〔名〕指记者打听、获取消息的活动。(interview)常做主语、宾语、定语。

例句 A:老刘,回来了,怎么样? B:还不错,采访进行得很顺利。|他接受了记者的采访。|小王的采访能力很强。

【采购】 cǎigòu 〔动〕

有选择地购买各种物品,常指大量购买。(purchase)常做谓语、定语。

词语 采购年货　采购材料　采购员

例句 他到外地采购货物去了,大概下周才能回来。|昨天小张把需要的东西都采购回来了。|采购工作虽然非常辛苦,但老王从没抱怨过。

【采集】 cǎijí 〔动〕

收集,搜集。(gather; collect)常做谓语。

例句 夏天,老师带着学生到农村采集了很多昆虫标本。|一部分作家常到少数民族地区采集民间歌谣。|他采集了一些矿石样品,并带回了地质研究所。

【采纳】 cǎinà 〔动〕

接受意见、建议或要求。(accept)常做谓语。

例句 厂长终于还是采纳了工人们的建议。|听说咱们提的几条意见没被采纳。

【采取】 cǎiqǔ 〔动〕

选取使用(方针、政策、措施、手段、形式、态度等)。(adopt; assume or take)常做谓语。

词语 采取攻势　采取拖延战术

例句 中国正采取紧急行动保护大熊猫等珍奇动物。|这次比赛,中国队采取了主动,打得比较活。|问题这么严重,应该赶紧采取点儿措施。|A:你一定要采取合作的态度,如实回答我们提出的问题。B:我知道什么就说什么。

【彩】 cǎi 〔名/素〕

〔名〕称赞、夸奖的欢呼声。(applause; cheer)常做宾语。

例句 她一首歌唱完,博得了满堂彩。|大家都为他精彩的演出喝彩。

〔素〕❶ 颜色。(colour)常用于构词。

词语 彩云　色彩　五彩　彩旗

例句 会场外彩旗飘扬。

❷ 有颜色的丝绸。(coloured silk)一般用于构成词。

词语 剪彩　张灯结彩　彩带

例句 大街小巷张灯结彩,喜迎春节。

❸ 赌博或某种游戏中给得胜者的东西。(lottery prize; winnings from certain games)一般用于构成词语。

词语 中彩　彩票

例句 我朋友买彩票中了头彩。

【彩电】 cǎidiàn 〔名〕

彩色电视的简称,指荧屏上显示彩色画面的电视;也用于简称彩色电视机。(colour television set; colour TV)常做主语、宾语、定语。[量]台。

例句 随着人民生活水平的提高,彩电早已进入千家万户。|这台彩电已经看了十来年了,该换台新的了。|我家买了一台合资的29寸彩电,效果非常好。|A:现在国产彩电的质量很好,价钱也不贵。B:那我就买台国产的吧。

【彩卷】 cǎijuǎn 〔名〕

彩色胶卷的简称。(colour film)常做主语、宾语、定语。[量]卷,个。

例句 这种彩卷质量很好,照出来的相片颜色非常鲜艳。|明天要去北京旅游,我特地去商店买了两卷富士彩卷。|这种国产彩卷的色彩也很不错。

【彩色】 cǎisè 〔形〕

多种颜色的。(colour)常做定语。也常构成"的"字短语。

例句 生日那天,奶奶去照相馆照了

一张彩色照片。|彩色电视比较贵，黑白电视比较便宜。

【踩】 cǎi 〔动〕

❶ 脚底接触地面或物体。（step on; trample）常做谓语。

例句 A：对不起，踩了您的脚。B：没关系。|小心，别把草坪踩坏了。|太高了，够不着，踩个凳子吧。|他只顾回头说话，一脚踩到了泥里。

❷ 比喻贬低、糟蹋。（trample）常做谓语。

例句 不要踩着别人的肩膀往上爬。

【菜】 cài 〔名〕

❶ 能做副食品的植物。（vegetable; greens）常做主语、宾语、定语。

例句 菜卖完了，回家吧。|妈妈每天都上街买菜。|很多农民靠种菜致了富。|这个市场，菜的种类很多。

❷ 经过烹调供下饭、下酒的蔬菜、蛋品、鱼、肉等。（dish; course; cuisine）常做主语、宾语、定语。［量］个，道。

词语 荤菜 素菜

例句 川菜比较辣。|妈妈给我们做了几个拿手菜。|你会做什么菜？|菜的味道还不错，就是颜色差了点儿。

【菜单】 càidān 〔名〕

开列各种菜肴名称的单子。（menu）常做主语、宾语、定语。

例句 这儿的菜单设计得不错。|服务员拿来了菜单，问："您点什么菜？"|A：我的汉语不好，菜单上的中国菜名我都不懂。B：来，我帮你点。

【参观】 cānguān 〔动〕

到名胜、展览馆等地去看。（visit）常做谓语、主语、定语。

例句 访问团参观了日本的工厂和小学。|王老师带着学生参观过国画展览。|代表团在北京参观了五天，今天准备返回上海。|那次参观给我留下了很深的印象。|这次参观的地方很多。

辨析 〈近〉游览。"参观"的目的在于学习，对象一般是工作学习有成绩的单位，也可以是名胜或设施等；"游览"的目的主要是游玩，对象一般是风景名胜、古迹等。如：* 游览中学（"游览"应为"参观"）

【参加】 cānjiā 〔动〕

❶ 加入某种组织或某种活动。（join; attend; participate in）常做谓语、定语。

词语 参加会议 参加革命

例句 他一直在刻苦训练，为参加冬奥会做准备。|学校领导也参加了晚会。|参加的人都有一份奖品。

❷ 提出（意见）。［give（advice, suggestion, etc.）］常做谓语。

例句 A：这件事，你也得参加点儿意见。B：我没意见，只要大家都同意就行。

【参军】 cān jūn 〔动短〕

去当兵。（join the army）常做谓语。中间可插入词语。

例句 她下过乡，参过军，后来上了大学。|他高中毕业以后就参了军。|我们几个人都想去参军。

【参考】 cānkǎo 〔动/名〕

〔动〕为了学习、研究或了解情况而查阅、利用有关资料。（consult）常做谓语、宾语。

例句 为了写好这本书，他参考了上千种资料。|A：写这方面的论文，应该参考一下这几本书。B：谢谢您的指点。|以上意见仅供参考。

〔名〕可以利用的有关材料。(reference)常做定语、宾语。

例句 我有不少参考书，可以借给你。|这是一份内部参考。

【参谋】 cānmóu 〔动/名〕

〔动〕泛指为别人出主意。(give advice)常做谓语。

例句 A：这件事，你给参谋一下。B：好，信得过我，我就说。|请你给她参谋一下，这件衣服怎么样？|这件事，我看你还是找老王参谋参谋吧。

〔名〕军队中参与军事计划等事务的人员。(staff officer)常做主语、宾语、定语。[量]个，名，位。

例句 团长和几个参谋亲自到连队来了解情况。|转业前，他是军务处的参谋。|在一次军事演习时，我认识了这位王参谋。|参谋的作用非常重要。

【参议院】 cānyìyuàn 〔名〕

某些国家两院制议会的上议院。(senate)常做主语、宾语、定语。

例句 参议院通过了一项新提案。|他35岁就进入了参议院。|她当选为参议院议员。

【参与】 cānyù 〔动〕

参加事务的计划、讨论、处理。(participate in; have a hand in)常做谓语、宾语、定语。

例句 参与制定计划的科学家有二十多位。|张总亲自参与此项工作，所以工程进展很快。|A：这种事情你不要参与进去。B：我还参与？躲还躲不及呢。|这次比赛我们不为名次，而是重在参与。|为了搞好设计，所有参与的人员已经两个月没回家了。

【参阅】 cānyuè 〔动〕

作为参考而看。(see)常做谓语、定语。

例句 请参阅一下以前的文件。|他参阅了大量史料，才完成了毕业论文。|我参阅的资料有上百种。

【参照】 cānzhào 〔动〕

参考并仿照。(consult and follow)常做谓语、宾语。

例句 此文件请各有关单位参照执行。|参照先进乡致富的经验，很多贫困地区也富起来了。|目前我们的产品都参照新标准生产。|这种方法值得参照。

【餐】 cān 〔动/名/量〕

〔动〕吃(饭)。(eat)常做谓语。

例句 每年春节，全家都要在一起聚餐。|大学时代，我们几个常去野餐。

〔名〕饭食。(food; meal)常用于构词。也做宾语、定语。

词语 中餐 西餐 日餐 餐具 餐盒 快餐 餐厅 午餐

例句 我的午餐很简单。|随着生活节奏的加快，很多人喜欢吃快餐。|我喜欢吃中餐。|餐具已经摆好了，请各位入座吧。|今晚在饭店用餐。|我们各付各的餐账吧。

〔量〕用于吃饭的次数。(*the measure word for meals*)常构成短语做句子成分。

例句 我嘴馋，一日三餐都离不了鱼和肉。|A：今晚，能否跟我共进晚餐？B：对不起，我还有个应酬，改日吧。|有些人习惯于每天只吃两餐。

C

C

【餐车】 cānchē 〔名〕

火车上专为旅客供应饭食的车厢。(dining car)常做主语、宾语、定语。[量]节。

例句 A:请问,餐车在几车厢? B:在九号车厢。|我好不容易才找到了餐车。|旅客们,请到餐车用餐。|我姐姐是餐车的服务员。

【餐风宿露】 cān fēng sù lù 〔成〕

形容旅途或野外生活的艰苦。(eat in the wind and sleep in the dew — endure the hardship of arduous journey)常做谓语、定语。

例句 地质队的队员们经常野外作业,餐风宿露,生活极其艰苦。|经过这艰苦的沙漠行军和长时期的餐风宿露的生活,大家几乎都忘了灯光和房屋给人的温暖。|想起那段餐风宿露的日子,他心中无限感慨。

【餐厅】 cāntīng 〔名〕

供吃饭用的大房间,多为营业性的,也有的用做饭馆的名称。(dining hall; restaurant)常做主语、宾语、定语。[量]家,个。

例句 这家餐厅今天开业,门口摆满了鲜花。|我们家餐厅不大,只有6平方米。|A:在这儿住用餐方便吗? B:方便,宾馆内设有大小餐厅。|你去过"秀月餐厅"吗?|这个餐厅的服务很好。

【残】 cán 〔形〕

❶ 不完整,缺少一部分的。(incomplete; disabled)常做谓语、定语、补语。

例句 这位身残志坚的青年值得人们学习。|这是件很好的古玩,可惜残了。|太可惜了,这是仅有的一套残本。|他的手被打残了。

❷ 剩余的,将尽的。(remnant; remaining)常做定语。也构成词语。

词语 残余　残局　残冬　残雪　残敌　残生

例句 回来晚了,只有吃残汤剩饭了。|残冬时节,我来到北京。

【残暴】 cánbào 〔形〕

残忍凶恶。(cruel and ferocious; ruthless; brutal)常做定语、谓语。

例句 人民终于推翻了残暴的君主统治。|罪犯采用极其残暴的手段杀害了人质。|这些歹徒非常残暴。|黑社会的报复行为极其残暴。

【残疾】 cánjí 〔名〕

身体某部位或功能存在的缺陷。(physical deformity)常做宾语、定语。

例句 车祸后,她不幸落下了残疾。|虽然他的手有残疾,但工作很出色。|残疾人应当受到社会的保护和尊重。

【残酷】 cánkù 〔形〕

凶狠冷酷。(cruel; brutal; ruthless)常做谓语、定语、状语。

例句 参观过纳粹集中营后,我感到法西斯实在是太残酷了。|竞争就是这么残酷。|在残酷的现实面前,他终于清醒过来。|统治者的残酷暴行引起人民的强烈反抗。|尽管拿到了赎金,绑架者还是残酷地杀害了人质。

【残忍】 cánrěn 〔形〕

狠毒。(ruthless)常做谓语、定语、状语。

例句 罪犯的手段十分残忍。|歹徒竟用残忍的手段杀害了女孩。|见抢劫不成,歹徒残忍地杀害了那位老人。

C

【残余】 cányú 〔名〕
在消灭或淘汰的过程中剩下来的人、事物、思想意识等。(remnants; remains; survivals)常做主语、宾语、定语。
例句 封建残余还在某些地区起作用。|“重男轻女”是封建思想的残余。|水果要洗后再吃,因为表面可能还有残余的农药。|敌人的小股残余部队正向西逃窜。

【蚕】 cán 〔名〕
一种吐丝结茧的昆虫,通常指家蚕。(silkworm)常做主语、宾语、定语。
例句 蚕在生长过程中要蜕皮。|他很会养蚕。|我要求女儿认真观察蚕的整个生长过程。

【惭愧】 cánkuì 〔形〕
因为自己有缺点、做错了事或未能尽到责任而感到不安。(shamed)常做谓语、状语、宾语。
例句 大家给我这么高的荣誉,我实在惭愧。|考试又没通过,她惭愧极了。|知道自己错了,他惭愧地低下了头。|工厂效益不好,我作为厂长感到很惭愧。

【惨】 cǎn 〔形〕
❶ 情况、遭遇极痛苦,使人伤心。(miserable; pitiful; sad)常做谓语、定语、状语、补语。
词语 惨叫 惨死 惨不忍睹
例句 她的遭遇实在太惨了。|这确是一场人间惨剧,让人心酸落泪。|他惨叫一声昏倒过去。|没想到她死得这么惨。
❷ 程度严重、厉害。(to a serious degree; disastrously)常做补语、状语。
例句 今天干了这么多家务活,可把我累惨了。|这场比赛输得太惨了。|敌人又一次惨败了。
❸ 凶恶,狠毒。(cruel; savage; brutal)常做状语。
例句 革命者遭到惨杀。

【灿烂】 cànlàn 〔形〕
光彩鲜明的样子。(magnificent; splendid; bright)常做谓语、定语、补语。
例句 那里终年碧水蓝天,阳光灿烂。|我相信我们的前景将更加灿烂。|今夜星光灿烂,让人着迷。|我喜欢东方悠久的历史,灿烂的文化。|灿烂的礼花升上节日的夜空,广场上传来一片欢呼声。|太阳升起来了,天空变得灿烂无比。

【仓促】 cāngcù 〔形〕
时间紧;急急忙忙。(hurried; hasty)常做谓语、状语、补语。
例句 由于时间仓促,我还没来得及订机票。|对于这件事,我们不能仓促地下结论。|他走得很仓促。
辨析 〈近〉匆忙。“仓促”既可形容时间不充足,也可形容行动急急忙忙;“匆忙”一般用于形容行动。另外,“仓促”不能重叠。

【仓库】 cāngkù 〔名〕
储藏各种物资的建筑物或房间。(warehouse; storehouse)常做主语、宾语、定语。[量]个,间。
例句 仓库存货不多了,该进货了。|国家在这儿又建了一个储存粮食的大型仓库。|仓库的钥匙丢了,我们正在找。|姐姐当了一辈子仓库保管员。

【苍白】 cāngbái 〔形〕
❶ 白而略微发青;灰白;(脸)没有血色。(pale; pallid; wan)常做谓语、定语。

例句 妻子久病初愈，面色苍白。|A:你今天脸色怎么这么苍白？回去休息休息吧。B:没关系，大概是昨晚没休息好。|看你那苍白的脸色，我就知道出事了。

❷ 形容没有旺盛的生命力。(lifeless;flat)常做谓语、补语、定语。

例句 她的辩解苍白无力。|你的文章很苍白，没有什么内容。|这个人物描写得苍白无力。|我不喜欢这么苍白的诗。

【苍蝇】 cāngying 〔名〕

常见昆虫，头部有一对复眼，能传染疾病。(fly)常做主语、宾语、定语。[量]只。

例句 苍蝇是害虫，能传染疾病。|这种灯是专门消灭苍蝇的。|我们买了一把苍蝇拍子。

【沧海桑田】cāng hǎi sāng tián〔成〕

大海变成农田，农田又变成大海。比喻世事变化巨大。(from seas into mulberry fields and from mulberry fields into seas — time brings great changes to the world)常做宾语、定语。

例句 这位世纪老人目睹了中国社会的沧海桑田。|人类社会在二十世纪发生了沧海桑田的变化。

【沧海一粟】 cāng hǎi yí sù 〔成〕

大海中的一粒谷子。比喻极其渺小。(a drop in the ocean)常做主语、宾语。

例句 “沧海一粟”是特别渺小的意思。|这瓜虽好，可惜产量小，在外地市场上就如沧海一粟。|个人的本事再大，在大众面前也不过是沧海一粟。

【舱】 cāng 〔名〕

船或飞机中的分隔开来载人或装东西的地方。(cabin)常做主语、宾语、定语。

词语 船舱 客舱 前舱

例句 不好了，船舱进水了。|宋部长进了头等舱。|他买的是二等舱的票。|请把舱门关严。

【藏】 cáng 〔动〕

❶ 把身体或东西隐蔽起来，使人看不见。(hide;conceal)常做谓语。

例句 他藏起来了，我怎么找也找不着。|A:你把钥匙藏在哪儿了？B:就放在你桌上的笔筒里了。|这孩子喜欢藏玩具。

❷ 收存，储存。(store;lay by)常做谓语。

例句 这位收藏家珍藏着许多古画。|市图书馆目前藏书二百多万册。|他家里藏了许多自认为有价值的东西。

辨析 〈近〉躲。“藏”可以指人，也可以指东西；“躲”一般是指人。如：他躲起来了。|*他把东西躲起来了。(“躲”应为“藏”)

【操】 cāo 〔动/名〕

〔动〕❶ 抓在手里，拿。(grasp;hold)常做谓语。

词语 操刀 稳操胜券

例句 他手里操着一把菜刀。

❷ 做，从事。(act;do;operate)常做谓语。

例句 不久，他重操旧业，又来到股市。|从公司辞职后，他操起了教书这一行(háng)。

❸ 用某种语言、方言说话。[speak (a language or dialect)]常做谓语。

词语 操英语 操粤语

例句 他操着一口标准的普通话。

〔名〕体操。(gymnastics; exercise)常做主语、宾语。

词语 课间操 体操

例句 他做的操很标准。|大学生每天早晨都要出操。|三个姑娘正在表演球操。

【操场】 cāochǎng 〔名〕

供体育锻炼或军事操练用的场地。(sports ground)常做主语、宾语、定语。[量]个,块。

例句 这个操场很大。|运动会之前,要维修一下操场。|操场上的气氛十分活跃。

【操劳】 cāoláo 〔动〕

辛辛苦苦地劳动;费心料理(事务)。(work hard; look after; take care)常做谓语。

例句 A:你不要过于操劳了,要注意休息。B:这个项目不拿下来,我哪能呆得住。|他为工厂的发展操劳了一生。|母亲为这个家操劳了大半辈子,现在应该让她享点儿福了。|A:这孩子烦您操劳,让您费心了。B:你别那么客气,这是我的责任。

【操练】 cāoliàn 〔动〕

以队列形式学习和练习军事或体育方面的技能。(drill; practice)常做谓语、宾语。

例句 为了参加这次运动会,学生们一遍又一遍地在操场上操练着。|战士们正操练队形。|不论严冬酷暑,士兵们都坚持操练。

【操心】 cāo xīn 〔动短〕

费心考虑和料理。(worry; take trouble)常做谓语。中间可插入词语。

例句 父母为儿女操了一辈子心。|A:你们俩的事,我老是放心不下。B:您就别再操这个心了。|老院长总在为院里的事操心。

【操之过急】 cāo zhī guò jí 〔成〕

办事过于急躁。(act with undue haste; act too hastily)常做谓语。

例句 A:这事得慢慢来,不能操之过急。B:我也不想急,可时间不等人啊!|现在看来,我当时有点儿操之过急了。|如果操之过急,则可能事与愿违。

【操纵】 cāozòng 〔动〕

❶ 控制或开动机械、仪器等。(operate; control)常做谓语。

例句 厂里引进了一批新设备,现在正培养操纵它们的工人。|经过一段时间的摸索,这台机器他已经能操纵自如了。

❷ 用不正当的手段支配、控制。(manipulate; rig)常做谓语。

例句 看来这事一直有人在幕后操纵。|有人用大量资金操纵着股票市场。|这么大的市场,一个人的力量可操纵不了。

【操作】 cāozuò 〔动〕

按照一定的程序和技术要求进行活动。(operate)常做谓语、定语。

例句 经过培训,他能独立操作这台机器了。|办法不错,可不太好操作。|A:这么复杂的程序,我一个人操作不了。B:要有信心,我相信你一定能行。|操作方法我已经掌握了。|千万别违反操作规程呀。

【槽】 cáo 〔名〕

❶ 盛牲畜饲料的长条形器具。(trough)常做主语、宾语、定语。[量]个。

例句 马槽没饲料了。|他又给养猪

场做了20个新猪槽。|槽里的泔(gān)水已经吃光了。

❷ 盛饮料或其他液体的器具。(trough)常做主语、宾语、定语。

例句 水槽坏了,得换个新的。|那边有个(酒)槽。|槽里装满了水。

❸ 两边高起,中间凹下的物体,凹下的部分叫槽。(groove; notch)常做主语、宾语。[量]道,个。

词语 河槽

例句 这个槽挖得太浅了。|在水井边上开个槽,好引水浇地。|窗框上要挖个槽,才能安玻璃。

【草】 cǎo 〔名/形〕

〔名〕❶ 草木植物的总称。(grass)常做主语、宾语、定语。[量]棵,根。

例句 这儿草肥水美,宜于放牧。|羊在山坡上吃草。|植树种草,绿化城市。|这片草场,草的质量可不高哇。

❷ 指用做燃料、饲料、原材料等的稻、麦之类的茎和叶。(straw)常做主语、宾语、定语。也用于构词。

词语 草编 草帽 草鞋

例句 草可做饲料,也可造纸。|他家院子里堆满了柴草。|现在有没有人穿草鞋?

〔形〕❶ 不认真,不细致。(careless; rough)常做谓语、状语、补语。

例句 这几个字太草了,我认不出来。|他草草地吃了几口饭就走了。|这封信写得太草了。

❷ 初步的,非正式的(文稿)。(informal; draft)常用于构词。

词语 草案 草稿

例句 他写文章从来不打草稿。

【草案】 cǎo'àn 〔名〕

拟成而未经有关机关通过、公布的或虽经公布而尚在试行的法令、规章、计划。(draft)常做主语、宾语、定语。[量]份,个。

例句 交通管理条例草案将于下个月试行。|你们先拟订一个草案,再提交上级部门讨论。|您看这份草案修订稿可以吗?

【草地】 cǎodì 〔名〕

长野草或铺草皮的地方(grassland);草原或种植牧草的大片土地。(meadow)常做主语、宾语、定语。[量]片,块。

例句 春风吹来,草地变绿了。|这里的草地很肥沃。|这片草地多美啊!|从草地过去,是一片树林。|一个月以后,牧民们移到另一片草地去了。|草地上,成群的牛羊在吃草。

【草木皆兵】 cǎo mù jiē bīng 〔成〕

将山上的草木都当成敌兵,形容心怀恐惧,疑神疑鬼。(every bush and tree looking like an enemy soldier — a state of extreme suspicion and fear)常做谓语、定语、补语。

例句 A:不好!有动静,是不是有人上来了?B:你不要草木皆兵,自己吓唬自己。|鞭炮声一响,草木皆兵的敌军以为又是我军到了呢。|打完这一仗,敌人吓得草木皆兵,再也不敢出来了。

【草率】 cǎoshuài 〔形〕

指做事不认真,敷衍了事。(sloppy; careless)常做谓语、定语、补语、状语。

例句 你这样做,是不是草率了点儿?|这是一种非常草率的做法。|A:这件事你做得太草率了!B:当

时我也没多想，求你帮我想个挽救的办法吧。|你不该这样草率行事。

【草原】 cǎoyuán 〔名〕

半干旱地区长着杂草的大片土地。(grasslands; prairie)常做主语、宾语、定语。[量]片。

例句 草原是牧民的家园。|我爱家乡的大草原。|山南是一望无际的草原。|我特别喜欢迷人的草原夜色。

【册】 cè 〔素/量〕

〔素〕装订好的本子。(book)用于构词。

词语 相册　画册　纪念册　手册

〔量〕计算书本数量的单位。(copy; volume)常构成短语做句子成分。

例句 上册刚出版，下册估计得年底吧。|A:这套书一共分几册? B:分十册。|这本书很好卖，已销售了两万册。|我们已经学完了两册书，还有两册没学呢。

【厕所】 cèsuǒ 〔名〕

专供人大小便的地方。(lavatory; toilet; W. C.)常做宾语、主语、定语。

例句 有一次逛街孩子要上厕所，可到处找不到公共厕所。|清洁工每天都打扫两次厕所。|对不起，我去一趟厕所。|厕所要保持清洁。|厕所的气味太难闻了，开窗通通风吧。

【侧】 cè 〔名/动〕

〔名〕旁边。(side)常做主语、宾语。

例句 公路两侧种着树。|在中国，车辆一律走道路右侧。|请从另一侧出场。

〔动〕向旁边歪斜。(incline to one side)常做谓语。

例句 她爱侧着身子躺着。|他把脸侧过来，朝我点点头。

【侧面】 cèmiàn 〔名〕

旁边的一面。(side; flank; aspect)常做宾语、主语、定语、状语。[量]个。

例句 门在房子的侧面。|A:你能描述一下那个人的长相吗? B:不能，我只见过他的侧面，没看过正脸。|首长命令部队从侧面进攻。|张记者从侧面了解了不少情况。|这部电视剧反映了当前改革开放的一个侧面。|这个雕塑底座四个侧面都刻有文字。|这个盒子正面是红色，侧面是黑色。|文章的这个部分属于侧面描写。|小说从侧面揭示了那一段历史。

【测】 cè 〔动〕

❶ 用某种方法或工具确定对象的有关数值。(measure)常做谓语。

词语 目测　深不可测

例句 A:测测体温吧，看看发不发烧。B:别测了，没事。|我们历尽艰险，终于测出了这座山峰的海拔高度。|不用仪器怎么测得准呢?

❷ 想象。(infer; conjecture)常做谓语。

例句 常言道:人心难测。|那里的天气反复无常，变幻莫测。

【测定】 cèdìng 〔动〕

经测量后确定。(ascertain by measuring or surveying)常做谓语、宾语、定语。

例句 地下管道的走向已经测定。|我们测定一下飞机的方位。|经测定，本地区矿石的铁含量指数已达到了开发标准。|这次测定的结果令人吃惊。

【测量】 cèliáng 〔动/名〕

C

〔动〕用仪器确定空间、时间、温度、速度、功能等的有关数值。(survey;measure)常做谓语、宾语。

例句 这个游泳池可以自动测量水温。|环保部门每天都测量好几次空气的指数。|某些重要路段设有先进的仪器测量车速。|准备好,马上开始测量。|我们用从国外引进的新仪器重新进行了测量。

〔名〕有关地形、地物等的测定工作。(survey)常做主语、宾语、定语。

例句 地质测量是一项很辛苦的工作。|他是搞测量的。|整治河道前要搞好测量工作。

【测试】 cèshì 〔动/名〕

〔动〕❶ 考查人的知识技能。[test (a person's proficiency)]常做谓语、定语。

例句 为了测试新生的汉语水平,需要进行入学考试。|这次考试是为了测试一下大家的实际水平。|测试的结果已经出来了。

❷ 对机械、仪器、电器的性能和精度进行测量。[test (a machine, meter or apparatus)]常做谓语、宾语。

例句 出厂前要测试精密度。|请把新机器测试一下。|A:所有的仪器都要进行测试吗? B:当然。

〔名〕❶ 对人的知识、技能的考查。(test)常做主语、宾语。

例句 A:听说这次综合测试很难。B:不见得,只要你按大纲准备了就不难。|他参加了英语水平测试,并拿到了6级证书。

❷ 对机器、仪器、电器等的性能和精度进行的测量。(test)常做主语、宾语。

例句 产品测试一定要把好关。|这批产品经测试,全部合格。

【测算】 cèsuàn 〔动〕

测量计算;推算。(measure and calculate)常做谓语、宾语、定语。

例句 地质学家精确地测算出了这里的石油储量。|专家们正在进行测算,结果很快就会出来。|经过测算,这次地震的震级是6.2级。|A:我认为测算的方法不太科学。B:你有什么依据吗?

【测验】 cèyàn 〔动/名〕

〔动〕❶ 用仪器或其他办法检验。(put to the test)常做谓语。

例句 技术人员正在测验汽车的时速。|出厂前,要测验一下机器的性能。

❷ 考查学习成绩等。(test)常做谓语。

例句 A:今天我们测验汉语听力。B:啊? 糟了,我还一点儿没复习呢。|王老师要测验一下学生语法掌握得怎么样。

〔名〕对学习成绩的考查等。(test;quiz)常做主语、宾语。

词语 算术测验 智力测验

例句 A:这次英语测验我只得了80分。B:比我强多了,我才得了60分。|这次测验她发挥得不理想。|因为感冒,我没能参加这次测验,很遗憾。|我们每周都有小测验。

【策划】 cèhuà 〔动〕

筹划,谋划。(plan;plot;scheme)常做谓语、定语。

例句 几个人一宿没睡,策划出一个应急的方案。|这个片子该怎么拍,得好好策划一下。|对这次精心策划的演出活动,观众给予很高的评价。

【策略】 cèlüè 〔名/形〕

〔名〕根据形势发展而制定行动方针和活动方法。(strategy; tactics)常做主语、宾语、定语。

例句 策略非常重要。|光有政策不行,还要有合适的策略。|和客户谈生意的时候要讲究策略。|我们要注意策略的灵活性。

〔形〕讲究斗争艺术,注意方式方法。(tactful)常做谓语、状语、补语。

例句 跟他打交道要策略一点儿。|这样做也太不策略了。|A:你去劝劝他,说话的时候策略点儿。B:好,我会注意的。|他策略地拒绝了对方。|这件事处理得很策略。

【参差不齐】 cēncī bù qí 〔成〕

不一致,不整齐。(uneven; not uniform)常做谓语、补语、定语、状语。

例句 留学生来自世界各地,年龄参差不齐。|A:你们今天练得怎么样?B:开始还不太熟练,大伙唱得参差不齐,现在好多了。|这个小朋友说完一笑,露出参差不齐的小白牙。|远远望去,山上参差不齐地长着一些松树。

▶"参差不齐"一般不受程度副词修饰。如:*很参差不齐 *参差不齐极了

【层】 céng 〔量〕

❶ 用于重叠、积累的东西。(storey; floor)常构成短语做句子成分。

例句 六层是礼堂。|他住三层。|这是座十五层大楼。|新房子全部安装了双层真空玻璃窗。|宿舍内每层都有公共厨房。

❷ 用于可以分项分步的东西。(a component part in a sequence)常构成短语做句子成分。

例句 原先我还没想到这一层。|这段课文包含两层意思。

❸ 用于可以从物体表面揭开或抹去的东西。(layer; stratum)常构成短语做句子成分。

词语 一层油漆 一层薄膜

例句 窗台上的灰尘,擦了一层又落了一层。|桌子上积了一层灰。|河面上结了一层薄冰。

【层出不穷】 céng chū bù qióng 〔成〕

接连不断地出现,没有穷尽。(emerge in an endless stream)常做谓语、定语。

例句 改革开放以来,新生事物层出不穷。|我们厂的先进事迹层出不穷。|层出不穷的英雄人物为人们树立了榜样。

【层次】 céngcì 〔名〕

❶ (说话、作文)内容的次序。(arrangement of ideas)常做主语、宾语。[量]个。

例句 他的演讲层次清楚,很有说服力。|这篇文章层次不清。|你写的材料看不出什么层次。

❷ 相属的各级机构。(administrative levels)常做主语、宾语。[量]个。

例句 机构层次太多,必然影响办事效率。|减少层次,精简人员,提高工作效率。|国家机构主要分为中央、省和市县三个层次。

❸ 同一事物由于大小、高低等不同而形成的区别。(level; gradation)常做主语、宾语、定语。

词语 知识层次 多层次 办学层次

例句 学员的知识层次不同,理解力也不同。|提高办学层次是提高教

学质量的重要方面。|两国将举行高层次首脑会谈。|举办这次晚会,要考虑到各个年龄层次的爱好。

【曾】 céng 〔副〕

表示以前有过某种行为或情况。(once)做状语。

例句 我曾在哪儿见过他。|他曾说过这件事。|这片荒凉的土地在历史上曾一度热闹过,繁华过。

辨析 〈近〉曾经。语体色彩不完全相同。"曾经"既用于书面语,也用于口语;另外"曾"有否定式"未曾"、"不曾","曾经"没有否定式。如:*我没曾经听说过这件事。("没曾经"应为"未曾")

【曾经】 céngjīng 〔副〕

表示从前有过某种行为或情况。(have already)常做状语,其后常与"过"配合。

例句 他曾经当过老师。|我曾经多次打听过他的下落。|她曾经美丽过,年轻过,但现在皱纹已爬上了她的额(é)头。

【蹭】 cèng 〔动〕

❶ 摩擦。(rub)常做谓语。

例句 大象靠在大树上蹭痒痒。|他不小心把手蹭破了皮。

❷ 因擦过去而沾上。(rub against sth. and get stained)常做谓语。

例句 A:油漆不干,当心蹭上。B:你早说呀!这不是已经蹭上了吗!|裤子上不知在哪儿蹭了一些灰。|下车时,车门把我的袖子蹭脏了。

❸ 慢慢地行动。(move slowly)常做谓语。

例句 他腿不好,只能一步步往前蹭。|快点儿吧,别蹭时间了。

【叉】 chā 〔动/名〕

〔动〕用叉子取东西。(work with a fork;fork)常做谓语。

例句 这蘑菇太滑了,用叉子叉不上来。

〔名〕❶ 一端有长齿的器具。(fork)常做主语、宾语。[量]把,副。

词语 钢叉　鱼叉　干草叉

例句 这副银叉很精致。|桌子上已摆好了刀和叉。|欧美人一般用刀叉吃饭。

▶"叉"常说成"叉子"。

❷ 叉形符号"叉号",一般用来标志错误或作废的事物。(×-sign; cross)常做宾语、主语。[量]个。

例句 A:这个叉是什么意思? B:那还用说,错了呗!|对的画勾,错的打个叉。|你的作业本上怎么净是叉?

【叉子】 chāzi 〔名〕

小叉。(fork)常做主语、宾语、定语。[量]把。

例句 叉子应该这样摆。|西餐用刀和叉子吃饭,中餐用筷子。|A:还买什么? B:对了,再买几把叉子。|这把叉子的把上有油,还得再洗一下。

【差别】 chābié 〔名〕

形式或内容上的不同。(difference)常做主语、宾语。也用于短语中。[量]种。

例句 我觉得两者差别不大。|如今,城乡差别已大大缩小了。|A:这两种品牌电视的质量差别很大。B:要不是听你说,我实在看不出什么差别。|实际上,很多商品国产的跟进口的没什么差别,甚至更好些。

【差错】 chācuò 〔名〕

❶ 错误。(mistake; error) 常做主语、宾语。[量]个。

例句 搞设计时,一点儿差错都是不允许的。|你这种工作态度,不出差错才怪呢。|A:你把这稿子校对一下。B:看过了,她打的没有任何差错。

❷ 意外的变化,多指灾祸。(mishap; accident) 常做主语、宾语。

例句 老奶奶就这么一个孙子,任何差错对她来说都是极大的打击。|万一出了差错,怎么办?|千万小心,一旦有什么差错,损失可就大了!

【差距】 chājù 〔名〕

事物之间的差别程度,也指距离某种标准的差别程度。(gap; disparity) 常做主语、宾语。

例句 我们俩之间的差距越来越大。|跟先进比,我还有很大差距。|静下心来,好好反省一下,找找自己和别人的差距。|A:你回国这段时间,同学们的汉语水平可提高了不少啊。B:我会努力学习,缩短和其他同学的差距。

【差异】 chāyì 〔名〕

不同的地方。(difference; divergence; diversity) 常做主语、宾语。

例句 中国地域辽阔,南北气候差异很大。|它们之间的差异在哪里?|各个民族的生活习惯都会存在着一些差异。

【插】 chā 〔动〕

❶ 长形或片状的东西放进、挤入、刺进或穿入别的东西里。(stick in; insert) 常做谓语。

例句 每天我都在花瓶里插一束鲜花。|A:睡觉前,一定把门插好。B:放心吧,我忘不了。|登山队员终于在顶峰插上了国旗。|怪不得灯不亮,原来没插上电源。

❷ 中间加进去。(interpose; insert) 常做谓语。

例句 对不起,我插一句。|到后边排着,不许插队!|这件事不容许任何人插手。|他们俩争得面红耳赤,谁也插不上嘴。

【插秧】 chā yāng 〔动短〕

把水稻的秧从秧田里移栽到稻田里。(transplant rice seedlings) 常做谓语、定语。中间可插入词语。

例句 A:你会插秧吗?B:会,我下乡时学过。|我以前从没插过秧。|当时,几个妇女正在稻田里插着秧。|我们家乡早就用机械插秧了。|老刘家新买了一台插秧机。|急什么,插秧季节还没到呢。

【插足】 chāzú 〔动〕

比喻参与某种活动。[partcipate in (some activity)] 常做谓语、定语。

例句 这是我们之间的事,外人不要插足。|第三者插足破坏别人的幸福家庭,是一种可耻的行为。|真没想到插足的人是他。

【插嘴】 chā zuǐ 〔动短〕

在别人说话中间插进去说话。(interrupt; chip in) 常做谓语。中间可插入词语。

例句 大人说话小孩儿别插嘴。|他们讨论的问题很难,我根本插不上嘴。|我刚插了一句嘴,人家就不高兴了。

【插座】 chāzuò 〔名〕

连接电路的电器元件,通常接在电源上,跟电器的插头连接时电流就通入电器。(socket; outlet)常做主语、宾语。[量]个。

例句 原来的插座短路烧坏了,你去买个新的吧。|这儿还得安一个插座。|先把插头插在插座上,然后再按"开始"键,机器就运转了。|爸爸把插座钉在墙上。

【茶】 chá 〔名〕

❶ 一种常绿灌(guàn)木,嫩叶可加工成茶叶。(tea)常做主语、宾语。[量]棵。

例句 这山上的茶长得不错。|茶农们在山上种茶。

❷ 茶叶;用茶叶做成的饮料。(tea)常做主语、宾语、定语。

词语 品茶　沏茶　采茶

例句 茶有绿茶、红茶、花茶什么的。|A:二位请坐,来壶什么茶? B:什么茶最好就来什么茶。|蒙古族牧民喜欢喝奶茶。|根据茶的色泽可以区分出茶的等级。|这儿是中国重要的产茶区。

【茶馆】 cháguǎn 〔名〕

卖茶水的铺子,有座位,供顾客喝茶。(tea house)常做主语、宾语、定语。[量]个,家。

例句 这个茶馆生意一向很好。|A:去年,老王在城东开了个茶馆,听说还挺火。B:走,咱们也去坐一会儿。|在茶馆品茶听戏是京城一大特色。|这家茶馆的老板我认识。

【茶话会】 cháhuàhuì 〔名〕

备有茶点的集会。(a tea party)常做主语、宾语、定语。[量]个,次。

例句 A:茶话会明天下午举行,你能参加吗? B:只要有时间,我一定去。|每到岁末,一些单位就开迎新茶话会。|谁是本次茶话会的主持人?

【茶叶】 cháyè 〔名〕

经过加工的茶树嫩叶,可以做成饮料。(tea; tea leaves)常做主语、宾语、定语。

例句 茶叶因品种和产地不同,价格也各异。|这种茶叶有股清香味儿。|这是上好的茶叶,产量很少。|A:我爷爷非常喜欢喝茶。B:那我们就买几样茶叶送给他,他一定会很高兴。|顾客都在细细地品味这茶叶浓浓的香气。|福建是中国重要的茶叶之乡。

【查】 chá 〔动〕

❶ 检查。(check; examine)常做谓语。

词语 查户口　查血

例句 检查团明天要来饭店查卫生。|A:这些天你脸色一直不太好,该去医院查一查。B:去了,可是也没查出什么病。|这次查血查出她得了白血病。

❷ 调查。(look into; investigate)常做谓语。

例句 你去查查这个人的情况。|我们一定要把这件事的真相查出来。|事故原因还没查清。|A:那家公司的背景查得怎么样了? B:已经查完了。

❸ 翻检着看。(look up; consult)常做谓语。

例句 不认识的字,就要查字典。|他查了大量资料,又找了专家,终于确定这件文物是汉代的。|A:这个字我怎么查不到? B:你是不是把部首查错了? |A:现在怎么走? B:查查地图吧。

【查处】 cháchǔ 〔动〕

查明情况,进行处理。(investigate

and prosecute)常做谓语、宾语。

例句 管理部门查处了制造假药的厂家。|对这种浪费国家财产的行为应查处。

【查获】 cháhuò 〔动〕

侦查或搜查后获得。(hunt down and seize; track down)常做谓语,宾语常为罪犯、赃物、违禁品等。

例句 去年,海关查获了大量毒品。|边防检查人员在车上查获了一批走私品。|有一艘走私船在海上被查获。

【查明】 chámíng 〔动〕

调查明白。(find out)常做谓语。

例句 A:这场事故的原因查出来了吗? B:事故原因已经查明。|警察同志,请一定查明真相,抓住凶犯。|一经查明案情,立即依法严惩。|现已查明,这是一起责任事故。

【查阅】 cháyuè 〔动〕

(把书刊、文件等)找出来阅读有关的部分。(consult)常做谓语。

词语 查阅文件 查阅档案

例句 你应该去图书馆多查阅一些文献档案。|为了研制新产品,他查阅过很多技术资料。|我查阅了1998年所有有关的期刊,终于找到了那篇文章。|A:昨晚我去了你的寝室,可是你不在。B:真是对不起,我在阅览室查阅资料,回来都快十点了。

【岔】 chà 〔名/动〕

〔名〕❶ 分歧的,由主干分出来的道路。(branch; fork)常构成词语。

词语 岔路 三岔路口

例句 在人生的岔路口,我有些茫然了。|A:前面就是岔路口,你看该走哪条路。B:先一直走,遇着行人再问问。

❷ 事故,错误。(accident; trouble)常做宾语。[量]个。

例句 你要小心,千万别出岔儿。|A:对不起,来晚了,路上出了个岔儿。B:不晚,车还没来呢。

〔动〕❶ 离开原来的方向而偏到一边。(turn off the main road)常做谓语。

例句 车子从公路岔上了小道儿。

❷ 转移话题。(diverge)常做谓语。

例句 我们说的是飞机,你说的是母鸡,岔到哪儿去了!|为了不让妻子生气,我把话岔开了。

❸ 错开时间,避免冲突。(stagger)常做谓语。

例句 这两个会的时间得岔开。|A:你能在明天安排我和经理见面吗? B:对不起,约会太多,他时间根本岔不开。

【刹那】 chànà 〔名〕

极短的时间;瞬间。(instant; a split second)常前加"一"或后加"间",做状语、宾语、定语。

例句 刹那间,她头晕目眩,昏倒在地。|在千钧一发的一刹那,他挺身而出,从火车下救出了孩子。|大家都屏住呼吸,等待着火箭腾空而起的一刹那。|一刹那的工夫,车就跑没影了。

【诧异】 chàyì 〔形〕

觉得十分奇怪。(surprised; astonished)常做谓语、定语、宾语。

例句 消息传来,我们都十分诧异。|他的表情诧异得很。|听说不让赵先生去,大家都露出了诧异的神色。|突然见到姐姐,我感到十分诧异。

【差】 chà 〔形/动〕另读 chā、chāi、cī

C

〔形〕❶ 不相同，不相合。(differ from)常做谓语。

例句 我们离优秀标准还差得很远。|他们哥俩的性格差得很大。

❶ 不好，不够标准。(not up to standard; poor)常做谓语、补语。

例句 有些产品质量太差了。|A：你去实习的地方条件怎么样？B：那儿的吃住条件差极了。|一年多来，母亲的身体差得厉害。|这回考得还不差。

❸ 错。(wrong)常做谓语、补语。

例句 A：现在看来，他的话一点儿也不差。B：是啊，当初我们就该听他的。|你这话可说差了，我从来没这么想过。|你弄差了，这是汉语拼音，不是外语。

❹〔动〕缺少。(be less than; be short of)常做谓语。

例句 A：现在几点了？B：差一分五点。|全班五十个学生，只有四十九本书，还差一本。|我是九月份来的，差两天就一个月了。|该买的都买了，什么也不差了。|(售货员)请等一下，还差你一块钱。

【差不多】 chàbuduō 〔形/副〕

〔形〕❶ (在程度、时间、距离等方面)相差很少；相近。(about the same; similar)常做谓语、补语。

例句 兄弟俩长相、高矮都差不多。|这两篇文章观点差不多。|我汉语学得差不多了，想再学点儿英语。|工程进行得差不多了。

▶〈近〉差不离。

❷ 一般的，普通的。(ordinary; general)常做定语，后带"的"。

例句 差不多的工作他都能胜任。|A：你怎么知道这件事？B：何止我呀，学校的人差不多都知道这事了。

〔副〕表示相差很少，接近。(almost; nearly)做状语。

例句 A：你来这个学校多久了？B：我在这儿差不多呆了三年了。|大桥差不多快完工了。|他比我差不多大十岁。

【差点儿】 chàdiǎnr 〔副〕

表示某种事情接近实现或勉强实现。(almost; nearly)做状语。

▶ 分两种情况：如果是说话人不希望实现的事情，"差点儿"和"差点儿没"意义相同，都是指事情接近实现而没有实现，表示庆幸。

例句 他差点儿摔倒了。|他差点儿没摔倒。|他没看信号灯，差点儿叫车撞着。|他没看信号灯，差点儿没叫车撞着。

▶ 如果是说话人希望实现的事情，"差点儿"是惋惜它没能实现，后面常跟"就"。"差点儿没"是庆幸它终于勉强实现了。

例句 他差点儿就赶上那趟车了，真可惜。(没赶上)|他起来晚了，差点儿没赶上那趟车。(赶上了)|考了58分，差点儿就通过了。(没通过)|考了61分，差点儿没通过。(通过了)

【拆】 chāi 〔动〕

❶ 把完整的东西分开，打开。(tear open; take apart)常做谓语。

例句 把包裹拆开，看看是什么东西。|A：这部机器出了故障，得拆开检查一下。B：先别动，电源还没断呢。|私拆别人的信件是违法的。

❷ 毁(huǐ)掉建筑物。(pull down; dismantle)常做谓语。

例句 政府把旧房子拆掉，让市民住

进了新居。|那一座老桥只拆了一个礼拜就拆完了。

【拆迁】 chāiqiān 〔动〕
拆除原有的建筑物,居民迁移到别处。(have an old building pulled down and its occupants moved elsewhere)常做谓语、定语。
例句 前面那一片楼区正在拆迁。|A:咱们这个楼是不是要拆迁了? B:是啊,得先找个地方住下。|市委强调一定要搞好这个地区的拆迁工作。|这个拆迁方案充分体现了以人为本。

【拆台】 chāi tái 〔动短〕
用破坏手段使人或集体倒台或使事情不能顺利进行。(cut the ground from sb.'s feet;pull away a prop)常做谓语。中间可插入词语。
例句 A:明天你一定得来,可别拆我的台呀。B:你放心,我准时到。|他们俩有矛盾,因此在工作中总互相拆台。|昨天在我提议时他第一个反对,这不是拆我的台吗?

【柴】 chái 〔名〕
供点火或烧火用的木头或草等。(firewood)常做主语、宾语。[量]根,捆。
例句 A:这些柴都湿了,点不着。B:等一下,我出去弄些干的。|小时候常上山拾柴去。|过去家里用柴做饭,现在用上了天然气。

【柴油】 cháiyóu 〔名〕
轻质石油产品的一类,挥发性比润滑油高,比煤油低,用做燃料。(diesel oil)常做宾语、主语、定语。[量]滴,公斤。
例句 使用柴油的汽车一般力气比较大。|这家工厂是生产柴油的。|柴油比汽油便宜一些。|柴油内燃机使用十分广泛。

【掺】 chān 〔动〕
把一种东西混合到另一种东西里去。(mix;mingle)常做谓语。
例句 在酒里掺假是不道德的。|A:哎,你们在小声嘀咕什么呢?怕我听见啊! B:没你的事,别跟着乱掺和。|比尔说汉语时,常掺着一些英文单词。|我爱在咖啡里掺点儿牛奶喝。

【搀】 chān 〔动〕
扶着别人。(help by the arm;support sb. with one's hand)常做谓语。
例句 有位青年人正搀着老人过马路。|他把母亲搀下楼梯。|这位病人很胖,我一个人怎么搀也没搀起来。

【谗言】 chányán 〔名〕
毁谤的话,挑拨离间的话。(slanderous talk;calumny)常做主语、宾语。[量]句。
例句 谗言真可怕,它可以毁了好人一生。|不能轻信小人的谗言。|由于听了别人的谗言,他和好朋友分手了。

【馋】 chán 〔形〕
看见好的食物就想吃,只爱吃好的。(greedy;gluttonous)常做谓语、定语、宾语。
例句 这孩子太馋了。|看到这么多吃的,大家馋得直流口水。|A:我就馋北京烤鸭。B:那今天就满足你,我们去烤鸭店。|你真个是小馋猫。|好久没吃到妈妈做的菜了,真解馋。

【缠】 chán 〔动〕
❶ 绳子等条状物绕在别的物体上。(twine;wind)常做谓语。
例句 小玲常帮妈妈缠毛线。|捆得

有点儿松，我们又用铁丝缠了几道。|你把绳子缠紧一点儿。

❷ 困扰，不能摆脱。(tangle; tie up; pester)常做谓语。

例句 最近我一直琐事缠身，没能下基层。|很多妇女被家务缠着，不能把全部精力投入到工作中去。|A：这个病可把我缠苦了。B：你真应该找家像样的医院治一治。|孩子缠着妈妈给他买电子玩具。

C

【蝉】 chán 〔名〕

一种昆虫，雄的腹部有发音器，能连续不断发出尖锐的声音，雌的不发声，但在腹部有听器，也叫知了(zhīliǎo)。(cicada)常做主语、宾语、定语。[量]只。

例句 夏天，蝉在树上使劲儿地叫。|我小时候常跟小朋友捉蝉玩。|蝉的叫声真让人心烦。

【产】 chǎn 〔动/名〕

〔动〕❶ 人或动物的幼体从母体中分离出来。(give birth to; be delivered of)常做谓语。

例句 她这头胎能不能顺产呢？|母马昨晚产下了一匹小马驹。

❷ 出产，生产。(produce; yield)常做谓语。也用于构词。

词语 产粮　产煤　增产　产销　产地　产量　产值

例句 中国北方主要产小麦，南方主要产水稻。|那里盛产大豆。

〔名〕❶ 物产，产品。(product)常用于构词。

词语 土产　特产　水产

例句 A：这是我们家乡的特产，尝尝吧。B：挺好吃，这东西是什么？|这儿靠海，海产丰富。

❷ 产业。(property; estate)常用于构词。

词语 家产　财产　产权　房地产　遗产　破产

例句 A：你是搞房地产的吗？B：是啊，您要是购房，我可以帮忙。|父亲留给我一大笔遗产。|这家公司宣布破产了。|他家家产很多。|你这房子有产权吗？

【产地】 chǎndì 〔名〕

物品出产的地方。(place of production; producing area)常做主语、宾语。[量]个。

例句 这批东芝彩电比较便宜，因为产地就在本市。|A：这件衣服的产地没有标明。B：那它一定不是正牌货。|景德镇是有名的瓷器产地。|这些香蕉是从产地直接运过来的。

【产量】 chǎnliàng 〔名〕

产品的总量。(output; yield)常做主语、宾语。

例句 今年苹果产量比去年减少了。|全县小麦总产量是去年的1.2倍。|既要重视产量，又要注重质量。|新品种的开发使水稻的产量得到了很大的提高。

【产品】 chǎnpǐn 〔名〕

生产出来的物品。(product)常做主语、宾语、定语。[量]种。

例句 中国农业产品很丰富。|A：你们能保证质量吗？B：没问题，质量有问题的产品给退货。|这种电视机是新产品。|政府部门坚决打击“三无”产品。|提高产品质量是企业生存的首要条件。

【产区】 chǎnqū 〔名〕

物品出产的区域。(producing area)常做宾语、主语。[量]个。

例句 蔬菜产区已经普及了塑料大

棚。|这里是中国重要的油菜产区。

辨析 〈近〉产地。"产区"比"产地"范围大,指"区域";而"产地"通常指某一地点。

【产生】 chǎnshēng 〔动〕

由已有的事物中生出新的事物;出现。(give rise to; bring about; come into being)常做谓语。

例句 原先我真没想到会产生这么多矛盾。|他的一席话,使我对西藏产生了极大的兴趣。|旧矛盾刚解决,新的矛盾又产生了。|A:你这不是让人家产生隔阂吗? B:他们本来就有隔阂,怎么能怪我?

【产物】 chǎnwù 〔名〕

在一定的条件下产生的事物;结果。(outcome; result)常做宾语。

例句 "小皇帝"是父母过分宠(chǒng)爱的产物。|三资企业是对外开放的产物。

【产业】 chǎnyè 〔名〕

❶ 土地、房屋、工厂等财产(多指私有的)。(estate; property)常做主语、宾语。

例句 目前,私有产业已得到法律保护。|他卖掉了祖上传下来的产业,还清了债。|目前,住宅已逐渐成为私有产业。

❷ 关于工业生产的。(industry)常做定语、主语、宾语。[量]种。

例句 那里是老工业基地,有数十万产业工人。|产业革命带来了经济繁荣。|汽车产业近年来得到了很大发展。|政府鼓励下岗工人从事第三产业。|从某种意义上讲,教育也是一种产业。

【产值】 chǎnzhí 〔名〕

在一个时期内全部产品或某一项产品以货币计算的价值量。(value of output)常做主语、宾语。

例句 上世纪九十年代以来,中国的国民经济总产值保持了快速增长。|提高农业产值是经济发展的一个重要方面。|既要增加产值,又要提高质量。

【铲】 chǎn 〔名/动〕

〔名〕一种用具,像簸箕(bòji)或像平板,带长把儿(bàr)。(shovel)常做主语、宾语。[量]把(bǎ)。

例句 挖土机的大铲一下子就挖起两吨土。|工人们拿着煤铲运煤。|雪停了,拿几把铁铲来除雪吧。

〔动〕用锹或铲撮(cuō)取或清除。(lift or move with a shovel)常做谓语。

例句 能不能把这些脏东西铲掉?|为了修花坛,先把地铲平了。|把这些垃圾铲走吧。

【阐明】 chǎnmíng 〔动〕

讲明白(道理)。(expound; clarify)常做谓语。

例句 这篇文章已经阐明了我的观点。|他在发言中阐明了自己的想法。|在新闻发布会上,外交部发言人阐明了在台湾问题上的立场。

【阐述】 chǎnshù 〔动〕

论述,说明。(expoud; elaborate; set forth)常做谓语、宾语。

例句 你应该写一篇文章,阐述一下自己的观点。|这篇报告阐述了第三产业在国民经济发展中的作用。|讲演中我对设计方案作了充分阐述。

【颤】 chàn 〔动〕

晃动;发抖。(quiver; tremble)常做谓语(不带宾语)、补语。

例句 爷爷的手颤得厉害。|由于紧张，回答问题时，他声音有点儿颤。|A：我这条腿疼得直颤。B：给你拍个片子吧。

【颤动】 chàndòng 〔动〕

快而频繁地振动。(vibrate; quiver) 常做谓语(不带宾语)。

例句 地震以后，大地还在颤动。|他气得说不出话来，嘴唇不停地颤动。

【颤抖】 chàndǒu 〔动〕

哆嗦；发抖。(shake; tremble; quiver; shiver) 常做谓语(不带宾语)。

例句 听到这个消息，我的心在微微地颤抖。|树枝在秋风中颤抖。|由于发烧，他全身颤抖得厉害。|老大娘双手颤抖着接过救济金，连声道谢。

辨析 〈近〉颤动。"颤抖"主要指人、动物等由于紧张、寒冷等原因发生的肢体抖动；"颤动"主要指人或物体在外力等作用下的振动。

【昌盛】 chāngshèng 〔形〕

兴旺；兴盛。(prosperous) 常做谓语、定语。

例句 我们的事业正日益昌盛起来。|祝贵公司发达、昌盛。|我们要把祖国建设成一个繁荣昌盛的国家。

【猖狂】 chāngkuáng 〔形〕

狂妄而放肆。(savage; furious) 常做谓语、状语、定语。

例句 这些人很猖狂。|我们又一次打退了敌人的猖狂进攻。|军民团结一心，终于战胜了猖狂的洪水。

【长】 cháng 〔形/名〕

〔形〕两点之间的距离大。(long) 常做谓语、定语、状语、补语。

例句 她的头发长长的。|路还很长，要走很长时间。|A：小李说他要三四个小时以后才能来。B：时间太长，我不等了。|天热了，长袖衣服穿不住了。|这些钱要细水长流，不能一下子花完。|这座桥修得相当长。

〔名〕❶ 长度。(length) 常做主语、谓语。

例句 这条大鱼长两米，重 100 公斤。|长江全长六千多公里。|这座桥一百多米长，六米宽。

❷ 优点。(strong point; forte) 常构成词语。

词语 特长 长处 专长

例句 没有一技之长，就很难立足于当今社会。|双方要取长补短，才能共同进步。|常言道：尺有所短，寸有所长。

▶"长"也做动词，指某方面有长处。(be good at) 如：他长于运动。|小张长于书法。

【长处】 chángchù 〔名〕

特长，优点。(good qualities; strong points) 常做宾语、主语。

例句 其实，朱老师的长处很多。|谁都有长处和短处。|A：他这个人毛病怎么那么多。B：与人相处要多看人家的长处。|领导要善于发挥每个人的长处。

【长度】 chángdù 〔名〕

两点之间的距离。(length) 常做主语、宾语。

例句 A：大运河的长度是多少？B：大概有一千多公里吧。|两条跑道的长度基本相同。|技术员在测量路基的长度。

【长短】 chángduǎn 〔名〕

❶ 长度。(length)常做主语。

例句 A:这件上衣长短正合适,就像给你定做的。B:是吗?那我就买它了。|这两根棍子长短差不多。

辨析 〈近〉长度。"长度"常用于书面语,用在距离长的事物上。"长短"用于口语,用在小东西上。

❷ 意外的灾祸,事故,多指生命的危险。(accident;mishap)常做宾语。

例句 A:你让他一个人去那么危险的地方,万一有个长短,怎么办?B:他总得学会自己面对。|她每天都听天气预报,唯恐出海的丈夫有个长短。

❸ 是非;好坏。(strong and weak points)常做宾语。

例句 背后议论别人的长短是不应该的。

【长久】 chángjiǔ 〔形〕

时间很长;长远。(for a long time; permanently)常做谓语、状语、定语、补语。

例句 他们俩的关系会长久吗?|A:你想在这儿长久地住下去吗?B:不一定。|既然这样,我们就应该做长久打算。|这种状况不会持续长久的。

【长命百岁】cháng mìng bǎi suì〔成〕

寿命长,活到一百岁。(live to be a hundred; live to a ripe old age)常做谓语、定语。

例句 谁都希望自己能长命百岁,但真正能活到一百岁的又有几个人呢?|传说中认为,吃了仙丹就可以长命百岁。|不要做长命百岁的美梦了。

【长期】 chángqī 〔名〕

长时间。(over a long period of time; long-term; long-lasting)常做定语、状语。

例句 为了买房子,我向银行借了长期贷款。|长期的努力终于有了一个好的结果。|人口增长过快,是长期存在的问题。|他长期在中国生活,已经有点儿中国化了。

【长寿】 chángshòu 〔形〕

寿命长。(a long life; longevity)常做谓语、定语。

例句 祝您健康长寿!|我们都衷心希望爷爷长寿。|这里百岁以上的长寿老人很多。|请问,您有什么长寿秘诀?

【长途】 chángtú 〔名〕

❶ 路程遥远的;长距离的。(a long distance)常做定语。

例句 经过长途旅行,他终于到达了目的地。|妈妈从日本打来了长途电话。

❷ 指长途电话或长途汽车。(short for "long-distance call" or "long-distance bus")常做主语、宾语。

例句 A:我这是国际长途,麻烦您快点儿叫总裁来接电话。B:好,请稍等。|去沈阳的长途几点发车?|打长途一分钟多少钱?|没买到火车票,我是坐长途来的。

【长远】 chángyuǎn 〔形〕

时间很长,指未来的时间。(long-term; long-range)常做定语、谓语、补语。

例句 眼前利益应该服从长远利益。|A:你对自己的未来有没有什么长远打算?B:我想先读完本科,然后边工作边读研究生。|我想他们的关系不会太长远。|现在已经不错了,你想那么长远干吗?

C

【长征】 chángzhēng 〔名〕

❶ 长途旅行，长途出征。(expedition; long march)常做主语、宾语。

例句 长征必须有充足的体力和物质保障。|从北京到敦煌，这真是一次长征。

❷ 特指中国工农红军1934—1935年由江西转移到陕北的二万五千里长征。(the Long March)常做主语、宾语、定语。

例句 长征历时一年。|红军爬雪山过草地，终于完成了两万五千里长征。|小朋友听红军老爷爷讲长征的故事。

【肠】 cháng 〔名〕

❶ 消化器官的一部分，形状像管子，起消化和吸收作用。(intestines)常做主语、宾语、定语。也构成词语。[量]段。

词语 肠炎 小肠 肠道 肠胃

例句 最近我胃和肠都不太好。|由于食物中毒，医生正给他洗肠呢。|伯父得了肠癌，要做手术。

❷ “肠儿”；在肠衣里塞进肉、淀粉等制成的食品。(sausage)常做主语、宾语、定语。[量]根。

词语 香肠 牛肉肠 鱼肠

例句 这肠儿多少钱一斤？|我想给孩子买几根肠儿吃。|A：这肠儿的味道不错，你买点儿吧。B：我不太喜欢吃这样的。

【尝】 cháng 〔动〕

❶ 吃一点儿，试试。(taste; try the flavor of)常做谓语。

词语 尝尝味道吧。|饺子煮好了，都来尝尝。|A：你来尝一下菜的咸淡。B：有点儿咸了。

❷ 经历，体验。(experience)常做谓语。

例句 在生活中，她备尝艰辛。|我这一辈子尝尽了生活的酸甜苦辣。

【尝试】 chángshì 〔动/名〕

〔动〕试，试验。(attempt; try)常做谓语。

例句 为了提高效率，我们尝试过各种方法。|玛丽尝试着做了两个中国菜。

〔名〕探索性的试验。(try)常做主语、宾语。[量]次。

例句 最后一次尝试终于成功了。|为了提高质量，他们作了一次又一次尝试。

【常】 cháng 〔形/副〕

〔形〕❶ 一般，普通，平常。(ordinary; common; normal)常用于构词。

词语 常人 常态 常情

例句 A：这是常识，我想他不会不懂。B：你别生气，他不可能是有意的。|朋友病了去看看，这是人之常情。

❷ 不变动的。(constant; invariable)常做状语，也用于构词。

词语 常数 常量

例句 这儿树木冬夏常青，风景美极了。|张经理是公司的海外代表，常驻美国。

〔副〕时常；常常。(frequently; often; usually)做状语。

例句 她们两家常来常往。|最近我们俩不常见面。|这是常有的事。|妈妈常打电话来。|人们常说，儿行千里母担忧。|A：以后常联系，再见。B：再见。

▶“常”还做名词，指普通的事。如：习以为常 家常

【常常】 chángcháng 〔副〕

(事情的发生)不止一次,而且时间相隔不久。(frequently;often)做状语。

例句 儿子常常跑到外面和孩子们一起玩。|领导常常来看望生活困难的张大娘。|这条河常常闹水灾。|最近不知怎么了,常常忘事。

【常规】 chángguī 〔名〕

❶ 按照传统经常实行的规矩;通常的做法。(convention; common practice;routine)常做主语、宾语。[量]种。

例句 各种常规束缚了人们的思想。|还是按常规办吧。|工厂打破常规,实行了承包制。

❷ 医学上称经常使用的处理方法。(routine)常做主语、宾语、定语。

例句 血常规没发现问题。|你去做一个尿常规吧。|医生给我做了常规检查。

【常见】 cháng jiàn 〔形短〕

经常看见的,不觉得特别的。(common)常做谓语、定语。

例句 北京的春天,风沙很常见。|在山区,这种现象极为常见。|感冒是一种常见病。

【常年】 chángnián 〔名〕

❶ 终年,长期。(throughout the year)做状语。

例句 A:您身体这么好,有什么秘诀吗? B:常年坚持锻炼是我的健康秘诀。|喜玛拉雅山上常年积雪。|海岛上常年驻扎着部队。|现在不少农民常年在外打工。

❷ 平常的年份。(an average year)常做状语、宾语、定语。

例句 这儿小麦常年亩产四百公斤,今年达到五百公斤。|今年的考生超过常年一倍还多。|全年降水还不到常年的一半。

【常识】 chángshí 〔名〕

普通知识。(general knowledge; common sense)

常做主语、宾语、定语。[量]个,种。

例句 A:这种普通的生活常识,你都不懂? B:没有人跟我说过,我怎么会知道。|这么回答,简直是缺乏常识。|普及科学常识,还要做许多努力。|考试前两道是常识题。

【常务】 chángwù 〔形〕

主持日常工作的。(standing)常做定语。

例句 这次人代会上,他当选为常务副市长。|张教授是法学会的常务理事。|本会常务委员共13人。

【常用】 chángyòng 〔形〕

经常用的。(in common use)常做定语、谓语。

例句 "中"这个字是常用汉字。|《本草纲目》记载了多种常用药材的名称。|"把"字句在汉语中比较常用。|有了洗衣机以后,肥皂就不太常用了。

【偿】 cháng 〔动〕

❶ 归还,抵补。(repay; compensate for)常做谓语。也用于构词。

词语 偿还 赔偿 补偿

例句 A:如果到期你挣不出这么多钱来,怎么办? B:我用现在住的房子偿债。|这样做真是得不偿失。

❷ 满足。(meet;fulfil)常做谓语。

例句 几十年的试验成功了,他如愿以偿。|多年的苦读没有白费,我终于考上了名牌大学,得偿夙愿。

▶“偿”也做名词，指代价、报酬。如：有偿服务　无偿援助

【偿还】 chánghuán 〔动〕
归还所欠的债。(repay; pay back)常做谓语。
例句 欠你的我一定加倍偿还。|这么大一笔债务，目前实在无力偿还。|借给他的钱，他都如数偿还了。

【厂】 chǎng 〔名〕
工厂。(factory)做主语、宾语、定语。也用于构词。[量]个，家。
词语 工厂　厂房　厂家　厂规　厂区　厂商　厂休　厂子
例句 今天全厂休息。|厂兴我荣。|刚进厂那会儿才18岁。|我就在那个厂工作。|我们厂的产品，质量可以放心。

【厂房】 chǎngfáng 〔名〕
工厂的房屋，通常专指车间。(factory building; workshop)常做主语、宾语、定语。[量]间，个。
例句 新建的厂房宽敞明亮。|我带参观团参观了几间厂房。|厂房周围绿化得很好。

【厂家】 chǎngjiā 〔名〕
某产品的制造工厂。(factory)常做主语、宾语。[量]个。
例句 展销会上，很多厂家都向我们订了货。|这是厂家直销的。|很多厂家为了增加竞争力而提高了售后服务质量。|A：我的三项专利都找到了生产厂家。B：这回你该高兴了吧。

【厂商】 chǎngshāng 〔名〕
工厂和商店。(factories and stores)常做主语、宾语。[量]个，家。
例句 六十多个外国厂商参加了本次展销会。|厂商现场介绍产品。|我们找到厂商反映了产品质量问题。

【厂长】 chǎngzhǎng 〔名〕
工厂的负责人。(factory director; factory manager)常做主语、宾语、定语。[量]位，个。
例句 A：厂长正在开会，请您等一会儿。B：那我一会儿再来。|这位就是我们厂的厂长。|请问，厂长办公室在哪儿？

【场】 chǎng 〔量/名〕 另读 cháng
〔量〕❶ 用于文娱体育活动。(for recreational or sports activities)常构成短语做句子成分。
例句 我昨天看了一场电影。|应观众要求，电影院加演一场。|那场比赛太精彩了！|这场雪下得真大。|A：你们俩好了一场，现在要分手，还是好说好散。B：好，我听你的。
❷ 用于戏剧中较小的段落。(scene)常做主语、宾语。
例句 第二幕第一场特别感人。|这出戏的第二场最精彩。|A：对不起，现在演到第几场了？B：刚开始。
〔名〕❶ 有专门用途的比较大的地方。(a place where people gather; ground; field)常用于构词。
词语 会场　市场　广场　球场　剧场　现场
❷ 舞台。(stage)常做宾语。
例句 她一出场就引来一阵掌声。|该你上场了。

【场地】 chǎngdì 〔名〕
空地，多指体育活动或施工的地方。(space; ground; field)常做主语、宾语、定语。[量]个，块。
例句 你们这块表演场地真不小。|

下半场,比赛双方交换了场地。|前面是我们施工场地,要小心。|场地中央有一幅气球标语。

【场合】 chǎnghé 〔名〕

一定的时间、地点、情况。(occasion;situation)常做宾语、主语。

例句 说话要看场合。|A:我这样去行么?B:在正式场合,穿这种衣服不合适,你还是换换。|我不太习惯那种场合。|这种场合你最好别去。

【场面】 chǎngmiàn 〔名〕

❶ 泛指一定场合的情景。(occasion;scene)常做主语、宾语。[量]个,种。

例句 工地上,工人们热火朝天的劳动场面让他感动极了。|看到这热情的场面,我流下了热泪。|孩子们还是第一次见到这么盛大的场面。

❷ 戏剧、电影的场景。[scene(in drama,fiction,etc.)]常做主语、宾语。

例句 这部电影场面宏大。|开幕演出场面很大,很吸引人。|影片中出现了不少感人的场面。

❷ 表面的排场。(appearance;front;facade)常做宾语、主语。

例句 没必要摆那么大的场面。|他做事喜欢摆场面。|她婚礼的场面可真不小。

【场所】 chǎngsuǒ 〔名〕

活动的地方。(place;arena)常做主语、宾语。

例句 公共场所不能随便抽烟。|校园里共有五个学生活动场所。|在很多娱乐场所,你都能看到他的身影。

【敞】 chǎng 〔动〕

张开;打开。(open wide)常做谓语。

例句 A:你找着他了吗?B:没找着,房间敞着门,屋里却没有人。|暖壶敞着口儿,水一会儿就凉了。|我得敞着衣服,凉快凉快。

【敞开】 chǎngkāi 〔动〕

大开;打开。(open wide)常做谓语。

例句 谈话中,她向对方敞开了自己的心扉。|大门敞开着,欢迎来访的客人。|大家要敞开思想,畅所欲言。

【畅谈】 chàngtán 〔动〕

尽情地谈。(talk freely and to one's heart's content)常做谓语。

例句 会上,同学们畅谈着自己的理想。|两位老友一见面就畅谈起来。

【畅通】 chàngtōng 〔动〕

无阻碍地通行或通过。(unimpeded;unblocked)常做谓语(不带宾语)。

例句 前方道路畅通无阻。|他们的车队一路畅通,没遇到任何麻烦。|为保证线路畅通,技术人员紧张地忙了一夜。

【畅销】 chàngxiāo 〔动〕

指货物销路广,卖得快。(sell well;have a ready market)常做谓语、定语。

例句 我们厂的产品畅销全国。|目前,这个牌子十分畅销。|A:这是本畅销书,买一本吧。B:那是炒作的,我对这种东西不感兴趣。

【倡议】 chàngyì 〔动/名〕

〔动〕首先建议;发起。(propose;sponsor)常做谓语。

例句 他一倡议,大家都纷纷响应。|市里倡议开展为灾区募捐活动。

C

〔名〕首先提出的主张。(suggestion)常做主语、宾语。[量]个。

例句 两位代表的倡议引起了与会者的热烈反响。|我们都赞成这个倡议。|根据工会的倡议,全体职工星期六去义务植树。

【唱】 chàng 〔动〕

❶ 口中发出乐音;按照乐律发出声音。(sing)常做谓语。

例句 他唱男高音唱得很好。|对面唱起了动人的山歌。|晚会上,她唱了一首中国民歌。|你会唱京戏吗?

❷ 大声叫。(call;cry)常做谓语。

例句 最后通过唱名表决批准了这个建议。|鸡都唱过三遍了,你怎么还没起床?

【唱反调】 chàng fǎndiào 〔动短〕

提出相反的主张,采取相反的行动。(sing a different tune; speak or act contrary to)常做谓语、定语、宾语。

例句 你说东,他就西,他这个人总爱跟别人唱反调。|我没想到你会在这个问题上跟我唱反调。|其实,唱反调的人并不多。|她这不是唱反调是什么?

【抄】 chāo 〔动〕

❶ 照着其他的文字再写一遍。(copy;tanscribe)常做谓语。

例句 他把作文抄得很清楚。|老师让他再抄一遍生词。|A:这是我抄的稿子,怎么样? B:真漂亮,你一定练过书法。

❷ 照着别人的作品、作业等写下来当做自己的。(plagiarize)常做谓语,也可做定语。

例句 上课前,他借了别人的作业本抄作业。|考试时抄别人的答案是不应该的。|A:你看,他抄别人的都抄错了。B:还好,要是别人抄他的会错得更多。

❸ 搜查并没收。(search and confiscate; make a raid upon)常做谓语。

例句 警察昨天抄了一家赌场。

❹ 从侧面或较近的小路过去。(take a shortcut)常做谓语。

例句 抄小路走多近哪。|他们抄小路,赶上了我们。|A:不抄近道恐怕来不及了。B:好,咱们穿小胡同。|我们可以从这边抄过去。

❺ 两手在胸前相互地插在袖筒里。[fold (one's arms)]常做谓语(常带宾语"手")。

例句 他冻得抄着手。|A:别抄着手看,过去帮帮忙。B:我是想帮忙,可他不让。

❻ 抓取;拿。(grab;take up)常做谓语。

例句 王老汉抄起一把铁锹就走。|谁把我的书抄走了?|快!抄家伙(工具、武器等)!

【抄写】 chāoxiě 〔动〕

照着原文写下来。[copy (by hand); transcribe]常做谓语、定语。

例句 他把文件都抄写下来了。|我把稿子按要求重新抄写了一遍。|A:你帮我抄写一下论文好吗? B:好,你放这儿吧。|抄写的效果不如电脑打的。

【钞票】 chāopiào 〔名〕

纸币。(bank note; paper money)常做主语、宾语、定语。[量]张。

例句 他这么多的钞票是哪儿来的?|钞票买不来爱情。|请帮我把钱换成五元一张的钞票。|出门带钞票不如带卡安全。|A:这张钞票的颜

色有点儿不对，会不会是假的？B：还是去银行验一下吧。

【超】 chāo 〔动〕

❶ 高出某一标准。(exceed; surpass; overtake)常做谓语，也用于构词。

词语 超额　超速　超重　超越　超标　超一流

例句 各单位开展了赶先进、超先进的活动。|经检测，污染指数严重超标。

❷ 高于平常的。(ultra; super; extra)常做谓语。也用于构词。

词语 超级　超人　超常

例句 在比赛中，他超水平的表现使观众非常兴奋。|超高温作业严重影响工人们的健康。

❸ 在某个范围以外的，不受限制的。(transcend; go beyond)常构成固定短语。

词语 超阶级　超现实

例句 这篇小说是超现实主义作品。

【超标】 chāobiāo 〔动〕

超过规定的标准。(superstandard)常做谓语、宾语。

例句 他们家人多，又不注意节约，每个月用水量都超标。|经环保部门测试，噪声超标近一倍。|中国提倡城市里一对夫妻只生一个孩子，生第二胎就是超标。

【超产】 chāochǎn 〔动〕

超过原定的生产数量。(overfufil a production target)常做谓语。

例句 今年全县粮食超产百分之九。|水稻平均每亩超产五十公斤。|我们工厂的产量比计划超产两成。

【超出】 chāochū 〔动〕

越出。(overstep; go beyond; exceed)常做谓语。

例句 她的工作量大大超出了定额。|无论如何不能超出规定。|他的能力超出了我的想象。|A：听说这次考试你们都没考好？B：考试的题超出了复习范围，考好才见鬼呐！

【超额】 chāo'é 〔动〕

超过定额。(above quota)常做谓语(不带宾语)、状语。

例句 今年产量大概超额百分之十。|她的工作量早就超额了。|我们保证超额完成任务。

【超过】 chāoguò 〔动〕

❶ 从某物的后面赶到它的前面。(outstrip; surpass; exceed)常做谓语。

例句 A：快！超过前面那辆车。B：我要是再快，警察可就要罚我超速了。|最后五十米时，她被后面的运动员超过了。

❷ 高出…之上。(exceed; go beyond)常做谓语。

例句 这个队运动员的平均年龄超过22岁。|参加会议的代表已超过两千人。|今年我家的收入超过了全乡的平均水平。

【超级】 chāojí 〔形〕

超出一般等级的。(super)常做定语。

例句 用超级显微镜才能看见。|我看中了一部超级豪华小汽车。|她终于成了影视界的超级明星。

【超市】 chāoshì 〔名〕

超级市场的简称，也叫自选商场，一般不设或很少设售货员，让顾客自行选取所需的商品，到出口处结算付款。(supermarket)常做主语、宾语、定语。[量]家。

例句 近几年来，超市在各大中城市渐渐兴起。|这家外资超市真大！|A：我们去前面那家超市逛逛吧？B：好，我正想买些东西。|在超市购物成为一种新的消费时尚。|那家超市的商品很全。

C

【超越】 chāoyuè 〔动〕

超出，越过。(surmount; overstep; transcend)常做谓语。

例句 爱情是超越国界的。|A：求求你，就帮我出个证明吧。B：不行，这样做超越了我的工作权限。

【朝】 cháo〔介/动/名〕另读 zhāo

〔介〕表示动作的方向。(towards)常构成介宾短语做状语。

例句 朝南走五分钟就到了。|A：门是朝里开还是朝外开？B：朝外开。|说完她头也不回地朝车站跑去。

〔动〕❶ 面对着，向。(face)常做谓语。

例句 脸朝上才能看见。|那人背朝着我，看不清他的脸。|他脸朝墙，不知在想些什么。|中国人一般喜欢坐北朝南的房子。

❷ 拜见。[have an audience with; pay respects to (a sovereign); pay religious homage to]常用于构词。

词语 朝见 朝贡 朝圣 朝拜

〔名〕❶ 朝廷，宫廷。(royal court; government)常做主语、宾语、定语。

例句 消息传来，朝野一片哗然。|大臣每天都要上朝吗？|提案引起了朝野上下的强烈反应。

❷ 朝代。(dynasty)常用于构成词语。

词语 唐朝 宋朝 清朝 改朝换代

例句 那是哪朝哪代的事了？

【朝代】 cháodài 〔名〕

建立国号的君主统治的整个时期。(dynasty)常做主语、宾语、定语。[量]个。

例句 每一个朝代都有自己的兴衰史。|中国古代经历过很多朝代，是一个有着悠久历史的统一的多民族国家。|A：你知道这个朝代的发展史吗？B：知道，我们学过。

【嘲笑】 cháoxiào 〔动〕

用言辞笑话对方。(ridicule; deride, jeer at; laugh at)常做谓语。

例句 我们不该嘲笑学习不好的同学。|我才不怕别人嘲笑呢！|她就爱嘲笑人家，却看不到自己的缺点。|他嘲笑过我好几次了。

【潮】 cháo 〔名/形〕

〔名〕❶ 受月亮和太阳的影响，水位定时涨落的现象。(tide)常做主语、宾语、定语。

例句 A：都说这儿可以直接走上岛，怎么过不去呀？B：等潮退了才能走过去。|大潮快要来了，大家快上岸。|你看，涨潮了。|小时候，我常跟妈妈去海边赶早潮。|那天，潮头有十米高呢。

❷ 比喻像潮水那样涨落起伏的形势或事物。(social upsurge; current; tide)常用于构词。

例句 心潮 思潮 高潮 工潮

例句 一想起那段经历，我就心潮起伏。|改革大潮带来了许多新生事物。

〔形〕湿润，水分较多。(damp; moist)常做谓语、宾语、定语。

例句 被子潮得很，拿出去晒晒吧。

|这件皮大衣有点儿潮。|伏天东西容易返潮。|把药品通通风，别受潮。|潮衣服穿在身上不舒服。

【潮流】 cháoliú 〔名〕

❶ 由海潮等而引起的水流运动。(tide)常做主语、宾语。[量]股。

例句 转眼之间，汹涌的潮流就把孩子卷走了。|大堤挡住了滚滚而来的潮流。

❷ 比喻社会变动或发展的趋势。(trend)常做主语、宾语。

例句 历史的潮流不可阻挡。|时下，出国留学似乎成了一种潮流。

【潮湿】 cháoshī 〔形〕

含有比正常状态下较多的水分。(moist; damp)常做谓语、定语。

例句 这个房间太潮湿，怎么能住人？|雨后的草原，潮湿而美丽。|我常到海边呼吸潮湿清新的空气。

【吵】 chǎo 〔动〕

❶ 声音杂乱让人不舒服。(make a noise)常做谓语。

例句 这儿人太多，吵得慌。|A：你们说话声那么大，把孩子都吵醒了。B：对不起，我们小点儿声。|我家旁边有个早市，每天都那么吵。

❷ 争吵，吵架。(quarrel; wrangle; squabble)常做谓语。

例句 那小两口儿吵翻了天。|A：我不愿为这点儿小事跟你吵。B：那你刚才还说三道四的。|你们不要吵，有话好好说。|当时吵过几句，过后也就没什么了。

【吵架】 chǎo jià 〔动短〕

剧烈争吵。(quarrel; have a row; wrangle)常做谓语(不带宾语)。中间可插入词语。

例句 他跟我吵架了。|他们俩吵过一架。|你们怎么又吵起架来了？

【吵闹】 chǎonào 〔动〕

❶ 大声争吵。(wrangle; kick up a row)常做谓语(不带宾语)。

例句 他们俩互不相让，吵闹不休。|不该为了一点儿小事吵闹个不停。

❷ 扰乱，使人不安静。(harass; disturb)常做谓语(不带宾语)。

例句 他昨天加了一夜班，现在正在睡觉，你别去吵闹。|A：孩子不知得了什么病，吵闹了一夜。B：那你还等什么，快带孩子去医院看看啊。

❸ 声音杂乱，不安静。(din; hubbub)常做谓语(不带宾语)。

例句 集市上人声吵闹。|每天早晨上班前，院子里的人就吵闹一阵。

【吵嘴】 chǎo zuǐ 〔动短〕

争吵。(quarrel; bicker)常做谓语(不带宾语)。中间可插入词语。

例句 他们俩曾经吵过几次嘴。|她从来不跟别人吵嘴。|他跟小王吵了几句嘴，回家就一个人生起闷气来。

【炒】 chǎo 〔动〕

❶ 烹调方法，把食物放在锅里加热并随时翻动使熟。一般要先放些油。(stir-fry; saute)常做谓语。

例句 我只会做西红柿炒鸡蛋。|A：我很想吃炒丝瓜。B：我去买丝瓜，回来你炒。|小点儿火，别炒煳了。|把花生炒一下。

❷ 指倒买倒卖。(speculate)常做谓语。

例句 她退休后专门炒外汇。|他炒房地产赚了大钱。|炒股票风险很大。

▶“炒”也指解雇。如：炒鱿鱼|我刚叫老板给炒了。

【炒鱿鱼】 chǎo yóuyú 〔动短〕
鱿鱼一炒就卷起来，像是卷铺盖，比喻解雇。(give sb. the sack; sack; fire)常做谓语。中间可插入词语。
例句 由于工作不努力，一年来没有任何业绩，他被公司炒了鱿鱼。|你再这样迟到早退，小心我炒你的鱿鱼！
▶老板炒职员的鱿鱼，叫"解雇"；有时候职员也炒老板的鱿鱼，叫"辞职"。

【车】 chē 〔名〕
❶ 陆地上有轮子的运输工具。(vehicle)常做主语、宾语、定语。也用于构词。[量]台，辆。
词语 火车 汽车 马车 车站 电车 车辆
例句 我到的时候，车已经开了。|现在车太多，一到上班高峰，就堵车。|A：你坐什么车来的？B：我走着来的。|我想买辆车。|加入WTO后，车的价格逐渐降低了。
❷ 利用轮轴旋转的机械装置。(a wheeled instrument)常用于构词。
词语 纺车 水车 风车
例句 以前我们用纺车纺线。
❸ 机器。(machine)常做主语、宾语。[量]台。
例句 这台车出了故障。|现在开车运行。
▶"车"也做动词，指用车床加工。(lathe; turn)如：把这个轴车出来吧。|他零件车得又快又好。

【车床】 chēchuáng 〔名〕
金属切削机床，主要用来加工内圆、外圆和螺丝纹等成型面。也叫旋床(xuànchuáng)。(lathe)常做主语、宾语、定语。[量]台。
例句 这台车床是自动控制的。|技术员正在检修车床。|市里正在举办新车床展览会。

【车间】 chējiān 〔名〕
企业、工厂生产产品的房间。(workshop)常做主语、宾语、定语。[量]个。
例句 有两个车间安装了进口生产线。|他被分配到组合车间工作。|工人们正在车间里紧张地劳动。|A：你认识他们车间主任吗？B：不认识。

【车辆】 chēliàng 〔名〕
各种车的总称。(vehicles)常做主语、宾语。[量]种。
例句 上下班的高峰时间，路上车辆很多。|天太黑，要注意来往车辆。|汽车博览会上展出了一百多种车辆。

【车水马龙】 chē shuǐ mǎ lóng 〔成〕
车像流水，马像长龙。形容车辆、车马来往不断，热闹繁华的景象。(an incessant stream of horses and carriages — heavy traffic)常做谓语、定语。
例句 那天上午，小镇上车水马龙，十分热闹。|时近午夜，街上仍灯火辉煌，车水马龙。|站在30层高的旋转餐厅放眼望去，好一个车水马龙的大都市！
辨析 〈近〉门庭若市。"车水马龙"重在形容车辆来往不断；"门庭若市"重在形容来客众多。如：* 他们家一天到晚车水马龙。("车水马龙"应为"门庭若市")

【车厢】 chēxiāng 〔名〕

火车、汽车等用来载人或装东西的部分。(railway carriage)常做主语、宾语。[量]个，节。

例句 每个车厢都装得满满的。|A:这列火车有多少节车厢？B:共有15节车厢。|请问，餐车在哪个车厢？

【车站】 chēzhàn 〔名〕

停车的地点，是上下乘客或装卸货物的地方。(station; depot; stop)常做主语、宾语、定语。[量]个。

例句 A:请问，20路车站怎么走？B:一直走，到十字路口往左一拐就是。|我们在车站见面吧。|附近有个相当大的车站。|广场在车站南面。

【扯】 chě 〔动〕

❶ 拉。(pull)常做谓语。

例句 你别扯着我不放啊！|小孙子扯着爷爷的袖子让他买糖葫芦。|小点儿声，不用扯开嗓子喊。|这两个问题根本扯不到一块儿。

❷ 撕，撕下。(tear)常做谓语。

例句 妈妈去扯了五尺布来。|他气得把信扯得粉碎。|A:墙上的通知是谁扯下来的？B:是风刮下来的。

❸ 漫无边际地闲谈。(chat; gossip)常做谓语。

例句 老人们一见面就东拉西扯个没完。|她们常在一块扯闲话。|A:你们在扯什么呢？B:没事儿，闲扯呗。

【彻底】 chèdǐ 〔形〕

一直到底；深而透。(thorough; thoroughgoing)常做谓语、状语、补语、定语。

例句 这次检查非常彻底。|你得彻底改掉这个毛病。|A:试验彻底失败了。B:不要灰心，我们可以从头再来。|房间打扫得很彻底。|我们需要完全彻底的服务精神。

【彻头彻尾】 chè tóu chè wěi 〔成〕

从头到尾，完完全全。(out and out; downright)常做定语、状语。

例句 他们自以为得意的所谓“新发现”，实际上是彻头彻尾的谎言。|原来这是个彻头彻尾的骗局。|你们的报告，彻头彻尾都没有科学根据。

【撤】 chè 〔动〕

❶ 除去。(remove; take away)常做谓语。

例句 A:由于工作不负责任，上级撤了他的厂长职务。B:早就该撤了他。|不吃了，把盘子、碗撤下去吧。|展览会今晚结束，明天撤展。

❷ 退。(withdraw; evacuate)常做谓语。

例句 昨天这里就撤兵了。|别挤，往后撤撤。|A:你们慢慢吃，我先撤了。B:你别走啊，要走一起走。

【撤退】 chètuì 〔动〕

(军队)放弃阵地或占领的地区。(withdraw; pull out)常做谓语、定语。

例句 部队正向后方撤退。|敌人撤退得很快。|团长和参谋们正在研究撤退方案。

【撤销】 chèxiāo 〔动〕

取消，也写作“撤消”。(cancel; rescind; revoke)常做谓语。常与“职务、命令、决议”之类的名词搭配。

例句 这个计划撤销过一次，后来又恢复了。|因为贪污，他被撤销了职务。|领导研究决定撤销对他的处分。

【尘】 chén 〔名〕

意义同"尘土"。(dust)常用于构成词语。也做宾语。

词语　粉尘　尘土　灰尘　一尘不染　吸尘器

C

例句　每个周末她都要洗洗衣服，吸吸尘。

【尘土】　chéntǔ　〔名〕

附在器物上或飞扬着的细土。(dust)常做主语、宾语。

例句　那边儿正在施工，车一过尘土飞扬。|A：干了一天活儿，弄得满身都是尘土。B：你打扫干净再进门。|书架上落满了尘土。

【沉】　chén　〔动/形〕

〔动〕❶（在水里）往下落。(sink)常做谓语。

例句　那以后，事情就石沉大海了。|船在海上遇到大风，结果沉了。|水面上有个箱子正慢慢地往下沉。|A：要当心，别游远了。B：你放心，我会水，沉不了。

❷ 物体向下陷。(subside; sink)常做谓语。

例句　这房子年代久了，所以往下沉了。|大坝的地基沉下去了。

❸ 使降落；向下放。(keep down; lower; sink)常做谓语。

例句　沉下心来研究，一定能成。|听到不好听的话，他的脸就沉下来。|一直没有消息，大伙儿有点儿沉不住气了。

〔形〕❶ 程度深。(deep; profound)常做状语、补语。

例句　我进屋的时候，她正在闭目沉思。|累了一天，他睡得很沉。

❷ 分量重。(heavy)常做谓语、定语、补语。

例句　A：这个箱子太沉了，咱俩抬吧。B：好，你抬前面。|这么沉的东西，你一个人怎么拿？|两个月不见，这孩子长得这么沉了。

辨析　〈近〉重。"重"既用于口语，也用于书面语。"沉"多用于口语。

❸ 感觉重。(feel heavy)常做谓语。

例句　A：我觉得头有点儿沉。B：是不是凉着了，要不去看看医生。|走了一天，腿沉得抬不起来。

【沉淀】　chéndiàn　〔动/名〕

〔动〕❶ 溶液中难溶解的物质沉到底层。(form a sediment; precipitate)常做谓语(不带宾语)。

例句　沙子沉淀下去，水变清了。

❷ 比喻凝聚，积累。(accumulate)常做谓语。

例句　作家的生活必须沉淀，才能写出好作品。|资金沉淀不利于市场流通。

〔名〕沉到溶液底层的难溶解的物质。(sediment)常做主语、宾语、定语。

例句　药水中的沉淀不少。|A：你应该把这些沉淀过滤出去。B：我已经过滤好几遍了，可是过一会儿又出现沉淀。|水中有很多沉淀物。

【沉静】　chénjìng　〔形〕

❶ 寂静。(quiet; calm)常做谓语、定语。

例句　夜深了，四周沉静下来。|在沉静的夜里，我辗转反侧，不能入睡。

❷（性格、心情、神色等的）安静。(calm; serene; placid)常做谓语、定语。

例句　这姑娘性格沉静，不爱说话。|他倒不着急，一脸的沉静。|她的脸上显出沉静的神色。

【沉闷】　chénmèn　〔形〕

❶（天气、气氛等）使人感到沉重而烦闷。（dreary; gloomy; oppresive; depressing）常做谓语、定语。

例句 天气沉闷，人的心情也跟着坏起来。|开始，会场比较沉闷。|这么沉闷的气氛，真让人受不了。

❷（心情）不舒服；（性格）不爽朗。（depressed; not outgoing）常做谓语。

例句 那天心情有点儿沉闷。|小王性格很沉闷。

【沉默】 chénmò 〔形〕

❶ 不爱说笑。（reticent; taciturn; uncommunicative）常做谓语、定语、补语。

例句 她沉默寡言，不爱与人交往。|受到打击以后，宋先生表现得更沉默了。|我本来不是一个沉默的人。

❷ 不说话。（silent）常做谓语、宾语。

例句 老婆婆沉默了一会儿，又继续说了下去。|对记者的追问，我只能保持沉默。

【沉思】 chénsī 〔动〕

深思。（ponder; meditate）常做谓语（不带宾语）、宾语。

例句 我进去后，发现他在低着头沉思。|总经理沉思良久，才开始讲话。|意外的难题使我们都陷入了沉思。|脚步声打断了他的沉思。

【沉痛】 chéntòng 〔形〕

❶ 深深地悲痛。（with a deep feeling of grief or remorse）常做谓语、定语、状语。

例句 听到这个消息，我们的心情十分沉痛。|人们怀着沉痛的心情抢救遇难者。|她沉痛地告诉我："家母去世了。"

❷ 深刻；严重。（deeply felt; bitter）常做定语、谓语。

例句 我们应该接受这个沉痛的教训。|教训实在太沉痛了！

【沉重】 chénzhòng 〔形〕

分量大，程度深。（heavy; serious）常做谓语、定语、状语。

例句 这个代价太沉重了！|这几天我的心情特别沉重。|我拖着沉重的脚步走回了家。|这个战役沉重打击了敌人。

【沉着】 chénzhuó 〔形〕

镇静、不慌不忙。（cool-headed; composed; steady; calm）常做谓语、状语、补语。

例句 这孩子虽然只有十八岁，遇事却十分沉着。|在这危急的时刻，他显得格外沉着冷静。|面对激烈的市场竞争，如何能沉着应对？

【陈】 chén 〔动/形〕

〔动〕❶ 排列，摆设。（put in order; display）常用于构词。

词语 陈列 陈设 陈放

❷ 叙说。（state）常用于构词。也做谓语。

词语 陈述 详陈

例句 会上他力陈己见，终于说服了大家。

〔形〕时间久的，旧的。常用于构成词语。

词语 陈旧 陈年 陈规 陈醋 陈酒 推陈出新

【陈规陋习】 chén guī lòu xí 〔成〕

过了时的不合理的规章制度和习惯。（outmoded conventions and bad customs）常做主语、宾语。

例句 陈规陋习必须破除，否则我们就不能适应现代社会的要求。|整个村子与世隔绝，现在人们还保留着几

C

百年前的陈规陋习。|你的"老规矩"都是陈规陋习,毫无可取之处。

【陈旧】 chénjiù 〔形〕

旧的;过时的。(obsolete; old-fashioned; outdated)常做谓语、定语。

例句 A:这位老人年纪虽大,观念却不陈旧。B:可不是,还专说那时髦的词儿。|有些设备太陈旧,该淘汰了。|陈旧的思想迟早会被时代抛弃的。

【陈列】 chénliè 〔动〕

把物品摆出来供人看。(display)常做谓语、定语。

例句 自然博物馆里陈列着各种动物标本。|A:把样品陈列起来吧。B:这事交给我吧。|一到换季的时候,陈列的服装就打折了。

【陈述】 chénshù 〔动〕

有条有理地说出来。(state)常做谓语。

例句 他简单地陈述了自己的意见。|我向领导陈述了自己搞试验的理由。|请把自己的观点陈述一下。

【衬】 chèn 〔动/名〕

〔动〕❶ 在里面托上一层。(line)常做谓语。

例句 这种衣服衬上一层里子就好了。|画儿的背面衬了纸,挺结实。

❷ 陪衬,衬托。(serve as a contrast or foil to)常做谓语。

例句 红花衬着绿叶才漂亮。|黑衣服把她的脸衬得更白了。

〔名〕在衣裳、鞋、帽等某一部分的里面的布。(lining; liner)常做主语、宾语,也用于构词。[量]层。

词语 帽衬 袖衬 衬衫 衬衣 衬裙

例句 这个衬有点儿紧了。|衣领还得加一层衬。

【衬衫】 chènshān 〔名〕

穿在里面的西式单上衣。(shirt; blouse)常做主语、宾语、定语。[量]件。

例句 衬衫应当干净、平整。|A:我买了一件高档衬衫,你看怎么样?B:我看不出高档来。|我爱人最喜欢这件衬衫的颜色。

【衬衣】 chènyī 〔名〕

通常穿在里面的单衣。(underclothes; undergarments; shirt)常做主语、宾语、定语。[量]件。

例句 这件衬衣是全棉的。|叔叔太胖,只能穿特大号衬衣。|我觉得衬衣颜色还是白的好。

【称心】 chèn xīn 〔动短〕

符合心愿,心满意足。(find sth. satisfactory)常做谓语、定语、补语。中间可插入词语。

例句 老孙这几年事事称心如意。|A:这下儿,可称了你的心。B:但你没看费了多大的劲。|找一个称心的媳妇真难。|这件衣服买得挺称心。

【称心如意】 chèn xīn rú yì 〔成〕

符合心意;满意。(to one's heart's content; in accordance with one's wishes)常做谓语、状语、定语、宾语。

例句 自打参加工作,怎么事事都不称心如意呢?|经过一番努力,他终于称心如意地当上了局长。|听着优美的旋律,不禁想起那件称心如意的事。|直到人家既道歉,又赔礼,小张才觉得称心如意了。

▶"称心如意"不能受某些程度副

词修饰。如：* 很称心如意　* 非常称心如意　* 称心如意极了

辨析 〈近〉心满意足。“心满意足”多用于修饰人，“称心如意”还可用于修饰事物。如：* 一件心满意足的事。（“心满意足”应为“称心如意”）

【趁】 chèn 〔介〕

利用时间、机会。（take advantage of）常构成短语做状语。

例句 大家快趁热吃吧。|我们应该趁着这个机会多学一点儿。|我看还是趁早检查一下。|小偷趁我不注意，把我的包偷走了。|A：趁着天还没黑，快往家走吧。B：来得及，天黑还早着呢。

【趁热打铁】 chèn rè dǎ tiě 〔成〕

比喻做事抓住有利时机，加速进行。（strike while the iron is hot）常做谓语、定语。

例句 要干就趁热打铁，明天就开大会动员。|学习要趁热打铁，课后及时复习所学的内容。|先别急，这可不是趁热打铁的事。

【称】 chēng 〔动/名〕 另读 chèn

〔动〕❶ 叫，叫做。（call）常做谓语。

例句 人们都亲切地称他为“老板”。|“先进”我可称不上。|我们都称他“老赵”。

❷ 说。（say; state）常构成词语，也做谓语。

词语 称便　声称　称快　点头称是

例句 对这几年的城市绿化，市民们都连声称好。|严厉打击犯罪分子，人人都拍手称快。

❸ 赞扬。（commend; praise）常用于构词。

词语 称叹　称道　称赞

例句 助人为乐是值得称道的。

❹ 测定重量。（weigh）常做谓语。

例句 给我称二斤桃子。|把这袋面称一称。|A：来，你也称称体重。B：我刚称过，又长了一公斤。

〔名〕名字。（name）常用于构词。

词语 俗称　职称　称号

例句 福建省的简称是“闽（Mǐn）”。|重庆、武汉、南京因夏天太热有“三大火炉”之称。

【称号】 chēnghào 〔名〕

赋予某人、某单位或某事物的名称（多为光荣的）。（title; name; designation）常做主语、宾语。［量］个。

例句 这个光荣称号来之不易。|她今年荣获了“三八红旗手”称号。

【称呼】 chēnghu 〔动/名〕

〔动〕叫。（call; address）常做谓语。

例句 A：请问，您怎么称呼？B：我姓张，叫我张老师就行了。|A：称呼您“大婶”行吗？B：行。

〔名〕打招呼用的表示彼此关系的名称。（a form of address）常做主语、宾语。［量］个。

例句 以前，“同志”这个称呼很普遍，现在“先生、小姐”这类称呼流行起来了。|“师傅”在工人中是最常用的称呼。

【称赞】 chēngzàn 〔动〕

用言语表达对人或事物的优点的喜爱。（praise; acclaim; commend）常做谓语、宾语。

例句 人们都称赞他是个好孩子。|游客们同声称赞这个城市像花园一样。|做了好事，她受到大家的称赞。

C

C

【撑】 chēng 〔动〕

❶ 抵住。(prop up; support)常做谓语。

例句 瞧,她两手撑着下巴想心事呢。|快来帮帮我,我撑不住了。|运动员用竹竿一撑就跳过去了。

❷ 用篙抵住河底使船行进。(push or move with a pole)常做谓语。

例句 快把船撑到对岸!|老张撑船撑得好。

❸ 支持。(maintain; keep up)常做谓语。

例句 怎么样?撑得住撑不住?|尽管病得厉害,她还是撑着身子去上班。|他怎么也撑不住,大笑起来。|连输几个球,教练撑不住劲儿了。

❹ 张开。(open; unfurl)常做谓语。

例句 你帮我撑一下伞好吗?|把袋子撑开,我把米倒进去。

❺ 充满到容不下的程度。(fill to the point of bursting)常做谓语。

例句 我昨晚吃多了,撑着了。|A:少装点儿,别把包撑破了。B:没事,我这包结实。

【成】 chéng 〔动/形/量〕

〔动〕❶ 完成;成功。(accomplish; succeed)常做谓语、补语。

例句 那笔买卖已经成了。|这种人,成不了大事。|事情终于办成了。|A:你不是昨天就要走的吗?B:昨天买不到票,没走成。

❷ 变为。(become; turn into)常做补语、谓语。也用于构词。

词语 形成 组成 成才 成形

例句 雪化成了水。|请把这段话译成汉语。|她怎么变成这样了?|“百炼成钢”很有道理。|这件事之后,两人成了好朋友。

❸ 表示答应,许可。(all right; OK)常单用,放在句首。也做谓语。

例句 A:惠子同学住院了,我们买点儿礼物去看看她吧。B:成!就按你说的办。|这事非你去不成。

❹ 表示达到一个单位(强调数量多或时间长)。(in considerable numbers or amounts)常构成短语做句子成分。

词语 成千上万 成批生产 成天 成双成对

例句 草原上牛羊成群。|产量成倍地增长。|准备出口的成套设备正在装船。

〔形〕❶ 表示有能力。(capable; able)常做谓语。前面常与“真”搭配。

例句 A:他可真成,这次讲演比赛又获了第一名。B:这和他平时努力学习分不开。|这个队真成,又赢了。

❷ 已定的,定形的,成熟的,现成的。(fully developed or fully grown; established; ready-made)常用于构词。

词语 成规 成例 成人 成药

例句 改革需要打破成规。|中成药用起来比较省事。

〔量〕十分之一叫一成。(one tenth)常跟“一至十”连用,构成数量短语。

例句 今年粮食产量比去年增加了两成。|A:考这个成绩是不行的,我看你只下了五成的功夫。B:老师,我以后一定努力。

【成本】 chéngběn 〔名〕

生产一种产品所需的全部费用。(cost)常做主语、宾语、定语。

例句 生产这种产品成本很低。|只

有进一步降低成本才能有竞争力。|A:能再便宜点儿吗? B:我这是成本价,不能再便宜了。|我们得算一算成本账。

【成分】 chéngfèn 〔名〕

❶ 指构成事物的各种不同的物质或因素。(composition; component part; ingredient)常做主语、宾语。[量]个,种。

例句 A:这种食品营养成分不足。B:多配几样不就行了吗?|请你化验一下这种饮料的化学成分。|本产品不含任何有害成分。|他心中多少有些不安的成分。

❷ 指个人早先的主要经历或职业。(one's class status; one's profession or economic status)常做主语、宾语。

例句 我的成分是学生。|他是工人成分。

【成功】 chénggōng 〔动/形〕

〔动〕获得想得到的结果。(succeed)常做谓语(不带宾语)、主语、宾语。

例句 试验终于成功了。|多年的努力没有白费,他成功了。|这次成功极大地鼓舞了我们。|经过几年的奋斗,我们队终于取得了成功,获得了金牌。

〔形〕获得想得到的结果。(successful)常做定语、状语、补语。

例句 一个成功的企业家应该着眼未来。|北京决心成功地举办2008年奥运会。|这家酒店办得很成功。

【成果】 chéngguǒ 〔名〕

工作或事业的收获。(achievement; fruit; gain; positive result)常做主语、宾语。[量]个,项。

例句 这个成果是一个重大的贡献。|我们要珍惜别人的劳动成果。|经过一年实验,取得了一批科研成果。

【成绩】 chéngjì 〔名〕

工作或学习的收获。[result (of work or study); achievement; success]常做主语、宾语。

例句 我儿子学习成绩有进步。|这次比赛的成绩不理想。|A:你知道期末考试成绩了吗? B:还不知道。|这一段工作很有成绩。

【成家立业】 chéng jiā lì yè 〔成〕

结了婚,有了理想的职业或建立起了事业。(get married and start a career)常做谓语、定语。

例句 A:都三十岁了,你也该成家立业了。B:我得先立业后成家。|孩子们都已经成家立业,老两口的日子越过越舒心。|他现在正上学,还不到成家立业的时候。

【成交】 chéng jiāo 〔动短〕

交易成功,买卖做成。(strike a bargain; conclude a transaction; clinch a deal)常做谓语、定语。

例句 这笔买卖成交了。|双方拍板成交。|本届交易会成交了上千宗生意。|A:这次展销会的成交额达四亿多元。B:不错呀,超过我们的预期。

【成就】 chéngjiù 〔名/动〕

〔名〕事业上的成绩。(achievement; success; attainment)常做主语、宾语、定语。[量]个。

例句 李时珍在医学上的突出成就是写成了《本草纲目》。|这几年,中国在经济方面取得了巨大的成就。|这些成就的取得靠的是科学力量。

〔动〕完成(多指事业)。(achieve; accomplish)常做谓语(常带"事业"

一类宾语)。

例句 要想成就一番大事业,就要吃得了苦、耐得住寂寞。|经过十几年的努力,终于成就了自己的事业。

C

【成立】 chénglì 〔动〕

❶(组织、机构等)筹备成功,开始存在。(found; establish; set up)常做谓语、定语。

例句 一九四九年十月一日,中华人民共和国成立。|我宣布:"集团公司今天正式成立。"|学会在这里举行了成立大会。

❷(理论、意见)有根据,站得住。(be tenable)常做谓语(不带宾语)。

例句 A:这个论点理由不足,根本不成立。B:正因为证据不充分,它才是假说。|他的理论得到了科学验证,可以成立。

【成品】 chéngpǐn 〔名〕

加工完成的产品。(finished product)常做主语、宾语、定语。[量]个,件。

例句 这批成品将销往中西部地区。|他们工厂主要生产半成品出口。|A:成品油多少钱一吨? B:出厂价两千八。

【成千上万】 chéng qiān shàng wàn 〔成〕

形容数量非常多,也说"成千成万"。(thousands and tens of thousands)常做谓语、定语。

例句 使用者成千上万。|成千上万的群众涌向街头。|A:现在从网上能查到成千上万的信息,你去查查看。B:我的电脑上不了网。

【成人】 chéngrén 〔名〕

发育成熟的人。(grown-up; adult)常做主语、宾语、定语。[量]个。

例句 成人才可以看这样的片子。|A:他已经是个成人了,你不要再像对小孩那样对待他。B:你看他,哪像个大人样。|成人教育在中国发展很快。|有的学校开始举办成人节了。

【成事不足,败事有余】 chéng shì bù zú, bài shì yǒu yú 〔成〕

不能把事情办好反而把事情办坏,指人办事能力极低。(unable to accomplish anything but liable to spoil everything; not good enough to accomplish anything but more than enough to spoil everything)常做谓语、定语。

例句 他这个人成事不足、败事有余。|对这个成事不足,败事有余的家伙我能信得过吗?

【成熟】 chéngshú 〔动/形〕

〔动〕植物的果实等完全长成,泛指生物体发育完备。(be ripe; be mature)常做谓语、定语、补语。

例句 苹果已经成熟了。|这孩子到现在也不太成熟。|A:成熟的西瓜才甜。B:你会挑吗?|这只熊猫已经发育成熟了。

〔形〕完善的,完备的。(mature)常做谓语、定语、补语。

例句 条件已经成熟了。|目前这事的时机还不成熟。|A:我这儿有个不太成熟的设想,你们看看是否可行? B:别卖关子了,快点儿说吧。|对这个问题,他考虑得很成熟。

【成套】 chéng tào 〔形短〕

合起来成为一整套。(form a complete set)常做定语、谓语。

例句 厂里引进了成套的先进设备。|我们公司提供成套服务。|A:昨

天不是把工具送来了吗？B：那些工具不成套，没法儿用。

【成天】 chéngtiān 〔副〕

整天。(all day long；all the time)做状语。

例句 A：你怎么成天愁眉苦脸的？B：这几天全是考试，我能不愁吗？|他成天都忙忙碌碌的。|这孩子成天哭，真闹人。

【成为】 chéngwéi 〔动〕

变成。(become；turn into)常做谓语、补语。

例句 成为一名教师，是我的志愿。|我们一定要把祖国建设成为现代化强国。

【成效】 chéngxiào 〔名〕

功效，效果。(effect；result)常做主语、宾语。

例句 工厂实行改革后，成效显著。|这种农药经过几年试验，证明很有成效。|经过多年努力，计划生育工作收到了很大的成效。

【成心】 chéngxīn 〔形〕

故意。(intentionally；on purpose)常做状语，也用于"是…的"短语。

例句 A：这孩子成心捣乱，真气死我了！B：你跟小孩子生什么气！|这不是成心跟我过不去吗？|他这样做是成心的。|对不起，我不是成心的。

辨析 〈近〉故意。"成心"常用于口语；"故意"既用于口语，也用于书面语。

【成语】 chéngyǔ 〔名〕

人们长期以来习用的、简洁精辟的定型词组或短句。汉语的成语大多是由四个字组成，多数有出处。(set phrase)常做主语、宾语、定语。[量]个。

例句 汉语中的四字成语最多。|这个成语怎么理解？|汉语中有很多成语，如"小题大做"、"朝三暮四"等。|A：你知道这么多成语，学得不错呀！B：可有时候还用不好。|既要明白成语的意思，又要会用。

【成员】 chéngyuán 〔名〕

集体或家庭的组成人员。(member)常做主语、宾语。[量]个，名，位。

例句 全社会的每一名成员都应为社会做出贡献。|他是足球协会的成员。|作为家庭主要成员，我应该负起养活全家的责任。

【成长】 chéngzhǎng 〔动〕

生长而成熟；长成；向成熟的阶段发展、生长。(grow up；grow to maturity)常做谓语(不带宾语)、定语、主语。

例句 两年前种的果树已经成长起来了。|儿童在全社会的关怀下茁壮成长。|在老师的指导下，他成长得很快。|这本日记记载了孩子的成长过程。|他的成长，离不开爷爷的关心和教育。

【呈】 chéng 〔动〕

❶ 具有(某种形式)，显现(某种颜色、状态)。(assume)常做谓语(带宾语)。

例句 月季花叶子呈圆形。|北极熊的毛皮呈暗白色。

❷ 恭敬地送上去。[submit or present (a report, etc. to a superior)]常做谓语。

例句 (公文末尾)谨呈。|大使向总统呈上国书。|此文呈局长阅处。

▶"呈"也做名词，指下级送给上级的文件、稿子。(petition)常用于构词。如：呈文 辞呈

C

【呈现】 chéngxiàn 〔动〕
显出；露出。(present)常做谓语。
例句 改革以来，到处都呈现出欣欣向荣的景象。|一过江，美丽的水乡景色便呈现在眼前。|大雨过后，天空又呈现出蔚蓝色。

【诚】 chéng 〔形〕
真实的心(心意)。(sincere; honest)常做谓语、补语。也用于构词。
词语 诚实 诚恳 诚挚 忠诚 诚心
例句 心诚才会感动他。|张姨信佛教，而且信得特别诚。

【诚恳】 chéngkěn 〔形〕
真诚而恳切。(sincere)常做谓语、定语、状语、补语。
例句 A：看起来他的态度很诚恳，你就原谅他吧。B：行，但他要保证以后不能再犯。|在大会上，书记做了诚恳的自我批评。|他诚恳地对我说："咱们永远是好朋友。"|在承认错误时，应该表现得诚恳些。

【诚实】 chéngshí 〔形〕
言行跟内心思想一致(指好的思想行为)，不虚假。(honest)常做谓语、定语、补语。
例句 做人必须诚实。|这孩子很诚实，从不撒谎。|他是个诚实的年轻人，受到大家的信任。|看他说得那么诚实，我就相信了。
辨析 〈近〉诚恳。"诚实"重在真实、老实，多指品德；"诚恳"重在恳切，多指态度。

【诚心诚意】 chéng xīn chéng yì 〔成〕
诚恳的心意，真心。(earnestly and sincerely)常做状语、补语、谓语。
例句 他诚心诚意地表示跟你和好。|在这个问题上，对方表现得诚心诚意。|对人应该诚心诚意。

【诚意】 chéngyì 〔名〕
真心。(good faith; sincerity)常做宾语、主语。
例句 A：处理这种事，哪用得着经理去？B：经理亲自去，是想表明诚意，这你还不明白吗？|没有诚意，怎么能合作呢？|显然，在这方面，对方缺乏诚意。|你的诚意，我们丝毫不怀疑。

【诚挚】 chéngzhì 〔形〕
诚恳真挚。(sincere; cordial)常做定语。
例句 向你们致以诚挚的谢意。|总理向灾区人民致以诚挚的问候。|会谈在诚挚友好的气氛中进行。

【承】 chéng 〔动〕
❶ 托着；接着；担负。(bear; carry; undertake)常用于构词。
词语 承重 承当 承揽 承建 承办 承担 承印 承制
例句 (广告)本公司承制各种文件夹。|(广告)我店承印各种名片。
❷ 继续、接续。(continue)常用于构成词语。
词语 继承 承上启下 承先启后
例句 中年人担负着承上启下的重任。

【承办】 chéngbàn 〔动〕
接受办理。(undertake)常做谓语。
例句 本次大会由市政府承办。|本公司承办产品的销售代理业务。|A：你们公司能把这场展览会的开

幕式接下来吗？B:这么大的活动我们可承办不了。

【承包】 chéngbāo 〔动〕

接受工程、订货或其他生产经营活动并且负责完成。(contract)常做谓语、定语。

例句 他承包了这个工厂，并签了合同。|这项工程由刘老板承包了。|养鸡厂让三个人承包了下来。|A:我怎么不知道这山是你的？B:昨天才跟村里签了承包合同，还没宣布呐。

【承担】 chéngdān 〔动〕

担负，担当。(bear; undertake; assume)常做谓语。

例句 她承担了全部家务。|因此而发生的一切后果由贵公司承担。|A:如果出了事，我们可承担不起这个责任。B:你们干吧，有责任，我负。|公民既享有法律规定的权利，也承担着相应的义务。

【承认】 chéngrèn 〔动〕

❶ 表示肯定，同意，认可。(admit; acknowledge; recognize)常做谓语、主语、宾语。

例句 小强向小朋友们承认了错误。|大家都承认这个问题很难办。|A:小赵认为你冤枉他了。B:事实就是事实，他不承认也不行。|群众的承认对干部来说非常重要。|我的工作还没得到社会的承认呢。

❷ 国际上指肯定新国家、新政权的法律地位。(give diplomatic recognition; recognize)常做谓语。

例句 联合国承认中华人民共和国政府是中国的唯一合法政府。

【承受】 chéngshòu 〔动〕

❶ 接受；禁(jīn)受。(bear; endure)常做谓语。

例句 我们必须勇于承受这个考验。|母亲承受不了这么大的打击，病倒了。|这座桥承受不住超重的压力。

❷ 继承(财产、权利等)。(inherit)常做谓语。

例句 最近我同事小杨承受了一大笔遗产。

【城】 chéng 〔名〕

❶ 城墙。(city wall)常做主语、宾语。也用于构词。[量]道，段。

词语 城楼　城门　城里

例句 长城在全世界都很有名。|南京还保存着一段古城。

❷ 城墙以内的地方。(city)常做主语、宾语。

例句 东城有钟楼和鼓楼。|北京的老城是以前的内城。|明天我要进城买点儿东西。

❸ 城市。(town)常做主语、宾语、定语。[量]个，座。

例句 一点儿小事就叫她闹得满城风雨。|海滨之城大连风景秀丽，气候宜人。|重庆是座山城。|怎么才能缩减小城乡差别呢？

【城市】 chéngshì 〔名〕

人口集中、工商业发达的地区，一般是周围地区的政治、经济、文化中心。(town or city)常做主语、宾语、定语。[量]个，座。

例句 A:改革开放以来，中国的沿海开放城市发展很快。B:是啊，这些城市每年都有新变化。|城市过大也不好。|近年来，农民大批进入城市打工。|上海是中国最大的城市。|加强城市管理非常重要。|有人把污染、交通拥挤等问题叫做“城市病”。

【城镇】 chéngzhèn 〔名〕
城市和集镇。(cities and towns)常做主语、宾语、定语。[量]个,座。
例句 很多城镇都是从集市发展起来的。|那儿有一座古老的城镇。|城镇居民吃菜难的问题得到了解决。

【乘】 chéng 〔动〕
❶ 用交通工具或牲畜(shēngchù)代替步行。(ride)常做谓语。
词语 乘车 乘马 乘船
例句 长这么大,我是第一次乘飞机。|A:乘巴士去旅游比较便宜。B:好是好,就是太慢了。
辨析 〈近〉坐。"乘"多用于书面语,"坐"多用于口语;"乘"可用于"马、驴"等,"坐"不能。如:* 他坐马来的。("坐"应为"乘")
❷ 利用机会等。(take advantage of)常做谓语。
例句 有人乘这个机会大赚(zhuàn)了一笔。|我们要乘胜追击,全歼敌人。
辨析 〈近〉趁。口语中多用"趁";"乘"多用于书面语。
❸ 进行乘法运算。(multiply)常做谓语。
例句 三乘以五得十五。|把这两个数乘起来就对了。

【乘风破浪】 chéng fēng pò làng 〔成〕
❶ 顺着风,劈开波浪前进;比喻不畏艰险勇往直前。(ride the wind and cleave the waves)常做谓语、定语。
例句 一艘货轮正乘风破浪,奋力前行。|有一艘渔船,在风雨中乘风破浪,航行了两天两夜,终于安全返回。|我佩服那些在改革中乘风破浪、英勇智慧的弄潮儿。
❷ 形容事业迅猛向前发展。(make rapid and great progress)常做谓语。
例句 我们的事业正在乘风破浪,迅猛发展。

【乘机】 chéngjī 〔副〕
利用机会。(seize the opportunity)做状语。
例句 看到市场货源不足,他们乘机提高了物价。
辨析 〈近〉趁机。口语中更多用"趁机"。

【乘客】 chéngkè 〔名〕
搭乘车、船、飞机的人。(passenger)常做主语、宾语、定语。[量]个,位。
例句 年前列车上乘客特别多。|(火车站)各位乘客请注意,开往北京的列车就要发车了。|我们要做文明乘客。|哪位乘客的登机牌丢了?

【乘人之危】 chéng rén zhī wēi 〔成〕
趁着别人有困难,加以要挟或侵害。(take advantage of sb.'s precarious position)常做谓语、定语、宾语。
例句 这小子乘人之危,把朋友的房子买了下来。|我不能乘人之危。|A:你现在跟他讨债,不是乘人之危吗?B:不这样,他要是破产了,我的损失谁给补?|乘人之危的事咱不干。

【乘务员】 chéngwùyuán 〔名〕
在车、船、飞机上为乘客服务的工作人员。(attendant on a train,ship or plane)常做主语、宾语、定语。[量]个,名,位。
例句 乘务员给大家倒水来了。|我是本节车厢的乘务员。|这位乘务员的服务态度真热情。

▶"乘务员"可做称呼语。如:乘务员,这儿有病人。

【盛】 chéng 〔动〕 另读 shèng

❶ 把东西放在器具里。(fill; ladle)常做谓语。

例句 妻子给我盛了一碗面条。|盆里盛满了水。|A:把汤都盛出来吗? B:小心,别烫着。

❷ 容纳。(hold; contain)常做谓语。

例句 这个包盛不了六斤苹果。|房间很小,只能盛下两个人。

【程度】 chéngdù 〔名〕

❶ 文化、教育、知识、能力等方面的水平。(level; degree)常做主语、宾语。

例句 他是初中毕业,文化程度不高。|过去,农村的现代化程度很低。|我的技术还没达到那个程度。

❷ 事物变化达到的状况。(extent; degree)常做宾语、主语。

例句 A:你舅舅的病情有好转了吗? B:没有,医生说已经到了十分严重的程度。|要是早一点儿生产新产品,也不至于到了就要破产的程度。|他们那兴奋的程度,我实在无法描述。

【程序】 chéngxù 〔名〕

事情进行的先后顺序。(order; procedure; course; sequence)常做主语、宾语、定语。[量]个,套。

例句 正常的生产程序被事故打乱了。|工作人员已经安排好了会议程序。|A:这个案子要按法律规定的程序办,不能受任何事情干扰。B:有您这句话,我们就放心了。|我们设计了一套新的电脑程序。|这只是个程序问题,早晚能解决。

【惩】 chéng 〔动〕

❶ 处罚。(punish)常做谓语,也用于构成词语。

词语 惩治 惩罚 惩一儆百 惩恶扬善

例句 法院严惩了一批罪犯。|对各种犯罪分子,必须依法严惩。

❷ 警戒。(warn)用于固定短语中。

例句 惩前毖后是我们历来的方针。

【惩办】 chéngbàn 〔动〕

处罚。(punish)常做谓语。

例句 对犯罪行为,应严加惩办。|法院依法惩办了几个罪大恶极的罪犯。|对这些腐败分子,惩办得非常及时。

【惩罚】 chéngfá 〔动〕

严厉地处罚。(punish; penalize)常做谓语、主语、宾语。

例句 对这种不负责任的工作人员,要从重惩罚。|法律一定会惩罚这些坏人。|因为犯了错误,爸爸惩罚了我。|惩罚只是一种手段,是为了帮助人认识错误、改正错误。|他受到了应有的惩罚。

【惩前毖后】 chéng qián bì hòu 〔成〕

从以前的错误或失败中吸取教训,以使以后小心不再重犯。(learn from past mistakes to avoid future ones)常做谓语、定语。

例句 只有认清错误的根源,才能够真正吸取教训,惩前毖后。|我们这样做是为了达到"惩前毖后"的目的。|惩前毖后的道理虽然好懂,做起来却不容易。

【澄清】 chéngqīng 〔动/形〕

〔动〕使混浊变成清明,比喻肃清混乱局面;弄清楚(认识、问题等)。(clear up; clarify)常做谓语、主语、宾语。

例句 上级已经澄清了李教授的问题。|有些事情,还需要再澄清一下。|问题的澄清,卸下了他思想上的包袱。|A:有关他的传闻,已得到澄清。B:我早就说是有人别有用心。

〔形〕清亮。(clear;transparent)常做谓语、定语。

例句 湖水碧绿澄清。|山涧里流过澄清的溪水。

【秤】 chèng 〔名〕

测定物体重量的器具,有许多种类。(balance; steelyard) 常做主语、宾语、定语。[量]杆,台。

例句 A:你这杆秤不准。B:那你们可以到公平秤上称一称。|人们的生产和生活都离不开秤。|用秤称一称这些鸡蛋有多少斤。|电子秤的准头儿大一些。

【吃】 chī 〔动〕

❶ 把食物等放到嘴里经过咀嚼(jǔjué)咽下去(有时指吸、喝)。(eat; take)常做谓语及定语。

例句 A:你早饭吃什么? B:我正准备到食堂去吃。|这孩子不爱吃奶,是不是病了? |他饿了,吃了两大碗面条。|我吃饱了,不吃了。|大口吃,多吃点儿。|这家店里吃的东西不太多。

❷ 在某一出售食物的地方或按某种标准吃。(eat somewhere)常做谓语。

例句 我们几个常去吃馆子。|上大学后,我一直吃食堂。|这位领导从不吃小灶。

❸ 依靠某种事物来生活。(live on) 常做谓语。

例句 我这房不卖,吃房租就能过下去。|不继续努力学习,只吃老本,是不行的。|靠山吃山,靠水吃水。

❹ 消灭。(annihilate; wipe out)常做谓语,多用于军事、下棋等。

例句 吃一个棋子儿。|我用“车”吃你的“炮”。|我军吃掉敌人一个师。

❺ 吸收(液体)。(absorb; soak up) 常做谓语。

例句 A:你这纸不吃墨,字迹老是不干。B:那是腊光纸。换这张试试。|茄子吃油吃得厉害。

❻ 某物体进入另一物体。(draw) 常做谓语,宾语一般由“水、土、刀”等少数单音节名词充当。

例句 A:这条船吃水不太深。B:看来它没装那么多的货。|那种犁吃土较深。

❼ 领会;把握。(understand)常做谓语。

例句 我们在学习理论文章时,要吃透精神。|A:他的意思我吃不准。B:那你就别理他,看看再说。

❽ 承受;禁受。(bear; endure)常做谓语。

例句 这样的冷眼,我可有点儿吃不消。|A:这根绳子太细,吃不住这么重的分量。B:我去借根粗的。

❾ 受;挨。(suffer)常做谓语。

例句 他吃了爷爷一顿批评。

❿ 耗费。(exhaust; be a strain on) 常做谓语。

例句 这辆车挺不错的,就是吃油。|快考试了,现在正是吃劲儿的时候。

【吃皇粮】 chī huángliáng 〔动短〕

比喻在政府部门或靠国家开支经费的事业单位任职。(work at government or national expense institution)常做谓语、定语。

例句 过去在政府部门工作，吃皇粮，从不担心什么，现在下了海，一切靠自己了。|不少吃皇粮的人养成了贪图安逸、不思进取的习惯。

【吃惊】 chī jīng 〔动短〕
受惊，感到惊奇、奇怪。(be startled; be shocked; be amazed)常做谓语、状语、定语、宾语。中间可插入词语。

例句 听到这个消息，大家都吃了一惊。|女儿吃惊地望着我，问道："真的吗?"|看到他那吃惊的样子，我不由得笑了。|家乡的变化确实让我感到很吃惊。

【吃苦】 chī kǔ 〔动短〕
经受艰苦。(bear hardships)常做谓语、定语、宾语。中间可插入词语。

例句 你小时候跟我吃了不少苦。|A:我们这次去实习的地方，条件不太好，希望大家能坚持住。B:您放心，我们都有吃苦的准备。|怕吃苦就干不成大事。

【吃亏】 chī kuī 〔动短〕
❶ 受损失。(suffer losses)常做谓语、定语。中间可插入词语。

例句 A:这下小李可倒霉了。B:他想骗人，结果自己却吃了大亏，活该。|决不能让老实人吃亏。|如果不听我的话，吃亏的人是你。

❷ 在某方面条件不利。(be at a disadvantage; be in an unfavorable situation)常做谓语。中间可插入词语。

例句 他不够高，打篮球吃亏。|这场比赛，因为经验不足，我们吃了亏，输了球。

【吃香】 chīxiāng 〔动〕
受欢迎；受重视。(be very popular; be much sought after; be well-liked)常做谓语。

例句 这种产品在市场上相当吃香。|这两年，随着知识分子待遇的提高，当教师可吃香啦。|A:我最烦这种整天围着领导转的人。B:你还别烦，这种人才吃香呢。

【嗤之以鼻】 chī zhī yǐ bí 〔成〕
用鼻子吭气，表示看不起。(give a snort of contempt; despise)常做谓语。

例句 我好心给他送去，他居然还嗤之以鼻。|稍有骨气的人，对于他这番话也要嗤之以鼻的。

▶"嗤之以鼻"做谓语不能带宾语。如：*嗤之以鼻那件事。(应为"对那件事嗤之以鼻")

【痴心妄想】chī xīn wàng xiǎng〔成〕
一心抱着不切实际的想法。(wishful thinking; fond dream)常做谓语、宾语。

例句 想当亿万富翁，你别痴心妄想了！|他整天痴心妄想，希望自己能得到她的爱情。|出国发展？你这纯粹是痴心妄想。

辨析 〈近〉胡思乱想。"痴心妄想"的程度深。如：*上课的时候不要痴心妄想。("痴心妄想"应为"胡思乱想")

【池】 chí 〔名〕
❶ 水塘。(pool; pond)常做主语、宾语、定语。

例句 连着30天干旱，水池已经干了。|孩子们跳进养鱼池捉鱼玩。|池水特别干净。

❷ 旁边高中间低的地方。(an enclosed space with raised sides)用于构词。

词语 乐池 花池 舞池

❸ 护城河。(moat)用于构词。

词语 城池

C

【池塘】 chítáng 〔名〕

蓄水的坑,一般不大不深。(pond; pool)常做主语、宾语、定语。[量]个,口。

例句 这个池塘清澈见底。|他承包了几个池塘养虾。|A:前面有个不大的池塘。B:我们过去看看有没有鱼。|池塘的水已经不多了。

【迟】 chí 〔形〕

❶ 慢。(slow; tardy)常做谓语、状语。

例句 事不宜迟,应早作决断。|(信件)迟复,甚歉。|由于太兴奋,她迟迟不能入睡。

❷ 比规定的时间或合适的时间靠后。(late)常做谓语、补语。

例句 A:机会难得,可惜已经迟了。B:没关系,还会有机会的。|昨晚我睡得太迟了。|我来迟一步,请各位谅解。

【迟到】 chídào 〔动〕

到得比规定的时间晚。(be late)常做谓语(不带宾语)、定语。

例句 A:你怎么又迟到了? B:对不起,睡过头了。|这次又迟到了五分钟。|她从不迟到早退。|这是一封迟到的情书。

【迟缓】 chíhuǎn 〔形〕

不迅速;慢。(slow; tardy; sluggish)常做谓语、定语、状语。

例句 他身体很胖,行动也很迟缓。|有位老人正迈着迟缓的步子散步。|熊猫迟缓地移动着身子,十分可爱。

【迟疑】 chíyí 〔动〕

拿不定主意;犹豫。(hesitate)常做谓语(不带宾语)、定语、状语、主语、宾语。

例句 他迟疑了半天,才吞吞吐吐地说出了实情。|A:我觉得我们不打招呼就走不好。B:你要是再迟疑就来不及了。|我问他的时候,他的脸上现出了迟疑的表情。|她迟疑地望着我,不知道是否该回答这个问题。|他毫不迟疑地表示一定完成任务。|这时候,任何一点儿迟疑都会造成不堪设想的后果。|在这万分紧急的时刻,容不得丝毫迟疑。

【持】 chí 〔动〕

❶ 拿着;握着。(hold; grasp)常做谓语。

例句 战士们正在持枪操练。|她手持鲜花走上舞台。

❷ 坚持;保持;管理。(keep; manage)用于构词。

词语 坚持 持久 操持 主持

【持久】 chíjiǔ 〔形〕

保持的时间长。(lasting; enduring; protracted)常做谓语、定语。

例句 我想他们的感情不可能持久。|为了发展经济,我们要争取持久和平。

【持续】 chíxù 〔动〕

延续不断。(continue; sustain)常做谓语(不带宾语)、状语、定语。

例句 两国的经济文化交流持续了一千多年。|这种情况已持续好久了。|改革开放以来,国民经济生产总值持续增长。|持续的干旱使粮食大幅度减产。

【持之以恒】 chí zhī yǐ héng 〔成〕

长期坚持下去。(persevere)常做谓语、宾语。

例句 无论做什么事,都要持之以恒。|A:老师,我的成绩还是不好,真急人。B:只要你持之以恒,成绩一定会好的。|他成功的原因有很多,其中重要的一条就是持之以恒。

【尺】 chǐ 〔名/量〕

〔名〕量长度的器具;像尺的东西。(ruler;an instrument in the shape of a ruler)常做主语、宾语、定语。[量]把。

词语 卷尺 计算尺

例句 这把尺用了十几年了。|A:请你帮我找把尺,好吗? B:我这儿有一把,你看行吗? |你用尺量一下这有多长。|那把尺的刻度不清楚,换一把吧。

〔量〕长度单位。10 寸等于 1 尺,10 尺等于 1 丈。1 市尺合三分之一米。(*chi*, a traditional unit of length)常构成短语做句子成分。

例句 A:给我扯三尺布。B:好,要什么颜色的? |这块布有五尺长,三尺宽。

【尺寸】 chǐcun 〔名〕

❶ 长度。(measurement; dimensions; size)常做主语、宾语。

例句 A:尺寸量好了吗? B:量好了。|这件衣服尺寸对你正合适。|你先量一下尺寸再做。

❷ 分寸。(proper limits for speech or action)常做宾语。

例句 他说话办事都很有尺寸。|与人打交道要掌握好尺寸。

辨析 〈近〉分寸。"分寸"既可用于书面语,也可用于口语,而且比较常用;"尺寸"常用于口语。

【尺子】 chǐzi 〔名〕

量长度的器具。(ruler)常做主语、宾语、定语。[量]把。

例句 这把尺子我用了好几年了,真舍不得扔。|用尺子量一下就知道了。|商店没有那种尺子。|A:这把尺子的刻度不太清楚。B:给你换这把。

【齿】 chǐ 〔素〕

❶ 牙。(tooth)常用于构词。

词语 齿科 门齿 齿病 牙齿

❷ 指物体上像牙的部分。(a tooth-like part of anything)用于构词。[量]个。

词语 锯齿 梳齿 齿轮

【齿轮】 chǐlún 〔名〕

机器上有齿的轮状部件。作用是改变转动方向、速度等。(gear wheel; gear)常做主语、宾语、定语。[量]个。

例句 两个齿轮咬合得很紧。|A:要不要检查一下齿轮? B:我刚检查过,没什么问题。|传送带通过齿轮传动。|这种齿轮的寿命不长。

【赤】 chì 〔形/动〕

〔形〕红色的。(red)常做定语、谓语,或用于构词。

词语 赤红 赤心 赤子 赤字

例句 这种豆子是红色的,所以叫赤小豆。|两个人谁也不让谁,争得面红耳赤。

〔动〕光着;露着。(bare; naked)常做谓语。

例句 我们赤着脚,走在雨中。|小伙子赤着上身,用力地蹬着车子。

【赤道】 chìdào 〔名〕

环绕地球表面距离南北两极相等的

圆周线。它把地球分为南北两球，是划分纬度的基线，赤道的纬度是0度。(the equator)常做主语、宾语、定语。

C

例句 赤道把地球分为南、北两个半球。|考察船正在越过赤道。|这个国家的人生活在赤道上。|赤道地区很热。

【赤手空拳】chì shǒu kōng quán〔成〕
(搏斗或作战时)手里没有任何武器，引申为一无所有，毫无凭借。(bare-handed; unarmed)常做谓语、状语。

例句 A:你赤手空拳的，万一遇上歹徒怎么办？B:放心吧，我练过武术。|他曾经赤手空拳地对付了四个劫匪(jiéfěi)。

【赤字】 chìzì 〔名〕
指经济活动中支出多于收入的差额数字。登记这种数目时，常用红笔书写。(deficit)常做主语、宾语、定语。

例句 财务上的赤字这么大，怎么解决？|公司财政上出现了赤字。|有些工厂因为赤字问题经营很困难。

【翅膀】 chìbǎng 〔名〕
翅的通称，也指物体形状或作用像翅膀的部分。(wing)常做主语、宾语。[量]个，副。

例句 飞机翅膀这么长！|这只鸟翅膀受了伤，真可怜。|我要像鸟儿一样，张开翅膀，飞上蓝天。

【充当】 chōngdāng 〔动〕
取得某种身份，担任某种职务。(act as; play the part of)常做谓语。

例句 这些无知的人充当了权力斗争的牺牲品。|在这场纷争中，他一直充当着调解人。

【充分】 chōngfèn 〔形〕
足够的；最大限度的。(full; ample; abundant)常做谓语、定语、状语、补语。

例句 你的理由不够充分。|我有充分的证据证明这一切。|我们要充分发挥每个人的积极性。|事实充分说明她是对的。|大会的准备工作做得很充分。|A:这次考试你准备得很充分吧？B:太忙了，没时间准备，凑合吧。

【充满】 chōngmǎn 〔动〕
❶ 填满；布满。(be full of; be permeated with)常做谓语。

例句 她的眼里充满了泪水。|我们对这次比赛充满信心。|晚会上大家又唱又跳，充满了欢乐的气氛。

❷ 充分具有。(be filled with)常做谓语。

例句 他们的歌声里充满着信心与力量。|整场表演充满激情。

【充沛】 chōngpèi 〔形〕
充足而旺盛。一般形容雨水或人的精神、活力、热情等。(plentiful; abundant; copious)常做谓语、定语。

例句 他年富力强，精力充沛。|这片三角洲阳光充足，雨水充沛。|我要以充沛的精力和热情开始新的工作。

【充实】 chōngshí 〔形/动〕
〔形〕丰富；充足。(substantial; rich)常做谓语、补语。

例句 这篇文章文字流畅，内容充实。|这条新闻不够充实。|她活得很充实。

〔动〕使充足；加强。(substantiate; enrich; replenish)常做谓语。

例句 上级决定让一批年轻人充实公司销售部门。|文章的这一部分还比较苍白，应充实一下。

【充足】 chōngzú 〔形〕
多到能满足具体需要。(adequate; sufficient; ample; abundant)常做谓语、定语。
例句 客厅光线充足。|这项工程的经费不太充足。|这里的地下埋藏着充足的煤炭资源。

【冲】 chōng 〔动〕另读 chòng
❶ 很快地朝某一方向直闯,突破障碍。(rush; dash)常做谓语。
例句 下课了,李强第一个打开门冲了出去。|他冲进了着火的房子,救出了里面的孩子。
❷ 用开水等浇。(pour boiling water on)常做谓语。
例句 水不够热,茶没有冲开。|A:我去为你冲一杯咖啡。B:不用麻烦,还是来杯凉水吧。
❸ 冲洗;冲击. (rinse; flush)常做谓语。
例句 请用水把碗冲干净。|房子被洪水冲走了。

【冲锋】 chōngfēng 〔动〕
进攻的部队向敌人迅猛前进,用随身携带的武器和敌人进行战斗。(charge; assault)常做谓语、宾语。
例句 打仗时,连长总是冲锋在前。|他们奋勇抵抗,打退了敌人一次又一次的冲锋。|部队在凌晨三点发起了冲锋。

【冲击】 chōngjī 〔动/名〕
〔动〕(水流等)撞击物体。(lash; pound)常做谓语。
例句 海浪冲击着岩石,溅起白色的水花。|高涨的河水冲击着大堤。|时代大潮冲击着人们的思想。
〔名〕❶ 冲锋。(charge)常做宾语。
例句 我军向敌方阵地发起冲击。|敌人顶不住我们的冲击。
❷ 比喻干扰或打击使受到影响。(pound; attack)常做宾语、定语。
例句 因为贸易战,我们的产品受到了冲击。|外国商品冲击的结果是,国产商品再一次降低了价格。

【冲破】 chōngpò 〔动〕
突破某种状态或限制等。(break through; breach)常做谓语。
例句 不冲破旧观念的束缚,就无法前进。

【冲突】 chōngtū 〔动/名〕
〔动〕互相矛盾;不协调。(clash)常做谓语(不带宾语)。
例句 A:明天有两个会议,您都能参加吗? B:不行,时间冲突了,我只能参加一个。|本文论点与论据有些冲突。
〔名〕矛盾表面化,发生激烈争斗。(conflict; clash)常做主语、宾语、定语。[量]种。
例句 这种冲突本来可以避免。|你们两个人之间没有任何利害冲突。|我们要避免武器冲突。|谁也不知道冲突的原因。

【虫】 chóng 〔名〕
虫子。常读"虫儿"。(worm or insect)常做主语、宾语、定语。[量]只、条。
例句 A:这条虫儿怎么不动了? B:看样子是要死了。|鸡鸭喜欢吃虫儿。|树上生虫了。|你了解这种虫的习性吗?

【虫子】 chóngzi 〔名〕
昆虫和类似昆虫的小动物。(insect or worm)常做主语、宾语、定语。

C

[量]只,条。

例句 A:这条虫子从哪儿来的?B:是从树上掉下来的。|虫子爬过了,不能吃!|大米里生了很多虫子。|很多女孩儿怕小虫子。|这只虫子的颜色真漂亮。

【重】 chóng 〔副/量〕 另读 zhòng

〔副〕再一次;重复。(again; once more)常做状语、补语、谓语。

例句 这个句子请你重说一遍。|昨天的作业我要重做。|旧地重游,我不禁感慨万千。|你把文件重打一遍。|A:忙乎了半天,书还是买重了。B:没事,明天我拿去退了。|老师举的这两个例子重了。

〔量〕层。(layer)常构成短语做定语。

例句 他越过千重岭万重山,终于找到了药材。|这个成功是她克服了重重困难才取得的。|我学过汉语的多重复句。

【重蹈覆辙】 chóng dǎo fù zhé 〔成〕

再走翻过车的老路。比喻不吸取失败的教训,重犯过去的错误。(follow the same old disastrous road; recommit the same error)常做谓语。

例句 如不认真吸取教训,就难免重蹈覆辙。|你难道想重蹈覆辙?

【重叠】 chóngdié 〔动〕

相同的东西一层层堆起来。(one on top of another; overlapping)常做谓语、定语。

例句 这两个音节重叠在一起怎么读?|“干净”可以重叠成“干干净净”。|远处山峦重叠。|为了提高办事效率,一定要精简重叠的机构。

【重复】 chóngfù 〔动〕

❶ 相同的东西又一次出现。(duplicate)常做谓语、定语、宾语。

例句 这两篇文章内容重复了。|这段舞蹈中有两个重复的动作。|历史是不会出现重复的。

❷ 又一次做相同的事情。(do again)常做谓语。

例句 你怎么又重复以前的错误呢?|请你把话重复一遍。|他一再重复他的意见。

【重申】 chóngshēn 〔动〕

再一次陈述、说明。(reaffirm; reiterate; restate)常做谓语。

例句 总经理多次重申过公司的纪律。|中国一再重申和平自主的外交原则。|外交部发言人重申了中国的对外政策。

【重新】 chóngxīn 〔副〕

再一次;再从头开始。(again; afresh)常做状语。

例句 A:作文不是都交上去了吗?你怎么还写?B:老师让我重新写一篇。|把这个重新抄写一遍!|旅行社重新制定了旅行计划。|他表示要改过自新,重新做人。

【崇拜】 chóngbài 〔动〕

尊敬钦佩。(worship; adore)常做谓语、定语、主语、宾语。

例句 我从小就崇拜居里夫人。|他对拿破仑崇拜得五体投地。|他一直是我心目中崇拜的偶像。|盲目崇拜会导致信仰危机。|伟人受到人们的崇拜,是很自然的。

【崇高】 chónggāo 〔形〕

最高的;最高尚的。(lofty; sublime; high)常做谓语、定语。

例句 这位教授品格崇高,很值得我们学习。|他在群众中有着崇高的

威望。|我们向英雄们致以崇高的敬意。

【崇敬】 chóngjìng 〔动〕

推崇尊敬。(esteem; respect; revere)常做谓语、定语、宾语。

例句 我很崇敬张老师的为人。|我们怀着崇敬的心情参观了鲁迅纪念馆。|民族英雄永远受到人民的崇敬。

【宠物】 chǒngwù 〔名〕

指家庭豢养的受人喜爱的小动物,如猫、狗等。[pet(e.g. a cat or a dog)]常做主语、宾语、定语。

例句 A:你们家的宠物是什么? B:一只小猫。|老奶奶一个人独居,所以养了一条狗当宠物。|现在有宠物市场,还有宠物医院、宠物美容院等等。

【冲】 chòng 〔形/介〕 另读 chōng 〔动〕

❶ 劲头足,力量大。(with vim and vigour;vigorously)常做谓语。

例句 这年轻人干活真冲。|他说话冲得很,你别在意。

❷ 气味浓烈刺鼻。(strong; pungent)常做谓语。

例句 他嘴里酒味很冲。|屋里烟这么冲,根本进不去。|A:你闻一闻这个药味儿怎么样? B:这个味儿有点儿冲鼻子。

〔介〕❶ 向着或对着。(facing; towards)常构成介宾短语做状语。

例句 这间房的窗子冲北开。|他冲我笑笑。|我今天是冲你才来的。

辨析 〈近〉向,朝。"冲"一般用于口语。"向"一般用于书面语。"朝"既用于口语,也用于书面语。

❷ 凭。(on the basis of;because)常构成介宾做状语。

例句 就冲着你这话,我能不帮忙吗? |冲着这股子钻劲儿,他一定能成为一名优秀的工程师。

【抽】 chōu 〔动〕

❶ 把夹在中间的东西拿出来。[take out (from in between)]常做谓语。

例句 妈妈把信从信封里抽出来。|她从书里抽出一张相片。

❷ 从中取出一部分。[take (a part from a whole)]常做谓语。

例句 看来,只能抽肥补瘦了。|这几天我太忙,抽不出时间来。|经理把他从办公室抽出来负责这个项目。

❸ (某些植物体)长出。[(of certain plants)put forth]常做谓语。

例句 我养的那棵花儿又抽出了新叶儿。|春天来了,小树抽芽了。

❹ 吸;引出。(obtain by drawing, etc.)常做谓语。

例句 可以从地下抽水,但不能抽得太多。|A:抽支烟,行吗? B:对不起,这儿不能抽烟。

❺ 收缩。(shrink)常做谓语。

例句 这种布见水就抽。|裤子洗了一次就抽了一大截。

❻ 打(多指用条状物)。(lash; whip; thrash)常做谓语。

例句 冬天在冰上抽陀螺可好玩了。|A:你别那么狠地抽牲口。B:它不听话就得抽抽它。|抽一鞭子,马就飞跑起来。

【抽空】 chōu kòng 〔动短〕

挤出时间做别的事情。(manage to find time)常做状语、谓语。

例句 A:你抽空陪我去一趟吧。B:

好，你等我电话。|每天工作再忙，我也要抽空学习。|他太忙，抽不出空来。

C

【抽屉】 chōuti 〔名〕

桌子、柜子等家具中可以抽拉的盛放东西用的部分，常做成匣形。(drawer)常做主语、宾语、定语。[量]个，层。

例句 三层抽屉里装满了东西。|柜子底下设计了两个大抽屉。|这个电脑桌没有抽屉，不大方便。|抽屉的底儿漏了。

【抽象】 chōuxiàng 〔形〕

从多数事物中抽出共同点。(abstract)常做定语。

例句 “希望、愿望、想”等都是抽象意义词。|她的画属于抽象艺术。|这是个抽象的概念。

【仇】 chóu 〔名〕 另读 qiú

❶ 仇敌。(enemy; foe)常做宾语。

例句 他很有正义感，疾恶如仇。

❷ 恨。(hatred; enmity)常做主语、宾语。[量]个。

例句 此仇不报，誓不为人！|我一定要报这个仇。|他们两家有仇。

【仇恨】 chóuhèn 〔动/名〕

〔动〕因利害冲突而强烈地憎恨。(feel great enmity towards; hate)常做谓语。

例句 这个小偷特别仇恨富人。|他对社会十分仇恨。

〔名〕因利害冲突而产生的强烈憎恨。(hatred; enmity; hostility)常做主语、宾语、定语。

例句 仇恨让这两个人变得特别无情。|他对敌人充满仇恨。|老人一番话化解了他俩的仇恨。|仇恨的火焰在他胸中燃烧。

【绸子】 chóuzi 〔名〕

薄而软的丝织品。(silk fabric)常做主语、宾语、定语。[量]块，种。

例句 A：这绸子质地很好。B：真是，我们买两块吧。|绸子是这儿的特产。|我买了两米绸子。|这种绸子的颜色你一定喜欢。|夏天穿绸子衣服凉快。

【酬宾】 chóubīn 〔动〕

商业上指以优惠价格出售商品给顾客。(bargain sales)常做谓语、定语。

例句 为庆祝店庆五周年，这几天本商店所有商品以九折酬宾。|开业头三天，商店开展了买一赠一的酬宾活动。|A：听说那个商场正在举办酬宾展销，我们也去看看吧。B：不行，这几天我一点儿时间也没有。

【稠密】 chóumì 〔形〕

多而密。(dense)常做谓语、定语。

例句 几年前的小树苗现在枝叶稠密，高大挺拔。|中国东部沿海地区人口稠密。|这个地区布满了稠密的交通网。

【愁】 chóu 〔动〕

忧虑；担忧。(worry)常做谓语。

例句 现在生活好了，不愁吃、不愁穿。|A：愁死我了，怎么会碰上这种事。B：你别愁，事情总会解决的。|她愁得头发都白了。|想想这一大笔债，我真有些发愁。|还没干呢，就开始愁了，你这人怎么这样！

【愁眉苦脸】 chóu méi kǔ liǎn 〔成〕

皱着眉头，哭丧着脸。形容愁苦的神情。(wear a worried look; pull a long face; a distressed expression)常做谓语、定语、状语。

例句 A:不要整天愁眉苦脸的,不就是一门课没考好嘛,有什么大不了的! B:哪是一门啊! 好几门呢。|他心里暗暗高兴,但却装出一副愁眉苦脸的样子。|拿着这一叠叠崭新的钞票,愁眉苦脸的民工们终于露出了舒心的笑容。|小王愁眉苦脸地对我说:“完了,我是一点儿办法也没了。”|他愁眉苦脸地坐在沙发上,一言不发。

【筹备】 chóubèi 〔动〕

为进行工作、举办事业或成立机构等事先计划准备。(prepare; arrange)常做谓语、定语。

例句 大家在筹备举办书画展。|A:那件事筹备得怎么样了? B:你看,这不马上完事了吗? |晚会的筹备工作已近尾声。

【筹建】 chóujiàn 〔动〕

计划建立。(prepare to construct or establish sth.)常做谓语、定语。

例句 这个工厂去年才筹建。|县里要在这儿筹建发电站。|这个大厦目前还处于筹建阶段。

【踌躇】 chóuchú 〔动〕

❶ 犹豫。(hesitate)常做谓语、定语、状语、宾语。

例句 如何处理此事,他一直踌躇不决。|她踌躇了半天,终于说了。|看到他踌躇的样子,我不禁有些为难。|来人踌躇地挠着头皮,不知如何开口。|面对这突如其来的喜讯,他却感到踌躇不安。

❷ 得意的样子。(smug; complacent)常做谓语。

例句 自从得了大奖,他更加踌躇得意。

【踌躇满志】 chóuchú mǎn zhì 〔成〕

对自己的现状或取得的成就非常得意。(enormously proud of one's success; smug; complacent)常做谓语、定语、状语。

例句 小美发厅开业了,她踌躇满志,对未来充满了希望。|看他一副踌躇满志的样子,我真不忍心打击他。|经理踌躇满志地挺直了腰板,专注地看着墙上的设计图。

辨析 〈近〉得意洋洋。“得意洋洋”可用于口语和书面语,而“踌躇满志”只用于书面语;“得意洋洋”为贬义,而“踌躇满志”为褒义。

【丑】 chǒu 〔形〕

❶ 难看;不好看。(ugly; unsightly; hideous)常做谓语、定语、补语。

例句 谁说她丑? 她一点儿也不丑。|他找了个丑媳妇。|这姑娘长得不丑。

❷ 叫人讨厌或瞧不起的。(disgraceful; shameful; scandalous)常做谓语。

例句 A:你唱一个怎么样? B:不行,不行,我唱得不好,你可别让我出丑。|这种事太丑了。

【丑恶】 chǒu'è 〔形〕

丑陋恶劣。(ugly; repulsive; hideous)常做定语。

例句 他终于露出了丑恶的嘴脸。|美丽的外貌掩盖不了丑恶的灵魂。

【臭】 chòu 〔形〕

❶ 气味难闻。(smelly; foul; stinking)常做谓语、定语。

例句 A:怎么搞的,房间里这么臭? B:你的宝贝小狗在屋里拉屎了。|臭鸡蛋怎么吃啊? |你尝尝,一点儿臭味都没有。

❷ 拙劣;不高明。(inferior)常做谓

语、定语。

例句 (下棋)这一着真臭。|A:这办法真臭。B:别说风凉话,你有好办法你去。|我下了一盘臭棋。

❸ 狠狠地。(severely)常做状语、定语。

例句 我把他臭骂了一顿。|他挨了一顿臭揍。

【出】 chū 〔动〕

❶ 从里面到外面。(go or come out)常做谓语、补语。

例句 今年她就出过两次国了。|他出去了。|A:你收拾东西干什么?B:我要出趟门。|房间里走出两个人。

❷ 超出。(exceed; go beyond)常做谓语、补语。

例句 不出两年,情况一定会有变化。|球出了边线。|球有好几个打出了界。

❸ 往外拿。(issue; put out)常做谓语、补语。

例句 老师出了个作文题目让我们写。|有钱出钱,有力出力。|现在结婚登记不用单位出证明了。|墙上贴出了广告。

❹ 出产;产生;发生。(produce; turn out; happen)常做谓语、补语。

例句 今天挺出活儿。|我们学校出过很多名人。|这事出在二十年前。|厂里选出了新的厂长。

❺ 出版。(publish)常做谓语。

例句 他出了不少作品。|这个出版社出了许多好书。

❻ 发出;发泄。(put forth; vent)常做谓语。

词语 出疹　出天花　出汗

例句 树出芽儿了。|A:有气别憋着,找我出气好了。B:又不关你的事,出气也出不到你那儿去。|他急得出了一身汗。

❼ 显露。(appear; become visible)常做谓语。

词语 出名　出丑　出头

例句 他亲自出面解决了这件事。|自从发表了那部作品以后,他就出名了。

❽ 显得量多。[rise well (with cooking); grow in volume]常做谓语。

例句 这种米做饭真出饭。|白菜不出数儿,二斤才炒这么一盘。

【出版】 chūbǎn 〔动〕

把书刊、图画等编印出来;把唱片、音像磁带等制作出来。(come off the press; publish)常做谓语、定语。

例句 他已经出版了两本书。|A:你的新作我们什么时候能见到?B:快了,下个月就出版。|这盘演唱专辑出版才一个月就卖光了。|这些出版物质量不高。

【出差】 chū chāi 〔动短〕

到外地办理公事。(go or be on a business trip)常做谓语。中间可插入词语。

例句 明天,他要去省城出差。|A:这几天怎么没见你,跑哪儿去了?B:去海南出了五天差,今天早上才回来。

【出产】 chūchǎn 〔动〕

天然生长或人工生产。(yield or manufacture; produce)常做谓语。

例句 这个地方出产一种非常好吃的大米。|A:哪儿出产的瓷器最有名?B:那还用问,当然是景德镇的。

【出动】 chūdòng 〔动〕

外出活动;派出军队;行动起来。(set out;dispatch;start off)常做谓语。

例句 为了维持国庆晚会的治安,全市警察都出动了。|我军出动了五架战斗机。|昨晚下了一场大雪,今天全校师生都出动扫雪了。

【出发】 chūfā 〔动〕

❶ 离开原来的地方到别的地方去。(set out;start off)常做谓语、定语、宾语。

例句 A:老师,咱们明天早上几点走? B:我们明天清晨五点出发,不要迟到。|出发时间还没最后确定。|大家都收拾好行李准备出发。

❷ 考虑或处理问题时以某一方面为着眼点。(take... as a starting point in consideration)常做谓语、状语。

例句 我们要从国家的利益出发,不应只考虑个人利益。|从长远观点出发,这样做是可行的。

【出发点】 chūfādiǎn 〔名〕

旅程的起点;最根本的着眼的地方;动机。(the starting point of a journey;starting point in a discussion, argument, etc.)常做主语、宾语。[量]个。

例句 双方的出发点不同,考虑问题的方法与得出的结论也不同。|这样做的出发点是为了方便群众。|你的出发点是好的,不过有的地方考虑得不太全面。|一切为顾客服务是我们的出发点。

【出访】 chūfǎng 〔动〕

到外国访问。(go abroad on an official visit)常做谓语、主语、定语。

例句 总理出访了东南亚五国。|这次出访收到了意想不到的效果。|我在书中记下了出访的所见所闻。

【出境】 chū jìng 〔动短〕

离开国境,离开某个地区。(leave the country;leave a certain region)常做谓语、定语。

例句 他是一名间谍,已经被驱逐出境了。|过了桥,就出境了。|我已办好了出境手续。|今天出境的人很多。

【出口】 chū kǒu 〔动短/名〕

〔动短〕❶ 说出话来。(speak;utter)常做谓语。

例句 这话我很难出口。|他口才很好,出口成章。|你不该出口伤人。

❷ (船只)驶出港口。(leave port)常做谓语。

例句 由于证件不齐,这艘船不能出口。|那条油轮已经出口了。

❸ 本国或本地区有货物运出。(export)常做谓语、定语。

例句 中国很早就向国外出口茶叶和丝绸。|这批服装出口欧美地区。|A:这次出口的货物都准备好了? B:准备好了,明天就可以装船。|出口产品质量要求很高。

〔名〕从建筑物或场地出去的门或口儿。(exit)常做主语、宾语。

例句 剧场的出口挤满了人。|车站出口在前面。|A:请问,从哪儿能出去? B:往左拐,就是会场的出口。|我在地铁出口等你。

【出口成章】 chū kǒu chéng zhāng 〔成〕

话说出来就是一篇文章。形容口才好,文思敏捷。(words from the mouth as from the pen of a master)常做谓语、定语、状语。

例句 A:老李这个人口才好,出口成章。B:是啊,早就听说过。|马秘书思路来得快,出口成章,大家都很佩服他。|他这种出口成章的本领是经过长期刻苦练习得来的。|出口成章的王老师即席作了一首五言诗。|小强才五岁,竟能把几十首唐诗出口成章地背出来,真是了不得。

【出来】 chū lái 〔动短〕

❶ 从里面到外面。(come out)常做谓语、补语。

例句 天晴了,太阳出来了。|屋里出来两个人。|他被锁在里边,出不来了。|从大幕后面走出一个人来。

❷ 出现。(emerge; arise; appear)常做谓语。

例句 经过讨论,出来两种意见。|老问题刚解决,新问题又出来了。

❸ 表示由隐蔽到显露。(reveal)常做补语。

例句 A:几年不见,我都认不出来了。B:可不,那时她才十二岁。|他的意思我慢慢听出来了。|他在诗中把思乡的感情都表达出来了。

【出类拔萃】 chū lèi bá cuì 〔成〕

卓越出众,超出同类之上。(stand out from one's fellows; be out of the common run; prominent)常做谓语、定语。

例句 今年公司来的几个年轻人个个出类拔萃。|我们那届有几个出类拔萃的同学,后来都上了名牌大学。|刘英是我们公司出类拔萃的业务经理。

【出路】 chūlù 〔名〕

❶ 通向外面的道路。(a way out)常做主语、宾语。

例句 A:简直是到了迷宫,我们怎么出去啊? B:我也不知道出路在哪儿,咱们找找看。|队伍在森林里迷失了方向,找不到出路。

❷ 比喻生存或向前发展的途径。(promising future)常做主语、宾语。

例句 生活的出路在于不断努力。|他做买卖赔了本儿,只好另谋出路。

❸ 比喻销售货物的去处。(an outlet for goods)常做主语、宾语。

例句 产品的出路在于产品的质量。|由于这些产品质量不过关,所以没出路。

【出卖】 chūmài 〔动〕

❶ 卖;出售。(offer for sale; sell)常做谓语。

例句 报上登了不少出卖房屋的广告。|因为没有文化,他只能出卖体力。|店里出卖一些旧家具。

❷ 为了个人利益,做出有利于敌人的事,使国家、民族或亲友等利益受到损害。(sell out; betray)常做谓语。

例句 为了金钱,他出卖过朋友。|无论什么优厚的条件,我也决不出卖自己的国家。|你怎么能出卖灵魂呢?

【出门】 chū mén 〔动短〕

外出;离家远行。(go out; leave home; go on a journey)常做谓语。中间可插入词语。

例句 A:王教授在吗? |B:他刚出门,一会儿你再来吧。|最近我出了趟远门。|儿子出门在外,全家都靠媳妇一人操持。

【出面】 chū miàn 〔动短〕

亲自出来做某事。(appear personally; act in one's own capacity or on behalf of sb.)常做谓语。

例句 他出面调解比较合适。|我不想出面，你去跟他们谈吧。|此事将由政府出面解决。

【出名】 chū míng 〔动短〕
有名声，名字为大家所熟悉。(be famous; be well known)常做谓语、定语、主语、宾语。中间可插入词语。

例句 他的事迹在这个地区很出名。|人家现在成了歌星，出名了。|景德镇出名的产品是瓷器。|出名不一定是好事情。|A：人最害怕出名，因为出了名麻烦事就多。B：是啊，俗话说："人怕出名，猪怕壮。"

【出难题】 chū nántí 〔动短〕
提出很难解决的问题；泛指做出使人为难或麻烦的事情。(make trouble)常做谓语。

例句 他总给我出难题，这不，又让我去帮他走后门。|A：帮个忙吧。B：你这不是给我出难题吗？这事我也办不了。

【出品】 chūpǐn 〔名/动〕
〔名〕生产出来的物品。(product)常做主语、宾语。

例句 这些出品经过检验全部合格。|这是我们厂的新出品。

〔动〕制造出产。(make; produce; manufacture)常做谓语。

例句 这批产品由本公司出品，质量安全可靠。|我厂出品了一种新型电视机。

【出去】 chū qù 〔动短〕
从里面到外面去。(go out; get out)常做谓语、补语。中间可插入词语。

例句 我哥哥不在家，他刚才出去了。|看起来，咱们一时半会儿是出不去了。|A：去哪儿？B：我想出去散散心。|他把客人送出门去才回来。|守门员一脚把球踢了出去。

【出人头地】 chū rén tóu dì 〔成〕
超出一般人，高人一等。(rise head and shoulders above others; stand out among one's fellows; become outstanding)常做谓语、定语。

例句 做父母的都希望自己的孩子将来能出人头地，有所作为。|他幻想着有朝一日能出人头地，不再受人摆布。|毕业后，他开始学着观察社会，寻找另外一条出人头地的途径。

【出入】 chūrù 〔动/名〕
〔动〕出去和进来。(come in and go out)常做谓语。

例句 这是仓库重地，不能随便出入。|A：你发现没有，最近小刘常出入这家歌厅。B：那有什么，不过就是唱唱歌呗。

〔名〕(数目、内容等)不一致，不相符。(discrepancy; divergence)常做主语、宾语。

例句 报上来的数跟实际情况出入太大。|这副本和原稿有些出入，你再看看。|现金与账目相符，没有任何出入。

【出色】 chūsè 〔形〕
特别好；超出一般的。(outstanding; remarkable; splendid)常做谓语、状语、补语、定语。

例句 我们班的同学在这次比赛中，表现很出色。|他们出色地完成了任务，受到了上级表扬。|哪个组干得最出色？|她出色的表现终于赢得了大家的信任。

【出身】 chūshēn 〔动/名〕

C

〔动〕出生在…家庭中。(be descended from; come of)常做谓语。

例句 我了解过,这小伙子出身于工人家庭,人品不错。|她出身于富裕人家,从来没吃过这种苦。

〔名〕指个人早期的经历或由家庭经济情况所决定的身份。(family background; class origin)常做主语、定语、宾语。

例句 他的家庭出身很低微。|A:你怎么能和这种出身的人交朋友呢? B:怎么啦? 一个人的出身并不能代表什么。|只看出身,不看表现不行。

【出神】 chū shén 〔动短〕

因精神过度集中而发呆。(be spellbound; be in a trance; be lost in thought)常做谓语(不带宾语)、定语、状语、补语,中间可插入词语。

例句 我进去的时候,他正坐在那里出神呢。|A:哎,又出什么神呢? B:没什么,想起小时候的事了。|这么美的艺术作品,孩子们看得都出神了。|她出神地望着窗外,好像有什么心事。|看到他出神的样子,母亲不禁担起心来。

【出生】 chūshēng 〔动〕

胎儿从母体中分离出来。(be born)常做谓语、定语。

例句 我是 1963 年出生的。|他出生于法国。|请填写你的出生地和出生日期。

【出生入死】 chū shēng rù sǐ 〔成〕

形容冒生命危险。(go through fire and water; brave untold dangers; risk one's life)常做谓语、定语。

例句 抗洪抢险时,官兵出生入死,日夜奋战,终于保住了大堤。|看到曾一起出生入死的战友们,老人不禁热泪盈眶。

【出世】 chūshì 〔动〕

❶ 出生,产生。(come into the world; be born)常做谓语、主语、宾语。

例句 随着婴儿一声啼哭,一个新生命出世了。|孩子的出世给全家人带来了欢乐。|母亲热切地盼望着孩子的出世。

❷ 超脱人世。(keep aloof from worldly affairs)常做主语、定语。

例句 出世与入世是两种相反的人生观。|中国古代很多文人都抱有出世的想法。

【出事】 chū shì 〔动短〕

发生事故。(meet with a mishap; have an accident)常做谓语及定语。中间可插入词语。

例句 前面的车都停住了,好像出事了。|A:他昨晚一夜没回来,别是出了什么事吧? B:不会吧,再等等看。|这个地方坡儿很陡,出过很多次事。|警察正迅速赶往出事地点。

【出售】 chūshòu 〔动〕

卖。(offer for sale; sell)常做谓语。

例句 宿舍楼一层的小卖店出售各种食品。|年前很多大商场都竞相低价出售商品。|我这儿的东西主要出售给游客。

【出台】 chū tái 〔动短〕

原指演员上场,比喻公开出面活动,现多指政策、措施等公布或予以实施。(appear on the stage; make a public appearance; publish or carry out)常做谓语。

例句 小家伙都练了三年了,可还从来没出过台呢。|这一场戏该你出

台了。|民航赔偿办法昨日已正式出台。|政府出台了一些新政策,提高农民种粮积极性。

【出席】 chū xí 〔动短〕

参加会议。(attend; be present)常做谓语(宾语常是"会议"等)。

例句 他作为区代表出席了本次会议。|校领导出席了昨天的庆祝大会。|出席大会的有政府首脑和知名企业家。

【出息】 chūxi 〔名/动〕

〔名〕指发展前途或志气。(promise; prospects; a bright future)常做宾语。

例句 这孩子真懂事,长大后一定会有出息。|你怎么能偷吃别人的东西,真没出息。|他是个很有出息的青年。

〔动〕长进;向好的方面发展变化。(make good progress)常做谓语。

例句 真没想到儿子出息成了知名的艺术家。|这孩子比以前可出息多了。

【出现】 chūxiàn 〔动〕

出来;产生出来。(appear; arise; emerge; turn up)常做谓语。

例句 我们在树林中等了半天,大象终于出现了。|A:要是出现问题,谁负责任? B:你放心,我负责。|妈妈慈祥的面孔又出现在我的眼前。|近年来,文坛上出现了不少优秀作家。

【出线】 chū xiàn 〔动短〕

在分阶段进行的比赛里,参赛的人员或团体取得参加下一阶段比赛的资格叫出线。(qualify for the next round of competitions)常做谓语。

例句 在本次亚运会的乒乓球半决赛中,中国选手全部出线。|游泳预赛,只有她一个人出线。|看样子,这次世界杯预选赛,中国足球队恐怕出不了线了。

【出洋相】 chū yángxiàng 〔动短〕

闹笑话;出丑。(make an exhibition of oneself)常做谓语。

例句 因为不懂专业知识,他在公司董事会上尽说外行话,大出洋相。|在西餐店吃西餐时,我因为不会使用餐刀和叉子,出了洋相。

【出院】 chū yuàn 〔动短〕

(住院病人办理手续后)离开医院。(leave hospital; be discharged from hospital)常做谓语、定语。

例句 A:你的病完全好了,可以出院了。B:谢谢您对我的照顾,您对病人真是太好了。|A:老王已经出院了,我们到他家去看看吧? B:刚出院,等人家休息两天再去吧。|请到出院处结账。|别着急,出院手续还没办呢。

【出租】 chūzū 〔动〕

收钱后别人可以暂时使用。(hire out; rent; let)常做谓语。

例句 这个小店专门出租图书和录像带。|他把那套两室一厅的房子出租了。|A:请问,这儿有没有出租自行车的地方? B:没有。

【出租汽车】 chūzū qìchē 〔名短〕

供人租用,按时间或里程收费的汽车。(taxicab; taxi; cab)常做主语、宾语、定语。[量]辆。

例句 这儿的出租汽车多得很,招手即来。|他叫了一辆出租汽车,把病人送到了医院。|我爸爸是出租汽车司机。|我不太了解这里出租汽车的价格。

C

C

【初】 chū 〔形/头〕

〔形〕❶ 开始;开始的部分。(the beginning of;the early part of)常构成词语。

词语 初夏 年初 月初 初秋

例句 事情发生在初秋的一天。|年初他要去英国。

❷ 第一次,刚开始。(first)常做定语。

词语 初试 初赛 初稿 初来乍到 初出茅庐

例句 他以总分第一名的成绩闯过初试。|小家伙学艺三年,初次登台就获了个满堂彩。

❸ 最低的。(elementary;rudimentary)常用于构词。

词语 初级 初等

例句 这是最初级的课本。|中国已普及初等教育。|他的汉语达到了初等水平。|A:你在哪个班学习?B:我在初级班。

❹ 原来的;原来的情况。(orignial)常用于构词。

词语 初衷 初愿

例句 A:最初的计划并不是这样的啊? B:大家都不同意原来的计划,只好改了。|十年过去了,可她初衷不改。

▶〔头〕加在"一"至"十"有前面,表示农历每个月前十天的次序。加在数词"一"至"十"前,组成时间名词做句子成分。如:五月初六是我们的结婚纪念日。|今天是大年初一。|上月初五他来看过我。

【初步】 chūbù 〔形〕

开始阶段的;不是最后的或完备的。(initial;preliminary;tentative)常做定语、状语。也用于"是…的"结构。

例句 不久,设计组就拿出了一个初步方案。|问题已得到初步解决。|A:你毕业以后想做什么? B:我初步考虑要出国留学。|目前的研究还只是初步的。

【初出茅庐】 chū chū máolú 〔成〕

比喻刚进入社会或刚到工作岗位上来,缺乏经验。(just come out of one's thatched cottage — at the beginning of one's career; young and inexperienced; new-fledged)常做谓语、定语。

例句 没想到初出茅庐,就遇到了这么棘手的事情。|这个初出茅庐的小伙子还真有股愣劲儿。|初出茅庐的大学生求职时往往要求偏高。

▶ 诸葛亮隐居时住的是茅庐,刘备去请了他三次,他才出来帮助刘备打天下。"初出茅庐"意思是他刚出来就打了胜仗,后来比喻才进入社会,缺乏经验。

【初级】 chūjí 〔形〕

最低的形式。(elementary; primary)常做定语。也用于"的"字短语。

例句 A:张老师教什么? B:他教初级班的听力课。|我的汉语只是初级水平。|这次考级是初级的。

【初期】 chūqī 〔名〕

开始的时期。(initial stage; early days)常在前面加上定语做状语,也做定语。

例句 留学生出国初期都很需要帮助。|创业初期,他们的生活很艰苦。|这种病的初期症状是头晕、恶心。

【初中】 chūzhōng 〔名〕

初级中学的简称。(junior middle

school)常做主语、宾语、定语。[量]所,个。

例句 这所初中有三百多名学生。|他在初中上学。|A:你儿子读高中了吧?B:没有,他还在念初中。|要是初中的教学质量不好,学生就很难考上重点高中。

【除】 chú 〔动/介〕

〔动〕❶ 去掉。(get rid of; eliminate)常做谓语。

例句 为民除害是我们公安人员的职责。|因为长期不上班,他被公司除名了。|他终于除了心头之患。|这片地应该除除虫了。|A:你给的药能治病吗?B:这种药只能缓解病情,除不了病根。

❷ 算术的一种运算,用一个数把另一个数分成若干等份叫除。(divide)常做谓语。

例句 用三除九得三。|十四不能被三除尽。

〔介〕❶ 除此之外还有。(besides)常构成短语做状语。

例句 晚上自习的人,除小王还有两个人。|他除了工作,就是学习,从来不知道休息。

❷ 表示不计算在内。(except)常构成短语做状语。

例句 A:都通知下去了吗?B:除了小李,我都通知到了。|除了星期天,他每天都六点起床。|除了老王,大家全去了。

【除此之外】 chú cǐ zhīwài 〔介短〕

❶ 在这个以外,还有别的。(besides; in addition to)常做状语。

例句 A:除此之外,他还说了些什么?B:他还说改日来拜访您。|除此之外,他还得到了一份奖金。

❷ 表示不包括这个在内。(except this)常做状语。

例句 除此之外,我想不出什么办法。|除此之外,他什么也没说。

【除非】 chúfēi 〔连〕

❶ 表示唯一的条件,相当于"只有"。(only if; only when)常跟"才、否则、不然"等合用,连接句子。"除非…才"表示只有这样才能产生某种结果。"除非…(否则…)不…"表示一定要这样,否则就不能产生某种结果。"除非…不然"表示一定要这样,才会得到某种结果,如果不这样,会得到另一结果。

例句 除非你去,我才去。|除非你答应他,否则他不会告诉你。|除非你通过分班考试,不然你不能跳级。

❷ 表示不计算在内,相当于"除了"。(except)连接两个句子,后面可带名词或短语。

例句 他每天都坚持锻炼,除非下雨。|钱主任家除非他,没人认识。

【除了…以外…】 chúle…yǐwài 〔介短〕

❶ 表示这个以外还有。(besides; in addition to)常构成短语,常与"还"配合。

例句 他在晚会上得了不少奖品,除了笔以外,还有几本书。|他每天除了学习英语以外,还学点儿日语。

❷ 表示不计算在里边。(except)常构成短语,常与"都、全"配合。

例句 A:开会的人到齐了吗?B:除了老刘以外,别人都到了。|他每天除了学习以外,就是打工。

【除外】 chúwài 〔动〕

不计算在内。(except; not counting; not including)常做谓语。

C

例句 这个图书馆天天开放，星期一除外。

【除夕】 chúxī 〔名〕
一年最后一天的夜晚，泛指一年最后的一天。(New Year's Eve)常做主语、宾语、定语、状语。

例句 除夕是中国人最重要的一天。|A:你知道中国人是怎么过除夕的吗？B:我刚来中国，还不知道。|人们在除夕那天欢聚在一起，迎接春节。|每年除夕之夜，我们全家人都看春节晚会。|除夕，我们那儿都放鞭炮、吃饺子。

【厨房】 chúfáng 〔名〕
做饭菜的屋子。(kitchen)常做主语、宾语。

例句 我家的厨房不太大，只能一个人在里边做饭。|随着时代的进步，厨房已不再只是主妇的天地了。|妈妈正在厨房里做饭。|张先生常下厨房帮太太做饭。

【厨师】 chúshī 〔名〕
擅长烹调并以此作为工作的人。(cook;chef)常做主语、宾语、定语。[量]位，个。

例句 本店厨师做了两道拿手菜，请大家品尝。|这个餐馆专门请了两位广东厨师。|这位厨师的烹调手艺很高。

【锄】 chú 〔名/动〕
〔名〕松土和除草用的农具。(hoe)常做宾语。

例句 用锄铲一铲地里的草。

〔动〕用锄松土除草。(work with a hoe)常做谓语。

例句 农民正在地里锄草。|这块地我已经锄过好几遍了。

【处】 chǔ 〔动〕 另读 chù
❶ 跟别人一起生活，交往。[get along (with sb.)]常做谓语。

例句 老王这个人很好处。|虽不是一个国家的，可两个人处得非常融洽。|A:你们最近处得怎么样？B:他脾气不好，我跟他处不来。

❷ 存；居。(be situated in; be in a certain condition)常做谓语。也构成词语。

词语 身处逆境 处心积虑 设身处地(dì)

例句 他虽然身处不利的环境，却能不断地努力。|我们正处于两个世纪交替的时期。

❸ 处置；办理。(manage; handle; deal with)常用在固定短语中，或用于构词。

词语 论处 处之泰然

❹ 惩罚。(punish; sentence)常做谓语。

例句 他被处以两年徒刑。

【处罚】 chǔfá 〔动/名〕
〔动〕对犯错误或犯罪的人加以惩治。(punish; penalize)常做谓语。

例句 警察处罚了那位闯红灯的司机。

〔名〕对犯错误或犯罪的人实施的惩治。(punishment)常做主语、宾语。

例句 处罚只是一种手段，帮助人认识错误、改正错误才是最终目的。|他屡教不改，受到了应有的处罚。

【处方】 chǔfāng 〔名〕
医生给病人开的药方。(prescription)常做主语、宾语、定语。[量]份。

例句 A:昨天大夫给的处方放在哪儿了？B:你在抽屉里找一找。|给

你处方，就按它抓药吧。|您这是处方药，没处方不能卖。

【处分】 chǔfèn 〔名/动〕

〔名〕处罚的决定。(punishment)常做主语、宾语。[量]个。

例句 这个处分教育了他，他比以前好多了。|由于经常旷课，学校给了他一个警告处分。

〔动〕对犯罪或犯错误的人按情节轻重做出处罚或决定。(take disciplinary action against; punish)常做谓语。

例句 因为考试看别人的卷子，他被学校处分过一次。|王秘书滥用职权，公司领导处分了他。

辨析 〈近〉处罚。"处分"指对犯错误的人在纪律上按其情节给予惩戒，语意较轻。"处罚"用于对犯错误或犯罪的人，语意重一些。

【处境】 chǔjìng 〔名〕

所处的境地，多指不利的情况。(unfavourable situation; plight)常做主语、宾语。

例句 目前，公司处境困难，我们要齐心协力，渡过难关。|他完全没有考虑自己的处境，还在为大家的安全着想。|在这样困难的处境下，怎么才能把工厂搞活呢？

【处决】 chǔjué 〔动〕

❶ 执行死刑。(put to death; execute)常做谓语。

例句 因为杀了人，法庭依法处决了他。|他被法西斯秘密处决了。

❷ 处理决定。(manage and make decisions)常做谓语。

例句 会议休会期间，一切事项由常委会处决。

【处理】 chǔlǐ 〔动〕

❶ 安排(事物)；解决问题。(handle; deal with)常做谓语、主语、宾语、定语。

例句 这么重大的事情，我恐怕处理不了。|A：给你一个星期的假，希望你妥善处理，早点儿回来。B：请你放心，我处理完家里的事就回学校。|这事已报给公安局处理了。|这部影片的色彩处理十分成功。|事故的肇(zhào)事者受到了处理。|这个问题的处理方法有些不妥。

❷ 指减价或变价出售。(sell at reduced prices)常做谓语、定语。

例句 那家商场削价处理了一些商品。|这批产品质量太差，再降价也处理不出去。|这是处理价，过了这个村没有这个店了。

❸ 用特定的方法对工件或产品进行加工，使工件或产品获得所需要的性能。(treat by a special process)常做主语、宾语、谓语。

例句 热处理可以改善金属材料的结构，调整硬度。|这些盘子经过特殊处理，不易摔碎。|这种事急不得，得冷处理才行。

【处心积虑】 chǔ xīn jī lǜ 〔成〕

形容长期以来千方百计地谋划要干某事。[deliberately plan(to achieve evil ends); incessantly scheme; seek by all means]常做状语、谓语。

例句 你们这么处心积虑地折腾我，是何居心？|张家的老大处心积虑，时刻想把老二那份财产弄到手。

【处于】 chǔyú 〔动〕

在某种地位或状态下。[be(in a certain condition)]常做谓语。

例句 两队比较，红队处于优势。|我方正处于有利的地位。|A：医

生，我们现在能进去看看他吗？B：不行，病人还处于昏迷状态。

【处置】 chǔzhì 〔动〕

处理解决；惩治。（handle；deal with；manage；dispose of；punish）常做谓语、定语、主语、宾语。

例句 领导者要善于妥善地处置各种复杂多变的情况。|我真不知道这些过时了不穿的衣服怎么处置。|由于处置得不太合理，有人提出了反对意见。|我们要研究出一个合理的处置方案。|你对此事的处置有失妥当。|我们都赞成这样的处置。

辨析 〈近〉处理。"处置"多用于有罪恶、有过失的人或具体的事物，适用范围较窄。"处理"对象可以是人，也可以是物，包括具体事物和抽象事物，适用范围较广。此外，"处置"的语气较重。如：* 他不善于处置人际关系。（"处置"应为"处理"）

【储备】 chǔbèi 〔动〕

（物资）保存起来准备必要时应用。（store for future use；lay in；lay up）常做谓语、定语。

例句 为了应急，家里储备了一些药品。|农忙以后，农民们开始储备过冬的粮食及饲料。|很多动物都会在入冬前把食物储备起来。|要是储备的食品都吃完了怎么办？

【储藏】 chǔcáng 〔动/名〕

〔动〕保藏。（save and preserve；store；keep）常做谓语、定语。

例句 这个仓库专门储藏粮食。|他很会储藏新鲜水果。|萝卜和白菜都储藏在地窖（jiào）里。|这里储藏的东西十分丰富。

〔名〕蕴藏。（deposit）常做主语、宾语、定语。

例句 中国的矿产储藏十分丰富。|中国有丰富的石油储藏。|这里的地下煤炭储藏量很大。

【储存】 chǔcún 〔动〕

物或钱存放起来，暂时不用。（lay in；lay up；store；keep in reserve）常做谓语。

例句 她每月都把富余的钱储存在银行里。|仓库里储存着不少体育用具。|因为有病毒，电脑里储存的信息被破坏了。

辨析 〈近〉储藏。它们都有保藏的意思。但"储存"着重于存放，而"储藏"除存放、保藏外，还有蕴藏的意思。另外，"储存"的宾语可以是具体的，也可以是抽象的；而"储藏"的宾语多是具体的。如：* 电脑可以储藏大量信息。（"储藏"应为"储存"）| * 这里的地下储存着丰富的煤炭资源。（"储存"应为"储藏"）

【储蓄】 chǔxù 〔动/名〕

〔动〕把节约下来或暂时不用的钱或物积存起来，多指把钱存到银行里。（save；deposit）常做谓语、定语、主语、宾语。

例句 这笔钱已经储蓄三年多了。|他把每月的工资都储蓄起来。|储蓄利息下调好几次了。|储蓄对个人、对国家都有利。|我15岁就开始储蓄了。

〔名〕指积存的钱或物。（deposit）常做主语、宾语。

例句 随着人民生活水平的提高，城乡储蓄迅速增加。|他太能花钱了，活了大半辈子，手里却没有一点儿储蓄。

【处】 chù 〔名〕 另读 chǔ

❶ 地方。(place; point)常做主语、宾语。

例句 远处是绿绿的大山。|他的心灵深处埋藏着一秘密。|这是我的住处。|姐妹俩没有任何相同之处。

❷ 机关系统中按业务划分的单位(一般比局小比科大),也指某些机关。(department; office)常构成短语做句子成分。

例句 联络处负责产品信息往来和交流工作。|他在总务处工作。|公司在北京设了个办事处。

▶"处"也有量词用法。如:书中发现多处错误。

【处处】 chùchù 〔副〕

各个地方;各个方面。(everywhere; in all respects)做状语。

例句 他处处严格要求自己。|杨老师处处关心学生。|她处处都为大家着想。

【触】 chù 〔动〕

❶ 接触;碰;撞。(touch; contact; strike; hit)常做谓语。

例句 快送医院,这孩子不小心触电了。|在黑暗中,她触着了一个冰冷的东西。|船触礁了,船员们都不幸遇难。

❷ 触动;感动。(move sb.; stir up sb.'s feelings)常做谓语。

例句 我无意中触到了他的痛处。|回到阔别多年的家乡,看到那条熟悉的小河,他触景生情。

【触犯】 chùfàn 〔动〕

冒犯;冲撞;侵犯。(offend; violate; go against)常做谓语。

例句 他贪污受贿,触犯了国家和人民的利益。|他这人很厉害,你可千万不要触犯他。|触犯法律的事不能干。

【触目惊心】 chù mù jīng xīn 〔成〕

看到某种严重的情况引起内心的震动。(startling; shocking; horrifying)常做谓语、定语。

例句 污染触目惊心。|造成了触目惊心的浪费。

【川】 chuān 〔名〕

❶ 河流。(river)常做主语、宾语。[量]道。

例句 一道大川挡在前面,我们过不去了。|只要不断向前,没有过不去的高山大川。

❷ 广阔的平地。(plain)常做主语、宾语。

例句 川上建起了一排排厂房。|这里是富饶的米粮川。

【川流不息】 chuān liú bù xī 〔成〕

(行人、车马)像水流一样连续不断。(flowing past in an endless stream; never-ending)常做谓语、定语。

例句 高速公路上,车辆川流不息。|川流不息的队伍从台前走过。|望着眼前川流不息的人群,他心中产生了无限感慨。

【穿】 chuān 〔动〕

❶ 破;透;彻底地显露。(pierce through; penetrate)常做谓语、补语。

例句 水滴石穿靠的是坚持不懈的韧劲儿。|他用锥子在纸上穿了个洞。|鞋底已经磨穿了。|我已经看穿了他的心思。

❷ 通过。(pass through; cross)常做谓语。

例句 飞机穿云破雾向远方飞去。|他们穿过大森林,到了美丽的湖边。

C

|A:请问,友谊商店怎么走?B:穿过广场,一直走,就到了。

❸ 用绳线等通过物体把物品连贯起来。(string together)常做谓语。

例句 姑娘们把珠子用线穿起来做成帘子。|羊肉块儿穿在细铁丝上烤非常好吃。

❹ 把衣服鞋袜等物套在身体上。(wear;put on;be dressed in)常做谓语、定语、宾语。

例句 她穿着一套白衣服。|这双鞋已经穿破了。|把不穿的衣服都收拾到箱子里吧。|母亲舍不得吃,舍不得穿,一心只为了这个家。

【穿小鞋】 chuān xiǎoxié 〔动短〕

比喻受有职权者暗中刁难、约束或限制。(make things hard for sb. by abusing one's power;make it hot for sb.)常做谓语、宾语。

例句 这位领导心胸狭窄,常给发表不同意见的群众穿小鞋。|我无意中得罪了他,他就总给我穿小鞋。|A:你这么做不怕穿小鞋?B:怕穿小鞋我就不做了。

【传】 chuán 〔动〕 另读 zhuàn

❶ 由一方交给另一方,由上代交给下代;传授。(pass on;hand down;impart;teach)常做谓语。

例句 传球!快传球啊!|请把纸条由后往前传。|这种药方疗效很好,可惜没有传下来。|张师傅把手艺都传给了两个弟子。

❷ 传播。(spread)常做谓语。

例句 消息传来,大家都为之高兴。|A:这事我没跟大家说,怎么都知道了?B:这可不是我传出去的。

❸ 传导。(transmit;conduct)常做谓语。

例句 绝缘体不传电。|金属传热很快。

❹ 表达。(convey;express)常做谓语。

例句 她的眼睛特别传神。|书信是传情之物。

❺ 发出命令叫人来。(summon)常做谓语。

例句 法庭传证人出庭作证。|现在传被告出庭。

❻ 传染。(infect;be contagious)常做谓语。

例句 小心别让孩子传上了感冒。|A:你离我远点儿,别把病传给你。B:我不怕,再说总得有人护理你。

【传播】 chuánbō 〔动〕

广泛地散布。(disseminate;propagate;spread)常做谓语。

例句 蜜蜂忙忙碌碌地采集花蜜,同时也传播了花粉。|先进经验被传播推广开来。|他把这个消息四处传播。

【传达】 chuándá 〔动〕

把一方的意思告诉给另一方。(pass on;transmit;relay;communicate)常做谓语。

例句 孙参谋长向下级传达了命令。|上级已把指示传达下来了。|主任向我们传达了上面的精神。

【传单】 chuándān 〔名〕

印成单张向外散发的宣传品。(leaflet;handbill)常做主语、宾语、定语。[量]张。

例句 传单已经印好了,可以分发出去了。|街上常有人拦住行人发传单。|请你看看传单的内容有什么不妥。

【传递】 chuándì 〔动〕

由一方交给另一方;递送。(transmit;deliver;transfer)常做谓语。

例句 邮递员每天为人们传递着信件。|以前没有电报和电话,只能靠人来传递消息。

【传呼机】 chuánhūjī 〔名〕

一种通讯工具,通过寻呼台留言或让人回电话。也叫“BP机”。(beeper;pager)常做主语、宾语、定语。[量]个,台。

例句 我的传呼机响了,一看是女朋友打来的。|传呼机给人们的生活带来了方便。|今天走得急了,忘了带传呼机。|随着手机的增多,传呼机的使用率逐渐下降了。

【传媒】 chuánméi 〔名〕

❶ 传播媒介,特指报纸、广播、电视等各种新闻工具。(media)常做主语、宾语、定语。

例句 国内外数十家新闻传媒已报道了这一事件。|我们要善于利用传媒。|这个热点问题引起了传媒的注意。

❷ 疾病传染的媒介或途径。(medium)常做宾语。

例句 游泳池若不洁净,便会成为红眼病的传媒。

【传染】 chuánrǎn 〔动〕

病原体侵入生物体,使生物体产生病理反应,叫做传染。比喻因接触而使情绪、感情、风气等受影响,发生类似变化。(infect;be contagious)常做谓语、主语、宾语、定语。

例句 感冒很容易传染。|这种伤感的情绪传染了在座的每个人。|小心,别传染上。|传染可以通过多种途径,空气传染就是其中之一。|肝炎要预防接触传染。|艾滋病是传染病的一种。

【传授】 chuánshòu 〔动〕

把学问、技艺教给别人。[pass on (knowledge, skill, etc.); impart; teach]常做谓语。

例句 这位老艺术家正在向年轻人传授技艺。|向学生传授知识是教师的责任。

【传说】 chuánshuō 〔动/名〕

〔动〕辗转述说。(pass from mouth to mouth;it is said)常做谓语。

例句 A:大家传说他在外边办了公司,当上了经理。B:别听他们的,我成天和他在一起,哪有这事。|传说远古的时候,这个地方是一片大海。

〔名〕群众口头上流传的关于某人某事的叙述或某种说法。(legend)常做主语、宾语。[量]个。

例句 这个传说没有任何事实根据。|那里流传着许多美丽的传说。|你先别急,这只是传说而已。

【传送】 chuánsòng 〔动〕

把物品、信件、消息、声音等从一处传递到另一处。(convey;deliver)常做谓语。

例句 下飞机的旅客都在等着行李传送过来。|他负责传送部里的信件。

【传统】 chuántǒng 〔名〕

世代相传,具有特点的社会因素,如文化、道德、思想、制度等。(tradition)常做主语、宾语、定语。[量]个,种。

例句 这个传统一直流传到今天。|这是咱们家的老传统,你们要传下去呀。|把优良的传统和文化继承下去,是我们的责任。|改革就要打

C

破传统观念的束缚。|过年吃饺子是一种传统习俗。

【传真】 chuánzhēn 〔名〕

利用光电效应，通过有线电或无线电装置把照片、图表、书信、文件等的真迹传送到远方的通讯方式。(facsimile; fax) 常做主语、宾语。[量]份。

例句 A:帮帮忙，看看这传真说些什么？B:这是德文写的，我也看不懂。|他着急，又给我发来一份传真。

▶"传真"也做动词，即发传真。如：请您给我传真过来一份好吗？

【船】 chuán 〔名〕

水上的主要运输工具。(boat; ship) 常做主语、宾语、定语。[量]只，条，艘。

例句 船就要开了。|我们坐船去青岛。|你看那条船的设计多漂亮！

【船舶】 chuánbó 〔名〕

船的总称。(shipping; boats and ships) 常做定语。

例句 哥哥在船舶总公司工作。|许多国家都在大力发展船舶工业。

【船只】 chuánzhī 〔名〕

船的总称。(shipping; vessels) 常做主语、宾语。

例句 这个港口往来船只很多。|这个渔村有大小船只几十艘。

【喘】 chuǎn 〔动〕

急促呼吸；气喘的简称。(breathe heavily; gasp for breath; pant) 常做谓语。

例句 他累得大口直喘。|跑得太快，我连气都喘不过来了。|爷爷的病又犯了，喘了一个冬天。

【串】 chuàn 〔动/量〕

〔动〕❶ 连贯在一起。(string together) 常做谓语。

例句 渔民们把鱼串在一起晒干。|她用绳子串起一些树叶，做成项链。

❷ 错误地连接。(get things mixed up) 常做谓语。

例句 电话串线了。|这个收音机老爱串台。|你怎么搞的，这都串到哪里去了？

❸ 由这里到那里走动。(go from place to place; run about; rove) 常做谓语。

例句 这孩子不爱学习，就喜欢到处乱串。|放了假，我就去串亲戚。|A:昨晚你去哪儿了？B:吃过晚饭就出去串门了。

❹ 担任戏曲角色。[play a part (in a play)] 常做谓语。

例句 她在这出戏中反串老旦。|他客串一个老奶奶，演得很成功。

〔量〕"串儿"，用于连贯起来的东西。(string; bunch; cluster) 常构成短语做句子成分。

例句 我那串儿钥匙丢了。|他去海南买了一串珍珠送我。|这串儿葡萄真好吃。

【疮】 chuāng 〔名〕

❶ 皮肤上或粘膜上发生溃烂的疾病。(sore; skin ulcer) 常做主语、宾语。

例句 他的毒疮又犯了。|她的脚生了冻疮。

❷ 外伤。(wound) 常做主语、宾语。

例句 他金疮迸裂，昏死过去。|别碰我手上的刀疮，挺疼的。

【窗】 chuāng 〔名〕

窗户。(window)常做主语、宾语。[量]扇。

例句 纱窗是为了防止蚊蝇的。|开窗透透气吧。|这里,打开窗就可以看见大海。

【窗户】 chuānghu 〔名〕

墙壁上通气透光的装置。(window;casement)常做主语、宾语、定语。[量]扇。

例句 他家的窗户都朝南。|这扇窗户擦得不太干净。|把窗户关上,外边太吵了。|A:这窗户的颜色我不太喜欢。B:没关系,只要您选定这套房子,颜色随您挑。

【窗口】 chuāngkǒu 〔名〕

❶ 窗户,窗户跟前。(window)常做主语、宾语。

例句 窗口有张小床。|有时,我坐在窗口想事儿。|她站在窗口看外边的景色。

❷ (售票处、挂号室等)墙上开有窗形的口。(window)常做主语、宾语。[量]个。

例句 A:一号窗口在哪儿?B:左边第一个就是。|取钱在五号窗口。|去北京的火车票在那个窗口卖。

❸ 比喻反映或展示精神上、物质上的各种现象或状况的地方;比喻渠道、途径。(window)常做宾语、定语。

例句 眼睛是心灵的窗口。|这个门市部是工厂了解市场信息的窗口。|涉外部门要在对外开放中发挥窗口作用。

【窗帘】 chuānglián 〔名〕

挡窗户的东西,用布、绸子、呢绒等制成,或用线编织而成。(window curtain)常做主语、宾语、定语。[量]个。

例句 A:这个窗帘真漂亮,在哪儿买的?B:马路对面的布艺店。|该起床了,把窗帘拉开吧。|这个窗帘的布料有点儿透明。

【窗台】 chuāngtái 〔名〕

托着窗框的平面部分。(windowsill)常做主语、宾语、定语。[量]个。

例句 窗台上摆着几盆花。|窗台太脏,需要擦擦。|书放在窗台上了。

【床】 chuáng 〔名/量〕

〔名〕❶ 供人躺在上面睡觉的家具。(bed)常做主语、宾语、定语。[量]张。

例句 A:这张床摆在哪儿?B:先放下,咱们看看哪儿合适。|屋子里边放着一张铁床。|我不喜欢这张床的样式。

❷ 像床一样的器具或地面。(sth. shaped like a bed)常用于构词。

词语 机床 苗床 河床

〔量〕用于被褥等。(for bedding)常构成短语做句子成分。

例句 这床毯子是纯毛的。|这屋太冷,盖两床被还不行。

【床单】 chuángdān 〔名〕

铺在床上的长方形布。(sheet)常做主语、宾语、定语。[量]条。

例句 这条床单是谁的?|把新床单铺好。|我想换条新床单。|你喜欢这条床单的颜色吗?

【床铺】 chuángpù 〔名〕

床和铺的总称。(bed)常做主语、宾语。[量]张。

例句 本旅店床铺有限,接待不了太多的客人。|你睡在哪个床铺?|一个标准间有两张床铺。

C

【床位】 chuángwèi 〔名〕
医院、轮船、集体宿舍等为病人、旅客、住宿者设置的床。(berth; bunk; bed)常做主语、宾语。[量]个。
例句 住院手续办好了,床位也安排好了。|A:这个旅馆满员,已经没有床位了。B:那就换一家吧。

【闯】 chuǎng 〔动〕
❶ 猛冲。(dash; rush)常做谓语。
例句 我可不敢闯红灯。|我们正说着,他闯了进来。|A:到这时候,我们大家全靠你了。B:实在没有别的办法,我只好闯闯看了。
❷ 奔走谋生。(temper oneself; venture out into the world)常做谓语。
例句 A:这几年,你怎么闯出来的?B:酸甜苦辣,一言难尽啊。|他从小就独自闯天下,所以学会了不少本事。|他走南闯北,见多识广。
❸ 惹起。(get into)常做谓语。
例句 孩子知道自己闯了祸,坐在那儿低着头一声不吭。|这下可闯了大乱子,不知怎么收拾。

【创】 chuàng 〔动〕
开始做;初次做。[start (doing sth.); achieve (sth. for the first time)]常做谓语,也做宾语。
例句 她在百米赛中创了全国记录。|今年本区粮食产量创历史最高水平。|这种新技术是国内首创。

【创办】 chuàngbàn 〔动〕
开始办。(establish; set up)常做谓语。
例句 创办杂志的手续都办好了。|他回到家乡,创办了一所小学。|两年前他创办了一家养鸡场,现在效益很好。

【创汇】 chuànghuì 〔动〕
赚取外汇。(earn foreign exchange)常做谓语、定语。
例句 这个进出口公司今年为国家创汇两千万美元。|本公司出口创汇额比上年度有了很大的提高。

【创建】 chuàngjiàn 〔动〕
开始建造,建立。(found; establish)常做谓语。
例句 他们创建了一个新的学会。|这所学校创建于八十五年以前,是一所具有优良传统的学校。

【创立】 chuànglì 〔动〕
初次建立。(found; originate)常做谓语。
例句 这所大学创立于1921年。|在多年研究的基础上,这位学者创立了一个新的理论体系。

【创收】 chuàngshōu 〔名〕
学校、科研机关等非营业单位利用自身条件创造收入。(income schools, scientific research institutions and other non-commercial agencies gain by making use of their favourable factors)常做谓语、宾语、定语。
例句 学校的第三产业去年创收了一千万。|抓创收可以,可不该用这种方法。|我院的创收工作搞得很好。|今年的创收额比去年大有提高。

【创新】 chuàngxīn 〔动/名〕
〔动〕创造新事物。(bring forth new ideas; blaze new trails)常做谓语。
例句 在工作中,我们要勇于实践,大胆创新。|他在艺术上不断创新,终于形成了自己的风格。

〔名〕指创造性，新意。(innovation)常做主语、宾语、定语。

例句 创新会给我们的学术带来生气。|工厂实行的这一措施是一种大胆的创新。|现代企业的领导者必须具备创新意识。

【创业】 chuàngyè 〔动〕
创办事业。(start an undertaking; do pioneering work)常做谓语、主语、宾语、定语。

例句 前辈们艰苦创业，才有了今天的好生活。|创业难，守业更难。|面对新的环境，我们开始了第二次创业。|这是一部艰辛的创业史。

【创意】 chuàngyì 〔名〕
创出新意。(initiative)常做主语、宾语、定语。

例句 A:你觉得这个方案怎么样? B:他的创意很新颖，具有时代特色。|老板很欣赏她的创意。|他在公司从事广告创意工作。

【创造】 chuàngzào 〔动/名〕
〔动〕想出新方法，建立新理论，做出新的成绩或东西。(create; bring about)常做谓语。

例句 这个新理论体系是谁创造出来的。|几十年来，整个油田为国家创造了大量的财富。|古代劳动人民用自己的聪明才智创造出了像长城、金字塔那样的奇迹。

〔名〕首先想出或首先做出的事情。(creation)常做主语、宾语、定语。

例句 发明创造给人类带来了福音。|他的一生有多种发明创造。|劳动人民是历史的创造者。

【创作】 chuàngzuò 〔动/名〕
〔动〕创造文艺作品。(create; produce; write)常做谓语、宾语、定语。

例句 他一生中创作了不少优秀的作品。|我白天上班，只能利用业余时间从事创作。|这位老艺术家有着丰富的创作经验。

〔名〕指文艺作品。(creative work; creation)常做主语、宾语。

例句 文艺创作应反映人民的生活。|这是一部划时代的创作。

【吹】 chuī 〔动〕
❶ 合拢嘴唇用力出气；(风、气流等)流动、冲击。(blow; puff)常做谓语。

例句 他用力吹了一口气。|她把蜡烛吹灭了。|门被风吹开了。

❷ 吹气演奏。[play(wind instruments)]常做谓语。

例句 他会吹笛子。|这首曲子吹得不错。

❸ 说大话，夸口。(boast; brag)常做谓语。

例句 A:别担心，这事包在我身上。B:你先别吹，等事情办成再说。|他正在吹上次旅行的事。|尽管他吹得天花乱坠，也没人信。

❹ (事情，交情)破裂，不成功。(break off; break up; fall through)常做谓语。

例句 A:上次我给你介绍的姑娘谈成了吗? B:别提了，我俩早吹了。|由于他的干涉，我们的原定计划吹了。|您放心吧，这事吹不了。

【吹毛求疵】 chuī máo qiú cī 〔成〕
比喻故意挑剔别人的缺点、错误。(find fault; pick holes; nitpick; cavil at)常做谓语、定语、状语。

例句 你吹毛求疵，打着灯笼找我们的缺点。|老王这个人总是吹毛求疵，鸡蛋里都能挑出骨头。|你这吹

毛求疵的毛病什么时候才能改掉啊！|A：我写得挺好的，可吹毛求疵的科长硬说还得修改，就是不让通过。B：你该听取别人的批评，这样对你有好处。|这种小毛病不必吹毛求疵地计较了。

【吹牛】 chuī niú 〔动短〕
说大话，夸口，也说“吹牛皮”。(boast；brag；talk big)常做谓语、主语、宾语。
例句 A：小李说可以帮我们弄到打五折的机票，就让他定吧。B：他吹牛，你可别信他的话。|吹牛不是个好习惯。|他喜欢吹牛。

【吹捧】 chuīpěng 〔动〕
吹嘘捧场。(flatter；laud to the skies；lavish praise on)常做谓语、主语、宾语、定语。
例句 你就别吹捧自己了。|他们俩常在一起互相吹捧。|他的吹捧让我觉得恶心。|这位领导从来都不听别人的吹捧。|他就爱听吹捧的话。

【炊事员】 chuīshìyuán 〔名〕
担任做饭、做菜等炊事工作的人。(a cook or the kitchen staff)常做主语、宾语、定语。[量]位，个，名。
例句 炊事员每天为同学们做好香喷喷的饭菜。|我认识那个炊事员。|我们这位炊事员的手艺不错。

【垂直】 chuízhí 〔动〕
两条直线相交成直角，这两条直线就互相垂直。(perpendicular；vertical)常做谓语、状语、定语。
例句 这条线和水平面不垂直。|直升飞机垂直起飞。|这里画一条垂直线。

【捶】 chuí 〔动〕
用拳头或棒子、棍子敲打。(beat；thump；pound)常做谓语。
例句 A：大孙女，给奶奶捶背吧。B：好。|妇女们在河边捶衣物。|衣服捶得不干净。

【锤】 chuí 〔名〕
锤子，像锤一样的东西。(hammer；weight)常做主语、宾语。[量]把。
例句 这把铁锤太沉了。|借我把小锤用用。

【春】 chūn 〔名〕
❶ 春季。(spring)常做主语、宾语。
例句 冬天过去了，春回大地，万象更新。|尽管外面寒风刺骨，花房里却温暖如春。
❷ 指男女情欲。(love；lust)常做宾语、定语。
例句 哪个少男少女不怀春？|接到男朋友的信，她不禁春心荡漾。
❸ 比喻生机。(vitality)常用于固定短语。
例句 这位大夫妙手回春，挽救了不少生命垂危的患者。

【春耕】 chūngēng 〔动〕
春季播种之前，翻松土地。(spring ploughing)常做谓语、主语、宾语。
例句 阳春三月，农民们都在春耕。|春耕是农忙时节。|因为忙着春耕，没空儿去您那儿串门儿。

【春季】 chūnjì 〔名〕
一年的第一季，中国习惯指立春到立夏的三个月时间，也指农历“正二、三”三个月。(spring；springtime)常做主语、宾语、定语。
例句 春季是万物复苏的季节。|大部分农作物都在春季播种。|按农历，立春以后就进入了新一年的春季。|春季广交会正在举行。

【春节】 Chūn Jié 〔名〕

农历正月初一,是中国的传统节日,也指正月初一的以后几天。(the Spring Festival)常做主语、宾语、定语。[量]个。

例句 春节是中国的传统节日。|小孩子最爱过春节。|人们在春节那天互相拜年,互祝幸福。|春节联欢晚会是全国人民喜爱的电视节目。

【春天】 chūntiān 〔名〕

四季之首,冬天到夏天之间的季节。(spring; springtime)常做主语、宾语、定语。

例句 春天来了,大地变成了绿色。|四季之中,我最爱春天。|人们在春天播种。|春天的太阳暖暖地照在身上。

【纯】 chún 〔形〕

❶ 纯净,不含杂质,单纯。(pure; unmixed)常做定语、谓语。

例句 这是条纯金项链。|如今人们喜欢纯天然的东西。|她很纯,也很天真。

❷ 熟练。(skilful; practised; well versed)常做谓语、补语。

例句 要是功夫不纯,就还得练。|他的手艺学得纯,我的不够纯。

【纯粹】 chúncuì 〔形〕

❶ 不搀别的成分。(pure; unadulterated)常做定语。

例句 这可是纯粹的花生油,特有营养。|我很惊讶,这个美国小伙子竟能说一口纯粹的北京话。|在这寒冷的冬季,我真想吃一顿纯粹的四川火锅。|他是一个高尚的人,纯粹的人。

❷ 单单,完全,表示判断、结论的不容置疑。(purely; sheerly; wholly)常做状语,常与"是"连用。

例句 那样做纯粹是浪费时间。|这纯粹是一派胡言。

【纯洁】 chúnjié 〔形/动〕

〔形〕纯粹清白,没有污点,没有私心。(pure; clean and honest)常做谓语、定语、宾语。

例句 这姑娘心地纯洁善良。|我们之间曾有过纯洁的感情。|他的一生保持了思想上的纯洁。

〔动〕使…变得纯洁。(purify)常做谓语。

例句 我们要纯洁员工队伍。

【蠢】 chǔn 〔形〕

愚蠢;笨拙。(stupid; foolish; dull; clumsy)常做谓语。也构成词语。

词语 蠢材 蠢话 蠢人 蠢事

例句 你真蠢,怎么能相信这些话?|我看他就是个蠢材。

【蠢蠢欲动】 chǔnchǔn yù dòng 〔成〕

比喻敌人准备进攻或坏人准备捣乱破坏。(ready to start wriggling — ready to make trouble; be restless and about to make trouble)常做谓语。

例句 他们已在蠢蠢欲动了。|尽管那几个走私犯总想蠢蠢欲动,可一直摸不清我们的虚实,不敢贸然越境。

【绰绰有余】 chuòchuò yǒu yú 〔成〕

(能力、时间、财力、物力等)很充足,用不完。(more than sufficient; enough and to spare; more than enough)常做谓语、状语。

例句 A:赶紧点儿。B:急什么!时间绰绰有余。|本来每天要十个人轮流值班,现在只需三个人便绰绰

有余了。|工作了几年,没怎么攒钱,但买一台电脑的钱还绰绰有余。|毫不夸张地说,以她的能力可以绰绰有余地同时读两个学位。

C

【词】 cí 〔名〕

❶ 语言中最小的,可以自由运用的单位。(word; term)常做主语、宾语、定语。[量]个。

例句 A:这个词是什么意思? B:我也不知道,你查一查词典吧。|“桌子、椅子”都是常用的词。|您给我讲讲这几个词的用法吧。

❷ 说话或诗歌、文章、戏剧中的语句。(speech; statement)常做主语、宾语。

例句 他是怎么了? 词不达意的。|这首歌儿的调子我还记得,可是词儿我想不起来了。|我被他问得没了词儿。|你知道国歌是谁作的词吗?

❸ 一种韵文形式,由五言诗、七言诗和民间歌谣发展而成,起于唐代,盛于宋代。又叫做长短句,一般分为上下两阕。(*ci*, poetry written to certain tunes with strict tonal patterns and rhyme schemes, in fixed numbers of lines and words, originating in the Tang Dynasty and fully developed in the Song Dynasty)常做主语、宾语、定语。[量]首。

例句 唐诗宋词是古代文学的精华。|你会填词吗? |这首词的意境很深远。

【词典】 cídiǎn 〔名〕

收集词汇加以解释供人检查参考的工具书。(dictionary)常做主语、宾语、定语。[量]本。

例句 这本英汉词典我用了好多年了。|念书时,我每天都要查词典。|A:你有汉语成语词典吗? B:我没有。|有时候,词典的解释也不全面。

【词汇】 cíhuì 〔名〕

一种语言中所使用的词的总称;也指一个人或一部作品所使用的词。(vocabulary; words and phrases)常做主语、宾语。

例句 汉语词汇很丰富。|老舍作品中的词汇很有特色。|这本书上都是常用词汇,很实用。|语言主要包括语音、词汇、句法等。

【词句】 cíjù 〔名〕

词和句子;字句。(words and phrases; expressions)常做主语、宾语。

例句 空洞的词句太多,就会让读者失去兴趣。|这篇文章用了不少华丽的词句,却没有什么实际内容。

【瓷】 cí 〔名〕

用土等烧制成的材料,质硬而脆,白色或发黄,比陶质细致。(porcelain; china)常做宾语、定语。

例句 这个盘子是瓷的。|我买了一套瓷碗。

【辞】 cí 〔动/名〕

〔动〕❶ 告别。(take leave)常做谓语。

例句 我是来向大家辞行的。|A:小王呢? B:他不辞而别,谁知道去哪儿了。

❷ 辞职。(decline; resign)常做谓语。

例句 他辞去了科长职务。|他辞了这家公司,又到另一家公司工作了。

❸ 解雇。(dismiss; discharge)常做谓语。

例句 A:这几天怎么不见钱主任? B:他被经理辞了。|老板把他给辞了。

❹ 躲避；推托。(shirk)常做谓语。

例句 他不辞辛苦，不管刮风下雨，都坚持护理病人。|人家请我吃饭，叫我给辞了。

〔名〕❶ 优美的语言；言辞。(diction; phraseology)常用构词。

词语 言辞 辞藻 修辞

❷ 古典文学的一种体裁。(a type of classical Chinese literature)常构成词语。

词语 楚辞 辞赋

例句 《离骚》是一篇有名的楚辞。

❸ 古体诗的一种。(a form of classic poetry)多用于诗名。

例句 《木兰辞》叙述了木兰替父从军的故事。

【辞职】 cí zhí 〔动短〕

请求解除自己的职务。(resign; hand in one's resignation)常做谓语、定语。

例句 辞职以后，我一直没找到合适的工作。|因为不满目前的待遇，他辞职了。|她已经向总经理提交了辞职报告。

【慈爱】 cí'ài 〔形〕

(年长者对幼者)仁慈怜爱。[love (of an older person for a younger one); affection; kindness]常做定语、状语、宾语。

例句 我舍不得离开慈爱的母亲。|老人慈爱地抚摩着孩子的头，问道："你几岁了？"|奶奶的目光中充满了慈爱。

【慈祥】 cíxiáng 〔形〕

(老年人的态度、神色)和蔼安详。(kindly)常做定语、状语、谓语、补语。

例句 奶奶的脸上露出了慈祥的笑容。|望着天真活泼的孩子，老人慈祥地笑了。|爷爷的面容总是那么慈祥，那么和善。|祖父听到这个消息后，笑得那么开心，那么慈祥。

【磁带】 cídài 〔名〕

用来记录声音等的塑料带子。(tape)常做主语、宾语、定语。[量]盒，盘。

例句 A：这盘磁带录的是什么？B：是钢琴曲，很好听。|保存磁带要注意防磁、防潮。|我学外语的方法是多听外语磁带。|这盘磁带的声音太小。

【磁卡】 cíkǎ 〔名〕

电话卡。(telephone card)常做主语、宾语。[量]张。

例句 A：哪种磁卡比较好？B：这种磁卡既能打国内电话，也能打国际长途，也不贵。|我买一张一百元的磁卡。

【磁铁】 cítiě 〔名〕

用钢经过磁化制成的磁体。也叫磁石、吸铁石。(magnet)常做主语、宾语、定语。[量]块。

例句 磁铁可以把这堆东西里的铁吸出来。|我有一块马蹄形磁铁。|磁铁的特点是有磁性。

【雌】 cí 〔形〕

生物中能产生卵细胞的。(female)常做定语。也用于"的"字短语。

例句 这只猫是雌的。|花有雌蕊和雄蕊，通过蜜蜂传粉结出果实。|那只雌兔生了两只小兔。

【此】 cǐ 〔代〕

❶ 这；这个。(this)常做定语。

例句 此时此刻，他的心情无比激

动。|此处不许乱扔杂物。|借此机会给大家拜个年,祝大家新春快乐!

❷ 表示这时或这里。(here and now)常做宾语。

例句 今天的表演到此结束,谢谢!|由于意见不一致,谈话就此结束。|我看,就到此为止吧。

C

【此后】 cǐhòu 〔连〕

从这以后。(after this; hereafter; henceforth)连接两个单句。也做定语。

例句 两年前在王阿姨家见过他一面,此后再也没见过他。|三年前他辞了职,此后的情况我就不太清楚了。

【此刻】 cǐkè 〔名〕

这时候。(this moment; now; at present)常做状语、定语。

例句 此刻他正在家里准备明天的发言呢。|接到了大学录取通知书,他此刻的心情无法用语言表达。

【此起彼伏】 cǐ qǐ bǐ fú 〔成〕

这里起来,那里落下,形容接连不断。(as one falls, another rises; rise one after another; rise here and subside there)常做谓语、定语。

例句 微风吹过,海浪此起彼伏。|会场里歌声此起彼伏,气氛非常热烈。|此起彼伏的欢呼声响彻了整个广场。

【此时】 cǐshí 〔名〕

这时候。(this moment; right now)常做状语、定语。

例句 此时,她恨不得马上飞回到妈妈的身边。|面对学生,此时她突然意识到肩上责任的重大。|他写信告诉我,他此时的处境非常艰难。

【此外】 cǐwài 〔连〕

指除了上面所说的事物或情况之外的。(besides; in addition; moreover)用来连接两个单句。

例句 我爱好象棋、书法,此外,也喜欢钓鱼。|他一生只写过两本书,此外没有别的作品了。

【次】 cì 〔量/形〕

〔量〕用于反复出现或可能反复出现的事情。(occurrence; time)常构成短语做句子成分。

例句 他们进行几次会谈,终于达成了协议。|A:你来过这儿吗? B:没有,这是我第一次来。|北京我去过两次。|每次比赛,他都拿第一。

〔形〕❶ 次序第二的。(second; next)常做定语。

例句 我来介绍一下,这是次子小华。|他次日凌晨动身。

❷ 质量差;品质差。(second-rate; inferior)常做谓语、定语、补语。

例句 这块金子的成色比那块次一些。|他这个人太次,说话从来不算数。|对不起,次品太多,只能退货。|没想到他的英语说得这么次。

【次品】 cìpǐn 〔名〕

不符合质量标准的产品。(substandard products; defective goods)常做主语、宾语、定语。[量]件,个。

例句 次品如何处理成了大问题。|最近连续出现了好几件次品。|次品的价格当然很低。

【次数】 cìshù 〔名〕

动作或事件重复出现的回数。(number of times; frequency)常做主语、宾语。

例句 他俩见面的次数越多感情就越深。|我记不清过这座桥的次数了。

【次序】 cìxù 〔名〕
事物在空间上排列的先后。(order; sequence)常做主语、宾语。

例句 图书陈列的次序不对。|请大家按照次序入场。|慢点儿,别把文件次序弄乱了。

【次要】 cìyào 〔形〕
重要性较差的。(less important; secondary; subordinate; minor)常做定语。也用于"的"字短语。

例句 次要的就算了吧。|内容是主要的,形式是次要的。|挣多少钱还是次要的,主要看工作顺心不顺心。|人长得漂不漂亮是次要问题。

【伺候】 cìhou 〔动〕
在人身边供使唤,照料饮食起居。(wait upon; serve)常做谓语、主语、宾语。

例句 她数十年如一日地伺候卧床的婆婆。|A:你去和老张搭档行吗? B:他毛病那么多,我可伺候不了。|你走吧,我不需要你的伺候。|她精心的伺候与照料使病人很感动。

【刺】 cì 〔动/名〕
〔动〕❶ 尖的东西进入或穿过物体。(stab; prick)常做谓语。

例句 练习要小心,别刺伤了人。|刚开始学刺绣时,她常被针刺破手。

❷ 刺激。(irritate; stimulate)常做谓语。也用于构词。

例句 A:你怎么流眼泪了? B:阳光刺得我眼睛发痛。|药味刺得我直打喷嚏。

❸ 讽刺。(criticize)常做谓语。

例句 他那么说不是刺我吗?

❹ 暗杀。(assassinate)常做谓语。

例句 总统昨天险些被刺。

〔名〕尖锐像针的东西。(thorn; splinter)常做宾语、主语。[量]个,根。

例句 手上扎了个刺儿。|你说话别带刺儿,好不好? |鱼刺扎喉咙里了。

【刺激】 cìjī 〔动/名〕
〔动〕❶ 现实的物体和现象作用于感觉器官;声、光热等引起生物体活动或变化。(stimulate)常做谓语。

例句 咖啡能刺激人的神经。|强烈的阳光刺激了我的眼睛,让我很不舒服。

❷ 推动事物,使起积极变化。(urge on; encourage)常做谓语。

例句 价格的持续走低刺激了市场的需求。|经济体制改革刺激了生产力的发展。

❸ 使人激动;使人精神上受到挫折与打击。(irritate; upset)常做谓语。

例句 玩蹦极真是太刺激了! |A:这事对她刺激太大了,我们去劝劝她吧。B:现在别再刺激她了,要看她也得过两天再去。

〔名〕❶ 现实的物体和现象作用于感觉器官的过程;声、光、热等引起生物体活动或变化的作用。(stimulation)常做主语、宾语。

例句 噪音对人的刺激很大。|人体受不了这种强刺激。

❷ 使人精神上受到挫折或打击。(irritation)常做主语、宾语。

例句 她受的刺激太严重了。|这一不幸的消息给了他很大刺激。|经历了那种事,稍有点儿刺激,姐姐就受不了。

【匆匆】 cōngcōng 〔形〕
急急忙忙的样子。(hurried)常做谓语、状语、补语。

例句 她常回国,可总是来去匆匆。|清晨,他匆匆地走出家门。|老李匆匆上了火车。|他来得匆匆,去得也匆匆。

【匆忙】 cōngmáng 〔形〕

急急忙忙。(hastily; in a hurry)常做谓语、状语、补语、定语。

例句 这次出差,实在太匆忙了。|这人神色匆忙,不知发生了什么事。|他匆匆忙忙吃了几口东西又回去工作了。|因为走得匆忙,没有跟她告别。|看着他匆匆忙忙的样子,我猜想一定有什么急事。|匆忙之间,忘了带钥匙。

【葱】 cōng 〔名〕

❶ 多年生草本植物,可做蔬菜或调味品。(onion; scallion)常做主语、宾语、定语。[量]棵,根。

例句 A:葱多少钱一斤?B:一块五,多买可以便宜些。|小葱拌豆腐——一青二白。|山东人喜欢生吃葱。|我得刷刷牙,嘴里葱味儿太大。

❷ 青色。(green)常用于构成词语。

词语 葱翠 葱绿 郁郁葱葱

【聪明】 cōngming 〔形〕

智力发达,记忆和理解能力强。(intelligent; bright; clever)常做定语、状语、谓语、主语、宾语。

例句 这只聪明的狗能准确地领会主人的意思。|A:你是个聪明人,跟他计较什么?B:要不他以为别人都是傻子。|他聪明地眨了眨眼睛。|这孩子的确聪明。|他的聪明让我羡慕。|今天我们总算见识了妹妹的聪明。

【从】 cóng 〔介〕

❶ 表示起点。(from)常与时间、地点、范围等词语构成短语做状语。跟"到"、"往"、"向"等词配合使用。

例句 A:从上海到北京坐火车要多长时间?B:12 个小时。|从现在开始,我再也不去游戏厅了。|从这儿往西走,就是友谊商店。|她今年刚从清华大学毕业。|从开学到现在,我一天假也没请过。|你把这件事从头至尾给我们讲一遍。|学外语是一个过程,从不会到熟练,急于求成是行不通的。

❷ 表示经过。(through; past)常与处所名词构成介宾短语做状语。

例句 你从桥上过,我从桥下走。|车从学校大门开了出去。|她从门缝里往里看,可什么也看不见。

【从不(没)】 cóngbù(méi) 〔副〕

从过去到现在都不(没)这样。(never)做状语。

例句 在成绩面前,他从不骄傲。|我从没见过这个人。|父亲跟母亲从没红过脸。

【从…出发】 cóng…chūfā 〔介短〕

❶ 离开某地到别处去。(start from)常做谓语。

例句 这次旅行,我们从沈阳出发,两天后到达了古城西安。|明早我们从学校出发,一起坐车去游览长城。

❷ 考虑或处理问题以某一方面为起点或着眼点。(consider sth. from)常做谓语、状语、主语。

例句 考虑问题要从实际出发,不能凭空想象。|学校从留学生的汉语水平出发,把学生分成了不同的班级。|只从个人利益出发怎么行呢?

【从此】 cóngcǐ 〔连〕

从所说的时间起。(from now on;

henceforth)常做状语。

例句 山里铺了铁路,山乡的面貌从此发生了巨大的变化。|经历了那次打击,她从此变得坚强起来。|我们小区附近新开了一家大型超市,从此买东西就方便多了。|毕业后她去了法国,从此我们再也没有见过面。

【从…到…】 cóng…dào… 〔介短〕
从某一点或某时起到另一点或另一时止。也表示所列举的范围。(from...to...)常做状语、定语。

例句 他每天晚上从七点到十点都要学习。|从小学到大学,她一直是优等生。|从下乡到进城,从当工人到当教授,我哪样含糊过? |A:从北京到上海的飞机几点起飞? B:晚上九点整。

【从而】 cóng'ér 〔连〕
上文是原因、方法等,下文是结果、目的等;因此就。(thus; thereby)常用于后一个分句的开头。

例句 新产品销售情况非常好,从而大大提高了厂里的经济效益。|交通事业迅速发展,从而促进了城乡贸易交流。

【从…看来】 cóng…kànlái 〔介短〕
提出发表看法的根据(由此而推出某种结论)。(judging from)常做状语。

例句 从今晚的天气看来,明天会是个好天。|从很多迹象看来,他暂时不会辞职。|从这次考试成绩看来,大家还是很努力的。|A:怎么样? 你觉得能通过吗? B:从领导的态度看来,好像够呛。

【从来】 cónglái 〔副〕
从过去到现在都是这样。(always; all along)做状语。多用于否定句中。

例句 这孩子从来不说谎。|她怕酸,从来不吃橙子。|长这么大,我从来没挨过父母的打。|A:你逛过西湖吗? B:我从来没去过杭州,更别说逛西湖了。|这人不管干什么,从来都这么认真。|他从来就是这样,见人爱理不理的。

【从…起】 cóng…qǐ 〔介短〕
从…开始。(from...on)常做状语、谓语。

例句 A:从明天起,你就不要来上班了。B:为什么? 我做错什么了吗? |从那时起,我就下定决心,将来一定要当一名科学家。|一切从现在做起。

【从前】 cóngqián 〔名〕
过去的时候;以前。(before; formerly; in the past)。常做状语、定语、宾语。

例句 从前这里曾有过一座小桥。|他从前在学校当老师,现在去经商了。|A:当初没有你的帮助,我就不会有今天。B:从前的那些事,就别再说了。|一提起从前,我就一肚子伤心事。|她还跟从前一样,一点儿都没变。

辨析 〈近〉以前。"从前"泛指过去;"以前"除泛指,还用于特指某时点。如:* 毕业从前我想得很简单。("从前"应为"以前")

【从容】 cóngróng 〔形〕
❶ 不慌不忙;镇静;沉着。(calm; unhurried; leisurely)常做定语、状语、谓语、补语。

例句 A:你怎么能信他? B:他那副从从容容的样子,很难让人想象他正在说谎。|说完,他从容地走出门去。|她一向都举止从容,谈吐大

方。|他回答得很从容、很坦然。

❷（时间或经济）宽裕。（plentiful）常做谓语。

例句 现在生活好了，手头也从容了。|时间很从容，可以慢慢做。

【从容不迫】cóngróng bú pò 〔成〕

非常镇静，不慌不忙的样子。（calm and unhurried）常做谓语、状语、定语。

例句 我很佩服他，那么多专家提问，他却从容不迫，回答得相当出色。|在谈判桌上，团长从容不迫地与对方周旋。|我定了定神，然后从容不迫地走了进去。|她从容不迫的气度，镇住了歹徒。

【从事】cóngshì 〔动〕

❶ 投身到某种事业或某种活动中去。（go in for; be engaged in）常做谓语（带宾语）。

例句 从事公益活动是件大好事。|周先生从事文艺创作已经很多年了。|毕业后，他一直从事科研工作。

❷ 按照某种方法处理。（deal with）常做谓语（不带宾语）。

例句 你要慎重从事，不可大意。

【从头】cóngtóu 〔副〕

❶ 从最初（做）。（from the beginning）做状语。

例句 我要办一家公司，一切都得从头做起，真的很难。|他把合同从头到尾念了一遍。

❷ 重新。（anew; once again）做状语。

例句 失败了，没有关系，一切从头再来。|A：这场大火毁掉了我们的全部心血。B：别灰心，我们从头再来。

【从未】cóngwèi 〔副〕

从来没。（never）做状语。

例句 上大学以前，她从未学过西班牙语。|孩子们从未像今天这样高兴。

【从小】cóngxiǎo 〔副〕

从年纪小的时候。（from childhood; as a child）做状语。

例句 她从小就爱唱歌跳舞，现在当上演员一点儿也不奇怪。|这孩子从小就懂事，从不给爸爸妈妈惹事。

【从中】cóngzhōng 〔副〕

在其间；在其中。（out of; from among; therefrom）做状语。

例句 江先生专做经纪人，每年从中获利上百万。|我和同学有了矛盾，老师总是从中调解。|这次试验失败了，我们要从中吸取教训。|A：生意做成了吗？B：别提了，本来就要签合同了，可有人从中作梗，结果吹了。

【丛】cóng 〔名〕

❶ 生长在一起的草木。（clump; thicket; grove）一般用于构词。

词语 草丛　花丛　树丛

例句 一群小蜜蜂在花丛中飞来飞去，忙着采蜜。|草丛越来越茂密了。|房子后面是一大片树丛。

❷ 泛指聚集在一起的人或东西。（crowd; collection）用于构词。

词语 人丛　论丛

例句 这是关于中国电影的论丛。

❸ 姓。（a surname）

【凑】còu 〔动〕

❶ 聚集。（gather together; pool; collect）常做谓语。

例句 几个子女凑了 2000 块钱，给妈妈买了一台彩电。|同学们凑在一起商量开晚会的事。|好不容易凑足了四个人，可以打桥牌了。

❷ 碰；赶；趁。(happen by chance; take advantage of)常做谓语。

例句 他凑着出差的机会去看了一位老朋友。|有些人就是爱凑热闹。|哪儿有热闹，他就往哪儿凑。

❸ 接近。(move close to; press near)常做谓语。

例句 来，大家往中间凑一凑，都发表点儿意见。|他凑到我跟前，小声跟我说。|她很会拉关系，见到领导就往前凑。

【凑合】 còuhe 〔动〕

将就。(make do; not too bad)常做谓语、状语。

例句 A:这本书好看吗？B:还凑合。|请大家会前作好发言准备，不要临时凑合。|A:再买双新鞋吧。B:算了，这双鞋凑合着还能穿。|车已经买了五年多了，凑合开吧。

【凑巧】 còuqiǎo 〔形〕

表示正是时候或正遇着所希望的事情。(luckily ; fortunately)常做定语、谓语、状语、补语。

例句 我很难相信，竟有这么凑巧的事。|中秋节和教师节赶在一天了，这么凑巧的情况真难得。|那天想坐飞机去旅行，真不凑巧，赶上下雨，飞机停飞。|真凑巧，我也想去欧洲旅游，咱们一起去吧。|我正要去找他，一出门凑巧碰上了他。|A:李老师在吗？B:你来得真不凑巧，他刚走。

【粗】 cū 〔形〕

❶ (条状物)横剖面较大。(wide; thick)常做谓语、定语、补语。

例句 这棵树有一米多粗。|A:我该减肥了，腰太粗了。B:粗吗？我看不粗。|你能不能帮我找一条粗绳？|那棵树的树干长得又粗又大。

❷ (长条形)两长边的距离不十分近(wide)。常做谓语、定语、补语。

例句 他眉毛很粗。|韩工在图上重重地画了一个粗杠儿。|斑马线画粗点儿效果好。

❸ 颗粒大。(coarse; rough)常做谓语、定语。

例句 这种玉米面太粗了，不好吃。|地上堆着不少粗沙。

❹ 声音大而低。(gruff; husky)常做谓语、定语、补语。

例句 爷爷嗓门很粗。|他说话粗声粗气的。|这支通俗歌曲要唱得粗一些才好听。

❺ 不细致。(rough)常做谓语、定语、补语。

例句 你看这做工，太粗了，怎么穿啊！|这只是粗加工，如果需要，我们可以再加工。|怎么搞的？活儿干得这么粗！

❻ 疏忽；不周密。(careless; negligent)常做谓语、定语。

例句 A:你这人心也太粗了。B:没办法，改不了了。|你办事总是粗心大意的，我真有点儿不放心。

❼ 鲁莽。(rude; unrefined; vulgar)常做谓语、定语。

例句 你这人太粗了。|别尽说粗话。|A:他是个粗人，你别见怪。B:没什么。

❽ 略微。(roughly; slightly)常做状语。

例句 他的事我粗知一二。|新校区已粗具规模。

【粗暴】 cūbào 〔形〕

鲁莽；暴躁。(rude; rough; crude; brutal)常做谓语、定语、状语。

C

例句 A:这人性情粗暴,你要小心。B:我知道了,放心吧。|这种粗暴的行为我决不能容忍。|他粗暴地打断我的话,摔门而去。

C

【粗茶淡饭】 cū chá dàn fàn 〔成〕
简单的饮食。形容生活简约。(plain tea and simple food; homely fare)常做主语、宾语、定语。

例句 这种粗茶淡饭更对我的胃口。|为了减肥,她每天只吃些粗茶淡饭。|老人家过惯了粗茶淡饭的日子。

【粗粮】 cūliáng 〔名〕
一般指大米、白面以外的食粮,如玉米、高粱、豆类等。(coarse food grain)常做主语、宾语、定语。

例句 以前人们喜欢吃细粮,现在粗粮也很受欢迎。|总吃细粮对身体并不好,我们买点儿粗粮吧。|现在粗粮的价格反而更贵了。

【粗鲁】 cūlǔ 〔形〕
粗暴鲁莽。(rough; rude; boorish)常做谓语、定语、状语、补语。

例句 A:你别见笑,我这个人有点儿粗鲁。B:哪儿的话,你只不过是直爽罢了。|他说话粗鲁,你别介意。|你这种粗鲁的态度真让人受不了。|他粗鲁地问:"谁这么混蛋?"|话说得这么粗鲁,多不文明啊!

【粗细】 cūxì 〔名〕
❶ 粗细的程度。[(degree of) thickness]常做定语、主语、宾语。

例句 从车上滚下一根碗口粗细的钢管。|沙子的粗细对工程质量影响很大。|挂多重的东西取决于绳子的粗细。

❷ 粗糙和细致的程度。(crudeness or fineness; quality of work)常做主语、宾语。

例句 活儿的粗细关系到是否能做成这笔买卖,所以大家一定要好好干。|人家签不签合同,主要看你活儿的粗细。

【粗心】 cūxīn 〔形〕
疏忽;不细心。(careless; thoughtless)常做谓语、定语。

例句 A:你做事也太粗心了。B:以后我一定注意。|这个粗心的孩子,考试的时候总是丢三落四的。

【粗心大意】 cūxīn dàyì 〔成〕
不细心;不谨慎;马马虎虎。(negligent; careless; inadvertent)常做谓语、定语、宾语、主语。

例句 我平时总是粗心大意的,爱人常常说我。|A:你太粗心大意了,孩子最近的行为这么反常你都没发现。B:是吗?孩子怎么了?|他表示一定要改掉粗心大意的毛病。|处理问题要尽量避免粗心大意。|粗心大意往往会坏事。

【粗制滥造】 cū zhì làn zào 〔成〕
产品制作粗劣,质量差。也指工作草率马虎,不负责任。(manufacture in a rough and slipshod way; turn out rough and slipshod work)常做谓语、定语。

例句 为谋取暴利,这家工厂粗制滥造了一批电子表,投入市场后,很快被查封。|这都是些粗制滥造的东西,千万别买。|如果让粗制滥造的作品充斥文化市场,那就是我们的失职。

【促】 cù 〔动〕
❶ 时间短。[(of time) short; hurried; urgent]用于构词。

词语 短促 仓促 急促

例句 时间仓促,来不及准备了。|病人呼吸急促,得马上抢救。

❷ 催;推动。(urge; promote)常用于构词。也做谓语。

例句 催促 督促

例句 导游催促大家快点儿走,马上就要下雨了。|老师督促我们每天写作业。|这个工程要是不促一促,还不知拖到哪一天呢?

【促进】 cùjìn 〔动〕

使前进;推动使发展。(promote; advance; accelerate)常做谓语、宾语、定语。

例句 此次会谈促进了两国关系的正常化。|这个交易会促进了城乡物资的交流。|这次检查对我们工作是一个促进。|促进派为此次谈判做了大量工作。

【促使】 cùshǐ 〔动〕

推动使达到一定目的。(impel; urge; spur)常做谓语。

例句 技术的进步促使生产力迅速发展。|一个可爱的小女孩因白血病而死,这更促使她坚定了学医的决心。

【醋】 cù 〔名〕

❶ 调味用的有酸味的液体。(vinegar)常做主语、宾语、定语。

例句 油盐酱醋是生活必需品。|A:醋呢? B:醋忘了买了。|山西人很喜欢吃醋。|做鱼放点儿醋,好吃。|A:醋可以软化血管、降低血压、美容等等。B:醋的保健作用还真不少呢。

❷ 比喻嫉妒(多指在男女关系上)。(jealousy)用于构词。

词语 吃醋 醋意 醋坛子

例句 A:她是谁? B:你别吃醋,人家是客户。|看见丈夫跟一个漂亮姑娘在一起,妻子顿时醋意大发。

【窜】 cuàn 〔动〕

乱跑;乱逃(用于匪徒、敌军、兽类)。(flee; scurry)常做谓语。

例句 警察来了,歹徒抱头鼠窜。|山洞里突然窜出来一只野猫,吓了我一跳。

【催】 cuī 〔动〕

❶ 叫人赶快行动或做某事。(hurry; urge; press)常做谓语。

例句 别催我,一催我就忘了该带什么了。|A:你去催催他,让他快点儿。B:我催不动,还是你去吧。

❷ 使事物的产生和变化加快。(hasten; expedite; speed up)常做谓语。也用于构词。

词语 催生 催眠

例句 一场春雨把庄稼催了起来。|得想办法喂点儿好的,给猪催催肥。

【摧残】 cuīcán 〔动〕

使人或物受到严重的残害或损失。(wreck; destroy; devastate)常做谓语、主语、宾语。

例句 绝食,这不是在摧残自己的健康吗?|他已经被敌人摧残得奄奄一息,可他仍然不屈服。|吸毒对人身体的摧残是很严重的。|当时,孩子的身心都受到了严重的摧残。

【摧毁】 cuīhuǐ 〔动〕

用强大的力量彻底破坏。(shatter; smash; destroy)常做谓语。

例句 强大的炮火摧毁了敌人的据点。|迫害摧毁不了他的意志与信念。|沙丘所到之处,青草、树木全被摧毁。

C

C

【脆】 cuì 〔形〕

❶ 容易折断破碎。(fragile; brittle) 常做谓语、定语。

例句 这种纸不薄,就是太脆。|这是种脆金属,很容易切割。

❷ (较硬的食物)容易弄碎破裂。(crisp)常做谓语。

例句 这瓜又甜又脆,真好吃。|A:我不喜欢吃点心。B:你尝尝,这种小点心很脆,味道也不错。|炸薯片又脆又香。

❸ (声音)清脆。[(of voice) clear; crisp]常做谓语。

例句 她的嗓音很脆,特别好听。

【脆弱】 cuìruò 〔形〕

禁不起挫折,不坚强。(fragile; frail; weak)常做谓语、定语、补语、宾语。

例句 别看他长得很高大,可在感情上却很脆弱。|这孩子外表上很脆弱,其实非常坚强。|妻子是个十分脆弱的女人。|几年不见,你怎么会变得这么脆弱?|他就是利用了你的脆弱才达到了目的。

【翠绿】 cuìlǜ 〔形〕

像翡翠那样的绿色。(emerald green; jade green)常做谓语、定语。

例句 雨后的田野格外翠绿,美极了。|春天来了,满山翠绿。|走进公园,映入我眼帘的是一片翠绿的竹林。

【村】 cūn 〔名〕

农民聚居的地方。也泛指人口聚居的地方。(village; hamlet) 常做主语、宾语、定语。[量]个。

例句 前面这个村儿我去过,老百姓都很热情。|A:今天晚上就在这个村过夜吧。B:好,我真有点儿走不动了。|今年,全村的人均收入超过八千元。

【村庄】 cūnzhuāng 〔名〕

农民聚居的地方。(village; hamlet) 常做主语、宾语、定语。[量]个,座。

例句 村庄在夜幕中显得格外寂静。|车开出了城市,穿过了田野与村庄。|早上,村庄里的鸡叫声把我从梦中惊醒。

【村子】 cūnzi 〔名〕

农民居住的地方。(village; hamlet) 常做主语、宾语。

例句 这个村子只有十几户人家。|小芳每天要走很远的路去别的村子上学。

【存】 cún 〔动〕

❶ 存在,生存。(exist; live; survive) 常用于构词。

词语 残存 生存 存在

例句 蔬菜上如果有残存农药,人就容易中毒。|在这艰苦的环境里,我们想的更多的是怎么生存下去。

❷ 储存;保存。(store; keep)常做谓语。

例句 天太热,牛奶不放在冰箱里恐怕存不住。|为了过冬,这些小老鼠存了不少粮食。

❸ 蓄积;聚集。(accumulate; collect)常做谓语。

例句 今年雨多,水库里存满了水。|一下雨,这里的洼地就会存好多水。

❹ 储蓄。(deposit)常做谓语。

例句 A:这笔钱放哪儿? B:把钱存到银行里去吧。|他喜欢去中国银行存外币。|为了给儿子娶媳妇,老妈妈省吃俭用,存了一笔钱。

❺ 寄存。(leave with; check)常做谓语。

例句 请问在哪儿存车?|我把行李存在车站了,办完了事再去取。

❻ 保留。(reserve;retain)常做谓语。

例句 A:这件事是老王告诉我的。|B:他这个人存不住话,有点儿事就会说出来。|在继承文化遗产方面,要去粗存精。

❼ 心里怀着(某种想法)。(cherish;harbour)常做谓语。

例句 到了现在,他还心存侥幸。|经历了这么多以后,我对未来已不存任何幻想。

【存放】 cúnfàng 〔动〕

寄存;储存。(leave with; deposit)常做谓语。

例句 存放行李每件每天 10 块。|A:东西呢? B:我把东西存放在朋友那儿了,回头再去取。|为了安全,他把剩下的钱都存放在银行里了。

【存款】 cún kuǎn 〔动短/名〕

〔动短〕把钱存在银行里。(deposit money)常做谓语、定语。中间可插入词语。

例句 A:下午一起去游泳吧。B:不行,我要到银行去存款。|为还贷,家里每月都要存一笔款。|现在存款手续不太麻烦了。

〔名〕指存在银行里的钱。(deposit; bank savings)常做主语、宾语。[量]笔。

例句 因为平时花钱大手大脚的,所以我的存款少得可怜。|为了买房子,我不得不取出了全部存款。

【存在】 cúnzài 〔动〕

事物持续地占据着时间和空间;实际上有,还没有消失。(exist; be)常做谓语。

例句 这项工程存在着很多问题,已经引起了市政府的重视。|这种现象不仅在中国存在,在其他国家也存在。|有些民俗已经存在上千年了。

【寸】 cùn 〔量〕

长度单位,十分等于一寸,十寸等于一尺。(*cun, a traditional unit of length*)常构成短语做句子成分。

例句 我买了一条腰围一尺九寸的裙子。|一寸光阴一寸金。|香港是个寸土寸金的地方。

【搓】 cuō 〔动〕

两个手掌反复摩擦,或把手掌放在别的东西上来回揉。(rub with the hands)常做谓语。

例句 小张急得直搓手。|这件衣服太脏了,洗的时候得多搓搓。|轻点儿,别把东西搓坏了。

【磋商】 cuōshāng 〔动〕

反复商量;仔细讨论。(consult; exchange views)常做谓语、宾语、定语。

例句 此事需要与有关部门磋商。|经过多次磋商,双方终于达成了协议。|磋商的结果至今还没公布。

【挫折】 cuòzhé 〔名〕

失败;失利。(setback; reverse)常做主语、宾语。[量]次。

例句 一次又一次的挫折并没有使他灰心。|在生活中,他虽然屡遭挫折,却依然十分坚强。

【措施】 cuòshī 〔名〕

针对某种情况而采取的处理办法(用于较大事情)。(measure; step)常做主语、宾语、定语。[量]项,个。

例句 这项措施是切实可行的。|领

C

导根据实际情况采取了一系列有效的措施。|我们还不太清楚这项措施的效果如何。

【错】 cuò 〔形/名/动〕

〔形〕❶ 不正确。(wrong; mistaken; erroneous)常做谓语、定语、补语。

例句 这道题的答案错了。|这篇文章里有几个错字。|你弄错了，这不是我的，那才是我的。

❷ 坏；差(用于否定式)。[(used in the negative) bad; poor]常做谓语、补语。

例句 A：这真是进口的？B：错不了，你放心吧。|A：这本书怎么样？B：写得不错。

〔名〕过错；错处。(fault; demerit)常做宾语(多儿化)。[量]个，些。

例句 A：是这套吗？B：没错儿。|事关重要，我们千万不能出错儿。|A：你给他认个错儿，事情就结了。B：行，明天我就去。

〔动〕❶ 两个物体相对摩擦。(grind; rub)常做谓语。

例句 A：你最近晚上睡觉怎么常错牙？B：可能是肠胃不太好。

❷ 移动位置、线路、时间，使不冲突。(make way; alternate; stagger)常做谓语。

例句 A：把车错一下，要不然我过不去。B：你自己看看，我哪儿动得了！|A：这两个会的时间有冲突，得错一下。B：恐怕错不开了。

【错误】 cuòwù 〔名/形〕

〔名〕不正确的事物、行为等。(mistake; error; blunder)常做主语、宾语。[量]个，些。

例句 A：能不能不处理他？B：他的错误比较严重，只能按规章办，谁也帮不了他。|犯了错误，就应该承认错误，改正错误。|我们要从错误中吸取教训。

〔形〕不正确；与客观实际不符合。(wrong; erroneous; mistaken)常做定语、状语。

例句 这是一种错误的观点。|由于错误地估计了形势，才导致了失败。

【错字】 cuòzì 〔名〕

写得不正确的字或刻错、排错的字。(wrongly written character; misprint)常做主语、宾语。[量]个。

例句 这篇文章错字百出，是谁写的？|这本书中有几个错字。|刚学汉语时常写错字，现在好多了。

D

【搭】 dā 〔动〕

❶ 支起;架起。(put up;build)常做谓语。

例句 几只鸟在我家门前的树上搭了一个窝。|两个小朋友不一会儿就用积木搭起了一幢小房子。|A:这些工人在我们房子边搭架子干什么? B:他们说要维修墙面。

❷ 凑上;加上。(throw in more; add)常做谓语。

例句 我们几个人打算利用"十一"长假搭伙去西藏旅游。|今天下午参加排球赛,搭你正好十二个人,符合参赛要求。|A:这一天的时间全搭进去了,也没有等到个结果。B:我搭不起这工夫,再这样,明天我可不来了。

❸ 把柔软的东西放在可以支架的东西上。(hang over;put over)常做谓语。

例句 自行车的把手上搭着一件工作服。|铁丝生锈了,不能再搭衣服了。|A:你的毛巾呢? B:在门后搭着。|她一次洗那么多东西,院子里都搭不下了。|这条枕巾在这儿搭了三天了,也没人收。

❹ 连接在一起。(connect;join)常做谓语。

例句 工人们终于将电线搭在了一起,电路畅通了。|这两条电线搭得很结实。|我坐在旁边,一时也搭不上话,觉得有点儿尴尬。

❺ 乘;坐(车、船等)。[take (a bus, ship, plane, etc.); travel by; go by]常做谓语。

例句 你快一点儿,要不就搭不上车了。|只好搭下一趟车了。|我猛然想起曾经搭过他的车,怪不得这么面熟。|是走着去还是搭车去,你来定。|A:你这是准备去哪儿? B:我搭轮船去上海。

【搭配】 dāpèi 〔动〕

❶ 按一定的目的安排分配。(arrange in pairs or groups according to need)常做谓语、定语、主语、宾语。

例句 你怎么能把这两种颜色搭配在一起? 太不协调了。|这两个词不能搭配在一起。|我不喜欢这种搭配方式。|这种搭配很协调。|我认为这是一种非常不合理的搭配。

❷ 配合。(cooperate)常做谓语、定语、主语、宾语。

例句 你把人员合理地搭配一下。|没想到,这一老一小搭配得还真不错。|A:你怎么急成这个样子? B:别提了,比赛马上就要开始了,和我搭配的人还没来呢。|这种搭配不合理,我反对。|下面,按强弱进行搭配,分成两个组,开始第二个游戏。

【答应】 dāying 〔动〕

❶ 应声回答。(answer; respond)常做谓语。

例句 她边收拾东西,边答应着。|又没叫你,你答应什么。|A:叫你那么久,你为什么不答应一声? B:我答应了好几声,你没听见。

❷ 同意;允许。(agree; comply with)常做谓语、定语。

例句 你提出的要求不合理,我们不能答应。|我看得出,她嘴上答应了,可心里不太愿意。|你既然都答应人家了,可不能再变了。|A:你

D

真不该答应她。B：她找了我很多回，我实在没办法。|答应的事情我们一定要办。

【达】 dá 〔动〕

❶ 通，到。(arrive; extend; reach; attain)常做谓语。

例句 这座城市虽然小，可它公路、铁路四通八达。|这趟火车直达北京。|我们订的是直达上海的机票。

❷ 达到，实现。(reach; achieve; attain)常做谓语。

例句 这片试验田里的水稻亩产达两千斤。|他可是个好司机，安全里程已达20万公里。|这个班组安全生产已达十年。|游泳池的水最深处达三米。|我们不达目的，誓不罢休！

❸ 懂得透彻；通达(事理)。(understand thorougly)一般用于构词或固定短语。

词语 知书达理　达观

例句 这个姑娘知书达理，善解人意。|遇事要达观些，别太上火了。

【达标】 dábiāo 〔动〕

达到规定的标准。(reach the standard)常做谓语、定语、主语。

例句 这座城市的环保工作已经基本达标。|由于机器设备老化，产品质量很难达标。|你们厂的达标工作做得很好。|市人大代表视察了这所达标学校，并给予了充分肯定。|达标只是第一步，今后的保持更重要。

【达成】 dá chéng 〔动短〕

达到，取得(多指商谈后的结果)。(reach agreement; conclude a negotiation)常做谓语、定语。

例句 经过几轮谈判，双方终于达成了协议。|希望我们在这方面能够达成共识。|你这样坚持自己的条件，我看此协议不容易达成。|新达成的协定是双方共同努力的结果。

【达到】 dá dào 〔动短〕

到了某一目标或程度。(achieve; attain; reach)常做谓语。中间可插入成分。

例句 我们的这种产品已经达到了国际先进水平。|经过努力，她终于达到了目的。|您定的标准太高，我们实在达不到。|这个定额并不高，只要努力都应该达得到。|产品质量必须过关，这一点达到了，其他问题也就迎刃而解了。

【答】 dá 〔动〕 另读dā

❶ 回答。(answer; respond)常做谓语。

例句 这几道练习题你都答对了。|A：这个练习怎么做？B：我问，你答。|这些问题简单答答就行了。|大家把这些题抄下去，答在作业本子上。

❷ 受了别人的好处，还报别人。[return(help, etc.)]常用于构词。

词语 报答　答谢

例句 我要用我的一切报答父母的养育之恩。|他不知怎样答谢这些热情、纯朴的村民。

【答案】 dá'àn 〔名〕

对问题所做的解答。(answer; solution; key)常做主语、宾语。

例句 你这个答案是错误的。|这些问题的答案需要大家在实际工作中得出。|A：老师，你有今天考题的答案吗？我想对一对。B：没有，不过明天上课我们要讲这些题。|我的确不知道这道题的答案。

【答辩】 dábiàn 〔动〕

答复申诉。以充足论据针对疑问、

责难或指控阐述和说明自己的论点或权利。[reply (to a change, query, or an argument; defend) one's own behaviour or points of view]常做谓语、主语、宾语、定语。

例句 A:你们什么时候答辩? B:还没定下来呢。|法庭上允许被告答辩。|论文答辩已经开始了,我们快进去吧。|小张,祝贺你通过了答辩。|不知为什么,这个被告拒绝为自己答辩。|我们还不知道答辩的时间和地点。|答辩的时候千万别紧张。

【答复】 dáfù 〔动/名〕

〔动〕回答。(answer; reply)常做谓语。

例句 经理一个人答复着来访者提出的各种问题。|员工们提的问题,领导都一一答复了。|这个问题答复得很圆满。|那些人还在下面等着,你去给他们答复答复。|A:成还是不成,你赶快答复人家。B:我得再考虑考虑。

〔名〕对问题的解释;对要求表示的意见。(answer; reply)常做主语、宾语。

例句 你们的答复太不明确了。|这样的答复没有任何意义。|她终于等到了满意的答复。|这就是你们的答复吗?

【答卷】 dájuàn 〔名〕

对试题做了解答的卷子。(an answered test paper)常做主语、宾语、定语。

例句 老师,你看,这份答卷没写名字。|答卷密封后带回考试中心。|由于违反了考场纪律,他的答卷作废了。|她匆匆忙忙地交了答卷,离开了考场。|主考正在清点答卷的份数。

【打】 dǎ 〔动/介〕

〔动〕❶ 用手或器具撞击物体。(knock; hit)常做谓语。

例句 他打了半天门,里面也没有动静。|你用这么短的杆子怎能打得到它?

❷ 器皿、蛋类等因撞击而破碎。(break; smash)常做谓语。

例句 你帮我把鸡蛋打了。|我不小心打了杯子,明天得去买一个。|小心,别把瓶子打碎了。|碗柜倒了,里面的碗、碟打得一塌糊涂。

❸ 殴打、攻打。(beat; fight; attack)常做谓语。

例句 即使孩子真的做错了,也不要打孩子。|这孩子真不听话,一天打了三架。|这一拳正好打在他鼻子上,血马上流了出来。|只是因为一点儿小事,两个人就打起来了。

❹ 与人交涉。(deal with sb. or sth.)常做谓语。

例句 和这种人打交道,不吃亏才怪呢。|这场官司总算是打完了。|我俩打过赌,谁输了谁出这顿饭钱。

❺ 建造;修筑。(construct; build)常做谓语。

例句 全村的劳力都到水库工地打坝去了。|你们这段墙还要再打打,要不,看着就不结实。|无论盖什么房子,都要把地基打牢。

❻ 制造(器物、食品)。[make (articles of daily use or food)]常做谓语。

例句 铁匠师傅正在打一把刀。|A:我想打一套家具,你帮我参谋一下颜色。B:现在谁还打家具,买套现成的多省事。|你干活太慢了,一

把小椅子竟打了三天。|王师傅沙发打得相当不错,你放心吧。

❼ 捆。(tie up;pack)常做谓语。

例句 明天同学们离校,现在大家都在忙着打行李。|听到紧急集合号,战士们迅速打起背包来。|你的东西太多了,打了两个包还是装不下。|一会儿我要换宿舍,快帮我打打行李。

❽ 编织。(knit;weave)常做谓语。

例句 她的手很巧,可以一边看电视一边打毛衣。|A:这种图案你打过吗? B:没有。|你这条围巾打得真漂亮。|今年实在是太忙了,你看这一件毛衣打了半年才打了这么一点儿。

❾ 涂抹;画;印。(draw;paint;make a mark on)常做谓语。

例句 地板该打打蜡了。|A:我的皮鞋打得怎么样? B:挺亮的。|你把这条线打歪了,得重新打。|管理部门效率太低,打个戳子竟用了一个月。

❿ 挖;转;凿开。(open;dig)常做谓语。

例句 他们年年打井,就是没见着出水的。|这个井位选得没问题,再往深打打就该出水了。|工人们正在岩石上打着炮眼。|A:这种罐头没有一套好工具谁也打不开。B:我就奇怪他们为什么不做成易拉罐的。|让服务员帮我们把啤酒瓶打开吧。

⓫ 举;提。(hoist;raise)常做谓语。

例句 参加庆祝大会时,我们每人打着一面小旗子。|这可是打着灯笼也难找的好事啊。|A:你和我打一把伞吧。B:好。|病了几天,现在我一点儿也打不起精神来。

⓬ 放射;发出。(send;dispatch)常做谓语。

例句 炮兵连向敌方阵地一口气打了几十发炮弹。|我在军训时就打过一次枪。|我们连长打枪打得特别准。|我们的射击运动员在奥运会上打出了好成绩。|今天晚上我得给妈妈打个电话。|A:电话总是占线,根本打不通。B:你再打打。

⓭ 舀取;买。(buy;ladle;draw)常做谓语。

例句 等我一会儿,我打点儿开水。|A:小王去哪了? B:他到食堂打饭去了。|你的桶不够大,打不了十斤酒。

⓮ 捉禽兽(鸟、鱼、老鼠)。(catch;hunt)常做谓语。

例句 他今天跟船出海打鱼去了。|A:你们买这么多夹子干什么? B:打老鼠。|这附近的野兔子都让我们打没了。

⓯ 用割、砍等动作来收集。(gather in;reap;collect)常做谓语。

例句 今天多打些草,明天就不用打了。|这山上树少,一天也打不了多少柴。

⓰ 定出;计算。(calculate;reckon;estimate)常做谓语。

例句 不知他又在打谁的主意呢。|忙了一上午才打了个草稿。|算了吧,他的主意可打不了。|想欺负我,你打错了算盘。

⓱ 做;从事。(do;engage in)常做谓语。

例句 她在城里只打了半年的工,就回家了。|初来乍到,也没有什么手艺,只好给人家打打杂。|A:晚上你有时间吗? B:没有,这星期我

打夜班。|你这个前站打得不错。|他那身体可打不了夜班。

⓲ 做(体育活动、游戏等)。(play)常做谓语。

例句 周末我们常常打篮球。|A:你们寝室的人都干什么呢? B:刚打完球,都去洗澡了。|他不但下棋厉害,桥牌也打得特别好。|我女儿特别喜欢打秋千。

⓳ 表示身体上的某些动作。(go through some physical action)常做谓语。

例句 A:你怎么老打哈欠? B:昨天晚上没睡好觉,困得不得了。|有时感觉太疲劳,就趴在桌子上打个盹儿。|今天真冷,冻得我直打哆嗦。|我这几天老打嗝,怎么也止不住。|A:小王在那边,我喊她过来。B:恐怕听不见,打个手势她就明白了。

⓴ 采取某种方式。(adopt; use)常做谓语。

例句 张秘书上任没几天就打起官腔来了。|你这个比喻打得很生动。|接着,他又给我打了个比方。|他这个人办事认真,你可别跟他打马虎眼。

〔介〕有"从"的意思。(from)常做状语。

例句 你是打哪儿来的? |A:你和同学们还有联系吗? B:打毕业后,我和谁也没联系。|打水路走,两天你也到不了那儿。

【打败】 dǎ bài 〔动短〕

❶ 战胜对方。(defeat; win over; beat)常做谓语。

例句 经过三天的苦战,我们终于打败了敌人,夺取了这个高地。|他们打败最后一个对手,夺得了冠军。

❷ 输。(suffer a defeat; be defeated)常做谓语。中间可插入成分。

例句 这一仗我们打败了。|这样一支队伍是打不败的。

【打扮】 dǎban 〔动/名〕

〔动〕使容貌、衣着好看;装饰。(do up; dress up; make up; deck out)常做谓语、宾语。

例句 要参加晚会,我得打扮打扮。|小姑娘打扮得十分漂亮。|A:你们打扮这么长时间,打扮好了吗? B:就好了。|他打扮成商人,收集了大量的情报。|她十分注重打扮,不打扮好是不会出门的。|这姑娘从小就爱打扮。

〔名〕衣着穿戴;打扮出来的样子。(way or style of dressing)常做主语、宾语、定语。

例句 A:我这身打扮怎么样? B:看起来不太舒服。|这孩子就喜欢这样的打扮。|门一开,进来一个学生打扮的年轻人。

【打草惊蛇】 dǎ cǎo jīng shé 〔成〕

比喻行动不谨慎、不严密而惊动了对方。(beat the grass and frighten away the snake — act rashly and alert the enemy)常做主语、谓语、宾语。

例句 事情重大,一定要冷静,打草惊蛇可就麻烦了。|队长一再说,要我们稳住,千万不要打草惊蛇。|警察赶紧告诉大家,不要性急,万一打草惊蛇,就会坏了大事。|我们之所以这样做,是为了避免打草惊蛇。

【打成一片】 dǎ chéng yí piàn 〔成〕

不同的部分融合成一个整体。(become one with; identify oneself with; merge with)常做谓语。

例句 刚来不久,他就和周围的同

D

事打成了一片。|只有关心群众，跟群众打成一片，才能得到群众的支持。|A：新来的那个大学生怎么样？B：她是个很清高的人，很难跟大家打成一片。

【打倒】 dǎ dǎo 〔动短〕

表示把某个政权、势力、人击垮。(overthrow; down with)常做谓语，中间可插入成分。

例句 警察三拳两脚就把罪犯打倒在地。|老厂长被打倒过好几次，但是他都挺过来了。|一个真正的好干部是打不倒的。|你以为凭这点儿事就能打得倒他吗？

【打的】 dǎ dí 〔动短〕

乘坐(chéngzuò)出租汽车。(go by taxi)常做谓语、定语、主语，中间可插入成分。

例句 打了一辆的。|打了几回的。|A：咱们怎么去飞机场？B：打的去。|太晚了，没有公共汽车了，打的吧。|三个人可以合打一辆的。|A：打的的钱我付。B：算了吧，还是我付吧。|下雨了，打的的人很多。|打的当然比坐公共汽车快。|打的是很方便，可是得多少钱哪。

▶"的"、"的士"，口语中指出租车。

【打发】 dǎfa 〔动〕

❶ 派出去；使出去。(send; dispatch; dismiss; send away)常做谓语。

例句 爷爷打发我去给他买酒。|A：总经理真厉害，几分钟就把那些告状的给打发了。B：要不怎么说他是铁嘴呢。|这几个钱就想打发我，没门儿！

❷ 消磨(时间、日子)。(while away one's time; kill time)常做谓语。

例句 这病床上的日子太难打发了。|A：你应该找个工作，总不能这样打发日子吧？B：我也着急，可又有什么办法呢？

【打工】 dǎ gōng 〔动短〕

做工(多为临时性的)。(work to earn a living)常做谓语、定语、主语。中间可插入成分。

例句 A：怎么好久没看见你哥哥了？B：他春节后就去城里打工了。|在国外留学时，他一边打工一边学习。|劳务市场到处都是来城里打工的年轻人。|在广州打工的机会多吗？|打工怎么了？打工也是靠劳动吃饭，不丢人。

【打击】 dǎjī 〔动〕

敲打，撞击；攻击。(hit; strike; attack)常做谓语、宾语、定语。

例句 他们狠狠地打击了贩毒分子。|我们该打击打击这伙人的嚣张气焰。|不能打击学生的学习积极性。|既然我这样做了，就不怕打击报复。|这些人都是我们打击的对象。

【打架】 dǎ jià 〔动短〕

相互打斗。(have a blow; fight)常做谓语、宾语、主语、定语。中间可插入成分。

例句 那两口子经常打架。|为这么一点儿小事你们也能打起架来？|就为一件小事，两家打了半年的架。|A：我不想和你打架，咱们去找老师评一评这个理。B：去就去。|这个孩子从来不爱跟别人打架。|打架是不文明的行为。|打架的事你千万不要告诉别人。

【打交道】 dǎ jiāodao 〔动短〕

交际，往来。(have dealings with)常做谓语。中间可插入成分。

例句 我不喜欢和这种人打交道。|由于工作关系,我们常打交道。|我从来没跟外国人打过交道。|A:你了解他吗?B:我跟他打过多次交道,他这个人很有心计。

【打量】 dǎliang 〔动〕

对人的穿戴、外貌、神态及事物的外部形态进行观察。(measure with the eye; look sb. up and down; size up)常做谓语。

例句 他打量了我老半天,一句话也没说就走了。|你好好地打量打量,我这可都是货真价实的东西。|A:帮我打量一下,我穿这件衣服怎么样?B:我看还不错。|不用打量那么仔细,大致看一下就行了。|他打量着屋里屋外,不放过一点儿可疑的线索。

【打猎】 dǎ liè 〔动短〕

在野外捕捉鸟兽。(go hunting)常做主语、谓语、宾语、定语。中间可插入成分。

例句 打猎是一种非常好的户外运动。|小时候,爷爷常带我进山里打猎。|长这么大,他从来没打过猎。|小的时候,我跟爸爸打过几次猎。|山里人都喜欢打猎。|我去的时候,他们还没开始打猎呢。|打猎的时候千万要小心。|这些年,打猎的人越来越少了。

【打破】 dǎ pò 〔动短〕

❶ 击破、摔破。(break)常做谓语。

例句 擦窗户时小心点儿,别打破了玻璃。|A:什么东西掉了,这么大声?B:我打破了一个碗。|他的额头被打破了。

❷ 突破原来的限制或束缚。(break)常做谓语。

例句 在这次运动会上,他打破了两项世界记录。|我们就是要打破铁饭碗,引入竞争机制。|他的一句玩笑话,打破了尴尬的局面。

【打气】 dǎ qì 〔动短〕

❶ 用气筒等工具充气。(pump up)做谓语、定语、主语。中间可插入成分。

例句 A:爸爸呢?B:正在给自行车打气。|车子该打气了。|我没找到给自行车打气的地方。|给自行车打一次气很便宜。

❷ 使…有勇气,用勇气鼓舞(某人)。(encourage)常做谓语、定语、主语。中间可插入成分。

例句 我使劲给他打气,可他还是鼓不起勇气来。|A:说通她了吗?B:我给她打了半天气,最后她终于同意试一试。|看到他这副样子,打气的人也觉得失望了。|打气对他已经没用了,我看你还是别费口舌了。

【打扰】 dǎrǎo 〔动〕

❶ 扰乱。(disturb)常做谓语。

例句 张老师正在备课,你别去打扰她。|他休息时,不喜欢有人打扰。

❷ 麻烦。(trouble)常做谓语。

例句 打扰您了,我告辞了。|A:对不起,我可以打扰您一下吗?B:没关系。

【打扫】 dǎsǎo 〔动〕

扫除,清理。(sweep)常做谓语。

例句 别的同学都走了,他却主动留下来打扫卫生。|你打扫打扫会议室,晚上在这儿开会。|A:下课后我们去打篮球吧?B:不行,老师让我们打扫教室。

【打算】 dǎsuan 〔动/名〕

〔动〕事先考虑，计划。(plan; intend)常做谓语。

例句 本打算去看你，你却来了。|我打算过几天再告诉她。|他这个人遇事总是先替别人打算。|A:周末你打算干什么？B:我打算去趟书店。|你不为自己，难道也不为儿女打算打算吗？|当初你们还是打算错了。

〔名〕关于将来行动的想法、念头。(plan; consideration; calculation)常做宾语、主语。

例句 你有什么打算？|过日子应该有个长远打算。|事情到了这一步，每个人都有了自己的打算。|要毕业了，说说你的打算。|我觉得你的打算是错的。

【打听】 dǎting 〔动〕

探问。(ask about; inquire about)常做谓语。

例句 车票还有没有，打听清楚了吗？|没有你什么事，不要老打听。|我先给你打听着，你不要着急。|你帮我打听一下，游泳馆几点开门。|A:找到他了吗？B:没有。问了好几个人，还是打听不到他住哪儿。

【打印】 dǎyìn 〔动〕

打字、油印。(mimeograph)常做谓语、定语。

例句 秘书很快就把材料打印出来了。|A:你这是忙着去干什么？B:去打印毕业论文。|请把这份打印稿校对一下，然后交给我。

【打仗】 dǎ zhàng 〔动短〕

进行战争；进行战斗。(make war; fight)常做谓语、主语、宾语、定语。

例句 那个地方正在打仗。|打仗靠的是士气。|我们不怕打仗。|男孩子们最喜欢玩打仗的游戏。

【打招呼】 dǎ zhāohu 〔动短〕

❶ 用语言或行动表示问候。(greet sb.; say hello)常做谓语。

例句 无论在哪儿，见着熟人总是她先打招呼。|这人真怪，一天到晚低着头跟谁也不打招呼。|A:昨天在街上你没听见我和你打招呼吗？B:实在是对不起，我没听见。

❷ 事前的通知或关照。(give notice to; notify)常做谓语。

例句 "五一"放假期间，外出旅游的同学要和学校打招呼。|你今天就要走，为什么不事先打个招呼？

【打折扣】 dǎ zhékòu 〔动短〕

指降低商品的定价(出售)，也比喻不完全按规定、标准来做。(sell at a discount; fall short of a requirement or promise)常做谓语、定语。中间可插入成分。

例句 这件衣服买的时候已经打了折扣。|他做事总要打点儿折扣。|打折扣的学习态度要不得。

▶ 在"降价出售"的意义上，"打折扣"常说成"打折"。如：A:这件衣服打不打折？B:打八折。

【打针】 dǎ zhēn 〔动短〕

把液体药物用注射器注射到体内。(give or have an injection)常做谓语、定语、宾语。

例句 你需要打退烧针。|你要是不吃药，就得打针。|A:看你烧得这么厉害，我送你去医院打一针吧？B:打针的滋味太难受了，我不去。|打针的时候你不要乱动。|我不爱打针，给我开点儿口服的药吧。

【大】 dà 〔形/副〕

〔形〕❶ 在体积、面积、深度、强度等

方面超过一般或超过所比较的对象。(big;large;great)常做定语、谓语、补语。

例句 球迷们举起了一条大标语。|这是本市最大的批发市场。|她有一双大大的眼睛。|这是一个新兴的城市,并不大。|A:这个人的力气可真大!B:你不知道吗?他是运动队的教练。|转眼间,雨就大起来了。|老师怕后面的同学看不见,把字写得大大的。

❷ 放在某些时令、节日前,表示强调。(*used before time or festival for emphasis*)常做定语。

例句 大热天的,上街干什么?|大过节的,何不好好休息休息?|A:李大爷在家吗?B:大清早就出去了,说是约几个老朋友去钓鱼。

❸ 表示排行第一。(eldest)常做定语。

例句 这是他的大儿子。|大姐在一家贸易公司工作。

❹ 用于构词,做相应成分。(prefix)

词语 大米 大象 大纲 大本营

例句 这儿出产的大米很有名。|如果运气好,我们在丛林中还能遇到大象。|我们依据大纲组织教学。|越过这道山脊就到我们登山队的大本营了。

〔副〕表示程度深。(greatly; fully)常做状语。也用于构词。

词语 大红大紫 大喊大叫 大哭大闹 大手大脚

例句 小吴听说自己没及格,大哭了一场。|经过生产工艺的改进,产品质量大大地提高了。|这次回来,我发现爷爷的精神大不如前。|A:你对这件事清楚吗?B:不大清楚。

【大半】 dàbàn 〔名/副〕

〔名〕过半数;大部分。(more than half;the greater part;most)常做主语、宾语、定语。

例句 他的书架上,大半是关于文学方面的书。|A:你怎么才来?讲演都进行一大半了。B:路上堵车,我也没办法。|这课都上了一大半了,教材竟然还没有。|大半同学想在"十一"放假期间出去旅游。|周末,我大半的时间是陪孩子。

〔副〕表示有较大的可能性。(most probably;most likely)常做状语。

例句 他大半是听了别人的闲话,才这样做的。|A:都这么晚了,我看他大半不能来了。B:不会的,他从来说话算话。

【大包大揽】 dà bāo dà lǎn 〔成〕

把事情、任务等尽量兜揽过来。(undertake as much as possible)常做谓语、状语。

例句 别大包大揽的,先问问别人想不想干。|父母不能把孩子的事大包大揽,要给他锻炼的机会。|这点儿活儿他们大包大揽地拿走了,还让我们来干什么?

【大便】 dàbiàn 〔名〕

屎。(faeces;stool)常做主语、宾语、定语。

例句 你这几天的大便正常吗?|为了确定你的病情,你要化验一下大便。|吃了这种药大便的颜色会变黑,不过停药就会好的。

【大臣】 dàchén 〔名〕

君主国家的高级官员。[minister (of a monarchy)]常做主语、宾语、定语。

例句 大臣就是部长。|他是外交

大臣。|大臣的选用由首相提名。

【大大】 dàdà 〔副〕

表示数量、程度、范围、规模等方面超过一般的。(greatly; enormously)常做状语。

例句 这片街区的改造,大大改善了市民的生活环境。|小超市电话购物、送货上门,大大方便了顾客。|减员分流大大减轻了企业的负担。

【大胆】 dàdǎn 〔形〕

有勇气;不畏缩。(bold; daring)常做定语、谓语、状语。

例句 新厂长大胆的改革精神,受到全厂上下的一致好评。|我很佩服你们有这么大胆的想法。|A:这些年轻人真大胆,竟然要不停机检修设备。B:那他们一定是有了技术保障。|干这种活儿一定要大胆、细心。|你大胆干吧,我们支持你。|只有大胆地尝试,我们才有成功的希望。

【大刀阔斧】 dà dāo kuò fǔ 〔成〕

比喻办事果断而有魄力。(bold and resolute; drastic)常做谓语、状语、定语。

例句 A:这些事李厂长知道吗? B:李厂长办事向来大刀阔斧,对这些细节,并不大留心。|可行的话,就要赶快做,而且要大刀阔斧地去做。|新局长不但平易近人,还有一种大刀阔斧的工作作风。

【大道】 dàdào 〔名〕

大路。(main road)常做主语、宾语、定语。[量]条。

例句 这条大道是国家投资修建的。|他们不一定走大道,很可能穿小路。|大道的路面虽然好一些,但路程也太长了。

【大道理】 dàdàoli 〔名〕

❶ 重大的原则和理论。(general principle)常做主语、宾语。[量]条,篇。

例句 这些大道理你真的不懂吗?|大道理谁都会讲,关键看你怎么做。|小道理要服从大道理。|不认真学习就弄不清这些大道理。

❷ 脱离实际的空洞言论与理论。(empty talk)常做主语、宾语。[量]通。

例句 你讲的这通大道理,一点儿也不能解决实际问题。|A:昨晚的报告不错吧? B:谁喜欢听那些没用的大道理?

【大地】 dàdì 〔名〕

❶ 广大的地面。(earth; mother earth)常做主语、宾语。

例句 春天到了,大地充满了生机。|白色的雪覆盖了大地,真是一派银妆素裹的好风光。

❷ 指有关地球的。(concerning the earth)常做定语、宾语。

例句 他在大学学习大地测量。|飞船在太空翱翔七天后,安全飞回大地。

【大都】 dàdū 〔副〕

大多。(for the most part)常做状语。

例句 业余时间大都由自己支配,可以看看书、打打球什么的。|A:你们班的同学在忙一些什么? B:马上考试了,同学们大都忙着复习。|他兜里的那点儿钱,大都在吃喝上花掉了。

【大队】 dàduì 〔名〕

队伍编制,由若干中队组成;军队中相对于营或团的一级组织。(a military unit corresponding to a battalion or regiment; group)常做主语、宾语、定语。[量]个。

例句 大队给我们中队下达了新的训练计划。|学员四大队获得集体一等功。|这里驻扎着一个训练大队。|这所军校有五个大队。|作为下级,你必须无条件地执行大队的命令。

【大多】 dàduō 〔副〕

大部分、大多数。(mostly)常做状语。

例句 这些工人大多来自附近的农村。|我们种的桃子,大多在六月份就可以采摘。|A:你们这个班的学生都是多大年龄的? B:大多是二十一二岁。|这期学生的汉语基础大多不错。

辨析 "大多"重在数量,"大都"所指重点是范围。

【大多数】 dàduōshù 〔名〕

超过半数很多的数量。(great majority; vast majority; the bulk)常做主语、宾语、定语。

例句 大多数都同意,只有少数几个人反对。|A:你们班的人全到了吗? B:大多数到了。|能够理解这件事的占大多数。|我们要相信他们中的大多数。|A:你们班的韩国学生多吗? B:我们班大多数同学来自韩国。|大多数毕业生都找到了工作。

【大发雷霆】 dà fā léitíng 〔成〕

比喻大发脾气,高声训斥。(be furious; fly into a rage; bawl at sb. angrily)常做谓语。

例句 A:主任正在大发雷霆,说要处分你们呢! B:随他的便吧。|老人大发雷霆,把吃饭的桌子都掀翻了。

辨析 〈近〉怒不可遏。"大发雷霆"形容因生气而大发脾气,"怒不可遏"则不含这层意思;"怒不可遏"还可以做状语。如:*"小江到底在哪儿?"老太婆大发雷霆地追问。("大发雷霆"应为"怒不可遏")

D

【大方】 dàfang 〔形〕

❶ 对于财物不计较,不吝啬。(generous)常做谓语、定语、补语、状语。

例句 他很大方,对这几个钱不会计较的。|她比以前大方点儿了,不那么吝啬了。|A:我去问问老赵,看看他能捐些什么。B:搞募捐别找他,他可不是一个大方的人。|最近,小王变得很大方,经常给大家买好吃的。|他大方地掏出一沓钱,放在了桌子上。

❷ 自然,不拘束。(natural and poised)常做谓语、定语、补语、状语。

例句 这孩子真大方。|你怎么扭扭捏捏的,人家姑娘倒是大方得很。|他总是大大方方的,从来不紧张。|她是一个很大方的女孩子。|几个月不见,她也变得大方起来了。|她大大方方地走上台,讲起他们恋爱的故事。

【大腹便便】 dà fù piánpián 〔成〕

肚子肥大的样子。(potbellied; bigbellied)常做谓语、定语。

例句 过去那个瘦小子,如今已大腹便便,让人有些认不出来了。|那家大儿媳妇去年生了个胖小子,今年二儿媳妇又大腹便便了。|那个大腹便便的中年人就是我们的谈判对手。|看他那大腹便便的样子,怎么也想象不出他曾是运动员。

【大概】 dàgài 〔名/形/副〕

〔名〕大致的内容或情况。(general idea; broad outline)常做宾语。

例句 看了这个材料,他心里已经明白了个大概。|我还有事,你先说个大概。|A:你对这件事了解吗? B:不十分清楚,只知道个大概。

〔形〕不精确、不详尽。(general; rough)常做定语。

例句 他说了半天,我总算听出了个大概意思。|我来的时间短,对这儿只了解个大概情况。|A:你知道事故伤亡的准确数字吗? B:现在还没统计出来,只有一个大概的数字。

〔副〕可能。(probably; most likely)常做状语。

例句 张教授大概有五十一二岁。|他们大概在下个月底回来。|大概他看见我们了,要不怎么会突然就走呢? |A:你说老师会同意吗? B:我看他大概会同意。

【大哥】 dàgē 〔名〕

❶ 排行最大的哥哥。(eldest brother)常做主语、宾语、定语。也做称呼语。

例句 我的大哥在大学里当教师。|他大哥三年前就去世了。|A:你大哥约我来,他怎么没来? B:他早来了,在里面等你呢。|这事和你没关系,我们找你大哥。|要不是看你大哥的面子,便宜不了你。|大哥,你看我给你带什么来了。

❷ 尊称和自己年纪相仿的男子。(elder brother)常做主语、宾语、定语。也做称呼语。

例句 A:周大哥病了,下午我们去看看他。B:好,中午休息时我去买些水果。|要讲做人,你们还得好好学学你张大哥。|张大哥的手艺真好,捏出的面人非常漂亮。|这位大哥,麻烦你让一让。

【大公无私】 dà gōng wú sī 〔成〕

一心为公,没有私心。(selfless; give no thought to oneself)常做谓语、宾语、定语。

例句 老校长这一生大公无私,受到了全校师生的爱戴。|作为一个领导者,应该大公无私。|他做不到大公无私,我们不相信他。|我们都要学习他这种大公无私的精神。

【大锅饭】 dàguōfàn 〔名〕

原指供很多人吃的饭菜。比喻分配上的极端平均主义。(food prepared in a large canteen cauldron; mess)常做宾语、主语、定语。

例句 “大锅饭”养成了人们懒散的工作作风。|改革了这么多年,还有人想吃大锅饭。|A:哪些人对这项改革有意见? B:还不是那些吃惯了大锅饭的人。|一个企业都到了这种地步,你们还看不出大锅饭的害处吗?

【大会】 dàhuì 〔名〕

国家机关、团体等召开的全体会议或人数众多的群众集会。(plenary session; congress)常做主语、宾语、定语。[量]次,个。

例句 本次大会历时五天。|今天下午全厂开动员大会。|厂长正在给大家传达大会精神。

【大伙儿】 dàhuǒr 〔代〕

❶ 指一定范围内的所有人。(we all; you all; everybody)常做主语、宾语、定语。

例句 大伙儿肃静一下,下面听小李发言。|A:人都哪儿去了? B:大伙儿都去教室了,就我在这儿等你。|你要

相信大伙儿，谁也不会让你吃亏。|我非常想听一听大伙儿的意见。

❷ 放在复数代词后面，表示复指。(we all; you all)做相应的句子成分。

例句 你们大伙儿回去吧，不用都陪着我。|咱们大伙儿一起去找厂长，问他说话还算不算数。

【大家】 dàjiā 〔代〕

❶ 指一定范围内所有的人；有时可称某人或某些人之外的一定范围内的所有人。(everybody; all)常做主语、宾语、定语。

例句 大家有什么意见，尽管提出来。|这种有关中国传统文化的课，大家都喜欢听。|大家先回去吧，明天我去看望大家。|A：你去通知大家，下午的活动取消了。B：好，我马上去。|这是大家的事，我们都有权过问。|大家的心意我领了，可是这些东西我不能收。

❷ 放在复数代词后面，表示复指。(every one; everybody)做相应的句子成分。

例句 我们大家总得想个办法帮助他。|你们大家好好想一想，他这样做，对吗？

【大街】 dàjiē 〔名〕

城镇中路面比较宽、比较繁华的街道。(main street)常做主语、宾语、定语。[量]条。

例句 大街上车多，注意点儿安全。|大街小巷张灯结彩，一派节日景象。|过去，这个县城只有一条大街。|李大妈上大街去了。|她俩没事儿就爱逛大街。|大街两旁商店一个挨着一个。|这条大街拐角上就有自动取款机。|大街上人来人往，热闹得很。

【大惊失色】 dà jīng shī sè 〔成〕

非常惊恐，变了脸色。(get such a big scare that color goes out of one's face; turn pale with fright)常做谓语。

例句 喝酒的学生一见是老师，大惊失色。|这小偷见有警察过来，顿时大惊失色，撒腿就跑。|听了我的话，他大惊失色，脸色煞白。

【大惊小怪】 dà jīng xiǎo guài 〔成〕

形容对不足为奇的事情过分惊讶。(be surprised at sth. quite normal)常做谓语、定语、状语。

例句 A：你看，什么东西！B：别大惊小怪的，是一只猫。|你怎么能为这么点儿小事大惊小怪呢？|看到她这副大惊小怪的样儿，我忍不住笑了。|我心想，幸亏没有大惊小怪地叫起来，否则别人该笑话我了。

▶ 多用于否定或不以为然的句子中。

【大局】 dàjú 〔名〕

整个的局面或形势。(overall situation)常做主语、宾语、定语。

例句 看到大局已定，队员们都不再卖力踢了。|现在的大局就是发展经济。|如果都只管自己，不顾大局，那怎么行？|今年虽然几个地方受了灾，但还不影响大局。|在这个问题上我们还应该服从大局。|支援落后地区，这是大局的需要。

【大快人心】 dà kuài rén xīn 〔成〕

指坏人受到惩罚或打击，大家心里感到非常痛快。(affording general satisfaction; to the immense satisfaction of the people)做谓语、定语。

例句 这个坏人终于受到应有的惩

罚，大快人心哪！|这真是一个大快人心的好消息！

【大款】 dàkuǎn 〔名〕

指很有钱的人。(tycoon; moneybags)常做主语、宾语、定语。[量]个。

例句 有些大款有的是钱，可从来没想过为社会做点儿有益的事。|很多大款花钱反倒很仔细。|人家是大款，能看得起咱们？|经商几年后，他成了一个大款。|A：听说小李姑娘找对象了？B：是啊，找了个大款。|大款的钱多，知识不一定多。

【大理石】 dàlǐshí 〔名〕

一种岩石，多用作装饰品及雕刻、建筑材料。因为云南大理产的最有名，所以叫大理石。(marble)常做主语、宾语、定语。[量]块。

例句 白色的大理石洁净、素雅。|据说大理石有轻微的辐射，对人有害。|门口铺着几块漂亮的大理石。|她家卫生间是用大理石装修的。|广场上有一座大理石雕像。|我觉得还是这种天然大理石的花纹好看。

【大力】 dàlì 〔名/副〕

〔名〕很大的力量。(major effort)常做宾语。

例句 工人们出大力，流大汗，提前完成了任务。|最近学汉语他可下了大力了。

〔副〕用很大的力量。(go all out)做状语。

例句 这种新产品得向消费者大力宣传才行。|领导大力支持我们的改革方案。|国家大力推广节水技术和产品。|她大力发球，对方没接住。

【大量】 dàliàng 〔形〕

数量很多。(a large number; a great quantity)常做定语、状语。

例句 为了准备 HSK，每天都要做大量的练习。|大量事实证明，是他们首先违约的。|许多国家为治疗艾滋病投入了大量的资金。|中国电视机大量出口到许多国家。|由于大量饮酒，他到底得病住了院。|只有大量生产适销对路的产品，才能占领市场。

【大陆】 dàlù 〔名〕

广大的陆地；特指中国领土的广大陆地部分。(continent; mainland)常做主语、宾语、定语。[量]块。

例句 大陆比我们海岛生活方便多了。|欧亚大陆是地球上最大的大陆。|船上的旅客兴奋地喊：我们看见大陆了！|春节前，许多港澳台同胞回大陆探亲。|林老先生经常梦见大陆的故乡。|大陆的东西运到这里，至少得三天。

【大米】 dàmǐ 〔名〕

稻(dào)的种子去掉壳后叫大米。(rice)常做主语、宾语、定语。[量]粒。

例句 一般来说，北方大米味道好一些。|请问，这大米是今年的新米吗？|下了班我得去买点儿大米。|过去想吃大米白面，现在又想吃杂粮了。|奶奶顿顿离不了大米粥。|你一顿能吃几碗大米干饭？

【大名鼎鼎】 dà míng dǐngdǐng 〔成〕

形容名气很大。(famous; well-known)常做定语、谓语。

例句 A：这人是谁？B：她呀，是当今大名鼎鼎的女作家。|你知道吗？咱们这儿出了一位大名鼎鼎的人物！|这回，系里请来了一位大名鼎鼎的数学家给我们做报告。|在这

个小县城里，王医生大名鼎鼎，医术相当高。

【大拇指】 dàmǔzhǐ 〔名〕
手和脚的第一个指头。(thumb)常做主语、宾语。[量]个。

例句 瞧你这袜子，大拇指都露出来了。|我这个大拇指受过伤，拿东西使不上劲。|一提起刘大夫，大家都竖大拇指。|两位外国朋友伸出大拇指，连声说：OK，OK！

【大脑】 dànǎo 〔名〕
神经系统最主要的部分，人的大脑主管思维、记忆及全身知觉、运动等。(cerebrum)常做主语、宾语、定语。[量]个。

例句 在高等动物中，人的大脑最发达。|她最近不大正常，大脑受了刺激。|谁不想有个聪明的大脑？|因为事故中伤了大脑，他成了植物人。|有的大脑功能障碍是先天的。

【大炮】 dàpào 〔名〕
一种大口径重型射击武器，火力强，射程远。(artillery; big gun; cannon)常做主语、宾语、定语。[量]门。

例句 这门大炮是100多年前的。|大炮都伪装起来了，敌人很难发现。|战士们把大炮推上了山。|这一仗能打胜，主要是大炮的功劳。

【大批】 dàpī 〔形〕
大量。(large quantities of; large numbers of)常做定语、状语。

例句 大批材料迅速运到施工现场。|每年春节前，大批学生集中返乡。|搞建设需要大批的高科技人才。|我去的时候，正赶上西瓜大批上市。|近年来，外国人大批到中国旅游、经商、学习。

【大气压】 dàqìyā 〔名〕
大气的压强，随着离海平面的高度增加而减小；也指标准大气压。(atmosphere)常做主语、宾语、定语。

例句 越往山上爬，大气压越小。|先加温，使里外大气压一样，瓶盖就能打开。|因为大气压的作用，真空包装袋压得扁扁的。

【大人】 dàren 〔名〕
成年人。(adult)常做主语、宾语、定语。[量]个，位。

例句 大人说话，小孩儿别插嘴。|这种问题大人都不会，别说孩子了。|孩子出了事，责任在大人。|我画画是小时候在家跟大人学的。|这是大人的事，我怎么知道？|别看他刚五岁，净说大人话。|小姐，买两张大人票，一张小孩儿票。

【大嫂】 dàsǎo 〔名〕
大哥的妻子；对跟自己年龄差不多的妇女的尊称。(eldest brother's wife; sister-in-law; elder sister)常做主语、宾语、定语。也用于称呼。[量]位。

例句 母亲去世早，大嫂对我就像母亲一样。|大哥，大嫂没在家呀？|我不知道，问问那位大嫂吧。|她一大早就跟王大嫂进城了。|大嫂的孩子已经上大学了。|糖醋鱼是大嫂的拿手菜。|这位大嫂，帮个忙行吗？

【大煞风景】 dà shā fēngjǐng 〔成〕
损害景物，破坏人的兴致，泛指破坏愉快的气氛或好兴致。(utterly spoil the fun; sink the spirits; mar the pleasure)常做谓语、定语。

例句 本来是一派迷人的田园风光，突然建了这么个现代建筑，真大煞风

景。|你千万不能走,你要真走了,岂不大煞风景?|在精彩的展览会上,竟然会发生这样大煞风景的事。

【大厦】 dàshà 〔名〕

高大的房屋,常用作高楼名。(large building,mansions)常做主语、宾语、定语。[量]座。

例句 如今城里的高楼大厦越来越多。|贸易大厦目前是全市最高的。|广场周围有五六座漂亮的大厦。|走进这座大厦,就像进了宫殿一样。|招待会在大厦二楼宴会厅举行。|我来介绍一下,这位是金龙大厦陈总经理。

【大声】 dà shēng 〔名短〕

很大的声音。(high voice)常做状语、谓语、补语。中间可插入成分。

例句 她在电话里大声告诉我,她中奖了!|谁大声按喇叭?吓我一跳。|代表们大声疾呼:必须关心农民利益。|喂,你能不能大点儿声?我听不见。|别把音响放那么大的声,邻居烦不烦?

【大声疾呼】 dà shēng jí hū 〔成〕

大声呼喊,促使别人注意。(raise a cry of warning;loudly appeal to the public)常做谓语。

例句 他们大声疾呼:保护环境,保护我们共同的家园——地球。|他向社会大声疾呼,救救那些鸟类吧。

【大失所望】 dà shī suǒ wàng 〔成〕

非常失望。(greatly disappointed;to one's great disappointment)常做谓语、宾语、定语、状语。

例句 我的所作所为确实让妈妈大失所望。|看到成绩单上的分数,小女孩大失所望。|孩子没考上名牌大学,我感到大失所望。|看到我家中的穷困样儿,女朋友脸上露出了大失所望的神情。|经历了这一切,大失所望的商人撤回了全部投资。|老师大失所望地摇了摇头,一句话也没说。|他大失所望地说:"算了,我另想办法吧。"

【大使】 dàshǐ 〔名〕

一国派驻他国的最高一级的外交代表。(ambassador)常做主语、宾语。[量]位。

例句 大使在酒会上发表了热情的讲话。|张大使亲自到医院慰问受伤的我方人员。|国家主席最近任命了几位大使。|外交部副部长紧急约见了该国驻华大使。

【大使馆】 dàshǐguǎn 〔名〕

两国正式建立外交关系后,在对方首都设立的、由大使负责的最高外交代表机构。(embassy)常做主语、宾语、定语。[量]个。

例句 为庆祝国庆,驻各国大使馆举行了各种活动。|我们的大使馆在市郊,环境非常好。|我还没去大使馆办签证呢。|在国外,到了大使馆就像到家一样。|保护同胞利益,是大使馆的重要责任。|大使馆的建筑和设施不容侵犯。

【大势所趋】 dà shì suǒ qū 〔成〕

整个局势发展的方向。(the trend of the times;the general trend)常做宾语。

例句 这是大势所趋,谁都阻挡不了。|没有办法,这也是大势所趋嘛!

【大势已去】 dà shì yǐ qù 〔成〕

有利的局势已经丧失。(the game is as good as lost;the situation is hopeless)做谓语、宾语。

例句 现在大势已去,你说我们该

怎么办吧？|那人见大势已去，就说："怎么会不愿意？你们怎么说我就怎么做。"

【大肆】 dàsì 〔副〕
无顾忌地（做坏事）。(without restraint; wantonly)做状语。
例句 对大肆走私文物的非法活动必须坚决打击。|公安机关抓住了几个大肆破坏公共设施的不法分子。|他们大肆活动，企图制造混乱。

【大体】 dàtǐ 〔副/名〕
〔副〕从多数情况或主要方面说。(roughly; more or less; on the whole; by and large; approximately)做状语。
例句 员工们的意见大体如此。|工程已经大体完工了。|你的意思我大体听明白了。
〔名〕重要的道理。(cardinal principle)常做宾语。
例句 无论什么时候，她都能识大体，顾大局。

【大同小异】 dà tóng xiǎo yì 〔成〕
大部分相同，只有一小部分不同。(much the same but with minor differences)常做谓语、定语。
例句 这本参考书跟那本大同小异，买一本就行。|既然大伙的意见大同小异，就这么决定了。|那些大同小异的景点就不用都看了。

【大无畏】 dàwúwèi 〔形〕
什么都不怕（指困难等）。(dauntless; indomitable)常做定语。
例句 有这种大无畏的精神，什么困难不能克服？|航天员大无畏的英雄气概令人佩服。

【大相径庭】 dà xiāng jìngtíng 〔成〕
彼此相差很远。(widely divergent)常做谓语。
例句 实际情况与他的想象大相径庭。|这种做法与当今的潮流实在大相径庭。
辨析 〈近〉截然不同。"大相径庭"是书面语，"截然不同"则书面语和口语中都经常使用，使用范围较大。

【大小】 dàxiǎo 〔名/副〕
〔名〕❶ 大小的程度。(size)常做主语、宾语。
例句 车的大小怎么样？|大小还行，样式一般。|这鞋我可以穿上试试大小吗？
❷ 辈分的高低；大人小孩儿。(degree of seniority; adults and children)常做主语、宾语。
例句 这孩子太调皮，大小不分。|我家大小一共四口儿。|你懂不懂大小？怎么先吃上了？|别老跟我开玩笑，没大没小的。
❸ 大的和小的。(big or small)常做主语、宾语。
例句 这几种杯子大小一个价。|我看别挑了，大小不都是一样嘛。|比来比去，也没分出大小来。
〔副〕或大或小（表示还能算得上）。(at very least)常做状语。
例句 别小看人，大小我也是个经理。|他大小还是个长辈，你就别那么认真了。|现在大小总算有自己的"窝儿"（房子）了。

【大型】 dàxíng 〔形〕
形状或规模大的。(large; large-scale)常做定语。也构成"的"字短语。
例句 这里经常举行大型比赛和演出。|年底有一场大型的新年音乐会。|我市仅国有大型企业就有十

D

几家。|展销的汽车既有大型的,也有小型的。

【大学】 dàxué 〔名〕

进行高等教育的学校,也特指综合大学;也指大学本科教育。(university)常做主语、宾语、定语。[量]所。

例句 大学是培养人才的地方。|大学与企业联合办学,是一条新路。|近年来,民办大学逐渐多起来了。|别上火,考不上大学还可以干别的。|他念完大学还想念研究生。|出国上大学现在比较热门。|一走进大学校园,就能感受到大学的氛围。|我到现在还特别怀念四年的大学生活。|她是大学学历,副教授职称。

【大雁】 dàyàn 〔名〕

一种候鸟。群居在水边,飞时常排列成行。也叫鸿(hóng)雁。(wild goose)常做主语、宾语、定语。[量]只。

例句 一到秋天,大雁就飞到南方去过冬了。|大雁在天上一会儿排成个人字,一会儿排成个一字。|湖边生活着上百只大雁。|要是破坏了大雁的生存环境,它就不会再来了。

【大摇大摆】 dà yáo dà bǎi 〔成〕

形容满不在乎,大模大样地走动。(strutting; swaggering)常做状语,也可做定语。

例句 他迟到了,还大摇大摆地走进了课堂。|那个人大摇大摆地走进来,往椅子上一坐。|我就看不惯他那大摇大摆的样子。

【大衣】 dàyī 〔名〕

较长的西式外衣。(overcoat; topcoat)常做主语、宾语、定语。[量]件。

例句 我怕行李超重,大衣就没带。|那儿零下30度,这件薄大衣哪能行?|劳驾,我看看那件大衣好吗?|请坐,把大衣脱下来。|穿大衣,戴礼帽的那位是张先生。|一到春天,市场上大衣的价格就降下来了。|毛皮大衣的保护很有讲究。

【大义灭亲】 dà yì miè qīn 〔成〕

为维护国家、人民的利益,对犯罪的亲属不徇私情,使受到国法制裁。(place righteousness above loyalty to one's family)常做谓语。

例句 A:老张能够大义灭亲,真叫人佩服。B:可不是,难得。|这位白发苍苍的老人大义灭亲,把犯罪的儿子送到了公安局。

【大意】 dàyì 〔名〕

主要的意思。(main points; general idea; gist; tenor)常做主语、宾语。

例句 我的汉语不太好,不过大意还是听懂了。|那篇文章大意是这样的。|没时间了,你说说大意就行。|先把大意记下来,回头再研究吧。

【大有可为】 dà yǒu kě wéi 〔成〕

事情很值得做,很有发展前途。(be well worth doing; have bright prospects)常做谓语、定语。

例句 植树造林,大有可为。|到西部去创业肯定大有可为。|水的循环利用是一项大有可为的工作。|这种大有可为的事情为什么很少有人做呢?

【大于】 dàyú 〔动〕

比(某事物)大。(bigger than; larger than)常做谓语(带宾语)。

例句 如果投入大于产出,还谈什么效益?|因为A大于B,B又大于C,所以A大于C。|这么贵的费用

明显大于一般人的支付能力。

【大约】 dàyuē 〔副〕

❶ 表示估计的数目。(about)在句中做状语。

例句 从学校到机场大约一个小时。|每个人大约可以带25公斤行李。|这件中国工艺品大约要200元人民币。|A:你学汉语多长时间了? B:大约有一年吧。

❷ 表示有很大的可能。(probably; most likely)在句中做状语。

例句 好久没看见马克了,他大约回国了。|很长时间没练习口语了,有的话大约都忘了。|今天的晚会老师大约能来。|A:班长怎么没来上课? B:大约病了。

【大致】 dàzhì 〔形〕

大体上;大概。(approximately)在句中做定语、状语。

例句 他的大致情况我们已经了解了。|这个新同学只能说出学校的大致位置。|他和老板谈了大致的想法。|这了两所大学的情况大致相同。|我们大致明白了他说的汉语。|A:老师的说明清楚了吗? B:大致清楚了。

辨析 〈近〉大概。"大概"还表示"可能","大致"没有此意;"大概"还可做宾语,"大致"不能。如:* 这件事我只了解个大致。("大致"应为"大概")

【大智若愚】 dà zhì ruò yú 〔成〕

指有才智的人不露才华,表面上好像很愚笨。(a man of great wisdom often seems slow-witted)常做谓语、定语、宾语。

例句 这个人大智若愚,你可不要小看他。|这个有才气的小伙子,平时总是一副大智若愚的样子。|别看他平时呆头呆脑的,他这是大智若愚。

【大众】 dàzhòng 〔名〕

一般群众。(the public)在句中做主语、宾语,定语。

例句 人民大众是社会的主体。|大众对城市建设发表了很多意见。|政府不能脱离人民大众。|搞环境建设要依靠大众。|这家饭馆很符合大众的口味。|大众的需要就是公司发展的方向。

【大自然】 dàzìrán 〔名〕

自然界。(nature)在句中做主语、宾语、定语。

例句 大自然对人类很重要。|大自然是我们的宝贵财富。|人类应该保护大自然,珍惜大自然。|孩子们很想了解大自然。|我们应该美化大自然。|很多人非常喜欢大自然的景色。|人类在不断探索大自然的奥秘。

【呆】 dāi 〔形/动〕

〔形〕❶ 反应慢;不灵敏。(slow-witted; dull)在句中做谓语、定语、宾语。

例句 那个新同学很呆。|我其实一点儿也不呆。|他呆极了。|那真是一个呆人。|你真是呆头呆脑的。|那个孩子有点儿呆。

❷ 表情死板。(blank; wooden)在句中做谓语、补语、状语、宾语。

例句 听到这个坏消息,他呆住了。|知道考试成绩后,那个同学呆了半天。|出了事故,司机吓呆了。|老师讲的故事太有意思了,留学生都听呆了。|他呆呆地坐在那儿,一句话也不说。|大家都呆呆地在听他讲。|别发呆了,快走吧。|他想家,经常发呆。

D

〔动〕停留,也写作“待”。(stay)在句中做谓语。

例句 他在北京机场只呆了一个小时。|这次回家没呆多久。|我们不愿意在房间呆着。|在公司他呆不下去了,只好辞职。

D

【歹徒】 dǎitú 〔名〕

坏人。(scoundrel)在句中做主语、宾语、定语。[量]个,群。

例句 那几个歹徒被警察抓走了。|歹徒想抢劫那家商店。|警察抓住了抢劫的歹徒。|法院正在审判杀人的歹徒。|受害人说出了歹徒的特征。

【大夫】 dàifu 〔名〕

医生。(doctor)在句中做主语、宾语、定语。可以作为称呼语。[量]个,位。

例句 大夫给病人开了药。|大夫正给一个病人动手术。|A:大夫,我肚子不舒服。B:我给你检查一下。|病了就要去医院看大夫。|这个孩子的理想就是当大夫。|病人很看重大夫的经验。|李大夫的医术很好。

【代】 dài 〔动/名〕

〔动〕代替;代理。(take the place of)在句中做谓语。

例句 口语老师病了,李老师给我们代课。|经理出差了,由老王代经理。|我们请旅行社代买火车票。|考试不能让别人代。

〔名〕世系的辈。(generation)在句中做主语、宾语、定语。

例句 老一代为国家作出了很大贡献。|年轻一代已经长大了。|这些老人很关心下一代。|这些员工都是新一代。|老一代的任务已经完成了。|我们老了,不太了解新一代的想法。

▶ “代”还指朝代。如:唐代 清代

【代办】 dàibàn 〔名/动〕

〔名〕一个国家的大使馆,大使不在时的最高负责人。(chargé d'affaires)在句中做主语、宾语、定语。[量]位,个。

例句 代办接见了留学生。|这位代办工作很认真。|总理会见了这个国家的代办。|那个同学认识大使馆的代办。|代办的工作只是临时负责。|几个留学生去了代办的办公室。

〔动〕替别人办理事情。(do sth. for sb.;act on sb.'s behalf)在句中做谓语、定语。

例句 这家宾馆代办飞机票。|你的事情别人不能代办。|快放假了,我们学校为留学生代办托运。|他代办的事,你就放心吧。|我们公司开了新的代办业务。

【代表】 dàibiǎo 〔名/动〕

〔名〕被选出来或受委托代表个人或组织的人;也指显示同一类的共同特征的人或事。(deputy;representative)在句中做主语、宾语、定语。[量]个,位。

例句 这个代表非常热心地为大家服务。|我们的代表是高级班的同学。|马克被大家选为留学生的代表。|留学生把自己的意见反映给了代表。|他是留学生的优秀代表。|我们大学很重视留学生代表的意见。|代表的权利应该得到尊重。|这部作品是这个作家的代表作。

〔动〕代个人或组织发表意见;表示或象征某种意义。(represent;stand

for)在句中做谓语、定语。

例句 班长可以代表全班同学。|红灯代表不能通行。|老师代表学校和留学生进行了协商。|他代表不了全体同学。|在中国,绿灯代表的意思你知道吗?

【代号】 dàihào 〔名〕

代替人或事物名字的别名、号码等。(code name)在句中做主语、宾语、定语。[量]个。

例句 这种商品的代号是多少?|你们公司的代号是什么?|他们给这次活动取了一个好听的代号。|请告诉我你们产品的代号。|SP 这个代号的意思是什么?

【代价】 dàijià 〔名〕

为获得某种东西或达到目的付出的钱和精力等。(price;cost)在句中做主语、宾语、定语。[量]个,种。

例句 这笔买卖代价太高了,你们公司应该再考虑考虑。|来中国学汉语的代价还可以承受。|为了买卖成功,他们付出了很高的代价。|开车不小心,他付出了血的代价。|代价的高低决定了商品的价格。|公司要预测代价的大小。

【代理】 dàilǐ 〔动〕

临时代别人担任某种职务或做某项工作。(act on behalf of sb. in a responsible position; act as agent)在句中做谓语、定语。

例句 经理出差了,老王代理经理。|同事病了,我临时代理他的工作。|你的工作别人代理不了。|经理出差回来了,你代理的任务完成了。

【代数】 dàishù 〔名〕

代数学,数学的一支。(algebra)在句中做主语、宾语、定语。[量]门。

例句 代数不太容易。|我在中学学习过代数。|很多人对代数没有兴趣。|代数的公式很多,我都忘了。|我上中学时,代数成绩一直不错。

【代替】 dàitì 〔动〕

用一个换另一个,让前面的起作用。(replace;substitute for)在句中做谓语、定语。

例句 口语老师病了,李老师代替了她。|你的事情别人代替不了。|A:你累了吧,我代替你吧。B:谢谢,不用,还是我自己干。|这种产品国产的已经代替了进口的。|老王要退休了,代替的人还没找到。

【带】 dài 〔动〕

❶ 随身拿着。(bring; take; carry)在句中做谓语、定语。

例句 留学生上课都带词典。|他出去旅行,什么行李也没带。|A:你这次旅游带回了什么纪念品?B:带了一些工艺品。|旅游时,别忘了带护照。|他从国内带来的礼物都送给了同学。

❷ 顺便做某事。(do sth. incidentally)在句中做谓语。

例句 你去书店帮我带本词典吧。|走的时候请把门带上。|旅游时他给同屋顺便带了件小玩意儿。

❸ 引导,带动。(lead;head)在句中做谓语。

例句 老同学带新同学办入学手续。|妈妈带孩子去公园玩。|星期天老师带全体留学生去农村参观。|你们去旅游时,带我去,好吗?

❹ 含有。(bear;have)在句中做谓语。

例句 老师上课时带着微笑。|他的话是不是带着口音?|这些花都带着很浓的香味。

D

【带儿】 dàir 〔名〕
带子或像带子的东西。(belt or sth. like a belt)在句中做主语、宾语、定语。[量]根。
例句 书包的带儿断了。|这根带儿很结实,不用担心。|这些老人表演的时候腰里系了一根红带儿。|马克用带儿把行李捆起来了。|这根带儿的长短正好。

【带动】 dàidòng 〔动〕
通过动力使运动;引导前进。(drive; spur on; bring along)在句中做谓语。
例句 这台机器带动了那些设备。|班长带动全班同学努力学习。|新产品带动了公司的销售。

【带劲】 dàijìn 〔形〕
能引起兴趣;有劲头。(interesting; energetic)在句中做谓语、补语。
例句 那部电影真带劲。|玩扑克不带劲。|能参加口语比赛真带劲。|他们玩得真带劲。|我们打乒乓球打得很带劲。
▶ 口语一般念"带劲儿"。

【带领】 dàilǐng 〔动〕
领导或指挥。(lead; guide)在句中做谓语、定语。
例句 老师带领我们打扫了教室。|老板带领所有员工参观了另一家公司。|这个教练员带领球队获得了冠军。|那个老师带领的学生取得了好成绩。

【带头】 dài tóu 〔动短〕
首先行动起来带动别人。(take the lead)在句中做谓语、状语、定语。中间可以插入成分。
例句 学习方面班长应该带头。|这事我带不了头。|所有的事老板总带头。|这个人总带头提意见。|班长带头报名参加口语比赛。|带头的活儿很多人都不想干。|领导要发挥带头作用。

【贷】 dài 〔动〕
借入或借出钱。(borrow or lend)在句中做谓语、宾语。
例句 缺的资金要向银行贷。|这笔钱银行贷不了。|他从银行贷出了钱。|那么多钱,银行不同意贷。|公司的收入都用于还贷了。

【贷款】 dài kuǎn 〔动短〕
银行等机构借钱给部门或个人,也指国与国之间借钱。(provide a loan; extend credit to)在句中做谓语、定语。中间可插入成分。
例句 公司向银行贷了一大批款。|我们不能再贷款了。|这个国家不肯贷款给他们。|贷款的数额现在还没决定。|这两个国家商量好了贷款的方式。
▶ "贷款"也做名词。如:一笔贷款 偿还贷款

【待】 dài 〔动〕
❶ 对待。(treat)在句中做谓语,常构成固定格式。
词语 待人 待客
例句 年轻人应该礼貌待人。|他待客很热情。
❷ 等待;等候。(wait for; await)在句中做谓语,宾语常为动词。
例句 你的申请还待批准。|留学生宿舍楼的问题尚待解决。

【待业】 dài yè 〔动短〕
等待工作、就业。(wait for a job)在句中做谓语、定语。中间可插入成分。
例句 他高中毕业后在家待业。|

我已经待了几年业了。|小李刚大学毕业，正在待业。|她是一个待业青年。|这家公司招收了很多待业人员。

【待遇】 dàiyù 〔名〕

社会地位、权利等，也指得到的报酬。(treatment; remuneration; pay)在句中做主语、宾语、定语。[量]种。

例句 现在工人的待遇都提高了。|这个人享受的待遇很不错。|政府不断改善退休人员的生活待遇。|最近我们公司又提高了员工的待遇。|现在的年轻人很重视待遇的好坏。|待遇的高低不那么重要。

【怠工】 dài gōng 〔动短〕

不积极工作，故意降低工作效率。(deliberately slow down; work with less efficiency)常做谓语、定语。

例句 这几个人工作态度非常不好，常常怠工。|A：你们不应该这么消极怠工。B：谁说的？我们从来没怠过一次工。|对那些消极怠工的人应该扣发奖金或工资。

【怠慢】 dàimàn 〔动〕

冷淡轻慢，看不起人；客气话。(slight; cold-shoulder)常做谓语、定语。

例句 他对人很热情，从来不会怠慢客人的。|对不起，今天怠慢了，请多包涵。|她对人很怠慢，大家都不愿意跟她交往。|他们那怠慢的态度真让人生气。

【袋】 dài 〔名/量〕

〔名〕口袋。(bag; sack; pocket)在句中做主语、宾语、定语。[量]个。

例句 这个袋太小了，要个大的。|食品袋有时不太卫生。|请把垃圾放入垃圾袋。|他把书装进了一个纸袋。|那个袋的大小正合适。

〔量〕用于袋装的东西。(*used for bagged things*)组成数量短语做定语、宾语。

例句 商店里，一袋米大概 10 公斤。|这些小食品很好吃，我一下买了好几袋。

【逮捕】 dàibǔ 〔动〕

捉拿(罪犯)。(arrest; capture; nab)常做谓语和定语。

例句 警察已经逮捕了那两个盗窃犯。|那个贪污犯昨天被逮捕了。|把逮捕的犯罪嫌疑人带进来！|上级已经下达了逮捕令。

【戴】 dài 〔动〕

把东西放在头、脸、脖子等部位。(wear)在句中做谓语、定语。

例句 留学生都戴着大学的校徽。|口语老师戴眼镜，听力老师不戴眼镜。|女同学喜欢戴一些首饰，如耳环什么的。|我总忘记戴手表。|老人戴的帽子很奇怪。

【丹】 dān 〔名/形〕

〔名〕制成颗粒状或丸状的中成药。(pellet; powder)常做主语、宾语。[量]颗，粒。

例句 这种活络丹可以治扭伤。|你吃了什么灵丹妙药，这么快就好了？|那药叫什么丹？

〔形〕红色的。(red)常做定语。

例句 一轮丹阳徐徐升起。|漫山遍野的丹枫真令人流连忘返。

【担】 dān 〔动〕 另读 dàn

❶ 用肩膀挑。(carry on a shoulder pole)常做谓语。

例句 山那边的农村比较偏僻，没有自来水，要自己去井边担水。|他的力气大得很，能担 200 斤的担子。

D

❷ 担负,承当。(undertake; take on; be burdened with)常做谓语。

例句 你是领导,这么做要担风险的。

【担保】 dānbǎo 〔动/名〕

〔动〕表示负责,保证不出问题或一定办到。(assure; guarantee)常做谓语、定语。

例句 我敢担保,出不了问题。|我担保他一定会按时翻译完的。|A:你们公司为这个要贷款的公司担保,也需要办一些手续。B:我们知道。|那个出面担保的公司叫什么名字?

〔名〕担保的材料。(material that shows that sth. is guaranteed)常做主语、宾语、定语。[量]个,份。

例句 这份担保非常重要。|要办签证,你还需要有一个经济担保。|我们应该把担保的内容好好起草一下。

【担负】 dānfù 〔动〕

承当(责任、工作等)。(sustain; bear; be answerable for)常做谓语、定语。

例句 他们担负着维护社会治安的责任。|青年一代担负着建设祖国未来的使命。|我们担负的任务很重。

【担任】 dānrèn 〔动〕

担当某种职务或工作。(assume the office of; hold the post of)常做谓语。

例句 这次演出,他担任了乐队指挥。|这学期,我们班的班长由张亮同学担任。|担任领导工作以后,他比以前忙多了。

【担心】 dān xīn 〔动短〕

放心不下。(feel anxious; take sth. to heart; worry)常做谓语、状语、主语、宾语。

例句 妈妈比爸爸更担心在外地读书的孩子。|你们不用担心他的安全,不会有问题的。|大家都为老人的病情担心得不得了。|她担心地问了我好几个问题。|你的这种担心是没有必要的,反正你也帮不了他。|儿子的精神状态很不好,我觉得很担心。

【担忧】 dānyōu 〔动〕

担心忧虑。(worry; be anxious)常做谓语、状语、主语。

例句 老人的病情越来越重,怎么能不让人担忧?|你整天担忧孩子,孩子担忧不担忧你呢?|我们也别替古人担忧了。|他担忧地想:"如果不能按时完成任务怎么办呢?"|父母对儿女的这种担忧是人之常情。

【单】 dān 〔形/名/副〕

〔形〕❶ 一个的。(one; single)常做定语。

例句 我要预定一个单人间。|那个门是单扇的。|他的房间里只有一张单人床。

❷ 奇数的。(odd)常做定语。

例句 不能被 2 整除的整数叫奇数,也叫单数。|她单日上班,双日休息。|这个电影院左边的座位是单号的,右边的是双号的。

❸ 单独。(single; alone; by oneself; on one's own)常做谓语、定语、状语。

例句 一个人总是形单影只的,没意思。|他单枪匹马,力量太小。|前几年他已经辞职单干了。

❹ 只有一层的。[unlined (clothing)]常做定语。

例句 天气开始凉了,你只穿单衣单裤怎么行?|这鞋是棉的,不是单的。

〔名〕单子。(sheet)常做主语、宾语、定语。[量]个,张。

例句 这个床单我很喜欢。|这本书里夹了一张纸单。|请你把这张单儿转交给你的同屋。|这床单的颜色真漂亮。

▶ 常读"单儿"。

〔副〕只,仅。(only; alone)常做状语。

例句 干工作不能单凭书本上的知识。|单单靠我们几个人可没法按时完成任务。

【单纯】 dānchún 〔形〕

简单纯一,不复杂;单一、只顾。(pure; uniform; uncomplicated; simple)常做谓语、定语、状语、补语。

例句 那部影片故事情节很单纯,但是演员演得很好。|这些单纯的孩子真让人喜欢。|我们不应该单纯追求数量,还应该注意质量。|在农村生活了三年,人好像也变单纯了。

【单词】 dāncí 〔名〕

词(区别于词组)。(word)常做主语、宾语、定语。[量]个。

例句 这些单词我都学过。|这本书每篇课文差不多有五十个左右的新单词。|请大家把这课新学的单词都记住。|这本教材的单词量很大。

【单刀直入】 dān dāo zhí rù 〔成〕

多比喻直截了当,不转弯抹角。(come straight to the point; speak out without beating about the bush)常做主语、谓语、状语。

例句 A:要我说,单刀直入比较好,不用拐弯抹角。B:我倒觉得委婉一点儿好。|像以往那样办事情不行,下次我要单刀直入!|小李说话时,常单刀直入,有时真让人难以接受。|白大夫一进门就单刀直入地问病人。|"谈你的终身大事!"老王单刀直入地说。

辨析 〈近〉开门见山。"单刀直入"除了用于说话,还可用于办事,比喻办事直截了当;"开门见山"除了用于说话以外,还可用于文章。如:＊作者单刀直入,在文章的第一段就提出了自己的观点。("单刀直入"应为"开门见山")

【单调】 dāndiào 〔形〕

简单、重复而没有变化。(tediously repetitious; lacking in variety; monotonous)常做谓语、定语、状语、补语。

例句 这张画的色彩很单调。|这种单调的样子顾客一定不会喜欢。|他怎么总是单调地重复这一个故事?|日子变得越来越单调。

【单独】 dāndú 〔形〕

不跟别的合在一起;独自。(by oneself; independent; on one's own)常做定语、状语。

例句 这是一个单独的房间。|今天我要单独跟你谈谈。|我不喜欢单独一个人去旅游。

【单枪匹马】 dān qiāng pǐ mǎ 〔成〕

作战时单身上阵,一个人奋战。比喻没人帮助,单独行动。(single-handed; all by oneself; alone)常做主语、宾语、定语、状语。

例句 一个警察,单枪匹马是不可能抓住这几个坏人的。|这个人很有个性,做什么事情他都喜欢单枪匹马。|他有时觉得自己像一个单枪匹马的勇士,冲杀在战场上。|战友们都牺牲了,这个勇敢的小战士单枪匹马地冲入了敌阵。

辨析 〈近〉孤家寡人。"孤家寡人"

前面可以受量词或数量短语的修饰,“单枪匹马”不可以;“单枪匹马”还可以做状语。“孤家寡人”不可以;“孤家寡人”是贬义短语,“单枪匹马”是中性短语。如:*他现在变成个单枪匹马了。(“单枪匹马”应为“孤家寡人”)|*他一个人孤家寡人地冲入敌阵。(“孤家寡人”应为“单枪匹马”)

D

【单位】 dānwèi 〔名〕

❶ 计量事物的标准量的名称。[unit (as a standard of measurement)]常做主语、宾语、定语。

例句 长度单位有:公里、米、分米、厘米,等等。|平方米、平方公里都是面积单位。|秒、分、小时是计算时间的单位。|单位时间内完成的工作量叫效率。

❷ 指机关、团体或属于一个机关、团体的部门。[unit (as an organization, department, division, section, etc.)]常做主语、宾语、定语。[量]个。

例句 我们单位离这里不太远。|那个公司是我们的下属单位。|他是我们单位的领导。|十几个单位的选手参加了这次比赛。

【单元】 dānyuán 〔名〕

整体中自成段落、系统,自成一组的单位(多用于教材、房屋等)。(unit; separate part, system, or group of a whole)常做主语、宾语、定语。[量]个。

例句 这本书每个单元有五篇课文。|我们已经学完了第三单元,准备小考一次。|我住在三号楼二单元。|我想租一套单元房。|今天我们做单元练习。

【耽误】 dānwu 〔动〕

因拖延或错过时机而误事。(delay; hold up)常做谓语、定语。

例句 A:你们快走吧,别耽误了飞机。B:时间还早呢,耽误不了。|你天天看电视可别耽误了功课。|我们一定要把因为下雨耽误的时间抢回来。

【胆】 dǎn 〔名〕

❶ 胆脏的通称。(gallbladder)常做主语、宾语、定语。[量]个。

例句 胆是人体的重要脏器。|您这个病得先检查一下胆。|A:你到医院去了一天,查出疼的原因了吗? B:查出来了,我胆里长了结石。

❷ 勇气。(courage)常做主语、宾语。

例句 他胆大心细,排除了故障,终于避免了一场重大事故。|这孩子胆大,什么都不怕。|A:有个人陪她去,可以给她壮壮胆。B:那你就陪她去吧。|做这种事他没胆儿。

❸ 装在器物内部,可以容纳水、空气等物的东西。(a bladder-like container)常做主语、宾语、定语。[量]个。

例句 A:暖水瓶胆坏了,换一个新的吧! B:上午我有课,下午有时间我就去买。|篮球内胆可能破了,篮球漏气(lòuqì)了。|老王一下买了五个热水瓶胆。|这种瓶胆的保温性能确实不错。

【胆大包天】 dǎn dà bāo tiān 〔成〕

形容胆子很大。(audacious in the extreme)常做谓语、定语。

例句 你胆大包天,竟敢随便打人!|A:听说小王把经理打了。B:那是个胆大包天的主儿,什么事都干得出来。

【胆量】 dǎnliàng 〔名〕

不怕危险的精神，勇气。(courage)常做主语、宾语。[量](这，那)个。

例句 他的胆量可大了。|别看她是女的，胆量比男的还大。|你真有胆量，连老虎也不怕。|A：学跳伞？我可没有那个胆量。B：那不正好锻炼你吗？

▶ "胆量"做宾语时，谓语动词只能是"有"或"没(有)"。

【胆怯】 dǎnqiè 〔形〕

胆小、畏缩。(timid)常做谓语、定语、状语、补语、宾语。

例句 他胆怯了，不敢再往前走。|A：不知为什么，每次见他，我心里都十分胆怯。B：怕他干什么？这次我陪你去。|胆怯的人常常一事无成。|大家都认为他是个十分胆怯的学生。|孩子只是胆怯地望着爸爸，没有回答。|那个女孩子变得特别胆怯。|听了他的话，我感到有些胆怯。

辨析 〈近〉恐惧(kǒngjù)。"胆怯"着重指胆小；"恐惧"着重指心里慌张不安的状态。如：* 那个地方让人胆怯。("胆怯"应为"恐惧")

【胆子】 dǎnzi 〔名〕

胆量。(courage)常做主语、宾语。[量](这，那)个。

例句 他年纪不大，胆子不小。|一个女孩敢这样做，胆子够大的。|要是让我去，我还真没那个胆子！

辨析 〈同〉胆量。"胆子"用于口语，"胆量"主要用于书面语。

【但】 dàn 〔连/副〕

〔连〕表示转折关系。(but)连接两个分句，用在第二个分句之前。常与前句"虽然""尽管"相呼应。也可连接两个词或短语。

例句 她很喜欢这个调皮(tiáopí)但很诚实的孩子。|你们学校的老师人数不多，但个个都很有水平。|实验虽然又失败了，但他一点儿也不灰心。|我的家并不富有，但我爱这个家。

辨析 〈近〉但是。"但"如果后面是"是"，则不用"但是"；"但"还做副词；"但是"后面可停顿，"但"不行。

〔副〕只、仅仅。(only)常做状语。

例句 但见一匹白马飞奔而来。|"但愿人长久"是一种美好的理想和愿望。

【但是】 dànshì 〔连〕

表示转折关系。(but)用在复句中的第二个分句前，常与前句"虽然"、"尽管"相呼应，后面还常跟"也"、"却"、"还"等词。

例句 他是个好人，但是太穷了。|刘老师虽然上年纪了，但是每星期还上6节课。|尽管爸爸不同意，但是妈妈却支持我学汉语。|他年龄不大，但是经验非常丰富。

▶ 在"虽然(尽管)…但是…"的句型中，两个分句如果主语相同，则主语放在"虽然"前，"但是"后可以省略；如果主语不同，则两个主语分别放在"虽然"、"但是"后。如：我虽然会做饭，但是不常做。|虽然同屋喜欢，但是我不喜欢。

辨析 〈近〉不过，可是，然而。"但是"的语气比"不过"、"可是"强，比"然而"轻；"不过"、"可是"、"但是"多用于口语，"然而"多用于书面语。

辨析 〈近〉却。"却"是副词，用于句中或主语后，"但是"用于主语前。如：我知道了，他却不知道。|我知

道了，但是他不知道。|* 别人都到了，却他没来。（"却他没来"应为"他却没来"）

【担】 dàn 〔量/名〕 另读 dān

〔量〕表示成担的东西。(shoulder-pole load)常做定语、主语、宾语。

例句 他挑着一担柴从山里出来。|放学后，学生们给老奶奶送来了一担水。|这些苞米一担挑进屋里，再送一担给你爷爷那屋。

〔名〕指担子。(load; task)常做主语、宾语。

例句 重担在肩，你一定要坚持下去。|生活的重担全压在她一个人身上，我很为她担心。|小伙子又挑着货郎担下乡去了。

【担子】 dànzi 〔名〕

❶ 扁担(biǎndan)和挂在两头的东西。(a carrying pole and the loads on it; load)常做主语、宾语、定语。[量]副。

例句 这担子足有一百多斤。|爸爸和几个邻居挑着担子进城赶集去了。|几担子货各不相同。

❷ 指担负的责任。(burden; load; task)常做主语、宾语。[量]副。

例句 从此，照顾全家的担子压在了他身上。|A：厂长这副担子很重，你要有思想准备。B：只要领导和同志们信得过，我什么也不怕。|刘经理住院后，大哥挑起了他的担子。

【诞辰】 dànchén 〔名〕

生日，多用于所尊敬的人。(birthday)常做主语、宾语、定语。

例句 父亲的诞辰是 9 月 9 日。|今年 5 月 6 日是这位伟人的 90 岁诞辰。|12 月 26 日是毛泽东的诞辰纪念日。

辨析 〈近〉生日。"诞辰"多用于所尊敬的人。

【诞生】 dànshēng 〔动〕

出生，也比喻新事物产生。(be born; come into being)常做谓语、定语、主语。不能重叠。

例句 那一年，他诞生在一个农民家庭。|我的母亲诞生于 1949 年。|刚诞生的孩子很安静地睡着。|新中国的诞生在中华民族的历史上翻开了新的一页。

辨析 〈近〉出生。"出生"口语、书面语都可用，也没有新事物产生的意思。如：他诞生(出生)在一个农民家庭。|* 新中国出生于 1949 年。（"出生"应为"诞生"）

【淡】 dàn 〔形〕

❶ 液体(yètǐ)或气体中所含的某种成分少。(thin; light)常做谓语、定语。

例句 这壶茶冲了三道也不淡。|这种花的香味比较淡，我很喜欢。|淡淡的风，淡淡的云，很有意思。

❷ (味道)不浓、不咸。(bland; weak; mild; without enough salt)常做谓语、定语、补语。

例句 A：菜太淡了，再放点儿盐。B：就这样吧，盐吃多了没啥好处。|这杯淡酒，你喝了吧！|请把菜做得淡点儿！

❸ (颜色)浅。(light)常做定语、谓语、补语。

例句 这件颜色太淡了。|这种淡红显得很别致。|你今天的妆化得有点儿淡。

❹ 冷淡，不热心。(indifferent; cool; with little enthusiasm)常做状语、谓语、定语、补语。也用于构词。

例句 我叫他,他只淡淡地答应了一声。|A:你们不是好朋友吗?B:我们的关系比较淡,算不上知心朋友。|他对人总是淡淡的样子。|她把名利看得很淡。

❺ 买卖较少。(slack)常做谓语、补语。

例句 虽不是年节,但我们的营业状况并不淡。|这个小店的生意红火过一阵,最近变得淡了。

【淡化】 dànhuà 〔动〕

(观念、矛盾、情感)逐渐变得不被重视或不重要。(be gradually forgotten; become less thought of; fade)常做谓语、定语。

例句 找工作一定要去国营单位的思想正在淡化。|家族观念已经淡化了。|如今,人们已经淡化了许多传统观念。|时间使双方的矛盾逐渐淡化。|A:你看,这件事怎么处理好呢?B:最好采取淡化的方式来处理。

【淡季】 dànjì 〔名〕

买卖少或某种东西出产少的季节。(slack season)常做主语、宾语、定语。[量]个。

例句 淡季是许多商家发愁的事。|蔬菜的淡季越来越不明显了。|这儿冬天是旅游淡季。|淡季的生意不太好做。

【淡水】 dànshuǐ 〔名〕

含盐分极少的水。(fresh water)常做主语、宾语、定语、状语。[量]滴。

例句 对渔民来说,淡水就是生命。|这种装置能把海水变成淡水。|我是在海边长大的,不太习惯吃淡水鱼。|水库可以淡水养鱼。

【弹】 dàn 〔名〕 另读 tán

❶ 弹子。(ball; pellet)做主语、宾语。[量]个。

例句 一个小石弹儿从我头上飞过去了。|小男孩大多喜欢玩泥弹儿。

▶"弹"在口语中常说"弹儿"。

❷ 枪弹、炮弹、炸弹。(bullet; bomb)常用于构词,也做宾语、主语、定语。[量]颗,发。

例句 士兵们在进行投弹训练。|他中(zhòng)弹后仍在坚持战斗。|"弹无虚发"可不容易。

【弹药】 dànyào 〔名〕

枪弹、炸弹等具有杀伤力或其他特殊作用的爆炸物的统称。(ammunition)常做主语、宾语、定语。[量]箱,批。

例句 怎么办?弹药已经打光了。|一箱箱弹药被装上汽车,送往前线。|总统下令向那个国家提供弹药。|前方急需大批弹药。|昨天深夜,小分队炸毁了敌军的弹药库。

【蛋】 dàn 〔名〕

❶ 鸟、龟(guī)、蛇(shé)等所产生的卵(luǎn)。(egg)常做主语、宾语、定语。[量]个,枚(méi)。

例句 蛋是某些动物产的卵。|A:蛋已经煮好了,都在锅里。B:你别管了,我饿了就吃。|我把刚买的蛋放进了冰箱。|孩子们在树上的鸟窝里发现了五个蛋。|汤里有几片蛋花。|这个蛋的颜色很特别。

▶ 口语中"蛋"常指鸡蛋,其他蛋要加动物名。

❷ 球形的东西。(an egg-shaped thing)常做主语、宾语。[量]个。

例句 一个泥蛋打在牛身上,可牛连头也没抬。|你小时候玩过玻璃蛋吗?

D

【蛋白质】 dànbáizhì 〔名〕
天然的高分子化合物，是动植物生存的必需成分。(protein)常做主语、宾语、定语。[量]种。

例句 蛋白质是生物必需的物质。|大豆和鱼类为我们提供了丰富的蛋白质。|蛋白质的作用很重要。

【蛋糕】 dàngāo 〔名〕
鸡蛋和面粉加糖、油制成的一种糕状食品。(cake)常做主语、宾语、定语。[量]块，个。

例句 蛋糕一块儿多少钱？|生日蛋糕还没买呢。|妈妈会做蛋糕，非常好吃。|很多孩子喜欢吃奶油蛋糕。|这儿蛋糕的品种可真不少，什么样的都有。

【氮】 dàn 〔名〕
一种无色无味的气体元素，符号 N。(nitrogen)常做主语、宾语、定语。

例句 氮是一种化学元素。|植物生长需要氮。|氮元素能促进植物生长。

【当】 dāng 〔介/动/助动〕 另读 dàng
〔介〕表示事情发生的时间或处所；面对着、向着；正在(那时候、那地方)。[to sb.'s face; just at (a time or place)]常构成介词短语做状语。

例句 老师当众宣布了考试结果。|小偷当场就被警察抓住了。|当今，电脑已经普及了。|你当着大家的面把问题说清楚。

▶ "当"表示时间时，常与"时"、"时候"、"以后"配合使用，在句中做状语。如：当他走进教室时，老师正在讲生词。|当故事讲完以后，大家都感动得说不出话来。

辨析 〈近〉在。"当"不能单独与具体时间名词组合，"在"可以；"在"还可以与方位名词、处所词组合，"当"不行。如：* 当 1981 年(应为"在 1981 年") * 当东边儿(应为"在东边") * 当五年前(应为"在五年前")

〔动〕❶ 担任，充当。(work as; serve as; be)常做谓语。

例句 王老师已经当了十年班主任了。|这个科长我早就当够了。|A：毕业后你想做什么？B：我想当记者。

❷ 承当，承受。(bear; accept; deserve)常做谓语，也常用于固定短语。

词语 当之无愧(kuì) 敢做敢当

例句 你这样夸我，我可不敢当。|做了就要敢承认，要敢做敢当。

❸ 掌管，主持。(be in charge of)常做谓语。

例句 我们家是夫人当家。|这个家不好当，不信，你试试看。|在这个国家，民主党已经当政十年了。

〔助动〕应该。(ought to; should)常做谓语。

例句 是学生就当努力学习。|当奖(jiǎng)就要奖。|他做事总是当断不断。

【当场】 dāngchǎng 〔名〕
就在那个地方和那个时候。(then and there)常做状语。

例句 经过面试，她当场就被录取了。|他考试作弊(bì)，被当场发现。|听到这个消息，姐姐当场就哭了。

【当初】 dāngchū 〔名〕
泛指从前或特指过去发生某种事情的时候。(originally)常做定语、状语,也可做主语、宾语。

例句 当初的情况我还记得很清楚。|A:我到那所学校后,觉得事事都不如意。B:你当初就不该去。|当初,多亏了你的帮助。|当初是当初,现在是现在。|想当初,我真不该用那么尖刻的话伤害你。

【当代】 dāngdài 〔名〕

当前这个时代。(the contemporary era)常做定语、主语、宾语。

例句 当代青年的责任重大。|当代是高科技时代。|在当代,没有知识和技术就要落后挨打。|我们要立足当代,放眼未来。

【当…的时候】 dāng…de shíhou 〔介短〕

指在发生某事的时候。(when)中间加入动词性词语,放在句首做状语。

例句 当太阳出来的时候,我们已经在跑步了。|当我刚来中国的时候,对什么都感到新奇。|当山本生病住院的时候,老师和同学们都去看他了。|当老师开始上课的时候,他才发现书拿错了。

▶"当…的时候"也说"当…时"。

【当地】 dāngdì 〔名〕

人、物所在的或事情发生的那个地方;本地。(in the locality; local)常做定语、主语、宾语。

例句 当地人都爱吃辣的,外地人可受不了。|当地流传着这样一个动人的故事。|当地有很多名胜古迹可参观。|在当地,人们都喜欢唱那首歌。

【当机立断】 dāng jī lì duàn 〔成〕

抓住时机,毫不犹豫地作出决断。(decide promptly and opportunely; make a prompt decision)常做谓语、定语、状语。

例句 一看失了火,他当机立断,拉掉了电闸。|希望你能认清形势,当机立断。|我对你这种当机立断的做法表示欣赏。|为了不上当受骗,他当机立断地返回。

【当家】 dāng jiā 〔动短〕

主持家务,也比喻主持某个范围内的事务。(manage household affairs)常做谓语、定语、主语。中间可插入成分。

例句 不当家不知柴米贵。|现在,在中国,许多家庭丈夫当不了家。|厂长是一个厂的当家人。|她向我诉说着当家的苦衷。|当这个家容易吗?

【当局】 dāngjú 〔名〕

政府、党派、学校中的领导者。(the authorities)常做主语、宾语、定语。

例句 当局同意了这个要求。|有关当局正努力解决这个问题。|群众要求当局回答有关问题。|不少老百姓都反对当局的这种做法。

▶"当局"一般不指某一个人,而是总称。

【当面】 dāng miàn 〔介短〕

在面前,面对面(做某种事)。(to sb.'s face)常做状语、主语、宾语。中间可插入成分。

例句 你要当面说清楚?|经理当面批评了他。|A:你怎么对这事了解得这么清楚?B:这是小王当着我的面告诉我的。|当面一套,背后一套,这不好。|有话请在当面讲,别背后说。

【当年】 dāngnián 〔名〕

❶ 指过去某一段时间。(in those years or days)常做状语、定语、宾语。

例句 老师当年给我们讲了多少做人的道理啊！|当年，爸爸一个人离开家去外地谋生。|一上年纪，就老想着当年的事。|当年的小朋友如今成了名人啦。|想当年，日子虽苦，可一天到晚乐呵呵的。

❷ 指身强力壮的时期。(the prime of life)常做宾语。

例句 他正值当年，浑身都是劲儿。|哥哥正当年，干活一点儿也不觉累。

【当前】 dāngqián 〔名〕

目前，现阶段。(present)常做定语、状语、主语、宾语。

例句 大家应当认清当前的形势。|我们当前要努力提高产品质量。|当前，很多外国人都在学习汉语。|当前正是考试的紧要时期。|我们要立足长远，抓住当前。

【当然】 dāngrán 〔形/副〕

〔形〕应当这样。(natural)常做定语、宾语。

例句 班长是当然的代表。|大家都不反对，这个想法就成了当然的事了。|什么事情都不要想当然。

〔副〕合于事理或情理，没有疑问。(without doubt)做状语。

例句 不努力当然学不会。|这种事当然由领导决定。|当然，这只是个别现象。|A：这次 HSK 你参加吗？B：我当然参加啦。

【当时】 dāngshí 〔名〕

过去发生某种事情的时候。(at that time)常做状语、定语、主语、宾语。

例句 A：你记住那辆车的牌号了吗？B：没有，当时没等看清楚，车就过去了。|这本书当时很有影响。|当时的事已经想不起来了。|当时的他还很年轻。|当时是非常时期。|当时是当时，现在不同了。|当时不是现在。

【当事人】 dāngshìrén 〔名〕

跟事情有直接关系的人。(person concerned)常做主语、宾语、定语。［量］个，位。

例句 当事人说明了那件事的前因后果。|记者正在采访那几位当事人。|我们请来了当事人，决心把这件事搞清楚。|A：你们能否找到当事人？B：没有线索，恐怕难以找到。|我们好不容易把当事人的住址找到了。

▶ "当事人"在法律上是指参加诉讼(sùsòng)的一方，如原告、被告等。

【当心】 dāngxīn 〔动〕

小心、留神。(be careful)常做谓语。

例句 你要当心他家的狗。|当心！车来了。

▶ "当心"常用于对危险的事提请注意。

辨析 〈近〉小心。"小心"还可做状语、定语，"当心"则不能。如：他是个很小心的人。|妈妈拿起那个青瓷花瓶，然后小心地把它装进了盒子里。

【当选】 dāngxuǎn 〔动〕

选举时被选上。(be elected)常做谓语、定语。

例句 王先生在这次选举中光荣当选为人民代表。|老李当选为工会主席后，表示一定为大家多做些事情。|新当选的代表来到了主席台上，并讲了话。

【当中】 dāngzhōng 〔名〕

正中；中间，之内，可以表示方位，也表示时间。(in the middle; among)

常做主语、状语、宾语。

例句 照片上，当中是老师。|屋子当中有一张桌子。|这个报告很长，当中休息了十分钟。|一年当中他只休息了几天。|照全家相时，爷爷坐在正当中。|市领导来到群众当中，认真听取了大家的意见和建议。

【挡】 dǎng 〔动〕 另读 dàng

拦阻、遮住（zhēzhù）。（keep off; block）常做谓语。

例句 把窗帘拉上，挡挡风。|对方的进攻被我们的队员挡住了。|乌云挡不住太阳。|那是挡水的大坝。|A：请别挡光，我都看不清了。B：你也过来不就不挡光了吗？|你喝点儿酒吧，可以挡挡寒气。

【党】 dǎng 〔名〕

❶ 政党。（party）常做主语、宾语、定语。[量]个。

例句 党领导人民进行建设。|老王无党派，是普通群众。|A：你入党多少年了？B：快二十年了。|党组织派人来了解情况，大家一定要配合工作。|加强党风建设非常重要。

▶ “党”在中国特指共产党，别的党则要说出全称。如：农工民主党

❷ 由私人利害关系结成的集团。（faction; gang）常做宾语。

例句 他是他们总经理的死党。

【党派】 dǎngpài 〔名〕

各政党或政党中各派别的统称。（political parties and groups; party groupings）常做主语、宾语。[量]个。

例句 民主党派在中国政治中占有重要地位。|各党派都参加了这次庆祝活动。|他是无党派人士。|王叔叔属于民主党派，常参加一些重要会议。

【党委】 dǎngwěi 〔名〕

某些政党的各级委员会的简称。（Party committee）常做主语、宾语、定语。[量]个。

例句 党委正在研究这事，别着急。|我们公司党委被评为先进党委。|他这次被选进了党委。|我们厂的党委书记常到群众中了解情况。|本次党员大会选举出新一届党委成员。

【党性】 dǎngxìng 〔名〕

阶级性最高最集中的表现。（Party character; Party spirit）常做主语、宾语、定语。[量]种。

例句 党性是一个政党的最高表现。|党性具有阶级性。|党员要讲党性。|他很有党性。|党员要遵守党性原则。

【党员】 dǎngyuán 〔名〕

政党的成员。（party member）常做主语、宾语、定语。[量]个，名。

例句 全体党员参加了本次大会。|党员应该起模范带头作用。|哥哥终于成为了一名党员。|A：你们支部有几个党员？B：一共有十人。|应该充分发挥党员的作用。|这是党员的义务。

【党章】 dǎngzhāng 〔名〕

一个政党的章程，对党及党员作出的各项规定。（party constitution）常做主语、宾语、定语。[量]个。

例句 新党章对党员义务重新作了规定。|中国共产党党章经过了多次修订。|党员要按党章办事。|这次大会修改了党章。|党章的第一条是关于党的性质。

【当】 dàng 〔形/动/名〕 另读 dāng

〔形〕合宜，合适。（proper; right）常做谓语、也用于构词。

D

词语 恰当 正当 妥当 得当

例句 这篇文章有好几处用词不当(失当)。|放心吧,这事我已经安排妥当了。

〔动〕❶ 抵得上。(equal to)常做谓语。

例句 这小伙子干活儿一个当俩。

❷ 作为,当做。(treat as;regard as)常做谓语。

例句 这间屋子可以当办公室用。|为了减肥,她把水果当饭吃。|在这个小山村,我被当成了贵客,受到了热情的招待。|钱白花了,就当丢了吧!

❸ 以为,认为。(think)常做谓语。

例句 我当我说错了,闹了半天是对的。|千万别当真,我只是开个玩笑。|你当你是谁?说话客气点儿。|A:你怎么还在这儿?大家都当你回家了。B:忘了点儿东西,回来拿。

〔名〕圈套。(trap)只做"上"的宾语。

例句 这次他没上当。|他去自由市场买东西常上当。|我又上了他一回当。

▶ "当"还做介词,表示事情发生的时间。如:当天,他就离开了大连。|当年,该公司在新经理的领导下就扭亏为赢。

【当天】 dàngtiān 〔名〕

就在本天;同一天。(the same day;that very day)常做定语、状语。

例句 当天的机票卖完了,她只好第二天走。|当天的事应该当天做。|小王总是当天来当天走。|听到这个消息,他当天就回国了。

【当做】 dàngzuò 〔动〕

认为,作为,看成。(regard as;take as)常做谓语,带宾语。

例句 千万别客气,你就把这儿当做自己的家。|有些父母老了以后,被儿女当做负担。|A:我那天说得不对,你别往心里去。B:我根本没把这当做一回事儿,早忘脑后去了。

【荡】 dàng 〔动〕

❶ 来回摇动,摆动。(swing;sway;wave)在句中做谓语,也用于构词。

词语 飘荡 动荡

例句 姑娘们进行了荡秋千比赛。|在小湖上荡舟,别有情趣。|孩子们荡起双桨,愉快地划着船。

❷ 无事地走来走去。(loaf about)常做谓语,也用于构词。

词语 游荡 闯荡 晃荡

例句 A:天都这么晚了,你还在外边荡来荡去的干什么?B:天太热,实在睡不着。|那时刚进城,找不到事儿,整天四处游荡。|他无处可去,在旧货市场晃荡了一天。

❸ 洗。(wash)常用于构词。

词语 荡涤 荡除

例句 这一次革命,荡涤了每个人的心灵。|大雨荡除了街上的尘土。

❹ 全部搞光,清除。(clear away;sweep off)用于固定短语或用于构词。

词语 倾家荡产 扫荡

例句 现在,他已经倾家荡产,身无分文。

【档】 dàng 〔名〕

❶ 保存的文件、资料等。(files)常做宾语。

例句 我们先查查档再说吧。|我们把有关材料存档了。|为了了解详细情况,我们专门去档案馆阅了档。

❷（商品、产品的）等级。（grade）常做宾语、定语。［量］个。

例句 这些产品同属一个档。|A：这些都是低档货，不能买。B：我只是看看。|这条街全是高档商店。

【档案】 dàng'àn 〔名〕

分类保存的文件和材料。（files）常做主语、宾语、定语。［量］份，种。

例句 科技档案记录了科技的发展情况。|这份档案有很重要的历史价值。|他正在查找一份档案。|国家档案馆保存了大量珍贵档案。|人才档案的作用是提供人才信息。

【档次】 dàngcì 〔名〕

按一定的标准（biāozhǔn）分成的不同等级。（grade）常做主语、宾语。［量］个。

例句 通过努力，产品的档次大大提高了。|这些商品的档次是一流的。|他总觉得国产车不够档次。|经理把奖金分成几个档次。|我们的产品必须上质量，上档次。

【刀】 dāo 〔名〕

❶ 指可以切、割、砍的工具。（knife）常做主语、宾语、定语。［量］把。

例句 这把刀很快，你要小心。|A：你带水果刀了吗？B：带了，你用吗？|爷爷那把刀的把（bà）儿上刻着花儿。

❷ 形状像刀的东西。（sth. shaped like a knife）常用于构词。［量］个。

词语 冰刀 双刀电闸（zhá）

【刀刃】 dāorèn 〔名〕

刀的锋利的部分。（the edge of a knife）常做主语、宾语、定语。［量］个。

例句 这把刀的刀刃非常薄。|好钢用在刀刃上。|本来钱就不多，得花在刀刃上。|刀刃的强度不够。

▶ “刃”常读“刃儿”。

【刀子】 dāozi 〔名〕

小刀儿。（pocketknife）常做主语、宾语、定语。［量］把。

例句 这把刀子是他从新疆（jiāng）带回来的。|临别时，朋友送我一把漂亮的刀子。|A：她这人说话真不中听。B：你不了解她，她是刀子嘴，豆腐（fu）心。|这把刀子的外形很别致。

【叨唠】 dāolao 〔动〕

指没完没了地说。（talk on and on; chatter away）常做谓语、宾语。

例句 这位老奶奶总一个人叨唠。|你别老叨唠这事儿了。|人老了，就喜欢叨唠。|别说了，再说就显得叨唠了。

【导】 dǎo 〔动〕

❶ 带领，疏导（shūdǎo）。（lead）常用于构词，也做谓语。

词语 先导 倡导 导航

例句 在船进入港口时，有引水员为船导航。|参观秦兵马俑时，专门请了一位导游为我们讲解。|把河水导入农田，解决了用水难题。

❷ 启发。（instruct）常用于构词。

词语 教导 指导 劝导 导师

例句 马教练在指导运动员训练。|我认为对员工要经常训导。

❸ 导演。（direct）常做谓语。

例句 他导了一部反映军人生活的电影。|这位导演最近正在导一部贺岁片。

❹ 从一处传到另一处。（transmit; conduct）常用于构词。

D

D

词语 导电　导热

例句 小心，湿手导电。|这个电暖气导热很快。

【导弹】 dǎodàn 〔名〕

带有弹头和动力装置，能遥控飞行的武器。(guided missile)常做主语、宾语、定语。[量]枚(méi)。

例句 导弹在现代战争中有重要作用。|导弹有很大的杀伤力。|海湾战争中，使用了大量的导弹。|导弹的构造很复杂。

【导航】 dǎoháng 〔动〕

引导飞机、轮船等航行。(navigate)常做谓语(不带宾语)、定语、主语、宾语。

例句 卫星可以为轮船导航。|无线电可以给飞机导航。|爸爸曾经是一位优秀的导航员。|啊！我看见导航的灯塔了！|导航需要技术和经验。|这家公司为飞机提供导航。|*他导航我们。(应为“他为我们导航”)

【导师】 dǎoshī 〔名〕

❶ 高等学校或研究机关中指导别人学习进修、写论文的人。(tutor; teacher)常做主语、宾语、定语。[量]位，个，名。

例句 我的导师是李教授，他非常和善。|这位导师正指导研究生写论文。|有问题可以随时向导师请教。|我十分怀念我的导师。|导师的课很受大家喜爱。|两位博士生正在导师的办公室探讨问题。

辨析 〈近〉老师。“老师”可以做称呼语，“导师”不行。“老师”范围广，“导师”指专门指导某方面的老师。如：研究生导师　博士生导师

❷ 在大事业中指示方向、掌握政策的人。(guide of a great cause; teacher)常做主语、宾语、定语。[量]位。

例句 导师为我指出了研究方向。|我们深深怀念这位导师。|导师的精神永远留在我们心中。

【导体】 dǎotǐ 〔名〕

能传热导电的物体。(conductor)常做主语、宾语、定语。[量]种。

例句 导体可以导电。|这种导体传热非常快。|科学家发现了一种新导体。|金属一般都是导体。|半导体的性能介于导体和非导体之间。

【导向】 dǎoxiàng 〔动/名〕

〔动〕使事情向某方面发展；引导方向。(direct sth. towards; lead to)常做谓语、定语。

例句 两国首脑的会谈将导向两国关系正常化。|我们在森林中用指南针导向。|这种火箭的导向性能良好。

〔名〕指导行动或发展的方向。(guidance)常做主语、宾语、定语。

例句 新闻导向很重要。|这一事件发生后，政府更加重视舆论导向。|产品结构调整应以市场为导向。|新闻的导向作用不可忽视。

【导演】 dǎoyǎn 〔名/动〕

〔名〕指导戏剧、电影、电视排演的人。(director)常做主语、宾语、定语。[量]位，个。

例句 别过去，导演正在导戏呢。|张导演执导过十多部电影。|话剧团请来了一位新导演。|这次由我担任导演。|演员们在导演的启发下发挥得很好。

〔动〕组织或指导演出工作。(direct)常做谓语、定语。

例句 他导演过多部电视剧。|导演的事看起来容易,做起来难。

【导游】 dǎoyóu 〔动/名〕

〔动〕带领游览,指导游览(yóulǎn)。(conduct a sightseeing tour)常做谓语(不带宾语)、定语。

例句 有位热情的年轻人为我们导游,我们很愉快。|那位小姐负责在船上给游客导游。|这是一本导游图。|我打算毕业以后找一份导游工作。

〔名〕做导游工作的人。(tourist guide)常做主语、宾语、定语。[量]名,位,个。

例句 这位导游很热情。|那个年轻导游介绍得很详细。|A:因为大家对景区不熟悉,我建议请一位导游。B:好,我同意。|我终于通过了考试,成了一名导游。|导游的工作很辛苦。

【导致】 dǎozhì 〔动〕

引起。(lead to;cause)常做谓语。

例句 A:这两口子一直好好的,怎么就突然离了呢?B:因为第三者插足导致两人分手了。|他由于太紧张导致考试失败。|只因一时疏忽导致了这场重大事故。

▶"导致"的宾语是结果,常指不好的结果。

【岛】 dǎo 〔名〕

海、江、湖中被水包围的较小的陆地。(island)常做主语、宾语、定语。[量]个,座。

例句 那座小岛是中国领土。|A:周末,我们打算去太阳岛游玩。B:我和你们一起去,行吗?|那是一座人工建起来的小岛。|这个岛的面积不太大。|日本是一个岛国。

【岛屿】 dǎoyǔ 〔名〕

岛的总称。(islands)常做主语、宾语、定语。[量]座。

例句 沿海岛屿众多。|那个国家由十几个大大小小的岛屿组成。|A:你的家乡在哪儿?B:看到图上那座岛屿了吗?那就是我的家乡。|世界上岛屿面积最大的是哪个岛?

【捣】 dǎo 〔动〕

❶ 用棍子等的一端撞击。(pound with a pestle,etc.)常做谓语。

例句 把蒜捣碎吃,味道更浓。|我用胳膊肘(zhǒu)捣了他一下,可他一点儿不理会。

❷ 搅乱(jiǎoluàn)。(disturb)常用于构词。

词语 捣乱 捣鬼 捣蛋

例句 A:爸爸,陪我出去玩一会儿吧。B:我正忙着呢,别捣乱。|不知道他又在捣什么鬼。

【捣蛋】 dǎo dàn 〔动短〕

故意找事,无理取闹。(make or cause trouble)常做谓语(不带宾语)、定语、宾语。

例句 他从小就调皮捣蛋,长大了也没改,还是那样。|你别捣蛋了!回到自己座位上去!|这小家伙真是个捣蛋鬼。|他小时候就爱捣蛋,没少挨打。

【捣乱】 dǎo luàn 〔动短〕

进行破坏、扰乱,故意找麻烦。(create a disturbance)常做谓语(不带宾语)、定语、宾语。

例句 有人要来捣乱,我们得注意点儿。|A:这么好的单位,他怎么会离开呢?B:他在这儿总捣乱,最后是被赶出去的。|那几个捣乱分

D

子被警察带走了。|谁都不喜欢捣乱的人。|有的人总爱捣乱。

【倒】 dǎo 〔动〕 另读 dào

❶ 人或竖立的东西横躺下来。(fall)常做谓语、补语。

例句 梯子倒了,你快去把它扶起来。|这儿发生了地震,倒了不少房子。|突然,一位老人倒在了马路边上。|由于过度劳累,爸爸终于病倒了。|那棵大树都被风刮倒了。

❷ 失败,垮(kuǎ)台。(collapse;fail)常用于构词。

词语 倒台 倒闭 打倒

例句 这家工厂是去年倒闭的。|独裁者终于倒台了。

❸ 转移(zhuǎnyí),转换。(exchange;change)常做谓语。

例句 去市中心要倒一次车。|下星期我要倒早班。|A:右手实在拿不动了,我得倒倒手。B:看你这点儿劲,把东西给我吧。

❹ 进行低价买、高价卖的投机活动。(resell at a profit;scalp)常做谓语。

例句 小李最近专门倒汽车。|听说老王因为倒外汇犯了法,被关进去了。

【倒闭】 dǎobì 〔动〕

工厂或商店因亏本而停业。(close down)常做谓语(不带宾语)、定语。

例句 最近经济情况不好,有很多公司倒闭了。|这个有三十年历史的商店最近倒闭了。|那家工厂终因经营不善,于去年年底倒闭了。|这家公司终于没能摆脱倒闭的命运。

【倒霉】 dǎo méi 〔形短〕

遇事不利,运气不好。(be out of luck)常做谓语、定语、宾语。

例句 A:我今儿个可倒大霉了,要考试了却生病了。B:你安心养病,我把复习题都给你带回来。|倒霉透了,上午把钱包丢了。|人到了倒霉的时候,什么都做不成。|昨天碰到个倒霉事,一出门就摔了一个大跤。|一位朋友因为交通阻塞没赶上飞机,只好自认倒霉。|最近发生了一连串不愉快的事,她觉得很倒霉。

【倒腾】 dǎoteng 〔动〕

❶ 翻腾,移动。(turn upside down)常做谓语。

例句 A:你倒腾什么呢,房间弄得乱糟糟的。B:我前些天复印回来的复习资料不知哪儿去了。|老大爷正倒腾东西呢。|稍等一下,我给你倒腾出个地方坐。|别把东西倒腾来倒腾去的。

❷ 掉换,调配。(change)常做谓语。

例句 最近他又倒腾了一次住房。|人手少,事情多,倒腾不开。

❸ 贩卖,买进卖出。(buy and sell;deal in)常做谓语、定语。

例句 哥哥从外地倒腾了一些蔬菜(shūcài)来。|A:听说你最近倒腾起买卖来了? B:别提了,我净瞎倒腾,一分钱也没挣着。|从批发市场倒腾来的西瓜卖得很快,没剩几个了。

【倒爷】 dǎoyé 〔名〕

从事倒买倒卖的人。(profiteer)常做主语、宾语、定语。[量]个。

例句 倒爷们大都发了财,但也有倒霉的。|他哥哥是个倒爷。|老刘告诉我,这车里坐着个倒爷。|倒爷的活儿不是那么好干的。

▶ “倒爷”又读“倒儿爷”。

【到】 dào 〔动〕

❶ 达于某一点，到达，往。(arrive; reach)常做谓语、补语、定语。

例句 到站了，咱们下车吧。|今天小王到得最早。|他给我来电话说，他已经到北京了。|这次会议到了不少人。|从这儿到北京，坐飞机用不了一个小时。|我已经借到这本书了。|昨天晚上我一直复习到半夜。|桌子已经搬到教室里去了。|上周到的货很快就卖完了。

❷ 周到。(considerate; thoughtful)常做定语、补语。

例句 有不到的地方请多多原谅。|你想得很周到，太感谢了。

【到处】 dàochù 〔名〕

各处，处处。(everywhere)做状语。

例句 A:你们的校园怎么样？B:我们那儿到处是花草，十分漂亮。有机会你去看看。|这儿车很多，不要让孩子到处乱跑！|这种东西在我们那儿到处都有。

【到达】 dàodá 〔动〕

到了(某一地点、某一阶段)。(arrive; get to)常做谓语、定语。

例句 我们乘坐的飞机准时到达了北京机场。|访问团后天上午才能到达。|先到达的客人都住进了这家宾馆，其他客人另行安排。

辨析 〈近〉抵达。"抵达"用于书面语。"到达"可后接抽象名词，如"能力"、"水平"。

【到底】 dào dǐ 〔动短/副〕

〔动短〕到尽头，到终点。(to the end; to the finish)常做谓语、补语。中间可插入成分。

例句 那个游泳池的水不深，一米七十就到底了。|沿这条路走到底，就是邮局。|这里已经到了底了，不能再往下走了。

〔副〕❶表示经过种种变化最后实现的情况。(at last; finally)做状语。

例句 爸爸到底同意了儿子的要求。|经过多次讨论，问题到底解决了。|A:他到底还是没来。B:不管他来不来，我们的心是尽到了。

❷ 用在疑问句中，表示追问。(on earth; in the world)常做状语。

例句 A:你明天到底来不来？B:来，一定来。|这件衣服到底好不好？|到底(是)怎么回事？|到底什么是标准？

辨析 〈近〉究竟。"究竟"多用于书面语，还可做名词。如：*我想知道个到底。("到底"应为"究竟")

❸ 毕竟，强调某种原因或特点。(after all; in the final analysis)做状语。

例句 王师傅到底是内行，很快找到了汽车的毛病。|A:爷爷到底老了，刚告诉他的事就忘了。B:你可别当面说，他最不愿意听谁说他老。|到底年轻人有力气，那么重的桌子一个人就搬走了。|到底是三九天，冷得要命。

【到家】 dào jiā 〔动短〕

达到相当高的水平或标准。(reach a very high level)常做谓语、补语。

例句 A:小高的英语水平真到家了，她怎么学的？B:她在美国呆过好几年。|你做的菜还不到家，得接着练。|老师真是把工作做到家了。|A:您已经为我们考虑到家了，太感谢您了。B:这是我的工作，不用谢。

【到来】 dàolái 〔动〕

来临。(arrive)常做谓语(不带宾语)、主语、宾语。

例句 雨季马上要到来了。|信息时代已经到来了。|他的到来给我们带来了希望。|许多人站在路边欢迎贵宾的到来。

【到期】 dào qī 〔动短〕
到了预定的日期。(become due; mature; expire)常做谓语、定语。中间可插入成分。

例句 合同已经到期了。|A:这本书借我看看吧? B:不行了,这是从图书馆借的,明天到期了。|居留证还没到期,不用担心。|到期的书应该马上还回图书馆。

【到…为止】 dào…wéizhǐ 〔动短〕
表示动作的时间或说明动作到某一时候的状况。(till; until)常做状语、补语。

例句 他到考试前一天为止还没复习完。|到年底为止,已经有二百多人报了名。|到目前为止,中国队已经在本届奥运会上获得了七枚金牌。|A:别太累了,就干到晚上十二点为止吧。B:行。

【到位】 dào wèi 〔动短〕
到达该到的位置。(reach the designated position)常做谓语(不带宾语)、定语、补语。中间可插入成分。

例句 有关人员已经全部到位。|那笔资金明天恐怕到不了位。|上级领导强调这笔到位的资金绝不准挪用(nuóyòng)。|王秘书工作做得很到位。

【倒】 dào 〔动/副〕 另读 dǎo
〔动〕❶ 反转或倾斜容器使里面的东西出来。(pour; tip)常做谓语、定语。

例句 菜坏了,倒了吧。|所有的杯子都倒满了水。|你把委屈全倒出来吧! |A:你想过没有,全市每天倒的垃圾有多少? B:这我可没想过。|倒的时候要小心,别让开水烫(tàng)了。

❷ 使向相反的方向移动;后退。(move backward)常做谓语。

例句 司机正在倒车,大家小心点儿! |A:车正好挡住了路,往后倒倒吧。B:你们先下,然后我倒车。|如果时间能倒回十年就好了,我们可以重新开始。

❸ 上下、前后的位置、顺序相反,颠倒(diāndǎo)。(reverse)常做谓语、补语、状语。

例句 A:这几页倒了,得去书店换一本。B:我明天顺便给你换。|不能把箱子倒过来,里边有东西。|老师把我的名字念倒了。|这次比赛,这个队是倒数第一。|"福"字倒着贴,是盼望福气来到。

〔副〕❶ 表示和常情或意料相反。(indicating sth. contrary to what is expected or thought)常做状语。

例句 现在生活好了,病倒多了。|别看他瘦,倒挺有劲儿的。|该来的没来,不该来的倒来了。|是他的不对,反倒让我向他道歉,没门儿。|大家都为他高兴,向他表示祝贺,他倒把这事看得很淡。

❷ 表示事情不是那样,有反说的语气。(indicating contrast)常做状语。

例句 你想得倒美,哪有那么好的事。|说得倒轻巧,有本事你来试试。|两天就能学会汉语? 说得倒容易。

❸ 表示催促或追问,含有祈使或不耐烦的语气。(used to urge sb. to respond quickly, indicating impatience)做状语。

例句 你倒去不去呀？|A：小王，你倒同意不同意呀？B：我同意。|你倒快点儿走哇，时间不早了。|怎么办，你倒说句痛快话呀。

❹ 用在复句中，表示转折或让步。又作“倒是”。(indicating concession)常在第二个分句前。

例句 他虽然没上过大学，倒很有能力。|包装不太好，质量倒不错。|房间不大，收拾得倒挺干净。|我倒(是)听说过这事，不过详细情况不太清楚。|那个地方倒(是)挺有意思，只是交通太不方便了。

❺ 表示舒缓的语气。(indicating mild contrary meaning)常做状语。

例句 说心里话，我倒不反对你这样做。|老人退休后，打打太极拳、下下棋、跟老朋友聊聊天，倒也自得其乐。

▶“倒”与“倒是”基本一样，但“倒”还有“反倒”的意思。

【倒退】 dàotuì 〔动〕

往后退、退回。(go backwards)常做谓语、宾语、主语。

例句 我倒退了几步，想再好好欣赏一下那幅画。|如果倒退二十年，我怎么也不会同意这么干。|他们这样做是在搞倒退。|倒退是没有出路的。

【悼念】 dàoniàn 〔动〕

怀念死者，表示哀痛。(mourn)常做谓语、定语。

例句 每年清明，人们都要悼念亲人。|大家用鲜花悼念这位逝去的好友。|诗中抒发了他对恋人的悼念之情。|我们怀着沉痛的心情来到悼念会场。

辨析 〈近〉怀念。“怀念”的对象不一定是死者，还可指过去的时光、生活等。如：* 我很悼念留学的那段日子。(“悼念”应为“怀念”)

【盗】 dào 〔动〕

偷。(steal)多用于构词或用于固定短语，也可做谓语。

例句 欺世盗名的人都没有好下场。|盗枪者已经抓住了。|我邻居的车昨天被盗了。

▶“盗”还做名词，指强盗和小偷。如：江洋大盗

【盗窃】 dàoqiè 〔动〕

用不合法手段秘密地得到。(steal)常做谓语、定语。

例句 不能盗窃国家文物。|他盗窃工厂财产被开除了。|他因为盗窃罪被判了两年刑。|那几个盗窃犯被抓住了。

【道】 dào 〔动/量/名〕

〔动〕❶ 说。(say; talk)常做谓语，多用于固定短语中。

例句 不要对别人说三道四的。|她是个能说会道的人。|别急，听我慢慢道来。

❷ 用语言表示(情意)。(express by language)常用于固定短语。

例句 我向你道个歉。|临别时，我们向主人道了谢。|A：老同学，我给你道喜来了。B：谢谢，不过这喜从何来啊？

❸ 以为，认为。(think; suppose)常做谓语(带宾语)。

例句 A：我道是谁，原来是你呀。B：我不是告诉过你，这两天我来吗？|他道是开玩笑呢。|原来是下雪，我道是下雨呢。

〔量〕❶ 用于长条形的东西或门、

D

D

墙、命令、题目等事物。(*used for long and narrow objects, doors, walls orders, questions, etc.*)常构成短语做句子成分。

例句 上级下达了一道命令。|楼里的门真多,一道接一道。|今天的作业很多,光造句就有几十道。

❷ 次。(*used for courses in a meal, stages in a procedure, etc.*)常构成短语做句子成分。

例句 你的签证还差一道手续(shǒuxù)。|这顿饭一共上了八道菜,道道都好吃。

〔名〕❶ 路。(road; way)常做主语、宾语、定语。[量]条。

例句 刚下过雨,道很滑(huá)。|这条道直通新区。|工人们正在修道。|穿高跟鞋走远道太累。|上学时,要注意安全,要在道边走。

❷ 线条,细长的痕迹(hénjì)。(line)常做主语、宾语。[量]个,条。

例句 这一道划得太重了。|路上的白道表示车辆和行人通行路线。|A:你脸上怎么有一个黑道? B:一定是刚才不小心蹭的,快帮我擦擦。

❸ 方向,方法,道理,道德。(way; method; truth; reason; morals)常用于构词或用于固定短语中。

例句 等待了这么多年,老王终于找到了一位志同道合的伴侣。|他说起来总是头头是道。|失道寡(guǎ)助,得道多助。

❹ 某种技术、技艺。(skill)常用于构词。

词语 医道 花道 茶道

例句 爷爷懂得医道。|花道在日本有很多流派。|中国茶道和日本的不同。

❺ 与道教有关的,也指道教徒。(Taoism; Taoist)常做主语、宾语,也用于构词。

词语 道观(guàn) 道士

例句 有一个老道住在这个寺院里。|道是中国古典哲学概念。|我信佛不信道。

【道不拾遗】 dào bù shí yí 〔成〕

东西掉在路上,没有人拾起来据为己有。形容社会安定,风气良好。(no one picks up what's left by the wayside — honesty prevails throughout society)常做谓语。

例句 如今,有些地方仍道不拾遗,夜不闭户,保留着很好的民风。

【道德】 dàodé 〔名〕

人们共同生活及其行为的准则和规范。(morals; morality)常做主语、宾语、定语。[量]种。

例句 道德是随着人类社会的产生而产生的。|高尚的道德是现代文明社会的标志之一。|每个人都应该遵守公共道德。|做人应该讲道德,不能太自私。|每个大学生都要加强道德修养。|道德的作用是法律代替不了的。

▶"道德"还可做形容词,指符合道德,多用否定式。如:你这么做很不道德。

【道理】 dàoli 〔名〕

❶ 理由,情理。(reason)常做主语、宾语。[量]条,个。

例句 这个道理人人都明白。|那些道理他都懂。|我们做什么事情都要讲道理。|你怎么这么不懂道理。|这话说得一点儿没道理。

❷ 事物的规律。(principle)常做宾语。[量]个。

例句 老师在给学生讲动物生长的道理。|每个人都要相信科学道理。

【道路】 dàolù 〔名〕

供人、车等通行的路。(road; way)常做主语、宾语、定语。[量]条。

例句 雨后的道路很滑,十分难走。|这条道路刚铺好,直通到北京。|市政府计划在这儿修建一条新的道路。|现在道路条件有了很大改善。|道路两旁都是白杨树。

▶"道路"还有比喻意义,指"途径"、"方法"。如:人生道路 政治道路 创作道路

【道貌岸然】 dàomào ànrán 〔成〕

形容神态庄严的样子,多讽刺故作正经,表里不一之状。(pose as a person of high morals; be sanctimonious)常做谓语、定语。

例句 这家伙道貌岸然,其实是一个坏蛋。|他道貌岸然,一般人怎能想到他是个大骗子呢?|这篇文章讽刺了那些道貌岸然的官僚。|望着这些道貌岸然的人,我心中觉得十分可笑。

辨析 〈近〉一本正经。"道貌岸然"是贬义短语,"一本正经"是中性短语;"一本正经"还可做状语。如:没想到,他一本正经地对我说:"嫁给我吧!"

【道歉】 dào qiàn 〔动短〕

表示歉意,特指认错。(apologize)常做谓语(不带宾语)。中间可插入成分。

例句 A:他真的很生气,怎么办?B:你快去跟他道个歉。|再一次向您道歉。|我已经给他道过歉了,可他还是不肯原谅我。|我向他道歉。

【稻子】 dàozi 〔名〕

稻谷。(rice; paddy)常做主语、宾语、定语。[量]棵。

例句 稻子熟了,田里一片金黄。|稻子收回来了,正在脱粒。|我家今年种了五亩稻子。|中国南方的主要粮食作物是稻子。|稻子的壳能做饲料(sìliào)。|夏秋时节是稻子的成熟期。

【得】 dé 〔动〕 另读 děi, de

❶ 得到。(get; gain)常做谓语。

例句 这次比赛我们学校又得了第一名。|得了病要及时治疗,千万不能耽误。|A:你口语考试得了多少分?B:别提了,刚及格。

❷ 计算产生结果。(of a calculation; result in)常做谓语。

例句 三三得九。|算到最后得了个整数。|A:计算结果得出来了吗?B:已经得出来了。|这两个数相加得多少?

❸ 完成。(be finished)常做谓语、补语。

例句 A:饭得了吗?B:还没有。|衣服还没做得呢。

❹ 表示许可。(may)常做谓语(带动词性宾语)。一般用否定式。

例句 非本公司职工不得入内。|这笔钱任何人不得动用。

❺ 表示同意或禁止。(expressing approval or prohibition)常做独立成分。

例句 得,就这么办!|A:要不,再跟领导商量商量吧。B:得了,我就这么办了。

【得病】 dé bìng 〔动短〕

生病。(fall ill)常做谓语、定语,中间可插入成分。

例句 我从西藏回来后得过一场大

病。|不讲卫生容易得病。|她身体不好,经常得病。|A:怎么好久没看见老王了?B:听说他得了重病,已经住院了。|得病的人要注意饮食。|得病的时候要多休息。

【得不偿失】 dé bù cháng shī 〔成〕

得到的抵不上失去的。(the loss outweighs te gain; the game is not worth the candle)常做谓语、定语、宾语。

例句 你这样做会得不偿失的。|忙了半天,结果得不偿失。|得不偿失的买卖谁也不会做。|对这种得不偿失的结果大家都很失望。|为避免得不偿失,我们要好好研究一下。

【得寸进尺】 dé cùn jìn chǐ 〔成〕

得到一寸又进一步想得到一尺。比喻贪得无厌。(reach for a yard after getting an inch; give him an inch and he'll take a yard; be insatiable)常做谓语、定语、状语。

例句 A:哎,还有没有礼品?B:你这人怎么得寸进尺?吃了饭还要礼品。|他们向来就是这样,常常得寸进尺。|这帮得寸进尺的家伙,怎么这么贪?|对方得寸进尺地提出:能不能再便宜些?

【得到】 dé dào 〔动短〕

事情为自己所有;获得。(get; obtain)常做谓语、定语。

例句 因为工作出色,他得到了公司的奖励(jiǎnglì)。|我常常得到朋友们的帮助。|我们终于得到了一个满意的答复。|这个学生总得不到老师的表扬,很是失望。|得到的东西常常不愿意失去。|他把得到的奖金捐给了希望小学。

【得了】 dé le 〔动短〕

表示同意或禁止。(expressing a suggestion; that's enough)常做独立成分。

例句 得了,就这么办吧。|得了,你别去了。|A:我怎么说你才相信呢?B:得了,得了,你说什么我都不会相信。

▶"得了"另读"déliǎo",表示情况严重或程度高,一般说"不得了"。

【得力】 délì 〔形〕

❶ 做事能干。(capable)常做定语。

例句 他是经理的得力助手。|上级计划选拔一批得力干部。

❷ 坚强有力。(efficiently)常做谓语、补语。

例句 他领导得力,工作很有成绩。|李经理工作不得力,受到总部批评。|因为他这事办得非常得力,所以没有发生事故。|当时处理得不够得力,留下了许多问题。

【得心应手】 dé xīn yìng shǒu 〔成〕

心里怎么想,手就能怎么做。形容技艺纯熟或做事顺手。(with high proficiency)常做谓语、补语、状语。

例句 今天这盘棋,老王得心应手,走得很主动。|小张对这份工作很满意,干的时候也十分得心应手。|大家都没想到他们俩能配合得这么得心应手!|拿起笔,老书法家三两分钟便得心应手地写好了。

【得以】 déyǐ 〔助动〕

(借此)可以、能够。(so that... can or may...)做状语。不用于否定式。

例句 "希望工程"使因贫困而失学的儿童得以重返校园。|这份工作使他的才能得以充分地发挥。

【得意】 déyì 〔形〕

称心如意，感到非常满意。(proud of oneself)常做谓语、定语、状语、宾语。

例句 他得意极了，认为自己非常了不起。|小李一副洋洋得意的样子。|这部小说是他的得意之作。|发表了一篇文章，老王心里觉得很得意。|她得意地告诉我，她要出国留学了。

▶"得意"常构成固定短语。如：自鸣得意　得意忘形　得意洋洋

【得意忘形】 dé yì wàng xíng 〔成〕

形容高兴得失去常态。(grow dizzy with success; have one's head turned by successs)常做谓语、定语、状语。

例句 A：怎么样，这回他怕我了吧？B：别太得意忘形了。|见到市长先生也对自己十分客气，他就更加得意忘形了。|那位官员讲到高兴处，露出一副得意忘形的神态。|看到对方无话可说，他竟得意忘形地大笑起来。

辨析 〈近〉得意洋洋。"得意忘形"语义较重，"得意洋洋"较轻；前者为贬义，后者更多是讽刺意味。

【得罪】 dézuì 〔动〕

冒犯别人，使别人生气或怀恨。(offend; displease)常做谓语、定语。

例句 A：怎么，又辞职了？B：别提了，得罪了上司，被炒了鱿鱼。|说话讲究点儿方法，别得罪人。|我这种工作容易得罪人，没办法。|我说话太直，得罪的人很多。|有得罪的地方请多多包涵(hán)。

【德】 dé 〔名〕

❶ 道德、品行。(morals; integrity; virtue)常做主语、宾语。也用于固定短语或构词。

词语 品德　公德　同心同德　恩德

例句 他的德没人不知道。|这个人德才兼备。|这个人无德无能，怎能当领导！

❷ 心意。(mind; heart)一般用于固定短语。

词语 一心一德　离心离德

例句 关键时刻，这群酒肉朋友离心离德，各奔东西。

❸ 恩惠。(kindness; favour)一般用于固定短语。

词语 感恩戴德　以怨报德　大恩大德

例句 您的大恩大德我一辈子也报答不完。|人不应该以怨报德。

❹ 德国的简称。(Germany)常做宾语。

例句 中国领导人近日即将访德。|中国留德学生在驻德使馆欢度春节。|抵德后他马上去看望了老朋友。

【德才兼备】 dé cái jiān bèi 〔成〕

良好的思想品德和能力才干两者都具备。(have both ability and political integrity)常做谓语、定语、宾语。

例句 A：小王这个人德才兼备，是个好学生。B：不见得。|我们需要一个德才兼备的好干部，而不是一个谁也不得罪的老好人。|我们选拔干部，要注意德才兼备，不能光看才。

【德语(文)】 Déyǔ(wén) 〔名〕

主要在德国、奥地利及瑞士部分地区使用的日尔曼语。(German)常做主语、宾语、定语。[量]口(指口语)。

例句 德语是德国的主要语言。|你说的德语我怎么一点儿也听不懂？|他能说一口流利的德语。|我

已经能用德语(文)写作了。|德语(文)语法比较难。|德语区包括好几个国家和地区。

【地】 de 〔助〕 另读 dì

状语的标志。(*adverbial marker*)用在动词,形容词前面,表示它前面的词语是后面的词的状语。

例句 天气慢慢地冷起来了。|他努力地工作,受到了表扬。|老人常自言自语地说些什么。|服务员热情地对我说:"欢迎光临!"

【的】 de 〔助〕 另读 dī,dì

❶ 定语的标志。(*used after an attribute*)用在词、短语后,名词、代词的前面,表示前面的词、短语修饰、限制后面的词或是领属关系。

词语 平凡的人 幸福的生活 新鲜的水果 我的祖国

例句 街上来往的车辆很多。|我坐上了开往北京的火车。|当当的钟声响起来了。

❷ 构成"的"字结构,相当于名词的作用。(*used to form a noun phrase or nominal expression*)用在动词、形容词或短语后面构成"的"字结构做句子成分。

词语 吃的 红的 年纪大的

例句 A:我饿了,给我弄点儿吃的吧。B:好,我马上弄。|录音机放的是一首名曲。|这活儿女的干不了,得找男的。|我要红的,不要绿的。|问题很多,要解决主要的。|大家都要照顾有病的。

❸ 表示肯定、强调、已经完成等语气。(*used at the end of a declarative sentence for emphasis*)一般用在句末,常和"是"组成"是…的"格式。

例句 他是上个月从国外回来的。|我女儿是在清华大学读的研究生。|A:你是怎么回来的?B:坐飞机回来的。|冬天的太阳暖暖(nuǎn)的。|这件事我问过小王的。|那些字写得整整齐齐的。|您的帮助我们是不会忘记的。|A:晚上六点,不见不散。B:好的,好的。

▶"是…的"中间加入动词短语,表示对与动作有关的某方面的强调。

【…的话】 …de huà 〔助短〕

表示假设。(if)用在复句中表示假设的分句后面引起下文,常和"如果"、"不然"等配合。

例句 A:如果可能的话,我一定去你们国家旅游。B:太好了,到时候一定给我打电话。|他不来的话,这件事就不好办了。|要是他一定坚持走的话,那么就让他走吧。|做什么事都要考虑好,否则的话,就可能出差错。|你应该和她一起去,不然的话,她可能会生气。|明天八点钟一定要到,要不然的话就晚了。

【得】 de 〔助〕 另读 dé,děi

❶ 补语的标志,连接表示程度、结果的补语。(*used after a verb or an adjective to introduce a complement of result or degree*)用在动词、形容词后面,所连接的补语,可以是词,也可以是短语、小句。

例句 A:怎么才回来?B:别提了,正赶上下班时间,公共汽车上挤得要命,车开得特别慢。|黑板上的字写得不清楚。|他学汉语学得很认真。|大家团结得像一个人似的。|爬上山顶时,他已经累得上气不接下气了。|孩子的一番话逗得大家笑个不停。

❷ 表示可能。(used after a verb or an adjective to express possibility or capability)用在动词后面或动词和补语中间，前者的否定式是“不得”，后者的否定式是将“得”改为“不”。如：吃得/吃不得；拿得动/拿不动

例句 他看得，我也看得。|大家都是一样的职员，他做得，我为什么做不得？|A：你走得动吗？B：已经走不动了。|这个箱子我搬不动，可他搬得动。

▶ “得”在动词后有时不是助词，而是构词语素。如：记得 懂得|他认得我。|我懂得了这个道理。

【…得很】 …de hěn 〔助短〕

表示程度强。(very much)放在形容词或表示心理活动的动词后。

例句 A：我看这事好得很。B：不一定吧。|你能来我实在高兴得很。|这玩意儿他喜欢得很。|这种人没意思得很，别理他。

【得】 děi 〔助动〕 另读 dé、de

❶ 需要、应该、必须。(need；must)常做谓语、状语。

例句 我估计这件上衣至少得三百块。|A：这一去还不得一个月？B：用不了，半个多月就回来了。|这事儿我得和家里人商量商量。|你得努力呀，不然就落后了。

❷ 表示估计的必然。(will be sure to)常做状语。

例句 这么晚才来，得挨批评了。|A：时间已经过了，我们走吧。B：她准得来，我们再等等。|要下雨了，再不走得挨淋了。

【灯】 dēng 〔名〕

照明或做其他用途的发光器具。(lamp；light)常做主语、宾语、定语。[量]盏(zhǎn)。

例句 这里的灯有各种各样的，慢慢挑。|一串串彩灯把公园打扮得很漂亮。|通过马路时，要看看红绿灯。|马路两边安装了新路灯。|这盏灯的样式很别致。

【灯火】 dēnghuǒ 〔名〕

泛指亮着的灯。(lights)常做主语、宾语、定语。[量]家，点。

例句 节日夜晚的广场，灯火辉煌(huīhuáng)。|等我们赶到那里，已是万家灯火了。|放眼望去，到处闪烁着点点灯火。|为防止空袭，市内晚六点到早六点实行灯火管制。

【灯笼】 dēnglong 〔名〕

挂起来或手提的照明用具，现在多为装饰品。(lantern)常做主语、宾语、定语。[量]个。

例句 挂在树上的小红灯笼都亮了，真好看。|大红灯笼把节日的天安门打扮得格外美丽。|元宵夜孩子们喜欢提着灯笼出去玩。|老师傅正在教大家制作传统的红灯笼。|红灯笼的寓意是喜庆、祥和。

【灯泡】 dēngpào 〔名〕

使用电发光照明的器物，多是鸭梨形。(bulb；light bulb)常做主语、宾语、定语。[量]个。

例句 灯泡坏了，换一个吧！|这种灯泡不太亮，买度数大点儿的。|这家灯具店出售各种灯泡。|昨天一下买了好几个灯泡。|A：我的台灯不太亮，麻烦你给看一下。B：这个灯泡的瓦数太小了，换个大的就亮了。

【登】 dēng 〔动〕

❶ 由低处到高处(多指步行)。(ascend；mount；scale)常做谓语。

例句 登山队登上了世界最高峰。

D

|A:星期天我们一起去登山吧。B:不行,最近我身体不太好。|他登上了远去的列车,心里一阵伤感。|很多年以前人类就已经登上了月球。|想一步登天?别做梦了。

❷ 刊登或记载。(publish; record; enter)常做谓语、定语。

例句 这条新闻登在第三版。|A:大张还没找到对象吗?B:没有,他在报上登了一则"征婚启事"。|月底了,会计(kuàijì)正忙着登账呢。|放心吧,工作人员已经把你的名字登上了。|杂志上登的文章你都看了吗?

【登记】 dēngjì 〔动〕

把有关事项(xiàng)写在专门的表册上备用。(register)常做谓语、定语。

例句 人口普查工作人员正在挨家登记户口。|管理员把新图书登记完了。|请你把这些数据登记一下。|这些登记卡要保留。|目前,登记的留学生人数达到了三百多人。

▶"登记"在口语中还特指男女办结婚手续。如:他俩已经登记了。|咱们先登记,再商量婚礼的事。

【登陆】 dēng lù 〔动短〕

渡过海洋或江河登上陆地。(land)常做谓语、定语,中间可插入成分。

例句 台风在沿海登陆,造成很大损失。|盟军在法国登陆,开辟了第二战场。|中国考察队在南极顺利登陆了。|已登陆的士兵在继续前进。

▶"登陆"特指作战军队登上敌方的陆地。

【蹬】 dēng 〔动〕

腿和脚向脚底方向用力;踩(cǎi),踏(tà)。(press down with the foot; pedal; treadle)常做谓语。

例句 周末同学们常蹬着自行车去市内。|爸爸每天蹬一辆破旧的三轮车去进货。|那个女杂技演员正在表演蹬伞。|A:蹬在窗台上擦玻璃,要小心点儿。B:别担心,没事儿。|台子不太高,我一使劲就蹬上去了。

▶"蹬"作"踩、踏"时也可写作"登"。

【等】 děng 〔动/名/助〕

〔动〕❶ 等候、等待。(wait)常做谓语、定语。

例句 A:快点儿,老师正等着你呢。B:我知道,别催了。|我已经等了一个小时了。|你等一下,我马上就来。|我们还是走着去吧,车总不来,等的人又太多。|等的时间太长,让人受不了。

❷ 程度或数量上相同。(equal)常做谓语。

例句 A:这两条路线距离相差大吗?B:不大,基本相等。|那两张地图大小不等。|他俩所犯的错误严重程度不等。

〔名〕等级。(grade)常做主语、宾语、定语。[量]个。

例句 A:这条船的客舱(cāng),三等和四等差别不太大。B:那我们就买四等的吧。|我们学校的奖学金有三个等儿。|这些产品按质量共分三等。|他买了一个二等舱。

▶"等"还有量词特点,相当于"种、类"的意思,用于书面语。如:这等人 此等事

〔助〕❶ 表示复数。(*used after a personal pronoun or a personal name to show plurality*)用在名词、人称代词后。

词语 我等 你等

❷ 表示列举未完。(and so on)用于列举词语后,可以叠用。

例句 我去过北京、天津等地。|法国、日本、美国等国都将参加这次会议。|这次比赛的项目有篮球、排球等等。

❸ 列举后结尾。(*indicating the end of an enumeration*)用于列举词语后,后面一般带数量词语。

例句 长江、黄河、珠江、黑龙江等四大河流最有名。|中国有北京、上海等四个直辖(xiá)市。|今年共订了《人民日报》、《光明日报》等六种报纸。

▶"等"后的数量与列举的一致与不一致都可以。这时不重叠使用。

【等待】 děngdài 〔动〕

不采取行动,直到所期望的人、事物或情况出现。(wait; await)常做谓语、定语。

例句 老奶奶等待丈夫等待了四十多年,那种等待的滋味谁能体会得到呢?|我们要耐心等待,不要着急。|他在等待奇迹的出现。|大自然的万物等待着春天的到来。

辨析 〈近〉期待。"期待"是褒义词,"等待"是中性词;"期待"重在"希望","等待"重在"等"。

【等到】 děngdào 〔连〕

表示时间条件。(by the time; when)用在复句第一分句的前面,常与"时"、"的时候"、"以后"配合。

例句 A:你们俩去送代表团了吗?B:等到我们去送行时,他们已经走了。|等到张先生讲完以后,会场响起了热烈的掌声。|等到他赶回家的时候,母亲已经去世了。

【等候】 děnghòu 〔动〕

等待。(wait; await)常做谓语。

例句 (车站标牌)请排队等候上车。|部队正在等候出发的命令。|他在等候客人的到来。|A:你们接到李老师了吗?B:没有,我们等候了两个小时,也没动静。

辨析 〈近〉等待。"等待"多用于具体对象,所带宾语可以是非名词性词语。

【等级】 děngjí 〔名〕

按质量、程度、地位等的差异而作出的区别。(grade; rank; social estate)常做主语、宾语、定语。[量]个。

例句 虽是同一种商品,它们的等级却不一样。|有的国家,人与人之间的等级很明显。|茶按质量分为几个等级。|买东西要注意它的等级。|这个人等级观念很重。|很多国家的封建社会有等级制度。

【等于】 děngyú 〔动〕

❶ 某数量跟另一数量相等。(be equal to)常做谓语。

例句 二加二等于四。|一公里等于二里。|三乘四不等于十四。

▶"等于"常用于计算。

❷ 差不多就是,跟…差不多。(amount to)常做谓语。

例句 A:你懂电脑吗?B:不懂,我的电脑知识几乎等于零。|吸烟等于慢性自杀。|学了知识不用等于没学。|不珍惜(zhēnxī)时间等于浪费生命。

▶"等于"所带宾语可以是非名词性词语。

【凳】 dèng 〔名〕

有腿没有靠背的,让人坐的家具。(stool; bench)常做主语、宾语、定

D

语。[量]条,个。

例句 A:凳儿不够了,我再去找两个。B:不用了,挤一挤得了。|有人又搬来几个小凳,大家才都坐下了。|师傅,给我做个凳,行吗?|凳腿坏了,请木工修修吧!

D

【瞪】 dèng 〔动〕

❶ 用力睁大。(stare)常做谓语。

例句 孩子们瞪着两只好奇的眼睛望着我。|我把眼睛瞪得老大,也没看清楚。

❷ 睁大眼睛看,表示不满意。(glare)常做谓语。

例句 A:你别这样瞪着我,有意见就提。B:提就提,我觉得你不应该这样对待人家。|他什么也没说,瞪了我一眼就走了。|我瞪了她半天,她也不在乎。

【低】 dī 〔形/动〕

〔形〕从下向上距离短,离地面近;在一般标准或程度之下的;等级在下的。(low)常做谓语、定语、补语、状语。

例句 房间的窗台低一点儿好看。|A:这些试题水平太低了。B:我就说让你报高级的考试,你自己不敢。|这台电视低音特别好听。|弟弟在低年级学习。|他故意把帽沿儿压得很低。|人们常说:燕子低飞要下雨。

辨析 〈近〉矮。"矮"用于人的身材及山、树、楼等;"低"一般较少用于人,多用于程度、水平、价格、声音等。如:＊身材低。(应为"身材矮")|＊水平矮。(应为"水平低")

〔动〕(头)向下垂(chuí)。(let droop;hang down)常做谓语。

例句 他低着头,好像在思考什么。|别总低头学习,小心近视。|她觉得很不好意思,把头深深低了下去。|鲁迅先生从不向黑暗势力低头。

【低级】 dījí 〔形〕

❶ 初步的、形式简单的。(elementary;lower)常做定语、介词宾语。

例句 那时,我爸爸只是一个低级职员。|蛇是一种低级动物。|A:你那么有经验,怎么能犯这种低级错误呢?B:当时太大意了。|这是一本低级读物,适合儿童阅读。|从低级到高级,这是事物发展的一般规律。

❷ 庸俗(yōngsú)的。(low;vulgar)常做谓语、定语。

例句 这本书太低级,不适合青少年看。|一个人如果趣味低级,就很难有远大的理想。|一个高尚的人必定脱离了低级趣味。|要讲文明,不说低级下流的话。

【低劣】 dīliè 〔形〕

(质量)很不好。(inferior)常做谓语、定语。

例句 A:这种产品质量低劣。B:那它怎能上市呢?|那个人道德品质低劣,大家都不喜欢他。|低劣的服务无法赢得顾客。

【低三下四】 dī sān xià sì 〔成〕

形容地位卑贱低人一等。(lowly;mean;humble;obsequious;abject;subservient;servile)常做谓语、定语、状语。

例句 长点儿骨气,别总是低三下四的。|不要在老板跟前低三下四的。|我不是什么低三下四的人!|他本来就不是个低三下四的人,怎么会去求人呢!|想当初,我在城里头学艺,不肯低三下四地侍候有势力的人,叫人家打了一顿。|A:你

找人家说点儿好话，兴许过得去。B：低三下四地求人，这种事我不干。

辨析 〈近〉低声下气。“低三下四”语意较重，“低声下气”语意较轻，并不含有“卑贱”之意；“低三下四”为贬义短语，“低声下气”为中性短语。

【低温】 dīwēn 〔名〕

较低的温度。(low temperature)常做主语、宾语、状语、定语、谓语。

例句 连续的低温对庄稼生长十分不利。|低温使细菌(xìjūn)不易生存。|这儿的农民战胜了多雨、低温，粮食仍然获得了丰收。|这种蛇要靠低温才能生存。|水果最好低温保存。|我们这儿正处于低温地带。|北极地区长年低温。

【低下】 dīxià 〔形〕

❶(生产水平、经济地位、能力等)在一般标准之下的。(low；lowly)常做谓语、定语。

例句 那个工厂的生产能力低下。|工人技术水平低下，生产怎么能搞好？|A：这孩子的智力并不低下。B：那他就是太贪玩了，学习不用心。|低下的经济水平自然导致人民生活较差。

❷(品质、格调等)低俗。(vulgar)常做谓语、定语。

例句 这首歌格调低下，没有欣赏价值。|他情趣低下，引起很多人的反感。|低下的情趣产生不了高雅的思想。

【堤】 dī 〔名〕

沿河、沿海挡水的建筑物，用土石等建成。(dyke；embankment)常做主语、宾语、定语。[量]道，条，个。

例句 这堤不能不修了。|海堤挡住海潮，保护着城市的安全。|农民正在修一条防洪堤。|堤岸上到处是果树。|A：这道堤的宽度是多少？B：宽六米。

▶“堤”也可作比喻。如：感情的大堤|在心中筑(zhù)起大堤。

【滴】 dī 〔动/量〕

〔动〕液体一点一点向下落。(drip)常做谓语、定语。

例句 王师傅的汗水不断地从脸上滴到地下。|A：需要帮忙吗？B：帮我滴一点儿眼药水吧。|滴了些油，机器转得灵活多了。|滴水穿石，这是一句成语。|给病人输这种药时，滴的速度不能太快。

〔量〕用于滴下的液体的计量。(drop)常构成短语做句子成分。

例句 A：壶里有没有水了？B：一滴也没有了。|一不小心，药水洒出来了几滴。|她的脸上还有两滴眼泪。|几滴香油一放，汤就好喝了。

▶“滴”也做名词，用于构成短语。如：汗滴　酒滴　水滴

【的确】 díquè 〔副〕

完全确实，实在。(indeed；really)做状语。

例句 A：她的确是这样说的，不信，你可以问她。B：我会搞清楚的。|我的确不知道同屋去哪儿了。|这件文物的的确确是唐代的。|那个地方的确难找。|情况的确如此。

辨析 〈近〉确实。“确实”还是形容词。如：他的确(确实)没干这事。|这个消息确实。

【的士】 díshì 〔名〕

出租汽车的粤语音译。(taxi)常做主语、宾语、定语。[量]辆。

例句 突然，一辆的士冲上了人行

道，撞到了大树上。|等了半天，我们才打到了一辆的士 。|三个人合打一辆的士不贵。|捧着失而复得的皮包，王女士再三感谢这位的士司机。

【敌】 dí 〔名/动〕

〔名〕敌人。(enemy)常做主语、宾语、定语。

例句 残敌逃到山里去了。|我们要分清敌我。|面对仇敌，我怒火满腔。|如果继续与人民为敌，是不会有好下场的。|要取胜就要充分了解敌情。

〔动〕对抗，抵挡。(withstand; match)常做谓语。

例句 湖人队在今年的比赛中无人能敌，夺取了冠军。|战斗中，五位战士寡不敌众，壮烈牺牲。

▶"敌"也做形容词，指(力量)相等的。如：这两支足球队势均力敌，最后踢平了。

【敌对】 díduì 〔形〕

利害冲突不能相容；仇视而相对抗。(hostile)常做定语。

例句 别用一种敌对态度对待我。|双方不要采取敌对行动。|两国的敌对情绪越来越浓。

【敌人】 dírén 〔名〕

敌对的人，敌对的方向。(enemy)常做主语、宾语、定语。[量]个。

例句 敌人表面强大，实际上正相反。|有时，敌人也可能变成朋友。|A：我并不想把对手当作敌人。B：这一点我同意，我们应该发展合作关系。|战士们发誓(shì)要坚决消灭敌人。|他们抓到了敌人的一个侦察员。|我们又一次击退了敌人的进攻。

【敌视】 díshì 〔动〕

当做敌人看待；仇视。(be hostile to)常做谓语、定语。

例句 邻国不应互相敌视。|请不要敌视他们！|对朋友不能采取敌视的态度。|长期敌视的局面必须尽快改变。

辨析 〈近〉仇视。"仇视"程度强，常用于个人关系；"敌视"可用于群体关系。

【笛】 dí 〔名〕

❶ 意义同"笛子"。(bamboo flute)常做主语、宾语、定语。[量]支，根。

例句 笛由竹子或别的原料制成。|一部分演员吹笛，一部分演员拉二胡。|笛声传来，悠扬动听。

❷ 响声尖锐的发音器。(whistle)常用于构词。

词语 汽笛 警笛

例句 汽笛发出了长鸣(míng)。|警笛突然响起来，吓了我一跳。|工人拉响了汽笛。

【笛子】 dízi 〔名〕

一种横吹管乐器。(bamboo flute)常做主语、宾语、定语。[量]支，根。

例句 笛子发出清脆的声音，真好听！|一支笛子能吹出各种声音。|她从小就喜欢吹笛子。|演员正在表演笛子独奏。|笛子的声音清脆、婉转(wǎnzhuǎn)。

▶"笛子"一般指用竹子等制成的中国民间乐器，不指西洋乐器中的长笛、竖笛等。

【抵】 dǐ 〔动〕

❶ 支撑；挡、拒。(support; resist)常做谓语、定语。

例句 把门抵住，不要让风吹开了。

|抵上的门又开了。

❷ 抵偿,相当,代替。(mortgage; compensate for)常做谓语。

例句 杀人要抵命。|他把房子抵出去,借了一大笔钱。|老将出马,一个抵俩。|没别的办法,我只好用妈妈留给我的一枚戒指抵了账。

❸ 到达。(arrive; reach)常做谓语。

例句 代表团昨日已抵京。|抵沪后,我们将有许多活动。

【抵达】 dǐdá 〔动〕

到达(目的地)。(arrive; reach)常做谓语。

例句 访问团抵达北京后马上开始工作。|对方已经抵达几天了。|代表团离开北京抵达上海访问。

【抵抗】 dǐkàng 〔动〕

用力量制止对方的进攻。(resist; stand up to)常做谓语、定语、宾语。

例句 军民同心抵抗敌人。|打预防针可以抵抗疾病的侵害。|他们下决心抵抗到最后。|最近,一些国家出现了抵抗运动。|A:最近身体不好,一点儿抵抗力都没有,受点儿风寒就感冒。B:我看你还是应该到医院去查一查。|在我们猛烈的炮火下,敌人终于停止了抵抗。

辨析 〈近〉反抗。搭配对象有所不同。如:抵抗(反抗)侵略、进攻 抵抗疾病、风沙 反抗压迫、剥削、统治

【抵制】 dǐzhì 〔动〕

阻止某些事物,使不能侵入或发生作用。(resist; boycott)常做谓语、宾语、定语。

例句 每个人都应当抵制不正之风。|一些国家抵制这次会议的召开。|对不良习俗要进行抵制。|大家正在讨论抵制的办法。

辨析 〈近〉抵抗。"抵抗"的程度比"抵制"高,搭配对象也不一样。如:抵制言行、风气(非军事的) 抵抗进攻、侵略(多军事的)

【底】 dǐ 〔名〕

❶ 物体的最下部,时间的末尾。(bottom; end)常用于构词。

词语 海底 井底 月底

例句 河底有许多石头。|A:我的鞋才穿了一个礼拜,鞋底就坏了。B:是什么牌子的,这可以找他们索赔。|转眼到了年底,一年又过去了。

❷ 基础,事情的根源,内情。(base; the heart of matter)常做主语、宾语。[量]个。

例句 A:还有什么? B:底儿全告诉你了,别再问了。|原来打的底就这样,以后还能好吗? |这次考试主要是为了摸摸底。|为了谈判顺利,经理事先向大家交了个底儿。

❸ 花纹图案的衬托(chèntuō)面。(background)常做宾语、定语、主语。

例句 这些瓷器(cíqì)全部是用白色做的底儿。|姐姐穿了件白底红花的连衣裙。|A:你看这条围巾怎么样? B:我觉得这条围巾底儿太深了。

【底片】 dǐpiàn 〔名〕

拍摄(shè)过的胶片,用来印制相片。(photographic plate)常做主语、宾语、定语。[量]张。

例句 那张底片找不到了,真可惜。|A:这照片怎么洗得这么差? B:你拍的底片都不清楚,怎么能洗出好照片呢? |我找出了一张旧底片。|底片的保存方法你知道吗?

【底下】 dǐxia 〔名〕

❶ 下面。(under; below)常做主语、宾语、定语。

例句 门底下有封信。|A:底下是什么东西?这么硬。B:可能是块石头吧。|脚底下踩着一个什么东西。|他把头伸出窗来,看着楼底下。|妹妹在窗底下看书呢。|床底下的东西都拿走吧!|目前手底下的活儿太多了,根本忙不过来。

❷ 以后。(next; later)常做定语、状语、宾语。

例句 A:我知道底下的事,你说说开头吧。B:开头我也不知道。|你这一插嘴,底下的话我全忘了。|底下该演什么了?|好了,别往底下说了。

【地】 dì 〔名〕

❶ 地球;陆地;土地、田地。(the earth; land; fields)常做主语、宾语、定语。[量]片,亩,块。

例句 A:这片地值多少钱?B:怎么也值个几十万。|我们家承包了五十亩地。|这块菜地的活儿干完了,休息一会儿吧。|沙土地的改造已经受到了应有的重视。

❷ 地面。(ground; floor)常做主语、宾语、定语。

例句 木板地既好看又舒适。|下雨后地变得很难走。|她不小心,把水撒了满地。|慢点儿走,地上有冰。

❸ 地方。(position; situation)常用于固定格式。

例句 我们要立于不败之地。|他很不好意思,简直是无地自容。

❹ 路程。(distance travelled)常做宾语、定语。

例句 他一上午走了三十里地。|到市中心还有两站地。|A:从这儿到北京有多远?B:到北京有八十里地的路,不算远。

【地板】 dìbǎn 〔名〕

室内铺在地面上的木板,有时也指木质楼板。(floor board; floor)常做主语、宾语、定语。[量]块。

例句 地板铺好了以后,爱人觉得不错。|A:这块地板坏了,修理修理吧。B:别急,我得找块儿颜色一样的。|A:你们家装的是什么地板?B:今年,我们家新安装了地热地板。|下午,装修公司的汽车运来了一车地板。|这种地板的质量和颜色都不错。

▶ "地板"有时也指"地面",但一般指房间等建筑物内的地面。如:水磨石地板

【地步】 dìbù 〔名〕

❶ 处境,景况(多指不好的)。(condition; plight)常做宾语。[量]个,种。

例句 他落得这个地步,真没想到。|A:别泄气,坚持住。B:到了这种地步,我还有什么希望呢?

❷ 达到的程度。(extent)常做宾语。[量]种,个。

例句 老人的病还没到那种危险的地步。|他兴奋得到了不能入睡的地步。|A:没想到,事情会发展到这么严重的地步。B:你早就应该想到。

【地带】 dìdài 〔名〕

具有某种性质或范围的一片地方。(district; zone; region; belt)常做主语、宾语、定语。[量]个。

例句 西部的草原地带生活着许多

动物。|这个地带很危险，不能进入。|据说另外一些人去沙漠地带旅游了。|最近，国家正在计划开发那个地带。|这一地带的地形十分复杂，得好好研究一下。

辨析 〈近〉地区、地段。“地带”的范围比“地区”小，但比“地段”大。

【地道】 dìdao 〔形〕

真正的、纯粹的（chúncuì）；够标准的；实在。（pure; typical; well-done）常做定语、补语、谓语。

例句 A：这个菜是地道的广东菜，很清淡。B：味道确实不错。|我是个地地道道的四川人，但不喜欢吃辣的。|可以看出来，这个活儿干得很地道。|那个人很地道，从不说假话。|A：你说的普通话真地道。B：哪里，哪里。

▶ “地道”（dìdào）还是名词，指地下通道。

【地点】 dìdiǎn 〔名〕

所在的地方。（place; site）常做主语、宾语。［量］个。

例句 会议地点在三楼会议室。|我们学校在市中心，地点不错。|A：你们今天见面吗？B：当然，我们约了见面地点，并说好不见不散。|请大家准时在指定地点集合。

【地方】 dìfāng 〔名〕

❶ 各级行政区划的统称。（locality）常做主语、宾语、定语。［量］个。

例句 每个地方在工作上都可以搞出自己的特色。|地方应当服从中央。|A：老王还在中央工作吗？B：他从中央调到地方五年了。|按规定，地方干部要定期交流。|有些问题要靠地方政府解决，不能都推到中央。

❷ 本地、当地。（local）常做定语。

例句 他常免费为地方上的群众治病。|A：这是什么东西？B：这是地方特产，你尝尝吧。|中国有许多的地方戏，一般都用地方话表演。

▶ 这里的“方”不读轻声。

【地方】 dìfang 〔名〕

❶ 某一区域（qūyù）；空间的一部；部位。（place; space; room）常做主语、宾语、定语。［量］个。

例句 这个地方是熊猫的家乡，竹子很多。|我腿这个地方碰伤了，需要包扎一下。|那是个美丽的地方，山清水秀。|A：已经没有地方坐了，我们走吧。B：好不容易来了，站着听吧。|你朋友是哪个地方的人？|那个地方的话很难懂。

❷ 部分。（part; respect）常做主语、宾语、定语。［量］个。

例句 这篇文章有的地方还要改一改。|A：你觉得这部电影怎么样？B：这部电影最有意思的地方是结尾。|你们俩都有不对的地方。|报告中有不少重要的地方，应该记录下来。|她唱这首歌时，有几个地方的唱法不对。

【地理】 dìlǐ 〔名〕

全世界或某一地区的自然、社会等总的情况，也指地理学。（geographical features of a place; geography）常做主语、宾语、定语。

例句 地理这门课挺有意思。|他从小就喜欢学习地理。|近些年，父亲开始专门研究经济地理。|这个城市的地理位置很好。

【地面】 dìmiàn 〔名〕

❶ 地的表面。（the earth's surface）常做主语、宾语、定语。［量］块。

D

D

例句 A:刚下过雪,地面有点儿滑,一定要慢些走。B:谢谢,我会小心的。|我们乘坐的飞机很快就离开地面,起飞了。|白天地面温度很高,晚上又降了下来。

❷ 房屋等建筑物内部及周围的地上铺的一层东西,材料多为木头、砖石等。(ground)常做主语、宾语、定语。

例句 这大理石地面又光滑又好看。|马路两边的人行道都是彩砖(zhuān)地面。|请注意地面,小心滑倒。|广场地面的图案很美观。

❸ 地区(多指行政区)。(region; area; territory)常做主语、宾语、定语。

例句 东北地面有许多特产,像人参什么的。|车队已经进入了北京地面。|上海地面的风俗和我们家乡不一样。

【地球】 dìqiú 〔名〕

人类所生活的行星。(the earth)常做主语、宾语、定语。[量]个。

例句 地球围绕太阳旋转(xuánzhuǎn)。|地球有个卫星——月球。|厚厚的大气层包围着地球。|每个人都应该爱护自己的家园——地球。|地球的自然资源是有限的,不能浪费。

【地区】 dìqū 〔名〕

较大范围的地方(area; region)。常做主语、宾语、定语。[量]个。

例句 改革开放后,少数民族地区的经济有了较大的发展。|那个地区需要大量的计算机方面的人才。|他打算去西南少数民族地区旅行。|粮食生产在这个地区占有重要地位。|发展经济要发挥地区优势。

▶ "地区"在中国还指行政地区,一个地区下有若干县。

【地势】 dìshì 〔名〕

地面高低起伏的形势。(relief)常做主语、宾语、定语。

例句 A:这一带地势平坦,适合建厂。B:但是我觉得离公路太远了。|华山地势险要,自古只有一条路。|地质队员们正在研究那一带的地势。|你应该详细了解一下那儿的地势情况。

【地毯】 dìtǎn 〔名〕

铺在地上的毯子。(carpet)常做主语、宾语、定语。[量]块,种。

例句 A:这种纯毛地毯铺在地上,房间显得很高雅。B:地毯虽好,但洗起来很麻烦。|她去商店买来了一块纯毛地毯。|这个商店专门经营进口地毯。|这块地毯的图案很特别。|昨天,我们参观了北京地毯厂。

【地铁】 dìtiě 〔名〕

地下铁道的简称,也指地铁列车。(underground railway; train of underground railway)常做主语、宾语、定语。[量]段,条,列。

例句 地铁是一种便利的交通工具。|一列地铁开进了车站。|A:公共汽车太慢,我们坐地铁吧!B:好吧。|请问,地铁入口在哪儿?|在大城市中,地铁的作用十分重要。

【地图】 dìtú 〔名〕

说明地球表面情况的图。(map)常做主语、宾语、定语。[量]张,幅(fú)。

例句 地图在旅行中的作用十分重要。|A:你查查地图,看有没有这个地方。B:我这张上没有。|教室的后面挂着一幅中国地图,一幅世界地图。|地图的种类很多,如地形

图、区划图、城市旅游图等。|地图的符号一般都有统一规定。

【地位】 dìwèi 〔名〕

❶ 人或团体在社会关系中所处的位置。(position; status)常做主语、宾语、定语。

例句 在中国,妇女的地位与男子一样。|电话在现代生活中占有重要地位。|老人很有社会地位,连市长都敬他几分。|近年来,留学生也能感觉到中国国际地位的不断提高。

❷ 人或物在空间所占的地方。(place)常做宾语。

例句 他挑选了一处有利地位坐下,以便看得更清楚。|把东西放在床下,尽可能不占地位。

【地下】 dìxià 〔名〕

❶ 地面下,地层内部。(underground)常做主语、宾语、定语等。

例句 A:这一带的地下有电缆,施工时一定要小心。B:是的,我已经通知下去了。|他们从地下挖出了许多文物。|这个地下商场很有信誉,生意相当不错。|工人正在维修地下管道。

❷ 秘密活动的,不公开的。(secret)常做宾语、定语。

例句 为了保存力量,有的工作在一个时期曾经转入地下。|这个组织由公开变为地下。|这位老人曾经从事过地下工作。

▶ "地下"还说"dìxia",意为"地面上"。如:我的铅笔掉地下了。

【地形】 dìxíng 〔名〕

地面起伏的形状。(terrain)常做主语、宾语、定语。

例句 这儿地形十分险要。|为使绘制的地图更精确,老专家亲自去察看了地形。|他从小生活在山区,很熟悉那里的地形。|在这儿修水库,地形条件很理想。|要是有一幅地形图就好了。

【地震】 dìzhèn 〔名〕

地壳的震动,又称地动。(earthquake)常做主语、宾语、定语。[量]次,级。

例句 A:地震给人类造成了很大的灾难。B:等我们能够掌握它的发生规律就好了。|那个国家经常发生地震。|科学家正努力研究地震的预报问题。|这次地震的强度为7.2级,在地震中共死亡两千多人。

【地址】 dìzhǐ 〔名〕

(人或团体)居住或通信的地点。(address)常做主语、宾语、定语。[量]个。

例句 A:你能把这封信寄给他吗?B:不能,他的地址没有人知道。|那个公司的地址是幸福大街34号。|请给我个地址,我好和你联系。|请把收款人的地址写清楚。|地址的汉语写法是先写省、市,再写区、街和门牌号。

辨析 〈近〉地点。"地址"只是通信或居住的地点;"地点"的词义范围要大。

【地主】 dìzhǔ 〔名〕

占有土地的人。(landlord)常做主语、宾语、定语。[量]个。

例句 在中国,地主已经成为历史了。|新中国成立前,农村有很多地主。|新中国成立后,地主被改造成自食其力的劳动者。|过去,地主的土地比农民多得多。

【弟】 dì 〔名〕

意义同"弟弟"。(younger brother)常用于构词或用于固定短语。

词语 弟弟 弟兄 二弟 堂弟 表弟 兄弟姐妹

例句 表弟大学毕业后,一直在外企工作。|春节就要到了,我们弟兄三人约好一起回家看望父母。

D

【弟弟】 dìdi 〔名〕

指同父母或同辈年纪比自己小的男子。(younger brother; brother)常做主语、宾语、定语。[量]个。

例句 弟弟今年已经上学了。|邻居家的小弟弟喜欢各种小动物。|妈妈每天上班,奶奶在家照顾弟弟。|同屋比我大,叫我"弟弟"。|弟弟的画儿画得很不错。|最近,我发现了弟弟的一个秘密(mìmì)。

辨析 〈近〉弟。"弟弟"在口语可以做称呼。"弟"一般不可做称呼。如:*弟,快过来!("弟"应为"弟弟")

【弟兄】 dìxiong 〔名〕

弟弟和哥哥。(brothers)常做主语、宾语、定语。[量]个。

例句 A:你这个假期怎么过的? B:我们弟兄俩一块儿去了北京。|大家都很喜欢他们两个弟兄。|我们家弟兄之间的关系非常好。|你别管他们弟兄的事,让他们自己解决。

▶ "弟兄"可以不包括本人,也可以包括本人,要看上下文意思。如:他没有弟兄,只有一个姐姐。(不包括)|他们是亲弟兄。(包括)|他就弟兄一个。(没有哥哥、弟弟)

【帝国】 dìguó 〔名〕

一般指版图很大或有殖民地的君主国家。(empire)常做主语、宾语、定语。[量]个。

例句 古罗马帝国曾经非常强盛。|鸦片战争时,英帝国打败了清帝国,迫使清政府签订了很多不平等条约。|那个尖顶的是帝国大厦。

▶ "帝国"也比喻经济实力强大的企业集团。如:石油帝国 工业帝国 金融帝国

【帝国主义】 dìguó zhǔyì 〔名短〕

资本主义发展的最高阶段。(imperialism)常做主语、宾语、定语。

例句 帝国主义是资本主义发展的最高阶段。|人类和平不需要帝国主义。|帝国主义的基本特征是垄断代替了自由竞争。|这次战争暴露出了帝国主义的实质。

【递】 dì 〔动〕

传送、传递。(transmit)常做谓语。

例句 A:请把书递给我! B:给,接住。|她给我递了个眼色,我马上明白了她的意思。|我接住了姐姐递过来的书包。

【递交】 dìjiāo 〔动〕

当面交给。(present; submit)常做谓语,也可做定语。

例句 请把这封信递交给市长。|这份报告很重要,请马上递交给有关部门。|校长打开了学生代表递交的信,认真地看了起来。|昨天递交的申请经理已经批准了。

【递增】 dìzēng 〔动〕

一次比一次增加。(increase progressively)常做谓语。

例句 我们村农民的收入逐年递增。|这个公司经营得不错,税利月月递增。

▶ "递增"做谓语时不能带宾语。

如：* 这个城市递增收入。（应为"这个城市的收入逐年递增。"）

【第】 dì 〔素〕

表示次序。（*prefix for ordinal numbers*）用在整数的数词的前边，表示次序。

例句 学汉语，第一要注意发音。|在所有的问题中，安全第一。|这次考试他得了第一名。|请大家打开书，看第二十六页下数第三行。|A:你来中国几次了？B:这是第三次。

【缔】 dì 〔动〕

结合、订立。（form; conclude）常做谓语，也用于构词。

词语 缔约　缔结　缔造

例句 从今天起，两国正式缔约，建立外交关系。

【缔结】 dìjié 〔动〕

订立（条约等）。（conclude; establish）常做谓语、定语。

例句 那两个国家缔结了友好条约。|亚太地区各国之间缔结了经济合作协定。|刚缔结的贸易协定从明年1月1日起实行。

【掂】 diān 〔动〕

用手把着东西上下晃动（huàngdòng）来估量轻重。（weigh in the hand）常做谓语。

例句 你看，张阿姨正掂西瓜呢。|A:你掂掂这只烤鸭有多重。B:足有三斤多。|别掂来掂去了，没多重。|你应该能掂出这件事儿的分量吧。

【颠】 diān 〔动〕

❶ 上下震荡。（jolt; bump）常做谓语。

例句 路面坑洼不平，车颠得很厉害。|A:这段路太颠了，真受不了。B:你只这么一趟就受不了，那些整天在此经过的人呢？

❷ 跌落、倒下来。（fall; turn over; topple down）常做谓语。

例句 我差点儿从车上颠下来。|他们的车不幸从山路上颠到山底下了，很多人受了伤。

辨析 〈近〉摔（shuāi）。"颠"一般指从某交通工具上摔下来。"摔"的使用范围大。

【颠簸】 diānbǒ 〔动〕

上下震荡。（jolt; bump）常做谓语，也可做定语、主语、宾语。

例句 小船在风浪中不断地颠簸着。|汽车颠簸得真厉害，我们已经有些头晕了。|一路颠簸的大卡车终于把食品送到了灾民的手中。|飞机的颠簸真让人紧张。|她受不了汽车的颠簸，一直在吐。

辨析 "颠簸"做谓语不能带宾语。"颠簸"只用于车、船、飞机等交通工具。

【颠倒】 diāndǎo 〔动〕

上下、前后跟原有的或应有的位置相反。（put upside down）常做谓语、定语、状语、补语。

例句 这个人常颠倒是非，别听他的。|没关系，老师只是把名字的次序颠倒了。|我们必须把颠倒的历史再颠倒过来。|他不认识字，颠倒着打开了信。|别把刀叉拿颠倒了。|A:老师，您帮我看一下作业好吗？B:这两个字你写颠倒了，再写一遍吧。

【颠倒黑白】 diāndǎo hēi bái 〔成〕

形容故意歪曲事实，混淆是非。（confound black and white; confuse right and wrong; stand facts on their heads）常做谓语、定语。

D

例句 他这个人常常颠倒黑白。|你不能颠倒黑白!|这种颠倒黑白的结论,让人无法接受。

【颠倒是非】 diāndǎo shì fēi 〔成〕
把对的说成错的,错的说成对的。(confound right and wrong; confuse truth and falsehood; turn things upside down)常做谓语、定语。

例句 你别颠倒是非,我认为她做得对。|这篇报道分明在颠倒是非,为什么能刊登出来!|我们希望这种颠倒是非的做法不再重演。

【颠覆】 diānfù 〔动〕
❶ 翻倒。(overturn)常做谓语、宾语。不能重叠。

例句 由于雾大,能见度低,一辆客车在山路上颠覆,死伤多人。|山洪威胁铁路,要防止列车颠覆。

❷ 采取阴谋手段从内部推翻合法政府。(subvert)常做谓语、定语、宾语。

例句 敌人暗中策划颠覆人民政权。|一个合法政府就这样被颠覆了。|这种颠覆阴谋不能得逞。|我们坚决反对外来的侵略和颠覆。

【颠沛流离】 diānpèi liúlí 〔成〕
比喻生活困难,到处流浪。(drift from place to place; homeless and miserable; wander about in a desperate plight; lead a vagabond life)常做谓语、定语、状语。

例句 在那个动荡的年代,我们一家人颠沛流离,尝尽了生活的艰辛。|我颠沛流离,回来时,父母一时竟没认出我来。|她经历过这种颠沛流离的生活,觉得再没什么困难是克服不了的。|我们不少人就在这种暗无天日的岁月中,颠沛流离地度过了大半生。

【典】 diǎn 〔名〕
❶ 标准、法则。(standard; law)常用于构词。

词语 典范 典章 法典

例句 这是一部重要法典。|他是人民学习的典范。

❷ 典范性书籍。(standard work of scholarship)常用于构词或用于固定短语。

词语 词典 经典 引经据典

例句 比尔买了一部汉语词典。|这些经典音乐让人百听不厌。|他说话喜欢引经据典。

❸ 正式的仪式。(ceremony)常做主语、宾语。

例句 这次盛典规模很大。|他俩的结婚庆典热闹极了。|1949年10月1日中华人民共和国在北京举行了开国大典。

【典礼】 diǎnlǐ 〔名〕
郑重举行的仪式。(ceremony)常做主语、宾语、定语。[量]次。

例句 毕业典礼开始了,同学们都很激动。|A:对不起,我来晚了。B:开学典礼正在举行,快进去吧。|中国南极长城站建成时,举行了隆重的典礼。|西方人常在教堂举行结婚典礼。|这次颁奖典礼的规模很大。|请按典礼的程序办,别自作主张。

【典型】 diǎnxíng 〔名/形〕
〔名〕具有代表性的人或事。(model; typical case)常做主语、宾语。[量]个。

例句 这个文学典型塑造得很成功。|这些先进典型在生产中起了重要作用。|犯了错误的小李为青

少年提供了一个反面典型。|作者为这个艺术典型付出了很多心血。

辨析 〈近〉典范。"典型"是中性词,"典范"是褒义词;"典范"只是名词,"典型"可做形容词。

〔形〕具有代表性的。(typical)常做谓语、定语。

例句 这件事很典型,希望引起大家的注意。|老师所举的例子都典型得很。|论证时,要学会用典型材料说明问题。|这部作品塑造了几个生动的典型形象。

【点】 diǎn 〔名/量/动〕

〔名〕❶ 液体的小滴;小的痕迹。[drop(of liquid); dot; spot; speck]常做主语、宾语。[量]个。

例句 雨点儿落在脸上,凉凉的,舒服极了。|白衬衫上的墨点儿怎么也洗不掉。|你怎么搞的?裤子上全是油点儿。|A:不知怎么,孩子身上起了不少红点儿。B:快找医生看看吧。

❷ 指汉字的一个笔画,即"丶"。[dot stroke (in Chinese characters)]常做主语、宾语。[量]个。

例句 "点儿"是汉字的基本笔画。|这个字少了一点儿。

❸ 时间单位,即点钟。(o'clock)常与数词构成短语做句子成分。

例句 A:你们上午几点开始上课?B:八点。|集合时间是下午一点半。|由于天气不好,飞机零点才到。

❹ 规定的钟点。(appointed time)常做宾语。

例句 A:你抓紧些,快到点了,别误点了。B:急什么,这不还早着呢吗?|再休息一会儿,还没到点。|都过点了,他还在睡觉。

❺ 事物的方面或部分。(aspect; point)常用于构词。

词语 特点 优点 重点

例句 A:小王说话太让人难以接受了。B:他这个人的特点是爱开玩笑,别介意。|这玩意儿没什么优点,我看没必要买。|大熊猫是国家重点保护的动物。

❻ 一定的地点或程度的标准。(point)常做主语、宾语。

例句 标准情况下,水的沸(fèi)点是100℃,冰点是0℃。|要做到这一点,不是件容易事。

❼ 点心。(refreshments)常用于构词。

词语 茶点 点心 糕点

例句 我每天都吃完早点才去上班。|尝尝吧,这是我从北京带回来的糕点。

〔量〕❶ 表示少量。(a little; a bit)常构成短语做句子成分。

例句 A:我们来得正好,一点儿也没耽误。B:要不是我催促得紧,肯定得晚。|昨天去商店我就买了点儿水果,没买别的。|这几天,忙得一点儿书都没看。|同学们把钱一点儿一点儿地凑起来,帮小明买了一把轮椅。

❷ 用于事项。(*measure word for items*)与数词构成数量短语做句子成分。

例句 爸爸对我提出了两点希望。|这篇文章的内容主要有四点。|他的报告一共谈了三点。

〔动〕❶ 触到物体立刻离开。(touch on very briefly)常做谓语。

例句 船篙(gāo)轻轻一点,船就走了。|妈妈用手点着我的鼻子说:"你真是一个小淘气。"|老中医一边

D

给我点穴(xué),一边给我介绍一些简单的中医理论。

❷ (头或手)向下稍微(shāowēi)动一动立刻恢复原样。(nod)常做谓语。

例句 领导对这事点头了,放心吧。|他点点头,表示明白了。|“点头”在中国表示同意或打招呼。

❸ 使液体一滴滴地向下落。(drip)常做谓语。

例句 我往眼里点了几滴药水,舒服多了。|机器该点些油了,不然,会磨损得很严重。|药水已经点过了,不用再点了。

❹ 一个一个地查对数目。(check one by one)常做谓语、定语。

例句 老师让班长把人数重新点一下。|你把钱点点,看数对不对。|交货时,应该把货物好好点一遍。|A:刚点的钱怎么少了呢? B:看看包里是不是还有。|工人把点好的货搬上了车。

❺ 在许多人或许多事物中指定。(choose;select)常做谓语。

例句 A:在饭馆,你能用中文点菜吗? B:我现在还不行。|朋友生日时,我在电台为她点了一首歌。

❻ 指点,启发,暗示。(point out;hint)常做谓语。

例句 A:老师已经把复习的重点内容点出来了。B:不会吧,我怎么没有听出来? |今天的报纸已经点了这个问题。|这个年轻人很聪明,一点就通。

❼ 引火。(light)常做谓语。

例句 他点了一支烟,一边抽一边考虑问题。|爸爸点着了炉子,准备做饭。|A:点灯吧,屋里太暗了。B:等一下,我正在找开关。|他用火柴点燃了那卷纸。

辨析 〈近〉生。“生”的对象只有“炉子”、“火”等。

【点火】 diǎn huǒ 〔动短〕

引着火,使燃料开始燃烧。(light a fire)常做谓语、定语。中间可插入成分。

例句 我去的时候,他正在点火呢。|别在这儿点火,危险! |点火时,你可要加小心。|他怎么也点不着火。

辨析 〈近〉生火。“生火”指用来做饭、取暖等;“点火”的使用范围大,还比喻挑起麻烦,引起是非。如:他已经生气了,你就别再点火了。|你再煽风点火,我就去告你。

【点名】 diǎn míng 〔动短〕

❶ 按名册查点人员时一个个地叫名字。(call the roll)常做谓语、定语、主语、宾语。中间可插入成分。

例句 由于最近缺课的人较多,老师今天一共点了三次名。|大家都到齐了,不用点名了。|点名的时候,请别说话。|点名册在办公室呢。|点名是我们每天上课前都要做的事。|班长负责点名。

❷ 指名。(mention sb. by name)常做谓语。

例句 那儿需要人手,领导点名要你去。|他被点名参加这次会议。|A:今天怎么不高兴? B:早上就被点名批评了,哪还能高兴得起来?

【点燃】 diǎnrán 〔动〕

使燃烧、点着。(light;kindle)常做谓语。

例句 他曾经点燃过奥运会的圣火。|停电了,妈妈点燃了一根蜡烛(làzhú)。|孩子们的心灵之光被老师点燃了。

【点石成金】 diǎn shí chéng jīn 〔成〕

神仙故事中说仙人用手指一点使石头变成金子,比喻把不好的事物改好。(touch a stone and turn it into gold — turn a crude essay into a literary gem)常做谓语、定语、宾语。

例句 除非你能点石成金,不然,这一大笔资金哪儿弄去?|老画家寥寥几笔,点石成金,一只下山猛虎跃然纸上。|故事中,那老人真的有了点石成金的法术。|我们不能不为这位伟大作家"点石成金"的艺术功力而赞叹!|真是点石成金,会者不难,只改了二三十个字,便通篇改观了。

【点心】 diǎnxin 〔名〕

糕(gāo)饼之类的食品。(light refreshments; pastry)常做主语、宾语、定语。[量]块,盒。

例句 A:别动,那盒点心是送给老师的。B:不早说,差点儿被我吃了。|他从盘里拿起一块点心递给了客人。|他随便吃了几块点心就去上课了。|这种点心的味道真的不错,不信你尝尝。

【点钟】 diǎnzhōng 〔名〕

时间单位。(o'clock)和数词构成短语做句子成分。

例句 十二点钟到了,大家该吃午饭了。|A:新闻联播几点钟开始?B:七点钟。|已经九点钟了,同屋怎么还没回来?|咱们把活动开始的时间定在六点钟吧。|现在几点钟了?|下午两点钟的时候,有人来找过您。

【点缀】 diǎnzhuì 〔动〕

❶ 加以衬托(chèntuō)或装饰,使原有事物更加美好。(embellish; ornament)常做谓语、定语、宾语。

例句 绿叶中间点缀了些红花,显得很漂亮。|A:看我这套装束怎么样?B:把胸花戴上点缀一下,就更好看了。|那些点缀的彩灯在夜色中分外好看。|她把两件玉器摆在书架上作为书房的点缀。

❷ 应景儿,凑数儿。(be purely for show)常做谓语。

例句 这些书也不看,放在这里点缀一下罢了。|A:我就不到大厅去见他们了。B:既然来了,不跟主人见面也不好,还是过去点缀点缀吧。

【点子】 diǎnzi 〔名〕

❶ 液体的小滴;小的痕迹。(drop; spot; speck)常做主语、宾语。[量]个。

例句 一辆汽车开了过去,好多水点子溅(jiàn)到了我身上。|他那件衣服全是油点子。|本子上有好几个大墨(mò)点子。

❷ 关键的地方。(key point)常做宾语。

例句 他讲话能讲到点子上。|劲儿要使在点子上,别白费力气。|A:你总干不到点子上,真替你着急。B:我也急,可越急越出错。

❸ 主意、办法。(idea)常做主语、宾语、定语。[量]个。

例句 叔叔的点子特别多,请他帮帮忙吧。|这个点子不怎么样,另想一个吧。|A:小李说他帮我想办法。B:他尽出坏(歪)点子,别信他。|快帮我想个点子吧。|最近有的地方出现了"点子公司",专为人们出谋划策。

【电】 diàn 〔名〕

❶ 是一种重要能源,能发光、发热,产生动力等。(electricity)常做主语、宾语、定语。也用于构词。[量]度。

D

例句 停了10分钟，电又来了。|电在生活中是不可缺少的。|电给人类带来了光明，使人类文明前进了一大步。|这个月我一共用了300度电。|我买的洗衣机又省电又省水。|在现代社会生活中，电的作用实在太大了。

▶"电"还做动词，指触电。如：我被电了一下。

❷ 指电报。(telegram; cable) 一般用于固定格式。

例句 他收到一份急电，可能家里出事了。|中国政府致电祝贺那个国家的独立。|那位著名作家去世了，很多人都发了唁电。

【电报】 diànbào 〔名〕

用电信号传递的文字、图表等。(telegram; cable) 常做主语、宾语、定语。[量]份。

例句 这份电报是我父亲发来的，说家里有急事，让我立即回去。|电报收到了，我马上把那笔钱寄回去。|我收到了家里的平安电报，才放了心。|电报的内容一般都很简单。|他终于查到了那个公司的电报挂号。

【电冰箱】 diànbīngxiāng 〔名〕

一种用电的冷藏装置，简称冰箱。(refrigerator) 常做主语、宾语、定语。[量]台。

例句 电冰箱一般分为冷冻和冷藏两部分。|家用电冰箱每天大约用1度电。|我们家新买的电冰箱噪音很小。|阿姨打开电冰箱给我拿出一瓶饮料来。|国产电冰箱的销售情况很好。|他家电冰箱的冷冻部分出了毛病，需要修理。

【电车】 diànchē 〔名〕

用电做动力的公共交通工具。(tramcar) 常做主语、宾语、定语。[量]辆。

例句 电车对空气没有污染。|电车来了，快上车吧。|我们坐电车去火车站吧。|A：我在电车站等了很久，她也没来。B：电车站那么多，你等错站了吧。|她姐姐是一名电车司机。

【电池】 diànchí 〔名〕

把化学能或光能等变成电能的装置。(battery) 常做主语、宾语、定语。[量]块，节。

例句 A：请问，一对五号电池多少钱？B：一块钱。|照相机没电了，我又换了两节新电池。|不要随便乱扔废电池，以免污染环境。|电池的型号有大有小，种类很多。

【电大】 diàn dà 〔名短〕

电视大学（主要通过电视授课的大学）的简称。(TV university) 常做主语、宾语、定语。[量]所。

例句 多年来，电大为社会培养了大批人才。|他去年刚从电大毕业。|儿子考上了电大，我们真为他高兴。|电大的学习方式比较适合成年人。|他用了三年时间拿到了电大毕业证书。

【电灯】 diàndēng 〔名〕

利用电能发光的灯。(electric lamp) 常做主语、宾语、定语。[量]盏(zhǎn)。

例句 已经半夜了，老师房间的电灯还亮着。|A：这盏电灯特别亮，是多大瓦数的？B：100瓦。|新楼的楼道都装了感应电灯。|这种电灯的光有点儿弱，换一种吧！|老人在黑暗中摸到电灯开关，打开了灯。

【电动机】 diàndòngjī 〔名〕
把电能变为机械(xiè)能的机器。(motor)常做主语、宾语、定语。[量]台。
例句 电动机是重要的动力装置。|电动机可以带动别的机器。|那个工厂一年生产几千台大型电动机。|电动机的工作原理我在中学就学过。|对面有家电动机专卖店。

【电风扇】 diànfēngshàn 〔名〕
利用电动机带动叶片旋转(xuánzhuǎn),使空气流通的装置,简称电扇。(electric fan)常做主语、宾语、定语。[量]台。
例句 A:这种电风扇是进口的吗?B:不是,是上海产的。|今年夏天,电风扇卖得特别快。|商店里摆着各种各样的电风扇。|A:宿舍里有电风扇吗?B:没有,我们用空调。|电风扇的种类有很多,如台扇、吊扇等。|电风扇的风力可以调节。

【电话】 diànhuà 〔名〕
❶ 指电话机,利用电流使两地的人互相通话的装置。(telephone;phone)常做主语、宾语、定语。[量]盘,部。
例句 小小的电话,联系着千家万户。|电话是一个伟大的发明,使世界变得很小很小。|我们村家家都安装了电话。|A:路边到处都有IC电话,你可以随时给我打电话。B:号码还没给我呢,怎么给你打。|电话线断了,得赶快修好。|现在,一部普通电话的价格很低。
❷ 用电话机传递的话。(phone call)常做宾语、定语。[量]个。
例句 A:我刚接到朋友的一个电话,他正在机场等我呢。B:你先去,我在宿舍等你。|我晚上给你回电话。|请你把电话录音再放一遍。

【电力】 diànlì 〔名〕
电所产生的做功能力,通常指做动力用的电。(electric power;power)常做主语、宾语、定语。
例句 电力是工、农业生产所必需的。|各地的发电厂为城乡提供了充足的电力。|节日期间要保证电力供应。|这个机车厂现在主要生产电力机车了。

【电铃】 diànlíng 〔名〕
通电后能发出声音的铃。(electric bell)常做主语、宾语、定语。[量]个。
例句 这个电铃可以发出音乐铃声。|那个电铃坏了,怎么弄也不响。|按了半天电铃,也没人出来。|师傅把电铃安装好了。|电铃声太小,楼上听不见。|现在电铃的种类越来越多了。

【电流】 diànliú 〔名〕
定向流动的电荷。(electric current)常做主语、宾语、定语。[量]股。
例句 发电厂强大的电流输往全区。|电线断了,泄漏(xièlòu)出电流。|工人正在测试电流强度。
▶ “电流”也指“电流强度”,这时量词用“安培”。如:这块电表的最大电流是10A(安培)。

【电炉】 diànlú 〔名〕
利用电能产生热量的设备,生活中可以取暖、做饭等。(electric stove)常做主语、宾语、定语。[量]个。
例句 电炉用起来比较方便。|A:我的电炉坏了,今晚做不成饭了。B:没问题,我那儿有,你先拿去用。

D

|用电炉做饭,要注意安全。|商店里出售各种电炉,大小、形状不一。|电炉的用电量很大,使用时要注意。|那个电炉的插头不太好,该换个新的了。

D

【电路】 diànlù 〔名〕

电流的通路。(circuit)常做主语、宾语、定语。[量]条。

例句 这条电路发生了故障,导致了整个小区停电。|条条电路都通向控制中心。|工人师傅正在检修电路。|新工人在老工人指导下熟悉电路。|A:你能看懂电路图吗?。B:还行,能明白一些。|不了解电路情况就无法维修。

【电脑】 diànnǎo 〔名〕

又称电子计算机、微机,能对输入的数据或信息迅速、准确地进行运行或处理。(computer)常做主语、宾语、定语。[量]台。

例句 电脑越来越多地走进了家庭。|A:一台电脑多少钱? B:这就要看配置了,配置不同价格也就不同。|我最近买了一台笔记本电脑,使用很方便。|放学以后,孩子常常一个人在房间里玩电脑。|电脑的作用实在太大了。|工程师正在向大家讲解电脑的原理。

【电钮】 diànniǔ 〔名〕

电器等设备中通常用手操作的开关等。(push button)常做主语、宾语、定语等。[量]个。

例句 那台仪表的电钮坏了。|只见一个工人按下电钮,机器就转了起来。|小伙子无意碰了一个电钮,警报器发出了叫声,吓了他一跳。|电钮的作用是控制电器。

【电气】 diànqì 〔名〕

同电,即电能源。(electric)常做定语。

例句 这种新机车是电气机车。|这家电气公司制造多种电气设备。

【电器】 diànqì 〔名〕

电路上的各种设备,也特指家庭用的,如电视机、录音机等。(electrical appliance)常做主语、宾语、定语。[量]台,种。

例句 这种电器是最近被推上市场的。|家用电器与日常生活的关系越来越紧密。|小李结婚后买了好几种电器。|商店里,一些顾客在仔细地挑选电器。|有关部门经常对电器质量进行检查。|一般消费者都相信名牌电器产品。

【电视】 diànshì 〔名〕

用无线电波传送影像的装置(zhuāngzhì),也指所传送的影像。(television)常做主语、宾语、定语。[量]台。

例句 电视在中国发展得很快。|电视正播放足球比赛。|家里新买了一台彩色电视。|孩子都喜欢看电视。|我们都喜欢看电视连续剧。

【电视台】 diànshìtái 〔名〕

播送电视节目的场所和机构。(television station)常做主语、宾语、定语。[量]家。

例句 一百多家电视台都播放了这个节目。|这家电视台正在招聘节目主持人。|记者已经把节目传到了电视台。|电视台的工作人员正在为节目的播出做准备。|我朋友是一家有名的电视台的记者。

【电台】 diàntái 〔名〕

❶ 指无线电台。(transceiver)常做主语、宾语、定语。[量]部,个。

例句 有个电台正在发报。|警察发现了一部秘密电台。|A:可以用仪器测出电台的位置吗?。B:当然能。

❷ 广播电台。(broadcasting station)常做主语、宾语、定语。[量]

例句 电台在西郊呢,坐车得半个小时。|A:请问,去电台怎么走? B:这可远了,你先乘3路车到终点,然后再打听。|这家电台的节目办得不错。|这位是电台记者,来采访的。

【电梯】 diàntī 〔名〕

多层建筑物中做垂直(chuízhí)运动的电动机械。(lift)常做主语、宾语、定语。[量]部。

例句 电梯可以运货,也可以载(zài)人。|电梯修好了,试一试吧!|我们乘电梯去10楼吧。|这个小区6层的楼房也安装了电梯。|那家电梯厂每年生产各种电梯数百部。|大家找来了电梯管理员,让他打开电梯开关。

【电线】 diànxiàn 〔名〕

传送电力的导线,一般用铜制成。(wire)常做主语、宾语、定语。[量]根,段,米。

例句 A:你看这捆线能用吗? B:这种电线太细,不合标准,不能用。|工人师傅拿出一段电线,帮我把灯接上了。|应当根据用电量选择电线的型号。

辨析 〈近〉电缆(lǎn)。"电缆"一般由多股电线合成。

【电压】 diànyā 〔名〕

电势差。(voltage)常做主语、宾语、定语。[量]伏(特),V。

例句 电压过高过低都会损坏电器。|一个电工正在用电压表测电压。|中国的民用电一般都是220伏的电压。|人体不能接触高电压。|变压器可以改变电压的高低。

【电影】 diànyǐng 〔名〕

一种综合艺术,把拍摄(pāishè)好的胶片用强光放映出来。(film;movie)常做主语、宾语、定语。[量]部,场。

例句 一部好电影能让人终生难忘。|电影产生在法国,很快流传到世界各地。|那时候我差不多每星期都要看一场电影。|那位老人年轻时放过电影。|我非常喜欢那部电影的插曲。

【电影院】 diànyǐngyuàn 〔名〕

放电影的场所。(cinema)常做主语、宾语、定语。[量]家。

例句 A:这家电影院正在上演一部新电影。B:我请客,咱们进去看一场。|大光明电影院是上海的一家老电影院。|人们很喜欢这家电影院,常去那儿看电影。|如今电影院的设备好了,但票价也贵了。

▶ 在中国,既放电影,又上演戏剧的地方一般叫"影剧院"。

【电源】 diànyuán 〔名〕

提供电能的装置,如电池、发电机等。(power supply)常做主语、宾语、定语。[量]个。

例句 A:电源接好了,可是冰箱为什么不工作呢? B:八成这冰箱有问题。|合适的电源还没找到,这台机器只好先放着。|电池、电瓶都是电源,但用途不一样。|先把电源的位置定好,再安装机器。|电源的种类有很多,不知您的车用的是哪一种?

【电子】 diànzǐ 〔名〕

构成原子的基本粒子之一,质量极小,带负电。(electron)常做定语、

D

主语、宾语。[量]颗,个。

例句 电子计算机在当今社会的作用越来越大。|科学家发明了超大型电子望远镜。|电子用肉眼是看不见的。|在原子中,电子围绕原子核旋转。|原子包括原子核和电子。

D

【电子图书】 diànzǐ túshū 〔名短〕

能显示来自激光盘存储器(cúnchǔqì)中信息的一种书样大小的电子显示器。(electron book)常做主语、宾语、定语。[量]种。

例句 这些电子图书是进口的。|电子图书有它的优越性。|今年,图书馆计划购进一批电子图书。|这次共展出了五十多种电子图书,很受欢迎。|电子图书的使用方法不难,比较简单。

【电子邮件】 diànzǐ yóujiàn 〔名短〕

指通过电脑网络传递的信件。(e-mail)常做主语、宾语、定语。[量]份,封。

例句 这几封电子邮件我还没打开呢。|这份电子邮件来自英国,一定是汤姆给我发的。|A:你收到我的电子邮件了吗?B:还没有,这两天我没上网。|我每天都要浏览(liúlǎn)一遍信箱里的电子邮件。|这份电子邮件的内容让我很兴奋。|我并不认识这封电子邮件的发件人。

【店】 diàn 〔名〕

❶ 小旅馆。(inn)常做宾语、主语、定语。[量]家,个。

例句 他一进城,就找了家店住下了。|没有熟人他只好住店。|这家小店办得很有特色,来这儿住的人很多。|听说对面那家小店的生意相当不错。

❷ 商店。(shop)常做主语、宾语、定语。[量]家,个。

例句 这家店是老字号了。|本店出售各种中药、西药。|刘小姐走进一家百货店,打算买几件衬衫。|A:这里条件不太好,还是找别的店吧。B:好,到对面看看。|小店的位置好,所以客人很多。

【店员】 diànyuán 〔名〕

商店的职工。(shop assistant)常做主语、宾语、定语。[量]个,名,位。

例句 这位店员的服务态度好,很受顾客欢迎。|几个店员从早忙到晚,很辛苦。|那家商店有几十名店员。|那个年轻人中学毕业后当了一名店员。|店员的工作比较辛苦。|一家店的生意好坏和店员的服务态度也有很大关系。

辨析 〈近〉售货员,营业员。“店员”在以前常用,一般不作称呼语;现在多用“售货员”、“营业员”,而且可作称呼语。如:售货员,请拿两包烟!

【垫】 diàn 〔动〕

❶ 用东西支、铺或衬(chèn),使加高、加厚或平正,或起隔离作用。(put sth. under sth. else to raise it or make it level)常做谓语、定语。

例句 A:我睡觉时喜欢把枕头垫得很高。B:这个习惯不好,会得颈椎病的。|座位太脏了,垫张纸吧。|你把书下面垫的报纸拿出来。

▶ “垫”还做名词,读“垫儿”,或作“垫子”。

❷ 暂时替人付钱。(pay for sb. and expect to be repaid later)常做谓语、定语。

例句 A:我没带钱,你先替我垫上好吗?B:好。|刚才垫的钱还给你,谢谢你。

【惦】 diàn 〔动〕
挂念。(remember with concern; be concerned about; keep thinking about)常做谓语,也用于构词。

词语 惦记 惦念

例句 张先生一直惦着公司的事,放心不下。|儿子惦着爸爸的身体,想回去看看。|A:妈,我不在家,您可要注意身体啊。B:别总惦着我,自己多保重吧。

辨析 〈近〉想。"想"还有"思考"的意思。如:他总惦着(想着)考试的事。| * 不能再惦了,时间到了。("惦"应为"想")

【惦记】 diànjì 〔动〕
(对人或事物)心里老想着,放心不下。(be concerned about)常做谓语。

例句 她一直很惦记父母,担心老人的身体。|妈妈写信让儿子别惦记家,在国外好好学习。|老王又惦记起儿子的病来,连觉都睡不好。

【淀粉】 diànfěn 〔名〕
一种白色物质,存在于植物的子粒、块根等中,是主要的碳水化合物食物。(starch)常做主语、宾语、定语。[量]种,公斤。

例句 淀粉是从植物中提取出来的。|那种淀粉做粉条特别好。|一公斤土豆可以加工多少淀粉?|做这个菜的时候,可以加点儿淀粉。|什么东西淀粉的含量最高?|淀粉的主要成分是碳水化合物。

【奠定】 diàndìng 〔动〕
使稳固,使安定。(establish; settle)常做谓语。

例句 大量地阅读,奠定了我日后写作的基础。|前段的学习为他这段的研究奠定了基础。|领导人亲自为纪念碑奠定了基石。

【殿】 diàn 〔名〕
高大的房屋,特指供奉神佛或帝王受朝理事的。(hall; temple; palace)常做主语、宾语、定语。[量]座。

例句 那座大殿建于唐代,历史很悠久。|这座神殿有许多特别的地方。|故宫里有许多大殿,其中最重要的是太和殿等。|那时,工匠花了很大力气才修好这座宝殿。|我们参观了那座大殿里面的塑像,真是太好了。

▶ (辨)"殿"又做动词,指"在最后"。如:你们出发吧,我俩殿后。

【刁】 diāo 〔形〕
狡猾(jiǎohuá)。(sly)常做定语、谓语、补语、宾语。也用于构词。

词语 刁滑 刁钻 刁难

例句 那个刁女人不好对付。|这个人太刁,不能不防备他。|做人不能太刁,还是应该做老实人。|他现在怎么学刁了?|他总喜欢耍刁,让人讨厌。

【叼】 diāo 〔动〕
用嘴夹住(物体的一部分)。(hold in the mouth)常做谓语。

例句 叼着烟跟人说话不太礼貌。|有个杂技节目叫做"叼花"。|老鹰一下子叼走了两只小鸡。

【雕】 diāo 〔动/名〕
〔动〕在竹木、玉石、金属等上面刻画。(carve)常做谓语。

例句 那位老厨师正在雕一朵萝卜花。|我的爱好是在木头上雕动物。
〔名〕指雕刻艺术或作品。(carving)

常用于构词。

词语 石雕 木雕 牙雕 浮雕 玉雕

【雕刻】 diāokè 〔动/名〕

〔动〕在金属、象牙、骨头等材料上刻出形象。(carve; engrave)常做谓语。

例句 那个工匠正在雕刻一件象牙球。|李师傅一生雕刻了上千件艺术品。|爷爷精心雕刻出一个贝壳仙女。

〔名〕雕刻成的艺术品。(carving)常做主语、宾语、定语。[量]件。

例句 那套古代雕刻现在保存在博物馆。|红木雕刻价格很高。|考古学家们终于找到了传说中的玉石雕刻。|这座古墓里藏有大量唐代雕刻。|雕刻作品中国很早就有了。|那家博物馆保存了大量古代雕刻艺术品。

【雕塑】 diāosù 〔动/名〕

〔动〕用竹木、玉石、金属、泥土等材料雕刻或塑造各种艺术形象。(sculpture)常做谓语、定语。

例句 这位年轻的艺术家雕塑了一件大型作品。|他正忙着雕塑一群历史人物。|她姐姐是一位相当了不起的女雕塑家。

〔名〕雕塑成的艺术形象。(sculpture)常做主语、宾语、定语。[量]件,个。

例句 有的雕塑常常成为一座城市的标志。|那件雕塑具有很强的艺术性。|广场中央有一个大型雕塑。|雕塑艺术是一门古老的艺术。|什么土可以做雕塑材料?

【吊】 diào 〔动〕

❶ 悬挂。(hang)常做谓语。

例句 过春节了,村子里家家门口都吊着两个红灯笼。|A:她耳朵上总是吊着两只大耳环。B:我见过她,挺难看的。|他不知为什么自杀了,吊死在家里。

❷ 用绳子(shéngzi)等系着向上提或向下放。(lift up or let down with a rope, etc.)常做谓语。

例句 有人从楼上放下一根绳子,把东西吊了上去。|她把篮子吊下来,让妹妹在下面接着。|桶在井里吊来吊去,也没打上水。

【钓】 diào 〔动〕

用装有食物的钩(gōu)逮鱼或其他水生动物。(fish with a hook and line)常做谓语。

例句 爸爸常去河边钓鱼。|本来是钓鱼,没想到钓上来的是水草。|A:这个养鱼塘里有鱼吗? B:上月才放的鱼苗,哪里有鱼可钓?|我钓上来一尺长的鱼,别提多高兴了。

【调】 diào 〔动〕 另读 tiáo

改动、分派。(transfer; move)常做谓语。

例句 我最近想调调工作。|上级调他去北京工作。|我们这儿缺人,想调几个年轻的进来。|A:小王在吗? B:他刚被调走,去哪儿了我也不太清楚。

【调查】 diàochá 〔动/名〕

〔动〕为了了解情况进行考察。(investigate)常做谓语、宾语、定语。

例句 事实真相还需要进一步调查调查。|事情还没调查清楚。|A:事故的原因搞清楚了吗? B:工作小组已开始了调查,很快就会有结果的。|我们应该好好分析一下这次的调查结果。

〔名〕为了解情况做的考察。(investigation)常做主语、宾语、定语。[量]次。

例句 调查正在进行,结果还不知道。|调查结束后,工作组如实地把情况向上级作了汇报。|没有调查,就没有发言权。|调查小组正在努力工作。

【调动】 diàodòng 〔动〕

变动(位置、用途);调集动员。(transfer; move; bring into play)常做谓语、宾语、定语。

例句 他最近调动了工作。|应该充分调动群众的积极性。|他为办妻子的调动费了不少心思。|我的调动问题终于解决了。

【调度】 diàodù 〔动/名〕

〔动〕管理并安排(工作、人力、车辆等)。(dispatch)常做谓语、定语。

例句 这项实验由总工程师统一调度。|指挥部正在紧急调度车辆和人员。|调度的事由副厂长负责。|她在公司做调度工作。

〔名〕做调度工作的人。(dispatcher)常做主语、宾语、定语。[量]名,个,位。

例句 调度正在向经理汇报工作。|李调度工作一向很认真。|她由一名工人成长为公司的调度。|调度的作用很重要,大家要服从调度的安排。

【调虎离山】 diào hǔ lí shān 〔成〕

设法使老虎离开原来的山头。比喻为了便于乘机行事,设法引诱对方离开原来的地方。(lure the tiger out of the mountains — lure the enemy away from his base)常做谓语、定语、宾语。

例句 消灭这些敌人必须调虎离山,否则很难取胜。|他们正好中了敌人的调虎离山计。|我们目的是调虎离山。

【调换】 diàohuàn 〔动〕

互换;更换。(exchange; change)常做谓语。

例句 咱俩调换一下座位,怎么样?|A:我这篇讲演稿行吗? B:行,不过这两段文字调换一下,就更好了。|你俩把床位调换调换吧!|我把调换办公室的报告交给经理了。|调换工作的事办得怎么样了?

【掉】 diào 〔动〕

❶ 落。(fall)常做谓语。

例句 听到老同学意外死亡的消息,他掉下了眼泪。|秋天到了,树叶都掉了。|苹果从树上掉了下来。

❷ 遗失、遗漏(yílòu)。(lose)常做谓语。

例句 到了办公室,她才发现钱包不知什么时候掉了。|小王,文章看完了,掉了一行字,赶紧补上吧。|A:你让小孩子送文稿,怎能放得下心? B:这个孩子很小心,掉不了东西。

❸ 减少,降低。(drop; reduce)常做谓语。

例句 A:我们的药怎么样? B:减肥效果不错,我又掉了三斤。|这种商品很受欢迎,目前价格不会掉下去。|对员工要多激励,别让积极性掉下来。

❹ 回、转。(turn)常做谓语。

例句 赵博士跟朋友说了一会儿,又掉过身跟我说话。|火车在小站上掉了个头,又开回去了。|A:请您把车往南掉掉。B:您稍等,我们的司机还没上来。

❺ 互换、交换。(change; exchange)常做谓语。

D

例句 A:我们俩掉一下座位吧！我眼睛不好，在那儿看不见。B:好，等我收拾一下东西。|比赛双方掉了一下场地又继续进行比赛。|咱俩的个儿能掉一下就好了。

❻ 表示动作的完成。(used after certain verbs to indicate removal finished)常做补语。

例句 爸爸对儿子说:"你一定要改掉这个坏习惯。"|那双鞋早该扔掉了。|当时我饿极了，一下子吃掉了一个大蛋糕。

D

【掉以轻心】 diào yǐ qīng xīn 〔成〕

表示对某种问题漫不经心，不当回事，不重视。(lower one's guard; treat sth. lightly)常做谓语。

例句 A:这件事非同小可，切不可掉以轻心。B:你放心，我会多加小心的。|如果对制假贩假掉以轻心，市场就会发生混乱。|这个人很鬼，对他千万不要掉以轻心。

【爹】 diē 〔名〕

父亲。(father; dad)常做主语、宾语、定语。[量]个。

例句 我爹年轻时是个运动员。|她问弟弟:"爹去哪儿了?"|我准备春节的时候回去看看我爹。|爹的生日是正月十五。

【跌】 diē 〔动〕

❶ 摔(shuāi)，落下。(fall; tumble)常做谓语。

例句 A:小心，大门口有几个台阶，别跌下去。B:我知道。|在哪儿跌倒，就在哪儿爬起来。|雪天路滑，我一出门就跌了一跤(jiāo)。

❷ (物价)下降。(drop; fall)常做谓语。

例句 到了淡季，有些商品该跌价了。|最近股票跌得很厉害。|有些棉衣的价钱一下子跌了一半。

【喋喋不休】 diédié bù xiū 〔成〕

唠唠叨叨，说个不停。(chatter away; rattle on; talk endlessly)常做谓语、定语、状语。

例句 为了这件事，二嫂一肚子怨气，喋喋不休。|他是一个喋喋不休、固执己见的小老头。|一早起来，老大娘就喋喋不休地说着这几天的小事。

辨析 〈近〉滔滔不绝。"喋喋不休"多指唠叨，"滔滔不绝"多指谈论、辩论等;"喋喋不休"为贬义短语，"滔滔不绝"为中性。

【叠】 dié 〔动〕

❶ 一层加上一层，重复。(pile up; repeat)常做谓语、状语。

例句 商品在货架上叠了几层。|她把报纸一层一层地叠放起来。

❷ 把衣服、纸张等的一部分翻转和另一部分紧挨在一起。(fold)常做谓语。

例句 小时候常常用纸叠飞机、动物等东西。|信写好后，他把信叠起来装进了信封。|妈妈将洗好的衣服都叠好了才放进柜子。|孩子小心地把那张钞票叠好放进口袋。|起床后，孩子把被子叠得整整齐齐。

【碟】 dié 〔名〕

盛菜或调味品的用具，比盘子小，底平而浅。(small plate)常做主语、宾语、定语。[量]个。

例句 这套菜碟很精致。|她拿来一个小碟，盛了点儿菜，放在孩子面前。|我不小心打碎了几个碟儿。|碟里装了一些水果。

【丁】 dīng 〔素/名〕

〔素〕❶ 指人口。(members of a family;population)

例句 他家人丁兴旺,是个大家族。|朋友家最近添丁进口了。

❷ 从事某些职业的人。(a person engaged in a certain occupation)

例句 "园丁"指护理花草树木的人,也比喻教师。|出来的时候,我看见一位园丁正在给花儿浇水。|教师节到了,祝园丁们节日快乐。

〔名〕❶ 肉、菜等切成的小块。(cubes;small cubes of meat or vegetable)常做主语、宾语。

例句 胡萝卜丁、土豆丁在一起炒一炒,也挺好吃。|把鸡肉切成丁吧。

❷ 在古代记数的天干中指"第四"。(4th)

词语 甲乙丙丁 丁级

【叮】 dīng 〔动〕

❶ 反复嘱咐。(urge again and again)一般用于固定格式,或用于构词。

词语 千叮万嘱 叮咛 叮嘱

例句 妈妈对要出门的孩子千叮万嘱,很不放心。|母亲的叮咛时常在我耳边响起。|老师叮嘱学生路上要小心。

❷ 追问。(ask again to make sure)常做谓语。

例句 我又叮了他一句,他说保证按时送货,我才放心。

❸ (蚊子等)用针形口器吸食。(sting;bite)常做谓语。

例句 我的脸叫蚊子叮了个大包。|A:这儿蚊子太多,晚上小心叮着。B:我有蚊帐,没事。

【叮嘱】 dīngzhǔ 〔动〕

一次又一次地嘱咐。(urge again and again;warn)常做谓语、宾语、主语。

例句 老师再三叮嘱学生要继续努力。|爸爸不放心,又叮嘱了我一次才走。|他常想起父母的叮嘱。|大家的叮嘱我一定记在心中。

【盯】 dīng 〔动〕

把视线集中在一点上,注视。(gaze at;stare at)常做谓语。

例句 参观的人都盯着那幅画。|我盯了很久,眼睛都花了。|A:盯住他,别让他跑了。B:你可要快点儿回来啊。|别盯着人家姑娘,盯得她都不好意思了。

辨析 〈近〉看,瞧(qiáo)。"看"和"瞧"指一般地看,"盯"是认真看,一般不单用,也不重叠。如:他在街上随便瞧瞧。|*他在街上随便盯盯。("盯盯"应为"看看"或"瞧瞧")|*别盯了,那件衣服不值得买。("盯"应为"看"或"瞧")

【钉】 dīng 〔动〕 另读 dìng

❶ 紧跟着不放松。(follow closely)常做谓语。

例句 在场上,我专门钉着对方的主要得分手。|比赛前教练让队员们注意钉住对方的前锋。|警察一直钉着那个可疑的人不放。

❷ 监督、催促、催问。(urge;press)常做谓语。

例句 A:这事,你要再钉钉他们。B:对,明天早上我就去找。|他总跟领导钉着配电脑的事,现在终于解决了。|别钉着我了,再钉也没用。

辨析 〈近〉盯。都有"注视"的意思,但"钉"还有跟着,不放松、催问等意

D

思，“盯”没有。

▶“钉”还做名词，指“钉子”，常读为“钉儿”。

【钉子】 dīngzi 〔名〕

金属制成的细棍形物件，一头尖，可以打进某物，固定、连接或挂物等。(nail)常做主语、宾语、定语。[量]个，颗。

例句 一颗钉子虽小，但作用很大。|A:钉子买来了，看看型号对不对? B:对。|他找来一个钉子把椅子修好了。|钉子的作用主要是固定或者连接东西。

▶“钉子”还比喻困难或不易解决的事。如:碰钉子 钉子户

【顶】 dǐng 〔名/动/副/量〕

〔名〕人物或物体上最高的部分。(top)常做主语、宾语、定语。[量]个。

例句 A:屋顶漏雨了，快找人修修吧。B:你先找东西接着，我去找人修。|他爬到楼顶，向远处看去。|那塔顶的形状很特别。

〔动〕❶ 用头支承。(carry on the head)常做谓语。

例句 她头顶一坛水，飞快地走着。|那个杂技演员的头上顶着许多碗。

❷ 从下面拱起。(push from below or behind)常做谓语。

例句 水开了，把壶盖儿都顶了起来。|种子发芽了，慢慢顶开了泥土。

❸ 用头撞击。(gore; butt)常做谓语。

例句 那头牛顶人，你要小心。|卧铺太低了，一抬头就顶到了上铺。|足球比赛中，运动员常用头顶球。

❹ 支撑、抵住。(cope with; stand up to)常做谓语。

例句 A:锁坏了，用椅子顶上门吧。B:那多不安全，还是换把锁吧。|要不是一根柱子顶着，墙可能早就倒了。

❺ 能代替，相当。(equal; be equivalent to)常做谓语。

例句 小伙子真有力气，一个顶俩。|我这块手表的价格顶得上他的摩托车。|这个姑娘干活儿顶得上一个小伙子。

❻ 由别的人、物接替或代替。(take the place of)常做谓语。

例句 爸爸退休了，儿子顶了班。|A:小王没来，让他顶上吧! B:好，让他上。|新开的商店把小卖部的生意顶了。

❼ 用强硬的话来否定别人跟自己不同的理论或意见。(retort; talk back; rebut)常做谓语。

例句 小孩子有时喜欢和大人顶嘴。|不要随便顶上司，要看有没有道理。|A:你们都是一个鼻孔出气，我不听! B:你先别顶我，让我把话说完，看有没有道理。

❽ 对面迎着。(go against)常做谓语。

例句 顶风骑车太费劲。|不要顶风开船，不然可能会出问题。

〔副〕表示程度高。(very)常做状语。

例句 我觉得这种方法顶好。|那个电影演员顶受欢迎。|A:这时候让他上，能行吗? B:我看行，他在关键时刻顶沉得住气。

辨析 〈近〉很，最。“最”不只用于口语;“顶”前可加“不”，“最”只能在后加“不”;“最”后可接名词短语，“顶”不可以。如:不顶合适 *不

最合适(应为"最不合适") ＊顶高气温(应为"最高气温")|＊他站在顶高处。(应为"他站在最高处")

〔量〕用于某些有顶的东西。(*used for things which have a top*)常组成短语,做定语、宾语、主语。

例句 A:这顶帽子不错,多少钱? B:您要买可以便宜些。|夏天到了,妈妈给我买了一顶新蚊帐。|这种帽子多少钱一顶?|这帐篷不错,你买一顶吧!|这顶颜色不太好,还是买那顶吧。

【顶点】 dǐngdiǎn 〔名〕

最高点,极点。(apex; pinnacle)常做宾语。[量]个。

例句 比赛的激烈程度达到了顶点。|这家公司的经营发展到了一个新的顶点。

▶ "顶点"还指数学上的角的两条边的交点,"顶峰"还指山的最高处。

【顶端】 dǐngduān 〔名〕

❶ 纵向的最高最上的部分。(top; peak)常做主语、宾语、定语。

例句 这座大楼的顶端是一个旋转大厅。|维修人员终于爬到了宾馆的顶端。|我登上了电视塔的顶端,尽情地欣赏起市区的美景来。|建筑师正在研究那座旧大楼的顶端部分。

❷ 横向的末端。(end)常做主语、宾语。

例句 大桥的顶端有一块石碑。|杂技演员轻松地走到了钢丝的顶端。

【顶天立地】 dǐng tiān lì dì 〔成〕

形容高大的形象,豪迈的气概。(of gigantic stature; of indomitable spirit)常做谓语、定语、状语、补语。

例句 这些好汉个个顶天立地,哪能做这种事情?|他真是位顶天立地的英雄。|我们都是顶天立地的男子汉,这点儿困难算什么!|怕什么?我们顶天立地地站着。|越是艰难,咱们就越要挺起胸脯,站得顶天立地,给别人一个榜样!

【订】 dìng 〔动〕

❶ 经过研究商讨而立下(条约、计划、章程等)。(conclude; draw up)常做谓语、定语。

例句 上个月,我们公司和那家公司订了一份合同。|这学期我给自己订了一个学习计划。|订下的规章制度一定要实行。|我们不能违反已订好的合同。

❷ 预先约定。(subscribe to; order)常做谓语。

例句 爸爸退休后,我给他订了几份报纸看。|他订了两张明天的机票。|A:这不是有现成的货吗?可以给我们少发些。B:不行,这批货已经被其他公司全部订走了。|这本杂志我以前订过,没什么意思。

▶ "订"表示"约定"时与"定"可以互换。如:订(定)货 订(定)婚

❸ 改正(文字中的错误)。(make corrections)常做谓语、宾语。

例句 请大家订正一下错别字。|A:这本书什么时候出? B:这部分书稿正在作最后的修订,最快下周就可出书。|这本书又作了一次增订。

❹ 装订。(staple together)常做谓语。

例句 那个孩子把自己的画订成了一大本。|老师已经把这些考卷订在了一起。

【订购】 dìnggòu 〔动〕

约定购买(货物、票等)。(place an

order for sth.)常做谓语、定语。

例句 这批货已经有人订购了。|那家公司向我们订购了一批玉米。|那些人是来订购医疗设备的。|昨天订购的货已经发了,估计两天后就能到。|代表们取走了订购的返程机票。

▶ “订购”又作“定购”。

【订婚】 dìng hūn 〔动短〕

男女订立婚约。(be engaged; be betrothed)常做谓语、主语、定语。中间可插入成分。

例句 那一对青年已经订婚一年多了。|他俩虽然订了婚,但还没正式结婚。|这个姑娘过去曾经订过一次婚。|订婚在一些农村还很流行。|那对年轻人举行了一个简单的订婚仪式。|订婚的日子选在这个月9号。

▶ “订婚”又作“定婚”。

【订货】 dìng huò 〔动短〕

订购产品或货物。(order goods)常做谓语、主语、宾语、定语。

例句 我们跟南方一个公司订了一批货,下周就到。|订货已经发出了,请注意收货。|那批订货经上海到了香港。|这几位业务员专门负责订货。|他们决定取消那批订货。|很遗憾,我们厂没参加那次订货会。|小张,把这份订货合同收好。

▶ “订货”又作“定货”。

【订阅】 dìngyuè 〔动〕

预先付款订购(报纸、杂志等)。(subscribe to)常做谓语、定语。

例句 学校为老师们订阅了几种报纸。|他喜欢订阅文艺期刊。|他今年订阅了《汉语学习》等杂志。|这个邮局常年办理订阅手续。

▶ “订阅”也作“定阅”。

【钉】 dìng 〔动〕 另读 dīng

❶ 把钉子敲进别的东西,或用钉子把某件东西固定在一定的位置上,或用钉子把几件东西组装在一起。(nail)常做谓语、定语。

例句 不要在墙上钉钉子。|爸爸用几块木板钉成了一个箱子。|他在门上钉上了两个挂钩。|刚钉的钉子,一挂东西就掉下来了。

❷ 用针线把带子、扣子(kòuzi)等缝住(féngzhù)。(sew on)常做谓语、定语。

例句 妈妈帮我把衣服扣子钉好了。|这个带子钉得不结实,还得钉几针。|昨天钉的扣子,今天就掉了。

【定】 dìng 〔动〕

❶ 决定,使确定。(decide; fix; set)常做谓语。

例句 这个价格定得比较合理。|经理已经定了,让我去海边度假。|会议的时间还没定下来。|A:计划什么时候能定?B:别急,经费有了着落计划也就定下来了。

❷ 使平静、稳定。(stabilize; calm)常做谓语、定语。

例句 他定了定神,接着说下去。|领导的一番话使大家吃了定心丸。|你应该定下心来,好好工作,别老想着出国。

❸ 固定,使固定。(fix)常做谓语。

例句 他的眼睛定在书上,陷入了沉思。|他定睛一看,才发现是小张来了。

❹ 约定。(subscribe; order)常做谓语。

例句 A:还定得上明天的机票吗? B:不行,三日内的机票都没有。|今年我定了三份报纸,两份杂志。|上周,经理去上海定了一批货。

【定点】 dìng diǎn 〔动短〕

❶ 选定或指定在某一处。(fix a position)常做状语。

例句 彩票都是定点销售。|跳伞运动员常定点跳伞。

❷ 选定或指定从事某项工作的。(choose something as...)常做定语。

例句 那家宾馆是旅游定点饭店。|我们厂是生产此类商品的定点厂。|该校是一所培养计算机专门人才的定点学校。

【定额】 dìng'é 〔名〕

规定的数量。(quota)常做主语、宾语,也可做定语。

例句 利润定额完不成,就扣厂长的奖金。|这次的定额很高,大家都觉得有压力。|目前的产量已经接近了定额。|我们要争取提前完成贸易定额。|定额的高低取决于去年的情况。

▶ "定额"还做动词短语。如:定额管理 定额供应

【定价】 dìngjià 〔名〕

规定的价格。(fixed price; list price)常做主语、宾语等。[量]种,个。

例句 这个定价太高了,顾客无法接受。|这种商品的定价是全市统一的。|请问,这件衣服定价是多少?|记不住商品定价,怎么能当营业员?

▶ "定价"还做动词短语。如:先定个价吧。

【定居】 dìngjū 〔动〕

在某个地方固定地居住下来。(settle down)常做谓语、定语。

例句 这位老华侨终于回国定居了。|直到退休后,他才定居北京。|我朋友已经定居加拿大了。|这一带是牧民的定居点。|渔民建起了自己的定居村。

【定理】 dìnglǐ 〔名〕

已经证实了的作为原则或规律的命题或公式。(theorem)常做主语、宾语、定语。[量]条,个。

例句 这条定理是谁提出的?|勾股定理我们学过。|爱因斯坦提出了几条著名的定理。|用什么定理来证明这个问题呢?|这个定理的公式不复杂。

【定量】 dìngliàng 〔名〕

规定的数量。(fixed quantity)常做主语、宾语。[量]个。

例句 定量很高,那个工厂今年还是提前完成了任务。|医生要求他每顿饭不能超出定量。

▶ "定量"还做动词短语。如:定量分析 定量供应

【定律】 dìnglǜ 〔名〕

科学上对某种客观规律的概括(gàikuò),反映事物在一定条件下发生一定变化过程的必然关系。(law)常做主语、宾语。[量]条,个。

例句 万有引力定律是牛顿提出的。|科学定律能解释这种现象。|爱因斯坦提出了物理学上两条著名的定律。|李先生发现的这条定律被命名为"李氏定律"。

辨析 〈近〉定理。"定律"指客观规

律,而"定理"常指具体的公式或命题。如:万有引力定律　几何定理

【定期】 dìngqī 〔名〕

有一定期限的。(periodical; regular)常做定语、状语。

例句 这是一本定期刊物。|他有一大笔定期存款。|按规定,技术工人要定期检查这些设备。|A:你们学校的教师有出去学习的机会吗? B:当然,学校安排教师定期出去进修。

【定向】 dìngxiàng 〔副〕

有一定方向。(directionally)常做状语。

例句 这个学校是定向招生。|这种专门人才应当定向培养。|专家准备用定向爆破(bàopò)的方法拆掉这座旧楼。

▶"定向"还做动词短语,指"测定方向"。如:定向电台　定向在北纬40°

【定性】 dìng xìng 〔动短〕

确定人、事物等的性质。(determine the nature)常做谓语、主语、状语。中间可插入其他成分。

例句 这个案子已经定性了。|他的问题至今还定不了性。|这个新学科的定性引起了许多学者的兴趣。|这个案子定性准确,无可非议。|确定一种新物质的成分需要定性、定量分析。

【定义】 dìngyì 〔名〕

对事物本质或某一概念所作的确切而简要的解释或说明。(definition)常做主语、宾语、定语。[量]条,个。

例句 这条定义下得不够准确。|这个概念的定义十分科学、周密。|给每个概念下一个科学的定义。|给事物下一个准确的定义不是一件容易的事。|定义的准确性和概括性一定要高。|这条定义的内容很简明、易懂。

【丢】 diū 〔动〕

❶ 遗失,失去,无意中没有了。(lose)常做谓语、补语。

例句 怎么? 钱包丢了? 赶快去找。|A:为了学习把那么好的一份工作丢了,不可惜吗? B:虽然可惜,但为了学习也没办法。|丢了心爱的小闹表,她心里好难过。|这份重要的文件千万不能弄丢了。

❷ 扔。(throw)常做谓语。

例句 不能随地丢垃圾,要保持卫生。|那个小伙子随手把烟头丢在地上,真不像话。|A:你替我把信丢到信箱里。B:好。

❸ 搁置,放在一边。(put or lay aside)常做谓语。

例句 他把自己的事丢在了一边,先帮我收拾行李。|他丢开了老本行,做起买卖来。|在这种时候,你应该把一切烦恼都丢开。|妈妈想离开这个城市去外地工作,但丢不下自己的孩子。

【丢人】 diū rén 〔形短〕

失去面子。(lose face)常做谓语、定语、宾语。

例句 你居然做出这种事,真丢人。|那个女孩觉得给父母丢了人,不好意思再回家乡了。|A:记住,丢人的事咱不做。B:妈,您放心好了。|你做这种事,也不怕丢人?

【丢三落四】 diū sān là sì 〔成〕

形容马虎或记忆力不好而忘事。(forget this and that; be scatterbrained)常做谓语、定语。

例句 A:现在年龄大了,常常丢三

落四的。B:唉,岁月不饶人哪!|真没办法,老张干什么事都丢三落四。|A:钢笔又找不到了?你这丢三落四的毛病,什么时候能改改?B:恐怕改不了了。

【丢失】 diūshī 〔动〕

遗失。(lose)常做谓语、定语。

例句 他不小心丢失了一份重要文件。|这些资料好好保管,别丢失了。|丢失的钱包又找到了,我非常高兴。|找到了在商场里丢失的儿子,妈妈高兴得眼泪都流下来了。

【东】 dōng 〔名〕

❶ 四个主要方向之一,太阳出来的一边。(east)常做定语、宾语、状语,也可做主语。

例句 我生活在东半球,她生活在西半球。|等我出去的时候,他已经走到村东头了。|长城从东到西,一共有一万二千多里长。|从这往东,都是山。|别东倒西歪的,好好坐着。|你长年东奔西走,真够辛苦的。|东在这边,西在那边。

❷ 主人。(master;owner)常用于构词。

词语 房东 股东 东家

例句 房东是一个非常慈祥的老人,对我们特别好。|公司将召开股东会,研究下一步的发展计划。|旧社会农民称地主为"东家"。

❸ 东道主,请客的人。(host)做宾语。

例句 今天我做东,大家想怎么玩就怎么玩。|A:你别做东了,大家凑钱吃吧。B:那可不行,今天我是感谢大家为我帮忙。

【东北】 dōngběi 〔名〕

❶ 东和北之间的方向。(northeast)常做定语、宾语。

例句 今天刮的是东北风。|A:学校的图书馆在哪儿?B:你一直往东北方向走,走到头就是。|操场的东北角有一个网球场。|你现在指的方向就是东北。

❷ 特指中国东北地区,包括辽宁、吉林、黑龙江三省以及内蒙古自治区的东部。(northeast China)常做主语、宾语、定语。

例句 东北是比较寒冷的地方,不生长这种植物,南方才有。|这是东北特产,尝尝吧。|东北地区冬天气候寒冷,多带些衣服。|舅舅16岁就离开家乡去了东北。

【东奔西走】 dōng bēn xī zǒu 〔成〕

为某一目的而四处奔忙。(go in all directions for sth.)常做谓语(不带宾语)、状语。

例句 这些年我一直东奔西走,到处搞推销。|别东奔西走了,找个稳定的工作吧。|这些草原医生整日东奔西走地为牧民治病,非常辛苦。

【东边】 dōngbian 〔名〕

四个主要方向之一,太阳出来的一边。(east)常做主语、宾语、定语等。

例句 宿舍楼的东边有一个小花园。|东边怎么有那么多人?咱们也过去看看吧。|A:学校内有邮局吗?B:有,在学校东边,走五分钟就到了。|这儿没有,再去东边找找。|我们村东边的水库里养了好多鱼。

【东部】 dōngbù 〔名〕

东边的地区。(eastern part; east)常做主语、宾语、定语等。

例句 美国东部跟西部有很大差别。|东部是沿海地带,气候相对比

D

较湿润。|年初,他从西部来到了东部,寻找发展机会。|中国的东部沿海地区经济比较发达。

【东倒西歪】 dōng dǎo xī wāi 〔成〕
形容人走或坐姿势不稳、歪斜或物体杂乱地歪斜、倒下的样子。(unsteady;leaning;tottering)常做谓语、定语、状语、补语。

例句 宴会结束了,客人们一个个东倒西歪,酒气熏天。|那间茅草屋东倒西歪,好像随时都可能倒塌。|A:你没看见他那东倒西歪的样子?肯定是又喝多了。B:现在说他也没用,等他酒醒了再教训他。|车过了沈阳,旅客大都东倒西歪地睡着了。|地震过后,镇里的房屋都震得东倒西歪了。

【东道主】 dōngdàozhǔ 〔名〕
请客的主人。(host)常做主语、宾语、定语。[量]个,位。

例句 两位东道主特别热情,客人都很满意。|这届世界杯足球赛的东道主是德国。|大家都感谢东道主为客人准备了那么多好吃的。|今天我来做一回东道主。|客人对东道主的热情款待表示感谢。

【东方】 dōngfāng 〔名〕
太阳出来的方向,也指亚洲(习惯上包括埃及)。(east;the East)常做主语、宾语、定语等。

例句 东方发亮了,太阳马上就要出来了。|东方是世界文明的主要发源地之一。|我们的飞机一直飞向东方。|茶文化发源于东方。|无论是东方文明还是西方文明都是人类的宝贵财产。

【东面】 dōngmiàn 〔名〕
靠东的方向。(the east)常做主语、宾语、定语等。

例句 广场东面有一家电影院。|我的家东面是海,西面是山。|那个城市的东面污染比较严重。|车开到了镇东面,司机却找不到路了。|人民大会堂在天安门广场的东面。|东面的房间是我的书房。

【东南】 dōngnán 〔名〕
❶ 东和南之间的方向。(southeast)常做主语、定语、宾语等。不用量词。

例句 中国东南多雨,气候较温暖。|这里常刮东南风。|看看指南针,哪是东南?

❷ 特指中国东南沿海地区,包括上海、江苏、浙江、福建等省市。(southeast China;the Southeast)常做定语。

例句 中国东南沿海地区一些城市开放得比较早。|下个月,我打算去东南沿海城市看看。

【东西】 dōngxi 〔名〕
❶ 泛(fàn)指各种事物。(thing)常做主语、宾语、定语等。[量]个,件,样。

例句 A:这是哪儿来的?B:我忘记告诉你了,那件东西是小张给你的。|屋里很黑,什么东西也看不见。|比尔上街买东西去了。|这种东西的味道不错,你尝尝。

▶"东西"常代替具体的事物。如:这个东西(礼物)送给你。|这篇东西(文章)没意思。|他去买东西(食品、用品等)。|今天的报告没什么东西(内容)。|他饿了,到处找东西(食品)吃。

❷ 特指人或动物。(thing;creature)常做主语、宾语、定语。[量]个。

例句 熊猫这个东西真可爱。|老人拍着那个小孩子的头说:"小东西,几岁了?"|他指着那个小偷说:"坏东西,快把钱还给老大爷!"|小李说他不想理那个"老东西"(一个同事)了。("老东西"是骂人话)|这人真不是个东西,欺软怕硬。|这种小东西的习性很特别。

▶"东西"用来指小孩一般带有喜爱的感情,指大人就有骂人的意思。

▶"东西"还读"dōngxī",指"东方和西方"。

【冬】 dōng 〔名〕

一年的第四季。(winter)常做主语、宾语。

例句 冬去春来,天气一天比一天暖和了。|这儿的天气是冬暖夏凉,适合老年人居住。|A:一年有春、夏、秋、冬。B:但在海南这四季不太分明。|我已在北京过了两个冬了。

【冬瓜】 dōngguā 〔名〕

一种植物,也指这种植物的果实,是普通蔬菜。(wax gourd)常做主语、宾语、定语。[量]棵,个。

例句 冬瓜容易栽培,营养价值也高。|冬瓜生长需要的温度较高。|我在窗外种了一棵冬瓜,后来结了好几个冬瓜。|他去市场买了一个大冬瓜,打算做个冬瓜汤。|冬瓜的皮儿和种子可以做中药。

【冬季】 dōngjì 〔名〕

一年中的第四季,中国指农历的十、十一、十二3个月。(winter)常做主语、宾语、定语。[量]个。

例句 中国北方的冬季非常寒冷。|哈尔滨(Hā'ěrbīn)的冬季很冷,但去那儿看冰灯很有意思。|有的人不喜欢冬季,说太冷了,可我喜欢。|这已经是我在中国度过的第三个冬季了。|近几年这儿冬季的气温不算太低。|大家正加紧训练,为参加冬季奥运会做准备。

【冬天】 dōngtiān 〔名〕

冬季的日子,一年中的第四季,中国指农历的十、十一、十二3个月。(winter)常做主语、宾语、定语。[量]个。

例句 A:你家乡的冬天怎么样?B:和这儿大不相同,我们那儿没有雪。|今年冬天特别冷,连南方也下雪了。|今年一月我从海南岛回到东北,一下子从夏天进入了冬天。|这里冬天的风很大,要多穿点儿衣服。|很多人不喜欢冬天的寒冷,却很喜欢冬天的大雪。

【董事】 dǒngshì 〔名〕

董事会的成员。(director; trustee)常做主语、宾语、定语。[量]个,位,名。

例句 全体董事都参加了这次会议。|会上,一位董事建议公司改变经营方法。|张校长请来了所有的董事,共商大学发展大计。|我们应该听听几位董事的意见。

【懂】 dǒng 〔动〕

知道;了解。(understand; know)常做谓语、定语。

例句 这孩子很懂事。|他不但懂英语,还懂日语。|A:我的电脑不好使了,你帮我看看?B:这事你找老吴吧,他懂行(háng)。|我不懂你说些什么。|不懂的事要多问问。

【懂得】 dǒngde 〔动〕

知道(意义,做法等)。(understand)常做谓语、定语、宾语。

例句 同学们已经懂得了这个道理。|我懂得如何自己照顾自己。|

A:人家帮了你,你可一定要好好地谢人家。B:这些事我懂得。|懂得的道理越多越好。|这些道理他刚开始懂得。

【懂事】 dǒng shì 〔形短〕

了解别人的意图或一般事理。(sensible)常做谓语、定语、状语、补语。

例句 这孩子应该懂事了。|这个姑娘特别懂事。|他是个懂事的人,不会乱提要求。|孩子懂事地对妈妈说:"我不要了。"|他懂事地告诉老师自己错了。|孩子到底是大了,变得懂事了。

【动】 dòng 〔动〕

❶(事物)改变原来位置或脱离静止状态。(move;stir)常做谓语。

例句 你坐着别动。|沙漠的沙子像水一样地动。|这东西一个人动不了。|坐久了,应该动动身子。|A:这个东西没见过,拿下来看看。B:主人不在,别随便动人家的东西。

❷动作、行动。(act;get moving)常做谓语。

例句 A:这事动晚了,人家早都动了。B:没关系,凭咱们的实力一定会超过他们的。|只要大家动起来,什么事都能办。|这事不要乱动。

❸改变(事物)原来的位置或样子。(change;alter)常做谓语、也用于构词。

词语 挪动 改动 动用

例句 他挪动(nuódong)了那把椅子。|A:这篇稿子您给看了吗?B:看了,这篇稿子很好,我只动了几个字。|做这么点儿事不用兴师动众。

❹使用,起作用。(use)常做谓语。

例句 A:我看了这么多书法书,可字还是写不好。B:写汉字,必须动笔,只看不行。|这事得自己动手,别人替不了。|这问题要动动脑筋(nǎojīn)。|他最近动手术了,还没出院。

❺触动(chùdòng)。[touch(one's heart)]常做谓语。

例句 我对那个工作很动心。|爸爸对我动了感情,舍不得我出国留学。|A:这事用不着动那么大火。B:我也是一时在气头上。

❻感动。(move)常做谓语。

例句 这部电影真是动人心弦(xián)。|他不为利益所动。|那么大的事你就无动于衷?

▶"动"可构成"动不动"的习惯用语,意为"容易地"、"经常地",在句中做状语。如:他动不动就生病。|她动不动就哭。

【动荡】 dòngdàng 〔动〕

波浪起伏。(turbulent)常做谓语、主语、宾语。

例句 台风临近了,海水动荡起来。|车子在崎岖(qíqū)的山路上跳跃动荡。|河水动荡不定,向前流去。|河水的动荡引起了我们的注意。|小船划动引起了湖水的动荡。

▶"动荡"还做形容词,比喻局势,情况不稳定,不平静。如:社会动荡 动荡的岁月

【动工】 dòng gōng 〔动短〕

❶(土木工程)开工。(begin construction)常做谓语、定语。中间可插入成分。

例句 留学生楼已经动工了。|这座大桥动工三个月了。|机场建设目前动不了工。|动工前要做好一切准备。

❷施工。(construct)常做谓语、定语。

例句 这里正在动工，车辆不能通过。|有的道路维修，为了不影响交通，只在晚上动工。|动工期间要防止噪音扰民。

【动机】 dòngjī 〔名〕

推动人从事某种行为的念头。(motive)常做主语、宾语。

例句 动机好，方法不好，事情也做不好。|良好的动机是办事的基础。|罪犯还没交代犯罪的动机。|我们不能把动机和效果对立起来。

辨析 〈近〉念头。"念头"指具体的想法，多用于口语。如：回家念头

【动静】 dòngjing 〔名〕

动作或说话的声音；(打听或侦察的)情况。(the sound of sth. astir; movement)常做主语、宾语。[量]点儿。

例句 A：里面一点儿动静也没有，可能他们都睡了吧。B：再敲敲看。|不知什么原因，一点儿动静也打听不到。|夜深了，外面没有一点儿动静。|他答应了我的要求，但现在还不见有什么动静。

【动力】 dònglì 〔名〕

推动工作、事业等前进和发展的力量。(motive force)常做主语、宾语、定语。

例句 我的动力来自于信念。|工作要有动力，不然搞不好。|失败可以转化成一种动力。|和他谈话后才知道他动力的来源是什么。|有了动力的推进，事业才会不断发展。

▶"动力"还指物理学上使机械做功的各种用力，如风力、电力等。

【动乱】 dòngluàn 〔名〕

(社会)骚(sāo)动，变乱。(turmoil; upheaval)常做宾语、定语。[量]次。

例句 人民希望安宁，不愿意发生动乱。|那个国家最近平定了一次动乱。|在动乱期间，生产和生活都得不到保证。|动乱的教训告诉我们，保持稳定最重要。

【动脉】 dòngmài 〔名〕

❶ 把心脏中压出来的血液输送到全身各部分的血管。(artery)常做主语、宾语、定语。[量]根。

例句 动脉硬化会导致多种疾病。|伤了动脉，马上止血！|先量量动脉的血压，看看是不是正常。

❷ 比喻重要的交通干线。(important line of communication)常做主语、宾语、定语。[量]条。

例句 大动脉不能中断，否则交通要瘫痪(tānhuàn)。|那条铁路大动脉是连接中国东西的生命线。|京广线是连接中国南北的动脉。|铁路动脉的作用对于一个国家的经济发展特别重要。

【动人】 dòngrén 〔形〕

感动人。(moving)常做谓语、定语、补语、状语。

例句 演员的表演很动人。|那个故事动人极了。|他的一生就是一个动人的故事。|我被眼前动人的情景吸引住了。|这篇文章写得很动人。|她唱得太动人了，大家不停地鼓掌。|他动人地唱起了那首怀念祖国的歌。

【动身】 dòng shēn 〔动短〕

启程、出发。(set out on a journey; leave)常做谓语、定语。中间可插入成分。

例句 行李都收拾好了，明天早上动身。|奶奶已经动身回乡下去了。

|今天我们动不了身了。|动身的日期快到了，大家都舍不得分开。|A：你们什么时候走啊？B：我们还没决定动身的时间呢。

辨析〈近〉出发。"动身"只指人，"出发"还指车，船等。如：* 火车动身了。（"动身"应为"出发"）

D

【动手】 dòng shǒu 〔动短〕

❶ 开始做，做。(start work)常做谓语。中间可插入成分。

例句 大家都动一下手就行了。|早点儿动手早点儿完，别拖拉。|市民一起动手搞环境卫生。

❷ 用手接触。(touch)常做谓语。中间可插入成分。

例句 展览品(zhǎnlǎnpǐn)只许看，可她竟动起手来。|商店里有的贵重的商品不让顾客动手。|他看见那么精美的工艺品忍不住动手摸了一下。

❸ 打人。(raise a hand to strike; hit out)常做谓语、宾语。中间可插入成分。

例句 他俩先是吵，后来就动手了。|大家都别动手，有什么事好好说。|A：他俩以前动过一回手，可现在成了好朋友。B：真是不打不相识啊。|他刚出门，几个坏蛋就开始动手了。

▶ "动手"做谓语不带宾语。如：* 我动手了他。（应为"我跟他动了手"）

【动态】 dòngtài 〔名〕

（事情）变化发展的情况；艺术形象表现出的活动神态。(trends; artistic state)常做主语、宾语。[量]种，类。

例句 文艺动态常是文艺爱好者关心的。|这幅画上的人物，动态各异，好像活的一样。|每天看新闻可以了解国际动态。|这本杂志反映了最新的科技动态。

【动物】 dòngwù 〔名〕

生物的一类，有神经，有感觉，能运动。(animal)常做主语、宾语、定语等。[量]只，种，类。

例句 地球上的动物有很多种。|有的动物吃肉，有的动物吃草。|人是一种高等动物。|保护野生动物，应该成为人类的共同行动。|世界上动物的物种正在减少。

【动物园】 dòngwùyuán 〔名〕

饲养(sìyǎng)多种动物，供人观赏的公园。(zoo)常做主语、宾语、定语等。[量]座，家，个。

例句 动物园是孩子们最喜欢的地方。|A：动物园新来了一些极地动物，周末我们去看看吧？B：行，问一问大家还有谁要去。|这头大熊猫住进了动物园。|动物园的各种动物受到孩子们的喜爱。

【动心】 dòng xīn 〔动短〕

思想、感情发生波动。(one's mind is perturbed)常做谓语、定语。

例句 听她这么一说，我真有些动心了。|丰厚的待遇也没有让我动心。|A：动心了吧？B：有点儿。这件衣服确实很漂亮。|A：你也有动心的时候吗？B：当然，我也是人啊！

【动摇】 dòngyáo 〔动〕

使不稳固、不坚定。(shake)常做谓语。

例句 这位科学家的发现动摇了传统的理论。|你怎么说也动摇不了我的决心。|我的想法很难动摇。

▶ "动摇"还做形容词，表示"不坚

定”。如：动摇分子

【动用】 dòngyòng 〔动〕
使用。(put to use; employ)常做谓语、定语。
例句 个人不能动用公款。|国家之间最好不要动用武力。|不能随意动用库存粮食。|修万里长城，动用的人力、物力是很大的。|有关部门已查清了他非法动用的公款。
辨析 〈近〉使用。“动用”的对象多是数量较大的“人力、款项、物资”等；“使用”的对象多是工具、技术、资金或人。如：这项工程动用(使用)了大量人力。|＊他会动用筷子。(应为“他会使用筷子”)

【动员】 dòngyuán 〔动〕
发动人参加某项活动。(mobilize; arouse)常做谓语、定语、宾语等。
例句 他动员了好几个人跟他一起去旅游。|A：今天有咱们班的比赛，你去组织个拉拉队，为我们的队员加油。B：我去动员动员，让大家都来参加。|妹妹动员哥哥去参加卡拉OK比赛，但动员了半天也没成功。|厂长在会上作了动员报告。|为了完成计划，公司已经进行了总动员。

【动作】 dòngzuò 〔名〕
全身或身体的一部分活动。(action; movement)常做主语、宾语、定语。[量]个，套。
例句 这套动作十分准确、优美，观众拍手叫好。|那个人的动作很敏捷(mǐnjié)，好像受过训练。|这套太极拳(quán)有三十六个动作。|我对京剧的服装和动作很感兴趣。|体育老师要求学生记住动作的要领。

【冻】 dòng 〔动〕
❶(液体或含水的东西)遇冷凝固(nínggù)。(freeze)常做谓语、定语。
例句 我家冰箱里冻了几斤肉。|白菜放在外面冻了冰。|大连是中国北方的不冻港。
❷受冷或感到冷。(feel very cold)常做谓语。
例句 太冷了，我的脚都冻了。|A：今天的衣服穿少了，冻得要命。B：怎么样，我说天冷，你还不信。
辨析 〈近〉冷。“冷”是形容词，做谓语不带宾语。如：＊天真冷人。(“冷”应为“冻”)|＊他觉得冻。(“冻”应为“冷”)

【冻结】 dòngjié 〔动〕
液体(yètǐ)遇冷凝结；也比喻阻止流动或变动(通常指人员、资金等)。(freeze)常做谓语、定语、宾语。
例句 湖面上冻结了一层冰。|这笔资金被银行冻结了。|人员调动暂时冻结。|冻结的账号任何人无权使用。|一个月后，银行解除了冻结。

【栋】 dòng 〔量〕
房屋的计量单位。(*used to indicate buildings*)常做定语、主语、宾语。
例句 这栋房子坐落在山坡上。|这些新楼，一栋比一栋好。|这个小区有不少欧式建筑，最近又建了好几栋。

【洞】 dòng 〔名〕
物体中间穿通或凹(āo)入较深的部分。(hole; cavity)常做主语、宾语、定语。[量]个。
例句 这个山洞又大又深。|A：衣服上不小心烧了一个洞。B：大门口的洗

D

衣店织补非常好,你可以去补上。|修公路时在半山腰打了两个洞。|洞口不大,可洞里边像个小礼堂。

【都】 dōu 〔副〕 另读 dū

❶ 全,完全,表示总括。(all)常做状语。

例句 这些商品都符合质量要求。|A:老师,大家都到齐了。B:好,你把资料发下去。|不论多大困难,我们都能克服。|那些花都很鲜艳。

辨析 〈近〉全。"全"有时表示程度深,"都"没有;"都"还可以表示"甚至"、"已经"。"全"还可做形容词。如:* 都新的车(应为"全新的车")| * 商品都(应为"商品全")| * 都才(应为"全才")| * 全八点了,她怎么还没回来?(应为"都八点了")

❷ 说明理由。(*used with* "是" *to show the cause*)常做状语。

例句 都是你,一句话把她气走了。|这都是我的错,对不起了。|A:都是这场雨,飞机不能起飞了。B:没关系,我们找个地方说会儿话。

❸ 甚至,表示强调。(even)常做状语。

例句 A:我都不知道,你怎么会知道?B:你别不信,这可是我亲眼看见的。|这盆花一点儿都不香。|他病了,一点儿东西都不想吃。

❹ 已经。(already)常做状语。

例句 A:天都黑了,我们快回家吧。B:好,走吧。|都下班了,他还在忙。|都十二点了,妈妈还没回来。|都秋天了,怎么还那么热!

【兜】 dōu 〔动〕

❶ 用手绢、衣襟(jīn)等将东西拢住。(wrap up in a piece of cloth, etc.)常做谓语。

例句 小女孩衣襟里兜了几个苹果。|A:来,你用手绢兜几个鸡蛋。B:不用那么多,拿两个就行。|(在饭馆)吃不了,兜着走。

❷ 绕、环绕。(move round)常做谓语。

例句 他骑着车在城里兜了一圈。|经理一到周末就开车出去兜风。|A:你别兜圈子,有什么直说吧。B:那我可就说了。

❸ 承担。(take upon oneself; take responsibility for sth.)常做谓语。

例句 A:没关系,有什么问题我兜着。B:这么大的事你兜不了。|你没必要把责任都兜过来。

【兜儿】 dōur 〔名〕

口袋一类的东西。(pocket; bag)常做宾语、主语、定语。[量]个。

例句 他拿了一个兜儿上街了。|中山装上有四个兜儿。|A:揣几个苹果路上吃。B:不行,我衣服上一个兜儿也没有,没处放。|孩子的几个兜儿都装满了吃的。|对不起,兜儿里没钱了。

【抖】 dǒu 〔动〕

❶ 颤(chàn)动,哆嗦(duōsuo)。(tremble; shiver; quiver)常做谓语、宾语。

例句 他身子直抖,可能太紧张了。|冷风吹来,我不禁抖了一下。|考试时,开始他有点儿发抖。

❷ 振动、甩动。(shake; jerk)常做谓语。

例句 你把衣服脱下来抖抖雪吧。|骑手抖了一下马鞭(mǎbiān)。

❸ 振作,鼓起(精神)。(rouse; stir up)常做谓语。

例句 咱们抖抖精神好好干一场。

|A:我太困了,实在抖不起精神了。B:你休息一会儿,我们先去。

【陡】 dǒu 〔形〕

坡度很大,近于垂直(chuízhí)。(steep)常做谓语、定语。

例句 A:这个坡太陡了,车开不上去。B:车就停在这儿吧,我们走上去。|这座山不太陡,能爬上去。|那是个陡坡,下去时要小心。

▶"陡"还做副词,指"突然地"。如:天气陡变 风暴陡起

【斗】 dòu 〔动〕 另读 dǒu

❶ 斗争;使动物争斗。(fight; struggle against; make animals fight)常做谓语、宾语。

例句 他以前斗过恶霸(bà)。|西班牙人有斗牛的爱好。|那两个孩子正在斗鸡。|A:这家伙还真好斗。B:可不,刚才好好的,说着说着就打起来了。

辨析 〈近〉战。"战"、"斗"词义不同,"战"指用武器相击,"斗"指争斗,不一定用武器,也不指战争。

❷ 争胜负。(contest with)常做谓语。

例句 比赛中,不光要斗勇,还要斗智。|他俩斗了半天,仍分不出胜负。|A:这事你肯定斗不过他。B:那我也不能轻易放弃。

❸ 拼合,凑上。(fit together)常做谓语。

例句 大伙儿斗了一些钱,帮助下岗工人。|把大家的意见斗起来,再研究。

【斗争】 dòuzhēng 〔动/名〕

〔动〕❶ 矛盾的双方相互冲突,一方力求战胜另一方。(struggle; fight)常做谓语、定语、宾语。

例句 双方斗争了几年,终于和解了。|在走还是留的问题上,他思想上斗争了很久。|有的人喜欢斗争哲学。|他同敌人进行了坚决的斗争。

❷ 群众用说理、揭露、控诉等方式打击敌对分子或坏分子。(accuse and denounce at a meeting)常做谓语、定语。

例句 群众在大会上斗争了他。|他没想到自己成了斗争对象。|A:这种斗争场面我怎么没见过? B:那都是过去的事,现在见不到了。

❸ 努力奋斗。(strive for)常做谓语。

例句 我们要为实现现代化而斗争。|大家为完成计划全力斗争。

〔名〕一方力求战胜另一方的矛盾、冲突。(accusation)常做主语、宾语。[量]场。

例句 斗争正在激烈地进行着。|两国之间的领土斗争已经结束。|反腐败是一场严肃的斗争。|大家应当重视经济领域(lǐngyù)的斗争。

【斗志】 dòuzhì 〔名〕

战斗的意志。(fighting will)常做主语、宾语。

例句 每个人都意气风发,斗志昂扬(ángyáng)。|同志们的斗志很旺盛。|大家的支持,增强了我的斗志和信心。|他变得没有斗志了。

【斗志昂扬】 dòuzhì ángyáng 〔成〕

斗争意志高昂。(have high morale)常做谓语、定语、状语。

例句 你看这些老工人斗志昂扬,干劲不减当年!|斗志昂扬的青年志愿者准备迎接新的任务。|战士们正斗志昂扬地开赴抗洪第一线。

【豆】 dòu 〔名〕

D

指豆类植物或豆类作物的种子，也指样子像豆子的东西。(pod-bearing plant or its seeds; a bean-shaped thing)常做主语、宾语、定语。[量]株，粒。

例句 这些豆大约有十斤重。|大豆在东北被大量种植。|俗话说："种瓜得瓜，种豆得豆。"|姐姐给弟弟买了一包糖豆。|豆的种类很多，有大豆、绿豆、黑豆、蚕豆、红小豆等等。|豆秸可做肥料。

【豆腐】 dòufu 〔名〕

食品，多用大豆制成。(bean curd)常做主语、宾语、定语。[量]块，斤。

例句 麻辣(málà)豆腐是中国的名菜。|豆腐在中国是一种传统食品。|这个村子的人都会做豆腐。|来碗豆腐汤吧。|豆腐的营养价值高，而且吃了不容易发胖。

【豆浆】 dòujiāng 〔名〕

食品，黄豆磨成的汁儿，又叫豆乳。(soya-bean milk)常做主语、宾语、定语。[量]杯，碗。

例句 豆浆常作为早点来喝。|A：你早晨想吃点儿什么？B：我就想喝豆浆。|越来越多的人认识到豆浆的营养价值。

【豆子】 dòuzi 〔名〕

❶ 豆类作物。(pod-bearing plant)常做主语、宾语、定语。[量]株，棵，亩，颗。

例句 今年豆子又获得了丰收。|这几亩豆子长得特别好。|今年我又种了几亩豆子。|走，我带你去看看咱家的豆子，长得好哇。|我去的时候，她正在豆子地里拔草。|今年豆子的产量不错。

❷ 豆类作物的种子，也指像豆的东西。(seeds of pod-bearing plant or bean-shaped thing)常做主语、宾语、定语。[量]颗，粒，斤。

例句 这种豆子主要产于东北，质量特别好。|一斤豆子可以出多少油？|车上装的都是豆子。|这是一颗金豆子，贵着呢。|牛在地里吃了不少豆子。|豆子的营养很丰富。

【逗】 dòu 〔动〕

❶ 引逗、招引。(tease; play with)常做谓语。

例句 他这个人很爱逗小孩儿。|A：别逗小狗了，当心它咬你。B：小狗通人性，你不欺负它，就不会咬。|那孩子很逗人喜欢。|姑娘被逗红了脸。

❷ 停留。(stay)用于构词。

词语 逗号　逗留

例句 这次在中国逗留了十多天。

【都】 dū 〔名〕 另读 dōu

指首都，也指大城市或以盛产某种东西而闻名的城市。(capital; big city; metroplis)常做宾语、主语。也用于构词。

词语 首都　都市　都城　商都

例句 元、明、清三个朝代都建都北京。|中国的瓷都是景德镇。

【都市】 dūshì 〔名〕

大城市。(a big city; metropolis)常做主语、宾语、定语。[量]座，个。

例句 这些都市在世界上都很有名。|上海是一座繁华的大都市。|都市生活与乡村生活很不一样。|这部作品描写的是都市风情。

【督】 dū 〔动〕

监督指挥。(superintend and direct)常用于构词。

词语 督促 督导 督战

例句 上级指派他督办这件事。

【督促】 dūcù 〔动〕

监督催促。(supervise and urge)常做谓语、宾语。

例句 A:早晨就让他布置好会议室,到现在也没弄出个样来。B:别急,你再去督促督促他吧。|这孩子学习很自觉,从不要大人督促。|对这项工作,应进行适当的督促。|对城市的绿化美化,一定要加强督促和检查。

辨析 〈近〉催促。“催促”是要使对象加快速度,“督促”是要求对象做好。如:他催促我快点儿。|*我做得很快,你别督促我。(“督促”应为“催促”)

【毒】 dú 〔形/动/名〕

〔形〕有毒的,毒辣、猛烈。(poisonous; malicious; cruel; fierce)常做谓语、定语、状语。

例句 这个人的心真毒。|中午,太阳正毒,大家都别出去了。|A:老张怎么了? B:他误吃了毒药,差点儿死了。|这一带毒蛇挺多,得小心点儿。|他被坏人毒打了一顿。

〔动〕用毒害死(人或动物)。(kill with poison)常做谓语。

例句 老大娘放了一些鼠药来毒老鼠。|小鸡不知被谁毒死了。|一定要查出毒死人的凶手。

〔名〕有毒物质,也指毒品,还指对思想有害的意识。(poison; narcotics)常做宾语、主语。[量]种,类。

例句 A:这种蘑菇(mógu)有毒,不能吃。B:太危险了,您教教我们怎么辨别它们吧。|他因为贩毒、吸毒被逮捕了。|小心中(zhòng)毒。|蛇毒可以治病。

【毒害】 dúhài 〔动〕

用有毒的东西使人受害。[poison (sb.'s mind)]常做谓语、主语、宾语。

例句 黄色书刊毒害过不少人。|黄色录像的毒害使他走上了犯罪道路。|我们必须坚决抵制封建思想意识的毒害。

【毒品】 dúpǐn 〔名〕

指作为嗜好(shìhào)品用的鸦片、海洛因等。(narcotics; drugs)常做主语、宾语、定语。[量]种,些。

例句 毒品对人类的身体、精神危害极大。|这些毒品来自东南亚。|他制造、贩卖毒品,将受到法律的惩罚。|打击毒品走私是一项长期的任务。

【毒性】 dúxìng 〔名〕

含毒的成分。(poisonousness)常做主语、宾语。[量]种,点儿。

例句 这种毒性发作起来全身疼痛。|A:这种蛇毒性很轻,别怕。B:我害怕它的样子。|医生分析了这种药的毒性,认为对人体影响不大。

【独】 dú 〔形〕

❶ 一个。(only; single)常做定语、宾语。

例句 A:他在这儿有没有兄弟姐妹? B:据我们调查没有,他是家里的独子。|这种独门独院的房子真好。|无独有偶,她也迟到了。

❷ 自私;容不得人。(selfish)常做谓语。

例句 这个人真独,他的东西不让别人动。|他的心太独,所以没有朋友。|别那么独,这是大家的东西。

【独裁】 dúcái 〔动〕

多指独揽政权，实行专制统治。(autocratic rule)常做谓语、宾语、定语。

例句 封建时代一切都由皇帝独裁。|人民反对当权者的独裁统治。|他上台就搞独裁。|希特勒是个大独裁者。

D

【独当一面】 dú dāng yí miàn 〔成〕

独自担当(或负责)一方面的工作。(take charge of a department or locality; assume responsibility for a certain sector)常做谓语、定语、状语。

例句 让这么一个年轻人独当一面，我可是有些不放心。|今后各级干部要学会独当一面的工作能力。|他这个人跑跑腿儿还可以，要是让他独当一面地去工作还差远了。

【独立】 dúlì 〔动〕

❶ 单独地站立。(stand alone)常做谓语、宾语、定语。

例句 老人独立在江边，不知在想什么。|太极拳中有一个动作是"金鸡独立"，指单腿站立。|A:你朋友家门牌号是多少？B:他们那儿哪有什么号，你就找门口有一棵独立大树的那一家。

❷ 一个国家或政权不受别的国家或别的政权的统治而自主地存在。(independence)常做谓语、宾语。

例句 二次大战后，很多国家独立了。|那个国家最近宣布独立。|我们国家经过几代人的奋斗终于获得了独立。

▶"独立"还可做形容词，指能单独地。如：独立完成　独立思考

【独立自主】 dúlì zìzhǔ 〔动短〕

(国家、民族等)不受外来力量控制、支配，自己行使主权。(maintain independence and keep the initiative)常做谓语、状语、定语。

例句 新中国成立以来所有国事都是独立自主的。|自己国家的事应独立自主。|我们独立自主地建设自己的国家。|中国坚持独立自主地与各国交往。|中国实行独立自主的外交政策。

【独生子女】 dúshēng zǐnǚ 〔名短〕

一对夫妻唯一的孩子。(only child)常做主语、宾语、定语。[量]个。

例句 据调查，一些独生子女自理能力很差。|这些二十几岁的年轻人都是独生子女。|在中国，社会和家庭都十分关注独生子女的成长。|独生子女教育成了一个重要的社会问题。

【独特】 dútè 〔形〕

独有的，特别的。(unique)常做谓语、定语。

例句 川菜的风味儿很独特。|他的性格很独特。|那篇文章具有独特的构思。|少数民族独特的服饰引起外宾的极大兴趣。|长城在历史上起了独特的作用。

▶"独特"多用于积极方面。

【独自】 dúzì 〔副〕

自己一个人。(alone; by oneself)常做状语。

例句 A:他独自去旅行，你放心吗？B:哪能放心啊。|中秋节，我独自在院中赏月。|领导要他独自去处理这件事。

【读】 dú 〔动〕

❶ 看着文字念出声音；阅读。(read aloud; read)常做谓语、定语。

例句 爷爷每天一个字一个字地读

报。|刚学汉语时,老师读一句,我们跟着读一句。|读的声音太低,大家听不清。|A:实在找不到可读的书。B:此话不对,世上可读的书有,会读书的人少,怎么能说无书可读?

辨析 〈近〉念。"念"没有"阅读"的意思。

❷ 上学。(attend school)常做谓语等。

例句 妹妹刚读小学,我已经读完大学了。|他读完了高中就工作了。|我读中学时,很爱好体育。

【读书】 dú shū 〔动短〕

❶ 看着书本,出声或不出声地读。(read)常做谓语、定语。中间可插入成分。

例句 他正在读一本书,什么也没听见。|A:你跟老师说了吗? B:没有,王老师在读着书,我不想打扰她。|读书的声音传出了教室。|他已经写了好几本读书笔记了。

❷ 指学习功课。(study)常做主语、谓语、宾语。

例句 读书要认真,不然学不好。|好好读书,别光想着玩儿。|有的孩子不喜欢读书,父母也没办法。

❸ 上学。(attend school)常做谓语、定语,中间可插入成分。

例句 爸爸只读过几年书。|那时,我还在大学读书。|A:你怎么熟悉这所学校呢? B:我当年在这儿读过一年书。|看样子她像是个读书人。|读书的时间太短了,所以我的文化水平不高。

【读物】 dúwù 〔名〕

供阅读的书、杂志、报纸等。(reading matter)常做主语、宾语、定语等。[量]本,种。

例句 儿童读物小孩儿特别喜欢。|这个阅览室很大,什么种类的读物都有。|他想借几本通俗读物。|A:那家书店出售电子读物,价格便宜。B:陪我去一趟,看看有没有喜欢的。|我不喜欢那种读物的封面。

【读者】 dúzhě 〔名〕

阅读书刊文章的人。(reader)常做主语、宾语、定语。[量]个,位。

例句 读者很欢迎这种书。|有的读者反映报纸的种类太少。|编辑请来了一些读者,大家进行了座谈。|在这种杂志的读者中,有80%是青少年。|她的作品出版后,每天都收到大量的读者来信。

【堵】 dǔ 〔动〕

堵塞(sè)。(block up)常做谓语。

例句 把那个洞堵上吧。|A:你堵着门,别人怎么过呀。B:这么宽的大门,你还过不去?|那条路常堵车,绕着走吧。|要堵住管理漏洞,不然问题更严重。

▶"堵"还做形容词,指憋(biē)气;也做量词,用于墙。如:心里堵得慌(huāng)。|这堵墙该修了。

【堵塞】 dǔsè 〔动〕

阻塞(通路、洞穴)使不通。(stop up;block up)常做谓语、定语。

例句 被洪水冲下来的石头堵塞了公路。|拥挤的人群堵塞了火车站的出口。|堵塞了两天的管道终于修好了。

【赌】 dǔ 〔动〕

指赌博,也泛指争胜负。(bet;gamble)常做谓语、定语、宾语。

例句 那个人每天出去赌钱,家底儿都输光了。|他总赌,谁也劝不住。|警察在地下赌场没收了赌具、赌资,还带走了那里的赌徒。|国家

禁赌，但有些好赌的人偷偷地赌。|你俩别打赌了。

【赌博】 dǔbó 〔动〕

用斗牌等方式拿财物作注比输赢。(gamble)常做谓语、主语、宾语、定语。

例句 他总赌博，别人拿他也没办法。|他自己说再也不赌博了。|赌博是一种坏习惯。|赌博使他一夜之间变成了穷光蛋。|中国的法律禁止赌博。|那个人好赌博，怎么也改不了。|警察封闭了几家赌博场所。|赌博的危害很大。

【杜绝】 dùjué 〔动〕

制止、消灭(坏事)。(stop; put an end to)常做谓语。

例句 工厂要杜绝上班迟到现象。|这种情况越来越严重，很难杜绝。|吸毒已经杜绝了几十年，但最近又发生了。

辨析 〈近〉消灭。"消灭"还指用强力杀死敌人等，"杜绝"的对象一般是某类现象和情况。如：* 杜绝现象|杜绝吸毒的现象。

【肚】 dù 〔名〕 另读 dǔ

腹部的通称，也指物体凸(tū)起像腹部的地方，又作肚子。(belly; stomach)常做主语、宾语。[量]个。

例句 他那个啤酒肚越来越大，应该减肥了。|A：孩子拉肚，去医院看看吧。B：不用了，吃了些药，已经好多了。|我摸了摸腿肚(子)，已经好多了。|他肚(子)上长了一个包，去医院作了检查。

【度】 dù 〔名/量〕

〔名〕❶ 表明特质的有关性质所达到的程度。(degree of intensity)常用于构词。

词语 硬度 热度 浓度

例句 这种材料的强度很高。|"茅台"酒的酒精浓度很高。

❷ 计量单位名称等。(a unit of measurement for angles, temperature, etc.)常做主语、宾语、定语。

例句 这儿的纬度是多少？|他的眼镜是200度，还不高。|1度电也能起不少的作用。|A：热死了，今天的气温有多高？B：天气预报说，今天的最高气温有35度。

❸ 程度、限度。(degree; limit)常做宾语、主语。

例句 他劳累过度，终于病倒了。|他超过了这个度，事情结果当然不好。|只有增强透明度，管理才能更民主。|这座城市的知名度越来越高。

❹ 对事对人的宽容程度，或人的气质、姿态。(tolerance; demeanour)常用于构词。

词语 气度 风度 态度

例句 他的度量大，不会和别人计较的。|那个小伙子很有风度。

❺ 一定范围内的时间或空间。(time or space)常用于构词。

词语 年度 国度

例句 经理作了年度报告。|那是一个美丽的国度。

〔量〕指次。(time)与数词、指示代词组成短语使用。

例句 一年一度的春节快到了。|他此度重来，是想找童年时的一个朋友。|这部电影几度上演，观众每次都很多。

▶"度"还做动词，指过(时间)。如：度日如年 欢度春节

【度过】 dùguò 〔动〕
过(日子)。(spend)常做谓语。
例句 学生们度过了一个愉快的假期,返校上课了。|他的童年是在乡下度过的。|这一夜没发生什么危险,安全地度过了。
辨析 〈近〉渡过。都有通过,经过的意思,但词义范围不一样,“度过”用于时间等,“渡过”用于水面,也说“渡过难关”。如:* 度过长江。(“度”应为“渡”)| * 渡过春节。(“渡”应为“度”)

【渡】 dù 〔动〕
由这一岸到那一岸;通过。(cross)常做谓语。
例句 他几次横渡长江,游泳技术很高。|那位科学家年轻时曾远渡重洋,到国外学习。|经过日夜奋战,大家终于渡过了难关。
▶ “渡”还可做名词,指渡口。

【渡船】 dùchuán 〔名〕
载运行人、货物、车辆等渡过江河等的船。(ferryboat)常做主语、宾语、定语。[量]条,艘,只。
例句 渡船开过来了,大家排队上船。|这条渡船能载多少人?|以前这儿没有桥,人们靠渡船过河。|岸边停放着一只小渡船。|这种渡船的票费不太贵。
辨析 〈同〉渡轮。“渡船”一般指乡村中的小船,“渡轮”则指大型机械轮船。

【渡口】 dùkǒu 〔动〕
有船摆渡的地方。(ferry crossing)常做主语、定语。[量]个。
例句 请问,渡口在哪儿?|他已经走到渡口了,但没有船。|渡口的工作人员正在安排乘客。
辨析 〈近〉码头。“码头”指江、海边供运货物和客人而停船的建筑,“渡口”指供摆渡的较简陋(jiǎnlòu)的地方。

【镀】 dù 〔动〕
用化学方法使一种金属附着到别的物体表面上,形成薄层。(plate)常做谓语。
例句 这个杯子是镀银的,很好看。|他的表壳是镀了一层金的。|这是一根镀锌管。

【端】 duān 〔动/名〕
〔动〕平举着拿。(hold sth. level with both hands)常做谓语。
例句 A:他在饭馆的工作是端饭上菜。B:那不就是服务员嘛。|我去朋友家,她女儿端出了一杯茶给我。|把问题都端出来讨论讨论。
辨析 〈近〉捧(pěng),拿。“拿”不说明姿势;“捧”指用双手托;“端”只说明动作,宾语多装在容器里。
〔名〕❶ (东西的)头。(end)常做主语、宾语、定语。
例句 走廊一端站着许多学生。|他俩各拿住绳子的一端。|笔端的毛都掉得差不多了。
❷ (事情的)开头。(beginning)常用于构词。
词语 开端 发端
例句 这次的合作是一个良好的开端。
❸ 原因,起因。(reason;cause)常做宾语。
例句 A:他总是无端地指责我,真受不了。B:你也该冷静点儿,也许事出有因。|这绝属借端生事。

D

❹ 方面，项目。(point; item)常做宾语。

例句 地球的大气变化多端。|这件事的原因是多方面的，现在只举其一端。

▶ "端"还做形容词，指不歪斜。如：端坐 品行不端

D

【端午节】 Duānwǔ Jié 〔名〕

中国的传统节日，在农历的五月初五日。(the Dragon Boat Festival)常做主语、宾语、定语。[量]个。

例句 今年的端午节过得很有意思。|端午节已有几千年的历史了。|田中同学在中国过了第一个端午节，他觉得很有意义。|A：你知道端午节的来历吗？B：不知道，你给我们讲讲吧。|A：端午节的习俗有哪些？B：有吃粽子、赛龙舟等。

▶ 端午节是为了纪念古代爱国诗人屈原，传说他在这天投河自杀，后人为了纪念他，把这天当做节日，有吃粽子、划龙舟比赛等风俗，是中国最重要的传统节日之一。

【端正】 duānzhèng 〔形/动〕

〔形〕❶ 物体不斜，各部分保持应有的平衡。(upright; regular)常做谓语、定语、状语、补语。

例句 小伙子五官端正。|她写字姿势很端正。|她端正的脸上露出了笑容。|这个小学生写出了端端正正的几个大字。|大家都端端正正地坐着，等待领导的讲话。|姑娘长得很端正。

❷ 正派、正确。(proper; correct)常做谓语、定语。

例句 那个小伙子言谈大方，举止端正。|对自己的错误应该有端正的态度。

〔动〕使端正。(rectify; correct)常做谓语。

例句 如果不端正思想，工作就没法完成。|他是该端正端正自己的服务态度了。

【短】 duǎn 〔形〕

两端之间的距离小。(short)常做谓语、定语、补语。

例句 这条裤子短了，不能再穿了。|假期虽然短点儿，但过得很有意义。|那么短的时间就完成了，真不简单。|文章写得太短了，说明不了问题。

▶ "短"还做动词，指缺少；做名词，指缺点。如：短缺 短斤少两 短钱 揭短儿 说长道短

【短处】 duǎnchù 〔名〕

缺点、弱点。(shortcoming; weakness)常做宾语、主语。[量]个。

例句 每个人都有长处也有短处，应该互相学习，取长补短。|他总是掩盖自己的短处。|短处谁都有，人无完人。

【短促】 duǎncù 〔形〕

(时间)极短，急促。(of very short duration)常做谓语、定语。

例句 人的生命很短促，应该珍惜时光。|A：他的呼吸短促，快叫大夫吧。B：你扶着他，我去喊大夫。|我跟他只有过一次短促的会面，所以并不太了解他。

辨析 〈近〉短暂。"短暂"不指声音等，只指时间。

【短期】 duǎnqī 〔名〕

短时间。(short-term)常做定语、状语。

例句 公司从银行借了一笔短期贷款。|A：真没想到他能说汉语。B：

他在短期班学习过，所以会汉语。|我参加了健美短期训练班。|外国元首来中国短期访问。|他每年假期都来中国短期留学。

【短小精悍】duǎnxiǎo jīnghàn 〔成〕

❶ 身材矮小而精明强干。(not of imposing stature but strong and capable)常做谓语、定语。

例句 这人短小精悍。|从车上跳下的那个短小精悍的小伙子，就是王秘书。

❷ 形容文章、言论等简短有力。(short and pithy; terse and forceful)常做谓语、定语。

例句 节目都是新编的，短小精悍，生动活泼。|这篇短小精悍的文章，抨击了社会上的不文明现象。

【短暂】duǎnzàn 〔形〕

(时间)短。(of short duration)常做谓语、状语、定语。

例句 时光短暂，应该珍惜。|北方的夏天短暂。|A：你这次来是短暂停留还是准备多待些日子？B：你不嫌烦，我就多待些天。|他在短暂的假期里学会了汉语的发音。|我曾在香港作过短暂的停留。

【段】duàn 〔量〕

表示长条东西分成的若干部分；一定距离或事物的一部分。(section; segment; part)常做定语、主语、宾语。

例句 两段木头在河上漂着。|这段时间过得很有意义。|这条登山路线每段都很难。|A：文章写得太长，这段可以不要。B：我拿回去改改，然后你再帮我看一下。|要是你爱听，我就再讲一段。|电话线出了问题，检修人员查了一段又一段。

【断】duàn 〔动〕

❶ (长形的东西)分成两段或几段。(break; snap)常做谓语、补语、定语。

例句 那座木桥断了。|她的眼泪像断了线的珍珠。|他把绳子割断了。|断了的手指已经接活了。

❷ 断绝、隔绝、不继续。(break off; cut off; stop)常做谓语。

例句 因为地震，那儿断水、断电几天了。|A：你现在能找到他吗？B：不能了，毕业后我就和他断了联系。|那时家里经常断顿儿。(没饭吃)

❸ 戒除(烟酒)。(give up)常做谓语。

例句 他断烟十来年了，最近不知怎么又抽上了。|我已经断酒了。

❹ 判断、决定。(judge; decide)常做谓语。

例句 A：这事他断不了，还得找领导。B：对，咱们都去。|什么事都应当机立断，别拖拉。|大家反对他一人独断。

▶ "断"还做副词，指"绝对"。如：断然否定

【断定】duàndìng 〔动〕

下结论。(conclude)常做谓语。

例句 我断定他是个外国人。|他是好是坏，我现在还不能断定。|谁也不能断定他究竟去哪儿了。

【断断续续】duànduàn xùxù 〔形短〕

有时中断，有时继续。(off and on)常做谓语、定语、状语、补语。

例句 远处传来的歌声断断续续的。|他听到了断断续续的说话声。|我断断续续地看完了这部电视连续剧。|A：弄明白怎么回事了吗？

D

B:他说得断断续续的,我没明白。

辨析 〈近〉陆陆续续。"陆陆续续"强调不断;"断断续续",强调时断时续。"陆陆续续"只做状语,是"陆续"的重叠。

【断绝】 duànjué 〔动〕

原来有联系的失去联系,原来连贯的不再连贯。(break off; cut off)常做谓语。

例句 昨天那两个国家断绝了外交关系。|因为战乱,他们断绝了联系。|因为洪水,交通都断绝了。|电线断了,通讯也断绝了。

辨析 〈近〉隔绝。"断绝"主要指关系不连续,"隔绝"是指不相通。

【缎子】 duànzi 〔名〕

一种平滑有光彩的丝织品。(satin)常做主语、宾语、定语。[量]块,种。

例句 缎子多产于中国南方。|她买了一块缎子,准备做旗袍。|我给朋友带回了几种杭州缎子。|这块缎子的花纹很漂亮。

【锻炼】 duànliàn 〔动〕

❶ 通过体育活动增强体质。(take exercise)常做谓语、定语、主语、宾语。

例句 爷爷每天都锻炼身体。|A:你应该锻炼锻炼,光吃药不行。B:我也想,可浑身没劲儿。|锻炼的时间可根据具体情况来确定。|你要考虑考虑你的锻炼方法。|经常性的锻炼对人的身体有好处。|我们要坚持锻炼。|我保证从明天早上起开始锻炼。

❷ 通过生产劳动和实践等,使能力、觉悟等提高。(temper; steel)常做谓语、定语、宾语。

例句 越是艰苦的地方,越能锻炼人。|他在基层已经锻炼了两年了。|同学们希望在公司的锻炼时间长一些。|同学们在军训中得到了锻炼。|完成这项工作,她又一次经受了锻炼。

【堆】 duī 〔动/名/量〕

〔动〕(事物)成堆地聚在一起;用手或工具把东西聚集起来。(pile up; stack)常做谓语、定语。

例句 A:桌上堆了一些什么书? B:是我们的新教材。|收获的苹果堆成了山。|下雪了,孩子们在外面堆雪人。|院子里堆的菜不少。

〔名〕堆成的东西。(pile; stack)常做主语、宾语、定语。[量]个。

例句 院子里的雪堆慢慢化了。|我家门前有个土堆儿。|火堆旁围了四五个人。

〔量〕指成堆的东西或成群的人。(pile; crowd)常做定语。

例句 床上放了堆衣服。|A:马路上围了一堆人,出什么事了吗? B:好像是什么管道坏了。|那堆垃圾应该马上运走。

【堆积】 duījī 〔动〕

(事物)成堆地聚集。(pile up)常做谓语、定语。

例句 码头上的货物堆积如山。|大家很快就把粮食堆积好了。|工人正在清理堆积的垃圾。

【队】 duì 〔名〕

❶ 行列。(line)常做宾语。

例句 学生们正在站队。|大家都自觉排队上车。|群众列队欢迎来访的外国贵宾。

❷ 具有某种性质的集体。(team; group)常做主语、宾语。

例句 一支舰队出现在海面上。|

消防队是负责救火的。|我们队战胜了来访的球队。|战争年代，爷爷参加了游击队。|乐队的指挥来自北京中央音乐学院。

▶“队”还做量词，用于列队的人员。如：一队人马　几队警察

【队伍】duìwǔ〔名〕

❶ 军队。(troops)常做主语、宾语等。[量]支。

例句 这支队伍作战能力很强。|接到命令后，队伍马上出发了。|解放军是老百姓自己的队伍。|他是从队伍上转业的。

❷ 有组织的集体。(group)常做主语、宾语、定语。[量]支。

例句 干部队伍要加强培养。|知识分子队伍是建设现代化中国的一支重要力量。|我们应该造就高素质的理论队伍。|中国的法律队伍建设正在不断加强。

❸ 有组织的群众行列。(ranks; contingent)常做主语、宾语、定语。[量]支。

例句 少年儿童队伍走在最后。|很多人在观看游行队伍。|这是一支自发组成的救灾队伍。|他排在队伍的最前面。|请大家注意队伍的秩序。

【队员】duìyuán〔名〕

某个队或集体的成员。(team member)常做主语、宾语、定语。[量]个，名，位。

例句 得了第一名，每个队员都很激动。|队员很认真，表演获得成功。|因为球队的突出表现，市长宴请了全体队员。|姐姐是南极考察队的一名队员。|队员的生活虽然艰苦，但他们却十分乐观。|几个球迷得到了队员的签名很高兴。

【队长】duìzhǎng〔名〕

某个队的负责人。(captain; team leader)常做主语、宾语、定语。[量]个，名，位。

例句 这位队长和队员关系很好。|队长什么都干在前面，当队长真不容易。|队员都很佩服(pèifú)自己的队长。|大家选小李当队长。|队长的想法跟大家一样。|在队长眼里，小王是最好的。

【对】duì〔动/介/形/量〕

〔动〕❶ 对待、对付、对抗。(treat; cope with; counter)常做谓语。

例句 批评要对事不要对人。|他俩刀对刀、枪对枪，练起了武术。|A:下午比赛的是哪两个队？B:北京队对上海队。

❷ 朝、向、面对。(be directed at; face)常做谓语。

例句 A:你的房间怎么样？B:哪儿都挺好，就是窗户正对着大街，不太安静。|她背对着我，说什么我没听清。|图书馆跟教学楼门对门。

❸ 投合、适合。(suit)常做谓语。

例句 他俩不对脾(pí)气。|没想到两个人还挺对心思。|这个菜对奶奶的口味儿。

❹ 把两个东西放在一起比较，看是否能符合。(compare; check)常做谓语。

例句 他俩对了表，约定了时间。|A:你是不是把电话号码搞错了？B:我把号码又对了一遍，没错。

❺ 搀和(chānhuo)。(mix; add)常做谓语。

例句 请往茶杯里再对点儿水。|他喜欢在咖啡中对点儿奶。

D

〔介〕引进对象或事物的关系者。(with regard to; concerning; to)与名词、代词或短语组成介词短语做状语。

例句 父母对我抱有很大的希望。|上司对他很好。|老百姓对这件事很不满意。

辨析 〈近〉向,朝。"向"、"朝"主要表示方向;"对"主要引进对象和表示对待,有时兼有方向义。"向"还可用在动词后。如:我对(向、朝)她点了点头。|他对(向)我表示感谢。|*爸爸向他很关心。("向"应为"对")|*我对他跑过去。("对"应为"向")

〔形〕正确、正常、相合。(right; correct)常做谓语、补语。

例句 你的话很对。|A:你的神色不对,出什么事了吗?B:我老是觉得有人跟着我。|这几道题的答案全对了。|这个字写对了。|我说得不对吗?

▶"对"可单用,表示肯定。如:A:这做得对吗?B:对!

〔量〕指双、两个。(pair; couple)常做定语、宾语、主语。

例句 一对夫妻只生一个孩子。|这对花瓶真漂亮。|A:这种枕(zhěn)头很好,你去买一对吧。B:周末有时间我就去。|哪对好就要哪对。

【对岸】 duì'àn 〔名〕

一定水域(shuǐyù)互相对着的两岸互称对岸。(the opposite side of a river)常做主语、宾语、定语。

例句 对岸住着三户人家。|河对岸是一个新兴的工业区。|小船终于平安到达了对岸。|雾太大了,谁也看不清对岸。|A:对岸的梨花开了,远远看去像一片白云。B:太漂亮了,周末我们过去看看。

【对比】 duìbǐ 〔动/名〕

〔动〕两种事物相对比较。(contrast)常做谓语、宾语、定语等。

例句 新旧对比,告诉人们生活水平确实提高了。|应该仔细对比两种材料的性能。|考察的对象不同,无法进行对比。|只有通过对比,才能认识事物。|我们已经确定了对比的内容。|世界力量的对比已经发生了明显变化。

〔名〕比例。(ratio)常做主语。

例句 双方人数对比是一比四。|A:我们班的男女对比为三比一,你们班呢?B:大概四比一吧。

▶"对比"还指一种修辞手法。

【对不起】 duì bu qǐ 〔动短〕

对人有愧(kuì)。(sorry; excuse me)常做独立成分、谓语、宾语。

例句 对不起,打扰您了。|对不起,请问去邮局怎么走?|A:真对不起,今天有事,不能参加你的生日晚会了。B:我真希望你能来。|不好好学习,就对不起养育自己的父母。|对不起各位,我迟到了。|朋友对这件事表示对不起。

▶"对不起"常用为表示抱歉的套话。

【对策】 duìcè 〔名〕

对付的策略和办法。(the way to deal with a situation)常做主语、宾语。[量]个,条。

例句 对策还没想好,过两天再说吧。|他们正在商量对策。|政府已经决定了解决人口问题的对策。

【对称】 duìchèn 〔形〕

指图形、物体在大小、形状和排列上具有一一对应的关系。(symmetric)常做谓语、定语、宾语。

例句 街心公园的两个花坛很对称。|中国的建筑大部分都对称。|对称的建筑给人稳定感。|苏州园林不讲究对称,却很有特色。|A:这种布局,你觉得对称吗? B:不对称,但效果很好。

【对待】 duìdài 〔动〕

以某种态度或行为对人或事。(treat)常做谓语。

例句 要认真对待这个问题。|用错误态度对待犯错误的同学,只能错上加错。|要认真对待朋友的劝告。|你不能这样对待长辈。

辨析 〈近〉看待。"看待"多用在人际关系,"对待"多用在人与事的行为、态度上;"看待"的对象多是人,"对待"的对象是人或事。

【对得起】 duì de qǐ 〔动短〕

对人无愧,不辜负(gūfù)。(not let sb. down)常做带宾谓语。

例句 只有学好功课,才对得起老师。|A:你这样做,对得起谁呢? B:别说了,我心里够难过的了。|他拼命工作,觉得这样才对得起领导对自己的信任。

【对方】 duìfāng 〔名〕

跟行为的主体处于相对地位的一方。(the other side)常做主语、宾语、定语。

例句 小王结婚了,对方是幼儿园的老师。|我们合作的对方是一家大公司。|改变合同,应该事先通知对方。|对方的传真来了,告诉我们准备接货。|不了解对方的心理,就做不好思想工作。

【对付】 duìfu 〔动〕

❶ 应付;对人对事采取一定的方法对策。(deal with)常做谓语、定语。

例句 一个警察对付两个歹徒,真厉害。|这匹马很难对付。|她对付不了这种紧急情况。|A:马克的对话能力怎么样? B:他学了几个月汉语,简单会话还能对付。|你得想想对付的办法。

❷ 将就。(make do)常做谓语、状语。

例句 A:这里只有一家小旅店,你对付一宿吧。B:没关系,能住就行。|这车太旧了,但还能骑,你对付对付吧。|饭不好,你对付着吃吧。

【对话】 duìhuà 〔动/名〕

〔动〕两方或几方之间接触、谈判,也指交谈。(make a dialogue)常做谓语、宾语。

例句 两国就这个问题正在对话。|双方都坚持自己的意见,拒绝对话。|只有通过对话,才能解决分歧。

〔名〕两个或多个人的谈话。(dialogue)常做主语、宾语、定语。[量]回,次。

例句 这次对话使大家增进了友谊。|他很快就忘了刚才不愉快的对话。|对话的内容并不重要,重要的是双方能够坐在一起。

【对抗】 duìkàng 〔动〕

对立起来相持不下。(resist; oppose)常做谓语、宾语、定语。

例句 一部分人正在和政府对抗。|都是自己人,最好别对抗,有什么可以谈谈。|有的人总喜欢搞对抗。|靠对抗往往解决不了问题。|不能对同志的批评抱对抗的态度。|犯人的对抗情绪已经消除了。

【对…来说】 duì…láishuō 〔介短〕

表示情况的判断、推测等。(for;to)常做状语。

例句 A:谁会把这当回事呀? B:对他来说,这事可特别重要。|对没有用过的人来说,可以买一个试试。|对外地的游客来说,那个地方值得一游。

▶ 有时也说"对…说来"。

【对了】 duì le 〔形短〕

表示想起某事或需要补充说明。(oh)用于句首或插入句中。

例句 对了,我差点忘了,明天几点出发? |A:您还想带点儿什么吗? B:对了,看看有没有好茶叶。|这次没见到她,太遗憾了。对了,下次来的时候千万要告诉我。

【对立】 duìlì 〔动〕

互相抵触、排斥、斗争。(oppose)常做谓语、宾语、定语。

例句 他俩的观点对立,互不相让。|A:成天工作缠身哪有时间学习呀? B:你怎么能把工作和学习对立起来? |大家不要搞对立,应该团结。|不要让群众产生对立情绪。|他的对立面太多,不容易开展工作。

【对联】 duìlián 〔名〕

写在纸上、布上或刻在竹子上、木头上的对偶(duì'ǒu)语句。(antithetical couplet)常做主语、宾语、定语。[量]副。

例句 一副对联贴在了大门口。|那位老先生一口气就写了好几副对联。|过春节了,家家都贴对联。|对联的格式很有讲究。

▶ "对联"的种类特别多,春节时贴的叫"春联";办喜事的叫"喜联",丧事贴的叫"挽联"。此外贴在什么地方也有区别,如"楹联"、"门联"等等。对联是中国一种特殊的表达感情的方式,有专门的格式、规格,是传统文化的一个重要内容。"对联"分为"上联"、"下联"和"横批"三部分。

【对门】 duìmén 〔名〕

指大门相对的房子或人家。(the building or room opposite)常做主语、宾语、定语。

例句 我家对门是一座商业大厦。|对门是一家退休工人。|A:玛丽住哪儿了? B:我们两个住对门。|对门的声音太大了,我睡不着。

【对面】 duìmiàn 〔名〕

❶ 对过;街道等一边称另一边。(opposite)常做主语、宾语、定语。

例句 对面是老李家。|我家对面又盖了一座高楼。|他家就在我家对面。|对面的空地上聚了一些人。|A:你这件衣服真漂亮,在哪儿买的? B:在对面那家服装店。

❷ 正前方。(right in front)常做主语、宾语、定语。

例句 A:对面来了一个警察。B:正好,我们找他问问。|对面有一大群人,不知在干什么。|他只注意对面,没留神背后。|对面的车灯照得我睁不开眼睛。

▶ "对面"还做动词短语,指"面对面"。如:这事要和他对面儿说说。

【对牛弹琴】 duì niú tán qín 〔成〕

比喻对不懂道理的人讲道理或说事。常用于讽刺说话者不看对象。(play the lute to a cow — address the wrong audience)常做主语、谓语、宾语。

例句 "对牛弹琴"这句话有时是讥笑听琴者是外行的意思。|这倒怪

不得孩子，谁让你“对牛弹琴”呢？|我问你这个问题，简直是对牛弹琴，找错门啦。|在那个环境里，他不愿时常发表他的意见。因为他不屑于对牛弹琴。

【对手】 duìshǒu 〔名〕

竞赛的对方，也特指水平不相上下的对方。(opponent; match)常做主语、宾语、定语。[量]个。

例句 我们的对手是一支有名的球队。|对手准备充分，我们要小心应付。|一见那个老对手，我们就有点儿紧张。|他俩棋逢对手，下了几局也没分出胜负。|A：哎，你上去和他杀一盘。B：不行，我也不是他的对手。|对手的力量不弱，要认真对待。|他很不习惯对手的发球。

【对头】 duì tóu 〔形短〕

❶ 正确、合适；正常。(correct; normal)常做谓语、补语，中间可插入成分。

例句 方法对头，效率就高。|这次办法对了头，速度也就快了。|A：你脸色不对头，病了吗？B：没有，只是昨晚没休息好。|他做得对头，我们当然支持。|A：我想得不对头，所以总出错。B：你看到了这一点，以后就能少出错或不出错。

❷ 合得来。(get on well)常做谓语，多用于否定。

例句 两个人脾气不对头，老处不好。|夫妻性格不对头，免不了要吵架。

▶“对头”还做名词读“duìtou”，指“仇敌”，“对手”。

【对象】 duìxiàng 〔名〕

❶ 行动或思考时作为目标的人或事。(target; object)常做主语、宾语。[量]个。

例句 这个公司服务的对象是外资企业。|他研究的对象是城市供水系统。|她是工作的重点对象。|A：一个小玩笑值得他发那么大的火吗？B：说话要看对象，不能随便开玩笑。

❷ 恋爱的对方。(boy or girl friend)常做主语、宾语、定语。[量]个。

例句 她的对象是个老师。|经理的对象没来过中国。|A：这个小伙子真不错，给他介绍个女朋友吧。B：别瞎操心了，人家早有对象了。|最近，别人给她介绍了个对象。|大家争着看他对象的相片。

【对应】 duìyìng 〔动〕

一个系统中某一项在性质、作用等方面与另一系统的某一项相当。(correspond)常做谓语、定语。

例句 汉语语法与英语语法并不对应。|英语中的“all”完全对应于汉语的“都”吗？|科学上存在许多对应物。

【对于】 duìyú 〔介〕

表示对待关系，引进对象或事物的关系者。(to; as to)构成介词短语，常做状语、定语。

例句 对于语法，我了解得很少。|大家对于城市建设很关心。|对于这个问题的看法还不一致。|这是我们对于开展合作的初步设想。

辨析 〈近〉对，关于。①“对于”和“对”：一般地说，用“对于”的地方都可以改用“对”；但当“对”有“向”、“朝”之义，或指人和人的对待关系，而宾语又是单个名词(代词)时，一般不能改用“对于”。②“对于”和“关于”：“关于”也是介词，表示关涉，有时能通用。但“关于”构成介

词短词只能放在句首，且能做文章标题，“对于”表示对象位置不受限制，但不能做标题。如：他对于(对)这件事没什么意见。| * 我对于他笑了笑。(“对于”应为“对”) | * 父亲对于孩子很严厉。(“对于”应为“对”) | 对于(关于)这个问题，大家都没意见。| * 对于织女星，民间有很多传说。(“对于”应为“关于”) | * 关于文化遗产我们要采取正确态度。(“关于”应为“对于”) | * 我们关于这个问题发表了意见。(“关于”应为“对于”)

D

【对照】 duìzhào 〔动〕

❶ 互相对比参照。(contrast)常做谓语、定语。

例句 翻译时，要认真对照原文。| 他对照订货单检查了货物，没发现问题。| A：你要仔细对照对照，别出什么差错。B：好，把这个原文再给我看一下。| 对照的结果使他发现了译文的毛病。

❷ (人或事)相比、对比。(compare)常做谓语、定语。

例句 你拿这个标准对照一下自己，找找差距。| 按照这些规定对照检查自己的行为。| 大家用对照的方法找一下自己的差距。

【兑】 duì 〔动〕

凭票据支付或领取现款。(exchange)常做谓语。

例句 现在用“龙卡”也可以兑煤气费了。| 我下午得去拿汇款单去邮局兑钱。

▶ “兑”旧时也指用旧金银器换新的；还指在酒里搀水。如：兑银器 兑水

【兑换】 duìhuàn 〔动〕

用证券(zhèngquàn)换取现金或用一种货币换取另一种货币。(exchange)常做谓语、定语。

例句 我去中国银行把美元兑换成人民币。| 他把国库券兑换现金了。| 妈妈有一些兑换券，最近已经兑换了。| 我同屋上次兑换的人民币已经用完了。

【兑现】 duìxiàn 〔动〕

凭票据向银行换取现款，也比喻诺言的实现。(cash; fulfil; honour)常做谓语。

例句 A：银行说那张支票有问题，不能兑现。B：通知付款方，让他们重新开张支票。| 答应孩子的事一定要兑现。| 他以前说的话现在总算兑现了。| 年终兑现时，他总共收入三万元。

辨析 〈近〉兑付。“兑付”指经济方面，“兑现”主要指诺言、理想、计划、心愿等方面。

【吨】 dūn 〔量〕

重量单位，1 吨等于 1000 公斤(2000 市斤)，也称公吨。(ton)常与数词组成数量短语，做主语、宾语、定语。

例句 两吨等于 2000 公斤。| 这是优质煤，我们要买几吨。| 加油车一次只能运来几吨。| 一吨水可以供几家使用一天。

【蹲】 dūn 〔动〕

❶ 两腿弯曲，像坐的样子，但臀(tún)部不着地。(squat on the heels)常做谓语、定语、宾语。

例句 门口蹲着一对石狮子。| 我太累了，蹲一会儿吧。| 蹲的时间太长了，一起来头有点儿晕。| 爱蹲就让她蹲着吧。

❷ 比喻呆着或闲居。(stay)常做谓语、定语。

例句 他犯过法，蹲了半年牢。|我在单位蹲了一天。|A:别一个人老在家蹲着，出去玩玩。B:一个人到哪儿都没意思。|这回蹲的时间不短，了解了不少情况。

【顿】 dùn 〔量〕

指吃饭、斥责(chìzé)、劝说、打骂等行为的次数。(*measure word*)常与数词构成数量语做定语、宾语、主语、补语。

例句 一顿饭吃了一百多块钱。|她挨了一顿骂。|A:你这一天才吃了一顿，受得了吗？B:没事，有水果和小吃。|顿顿吃白菜，真吃够了！|领导把他批评了一顿。

【顿开茅塞】 dùn kāi máo sè 〔成〕

比喻忽然理解领会。(suddenly see the light; be suddenly enlightened)常做谓语，有时也做定语。

例句 老师说完后，大家顿开茅塞。|你这一句话提醒了我，不觉顿开茅塞！|许多问题经教授一点拨，就有顿开茅塞之感。

▶ "顿开茅塞"也作"茅塞顿开"。

【顿时】 dùnshí 〔副〕

立刻，一下子。(immediately; at once)常做状语。

例句 一阵风吹来，顿时凉快了许多。|会议开始了，会场顿时安静下来。|顿时，观众中响起了热烈的掌声，演出成功了。|听到这个消息，她顿时呆了。

▶ "顿时"只用于叙述过去的事情。

辨析 〈近〉立刻，马上。"立刻"、"马上"可用于以前、现在、以后等；"顿时"只用于以前。

【多】 duō 〔形/动/数/副〕

〔形〕数量大。(many; much; more)常做谓语、定语、状语、补语。

例句 他家人很多。|节日那天，公园里的人多极了。|他多才多艺。|A:我已经多年没回老家了。B:你可以趁这次出差，顺便回去看看。|你可以在海边多住几天。|请多多原谅！|他说得多做得少。

〔动〕❶ 超出原有或应有的数目，比原数目增加了。(have more or too much)常做谓语、定语。

例句 今年秋天多雨、多风。|这个班比那个班多几个人。|A:不知怎么，多的钱又不见了。B:是不是你查错了？

❷ 过分的，不必要的。(excessive)常做谓语。

例句 A:我说的话没什么，他多心了。B:当着矬子别说矮话，这你不懂？|大人说话，小孩别多嘴。|他那个人总是多事。

〔数〕表示概数。(many; a lot of)常组成数量短语做定语、补语。

例句 解决这个问题有多种方法。|有多家公司参加这次展览。|A:你去过北京吗？B:我去过多次了。

〔副〕❶ 用在疑问句中，询问程度、数量。(how)常做状语。

例句 您多大年纪了？|A:你说那座山有多高？B:说不准，大概有两千米。

▶ "多"常用在"大"、"高"、"长"、"远"等单音节形容词前。

❷ 表示程度高，多用于感叹句中。(how; what)常做状语、补语。

例句 你看她多能干！|北方的雪景，多漂亮！|这样做简单多了，也

好多了。|A:她比以前瘦多了。B:是啊,我差点儿认不出她来了。

辨析 〈近〉多么。"多么"多用于书面语,只表示感叹,"多"的范围广。如:多(多么)漂亮啊!|他多(多么)帅呀!

D

❸ 表示任何程度。(however)常做状语,多用于复句中。

例句 不管(无论)遇到多大困难,他也要坚持学习。|不管年纪有多大,只要身体好就行。|多难也(都)要把汉语学会。|他每天多累都(也)要看点儿书。|那场球赛说多精彩就有多精彩。

▶"多"还做助词,放在数词或数量词后表示有零头。如:二十多岁 三年多 两米多高

【多半】 duōbàn 〔副〕

大概,表示对情况的估计。(most probably)常做状语。

例句 A:雨太大了,她多半不来了。B:不会,要是不来她会打电话的。|这事多半不能成功。|上年纪的人,多半爬不了山。|他买了机票,多半要回国了。

辨析 〈近〉大概。"大概"口语、书面语都用,"大概"还可做形容词、名词。如:他多半(大概)不来了。|我知道个大概。|*我知道个多半。("多半"应为"大概")|*多半九点钟了。("多半"应为"大概")

▶"多半"还做数词,念"多半儿"。如:多半儿人去了国外。|今天下午,同学们多半儿都在教室学习。

【多此一举】 duō cǐ yì jǔ 〔成〕

做不必要的、多余的事。(make an unnecessary move)常做谓语、宾语、定语。

例句 A:我是来向你表示歉意的。B:如果你没有放弃成见,那也不必多此一举了!|你不该来的!你这样做不是多此一举吗?|小吴多此一举的行为给对方留下非常不好的印象。

【多多益善】 duōduō yì shàn 〔成〕

越多越好。(the more the better)常做谓语、宾语、状语。

例句 像这样有利于公司发展的好主意,多多益善。|对这样的好作品,我们的态度是多多益善。|A:这种人,当初怎么能留用?B:当时公司初创,多多益善地广招人才,难免出问题。

【多亏】 duōkuī 〔动/副〕

〔动〕表示对别人给予帮助的感谢。(thanks to)常做谓语。

例句 我的成功多亏了大家的帮助。|A:这次多亏你,否则我就危险了。B:今天是万幸,以后可要当心。|多亏了父母,我才有今天。

〔副〕表示由于别人的帮助或某种有利因素,避免了不幸或得到了好处。(luckily)常做状语。

例句 多亏去了,不然就失去了一个机会。|多亏你来了,否则我们就要迷路了。|多亏他们帮助了我,我才能念完大学。

【多劳多得】 duō láo duō dé 〔动短〕

多劳动就多获得。(more pay for more work)常做谓语、主语、宾语、定语。

例句 只有多劳多得,才能调动积极性。|多劳多得是一种基本的分配原则。|新厂长改变了过去的分配方式,真正实行了多劳多得。|要

坚持多劳多得的分配原则。

【多么】 duōme 〔副〕

❶ 用在疑问句中，表示程度。(how)常做状语。

例句 他想知道那座塔有多么高。|北京离这儿多么远？

❷ 用在感叹句里，表示程度高。(how;what)常做状语。

例句 北京的秋天多么美丽啊！

❸ 表示任何一种程度。(however)常做状语。

例句 无论多么热，他都坚持锻炼。|不管下多么大的雪，刮多么大的风，老人总把路扫得干干净净。|不论多么麻烦，也要把这件事做好。

【多少】 duōshao 〔代〕

❶ 疑问代词，用在问句中询问数量。(how many;how much)常做定语、宾语。

例句 A：你们班有多少人？B：25人。|昨天晚会上表演了多少节目？|苹果多少钱一斤？|A：打印纸还有多少？B：好像快用完了。|上次的货你卖了多少？

❷ 表示不定数量。(*expressing an unspecified amount or number*)常做定语、宾语。

例句 不知过了多少天才得到那个消息。|这个故事他都讲了多少遍了。|关于这个问题，你知道多少就说多少。

▶ "多少"还念"duōshǎo"，做代词，指数量的大小；做副词，指少量，稍微。

例句 车辆多少还不知道。|按学生人数的多少编班。|这话多少有点儿道理。|A：你可醒了，现在怎么样？B：睡了一觉，觉得多少好点儿了。

【多数】 duōshù 〔名〕

较大的数量。(majority;most)常做主语、宾语、定语。

例句 绝大多数都同意了，这个计划可以实行。|多数都是这样，这种情况不奇怪。|少数服从多数，这是一个原则。|A：这天怎么总不晴？晾个衣服都不干。B：你别想了，这个季节这里多数的日子是雨天。|最近多数商场都改进了售后服务。

【多余】 duōyú 〔形〕

❶ 超过需要数量的。(surplus)常做定语。

例句 农民把多余的粮食卖给国家。|妈妈把多余的钱存到了银行。|A：有球票吗？B：对不起，我没有多余的票。

❷ 不必要的。(unnecessary)常做谓语、定语、状语、补语。

例句 你的担心多余了。|他说的话多余。|我把文章中多余的文字删(shān)掉了。|你多余说他。|A：我本想帮帮她，却惹了这一身麻烦。B：你这事实在做得多余。

【咄咄逼人】 duōduō bī rén 〔成〕

气势汹汹，使人感到似乎有一种力量在胁逼自己。(overbearing; aggressive)常做谓语、定语、状语。

例句 老李的手一挥，声音更高，也更咄咄逼人了。|他那满脸的刚毅之气，依然咄咄逼人。|老师以咄咄逼人的目光看着他。|小吴咄咄逼人地盯着毒贩子。

【咄咄怪事】 duōduō guài shì 〔成〕

令人惊讶的怪事。(monstrous absurdity)常做宾语。

例句 他放着大城市不呆，却非要跑到这偏僻的农村来，真是咄咄怪

事！|在我们单位好人受压制、坏人倒张扬，真是咄咄怪事。

【哆嗦】 duōsuo 〔动〕

因为紧张、冷、激动等身体不由自主地抖动。(tremble)常做谓语、定语、补语、状语、宾语。

例句 老大娘哆嗦着身子来开门。|他哆嗦得像风中的树叶。|一双哆嗦着的手伸到我面前，吓了我一跳。|孩子冻得直哆嗦。|她的嘴唇激动得哆嗦起来。|老人哆哆嗦嗦地拿出一张照片。|A：孩子发高烧，一直打哆嗦。B：都这样了，你还不带他上医院？

辨析 〈近〉战栗(zhànlì)，颤动(chàndòng)。"战栗""颤动"多用于书面语，且也指身体以外的事物；"哆嗦"只指身体。如：* 空气哆嗦。(应为"空气战栗/颤动着")

【夺】 duó 〔动〕

❶ 强取，抢。(take by force)常做谓语。

例句 警察夺下了歹徒(dǎitú)手中的刀。|这个权利谁也夺不走。

❷ 争先取得。(contend for; strive for)常做谓语。

例句 这次比赛，我们夺了冠军。|A：冠军被他们夺回去了。B：没关系，下次我们再夺回来。

❸ 胜利、压倒。(win)常做谓语。

例句 她的表演先声夺人。|这件玉雕真是巧夺天工。

【夺得】 duódé 〔动〕

抢得到，争取到。(acquire)常做谓语、定语。

例句 他们公司夺得了优先开发权。|这次中国队夺得了好几个冠军。|夺得的权利不能再失去。|他们又丢掉了夺得的冠军。

【夺取】 duóqǔ 〔动〕

❶ 用武力取得。(capture)常做谓语、定语。

例句 这伙人想用武力夺取政权。|先头部队夺取了制高点。|夺取的方式是先炮击，然后冲上去。

❷ 努力争取。(strive for)常做谓语。

例句 尽管天旱，农民还是夺取了大丰收。|我们决心夺取更大的胜利。|代表队夺取了十块金牌。

辨析 〈近〉争取。"争取"的程度轻，但范围广，是中性词。如：夺取(争取)胜利　争取主动(进步、人心、感情、解放)

【朵】 duǒ 〔量〕

用于花、云彩或像花和云彩的东西。(*measure word*)常与数词构成短语，常做定语、宾语、主语、状语等。

例句 天上飘着朵朵白云。|她脸上泛起了两朵红晕。|他家的花开了一朵。|A：这花都给谁呀？B：一朵给新郎，一朵给新娘。|他把鲜花一朵一朵地撒在墓前。

【躲】 duǒ 〔动〕

躲避、躲藏。(hide; avoid)常做谓语。

例句 没带伞，只好在商店里躲一会儿雨。|他及时躲了一下，不然车就撞上了。|经理正在外地躲债。|A：不知为什么，她总躲着我。B：你这还不明白，见面没法说呗。

【躲避】 duǒbì 〔动〕

❶ 故意离开或隐藏起来，使人看不见。(hide)常做谓语、定语。

例句 姑娘躲避着别人的目光。|他

外出躲避了几天。|A:我一时找不到躲避的地方。B:要不,你在我这儿呆几天,想出解决的办法再回去。

❷ 离开对自己不利的事物。(avoid)常做谓语。

例句 不应该躲避困难。|找个地方躲避风雨吧。|他家躲避了这场灾难。

【躲藏】 duǒcáng 〔动〕

把身体隐蔽起来,不让人看见。(hide oneself)常做谓语、定语。

例句 他在山里躲藏了几天。|你们还是暂时躲藏躲藏吧。|你别躲躲藏藏的,其实别人早就看见了。|躲藏的罪犯被警察逮住了。

辨析 〈近〉隐藏。"隐藏"还指事物等。如:她心里隐藏着一个秘密。|*躲藏着秘密。("躲藏"应为"隐藏")

【舵】 duò 〔名〕

船、飞机等控制方向的装置。(rudder;helm)常做主语、宾语、定语。[量]个。

例句 舵由船长控制。|升降舵起很重要的作用。|他在船上掌舵。|船长赶忙转舵,才避免了一场事故。|这条船舵轮有毛病,得马上修。

▶"舵"在书面语中也比喻控制前进方向的权力等。如:李经理是公司的掌舵人。

【堕】 duò 〔动〕

落、掉。(fall;sink)常做谓语。

例句 孩子呱呱(gūgū)堕地了。|失事飞机堕入了大海。

【堕落】 duòluò 〔动〕

(思想、行为)往坏里变。(degenerate)常做谓语、定语、主语、宾语。

例句 他堕落得真快。|那个小伙子堕落成一个罪犯。|A:咱们不能眼看着他走上堕落的道路。B:那我们就找他好好谈谈,看他听不听劝。|他的堕落经历了一个过程。|她最痛心的是儿子的堕落。|从此,她开始堕落了。

【跺】 duò 〔动〕

用力踏地。[stamp(one's foot)]常做谓语。

例句 A:我觉得全身要冻僵了。B:快起来,跺跺脚吧。|他的脚用力跺在地上。|别跺了,楼下受不了。

E

E

【讹】 é 〔动/名〕

〔动〕威胁，借某种理由向人强行索取财物。(blackmail)常做谓语。

例句 这个坏小子常讹别人的钱。|当心，别让他讹着。|你讹不了我！

〔名〕错误。(incorrectness)常做定语、宾语。

例句 这是一个讹字。|那个消息完全是以讹传讹。

【俄语(文)】 Éyǔ(wén) 〔名〕

俄罗斯民族的通用语言。(Russian)常做主语、宾语、定语。

例句 俄语使用的人也很多。|俄语是联合国的工作语言之一。|中国不少老年人学过俄语。|A:你会说俄语吗？B:对不起，我不懂俄语。|俄语的语法很复杂。|我借着俄语词典可以看懂俄语资料。

【额】 é 〔名〕

❶ 人头发下面和眉毛上面的部分，通称"额头"。(forehead)常做主语、宾语、定语。

例句 那个人的额很宽。|他的额碰在门上了。|小伙子吻了一下姑娘的额。|爷爷摸着小孙子的额亲得不行。|护士把药水涂在额上边的患处。

❷ 规定的数目。(a specified number or amount)常用于构词，也做宾语、主语。[量]个。

词语 名额 超额 定额 总额 额外

例句 今年的奖学金增加了五个名额。|因为名额太少，我没去成。

【额外】 éwài 〔形〕

超出规定的数量范围。(extra; additional; added)常做定语、状语。也用于"是…的"格式。

例句 额外作业太多了！|做饭成了我的额外负担。|为提高成绩，有些学生常额外做一些练习。|这些东西是额外的，收下吧。

【恶心】 ěxin 〔动〕

要呕吐的感觉，也指令人感到厌恶。(feel sick; disgust; feel nauseated)常做谓语、定语、宾语、补语。

例句 我不舒服，一阵一阵地恶心。|说这话，真让人恶心。|这种人恶心透了。|没想到还有这样恶心的地方。|恶心的感觉真难受。|你病了吧？感觉恶心吗？|这种药能治恶心。|他说得太恶心了！

【恶】 è 〔形〕 另读 ě，wù

凶狠，坏。(vicious; fierce; malicious)用于构词。也做谓语。

词语 恶霸 恶毒 恶果 恶化 恶劣 恶习 恶意 恶性

例句 恶霸(bà)受到了惩罚。|双方恶战了一场。|那人太恶了！

▶"恶"也做名词，指坏行为或罪行。如：罪大恶极 疾恶如仇

【恶毒】 èdú 〔形〕

指语言、手段、心术等阴险狠毒。(vicious; malicious)常做谓语、定语、补语、状语。

例句 这种做法十分恶毒。|手段这样恶毒，令人无法想象。|恶毒的人不会有好下场的。|没想到他竟说出那么恶毒的话。|你表现得太恶毒了！|这完全是恶毒攻击！

【恶化】 èhuà 〔动〕

向坏的方面变化，使变坏。（worsen; deteriorate）常做谓语、定语、宾语。

例句 这两个国家的关系已经恶化了。|这种做法更加恶化了局势。|已经恶化的病情又得到了控制。|老人的病是从上半年开始恶化的。

【恶劣】 èliè 〔形〕

特别坏。（very bad; abominable）常做谓语、定语、补语。

例句 这个人品行恶劣。|这种手段实在恶劣极了。|这么恶劣的环境，人怎么生存呢？|我没想到对方竟采取了这么恶劣的做法。|他做得太恶劣了！

【恶性】 èxìng 〔形〕

能产生严重后果的。（malignant; vicious）常做定语，状语。也用于"是…的"格式。

例句 昨晚发生了一起恶性交通事故。|恶性肿瘤（zhǒngliú）很难医治。|要减少恶性案件的发生。|这样下去，社会是会恶性发展的。|检查结果，胃里的瘤不是恶性的。

【饿】 è 〔形/动〕

〔形〕肚子空，想吃东西。（hungry）常做谓语、状语、定语、宾语。

例句 孩子饿得直哭。|那次旅游的时候饿了一天。|我是饿着来上课的。|体检得饿着做。|那饿虎在笼子里直叫。|饿的时候吃什么都香。|爷爷奶奶小时候常常挨饿。

〔动〕使挨饿。（starve）常做谓语。

例句 可别饿着这些小动物。|现在不吃饱路上就要饿肚子了。|孩子不吃饭不要紧，饿他一顿就好了。

【恩】 ēn 〔名〕

给予或得到的好处。（favour; grace; kindness）常做主语、宾语。

例句 你的大恩我一辈子也忘不了。|这个恩怎么报答才好呢？|滴水之恩当涌泉相报。|全村人都感谢老人的救命之恩。|以前老人帮助过他，现在他要报恩。|人不能忘恩。|您对我有恩，让我做什么就直说吧。

【恩爱】 ēn'ài 〔形〕

夫妻间亲亲热热的。（affectionate love）常做谓语、定语、状语、主语。

例句 这对夫妻很恩爱。|婚后小两口一直恩恩爱爱的。|他俩是一对恩爱夫妻。|老夫妻恩恩爱爱地生活了几十年。|两口子的恩爱令人羡慕。

【恩情】 ēnqíng 〔名〕

深厚的情义。（loving-kindness）常做主语、宾语。[量]个。

例句 这个恩情我永远忘不了。|大妈对孤儿的恩情比父母还深。|如何才能报答老师的恩情呢？

【恩人】 ēnrén 〔名〕

对自己有大恩的人。（benefactor）常做主语、宾语、定语。[量]个，位。

例句 孩子的救命恩人就是去年来帮助秋收的解放军。|您就是我们的恩人哪！|灾民们特别感谢恩人。|恩人的恩德像大海一样深。|我永远也忘不了恩人的帮助。

【儿】 ér 〔名〕

指小孩子，或年轻男人。（child; youngster）多用于构词或用于固定短语中。

词语 婴儿 幼儿 儿女 男儿 儿歌 儿童 生儿育女

【儿女】 érnǚ 〔名〕

儿子和女儿，也指男人和女人。（sons and daughters; young man

E

and woman)常做主语、宾语、定语。

例句 儿女长大了,父母就老了。|儿女都应该孝敬父母。|这位老人有一大群儿女。|这对夫妻生了五个儿女。|儿女的事情父母就不要多管了。|这小伙子很重儿女情。

【儿女情长】 érnǚ qíng cháng 〔成〕

常常指过多的男女之情。(be immersed in love)做谓语、定语。

例句 别太儿女情长。|现在电影里儿女情长的场面很多。

【儿童】 értóng 〔名〕

较幼小的未成年人。(一般是十岁以下的孩子)。(children)常做主语、宾语、定语。[量]个。

例句 儿童是国家的未来。|现在的儿童多么幸福啊!|国家有法律保护儿童。|全社会都十分关心儿童。|儿童读物是专门给孩子看的。|商店里儿童用品非常丰富。

【儿子】 érzi 〔名〕

男孩子(对父母来说)。(son)常做主语、宾语、定语。[量]个。

例句 我儿子是个电脑工程师。|老人的儿子在中国学习汉语。|李家有两个儿子。|我家的女儿比儿子孝顺。|儿子的玩具太多了。|父母总想着儿子的前途。

【而】 ér 〔连〕

❶ 表示前后两项在语意上同等、相承或递进。(and;as well as)连接非名词并列成分。

例句 那个姑娘有一双大而黑的眼睛。|这个孩子聪明而活泼。|我是因喝酒而出的车祸。|他是一个很有天分而又很努力的学生。

❷ 表示转折与假设。(but;if)连接对立的两项。

例句 这道菜肥而不腻。|这件事做得好而花时间少。|只会听说而不会读写,这不算学好了汉语。

辨析 〈近〉却。"却"是副词,"而"可以在主语前,"却"不能。

❸ 表示目的、原因、方式、时间等。(for)连接状语和谓语。

例句 玛丽为了学汉语而来到中国。|为开会而开会,就是浪费时间。|春天匆匆而来,又匆匆而去。

❹ 表示由一种状态过渡到另一种状态。(from)连接词或短语。

例句 这位老人骑车由南而北,走遍了全国。|他由上而下,把这块路牌认真地看了一遍。|不能一而再、再而三地说错话。

❺ 表示"如果"。(if)插在主语、谓语中间。

例句 冬天而不冷说明气候反常。|领导而脱离群众,就不是好领导。

【而后】 érhòu 〔副〕

以后,然后。(then; after that)常做状语。

例句 老师说了一会儿,喝了口水,而后又接着说。|作文课上,他写了一段,而后想了很久才继续写。|他坐了一会儿就走了,而后再没回来。

辨析 〈近〉以后。"以后"是名词,可以单独使用;"而后"则不能。只能做状语。如:* 毕业而后,我想读研究生。("而后"应为"以后")

【而且】 érqiě 〔连〕

表示进一步。(and also; but also)常用在递进(dìjìn)复句的第二个分句前面,与"不但","不仅"配合。也可以连接两个词或短语。

例句 老师不仅课讲得好,而且人

也很好。|对留学生来说，和中国人交流也是学习，而且是很重要的学习。|这支笔好看而且便宜。|小伙子热情而且大方。|不但中国，而且几乎所有的国家都参加了这次夏季奥运会。

辨析 〈近〉并且。“而且”的语气比“并且”强；“而且”可以连接两个单音节形容词，“并且”不能；“并且”可以放在主语、谓语中间，“而且”不能。如：* 快并且好。（“并且”应为“而且”）| * 不但要说到，我们而且要做到。（“而且”应为“并且”）

【而已】 éryǐ 〔助〕

罢了，不过如此。（that is all; nothing more）放在陈述句的句尾常与“不过”等配合。

例句 这个人只不过会说几句汉语而已。|这东西便宜，不过几元钱而已。|我只是说说而已，没有别的意思。|这事没什么，如此而已。

【耳朵】 ěrduo 〔名〕

听觉器官。（ear）常做主语、宾语、定语。[量]只，个，对。

例句 父亲年迈，耳朵不太灵了。|谁耳朵好，过来听听。|医生摸了摸孩子的耳朵，说没事。|兔子长着一对长耳朵。|耳朵的作用是听声音。

【耳目一新】 ěr mù yì xīn 〔成〕

听到的、看到的都跟以前不同，感到很新鲜。（find everything fresh and new）常做谓语、定语。

例句 刚来的时候，看到的事使留学生耳目一新。|新同学的演讲令人耳目一新。|留学生的表演给人耳目一新的感觉。

【二】 èr 〔数〕

数目，一加一是二。（two）常构成短语，固定短语使用。也做宾语、主语。

词语 二月 二楼 第二 二线 接二连三 一分为二 独一无二

例句 三减二等于一。|二乘以三得六。

辨析 〈近〉两。读数时不用“两”，读一，二，三；序数用“二”不用“两”，如“二楼”、“二班”；小数、分数用“二”，如“三分之二”。在一般量词前，用“两”不用“二”，如“两本书”、“两个人”；中国传统度量衡单位前多用“二”，也可以用“两”，如“二/两尺”、“二/两斤”；在国际有度量衡单位前一般用“两”，如“两公尺”、“两公斤”；在多位数中，十、个位用“二”，如“五百二十二”，百、千、万、亿位，“两”、“二”都可用。如“二/两百”、“二/两千”、“二/两万”。

【二氧化碳】 èryǎnghuàtàn 〔名〕

一种无色无臭的气体，动物呼出这种气体，植物可吸收它。（CO_2; carbon dioxide）常做主语、宾语、定语。

例句 二氧化碳是一种化合物。|二氧化碳可以用来灭火。|这家化工厂生产二氧化碳。|二氧化碳的作用也不少。

【二战】 Èrzhàn 〔名〕

第二次世界大战的简称。（World War Ⅱ）常做主语、宾语、定语。

例句 二战爆发于 1939 年。|二战历史值得后人思考。|博物馆中收藏了很多二战时期的文物。

【贰】 èr 〔数〕

“二”的大写。（two）用于正规场合的书写，如填写发票等票据是“二”，应写为“贰”。

词语 贰佰元整 贰拾贰元贰角

E

F

【发】 fā 〔动〕 另读 fà

❶ 发射。(shoot)常做谓语。

例句 马上发信号弹！|这两颗导弹同时发！|信号已经发出去了。|电波已经发了好半天了，还没见回音。

❷ 送出；交付。(send out; deliver)〈反〉收。常做谓语。

例句 在318房间发教材。|我已经给他发了一封电子邮件了。|这车货两天之内发不了。|工资才发了一星期，我已经快花光了。

❸ 产生；发生。(come or bring into existence; become; turn)常做谓语。

例句 这些天雨多，太潮湿，房间里好多东西都发霉了。|春风一吹，草就开始发芽了。|夏天是肠道疾病最容易发病的季节。|这个小型发电机坏了，发不了电了。

❹ 表达；下达；说出。(express)常做谓语。

例句 您发命令，我们干！|讨论会上，请大家多发言。|他着急地向我发起誓来。|我也不过是随便发发议论，请别当真。|这几个音，小王一直发不好。

❺ 得到大量财物。(get rich)常做谓语。

例句 改革开放以后，他们办了几个厂，效益都很好，从此就发了。|如果我发了财，一定忘不了大家。|他拼命工作了几年，就发起来了。|你给大家讲讲发家的经验吧。

❻ 食物因发酵或水泡而膨胀。〔(of foodstuffs) rise or expand when leavened or soaked〕常做谓语。

例句 发点儿木耳。|海参我总发不好。|面发不好，蒸的馒头就不好吃。

❼ 因变化而显现、散发。(become)常做谓语。

例句 这些书的纸都发黄了。|她嘴唇发青，口吐白沫，倒在了地上。|春天到了，草坪开始发绿了。|这个房间的隔壁是水房，发潮。

❽ 感到(多指不愉快的情况)。(feel; have a feeling)常做谓语。

例句 这几天，我经常手发麻。|快把药吃了，夜里就不发烧了。|早上起来，他觉得嗓子发干，嘴发苦。

❾ 流露(感情)。(show; appear)常做谓语。

例句 最近，他为什么时常发脾气？|随便发牢骚可不好。|她心情不好，总发火。|人家又没惹你，你发什么疯？

▶ “发”还有量词的用法，常用于枪弹、炮弹。如：枪膛里一共装了六发子弹。|炮弹还剩十来发了。

【发表】 fābiǎo 〔动〕

❶ 宣布，公开表达。(announce; utter; issue)常做谓语。

例句 今天的会上，每个人都发表了自己的见解。|这个意见发表出去，很多人会不满意的。

❷ 在报刊上登载。(publish)常做谓语、定语。

例句 最近，他在报纸上发表了一篇很好的文章。|我写的那首诗歌已经发表了。|我记得那篇文章发表在《学汉语》上。|论文写好了，可是没有发表的机会。

【发病】 fā bìng 〔动短〕

某种疾病在体内开始发作，旧病复

发。(of a disease come on)常做谓语(中间可插入成分)、宾语、定语。

例句 每年冬季他至少发一次病。|他带病坚持工作,一直到发病才住进医院。|夏季是胃肠容易发病的季节。

【发布】 fābù 〔动〕

公开发表,宣布。(issue; release)常做谓语、定语。

例句 昨晚,气象台发布了强台风的消息。|这条新闻发布过两次了。|电视台发布了降温消息,你知道吗?|新闻发布会刚刚结束。

辨析 〈近〉宣布。"发布"和"宣布"所搭配的宾语不同。"发布"的宾语一般是命令、指示、新闻、消息等;"宣布"的宾语一般是法令、罪行、名单、结果等。"宣布"后边还可带动词性宾语:开会、开幕、弃权、退场、国家成立等。如:* 校长发布了毕业生名单。("发布"应为"宣布")|* 现在发布大会纪律。("发布"应为"宣布")

【发财】 fā cái 〔动短〕

获得大量钱财。(get rich)常做谓语(中间可插入成分)、定语。

例句 他发财了,可没忘记乡亲们。|工作都没有了,还发什么财?|他抓住一个发财的机会,自己成立了公司。

【发愁】 fā chóu 〔动短〕

因为没有主意或办法感到愁闷。(worry)常做谓语、定语、宾语。

例句 孩子没考上大学,她很发愁。|发什么愁?赶快想想解决的办法吧。|生活中发愁的事多着呢,想开点儿吧。|想想过去常为吃穿发愁的日子,现在就该知足了。|遇到麻烦事,他就知道发愁。

【发出】 fāchū 〔动〕

❶ 发生(声音、疑问等)。(send out)常做谓语、定语。

例句 会场上不时发出阵阵笑声。|他实在是太累了,一躺到床上,就会发出很大的鼾声。|响尾蛇的尾巴能发出声响。|我洗漱时发出的声响,惊动了同屋。|听到孩子们发出的天真的笑声,我的心情渐渐地开朗起来。

❷ 发表、发布(命令、指示等)。(issue)常做谓语、定语。

例句 政府发出了"保护环境"的号召。|最近,交通部门发出了整顿交通秩序的通告。|总部发出的命令,你们收到了吗?|市政府发出的向劳动模范学习的通知刊登在昨天的报纸上。

❸ 送出(货物、信件等)。(send)常做谓语、定语。

例句 给家里的信已经发出十多天了,怎么还不见回信?|(供货人给货主的电报)货已发出,请查收。|末班车已经发出,再过二十分钟就能到达终点站。|这是马上要发出的稿子。

【发达】 fādá 〔形〕

事业兴盛或事物已有充分发展。(developed; flourishing)常做谓语、定语。

例句 国家兴旺发达了,人民的生活水平才会提高。|这是个海滨城市,旅游业很发达。|他是运动员,肌肉发达极了。|美国是一个经济发达的国家。|发达的交通是经济繁荣的基础。

【发电】 fā diàn 〔动短〕

发出电力。(generate electric power)常做谓语、定语。

例句 这个电站靠水力发电。|停电时,可以用备用发电机发电。|3号发电机组已经安装好了。|这儿要建一个原子能发电站。

【发动】 fādòng 〔动〕

❶ 使开始。(start; launch)常做谓语。

例句 他们不遵守停战协议,再次发动了战争。|蓝队又一次向红队发动了进攻。

❷ 动员、鼓动。(arouse; mobilize)常做谓语。

例句 想做好这件事,还是去发动一下大家吧。|市政府发动全市市民开展爱国卫生运动。|老师发动同学参加演讲比赛。

❸ 使机器运转。(start)常做谓语。

例句 小李正在发动机器呢。|天气太冷时,不加防冻液,汽车发动不了。

【发抖】 fādǒu 〔动〕

由于害怕、生病、寒冷等原因而身体颤动。(shiver; shake; tremble)常做谓语、补语。

例句 小狗刚洗完澡,浑身发抖。|她突然晕倒了,脸色苍白,嘴唇发抖。|我们穿得太少,冻得发抖。|那个女人吓得浑身发抖。

【发奋图强】 fāfèn tú qiáng 〔成〕

下定决心,努力谋求富强。(make determined effort to do sth. well; go all out to make the country strong)常做谓语。

例句 只要我们发奋图强,共同努力,我们的事业就一定会成功。|我们应该发奋图强,自力更生,改变贫困落后的面貌。|要使国家早日成为现代化强国,我们就必须发奋图强。

【发挥】 fāhuī 〔动〕

❶ 把内在的性质或能力表现出来。(bring into play)常做谓语。

例句 设备使用不当,就发挥不了作用。|应当充分发挥孩子们的想象力和创造力。|这场球赛,主队的水平没发挥出来。|应该把愿意参加的人组织起来一起干,发挥大家的积极性。

❷ 把意思或道理充分表达出来。(develop; elaborate)常做谓语。

例句 这个论点不错,但是需要进一步发挥。|他发挥了小李的意见。|修改的时候,你把这层意思再发挥发挥。

【发火】 fā huǒ 〔动短〕

发脾气。(get angry)做谓语、定语、宾语。

例句 别为这点儿小事发火。|发发火就算了,别记在心上。|他发火的时候,你别理他。|他就爱发火,可发一通火以后就没事了。

【发觉】 fājué 〔动〕

开始知道以前没有注意到的事情。(find; discover)常做谓语。

例句 他没想到,那件事已经让人发觉了。|她好像并没发觉我们。|回到家里,他才发觉自己受了伤。

【发明】 fāmíng 〔动/名〕

〔动〕创造出新事物或新方法。(invent)常做谓语、定语。

例句 传说锯是鲁班发明的。|他发明了一种新的研究方法。|电影已经发明一百多年了。|新方法发明出来以后,生产起来省力多了。|他发明的方法使生产提高了两倍多。|这些都是新发明的工具。

〔名〕创造出的新事物或新方法。(invention)常做主语、宾语和定语。[量]项,个。

例句 这项发明很有意义。|爱迪生一生有很多发明。|指南针是中国古代四大发明之一。

【发票】 fāpiào 〔名〕

商店卖出货物后给顾客的收款单据。(invoice)常做主语、宾语、定语。[量]张。

例句 这张发票开错了。|麻烦您,请给我开张发票。|发票的日期写错了,您给我改一下,好吗?

【发起】 fāqǐ 〔动〕

❶ 倡议(做某件事情)。(initiate; sponsor)常做谓语、定语。

例句 这次活动是几个年轻人发起的。|他们发起了那次义演(yìyǎn)活动。|《英汉辞典》由十几位专家发起编写。|是他们几个发起组织了书法活动小组。|老李是合唱团的发起人。|各个发起单位都应该派人参加这届大会。

❷ 发动(冲锋、进攻等)。(launch)常做谓语。

例句 他们发起了一次大规模的进攻。|傍晚,敌人发起了第三次冲锋。|这次进攻由我方首先发起。

【发热】 fā rè 〔动短〕

❶ 温度增高,产生热量。(give out heat)常做谓语、定语。

例句 太阳是一颗恒星,能够发光发热。|这台录放像机用了六个小时了,都发热了,停一会儿散散热吧。|月亮不是能发光发热的星体。

❷ 发烧。(have a fever)常做谓语。

例句 他发热、流鼻涕,可能是感冒了。

❸ 比喻不冷静,不清醒。(be hot-headed)常做谓语。

例句 遇事要冷静,不要头脑发热。

【发人深省】 fā rén shēn xǐng 〔成〕

启发人们深刻思考而醒悟。(call for deep thought; provide food for thought; set people thinking)常做谓语、定语。

例句 她的作品往往能发人深省。|他从一个高级干部堕落为罪犯的过程的确发人深省。|什么原因让他变成了罪犯呢?这才应该是发人深省的地方。

【发烧】 fā shāo 〔动短〕

体温增高,超过正常标准,是疾病的一种症状。(have a temperature)常做谓语,中间可插入成分。

例句 大夫,我嗓子疼,还有点儿发烧。|你发不发烧?|孩子发烧烧得很厉害,快带他去医院吧。|她最近一直发低烧。

【发射】 fāshè 〔动〕

射出(枪弹、火箭、电波、人造卫星等)。(launch; fire)常做谓语。

例句 1970 年,中国发射了第一颗人造卫星。|中国成功地发射了载人飞船。|火箭发射成功了!

辨析 〈近〉放射。"发射"、"放射"都是动词,"发射"需有人为的力量,而"放射"常是自动的。如:* 火红的太阳发射出夺目的光芒。("发射"应为"放射")

【发生】 fāshēng 〔动〕

原来没有的事出现了;产生。(happen)常做谓语、主语、宾语。

例句 他酒后驾车,发生了交通事故,撞伤了一个人。|几年没来,这

F

个城市发生了巨大的变化。|他们俩为了一件小事发生了争吵。|事情发生得很突然,让人完全没有准备。|这次火灾的发生,损失是严重的。|每个人都应该自觉遵守交通规则,防止交通事故的发生。

【发誓】 fā shì 〔动短〕
庄严地说出表示决心的话或对某事提出保证。(swear)常做谓语、定语。

例句 你发誓,一定不对别人说这件事。|他已经发了几次誓,没用。|我发誓一定说真话。|我向上天发誓我一定永远爱你,决不变心。|他发誓的情景你忘了吗?|你发过誓之后并没做。

▶"发誓"不带名词性宾语。

【发售】 fāshòu 〔动〕
出售(票、纪念品等)。(sell; put on sale)常做谓语。

例句 集邮公司明天开始发售生肖邮票。|原始股票已经发售完毕。|纪念金卡现场发售。

【发现】 fāxiàn 〔动〕
❶ 看到或找到以前不知道的事物或规律。(discover; find)常做谓语、定语。

例句 哥伦布发现了新大陆。|他们发现了一条上山的小路。|她发现这是一种新元素。|这个矿已经发现了好多年了。|没想到孩子发现的这条小路竟是最近的路。

❷ 发觉。(notice; find)常做谓语。

例句 她发现了他的秘密。|我发现同屋这几天不高兴。|幸亏事情发现得早,不然就糟了。|如果发现得不及时就麻烦了。|你不说,谁也发现不了。

【发行】 fāxíng 〔动〕
发出新印制的货币或新出版的书刊、新制作的电影等。(issue; publish; distribute)常做谓语、定语。

例句 最近发行了一种新邮票,你去买了吗?|那个公司发行了一张新唱片,非常好。|这本教材已经发行了两次了。|上个月发行的金币全都卖完了。|新发行的那部影片很不错。

【发言】 fā yán 〔动短〕
发表意见(多指在会议上,课堂上等)。(speak; make a statement or speech)常做谓语、定语、主语、宾语。

例句 请大家积极发言。|他在全班大会上发过言。|在会上,他发了两次言。|他发言的内容很有意思。|我的发言稿已经写好了。|校长的发言很受大家欢迎。|请您准备好明天的发言。

【发炎】 fāyán 〔动〕
身体某部位红肿。(inflame)常做谓语(不带宾语)、定语。

例句 大夫,我腿上的伤口发炎了。|他嗓子发炎了。|发炎的部位一定要坚持上药。|发炎的时候,不能做手术。

【发扬】 fāyáng 〔动〕
发展和提倡(优良传统和作风等)。(develop)常做谓语、宾语。

例句 这种乐于助人的精神应该发扬。|在选举中要充分发扬民主。|我们要发扬爱国主义的精神。|现在民主得到了发扬。

【发扬光大】 fāyáng guāngdà 〔成〕
使好的事物在原来的基础上发展、提高和扩大。(carry forward)常做谓语、宾语。

例句 要把这种优良作风发扬光大。|我们应当把优良的民间艺术继承下来，并且加以发扬光大。

【发育】 fāyù 〔动〕

人或生物成熟之前，机能和构造逐渐变化、壮实。(grow; develop)常做谓语、定语。

例句 只要一个月，这种植物的种子就能发育成熟。|十八岁时他已发育得很壮实了。|儿童发育时期一定要注意营养。

【发展】 fāzhǎn 〔动/名〕

〔动〕事物从小到大、从简单到复杂、从低级到高级的变化。(develop)常做谓语、定语。

例句 我们要大力发展旅游事业。|发展体育事业，增强人民体质。|中国的对外贸易发展得很快。|这项工作发展到今天，很不容易。|不同的发展阶段应有不同的发展目标。|现在，这个工厂发展的规模已经很大了。

〔名〕指变化的趋势。(development)常做主语、宾语。

例句 这项事业的发展很不错。|改革促进了生产的发展。

辨析 〈近〉发达。“发展”着重指事物有规律、有步骤地进展。如：事态还在发展。“发达”着重指事物经过充分发展，已经到达繁荣兴旺的地步。如：这个地区的轻工业十分发达，买什么有什么。

【伐】 fá 〔动〕

❶ 砍(树)。(fell; cut down)常做谓语。

例句 绝不允许乱砍滥(làn)伐。|他们早上五点钟就上山伐木去了。|他是个伐木工人，一天能伐上百棵树。

❷ 攻打；讨伐。(attack; send armed force to suppress)常用于固定的名称、短语中。

例句 北伐战争失败后，他去了北京。|对坏人坏事，就是要口诛笔伐。

【罚】 fá 〔动〕

处罚。(punish)常做谓语。

例句 他来晚了，罚他三杯酒。|她答错了，罚唱歌。|那位司机因违反交通规则被罚了钱。|一个队员被红牌罚下场了。|大家罚他明晚请客。|随地吐痰，罚你十块钱。

【法】 fǎ 〔名〕

❶ 法律、刑法等。(law)可做主语、宾语。

例句 法包括法律、法令、条例、命令、决策等。|各种法是每个公民都要遵守的。|他犯了法，被判了五年徒刑。|人人都应该学法懂法，遵纪守法。

❷ 方法。(method)常做主语、宾语。[量]个，种。

例句 汉字的造字法，我还没学过。|这种方法叫部首检字法。|你想个法儿吧。

【法定】 fǎdìng 〔形〕

由法律、法令所规定的。(legal; statutory)常做定语。

例句 中国的春节、新年、五一劳动节、国庆节都是法定休息日。|人民币是中国的法定货币。|中国法定的结婚年龄是：男 22 岁，女 20 岁。

【法官】 fǎguān 〔名〕

法院中司法和审判人员的通称。(judge)常做主语、宾语、定语。[量]位，个。

例句 那位法官执法非常严格。|

F

她想当一个女法官。|法官的工作是神圣的。

【法规】 fǎguī 〔名〕

法律、法令、条例、规则、章程等的总称。(laws and regulations; statutes)常做宾语、主语、定语。[量]项。

例句 这些都是有关环境保护的法规。|为了保障大家的安全,应该严格遵守交通法规。|大家都要按法规办事。|这项法规还需要修改。|这项法规的制定有效保护了国家财产的安全。

【法令】 fǎlìng 〔名〕

政府所颁布的命令、指示、决定等的总称。(laws and decrees)常做宾语、主语、定语。[量]项。

例句 留学生要遵守所在国家的法令。|最近,省政府颁布了一项新法令。|政府的法令具有权威性。|我们再讨论一下法令的细则。

【法律】 fǎlǜ 〔名〕

由立法机关制定、国家政权保证执行的行为规则。(law)做主语、宾语、定语。[量]项。

例句 民事法律全体公民都必须遵守。|触犯法律也可以简单说是"犯法"。|制定法律是立法机关的事,遵守法律是每个公民的事。|法律的尊严应当是至高无上的。

【法人】 fǎrén 〔名〕

法律上指根据法律参加民事活动的组织,如公司、社团等(区别于"自然人")。(legal person; artificial person)常做主语、宾语、定语。[量]个。

例句 法人承担一定的责任。|一个公司是一个法人。|王经理是我们公司的法人代表。|你们公司的法人代表是谁?

【法庭】 fǎtíng 〔名〕

审理案件的地方、机构。(court; tribunal)常做主语、定语、宾语。[量]个。

例句 法庭可不是人们喜欢去的地方。|经济法庭是负责调节经济纠纷的地方。|法庭上的气氛很严肃。|法庭旁听席上,早已挤满了人。|法院一般设有几个不同的法庭。|律师在法庭上极力为他辩护。

【法语(文)】 Fǎyǔ(wén) 〔名〕

法国语言。(French)常做主语、宾语、定语。[量]句,点儿。

例句 法语是联合国工作语言之一。|他虽然住在法国,但法语并不是他的母语。|她一句/一点儿法语也不会。|他说的是法语吗?|请问,你会说法语吗?|请用法语回答我的问题。|我们今天没上法语课。|法语语法难不难?

辨析 〈近〉法文。"法语"常与"说"、"听"等动词搭配,"法文"常跟"写"、"印刷"等动词搭配。

【法院】 fǎyuàn 〔名〕

独立行使审判权的国家机关。(court of justice)常做主语、宾语、定语。

例句 人民法院是保护人民利益的。|市法院就在人民广场的西边。|法院受理民事、刑事等各种诉讼。|那座大楼就是法院。|为了遗产,他们兄弟俩要去法院打官司。|他在法院工作。|法院的职能是什么?|每星期五是法院院长的接待日。

【法则】 fǎzé 〔名〕

规律。(rule; law)常做主语、宾语。[量]条,项,个。

例句 乘法法则很简单，记住口诀最重要。|生老病死，这个自然法则谁也无法抗拒。|请大家记住这几条运算法则。|按照自然法则，每个人都将死去。

【法制】 fǎzhì 〔名〕
法律制度。(legal system)常做主语、宾语、定语。
例句 法制在不同的国家，有不同的表现形式和具体内容。|健全的法制保障民主的发扬。|我们应该加强法制，健全法制。|这是一个法制国家，很多事物都离不了律师。|每个公民都要增强法制观念。

【法子】 fǎzi 〔名〕
方法、办法。(method; way)常做主语、宾语。[量]个。
例句 这法子不错。|小李说的那个法子行不行，大家讨论一下吧。|他常常能想出一些跟大家不同的法子来。|快把你的法子说给我们听听？
辨析 〈近〉方法 。语体色彩不同。"法子"常用于口语中；"方法"口语、书面语中都可以用。

【发】 fà 〔名〕 另读 fā
头发。(hair)常做主语、宾语、定语。
例句 十年没见，他白发苍苍了。|我只会理发，不会烫发。|她的发丝又细又软。

【发廊】 fàláng 〔名〕
多指小型的美容理发店。(hair salon)常做主语、宾语、定语。[量]个，家。
例句 新开的这家发廊不错。|学会理发以后，他开了一个发廊。|这发廊的房子是租的。

【帆】 fān 〔名〕
船上挂的布篷，利用风力使船前进。(sail)常做主语、宾语、定语。[量]张，个。
例句 比赛正激烈时，红队船上的帆突然坏了。|他的船上有两张帆。|台风过后，渔民们又扬帆出海了。|控制好船帆，这在帆船比赛中很重要。|这些船、帆的颜色都很鲜艳。

【帆船】 fānchuán 〔名〕
利用风力张帆行驶的船。(sailing boat or ship)常做主语、宾语、定语。[量]艘，只，条。
例句 顺风时，帆船行驶得很快。|比赛还没开始，参赛的二十只帆船整齐地排列在海上。|他很想有一艘自己的帆船。|小男孩用纸叠了一只小帆船，轻轻地放在水面上。|那艘帆船的式样真漂亮！|风很大，帆船的速度很快。

【番】 fān 〔量〕
❶ 种、片、席等。(kind)表物量，前边的数词常是"一"。
例句 这里真是别有一番天地。|这么做，也是他的一番好意啊！|听了老师的一番话，我心里暖烘烘的。
❷ 遍、回、次等。(time)表动量。
例句 他又解释了一番，我才明白。|你最近三番五次地到这儿来，一定是有事儿吧？
❸ 倍。(times;-fold)只限用于动词"翻"后。
例句 这几年，我校图书馆的藏书量翻了两番。(是原来的四倍)|他们厂的钢铁产量翻了一番。(是原来的两倍)
▶ "翻几番"是原数乘以几个"2"，如"10翻三番"，就是：10×2×2×2＝80。

【番茄】 fānqié 〔名〕

一种植物，这种植物的果实是普通蔬菜。(tomato)常做主语、宾语、定语。[量]棵，个，种。

例句 番茄是一种富含维生素C的蔬菜。|这种又小又红的番茄是新品种。|她在院子里种下了几棵番茄。|番茄的产量很高。

▶“番茄”又名“西红柿”。“番茄”不常用于口语。

F

【翻】 fān 〔动〕

❶ 上下或内外等交换、改变位置；歪倒；反转。(turn upside down or inside out; turn over)常做谓语。

例句 他翻了翻身，又睡着了。|拖拉机翻到沟里了。|胳膊受伤以后，他翻不了跟斗了。

❷ 翻找。(turn over and search)常做谓语。

例句 你别在箱子里乱翻！|儿子在翻抽屉找玩具呢。|(老师对学生说)请把书翻到第35页。|那些旧照片，我翻出来了。|那本书哪儿去了？我在书架上翻了半天也没翻到。

❸ 推翻原来的(对象多为供词，案件等)。(reverse)常做谓语。

例句 他正在翻那桩历史的旧案。|那个犯人翻过两回口供了。|他的案子翻不了。

❹ 爬过；越过。(get over; cross)常做谓语。

例句 再翻一座小山就是我们村。|翻过那座山就到了。|我们翻山越岭，两天后才到达目的地。

❺ (数量)成倍地增加。只构成“翻…番”。(multiply)常做谓语。

例句 我们厂的产量今年能翻两番。|今年公司的销售收入大概翻不了一番。

❻ 翻译。(translate)常做谓语。

例句 这个月，我要翻两篇英文资料，你说的那篇论文，下个月再翻，行不行？|这段文章里，有几个词翻错了，再修改一下吧。

❼ 对人的态度突然变得不好了。(fall out; break up)常做谓语(宾语常常是“脸”)、补语。

例句 她跟我突然翻了脸，我也不清楚是为了什么。|我们俩是好朋友，翻不了脸。|他们两个最近闹翻了。

【翻身】 fān shēn 〔动短〕

❶ 躺着转动身体。(turn over)常做谓语、定语。

例句 那个病人不能翻身。|她翻了几次身也睡不着，干脆坐起来看书。|我腰痛，翻不了身了。|他累得连翻身的力气也没有了。|听见孩子翻身的声音，她马上就醒了。

❷ 比喻从受压迫、受剥削的情况下解放出来。(free oneself)可做谓语、定语。

例句 解放后，劳动人民翻身做了主人。|翻身户都分到了土地，别提有多高兴了。

❸ 比喻改变落后面貌或不利处境。(bring about an upswing)常做谓语、定语。

例句 我们公司要翻身，必须彻底改革。|我们村要打一场翻身仗，改变贫困的面貌。

【翻译】 fānyì 〔动/名〕

〔动〕把一种语言的意义用另一种语言文字表达出来。(translate; interpret)常做谓语、定语。

例句 他专门翻译长篇小说。|我的

老师翻译了孔子、孟子的著作。|请帮我把这封信翻译翻译。|这部电影翻译得不错。|这篇古文,我翻译了一下午,累死我了。|请把这些密码翻译过来。|他翻译的速度很快。|翻译的小说,他喜欢,我不喜欢。

〔名〕做翻译工作的人。(translator; interpreter)常做主语、宾语、定语。[量]个,位。

例句 那位翻译很年轻。|她已经当了五年翻译了。|他的汉语很好,不需要翻译的帮助。

【凡】 fán 〔副〕

❶ 总括某范围的一切,所有。(all)常用于句首,做状语。

例句 凡年满十八岁的公民都有选举权与被选举权。|凡跟他接触过的人,没有不喜欢他的。

❷ 总共,一共。(altogether)常用在数量词语前,做状语。

例句 全书凡二十卷。|这座桥凡长 40 米,宽 15 米。

【凡是】 fánshì 〔副〕

总括某个范围内的一切。(every; any; all)常用于句首,做状语。

例句 凡是重要的问题,都要大家一起讨论决定。|凡是考试不及格的同学都要参加补考。|凡是有客人来,都是爸爸做饭。

【烦】 fán 〔形/动〕

〔形〕❶ 心情不好。(vexed; annoyed)常做谓语。

例句 生意最近不好,心里很烦。|这几天,他心烦意乱,常发脾气。|我烦得很,你别唱了!

❷ 因麻烦而讨厌。(tired)常做补语。

例句 这些话我都听烦了。|每天都吃一样的菜,都吃烦了。

❸ 又多又乱。(superfluous and confusing)常用于构词。

词语 纷烦 烦杂

〔动〕烦劳;使厌烦(trouble)。常做谓语。

例句 烦您给他带个信儿。|那个人真烦人。|请别烦我!

【烦闷】 fánmèn 〔形〕

心情不畅快。(be unhappy)常做谓语、定语、主语、宾语。

例句 外边,雨下个不停,真让人烦闷。|这几天,我烦闷极了,你陪我去海边散散步吧。|看到好朋友那烦闷的样子,我很难过。|只有我一个人,心中的烦闷向谁说呢?|不知为什么,最近我常常感到烦闷。|下班后,她去健身、去散步,努力排遣(páiqiǎn)心中的烦闷。

辨析 〈近〉烦恼。"烦恼"可做名词,"烦闷"不能。如:* 最近我有很多烦闷。("烦闷"应为"烦恼")

【烦恼】 fánnǎo 〔形/名〕

〔形〕烦闷苦恼。(vexed; worried)做谓语、定语。

例句 你不必为了这点儿小事而烦恼。|最近,她和丈夫的关系不太好,这使她十分烦恼。|她烦恼得吃不下,睡不香。|人活一辈子,烦恼的事多着呢。|烦恼的时候,我就站在阳台上眺(tiào)望大海。

〔名〕烦闷苦恼的心情。(annoyance; vexation)常做主语、宾语。[量]种,层,丝。

例句 想着想着一丝烦恼涌上心头。|事业不顺,给他更增添了一层烦恼。

【烦躁】 fánzào 〔形〕

F

烦闷急躁。(fidgety)常做谓语、定语。

例句　考试没考好，她心情十分烦躁。|工作不顺心，家里又闹矛盾，这使他烦躁得要命。|关在笼子里的老虎烦躁不安，出什么事了？|一段优美的轻音乐，使她烦躁的情绪渐渐地平静下来。

辨析　〈近〉急躁。"烦躁"重在"烦"，一般只用于心情方面；"急躁"重在"急"，多用于性格方面。如：* 她脾气烦躁。("烦躁"应为"急躁")| * 急躁的心情。("急躁"应为"烦躁")

F

【繁】　fán　〔形〕

多；复杂。(numerous; complicated)常做定语。

词语　繁荣　繁华　繁多　繁重　宁繁勿简　删繁就简　繁花似锦

例句　夜空中，繁星点点。|这些汉字都是繁体的。

【繁多】　fánduō　〔形〕

多；丰富。(various)常做谓语、定语。

例句　这个商店的商品品种繁多，价格合理。|那个纺织厂的产品花色繁多。|繁多的事务使人心烦。|繁多的花色、品种使人不知该选哪一个。

【繁华】　fánhuá　〔形〕

(城镇、街市)繁荣热闹。(flourishing)常做谓语、定语、补语。

例句　上海的南京路非常繁华。|这个城市繁华得很。|王府井是北京最繁华的商业街。|最近几年市中心建设得更繁华了。|再过几年，我们这里一定会变得繁华起来的。

辨析　〈近〉繁荣。"繁华"着重指市面的兴旺热闹；"繁荣"着重指经济或事业兴旺发达，物质文化生活丰富。"繁华"常形容城镇、街市等具体的地方；"繁荣"既可形容这些地方，又可形容国家、社会及经济、文化、科学、艺术、事业等。如：* 建设繁华富强的现代化国家。("繁华"应为"繁荣")| * 繁华科学和文化事业。("繁华"应为"繁荣")

【繁忙】　fánmáng　〔形〕

事情多，没有空闲时间。(busy)常做谓语、定语。

例句　市长最近公务非常繁忙。|春节期间，交通运输繁忙极了。|收获的季节，田野里一片繁忙的景象。|繁忙的工作损害了他的身体。

辨析　〈近〉忙碌。"忙碌"一般用于人，可重叠。如：* 这个路口交通十分忙碌。("忙碌"应为"繁忙")

【繁荣】　fánróng　〔形/动〕

〔形〕(经济或事业等)蓬勃发展。(flourishing)常做谓语、定语、补语。

例句　中国的经济越来越繁荣。|这个地区的文化事业比以前繁荣多了。|改革开放以来，这个小镇出现了一片繁荣的景象。|我们的国家一定会成为一个繁荣的现代化强国。|要把家乡建设得更加繁荣。

〔动〕使繁荣。(make sth. prosper)常做谓语。

例句　繁荣社会主义的市场经济。|要繁荣文化艺术，满足人民的需要。

【繁体字】　fántǐzì　〔名〕

笔画较多、已由简化字代替的汉字。(the original complex form of a simplified Chinese character)常做主语、宾语、定语。[量]个。

例句 繁体字笔画多,不好写。|她不会写繁体字,但是认识繁体字。|这个繁体字的写法太麻烦了。

【繁殖】 fánzhí 〔动〕

生物产生新的个体,以传后代。(breed; reproduce; propagate)常做谓语、定语。

例句 这种细菌繁殖得很快。|一对兔子一年能繁殖出几十只小兔来。|这种动物的繁殖能力很强。|夏季是苍蝇、蚊子大量繁殖的季节。

【繁重】 fánzhòng 〔形〕

(工作、任务)又多又重。(onerous)常做谓语、定语。

例句 女儿正在读高中,学习任务十分繁重。|尽管工作繁重得很,可大家还是十分乐观。|妈妈独自承担了繁重的家务。|他受不了繁重的体力劳动,病倒了。

【反】 fǎn 〔形/动/副〕

〔形〕颠倒的;方向相背的。(upside down; inside out; in the reverse direction)常做状语、补语。

例句 他在里面把门反锁了,我打不开。|你怎么把鞋穿反了?|这个句子的意思,你理解反了。

〔动〕❶ 翻过来;(对立面)转换。(turn over)常做谓语。

例句 这件事易如反掌。|物极必反,事物发展到极端就会向相反的方向转化。|做事情不仅要为自己想,还应该反过来替别人想一想。

❷ 用行动表示不同意。(oppose; be against; fight)常做谓语。

例句 历史上,从来都是官逼民反。|"五四运动"是一次反帝反封建的爱国运动。|反腐败是十分必要的。

❸ 回;还。(introspect)常用于构词。

词语 反光 反应 反映 反问 反射 反省

〔副〕相反地。(on the contrary)常做状语。

例句 文章过长,反不易说明问题。|经过这场大病,我的身体反比以前好了。

【反驳】 fǎnbó 〔动〕

说出自己的理由来否定别人跟自己不同的理论或意见。(refute; rebut)常做谓语、宾语、定语。

例句 王老师批评我的话并不都对,但我没有反驳。|在会上我反驳了小李的错误意见。|你反驳得对,我支持你。|好几个人对他的讲话进行了反驳。|我想反驳,但忍住没说。|我要把反驳的理由想好,再发言。

【反常】 fǎncháng 〔形〕

跟正常的情况不同。(abnormal; unusual)常做谓语、定语、补语。

例句 最近,他的态度有点儿反常,老发脾气。|今年的天气反常得很。|大地震前夕,自然界往往发生一些反常的现象。|这些天,热得反常。

【反倒】 fǎndào 〔副〕

表示跟上文意思相反或出乎意料和常情。(on the contrary)做状语。

例句 让他快些走,他反倒放慢了脚步。|考试完了,她的心情反倒沉重了。|虽然已经立春了,可气温不但不高,反倒比前些天更低了。

【反动】 fǎndòng 〔形〕

指思想上或行动上维护旧制度,反对进步,反对革命。(reactionary)常做谓语、定语。

例句 这话可有点儿反动。|这可是反动言论。

【反对】 fǎnduì 〔动〕

不赞成，不同意。(oppose; object to)常做谓语、定语、主语、宾语。

例句 那个计划，我并不反对。|大家都反对这种损人利己的做法。|不管家里反对得多么厉害，我还是跟她结了婚。|有两个人对投资方案有反对意见。|反对的人不多。|妻子的反对使他改变了原先的想法。|我投资办新厂的提议，遭到了多数人的反对。

F

【反而】 fǎn'ér 〔副〕

表示跟上文意思相反或出乎意料和常情。(instead)做状语。

例句 我们坐公共汽车，小李骑自行车，他反而先到了。|早上雨不但没停，反而更大了。|女儿没考好，我没批评她，反而还表扬她能帮妈妈做家务。

【反复】 fǎnfù 〔副/名〕

〔副〕一遍又一遍；多次重复。(over and over again)做状语。

例句 反复研究之后，医生们决定用中西医结合的方法治疗这种病。|老师反复看过几次，都没有找出他作文里的毛病。|这个计划我们已经反复讨论过了，没问题。

〔名〕重复的情况。(relapse)常做主语、宾语。[量]次。

例句 思想上的反复肯定会有的。|他的病情不稳定，最近又出现了几次反复。|对于前进中的反复，我们认为这很正常。

▶"反复"也做动词，指翻过来倒过去。如：最近，这孩子表现反复无常。|实验反复了多次，总算成功了。

【反感】 fǎngǎn 〔形/名〕

〔形〕不满意。(averse; repugnant)常做谓语、定语、宾语。

例句 我对不诚实的人非常反感。|那种吹吹拍拍的举动实在让人反感。|大家的反感情绪已经很明显了。|听了他说的那些话，我感到十分反感。

〔名〕反对或不满的情绪。(antipathy)常做主语、宾语。

例句 我对她的反感早就消除了。|他的做法，引起了大家的反感。|对他本人，我没有什么反感。

【反攻】 fǎngōng 〔动〕

防御的一方对进攻的一方实行进攻。(launch a counteroffensive)常做主语、宾语、定语。

例句 全线反攻将在明天晚上七点开始。|我们向对方发起了反攻。|大反攻的指挥部就设在这里。

【反击】 fǎnjī 〔动/名〕

〔动〕回击进攻者。(counterattack)做谓语、定语、宾语。

例句 对于敌人的进攻，我们应该坚决反击。|这篇评论有力地反击了那些错误的观点。|请马上下达反击的命令！|你不要着急，现在还不到反击的时候。|最近，我们就要进行全面反击！|对敢来进攻的敌人，一定要给予坚决的反击。

〔名〕反击的行动。(counterblow)常做主语、宾语。

例句 昨天的反击取得了胜利。|对对方的反击我们暂不回答。

【反抗】 fǎnkàng 〔动〕

用行动反对；抵抗。(revolt; resist)常做谓语、定语、主语、宾语。

例句 人民纷纷拿起武器反抗入侵者。|年轻人很有反抗精神。|三年

来，他们一直在组织反抗斗争。|船员们的反抗使船主很头痛。|哪里有压迫，哪里就有反抗。

【反馈】 fǎnkuì 〔动〕

泛指(消息、信息等)返回。(feedback)常做谓语、宾语、主语。

例句 代理商应该向公司及时反馈市场的信息。|请你们尽早把那边的消息反馈回来。|展销会的情况已经迅速反馈到国内了。|要根据毕业生就业情况的反馈，调整专业和招生人数。|准确迅速的信息反馈对制定计划十分重要。

【反面】 fǎnmiàn 〔名〕

❶ 物体上跟正面相反的一面。(reverse side)常做主语、宾语、定语。

例句 这种丝绸的正面发亮，反面不亮。|可以把答案写在反面儿。|这件衣服反面的颜色也挺好看。

❷ 坏的、消极的一面。(opposite; negative side)常做定语、宾语。

例句 他是个经常演反面角色的演员。|大家应该吸取这个反面的教训。|如果站在反面看改革，就会得出错误的结论。

【反射】 fǎnshè 〔动〕

❶ 声波或光线行进时，遇到阻碍而改变方向折回。(reflect)做谓语、主语、宾语、定语。

例句 光照到镜子上会反射回来。|反射是一种物理现象。|什么叫反射？|反射现象在生活中常见。

❷ 有机体对于刺激所发生的反应。(reflex)常做主语、宾语。

例句 条件反射是一种生理现象。|说到梅子会流口水，这就是条件反射。|敲击膝盖下部，小腿会发生反射。

【反思】 fǎnsī 〔动〕

思考过去的事情，总结经验教训。(turn over to think)常做谓语、定语。

例句 反思过去，反思自己，会少犯错误。|对这次事故，我们都应该好好反思反思。|躺在床上，她认真地反思起来。|大家都要很好地进行反思。|伤痕文学、反思文学都属于新时期文学。

【反问】 fǎnwèn 〔动〕

❶ 反过来向提问的人发问。(ask a question in reply)常做谓语、定语、主语、宾语。

例句 我觉得他说得没道理，就反问了他几句。|小王反问得有理。|他反问弟弟：“你明明知道不对，为什么还要这么做？”|那位辩论选手反问的话十分有力。|他反问的时机抓得很好。|连续两三次的反问，弄得我非常为难。|我对朋友的反问没法回答。

❷ 用疑问语气表达与字面相反的的意义。(rhetorical question)常做主语、定语。

例句 反问可以表示强调的意义。|有反问语气的句子，叫反问句。

【反应】 fǎnyìng 〔动/名〕

〔动〕有机体受到刺激而引起相应的活动；指物质发生化学或物理变化。(react)常做谓语(不带宾语)。

例句 不知她在想什么，我问了她三遍她才反应过来。|有的物质在空气中和氧反应，会自动燃烧。|这两种物质放在一起，会反应得很厉害。

〔名〕打针、服药所引起的呕吐、头痛等症状；事情所引起的意见、态度或行动。(reaction)常做主语、宾语。[量]种，个。

例句 我吃药了，怎么一点儿反应也没有？|服药后，反应挺厉害。|消息发出以后，有什么反应？

【反映】 fǎnyìng 〔动/名〕

〔动〕❶ 把客观事物的实质表现出来。(reflect)常做谓语。

例句 这部电影反映了战争的真实历史。|这篇文章反映了改革开放以后，农民生活的巨大变化。|一个人的思想，常常会通过他的言行反映出来。

❷ 把客观情况或别人的意见等告诉上级或有关部门。(report)做谓语、定语。

例句 我会向老板反映意见的。|大家都反映最近不遵守纪律的情况比较严重。|小王反映的情况很重要。|领导要及时解决群众反映的问题。

〔名〕对人或事的意见；把客观事物的实质表现出来的现象。(reflection)常做主语、宾语。[量]个。

例句 大家对这个问题的反映十分强烈。|请你认真听一听群众的反映。|人的认识是对客观事物的反映。

辨析 〈近〉反应。"反映"指表现客观事物实质或对人、事的意见、看法等，常带宾语；"反应"多指受刺激引起的相应的活动，一般不带宾语。如：对这件事有什么反映？（指意见、看法等）|对这件事有什么反应？（指引起了什么活动）

【反正】 fǎnzhèng 〔副〕

❶ 强调在任何情况下都不改变结论或结果。(in any case; anyway)常做状语，多用在主语前。上文常有"无论"、"不管"或表示正反两方面情况的词语相配合。

例句 别人信不信我不知道，反正这事我不相信。|反正去不去都一样。|无论你们同意不同意，反正我要和她结婚。|不管怎么样，反正我一定要去欧洲旅行。

❷ 指明情况或原因，语气坚决肯定。(since; as)常做状语，多用在句首。

例句 你别着急，反正不是什么要紧的大事。|反正不远，咱们走着去吧。|反正你回家也是一个人，不如就在这儿吃点儿吧。

【反之】 fǎnzhī 〔连〕

与此相反，从相反的方面说或做。(on the other hand)用在两个句子或段落中间，起转折作用，引出与上文相反的意思。"反之"后边有停顿。

例句 天气热，水的蒸发就快；反之，天气冷，水的蒸发就慢多了。|儿童的饮食要合理。吃得太多、太好会营养过剩；反之，吃得太少、太差，又会营养不良。|只有勤奋学习，才能不断进步；反之，懒懒散散，必将一事无成。

辨析 〈近〉相反。"反之"只是连词；"相反"还可做形容词，在句中做定语、谓语等。如：你们俩说的情况正好相反。|这是两个意思相反的句子。

【返】 fǎn 〔动〕

回。(return; go back)常用于构词或固定短语中。

词语 返程 返工 返回 返销 返聘

例句 西湖的风景太美了，让人流连忘返。|过去的岁月一去不复返了。|从这儿去机场坐汽车往返一次得两小时。|她这几年眼也不花了，白头

发变黑了,简直是返老还童了。

【返程】 fǎnchéng 〔名〕
返回的路程。(return journey)常做主语、定语、宾语。
例句 返程一共是一百八十公里。|把返程机票一起买了吧。|要是火车也卖返程票就方便多了。|我们去的时候跟返程不是一条路。

【返回】 fǎnhuí 〔动〕
回;回到(原来的地方)。(return)常做谓语。
例句 请各位留学生在六点以前返回学校。|只要三天,我就可以返回北京。|他按计划于当晚返回目的地。|当十几年后返回故乡的时候,我几乎认不出故乡了。

【犯】 fàn 〔动〕
❶ 相矛盾;违背。(violate; offend)常做谓语。
例句 12 号球员犯了三次规,被罚下场了。|坐船时别说"翻"哪、"倒"呀的,那样犯忌讳(jìhuì)。|他没按时归队,犯了纪律,正在挨批评呢。
❷ 常发作。[have a recurrence of (an old illness)]常做谓语。
例句 最近,我的老毛病又犯了。|妈妈急得犯了心脏病,住院了。|他又犯起犟(jiàng)脾气了。
❸ 发生。(feel; make; commit)常做谓语。
例句 中午睡一会儿,下午就不犯困。|孩子没考上高中,她真犯愁。|人一生中哪有不犯错误的? 犯了错误不要紧,改了就好。
❹ 侵害别人或侵入别国。(invade)常用于固定短语中,做谓语。
例句 咱们俩从今以后,井水不犯河水。|人不犯我,我不犯人,人若犯我,我必犯人。

【犯法】 fàn fǎ 〔动短〕
违反法律、法令。(violate the law)常做谓语、定语、宾语,中间可插入成分。
例句 谁犯了法都要受到法律的制裁。|我们公安人员决不可以知法犯法。|犯法的事,我可不干。|对犯过法的人也要给生路。|贪污受贿就是犯法。

【犯浑】 fàn hún 〔动短〕
说话做事不知轻重,不合情理。(be unreasonable)常做谓语,中间可插入成分。
例句 他说话做事时常犯浑。|是我犯浑,说话冲撞了您,请您原谅!|他要是犯起浑来,谁的话都不听。|你又犯什么浑哪?

【犯难】 fàn nán 〔动短〕
感到为难。(feel awkward)常做谓语、定语,中间可插入成分。
例句 事情办不成也没关系,你不要犯难。|这事可真让我犯了难。|他一有犯难的事,总爱来找我聊聊。

【犯人】 fànrén 〔名〕
犯罪的人,特指在押的。(prisoner)常做主语、宾语、定语。[量]个。
例句 表现好的犯人,都有机会减刑。|这个监狱里关着几个女犯人。|犯人家属允许在规定的时间里去探监。

【犯罪】 fàn zuì 〔动短〕
做出犯法的、应受处罚的事。(commit a crime)常做谓语(中间可插入成分)、定语、宾语。
例句 他因偷东西犯了罪。|他犯了贩卖毒品罪,被逮捕了。|李老师

是研究犯罪心理学的。|请保护好犯罪现场。|贪污和浪费是极大的犯罪。

辨析 〈近〉犯法。"犯罪"的词义比"犯法"重。犯罪一定是犯法,但犯法可能不是犯罪。

【饭】 fàn 〔名〕
煮熟的谷类食品;特指大米饭;每天定时吃的食物。(cooked rice or other cereals; meal)常做主语、宾语、定语。[量]碗,顿。

例句 饭刚煮好,太热了,等会儿吃吧。|A:你想吃饭还是吃面? B:来碗饭吧。|星期天,我们家常常只吃两顿饭。|学生食堂光饭的品种就有十多个。

【饭店】 fàndiàn 〔名〕
较大而设备好的旅馆;较大的饭馆。(hotel; restaurant)常做主语、宾语、定语。

例句 我知道北京饭店就在长安街上。|这个(家)饭店是五星级的。|他们明晚要在饭店宴请大家。|我们去饭店吃吧。|这位是饭店的总经理。|饭店的服务水平越高,就越有吸引力。

【饭馆】 fànguǎn 〔名〕
出售饭菜,供人在其中食用的店铺。常读"饭馆儿"。(restaurant)常做主语、宾语、定语。[量]个,家。

例句 这家(个)饭馆饭菜不错。|去年,他和两个朋友一起开了个小饭馆。|那个国家有很多中国饭馆。|中学毕业后,她当了两年饭馆服务员。

【饭碗】 fànwǎn 〔名〕
❶ 盛饭的碗。(rice bowl)常做主语、宾语、定语。[量]只,个,种。

例句 这只饭碗制作得很精致。|他买了两个塑料饭碗。|这种饭碗的边儿是金属的,很漂亮。

❷ 比喻职业。(job)常做宾语、主语。

例句 找个工作不容易,好好干吧,别砸了自己的饭碗。|我不想总端人家的饭碗,打算自己开个公司。|饭碗丢了不要紧,别丢了生活的勇气。

【泛】 fàn 〔动〕
❶ 漂浮。(float)常做谓语(多用在固定短语中)。

词语 沉渣泛起 泛舟湖上

例句 静静的水面上泛着几叶扁(piān)舟。

❷ 透出,冒出。(spread out; drift out)常做谓语。

例句 槐花泛出阵阵香味。

❸ 江河等的水溢出。(flood)用于固定短语。

例句 这一带都是黄泛区(黄河泛滥过的地方)。

【泛滥】 fànlàn 〔动〕
江河湖泊的水溢出;比喻坏的事物不受限制地流行。(be in flood)常做谓语(不带宾语)、定语、宾语、主语。

例句 那个地区暴雨成灾,洪水泛滥。|不能让错误的思想和言行自由泛滥。|黄河如不彻底治理,迟早会泛滥成灾。|泛滥的河水淹没了大片的农田。|河堤加固后,防止了洪水的泛滥。|毒品的泛滥,对青少年的成长极为不利。

【范畴】 fànchóu 〔名〕
人的思维对客观事物的普遍本质的概括和反映;类型、范围。(scope; type; category)常做主语、宾语等。[量]个。

例句 唯物辩证法的基本范畴有本

质和现象、形式和内容、必然性和偶然性等。|形声字的意符表示这个字本义所属的意义范畴。

辨析 〈近〉范围。"范畴"只适用于抽象事物或概念，使用较窄；"范围"既适用于人，又适用于抽象或具体的事物，使用较宽。如：考试的范围，老师已经讲过了。|他们谈论的范畴很广。

【范围】 fànwéi 〔名〕

周围的界限。(scope; range; limits)常做主语、宾语、定语。[量]个。

例句 这次评选的范围主要是中青年骨干。|表扬的范围是不是可以再大一点儿？|通过逐步缩小范围，终于查出了事故原因。|老师，能不能告诉我们考试的范围？|这个范围的人必须都参加。

【贩】 fàn 〔动/名〕

〔动〕买货；贩卖(buy to resell)常做谓语、定语。

例句 他最近在跟一个朋友一起贩药材。|在农村时，我贩过牲口。|从国外贩来的那些布料不太好卖。

〔名〕贩卖东西的人。(peddler; trader)常用于构词。[量]个。

词语 小贩 商贩

例句 夜市上有很多商贩都是下班以后来卖东西的。|这条路上摊贩影响交通和市容。

【贩卖】 fànmài 〔动〕

商人买进货物再卖出去以获取利润。(traffic; peddle; sell)常做谓语。

例句 下岗后，她靠贩卖水果为生。|开始他贩卖服装，十年后，他成了公司老板。

【方】 fāng 〔形/名〕

〔形〕❶ 四个角都是90°的四边形或由其组成六面体。(square)常做定语。

例句 我需要一个方纸箱。|你画的是个长方形，不是正方形。|牌子上写着四个方方的大字。

〔名〕❶ 乘方。(power)常用于构词。

词语 平方 立方 三次方

例句 2的三次方是8，四次方是16。

❷ 指东西南北等方向；并列的两个以上的人或事物之一。(direction; side; party)常做主语、宾语。

例句 新郎和新娘双方都认为对方是自己理想的爱人，当然高兴了。|甲方和乙方今天下午来签合同。|这些朋友来自四面八方。|能够取胜的，一定是我们这一方。

❸ 办法。(method)常用于固定短语中。

词语 有方 方略 无方

例句 他们夫妻教子有方，儿子很有出息。|我一定千方百计完成任务。

❹ 药方。(prescription)常做主语、宾语。[量]个。

例句 俗语说："偏方儿治大病。"|这个方儿是王大夫家祖传的。|那位中医大夫给我开了个方儿。

【方案】 fāng'àn 〔名〕

工作的计划。(plan; scheme; program)常做主语、宾语、定语。[量]项，个。

例句 这项方案需要董事会讨论通过。|这次会议的内容，主要是研究一下教改方案。|开工以前，公司要制定一个合理的科学的施工方案。|方案的内容有些还要讨论。

辨析 〈近〉计划。"方案"一般比较具体、正式。"计划"的语义较广，还可做动词用。如：* 周末我们去旅行，先订个方案吧。("方案"应为"计划")

【方便】 fāngbiàn 〔形/动〕

〔形〕❶ 便利；适宜。(convenient)常做谓语、定语、宾语。

例句 市内交通发达，去哪儿都很方便。|大家都在工作，说话不太方便，下班以后咱们再说吧。|学校有餐厅、咖啡屋、小超市，生活方便得很。|方便的时候，到我家来玩吧。|方便筷子不一定都卫生。|现在，市场上卖的方便食品越来越多了。|应当尽量给顾客提供方便。

❷ 婉辞，指有富余的钱。(have money to spare or lend)常做谓语。

例句 老李这几天手头不太方便。|这个月奖金太少，我觉得很不方便。

〔动〕使便利。(make things convenient for sb.)常做谓语。

例句 这个校园的小超市不错，既方便了学生，又能有一些收益。|传达室又代卖邮票又寄信，方便了大家。

【方便面】 fāngbiànmiàn 〔名〕

用开水冲泡，加上调料就能吃的面条。(instant noodles)常做主语、宾语、定语。[量]种，包，盒，袋。

例句 一包方便面就是他的午饭。|不少孩子都喜欢吃方便面。|这种方便面的味道不错。

【方程】 fāngchéng 〔名〕

含有未知数的等式，也叫方程式。(equation)常做主语、宾语、定语。[量]个。

例句 这个方程我不会解。|方程有很多种，最简单的是一元一次方程，比如：X+2=8。|请列一个方程来解这道题。|这个方程的解法很巧妙。

【方法】 fāngfǎ 〔名〕

关于解决思想、说话、行动等问题的门路、程序等。(method; way)常做主语、宾语。[量]个，种。

例句 学习方法不对，进步就慢。|多和中国人谈话的方法练习口语最好。|他发明了一种新方法，使生产效率提高了几倍。|对新方法的优点、缺点科研小组进行了认真的讨论。

辨析 〈近〉办法，方式。"方法"主要表示办法；"方式"主要表示形式，也可表示办法。"方法"常与"思想""科学""讨论""分析"配合。而"方式"常与"生产""生活""思维"等配合。如：* 目前，人们的生活方法正在发展变化。("方法"应为"方式")

【方面】 fāngmiàn 〔名〕

相对或并列的几个人或事物之一。(aspect; respect)常做主语、宾语、定语。[量]个。

例句 你们那方面同意的话，我们这方面没有问题。|北京方面一来电话，我马上就出发。|这次比赛，优势在哪个方面，目前还不太明显。|这个方面的工作由我负责，其他方面的工作，就全靠大家了。|要办好一件事，必须考虑到方方面面的情况。

【方式】 fāngshì 〔名〕

说话做事所采取的方法和形式。(way)常做主语、宾语。[量]种。

例句 这种生活方式，我不喜欢。|他的批评方式，让人受不了。|工作中，要注意方式方法。|这是一种很好的工作方式。

【方向】 fāngxiàng 〔名〕
指东南西北等；正对的位置，前进的目标。(direction) 常做主语、宾语等。[量]个。
例句 现在，船前进的方向是东。|专业方向确定以后，就可以制定培养计划了。|孩子们在森林里迷失了方向。|车窗上都是雨水，看不清方向。|队伍沿着铁路线，一直往西南方向前进。

【方兴未艾】 fāng xīng wèi ài 〔成〕
正在兴起，一时不会终止。(be fast unfolding; be in the ascendant) 常做谓语、定语。
例句 改革的势头，方兴未艾。|我们的事业方兴未艾！|信息产业是方兴未艾的高科技产业。

【方针】 fāngzhēn 〔名〕
引导事业前进的方向和目标。(policy; guiding principle) 常做主语、宾语。[量]项，个。
例句 改革开放的方针政策不会改变。|有关改革的各项方针，群众都十分拥护。|医疗卫生工作一定要贯彻"预防为主"的方针。|对中央的方针，各级政府都要认真贯彻执行。

【防】 fáng 〔动〕
❶ 事先做准备以避免损失。(guard against) 常做谓语。
例句 这种手表能防水。|常吃这种药可以防衰老。|水火不留情，要做好准备，以防万一。|这一片树林还太小，现在还防不了风沙。|对那些不正派的人，得防着点儿。
❷ 守卫；做准备应付进攻。(defend) 常做谓语，也用于构词。
词语 边防 国防 防守 防御
例句 带着枪好防身。|(打篮球) 我防5号队员，你防12号。

【防护】 fánghù 〔动〕
防备和保护。(protect; shelter) 常做定语、宾语。
例句 最近几年，华北、西北地区种植了大片大片的防护林。|我们要在霜冻到来之前，采取防护措施，确保苗木安全越冬。|各单位、各部门一定要做好假期的防护工作。|这些货物在运输途中，要严加防护。

【防守】 fángshǒu 〔动〕
❶ 警戒守卫。(defend) 常做谓语、定语。
例句 战士们在艰苦的环境中，防守着祖国的西大门。|对方防守得很严。|现在，我们人员太少，防守不过来。|目前，他们只能处于防守状态了。
❷ 在斗争或比赛中，防备对方进攻。(guard) 常做谓语、定语、主语等。
例句 你们几个要好好防守住后卫线。|两位乒乓球运动员，一位是进攻型的，一位是防守型的。|我不同意采取消极防守的战术。|这个队的防守严密，还能抓住机会快速反击。

【防微杜渐】 fáng wēi dù jiàn 〔成〕
在错误或坏事等开始时就及时制止，不让它发展。(nip an evil in the bud; check the erroneous ideas at the outset) 常做谓语。
例句 我们学校虽然没发生过这样的问题，但也要防微杜渐。|对身体的小毛病要防微杜渐，不能大意。

【防伪】 fáng wěi 〔动短〕
防止假冒伪劣的东西。(guard against counterfeit things) 常做定语、

F

谓语。

例句 我们的新产品出厂时，都加有防伪标志。|为保护自己的权益，许多厂家都采取了防伪措施。|我们要打假，又要防伪。

【防线】 fángxiàn 〔名〕

防御工事连成的线。(line of defence)常做主语、宾语、定语。[量]道，层。

例句 北部防线相当牢固。|我军大举进攻，突破了敌人的防线。|我们准备用三道防线来阻止对方的进攻。|这道防线的力量还不够，还需要加强。

【防汛】 fáng xùn 〔动短〕

在江河涨水的时期采取措施，防止泛滥(làn)成灾。(flood prevention or control)常做定语、宾语，中间可插入成分。

例句 这位是防汛总指挥。|防汛指挥部就设在江边。|各单位一定要做好防台防汛的工作。|汛期就要到了，我们要准备防大汛，要做好充分准备。

【防疫】 fáng yì 〔动短〕

预防传染病。(epidemic prevention)常做定语。

例句 她抱着孩子去打防疫针了。|我在市防疫站工作。|做好防疫工作确实很重要。|最近肝炎流行，我们应该采取防疫措施。

【防御】 fángyù 〔动〕

防备抵御。(defend)常做谓语、定语、主语、宾语。

例句 我们不能消极防御，要主动进攻。|战士们正在构筑工事，防御敌人的进攻。|防御工事已经修好了。|战争已经进入了防御阶段。|进攻和防御是相互依存的。|我们要加强防御。

【防止】 fángzhǐ 〔动〕

预先设法制止(坏事发生)。(prevent)常做谓语。

例句 要加强安全教育，防止交通事故。|使用燃气热水器要注意防止煤气中毒。|取得了好成绩，得防止骄傲自满。|这种意外往往防止不了。

辨析 〈近〉制止。"防止"重在用"防"的方法，使不发生，用在事情发生前；而"制止"是指强迫停止，使不发展，语义重，用在事情发生之后。

【防治】 fángzhì 〔动〕

预防和治疗(疾病、病虫害等)。(prevent and cure)常做谓语。

例句 中药防治感冒效果很好。|他写了篇关于防治病虫害的论文。|防治传染病的工作由植物防疫所负责。

【妨】 fáng 〔动〕

妨碍。(hamper)常用于构词，也做谓语、宾语。

词语 妨碍 妨害 不妨

例句 A：我晚一点儿给你打电话，可以吗？B：可以，不妨事。|大家都是朋友，你求他帮个忙，又有何妨？

【妨碍】 fáng'ài 〔动〕

使事情不能顺利进行；阻碍。(hinder; impede; hamper)常做谓语、宾语。

例句 路两旁的摊贩，妨碍了交通。|让青少年接触些新事物，妨碍不了他们的健康成长。|这么晚了，还大声放录音，妨碍大家休息。|不管什么时候，要来尽管来，没有什么妨

碍。|这么做,有什么妨碍吗?

【房】 fáng 〔名〕

❶ 人住或作其他用途的某建筑物。(house)常做主语、宾语。[量]间,套,所。

例句 你这套房不错。|那所平房是小刘家。|我最近要买房。|他家有三间房。|他刚买了一套商品房。

❷ 房内分隔成的各个部分。(room)常用于构词。

例句 这是书房,旁边是卧室,北边是厨房,卫生间在西边。|她是客房部的经理。

❸ 结构和作用像房的东西。(a house-like structure)常用于构词。

词语 心房 蜂房

例句 心脏分心房、心室两部分。|蜂房内外到处是蜜蜂。

【房东】 fángdōng 〔名〕

出租或出售房屋的人。(landlord; the owner of the house who lives in)常做主语、宾语、定语。[量]位,个。

例句 老房东很和善,对我们非常好。|到年底了,房东还同不同意我们继续住呢?|这事找房东商量一下。|小时候,邻居家有一位很严肃的老太太,她是房东奶奶。|房东的样子很严厉,可心眼儿并不坏。

【房改】 fánggǎi 〔动〕

改革住房制度。〔housing reform (policy)〕常做谓语、定语、宾语、主语。

例句 我们那儿已经房改了。|你知道房改方案吗?|房改房也可以上市交易。|中国必须进行房改,才能解决住房问题。|这个城市的房改搞得很顺利。

【房间】 fángjiān 〔名〕

房子内用墙壁隔成的各个部分。(room)常做主语、宾语、定语。[量]个。

例句 我的房间在宿舍楼的最东边,是356号。|这个房间朝北,冬天比较冷。|他家有五个房间。|我已经预订好了房间。|这两个房间的光线比那两个的好。

【房屋】 fángwū 〔名〕

房子(总称)。(houses or buildings)常做主语、宾语。

例句 地震中,许多房屋遭到了破坏。|特大洪水冲垮了许多房屋。

▶ "房屋"是集合性名词,一般不能用数量词修饰。如:* 他家有两套房屋。("房屋"应为"房子")

【房子】 fángzi 〔名〕

供人居住或作他用的建筑物。(house)常做主语、宾语、定语。[量]所,座,间,套。

例句 这所老房子已经有两百多年的历史了。|这两间房子朝西,夏天特别热。|我朋友花五十万元,买了一套房子。|星期天我要装修房子,不能和你们一起去玩了。|房子的质量、价格和周围环境是买房时必须考虑的。

【房租】 fángzū 〔名〕

租房子的钱。〔rent(for a house, flat, etc.)〕常做主语、宾语。[量]笔。

例句 租房子住,房租也不便宜,不如买房子。|咳,房租又涨了。|这儿的规定是:每两个月交一次房租。|我每月得交600元的房租。

【仿】 fǎng 〔动〕

照样做;类似。(imitate; follow the example; resemble)常用于构词,也

F

做谓语。

词语 仿效 仿照 仿造 相仿 仿佛

例句 他仿着原样又做了一个。|这件陶器是仿唐三彩的技法。

【仿佛】 fǎngfú 〔动/副〕

〔动〕像;类似;差不多。(seem; be alike)常做谓语。

例句 两个孩子差不多,年龄也相仿佛。|我的情况大致与前几年仿佛,没什么变化。|烈日仿佛一团火,烤得柏油马路都软了。

〔副〕似乎、好像。(as if)常做状语。

例句 读着这些有趣的故事,我也仿佛被引进了童话世界。|仔细听,仿佛有人在呼叫。|他们俩仿佛很熟悉似的,亲热极了。|小王和小李见面连招呼也不打,仿佛谁也不认识谁。

辨析 〈近〉似乎,好像。"仿佛"可受副词"相"修饰,单独做谓语,"好像"不行。"仿佛"常用于书面语,"好像"在书面语、口语中都常用。如:*我的情况和几年前相好像。("好像"应为"仿佛")|*仿佛是同屋回来了,快去开门!("仿佛"应为"好像")

【访】 fǎng 〔动〕

有目的地去看望并谈话;调查;寻求。(visit; call on; seek by inquiry or search; try to get)常用于构词,或用于固定短语,也做谓语。

词语 访问 访寻 查访 采访 明察暗访 探亲访友

例句 你去访一访,谁不说她好呀?|304的王先生,有客人来访。

【访问】 fǎngwèn 〔动/名〕

〔动〕有目的地去看望人并跟他谈话。(visit; call on)常做谓语、宾语。

例句 我们去访问了一位著名的作家。|代表团启程去欧洲各国访问。|时间太少,访问不了那么多地方。|那位老板给我们的印象太深了,我们应该再去访问他。|两年前贵国总理曾对中国成功地进行了访问。

〔名〕访问的行为。(visit)常做主语、宾语、定语。[量]次。

例句 这次访问太有意义了。|这是一次很成功的访问。|通过访问,客人们进一步了解了中国城市建设的情况。|访问时间定在下月初。

【纺】 fǎng 〔动〕

把丝麻棉等纤维制成纱或线。(spin)做谓语、定语。

例句 奶奶会纺线。|妇女们正在纺棉花。|我们厂纺的纱主要是出口的。

【纺织】 fǎngzhī 〔动〕

把纤维纺成纱、线或织成布匹、绸缎、呢绒等。(spin and weave)常做谓语、定语。

例句 这种丝绸是用最好的丝纺织出来的。|这家工厂专门纺织地毯。|她是一位纺织女工。|我们厂纺织工艺的水平还要提高。

【放】 fàng 〔动〕

❶ 解除约束,使自由。(release)常做谓语。

例句 快把小鸟放了吧!|放了他!|小女孩紧拉妈妈的衣角不放手。|你就放他们出去吧。

❷ 让牛羊等在山野、草地自由地吃草和活动。(put out to feed)常做谓语。

例句 一个小男孩在山上放羊。|

在大草原的那几年，他放过马。|放牛放累了，我就躺在草地上休息。

❸ 播送；演电影、幻灯等。(show；play)常做谓语。

例句 放点音乐轻松一下吧。|昨天晚上放了两场电影。|今天上课时，老师要放幻灯片。

❹ 点燃；发出；发射。(let off；give off or out)常做谓语。

例句 除夕零点的时候，家家都要放鞭炮。|广场上，许多孩子在放风筝。|他向空中放了一枪。|入夜，街灯放出的光芒把道路照得跟白天一样。

❺ 使处于一定的位置。(put；place；lay)常做谓语。

例句 这儿放不下沙发，放柜子吧。|写字台上放着几本杂志。|雨停了，雨伞先放在你这儿吧。|这个箱子大，东西放得多。

❻ 加进去。(put in；add)常做谓语。

例句 味儿太淡，再放点儿盐吧。|红茶里，最好放点儿糖。|味素可别放太多。

❼ 在一定的时间停止(学习、工作)。(stop action at the assigned time)常做谓语。

例句 我们已经放暑假了。|中国的国庆节放三天假。|我放学放得晚，妈妈很担心。|领导放了我十天假。

❽ 扩展，搁置。(let out；expand)常做谓语。

例句 这张照片照得真好，放一张大的吧。|打工的事不着急，可以先放一放。|这条裤子放放裤腿就不短了。

❾ 控制自己的行动，采取某种态度，达到某种分寸。(moderate)常做谓语(带补语)。

例句 司机放慢了速度。|为了不影响别人，他把录音机的声音放得很小。|你要放老实点儿。|说话的声音放低点儿。

❿ (花朵)开。(blossom；open)常用于固定短语中。

词语 百花齐放　心花怒放

例句 公园里百花齐放，游人多极了。|孩子高兴得心花怒放。

⓫ 借钱给人，以得到利息。[lend (money) at interest]常做谓语。

例句 他爷爷是被放高利贷的害死的。|地主对乡亲们放起债来。

⓬ 不加约束。(let oneself go；indulge)常用于构词或用在习惯的搭配中。

例句 让我们放声歌唱吧。

【放大】 fàngdà 〔动〕

使图像、声音、功能等变大。(enlarge；magnify)常做谓语、定语。

例句 小姐，我要放大照片，几天能取？|请把电视的声音放大点儿。|这台机器能把信号放大几十倍。|放大了的照片没法寄给你。

【放假】 fàng jià 〔动短〕

在规定的日期停止工作或学习。(have a holiday or vacation)常做谓语、定语，中间可插入成分。

例句 我们学校上个星期就放假了。|春节我们公司可以放一周假。|放暑假了，姐姐打算去昆明玩玩。|国庆节我们放三天假。|放假期间，不要给学生补课。

【放弃】 fàngqì 〔动〕

丢掉(原有的权力、主张、意见等)。

(give up;abandon)常做谓语。

例句 大家全都反对,他只好放弃了原来的主张。|她一定不会放弃对孩子的监护权的。|人的一生应该永不放弃——不放弃追求,不放弃理想。

辨析 〈近〉抛弃。"放弃"重在不坚持,不保留,对象多是抽象事物;"抛弃"重在坚决,扔掉的对象可以是抽象事物,也可以是具体事物、人,语义比较重。如:* 他抛弃了进修的机会。("抛弃"应为"放弃")

F

【放任自流】 fàngrèn zì liú 〔成〕

不加约束,任凭其自然发展。(let things drift)常做谓语、定语。

例句 家长对子女放任自流,那就是失职。|放假了也不能放任自流,不然就乱套了。|对这件事,我们不能采取放任自流的态度。

【放射】 fàngshè 〔动〕

由一点向四外射出。(radiate)常做谓语(后边常带"出"、"出来"等做补语)、定语。

例句 火红的太阳放射出万丈光芒。|应该让青春放射出灿烂的光辉。|放射治疗有副作用。|这是一种放射性元素。

【放手】 fàng shǒu 〔动短〕

❶ 松开手。(let go; let go one's hold)常做谓语,中间可插入成分。

例句 别抓我的胳膊,疼死了,快放手!|他一放开手,鸽子就飞上了天空。

❷ 停止掌管,转交别人。(have a free hand;go all out)常做谓语。

例句 刚到手的资料,怎么可以放手呢?|局长马上就要退休了,可工作就是不放手。|儿子结婚了,他的事我可放手不管了。

❸ 解除顾虑和限制。(release one's control;hand over to sb. else)常做谓语,中间可插入成分。

例句 对这些年轻人,我们要放手让他们去干。|要放手发动群众,才能完成这个任务。|孩子大了,也该放放手了。

【放松】 fàngsōng 〔动〕

对事物的注意或控制由紧变松。(relax;loosen)常做谓语。

例句 学习汉语一刻也不能放松。|现在是休息时间,大家可以放松一下。|最近有的同学放松了对自己的要求,学习不如以前努力了。|对孩子的教育可放松不得。|周末了,咱们一起出去放松放松吧。

【放心】 fàng xīn 〔动短〕

心情安定,没有忧虑和牵挂。(be at ease)常做谓语、状语。

例句 我一定把事情办好,你放心。|他从没一个人离开过家,父母对他很不放心。|儿子刚拿到驾驶证,就一个人开车出去了,我实在放不下心。|你妈妈很不放心你的身体,让我来看看。|看到准备工作都做好了,他才放心地回家了。

【放学】 fàng xué 〔动短〕

学校上完课,学生回家。(classes are over)常做谓语(中间可插入成分)、定语。

例句 我们中午就放学了。|今天下午老师开会,我们放学放得早。|放了学,就回来。|放学的路上,别贪玩。|学校放学的时候,大门口总有一些家长在接低年级的小学生。

【放映】 fàngyìng 〔动〕

一般指放电影。(project)常做谓语、定语。

例句 你说的这部影片,这几天正在放映。|有时演电影之前,会放映一会儿幻灯片。|新影剧院的放映效果很好。|我曾干过电影放映工作。

【飞】 fēi 〔动〕

❶(鸟虫等)鼓动翅膀在空中活动。(fly)常做谓语。

例句 一行大雁向南飞。|天空中,飞着几只喜鹊。|从窗外飞进来一只小麻雀。|我刚要睡着,一只蚊子嗡嗡地飞到我的脸上。

❷利用动力在空中行动。(fly)常做谓语。

例句 天空中,飞过一架飞机。|我们明天飞香港,后天飞回来。|从美国到这儿,飞了二十多小时。|每天,从这里飞向世界各地的航班多得很。|因为天气不好,今天飞不了了。

❸在空中漂浮移动。(hover or flutter in the air)常做谓语。

例句 这个地方,一刮起大风来就飞沙走石的。|天空中,飞着洁白的雪花。|一阵秋风吹来,从树上飞下来许多枯黄的叶子。

❹挥发。(disappear through volatilization)常做谓语(不带宾语)。

例句 盖上瓶盖吧,免得香味飞了。|纸包里的两粒卫生丸都飞净了。|汽油桶不盖严,汽油会飞的。

【飞船】 fēichuán 〔名〕

在宇宙空间航行的飞行器。(spaceship)常做主语、宾语、定语。[量]艘。

例句 又一艘新的飞船研制成功了。|在梦里,他驾驶着(宇宙)飞船飞上了月球。|新式飞船的速度有多快?

【飞机】 fēijī 〔名〕

飞行工具,可以载客载货。(aeroplane)常做主语、宾语、定语。[量]架。

例句 一架飞机刚刚起飞,另一架飞机就降落了。|今天有雾,飞机不能正常降落。|他坐飞机去北京了。|她女儿还没坐过飞机。|飞机的种类很多,用处很广泛。|去纽约的飞机票已经买好了。

【飞快】 fēikuài 〔形〕

❶非常迅速。(very fast)常做定语、状语、补语。

例句 江面上那飞快的小船,溅起了一层层的浪花。|他飞快地冲向终点,得了第一。|列车飞快地向前驶去。|日子过得飞快,转眼又是一年了。|那辆车虽然破旧,却跑得飞快。

❷非常锋利。(extremely sharp)常做谓语、定语、补语。

例句 那把小刀飞快,小心手。|他在上海买了一把飞快的菜刀。|明天就要收割(gē)了,农民把镰刀磨(mó)得飞快。

▶"飞快"本身已表示程度很高了,所以不能再受程度副词修饰。如:*他跑得很飞快。(应为"他跑得飞快")

【飞舞】 fēiwǔ 〔动〕

像跳舞似的在空中飞。(flutter; dance in the air)常做谓语、定语。

例句 空中飞舞着洁白的雪花。|一对对美丽的大蝴蝶在鲜花丛中飞舞。|五光十色的碎纸屑飞舞着,落在了新娘新郎的头上、身上。|公园

F

里鲜花盛开，飞舞着的小蜜蜂在辛勤地采蜜。|飞舞着的雪片不时地钻进我的衣领里，好凉啊。

【飞翔】 fēixiáng 〔动〕

盘旋地飞；泛指飞。（circle in the air; hover）常做谓语（不带宾语）、定语。

例句 勇敢的海燕在闪电中飞翔。|他驾着国产飞机在蓝天上飞翔。|我的思想也像长了翅膀似的在飞翔。|飞翔的大雁在天上一会儿排成个“人”字，一会儿排成个“一”字。|望着飞翔的白鸽，他不禁想起了童年的生活。

【飞行】 fēixíng 〔动〕

在空中航行。（fly）常做谓语（不带宾语）、定语。

例句 三架排列整齐的飞机在空中飞行。|飞机飞行得很平稳。|他们飞行在辽阔的蓝天上。|从北京到成都飞机飞行了两个小时。|现在的飞行高度是8000米。|我的朋友是一位飞行教练。

辨析 〈近〉飞翔。“飞行”指在空中航行；“飞翔”指各种飞行器在空中飞行，还可用于思想等。

【飞跃】 fēiyuè 〔动/名〕

〔动〕飞腾、跳跃；比喻突飞猛进。（fly over or across; leap）常做谓语、定语。

例句 柯受良驾车飞跃了黄河壶口瀑布。|滑雪运动员可以一下子飞跃出几十米远。|你的飞跃动作，真有功夫。|中国的经济取得飞跃的发展。

〔名〕哲学名词。指事物从旧质到新质的转化，也叫突变、质变。（leap）常做主语、宾语、定语。[量]次。

例句 每一次的飞跃，都是量变的积累。|从旧中国到新中国，这是一个历史性的飞跃。|飞跃的实现方式不是唯一的。

【非】 fēi 〔形/副〕

〔形〕错误；不对。（wrong）常用于构词或用在固定短语中。

词语 是非 大是大非

例句 在这个问题上大家应该分清是非。|经过大家的帮助教育，他下定决心痛改前非，重新做人。|那个人一贯为非作歹。

〔副〕❶ 常跟“不”等呼应，表示一定要这样；必须、偏偏。（simply must）常做状语。

例句 要学好一种语言，非下苦功不可。|做口语翻译，非小王不行。|要办这件事，非你去不成。|讨论这样重要的问题，非得全体参加不可。|干这活儿，非得有经验。|他不来就算了，为什么非叫他来呢？

❷ 跟“才”呼应，表示一定要具备某一条件才能怎么样。（only if; only when）常做状语。“非”之后常要加“要”、“得”。

例句 我非要亲眼看到事实，才能相信。|房客非得交齐押金，才可以住。|翻译工作很重要，非要经过一两年的锻炼才可以独立工作。|这个讨论会非你参加才行。

▶“非…不…”和“非…才…”的意思基本相同，但“非…才…”后面不能单用“可”。

▶“非”也做动词，指“不是”，书面语。如：所答非所问 非军事区 非此即彼 非亲非故|那情景非亲眼所见是无法相信的。

【非…不可】 fēi…bùkě 〔动短〕

表示一定要这样(不这样不可以)。(must;have to)"非"后常是动词性词语,也可以是小句或名词。

例句 想学好汉语,非下苦功不可。|今天晚上朋友从日本来,我非去机场不可。|要完成这项任务,非他不可。|这事非厂长亲自解决不可。|办居留证,非带上护照不可吗?

【非…才…】 fēi…cái… 〔副短〕

表示一定要具备某一条件才能怎么样。(only if;only when)"非"后边常是动词性词语,或小句。

例句 我非看到事实,才相信你的话。|非病倒了,他才肯休息。|非他当面承认错误,我才可以原谅他。|这事,非老王出面才行。

【非常】 fēicháng 〔形/副〕

〔形〕不平常的;特殊的。(extraordinary;special)常做定语。

例句 这是一次非常的会议。|目前处于非常时期,请大家一定要特别注意。|这是一次非常事故,原因正在调查。

〔副〕十分;极。(very;extremely)常做状语。

例句 这儿的气候非常适合我。|他学习非常刻苦。|我非常喜欢游泳。|她的女儿非常招人喜欢。|在画画方面,他非常有天才。|那个人非常非常能喝酒。

辨析 〈近〉十分。"非常"还有形容词的用法,并且可重叠;"十分"则不同。

【非法】 fēifǎ 〔形〕

不合法。(illegal;unlawful)常做谓语、状语、定语。

例句 倒卖文物非法。|三年来,他们一直非法从事商业活动。|这家公司非法占据了学校的地皮。|这些是非法收入,要全部上交。|无证经营,这是非法的行为。

【肥】 féi 〔形〕

❶ 含脂肪多的。(fat)常做谓语、定语。

例句 这块肉太肥。|马无夜草不肥。|这蟹子肥得很。|这只小猪肥肥的,真可爱。|少吃肥肉好。

辨析 〈近〉胖。"肥"常形容猪羊牛马等动物或它们的肉,除"减肥"、"肥胖"等外一般不用于人;"胖"常形容人。此外"肥"还有动词、名词用法。如:他胖得都快走不动了。|小李比以前胖多了。|* 你看,这些猪多胖啊!("胖"应为"肥")

❷ (土地)含有较丰富的养分等。(fertile)常做谓语、定语。

例句 小河两岸的土地很肥。|北大荒有大片大片的肥田沃土。

❸ (衣服等)又宽又大。(loose)常做谓语、定语、补语。

例句 这件衣服太肥,再换一件。|休闲装肥点儿好。|这么肥的鞋可怎么穿?|裤子做肥了,再改改吧。

❹ 由不正当的收入而富裕。(become rich by illegal means or income)常做谓语、补语。

例句 他那份工作,可肥了。|此人利用手中的权力,这几年把自己搞肥了。

▶ "肥"还有动词用法:"使…肥";名词用法:"肥料"。如:人粪尿可以肥田。|那些卖假药的肥了自己,害了别人。

【肥料】 féiliào 〔名〕

能使植物发育生长的物质。(fertilizer)常做主语、宾语、定语。[量]

种。

例句 化学肥料见效快，但总用会使土地变质。|春耕之前一定要施足肥料。|只给花浇水不行，也要适当上点儿肥料。|肥料的种类很多。|先弄清这几种化学肥料的使用方法，然后再用。

【肥沃】 féiwò 〔形〕

（土地）含有较多的适合植物生长的养分、水分。（fertile）常做谓语、定语。

例句 这个国家土地肥沃，物产丰富。|沿江一带的田野黑油油的，肥沃得很。|在这肥沃的大地上，农民们世世代代辛勤地劳动着。|从前，这儿是一片肥沃的农田，现在变成了一个工业区。

【肥皂】 féizào 〔名〕

通常制成块状的洗涤（dí）用的化学制品，有的地方叫“胰子”。（soap）常做主语、宾语、定语。［量］块。

例句 这种肥皂，味儿真好闻。|肥皂快用完了，再去买两块吧。|我不喜欢用肥皂，爱用洗衣粉。|衣服太脏了，多打点肥皂吧。|肥皂的碱（jiǎn）性太大，不能用它洗羊绒（róng）衫。

【匪徒】 fěitú 〔名〕

强盗；危害人民的坏人。（bandit）常做主语、宾语、定语。［量］个。

例句 两个匪徒持枪闯进驾驶舱，企图劫（jié）持飞机。|抢银行的是五个匪徒。|这伙匪徒的头子进过两次监狱了。

【诽谤】 fěibàng 〔动〕

无中生有，说别人坏话，毁坏别人名誉；诬蔑。（slander）常做谓语、定语、宾语。

例句 不能诽谤别人。|那个人品质很坏，经常诽谤别人。|对那些诽谤的言论，可不予理睬。|我们应该坚决回击对方的诽谤。

【肺】 fèi 〔名〕

人和高等动物的呼吸器官。（lung）常做主语、定语、宾语。［量］个，叶。

例句 经透视检查，他的肺有些感染。|三年前，老人做过手术，切除了一叶肺。|你得了肺病，得好好休息几天。|由于工作环境差，这位工人肺功能严重衰退了。

【废】 fèi 〔形/动〕

〔形〕没有用的或失去原有作用的。（waste）常做定语、补语。

例句 这些废报纸可以用来练习写毛笔字。|要把废钢铁回收再利用。|这都是写废了的稿纸，没用了。

▶ 形容词“废”前后不加程度词修饰补充。

〔动〕不再使用；不再继续。（abandon；abolish；lay waste）常做谓语。

例句 做事情不能半途而废。|他们竟单方面把协议废了。|难道可以随意废掉自己签订的合同吗？|这份证明公证过，废不了。

【废除】 fèichú 〔动〕

取消；停止行使（法令、制度、条约等）。（abolish）常做谓语。

例句 这些不合理的制度早该废除了。|为了提高效率，政府机关废除了那些烦琐的办公程序。|要彻底废除旧制度，需要经过长期的斗争。|这是个不平等的条约，但目前还废除不了。|合同已经生效，不能由他们单方面废除。

辨析 〈近〉破除。“废除”重在取消，

"破除"重在打破;"废除"的对象常是法令、制度、条约、规章等;"破除"的对象常是迷信、旧思想、旧习惯等。如:*封建迷信早就该废除了。("废除"应为"破除")

【废话】 fèihuà 〔名〕
没有用的话。(superfluous words; nonsense)常做主语、宾语。[量]句。
例句 这篇文章,废话连篇。|这些废话,没人爱听。|少说废话,多干实事吧!|这句是废话,删掉吧。

【废品】 fèipǐn 〔名〕
❶ 不合出厂规格的产品。(waste product)做主语、宾语。[量]个,件。
例句 废品绝不能出厂。|她是个优秀工人,十几年没出过一件废品。
❷ 破旧的或失去原有价值的物品。(waste)常做主语、宾语、定语。[量]件,个。
例句 这几件废品该扔了。|旧报纸、旧杂志可以当废品卖掉。|前边有一个废品收购站。

【废气】 fèiqì 〔名〕
在工业生产机械运转中所产生的无用的气体。(waste gas or steam)常做主语、宾语、定语。[量]种。
例句 这些废气严重污染了周围的环境。|这家工厂每天都排出大量的废气。|治理工业废气是环保工作中的一个大问题。|这种废气的气味,让人头昏恶心。|废气的再利用很重要。

【废寝忘食】 fèi qǐn wàng shí 〔成〕
顾不得睡觉,忘记了吃饭。形容非常专心努力。[(so absorbed or occupied as to)forget to eat and sleep]常做谓语、定语、状语。
例句 不少留学生学习起来就废寝忘食。|几年废寝忘食的努力,换来了他辉煌的艺术成就。|为了考大学有多少学生废寝忘食地学习啊!

【废物】 fèiwù 〔名〕
失去使用价值的东西;比喻没有用的人。(waste material; good-for-nothing)常做主语、宾语、定语。[量]个。
例句 不少废物是可以利用的、有价值的东西。|这家工厂专门处理各种废物。|你怎么什么事都做不好,真是个废物!|要做好废物利用的工作。
▶ "废物"比喻没有用的人,是贬义的。

【废墟】 fèixū 〔名〕
城市、村庄遭受破坏或灾害后变成的荒凉的地方。(ruins; wasteland)常做主语、宾语。[量]片。
例句 这里,过去的废墟变成了一座现代化工厂。|1860年,英法联军把圆明园变成了一片废墟。|地震过后,人们在废墟上又重建了一座新城市。

【沸】 fèi 〔素〕
意思见"沸腾"。(boil)常用构词,或用在固定短语中。
词语 沸点 沸水 沸腾 沸沸扬扬 人声鼎沸
例句 水的沸点是100℃。|绿茶不能用沸水沏,要把水凉一凉再沏。

【沸腾】 fèiténg 〔动〕
❶ 液体达到一定温度时急剧转化为气体的现象。(boil)常做谓语(不带宾语)、定语。
例句 水加热到100℃时,就会沸腾。|炼钢炉里的钢水沸腾起来了。

F

|沸腾的岩浆从火山口喷发出来。|不同的液体,沸腾的温度也不同。

❷ 比喻事物蓬勃发展或情绪高涨。(seethe with excitement)常做谓语(不带宾语)、定语。

例句 大家的热血已经沸腾,非常激动。|新年钟声响了,广场顿时沸腾起来了。|工地上,到处是沸腾的景象。

F

【费】 fèi 〔名/动〕

〔名〕花的钱。(fee; dues; charge)常用于构词或用于短语中。

词语 房费 路费 水电费 医疗费 学费 手续费

例句 在中国一个月的生活费,大约要五百元。|煤气费该交了。|再去存几百元电话费吧。|现在可以免费上网。

〔动〕因使用而消耗掉;消耗得多。(cost; spend)常做谓语。

例句 男孩子穿鞋真费。|自己织毛衣很费时间。|老式车太费油。|我帮你做吧,费不了多少力气。|这事,请你费费心吧。|这台洗衣机又费水又费电,干脆买台新的吧。

【费力】 fèi lì 〔动短〕

耗费力量。(need or exert great effort)常做谓语(中间可插入成分)、定语、状语、补语、宾语。

例句 他病得很重,说话都很费力。|这件事很难,他费了不少力也没办成。|遇到这种费力的事,真让人头疼。|老人费力地点了点头。|事情办得很费力。|他的确老了,做点儿事觉得很费力。

【费用】 fèiyong 〔名〕

花费的钱;开支。(expenses; expenditure)常做主语、宾语、定语。[量]项,种,笔。

例句 去欧洲旅游,费用还能少得了吗?|日常生活的各项费用,她都安排得很好。|我已经准备好了两年的留学费用。|一位朋友提供给他这次演出的全部费用。|这笔费用的数目可不小。

【分】 fēn 〔动/名/量〕

〔动〕❶ 使整体事物变成几部分或使连在一起的事物离开。(divide; separate)常做谓语。

例句 这瓜太大,两个人分一个吧。|她父母在日本,姐姐在美国,她在中国,一家人分了三个地方。|这原来是个40平方米的屋子,后来被我分成了两个小房间。|快把糖分给弟弟一半。|请帮我把这些书分分吧。

❷ 按一定标准给。(distribute; assign; allot)常做谓语、定语。

例句 小朋友请坐好,现在阿姨给你们分苹果。|前些年,我们家分了十亩山坡地,现在都栽上了果树。|球票都分完了,一张也没有了。|分你一个紧急任务,明天就要完成。|我们都把以前分的房子买下来了。

❸ 辨别。(distinguish)常做谓语。

例句 那个老人不分春夏秋冬,每天都出来跑步。|他总是是非不分,什么事都说"好"、"对"。|我分不出他们哪位是日本人,哪位是韩国人。|你分分看这两件衬衫哪件是纯棉的?

〔名〕评定的成绩。(score)常做主语、宾语。[量]个。

例句 这个分考市重点大学还不够。|期中考试的分公布了吗?|不努力学习,考试怎么能得高分呢?|他这次才考了七十多分。

〔量〕❶ 一个整体划分成十部分，每一部分为一分。(one-tenth) 常构成短语做句子成分。

例句 他的一生七分是成绩，三分是错误。｜听到女儿考上大学的消息，妈妈的病也好了几分。｜为了公司的发展，大家都应该有一分热发一分光。｜他喝了不少酒，已经有七八分醉了。

❷ 计量单位的名称。1 分＝1/10 寸、1/10 亩、1/10 角、1/60 小时，读法 1 分等于(十分之一寸、十分之一亩、十分之一角、六十分之一小时)。(*fen*) 常构成数量短语做定语。

例句 房前有四分地。｜一分钱的用处不大，但也不能浪费。

▶ “十分”在通常情况下是程度副词。

【分辨】 fēnbiàn 〔动〕

判别。(distinguish) 常做谓语、定语。

例句 雾太大了，简直分辨不清东南西北了。｜这一对姐妹长得非常像，我无法分辨谁是谁。｜这幅名画是赝(yàn)品，但画得非常像，使人分辨不出真假。｜这件衣服是真名牌还是假名牌，你来分辨分辨吧。｜她对语言的分辨能力很强。｜小孩子对是非缺乏分辨力，你应该耐心告诉他。

【分辩】 fēnbiàn 〔动〕

说明真相，消除误会。[defend oneself (against a charge)] 常做谓语、宾语。

例句 组长为了这件事跟老师分辩了半天。｜虽然我觉得他说的跟事实有些出入，可是我也没分辩什么。｜大家说什么就是什么，我不想分辩。｜小王总是这样一听到什么意见，马上就进行分辩。

辨析 “分辩”指用语言辩论和解释、说明；“分辨”指靠判断来区别、区分。如：* 做事情要分辩清楚轻重缓急。(“分辩”应为“分辨”)｜* 大家都说是她错了，她急得大声分辨起来。(“分辨”应为“分辩”)

【分别】 fēnbié 〔动/副〕

〔动〕❶ 离开较熟的人或地方较长时间。(part; leave each other) 常做谓语(不带宾语)、定语。

例句 孩子和父母已经分别一年了。｜两人紧紧地拥抱后才依依不舍地分别。｜分别的时候，大家都流下了热泪。｜分别之后，我们一直没有再见面了。｜和父母分别以后，他处处要自己照顾自己。

❷ 辨别。(distinguish) 常做谓语、定语。

例句 他的眼睛分别不了红色和绿色。｜事情太多的时候，要分别轻重缓急一件一件地办。｜你能分别出他俩谁是哥哥，谁是弟弟吗？｜他的分别能力的确很强。

〔副〕❶ 采取不同方式。(separately) 常做状语。

例句 对这两个问题，应该分别处理。｜这几个客户的情况不同，我们要分别对待。

❷ 分头，各自，不一起。(respectively) 常做状语。

例句 为了把事情弄清楚，我分别调查了在场的四个人。｜董事长和总经理分别同客人进行了会谈。｜她的儿子和女儿分别去了日本和美国。

【分布】 fēnbù 〔动〕

散布(在一定的地区内)。[be dis-

F

tributed (over an area; be dispersed; be scattered)]常做谓语、定语、主语、宾语。

例句 西双版纳分布着较多的热带雨林。|这个山区分布着十来个风景点。|侨乡不仅分布在广东,也分布在广西、福建等省。|那是一幅本省的人口分布图。|灾情的分布面积很广。|中国耕地的分布很不平衡。|要通过调查,进一步摸清水资源的分布。

【分寸】 fēncùn 〔名〕

说话或做事的适当限度。(proper limits for speech or action; sense of propriety)常做主语、宾语。[量]点儿。

例句 那个人说话、做事,常常一点儿分寸都没有。|她发言的分寸没掌握好。|做外事工作得特别注意分寸。|小孩子跟大人说话不能没有分寸。|他讲话很会掌握分寸。

【分队】 fēnduì 〔名〕

一般指军队的一级组织。(a troop unit corresponding to the platoon or squad; element)常做主语、宾语、定语。[量]支,个。

例句 这支小分队十分精干,一共只有二十个人。|步兵分队先出发。|为了完成这次任务,组建了一个分队。|小分队的成员都是二十岁左右的年轻人。|分队的领导是副团长。

【分工】 fēn gōng 〔动短〕

分别从事各种不同而又互相合作的工作。(divide the work)常做谓语、主语、定语、宾语。

例句 这个任务要按时完成,大家必须分工合作。|今天下午大清扫,请班长给同学们分一下工。|他们俩的分工明确,配合得很好。|人们的工作,只有分工的不同,没有高低贵贱的分别。|社会发展进步了,才出现了不同的社会分工。

【分红】 fēn hóng 〔动短〕

企业里分配盈余;按股份分配利润。(draw dividends; share profits)常做谓语(中间可插入成分)、定语、宾语。

例句 股份制的单位年终时都应当按股分红。|去年,每个职工都分了不少红。|分红的比例是多少?|买了这种股票的股民,都可以参加分红。

【分化】 fēnhuà 〔动〕

❶ 性质相同的事物变成性质不同的事物;统一的事物变成分裂的事物。(become divided; break up)常做谓语、定语。

例句 在远古的时候,人类逐渐从猿分化出来。|私有制产生以后,人类便分化出不同的阶级。|分化现象在自然界和人类社会都普遍存在。

❷ 使分化。(split up)常做谓语。

例句 我们应该分化敌人。|这股势力终于被我们分化瓦解了。

【分解】 fēnjiě 〔动〕

❶ 一个整体分成各个部分。(disintegrate; break down; dissociate)常做谓语、定语。

例句 现在我们一起来分解这个数学因式。|这种力可以分解成向上、向前的两个力。|请画出这种力的分解图。|我们先来学习太极拳的分解动作。

❷ 一种物质经化学反应而分成两种或多种物质。(decompose)常做

谓语、定语。

例句 水经过电解,可以分解成氢气和氧气。|氯酸钾可以分解为氯化钾和氧气。|现在我们来学习分解反应。

❸ 分化瓦解。(split up)常做谓语。

例句 我们应该从内部分解对方的力量。|现在他们内部正在分解,很多人不同意改革。

【分类】 fēn lèi 〔动短〕

根据事物的特点分别归类。(classify;assort)常做谓语、定语、状语,中间可插入其他成分。

例句 这些新书分类以后再放到书架上去。|请把这些文件分一下类,保存起来。|我把磁带分了两类,常用的放在磁带架上,其他的放在小纸箱里了。|请把这份图书分类目录复印三份。|词语的分类情况,我还没全记住。|阅览室里杂志都是分类摆放的。

【分离】 fēnlí 〔动〕

❶ 分开。(separate)常做谓语、定语。

例句 从水中可以分离出氢气。|他正在显微镜下分离试验的细胞。|给这对连体婴儿做分离手术,十分困难。

❷ 别离。(leave)常做谓语(不带宾语)、定语。

例句 但愿你我永远不分离。|他和家人已经分离几十年了。|分离的滋味是很痛苦的。

辨析 〈近〉离别。"分离"可用于人,也可用于事物,不可带宾语,不能表示人与地方分开;"离别"只用于人或人与地方分开,不能用于事物,可带宾语。如:*我们马上就要与故乡分离了。("分离"应为"离别")|她离别了可爱的故乡。

【分裂】 fēnliè 〔动〕

整体的事物分开。(split; divide; break up)常做谓语、定语。

例句 分裂了组织,就削弱(xuēruò)了力量。|国家继续分裂下去,人民就会遭受更大苦难。|谁也不允许搞民族分裂。|细胞分裂的速度很快。|对这种分裂行为必须压制。

【分泌】 fēnmì 〔动〕

生物体的某些细胞组织或器官里产生出某种物质。(secrete)常做谓语、定语。

例句 胃的作用是分泌胃液、消化食物。|这种植物能分泌出一种黏液。|口水是唾液腺分泌出来的。|淋巴腺属于内分泌系统。|这种分泌物有毒。

【分明】 fēnmíng 〔形〕

清楚。(clear; plain)常做谓语、补语。

例句 当官就要公私分明。|鲁迅先生的爱和憎,从来都分明得很。|你刚才说的,我听得很分明。

▶"分明"也做副词,有"明明"、"显然"的意思。如:这件事分明是他干的,可他却不承认。

【分母】 fēnmǔ 〔名〕

一个分数中,写在横线下面的数。(denominator)常做主语、宾语、定语。[量]个。

例句 "2/3"是个分数,分母是"3"。|如果几个分数的分子相同,那么分母越大的分数越小。|"0"不能做分母。|几个分数相加时,首先要找到分母的最小公倍数。

【分配】 fēnpèi 〔动〕

❶ 按一定的标准或规定分(东西)。(distribute;allot)常做谓语、定语。

例句 这些办公用品请办公室主任分配吧。|厂长分配给他们一间实验室。|奖学金名额已经分配完了。|有两个席位分配给了在野党。|我们的分配原则是按劳取酬(chóu)。

❷ 安排;分派。(assign)常做谓语、定语、宾语。

例句 新同学报到以后,王老师负责分配班级。|组长每天给我们几个人分配工作。|她被分配到初级班。|毕业后,学校分配他到西藏去工作。|不必制定分配方案了,今年的毕业生都自谋职业。|我们都服从分配。

【分批】 fēn pī 〔动短〕

把大量的人或事物分成一批一批,一组一组。(in batches)常做谓语,中间可插入成分。

例句 参加义务劳动的人,分成三批。|这些贷款,我们分批偿还。|面包车一次拉不了那么多人,分两批去吧。|这些货可以分批发运。

【分期】 fēn qī 〔动短〕

分阶段地,分批地。(by stages)常做谓语,中间可插入成分。

例句 长江三峡工程计划分三期完成。|买房子可以分期付款。|新图书馆将分期交付使用。

【分歧】 fēnqí 〔名〕

指思想、意见、记载等的差别。(difference; divergence)常做主语、宾语。[量]个。

例句 会上,董事们的意见分歧很大。|你别担心,这个分歧并不是无法消除的。|在如何评价几年来的改革时专家们出现了一些分歧。|虽然他俩工作上常有分歧,但他们仍是好朋友。

【分清】 fēn qīng 〔动短〕

分辨清楚。(distinguish; differentiate)常做谓语,中间可插入成分。

例句 你已经长大成人了,是非好坏一定要分清。|工作出现问题要分清责任,及时处理。|雾太大了,简直让人分不清方向。|你能分得清同义词的用法吗?

【分散】 fēnsàn 〔动/形〕

〔动〕散在各处;使散在各处。(disperse; scatter; decentralize)常做谓语。

例句 窗外的汽车声分散了学生们的注意力。|这部小说中过多的景物描写分散了作品的主题。|大学毕业以后,她的五个最好的朋友分散在五个城市。|一进颐和园,大家就分散开来,自由活动了。

〔形〕不集中。(decentralized)常做谓语、状语、定语、补语。

例句 这个地区的工业布局原来比较分散。|下了车,大家最好不要分散活动。|应该把市场门口分散的运输户组织起来。|这个班的留学生住得很分散。

【分数】 fēnshù 〔名〕

❶ 评定成绩或胜负时所记的数字。(score)常做主语、宾语、定语。[量]个。

例句 他期末考试的平均分数是86分。|在全国跳水比赛中,她的分数不太理想。|在这次的HSK考试中,我得了很高的分数。|我们按分数的高低录取学生。

❷ 把一单位分成若干等份,表示其中的一份或几份的数。是除法的一

种书写形式。(fraction)常做主语、宾语、定语。[量]个,种。

例句 分数有好几种。|分数可以换算成小数。|2/9是一个分数。|请把这几个分数加在一起。|你学会了分数的运算法则了吗?

【分析】 fēnxī 〔动/名〕

〔动〕对某事物现象进行仔细认真的研究,找出它们的本质和相互关系。(analyse)常做谓语、定语、宾语。

例句 今天下午开会分析这次考试失败的原因。|大家分析分析我们为什么没打赢这场球?|老师把这个复杂句子的语法关系分析得十分清楚。|经过培训他的分析能力提高了。|调查组正在对事故原因进行分析。

〔名〕分析的行为。(analysis)常做主语、宾语。[量]个,种。

例句 总经理对市场的分析十分透彻(tòuchè)。|大家全都同意他的这种分析。

【…分之…】 …fēn zhī… 〔名短〕

表示分数。(fraction)常做主语、宾语、定语。

例句 我们参观的那所中学,三分之二是女老师。|在中国的留学生三分之一是韩国人。|学我们这个专业的女同学很少,只占十分之一。|这个商店大约四分之一的商品是进口的。

▶ 如果分数的分母是一百,常可以说"百分之…"。如:百分之十 百分之五十 百分之百|他们厂生产的家具百分之七十出口,百分之三十内销。|比尔上中国历史课,只能听懂百分之六七十。

【分钟】 fēnzhōng 〔名〕

时间单位。一小时等于60分钟。(minute)常做主语、宾语、定语、补语。

例句 十五分钟也叫一刻钟。|哪怕是几分钟的时间也不应该浪费掉。|他答这份卷子只用了四十分钟。|十分钟的休息时间很短。|她俩在电话里讲了二十分钟。

▶ "分钟"前不能用量词。如:* 咱们再等十个分钟吧。("十个分钟"应为"十分钟")

【分子】 fēnzǐ 〔名〕 另读 fènzǐ

❶ 一个分数中,写在横线上面的数。(numerator)常做主语、宾语、定语。[量]个。

例句 在"$\frac{2}{3}$"中,分母是"3",分子是"2"。|分母相同的分数相加很简单,只要把分子加在一起就可以了。|分母相同的分数相比较时,只看分子的大小。

❷ 物质能独立存在的最小微粒。(molecule)常做主语、宾语、定语。[量]个。

例句 分子是由原子组成的。|用肉眼是看不见分子的。|这种物质的分子量是98。

【芬芳】 fēnfāng 〔形〕

香。(fragrant)常做谓语、定语。

例句 玉兰花多么芬芳!|她的小院子里种满了玫瑰,花开季节,芬芳的花香令人心醉。

▶ "芬芳"也做名词用,是"香气"的意思。如:还未走到茉莉花园,那缕缕的芬芳就飘了过来。|微风送来了野花的芬芳。

【吩咐】 fēnfù 〔动〕

口头命令或指派;嘱咐。(tell; in-

F

struct)常做谓语、主语、宾语。

例句 有什么事,请尽管吩咐。|爸爸刚吩咐完,妈妈又接着吩咐起来。|领导吩咐我们一定要在月底前赶回来。|老板的吩咐,谁敢不听。|你可别忘了老师的吩咐。

辨析 〈近〉嘱咐。"吩咐"重在指派对方做什么;"嘱咐"重在要别人记住什么。如:* 妈妈吩咐孩子过马路要小心。("吩咐"应为"嘱咐")

F

【纷】 fēn 〔形〕

❶ 多,杂乱。(numerous)常用于构词或用在固定短语中。

词语 纷纷 纷乱 纷繁 纷飞 众说纷纭 异彩纷呈

例句 出了什么事?为什么外边响起了纷乱的脚步声?|大雪纷飞,到处是一片银色的世界。|对这件事,大家众说纷纭。

❷ 争执的事情。(disputed)常用于构词或用在固定短语中。

词语 纠纷 纷争 排难解纷

例句 二十年代时,军阀纷争。

【纷纷】 fēnfēn 〔形〕

多而杂乱;多而连续;接二连三地。(numerous and confused; one after another)常做谓语、补语、状语。

例句 大雪纷纷,路上的行人很少。|对这件事,大家都议论纷纷。|一阵秋风刮过,树上的黄叶纷纷飘落下来。|春节到了,在外地工作的人纷纷回到故乡。

【坟】 fén 〔名〕

埋死人的穴和上面修的土堆(也有的用砖石等砌成)。(grave; tomb)常做主语、宾语、定语。[量]个,座。

例句 爷爷和父亲的坟都在这座山上。|清明节,许多人都要给死去的亲人上坟。|父亲的坟前栽着两棵松树。

【坟墓】 fénmù 〔名〕

意义同"坟"。(grave; tomb)常做主语、宾语、定语。[量]座,个。

例句 帝王的坟墓常常称做"陵",如十三陵、秦始皇陵。|城市郊区有一座汉代的坟墓。|坟墓的朝向一般都是坐北朝南的。

【粉】 fěn 〔名〕

❶ 极细的颗粒。(powder)常用于构词。

词语 面粉 粉笔 粉末 奶粉

例句 这种奶粉不含糖。|妈妈买回来一小袋面粉。

❷ 化妆用的极细的颗粒。(face powder)常做主语、宾语、定语。

例句 这种牌子的粉,我没用过。|他们厂生产的化妆品中,没有香粉。|这粉的味儿很好闻。

❸ 用淀粉制成的食品,特指粉条或粉丝。(noodles or vermicelli made from bean or sweet potato starch)常做主语、宾语,也做语素构词。

词语 凉粉 粉皮 粉条 粉丝

例句 粉多少钱一斤?|菠菜汤里加点儿粉吧。

▶ "粉"也做动词,指变成末儿状。如:粉身碎骨|碱块已经粉了。

【粉笔】 fěnbǐ 〔名〕

熟石膏粉做成的用来在黑板上写字的笔。(chalk)常做主语、宾语、定语。[量]支,根。

例句 粉笔都放在讲桌上了。|无尘粉笔比普通粉笔贵一些。|请给

我几支粉笔。|通知用粉笔写在小黑板上就行了。|刚下课,老师身上还有粉笔末儿呢。|桌子上放着一个粉笔盒。

【粉末】 fěnmò 〔名〕

极细的颗粒;细屑。(dust; farina; powder) 常做主语、宾语、定语。[量]点儿,些,种。

例句 这种粉末是什么? |有的文物一出土就变成粉末了。|那种药是粉末形状的。|这种零件需要用粉末金属来铸造(zhùzào)。

【粉碎】 fěnsuì 〔形/动〕

〔形〕破碎得像粉末一样厉害。(broken into pieces) 常做谓语、补语、定语。

例句 由于路不好,下车时,一箱玻璃杯都粉碎了。|她脚下一滑,手中的杯子掉在地上摔得粉碎。|他受了伤,是粉碎性骨折。

▶ "粉碎"本身已表示了很高的程度,不能再受程度副词修饰。如:*现实把他的幻想打得很粉碎。("打得很粉碎"应为"打得粉碎")

〔动〕❶ 使粉碎;切碎、轧碎或磨碎。(break into pieces) 常做谓语、定语。

例句 这台机器只能粉碎谷物。|一天时间可粉碎不了这么多饲草。|你去把那些红薯粉碎一下吧。|这种小型机器粉碎的效果不错。

❷ 使彻底失败或毁灭。(smash; shatter) 常做谓语。

例句 队员们出色的表现粉碎了对手夺取冠军的梦想。|没有人民的支持,就粉碎不了敌人的进攻。|理想被现实粉碎了。

【分】 fèn 〔素〕 另读 fēn

❶ 构成事物的各种物质或因素。(element; component) 常用来构词。

词语 水分 盐分 养分 成分

例句 这种土养分很足。|这些烟草没干透,水分太大。

❷ 职责、权利等的限度。(limit of one's rights or duty) 常用来构词或用在固定结构中。

词语 本分 过分 分内 恰如其分 非分之想

例句 认真地工作,这是我的本分。|你这么说太过分了。|不论分内还是分外的事,都应该做好。|他对你的评价真是恰如其分。

❸ 情谊。(affection; friendly feeling) 常构成"…分上"做宾语。

例句 看在同学的分上,我不跟他吵了。|看在朋友的分上,原谅他吧。

【分量】 fènliàng 〔名〕

重量。(weight) 常做主语、宾语。[量]点儿。

例句 这个箱子的分量可不轻。|分量一定够,你放心。|他说的这番话很有分量。|最近我太累了,减了不少分量。

【分外】 fènwài 〔名/副〕

〔名〕本分以外。(beyond one's duty or job) 常做定语、主语、宾语。

例句 帮助别人可不能说是分外的事。|咱们办公室就俩人,分内分外都得干。|他工作热情高,态度好,干起活儿来从不计较分内分外。

〔副〕超过平常;特别。(especially; particularly) 常做状语。

例句 月到中秋分外明。|今天,春风分外柔和,阳光分外明媚,人的心情也分外舒畅。|弟弟放假回来了,

奶奶分外高兴。

辨析 〈近〉格外。"分外"是副词兼名词;"格外"是副词兼形容词。"分外"一般只修饰形容词,不能和否定副词连用;"格外"还可以修饰一些动词,也可和否定副词连用。如:*看着孩子那甜甜的小脸,真是分外让人喜欢。("分外"应为"格外")|*雨下个不停,让人心里分外不痛快。("分外"应为"格外")

【分子】 fènzǐ 〔名〕 另读 fēnzǐ

属于一定的阶级、阶层、集团的人;具有某种特征的人。(person belonging to a class, group, or showing certain characteristics; member; element)常做主语、宾语、定语。

例句 高级知识分子是指已经具有了高级技术职称的知识分子。|我也是这个家的一分子,买房子时,我也应该做点儿贡献。|在中国,知识分子的待遇,已经提高了许多。

【份】 fèn 〔量〕

❶ 指整体分成的部分,或组成整体的部分。(share; part; portion)常构成短语后做句子成分。

例句 他把财产分成了三份,一份给老伴,一份给儿子,另一份捐献给了希望工程。|我立了功,可这里面也有你一份。

❷ 用于某些抽象事物。(*used to indicate certain nonphysical things, used after* "这" *or* "那")常与"这、那"构成短语后做定语。

例句 你对我的这份心意,我是不会忘记的。|事情办成了,我心里那份高兴劲儿就别提了。|我可没那份闲工夫。

❸ 用于报刊、文件等。(copy)常构成短语做句子成分。

例句 我们订了两份晚报,一份给阅览室,另一份给教研室。|这儿有两份文件,请您看一下。|这个合同一式两份,甲乙双方各保存一份。

❹ 餐厅、商店为单人提供的食物量。(set)常构成短语后做句子成分。

例句 我要一杯红茶,一份点心。|今天中午请准备两份盒饭。

▶ "份"也用于构词。如:股份 份子 份额 年份 省份 月份 份饭

【奋】 fèn 〔素〕

❶ 鼓起劲来。(exert oneself; act vigorously)常用来构词或用在固定短语中。

词语 振奋 兴奋 勤奋 奋起 奋斗 奋力 奋不顾身 奋发图强 奋起直追

例句 这些年轻人正在为实现远大的理想而努力奋斗。|经过他的奋力抢救,落水儿童被救起。|消防队员们奋不顾身地冲进火海。

❷ 摇动;举起。(raise; lift)常用在固定短语中。

词语 奋臂高呼 奋笔疾书

例句 那些游行的人奋臂高呼:"要和平!不要战争!"

【奋斗】 fèndòu 〔动〕

为了达到目的而努力干。(strive)常做谓语(不带宾语)、宾语、定语。

例句 中国人民在为全面实现"小康"而努力奋斗。|只要奋斗下去就一定会胜利。|他为实现自己的理想奋斗了大半生。|要完成这个任务,单靠几个人的奋斗是不行的。

|直到生命的最后一息，他也没有停止奋斗。|先进人物的奋斗精神，确实值得我们学习。

【奋发图强】 fènfā tú qiáng 〔成〕
振作精神，努力自强。(go all out to make the country strong)常做谓语、定语。

例句 科学工作者奋发图强，正在研究新的治癌药物。|中国人民发扬奋发图强的精神，为实现现代化进行着忘我的劳动。

【奋勇】 fènyǒng 〔副〕
鼓起勇气。(courageously)常做状语。

例句 队员们奋勇进攻，取得了比赛的胜利。|我们一定要奋勇攀登(pāndēng)科学高峰。

▶ "奋勇"可做形容词，构成固定短语"自告奋勇"。如：他自告奋勇，要求当班长。|晚会上，我自告奋勇地表演了一个节目。

【奋战】 fènzhàn 〔动〕
奋勇战斗。(fight bravely)常做谓语(不带宾语)。

例句 工人们连夜奋战了七个小时，终于修好了那段被洪水冲坏了的铁路。|除夕之夜，市长在电视上发表讲话，向奋战在各条战线上的人们表示新年的祝福。

【愤恨】 fènhèn 〔动〕
愤慨痛恨。(indignantly resent)常做谓语、定语。

例句 不正之风，令人愤恨。|命运为什么这样不公正？他不满，他愤恨。|那愤恨的目光使别人害怕。

【愤怒】 fènnù 〔形〕
气愤到了极点。(angry; furious)常做谓语、定语、状语。

例句 那个男人蛮(mán)不讲理地打了女清洁工，周围的人都愤怒了。|他愤怒得两手颤(chàn)抖。|民警愤怒地去追赶那辆撞人后逃跑的汽车。|人群中发出了愤怒的喊声。

辨析 〈近〉气愤。"愤怒"的程度比"气愤"重。"愤怒"多用于书面语；"气愤"多用于口语。如：* 他气愤地向歹徒开了枪。("气愤"应为"愤怒")

【粪】 fèn 〔名〕
屎。(dung; droppings)常做主语、宾语、定语。[量]堆，摊。

例句 粪是很好的有机肥料。|牧民有烧牛粪做饭取暖的习俗。|粪筐坏了，你修修吧。

【丰产】 fēngchǎn 〔动〕
产量高(多指农业)。(get bumper crops)常做谓语(不带宾语)、定语。

例句 引进优良品种后，他家的果树丰产了。|农民们积极采用新技术，以保证水稻丰产。|这是一块丰产田。|请你们介绍一下丰产经验吧。

【丰富】 fēngfù 〔形/动〕
〔形〕(物质财富、学识经验等)种类多或数量大。(rich; plentiful; abundant)常做谓语、定语、补语。

例句 汉语的词汇极为丰富。|她的感情十分丰富。|南极大陆有丰富的资源。|孩子们往往有丰富的想象力。|你的暑假生活过得丰富吗？

〔动〕使丰富。(enrich)常做谓语。

例句 除了学校以外，还有少年宫一类的地方可以丰富孩子们的课外

F

生活。|通过实践,他丰富了自己的工作经验。

【丰满】 fēngmǎn 〔形〕

❶ 充足。(full;plentiful)常做谓语、定语、补语。

例句 这篇小说中的人物形象十分丰满。|小鸟已经长出了丰满的羽毛。|架子上的黄瓜、豆角都长得非常丰满。

❷ (身体或身体的一部分)胖得匀称好看。(well-developed; full-grown)常做谓语、定语、补语。

例句 她越来越丰满了。|在她丰满的面庞上,长着一对美丽的大眼睛。|如今她做了妈妈,变得丰满多了。

【丰收】 fēngshōu 〔动〕

(农业等)收成好。(bumper harvest)常做谓语、定语、宾语。

例句 今年的气候不错,水果一定会大丰收。|他们今年水产养殖(yǎngzhí)丰收了。|中秋节,我回到久别的家乡,也分享了一份丰收的喜悦。|今年一定又是一个丰收年。|电视剧创作获得丰收。

【风】 fēng 〔名〕

❶ 流动的空气。(wind)常做主语、宾语、定语。[量]阵,股,丝。

例句 今天风特别大。|海面上风平浪静。|起风了,快把窗户关上吧。|帆船前进完全靠风的推动。|在沙漠化过程中,风的作用是主要的。

❷ 社会上或集体中流行的爱好、习惯。(practice;custom)常用于固定短语,也做主语、宾语、定语。

词语 不正之风 蔚然成风 移风易俗

例句 那里民风纯朴。|我们班有着很好的学风。|党风问题引起了全社会的关注。

❸ 景象。(scene;view)用于构词。

词语 风景 风光

❹ 态度;姿态。(attitude;style)常用于构词。

词语 作风 风度 风姿

❺ 消息。(news;information)常用于构词或用在固定结构中做宾语。

词语 风声 闻风而动 口风

例句 他刚听了点儿风声就坐不住了。|你怎么听到风就是雨呀?

【风暴】 fēngbào 〔名〕

❶ 刮大风同时有大雨的天气现象。(windstorm; storm)常做主语、宾语、定语。[量]场,次。

例句 风暴持续了一天一夜。|这场特大风暴给农业造成了巨大的损失。|我区近期内将有一场大风暴。|昨晚,沿海地区遭受到风暴的袭击。

❷ 比喻规模大而且气势猛烈的事件或现象。(a violent commotion; storm;tempest)常做主语、宾语、定语。[量]次,场。

例句 革命的风暴不可阻挡(zǔdǎng)。|西方金融市场一度出现了抢购美元的风暴。|在那场红色风暴的前夕,革命者做了许许多多准备工作。

【风度】 fēngdù 〔名〕

美好的举止、姿态。(demeanour; bearing)常做主语、宾语。[量]种。

例句 她那优雅的风度给我留下了深刻的印象。|新郎举止大方,风度翩翩。|女士们都非常欣赏他的风度。|我们的新市长很有风度。

【风格】 fēnggé 〔名〕

❶ 气度；作风。(manner)常做主语、宾语。

例句 助人为乐的风格应该发扬光大。|这次比赛，运动员们打出了风格，打出了水平。|你发扬发扬风格，把这次机会让给我行不行？

❷ 一个时代、一个民族、一个流派或一个人的文艺作品表现的主要思想特点和艺术特点。(style)常做主语、宾语、定语。[量]种。

例句 她的艺术风格很特别。|那位男演员风格很独特。|这些建筑反映了中国古代的建筑风格。|这种传统风格的建筑在我们家乡很常见。

【风光】 fēngguāng 〔名〕

风景；景象。(scene; view)常做主语、宾语、定语。

例句 江南水乡的风光秀美绮丽。|一年四季，漓江都是山清水秀，风光如画。|我十分喜爱家乡的秀丽风光。|这部电影是一部风光片。

▶"风光"又读 fēngguang，形容词，表示"热闹、体面"。如：儿子考上了北京大学，母亲也觉得十分风光。|拿了世界冠军，全体队员和教练风风光光地回到了首都北京。

【风景】 fēngjǐng 〔名〕

一定地域内由山水、花草、树木、建筑物以及某些自然现象(如雨、雪)形成的可供人观赏的景象。(scenery; landscape)常做主语、宾语、定语。[量]种。

例句 西湖的风景确实迷人。|秋天的香山，满山都是红叶，风景格外美丽。|我很喜欢南方水乡的风景。|游客们被这种少见的风景迷住了。|这真是一幅美丽的风景画。

【风浪】 fēnglàng 〔名〕

水面上的风和波浪；比喻艰险的遭遇。(stomy wave; a stormy experience)常做主语、宾语、定语。[量]阵，股。

例句 风浪很大，船颠簸(diānbǒ)得厉害。|老人在海上打了一辈子鱼，早已久经风浪了。|今晚有台风，海上会有大风浪。|我们应该经得起任何风浪的考验。

【风力】 fēnglì 〔名〕

风的力量；风的强度。(force or power of wind)常做主语、定语、宾语。

例句 今天有北风，风力是五至六级。|台风的风力常可达到十级以上。|用风力来发电的机器叫风力发电机。

【风马牛不相及】 fēng mǎ niú bù xiāng jí 〔成〕

事物之间毫不相干。(have nothing to do with each other; be totally unrelated)常做谓语、定语。

例句 中国传说中的神与西方的神风马牛不相及，没办法放在一起比较。|这件事我是刚刚知道的，我出国跟这件事风马牛不相及。|这是风马牛不相及的事。

【风靡一时】 fēngmǐ yì shí 〔成〕

在一个时期内普遍流行。(become fashionable for a while)常做谓语、定语。

例句 这支歌曾经风靡一时，那个时代的人大都会唱。|那种风靡一时的砖头似的"大哥大"现在已经见不到了。

【风平浪静】 fēng píng làng jìng 〔成〕

❶ 没有风浪。(the wind has dropped

and the waves have subsided)常做谓语、定语。

例句 海面上风平浪静,只有我们这条船在静静地行驶。|风平浪静的时候,海很可爱。

❷ 比喻平静无事。(calm and tranquil)常做谓语、定语。

例句 现在单位里风平浪静,没什么事。|那场局部战争已风平浪静了。|我已经习惯了过风平浪静的生活。

F

【风气】 fēngqì 〔名〕

社会中或某个集体中流行的爱好或习惯。(general mood; common practice)常做主语、宾语、定语。[量]种。

例句 这种不良风气对青少年产生了很大的影响。|我们班的学习风气很浓。|傣族有信佛的风气。|我们大家都重视口语、多练口语,就会形成一种浓浓的风气。|一种风气的形成,不是一两个人的事情。

【风趣】 fēngqù 〔名/形〕

〔名〕幽默的趣味。(humour; wit)常做宾语。

例句 小王很有风趣。|导演是位极有风趣的人,大家都喜欢他。

〔形〕幽默。(humourous)常做谓语、定语、状语、补语。

例句 他们俩都很幽默,在一起聊天时,风趣极了。|我们常被他那风趣的话语引得大笑。|老张常常风趣地说点儿什么,这赶走了长途旅行的枯燥和乏味。|老师的话说得十分风趣,课堂的气氛一下子轻松了许多。

【风沙】 fēngshā 〔名〕

风和被风卷起的沙土。(sand blown by the wind)常做主语、宾语、定语。

例句 这个地区临近沙漠,风沙很大。|大风沙使人简直睁不开眼睛。|刮风时,女人常常用纱布包着头,好挡住风沙。|植树造林能够大大减少风沙的侵害。

【风尚】 fēngshàng 〔名〕

在一定时期中,社会上普遍流行的风气和习惯。(prevailing custom or habit of society at a specific time)常做主语、宾语。[量]种。

例句 这种讲奉献的崇高风尚应该提倡和发扬。|要使助人为乐成为一种社会风尚。

辨析 〈近〉风气。"风尚"指一定时期中社会上流行的风气等;"风气"则指社会或较大范围流行的爱好、习惯等。"风尚"是褒义词;"风气"是中性词。如:*这所学校的风尚很正。("风尚"应为"风气")

【风俗】 fēngsú 〔名〕

社会上长期形成的风尚、礼节、习惯等的总和。(custom)常做主语、宾语。[量]种,个。

例句 乡下的风俗跟城里往往有很大的不同。|端午节吃粽子,这种风俗已经沿袭很久很久了。|女儿出嫁要彩礼(cǎilǐ),这是一种旧风俗。|到少数民族地区旅游,要先了解一下当地的风俗。

辨析 〈近〉习俗,习惯。"风俗"只做名词,"习惯"还可做动词;"习惯"可用于个人等较小范围,"风俗"不可以。如:*孩子们应从小就养成良好的生活风俗。("风俗"应为"习惯")

【风味】 fēngwèi 〔名〕

事物的特色(多指地方特色)。(special flavour)常做主语、宾语、定语。[量]种。

例句 家乡的风味令人怀念。|这首诗写得不错,有民歌的风味。|妻子做的菜是四川风味。|夜市上的风味小吃可真不少。|回国前买了一些风味食品带给朋友。

【风险】 fēngxiǎn 〔名〕

可能发生的危险。(risk; hazard)常做主语、宾语、定语。[量]点儿。

例句 做这种生意的风险很大,你们想过吗?|这个工程难度较大,你们要承担一定的风险。|买股票是一种风险投资。|风险赔偿金应由保险公司赔付。

【风雨同舟】 fēngyǔ tóng zhōu 〔成〕

比喻共同渡过困难。(in the same storm-tossed boat — stand together through thick and thin)常做谓语。

例句 他们夫妇两个风雨同舟,共同走过了半个世纪。|让我们风雨同舟,共同努力!

【风筝】 fēngzheng 〔名〕

一种借风势放上天的玩具。(kite)常做主语、宾语、定语。[量]只,个。

例句 风筝是孩子们喜爱的玩具。|我的风筝在空中越飞越高。|昨天,有许多人在广场上放风筝。|他给女儿做了个风筝,比买的漂亮多了。|那儿每年都举办风筝节。|风筝的式样可多了:有龙、有燕子、有蝴蝶等等。

【封】 fēng 〔动/量〕

〔动〕❶ 古时帝王把爵(jué)位(有时连土地)或称号赐给臣子。[confer (a title, territory, etc.) upon]常做谓语。

例句 诸葛亮被封为"武侯"。|帝王在位时,一般都封长子(大儿子)做太子,以便将来继承王位。|最近,他被领导"封"了官。

❷ 盖住、关住。(seal)常做谓语。

例句 明天就考试了,今天下午封考场。|我已经把信封好了,邮票也贴上了,请帮我寄走,好吗?|这个盖子不合适,瓶口封不严。

〔量〕用于封起来的东西。(*used to indicate enveloped things*)常构成短语做句子成分。

例句 今天上午,我收到了两封朋友的来信。|那封信是被退回来的。

【封闭】 fēngbì 〔动〕

严密盖住或关住,使不能通行或打开。(seal; block; close)常做谓语、定语。

例句 大雪封闭了上山的道路。|雾太大了,高速公路不得不封闭了。|改革开放以前,封闭的政策严重影响了中国的发展。

【封顶】 fēngdǐng 〔动〕

❶ 建成建筑物顶部。(put a roof on)常做谓语、定语,中间可插入成分。

例句 "新世纪大厦"已经按期封顶了。|按这个进度,入冬前恐怕封不了顶了。|封顶那天要庆贺一下。

❷ 指限定最高数额。(set a maximum rate)常做谓语。

例句 A:奖金封不封顶? B:不封顶。|工资上不封顶,下不保底。

【封建】 fēngjiàn 〔名/形〕

〔名〕一种政治制度或社会形态。(feudalism)常做宾语、定语。

例句 1919年5月4日,在中国发

生了反帝反封建的学生运动。|中国的封建社会长达两千多年。

〔形〕带有封建社会色彩的。(feudal; pertaining to feudalism)常做谓语、定语。

例句　奶奶还有点儿封建，不让我穿短衣短裤上街。|这种封建思想要不得。

【封锁】　fēngsuǒ　〔动〕

❶(用强制力量)使跟外界断绝联系。[blockade; cut off from the external world(by force)]常做谓语。

例句　对方想从经济上封锁我们，这是办不到的。|谁也封锁不了真理。|这条消息被严密地封锁起来了。

❷(采取军事等措施)使不能通行。(block or seal off)常做谓语。

例句　军队封锁了大桥。|他们用重兵把山口封锁了起来。|海面已被封锁，走私船别想逃掉。

【疯】　fēng　〔形〕

❶神经错乱；精神失常。(mad; insane; crazy)常做谓语、定语。

例句　儿子出车祸死后，她也疯了。|她疯病发作的时候，常常说些谁也听不懂的疯话。|小张又发疯了，快把他送医去吧。

❷没有约束地玩耍。(play without inhibition)常做谓语、定语。

例句　她们姐妹俩在房间里疯呢。|那个疯丫头又去哪儿了？

【疯狂】　fēngkuáng　〔形〕

发疯；比喻猖狂。(insane; frenzied; unbridled)常做谓语、定语、状语、补语。

例句　这些坏人十分疯狂。|敌人的疯狂进攻被打退了。|纳粹分子曾疯狂地迫害(pòhài)犹太人。|即将灭亡的敌人，变得更加疯狂。

【疯子】　fēngzi　〔名〕

患严重精神病的人。(mad person)常做主语、宾语、定语。[量]个。

例句　那个疯子以前是个挺精神的小伙子。|儿子死了，母亲受不了这沉重的打击，变成了疯子了。|那个疯子的样子很吓人。

【锋利】　fēnglì　〔形〕

(工具、武器等)头尖或刃薄，容易刺入或切开物体；(言辞等)尖锐。(sharp; keen; incisive)常做谓语、定语、补语。

例句　这把水果刀锋利极了，用时小心点儿。|他的文笔十分锋利。|老虎有十分锋利的牙齿。|把刀磨得再锋利些。

【蜂】　fēng　〔名〕

❶昆虫，种类很多，常成群住在一起。(wasp)常用于构词。[量]只。

词语　蜂子　马蜂　蜂王　蜂蜜　蜂窝　蜜蜂

例句　那边有个蜂窝，你别过去。|孩子被马蜂蜇(zhē)了一个包，又红又肿。

❷特指蜜蜂。(bee)用于构词，也做宾语。

词语　蜜蜂　蜂蜜　蜂王浆　蜂箱

例句　蜂蜜、蜂王浆在一起喝，很有营养。|山上的那些木箱是养蜂的。

【蜂蜜】　fēngmì　〔名〕

蜜蜂用采集的花蜜酿(niàng)成的有甜味的液体。可食用或入药。(honey)常做主语、宾语、定语。[量]滴，瓶，斤，点儿，些。

例句　蜂蜜是一种营养丰富的纯天然食品。|蜂蜜有好多种，我最喜欢槐花蜜。|在牛奶里加点儿蜂蜜怎

么样？|蜂蜜的种类不同，治疗作用也不尽相同。

【逢】 féng 〔动〕

遇到；遇见。（meet；run into）常用于构词或用在固定短语中。

词语 相逢　重逢　逢场作戏　千载难逢

例句 二十年后再相逢的时候，我们会是什么样子？|久别重逢，老朋友正在叙谈往事呢。|这次出国进修是千载难逢的好机会，你可别轻易放弃。|每逢佳节倍思亲哪。

【逢凶化吉】 féng xiōng huà jí 〔成〕

遇到凶险、不幸能转化成吉祥、顺利。（ill luck turns into good）常做谓语。

例句 老天保佑，愿他能逢凶化吉，平平安安地回来。|多亏抢救及时，病人才逢凶化吉，起死回生。

【缝】 féng 〔动〕 另读 fèng

用针线将原来不在一起的东西或开了口儿的连上。（sew；stitch）常做谓语。

例句 我的袖子开了口儿，你帮我缝缝好吗？|这孩子连扣子都不会缝。|破得太厉害了，缝不了了。|父亲昨天做的手术，刀口缝得很好。

【讽】 fěng 〔素〕

用含蓄的话指责或劝告。（satirize；mock）常用于构词或用在固定的短语中。

词语 讽刺　嘲讽　讥讽　冷嘲热讽

例句 对朋友可不要冷嘲热讽，那样会伤了感情的。

【讽刺】 fěngcì 〔动〕

用比喻、夸张等手法对不良或愚蠢的行为进行揭露（jiēlù）或批判。（satirize；mock；ridicule）常做谓语、定语、宾语。

例句 有话好好说，可别讽刺人。|这幅漫画挺有意思，讽刺得很辛辣（xīnlà）。|相声常常采用讽刺的方法批评不良现象。|这是一篇讽刺小说。|为了正义，我不怕任何讽刺和打击。

【凤凰】 fènghuáng 〔名〕

古代传说中的鸟，雄的叫凤，雌的叫凰。常用来象征祥瑞。（phoenix）常做主语、宾语、定语。[量]只。

例句 凤凰是传说中的吉祥鸟。|这床被面上绣着一对凤凰。|凤凰的尾巴很长，羽毛很美。

【奉】 fèng 〔动〕

〔动〕❶ 给、献给（多指对上级或长辈）。（give or present with respect）常用于构词，也做谓语。

词语 奉献　奉送

例句 现奉上新书一本，请提宝贵意见。

❷ 接受（多指对上级或长辈）。（receive）常做谓语。

例句 我们是奉命行事。

【奉献】 fèngxiàn 〔动〕

恭敬地交付；呈献。（devote；dedicate；present with respect）常做谓语、定语、宾语。

例句 他为国家奉献了自己的一生。|父亲把自己的青春奉献给了地质事业。|为了实现远大的理想，我愿意奉献出自己的一切。|无私奉献的风气已经在社会上形成。|应当提倡奉献精神。|我们不能只讲索取，不讲奉献。

【缝】 fèng 〔名〕 另读 féng

F

裂开或自然形成的窄而长的空处。(chink;crack;rift)常做主语、宾语。[量]道,条。

例句 窗缝那儿往屋里渗雨。|他把眼睛眯成了一条缝儿。|我把小张的信塞在他的门缝里了。|墙裂了一道缝儿。|那棵小树长在石缝里。

【佛】 fó 〔名〕

佛陀的简称;佛像。(Buddha; an image or statue of Buddha)常做主语、宾语、定语。

例句 四川乐山的大佛你看过吗?|她们姐妹三人,两个人信佛,一个人信耶稣。|放下屠刀,立地成佛。|我就借花献佛了。|古庙里敬着几尊佛像。

【佛教】 Fójiào 〔名〕

世界上主要宗教之一,古印度释迦牟尼创立。广泛流传于亚洲的许多国家。(Buddhism)常做主语、宾语、定语。

例句 佛教是西汉时传入中国的。|李教授专门研究佛教。|这几位都是虔诚(qiánchéng)的佛教徒。|佛教的发源地在古印度。

【否】 fǒu 〔动〕

❶ 不承认。(deny)常用于构词,也做谓语。

词语 否定　否决　否认

例句 会上,我们的意见被否了。

❷ 表示不同意,相当于"不"。(no)常做谓语,构成独词句。

例句 他对我的回答直摇头,连声说"否"。

【否定】 fǒudìng 〔动/形〕

〔动〕否认事物的存在或事物的真实性。(negate;deny)常做谓语、宾语。

例句 办公会上,大家否定了那个脱离实际的建议。|改革开放以来的巨大成就,谁也否定不了。|这个方案被否定了。|对错误的做法,就要予以否定。

〔形〕表示否认的;反面的。(negative)常做定语。

例句 "不"、"没"等都是否定副词。|他得到的是否定的答复。|老板对我提的建议一直持否定态度。

【否决】 fǒujué 〔动〕

否定(议案)。(reject; veto; overrule; vote down)常做谓语、定语。

例句 在这次会议上,议员们否决了四项议案。|这项提案可能会被否决,我们怎么办?|已经否决的提案只能在下一次大会上提出了。

辨析 〈近〉否定。"否决"的对象常是议案、提案、法案等;"否定"对象多是成绩、建议、主张等。如:* 厂长否决了他的建议。("否决"应为"否定")|* 法案被代表们否定了。("否定"应为"否决")

【否认】 fǒurèn 〔动〕

不承认。(deny; disavow)常做谓语、定语、宾语。

例句 对大家反映的情况他一口否认。|两个人全都否认他们以前互相认识。|这是客观事实,谁也否认不了。|很多人都说这件事与他有关,可他一直持否认态度。|你应该找经理谈谈,对这种错误的说法予以否认。

辨析 〈近〉否定。"否认"着重表示不承认;"否定"着重表示推翻原有的结论、决定。如:* 她坚决否认了王工程师的提议。("否认"应为"否定")

【否则】fǒuzé 〔连〕

有"如果不这样"、"不然"、"要不"的意思。(otherwise; if not)用在复句的后一分句的前头,表示对上文作假设性的否定,后一分句指出否定的结果,或提供另一种选择。

例句 学习就要刻苦努力,否则就学不好。|快给家里打个电话吧,否则的话,妈妈会担心的。|别在仓库里吸烟,否则容易发生火灾。|这事最好你去解决,否则,只好让他去了。

辨析 〈近〉不然。"否则"比较正式;"不然"常用在口语中,除了可做连词,还可做形容词。如:看上去他岁数不小了,其实不然。

【夫】fū 〔素〕

❶ 丈夫。(husband)常用于构词或固定短语。

词语 丈夫　夫妻　夫妇　姐夫　未婚夫

例句 他们俩夫唱妇随。

❷ 成年男子。(man)常用于构词或在固定短语中。

例句 国家兴亡,匹夫有责。|一夫当关,万夫莫开。

❸ 从事某种体力劳动或被使役的人。(person engaged in manual labour)常用于构词。

词语 车夫　伙夫　马夫　渔夫　挑夫　农夫

【夫妇】fūfù 〔名〕

丈夫和妻子。(husband and wife)常做主语、宾语、定语。[量]对。

例句 他们夫妇俩带着孩子一起去北京了。|今天我的朋友要来我家,他们是一对新婚夫妇。|婚后他们夫妇的感情一直很好。

【夫妻】fūqī 〔名〕

丈夫和妻子。(husband and wife)常做主语、宾语、定语。[量]对。

例句 年轻的夫妻常被称做"小两口"。|他们是一对恩爱夫妻。|大家都祝愿新婚夫妻白头偕老。|既然夫妻感情已经破裂了,就分开吧。

【夫人】fūrén 〔名〕

用来尊称妻子,多用于正式场合。(wife; Lady; Madam)常做主语、宾语、定语。[量]位。

例句 我真羡慕他,汉语说得好,夫人又漂亮。|总统夫人常被称为"第一夫人"。|总理携夫人出访了欧亚五国。|那位夫人的穿戴十分华贵。

辨析 〈近〉妻子。"夫人"常用于正式的社交场合,可做称呼语,有时还有"女士"的意思;"妻子"只是相对于"丈夫"而言。如:* 那位妻子的打扮很入时。("妻子"应为"夫人")|他妻子的打扮很入时。

【敷】fū 〔动〕

❶ 搽上、涂上。[apply (powder; ointment, etc.)]常做谓语、定语。

例句 快在伤口上敷上点儿药吧。|敷的粉底太少,这不行。|用湿毛巾热敷,可以治扭伤。

❷ 铺开;摆开。(spread; lay out)常用于构词。

词语 敷陈　敷设

例句 准备在这儿敷设一条铁路。

❸ 够;足。(be sufficient for)常用在固定短语中。

词语 入不敷出

例句 小时候家里生活很困难,常

F

常入不敷出。

【敷衍】 fūyǎn 〔动〕

❶ 做事不负责或待人不恳切，只是表面上应付。(act in a perfunctory manner; go through the motions; do just enough to satisfy sb.)常做谓语、定语。

例句 你这样敷衍他，他会觉得你心不诚。|我先去敷衍几句。|他们坐在一起吃啊、喝啊，我觉得十分无趣，敷衍了一阵，就赶快离开了。|这事一时很难解决，你先去敷衍敷衍吧。|我很不喜欢他那种敷衍的态度。

❷ 勉强维持。(just manage)常做谓语。

例句 有了这些钱，学费还可以敷衍过去。|工作还没找到，我有点儿敷衍不下去了。

辨析 〈近〉应付。"应付"还有采取一定方法对付的意思；"敷衍"多用于贬义，"应付"常是中性的。如：*这里的工作又多又复杂，够你敷衍的。("敷衍"应为"应付")

【敷衍了事】 fūyǎn liǎo shì 〔成〕

做事不负责，表面上应付一下便完事。(muddle through one's work)常做谓语、定语、状语。

例句 做什么工作都得好好干，千万别敷衍了事。|他这个人工作上常常敷衍了事，一点儿也不认真。|敷衍了事的态度怎么能干好呢！|对方只在电话里敷衍了事地应付了几句，就完了。

【伏】 fú 〔动〕

❶ 身体向前靠在物体上；趴。(lean over; bend over)常做谓语。

例句 他每天都伏在桌子上工作到深夜。|小女孩伏在妈妈的怀里睡着了。

❷ 低下去。(fall; subside; go down)常用于构词或用于固定短语中。

词语 起伏 此起彼伏

例句 远远看去，山峰连绵起伏。|比赛场上的气氛十分热烈，看台上球迷们的歌声、喊声此起彼伏。

❸ 屈服；使屈服。(yield; subdue)常用于构词，也做谓语。

词语 制伏 降伏

例句 他虽然年纪大了，但并不伏输。|形容力量大的时候，可以说"降龙伏虎"。|在证据面前，那几个犯人终于伏罪了。

❹ 隐藏。(hide)常用于构词。

词语 伏笔 埋伏 潜伏 伏击

【扶】 fú 〔动〕

❶ 支持，使人或物不倒。(support with the hand)常做谓语。

例句 小朋友看见一位老爷爷要过马路，就赶快跑过去扶着他。|快扶奶奶进屋吧。|我觉得头昏眼花，用手使劲儿扶住了墙。|他扶了扶眼镜，才看清了我。

❷ 用手帮助躺着或倒下的人坐或立；用手使倒下的东西竖直。(help sb. up; straighten sth. up)常做谓语。

例句 护士扶着病人的头和后背，帮他坐起来。|快把椅子扶起来！

❸ 援助。(help; assist; lend a hand)常做谓语。

例句 救死扶伤是医生的职责。|这个公司问题太多，恐怕扶不起来了。

【服】 fú 〔动/名〕

〔动〕❶ 吃(药)。[take (medicine)]

常做谓语。

例句 一定要按时服药。|他的父亲服毒自杀了。|这药用开水冲服。

❷ 承当(义务或刑罚)。(serve)常做谓语。

例句 我服过两年兵役。|他曾在狱中服了几年刑。

❸ 听从;信服;使信服。(be convinced;obey)常做谓语。

例句 一席话说得我心服口服。|她干得那么好,我算服了她了。|我们应该以理服人,不能强迫命令。

❹ 适应。(be accustomed to)常做谓语、补语。

例句 到了高原,他很长时间都不服水土。|以前我从不吃鱼,现在吃多了,也吃服了。

〔名〕衣服,衣裳。(clothes; garments;dress)常用于构词。

词语 衣服 服饰 西服 礼服

例句 他穿了一身便服出去了。

【服从】 fúcóng 〔动〕

遵照;听从。(follow; obey; submit to)常做谓语。

例句 军人就应该服从命令、听指挥。|少数服从多数是一条原则。|他不服从分配,另外找了一份工作。

【服气】 fúqì 〔动〕

从心里信服。(be convinced)常做谓语(一般不带宾语)。

例句 他们两个人都觉得自己了不起,互相不服气。|你大小是个领导,说的做的都应该让大家服气。|这场球输了,可大伙儿并不服气。

【服务】 fúwù 〔动〕

为集体(或别人的)利益或为某种事业而工作。(serve)常做谓语、定语、主语、宾语。

例句 我们应该全心全意为顾客服务。|他在那个公司服务了三十年了。|毕业后,她一直在服务行业工作。|这个大商场增加了一些新的服务项目。|这家宾馆的服务是第一流的。|我们愿意为您提供满意的服务。

【服务员】 fúwùyuán 〔名〕

旅馆、饭店服务行业中招待客人的工作人员。(attendant)常做主语、宾语、定语。[量]个,位。

例句 餐厅的服务员一共有二十个人。|饭店的服务员个个都很热情。|(广告)本店招聘(zhāopìn)女服务员数名。|我房间电视坏了,得去告诉服务员。|要提高服务水平,就要努力提高服务员的素质。

【服装】 fúzhuāng 〔名〕

衣服鞋帽的总称(一般专指衣服)。(clothing;dress;garments;costume)常做主语、宾语、定语。[量]种。

例句 这种服装今年秋天很流行。|学生们都穿着统一的服装,很整齐。|这个服装城服装的品种很多。

▶ “服装”是总称,一般不用于单件衣服。如:* 我去逛商店,买了一件服装。(“服装”应为“衣服”)

【俘】 fú 〔动/名〕

〔动〕打仗时捉住(敌人)。(take prisoner)常做谓语(用在被动句中)。

例句 在这次战斗中,敌军一千多人被俘。

〔名〕打仗时捉住的敌人。(prisoner of war)常用于构词,也做宾语。[量]个,批。

例句 大批战俘被送往战俘营。|

遣俘最近就要开始。

【俘虏】 fúlǔ 〔名/动〕

〔名〕打仗时捉住的敌人。(prisoner of war)常做主语、宾语、定语。[量]个。

例句 这个俘虏不像士兵,像军官。|他们宁死不做敌人的俘虏。|快去查查俘虏的人数。

〔动〕打仗时捉住(敌人)。(take prisoner)常做谓语、定语。

例句 这一仗俘虏了不少敌人。|他们把敌人的团长俘虏了。|你们去把俘虏的士兵押走。

【浮】 fú 〔动〕

❶ 停留在表面上。(float)常做谓语(带宾语时常加"着")。

例句 水面上浮着一层油。|爷爷的脸上浮着微笑。|小纸船浮在水面上。|他把球按在水里,可一松手,球又浮了起来。

❷ 在水里游。(swim)常做谓语。

例句 一群孩子正在河边浮水戏闹。|他一直浮到了对岸。

❸ 多余;超过。(exceed; exaggerate)常做谓语。

例句 我们单位人浮于事,应该精减了。

▶"浮"也做形容词,指表面的、不实的。如:浮土 浮雕 浮夸|他这人办事太浮,靠不住。

【浮雕】 fúdiāo 〔名〕

雕塑的一种,在平面雕出凸起的形象。(relief, a form of sculpture in which the figures project slightly above the background)常做主语、宾语、定语。[量]幅,个,件。

例句 这幅浮雕很精细。|人民英雄纪念碑的四周是浮雕。|那件浮雕的尺寸是多少?|艺术展览会上有几件浮雕作品不错。

【浮动】 fúdòng 〔动〕

❶ 漂浮移动;流动。(float; drift)常做谓语(带宾语时常有"着")、定语。

例句 雷雨刚过,空中还浮动着片片乌云。|远处有一两点渔火浮动在水面上。|她坐在岸边,看着浮动的纸船。

❷ 上下变动;不固定。(rise and fall)常做谓语、定语。

例句 这批工人最近又向上浮动了一级工资。|这些商品的价格可以根据市场行情自由浮动。|最近汇率浮动很大。|工资中,有一部分是浮动工资。

❸ 不稳定。(unsteady)常做谓语。

例句 物价涨得太厉害的话,人心就会浮动。

【符】 fú 〔名/动〕

〔名〕❶ 标记;记号。(symbol; mark; sign)常用于构词。

词语 符号 音符

例句 文字是记录语言的符号系统。|音符是乐谱中表示音长或音高的符号。

❷ 道士画的一种图形或线条,用来驱使鬼神,给人带来祸福。(magic drawing or sign traced by a Taoist priest to invoke or expel spirits or bring good or ill fortune)常做宾语。[量]张,个。

例句 道士给他画了一张符。|她长年带着一个护身符。

〔动〕(数量、情节等)相合。(accord with; conform to)常做谓语。

例句 收支的数字不符,李会计不

得不又算了一遍。|他说的情况与事实相符。

【符号】 fúhào 〔名〕

记号;标记。(symbol; mark; sign)常做主语、宾语、定语。[量]个。

例句 写文章时,标点符号一定要写。|乐谱上的符号你都认识吗?|文字是记录语言的符号。|标点符号的作用很大。

【符合】 fúhé 〔动〕

(数量、形状、情节等)相合。(accord with; conform to)常做谓语。

例句 经检查有三种产品不符合质量标准。|他说的那些事不符合事实。|不符合国家利益的事,我们不能做。

辨析 〈近〉适合。"符合"着重在指相一致,没有出入;"适合"着重指适应、协调,没有矛盾。"符合"不能带动词性宾语。如:* 这里的土质不符合庄稼生长。("符合"应为"适合")|* 有五名青年适合参军条件。("适合"应为"符合")

【幅】 fú 〔量〕

用于表示布帛、图画等物品。(*used to indicate cloth, picture, etc.*)常构成短语做定语、状语。

例句 我们班教室后面的墙上挂着一幅中国地图、两幅字。|做一个窗帘差不多要用四幅布。|这些画我要一幅一幅地装裱,大概得一个月时间。|故宫花园里的花石子路,简直是一幅一幅的画。

【幅度】 fúdù 〔名〕

物体振动或摇动所展开的宽度,比喻事物变化的大小。(scope; extent)常做主语、宾语。"大幅度"可做状语。

例句 钟摆的摆动幅度是固定不变的。|第三季度,我们厂的产量增长的幅度很大。|你要增大双臂摆动的幅度。|到春节,铁路的客运量都会大幅度地增加。|由于冷空气的影响,最近两天气温将大幅度地下降。

【辐射】 fúshè 〔动〕

❶ 从中心向各个方向沿着直线伸展出去。(radiate; extend in rays in all directions from a centre)常做谓语、定语。

例句 中山广场向周围辐射出九条街道。|词义的引申方式有一种是辐射式的。

❷ 热的一种传播方式,从热源沿着直线直接向四周发散出去。(radiate)常做谓语、定语。

例句 热气从火炉子那儿慢慢辐射过来,暖暖的。|太阳向地球辐射出大量的光和热。|地球上接受到的太阳能是一种辐射能。

【福】 fú 〔名〕

使人心情舒畅的情况和生活;享受这种生活的命运。(luck; happiness; blessing; good fortune)常做主语、宾语。

例句 "福祸相依"说的是辩证法的道理。|老人过生日时,人们常祝他们"福如东海,寿比南山"。|两位老人的儿女都很孝顺,真有福。|平平安安就是福。

【福利】 fúlì 〔名〕

生活上的利益,特指对职工生活(食宿医疗等)的照顾。(well-being; material benefits)常做主语、宾语、定语。[量]种。

例句 我们公司的福利很高。|政

F

府就应为市民多谋点儿福利。|兴办社会福利事业是不少成功人士的选择。

【福气】 fúqi 〔名〕

指享受幸福生活的命运。(good luck; good fortune)常做宾语。[量]个,种。

例句 你这个人真有福气,好事都让你遇上了。|她是个很有福气的姑娘。|A:小张中奖了! B:我可没那福气。

【抚】 fǔ 〔素〕

❶ 用手轻轻地按着。(stroke; press lightly)常用于构词。

词语 抚摩 抚弄 抚摸

例句 女儿小手抚弄着妈妈的头发,一会儿就睡着了。|他轻轻抚摸着孩子的头顶,心想:"快长大吧,儿子!"

❷ 安慰;慰问。(comfort; console)常用于构词。

词语 抚慰 抚问 抚恤

例句 市长带领各部门领导赶赴灾区,抚慰受灾群众。|烈士的抚恤金已经发下去了。

❸ 保护。(foster; nurture)常用于构词。

词语 抚养 抚育

例句 他是靠爷爷奶奶抚养大的。

【抚养】 fǔyǎng 〔动〕

爱护并教养。(foster; raise; rear)常做谓语、定语。

例句 他父母去世以后,一直是大哥抚养他。|父母把孩子一天天抚养大,儿女可一定要孝顺。|那时候,我父母都在部队,是农村的一位老妈妈抚养了我四五年。|父母对子女有抚养的义务。

辨析 〈近〉抚育。"抚养"只用于人的长对幼;"抚育"既可用于对儿童,也可用于对生物。如:* 我们要好好抚养这些花木,它们都很名贵。("抚养"应为"抚育")

【抚育】 fǔyù 〔动〕

照料儿童或动植物,使健康地生长。(foster; nurture; tend)常做谓语、定语。

例句 故乡的山水抚育了我。|阳光照射大地,抚育着一切生命。|他是个孤儿,是人民政府抚育他长大的。|抚育方法不当,孩子会发育不良。

【斧子】 fǔzi 〔名〕

一种砍东西用的工具。(axe)常做主语、宾语、定语。[量]把。

例句 斧子在用以前应该磨一磨。|用斧子砍树又慢又累,一天砍不了几棵。|他在磨那把斧子呢。|斧子把儿松了。

【俯】 fǔ 〔动〕

(头、上身)低下。(bow; bend)常做谓语。

例句 母亲俯身吻了一下孩子的小脸。|他俯下头,又看了一遍本子上的电话号码。

辨析 〈近〉低。"俯"常用于书面语;"低"常用于口语,而且只用于头,还常做形容词。如:* 他正在低身看书。("低"应为"俯")

【辅导】 fǔdǎo 〔动/名〕

〔动〕帮助和指导。(coach; tutor; guide)常做谓语、定语、宾语。

例句 今天下午老师给我们辅导语法。|这是我的朋友,她辅导我汉语。|正想请位老师辅导我学英语。

|儿子数学学得不好，得请个家教给他辅导辅导。|辅导老师病了。|考试之前，我们用一周的时间对学生进行辅导。

〔名〕帮助、指导。(guidance)常做主语、宾语。

例句 老师的精心辅导使我取得了好成绩。|下午有 HSK 考试的辅导。

【辅助】 fǔzhù 〔动〕

从旁帮助。(assist; aid)常做谓语、宾语、定语。

例句 这一段时间你辅助总经理工作辅助得不错。|几个助手一直在辅助老教授。|他是个新手，请大家适当给予辅助。|这几本是辅助教材。

【腐败】 fǔbài 〔形〕

比喻(思想)陈旧，(行动)堕落，(制度、组织、机构、措施等)混乱、黑暗。(corrupt)常做谓语、定语、宾语。

例句 晚清政治非常腐败。|老百姓十分痛恨某些官员的腐败行为。|对各种腐败现象必须坚决打击。|搞腐败就会失去民心。

【腐化】 fǔhuà 〔形〕

思想行为变坏(多指过分贪图享乐)。(degenerate)常做谓语、定语、补语。

例句 在新的形势下有些人在生活上逐渐腐化了。|他吃喝嫖赌，过着腐化堕落的生活，终于进了监狱。|有些老板钱挣得多了以后，就变得腐化起来。

【腐烂】 fǔlàn 〔动〕

有机物变坏。(rot; decompose)常做谓语(不带宾语)、定语、宾语。

例句 这两车香蕉必须尽快运到市场上去，不然就腐烂了。|腐烂的食物千万不要吃。|死者尸体三天后才发现，由于天热已经开始腐烂。|我们采用高科技的方法，防止食物的腐烂。

【腐蚀】 fǔshí 〔动〕

❶ 通过化学作用，使物体逐渐消损破坏。(corrode; etch)常做谓语、定语、宾语。

例句 这东西能腐蚀金属，但腐蚀不了玻璃。|酸的腐蚀作用很强。|这些文物受到风雨的腐蚀，损坏得很厉害。

❷ 人在坏的思想、行为、环境等因素影响下，逐渐变坏。(corrupt; debauch)常做谓语、定语、宾语。

例句 这些黄色的书刊、录像带会腐蚀青少年的思想。|绝不能忽视权力和金钱的腐蚀作用。|干部应该拒绝腐蚀。

【腐朽】 fǔxiǔ 〔形〕

❶ 竹木等腐烂。(rotten; decayed)常做谓语、定语。

例句 竹子即使埋在土里很多年，也不容易腐朽。|房屋的梁柱早已腐朽。|山沟里满是腐朽的枯枝败叶。

❷ 比喻思想陈腐，生活堕落或制度败坏。(decadent; degenerate; depraved)常做谓语、定语。

例句 他思想腐朽，道德败坏。|这篇小说批判了腐朽、没落的封建制度。|新生力量一定会战胜腐朽势力。

【父】 fù 〔名〕

❶ 爸爸。(father)常用于构词。

词语 父亲 父母 父兄 父子

例句 我父母都在国外。|他们父子经常在一起讨论问题。

❷ 家族或亲戚中的长辈男子。(male relative of a senior generation)常用于构词。

词语 祖父 伯父 岳父

例句 父亲的父亲是祖父,母亲的父亲是外祖父。|我的伯父对我要求很严格。

【父亲】 fùqīn 〔名〕

有子女的男子是子女的父亲。(father)常做主语、宾语、定语。[量]个,位。

例句 父亲常常和我聊天。|虽然父亲很少管我,可我知道父亲是爱我的。|她很像她父亲。|父亲的为人很正直。

【付】 fù 〔动〕

❶ 交给。(commit to;hand over to;turn over to)常用于构词或用在固定短语中。

词语 交付 托付 付与 付之一炬 付之一笑 付诸东流

例句 她把孩子托付给了妈妈。|这些措施,请马上付诸实施。|那些信和照片,他全都付之一炬了。

❷ 给(钱)。(pay)常做谓语。

例句 我去付钱。|买房子可以分期付款。|该付房租、水电费了吧?

【付出】 fùchū 〔动〕

交出(款项和代价)。(pay;expend)常做谓语。

例句 教师为培养下一代付出了辛勤的劳动,人们把他们称为“园丁”。|为了实验成功,专家们付出了很大的代价。|为了支援山区,他付出了十年的青春年华。

【付款】 fù kuǎn 〔动短〕

支付钱款。(pay a sum of money)常做谓语、定语,中间可插入成分。

例句 集团购买,请用支票付款。|我已经付了第一笔房款,其余的靠贷款。|应该去哪儿付款?|付款方式有好几种:用现金、用支票、用信用卡等。

【负】 fù 〔动〕

❶ 背(bēi)。(shoulder;carry on the back or shoulder)常做谓语。

例句 因为我的过错,使贵公司蒙受损失,我要当面负荆请罪。|这几年,他们厂负债累累。|这些队员身负几十斤的器材,每天还要走五十多公里路,太辛苦了。

❷ 承担。(bear)常做谓语。

例句 他对工作非常地负责任。|这个责任,我可负不起。

❸ 享有。(enjoy)常做谓语。

例句 这家老字号药店,久负盛名。|他导演了不少电影,颇负盛名。

❹ 失败。(lose;be defeated)常做主语、谓语、宾语。

例句 胜负乃兵家常事。|这场球赛,主队负于客队。|对于胜负,不要想得太多,重在参与。

❺ 违背。(disappoint;betray;fail)常做谓语。

例句 出国前,她丈夫对她说:“你放心,走到哪里,我也不会负你的。”|我一定不负领导的重托。|功夫不负有心人。

【负担】 fùdān 〔动/名〕

〔动〕承担(责任、工作、费用等)。(bear;shoulder)常做谓语、定语。

例句 不参加医疗保险,就要自己负担全部医疗费。|父亲去世后,母亲一个人负担全家人的生活,很不容易。|他考上了大学,但家里负担

不起学费，便申请了助学贷款。|要负担的费用太多。

〔名〕承受的压力或担当的责任、费用等。(burden; load; encumbrance)常做主语、宾语。

例句 儿子工作以后，老张的家庭负担轻多了。|知道自己得了绝症，她思想负担很重。|心里没有负担，比赛才能发挥出自己的水平。|政府正在千方百计地减轻农民的负担。

【负伤】 fù shāng 〔动短〕

受伤。(sustain an injury; be wounded)做谓语、定语，中间可插入成分。

例句 在同歹徒搏斗的时候，他负了伤。|我负伤一个多月了，一直不能下床。|李先生年轻时是运动员，一共负过五次伤。|政府把负伤的人都送到上海治疗。

【负责】 fùzé 〔动/形〕

〔动〕担负责任。(be resposible for; be in charge of)常做谓语、定语。

例句 三号病房由张医生负责。|他在公司负责销售工作。|我们两个人，一个负责收款，一个负责付货。|退休前，他在一所学校做过负责工作。|小姐，我想找你们负责人。

〔形〕(工作)尽到应尽的责任，认真踏实。(conscientious)常做谓语、定语、状语。

例句 他干什么工作都认真负责。|没有负责的精神是做不好老师的。|你这么说是负责的态度吗？|我可以负责地告诉你，这事绝不是我干的。

【妇】 fù 〔素〕

成年的或已婚的女子；妻。(woman; married woman; wife)常用于构词。

词语 妇女 妇科 妇幼 夫妇

例句 朱女士是一位妇科医生。|那位少妇是姐姐的同学。|他们夫妇俩刚度过了“金婚”纪念日。

【妇女】 fùnǚ 〔名〕

成年女子的通称。(woman)常做主语、宾语、定语。[量]位，个。

例句 现在妇女做律师并不少见。|这个服装厂刚建立的时候只有十几个妇女。|法律保护妇女的合法权益。|妇女的地位在法律上与男人是平等的。

【妇人】 fùrén 〔名〕

已婚的女子。(married woman)常做主语、宾语、定语。[量]位，个。

例句 这两位妇人长得很像，八成是姐妹吧？|来报名当业余模特的竟有几位老妇人。|这种说法简直是妇人之见。

【附】 fù 〔动〕

另外补充；靠近；依从。(add; attach; enclose; include; approach; near; attach oneself to; depend on)常用于构词，也做谓语。

词语 附加 附设 附近 附属

例句 报名时，请附两张二寸照片。|母亲把听筒紧紧地附在耳朵上，生怕听不清女儿的声音。|那个黑影太可怕了，吓得我魂不附体。

【附带】 fùdài 〔动〕

另外补充，顺便。(supplementary; incidentally; in passing)常做谓语、定语、状语。

例句 她点点头，附带上一句话：“你看着办吧。”|有什么附带条件，你尽管说。|你去商店时，附带帮我寄封信好吗？|听完报告，大家先不

F

要走，我们要附带讲点儿事。

【附和】 fùhè 〔动〕

（言语、行为）随别人。（echo；chime in with；parrot；toady）常做谓语。

例句 你怎么一点儿主见也没有？老是附和别人。|我心里并不同意，但碍于面子，表面上又不得不附和一下。

【附加】 fùjiā 〔动〕

额外加上。（add；attach；append）常做谓语、定语。

例句 除运费之外，还要附加一定的手续费。|正式协议的最后附加上了实施细则。|附加费用是多少？|那个公司答应帮助我们，不过有一个附加条件。

辨析 〈近〉附带。"附加"一般不做状语，"附带"可做状语；"附加"可构成"附加刑"、"附加税"等名词，"附带"不能。

【附近】 fùjìn 〔名〕

邻近的地方。（nearby；neighborhood）常做主语、宾语、定语。

例句 这儿附近有银行吗？|我家附近有一所小学，一所中学。|学生宿舍就在大学附近，十分方便。|她带孩子去附近散步了，一会儿就回来了。|附近的人常来公园玩。

【附属】 fùshǔ 〔动/形〕

〔动〕依附；归属。（be attached to）常做谓语。

例句 这所医院附属于医科大学。|我们学校附属于北大。

〔形〕某机构所附设和管辖的（学院、医院等）。（subsidiary；auxiliary）常做定语。

例句 她在这个附属工厂工作了20年。|医大附属医院有五家。

【赴】 fù 〔动〕

到（某处）去。（attend；go to；be bound for）常做谓语。

例句 晚上，我要去赴个宴。|请一定准时赴会。|下个月女儿将赴英国留学。

【复】 fù 〔动/副〕

〔动〕❶ 转过来或转过去。（turn back and forth；turn over）常用于构词或用在固定短语中。

词语 反复 循环往复 翻来复去

例句 她翻来复去怎么也睡不着。|孩子好像很不舒服，翻来复去的。

❷ 回答。（answer；reply）常做谓语。

例句 请立即给对方复电。|我马上给他复信。

❸ 变成原来的样子。（recover；resume）常做谓语。

例句 他们离婚两年后又复了婚。|我身体已经好了，九月份就能复学了。

❹ 报复。（revenge）常做谓语。

例句 他为了复仇而犯了法。

〔副〕再；又。（again；repeatedly）常用于构词或用于固定短语中。

词语 复发 复审 复位 复习 复兴

例句 时光一去不复返。|前些天，他旧病复发，住了院。|日子周而复始地循环着。

▶ "复"也做形容词，指"重复"、"繁复"。如：复印 复制 复姓 复句

【复辟】 fùbì 〔动〕

失位的君主复位。泛指被推翻的反动统治者，恢复原来地位或被消灭的制度复活。（restore a dethroned monarch or the old order）常做谓

语、宾语、定语。

例句 清朝刚刚灭亡的时候，有的人想复辟封建统治。|逆历史潮流搞复辟，最终只能失败。|这种复辟的梦想是不可能实现的。

【复合】 fùhé 〔动〕

合在一起；结合起来。(compound; complex; composite)常做谓语(不带宾语)、定语。

例句 破裂了的感情是不能复合的。|把两种或更多的材料复合起来，可能产生优质的新材料。|"架次"是复合量词。|汉语中的词分单纯词和复合词两大类。

【复活】 fùhuó 〔动〕

死了又活过来，多用于比喻；使复活。(revive; come back to life)常做谓语。

例句 人死了怎么复活？|坚决反对复活军国主义。

【复活节】 Fùhuó Jié 〔名〕

基督教纪念耶稣复活的节日。(Easter)常做主语、宾语、定语。

例句 复活节是怎么个过法儿？|明天是复活节。|我对复活节很不了解。|复活节的时候，都有什么活动？

【复述】 fùshù 〔动〕

❶ 把别人说过的话或自己的话再重复一遍。(repeat)常做谓语。

例句 船上的舵手，总要复述船长的命令。|他把我的问题小声复述了两遍，然后才开始回答。

❷ 语文教学上把读物的内容用自己的话说出来的练习方法。(retell)常做谓语、定语、主语。

例句 今天的作业是复述课文。|请大家把这段短文复述一下。|复述的内容可以简单一些。|复述比背诵容易得多。

【复习】 fùxí 〔动〕

把学过的东西再学习，使巩固。(revise; review)常做谓语、定语、宾语。

例句 我在复习词语，语法已复习完了。|上课前好好预习，下课后认真复习，这样你就一定能学得好。|快到期末了，大家应该制定个复习计划。|请同学们认真进行复习。

【复兴】 fùxīng 〔动〕

❶ 衰落后再兴盛起来。(revive)常做谓语(不带宾语)、宾语。

例句 我们的民族正在复兴。|这个国家的经济已经复兴了。|他的一切努力，都是为了家族的复兴。

❷ 使复兴。(revive; reinvigorate; rejuvenate)常做谓语。

例句 年轻时，他们复兴了民族工商业。|复兴民族工业是他们公司的口号。

【复印】 fùyìn 〔动〕

完全按照原样印制。(duplicate; xerox)常做谓语、定语、宾语。

例句 请帮我复印几张考卷。|刚刚停电，复印不了了。|复印的证明材料已经齐备。|不要原件，复印件就可以。|文件禁止复印。

【复杂】 fùzá 〔形〕

(事物的种类、头绪等)多而杂。(complex; complicated; intricate)常做谓语、定语、补语。

例句 这个地区的情况十分复杂。|这个案子很复杂。|我不善于处理复杂的人际关系。|原来事情还有这么复杂的原因哪。|别把问题想得那么复杂。

【复制】 fùzhì 〔动〕

仿造原件(多指工艺品)或翻印书籍。(duplicate; reproduce)常做谓语、定语、宾语。

例句 有些人专门复制各种小型兵马俑,作为旅游纪念品出售。|这些复制品都复制得跟真的一样,我很喜欢。|音像制品不允许非法复制。

【副】 fù 〔量/形〕

〔量〕❶ 用于成套的东西。(*used to indicate a set of sth.*)常构成短语做定语。

例句 我一共买过两副皮手套。|那位戴着一副金丝眼镜的老师,教我们阅读。|他给爷爷送来一副象棋。|这副耳机不好使了。

❷ 用于面部表情。(*indicating facial expression*)常构成短语做定语。

例句 他总是一副笑脸。|那个人脸上一副凶相。

〔形〕居第二位的;辅助的。(deputy; assistant)常做定语。

例句 我们学校有两位副校长,您找哪位?|公司的副经理姓王。|副校长是位还不到30岁的年轻人。

【副食】 fùshí 〔名〕

指下饭的鱼、肉、蔬菜等。(non-staple food)常做主语、宾语、定语。[量]种。

例句 副食搞好了,就可以大大改善生活。|我们商店专门负责向大学供应副食。|这个副食店的副食品质量好,品种多。

【副业】 fùyè 〔名〕

主要生产任务以外,附带从事或经营的事业。(sideline; side occupation)常做主语、宾语、定语。[量]种。

例句 我们乡今年的副业搞得很红火。|下班后,老张有时也搞点儿为报纸写稿一类的小副业。|发展副业是致富的重要途径。|我家副业收入能占全家收入一半。

【副作用】 fùzuòyòng 〔名〕

随着主要作用而附带发生的作用。(side effect; by-effect)常做主语、宾语。[量]种。

例句 有的药副作用挺大。|这是中药,没有副作用。|病人用药一周后出现了两种副作用。

【赋】 fù 〔名〕

〔名〕古代的一种文体,盛行于汉魏六朝。(an intricate literary form combining elements of poetry and prose)常做主语、宾语、定语。[量]篇。

例句 赋是韵文和散文的综合体。|他很喜欢汉赋。|这篇赋的作者是谁?

【赋予】 fùyǔ 〔动〕

交给(重大任务、使命等)。(entrust; bestow)常做谓语。

例句 唯有人类被赋予了思维和创造力。|新的世纪将赋予我们新的使命。|作者赋予主人公鲜明的个性。

辨析 〈近〉给予。"赋予"的语意比"给予"正式、郑重;"赋予"的宾语是抽象名词,"给予"的宾语范围较广,可以是动词性的,也可以是一般名词。如:*要完成这项任务困难很大,请各位赋予支持和帮助。("赋予"应为"给予")

【富】 fù 〔形〕

财产多。(rich)常做谓语、定语、补

后富起来了。|郊区的农民比城里的人还富呢。|你现在是个富人了,可别忘了以前的穷朋友。|我们的日子过得越来越富了。|靠勤劳,再加上科技,才能致富。

【富强】 fùqiáng 〔形〕

国家富足而强大。(prosperous and powerful)常做谓语、定语、补语、主语、宾语。

例句 我们的祖国从来没有像现在这样繁荣富强。|只有一个富强的中国才能自立于世界民族之林。|我们一定把祖国建设得更富强。|国家的富强要靠全体人民共同努力。|海外华人盼望着祖国的富强。

辨析 〈近〉强盛。"富强"的意思是富足、强大;"强盛"的意思是强大、昌盛,而且还可以形容时期、时代等。如:* 唐朝是中国历史上的富强时期。("富强"应为"强盛")

【富有】 fùyǒu 〔形/动〕

〔形〕拥有大量的财产。(rich; wealthy)常做谓语、定语。

例句 我们在国外生活不错,却并不很富有。|现在,有些人物质上富有得很,但精神上却很贫困。|她自幼在一个富有的家庭中长大。

〔动〕大量具有(多指积极方面)。(rich in)常做谓语(带宾语)。

例句 他的演讲特别富有感染力。|还是年轻人富有朝气。|大连是座国际性的海滨城市,富有异国情调。

辨析 〈近〉拥有。"拥有"多用于具体事物,"富有"一般用于抽象事物。如:* 这个公司富有许多高级的管理人才。("富有"应为"拥有")

【富余】 fùyu 〔动〕

足够而剩余。(have more than needed)常做谓语、定语、主语、宾语。

例句 时间还富余,不用着急。|买完电视机以后,还富余几百元钱。|我们教室富余出三张桌子。|工作后,我每月都把富余的钱存到银行。|这个月的工资全花光了,一点儿富余也没有。|我们村家家粮食都有富余。

【富裕】 fùyù 〔形〕

(财物)充足有余。(prosperous)常做谓语、定语、补语、宾语。

例句 人民的生活越来越富裕了。|日子富裕了,也不能随便浪费啊。|富裕的生活,要靠双手来创造。|我家现在过得比以前富裕多了。|这些年连偏僻山区的农民也开始富裕了。

【腹】 fù 〔名〕

躯干的一部分,在胸下面,通称肚子。(belly; abdomen; stomach)常用于构词,也做主语、宾语。

词语 腹部 腹腔 腹泻 小腹

例句 腹泻俗称拉肚子、闹肚子。|患者的腹部有一个两寸长的刀口。|突然感到有些腹痛。|听了他的笑话,大家忍不住捧腹大笑起来。

【覆盖】 fùgài 〔动〕

遮盖。(cover)常做谓语、定语。

例句 刚移栽的草坪上,覆盖着一些湿土。|大雪覆盖了田野、树木、山峰,到处都是雪白一片。|冰雪覆盖着整个南极洲。|学校计划用草皮把操场全部覆盖起来。|这个地区的森林覆盖面积很大。

G

【该】 gāi 〔动/助动/代〕

〔动〕❶ 应当是；轮到。(should be; be sb.'s turn)做谓语(带宾语)。

例句 六个梨分两份，每份该三个。|A：现在该你了，上场吧。B：我很紧张。|今天该我值日了。

❷ 应给别人的财物、事物没有给。(owe)做谓语。

词语 该钱 该账

例句 A：师傅，我该您多少钱？B：五元吧。|我还该着他的人情呢。

辨析 〈近〉欠。"欠"多可以和"债"连用，"该"多和"账"连用。

❸ 理应这样，不委屈。(deserve)常单独成句。

例句 该！谁让你不听话的！|该！该！谁让你淘气呢！|他是罪有应得，该！

〔助动〕❶ 应当。(should; ought to)常做状语，也可单独回答问题。

例句 我该走了。|她不该说这些话。|A：你该不该好好学习？B：该！

❷ 来表示推测，估计。(must; should; will)常做状语。

例句 A：他今年该毕业了吧。B：差不多。|他该有二十岁了。|考不好，家里人该批评我了。

〔代词〕"这个"或"那个"，可指上文说过的人或事物。(this; that; the said; the above-mentioned)做定语。

例句 王小华是二班的班长，该生品学兼优。|"海尔"冰箱现已销往欧洲，该产品质优价廉，很受欢迎。

【改】 gǎi 〔动〕

事物发生了明显的变化；把不正确的变成正确的。(change; correct)常做谓语。

例句 他的坏毛病改了。|爸爸抽烟的习惯改不了。|开会的时间改了好几次了。|A：老师，我这个字写得对吗？B：不对，我给你改一下。|我这篇文章还得请您改改。

辨析 〈近〉变。"变"可用于人，"改"指事物、性格等。如：* 我们改成了好朋友。("改"应为"变")|* 你得变变你的缺点。("变变"应为"改改")

【改编】 gǎibiān 〔动〕

根据原著重写(体裁往往与原著不同)。(adapt; rearrange; revise)常做谓语、定语、宾语。

例句 玛丽把这个中国传说改编成了英语故事。|作者把这部小说改编成电视剧了。|他正在改编一个电影剧本。|这是改编后的剧本。|晚会上，同学们表演了中国话剧，根据需要进行了一点儿改编。

【改变】 gǎibiàn 〔动/名〕

〔动〕事物发生明显的变化。(change; alter)常做谓语。

例句 A：你们假期还去旅游吗？B：是，但是我们已经改变了原来的计划。|他的主意改变得真快。|这么做改变不了目前的局面。

〔名〕发生的变化。(change; diversification)常做主语、宾语。

例句 观念的改变是非常重要的。|他的样子有了明显的改变。|改革开放后，中国发生了很大的改变。

辨析 〈近〉转变。❶ "转变"指向好或高一级方面变化；"改变"着重指

变化明显。如:三年中间,他的生活有很大的改变。|三年中间,他的生活大大转变了,比原来好多了。

❷“转变”多用于抽象事物,“改变”则不受此限制。如:转变思想 改变立场 改变生活环境

【改革】 gǎigé 〔动/名〕

〔动〕改变事物中旧的、不合理的部分,变得合理完善。(reform; innovate)常做谓语、定语。

例句 中国改革了住房制度,实现住房商品化。|留学生宿舍管理方法改革得很成功。|A:我们一定要改革这种考试办法。B:可能不太容易。|改革的阻力在中国越来越小。

〔名〕改变事物中陈旧的、不合理的部分,完善工作。(innovation; reformation; reform)常做主语、宾语。[量]场。

例句 改革在中国取得了很大成就。|经济改革取得了初步成果。|A:你知道中国的开放和改革吗?B:知道一点儿。|开始的时候,很多人不理解改革。

【改建】 gǎijiàn 〔动〕

在原有的基础上再改造,使适合于新的需要(多指建筑物等)。(rebuild; reconstruct)常做谓语、定语。

例句 工厂是由老学校改建的。|原来的商店改建成旅馆了。|食堂的改建工作已经结束了。

辨析 〈近〉改造。“改造”指具体或抽象事物,“改建”只指具体事物。如:改造社会 改造房屋 改建房屋

【改进】 gǎijìn 〔动/名〕

〔动〕改变旧情况,使有进步。(improve; better)常做谓语、定语。

例句 我们要改进不良的生活习惯。|改进一下谈话的技巧,就会有好的效果。|A:老师,我的成绩为什么总不太高? B:我建议你改进改进学习方法。|方老师的教学方法改进多了。|经理对下一步工作提出了改进的意见。

〔名〕使有所进步的改变。(amelioration; improvement)常做宾语、主语。

例句 这次的规定有了很大改进。|那家酒店态度有改进,服务质量也就上去了。|工作方法的改进有利于各项工作的展开。

【改良】 gǎiliáng 〔动〕

〔动〕去掉事物的个别缺点,变得更好。(improve; ameliorate)常做谓语、定语。

例句 科学家改良了这种花。|我们应该改良改良低产苹果。|这是改良西瓜,又大又甜。|改良的中国菜很适合欧洲人的口味。|多采用改良品种才能提高农业效益。

辨析 〈近〉改进,改善。“改善”用于较抽象的事物,侧重使“完善”;“改良”用于较具体的事物侧重使符合需要;“改进”可指具体和抽象事物,侧重使“进步”。如:改良土壤 改善人际关系 改进工具 改进工作作风 改良工作

【改善】 gǎishàn 〔动/名〕

〔动〕改变原有情况,使更好一些。(improve; perfect)常做谓语、定语。

例句 A:我想改善一下今天的伙食。B:那我们去饭馆吃吧。|宾馆需要改善住房条件。|这一次环境改善的情况是前所未有的。

〔名〕改变好了的情况。(improvement)常做主语、宾语。

例句 两国关系的改善令人高兴。|生活条件的改善使她好像年轻了十岁。|市民的居住条件有待改善。

【改头换面】 gǎi tóu huàn miàn〔成〕

只改变外表,而内容、实质却不变。(change the appearance but not the essence; dish up the same old stuff in a new form)常做谓语、定语、状语。

例句 他把别人的一篇文章改头换面,当做自己的毕业论文。|A:你别改头换面,想当好人。B:我本来就是好人!|他改头换面的想法没人知道。|这不是改头换面地抄书本,而是我努力的再创造。

辨析 〈近〉面目一新。"改头换面"可用于人或事物,而"面目一新"只用于事物。

【改邪归正】 gǎi xié guī zhèng 〔成〕

不再做坏事,走上正路。(give up vice and return to virtue; turn over a new leaf)常做谓语。

例句 A:我以前错了,现在要改邪归正。B:希望你能做到。|A:你要改邪归正,做一个对社会有用的人。B:我努力吧。|他原来是个小偷,现在已经改邪归正了。

【改造】 gǎizào 〔动/名〕

〔动〕对旧的进行改变,使适应新的形势或需要。(transform; reform; convert; remould)常做谓语。

例句 三峡工程是改造大自然的创举。|改造自然不容易,改造人更难。|A:他的旧思想必须改造改造。B:是啊,这么多年还没改造好。

〔名〕对旧的加以改变的行为。(transformation; reformation; the action of remoulding)常做主语、宾语、定语。[量]项。

例句 自然环境的改造任务很艰巨。|沙漠的改造不是几年能完成的。|他们对厂房的改造计划成功了。|有的人不同意对老街的改造。|技术人员正在对机器进行改造。

辨析 〈近〉改革。"改革"不用于人,只用于较抽象的事物。"改造"可用人,也可用于较抽象或者具体的事物。如:改革政治体制　改造思想　改造犯人　改造沙漠

【改正】 gǎizhèng 〔动〕

把错的改为正确的。(correct; amend)常做谓语。

例句 请改正句子中的错误!|A:作文里的错别字改正了吗?B:老师,对不起,还没有。|你不改正缺点,怎么能进步呢?|A:请帮我改正这些错句,好吗?B:我也不会,对不起。

辨析 〈近〉纠正。"纠正"较多用于把思想、观点、路线等抽象事物的偏差改为正确,语气一般较重;"改正"适用范围广,用于把错的改为正确的。如:改正坏习惯,必须下决心才行。|纠正习惯　纠正姿势

【改组】 gǎizǔ 〔名〕

改变原来的组织或更换原有的人员。(reorganize; restructure)常做谓语、定语。

例句 公司领导班子改组后,这家工厂的情况变好了。|新总理改组了政府。|现在的办公室的人员应该改组一下。|改组后的董事会已经开始工作了。

【盖】 gài 〔动〕

❶ 由上而下地遮掩;蒙上。(cover; put a cover on)常做谓语。

例句 小时候,妈妈常给我盖被子。

|把茶杯盖上，要不茶就凉了。|把锅盖上再煮一会儿。|桌子盖了一层土。

❷ 打上(印)。(affix)常做谓语。

例句 介绍信得盖公章才有效。|A:请盖上你的印章。B:一定要盖吗? 我没有印章。

❸ 超过;建设。(surpass; build)常做谓语、定语。

例句 这个歌星盖过了以前的所有演员。|不到一年，教学大楼就盖好了。|我要翻盖这所老房子。|这里是最近新盖的居民小区。

辨析 〈近〉建。“建”多用于大工程，包括房屋、桥梁、水坝、铁路等各类设施;“盖”一般只用在房屋。如:建大楼 盖大楼

【盖棺论定】 gài guān lùn dìng 〔成〕

一个人的功过是非，到死后做出明确结论。(final judgement can be passed on a person only when the lid is on his coffin)常做谓语，或做小句。

例句 他一生已经盖棺论定，对历史发展起了进步作用。|老人的功过还没盖棺论定，可能还需要时间。|盖棺论定，秦始皇也算是一位了不起的政治家。

【盖子】 gàizi 〔名〕

器物上部有遮蔽作用的东西。(lid; cover)常做主语、定语、宾语。[量]个。

例句 锅盖(子)漏气。|A:我杯子的盖子呢? B:你不是上次打了吗? |盖子的边儿不太严实，修修吧。|他把头发理得像一个盖子。|把茶壶盖子盖上。

【概况】 gàikuàng 〔名〕

大概的情况。(survey)常做主语、宾语。

例句 A:这个少数民族的概况就介绍到这儿。B:谢谢老师! |有本书叫《中国概况》，麻烦您去书店打听一下。|这事我只知道个概况，详细的不清楚。|他向我们简要说明了香港历史的概况。

【概括】 gàikuò 〔动〕

把事物的共同特点归结在一起;总括。(sum up; generalize)常做谓语、状语。

例句 你概括一下事情的经过吧。|我的学习方法概括起来就是多说。|A:老师，请您把这个词的用法概括一下好吗? B:好的! |请把这篇文章概括地介绍介绍。

辨析 〈近〉综合。“综合”多指把各种事物放在一起组合、集合;“概括”多指把事物放在一起进行提炼。如:综合大学 综合利用 概括主要内容

【概念】 gàiniàn 〔名〕

思维的基本形式之一，客观事物的一般的本质的特征。(concept; conception; notion; idea)常做主语、宾语、定语。[量]个。

例句 A:这个语法概念明白了吗? B:还有点儿不清楚。|这件事跟那件事不是一个概念。|不能随便使用这个法律概念。|你这么说不是偷换概念吗? |有的概念的内容可能已经变了。

【干】 gān 〔形〕 另读 gàn

❶ 没有水分或水分很少。(dry)常做谓语、定语、补语。

例句 好久没下雨，河水都干了。|这些木头干透了。|请把干衣服收

G

好。|粮食都晒干了。|壶里的水喝干了。

❷ 不用水的。(without using water)常做状语或做语素构词。

例句 A:学校附近有干洗店吗? B:有好几家,很方便。|这菜别干炒,稍加点儿水好。|来一个干烧鱼。

❸ 只有形式的(哭、笑等)。(empty;hollow;dry)常做语素构词。

词语 干笑 干号(háo) 干哭

G

❹ 指拜认的亲属。(taken into nominal kinship)常做定语,直接加名词。

例句 她有两个干妈。|他们是干亲。|她最近认了一个干姐姐。|这是他干哥哥。

❺ 白白地。(in vain)常做状语。

例句 大家都干着急,帮不上忙。|这老外听不懂,只能干瞪眼。|这天干打雷,不下雨。

【干杯】 gān bēi 〔动短〕

喝杯中的酒,表示庆祝;劝别人喝酒。(drink a toast)常做谓语,中间可插入成分。

例句 A:为了我们的友谊,干杯! B:干杯! |马克连干了三杯酒,真是海量。|为合作成功让我们干杯! |A:我不能再干杯了! B:那就只喝一口吧。

【干脆】 gāncuì 〔形〕

直截了当;爽快。(clear-cut;straightforward;simply)常做谓语、补语、定语、状语。

例句 马克很干脆,作业马上就完成了。|这个人做事不大干脆。|对方答应得很干脆,你就放心吧。|他那干脆劲儿,真让人喜欢。|你就干脆说吧! |咱们干脆别管那些事儿。

辨析 〈近〉索性。"索性"是副词,只能做状语,多用于书面。"干脆"是形容词,可做多种句子成分。如:你索性考完试再玩吧。|这事办得干脆。|* 他很索性。("索性"应为"干脆")

【干旱】 gānhàn 〔形〕

因下雨很少,使土壤、气候干燥。(arid;dry)常做谓语、定语、补语。

例句 沙漠地区极干旱。|中国北方干旱,南方不干旱。|A:你们国家干旱吗? B:夏天干旱,冬天就好了。|新疆属于干旱地区。|因为雨水少,多年来这地方变得特别干旱。

【干净】 gānjìng 〔形〕

❶ 不脏;也指言论、行为等文明。(clean;neat and tidy)常做谓语、定语、状语、补语。

例句 我们的教室很干净。|A:这个人手脚不干净。B:怎么? 他偷别人的东西吗? |不要骂人,说话干净些! |姐姐是个干净人,一天到晚地收拾。|他就总说些不干净的话。|全城都在打扫卫生,准备干干净净过新年。|一会儿她就把菜洗干净了。|我们把屋子打扫得干干净净。

❷ 形容不拖拉;比喻一点儿不剩。(complete;total)常做谓语、补语、状语。

例句 他办事干净,从不拖拉。|把瓶子里的水倒干净。|杯里的茶都喝干净了。|坚决干净地消灭敌人。

辨析 〈近〉清洁。"清洁"是单义词,一般用于具体事物;"干净"是多义词,可用于具体事物,也可用于比喻抽象事物。如:屋子里很清洁。|他说话不干净。|* 说话不清洁。("清洁"应为"干净")

【干扰】 gānrǎo 〔动/名〕

〔动〕指影响或扰乱。(disturb; hamper; interfere)常做谓语。

例句 不要干扰别人的私事。|我不愿干扰他,他在学习呢。|A:我看电视干扰你学习吗? B:没关系,但请你把声音调小点儿。|在飞机上打手机会干扰飞机的通讯联络。|飞机飞过,干扰了广播。

〔名〕扰乱,打搅。(disturbance; interference)常做主语、宾语。

例句 这种干扰真令人难以忍受。|对别人私生活的干扰是不道德的。|不知道是什么干扰,使收音机接收效果不好。|休息不好对学习是一种严重的干扰。|我要排除一切干扰,认真完成学业。|好像有干扰,电话听不清。

【干涉】 gānshè 〔动〕

过问或制止,主要指不应该管而硬管。(interfere; intervene; meddle)常做谓语。

例句 对儿女的婚事,父母不要随便干涉。|你没有权利干涉我的事!|老师不应该干涉学生的自由。|干涉别国内政是违反国际准则的。|这事谁也干涉不了。

【干预】 gānyù 〔动〕

过问(别人的事)。(intervene; interfere)常做谓语。

例句 你别干预我的事。|不要干预人家的私生活。|要是再不干预,事情就闹大了。|A:我想请您出面干预一下。B:这事我管不了。

辨析 〈近〉干涉。"干涉"着重通过过问或制止,迫使别人按自己的意图办事,多带贬义;"干预"则重在对对方施加一定影响。如:干涉别国内政　政府干预市场

【干燥】 gānzào 〔形〕

❶ 没有水分或水分很少。(dry; arid)常做谓语、定语、补语。

例句 最近天气太干燥了。|我不太适应北方干燥的气候。|南方的春天一点儿也不干燥。|下雨太少,空气变得非常干燥。

❷ 没有趣味。(dull; uninteresting)常做定语、补语、谓语、宾语。

例句 她干燥的声音让人觉得压抑。|他的课讲得干燥,无味。|这篇文章太干燥了。|A:昨天的电影怎么样? B:没意思,很干燥。|和他在一起,觉得干燥乏味。

辨析 〈近〉干旱,枯燥。"干旱"指气候、土地等事物;"干燥"可指气候、土地等,也可指皮肤、木材以及其他一些抽象事物;"枯燥"则只用于对生活、作品等的感觉。如:干旱的气候　干燥的沙漠　干燥的嘴唇

【甘】 gān 〔形〕

味美;甜。(pleasant; sweet)常用于固定短语中,或用于构词。

词语 甘甜　甘美　苦尽甘来

例句 两个好朋友同甘共苦几十年。

▶"甘"也做助词,指"愿意"。如:甘愿　不甘落后

【甘心】 gānxīn 〔动〕

从心里愿意;称心,满意。(be ready and willing; be willing to)常做谓语、状语。

例句 她从不甘心落后。|问了几个人怎么订票,都不知道,马克不甘心。|一辈子生活在农村,我实在不甘心。|他不甘心地一再追问着。

【甘蔗】 gānzhe 〔名〕

G

一种植物，是主要的制糖原料。(sugarcane)常做主语、宾语、定语。[量]棵，根。

例句 甘蔗是制糖的主要原料。|中国华南地区大面积种植甘蔗。|A：外面卖甘蔗，你想吃吗？B：我没吃过，好吃吗？|去年甘蔗的收成不错。|A：您喝点儿什么？B：小姐，来一杯鲜甘蔗汁。

【杆】 gān 〔名〕

有一定用途的细长木头或类似的东西。(pole)常做主语、宾语、定语。也用于构词。[量]根。

例句 晒衣杆儿被风吹倒了。|工人们正在埋杆儿。|A：你找根杆儿来把花固定一下。B：去哪儿找？|那个运动员轻松地跃过1.8米的横杆。|电线杆儿的上面贴着一张广告。

【肝】 gān 〔名〕

人和动物的消化器官之一。(liver)常做主语、宾语、定语。

例句 肝要是出了毛病，对身体影响很大。|有人爱吃猪肝，有人不喜欢。|医生检查了病人的肝。|这家医院能为病人移植肝。|我不知怎么得了肝病。

【肝胆相照】 gān dǎn xiāng zhào 〔成〕

比喻真诚相待。[show utter devotion to (a friend, etc.)]常做谓语、定语。

例句 多年来，我们之间肝胆相照，一直是好朋友。|他与老百姓肝胆相照，是个好市长。|A：我们之间应该肝胆相照，互相帮助。B：好的，我们一起努力吧。|我有一个肝胆相照的朋友，他或许能帮上忙。|经历了那件事以后，他们之间那种肝胆相照的热情逐渐消失了。

【肝炎】 gānyán 〔名〕

一种可以传染的肝病。(hepatitis)常做主语、宾语、定语。[量]种。

例句 肝炎是一种传染病。|A：你得肝炎了，得马上住院。B：医生，是真的吗？|那家医院专门治各种肝炎。|那个地区最近流行肝炎，最好不要去那儿旅游。|肝炎的种类比较多，有甲肝、乙肝、丙肝等。

【竿】 gān 〔名〕

截下来的竹子的主干。(bamboo pole)常做主语、宾语、定语；多用于构词，带"子、儿"。[量]根。

词语 竹竿 鱼竿 晾衣竿

例句 那几根竿儿都用上了。|A：拿根竿儿给我。B：你要什么竿儿？|百尺竿头，更进一步。

【赶】 gǎn 〔动〕

❶ 追；加快行动使不致贻误时间。(catch up with; try to catch; rush for)常做谓语。

例句 学习上要学先进赶先进。|A：师傅，请您开快点儿，我要赶八点的飞机。B：来得及，放心吧。|我早起是为了赶头班地铁。|昨天起床晚了，差点儿没赶上考试。|春节前，许多在外地工作的人都往家里赶。|昨天晚上赶了一篇稿子。

❷ 驾驭(yù)；弄走(人或动物)。(drive; drive away)常做谓语。

词语 赶马车 赶蚊子 赶骆驼

例句 快把苍蝇赶走！|这次去草原旅游，可以赶马玩。|历史上这里的人民多次把侵略者赶出去。

❸ 遇到。[happen to; find oneself in (a situation)]常做谓语。

例句 回到家里终于赶上了中秋

节。|这段时间正赶上学校放假。|这些外国游客正好赶上了中国的春节,他们很高兴。|事情都赶到一快儿了,真忙死了。

【赶紧】 gǎnjǐn 〔副〕
抓紧时间行动,一点儿也不拖拉。(at a rush; with a haste; without delay)做状语。
例句 接完电话,我就赶紧往公司跑。|孩子病了,得赶紧送医院。|考试时间快到了,赶紧把题做完。|A:赶紧走吧,不然宿舍门要关了。B:别急,来得及。|A:天晚了,你赶紧回家吧! B:我的事还没完呢。

【赶快】 gǎnkuài 〔副〕
抓紧时间,加快速度。(at once; quickly)做状语。
例句 你赶快给他打电话,告诉他别等了。|A:赶快走吧,晚了就来不及了。B:我们坐车去吧。|你赶快给我想个好主意。|我们赶快去买火车票,明天就出发。

【赶忙】 gǎnmáng 〔副〕
表示人的行为动作迅速、急迫。(hurriedly)做状语。
例句 妈妈回来以前,我赶忙把屋里收拾干净了。|下班后,他赶忙洗了个澡。|听到电话响,马克赶忙去接。|他一听到敲门声,赶忙把钱藏了起来。
辨析 〈近〉赶紧,赶快。"赶紧"、"赶快"可用于陈述句、祈使句;"赶忙"只用于陈述句而且不表催促。"赶快"的程度高。如:前面红灯,赶快(赶紧)停车! |妈妈一回家就赶紧(赶忙,赶快)做饭。

【赶上】 gǎn shàng 〔动短〕
❶ 追上。(catch up with; overtake)常做谓语,中间可插入成分。
例句 A:快点儿! 我们一定要赶上这趟车。B:我走不动了。|天太黑,路又滑,没赶上他俩。|太晚了,赶不上飞机了! |A:现在出发,赶得上七点的飞机吗? B:可能赶不上。
❷ 碰上。(happen to; come up with)常做谓语,中间可插入成分。
例句 昨天在半路赶上大雨了。|看来我们赶不上国庆晚会了。|刚回国就赶上朋友的婚礼。|爸爸去世早,没赶上这样的好日子。

【敢】 gǎn 〔助动〕
❶ 表示有勇气、有胆量做某事。(dare)常做状语。
例句 马克这个人敢想也敢干。|天太黑,我不敢去。|你再敢乱说,就出去吧。|刚来中国时,马克不敢跟中国人说汉语。|过去不敢想的事,现在变成了现实。
❷ 表示有把握做某种判断。(be sure)常做状语。
例句 我敢肯定,他会来的。|他会不会说中文,我不敢说。|A:马克确实回国了吗? B:没人敢断定。

【敢怒不敢言】 gǎn nù bù gǎn yán 〔成〕
心里愤怒但不敢说出来。(be forced to keep one's resentment to oneself; suppress one's rage; choke with silent fury)常做谓语、定语。
例句 他独断专行,老百姓敢怒不敢言。|那个时代,人民没有权利,敢怒不敢言。|群众虽然非常气愤,但大多数都是敢怒不敢言。|惩罚了坏人,对于敢怒不敢言的人,是一个安慰。

【敢于】 gǎnyú 〔动〕

G

有决心，有勇气去做或去争取。(dare to; have the courage to)做谓语(要带宾语)。

例句 你要敢于面对现实。|我们要敢于同不法行为作斗争。|有充分的把握，他才敢于这么办。|A：你要敢于多跟中国人交谈。B：可我的口语不太好。

【感】 gǎn 〔尾〕

情感，感觉。(sense; feeling)常做语素构词或用于固定短语中。

词语 好感 美感 安全感 自豪感 优越感 自卑感 百感交集

例句 看到她就有一种亲近感。

【感到】 gǎndào 〔动〕

感觉到；觉得。(feel; sense)常做谓语。

例句 这么黑，真让人感到害怕。|A：我感到身上发冷，是不是感冒了？B：去医院看看吧。|有爸爸妈妈在身边，我感到特别温暖。|住在中国人家里，没感到不方便。|到了农村才感到有的地方确实还很落后。|从他的话里我感到问题很严重。

【感动】 gǎndòng 〔动〕

思想感情受到外界事物的影响而激动，引起同情；使感动。(move; touch)常做谓语，状语。

例句 李老师的认真感动了所有学生。|小朋友的话感动了所有在场的人。|昨天的电影让观众都很感动。|这个故事太老了，我一点儿也不感动。|人们感动地流下了热泪。

【感化】 gǎnhuà 〔动〕

用行动影响或善意劝导，使人的思想、行为向好的方面变化。(help to change by persuasion, setting an example, etc.)常做谓语。

例句 警察们用自己的行动感化了这几个犯人。|社会应该用爱去感化失足少年。|班里的后进同学被大伙儿的这份真诚感化了。

【感激】 gǎnjī 〔动〕

因对方的好意或帮助而对他产生好感。(feel grateful; be thankful)常做谓语、主语、定语。

例句 我特别感激你对我多年的帮助。|A：非常感激您对我的照顾。B：没什么，这是我应该做的。|咱这感激是发自内心的。|他用感激的目光默默地望着老师。

【感觉】 gǎnjué 〔动/名〕

〔动〕觉得，认为。(feel; perceive)常做谓语、定语。

例句 他感觉这儿的环境特别好。|住在这儿，大家感觉不太方便。|A：我感觉你变了。B：有什么变化？|感觉到的东西有时不准确。

〔名〕接触事物而产生的知觉。(feeling; sensation)常做主语、宾语。[量]种。

例句 你的感觉太不准确了。|我们有一个共同的感觉，那就是对方太热情了。|A：跟老板见面后你有什么感觉？B：没什么特别的感觉。

【感慨】 gǎnkǎi 〔动/形〕

〔动〕由外界事物引起感情活动而叹息。(sigh with emotion)常做谓语。

例句 每当回忆起在中国的那段经历，我心中就感慨很多。|看到北京这么大的变化，令人感慨。|老同学见面，大家都不停地感慨。

〔形〕由外界事物引起感情活动而叹息。(emotion; feeling; sentiment)常做定语、状语。

例句 看到老房子，这位老人显出

感慨的样子。|提起往事，老同学感慨地点点头。

【感冒】 gǎnmào 〔名/动〕

〔名〕常见病，表现为鼻子不通、头痛、发烧等。（common cold）常做主语、宾语、定语。[量]次。

例句 这次重感冒真难受。|感冒可以引起其他疾病。|A：你的感冒好了吗？B：好了，谢谢！|我得了感冒，不能去上课。|春天容易流行感冒。|感冒药没有了，得去看医生。

〔动〕得了感冒。（catch cold）常做谓语。

例句 A：她感冒一个星期了。B：难怪这几天没上课。|天儿凉，小心感冒。|快穿上衣服，别感冒了。|A：我身体很好，从来不感冒。B：别吹牛，去年我们一起旅游时你就感冒过。

【感情】 gǎnqíng 〔名〕

心理反应，也指对人或事物关心、喜爱的心情。（emotion；affection；attachment；love）常做宾语、主语、定语。[量]种。

例句 留学生对那段共同学习的日子很有感情。|演员的表演充满感情。|那对夫妻已经没有感情了，可能要离婚。|在中国生活时间长了，就产生了感情。|她对动物真挚的感情打动了我们。|男女之间的感情说不清楚。|感情的事勉强不得。

辨析 〈近〉情感。“情感”指自然的心理反应和流露；“感情”的主观色彩浓，较强烈，常和“激动”、“冲动”搭配。如：情感上的沟通　感情冲动

【感染】 gǎnrǎn 〔动〕

受到传染，引申为通过语言、行动使人产生相同的感情。（infect；influence；affect）常做谓语、宾语。

例句 我的眼睛感染了，很不舒服。|今年春天，很多人感染了流行病。|晚会上欢乐的气氛感染了每一个人。|这个故事太感染人了。|房间经常消毒可以防止感染。|天热，伤口容易受到感染。

辨析 〈近〉传染。“传染”一般只用于生理上；“感染”还可用于情感上。如：传染病　情绪感染

G

【感受】 gǎnshòu 〔名/动〕

〔名〕接触外界事物得到的影响、体会。（feeling）常做主语、宾语。[量]种。

例句 这种感受，是无法用语言表达的。|看到他的变化，我的感受很复杂。|马克每到一个地方就产生许多新感受。|A：看了这部电影，你有什么感受？B：没什么感受。

〔动〕受到影响；接受。（feel；experience）常做谓语、定语。

例句 我们感受到了生活的美好。|很多人一到中国就感受到中国人的热情。|A：这次旅游感受到什么？B：很多，可是说不清楚。|这位画家对美的感受能力是不一般的。

辨析 〈近〉感觉。“感觉”着重表示认为、认识到、觉得等；“感受”着重指亲身经历、接触之后的体会。如：我感觉他变了。|我感受很深。

【感想】 gǎnxiǎng 〔名〕

接触外界事物而引起的思想反应。（impressions）常做主语、宾语。[量]个，种。

例句 旅游回来后，马克的感想还真不少。|对这件事，你的感想是什么？|A：看完这部电影，你谈谈感

想吧。B:我没有什么特别的感想。|参观农村回来,大家产生了很多感想。|座谈会上,留学生都谈了学习汉语的感想。|请把您的这种感想写出来好吗?

【感谢】 gǎnxiè 〔动〕
感激或用言行表示感激。(thank)常做谓语、定语、宾语。

例句 我从心里感谢大家对我的关心和照顾。|能得到这么好的成绩,真的很感谢老师。|A:我该怎么感谢你呢?B:你别客气。|感谢的话两天两夜都说不完。|马克给帮助自己的警察写了一封感谢信。|我们向您表示真诚的感谢。

辨析 〈近〉感激。"感激"有激动的意思,语意较重;"感谢"多指得到好处表示酬谢,语意轻。如:感谢您的帮助。|感激得热泪盈眶。|*感谢得热泪盈眶。("感谢"应为"感激")

【感兴趣】 gǎn xìngqù 〔动短〕
觉得喜好(hào)。(be interested in)常做谓语、定语。中间可插入成分。

例句 不少人对唱卡拉OK特别感兴趣。|我对别人的事一点儿也不感兴趣。|小时候他对画画儿感过兴趣。|A:你什么时候开始对汉语感兴趣?B:第一次到中国旅游以后。|老年人感兴趣的事往往是养花、书画、练太极拳什么的。

【干】 gàn 〔动〕 另读 gān
做;搞;担任;从事。(do; work; work as; go in for)常做谓语。

例句 你干什么呢?|我一个人怎么干得了呀!|老李干过十年经理。|干活儿的时候要注意安全。|这事不好干。|周末什么也不干,好好休息。|A:你能告诉我,干什么最容易?B:干什么都不容易。

▶"干"也做名词,指事物的主要或重要部分。如:树干 骨干 躯干

【干部】 gànbù 〔名〕
指担任一定的领导工作或管理工作的人员。(cadre)常做主语、宾语、定语。[量]名、个。

例句 学生干部要干在前头,而不应该特殊。|政府干部现在叫公务员。|在工作中,干部必须带头。|当干部就得能吃苦。|她是公司的管理干部。|他辞了干部的工作去做买卖。|干部的作风一定要严肃认真。

【干活儿】 gàn huór 〔动短〕
花费力气,特指辛苦的劳动。(work; work on a job)常做谓语、定语。中间可插入成分。

例句 干完活儿再吃饭。|星期天在家干了一天活儿。|干这种活儿干了一辈子。|我们俩常在一起干活儿。|下班后,他常干点儿私活儿。|最近没干活儿,身体不太好。|A:你父亲干什么活儿?B:他退休了,在家呆着。|干活儿的时候不让吸烟。

【干劲】 gànjìn 〔名〕
做事的劲头。(drive; vigour; zeal)常做主语、宾语。[量]股。

例句 他们的干劲真大啊!|同学们学习的干劲真高。|老人鼓足了干劲,开始学汉语。|大家拿出点儿干劲,很快就能完成任务了。

【干吗】 gàn má 〔动短/介短〕
〔动短〕干什么。(what to do)常做谓语。

例句 A:你在干吗?B:没干吗。|她要这么多钱干吗?|A:假期你打

算干吗?B:还没想好。|A:这么晚才回来,你干吗去了?B:参加朋友的生日晚会去了。

〔介短〕为什么。(why on earth)常做状语。

例句 A:你干吗不说话?B:你要我说什么?|A:他干吗哭呢?B:听说他的护照和钱都丢了。|A:你干吗这么着急回国?B:我父亲病了。

【干线】 gànxiàn 〔名〕

交通、电线、输送管(水管、输油管之类)等的主要路线。(trunk line;artery)常做主语、宾语。[量]条。

例句 由于发大水,铁路干线停运了五个小时。|去年中国新建了几条高速公路干线。|这条光缆是一条干线,一定要保护好。

【刚】 gāng 〔副〕

❶ 恰好达到某种程度。(just;exactly)做状语。

例句 衣服不大不小,刚合适。|钱不多不少,刚够。

❷ 表示勉强达到某种程度,仅仅。(barely)做状语。

例句 这次考试成绩刚60分。|我紧赶慢赶,刚赶上末班车。|他声音太小了,刚能听到一点儿。

❸ 表示行动或情况发生在不久之前;如果后面紧接发生其他行动或情况时,常用“就、又”配合。(just;only a short while ago)做状语。

例句 你病刚好,要注意多休息。|经理出差刚回来。|他刚进教室,老师就开始讲课了。|我刚要走,又被妈妈叫住了。|马克刚从国外回来,带来很多好吃的。|A:玛丽呢?B:刚离开教室。

【刚才】 gāngcái 〔名〕

指过去不久的时间。(just now)常做状语、定语、主语、宾语。

例句 你刚才说什么?|车刚才来过了。|A:马克呢?B:刚才还在这里。|A:刚才的事你说怎么办?B:随便你。|A:刚才那个人是谁?B:我不认识。|刚才是刚才,现在是现在。|刚才可以,现在不行。|就在刚才,他还说不知道。

【刚刚】 gānggāng 〔副〕

意义同“刚”。(just now;a moment ago;just;only)常做状语。

例句 他刚刚走,你就来找他了。|屋子不大,刚刚能住两个人。|我来中国时,刚刚十五岁。

辨析 〈近〉刚,刚才。“刚”和“刚刚”是副词,只能做状语,但“刚”能与副词“一”连用,“刚刚”不可以;“刚才”是名词,可放在主语前,可做状语、定语、主语、宾语,后面可加否定词,“刚(刚刚)”不可以;“刚才”后的动词后不能有时量词语,而“刚、刚刚”可以。如:我刚一(刚刚)回来就见到她。|他刚刚(刚)走。|他刚才还在这儿。|*为什么刚刚(刚)不说。(“刚刚”和“刚”应为“刚才”)|*刚是刚,现在是现在。(“刚”应为“刚才”)|*小李刚才走了十分钟。(“刚才”应为“刚”)

【纲】 gāng 〔名〕

事物中最主要的部分(多指文件或言论)。(key link;outline)常用在固定短语中,或用于构词。

词语 纲举目张 提纲 纲目

例句 教学大纲是教学的指南。

【纲领】 gānglǐng 〔名〕

政府等规定的奋斗目标和行动步

骤；也泛指起主导作用的原则。(programme; guiding principle)常做主语、宾语、定语。[量]个。

例句 我们政府的纲领是让大家都富起来。|政府制定了新时期的工作纲领。|总统候选人发表了竞选纲领。|这些是纲领性的文件。

【钢】 gāng 〔名〕

一种金属，是很重要的工业材料。(steel)常做主语、宾语、定语。

例句 钢是重要的建筑材料。|这些钢都是进口的。|以前这家工厂生产钢。|盖房子不能缺少钢。|钢水从高炉中流出来，钢花四溅。

【钢笔】 gāngbǐ 〔名〕

笔头是金属的笔。(pen; fountain pen)常做主语、宾语、定语。[量]支。

例句 这支钢笔很漂亮。|现在的学生不用钢笔。|我丢了一支高级钢笔。|马克送给我一支钢笔。|钢笔笔尖不好使了。

【钢材】 gāngcái 〔名〕

钢的成品，如钢板、钢管等。(steel products)常做主语、宾语、定语。[量]根，批，吨。

例句 钢材是国家重要物资。|这家工厂新买了一批钢材。|A：你们公司做什么贸易？B：进出口各种钢材。|钢材的用途很多。

【钢琴】 gāngqín 〔名〕

一种大型键盘乐器。(piano)常做主语、宾语、定语。[量]架。

例句 这架钢琴真漂亮！|现在不少孩子在学钢琴。|很多中国家庭都买了钢琴。|A：你会什么乐器？B：我会弹钢琴。|她想当钢琴家。|演员演奏了一首著名钢琴曲。

【缸】 gāng 〔名〕

盛东西的器物。(vat; jar)常做主语、宾语、定语。[量]口，个。

例句 这口缸能盛三担水。|我们需要个大点儿的水缸。|农村还用缸盛水，城市就少了。|抽烟的人离不开烟灰缸。|缸底不平放不稳。

【岗位】 gǎngwèi 〔名〕

泛指职位。(post)常做主语、宾语、定语。[量]个。

例句 他的岗位变了，但努力工作的精神没有变。|这些岗位是新设的，增加了就业机会。|(标牌)请勿随意离开工作岗位。|这次公司增加了三个岗位。|他从原来的岗位退下来了。|从下个月起咱们的岗位津贴增加了。

【港】 gǎng 〔名〕

❶ 有必要设备，供船只停泊的水边。(port; harbor)常用于构词，也做宾语。

词语 军港 港口 不冻港 海港

例句 有一艘货轮进港，准备接船。

❷ 飞机场。(airport)常做宾语，或用于构词。

例句 从北京来的航班已到港。|飞机已经离港了。

❸ 指香港。(Hong Kong)常用在固定短语中。

词语 港人治港 港币 港澳同胞

【港币】 gǎngbì 〔名〕

香港地区通用的货币。(Hong Kong dollar)常做主语、宾语、定语。[量]元。

例句 港币是可以自由兑换的。|他打算带一些港币去旅游。|A：我想用人民币换港币，可以吗？B：您

要换多少?|特区政府保持了港币汇率基本稳定。

【港口】 gǎngkǒu 〔名〕

在河海等的岸边设的码头,船只可以停泊的地方。(port;harbor)常做主语、宾语、定语。[量]个。

例句 世界最大的港口在哪儿?|这里新建了一个港口。|A:你们去哪儿?B:我们去港口参观。|大连是座港口城市。

【高】 gāo 〔形〕

❶ 从下向上距离大。(high;tall)常做谓语、定语、状语、补语。

例句 篮球运动员的个子一般比较高。|马克不太高。|A:你多高?B:我不告诉你。|市内的高楼越来越多了。|他高高的个儿,不胖不瘦。|车站出口很多人高举着牌子,上面写着要接的人的名字。|孩子又长高了。|月亮升高了。

❷ 在一般标准或平均程度以上;等级在上的。(of a high level or degree;above the average)常做谓语、定语、补语。

例句 这所大学的质量高于别的大学。|王教授的水平相当高。|他找女朋友的要求太高了!|对学生应该高标准严要求。|高规格的宾馆会很贵。|这个指标定得太高了。

【高产】 gāochǎn 〔动〕

产量很高。(high yield)常做谓语、定语、宾语。

例句 要使粮食高产,就得科学种田。|他是个高产作家。|我们厂今年争取再创高产。

【高超】 gāochāo 〔形〕

好得超出一般水平。(superb;excellent)常做谓语、定语。

例句 李教授见解高超,令人佩(pèi)服。|妈妈的厨艺高超,做的菜跟饭馆的一样。|马克开车的技术高超,差不多可以参加比赛。|人们对他的高超技艺赞叹不已。|李医生有高超的医术。

【高潮】 gāocháo 〔名〕

涨潮的时候,水面上升的最高潮位;也比喻事物、情节在一定阶段内发展的顶点。(high water;high tide;climax)常做主语、宾语、定语。[量]个。

例句 这部电视剧的高潮是女主人出国。|从第三章开始,这部小说的情节发展达到了高潮。|来到海边,我正好看到高潮,真壮观。|经济建设高潮的到来,推动了文化发展。

【高大】 gāodà 〔形〕

又高又大。(tall and big)常做谓语、定语、补语。

例句 哥哥的身体高大结实。|A:看,那就是国际贸易大厦!B:太高大了!|现在很多人并不喜欢高大的建筑。|高大的楼房在城市到处可见。|几年不见,他长得高高大大的了。

【高档】 gāodàng 〔形〕

质量好,价格较高的(商品)。(top grade;high-grade;superior quality)常做定语,也可构成"的"字短语。

例句 高档服装让人喜欢。|这种高档家具就是好。|马克真有钱,旅游时总住高档宾馆。|这家商店的东西都是高档的。

【高等】 gāoděng 〔形〕

比较高深、高级的。(higher)常做定语或用于固定短语。

词语 高等数学 高等院校 高等

教育 高等动物

例句 马克这次参加了 HSK 高等的考试。|妈妈在一所高等职业学校当老师。|我从没学过高等物理。

【高低】 gāodī 〔名/副〕

〔名〕❶ 高度。(height)常做主语、宾语、定语。

例句 读课文时,声音的高低要掌握好。|天太黑了,我根本看不出他俩的高低。|考试高低的标准不同,水平也不会一样。

❷ 上下,优劣。(relative superiority or inferiority)常做主语、宾语。[量]个。

例句 他俩的水平高低很难分清。|这次考试,各人的成绩分出了高低。|让我们在汉语水平上比高低吧。

❸ 说话做事的分寸。(sense of propriety)常做宾语。

例句 他不知高低,才学了一个月汉语就参加演讲比赛。|刚毕业,就分不清高低了,以为自己水平很高。

〔副〕无论如何。(on any account)做状语,后面多用否定。

例句 嘴都说破了,他高低就是不答应。|我想去旅行,妈妈高低不同意。|在很多班听过课,高低没有适合自己的。

【高度】 gāodù 〔名/形〕

〔名〕高低的程度;从下到上的距离。(altitude;height)常做主语、宾语。

例句 快到了,飞机的高度越来越低。|那座山的高度是 5000 米。|他刚学了几个月汉语,还达不到当翻译的高度。|(飞机内广播)飞机开始下降高度,请乘客坐好!

〔形〕程度很高的。(highly)常做定语、状语。

例句 在危险时刻,他保持着高度的镇定,一点儿也没慌。|作为学生,我们应有学习的高度自觉性。|群众高度评价了市长的工作。|考试的时候,大家都高度紧张。

【高峰】 gāofēng 〔名〕

高的山峰,也比喻事物发展的最高点。(peak;summit;height)常做主语、宾语、定语。[量]座,个。

例句 世界第一高峰是珠穆朗玛峰。|他正处于事业发展的最高峰。|现在是上班高峰,有点儿堵车。|交通高峰时间,最好别出门。|每年九月是入学高峰时期。

【高贵】 gāoguì 〔形〕

达到高度道德水平的,或指地位特殊。(noble;highly privileged)常做谓语、定语、补语。

例句 舍己救人的品德十分高贵。|王先生出身高贵。|他具有高贵的品质。|玛丽像一个高贵的公主。|通过学习,她的气质变得高贵了。|这种高贵的品格很值得我们学习。

【高级】 gāojí 〔形〕

(阶段、级别等)达到一定高度的,(质量、水平等)超过一般的。(senior;high-ranking;high-quality)常做定语、谓语。

例句 参加会议的都是高级工程师。|A:你在哪个班?B:我在高级班学习。|马克每次旅游都住高级宾馆。|这辆车很高级。

【高考】 gāokǎo 〔名〕

进入大学的考试。(the entrance examination for college)常做主语、宾语、定语。[量]次。

例句 第一次高考没考上,可是她没有气馁。|王老师的女儿明年参加高

考。|高中毕业生正准备高考。|今年高考成绩公布了,他得了 500 分。

【高空】 gāokōng 〔名〕

离地面较高的空间。(upper air; high altitude)常做主语、宾语、定语。

例句 高空空气稀薄。|五颜六色的气球飞向了高空。|飞机正飞向高空。|工人们正在进行高空作业。

【高粱】 gāoliang 〔名〕

一种粮食作物,可以做饭吃、做酒等。[*kaoliang* (Chinese sorghum)]常做主语、定语、宾语。[量]棵。

例句 高粱是中国北方的农作物。|今年高粱的长势不错。|爷爷爱喝高粱酒。|A:有部电影叫"红高粱",你知道吗?B:我看过,很不错。|这个村子主要种高粱。

【高楼大厦】 gāo lóu dà shà 〔成〕

高大的房屋。(high buildings and large mansions)常做主语、宾语。

例句 这几年,一座座高楼大厦在北京出现。|虽然我住的是高楼大厦,但还是留恋四合院。|很多人不喜欢住高楼大厦。|在中国城市,最近盖了很多高楼大厦。

【高明】 gāomíng 〔形〕

(见解、技能)水平高。(brilliant; wise)常做谓语、定语。

例句 这种办法太高明了。|在医术上,你比我高明得多。|A:我有一个特别高明的主意。B:真的吗?不是吹牛吧。

【高朋满座】 gāo péng mǎn zuò 〔成〕

有很多重要的客人。(a great gathering of distinguished guests)常做谓语。

例句 邻居家常常高朋满座。|今天马克生日,来了很多客人,真是高朋满座。|婚礼上,高朋满座,很热闹。

【高尚】 gāoshàng 〔形〕

❶ 道德水平高。(noble; lofty)常做谓语、定语。

例句 这些护士的心灵高尚。|清洁工人既普通,又高尚。|随便拿别人的东西,真是一点儿也不高尚。|A:你知道雷锋是谁吗?B:中国人都知道,雷锋是一个高尚的人。

❷ 有意义的,不是低级趣味的。(meaningful)常做定语。

例句 人们需要高尚的娱乐活动。|跳舞是一种高尚的活动。

【高烧】 gāoshāo 〔名〕

人的体温在 39℃以上。(high fever)常做主语、宾语、定语。[量]次。

例句 孩子的高烧一直没有退,父母非常担心。|最近我发过两次高烧。|A:昨天晚上马克发高烧。B:现在他怎么样了?我有专门治高烧的药。|高烧的时候真难受。

【高深莫测】 gāoshēn mò cè 〔成〕

内容高深,不容易明白。(too profound to be understood; enigmatic)常做谓语、定语、状语。

例句 他的话高深莫测。|对方的态度高深莫测,让人费解。|这本书高深莫测的内容连老师也不懂。|他高深莫测地笑了笑,转身就走了。

【高速】 gāosù 〔形〕

高速度。(high speed)常做定语、状语。

例句 高速列车已经试验成功了。|在中国,高速公路越来越多。|十几年来,中国东部地区的经济一直高速发展。|在这段路,请不要高速行车。

G

【高谈阔论】 gāo tán kuò lùn 〔成〕
发出很多不切实际的议论。(indulge in loud and empty talk; talk volubly or bombastically; harangue) 常做谓语、宾语。
例句 一些人在那里高谈阔论，没人听他们说什么。|你别高谈阔论，做点儿有用的事吧！|他这人没什么学问，却总喜欢在别人面前发点儿高谈阔论。

G

【高温】 gāowēn 〔名〕
较高的温度。(high temperature) 常做主语、宾语、定语。[量]种。
例句 太热了，夏天的高温真让人受不了。|下了一场雨，高温总算降下去了。|今年夏天持续高温。|高温工作的难度很大。

【高兴】 gāoxìng 〔形/动〕
〔形〕愉快而兴奋。(glad; happy) 常做谓语、定语、状语、补语。
例句 今天考试完了，我们很高兴。|A:怎么那么高兴，有什么好事？B:我朋友来看我了。|A:怎么了，你一点儿也不高兴？B:我的护照丢了。|A:你肯定是遇上什么高兴的事儿了。B:你说对了。|听到这个消息他高兴得跳了起来。|学习结束了，大家都高兴地去旅游。|昨天我们玩得很高兴。
〔动〕❶ 感到愉快的兴奋。(be glad; be happy) 常做谓语。
例句 快说说这事，让我们高兴高兴。|演出取消了，我们白高兴了一场。|大家这么一说，她又高兴起来了。
❷ 带着愉快的心情去做，喜欢做。(be willing to; be happy to) 在句中做谓语、状语。
例句 我就是高兴看足球。|我不高兴在星期天工作。|谁高兴干这样的事儿！

【高血压】 gāoxuèyā 〔名〕
成人血压持续超过标准而成为病。(hypertension) 常做主语、宾语、定语。
例句 高血压会引起很多疾病。|父亲患高血压已经十年了。|老人容易得高血压。|他是一名高血压病人。

【高压】 gāoyā 〔名〕
压力较大。(high pressure; high tension)。常做主语、宾语或用于构词。
词语 高压锅 高压电
例句 新型液压机的高压真是太大了。|这种油管承受不了那么大的高压。

【高原】 gāoyuán 〔名〕
较高而起伏不大的地区。(plateau; highland; tableland) 常做主语、宾语、定语。[量]个，片。
例句 黄土高原风沙比较大。|中国有四大高原。|假期我们要去青藏高原。|高原气候跟平原不同。

【高涨】 gāozhǎng 〔动〕
(物价、情绪等)急剧上升或发展。(rise; upsurge; run high) 常做谓语、定语。
例句 节日之前，市场物价往往高涨起来。|听了考试动员，同学们情绪高涨。|高涨的飞机票价使很多同学只好坐火车去旅游。

【高枕无忧】 gāo zhěn wú yōu 〔成〕
很放心，不用担心。(shake up the pillow and have a good sleep; sit back and relax) 常做谓语、状语。

例句 虽然已经取得了很大的胜利,可是还不能高枕无忧。|我们不能因为破了几件大案就高枕无忧,认为天下太平了。|贪污犯以为逃到境外,就可以高枕无忧地过日子。

【高中】 gāozhōng 〔名〕
就是高级中学。(senior middle school)常做主语、宾语、定语。[量]所,个。

例句 这所高中很有名。|弟弟去年上了高中。|马克的妹妹正在读高中。|留学生在本科学习要有高中学历。|他是高中语文老师。

【搞】 gǎo 〔动〕
❶ 做,干,办。(do; carry on; be engaged in)常做谓语。

例句 问题终于搞清楚了。|屋里怎么搞得乱七八糟的?|这个词的意思我搞不明白。|A:你怎么搞的,考试没及格?B:我太紧张了。|A:马克做什么工作?B:他是搞电脑的。

辨析 〈近〉干,做。"干"多指劲头很足地做,"干"和"做"还有"担任"的意思。"搞"多指通过智力、采取一定方法去做,它还可以代替许多不同意义的动词。如:苦干 实干 干厂长; 做作业; 搞创作 搞设计搞关系 搞运动 搞对象

❷ 没法得到;弄。(manage to get; get)常做谓语。

例句 你帮我搞点儿吃的。|我去搞点儿水来。|出去半天,什么也没搞到。|这是我好不容易才搞到的音乐会票,送给你吧。

【搞鬼】 gǎo guǐ 〔动短〕
暗中使用诡计。(play tricks)常做谓语,中间可插入成分。

例句 A:他们搞什么鬼?B:他们想让你挨老师的批评。|A:这是谁搞的鬼?B:不清楚。|A:你又在搞鬼吧?B:我没搞什么鬼。|他搞鬼我们不怕。|一定是有人在暗中搞鬼。

【搞活】 gǎo huó 〔动短〕
用办法使事物有活力。(vitalize; enliven; invigorate)常做谓语、定语,中间可插入成分。

例句 这个城市用各种办法搞活经济。|必须把国有企业搞活。|许多班级的课外活动搞得很活。|那些搞活的市场现在都很不错。

【稿】 gǎo 〔名〕
文章、图画等的草样,也指写成的文章、著作。(draft; manuscript; contribution)常做语素构词或在句中做主语、宾语。[量]篇,个。

词语 草稿 定稿 稿纸 稿子

例句 那篇稿儿写好了,老师,您给看一下吧。|马克很快就打了个稿,准备上课发言。

【稿件】 gǎojiàn 〔名〕
作者交到出版社、报刊编辑部的作品。(manuscript)常做主语、宾语、定语。[量]些,篇。

例句 A:您的稿件已被采用了。B:太好了!|A:你把稿件寄给报社吧,看能不能发表。B:那就试试吧。|稿件的作者是个大学生。

【稿纸】 gǎozhǐ 〔名〕
写稿用的纸,多印有一行行的直线或小方格。(paper for making manuscript)常做主语、宾语、定语。[量]本,张,页。

例句 A:一本稿纸50张,三块五。B:我要一本。|这家小商店不卖稿

G

纸。|A:你有稿纸吗?给我两张,我要写封信。B:对不起,昨天就用完了。|这种稿纸的质量不好。

【稿子】 gǎozi 〔名〕

❶ 文章、图画等的草稿。(sketch; draft)常做主语、宾语、定语。[量]篇。

例句 你的这篇稿子还得改改。|我爱写作,一天不写稿子心里就像少点儿什么似的。|稿子的头儿还没写呢。

❷ 写好的文章。(manuscript)常做主语、宾语、定语。[量]篇。

例句 这篇稿子要登在报纸第一版。|马克要参加汉语演讲比赛,正在准备稿子。|口语比赛太紧张了,有的同学只能念稿子。|我打算把稿子直接寄到出版社。|您那篇稿子的内容要补充一些新的材料。

【告】 gào 〔动〕

❶ 陈述,解说。(tell)常用于构词。

词语 报告 告诉 广告 告知

❷ 向司法机关检举。(accuse)常做谓语。

例句 你被告到法院了。|买了假货,可以到管理部门告。|如果不行,就去法院告他。|我就不信告不了她。

【告别】 gàobié 〔动〕

❶ 离别,分手。(leave; part from)常做谓语、定语。

例句 各国同学告别了家乡到中国学习汉语。|学习结束了,同学们互相告别。|我和他俩在机场告别了。|告别的时候很多人哭了。|欢送会上,她发表了充满感情的告别演说。

❷ 辞行。(bid farewell to)常做谓语,中间可插入成分。

例句 昨天,他特意来向我告别。|我们都不走,告什么别?|我去向我的朋友们告个别。

【告辞】 gàocí 〔动〕

离开前告别。(take leave; say good-by to)常做谓语(不带宾语)。

例句 对不起,我先告辞了。|尽管我们一再挽留,他还是告辞了。|A:我有事,告辞了,谢谢你们的招待。B:不客气,欢迎以后再来。

【告诫】 gàojiè 〔动〕

告诉他人要注意、小心。(warn; admonish; exhort)常做主语、宾语、谓语、定语。

例句 老师的告诫一直没忘。|我常常想起分手时他给我的告诫。|父母告诫我要注意身体。|老师告诫大家考试时一定要细心。|朋友告诫马克旅游时要注意安全。|告诫的话说多了就没用了。

【告诉】 gàosu 〔动〕

说给人听,让人知道。(tell)常做谓语。

例句 A:这事你告诉过谁?B:没有!|A:他母亲病了的事先别告诉他,好吗?B:好的,很严重吗?|A:你没告诉他晚上不能回来太晚吗?B:我忘了告诉他。|告诉你一个好消息。

【告状】 gào zhuàng 〔动短〕

❶ (当事人)请求司法机关审理案件。(go to law against sb.; bring a lawsuit against sb.)常做主语、谓语,中间可插入成分。

词语 告他一状 告个状

例句 告状可不是件容易的事。|老人去法院告状。

❷ 向别人说不公正的事。(lodge a complaint against sb. with his superior)常做谓语,中间可插入成分。

例句 我向妈妈告了哥哥的状。|就这点儿小事,干吗到处告状。|同屋太吵了,马克去办公室告状。|小心我去你们公司告你的状。

【疙瘩】 gēda 〔名〕

❶ 小球样或块状的东西。(a swelling on the skin; pimple; lump)常做主语、宾语、定语。[量]个。

例句 身上的这些疙瘩是过敏引起的。|我的手让蚊子咬起了一个大疙瘩。|妈妈买了几个咸菜疙瘩。|疙瘩汤是中国北方人的一种面食。

❷ 不易解决的问题。(a knot in one's heart)常做主语、宾语。[量]个。

例句 我俩之间的疙瘩消除了。|大家在一起总会有小疙瘩,要互相理解。|世界上没有解不开的疙瘩。|思想上有疙瘩,可以去看看心理医生。

【哥哥】 gēge 〔名〕

家里或同族同辈中年纪比自己大的男子。(brother; elder brother)常做主语、宾语、定语。[量]个。

例句 我哥哥比我大四岁。|那些远房哥哥我们都不认识。|我有一个哥哥。|爸爸的哥哥我叫伯伯。|哥哥的学习很好。|这是我哥哥的同学。

【胳膊】 gēbo 〔名〕

肩膀以下手腕以上的部分。(arm)常做主语、宾语、定语。[量]只,个。

例句 这个孩子的胳膊很细。|从自行车上摔下来,马克的两只胳臂都破了。|他受伤的是左胳膊。|从胳膊的粗细就知道他经常锻炼。

【鸽子】 gēzi 〔名〕

常见的一种鸟,也象征和平。(pigeon; dove)常做主语、宾语、定语。[量]只,群。

例句 鸽子象征和平。|广场上一群鸽子在自由地飞。|孩子们很喜欢鸽子。|我养了几只鸽子。|这个广场叫鸽子广场。|这些鸽子的主人是一位老人。

【搁】 gē 〔动〕

放,放下。(put)常做谓语、定语。

例句 妈妈在凉菜里搁了点儿香油,很好吃。|把书包搁在您这儿吧。|别着急,这事儿搁一搁再说吧。|马克搁不下朋友,决定不回国了。|A:你把钥匙搁在哪儿了?我找不到。B:就在桌子上。|菜里搁的盐不多,还可以吧。

【割】 gē 〔动〕

用刀分开、弄断。(cut)常做谓语、定语。

例句 把绳子割断算了。|他下地割草去了。|那个国家被割成了两半。|今天割的肉(指买肉)不太好。

【歌】 gē 〔名〕

歌曲。(song)常做主语、宾语、定语。[量]支,首,个。

例句 这支歌很流行。|她教了我几首歌。|老师教我们唱中国歌。|来,唱个歌吧!|这个歌的调子很好听。

【歌唱】 gēchàng 〔动〕

唱(歌),或指用唱歌等形式颂扬。(sing)常做谓语、定语。

例句 让我们尽情歌唱吧!|毕业典礼上,同学们大声歌唱。|各国朋

G

友在演讲会上都歌唱自己的祖国。|演唱会上,歌唱的声音让人激动。

【歌剧】 gējù 〔名〕

以歌唱为主的戏剧。(opera)常做主语、宾语、定语。[量]场,部。

例句 歌剧在意大利很受欢迎。|《白毛女》是一部著名的中国歌剧。|外国人叫京剧为北京歌剧。|马克很喜欢欣赏歌剧。|新年晚会上,同学们表演了一段歌剧。|这场歌剧的演出获得了极大成功。

G

【歌曲】 gēqǔ 〔名〕

可以歌唱的音乐作品。(song)常做主语、宾语、定语。[量]支,首,个。

例句 这支歌曲非常有名。|《友谊地久天长》是一首世界闻名的歌曲。|老师教了我们几首中国歌曲,大家已经能唱了。|留学生喜欢听中国流行歌曲。|通俗歌曲的内容容易明白。

【歌手】 gēshǒu 〔名〕

很会唱歌的人。(singer)常做主语、宾语、定语。[量]位,名,个。

例句 这位歌手唱得真好。|晚会上,校园歌手演唱了流行歌曲。|他是一名流行歌手。|马克的理想是当一名歌手。|大家非常喜爱这个歌手。|歌手们的衣服真是有特色。

【歌颂】 gēsòng 〔动〕

用语言文字赞美。(sing the praises of)常做谓语、宾语、定语。

例句 这位诗人用诗歌颂祖国,歌颂人民。|中国许多诗词歌颂绿色。|这种帮助别人的精神值得歌颂。|有的人不喜欢看歌颂的文章。

【歌星】 gēxīng 〔名〕

有名的歌唱演员。(a singing star)常做主语、定语、宾语。[量]名,位,个。

例句 这位歌星太棒了!|有的外国歌星经常来中国演出。|有些歌星的态度不太好。|有的人收集歌星的签名。|非常喜欢某一位歌星的人被叫做"追星族"。|我很想当歌星。

【革命】 gémìng 〔动/名〕

〔名〕人们对自然或社会所进行的根本变革。(revolution)常做主语、宾语、定语。[量]次,场。

例句 革命推动历史。|200年前,这里发生了一场大革命。|当前,我们要积极迎接新技术革命。|老人年轻时就参加了革命。|中国革命的历史是艰难曲折的。

〔动〕人们对自然和社会进行根本性改变。(innovate; cause great change)常做谓语、宾语,中间可插入成分。

例句 当时只有一个念头:革命到底!|要改革,首先就要革旧思想的命。|厂里正在进行技术革命。

▶"革命"也做形容词,指"有革命意识的"。如:他非常革命。|什么人最革命?

【革新】 géxīn 〔名/动〕

〔名〕改变旧的,创造新的。(innovation)常做主语、宾语、定语。

例句 技术革新能提高生产。|这才是一次真正的革新。|现在的电脑已经完成了革新。|他们坚持要把革新搞下去。|革新运动在全中国展开。

〔动〕革除旧的,创造新的。(innovate)常做主语、宾语、谓语。

例句 革新需要知识和勇气。|为了提高产品质量,他们进行重大的技术革新。|技术应该不断地革新。

|学生应该革新学习方法。

【格】 gé 〔名〕

❶ 隔成的方形空栏或框子。(squares formed by crossed lines; check)常做主语、宾语、定语。[量]个。

例句 这张纸的两个格儿没有字。|约翰在纸上打方格儿练习写汉字。|地上画了很多格儿,每个格儿停一辆车。|五格儿的书架比较贵。

❷ 某些语言中的语法范畴,用词尾变化来表示它和别的词之间的语法关系。(case)常用于构词,也做宾语、主语、定语。

例句 俄语的名词、代词、形容词都有六个格。|"格"这种情况在汉语中没有。|要学好德语就要掌握名词格的变化规律。

【格格不入】 gégé bú rù 〔成〕

有抵触,不投合。(be incompatible with; can not get along with one another)常做谓语。

例句 这个人和大家格格不入,谁都讨厌他。|与社会格格不入,就难以与大家配合。|刚来的时候,有的学生与这里的生活环境格格不入。

【格局】 géjú 〔名〕

结构和格式。(pattern; setup; structure)常做主语、宾语、定语。[量]个。

例句 老北京的格局在几百年前就固定了。|新的世界格局正在形成。|这篇文章根本看不出有什么格局。|战争双方格局的变化引起了各个国家的注意。

【格式】 géshì 〔名〕

一定的规格、样式。(form; pattern)常做主语、宾语、定语。[量]个。

例句 中国写信的格式和外国不一样。|公司的不同文件要求用不同的格式。|同学们考试以前认真学习作文的格式。|老师告诉我们要注意各种文章格式的区别。

【格外】 géwài 〔副〕

超出平常,很不一般。(especially; all the more)做状语。

例句 九月的天气格外舒服。|马克最近身体不好,今天格外难受。|今天他格外高兴,因为他考试得了满分。|节日的广场格外漂亮。

【隔】 gé 〔动〕

阻隔,隔开,间隔距离。(separate; partition)常做谓语。

例句 在机场,大家隔着玻璃窗向马克招手。|一间大屋隔成了两间。|他隔两天去吃一次西餐。|隔了很长时间,老师可能忘了这事。

【隔壁】 gébì 〔名〕

左右连着的屋子或人家。(next door)常做主语、宾语、定语。

例句 我家隔壁养了一只小狗。|321房间的隔壁是办公室。|我住在你隔壁。|马克经常去隔壁借词典用。|隔壁的一家人都在公司上班。

【隔阂】 géhé 〔名〕

双方感情不通,思想有距离。(estrangement; alienation)常做主语、宾语、定语。[量]个。

例句 你们的这个隔阂早该消除了。|各国同学不要为小事造成相互间的隔阂。|大家在一起学习了几年,没有任何隔阂。|这两个国家在贸易上产生了隔阂。|隔阂的由来是双方不信任。

【隔绝】 géjué 〔动〕

没有联系，不通往来。(cut off; separate; obstruct)常做谓语、定语、主语。

例句 去了国外，他和家里完全隔绝了音信。|双方的联系还没隔绝。|没人喜欢过与世隔绝的生活。|两个邻国之间的隔绝已经50年了。

【隔离】 gélí 〔动〕

不让在一起，分开。(isolate)常做谓语、定语、宾语。

例句 我曾经因为接触过传染病人被隔离了一个月。|在农村，人畜应该隔离。|医院没有隔离病房。|对这些病牛必须马上进行隔离。|您得的是传染病，需要隔离。

【个】 gè 〔量〕

❶ 使用最多的量词。(*used before nouns without specific measure words of their own*)常与数词、指示代词等组成短语做句子成份。

例句 门口有两个人。|我有两个哥哥，一个是学生，一个是司机。|A：我们要两个单人房间。B：对不起，只有一个。|苹果就剩一个了。

❷ 表示动作数量。(*used between a verb and its object*)用在带宾语的动词后。

例句 她想跟朋友在公园里见个面，说个话儿。|放假后很轻松，每天晚上都能散个步什么的。|爷爷没事儿爱画个画儿，下个棋什么的。

❸ 相当于"得"，但使补语好像宾语。(*used between a verb and its complement*)用在带补语的动词后。

例句 一直笑个不停。|大家要分开了，话说个没完。|在公司太累了，每天忙个不停。|今天是周末，咱们玩个痛快。

【个儿】 gèr 〔名〕

身体或物体的大小。(size)常做主语、宾语、定语。

例句 这苹果的个儿真不小。|马克的个儿有1.80米。|李老师是个大个儿。|这个工作需要一个高个儿。|你觉得个儿的高矮有那么重要吗?

【个别】 gèbié 〔形〕

单个，各个，也指极少数的。(individual; very few; rare)常做定语、状语。

例句 个别同学考试时想看别人的答案。|上课迟到的只是个别现象。|放假以后大部分人去旅游了，个别同学留在了学校。|我想和你个别谈谈。

【个人】 gèrén 〔名〕

一个人，或自己。(individual; oneself)常做主语、定语、宾语。

例句 个人是集体的一部分。|我个人认为这样做不太好。|个人利益应该服从集体利益。|这是个人行为，不是所有的人都那样。|这仅仅是他个人的意见，不能代表公司。|这是国家的东西，哪能归个人?

【个体】 gètǐ 〔名〕

单个的人或物，也指家庭经营。(individual)常做定语、主语、宾语。

例句 现在个体经济受法律保护。|教师的工作可以说是一种个体劳动。|这条街上都是个体商店。|有些动物的个体在森林中很难发现。|离开公司以后，他开始干个体了。

【个体户】 gètǐhù 〔名〕

进行个体生产或经营的家庭或个人。(self-employed labourer)常做宾语、主语、定语。[量]个。

例句 这些饭馆的老板都是个体户。|下岗后,姐姐成了一个服装个体户。|个体户不一定都有钱。|个体户也可以参加医疗保险。|个体户的利益应受到尊重。

【个性】 gèxìng 〔名〕

固定的特性;和别的不一样的性质。(individuality) 常做主语、宾语、定语。[量]种。

例句 她的个性很活泼。|事物的个性包含着共性。|人人都有自己的个性。|同学们都不了解玛丽的个性。|个性的形成与家庭有关。

【个子】 gèzi 〔名〕

指人的身材,也指动物身体的大小。(height) 常做主语、宾语、定语。[量]个。

例句 她个子不高,比较苗条。|A:你个子多高? B:也就是 1.70 米。|这只熊是个大个子。|个子的高矮与聪明没有必然的关系。

【各】 gè 〔代〕

指示代词,指某个范围的每个个体,意思相当于"每一"。(each; every; different)常做定语。

例句 开完会,各人就回各家了。|各大学都有留学生。|图书馆有各种各样的小说。|欢迎各位光临。

辨析 〈近〉每。"每"着重于以一组或一个为例;"各"着重于同时遍指。如:每三年换一次。|各单位都要行动起来。

▶ "各"也做副词,表示不止一个。如:现在双方各有一次比赛机会。|(猜谜语)各打一个生活用品。

【各奔前程】 gè bèn qiánchéng 〔成〕

各走各的路;各人按不同志向,寻找自己的前途。(each pursues his own course; each goes his own way) 常做谓语、宾语、定语。

例句 毕业以后,同学们就各奔前程。|三个好朋友决定各奔前程。|大家虽然都有各奔前程的想法,可目前还得一起干。

【各别】 gèbié 〔形〕

各不相同,有分别。(distinct; different)常做状语、定语。

例句 他们三个人的问题应该各别处理。|不同的事,得各别对待。|各别问题各别解决。

【各行各业】 gè háng gè yè 〔名短〕

各种不同的职业。(all walks of life; all circles) 常做主语、宾语、定语。

例句 各行各业都有许多人才。|我们要团结各行各业一道前进。|来学习的人来自各行各业。|各行各业的人都参加了这次活动。

【各界】 gèjiè 〔代〕

各种不同职业的社会成员的总括。(all walks of life; all circles) 常做主语、定语。

例句 社会各界都关注老人问题。|各界朋友的帮助使活动圆满完成了。|这次签名活动引起了各界的重视。

【各式各样】 gè shì gè yàng 〔代短〕

多种多样的。(various) 常做定语。

例句 商店里有各式各样的商品。|人们对他的行为发表了各式各样的议论。|毕业典礼上,大家穿着各式各样的民族服装。|旅游的时候,马克买了各式各样的纪念品。

【各有千秋】 gè yǒu qiānqiū 〔成〕

各有自己的长处与优点。(each has something to recommend him;each has his strong points)常做谓语、定语。

例句 同学们的汉语各有千秋!|他俩的学习方法各有千秋。|北京和西安都是古都,两座城市各有千秋。|各有千秋的两家公司生意都不错。

【各执己见】 gè zhí jǐ jiàn 〔成〕

各自坚持自己的意见。(each sticks to his own view)常做谓语、定语。

例句 关于去哪儿旅游的问题,他们各执己见。|别再各执己见了,事情总得解决吧?|关于费用问题,各执己见的两家公司都不让步。

【各种】 gè zhǒng 〔代短〕

很多种。(various)常做定语,不带"的"。

例句 各种汽车都停在马路上。|政府努力提供各种就业机会。|留学生带着各种不同的目的来到中国学习。|马克利用各种机会练习说汉语。

【各自】 gèzì 〔代〕

人称代词,指各人自己或各个方面自己的一方。(each; respective)常做主语、定语。

例句 大家各自保重吧。|我们各自学习,不要互相影响。|同学们各自的学习方法不同。|晚会后同学们回到各自房间休息。

【给】 gěi 〔动/介〕 另读 jǐ

〔动〕❶ 使对方得到。(give; grant)常做谓语。

例句 中国给我的印象很好。|公司老板给了我两天假。|请给我一份学习证明。|他不给我烟,说我太小了。|对不起,您还没给钱呢。

❷ 让,容许。(let)常做谓语。

例句 给我看看你的照片。|门卫不给我们过去。|太辛苦了,给他多休息几天吧。

〔介〕❶ 引进动作对象,有"为,替,向,朝,对,被"的意思。(for; for the benefit of)常构成介宾短语做状语。

例句 我一直给别人帮忙,还没找工作。|李医生正给人看病。|请给我向他们问好。|她给父母说过一次想到中国学习。|王老师给我们上语法课。|书给他借走了。

❷ 引进交出、付与的对象。(to)常构成介宾短语做状语、补语。

例句 他给我们每人写了句告别的话。|临别时,她送给我一份礼物。|我把书借给朋友了。|劳驾,把那本词典递给我。

▶ "给"还做助词,多用于口语。如:车坏了,您能给修修吗?|对不起,你的事儿叫我给忘了。

【给以】 gěiyǐ 〔动〕

使对方得到。(give; grant)常做谓语。中间可插入成分(给的对象)。

例句 对学习突出者要给以重奖。|这项工作学校应给以支持。|对那些学习、生活上有困难的学生,我们要给他们以帮助。

【根】 gēn 〔名/量〕

〔名〕植物下部长在土里的部分,也指物体和其他东西连着的部分和事物本源。(root; origin; source; cause)常做主语、宾语、定语。也用于构词。[量]条。

词语 耳根 墙根 舌根 刨根问底

例句 有的树根可以做成艺术品。|京剧的根在中国。|这次的台风太厉害了,电线杆都被连根拔起。|对

什么事,他都刨根问底。|这位老华侨回故乡寻根。|根的下半部分已经烂了。

〔量〕用于细长的东西。(*used for long, thin objects*)常和数词构成短语做句子成分。

例句 香烟只有一根了。|旅游的时候,他买了一根竹子。|给我几根绳子。|墙上有两根管子,一根是水管,一根是煤气管。

【根本】 gēnběn 〔名/形〕

〔名〕事物的最重要部分。(foundation; base)常做主语、宾语、定语。

例句 国家的根本是经济。|汉语水平总没有提高,要找问题的根本。|根本的问题就是要多练习。

〔形〕最重要的,起决定作用的。(basic; fundamental)常做定语。

例句 公司找到了根本出路,就是扩大贸易。|这一下解决了最根本的问题。

▶ "根本"还做副词,指"从来"、"始终"等。用于否定句。(at all)如:我以前根本就没想过要学习汉语。|马克觉得根本就不该出国。|这事根本不行。

【根据】 gēnjù 〔名/动〕

〔名〕判断的前提或言行基础。(basis; grounds; foundation)常做主语、宾语。

例句 你的毕业论文的根据是什么?|我觉得马克是美国人,根据是他说英语。|说话要有根据,不能随便乱说。|他觉得同屋拿走了自己的词典,但找不到根据。|这么做是没有根据的。

〔动〕把事物作为结论的前提或言行的基础。(according to; on the basis of)常做谓语。

例句 你这样做,根据什么?|分班的标准应该根据留学生的汉语水平。|要根据实际情况来决定假期去哪儿。

【根深蒂固】 gēn shēn dì gù 〔成〕

比喻基础扎实,不容易改变。(deep-rooted)常做谓语、定语。

例句 不离开家的思想在老人头脑中已经根深蒂固了。|有的外国人对中国的看法根深蒂固,很难改变。|这种根深蒂固的旧观念得改变了。

【根源】 gēnyuán 〔名〕

使事物产生的根本原因。(root; source; origin)常做主语、宾语。[量]个。

例句 促使留学生学习汉语的根源是多方面的。|同学矛盾产生的根源是什么?|为什么总考不好,马克还没找到根源。|应该分析他成绩不高的根源。

【跟】 gēn 〔介/连/动〕

〔介〕❶ 对,向。(to)构成介宾短语做状语。

例句 快把这事跟大伙儿说说。|我们跟王老师学习语法。|我跟你介绍介绍。|你怎么不跟他打招呼?

❷ 与。(with)构成介宾短语做状语。

例句 老刘跟这事无关。|他跟他爸爸长得很像。|假期马克打算跟几个中国朋友去旅游。|我跟他在一个班上课。

〔连〕和,同。(and)连接两个并列成分。

例句 书跟笔记本都找不到了。|旅行时,马克的护照跟钱包都丢了。|我跟他都是留学生。|我们谈起了

各自的工作跟生活。

〔动〕随在后面,紧接着。(follow)常做谓语。

例句 老师说得太快了,我们跟不上。|那条狗跟在主人后面。|请大家一个跟一个,别分开!|我们跟着老师念生词。|请跟着我!

【跟前】 gēnqián 〔名〕

面前;身边;附近;临近的时间。(the area in front of sb. or sth.)常做主语、宾语、定语。

例句 春节跟前热闹得很。|考试跟前就没有人玩了。|你们不在父母跟前,事事要自己去做。|他朝窗户跟前走去。|当时我就站在小王跟前。|请坐在我跟前的椅子上。

【跟随】 gēnsuí 〔动〕

在后面紧接着。(follow)常做谓语、定语。

例句 他从小就跟随父母到国外去了。|马克跟随老板去过很多国家。|他们的车一直在后面跟随着我们。|总统在前面走,跟随的人很多。

【跟头】 gēntou 〔名〕

(人等)摔倒或向前或后翻转的动作。(fall;somersault)常做主语、宾语。[量]个。

例句 杂技演员在台上表演翻跟头。|下雪后得路上,他不小心栽了个大跟头。|练武术得学翻跟头。|这跟头翻大了。

【跟踪】 gēnzōng 〔动〕

紧紧地跟在后面(追赶、监视等)。(follow the tracks of)常做主语、谓语、宾语、定语。

例句 警察的跟踪被别人发现了。|我们学校一直跟踪毕业生的工作情况。|你为什么跟踪我?|我们搞了个跟踪,发现马克每个周末都去跳舞。|她好不容易才摆脱了坏人的跟踪。|现在,我们公司进行跟踪服务。

【更改】 gēnggǎi 〔动〕

改换,改动。(change)常做谓语、定语、宾语。

例句 旅行团临时更改了计划,游客有意见。|计划定好了,最好不要更改。|因为天气的原因,飞机更改了路线。|课本更改的内容同学们很满意。|经过大家的讨论,老师对学习的内容作了更改。

【更换】 gēnghuàn 〔动〕

变换;替换。(replace)常做谓语、定语、宾语。

例句 留学生宿舍的设备两年就更换一次。|大家提意见后,学校更换了语法老师。|同学们不同意更换教材。|新更换的空调效果怎么样?|那些广告标语开始更换了。

【更新】 gēngxīn 〔动〕

把旧的换成新的。(replace;renew)常做谓语、定语。

例句 语音教室该更新了。|宿舍楼更新了一批老设备。|这些课文要更新一些。|更新后的新产品就是不一样。

【更正】 gēngzhèng 〔动〕

改正错误的内容。(make corrections)常做谓语、定语、宾语。

例句 老师更正了我作业中的几个错别字。|请更正我的语法错误。|报上发表了那条更正的消息。|他对自己以前的讲话作了更正。

【耕】 gēng 〔动〕

把田里的土翻松,也比喻从事某种劳动。(plough;till)常做谓语,也用于固定短语中或用于构词。

词语 春耕 笔耕 耕耘

例句 现在农民们已经开始耕田了。|这块地用拖拉机一会儿就耕完了。

【耕地】 gēngdì 〔名〕

种农作物的土地。(cultivated land)常做主语、宾语、定语。[量]片,块。

例句 我们国家的耕地正在减少。|中国法律规定不得随便占耕地。|那片耕地的面积还能不能扩大?

【更】 gèng 〔副〕 另读 gēng

程度又加深或数量又增加或减少。(more)做状语。

例句 现在的小汽车更多更好了。|他的解释使我更不明白。|他的汉语水平比我更高。|下过雨,天更热了。|老师都不知道,我更不知道了。

辨析 〈近〉越,再。"越"指程度随时间或某情况的变化而加深;"更"用于性质、状态的比较。如:天越来越黑。|这种酒更浓一些。|*这种酒越浓一些。("越"应为"更")

表示还没有发生的情况程度加深时,"再"和"更"有时可互换;但表示已经发生的情况时,一般只用"更"。如:百尺竿头,更(再)进一步。|今天比昨天更热。

【更加】 gèngjiā 〔副〕

表示程度更深或数量上进一步增加或减少。(more; even more)做状语。

例句 下雨后,空气更加清新。|没想到穿上新衣服玛丽更加不好看了。|对别人的东西应该更加爱护。|父母的话更加鼓舞了他学好汉语的信心。

【工】 gōng 〔名〕

❶ 工作,工人。(work; craftsman; worker; workman)常用于固定短语中或做语素构词。

词语 技工 女工 打工 勤工俭学

例句 假期我想去公司打工。

❷ 工程。(project)常做语素构词。

词语 工程 竣工 动工

【工厂】 gōngchǎng 〔名〕

直接进行工业生产活动的单位,通常包括不同的车间。(factory)常做主语、宾语、定语。[量]家,个。

例句 这家工厂生产汽车。|在城市里的工厂大多搬到了郊区。|我高中毕业后就进了工厂当工人。|很多人反对建设对环境不利的工厂。|中国东北有很多老工厂。|工人表示一定要把工厂的效益搞上去。

【工程】 gōngchéng 〔名〕

❶ 较大规模的建设工作。(project)常做主语、宾语、定语。[量]项。

例句 这项城市改造工程年底完成。|他是工程总指挥。|这是中国在外国投资的最大工程。|由一家外国公司负责这项工程。

❷ 某项需要投入巨大人力和物力的工作。(project)常做主语、宾语、定语。

例句 "希望工程"得到了全社会的关注。|国家开始实行一项健康工程。|下一步住宅建设的重点是安居工程。|菜篮子工程的效果显著。

【工程师】 gōngchéngshī 〔名〕

懂专门技术的人员。(engineer)常做主语、宾语、定语。[量]个,名,位。

例句 现在电脑工程师很容易找工

作。|高级工程师在我们公司有3位。|他父亲是一位电气工程师。|大学毕业后,他想当工程师。|这家工厂工程师的岗位只有几个。

【工地】 gōngdì 〔名〕

进行建筑、生产等工作的现场。(building site)常做主语、宾语、定语。[量]个。

例句 建筑工地很吵。|公司老板在工地呢。|工地的卫生很重要。|老李是工地的总指挥,全面负责工地的一切工作。

【工夫】 gōngfu 〔名〕

时间(指占用的时间或空闲的时间)。(time)常做主语、状语、宾语。[量]点儿。

例句 工夫不大,同学们就准备好了节目。|马克一会儿工夫就喝了三瓶啤酒。|这事太费工夫了。|他把别人逛街的工夫都用在学习上了。|A:你有工夫吗?和我一起去商店好吗?B:我哪有工夫,明天就考试了。

【工会】 gōnghuì 〔名〕

工人的组织。(trade union;labor union)常做主语、宾语、定语。[量]个。

例句 今天下午,工会举行活动。|劳动节那天,工会组织了游行。|工人有困难可以找工会。|这家工厂的工人组织了工会。|工会组织要关心工人的利益。

【工具】 gōngjù 〔名〕

进行工作时所使用的器具。(tool;means;implement)常做主语、宾语、定语。[量]件,个,种。

例句 现在的工具真方便。|钥匙丢了,找件工具把门打开吧。|打开电脑需要特别的工具。|语言也是一种工具。|工具的质量很重要。

【工具书】 gōngjùshū 〔名〕

可以查找资料的书籍,如字典、百科全书等。(reference book)常做主语、宾语、定语。[量]本,册。

例句 工具书是学习外语必不可少的。|我买了两本中文工具书。|学校大门旁边有一家工具书书店。|工具书的种类很多,比如词典什么的。

【工龄】 gōnglíng 〔名〕

工作年数。(length of service)常做主语、宾语、定语。

例句 父亲的工龄将近40年了。|我们刚参加工作,还没有工龄呢。|工人有30年工龄就可以退休。|工资里有一部分是工龄工资吗?

【工钱】 gōngqian 〔名〕

做零活儿的报酬。(money paid for odd jobs)常做主语、宾语、定语。[量]点儿,些。

例句 我每天工作2个小时,工钱怎么算呢?|打工的工钱可以交学费。|做这衣服要多少工钱?|工钱的多少根据干活的多少来定。

【工人】 gōngrén 〔名〕

一般从事体力工作的人。(worker)常做主语、宾语、定语。[量]个,名。

例句 工人们都在车间上班。|很多年轻人不想当工人。|他高中毕业后在工厂当工人。|公司又招聘了一批服装工人。|工人的工资是多少?

【工人阶级】 gōngrén jiējí 〔名短〕

工人形成的阶级,也称无产阶级。(the working class)常做主语、宾语、定语。

例句 工人阶级是最革命的阶级。

|知识分子属于工人阶级。|工人阶级的目光是远大的。

【工序】 gōngxù 〔名〕

整个生产的每个过程和先后次序。(working procedure)常做主语、宾语、定语。[量]道,套。

例句 每道工序都要严格把关。|瓷器的制作有一套特殊的工序。|这些产品缺少了一道重要工序,所以有问题。|工序的先后不能打乱。

【工业】 gōngyè 〔名〕

进行加工的生产事业。(industry)常做主语、宾语、定语。

例句 工业是许多国家的经济支柱。|中国工业发展很快。|要大力发展基础工业。|政府注意工业问题。|工业革命推动了人类进步。

【工艺品】 gōngyìpǐn 〔名〕

手工艺的产品。(handicraft)常做主语、宾语、定语。[量]件。

例句 这件工艺品真漂亮。|中国的工艺品很有名。|我买了几件手工艺品送给朋友。|旅游的地方都有工艺品商店。|那件工艺品的价格比较贵。

【工资】 gōngzī 〔名〕

工作后得到的钱。(wages; pay)常做主语、宾语、定语。[量]份。

例句 这个月工资没有变化。|A:你一个月的工资是多少? B:这是秘密,不能告诉你。|大家要求老板提高工资。|公司到年底会增加员工的工资。|学生没有工作,所以也没有工资。|我们厂的工资标准比较高。

【工作】 gōngzuò 〔动/名〕

〔动〕从事体力或脑力劳动,也泛指机器、工具发挥生产作用。(work; operate)常做谓语(不带宾语)、定语、宾语。

例句 刚来的毕业生工作得不错。|他希望毕业后能用汉语工作。|这台老电脑已经无法工作了。|周末没有人工作。|工作时间,谢绝参观。|他每天八点种开始工作。

〔名〕❶ 职业。(work; job)常做主语、宾语、定语。[量]个。

例句 现在工作太难找了。|她大学毕业一年了,可还没找到工作。|很多人看不起这种工作。|王老师热爱教学工作。|因为不认真,他丢了自己的工作。|教师和工人的工作性质不同。

❷ 任务,业务。(work)常做主语、宾语、定语。[量]项。

例句 这几年的绿化工作搞得不错。|希望大家积极支持环保工作。|她对这项工作没兴趣。|这两个部门工作的性质不同。

【弓】 gōng 〔动〕

〔动〕使弯曲。(bend; arch; bow)常做谓语。

例句 医生弓下身仔细看我的伤。|学生们弓着腰快速前进。|那个人弓着腿坐着。

▶"弓"还可做名词,指古代射箭的工具。

【公】 gōng 〔形/名〕

〔形〕❶ 国家或集体的;共同的,大家承认的;属于国际间的;公平,公正。(public; common; accepted; international; just; fare; impartial) 常用于固定短语或用于构词。

词语 大公无私 公款 公买公卖 公约 公海 公事公办

例句 办事不公会失信于民。

❷ (动物)雄性的。(male)常做定

G

语或用于"是…的"中。

例句 这只小狗是公的。|我家的大公鸡天天早上叫我起床。|公孔雀比母孔雀好看。

〔名〕❶ 国家或集体的事务。(official business; public affairs)常用于构词或用于固定短语中。也做主语、宾语。

词语 办公 公差 假公济私

例句 公私应该分清楚。|他可是一心为公的大好人。

❷ 对上了年纪男子的尊称。(a respectful term of address for an elderly man)常做主语、定语。

例句 老公公,您是哪里人?|张公的家在大连。

❸ 丈夫的父亲。(husband's father)常做主语、宾语、定语。

例句 她公公是一位离休干部。|媳妇要尊敬公婆。|你公公的脾气怎么样?

G

【公安】 gōng'ān 〔名〕

社会整体的治安。(public security)常做定语。

例句 中国的公安人员就是警察。|近年来,公安机关打击犯罪,取得很大的成果。|公安部门的工作十分辛苦。

【公报】 gōngbào 〔名〕

❶ 公开发表的重大会议的决议;国际间的正式文告。(bulletin; communique; gazette)常做主语、宾语、定语。[量]项,个。

例句 新闻公报宣布了一条重要消息。|两国签署了一项保护环境的公报。|中美公报的发表具有重大意义。

❷ 由政府编印的刊物。(government bulletin)常做主语、宾语、定语。[量]份。

例句 政府关于保护环境的公报明天发表。|老师们正在学习教育法的公报。|这份公报的拟订工作已经完成了。

【公布】 gōngbù 〔动〕

公开发表使大家知道。(publish; promulgate)常做谓语、定语。

例句 老师公布了口语考试的成绩。|各大报纸向全国公布了本次选举结果。|通知板上公布了口语比赛获奖同学名单。|A:请问,HSK 结果什么时候公布? B:大概一个星期后。|新公布的名单上没有他。

【公道】 gōngdao 〔形〕

公平,合理。(just; fair)常做谓语、定语、补语、状语。

例句 他这个人很公道。|老师对所有同学应该公道。|是老张为我说了一句公道话。|这件事你办得不大公道吧?|司法人员必须公道地办事。

【公费】 gōngfèi 〔名〕

由国家或团体提供的费用。(state expense)常做定语、状语、宾语。

例句 中国以前是公费医疗,就是看病由单位报销。|有的留学生是公费学习。|他弟弟去年公费出国,目前在国外学习。|这次旅游是公费还是自费?

【公分】 gōngfēn 〔量〕

厘米。(centimetre)常构成短语做句子成分。

例句 这孩子身高 60 公分了。|1 公分就是 1 厘米。|这条裙子有 80 公分长。

【公告】 gōnggào 〔名〕

政府等向公众发出的通告。(proclamation)常做主语、宾语、定语。[量]个,张。

例句 区政府的公告你看到了吗?|学校向全体师生发出了“节约用水”的公告。|大家不了解这份公告的内容。|这个公告的发表引起了强烈的反响。

【公共】 gōnggòng 〔形〕

公有的;公用的。(public)常做定语,也用于“是…的”格式。

例句 公共卫生要由大家来保持。|留学生宿舍楼里都有公共电话。|外面的公共厕所不太干净。|去市中心坐20路公共汽车。|人人都要爱护公共财物。|每个楼层的厨房是公共的。

【公共汽车】 gōnggòng qìchē 〔名短〕

城市里的交通工具。(bus)常做主语、宾语、定语。[量]辆。

例句 101路公共汽车从校门口经过。|北京的公共汽车太多了。|我每天坐公共汽车上学。|A:请问去火车站应该坐哪路公共汽车? B:先坐20路,然后换208路。|公共汽车上的人太多了!|公共汽车票比较便宜。

【公关】 gōngguān 〔名〕

公共关系的简称。(public relations)常做定语、主语、宾语。

例句 她想当一名公关小姐。|小王在大学学习公关专业。|他被调到公司公关部当经理。|现在公关越来越重要。|大家都知道要搞好公关才能扩大贸易。

【公斤】 gōngjīn 〔量〕

重量(或质量)的单位,1公斤等于1000克。也叫千克。(kilogram)与数词、指示代词等组成短语做句子成分。

例句 一公斤苹果3块钱。|一袋面粉有10公斤。|她的体重是54.5公斤。|他的行李有50公斤,坐飞机可能超重了。|把这几公斤油放在哪儿好呢?

【公开】 gōngkāi 〔形/动〕

〔形〕不隐蔽的;面对大家的。(open)常做定语、状语。

例句 这早已是公开的秘密了。|竞选总统要公开演讲。|人们都在公开谈论那件事。

〔动〕使秘密成公开的。(make public)常做谓语。

例句 他们俩的恋爱关系公开了。|个人的隐私不能公开。|她把这件事公开了。|孩子不愿意向父母公开自己的秘密。

【公里】 gōnglǐ 〔量〕

长度单位,1公里等于1000米,也叫千米。(kilometre)常构成短语做句子成分。

例句 他参加了五公里长跑。|从学校到公共汽车站有1公里。|中国国土面积有960万平方公里。|这100公里都是高速公路。

【公路】 gōnglù 〔名〕

道路。(highway; road)常做主语、宾语、定语。[量]条。

例句 这条公路最近才修好。|宿舍楼后面的公路每天有很多车。|城外有两条高速公路。|现在有的农村还不通公路。|雨天在公路上开车千万要小心。|高速公路的修筑要花费大量的物力、财力。

G

【公民】 gōngmín 〔名〕

具有某国国籍并有权利和义务的人。(citizen)常做主语、宾语、定语。[量]名,个,位。

例句 公民应遵守法律。|所有公民都要参加选举。|如何能成为一名好公民呢?|公民的权利应得到尊重。

【公平】 gōngpíng 〔形〕

处理事情合理,不偏袒哪一方面。(impartial)常做谓语、定语、状语、宾语、补语。

例句 领导处理事情要公平。|那个老师对学生不太公平。|他是一位公平的法官。|买卖双方要公平交易。|无论做什么事,都得讲公平。|我看这事情处理得不公平。

【公顷】 gōngqǐng 〔量〕

土地面积单位,1公顷等于10000平方米。(hectare)常构成短语做句子成分。

例句 1公顷土地相当多少亩呢?|这片土地大概有多少公顷?|那5公顷土地的蔬菜长得很好。

【公然】 gōngrán 〔副〕

公开地,毫无顾忌地。(openly)常做状语。

例句 你竟公然违背自己的诺言,太没信用了!|那个同学考试时公然看别人的答案。|他公然在众人面前说别人的坏话。|她不顾公司的决定,公然另搞一套。

【公认】 gōngrèn 〔动〕

大家都认为。(generally acknowledge)常做谓语,或用在"是…的"结构中。

例句 大家公认他是好学生。|他是我们班公认的优秀人才。|她的细心是公认的。

【公司】 gōngsī 〔名〕

从事工商业活动的组织。(company; corporation)常做主语、宾语、定语。[量]家,个。

例句 这家公司生意很好。|很多外国公司都来中国投资。|你们公司效益怎么样?|最近这个区又开设了多家贸易公司。|经理每天都来公司,特别忙。|她30岁就当了集团公司的总裁。

【公务】 gōngwù 〔名〕

国家或集体的事务。(public affairs)常做主语、宾语、定语。[量]件。

例句 这些公务一下处理不完。|公务在身,不敢久留,我先告辞了。|市长正在处理重要公务,请稍等。|对不起,我们这是执行公务。|男的参加公务活动要穿西装。|请订一张公务舱机票。

【公用】 gōngyòng 〔动〕

公共使用;共同使用。(for public use; communal)常做谓语、定语,或用在"是…的"格式中。

例句 一层楼公用一个卫生间,不大方便。|这是个人的物品,不能公用。|街上有很多公用电话。|留学生宿舍都有公用厨房。|这本辞典是我们大家公用的。

【公用电话】 gōngyòng diànhuà 〔名短〕

供大家使用的电话。(public telephone)常做主语、宾语、定语。[量]部,台。

例句 这儿公用电话到处都是。|在我们大学打公用电话很方便。|

宿舍楼里都有公用电话。|现在的公用电话亭又美观又简单。

【公有】 gōngyǒu 〔动〕

属于全体人民共同拥有。(publicly-owned)常做定语,或用在"是…的"中。

例句 公有财产不得随意侵占。|中国现在可以出售公有住房。|这片土地是公有的。

【公有制】 gōngyǒuzhì 〔名〕

生产资料归公共所有的制度。(public ownership)常做主语、宾语、定语。[量]种。

例句 公有制是社会主义经济的一个特征。|中国存在着两种公有制:全民所有制和集体所有制。|公有制经济是中国经济的主体。

【公元】 gōngyuán 〔名〕

国际通用的公历纪元,从传说的耶稣诞生那一年算起。(the Christian era)常做定语。

例句 公元纪年现在是国际通用的纪年方式。|中华人民共和国成立于公元 1949 年。|那次战争发生于公元前 220 年。

【公园】 gōngyuán 〔名〕

供公众游览休息的园林。(park)常做主语、宾语、定语。[量]个。

例句 节假日里每个公园都有很多人。|爷爷每天早上去公园锻炼。|每到节日,逛公园的人就多起来。|公园的门票涨价了吗? |公园的景色变得越来越美了。

【公约】 gōngyuē 〔名〕

❶ 条约的一种。一般指多个国家签订的某些政治性的或关于某一专门问题的条约。(pact; convention)常做主语、宾语、定语。[量]个,项。

例句 这个公约是哪一年签订的? |中国和几个邻国签订了和平公约。|他们就国家水资源保护和利用问题签订了一项公约。|北大西洋公约组织近年来有所扩大。

❷ 集体或个人内部拟订的共同遵守的章程。(joint pledge)常做主语、宾语、定语。[量]个,项。

例句 卫生公约要认真遵守。|最近街道制订了安全公约。|没想到这项公约的作用这么大。

【公债】 gōngzhài 〔名〕

国家向人民或外国借的债。[(government) bonds]常做主语、宾语、定语。

例句 今年的公债比去年增加了。|你买公债吗? |政府每年都发行公债。|公债的利息比一般储蓄高。

【公证】 gōngzhèng 〔名〕

专门机关对于民事上各种关系所作的证明,如对合同、遗嘱等都可公证。(notarization)常做主语、宾语、定语。[量]份,次。

例句 公证是具有法律效力的。|出国留学需要提供各种公证。|这事你可以申请公证。|这份毕业证应该进行公证。|公证处就在对面那条街上。

【功】 gōng 〔名〕

❶ 对事业的贡献。(merit; meritorious service; achievement)常做主语、宾语。[量]次,等。

例句 小伙子救了两个人,功太大了。|他被授予一等功。|这次比赛,我没什么功。|老人的儿子在抗洪中立了功。

❷ 技术和技术修养。(skill)常用于构词。

G

词语 唱功 基本功 功架 功夫

【功夫】 gōngfu 〔名〕

❶ 做事所花去的精力；工力。（effort；time）常做主语、定语、宾语。

例句 功夫不负有心人。|功夫的大小一看就看出来了。|他的书法很有功夫。|马克练习口语花了功夫。|这幅画特有功夫。

❷（专指武艺方面的）本领。(*gong fu*)常做主语、宾语。[量]身。

例句 中国功夫世界有名。|要当武术明星，得先练功夫。|不是所有的中国人都会功夫。|马克打算学习中国功夫。|晚会上有同学表演了少林功夫。|他打算把一身好功夫教给更多的人。

【功绩】 gōngjì 〔名〕

功劳和成就。（merits and achievements）常做主语、宾语。[量]个。

例句 英雄们的功绩我们不会忘记。|自己的功绩没必要总说给别人听。|在改革中他有很大的功绩。|当了几年厂长，他也没做出太多的功绩。

【功课】 gōngkè 〔名〕

❶ 学生学习的知识、技能。（a school subject）常做主语、宾语、定语。[量]门。

例句 我在大学的各门功课都学得不错。|这门功课太难了。|虽然身体不好，他没有落下一门功课。|一个学期你们有几门功课？|我这门功课的成绩一般。

❷ 教师布置给学生的作业。（homework；assignment）常做主语、宾语。

例句 今天的功课都做完了。|星期天的功课太多了。|A：晚上去跳舞怎么样？B：晚上我不去了，我得做功课。

【功亏一篑】 gōng kuī yí kuì 〔成〕

做一件事只差最后一点儿努力而不能成功。（fail to build a mound for want of one final basket of earth—fall short of success for lack of a final effort）常做谓语、定语。

例句 大家要坚持下去，千万不能"功亏一篑"。|那次比赛，我们一直领先，但功亏一篑，最后输给了对方。|他功亏一篑，毕业论文没通过。|马克毕业前病了，带着功亏一篑的遗憾回了国。

▶《尚书》说："为山九仞，功亏一篑。"意思是筑九仞高的土山，由于只差一筐土而没有完成。

【功劳】 gōngláo 〔名〕

对事业的贡献。（contribution）常做主语、宾语、定语。

例句 功劳再大，也不要骄傲。|厂长为咱们厂立下了很大功劳。|这次口语比赛得成绩都是老师的功劳。|比赛赢了，可我没功劳。|功劳簿上也有你的一笔。|功劳是明摆着的，用不着说了。

辨析 〈近〉功绩。"功绩"指做出的重大成就和贡献；"功劳"多指对事业付出的劳动或做出的贡献。如：烈士的功绩永驻人们心中。|这个厂的发展是他的功劳。

【功能】 gōngnéng 〔名〕

事物或方法所发挥的作用、效能。（function）常做主语、宾语、定语。[量]种。

例句 这种照相机的功能很齐全。|电脑的功能越来越多。|这本词典有很多种功能。|学外语除了词汇、

语法还要掌握功能。|听说手机又开发出了新功能。|这种新产品的功能项目没有什么变化。

【功效】 gōngxiào 〔名〕

功能，效率。(efficarcy; effect)常做主语、宾语。

例句 新方法的功效似乎不太大。|这种新药功效很明显。|做事一定要讲求功效。

【攻】 gōng 〔动〕

❶ 进攻。(attack; assault)常做谓语(常带补语)。

例句 这场足球比赛，我们攻下了3分。|一定要攻破那道防线。|这支军队能攻能守。

❷ 钻研，学习。(study)做谓语。

例句 杨博士专攻古代汉语。|马克终于攻下了汉语语法。|这个研究课题他攻了十年了。

【攻读】 gōngdú 〔动〕

努力读书或学习。(major in)常做谓语。

例句 这个留学生在中国攻读中医博士学位。|他正在攻读中国古典名著。|各国留学生来中国攻读汉语。|我不攻读经济学了。

【攻关】 gōngguān 〔动〕

努力研究、解决关键问题、突破难点。(tackle key problems)常做谓语、定语。

例句 这位科学家每天攻关，终于研究出了一种新药。|这个题目太难了，让我们一起来攻关吧。|这是研究所的攻关项目，一定要按时完成。

【攻击】 gōngjī 〔动/名〕

〔动〕❶ 进攻。(attack; assault; launch an offensive)常做谓语、宾语、定语。

例句 球场上，我们正在攻击对方。|准备好了，我们就开始攻击。|军队在等待攻击的命令。

❷ 恶意指责。(accuse; charge)常做谓语。

例句 不要随意攻击别人。|在背后攻击同事，这很不好。|你凭什么攻击他呢。

〔名〕❶ 进攻。(attack; assault)常做主语、宾语、定语。[量]种，次。

例句 敌人的攻击失败了。|比赛开始后，我们顶住了对方的三次攻击。|对方攻击的速度很快，我们一下就输了。

❷ 恶意的指责。(accusation)常做主语、宾语。[量]种，次。

例句 这种对别人的攻击是不负责的。|无根据的攻击要负法律责任。|不要对同学进行人身攻击！

【攻克】 gōngkè 〔动〕

攻下(敌人的地方)，克服困难。(capture; take; overcome)常做谓语。

例句 敌人的据点被攻克了。|这位科学家终于攻克了技术难关。|李大夫又攻克了一种难以治好的病。

【供】 gōng 〔动〕 另读 gòng

❶ 用钱、物等满足需要。(supply; feed)常做谓语。

例句 父母一直供我读完大学。|你出力，我供材料。|马克假期打工后来中国学习，不要父母供。

❷ 提供某种方便条件，以备利用。[provide sb. with sth. (for the use or convenience of)]常做谓语。

例句 这些意见供你参考。|图书馆的书供大家借阅。|这儿是供旅客就餐的快餐厅。

【供不应求】gōng bú yìng qiú 〔动短〕
供应不能满足需要。(supply falls short of demand)常做谓语、定语。
例句 今年夏天特别热,冷饮供不应求。|买车的人很多,最近汽车供不应求。|供不应求的时候该怎么办?

【供给】gōngjǐ 〔动〕
把必需的物资、钱财、资料等给需要的人使用。(supply)常做谓语、定语、主语、宾语。
例句 他出国留学的费用全由父母供给。|这个国家没有石油,都得外国供给。|万一中断了学费供给来源,你怎么办?|对方的供给有限,我们得自己想办法。|商店应该保障供给。

【供销】gōngxiāo 〔动〕
供应和销售各种产品的商业活动。(supply and marketing)常做定语、主语、宾语。
例句 他做供销工作。|公司的供销由小王负责。|李副经理主管供销。|他哥哥长年在外地跑供销。

【供应】gōngyìng 〔动〕
用物资等满足需要。(supply)常做主语、谓语、宾语、定语。
例句 电脑的供应已经饱和了。|市场正大量供应节日物品。|香港的淡水由内地供应。|只有发展生产,才能保证供应。|那家商场供应的商品十分丰富。

【宫】gōng 〔名〕
❶ 过去皇帝等居住的房屋。(imperial palace)常做定语、宾语,多做语素构词。[量]座。
词语 宫灯 宫廷 宫殿 宫女 故宫
例句 宫里的生活非常单调。|皇帝很少出宫。
❷ 庙宇的名称。(temple)常做主语、宾语、定语。[量]座。
例句 雍和宫名扬天下。|他们去上清宫了。|夏宫的建筑别具一格。
❸ 文化活动或娱乐用的房屋的名称。(a place for cultural activities and recreation)常构成固定短语做句子成分。
词语 少年宫 文化宫 游艺宫 艺术宫
例句 妹妹在少年宫学书法。|游艺宫节日照常营业。|文化宫的新楼在那儿。

【宫殿】gōngdiàn 〔名〕
泛指帝王居住的高大漂亮的房屋。(palace)常做主语、宾语、定语。[量]座。
例句 这座古代宫殿至今仍保存完好。|古代为了给皇帝修宫殿,不知死了多少人。|那批游客被宫殿的建筑风格深深地吸引住了。

【恭敬】gōngjìng 〔形〕
对长辈或宾客严肃有礼貌。(respectful)常做谓语、定语、状语、补语、主语。
例句 同学们对张教授十分恭敬。|王秘书对人总是一副恭敬的样子。|孩子们见到老师,恭敬地行了个礼。|他恭恭敬敬地听父亲说话。|看见老师,他表现得相当恭敬。|恭敬是学生对老师应该有的态度。

【巩固】gǒnggù 〔形/动〕
〔形〕坚固,不容易动摇(多用于抽象的事物)。(strong; solid; consolidated)常做谓语、补语、定语。
例句 中国的边防非常巩固。|马克

学习很认真，掌握的知识很巩固。|这部分中国文化知识学得不太巩固。|这两个国家结成了巩固的联盟。

〔动〕使坚固。(consolidate; strengthen)常做谓语。

例句 学过的知识要不断巩固。|你们的基本功还是多巩固巩固吧。|巩固了经济基础，才能发展。

【拱】 gǒng 〔动〕

❶ 中国的传统礼节，两手抱拳。(salute with the hands folded)常做谓语。

例句 他向大家拱了一下手，表示感谢。|我们拱手再见。|主人对客人拱手相迎。

❷ 身体弯曲成弧形；弧形建筑。(hump up; arch)可构词，常做谓语。

词语 拱门 石拱桥

例句 小猫拱了一下腰。|他总拱肩缩背，伸展不开。

❸ 用力撞别的东西；植物从土里向外钻或顶。(sprout up through the earth)常做谓语。

例句 小孩儿拱出了人群。|雨后小草都拱出土来了。|我用身子拱了拱门，没拱开。

【共】 gòng 〔副〕

有"同"、"一道"、"一起"、"一齐"、"总"等意思。(together; in company; altogether)做状语。

例句 这次旅游共花了3000元。|全班共有18人，来自5个国家。|毕业典礼后，老师和同学共进晚餐。

【共产党】 gòngchǎndǎng 〔名〕

无产阶级政党。(the Communist Party)常做主语、宾语、定语。

例句 中国共产党成立于1921年。|一批大学生加入了共产党。|许多国家都有共产党。|法国共产党的机构有了一些新的变化。

【共和国】 gònghéguó 〔名〕

实行共和的国家。(republic)常做主语、宾语、定语。[量]个。

例句 中华人民共和国成立于1949年。|法国大革命后建立了法兰西共和国。|共和国的所有权力属于人民。|共和国的旗帜高高飘扬。

【共计】 gòngjì 〔动〕

加起来，总和。(amount to)常做谓语。

例句 今年我们大学有来自各国的留学生共计两千多人。|这次去北京共计呆了一个礼拜。|这些东西共计100元。

【共鸣】 gòngmíng 〔名〕

物体因共振而发声；由别人的某种情绪引起相同的情绪。(resonance; sympathetic response)常做宾语。

例句 我和那个外国人产生不了共鸣。|山里很安静，汽车声引起了山谷的共鸣。|她的演说引起了大家的共鸣，很多人都感动得哭了。

【共青团】 gòngqīngtuán 〔名〕

共产主义青年团的简称。(the Communist Youth League)常做主语、宾语、定语。

例句 共青团是先进青年的群众性组织。|我14岁加入的共青团。|我们班长参加了共青团代表大会。

【共同】 gòngtóng 〔形〕

属于大家的，都具有的。(common)常做定语、状语，不能重叠。

例句 学好汉语是我们共同的目标。|地球是人类共同的家。|我们

G

俩没有共同语言。|大家一定要共同努力、共同前进。

辨析 〈近〉一致。"共同"不做谓语，不受程度副词修饰；"一致"能做谓语，也可受程度副词修饰。"共同"指彼此都具有；"一致"则指彼此无分歧。如：他们的意见很一致。|"六一"是全世界儿童共同的节日。|*他们的目标非常共同。("共同"应为"一致")|*这是一致的节日。("一致"应为"共同")

G

【共性】 gòngxìng 〔名〕

共同的性质。(general character; generality)常做主语、宾语、定语。[量]个。

例句 年轻人的共性是热情、活泼。|对客人很热情是这里人的共性。|共性的东西太多往往会看不到个性。|你们的共性问题是学习不够努力。

【贡献】 gòngxiàn 〔动/名〕

〔动〕拿出物资、力量、经验等给国家或公众。(contribute)常做谓语。

例句 他们把青春贡献给了边疆建设。|父亲把收藏多年的文物贡献给了国家。|为了远大理想，他愿贡献出自己的一切。

〔名〕对国家或公众所做的有益的事。(contribution)常做主语、宾语。

例句 他的医学贡献，使千千万万儿童摆脱了这种疾病。|老人觉得自己对城市没有什么贡献。|让我们为国家多作贡献吧。|公司对他的贡献作了高度评价。

【勾】 gōu 〔动〕

❶ 用笔画出钩形符号，表示删除或提取。(cancel)常做谓语。

例句 他勾掉了几个错字。|我把课文的重点勾了出来。|老师在我这篇文章中勾了许多地方。

❷ 画出形象的边缘；描画。(draw; delineate)常做谓语。

例句 我只勾了房子的大概样子。|请把他的长相勾出来。

❸ 招引，引。(induce; evoke; call to mind)常做谓语。

例句 这首歌勾起了我对往事的怀念。|看到好吃的，勾起了我的食欲。|孩子被坏人勾走后，变成了小偷。

❹ 搭，挂。(bend)常做谓语。

例句 孩子用胳膊勾着妈妈的脖子。|我们把手勾在一起做游戏吧。|那两个同学勾着胳膊向前走去。

【勾结】 gōujié 〔动〕

暗中串通、结合做坏事。(collude with)常做谓语。

例句 几个小偷勾结在一起，经常在公共汽车上偷东西。|闹了半天，他们都在暗中勾结着呢！|这人跟坏人勾结得很紧。

【勾心斗角】 gōu xīn dòu jiǎo 〔成〕

用各种办法，互相斗争。(intrigue against each other; jockey for position)常做主语、谓语、定语、状语。

例句 生意上的那种勾心斗角我是永远学不会的。|你们成天勾心斗角，累不累呀？|他们之间勾心斗角的事，我从来不参与。|他厌倦了那种勾心斗角的生活，只想找一个安静的地方度过晚年。|这些"黑社会"互相之间正在勾心斗角地谈一件事。

【沟】 gōu 〔名〕

一般的水道，和沟类似的洼处。(gully; furrow; groove)常做主语、宾语、定语。[量]条，道。

例句 这些沟是50年前挖的。|这条山沟景色秀美，吸引了不少游客。|汽车开过去，在地面上轧出了两道沟。|我家门前有一条大沟。|沟里的水长年不断。

【沟通】 gōutōng 〔动〕
使两方能连通。(link up)常做谓语。

例句 长江大桥沟通了南北交通。|语言不同就很难沟通。|谈话可以沟通人之间的思想和感情。|我愿意为沟通两国的文化而努力。|这是一条沟通中国东西的铁路干线。

【钩】 gōu 〔动〕
❶ 使用钩子挂或取。(hook)常做谓语。

例句 农民正钩住树枝摘苹果。|杂技演员用脚钩住绳子倒挂在空中。|把掉在洞里的东西钩上来吧。

❷ 用带钩的针编织。(crochet)常做谓语、定语。

例句 妈妈给我钩了一件毛衣外套。|她正在用钩针钩线包儿。|我钩的桌布漂亮吗？|钩的时候，线别太紧了。

【钩子】 gōuzi 〔名〕
挂或取东西的用具，形状弯曲。(hook)常做主语、宾语、定语。[量]个。

例句 教室里的衣帽钩子是塑料的。|这只鸟的嘴就像个钩子似的。|我临时做了一个钩子去钓鱼。|这个衣服钩子的样式挺好看。

【狗】 gǒu 〔名〕
一种家畜，有的经训练可帮人做事。(dog)常做主语、宾语、定语。[量]只，条。

例句 狗是人的好朋友。|在城里很多人养狗。|我有一只小花狗。|这条狗的主人在那儿。

【构】 gòu 〔动〕
组合，结成。(compose; make up)常做语素构词。

词语 构成 结构 构件 构思 构筑

【构成】 gòuchéng 〔动〕
形成；造成。(constitute; form; compose; make up)常做谓语、定语，中间可插入成分。

例句 污染对环境构成了危害。|这点儿材料构不成一篇文章。|这些都是学习方法的构成要素。

【构思】 gòusī 〔动〕
写文章或创作艺术品时运用心思。(work out the plot of a story or the composition of a painting)常做主语、谓语、宾语、定语。

例句 这篇作文的构思很独特。|马克正在构思口语比赛的内容。|这个作家正在构思一部新电影。|我还没有开始构思呢。|他介绍了整个构思的过程。

【构想】 gòuxiǎng 〔动/名〕
〔动〕对事情预先考虑。(visualise)常做谓语。

例句 她构想建立一所新大学。|这个同学构想毕业后开一家公司。|总工程师正构想一个新技术方案。

〔名〕对事情事先的想法。(idea; conception)常做主语、宾语、定语。[量]个。

例句 “一国两制”的构想已经变成了现实。|她的设计构想很巧妙。|经理提出了一个占领市场的新构想。|这一构想的实现要靠大家共同努力。

【构造】 gòuzào 〔名〕

各个组成部分的安排和相互关系。(structure)常做主语、宾语、定语。[量]种,个。

例句 电脑的构造很复杂。|科学家们在研究人脑的构造。|他在大学学习大地构造。|我从来没见过这种构造。|电视的构造原理,我怎么也弄不明白。

【购】 gòu 〔动〕

买。(purchase;buy)常做谓语。

例句 请按先后顺序购票。|妈妈每天都上街购一次物。|这些物品都可以邮购。

【购买】 gòumǎi 〔动〕

买。(buy)常做谓语、定语。

例句 他俩把结婚用品都购买全了。|春节快到了,人们都在购买年货。|本次购买的礼物都不错。

【购买力】 gòumǎilì 〔名〕

购买商品的能力。(purchasing power)常做主语、宾语、定语。

例句 中国人的购买力提高很快。|经济危机降低了人们的购买力。|购买力的变化反映了经济的好坏。

【够】 gòu 〔形/动〕

〔形〕数量上可以满足需要。(enough; sufficient; adequate)常做谓语、补语、状语。

例句 参观长城一天就够了。|这个工作五个人刚够。|A:到北京玩,1000块钱够不够? B:要看情况。|她还没睡够。|星期天可以玩个够。|学习了一天,够累的。|这束花真够香的。

〔动〕❶ 达到某一点或某种程度。(be up to)常做谓语。

例句 当翻译你还不够资格。|他已经够教授的条件了。|这种汽车够得上国际水平了。

❷(用手等)伸出来达到、接触或拿来。(reach;get hold of)常做谓语。

例句 我够不着那本书,你帮我拿一下。|棍子的长度正好够着挂在上面的衣服,可以取下来。|她个儿太矮,够不着柜子上的东西。

【估】 gū 〔动〕

意义同“估计”。(estimate)常做谓语,也做语素构词。

词语 估计 估量 估算

例句 你估一估这箱子有多重。|我可估不出来他有多重。|您估得挺准,这条路正好60米。

【估计】 gūjì 〔动/名〕

〔动〕根据情况,对事物作出大概的判断。(estimate)常做谓语。

例句 开始的时候,留学生对学习的困难估计不足。|我对考试的成绩估计错了。|我们估计估计旅游的费用吧。|这么晚了,我估计她不会来了。

〔名〕根据情况,对事物作出的大概判断。(estimation)常做主语、宾语。[量]个。

例句 原来的估计一点儿也没错。|我们的估计是很准确的。|对这事,你该有个清醒的估计。

【姑】 gū 〔名〕

父亲的姐妹。(aunt;father's sister)常做主语、宾语、也做语素构词。[量]个。

词语 姑母 姑夫 姑姑

例句 我姑对我可好了!|昨天看见你二姑了。

【姑姑】 gūgu 〔名〕

父亲的姐姐或妹妹。(aunt; father's sister)常做主语、宾语、定语。[量]个。

例句 姑姑和爸爸长得很像。|我姑姑从国外回来了。|我有一个能干的姑姑。|姑姑的话我永远不会忘记。

【姑娘】 gūniang 〔名〕

❶ 未婚的女子。(girl)常做主语、宾语、定语。[量]个,位。

例句 这位姑娘是空中小姐。|他在火车上遇到了一个好姑娘。|她是个又漂亮又大方的姑娘。|我多么想得到那位姑娘的心啊!

❷ 女儿。(daughter)常做主语、宾语、定语。[量]个。

例句 我姑娘今年20岁。|那家的两个姑娘都在大学学习。|老人有三个姑娘。|你(家)姑娘的婚事什么时候办?

【姑且】 gūqiě 〔副〕

暂时地。(tentatively; for the moment)常做状语。

例句 我这儿有本字典,你姑且用着。|这件事我们姑且不谈。|既然没钱,你姑且别去旅游了。

【孤】 gū 〔形〕

幼年失去父母的;单独的。(fatherless or orphaned; alone)常做语素构词或用于固定短语,也做定语。不能重叠。

词语 孤儿 孤独 孤单 孤立 孤芳自赏 孤注一掷

例句 船长发现海上有一座孤岛。|社区对那个孤老太太特别照顾。

【孤单】 gūdān 〔形〕

❶ 自己一个人,感到寂寞。(alone; lonely)常做谓语、定语、状语、宾语。

例句 在国外,没有朋友很孤单。|和男朋友分手后,她很孤单。|家里只有她孤孤单单一个人。|那位老人一个人孤单单地住在小房子里。|朋友回国以后,我显得特孤单。

❷ (力量)单薄。(weak and helpless)常做谓语、宾语。

例句 和比赛的对手相比之下,我们的力量太孤单了。|有那么多人来完成这工作,一点儿也不孤单。|一个人办这么大的事,感到孤单吗?

【孤独】 gūdú 〔形〕

独自一个人很难过;孤单。(lonely)常做谓语、状语、定语、宾语、补语。

例句 丈夫死了,她孤独得很。|那位老人孤独地度过了余生。|初到外国,孤独的我没有一个朋友。|同学都走了,一个人觉得孤独。|有理想,有目标,就不会感到孤独。|大家都走了,他一下子变得孤独起来。

【孤立】 gūlì 〔形/动〕

〔形〕❶ 同其他事物不相联系。(isolated)常做定语、状语,或用在"是…的"中。

例句 这几件事不是孤立的现象。|我们不能孤立地看问题。|事物的存在都不是孤立的。

❷ 得不到同情和援助。(alone)常做谓语、定语、状语、宾语。

例句 他在公司里挺孤立的。|这种孤立的处境让人很难忍受。|只有她还孤立地坚持着。|虽然大家和我意见不一样,我从不觉得孤立。

〔动〕使失去支持援助。(isolate)常做谓语。

例句 我们要孤立敌人。|因为跟大

家关系不好，他被大家孤立了。｜你对别人不热情就把自己孤立起来了。

【孤注一掷】 gū zhù yí zhì 〔成〕
用尽全力冒险，希望侥幸成功。(stake all on a single throw; risk everything on a single venture; put all one's eggs in one basket)常做主语、谓语、定语、状语。

例句 孤注一掷是不得已的办法。｜我现在只能孤注一掷，碰碰运气了。｜没有钱也别干孤注一掷的冒险事情。｜他正想孤注一掷地冲上去，被人一把给拉住了。

【辜负】 gūfù 〔动〕
对不起(别人的好意、期望或帮助)。(let down)常做谓语。

例句 我一定好好学习汉语，不辜负父母的期望。｜她辜负了朋友的好意。｜马克口语比赛中得了第一名，没辜负老师和同学的希望。｜你要是不当班长，不是辜负了同学们的信任吗？

【古】 gǔ 〔形〕
❶ 古代。(ancient)用于固定短语中或用于构词。

词语 古典 古迹 古书 古文 古人 古玩 古装戏 古体诗 古往今来

❷ 经历多年的。(ancient; old)常做定语、谓语。

例句 这座古城历史悠久。｜这些古文字没有人认识。｜那幅古画被人买走了。｜山上那座庙古得很，参观的人很多。

【古代】 gǔdài 〔名〕
过去，距离现代较远的时代。(ancient times)常做主语、宾语、定语。

例句 中国古代有四大发明。｜我们研究古代是为现代服务。｜我们可以从书里了解古代社会。｜他特别喜欢古代文学。

【古典】 gǔdiǎn 〔形〕
古代流传下来的，认为是正宗或典范的。(classical)常做定语、谓语。

例句 很多人喜欢古典音乐。｜画儿上有个古典美人。｜中国古典文学吸引了这个留学生。｜这套衣服很古典。

【古怪】 gǔguài 〔形〕
跟一般的情况不相同，使人觉得奇怪。(strange; eccentric)常做谓语、定语、补语、状语。

例句 这个想法太古怪了。｜他头发的样式太古怪了！｜马克喜欢穿一些古怪的衣服。｜农村有很多古里古怪的传说。｜这棵树的样子长得真古怪。｜你为什么古怪地看着我？

【古迹】 gǔjì 〔名〕
古代遗迹，多指古代留下的建筑。(place of historic interest)常做主语、宾语、定语。[量]个，处。

例句 中国的许多古迹世界闻名。｜这个国家的古迹得到了很好的保护。｜(标语)保护古迹，人人有责。｜旅游的时候，我们经常参观古迹。｜最近考古工作者发现了一处汉代古迹。｜导游向我们介绍了这个古迹的情况。

【古老】 gǔlǎo 〔形〕
经历了久远年代的。(ancient; age-old)常做定语、谓语。

例句 北京是一座古老的城市。｜关于太阳，有很多古老的传说。｜这些建筑物太古老了。

【古人】 gǔrén 〔名〕

古代的人。(the ancients)常做主语、宾语、定语。[量]个,位。

例句 古人发明了纸。|今天的生活水平大大超过了古人。|你别替古人担忧了。|人能飞起来是古人的愿望。|古人的美好愿望大多变成了现实。

【古色古香】 gǔ sè gǔ xiāng 〔成〕
古雅的色调、意趣。(antique; quaint)常做谓语、定语、补语。

例句 他家的家具古色古香,很有意思。|很多外国人喜欢古色古香的中国茶具。|工艺品商店有古色古香的字画、瓷器等等。|没想到这对年轻人的房间布置得古色古香。

【古往今来】 gǔ wǎng jīn lái 〔成〕
从古到今。(throughout the ages; of all ages; since time immemorial)常做定语、状语。

例句 我从小就特别崇拜古往今来的英雄。|古往今来,多少人为自由献出了自己的生命。

【古文】 gǔwén 〔名〕
古代汉语,也叫文言文。(prose written in the classical literary style)常做主语、宾语、定语。

例句 古文比较难懂,往往需要翻译。|中国学生都要学古文。|留学生学习汉语,也应当学点儿古文。|你知道书上这些古文的意思吗?

【谷】 gǔ 〔名〕
❶ 两山或高地间的地带。(valley)常做语素构词。

词语 山谷 河谷

❷ 谷类作物;谷子。(grain)常做语素构词。

词语 谷物 谷草 五谷

【股】 gǔ 〔量〕
用于成条的东西;用于气味、气力、力气等;用于成批的人。(used to indicate a long, narrow thing; for strength, smell, etc.; and for a group of people)常构成短语做句子成分。

例句 上山有两股道。|一想到不高兴的事,心里就有股气儿。|这儿有股什么味儿?|她身上有股香味儿。|一股游客上山来了。

【股东】 gǔdōng 〔名〕
商业活动中有股份的人。(shareholder; stockholder)常做主语、宾语、定语。[量]位,个。

例句 几位股东反对这项计划。|这家公司有十几个股东。|两位大股东的意见不一致,不能决定扩大公司的事。

【股份】 gǔfèn 〔名〕
经营工商业的资本单位。也写作"股分"。(share; stock)常做主语、宾语、定语。

例句 我们的股份太少,控制不了公司。|这家著名企业现在出售自己的股份。|他拥有这个企业5%的股份。|股份制经济在中国发展很快。

【股票】 gǔpiào 〔名〕
表示股份的证券。(share; stock; share certificate)常做主语、宾语、定语。[量]种。

例句 股票已逐渐走进了中国人的生活。|这家公司的股票最近下跌了。|他又买了几种股票。|我一个朋友没事儿就去炒股票。|我已经把股票全部卖出去了。|投资股票生意,带有很大的风险。

【骨】　gǔ　〔名〕

❶ 意义见“骨头”。(bone)常用于固定短语或构词。

词语　粉身碎骨　刻骨铭心　骨头　骨干　骨肉

❷ 品质，气概。(character)常用于固定短语或构词。

词语　奴颜媚骨　骨气　傲骨

【骨干】　gǔgàn　〔名〕

起主要作用的人或事。(backbone; mainstay)常做主语、宾语、定语。[量]个。

例句　学校的骨干多是青年人。|我们应该把这些骨干提拔起来。|他是公司里的业务骨干。|他是我们大学的骨干教师。|班长要充分发挥骨干作用。

【骨肉】　gǔròu　〔名〕

指父母兄弟子女等亲人；比喻紧密联系，不可分割的关系。(flesh and blood; kindred)常做主语、宾语、定语。

例句　海峡两岸都是中国人，骨肉相连。|这孩子是她的亲骨肉。|海外的中国人是我们的骨肉同胞。|中国人不能忘记骨肉之情。

【骨瘦如柴】　gǔ shòu rú chái　〔成〕

非常瘦。(lean as a rake; worn to a shadow; a mere skeleton; a bag of bones)常做谓语、定语。

例句　她骨瘦如柴，病很重。|那个国家发生了灾荒，人们个个骨瘦如柴。|我不忍心看到那孩子骨瘦如柴的样子。

【骨头】　gǔtou　〔名〕

❶ 人和动物身体内支持身体的坚硬组织。(bone)常做主语、宾语、定语。[量]块，根。

例句　马克受过伤，现在断了的骨头都长好了。|狗特爱啃骨头。|骨头的作用是支持身体。

❷ 比喻人的品质。(character)常做主语、宾语、定语。[量]个。

例句　鲁迅的骨头是最硬的，什么都不怕。|你这软骨头，什么都不敢负责！|他是个贱骨头，别理他。|要学习硬骨头精神。

【鼓】　gǔ　〔名/动〕

〔名〕一种打击乐器。(drum)常做主语、宾语、定语。[量]面，个。

例句　那两面鼓非常大。|人们敲锣打鼓，欢庆佳节。|古代的人击鼓表示加油。|咱们再换个鼓架子吧。

〔动〕发动，振奋，凸起，涨大。(bulge; stir up; agitate)常做谓语、补语。

例句　小男孩鼓着嘴，很不高兴。|大家鼓起勇气，坚持下去。|我们都在为你鼓劲儿呢！|他买了很多东西，几个包装得鼓鼓的。

【鼓吹】　gǔchuī　〔动〕

❶ 宣传提倡。(advocate)常做谓语。

例句　这种帮助别人的好事，得写文章鼓吹鼓吹。|我们就是要鼓吹改革。

❷ 吹嘘。(preach; play up)常做谓语、定语。

例句　他总是鼓吹自己很了不起。|真正能干的人从不鼓吹自己。|这些鼓吹的话你别信。

【鼓动】　gǔdòng　〔动〕

激发人们的情绪，使他们行动起来。(agitate; arouse; incite)常做主语、谓语、宾语、定语。

例句　考试前，老师热情的鼓动使

我们很有信心。|马克鼓动同屋跟他一起去旅游。|他经常鼓动大家去看京剧。|这事肯定是受了别人的鼓动。|我只干了一些鼓动工作。

【鼓励】 gǔlì 〔动/名〕

〔动〕激发;勉励。(encouragement)常做谓语、定语。

例句 学习口语应该鼓励大家多说。|老师什么时候都鼓励学生努力坚持。|父母总鼓励孩子好好学习。|那些鼓励的话都白说了吗?

〔名〕劝勉;激发。(encourage)常做主语、宾语。[量]种。

例句 老师的鼓励增强了他的信心。|我把"学习优秀"这个称号只看成一种鼓励。|在工作中,我得到了同事的鼓励和支持。

【鼓舞】 gǔwǔ 〔动/名〕

〔动〕使振作起来,增强信心和勇气。(inspire;hearten)常做谓语。

例句 那个残疾人的事迹深深鼓舞了我们。|应该想办法鼓舞鼓舞士气。|老师的话大大鼓舞了参加口语比赛的同学。

〔名〕受到激发、推动,增强了信心和勇气。(inspiration)常做宾语。[量]个。

例句 校长的表扬对我们是一个巨大的鼓舞。|听了老师的话全体同学受到很大鼓舞。

【鼓掌】 gǔ zhǎng 〔动短〕

拍手,多表示高兴、赞成或欢迎。(clap one's hands; applaud)常做谓语,中间可插入成分。

例句 请大家鼓掌欢迎马克表演节目!|京剧演出后,全场的观众都鼓起掌来。|我们都鼓掌赞成他的建议。

【固定】 gùdìng 〔形/动〕

〔形〕不变动或不移动的。(fixed; regular)常做定语、谓语。

例句 很多同学不使用固定的学习方法。|这个同学只是选课,没有固定的班。|我还没有固定的工作。|房子还没找好,现在的住处不固定。|她目前的职业不太固定,什么都想试试。

〔动〕使不变。(fix; regularize)常做谓语。

例句 我们应该把学习时间固定下来。|我不愿把自己固定在某一学习模式中。|帮我把这个开关固定一下吧。

【固然】 gùrán 〔连〕

表示承认某个事实,引起下文转折。(no doubt;it is true)在句间起连接作用。

例句 继续学习固然好,但先工作也不错。|彩色电视固然好,可这台黑白的怎么办?|工作固然忙,但还是可以抽出时间来学习的。

【固体】 gùtǐ 〔名〕

有一定体积和一定形状,比较坚硬的物体,如石头、木材等。(solid)常做主语、宾语、定语。

例句 固体、气体、液体为物质的三种形态。|冰是固体,水是液体。|常温下,铁是固体物质。

【固有】 gùyǒu 〔形〕

本来有的,不是外来的。(inherent; intrinsic)常做定语或用于"是…的"结构中。

例句 中国的固有文化,一定要保存好。|这幢房子是我家固有的。|人的知识不是生来固有的。

【固执】 gùzhí 〔形〕

坚持自己的看法,不愿改变的。

G

(stubborn; obstinate)常做谓语、定语、补语、状语。不能重叠。

例句 他特别固执,从不接受别人的意见。|别固执了,还是听听大家的吧!|固执的性格有时让人难以接受。|在这个问题上,他表现得很固执。|商量了半天,对方仍固执地坚持自己的意见。

【故】 gù 〔名/形/连〕

〔名〕❶ 意外的或不幸的事变。(accident; happening)常用于构词。

词语 变故 事故 故障

❷ 原因。(reason)常做宾语。

例句 你怎么无故不上课呢?|原定今天下午的会因故取消了。|有两人因故请假。

〔形〕原来的;从前的;旧的。(ancient; old; former)常用于固定短语,或用于构词。

词语 故乡 故交 故宫 故土

〔连〕所以,因此。(therefore)连接句子。

例句 由于连降暴雨,故飞机停飞。|因为发生了地震,故HSK延期举行。|礼堂年久失修,故停止使用。

▶"故"也做动词,指"死亡"。如:祖父早已故去了。|我的老朋友最近病故了。

【故事】 gùshi 〔名〕

真实或虚构的用做讲述对象的事。(story)常做主语、宾语、定语。[量]个。

例句 《一千零一夜》的故事全世界都知道。|这样的故事不一定是真的。|老师要同学们用汉语讲一个故事。|孩子们从那个故事中受到了启发。|你知道这个故事的内容吗?

【故乡】 gùxiāng 〔名〕

出生或长期住过的地方;家乡;老家。(native place)常做主语、宾语、定语。[量]个。

例句 A:你的故乡在哪儿?B:我的故乡在农村。|放假了,大学生都回故乡去了。|彼德把中国当做第二故乡。|我常常在梦中看到故乡的山和水。

【故意】 gùyì 〔形〕

有意的。(intentional)常做状语、定语,或用在"是…的"的结构中。

例句 弟弟故意把书拿走不给我。|A:你别故意大声说话,我在学习呢。B:对不起,我不是故意的。|这种故意的做法让大家很生气。

【故障】 gùzhàng 〔名〕

(机器等)发生问题,不能顺利运转的情况。(breakdown)常做主语、宾语、定语。[量]个,次。

例句 这次发生的故障很严重。|飞机发生了故障,乘客很担心。|车出了故障,不能继续开了。|工程师要好好查一查飞机故障的原因。

【顾】 gù 〔动〕

❶ 转过头看;看。(turn round and look at; look at)常用于固定短语,或用于构词。

词语 左顾右盼 瞻前顾后 回顾

❷ 注意,照管。(look after; take into consideration)常做谓语,也用于构词。

词语 顾及 顾全

例句 事故中,他只顾救别人,不顾自己的安全。|李老师太忙,顾不了家里人。|他不顾别人的劝阻,就要一个人去森林旅游。|老板忙得顾

不上吃饭。|上了年纪,常常顾了这头,丢了那头。

❸ 拜访。(visit; call on)常做于固定短语,或用于构词。

词语 三顾茅庐 光顾

【顾不得】 gù bu de 〔动短〕

表示没有时间、精力去理会、照管某人或注意某事。(have no time to attend to sb. or sth.)常做谓语。

例句 学习一紧张,也顾不得想家了。|我顾不得这些事了,只想早点儿回去。|她太忙,顾不得吃饭就又走了。

【顾客】 gùkè 〔名〕

来买东西或要求服务的人。(customer)常做主语、宾语、定语。[量]名,位,个。

例句 (标语)顾客至上。|那位顾客要求把买的礼物包起来。|现在商店把顾客当做上帝。|您是我们的第一位顾客。|这家商场没什么顾客。|那位顾客的要求是合理的。

【顾虑】 gùlǜ 〔名/动〕

〔名〕担心出问题的想法。(apprehenion; scruple; misgive, worry)常做主语、宾语。[量]个,种。

例句 这种顾虑没有必要,考试成绩不是那么重要。|有的同学跟中国人交往有顾虑。|不要有什么顾虑,到中国旅游很安全。|老师的话把他的顾虑打消了。

〔动〕担心事情不利。(scruple; misgive; worry)常做谓语。

例句 别顾虑什么,在中国生活很方便。|有了您的保证,我没什么可顾虑的。

【顾名思义】 gù míng sī yì 〔成〕

看到名称,就想到它的含义。(seeing the name of a thing one thinks of its function; just as its name implies; as the term suggests)常做独立成分。

例句 顾名思义,"老教师"就是年纪大的老师。|顾名思义,"夫妻店"是由一对夫妇开的商店或旅店。|"滨城",顾名思义,大约是在海边或者江边的城市吧?

【顾全大局】 gùquán dà jú 〔动短〕

照顾到大的利益,使之不受损害。(take the interests of the whole into account)常做谓语、定语。

例句 你不要只想自己,要顾全大局。|班长能顾全大局,同学们都信任他。|张校长办事总顾全大局。|他是个顾全大局的人。

【顾问】 gùwèn 〔名〕

有专门知识,能出主意的人。(adviser; consultant)常做主语、宾语、定语。[量]位,名,个。

例句 顾问们对城市建设提出了很好的建议。|他是总统的安全顾问。|这位是我们公司聘请的高级顾问。|你们应该认真听取顾问的意见。

【雇】 gù 〔动〕

❶ 出钱让人给自己做事。(hire; employ)常做谓语、定语。

例句 她刚生完孩子,雇了一个保姆。|开一家公司要雇几个人帮忙。|张先生身体不好,儿子又在外地,想雇个人照顾自己。|这家饭馆新雇的厨师很有名。

❷ 出钱用车、船等给自己服务。(hire; employ)常做谓语、定语。

例句 现在搬家大都雇搬家公司的车。|我们可以雇一辆车出去玩。|我们没雇到摆渡的船。|雇好的出

G

租车，怎么还没来？

【雇员】 gùyuán 〔名〕

机关、公司等雇用的职员，有时指临时工作人员。(employee)常做主语、宾语、定语。[量]个，名。

例句 这家公司的雇员要求增加工资。|大学毕业后他成了政府的雇员。|这家公司有20名高级雇员。|老板也要尊重雇员的人格。

【瓜】 guā 〔名〕

某些水果、蔬菜的总称。(melon; gourd)常做主语、宾语、定语。[量]个。

例句 这个瓜又大又甜，真好吃。|我买了俩瓜。|地里种了很多瓜。|夏天多吃瓜，对身体有好处。|瓜田里一片碧绿。

【瓜分】 guāfēn 〔动〕

像切瓜一样地分割或分配。(divide up)常做谓语、定语。

例句 鸦片战争后，帝国主义列强瓜分了中国许多地方。|抢来的钱被这几个人瓜分了。|望着被瓜分的祖国，爱国的人都很难过。

【瓜子】 guāzǐ 〔名〕

瓜的种子，也可以食用。(melon seeds)常做主语、宾语、定语。[量]个，颗，种。

例句 奶油瓜子味道很香。|中国不少人喜欢嗑瓜子。|外国人不知道该怎么吃瓜子。|这种瓜子的仁儿有点儿小。

【刮】 guā 〔动〕

❶ 用刀等把物体表面上的某些东西去掉或取下来。(scrape)常做谓语。

例句 胡子那么长了，你去刮刮胡子吧。|她正在刮门上的脏东西。|清洁工人很快就把窗户上的泥刮干净了。

❷ 吹。(blow)常做谓语。

例句 什么风把你刮来了？|风真大，把尘土都刮起来了。|昨晚刮了一夜的风。|我们那儿经常刮大风。

【寡不敌众】 guǎ bù dí zhòng 〔成〕

人少的抵挡不过人多的。(be hopelessly outnumbered)常做谓语、定语。

例句 这个警察寡不敌众，被一群不法分子打伤了。|比赛时对方多一个人，我们寡不敌众，最后输了。|遇到寡不敌众的情况该怎么办呢？|寡不敌众的时候，要注意保护自己。

【寡妇】 guǎfu 〔名〕

死了丈夫的妇女。(widow)常做主语、宾语、定语。[量]个，位。

例句 以前在中国，寡妇一般不能再结婚。|丈夫死了，妻子就成为寡妇。|这里没有人关心寡妇的生活。|寡妇的日子很难啊。

【挂】 guà 〔动〕

❶ 用绳、钩、钉等使物体附着在某处。(hang)常做谓语、定语。

例句 春节到了，很多人家挂起了灯笼。|衣服可以挂在柜子里。|很多年轻人把手机挂在脖子上。|教室的墙上挂着一幅地图。|马克把买来的水果挂在自行车上。|刚挂的衣服怎么就不见了？

❷ 打电话。(put sb. through to)常做谓语。

例句 给家里挂个长途吧。|请你挂办公室问这事。|你给家里的国际长途挂通了吗？

❸ 放下电话，不再说话。(hang up)常做谓语。

例句 电话先别挂，我记一下你的号码。|没什么事就把电话挂了吧。|对不起，电话卡快没钱了，我该挂了。|话还没说完，对方就挂了。

❹ 钩。(hitch; get caught) 常做谓语。

例句 衣服在公共汽车上被挂破了。|警察把坏了的车挂在拖车上。|火车司机在挂车头呢。

❺ 想念，不放心。(worry about sb. who is absent; miss) 常做谓语。

例句 当妈妈的总是挂着孩子。|躺在病床上他还挂着学校的事。|我怎么能不挂着你呢？

❻ 登记。(register) 常做谓语。

例句 你等着，我先去挂个号。|他的银行存折挂失了。|你去服务台挂个名吧。

【挂钩】 guà gōu 〔动短〕

用车钩把两节车厢连接起来，也指建立某种联系。(link up with) 常做谓语。中间可插入成分。

例句 把两节车厢挂上钩吧。|你们应该和学校直接挂钩，这样就能马上开始学习。|公司把奖金跟工作业绩挂起钩来，调动了员工的积极性。

【挂号】 guà hào 〔动短〕

❶ 编号登记，也比喻不忘记。(register) 常做谓语，中间可插入成分。

例句 看病要先挂号。|你怎么不挂号就进来呢？|人太多，挂不上号。|我的事你一定在心里挂上号，千万别忘了。

❷ 寄重要信件时由邮电局登记编号。(send by registered mail) 常做谓语、定语。

例句 这封信我要挂号。|寄平信就行，不挂号。|我寄一封挂号信。|挂号邮件不会丢。

【挂念】 guàniàn 〔动〕

因想念而放心不下。(worry about sb. who is absent; miss) 常做谓语。

例句 父母挂念在国外的女儿。|他们去旅游很长时间了，让人挂念。|我们离开中国的时候李老师病了，我们真挂念他。|我已平安到了中国，请父母不要挂念。

【乖】 guāi 〔形〕

❶ 不闹，听话。(well-behaved) 常做谓语、定语、状语、补语。

例句 这孩子真乖，不哭也不闹。|那孩子一点儿也不乖，总是闹。|他家的小狗很乖，不用怕。|乖孩子人人都喜欢。|儿子在房间里乖乖地看电视呢。|小华最近变乖了。

❷ 伶俐；机警。(clever) 常做谓语、补语。

例句 这孩子嘴真乖，很可爱。|他学乖了，见了别人只说好话。|被骗了一次，他变乖了。

【拐】 guǎi 〔动〕

❶ 转变方向。(turn) 常做谓语。

例句 大学就在附近，拐个弯就到。|车拐进了小胡同。|一直往前开，不用拐。|(标志)机动车一律右拐。

❷ 瘸(qué)。(limp) 常做谓语、状语。

例句 刚才不小心碰了一下，腿拐了。|她从小得了病，只能拐着腿走路。|那人腿受伤了，只好拐着来。

❸ 用欺骗手段弄走。(abduct) 常做谓语。

例句 骗子拐了钱就跑了。|她的孩子被拐走了。|拐卖妇女儿童是严重的犯罪。

G

【拐弯】 guǎi wān 〔动短/名〕

〔动短〕❶ 走路改变方向。(make a turn)常做谓语,中间可插入成分。

例句 车辆拐弯要慢行。|我拐了好几个弯才到那儿。|师傅,请向右拐弯。

❷ (思想、语言)转变方向。(change one's opinion to another point of view)常做谓语,中间可插入成分。

例句 拐了这么大弯儿,才说到正题上。|说话别拐弯,我听不懂。|事情来得太突然,我还没拐过弯来。

〔名〕拐弯的地方。(corner)常做主语、宾语、定语。

例句 每个拐弯都有交通标志。|他家住在拐弯那儿。|拐弯处有个小卖部。

【怪】 guài 〔形/动/副〕

〔形〕奇怪,不平常。(strange; queer)常做谓语、补语、定语、状语。

例句 这事真怪。|他很怪,没有人了解他。|他长得挺怪。|山上有很多怪石。|你为什么这么怪怪地看着我?

〔动〕责备,怨。(blame)常做谓语。

例句 自己做错了,不要怪别人。|这事儿你怎么怪我?我完全不知道。|我从来没怪过你。

〔副〕表示程度高,有"挺、很、非常"的意思。(quite; rather)做状语,后面常用"的"呼应。

例句 这孩子怪可怜的。|大家怪想她的。|今天怪冷的。|那地方怪远的。|碰了一下,怪疼的。

【怪不得】 guài bu de 〔动短〕

❶ 表示明白了原因,不觉得奇怪。(no wonder; that explains why)做插入语。

例句 怪不得她像你,原来是你妹妹。|窗户开了,怪不得这么冷。|他在北京学习过,怪不得汉语说得那么好。|怪不得他走了,原来是有别的事。

❷ 不能责备。(not to blame)常做谓语。

例句 这事怪不得他。|雨太大了,迟到的事怪不得他。|考试没考好,怪不得我们,内容太难了。

【关】 guān 〔动/名〕

〔动〕❶ 使开着的物体合拢。(shut; close)常做谓语。

例句 请随手关门。|把抽屉关上吧。|起风了,他赶忙关紧窗子。|你怎么睡觉也不关灯?

❷ 禁闭。(lock up)常做谓语。

例句 小偷被关进了监狱。|把孩子关在家里去上班,容易发生危险。|动物园的笼子关着老虎和别的动物。

❸ 倒闭;歇业。(close down)常做谓语。

例句 这家商店从上月起关门了。|最近,有几家公司关了。|我们厂关了很长时间了。

〔名〕❶ 古代在边境出入的地方设置的守卫处所。(pass)常用于构词或用于比喻,在句中做宾语。

词语 山海关 关口 阳关道

例句 不认真学习,考试别想过关。

❷ 货物出口和入口收税的地方。(customs house)常用于构词。

词语 关税 海关 关卡

❸ 比喻重要的转折点或不容易度过的一段时间。(barrier)常做主语、宾语。[量]道。

例句 这道难关非闯过去不可。|我

们一定能突破这一关。|口语比赛的稿子写好了,请老师替我把把关。

【关闭】 guānbì 〔动〕

❶ 使开着的物体合拢。(close)常做谓语、定语。

例句 宿舍楼门窗都紧紧关闭着。|关闭所有的出口,禁止通行。|从关闭着的房间里,传来音乐声。

❷(工厂、商店等)歇业。(close down;shut down)常做谓语、定语。

例句 由于下大雪,机场被迫关闭了。|这家商店生意不好,不得不关闭了。|关闭的公司又重新开业了。

【关怀】 guānhuái 〔动〕

关心。(show loving care for)常做谓语、定语、主语、宾语。

例句 政府要关怀下一代的成长。|忘不了妈妈关怀的目光。|老师的关怀温暖了他的心。|新同学得到了学校的关怀。|在领导的关怀下,这项工程顺利完工了。

【关键】 guānjiàn 〔名〕

事物最重要的部分或对情况起决定作用的因素。(key)常做主语、宾语、定语。[量]个。

例句 学好汉语的关键在于多练习。|想获得好成绩,努力是关键。|失败过很多次以后我们找到了关键。|关键问题是把情况了解清楚。

辨析 〈近〉症结。"症结"可指病,比喻义时多贬义;"关键"则指决定性因素。如:团结是关键。|问题的症结是太自私。|*胜负的症结在于心理准备。("症结"应为"关键")

【关节炎】 guānjiéyán 〔名〕

关节发炎的病。(arthritis)常做主语、宾语、定语。

例句 关节炎十分难治。|这家医院专门治疗关节炎。|潮湿使人易患关节炎。|一到阴雨天,爸爸就犯关节炎的老毛病。

【关切】 guānqiè 〔形〕

亲切。(considerate; thoughtful)常做定语、状语、补语。

例句 他关切的态度让人感到很温暖。|老师关切的目光令人感动。|医生关切地询问病人:"你哪儿不舒服?"|老人关切地看着孩子。|她的神情变得更关切了。

▶"关切"又做动词,表示"关心"义。如:政府对灾民十分关切。

【关头】 guāntóu 〔名〕

起决定作用的时候或转折点。(juncture; critical moment)常做主语、宾语。[量]个。

例句 考试的紧要关头要冷静。|宿舍着火了,在这个危急关头,他告诉大家立刻离开。|比赛到了决定胜负的关头。

【关系】 guānxi 〔名/动〕

〔名〕❶ 人或事物之间的联系。(relations)常做主语、宾语、定语。[量]种。

词语 关系户 军民关系

例句 马克和同屋的关系不太好。|和各国同学生活在一起,各种关系要处理好。|你们是什么关系?|这事和别人没有关系。|我讨厌和别人拉关系。|老师和留学生之间,既是师生关系,又是朋友关系。|关系的远近并不重要。

❷ 表示对事物的影响或重要性。(bearing;impact)常做宾语、主语。

例句 多跟中国人谈话对提高口语

很有关系。|人品好坏,对于交朋友很有关系。|A:对不起。B:没关系。|你来不来,关系重大。

❸ 指原因,条件等。(usually used with"由于"or"因为"to indicate cause or reason)常做宾语。

例句 因为天气关系,飞机不能起飞。|由于身体关系,他没来上课。|由于工作关系,我们经常见面。

〔动〕关联,牵涉。(concern;have to do with)常做谓语。

例句 环境保护关系到人类的发展。|交通安全关系着大家的幸福。|这次考试关系到我的未来。

G

【关心】 guānxīn 〔动〕

(对人或事物)常放在心上;重视和爱护。(be concerned about;care for)常做谓语、状语、主语、宾语。

例句 老师非常关心大家的学习。|他对别人从不关心。|考试成绩所有同学都很关心。|老师关心地问:"你病了吗?"|男朋友对她的关心不够。|感谢你对我的关心。

辨析 〈近〉关怀。"关怀"多用于上级对下级,"关心"用的范围较广。如:领导关怀工人们的生活。|我们也该关心一下领导。

【关于】 guānyú 〔介〕

❶ 引进某种行为的关系者。(about;with regard to)常组成介词短语做状语。

例句 关于这个问题,我们将尽快解决。|关于他的事,我一点儿也不知道。|关于宿舍条件,留学生有很多意见。

辨析 〈近〉对于。"对于"着重于指出对象;"关于"表示关联、涉及事物,一般不放在主语后。如:这种方法对于提高学习效率作用不大。|关于天堂,人们讲了许多的故事。|*关于班里不守纪律的同学由学校方面管理。("关于"应为"对于")|*对于牛郎织女的故事,民间有一个传说。("对于"应为"关于")|*人们对于天堂讲了许多故事。("对于"应为"关于")

❷ 引进某种事物有关系的。(about;concerning)常组成介词短语做定语,或用在"是…的"结构中。

例句 他读了几本关于哲学的书。|今天的会是关于教学改革的。|他告诉我的消息是关于足球赛的。

【关照】 guānzhào 〔动〕

❶ 关心照顾。(look after)常做谓语、主语、宾语。

例句 请您关照关照这个孩子。|对这位外宾,请关照一下。|初次见面,请多关照!|我们对他的关照实在太少了。|谢谢您对我们的关照。|有李老师的关照,手续办得很顺利。

❷ 口头通知。(notify by word of mouth)常做谓语。

例句 我已经关照过全班了。|关照一下班长,请他主持会议。|下午开会的事,我关照过了。

【观】 guān 〔动〕

看。(look at;watch;see)常做谓语。

例句 总观全局,形势大好。|听其言,观其行。|眼观六路,耳听八方。

【观测】 guāncè 〔动〕

观察并测量(自然、情况等)。(observe and survey;watch)常做谓语、定语。

例句 科学家观测了好久才找到那

颗小行星。|我们应该到山顶观测观测。|几个侦察员正在用望远镜观测情况。|你要把观测的结果记录下来。

【观察】 guānchá 〔动〕

仔细察看。(observe)常做谓语、宾语、定语、主语。

例句 他观察了一下学校周围的环境,觉得很满意。|马克总细心观察中国人的生活。|公司从各方面对他进行观察。|这是我们的观察报告。|观察要求耐心、细致。

【观点】 guāndiǎn 〔名〕

观察事物所处的位置或采取的态度;对事物或问题的看法。(viewpoint;standpoint)常做主语、宾语。[量]个。

例句 那篇文章观点正确,你为什么不同意?|他不同意老师的观点。|不经过学习和思考,就不会有正确的观点。|我们应该用发展的观点看问题。

【观光】 guānguāng 〔动〕

参观名胜、古迹、景物等。(sightsee)常做谓语(不带宾语)、主语、宾语、定语。

例句 好客的主人陪我们去市内观光。|到中国的第一天就去长城观光。|去杭州观光是许多人的心愿。|我喜欢到处游览观光。|外国朋友在桂林观光旅游。|村民们热情接待着观光的客人。

【观看】 guānkàn 〔动〕

特意地看,参观,观察。(watch;view)常做谓语。

例句 昨天我们观看了一场精彩的足球比赛。|口语比赛,很多同学来观看。|大家一动不动地观看京剧表演。|距离太远,观众无法观看清楚。

辨析 〈近〉观察。"观察"主要指研究,了解;"观看"多用于欣赏的意思。如:观看电影 观察植物生长

*观察电影("观察"应为"观看")

【观念】 guānniàn 〔名〕

思想意识。(idea;sense;concept)常做主语、宾语、定语。[量]个,种。

例句 旧观念必须更新。|来中国后,很多人改变了观念。|有些中国人还存在着封建观念。|新观念的树立带来了新气象。

辨析 〈近〉观点。"观点"着重指从某一立场或角度出发看问题;"观念"着重指思想意识。如:政治观点 组织观念

【观赏】 guānshǎng 〔动〕

观看和欣赏。(view and admire)常做谓语、定语。

例句 昨晚我们观赏了优美的中国舞蹈。|书画展开幕以来,有大批游客去观赏。|焰火观赏的时间当然是晚上。

【观众】 guānzhòng 〔名〕

看表演或比赛的人。(audience)常做主语、宾语、定语。[量]个,位。

例句 演出刚一结束,观众就鼓起掌来。|表演很精彩,观众都很满意。|这场比赛没什么观众。|她的歌声打动了在场的每一位观众。|观众的加油声使运动员们充满了信心。

【官】 guān 〔名〕

❶ 有职务的人。(government official;officer)常做主语、宾语、定语。[量]个。

例句 他官不大,但权力很大。|听

说你又升官了,什么时候请客呀? | 有的人不想当官。| 她是官太太。

❷ 生物体上有特定功能的部分。(organ)常用于构词。

词语 五官 感官 器官

【官方】 guānfāng 〔名〕

政府方面。(government)常做主语、宾语、定语。

例句 官方已对此事作出了解释。| 飞机失事,官方还没说明情况。| 这条消息来自官方。| 官方人士对此有不同意见。| 这不是官方的说法。

【官僚】 guānliáo 〔名〕

❶ 官员,官吏。(government officials)常做主语、宾语、定语。[量]个。

例句 这样的官僚不受欢迎。| 他祖父是清代的一个官僚。| 虽然出身于封建官僚家庭,但他18岁就参加了革命。

❷ 指官僚主义。(bureaucracy; bureaucratism)常做宾语、定语。

例句 当领导的不要耍官僚。| 有些干部有严重的官僚思想。| 这幅漫画是讽刺那些官僚干部的。

【官僚主义】 guānliáo zhǔyì 〔名短〕

指脱离实际和群众,不关心群众,只发号施令的工作和领导作风。(bureaucracy)常做主语、宾语、定语。

例句 官僚主义危害极大。| 千万不要搞官僚主义。| 当领导时间长了就容易产生官僚主义。| 应该坚决纠正官僚主义的工作作风。

【官员】 guānyuán 〔名〕

有政府职务的人(多用于外交场合)。(official)常做主语、宾语、定语。[量]个,位。

例句 来北京参加会议的各国官员共有一千多人。| 政府官员说明了有关情况。| 与外长一同出访的还有几位官员。| 这些官员的主要任务是参加贸易谈判。

【冠冕堂皇】 guānmiǎn tánghuáng 〔成〕

外表体面,实际不是这样。(high-sounding)常做谓语、定语、补语、状语。

例句 他表面上冠冕堂皇,实际上很坏。| 现在,只靠冠冕堂皇的话不能打动老百姓的心。| 不管他说得多么冠冕堂皇,我都不信。| 他冠冕堂皇地坐在主席台上,似乎什么都没发生过。

【棺材】 guāncai 〔名〕

装殓死人的东西,一般是木制的。(coffin)常做主语、宾语、定语。[量]口。

例句 这口棺材是用什么木做的呢? | 中国柳州的棺材很有名。| 现在城里人一般都不用棺材了。| 悬崖上的棺材的年代十分久远。

【馆】 guǎn 〔名〕

❶ 招待宾客居住的房屋。(accommodation for guests)常用于构词。

词语 宾馆 旅馆

❷ 用于某些服务性商店的名称。(shop)常用于构词。

词语 饭馆 餐馆 酒馆 照相馆 理发馆

❸ 储藏、陈列文物或者搞文体活动的场所。(a place for cultural activities)常做语素构词。

词语 图书馆 展览馆 博物馆 文化馆 体育馆 馆藏

❹ 一个国家在另一个国家办理外交的人员常驻的处所。(embassy;

legation or consulate)常做语素构词。

词语 领(事)馆 (大)使馆

【管】 guǎn 〔动〕

❶ 负责;看管。(manage; run)常做谓语。

例句 王老师管留学生宿舍。|这孩子真难管。|她把家管得井井有条。

❷ 供给,保证。(guarantee; support)常做谓语。

例句 他失业了,他父母还得管他吃住。|食堂太小了,管不了那么多人的饭。|商品不满意我们管退管换。

❸ 照顾,顾及。(take care of)常做谓语。

例句 做儿女的不能不管老人。|这个老师要管50个学生。|一对夫妇管四个老人,也真够累的。

❹ 过问。(bother about)常做谓语。

例句 你这个人就爱管闲事。|别管那么多!|这事我非管不可。|都是你管的好事!

【管道】 guǎndào 〔名〕

用金属或其他材料制成的管子,用来输送或排除流体(如煤气、石油等)。(piping; pipeline)常做主语、宾语、定语。[量]条。

例句 天然气管道一直通到上海。|工人们在铺设自来水管道。|马路下面有各种各样的管道。|这座城市85%的居民用上了管道煤气。

【管理】 guǎnlǐ 〔动〕

❶ 负责某项工作使顺利进行。(be in charge of; manage; run)常做谓语、主语、宾语、定语。

例句 留学生宿舍由谁管理?|别看他只有38岁,却管理着一个大公司。|管理也是一门科学。|他们根本不懂管理。|我学过管理。|要学习国外先进的管理经验。|这家工厂管理水平较高。

❷ 保管和料理。(take care of)常做谓语。

例句 你一定要把这些东西管理好。|这个公寓管理得不错。|她管理文件从未出过差错。

【管辖】 guǎnxiá 〔动〕

管理,统辖(人员、事务、区域);引申为约束。(have jurisdiction over; govern; rule)常做谓语、宾语、定语。

例句 这个城市管辖四个区。|重庆现在直接受中央政府的管辖。|那个乡不大,管辖的人口只有三千人。

【管子】 guǎnzi 〔名〕

圆而细长中间空的东西。(tube; pipe; duct)常做主语、宾语、定语。[量]根。

例句 自来水管子坏了。|卫生间有问题,换根管子就好了。|管子的长度不够。

【贯彻】 guànchè 〔动〕

彻底实现或体现(政策、精神、方法等)。(carry out)常做谓语、宾语。

例句 企业要贯彻增产节约方针。|老师说的学习方法你应该贯彻。|"计划生育"的政策要继续贯彻下去。|这次会议的精神你不打算贯彻了?

【冠军】 guànjūn 〔名〕

体育运动等竞赛中的第一名。(champion)常做主语、宾语、定语。[量]个,位。

例句 这个冠军来之不易啊!|她又一次夺得了世界冠军。|马克得

了这次口语比赛的冠军。|运动员兴奋地捧起了冠军奖杯。

【惯】 guàn 〔形/动〕

〔形〕因经常做形成一种自然情况。(usual; habitual)常做补语、谓语。

例句 比较甜的菜我吃不惯。|他在这里住惯了。|母亲过惯了平静的生活。|他已经惯了,每天早睡早起。

〔动〕纵容(子女)养成不好的习惯或作风。(spoil)常做谓语。

例句 她太惯儿子了。|你把孩子惯得不像样子了。|小孙子被爷爷奶奶惯坏了。

【惯例】 guànlì 〔名〕

一向的做法。(usual practice)常做主语、宾语。

例句 这种随便不上课的惯例该改变了。|这种方式是国际贸易的惯例。|每天中午睡一觉已成为他的惯例了。|按以往的惯例,放假前我们开总结会。

【惯用语】 guànyòngyǔ 〔名〕

口语中短小的习惯用语。(locution; phrase)常做主语、宾语、定语。

例句 汉语的惯用语非常形象生动。|中国人说话常使用惯用语。|"吹牛皮"是一个惯用语。|我买了一本惯用语词典。

【灌】 guàn 〔动〕

❶ 浇。(irrigate)常做谓语或用于构词。

词语 灌溉　浇灌

例句 农民们正在引水灌田。|稻田里的水已经灌满了。

❷ 倒进去或装进去(多指液体、气体)。(fill; pour)常做谓语。

例句 昨天喝酒被朋友灌醉了。|往暖壶里灌点儿热水。|风呼呼地从门缝儿灌进来。|一刮风,沙子都灌到鞋里了。

【灌溉】 guàngài 〔动〕

把水输送到田地里浇地。(irrigate)常做谓语、定语。

例句 农民现在用抽水机灌溉,效率提高了3倍。|一个月没下雨了,必须马上灌溉。|这条渠的灌溉面积为一万亩。

【罐】 guàn 〔名〕

盛东西用的大口器皿。(jar; pot; tin)常做主语、宾语、定语。[量]个。

例句 这个陶罐有很长历史了。|在旅游的时候,他买了一个小罐,很有特色。|把罐盖上,省得落灰。|那个茶叶罐的盖子不严。

【罐头】 guàntou 〔名〕

罐头食品的简称。(tin; can)常做主语、宾语、定语。[量]个,盒。

例句 水果罐头还不错。|我喜欢吃水果罐头。|这家工厂专门生产罐头。|你把罐头打开吧。|这个罐头的保质期过了。

【光】 guāng 〔名/形/副〕

〔名〕❶ 照在物体上使看得见的物质。(light)常做主语、宾语、定语。[量]束,点儿。

例句 一束光从窗外照进来,暖暖的。|那房间太暗,没有一点儿光。|光的速度是每秒30万公里。

❷ 光彩,荣誉。(glory; honour)常做宾语。

例句 参加口语比赛的同学们表示一定要发挥水平,为学校争光。|儿子考上了大学,母亲的脸上也有光。

❸ 时间。(time)常用于固定短语或用于构词。

词语 一寸光阴一寸金 光阴似箭 时光

❹ 景色,景物。(scenery; sight)常用于固定短语或用于构词。

词语 春光明媚 风光 观光 光景

〔形〕❶ 明亮。(bright)常用于固定短语或用于构词。

词语 光明正大 光芒万丈 光泽 光亮

❷ 滑。(smooth)常做谓语、定语、补语。

例句 房间的地面很光。|光光的玻璃桌面上,摆着各种水果。|地板磨光了。

❸ 裸露,秃。(bare; naked)常做谓语、补语,或用于构词。

词语 光秃秃 光溜溜

例句 他穿着小短裤儿,光着两条小腿儿。|天太热,男人们都光着膀子。|山上什么也没有,光光的。|小时候小伙伴们常脱光衣服在河里游泳。

❹ 一点儿不剩。(with nothing left; used up)常做补语。

例句 带来的钱用光了。|俩孩子把糖全吃光了。|他把杯子里的酒喝光了。

〔副〕有"只、单"的意思,限定范围。(only; alone)做状语。

例句 别光说别人,自己也要努力。|光我们A班,参加HSK考试的就有十个人。|你光看书不行,还得多和中国人谈话,这样才能提高口语水平。

【光彩】 guāngcǎi 〔名/形〕

〔名〕颜色和光泽。(luster; splendour)常做主语、宾语、定语。

例句 新教学楼太漂亮了,光彩照人。|故宫太雄伟了,真是有特别的光彩。|根据云的光彩变化,可以推测天气情况。

〔形〕光荣。(glory)常做定语、谓语、宾语。

例句 教师是光彩的职业。|一个外国学生得到了博士学位,多光彩啊!|她考上研究生,全家都感到光彩。

【光棍儿】 guānggùnr 〔名〕

没有妻子的成年男人。(bachelor)常做宾语、定语、主语。[量]个,条。

例句 他五十多了,至今还是个光棍儿呢!|因为家穷,他到现在还打着光棍儿呢!|光棍儿的日子也不好过啊。|光棍儿有什么丢人的?

【光滑】 guānghuá 〔形〕

物体表面平滑,不粗糙。(smooth)常做谓语、定语、补语、宾语。

例句 用了这种化妆品,皮肤很光滑。|公寓的房间都有光滑的地板。|那套家具漆得很光滑。|这种衣服穿到身上会感到光滑、舒适的。

【光辉】 guānghuī 〔名/形〕

〔名〕耀眼的光。(radiance; brilliance; shine)常做主语、宾语。

例句 太阳的光辉每天都照着大地。|五颜六色的焰火发出耀眼的光辉。|中秋节晚上,我们欣赏到了月亮银色的光辉。

〔形〕光明,灿烂。(brilliant; magnificent)常做定语、谓语。

例句 雷锋在中国人心中是一个光辉的形象。|这个新开的公司有着光辉的前程。|他用自己的行动为生命写下了光辉的篇章。|电影中英雄的形象无比光辉。

【光亮】 guāngliàng 〔形/名〕

〔形〕明亮。(bright; shiny)常做定

语、补语、谓语。

例句 一进宿舍,就看见洁白光亮的墙壁。|每次出门前,他都把皮鞋擦得很光亮。|这间客厅又宽敞又光亮。|所有的教室都很光亮。

〔名〕光,光辉。(brilliance)常做主语、宾语。[量]丝,点儿。

例句 他房间里黑黑的,一点儿光亮也没有。|门缝里透出一丝光亮。|他的眼睛闪着高兴的光亮。

G

【光临】 guānglín 〔动〕

礼貌话,称宾客来到。(honour sb. with one's presence)常做谓语、主语、宾语。

例句 请您光临我们学校参观。|朋友的光临使我们很高兴。|谢谢各位的光临。|欢迎您的光临。

【光芒】 guāngmáng 〔名〕

向四面发出的强烈的光线。(rays of light)常做主语、宾语。

例句 金色的光芒把她照得分外美丽。|大厅的灯发出耀眼的光芒。|太阳透过薄雾把光芒照向大地。

【光明】 guāngmíng 〔形〕

明亮;有希望的。(bright; promising)常做谓语、定语、宾语。

例句 只要努力下去,前途一定很光明。|现在竞争很激烈,这家新开的公司前景不一定光明。|中国走在光明的大道上。|医生给这个病人带来了光明。

【光明正大】 guāngmíng zhèngdà 〔成〕

胸怀坦白,言行正派。(open and aboveboard; just and honorable)常做谓语、状语、定语。

例句 咱们一贯光明正大,有什么可怕的?|我觉得这件事应该光明正大地去做。|他光明正大地去旅游了。|马克找了一个光明正大的理由去看女朋友。|学习是光明正大的事儿,怎么不能告诉别人?

【光荣】 guāngróng 〔形〕

由于做了有利于大家的事情而被认为值得尊敬。(honor; glory; credit)常做定语、状语、谓语、宾语。

例句 他学习成绩很好,上了光荣榜。|她光荣地获得了“好学生”的称号。|工作了30年,李老师最近光荣退休了。|得了比赛第一名,真光荣!|节约光荣,浪费可耻。|清洁工人对自己的工作应感到十分光荣。

【光线】 guāngxiàn 〔名〕

光、亮光。(light; ray)常做主语、宾语、定语。[量]丝,束,点儿。

例句 房间的光线不好,打开灯吧。|教室里的光线太暗。|从窗帘缝透过一丝光线。|这里光线的强度不够,不能拍照。

【光阴似箭】 guāngyīn sì jiàn 〔成〕

时间过得特别快。(time flies like an arrow)常做小句。

例句 光阴似箭,转眼间又是一年。|光阴似箭,不知不觉孩子已经长大了。

【广】 guǎng 〔形〕

(面积、范围)宽阔。(wide; vast; extensive)常做谓语、补语、定语。

例句 他去过很多国家,见识真广。|这块草场面积很广。|孙悟空的故事流传很广。|留学生有较广的知识面。

【广播】 guǎngbō 〔动/名〕

〔动〕广播电台、电视台播送节目。(radio broadcast)常做谓语、宾语。

例句 这条新闻刚才广播了两遍,

你没听到吗?|电视台广播过我的文章。|留学生明天去农村参观的通知已经广播几次了。|中央台早上几点开始广播?

〔名〕广播电台播送的节目。(broadcast)常做主语、宾语、定语。

例句 广播是一种现代传播工具。|下午3点有重要新闻,请按时听中央台的广播。|每天听新闻广播,这样可以练习听力。|我没听清楚广播的内容。|近些年,广播事业发展很快。

【广场】 guǎngchǎng 〔名〕

指城市中广阔的场地,有时也指大型建筑。(square)常做主语、宾语、定语。[量]个。

例句 天安门广场真大!|城市的广场真漂亮!|晚上人们来到广场散步,游玩。|明天参加旅行的同学在校门广场集合。|世纪广场22层有旋转餐厅。

【广大】 guǎngdà 〔形〕

❶(面积、空间)宽阔;(范围、规模)巨大。(vast; extensive; large-scale)常做谓语、定语。

例句 中国的国土面积广大。|这片森林真是广大。|摩托车在广大的草原上奔驰。

❷(人数)众多。(numerous)常做定语。

例句 广大留学生积极参加了环保活动。|他的努力精神鼓舞了广大学生。|全市广大群众积极参加了义务劳动。

【广泛】 guǎngfàn 〔形〕

方面广,范围大;普遍。(extensive; broad; wide-ranging)常做定语、状语、补语、谓语。

例句 学校对留学生宿舍的管理问题听取了广泛的意见。|老师广泛地征求大家的意见,最后决定了考试的方式。|在中国,足球运动开展得很广泛。|希望我们两国的友好往来更加广泛。|中国加入WTO后与其他国家的贸易更广泛。

【广告】 guǎnggào 〔名〕

通过报刊、电视、广播等向公众做的商业介绍。(advertisement)常做主语、宾语、定语。[量]则,个,条。

例句 这则广告做得独具特色。|他在公司的工作就是设计广告。|不少人讨厌电视里的广告。|这个留学生被一家公司请去做广告。|现在人们的生活越来越离不开广告了。|现代生活中广告的作用很大。

【广阔】 guǎngkuò 〔形〕

广大宽阔。(vast; wide; broad)常做定语、谓语。

例句 绿色食品有广阔的前景。|中国的中西部地区有着广阔的发展空间。|中国土地广阔,物产丰富。|这位老人的视野十分广阔。

【逛】 guàng 〔动〕

外出散步;闲游;游览。(stroll; roam; ramble)常做谓语。

例句 没事儿他们就去逛商店。|咱们到公园逛逛吧。|放假后,我们可以到中国各地的名胜逛一圈儿。|这十几年,他全世界都逛遍了。

【归】 guī 〔动〕

❶返回,还给。(return)常用于固定短语中或用于构词。

词语 归心似箭 归国 物归原主 回归 归还 归根

❷表示由谁负责。(put in sb.'s charge)常做谓语(带兼语)。

例句 留学生的事都归办公室管。|这所大学直接归省里领导。|打扫房间，东边的归同屋负责，西边归我负责。

❸ 属于。(turn over to; belong to) 常做谓语。

例句 那辆车归了他妹妹。|土地归国家所有。|再怎么说，宿舍的东西也不能归你一个人。

【归根到底】 guī gēn dào dǐ 〔动短〕

归结到根本上。(in the final analysis) 常做独立成分或做状语。

例句 归根到底你是青年人，所以身体很好。|这些问题，归根到底，只有依靠大家才能解决。|无论怎样说，归根到底，他对工作还是很认真的。

【归还】 guīhuán 〔动〕

把借来、捡来的钱或物交给主人。(return) 常做谓语。

例句 从图书馆借来的书要按时归还。|把捡到的东西归还失主是应该的。|香港已于 1997 年 7 月 1 日归还中国。

【归结】 guījié 〔动〕

总括而得出结论。(put in a nutshell; sum up) 常做谓语。

例句 这次事故的原因很复杂，归结起来有两方面。|他的意见可归结为几点。|这是我归结出来的几条学习汉语的经验。

【归纳】 guīnà 〔动〕

归拢，使有条理(多用于抽象事物)。(conclude; sum up) 常做谓语、宾语、定语。

例句 老师给我们归纳出了正确发音的方法。|马克很快就归纳了打车的一般方法。|学习要善于归纳，这样可以发现规律。|写文章可以用归纳的方法。

【龟】 guī 〔名〕

爬行动物的一种，身体长圆而扁，有坚硬的甲壳，多生活在水边，吃植物或小动物。(tortoise) 常做主语、宾语、定语。[量]只。

例句 龟是长寿动物，听说可以活几百年。|我女儿养了一只小龟。|我不了解龟的生活习惯。

【规定】 guīdìng 〔动/名〕

〔动〕预先制定规则，作为行动的标准。(stipulate) 常做谓语、定语。

例句 学校规定在教室里不许吸烟。|外边的朋友能不能进房间的事，学校还没规定。|图书馆规定早八点到晚九点开放。|她在规定的时间中完成了作业。

〔名〕所规定的内容。(stipulation; prescription) 常做主语、宾语、定语。[量]个，项，条。

例句 这项规定已经无效了。|外国人不能违反中国政府的规定。|我们反对这样的规定。|按规定爸爸明年该退休了。|新规定的内容是什么？

【规范】 guīfàn 〔名/动〕

〔名〕约定俗成或规定的标准。(standard; norm) 常做主语、宾语。[量]个。

例句 语言的规范很重要。|这样的口语表达不符合规范。|我们干什么都要合乎规范。|上公共汽车排队是文明的行为规范。

〔动〕使合乎一定标准。(standardize) 常做谓语、宾语。

例句 每个公民都应该自觉地规范

自己的行为。|汉字的写法已经规范了。|随便简化汉字的现象急需规范。

▶ "规范"还可以做形容词,指"合乎标准的"。如:这家宾馆的服务十分规范。

【规格】 guīgé 〔名〕

产品质量的标准;规定的要求和条件。(specifications; standards; norms)常做主语、宾语、定语。[量]种。

例句 这种商品的规格与说明书上介绍的不太一致。|访问团成员都是政府官员,规格很高。|学生的服装有统一的规格。|按照新规格制造的产品还没有上市。|客人在打听这家宾馆的规格。|商店有各种规格的笔。

【规划】 guīhuà 〔名/动〕

〔名〕全面的长远的发展计划。(program; plan)常做主语、宾语、定语。[量]个。

例句 中国的远景规划令人鼓舞。|今年的科研规划完成得很顺利。|在政府的这次会上通过了下一个五年发展规划。|新规划的实施时间是什么时候?

〔动〕筹划,打算。(make a program; draw up a plan)常做谓语。

例句 最近学校重新规划了校园。|城市建设应该统一规划,合理布局。|这个居民小区规划得很好。

【规矩】 guīju 〔名/形〕

〔名〕一定的标准、法则、习惯等。(rules; established practice; custom)常做主语、宾语。[量]个。

例句 老人的规矩太多了,年轻人觉得麻烦。|怎么过春节,中国有很多规矩。|到哪儿有哪儿的规矩。|这事儿我看得立个规矩。|这次口语比赛不按老规矩办。

〔形〕(行为)端正老实,合乎标准或常理。(well-behaved; well-disciplined)常做定语、谓语、状语、补语。

例句 他是个规规矩矩的商人。|你向来很规矩,今天是怎么了?|这个人好像不规矩,你要小心。|学生们都规规矩矩地坐在那儿。|这个同学的汉字写得很规矩。

【规律】 guīlǜ 〔名〕

事物之间的内在联系。(law; regular pattern)常做主语、宾语。[量]个,条。

例句 自然规律不可改变。|这几天太忙,生活规律全都打乱了。|他找到了学习汉语的规律。|早睡早起已经成为他的生活规律。|我们要按照客观规律办事。

【规模】 guīmó 〔名〕

(事业、机构、运动等)所包括的范围。(scale; dimensions; scope)常做主语、宾语、定语、状语。

例句 这所大学的规模很大。|近几年,中国教育的规模不断扩大。|新工厂的建设已具有一定的规模。|这家公司的贸易还没形成规模。|我们今天要搞一个小规模的欢送会,送几个先回国的同学。|大规模地建设高速公路是近几年的事。

【规则】 guīzé 〔名/形〕

〔名〕规定出来,大家共同遵守的制度。(rule; regulation)常做主语、宾语。[量]条,项。

例句 交通规则人人都应该遵守。|有的同学违反了 HSK 考试规则。|国际足联又制定了新的比赛规则。|很多人还不了解 WTO 的规则。|

老师按学校的规则处理了这件事。
〔形〕(在形状、结构分布上)合乎一定的方式;整齐。(regular; tidy)常做谓语、定语、状语、补语。

例句 这个房间不太规则,能不能换一间?|汉语的语法不太规则。|这是一个规则的足球场。|留学生宿舍楼规则地排列成三行。|马克的句子造得很规则。

【规章】 guīzhāng 〔名〕
规则章程。(rules; regulations)常做主语、宾语。[量]项。

例句 学校的各项规章一定要遵守。|这些规章刚制定出来。|每个人都要遵守国家的法令规章。|我们得按规章办事。

【闺女】 guīnü 〔名〕
❶ 没有结过婚的女子。(girl; maiden)常做主语、宾语、定语。[量]个。

例句 这闺女18岁了。|村里那十几个闺女都进城打工去了。|小花是个好闺女,谁都夸她。|那闺女的样子像她爸爸。

❷ 女儿。(daughter)常做主语、宾语、定语。[量]个。

例句 老人的大闺女出嫁了。|我父母只有我这么一个闺女。|这些都是闺女的书,她最爱看书了。

【轨道】 guǐdào 〔名〕
❶ 火车等行驶的路线。(track)常做主语、宾语、定语。[量]条。

例句 火车轨道一直伸向远方。|这轨道都是中国生产的。|这是新铺的高速火车轨道。|轨道交叉点一定要设计好,不然,会引起事故的。

❷ 行动应遵循的规则、程序或范围。(the proper way of doing things; a proper course)常做宾语。

例句 公司的生意已走上了轨道。|来中国后,留学生的生活已步入了正常轨道。|开学十天了,学校各项工作已进入轨道。

【鬼】 guǐ 〔名〕
❶ 传说人死后的灵魂。(ghost)常做主语、宾语、定语。[量]个。

例句 夜里,突然有人大叫:“鬼来了!”|有人说,这院子里闹过鬼,可谁也没亲眼见过。|你看见过鬼吗?|民间有很多鬼的故事。

❷ 指不可告人的计谋或打算。(dirty trick)常做宾语。

例句 你在这儿搞什么鬼?|看样子,这个人心里有鬼。|不要在别人背后搞鬼!

❸ 有不良嗜(shì)好的人。(used after some words to form a term of abuse)常做语素构词或用于短语中。

词语 酒鬼 大烟鬼 馋鬼 吝啬(lìnsè)鬼

例句 有一个酒鬼摇摇晃晃走了进来。|他真是个大烟鬼。|该花的钱就花,别当吝啬鬼。

【鬼鬼祟祟】 guǐguǐ suìsuì 〔成〕
行为诡秘,不正大光明。(sneaking; furtive; stealthy)常做谓语、定语、状语。

例句 这家伙鬼鬼祟祟的,想干什么?|别鬼鬼祟祟的,像小偷似的。|你看他刚才那鬼鬼祟祟的样子,肯定没什么好事。|小偷趁人不注意,鬼鬼祟祟地溜进了仓库。

【鬼子】 guǐzi 〔名〕
对侵略中国的人的憎称。(used after some words to form a term of abuse)常做主语、宾语、定语。[量]个。

例句 鬼子们到处杀人。|战士们又消灭了好多鬼子。|打鬼子,保家乡。|老百姓恨透了鬼子兵。

【柜台】 guìtái 〔名〕
营业用的柜子。(counter)常做主语、宾语、定语。[量]个。

例句 银行的柜台很高,对顾客不方便。|今天口语课练习在商店,我们用课桌摆成了柜台。|公司开张前,我们买了几十个柜台。|超市消除了柜台的阻隔,大大方便了购物。

【柜子】 guìzi 〔名〕
放东西用的器具,有各种样子的。(cabinet)常做主语、宾语、定语。[量]个。

例句 这个柜子是妈妈留给我的。|为了结婚,小两口买了个高级柜子。|房间里只有一个柜子,不方便。|把衣服放进柜子最上层吧。

【贵】 guì 〔形〕
❶ 价格高,价值大。(expensive; costly; dear)常做谓语、定语。

例句 单人间比双人间贵吗?|这辆车比较贵。|一杯饮料20元,太贵了!|你们大学的学费贵不贵?|这么贵呀!便宜点儿行吗?|她就爱买贵衣服。|马克穿了一双很贵的鞋。

❷ 地位优越。(of high rank; noble)常用于固定短语中,或用于构词。

词语 贵族 贵妇人 达官显贵 高贵

例句 老伴儿,有贵人来了!

❸ 礼貌的话,尊称与对方有关的事物。(your)常用在某些词前。

例句 请问,您贵姓?|贵方还有什么需要吗?|贵校给我们的帮助我们是不会忘记的。

【贵宾】 guìbīn 〔名〕
尊贵的客人(今多指外宾)。(honored guest; distinguished guest)常做主语、宾语、定语。[量]个,位。

例句 这些贵宾来自法国。|您是我们的贵宾,就不要客气了。|中国总理与外国贵宾亲切交谈。|那次,我荣幸地被安排在贵宾座位。

【贵姓】 guì xìng 〔动短〕
问别人姓的时候用的礼貌话。(your name, please)常做谓语。

例句 请问,您贵姓?|你们总经理贵姓?

【贵重】 guìzhòng 〔形〕
价值高,值得重视。(valuable; precious)常做定语、谓语、补语。

例句 要爱护好这些贵重的教学设备。|来中国旅游的时候,她买了很多贵重的礼物准备送给朋友。|友谊比金钱更贵重。|这些东西以前不贵重,现在变得贵重了。

【贵族】 guìzú 〔名〕
过去时代享有特权的阶层,现在也指一些特别的人。(noble; aristocrat)常做主语、宾语、定语。[量]个,位,名。

例句 单身贵族是指没结婚的人。|她爷爷是个贵族。|中国现在已经没有贵族了。|这个著名作家出身于贵族家庭。

【桂冠】 guìguān 〔名〕
用桂叶编的帽子,古代希腊用以代表优胜,欧洲习俗作为光荣的称号,现也指冠军。(laurel)常做主语、宾语。[量]项。

例句 第一名的桂冠被他摘取了。|我同学获得了写作比赛的桂冠。|

奥运会上他赢得了两项桂冠。

【跪】 guì 〔动〕
两膝弯曲,使一个或两个膝盖着地。(kneel)常做谓语、状语、定语。

例句 姐妹们跪在父亲的坟前,心中十分悲伤。|以前中国人拜年要跪在长辈面前。|你别跪着说话,快站起来!|他跪的样子很奇怪。

【滚】 gǔn 〔动〕
❶ 翻转。(roll)常做谓语。

例句 水果筐倒了,水果滚了一地。|那个孩子在床上滚来滚去。|皮球滚到桌子底下去了。|下雪后,大家在外面滚雪球玩。

❷ 走开,离开(用于祈使句,多含斥责意)。(get away)常做谓语。

例句 你滚!给我滚!|侵略者滚出去!|谁在里边闹?滚出来!

【滚动】 gǔndòng 〔动〕
一个物体不断翻转地移动。(roll)常做谓语、定语、宾语。

例句 泪珠在她眼中滚动着。|火车的轮子不断地向前滚动。|滚动的车轮一般来回翻转。|小球停止了滚动。

【滚瓜烂熟】 gǔn guā làn shú 〔成〕
读书、背书等非常流利。[(recite, etc.)fluently;(know sth.)by heart]常做补语、谓语。

例句 口语比赛前的晚上,我一口气把讲演稿背得滚瓜烂熟。|这篇课文我已经读得滚瓜烂熟了。|这本书他看了十多遍,早已滚瓜烂熟了。

【棍子】 gùnzi 〔名〕
用木头、竹子或金属等制成的圆长条。(stick)常做主语、定语、宾语。[量]根。

例句 这根棍子可以当手杖。|棍子的长度不够怎么办?|爬山的时候大家每人拄着一根棍子。|把棍子放在门后边吧。

【锅】 guō 〔名〕
❶ 做饭的用具。(pan;pot)常做主语、宾语、定语。[量]个,口。

例句 厨房里锅是不可少的。|锅太小了,这么多菜放不下。|留学生宿舍的公用厨房里缺少炒菜的锅。|我家最近新买了一个高压锅。|这个锅的盖儿太脏了。

❷ 某些加热用的器具。(boiler)常用于构词。

词语 锅炉　火锅

【锅炉】 guōlú 〔名〕
把水变成蒸汽的一种装置。(boiler)常做主语、宾语、定语。[量]个,台。

例句 学校的锅炉有问题,所以今天没有暖气。|小王家安了一台家用锅炉。|这种锅炉的使用时间是20年。

【国】 guó 〔名〕
意义同"国家"。(country; nation; state)常用于固定短语,或用于构词。

词语 舍身为国　保家卫国　倾国倾城　国家　外国　祖国　国产　国籍　国花　国庆　国际

【国产】 guóchǎn 〔形〕
本国生产的。(made in our country;made in China)常做定语,或构成"的"字结构。

例句 国产电影的质量提高了。|他买了一台国产电脑。|国产汽车正逐渐占领市场。|这台电视是国产的。

【国法】 guófǎ 〔名〕

国家的法律。(national law; law)常做主语、宾语、定语。

例句 国法就是要保证公民的权利。|这种行为国法不容。|违犯国法就要受到惩罚。|我们要维护国法的尊严。

【国防】 guófáng 〔名〕

一个国家保卫自己的力量和军事设施。(national defence)常做主语、宾语、定语。

例句 巩固的国防是国家安全的保障。|要用现代科学技术来加强国防。|中国拥有一支强大的国防军。

【国富民安】 guó fù mín ān 〔成〕

国家富裕,人民安乐。(the country is prosperous and the people enjoy their lives)常做谓语、定语。

例句 那儿国富民安,没有人想去国外生活。|我们要努力发展经济,这样才能国富民安。|努力建设一个国富民安的社会。

【国会】 guóhuì 〔名〕

某些国家的最高权力机关。(parliament; congress)常做主语、宾语、定语。

例句 美国国会由参众两院组成。|经过选举,他进入了国会。|这份议案已经提交国会了。|这条法律得到了国会的批准。|国会大厦建于上个世纪 20 年代 。

【国籍】 guójí 〔名〕

个人具有的属于某个国家的身份。(nationality; citizenship)常做主语、宾语、定语。[量]个。

例句 这个人国籍不清楚。|你的国籍是哪儿?|他加入了美国国籍。|中国不允许具有双重国籍。|国籍的不同并不妨碍他们的友情。

【国际】 guójì 〔名〕

国与国之间;世界各国。(international)常做定语、宾语。

例句 中国的国际地位日益提高。|这家公司开始搞国际贸易了。|国际市场比较有利于我们的发展。|我们城市已有五条国际航线。|这么做完全符合国际标准。|越来越多的中国产品走向国际。

【国际法】 guójìfǎ 〔名〕

国际公法的简称。(international law)常做主语、宾语、定语。

例句 国际法需要全世界共同遵守。|这位教授参加了制定国际法。|侵略别的国家违犯国际法。|国际法的权威应当受到世界各国的尊重。

【国际主义】 guójì zhǔyì 〔名短〕

世界各国团结、合作的思想。(internationalism)常做主语、宾语、定语。[量]种。

例句 国际主义在今天并没有过时。|请解释一下,什么是国际主义?|白求恩是伟大的国际主义者。|我们要发扬国际主义精神。

【国家】 guójiā 〔名〕

有独立主权的一定区域。(country; nation; state)常做主语、宾语、定语。[量]个。

例句 我们国家有着悠久的历史和文化。|国家不分大小,应当一律平等。|中国是一个伟大的国家。|我去过好几个非洲国家。|国家的经济对我们每个人的生活很重要。|国家的领导人也应该遵守法律。

【国库券】 guókùquàn 〔名〕

G

国家银行发行一种债券，不能直接购买商品。(state treasury bond)常做主语、宾语、定语。[量]张，元。

例句 国库券是由国家银行发行的。|人们积极购买今年的国库券。|国库券的面额有哪几种呢？

【国力】 guólì 〔名〕

国家在各方面的实力。[national power (or strength, might)]常做主语、宾语、定语。

例句 改革开放以来，中国的国力明显增强了。|雄厚的国力是发展教育的基础。|必须努力提高国家的综合国力。|从这几方面就可以看出一个国家国力的强弱。

【国民】 guómín 〔名〕

具有本国国籍的人。(national)常做定语。[量]个，位。

例句 国民经济增长很快。|国民生产总值列世界第五位。|教育部制定了五年国民教育计划。

【国民党】 guómíndǎng 〔名〕

中国政党之一，孙中山先生创立。[the Kuomintang (KMT)]常做主语、宾语、定语。[量]个。

例句 国民党成立于1912年8月。|他曾经加入过国民党。|国民党的创始人是孙中山先生。

【国旗】 guóqí 〔名〕

法律规定的代表某个国家的旗帜。(national flag)常做主语、宾语、定语。[量]面。

例句 国旗是一个国家的象征。|中国的国旗是五星红旗。|国庆节的时候，学校的大门上升起了国旗。|这是哪个国家的国旗？|需要更多的人了解《国旗法》。

【国情】 guóqíng 〔名〕

一个国家的基本情况和特点，或一个国家某一个时期的基本情况和特点。[the condition (or state) of a country; national conditions]常做主语、宾语、定语。[量]个，种。

例句 中国的基本国情是人口多，经济不够发达。|留学生学习汉语，还要了解中国的国情。|这种方式不适合中国国情。|这个政策是根据国情制定的。|政府向议会提供了一份国情报告。

【国庆节】 Guóqìng Jié 〔名〕

国家成立的纪念日。(National Day)常做主语、宾语、定语、状语。[量]个。

例句 中国国庆节是十月一日。|你们国家的国庆节是哪一天？|马上就到国庆节了。|国庆节的街头十分热闹。|我跟朋友国庆节去旅行。

【国色天香】 guó sè tiān xiāng 〔成〕

形容女子长得非常漂亮。(national beauty and heavenly fragrance)常做宾语、定语。

例句 这几位姑娘个个都是国色天香。|她太漂亮了，真是国色天香。|那个女孩有一副国色天香的容貌。

【国土】 guótǔ 〔名〕

国家的土地。(territory)常做主语、宾语、定语。[量]片，寸。

例句 每个国家的国土都不可侵犯。|台湾是中国不可分割的国土。|我们要保卫自己的国土。|请说一说你们国家的国土情况，好吗？|中国国土的面积是960万平方公里。

【国王】 guówáng 〔名〕

某些国家的最高统治者。(king)常做主语、宾语、定语。[量]个，位。

例句 这位国王很英明。|英国国

王住在伦敦吗？|老国王去世后，他的儿子成了国王。|国王的权力已经受到很大限制了。

【国务院】 guówùyuàn 〔名〕
中国的国家行政机关，也就是中央政府。(the State Council)常做主语、宾语、定语。

例句 国务院十分关心大学生的情况。|这么重大的问题必须马上报告国务院。|国务院的最高领导人是总理。

【国营】 guóyíng 〔形〕
国家投资经营的。(state-run; state-operated)常做定语，或构成“的”字结构。不能重叠。

例句 国营企业技术力量雄厚。|国营农场正在走向现代化。|这家公司是国营的。|现在的公司，国营的减少了。

【国有】 guóyǒu 〔动〕
国家所有。(state-owned)常做宾语、定语、谓语。

例句 土地属于国有。|国有企业也要改革。|这是一家国有银行。|铁路应该国有。

【果断】 guǒduàn 〔形〕
决断，不犹豫。(resolute; decisive)常做定语、谓语、补语、状语。不能重叠。

例句 对传染病一定要采取果断措施坚决控制。|我们院长办事很果断。|他一点儿也不果断，结果机会就丢了。|你要果断一点儿，不然就来不及了！|紧急关头，她表现得十分果断。|发现前面有人，司机果断地停下了车。

【果然】 guǒrán 〔副〕
表示跟说的或想的一样，有真的、确定的意思。(really; as expected)做状语。

例句 天气预报说有雨，半夜，果然下起雨来。|他准备得很好，果然HSK得了8级。|听说李老师病了，今天果然换了别的老师。|他说来，果然就来了。

【果实】 guǒshí 〔名〕
植物的果子；比喻经过努力得来的成果。(fruit; gains)常做主语、宾语、定语。[量]个。

例句 胜利果实来之不易。|树上结满了沉甸甸的果实。|我们要珍惜别人的劳动果实。|这种果实的核儿(húr)能不能吃？

【果树】 guǒshù 〔名〕
水果树，如苹果树、桃树等。(fruit tree)常做主语、宾语、定语。[量]棵，株。

例句 漫山的果树真好看。|学校的花园也有几棵果树。|农民把一部分农田改种了果树。|果树的枝头果实累累。

【裹】 guǒ 〔动〕
(用纸布或其他片状物)缠(chán)或包。(wrap; bind)常做谓语。

例句 护士用纱布裹住了病人的伤口。|妈妈把孩子裹进了小棉被里。|把剩馒头用餐巾纸裹起来带回去。

▶“裹”也做名词，指包好的东西。如：包裹　大包小裹

【过】 guò 〔动/助/副〕
〔动〕❶ 从一个地点或时间移到另一地点或时间。(pass; cross)常做谓语。

例句 日子过得真快！|今年暑假你怎么过？|我今年在中国过了春

G

节。|等他过去了,你再过。|A:请问马克在吗? B:他现在不在,你过一个小时再来吧。

❷ 使经某种处理。(go through; go over; undergo a process)常做谓语。

例句 在机场托运时,行李要过秤。|做这个菜,先要把菜过油。|衣服已过了两遍水了。

❸ 超出(范围或限度)。(exceed; surpass)常做谓语、补语。

例句 已经过了下班时间了。|这张票已经过期了。|这些食品快过期了。|刚才没注意,坐过了站了。|是不是我说得有点儿过了?

〔助〕❶ 表示动作的完成。(*used after a verb to indicate the completion of an action*)用在动词后。

例句 我吃过饭就去。|花开过了。|朋友已经给我发过 E-mail 了。

❷ 表示行为、变化曾经发生的经历。(*used after a verb or an adjective to indicate a past action or state*)用在动词后。

例句 他十年前来过中国。|以前我学过一年汉语。|我在国外吃过的中国菜跟这儿不一样。|她留过学,打过工,现在是老板了。

〔副〕超越合理的限度,有不合意的意思。(too; unduly; excessively)常用在单音节形容词前做状语。

例句 这件衣服过大,我穿不合适。|你来得过早,还没开门呢。|别走得过远。|经济过热会发生问题。

【过程】 guòchéng 〔名〕

事物进行或事物发展所经过的程序。(process)常做主语、宾语。

例句 每个人的成长过程不同。|来中国生活有一个适应的过程。|我不关心这件事的过程,只关心结果。|到新地方需要一个适应过程。

【过度】 guòdù 〔形〕

超过限度。(excessive)常做谓语、定语、状语、补语。

例句 喝酒不能过度。|过度的疲劳把她累倒了。|考试前精神过度紧张,所以成绩不好。|我兴奋得过度了,一夜没睡着。

【过渡】 guòdù 〔动〕

事物由一个阶段或状态逐渐转入另一阶段或状态。(transit)常做主语、谓语、宾语、定语。

例句 社会的过渡经历了漫长的过程。|在中国已经过渡了一段时间了,可以正式开始学习了。|现在的情况只是一种过渡,以后可能还有变动。|中国目前处于经济的过渡时期。

【过分】 guòfèn 〔形〕

(说话、做事)超过一定程度或限度。(excessive)常做谓语、定语、补语、状语。

例句 你别太过分了。|他这样说真过分。|这样招待客人不过分。|过分的谦虚就是虚伪。|这玩笑开得有点儿过分了。|我对她是不是过分热情了?

【过河拆桥】 guò hé chāi qiáo 〔成〕

达到目的后,就把帮助过自己的人抛开。(remove the bridge after crossing the river — drop one's benefactor as soon as his help is not needed; kick down the ladder)常做谓语、宾语、定语。

例句 这个人过河拆桥,没有人愿意帮助他。|你不能过河拆桥! 太过分了! |你怎么这样对朋友? 这

不是过河拆桥吗？|这种过河拆桥的人不会有真正的朋友。

【过后】 guòhòu 〔名〕

❶ 往后。(afterwards)常做状语。

例句 今天学习到这儿，有什么问题过后再说。|今天你先休息，过后老师再给你补课。|那个消息先别告诉别人，过后再统一宣布吧。

❷ 后来。(later)常做状语。

例句 我先通知了他，过后才通知你的。|我原先不知道，过后发现了，但已经晚了。|事故发生后，刚开始我还清醒，过后就什么也不知道了。

【过来】 guò lái 〔动短〕

❶ 表示向着说话人移动。(come over; come up)常做谓语、定语。

例句 卖菜的老人今天怎么过来晚了。|这辆清洁车每天过来一次。|请过来一下！|这儿危险，别过来！|过来的这个人是谁？

❷ 表示通过了某种考验或度过某个时期。(pass)常做谓语、定语。

例句 什么考试都过来了，这次更不怕了。|再累的日子也过来了，还怕这点儿困难吗？|我是过来人，给你介绍介绍经验。

❸ 表示动作朝着说话人在的地方。(*used after a verb to indicate motion towards the speaker*)常做趋向补语，中间可插入成分。

例句 看到老同学回来了，大家都跑过来了。|他把书都拿过来了。|给我递过来一支笔好吗？|服务员端过一杯开水来。

❹ 表示恢复到原来的、正常的状态。(*used after a verb to indicate a return to the normal state*)做趋向补语。

例句 请大家把作业上的错误改过来。|她刚刚醒过来。|事情发生得太突然，我还没明白过来。

❺ 表示能或不能做成某事或完成某任务。(*used after a verb plus* “得” *or* “不” *to indicate the sufficiency or insufficiency of time, capability or quantity*)做趋向补语，和动词中间可加入“得”或“不”。

例句 顾客太多，实在照顾不过来。|这么多书，你看得过来吗？|由于紧张，脑子有点儿转不过来了。

❻ 表示对着自己。(*used after a verb to indicate turning around towards the speaker*)做趋向补语，中间可插入成分。

例句 你转过来一下，让我看看。|那人转过脸来，我才认出是我的一个老同学。|别翻过来，这页我已经看完了。

【过滤】 guòlǜ 〔动〕

把液体所含的固体颗粒或有害成分分离出来。(filter)常做主语、谓语、宾语、定语。

例句 过滤是做某些实验必须经过的一道程序。|这瓶水得过滤一下才能喝。|他们正在对牛奶进行过滤。|商店可以买到过滤纸。|这些都是过滤嘴香烟。

【过年】 guò nián 〔动短〕

在新年或春节期间进行庆祝等活动。(celebrate the New Year or the Spring Festival)常做谓语、定语、宾语。

例句 又快过年了。|很多外国人和中国人一起过年。|过年的时候全家人要在一起。|人们在选购过年的礼品。|过年的时候要吃饺子、

G

放鞭炮。|小孩子最喜欢过年。

▶“过年”也读 guònian，指明年。如：女儿过年就该考大学了。

【过去】 guòqù 〔名〕

现在以前的时期（区别于“现在、将来”）。[(in or of) the past; formerly; previously]常做主语、宾语、定语、状语。

例句 我的过去很不一般。|过去是过去，现在是现在，情况不同了。|老年人常常爱回忆过去。|过去的事儿就不要想了。|老人不想谈过去的情况。|他过去不是这样，现在变了。

【过去】 guò qù 〔动短〕

❶ 离开或经过说话人所在的地方。(go over; pass by)常做谓语及定语。

例句 101路车过去了好几辆。|你休息一下，我过去看看。|对不起，这两天太忙，实在过不去，有时间再去看您。|他就坐在刚过去的那辆车上。

❷ 死亡（婉辞）。(pass away)常做谓语。

例句 那位老人前些天过去了。|病人已经过去了。

❸ 表示离开或经过自己所在的地方。(*used after a verb to indicate motion away from the speaker*)常做补语，中间可插入成分。

例句 我对准球门，一脚把球踢了过去。|呆会儿写完了我给你送过去。|老人刚坐下，她就递过一杯茶去。

❹ 表示反面对着自己。(*used after a verb to indicate turning away from the speaker*)做补语。中间可插入成分。

例句 儿子要走了，老人转过身去，偷偷地擦眼泪。|把书翻过去，看看背面写着什么。|我把信封翻过去，仔细看了看信上的日期。

❺ 表示失去原来的、正常状态。(*used after a verb to indicate loss of an original or normal state*)常做补语。

例句 他一下子昏过去了。|我不会死过去的。|她晕过去三次了。

❻ 表示通过。(*used after a verb to indicate success of an action*)常做补语。

例句 你别想那么容易跑过去。|前面路有问题，我们绕过去吧。|河太宽了，我游不过去。

【过失】 guòshī 〔名〕

因不小心犯的错误。(fault; slip; error)常做主语、宾语。[量]个。

例句 这些过失应由我负责。|他的过失虽然不大，但也给工作带来了一定影响。|工作不认真就容易发生过失。

【过问】 guòwèn 〔动〕

询问、发表意见，表示关心。(bother about)常做谓语。

例句 他从不过问政治。|你该过问过问孩子的学习了。|老人躺在病床上无人过问，实在可怜。|由于市长亲自过问，事情才解决。

【过于】 guòyú 〔副〕

太，超过必要的限度。(excessively)做状语。

例句 汉语那么好，还说不好，你过于谦虚了。|工作过于紧张，容易引起失眠。|张总这几天过于劳累了。

H

【哈哈】 hāhā 〔象声〕

形容大笑。(the sound of laughing)常做状语、补语、定语。也可做独立语。

例句 什么事让你哈哈大笑?|听到自己的成绩,马克哈哈地笑起来。|这个孩子笑得哈哈的。|他逗得全班哈哈的。|教室传来哈哈的笑声。|哈哈,他高兴地大笑。

【哈欠】 hāqian 〔名〕

想睡的时候嘴张开,深深吸气,然后呼出,是一种生理现象。(yawn)常做宾语、主语。[量]个。

例句 他一连打了好几个哈欠。|A:你怎么老打哈欠? B:昨晚没睡好。|不知怎么了,这哈欠一个接一个的。|哈欠打出来,觉得舒服一点儿。

【咳】 hāi 〔叹〕

表示不高兴、惊讶、后悔。(*used to show one's sorrow, surprise or regret*)做独立语,放在句子开头。

例句 咳,HSK 又没得到 8 级。|咳,你怎么病了?|咳,钱包怎么不见了?|咳,别提多倒霉了。|咳,你早告诉我呀!

【还】 hái 〔副〕 另读 huán

❶ 仍旧,表示动作继续或现象继续存在。(still;yet)常做状语,只能用在主语后。

例句 时间还来得及,我们再练习一会儿口语。|我还有别的事,先走了。|我们还没下课,你先走吧。|雨还在下,再等一下。|妈妈还跟以前一样漂亮。

❷ 表示程度增加。(even more;still more)常做状语,多与"比"搭配使用。

例句 今天比昨天还冷。|老师比我们还忙。|周末起得比平时还早。

❸ 表示数量增加。(also;too)常做状语。

例句 这次我们要去北京,还要去西安。|以后我还要回来继续学习。|很多同学旅游时买了明信片,还买了工艺品。|考完口语还得考听力。

辨析 〈近〉又。"又"和"还"都表示再一次,但"又"一般指已经发生的动作,"还"多指没有实现的。如:
*她还回来了。("还"应为"又")|
*昨天刚看了,今天还看了。("还"应为"又")

❹ 表示勉强过得去。(fairly;passably)常做状语。

例句 他的汉语还行。|这件衣服对她还合适。|A:最近怎么样? B:还可以。|马克写的汉字还不错。

【还是】 háishi 〔副/连〕

〔副〕❶ 表示继续进行或存在。(still;yet)常做状语。

例句 这次考试还是不好。|张老师还是那么年轻。|那个中国人说了几遍,我还是听不懂。

❷ 表示经过比较后作出的选择。(had better)常做状语。

例句 中级班太难,还是去初级班吧。|火车太慢,还是坐飞机去吧。|晚会还是在周末开,那样大家有时间。|还是吃中国菜吧,这里的西餐不太好吃。

〔连〕常在问句中表示选择。(or)放在选择项目前,常和"是"搭配使用。

H

例句 你喝茶还是喝咖啡？|我们去还是不去？|你是中国人还是日本人？|不管你喜欢还是不喜欢，只有一本了。

辨析 〈近〉或者。"或者"不一定表示疑问。如：*他可能是美国人，还是英国人。（"还是"应为"或者"）

【孩子】 háizi 〔名〕

指儿童或子女。(child; children; son or daughter)常做主语、宾语、定语。[量]个。

例句 这个孩子很聪明。|那些孩子汉语说得跟中国人一样。|男孩子喜欢枪什么的。|老人有三个孩子。|这个留学生认识好几个中国孩子。|她生了一个胖孩子。|他上大学了，可还有孩子气。|不要说孩子话了。

H

【海】 hǎi 〔名〕

大洋靠近陆地的部分，或者是大湖。(sea)常做主语、宾语、定语。也做语素构词。[量]片。

词语 大海 海洋 红海 青海

例句 海给人类提供了很多资源。|这片海吸引了很多游客。|他们特意去看海。|孩子们特别喜欢海。|我们希望有机会赶海。|海的景色经常变化。|他画出了海的颜色。

▶ "海"还指像海那样大片的事物。如：人海 火海 沙海

▶ "海"也做形容词，指"大"。如：海碗 夸海口

【海岸】 hǎi'àn 〔名〕

靠近海洋的陆地。(coast)常做主语、宾语、定语。[量]段。

例句 这段海岸被称为黄金海岸。|大船慢慢离开了海岸。|政府决定在海岸建设一个公园。|那段海岸的景色非常漂亮。|那个公园就在海岸旁边。

【海拔】 hǎibá 〔名〕

以海水面作为标准的高度。(height above sea level)常做定语、宾语、谓语。

例句 我们不知道这儿的海拔高度。|这座山的海拔高度是一千米。|你知道那座山的海拔吗？|这座山海拔五千米。|世界最高峰海拔8848米。

【海滨】 hǎibīn 〔名〕

靠近海的地方、海边。(seashore; seaside)常做定语、主语、宾语。

例句 我们市是一座海滨城市。|海滨的景色很美，海滨的房子很贵。|那儿有几个海滨游泳场。|海滨是很多人向往的地方。|他们去了海滨度假。|我家就在海滨。

【海港】 hǎigǎng 〔名〕

海边停船的港口。(seaport; harbor)常做主语、宾语、定语。[量]座，个。

例句 海港最近很繁忙。|这个海港有很多船。|那里要建一座海港。|我们的船离开了海港。|海港的设备很重要。|他们去国外考察海港的建设。

辨析 〈近〉港口，码头。"海港"是在海边，"港口、码头"可以是江、湖上的。

【海关】 hǎiguān 〔名〕

对出入国境的人和物进行检查的国家机关。(customs)常做主语、宾语、定语。[量]处，个。

例句 海关同意他们的商品入关。|海关检查了每个旅客的行李。|这

些外国人依次通过了海关。|这个机场新设立了一个海关。|他们的申请得到了海关的批准。|海关的规定不能违反。|这个留学生不了解中国海关的规定。

【海军】 hǎijūn 〔名〕

在海洋作战的军队。(navy)常做主语、宾语、定语。[量]支。

例句 海军保卫着国家的领海。|这些年轻人参加了海军。|这个国家正在建设一支强大的海军。|留学生参观了海军的基地。|海军的服装很帅。

【海面】 hǎimiàn 〔名〕

海的表面。(sea surface)常做主语、宾语、定语。[量]片。

例句 今天海面没什么风。|海面上有几艘船。|船上的水手要经常观察海面。|海面的风很大,不能游泳。|我们很喜欢海面的景色。

【海外】 hǎiwài 〔名〕

国外。(overseas)常做宾语、定语、主语。

例句 现在旅游时兴去海外。|他从海外留学回来了。|他有很多海外关系。|海外有许多华人。

【海峡】 hǎixiá 〔名〕

两块陆地之间的海洋水道。(strait)常做主语、宾语、定语。[量]个。

例句 台湾海峡是重要的海运通道。|这个海峡每天都有船只通过。|考察船已经通过了海峡。|这两块陆地之间形成了一个海峡。|海峡的两边都是中国人。

【海洋】 hǎiyáng 〔名〕

所有的海和洋。(ocean)常做主语、宾语、定语。[量]片。

例句 海洋比陆地大得多。|海洋是生命的发源地。|这条船穿越了海洋来到了南极。|人类应该保护海洋环境。|海洋的生物非常多。|这座城市是海洋性气候。

【害】 hài 〔名/动〕

〔名〕害处,不利的事物。(harm)常做宾语,也做语素构词。

词语 祸害　害处　灾害

例句 警察要为民除害。|这次大风使很多人家受害。|吸烟对身体有害。

〔动〕❶ 让人受损害。(do harm to; impair)常做谓语。

例句 这样做只能害自己。|昨天你可害苦了我,让我等了那么久。|是这个人害死了他父亲。|护照丢了,害得他到处找。

❷ 得病。(contract an illness; suffer from)常做谓语。

例句 最近很多人害了重感冒。|我从来没害过这样的病。|你什么时候害上这种病的?

【害虫】 hàichóng 〔名〕

对人或物有害的虫。(injurious insect)常做主语、宾语、定语。[量]条,种。

例句 这些害虫危害很大。|我们用这种药消灭害虫。|这种药能杀死害虫。|首先要阻止害虫的繁殖。|害虫的天敌没有了。

【害处】 hàichu 〔名〕

对人或事物不利的因素。(harm)常做主语、宾语。[量]个,种。

例句 这种物质的害处不小。|吸烟的害处大家都清楚。|喝酒太多只有害处,没有好处。

【害怕】 hàipà 〔动〕

遇到危险等心中不安、恐惧。(be afraid)常做谓语、宾语。

例句 你别害怕！|我很害怕考试。|遇到困难不要害怕。|我害怕狗。|晚上一个人回家，很害怕。|他太小，还不懂得害怕。

辨析 〈近〉怕。“怕”还有“担心”的意思。如：* 我害怕他今天不能来了。(“害怕”应为“怕”)

【害羞】 hài xiū 〔动短〕

难为情、不好意思。(be shy)常做谓语、状语、定语。

例句 小姑娘很害羞，不肯说话。|你别害羞，不然总说不好。|这几个留学生很害羞，不好意思发言。|新同学很害羞地跟大家打招呼。|他害羞地说了声“对不起”。|他是一个害羞的人。|这不是什么害羞的事。

【含】 hán 〔动〕

❶ 把东西放在嘴里，不吞下也不吐出。(keep in the mouth)常做谓语、定语。

例句 他含着一口水出去了。|别含着了，快吐出来吧。|孩子含着糖睡着了。|快把含着的药咽下去！

❷ 包括或藏在里面，带有(感情、意思)不表现出来。(contain)常做谓语。

例句 他太高兴了，眼里都含着泪水。|西瓜含有丰富的水分。|老师含着笑走进教室。

【含糊】 hánhu 〔形〕

❶ 不清楚，不明确。(ambiguous; vague)常做谓语、状语、补语。

例句 他的意思很含糊，我不明白。|法律语言不能含糊。|老板含含糊糊地答应了他的要求。|他含糊地说了几句就走了。|朋友回答得比较含糊。|他说得含含糊糊，我们不明白他的意思。

❷ 不认真、马虎。(careless)常做谓语。

例句 学习那么含糊，怎么行？|玩的时候随便，工作可不能含糊。|他做什么都不含糊。

▶ “含糊”也作“含胡”。

【含量】 hánliàng 〔名〕

包含某种成分的数量。(content)常做主语、宾语、定语。

例句 这种饮料糖的含量不高。|我们不了解药的含量，不能随便用。|医院检查出了水的含量。|含量的多少要看说明书。

【含辛茹苦】 hán xīn rú kǔ 〔成〕

经受辛苦。(endure all kinds of hardships; put up with hardships)常做谓语、状语。

例句 他年轻时含辛茹苦，现在已经开了几家公司。|父母含辛茹苦地把我们培养成人。

【含(涵)义】 hányì 〔名〕

(词语、话)包含的意思。(meaning; implication)常做主语、宾语。

例句 A：老师，这个句子的含义是什么？B：请再看一下课文。|这段话的含义很深。|请你解释这个词语的含义。|我理解不了课文的含义。|他的话没什么特别的含义。

【含有】 hányǒu 〔动〕

包括，带有。(contain; have)常做谓语、定语。

例句 蔬菜含有丰富的维生素。|这种食品不含有对人有害的成分。

|京剧含有深刻的文化内容。|他话中含有的意思我明白。

【寒】 hán 〔形〕

冷。(cold)常做宾语,也用于固定格式或做语素构词。

词语 寒冷 寒风 天寒地冻

例句 最近太冷,老人受了寒。|喝点儿酒可以抗寒。

【寒假】 hánjià 〔名〕

学校冬天放的假。(winter vacation)常做主语、宾语、定语、状语。[量]个。

例句 今年寒假从1月末开始。|这次寒假有1个月。|我们大学就要放寒假了。|留学生在中国农村度过了一个寒假。|寒假的时候去南方旅游。|老师通知了大家寒假的时间。|我们寒假要参加短期班。|他们几个寒假去了云南。

【寒冷】 hánlěng 〔形〕

天气冷。(cold; frigid)常做谓语、定语、宾语。

例句 这个地区太寒冷了。|南极的气候很寒冷。|中国南方的冬天不太寒冷。|寒冷的天气让这个留学生不舒服。|我们不喜欢寒冷的季节。|冬天来了,我们觉得有点儿寒冷。|刮风了,人们感到寒冷。

【寒暄】 hánxuān 〔动〕

见面时谈天气等应酬的话。(exchange of amenities)常做谓语、定语。

例句 碰到了一个朋友,我们寒暄了几句。|别寒暄了,快来不及了。|双方寒暄了一阵,马上开始谈判。|你知道中国人寒暄的时候说什么吗?|留学生不会说寒暄的话。

【罕见】 hǎnjiàn 〔形〕

很少或很难看见。(rare)常做谓语、定语。

例句 他的汉语水平很罕见。|这个国家发展的速度很罕见。|这个地方人迹罕见。|我们创造了世界罕见的奇迹。|这真是罕见的灾难。

【喊】 hǎn 〔动〕

❶ 大声叫。(shout; cry out)常做谓语。

例句 你喊什么?我们在学习!|游行的人一边走一边喊口号。|每天早上他都在外面大喊,说是练习发音。

❷ 叫(人)。(call a person)常做谓语,多带兼语。

例句 我喊医生来看一下。|他喊来几个朋友喝酒。|别喊了,这里没人。

辨析 〈近〉叫。"叫"还有称呼名字的意思,"喊"没有。如:* 你喊什么名字?("喊"应为"叫")

【喊叫】 hǎnjiào 〔动〕

大声叫。(shout; cry out)常做谓语、定语。

例句 有一个人在外面大声喊叫。|你喊叫什么?怪吓人的。|他喊叫了半天,可没人理他。|他喊叫的样子很可怕。

辨析 〈近〉喊。"喊"还有"大声呼(口号)"的意思,"喊叫"没有。如:* 他们喊叫口号。("喊叫"应为"喊")

【汉学】 hànxué 〔名〕

别的国家研究中国的文化、历史、语言等的学问。(Sinology)常做主语、宾语、定语。

例句 汉学包括了一切和中国有关

H

的事物。|他研究汉学，但汉语说得不好。|他是一位汉学家。

【汉语】 Hànyǔ 〔名〕
中国汉族的语言，也是中国的主要语言。(Chinese; the Chinese language)常做主语、宾语、定语。
例句 汉语是联合国的工作语言之一。|A：汉语难吗？B：我觉得很难。|汉语有四个声调。|现在有很多人学习汉语。|他找了一个中国学生练习汉语。|汉语语法容易吗？
辨析 〈近〉中文。“中文”还指“中国（汉族）语言文学”，“汉语”不包括“文学”。如：我们学习汉语（中文）。|我有一本汉语（中文）词典。

【汉字】 Hànzì 〔名〕
记录汉语的文字。(Chinese character)常做主语、宾语、定语。[量]个。
例句 A：汉字难写吗？B：太难了。|A：汉字有多少？B：很多，但常用的大概是三千多吧。|我们要每天练习写汉字。|A：你掌握了多少个汉字？B：还不多。|学习汉语就必须认识汉字。|A：汉字的笔画多吗？B：不太多，主要有八种。

【汗】 hàn 〔名〕 另读 hán
人或动物从皮肤排出的液体。(sweat)常做宾语、主语。[量]身。
例句 他爱出汗，动一下就出一身汗。|那匹马跑了一圈，出了满身大汗。|太热了，每个人都在流汗。|汗从他脸上流下来。|教室里有空调，汗很快就干了。

【汗流浃背】 hàn liú jiā bèi 〔成〕
出汗很多。[streaming with sweat (from fear or physical exertion)]常做谓语、状语、补语。
例句 我才跑了两三圈，就已经汗流浃背了。|没有空调，大家汗流浃背地复习着。|我们干得汗流浃背，效果却并不理想。

【旱】 hàn 〔形〕
❶ 长时间没降水或太少。(dry spell; drought)常做谓语，多用于固定格式或做语素构词。
词语 抗旱 旱灾 天旱
例句 总不下雨，庄稼都旱死了。|最近气候不正常，常常大旱。
❷ 跟水没有关系的，陆地上的。(dryland; on land)常做语素构词。
词语 旱船 旱冰 旱地 旱路

【旱灾】 hànzāi 〔名〕
长期不降水引起的灾害。(drought)常做主语、宾语、定语。[量]场。
例句 旱灾已经发生了，要抓紧抗旱。|这场旱灾造成的损失很大。|中国西部经常发生旱灾。|兴修水利可以防止旱灾。|政府在调查旱灾的损失。|旱灾的原因是环境被破坏。

【捍卫】 hànwèi 〔动〕
保卫。(defend; protect; guard)常做谓语。
例句 我们要捍卫国家的主权。
辨析 〈近〉保卫。“捍卫”语气强，宾语多是“国家、领土”等。

【行】 háng 〔名/量〕 另读 xíng
〔名〕❶ 行列。(line; row)常做宾语。
例句 请同学们站成双行。|学校里的树都成列成行。|我们班排成五行。
❷ 行业。(profession; trade)常做宾语，多构成固定格式。
词语 各行各业 内行 同行

例句 这个老人年轻时干一行爱一行。|他非常懂行。|我想改行。

❸ 某些营业机构。(business firm)常做语素构词。

词语 银行 商行 车行

〔量〕表示成行的东西。(line; row)和数词组成数量短语做定语。

例句 老师要我们每天写十行汉字。|她哭了,流下两行眼泪。|留学生宿舍楼前有几行树。

【行列】 hángliè 〔名〕

人或事物排成直和横的行的总称。(ranks)常做宾语、定语。

例句 我们公司进入了先进行列。|你也加入我们的行列吧。|我已经退出了那个行列。|马克走在行列的最前面。

【行业】 hángyè 〔名〕

工商业中的类别,也指职业。(trade; profession)常做主语、宾语、定语。[量]个。

例句 这个行业非常有前途。|服务行业越来越受重视。|我们这个行业非常缺人才。|找工作以前要了解了解这个行业。|年轻人喜欢旅游这个行业。|这个行业的规定不少。|每个行业都有自己的特点。

【航班】 hángbān 〔名〕

客机或客轮航行的班次,或某次客机与客轮。(scheduled flight; flight number)常做主语、宾语、定语。[量]个,次。

例句 从北京到上海的航班很多。|国际航班非常注重服务。|这个航班需要飞行 3 个小时。|(机场广播)CA324 次航班就要起飞了。|我们决定坐早上的航班。|因为天气的原因,机场取消了几个航班。|我们想知道这个航班的到达时间。

【航道】 hángdào 〔名〕

船或飞机航行的通道。(channel; lane)常做主语、宾语、定语。[量]条。

例句 这条航道非常安全。|船运公司开辟了新航道。|我们不了解那条航道的情况。

【航海】 hánghǎi 〔名/动〕

〔名〕船在海上的航行。(navigation)常做主语、宾语、定语。[量]次。

例句 航海在飞机发明之前很流行。|这几个年轻人在大学学习航海。|航海专业是这所大学最有名的专业。

〔动〕驾驶船在海上航行。(navigate)常做谓语。

例句 那个水手又要航海去了。|这个年轻人很想去航海。

【航空】 hángkōng 〔名〕

飞机在空中飞行。(aviation)常做定语、宾语、主语。[量]次。

例句 航空公司的生意很好。|中国大力发展航空事业。|这家公司专门进口航空设备。|政府决定加强民用航空。|有的高楼影响航空。|货运航空最近发展很快。

【航天】 hángtiān 〔名〕

飞船等飞行器在太空飞行。(spaceflight; aerospace)常做定语、宾语。

例句 航天设备需要使用高技术。|人类很早就尝试航天。

【航线】 hángxiàn 〔名〕

空中和水上航行的路线。(air or shipping line)常做主语、宾语、定语。[量]条。

H

例句 这条航线非常繁忙。|从北京到上海的航线每天有几十个航班。|航空公司新开辟了几条国际航线。|我们公司要考察一下那条海上航线。|航线的安全是乘客最关心的事。|飞机上的电视常常播出航线示意图。

【航行】 hángxíng 〔动〕

飞机或船行驶。(navigate by air or water)常做谓语、定语。

例句 这种飞机经常航行在国际航线上。|轮船航行在大海上。|正在航行的航班发生了故障。|电视上播出了许多在海上航行的船队。

【航运】 hángyùn 〔名〕

水上运输事业。(shipping)常做定语、主语、宾语。

例句 我们公司是一家国际航运公司。|这个港口城市大力发展航运事业。|航运业务是这家公司的主要项目。|远洋航运最近发展很快。|中国的内河航运很早就开始了。|中国的大运河很早就开始了航运。

【毫不】 háo bù 〔副短〕

完全不,一点儿也不。(not in the least;not at all)常做状语。

例句 他说话毫不客气。|学习不努力,考试成绩不好毫不奇怪。|有机会去西藏旅行,他毫不犹豫就报了名。|来中国学习,父母毫不担心。

【毫米】 háomǐ 〔量〕

长度单位。(millimeter)常与数词组成数量短语。

例句 一毫米看起来很短。|这块木板只有几毫米厚。|一张纸不到一毫米。

【毫无】 háo wú 〔动短〕

完全没有,一点儿也没有。(not have any)常做谓语。

例句 我学习汉语毫无经验。|这次考试毫无把握。|这事跟他毫无关系。|我已经毫无办法了。

【豪华】 háohuá 〔形〕

❶(生活)过分讲究,奢侈。(luxurious)常做谓语、宾语、定语、补语。

例句 礼服非常豪华。|现在婚礼追求豪华。|这种豪华的场面我是第一次看到。|晚会搞得太豪华了。

❷(装饰、设备等)非常富丽。(sumptuous)常做谓语、定语、补语。

例句 老板家的装修很豪华。|他们住进了一家豪华宾馆。|这家饭店修建得太豪华了!

【好】 hǎo 〔形/副/连〕 另读 hào

〔形〕❶ 使人满意,关系不错。(good;fine;nice;kind)常做谓语、定语、补语。

例句 他汉语说得真好。|最近天气不太好。|这里的人生活很好。|我和同屋的关系好极了。|我跟一个美国同学最好。|我有几个好朋友。|我们都希望遇到好老师。|祝大家参加 HSK 取得好成绩。|留学生和中国学生处得很好。|昨天晚上睡得不好,今天没精神。

❷ 身体健康。(be in good health)常做谓语、定语、补语。

例句 他的病全好了。|老人的身体好起来了。|最近身体不好,经常发烧。|A:你的身体怎么样? B:非常好。|人们都希望有一个好身体。|好身体对学习很重要。|他的病治好了。|医生医好了他的腿。

❸ 完成或达到了完善的地步。(be ready,done;well)常做补语。

例句 我们的作业写好了。|晚会已经准备好了。|请把书包放好，马上上课了。|我已经吃好了，谢谢！|我还没复习好。

❹ 容易(做某事)。(be easy to do)常做状语。

例句 那个地方好找。|他说的汉语不好懂。|这条路好走吗？|春节时火车票不好买。|A：汉语好学吗？B：还可以。

❺ 表示同意、结束等语气。(OK)单独使用。

例句 A：我们去看电影吧。B：好！|A：好，今天讲到这里，下课。B：老师再见。|A：好了，我该走了。B：再坐一会儿吧。

〔副〕表示程度深、数量多、时间长。(very；quite；much)常做状语、定语。

例句 这个广场好大呀！|我们大学好热闹。|我们走了好远才找到车站。|好几个同学都回国了。|他好些日子不舒服。|老师走了好半天了。

〔连〕表示动作的目的，便于。(so as to)用在后一个分句的动词前。

例句 带上伞，下雨好用。|请把电话号码告诉我，有消息好告诉你。|什么时候出发？知道了好准备。|老师，请告诉我们考试范围，我们好复习。

【好比】 hǎobǐ 〔动〕

如同，好像。(be just like)常做谓语。

例句 汉字好比图画。|看到自己的 HSK 成绩，好比喝了蜜。

【好吃】 hǎochī 〔形〕

味道好，吃起来高兴。(delicious)常做谓语、定语。

例句 中国菜真好吃。|饺子很好吃，留学生都爱吃。|A：这个菜好吃吗？B：你尝尝就知道了。|有的小吃不太好吃。|老师给我们做了很多好吃的菜。|西安有很多好吃的小吃。

【好处】 hǎochu 〔名〕

有利的因素。(benefit；profit)常做宾语、主语。[量]个。

例句 这笔买卖给我们带来了很大的好处。|他体会到了来中国学习的好处。|我发现这样学习没什么好处。|学习汉语有很多好处。|加入 WTO 的好处是什么？|打太极拳的好处可多了。

【好多】 hǎoduō 〔形〕

很多，表示数量多或程度深。(a good many；a good deal)常做定语、补语。

例句 他向老师提了好多问题。|我们每天都有好多作业。|回国的时候马克买了好多中国工艺品。|好多次都想去西藏。|我的好多时间都浪费了。|他病了，瘦了好多。|他的发音毛病改了好多。

【好感】 hǎogǎn 〔名〕

喜欢或满意的感觉。(good opinion；favourable impression)常做宾语、主语。[量]种。

例句 他对中国充满了好感。|留学生对王老师很有好感。|马克对那个中国女孩产生了好感。|我对这儿的好感很快就消失了。|这种好感希望能保持下去。

【好好儿】 hǎohāor 〔形〕

❶ 情况正常，没什么问题，完好。(well；in perfect condition)常做谓语、定语、状语、补语。

例句 电视机好好儿的,你怎么说坏了呢?|他刚才还好好儿的,现在怎么发那么大火。|好好儿的书脏了。|刚才还好好儿的天突然下起雨来。|好好儿地跟大家说清楚。|好好儿地把书还回去。|我们说得好好儿的,怎么又变了?|他睡得好好儿的,别吵他。

❷ 尽力地、认真地、尽情地。(all out; to one's heart's content)常做状语。

例句 好好儿地复习吧。|晚会上好好儿地玩。|到周末我们去饭馆好好儿地吃一顿。|放假以后我要好好儿地到处走走。

【好坏】 hǎohuài 〔名〕

好的和坏的。(good and bad)常做宾语、主语。

例句 老板真是分不出好坏。|这些产品难分好坏。|他这个人不知好坏,别跟他说。|去不去要看天气的好坏。|好坏就这样了,不能换了。

【好久】 hǎojiǔ 〔名〕

很长时间,很久。(a long time)常做状语、补语。

例句 好久没说汉语了,都忘了。|好久没收到朋友的信了。|A:好久不见,你好吗? B:很好,你呢?|昨天我等你好久,你去哪儿了?|老人病了好久,最近好一点儿。|我们为HSK已经准备了好久。

【好看】 hǎokàn 〔形〕

美观,漂亮,看着舒服。(good-looking; nice)常做谓语、定语、补语。

例句 这件衣服真好看。|昨天的京剧好看吗?|那个地方好看极了。|她的衣服其实不太好看。|好看的衣服大家都喜欢。|我们最近看了一部很好看的电影。|姑娘打扮得很好看。|王老师家的家具摆得很好看。

【好容易】 hǎoróngyì 〔副〕

很不容易(才做到某件事)。(not at all easy; very difficult)常做状语,一般用在动词前,也可用在句首。常与"才"配合。

例句 路上车太多,他们好容易才按时赶到教室上课。|马克好容易才认出这几个汉字,忙记了下来。|好容易他才挣了点儿钱,却丢了。|好容易修好的自行车,又让别人摔(shuāi)坏了。

辨析 〈近〉好不容易。"好容易"做副词,是否定的意思;做短语是肯定的意思。"好不容易"是短语,表示否定的意思。如:这个问题好容易呀,谁都会答。|我好容易(好不容易)才找到你,你可真是个大忙人。

【好说】 hǎo shuō 〔动短〕

表示同意或好商量,好办。(easy to deal with)常做谓语。

例句 参观的事,好说,我帮你联系一下。|只要你同意,对方那边好说。|A:请问,有没有便宜一点儿的房间? B:好说,马上给你解决。|这点儿小事好说,交给我办就行了。

【好听】 hǎotīng 〔形〕

❶ (声音)听着舒服,使人愉快。(pleasant to hear)常做定语、谓语、补语。不能重叠。

例句 这是一首非常好听的歌儿。|好听的曲子很多,你自己选吧。|她的歌声从没像今天这么好听过。|这种鸟的叫声好听极了。|你的中文说得很好听。

❷（言语）使人满意。(satisfactory; agreeable to the hearer)常做定语、谓语、补语。不能重叠。

例句 她尽说好听的话，从不惹领导生气。|好听的话你一句也不会说，人家怎么能喜欢你呢？|他这人就这样，说的比唱的还好听。|这孩子说话好听极了，就是让人高兴。|话说得好听不行，还要看行动。

【好玩儿】 hǎowánr 〔形〕

有趣；能引起兴趣。(amusing; interesting)常做定语、谓语、宾语。不能重叠。

例句 我给女儿买了个好玩儿的玩具作为生日礼物。|我告诉你一个好玩儿的地方。|这只小狗儿好玩儿极了。|这种游戏很好玩儿。|孩子看什么都觉得好玩儿。

【好像】 hǎoxiàng 〔动〕

很像。(seem; be like)常做谓语。常与“一样”、“似的”搭配使用。不能重叠。

例句 一望无际的草原，好像一片绿色的海洋。|他们俩第一次见面就好像是多年的老朋友。|住院的时候，她每天都细心地照顾我，好像我的妈妈一样。|他常常告诉我们该做这个该做那个，好像老板似的。|她第一次到我家就干活儿，好像家里人似的。

【好些】 hǎoxiē 〔形〕

好多；许多。(many; a good deal of; a lot)常做定语、宾语、主语。

例句 旅游时，她买了好些中国工艺品。|王老师是我的汉语老师，我们好些年没见面了。|我有好些朋友在中国工作。|虽然学了两年汉语，不认识的字还有好些呢。|新买回来的书，好些都被同学借走了。

【好样的】 hǎo yàng de 〔名短〕

有骨气、有胆量或有作为的人。(fine example; great fellow)常做宾语，也可做独立成分。

例句 我们班的同学个个都是好样的。|在公共汽车上，小伙子主动扶老人，乘客都说他是好样的。|好样的！年轻人，可别骄傲哇。|好样的，拿了两个冠军回来！

【好在】 hǎozài 〔副〕

表示具有某种有利的条件或情况。(luckily)做状语。可用在主语前。

例句 雨越下越大了，好在带了把伞。|你不要着急，我马上就去，好在不太远。|好在时间来得及，我们一起想个好办法吧。|好在有中国朋友，不然我的汉语哪能提高呢？

【好转】 hǎozhuǎn 〔动〕

向好的方面转变。(take a turn for the better; take a favourable turn; improve)常做谓语、定语、宾语。不能重叠。

例句 别担心，他的病情已经好转了。|公司的状况一度好转过，可现在又不行了。|最近，两国的关系逐步好转起来。|经济出现了好转的趋势。|吃了这种药，病人有了好转的迹象。|尽管采取了措施，可情况还是不见好转。|这两天，天气有所好转。

【号】 hào 〔名/量〕

〔名〕❶ 名称。(name)常做语素构词。

词语 年号 号称

例句 “贞观”是唐太宗李世民的年号。

❷ 名字以外另起的别名。(alias)常

做主语、宾语。也做语素构词。

词语 绰号 外号

例句 李白，字太白，号青莲居士。|东坡居士是宋代著名词人苏轼的号。|我们班有不少同学有外号。

❸ 以前指商店。(shop)常做语素构词。

词语 商号 分号

例句 这家商号声誉很好。|今年七月，街口的那家店又开了一家分号。|经过认真考虑，他终于下决心买下了那家老商号。

❹ 标志。(mark)常做语素构词。

词语 记号 问号 暗号 信号 句号 括号 加号

例句 我用笔在石头上留了个记号。|听了她的话，我不禁在头脑里画了个问号。|看到前方的信号，我们的车就停下了。

❺ 表示等级。(size)常做主语、宾语、定语。

例句 大号卖完了，过几天再来看看吧。|我的个子矮，连鞋都穿小号。|他不爱穿瘦衣服，所以总买大号的衣服。|这次事故成了当天的头号新闻。

❻ 表示排列次序；特指一个月里的日子。(used after a numeral to mark the order; date in a month)常做主语、宾语、定语。

例句 十楼八门二号是他家，我没记错。|这个月的 11 号是咱们的结婚纪念日。|公司的地址是和平路 66 号。|很抱歉，我不知道她的房间号。|列车长走进了 9 号车厢。

〔量〕❶ 用于人数。(classifier)常构成短语做句子成分。

例句 今年的运动会，全校有 2000 多号人参加。|参加口语比赛的留学生有几十号。

❷ 种、类。(kind; sort; type)常与“这”、“那”等构成短语做句子成分。

例句 这号人就这样，别理他。|这号生意不能做，做了会犯法的。|他就是那号人，做出那种事也就不奇怪了。

【号称】 hàochēng 〔动〕

❶ 因某种名称而有名。(be known as)常做谓语(带宾语)。不能重叠。

例句 四川号称“天府之国”。|照片上的这个人就是当年号称“铁人”的英雄。|山海关号称“天下第一关”。

❷ 对外的名义上是。(claim to be)常做谓语(带宾语)。不能重叠。

例句 这个公司的总资产号称一个亿，实际上没有那么多。|此人号称专家，却回答不了简单的问题。

【号码】 hàomǎ 〔名〕

表示事物排列次序的数字。(number)常做主语、宾语、定语。[量]个，位。

例句 北京等大城市的电话号码是八位。|一般来说，比较特殊的号码容易记住。|请留下您的电话号码。|我们需要登记一下您的护照号码。|请您帮忙查一下王先生的房间号码。|这三个号码的顺序错了。|这个号码的运动鞋卖得最多。

【号召】 hàozhào 〔动/名〕

〔动〕宣传并要求群众共同去做某事。(call on; appeal)常做谓语。

例句 市政府号召市民保护环境。|学校领导号召过多次，全体师生员工要节约用水。|这件事不少人不理解，怎么号召也号召不起来。

〔名〕公开向群众提出的共同做某事的要求。(call)常做主语、宾语。

例句 公司的号召得到了员工们的积极响应。|政府的这个号召完全符合实际。|广大群众响应国家号召,积极参加植树造林。|中央政府发出了支援西部大开发的号召。

【好】 hào 〔动〕 另读 hǎo

❶ 喜爱;喜欢。(be fond of; like; love)常做谓语。不能重叠。

例句 那个老人就好钓鱼。|这孩子非常好学,一有时间就看书。|她总好在领导面前表现自己。|你别当真,老王这人就好开玩笑。

❷ 常容易(发生某种事情)。(be liable to)常做谓语。不能重叠。

例句 她性格内向,好生气。|这孩子从小就好感冒。|不注意锻炼的人好得病。

【好客】 hàokè 〔形〕

乐于接待客人,对客人很热情。(hospitable)常做定语、谓语、宾语。不能重叠。

例句 李老师是个非常好客的人。|好客的女主人给我们做了一桌丰盛的晚餐。|老人家十分好客,请我们进去坐坐,喝杯茶。|真没想到,他这么好客。|宴会上她显得很好客,不断向大家祝酒。

【好奇】 hàoqí 〔形〕

对不了解的事物觉得新奇而感兴趣。(curious; full of curiosity)常做定语、谓语、状语、主语、宾语。不能重叠。

例句 展会上,机器狗吸引了孩子们好奇的目光。|这个魔术吸引了无数好奇的观众。|第一次来到大城市,他对什么都很好奇。|孩子很好奇,什么事都爱问。|走进科技馆,他不禁好奇地东张西望。|我刚把车停在村口,不少人就好奇地围了上来。|好奇是儿童的共同心理特征。|遇到这种新鲜事,谁都会感到好奇。

【好逸恶劳】 hào yì wù láo 〔成〕

喜欢安逸,厌恶劳动。(love ease and hate work)常做谓语、定语。

例句 他这个人好逸恶劳,整天什么也不干。|好逸恶劳的人得不到别人的帮助。

【耗】 hào 〔动〕

❶ (东西等)因使用等而减少。(consume; cost)做谓语。

例句 这项工程耗资巨大。|这种洗衣机不太耗电。|我家的洁具以前从没耗过这么多水。|比赛时先耗耗对方的体力,再打反击。|为了完成这部书,他几乎耗尽了一生的精力。|耗去了我半生的积蓄,才买了这套房。

❷ 拖着,不迅速办理。(waste time)常做谓语。

例句 别耗时间了,早晚是你的活,快干吧。|我的职称问题,耗了两年多才解决。|你如果还在这儿耗着,这个月的奖金可就没了。|办理手续,来回跑了五六趟,这时间真耗不起。|再这么耗下去,资金仍无法周转,公司就该破产了。

【耗费】 hàofèi 〔动〕

消耗,花费。(consume; expend)常做谓语。

例句 修建这座大型发电站,耗费了大量的人力、物力、财力。|为了完成这个课题,王教授曾耗费过大量精力。|资金都耗费得差不多了,

用什么偿还贷款？|书写出来了，精力也耗费完了，张老师终于病倒了。

【浩】 hào 〔形〕
（气势、规模等）大；多。（great; vast; grand）常做语素构词或用于固定短语中。
词语 浩大 浩荡 浩劫 浩然 浩如烟海
例句 每天他都在浩如烟海的资料中钻研。|这场声势浩大的罢工终于取得了胜利。|他的浩然正气，使不法分子望而生畏。

H

【浩浩荡荡】 hàohào dàngdàng 〔形短〕
水势大；泛指广阔或壮大。（vast and mighty）常做定语、谓语、状语。
例句 江水浩浩荡荡，十分壮观。|浩浩荡荡的游行队伍通过了广场。|江水浩浩荡荡地奔向大海。

【呵】 hē 〔叹〕
表示惊讶（jīngyà）。（indicating surprise）做独立成分。
例句 呵，这雨还真不小啊！|呵，他汉语真棒！|呵，你们都在这儿！

【喝】 hē 〔动〕
❶ 把液体或液体食物咽下去。（drink）常做谓语、定语。
例句 早饭，我只喝了一杯奶。|我们一边喝着茶，一边聊起来。|你都喝过什么酒？|快喝喝，看这汤味道怎么样。|他渴极了，端起水就喝下去了。|几个人很快把一瓶白酒喝完了。|这是喝的水，不要倒了。
❷ 特指喝酒。（drink spirit, wine, beer, etc.）常做谓语。
例句 你都喝了半斤多了，别喝醉了。|你们先慢慢喝着，我一会儿就回来。|我刚喝过，不能再喝了。|对不起，我不会喝。|一喝多了，他的话就没完没了。

【禾】 hé 〔名〕
意义见“禾苗”。（standing grain）常做语素构词。
词语 禾场 禾苗
例句 农民现在在禾场晒稻子呢。

【禾苗】 hémiáo 〔名〕
谷类作物的幼苗。（seedlings of cereal crops）常做主语、宾语。[量]棵。
例句 在温暖的阳光下，一棵棵禾苗正茁壮地成长。|地里的禾苗需要浇水了，否则会干死的。|田野里是一片绿油油的禾苗。|望着远处一片片禾苗，农民们心里都有说不出的高兴。

【合】 hé 〔动〕
❶ 闭。（close; shut）常做谓语。
例句 为照顾病重的妈妈，我一夜没敢合眼。|她把嘴唇紧紧合了起来，害怕自己出声。|你去合合眼吧，我替你守一会儿。|请大家合上书，现在听写生词。|保安人员合上了大门，谁也不让进。
❷ 把两个或更多的人或事物放到一起。（join; combine）常做谓语、状语。也做语素构词，或用于固定短语中。
词语 合并 合唱 合成 合伙 合计 合金 结合 配合 合流 合同 联合 合作 汇合 合二为一 里应外合
例句 这两个大学已经合了。|几个老同学合开了一家翻译公司。|两个班的人数都不太多，还是合班吧。|他们把资金合在一起，办了一个公司。|两家医院合办了一个专

家门诊部。|夫妇俩合写了一本书。

❸ 与某标准一致。(suit; agree)。常做谓语。也做语素构词。

词语 合法 符合 适合 合格 合口 合理 合拍 合身

例句 这些话正合了他的心意。|我做的菜就从没合过你的胃口,以后你自己做吧。|这种分配方式很合情理。|他的所作所为,合于人情,合于事理,没什么不妥(tuǒ)。

❹ 按另一标准计算;共计。(be equal to; add up to)常做谓语。

例句 这件衣服和鞋子合多少钱?|他合了下儿价,这些东西能卖四五百块钱。|请你给合合,这些欧元能换多少人民币?|这几件家具合起来,得上万元。|一美元合成人民币大概是八块多吧。

【合并】 hébìng 〔动〕

结合到一起。(merge; put together)常做谓语、定语、主语、宾语。

例句 最近,有两家大公司合并了。|这家大公司合并了几个小公司,实力更加雄厚了。|这三所大学合并成了一所新大学。|这几个班人数比较少,可以合并。|公司的领导正在商谈合并的事。|这几所学校具备合并的条件。|两所小学的合并节省了人力物力。|有些人反对公司的合并,认为合并不利于发展。

【合唱】 héchàng 〔动/名〕

〔动〕多人同唱一首歌曲。(sing in chorus; chorus)常做谓语。

例句 演出时,演员为观众们合唱了一首祝福的歌曲。|他们曾多次合唱过这首歌儿,每次都受到观众的热烈欢迎。|比赛中,我们合唱得相当好,得了二等奖。|这一段合唱起来非常好听。

〔名〕由多人共同演唱的歌曲。(chorus)常做主语、宾语、定语。[量]个。

例句 一百人的大合唱很有声势。|我们有个小合唱,已经准备一个多月了。|下面请听合唱——《歌唱友谊》。|这些老教师组成了一个合唱团。|听说最近学校要搞一次中文合唱比赛。

【合成】 héchéng 〔动〕

❶ 由部分组成整体。(compose)。常做谓语。一般不重叠。

例句 两个班合成了一个班上课。

❷ 把成分比较简单的东西变成复杂的东西。(synthetise)常做谓语、定语。

例句 经过多次试验,他们终于合成了一种新的塑料。|用合成材料做的东西很结实。|这种合成的药物疗效不错。

【合法】 héfǎ 〔形〕

符合法律规定的。(legal; lawful; legitimate)常做定语、谓语、状语。不能重叠。

例句 国家要保证公民的合法权利。|这事应当通过合法途径解决。|请放心,我们的手续完全合法。|你们所签的合同根本不合法。|我们的餐馆是合法经营。

【合格】 hégé 〔形〕

符合标准。(qualified; up to standard)常做定语、谓语、状语、补语。不能重叠。

例句 有合格证书的才算合格产品。|学校要为社会输送合格的人才。|你们公司的货质量不合格,我们要求退货。|她的成绩合格了,被

公司录用为正式员工。|同学们合格地完成了老师布置的作业。|你们宿舍的卫生搞得基本合格。

【合乎】 héhū 〔动〕

符合;合于。(conform with)常做谓语,必须带宾语。不能重叠。

例句 新同学的条件完全合乎要求,顺利地进入大学学习。|产品质量应该合乎我们国家的标准。|这种说法不合乎事实。|这项政策完全合乎中国的国情。

【合伙】 héhuǒ 〔动〕

合成一伙(做某事)。(form a partnership)常做谓语、定语。不能重叠。

例句 他俩合伙经营了一个快餐店,生意很红火。|她和一个朋友合伙开公司,赚了不少钱。|一个人干太累,咱们合伙吧。|双方都有合伙的意思。

【合金】 héjīn 〔名〕

由多种金属合成的金属。(alloy)常做主语、宾语、定语。[量]种。

例句 这种合金主要用来制造飞机。|铝合金可以做各种门窗,美观、耐用。|这个厂专门生产合金。|你们看,这种零件是用合金做成的,非常好。|一般来说,合金的硬度比组成它的各种金属高。|合金材料具有许多优点。

【合理】 hélǐ 〔形〕

符合道理或事理。(rational; reasonable; equitable)常做定语、谓语、状语、补语。不能重叠。

例句 会上,留学生提出了不少合理的建议。|请学校作出合理的解释。|大家的要求很合理,公司不应该拒绝。|我买的房子设计合理,价钱也不贵。|原来的计划不太合理,咱们再琢磨(zuómo)琢磨。|如果合理安排时间,这次旅游三天足够。|合理开发和利用自然资源,对环境是非常重要的。|他演讲的内容准备得非常合理。|这个建议提得很合理,我们一定采纳。

【合情合理】 hé qíng hé lǐ 〔成〕

符合情理。(fair and reasonable)常做定语、谓语、补语。

例句 听了这合情合理的解释,大家都没意见了。|根据实际情况,公司对事故作了合情合理的处理。|这么做合情合理,有什么可争议的?|学校的这个决定合情合理。|他说得合情合理,不由你不信。|这次旅游安排得合情合理,大家都很满意。

【合适】 héshì 〔形〕

❶ 符合实际情况和客观要求。(suitable; appropriate)在句中做定语、谓语、补语。不能重叠。

例句 学完汉语后,想找个合适的工作。|如果有合适的机会,我打算去北京工作。|这么做恐怕不太合适吧。|她参加口语比赛再合适不过了。|这身衣服做得很合适。|昨天的鞋买得不太合适,得去换换。

❷ 花的钱少,效果好。(worthwhile)常做定语、谓语、补语、宾语。不能重叠。

例句 这么合适的价钱你还不卖,还等什么!|出那么大的力,也没干成,真不合适。|你这套房买得挺合适。|这笔生意我觉得不太合适。

【合算】 hésuàn 〔形/动〕

〔形〕花费人力物力较少而收效较大。(worthwhile)常做定语、谓语、补语、宾语。不能重叠。

例句 这不是挺合算的事吗？为什么不做？|马克用相当合算的价钱买了套中国传统家具。|在中国学汉语，虽然费用多，但也合算。|目前，在中国投资比较合算。|去年咱们那笔买卖做得太合算了。|现在看，这批货进得不合算，一半还没卖出去。|她没接受这个职务，觉得不合算。

〔动〕考虑；打算。(reckon up)常做谓语。

例句 咱们合算一下这次旅游的费用吧。|大家合算合算怎么去好，坐火车还是坐船。|老板正合算着派谁去中国工作合适呢。|这个活儿我们合算了半天，还是决定不干。

【合同】 hétong 〔名〕

两方面或几方面订立的共同遵守的条文。(contract)常做主语、宾语、定语。[量]个，份。

例句 从这个月起，新合同开始生效。|双方的买卖合同已经签完了。|这个大学和一家大公司签订了一个合同。|双方重新修订了合同，以保证合同的公平性。|我们都要严格执行合同的各项条款。|这份合同的有效期为两年。

【合营】 héyíng 〔动〕

共同经营。(jointly own; jointly operate)常做谓语、定语。不能重叠。

例句 这家大商场由中外合营，效益一直不错。|他和朋友合营着一家汽车商店。|这是一个合营公司，很有实力。

【合资】 hézī 〔动〕

双方或几方共同投资(办企业)。(pool capital)常做谓语、定语。

例句 三方合资办了这个电视机厂。|这个项目由中日两方合资。|目前，大多数合资企业的经济效益都很好。

【合作】 hézuò 〔动/名〕

〔动〕互相配合一起做某事。(cooperate; work together)常做谓语。

例句 我们和他们合作了几个项目。|几年来，我们一直合作得很好。|我和那家公司已经合作了近三十年。|双方以前曾合作过，现在又重新合作，真是令人高兴。|有机会，咱们合作合作，搞个新公司。

〔名〕指一起配合工作的行为。(cooperation)常做主语、宾语、定语。

例句 在双方共同努力下，合作获得了成功。|这次合作非常愉快，谢谢！|外商希望扩大跟我们的合作。|感谢您的积极合作。|双方都认识到了合作的必要性。|你应该知道，我们之间根本没有合作的可能。

【何】 hé 〔代〕

❶ 什么；哪里；为什么。(what; where; why; how)常做定语、宾语、状语。

例句 你是何人？|你要写清楚事情是何时、何地发生的。|夫人为何惊慌？|那人从何而来？|何不问个明白？

❷ 表示反问。(*rhetorical question*)常做语素构词，也做状语。

词语 何必　何不　何尝　何苦　何须　何止

例句 开个玩笑，何必当真呢？|既然来了，何不多住几日？|区区小事，何足挂齿？

【何必】 hébì 〔副〕

用反问的语气表示不必要。(there is no need; why)常做状语，一般句末用“呢”配合。

例句 为这点儿小事，何必生气呢？|何必那么计较呢？|这种事很正常，何必大惊小怪呢？|让人捎来就行了，你何必亲自来送呢？|自己租房子很麻烦的，何必呢？

【何等】 héděng 〔副〕
用感叹的语气表示不一般；多么。(how; what)做状语。

例句 这是件何等精妙的艺术品啊！|制作技术是何等高超啊！|他们生活得何等幸福啊！|竟得出这样的结论，何等荒唐！

H

【何况】 hékuàng 〔连〕
用于反问，表示更进一层的意思。(much less; let alone)连接两个分句。常与“尚且”、“都”配合使用。

例句 坐车都来不及，何况走路呢？|这么重的活，年轻人尚且觉得吃力，何况他这个老人呢？|平时这条路车就很挤，更何况是上班时间呢？|她连汉字都不认识，何况写呢？

❷ 表示补充说明理由。(what's more)连接两个分句，常与“又”、“还”等词配合。

例句 别责怪他了，这次考试很难，更何况他还病了。|谁都得按规定办，何况你又是个领导。

【和】 hé 〔介/连〕 另读 hè、hú、huó、huò

〔介〕❶ 表示共同参与的对象。(with)常构成介定短语做状语。

例句 晚饭后我常和同学一起散步。|这件事，老王和小张已经商量过了。|明天，公司要和外商签协议。

❷ 表示动作的对象。(to)常构成介定短语做状语。

例句 你什么时候有空儿？我想和你聊聊天儿。|关于考试的情况，现在和大家说明一下。|和她借钱可不容易。

❸ 表示比较的对象。(as)常构成介宾短语做状语。

例句 他的意见和你的一样。|要讲实力，我们公司和他们不相上下。|和两年前比，他胖了不少。

❹ 表示有联系的对象。(and)常构成介宾短语做状语。

例句 这么多年了，我和她早就没联系了。|他参不参加晚会和你有什么关系？

〔连〕❶ 表示联合关系。(and)常连接名词性词语，有时也可连接非名词性词语。

例句 他和爱人都在这家公司工作。|过分的聪明和自信反而害了她。|听说他很擅长书法和绘画。|我喜欢游泳和滑冰，哥哥却喜欢打棒球和网球。|这种教学方法可以迅速提高学生的阅读和写作能力。|同学们星期六和星期日常常去公园玩。|这所大学培养和造就了大批汉语人才。

❷ 表示选择，相当于“或”。(or)常与“无论”、“不论”、“不管”配合使用。

例句 去和不去，由你自己决定。|从发音和表达上来看，他的汉语都很不错。

▶“和”也做形容词，指平静、不厉害、不再打仗或争吵、不分胜负。如：平和　和平　温和　地利不如人和　和谈　和棋|老人最要紧的是保持心境平和。|你们就讲和吧，别再闹了。|我看这盘棋和了算了。

▶"和"还做名词,指两数相加的得数。如:2是1+1的和。

【和蔼】 hé'ǎi 〔形〕

态度温和,容易接近。(kind; amiable)常做定语、谓语、状语。不能重叠。

例句 对人应有和蔼的态度才行。|经理跟我谈话时,一直带着和蔼的笑容。|老人十分和蔼,让我别着急,坐下等。|警察和蔼地对我说:"你再仔细回忆一下丢护照的情景。"|老师一边跟我们握手,一边和蔼地微笑着。

辨析 〈近〉和气。"和蔼"重在形容态度温和、平善、平易近人,多用于上对下,比较庄重;"和气"重在形容神情和缓、言语平和,对上对下都可用。此外,"和气"还有关系融洽的意义以及名词用法。如:一家人和和气气地过日子。|别为一点儿小事伤了双方的和气。|*老人和气地对小伙子说着什么。("和气"应为"和蔼")

【和解】 héjiě 〔动〕

不再争执或仇视;重新和好。(become reconciled)。常做谓语、主语、宾语、定语。

例句 经过谈判,双方终于和解了。|夫妻俩和解了一阵子,后来又为了点儿小事闹翻了。|在这种情况下,和解是不太可能的。|在大家的劝说下,双方都打算和解。|由于两队的队员都采取了和解的态度,比赛又继续进行。

【和睦】 hémù 〔形〕

相处得好,不争吵,很友爱。(harmony; concord; amity)常做定语、谓语、状语、补语。

例句 这是个非常和睦的家庭。|中国与邻国建立了和睦友好的关系。|我们这个家庭很和睦。|同学之间应该和睦。|能跟对方和睦相处,也是件难得的好事。|二十多年了,邻居们一直相处得和和睦睦。

【和平】 hépíng 〔名〕

没有战争。(peace)常做主语、宾语、定语、状语。

例句 和平是全世界人民的共同心愿。|和平与发展是当今世界的两大主题。|我们热爱和平,反对战争。|各国人民团结起来,保卫世界和平。|双方进行了和平谈判,终于解决了问题。|和平的环境有利于经济发展。|多年来,两国人民和平相处,结下了深厚的友谊。

【和平共处】 hépíng gòng chǔ 〔动短〕

指不同社会制度的国家,用和平方式相处,在平等互利的基础上,发展经济和文化关系。(peaceful coexistence)常做谓语、主语、定语。

例句 世界各国之间都应该和平共处。|和平共处应当成为国与国之间处理相互关系的准则。|和平共处的原则已经被越来越多的国家所接受。

【和气】 héqi 〔形〕

态度温和;和睦。(gentle; kind; polite; amiable)常做谓语、定语、状语。

例句 新经理对人很和气,大家都愿与他接近。|批评人的时候,她的态度也那么和气。|负责接待的是一位和气的小伙子。|眼前这位和和气气的姑娘是一个警察。|一位售货员和气地问我:"你需要点儿什么?"|邻居们互相帮助,和和气气地相处,就像一家人一样。

H

▶"和气"也做名词,指和睦的感情。如:我看就算了吧,别为这点儿小事伤了和气。

【和尚】 héshang 〔名〕

出家修行的男佛教徒。(Buddhist monk)常做主语、宾语、定语。[量]个。

例句 年长的那个和尚是这座寺院的主持。|如今和尚也有不少是大学生呢。|他10岁就当了和尚,至今已有60多年了。|"做一天和尚撞一天钟",意思是不求进步,混日子。|和尚的生活很清苦。

【和谐】 héxié 〔形〕

配合得适当和匀称。(harmonious)常做定语、谓语、补语、宾语。不能重叠。

例句 建设一个和谐的社会。|整个大厅的布局非常和谐。|看起来,画上的颜色似乎有点儿不太和谐。|两个民族相处得很和谐。|这几种颜色搭配得十分和谐。|上衣和裙子显得很和谐。|广场与周围的建筑使人感到特别和谐。

【和约】 héyuē 〔名〕

交战双方签订的结束战争、恢复和平的条约。(peace treaty)常做主语、宾语、定语。[量]份。

例句 和约生效了,战争已经结束。|这份和约是在不平等的条件下签订的。|交战双方最后签订了和约。|他们撕毁和约,又发动了战争。|在拟定和约条款的过程中,双方都作了一些让步。|那份和约的副本现在收藏在历史博物馆。

【河】 hé 〔名〕

指自然或人工的大水道。(river)常做主语、宾语、定语。也做语素构词或用于固定短语。[量]条。

词语 河道 河床 河山 运河 内河 河流 河谷 河口 口若悬河 过河拆桥

例句 这条河流过两个省,最后流入大海。|一下雨,小河就涨满了水。|我的家乡有一条河,夏天孩子们常去游泳。|挖一条人工河,就可以把长江水引到北方。|快看,她正站在河对岸向我们招手呢。|一条条小鱼儿在河水里游来游去。

▶"河"有时特指黄河。如:河套 河西 河南 河北

【河道】 hédào 〔名〕

河流的路线,通常指能通船的河。(river course)常做主语、宾语、定语。[量]条。

例句 这条河道已经完全不用了。|治理后的河道,运输能力大大提高。|疏通黄河下游河道。|开通河道,对发展内陆经济有相当大的作用。|新河道的开通,马上就开始。|河道两岸绿树成荫。

【河流】 héliú 〔名〕

地面较大的天然水流。(rivers)常做主语、宾语、定语。[量]条。

例句 江南河流众多,物产丰富。|这条河流给两岸提供了充足的水源。|几条小溪汇合成了一条河流,向东南流去。|这儿被称为水乡,分布着大大小小很多条河流。|这条河流的源头在两省交界处。|河流的两岸出产丝绸。

【荷花】 héhuā 〔名〕

在浅水中生长的一种植物和它的花。又叫"莲"。(Indian lotus; lotus bloom)常做主语、宾语、定语。[量]朵,棵。

例句 水中的荷花很美。|荷花是

中国人喜欢的花。|我喜欢在月光下欣赏荷花。|湖中种着大片的荷花。|荷花的地下茎叫“藕”。

【核】 hé 〔名〕 另读hú

某些果子中心的坚硬部分，里面有果仁。(pit; stone)常做主语、定语、宾语。[量]个。

例句 这种桃子的核比较小。|杏核里边的果仁，可入药。|这种蜜桔没有核。

❷ 物体中像核的部分；特指原子的中心部分或核能。(nucleus; the central part of a substance)常做语素构词。

词语 核心 细胞核 原子核 核能 核武器 核反应 核电 核辐射

例句 党支部要起核心作用。|细胞核由核酸、核蛋白等构成。|我们不首先使用核武器。|核辐射对人体非常有害。|建立核电站可以节能，也可以减少大气污染。

▶“核”还做动词，指仔细对照检查。

词语 核算 核计 审核 核实

例句 这个数字还得核一下。|经过核实，并没有那回事。

【核查】 héchá 〔动〕

审查核实(是否正确、妥当、属实)。(check; examine and verify)常做谓语、主语、定语、宾语。

例句 年末，上级派人来核查账目。|工商管理人员正在店内核查商品的价格。|税务部门准备核查核查去年这个公司是否逃过税。|我已经核查了三遍了，保证没错。|听说，这次核查取得了重大收获。|把核查重点放在哪儿？|在核查的过程中，一定要细致，不得有丝毫马虎。|这些数据，我们已开始核查了。

【核桃】 hétao 〔名〕

❶ 一种树，果实有硬壳，好吃有营养。也指它的果实，又叫胡桃。(walnut)常做主语、宾语、定语。[量]棵，个。

例句 这一百多棵核桃是去年栽的。|核桃好吃，还能治病。|砸核桃太麻烦，不如买仁儿。|明明每天给这棵核桃浇水，盼它快点儿长大。|那片核桃林一定能结不少果。|核桃的营养价值很高，常吃可以补脑。

【核武器】 héwǔqì 〔名〕

核子武器，杀伤力和破坏力很强，如原子弹、氢(qīng)弹等。也叫原子武器。(nuclear weapon)常做主语、宾语、定语。[量]种。

例句 核武器对人类构成了极大的威胁。|那批核武器已经被销毁了。|那个国家能制造核武器。|全世界人民都反对使用核武器。|核武器的破坏力是巨大的。

【核心】 héxīn 〔名〕

中心；起主导作用的事物或部分。(nucleus; core; kernel)常做主语、宾语、定语。[量]个。

例句 核心是领导权问题。|经过民主选举，产生了新的领导核心。|比赛中，他一直是场上的核心人物。

辨析 〈近〉中心。“核心”强调不但处于中心地位，而且起主导或决定性的作用；“中心”则指处于中心或主要地位。“核心”多用于抽象事物；“中心”的词义较多，使用范围也较大。如：取得胜利的核心问题是信心。|*今天的讨论由老王做中心发言。(“中心”应为“核心”)|这个领导核心是民主选举产生的。

H

【盒】 hé 〔名/量〕

〔名〕装东西的不太大的器物，一般有盖儿。(box)常做主语、宾语、定语。[量]个。

例句 这个小盒儿是装小玩意儿的。|盒儿不大，却很精美。|生日那天，妈妈送给我一个漂亮的音乐盒子。|他把旅游的门票都用盒儿装起来，说是作纪念。|这个盒子的大小正合适，就用它吧。

〔量〕用于用盒装的物品。(a box of)常构成短语做句子成分。

例句 我买了一盒糖，准备招待客人。|生日那天，同学们送给我一盒蛋糕。|这盒中药是我给朋友买的。|朋友托人给我带来一大盒礼物。

【贺】 hè 〔动〕

庆祝。(congratulate)常做谓语。

例句 我给您贺喜来了。|昨天爷爷八十大寿，我给他老人家贺过喜了。|今天有个朋友结婚，我得去贺贺喜。|同学们约好今天上午一起去给老校长贺个年。

▶"贺"还常用作语素构词。如：祝贺　庆贺　贺词　贺电　贺信|祝贺你拿了围棋冠军。|各国首脑纷纷发来贺电。

【贺词】 hècí 〔名〕

喜庆的仪式上说的表示祝贺的话。(speech of congratulation; greetings)常做主语、宾语、定语。[量]句，篇。

例句 贺词宣读完之后，会场响起了热烈的掌声。|这份贺词是他写的。|市长在电视上发表了新年贺词。|总经理参加了他们的婚礼，并致了贺词。|贺词的语言写得热情而有文采。

【贺卡】 hèkǎ 〔名〕

祝贺亲友新婚、生日或节日用的纸片，一般印上祝贺的文字和图画。(greeting card; card)常做主语、宾语、定语。[量]张。

例句 这张贺卡是朋友寄来的。|贺卡虽小，却代表了他的一片深情。|生日那天，我收到了一大堆贺卡。|我亲手做了一张贺卡，送给老师。|贺卡的地址写错了。

【鹤立鸡群】 hè lì jī qún 〔成〕

比喻某人或某物显得很突出。(like a crane standing among chickens—stand head and shoulders above others)常做谓语、宾语、定语、补语。

例句 她的汉语水平在全班是鹤立鸡群。|大家觉得新盖的留学生楼鹤立鸡群，特别引人注目。|只有他是博士，在同事中，有点儿鹤立鸡群的感觉。|新产品一摆上柜台，就显得鹤立鸡群，吸引了不少顾客。

【黑】 hēi 〔形〕

❶ 像煤和墨的颜色。(black)常做定语、谓语、补语。

例句 我爱穿黑衣服。|黑黑的头发，白白的牙齿，真是个可爱的姑娘。|她的头发特别黑。|在野外工作了半年多，小伙子更黑了。|父亲把头发染黑了以后，显得年轻多了。|她每天都去海边游泳，脸都晒黑了。

❷ 暗，没有光。(dark)常做谓语、定语、宾语。

例句 屋里没开灯，很黑。|天渐渐地黑下来了。|外边黑得什么也看不见。|窗外一个黑影晃来晃去，怪吓人的。|说完，他就消失在黑夜中。|因为有急事，老李摸黑儿来到

我家。|傍黑儿，家家户户都开始做饭。

❸ 秘密的；不公开的；非法的。(secret; shady; clandestine; illegal) 常做语素构词。

词语 黑话 黑市 黑户 黑钱 黑枪 黑社会 黑窝点

例句 不要去黑市换钱。|工商局把这家黑店封了。

❹ 坏；狠毒。(cruel; evil; wicked) 常做定语、谓语。

例句 公安局已查清了这个贩毒组织的黑后台。|这个犯罪团伙的几个黑干将都被逮捕了。|这家伙的心黑透了。|他简直黑了心了，专门骗人。

【黑暗】 hēi'àn 〔形〕

❶ 没有光的。(dark) 常做定语、谓语、宾语。不能重叠。

例句 由于常年呆在黑暗的屋子里，她的脸色很白。|每次走进这黑暗的楼道，我都有些害怕。|突然停电了，大厅里一片黑暗。|没有月光，树林里黑暗极了。|我们点燃了火把，赶走了夜的黑暗。|过了一会儿，我的眼睛就习惯了黑暗，能看清东西了。

❷ 比喻社会腐败，政治反动。(backward; obscure) 常做定语、谓语、主语、宾语。不能重叠。

例句 我们要坚决跟黑暗势力作斗争。|黑暗的军阀时代终于过去了。|旧社会的统治一片黑暗。|人们坚信，黑暗即将过去，光明就在前头。|最终，光明赶走了黑暗，新的国家诞生了。

【黑白】 hēibái 〔名〕

❶ 黑色和白色。(black and white) 常做主语、宾语、定语。

例句 这幅画黑白分明，给人的印象很深。|由于有病，他的眼睛分不清黑白了。|这是一张黑白照片。|我把那台黑白电视换成了一台彩色电视。

❷ 比喻是非、善恶。(right and wrong) 常做宾语、主语。

例句 你这是颠倒黑白。|你怎么能混淆(hùnxiáo)黑白呢？|他黑白不分。

【黑板】 hēibǎn 〔名〕

可以在上面用粉笔写字的黑色平板。(blackboard) 常做主语、宾语、定语。[量]块。

例句 这块黑板坏了。|本田同学经常帮助老师擦黑板。|我们的教室换了一块新黑板。|黑板旁边是一张中国地图。|老师正站在黑板前给同学们上课。

【黑社会】 hēishèhuì 〔名〕

社会上暗中进行犯罪活动的各种恶势力，如流氓、盗窃、走私、贩毒集团等。(the underworld) 常做主语、宾语、定语。

例句 最近，我市的黑社会活动已引起了警方的注意。|近年来，黑社会在一些地方开始出现。|为了拿到证据，必须打入黑社会。|他买通了当地的黑社会，绑架了对手的儿子。|据调查，他在担任副市长期间，与黑社会团伙有来往。

【黑市】 hēishì 〔名〕

暗中进行不合法买卖的市场。(black market) 常做宾语、定语。[量]个。

例句 他去黑市换了点儿美元。|他们常在黑市进行非法交易。|黑

市交易做不得,容易上当受骗。|这是黑市价,太贵。

【黑夜】 hēiyè 〔名〕

夜晚;夜里。(night)常做状语、主语、宾语。[量]个。

例句 黑夜,人们都入睡了。|为了尽快完成任务,工人们白天黑夜不停地施工。|寒冷的黑夜终于过去了。|我们在等待黑夜,以便看月食。

【嘿】 hēi 〔叹〕

❶ 表示招呼或提起注意。(hey; why)常做独立成分。

例句 嘿,老张,你好呀!去哪儿?|嘿,你们这是上课去吗?|嘿,你到底是去还是不去?|嘿,我说的话你听见没有?

❷ 表示得意、赞叹。(*to show pride or satisfaction*)常做独立成分。

例句 嘿,我们班又拿了个第一名!|嘿,9号队员真棒!|嘿,咱们公司的客户越来越多了,真是太好了!

❸ 表示惊异。(to express surprise)常做独立成分。

例句 嘿,你怎么来啦?|嘿,下雪了!|嘿,这种事实在少见!

H

【痕】 hén 〔名〕

意义见"痕迹"。(mark; trace)常做语素构词。

词语 痕迹 伤痕 泪痕

例句 雪地上没留下任何痕迹。|仔细看,他脸上有一道伤痕。|脸上的泪痕还没干,孩子就又笑了。

【痕迹】 hénjì 〔名〕

❶ 物体留下的印儿。(mark; trace)常做主语、宾语。[量]道。

例句 车轮的痕迹清晰地留在雪地上。|洗了以后,衣服上的油污一点儿痕迹也没有了。|窗台上留下了脚踩过的痕迹。|衣服上有墨水的痕迹,怎么也洗不掉。

❷ 迹象。(track; trace)常做主语、宾语。

例句 我回到家乡,过去的痕迹还隐隐可见。|地震的痕迹一点儿也没有了,这儿变成了一座新的工业城市。|多年过去了,这里仍然可以见到战争的痕迹。|这件事在我的脑海里留下了无法抹去的痕迹。

【很】 hěn 〔副〕

表示程度相当高。(very; quite; awfully)常做状语,也做补语(带"得")。

例句 快考试了,大家都很忙。|今天天气很好,我们一起去爬山吧。|这件衣服很漂亮,你买一件吧。|她很喜欢看电影。|大家都很信任他,选他当班长。|我很想当作家。|这儿离机场远得很。|不知怎么回事,今天她高兴得很。|由于平时不努力学习,没考上大学,真后悔得很。

▶ 动词一般不受"很"装饰,但有的动词带上某些宾语或补语后,整个短语可受"很"修饰。如:现在,国产名牌电器很受欢迎。|张教授很有学问,经常出国讲学。|这个很靠不住。

辨析 〈近〉挺。"挺"用于口语,还可做动词;"很"是副词,除了做状语还可做补语;"挺"不能做补语。如:大家都认为语法挺重要。|今天热得很。

【狠】 hěn 〔形〕

❶ 凶恶;残忍。(ruthless; relentless)常做谓语。

例句 她的心特别狠。|这人心狠手毒,什么坏事都干得出来。|这个

人狠极了。|那些坏蛋太狠了，连个孩子都不放过。

❷ 严；厉害。(stern; severe)常做谓语、状语。

例句 他认为执法要狠。|对这样不听话的学生，应该再狠一点儿。|对这些坏人就该这样狠。|孩子做了错事，被爸爸狠批一顿。|必须狠狠打击各种犯罪分子。|我狠狠地瞪了他一眼，什么也没说。

❸ 坚决。(firm; resolute)常做谓语、状语、补语、宾语。

例句 最近，他干工作比以前狠多了。|目前，最重要的就是狠抓产品质量。|学校领导准备狠狠地抓一下教学质量。|经理对这件事的态度表现得非常狠。|他一发狠，一个星期就完成了一个月的任务。

【狠毒】 hěndú 〔形〕

凶而毒。(vicious; venomous)常做定语、谓语。不能重叠。

例句 这个人有一副狠毒的心肠。|经过一番搏斗，警察终于制服了狠毒的歹徒。|大家要小心，这个罪犯十分狠毒。|他的后母狠毒极了，常常虐待他。

【狠心】 hěn xīn 〔动短/形〕

〔动短〕下定决心不顾一切。(cruel-hearted; heartless)。常做谓语，中间可插入成分。

例句 他一狠心，便冲了上去。|只要你狠一狠心，这点儿困难算得了什么？

〔形〕心肠残忍。(cruel-hearted)常做定语、谓语、补语、状语。不能重叠。

例句 他是个狠心的人，什么事都干得出来。|我第一次遇见这么狠心的母亲，连孩子都不要了。|这个老板太狠心了，常让员工加班。|这个女人真狠心，怎么把孩子打成这个样子？|没想到，他竟然变得这么狠心。|最终，他还是狠心地杀死了她。

【恨】 hèn 〔动〕

感情上像对待敌人。(hate)常做谓语。不能重叠。

例句 大家恨透了这个人。|我以前恨过他，现在年纪大了，就不放在心上了。|不知为什么，他恨我恨得不得了。|我恨说谎，更恨说谎的人。

❷ 因希望的无法实现而不满意。(regret; be unsatisfactory)常做谓语。

例句 她恨儿子不成才，连个工作也找不到。|我恨自己没本事，什么事也干不好。

▶ “恨”也做名词，指仇恨的心理。如：深仇大恨　报仇雪恨

【恨不得】 hèn bu de 〔动短〕

着急地希望实现某事，多用于实际上做不到的事。也说“恨不能”。(one wishes one could; one would if one could; be dying to)常做谓语(带宾语)。

例句 她恨不得立刻见到爸爸妈妈。|马克恨不得马上就考完试去旅游。|见对方不听他的解释，他恨不得把心掏出来，让对方看看。|他恨不得病马上就好。

【哼】 hēng 〔动/叹〕

〔动〕❶ 鼻子发出声音。(groan; snort)常做谓语。

例句 听了我的话，他并没回答，只哼了一声。|当时她肚子疼极了，一

直在哼哼。|过了一会儿，她又哼哼起来了。|晚上，新来的病人老哼哼，哼得别人无法入睡。

❷ 低声唱。(hum; croon; chat in a low voice)常做谓语。

例句 妈妈轻轻哼着歌，哄孩子入睡。|这个留学生哼了几句京剧，还真有点儿味道。|我一边听，一边哼，一会儿就会唱了。|我根本不会唱，只是随便哼哼罢了。|老王哼了半天，大家也没听出他哼的什么。|这几首歌是在旅途上哼出来的。

〔叹〕表示不满或看不起。(snort)单用。

例句 哼，咱们走着瞧！|哼，他也就这点儿本事呗。|哼，就会说这几句！

【恒】 héng 〔素〕

❶ 永久、持久。(permanent; lasting)用于构词。

词语 永恒 恒定 恒心

例句 做事要有恒心，不能半途而废。|这件事将成为我永恒的回忆。

❷ 平常，经常。(usual; common; constant)用于构词。

词语 恒态 恒温

例句 室内最好保持恒温。

❸ 长久不变的意志。(perseverance)用于构词或固定短语中。

词语 有恒 持之以恒

例句 锻炼身体要持之以恒。

【恒星】 héngxīng 〔名〕

本身能发出光和热的天体。(star)常做主语、宾语。[量]颗。

例句 恒星本身能发出光和热。|实际上恒星也在运动。|太阳就是一颗恒星。|银河系里有很多颗恒星。

【横】 héng 〔动/形〕 另读 hèng

〔动〕❶ 从左到右，或从右到左。(display crossivise)常做谓语。

例句 大街上，横着七八辆车，一定出事了。|参加表演的飞机横过观众的头顶。

❷ 使物体变成横向。(place sth. crosswise or horizontally)常做谓语。

例句 把桌子横过来，挡在门口。|一个留学生横着棍子，在练习武术。|有辆车横在公路上，大概是出了事故。

❸ 下决心，不顾一切。(steel one's heart)常做谓语。

例句 他把心一横，搬到中国朋友家里去住，一定要了解中国人的生活。|马克横着心借来钱，办起了贸易公司。|她横下心来，一定要通过HSK8级。

〔形〕❶ 跟地面平行的；地理上东西方向的。(horizontal; transverse)常做状语、定语。不能重叠。

例句 他们计划明天横渡长江。|这张照片应该横拍。|不要横穿马路。|前面那条横路就通市中心。|瘦人比较适合穿横条的衣服。

❷ 态度生硬，不讲道理；凶恶。(violent; fierce; flagrant)常做语素构词或用于固定短语中。

词语 横行霸道 横加阻拦

例句 这人在村里横行霸道，人见人恨。|父母对她的婚事横加阻拦。

【横向】 héngxiàng 〔形/名〕

〔形〕平行的；非上下级之间的。(horizontal; crosswise)常做定语、状语。不能重叠。

例句 两个地区要多搞一些横向经

济联合。|这项措施促进了各省之间的横向协作。|只有跟其他国家进行横向比较,才能看到我们的差距。|各部门的人才应当横向交流。

〔名〕指东西方向。(crosswise)常做定语。

例句 一直往前走,遇到第二条横向马路向左拐。|地图上这条横向的铁路干线就是陇(lǒng)海铁路。|在这个城市,横向的街道常叫"路",纵向的常叫"街"。

【横行】 héngxíng 〔动〕

行动不讲理,靠强力做坏事。(run amuck; run wild; play the tyrant)常做谓语。

例句 这帮家伙在这一带横行过一阵子,后来都进了监狱。|这个坏蛋一贯横行,大家恨透了他。|黑社会横行不了多久了,公安局正在全力打击呢。

【横】 hèng 〔形〕 另读 héng

❶ 粗暴;凶暴。(harsh and unreasonable; perverse)常做谓语。

例句 这人特横,谁都不怕。|他在外边横得要命,可在家里却非常听妻子的话。|你横什么?有话好好儿说。

❷ 不吉利的;意外的。(unlucky; sudden; unexpected)常做语素构词。

词语 横祸 横财

例句 这真是飞来的横祸。|最近,他发了一笔横财,整天乐颠颠的。

【轰】 hōng 〔象声/动〕

〔象声〕表示雷声、炮声、爆破声等。(boom; bang)常做语素构词,也做定语。

词语 轰隆 轰鸣 轰响

例句 "轰"的一声巨响,房子倒塌下来。|只听"轰"的一声,几块巨石从山上滚了下来。|"轰"的一声,炮弹爆炸了。|随着"轰"的一声闷雷,大雨倾盆而下。

〔动〕❶ 赶。(shoo away, expel, drive)常做谓语。

例句 轰了半天,才把那些人轰走。|孩子轰着一群羊上山去了。|无论孩子怎么闹,他也没轰过这些孩子。|这群鸭子被轰得到处乱跑。|快去轰轰麻雀,要不把粮食都吃光了。

❷ (雷)鸣;(炮)击;(火药)爆炸。(explode)常做谓语。

例句 炮火把大楼轰倒了。|炸药把墙轰了个大洞。|山头被炮火轰得矮了半米。|天还没亮,大炮就轰了起来。|先用炮火轰轰敌人阵地,再冲锋。|天空雷轰电闪,大雨就要来了。

【轰动】 hōngdòng 〔动〕

同时惊动了很多人。(make a stir; cause a sensation)常做谓语、宾语。不能重叠。

例句 这件事轰动了全国。|著名歌星来表演,全校都轰动了。|听了这个好消息,全公司顿时轰动起来。|这件事曾经轰动一时。|三年级的马克获得全国比赛第一,在全校引起轰动。

【轰轰烈烈】 hōnghōng lièliè 〔成〕

形容声势浩大。多用于运动、场面等事物。(on a grand and spectacular scale; vigorous; dynamic)常做定语、状语、补语。

例句 他投身到轰轰烈烈的水利建设之中。|这轰轰烈烈的劳动场面感染了我。|她想轰轰烈烈地干一番事业。|公司轰轰烈烈地开展了创新活

H

动。|技术革新搞得轰轰烈烈。

【轰炸】 hōngzhà 〔动〕

从空中扔炸弹来炸地面或水上的目标。(bomb)常做谓语、宾语、定语、主语。

例句 敌机再次轰炸了这个港口。|战争时,这个小镇曾被轰炸过多次。|敌军对车站轰炸了一天。|机场遭到多次轰炸。|我军正在对敌人的目标实施轰炸。|轰炸的目标是军舰。|我们顺利地完成了这次轰炸任务。|敌人的轰炸开始了。|这次轰炸持续了半个多小时。

H

【烘】 hōng 〔动〕

❶ 用火等使身体暖和或者使东西熟、热或干燥。(dry or warm by the fire; roast)做谓语。

例句 衣服烘了一夜还没烘干。|快在火上烘烘手,别冻坏了。

❷ 衬托。(set off)常做语素构词。

词语 烘托 烘衬

例句 作者用烘托的写作手法,更鲜明地突出了主题。|在绿叶的烘托下,红花显得更加艳丽。

【红】 hóng 〔形〕

❶ 像鲜血(xiānxuè)的颜色。(red)常做定语、谓语、补语。

例句 她戴了一顶小红帽。|开车别闯(chuǎng)红灯。|这件衣服的颜色太红了,我这么大岁数的人怎么能穿呢?|她的脸"唰"地一下变红了。|她把指甲全染红了。

❷ 表示顺利、成功或受重视。(successful; very popular)常做谓语、补语。不能重叠。

例句 前几年,她红过一阵子,现在不行了。|近几年,这位歌手渐渐红了起来。|她终于被捧红了。|她唱这首歌儿一下子唱红了。

【红包】 hóngbāo 〔名〕

包着钱的红纸包儿,用于赠送或奖励等。(a red paper envelope containing money as a gift, tip or bonus)常做主语、宾语、定语。[量]个。

例句 听说她结婚那天,红包收了很多。|我掂了掂,红包还不轻,大概有不少钱。|年底,经理给我们每人都发了红包。|如今亲戚朋友结婚时,都兴送红包。|红包里边有1000元钱。

【红茶】 hóngchá 〔名〕

茶叶的一种,是发酵(fājiào)的茶。沏出的茶较红。(black tea)常做主语、宾语、定语。[量]种,斤,杯。

例句 这种红茶产于福建。|红茶具有特别的香味。|我很喜欢喝红茶。|给我来一杯红茶。|红茶的味道怎么样?

【红火】 hónghuo 〔形〕

形容旺盛、兴隆、热闹。(flourishing; prosperous)常做定语、谓语、补语、宾语。

例句 这儿的农民终于过上了红火的日子。|全家做起了红红火火的农家旅游生意。|夫妻俩以诚待客,小店的生意渐渐红火了起来。|这家拍卖行也曾红火了一阵子。|最近,休闲业红火极了。|老刘家的日子过得还挺红火。|那里的经济搞得红红火火。|经过全体员工的努力,我们公司的生意开始红火了。

【红领巾】 hónglǐngjīn 〔名〕

红色的领巾,三角形。是中国少年先锋队员的标志,也指少先队员。(red scarf; Young Pioneer)常做主语、宾语。[量]条。

例句 她的红领巾鲜艳夺目。|学生们为老师戴上了红领巾。|爸爸一直珍藏着小时候戴过的那条红领巾。|昨天,几个小红领巾帮我干完家务就走了,连水也没喝一口。

【红娘】 hóngniáng 〔名〕

指媒(méi)人或介绍人。(matchmaker; go-between)常做主语、宾语、定语。[量]个。

例句 婚姻介绍所里,红娘们正热心地忙碌着。|他这个“男红娘”已经介绍成了十几对儿了。|我去见了那位职业红娘,把自己找对象的条件告诉了她。|我能有今天的好日子,全靠您这位红娘啊!|大龄职工感谢工会里这些热情关心他们的“红娘”。|看红娘的表情,这事儿有门儿。

【红旗】 hóngqí 〔名〕

❶ 红色的旗。(red flag; red banner)常做主语、宾语。[量]面。

例句 那面红旗在楼顶高高飘扬。|在国歌声中,五星红旗慢慢升起。|游行的人们手里都拿着一面小红旗。

❷ 用来奖励竞赛优胜者的红色旗子。(red flag)常做主语、宾语。[量]面。

例句 红旗被三班夺去了,下次比赛中我们一定再夺回来。|我们小组又得到了流动红旗。

❸ 比喻先进的。(advanced)常做定语。

例句 他年年都被评为红旗教师。|咱们是红旗单位,一定要起带头作用。

【宏】 hóng 〔素〕

巨大;雄壮伟大。(grand; great)用于构词。

词语 宏伟 宏观 宏图 宽宏 宏大

例句 这座大厦气势宏伟。|希望你在我们公司大展宏图,有所作为。

【宏大】 hóngdà 〔形〕

巨大;雄壮伟大。(grand; great)常做定语、谓语、补语。不能重叠。

例句 他从小就立下了宏大的志愿。|这样宏大的场面我还是头一次见到。|新建的博物馆规模相当宏大。|三峡工程十分宏大。|这座古代建筑气势宏大,吸引了无数参观者。|庆祝的场面搞得很宏大。

【宏观】 hóngguān 〔形〕

大范围的或涉及整体的。(macroscopic; macro-)常做定语、状语。

例句 从宏观的角度来看,事业的发展还是健康的。|本次会议做出决定,迅速调整宏观经济。|政府对市场进行宏观调控。|宏观分析结果显示,现行货币政策非常成功。

【宏伟】 hóngwěi 〔形〕

规模、计划等雄壮伟大。(grand; magnificent)。常做定语、谓语。不能重叠。

例句 我们要努力实现这个宏伟的目标。|这座宏伟的建筑物就是人民大会堂。|天安门宏伟、庄严。|这项计划十分宏伟。

【虹】 hóng 〔名〕

雨后天空出现的弧形彩带。(rainbow)常做语素构词。也做主语、宾语。[量]道。

词语 彩虹 霓虹

例句 大雨过后,一道彩虹挂在天空,美极了。|我站在窗边,欣赏着那美丽的虹。

H

【洪】 hóng 〔素〕

❶ 大。(big; vast)用于构词。

词语 洪水　洪钟　洪炉

例句 这次洪水造成的损失不太大。|老人家身体健壮,声如洪钟。

❷ 指洪水。(flood)用于构词。

词语 防洪　洪水　山洪

例句 山洪暴发了,大家快撤退!|汛期来临前,要做好防洪准备。

【洪水】 hóngshuǐ 〔名〕

河流因大雨等而暴涨(bào zhǎng)的水流。(flood)常做主语、宾语、定语。[量]场,次。

例句 那场洪水吞没了大片房屋。|无情的洪水夺去了他的生命。|去年,这个地区发了一次特大洪水。|大家不要慌,我们一定能战胜洪水。|所有的东西都被洪水冲走了。|洪水的破坏性相当大。|洪水的来势很猛。

【哄】 hǒng 〔动〕 另读 hōng、hòng

❶ 用假话或手段骗人。(fool; cheat; humbug)常做谓语。

例句 收起你那套,别再哄人了。|又来哄我了,我再也不会上当了。|她是个实在人,从没哄过别人。|这个骗子哄人哄惯了,不哄就难受。

❷ 用言语或行动引人高兴。(coax)常做谓语。

例句 退休后,老人每天在家哄孩子。|哄了半天,孩子还是哭个不停。|她哭得那么伤心,你快去哄哄她吧。|刚哄好,怎么又哭了?

【哄】 hòng 〔动〕 另读 hōng、hǒng

吵闹;开玩笑。(uproar)常做谓语、宾语。也用于固定短语。

词语 一哄而散　一哄而起

例句 新老师讲话时,一些不懂事的学生哄了好几次。|他们又在哄老王了,肯定是老王媳妇来了。|听了院长的讲话,全场的人都哄了起来。|别起哄了,我们商量事儿呢。|听说警察来了,闹事的人一哄而散。

【喉】 hóu 〔名〕

呼吸和发音器官,位于咽和气管之间。(throat)常做语素构词。

词语 喉头　歌喉　喉炎

例句 我感冒了,喉头疼得很。|演唱会上,她一展歌喉,引来了阵阵掌声。|他得了喉炎,正在治疗。

【喉咙】 hóulóng 〔名〕

咽部和喉部的统称。(throat; larynx)常做主语、宾语、定语。[量]个。

例句 你的喉咙有些哑,去医院查查吧。|有根鱼刺卡到喉咙了,你帮我弄出来。|这儿没有别人,你就放开喉咙唱吧。|不要紧,只是喉咙的上部有些炎症,吃点儿药就好了。

【猴】 hóu 〔名〕

意义同"猴子"。(monkey)常做主语、宾语、定语。[量]只。

例句 那只猴特别聪明。|这群猴经常抢游客的东西。|管理人员终于抓住了跑出来的小猴儿。|明天她要带儿子去公园看猴儿。|猴山上生活着一百多只猴。

【猴子】 hóuzi 〔名〕

高级哺乳动物。(monkey)常做主语、宾语、定语。[量]只。

例句 猴子很喜欢吃新鲜水果。|动物园的猴子不怕人。|树上有几只猴子,正在玩耍。|马戏团养了一群猴子,用来表演。|猴子的动作非常敏

捷。|孩子们正在看猴子的表演。

【吼】 hǒu 〔动〕

❶（猛兽）大声叫。(roar; howl by animals; shout)常做谓语。

例句 那只狮子吼了几声，便冲了进去。|老虎在笼子里不停地吼着，看来是饿了。

❷ 人生气或情绪激动时大声叫喊。(shout)常做谓语。

例句 他大吼一声，冲了上去。|听了这话，老王气得要命，吼了起来。|我还从没见他这么怒吼过。

❸（风、汽笛、大炮等）发生很大的响声。(give loud sound)常做谓语。

例句 汽笛长吼了一声，轮船起航了。|北风狂吼着，天气很冷。|我们的大炮怒吼了，一颗颗炮弹飞向敌人阵地。

【后】 hòu 〔名〕

❶ 在背面的。(behind; back)常做主语(多与"前"对举)。也常做语素构词或构成方位短语。

词语 后边　后盾　后顾　后门　后面　后路　后台　后院

例句 前有山，后有水。|房前屋后都是树。|前怕狼，后怕虎。|有您做后盾，我还怕什么？|他这人做事从来不留后路。

❷ 未来的，比较晚的。(after; afterwards; future; later)常做语素构词，或用于短语中。

词语 后代　后果　后悔　后来　后劲　后期　后人　今后　后天　后续　以后　先后　后起之秀　后来居上　承前启后　思前想后　先易后难

例句 前人栽树，后人乘凉。|别看这酒喝着不辣，可后劲大。

❸ 次序靠近末尾的。(last)常做定语、宾语。也做语素构词或用于短语中。

词语 后卫　后缀　后援　落后　后进　前赴后继

例句 后排还有座位。|头两天挺忙，后两天就没什么事了。|干部应当吃苦在前，享受在后。

❹ 帝王的妻子。(wife of a king or emperor)常做语素构词。

词语 王后　皇后　太后　后宫　后妃

例句 皇帝的妻子叫皇后。

【后边】 hòubian 〔名〕

靠后的部分；背面。(rear; back)常做主语、宾语、定语。

例句 后边来了几个年轻人。|操场后边就是我们留学生楼。|比赛中，她慢慢落到了后边。|这本书越往后边看越有意思。|山本搬了把椅子，坐在教室的最后边。|后边的那座楼就是图书馆。|王老师说，后边的内容很重要，得认真记住。

【后代】 hòudài 〔名〕

❶ 某一时代以后的时代。(later periods)常做宾语、定语。

例句 秦始皇的死，给后代留下了一个难解之谜。|当时的改革，到后代才得到了公正的评价。|后代的木匠一直把鲁班奉为祖师。|这些符号的含义，只是后代人们的推测。

❷ 后代的人，也指个人的子孙。(later generations; descendants)常做主语、宾语、定语。

例句 孔子的后代住在世界各地。|现在如果不保护环境，后代会怎么看我们呢？|古代为后代留下了许多宝贵的文化遗产。|他不愧是名

人的后代。|这对老夫妇没有后代，所以收养了一个孤儿。|为了子孙后代的幸福，我们一定要保护环境。|老人家把全部希望都寄托在后代的身上。

【后方】 hòufāng 〔名〕

❶ 战争时期，远离前线的地区。(rear area)常做主语、宾语、定语。

例句 后方一定要全力支援前方。|秋天到了，后方正在进行紧张的粮食抢收工作。|那批大学生已经顺利到达了后方。|他提前出了院，离开了后方，重新回到了前线。|这些女兵从后方来到了前线。|他在后方医院养了一个月的伤，恢复得很好。|有了后方的大力支持，部队才能不断地打胜仗。

❷ 后面、后头。(rear; back)常做主语、宾语、定语。

例句 我们飞机的后方，出现了两架小飞机。|照片上，留学生们的后方是一望无际的大草原。|他迅速跑到了对手的后方。|后方的车辆正全速赶上来。

【后果】 hòuguǒ 〔名〕

最后的结果(多用于坏的方面)。(consequence; aftermath)常做主语、宾语。[量]个，种。

例句 你应该知道，这个后果是非常严重的。|是你们违约，一切后果当然由你们负责。|这次洪水冲破了大堤，造成了严重的后果。|父母过分溺(nì)爱孩子，将会产生不良后果。

辨析 〈近〉结果。"结果"是中性词；"后果"是贬义词。"结果"常与"有"、"没有"搭配；"后果"常与"造成"、"产生"等词搭配。"结果"可以单独用在句首。如：结果，经过抢救，病人终于脱离了危险。|＊应试教育造成了严重的结果。("结果"应为"后果")

【后悔】 hòuhuǐ 〔动〕

做错了事，说错了话，心中觉得不该这样。(repent; regret)常做谓语、定语。不能重叠。

例句 他已经后悔了，别再说他了。|听完我的话，妻子伤心地哭了，我真后悔告诉了她真相。|由于经理的错误决定，公司损失了一大笔钱，现在他后悔得要命。|为了得到别人的同情和谅解，他装出了一副后悔的样子。|事情已经这样了，就别再说后悔的话了。

【后来】 hòulái 〔名〕

指过去某一时间之后的时间。(afterwards; later on)常做状语、定语。

例句 她小时候就特别爱跳舞，后来真的成了一名演员。|当时，他只是想到中国看一看，后来喜欢上了汉语。|原先我不认识他，后来在一个班学外语，逐渐成了朋友。|我只知道他出国了，后来的事就不清楚了。|小王详细介绍了后来的情况。

辨析 〈近〉以后。"后来"只指过去；"以后"可以指过去，还可以指将来。"以后"可以单独使用，也可以做后置成分；"后来"只可单独使用。如：后来，我们一起回到了家乡。|以后，大家要常联系。|＊结婚后来，他们生活得很幸福。("后来"应为"以后")

【后来居上】 hòu lái jū shàng 〔成〕

后起的超过先前的。(the latecomers surpass the old-timers; the new generation will surpass the old)常做谓语、定语。

例句 没想到 8 号选手后来居上，最终夺得了冠军。|她最后来我们班，汉语水平却后来居上。|要有后来居上的勇气和信心。

【后面】 hòumian 〔名〕

❶ 位置靠后的部分。(back; rear)常做主语、定语、宾语。

例句 我前面是玛丽，后面是山本。|后面没人，咱们去后面坐吧。|最后面的车还有座。|开演了，她从大幕后面走出来报节目。

❷ 次序靠后的部分。(later)常做主语、宾语、状语、定语。

例句 成绩公布了，他后面只有一个同学。|他工作非常努力，从来不让自己落(là)到别人后面。|关于这个问题，后面还要详细论述。|今天就讲到这儿，后面的练习请同学们课后做一下。

【后年】 hòunián 〔名〕

明年的明年。(the year after next)常做主语、宾语、定语、状语。

例句 今年是蛇年，后年是羊年。|没问题，护照的有效期到后年呢。|他回国的日期定在后年。|后年 7 月，我们就毕业了。|那颗星大约在后年的 11 月 8 日凌晨出现。|他儿子后年上大学。|爸爸已经 58 岁了，后年该退休了。

【后期】 hòuqī 〔名〕

某一时期的后一阶段。(later stage; later period)常做主语、宾语、定语、状语。

例句 19 世纪后期，是欧洲文坛名家辈出的时代。|学习汉语，前期只是打基础，后期才是提高的关键时期。|这部电影的制作已进入了后期。|现在她正处于学习后期，每天准备毕业论文。|后期工程已接近尾声。|超现实主义是他后期创作的最大特点。|后期，主要是姐姐在医院照顾爸爸。|经后期协商，双方都做了一些让步，才最终达成了协议。

【后勤】 hòuqín 〔名〕

❶ 指机关、企业、团体内部财务、物资、维修等工作。(rear service; logistics)常做主语、宾语、定语。

例句 公司的后勤主要由我负责。|听说，这次检查组重点检查后勤。|高等学校的后勤改革已经开始。

❷ 也指搞后勤工作的人。(person who does rear service)常做宾语。[量]个。

例句 这次活动这么顺利，全靠你这个好后勤哪！|放心吧，我一定当好你们的后勤。

【后台】 hòutái 〔名〕

❶ 剧场中舞台后面的部分。(backstage)常做主语、宾语、定语。[量]个。

例句 后台挤满了记者和演员的亲属。|剧院的后台已经重新装修了。|演出前，演员们都在后台化妆。|我找遍了后台也没找到那件道具。|后台的光线很暗，什么也看不清楚。|演出马上开始了，后台工作人员在紧张地做着准备工作。

❷ 比喻在背后操纵(cāozòng)、支持的人或集团。(backstage supporter)常做主语、宾语、定语。[量]个。

例句 据说，这个老板的后台很硬。|这个公司的黑后台是一个犯罪集团。|这人没什么本事，全靠上边的那个后台。|不论他有什么后台，犯了法也要治罪。|原来你就是这伙人的后台老板。

辨析 〈近〉后盾。"后台"多用于一般场合,可以是个人,也可以是集团;"后盾"多用于重大的事件或正式的场合,通常是群体、社会集团等。"后台"多用于贬义;"后盾"多用于褒义,用于书面。如:祖国是我们最坚强的后盾。|*他的后台是政府。("后台"应为"后盾")

【后天】 hòutiān 〔名〉

❶ 明天的明天。(day after tomorrow)常做主语、宾语、定语、状语。

例句 后天星期日。|后天是他的生日。|两位老人的金婚纪念日就是后天。|双方的第一次会面定在后天。|后天的活动安排有点儿变化。|我听说,后天的比赛取消了。|后天,这个商场正式开业。|后天,她要去参加女儿的毕业典礼。

❷ 人或动物出生后的时期。(acquired;postnatal)常做主语、定语、状语。

例句 一个孩子是否成才,后天是主要的。|后天的努力是一个人成功的关键。|这孩子先天就不足,后天身体也不太好。|他女儿并不笨,但后天不努力,所以至今一事无成。

【后头】 hòutou 〔名〕

❶ 空间或位置靠后的部分。(rear;back)常做主语、宾语、定语。

例句 快走,后头没有人了。|这楼是新盖的,后头是一大片草地。|一起游了没多远,我就落(là)后头了。|学校就在后头,不远。|每天晚饭后,老人都要去小区后头的公园转转。|今天来的人特多,后头的座位都坐满了。

❷ 次序靠后的部分。(rear)常做主语、宾语、定语、状语。

例句 宿舍的问题,后头再讨论。|文章后头又一次谈到了发展的重要性。|出乎意料,这次考试他排后头了。|课文的重要部分在后头。|后头的话还没说,就被人打断了。|成绩公布后,老师鼓励后头的同学下次取得好成绩。|对不起,请您后头排着吧。|这个事儿我先说说,免得后头忘了。

【后退】 hòutuì 〔动〕

向后移动;比喻回到后面的地方或原来的阶段。(go back;retreat)常做谓语、主语、宾语、定语。

例句 两天后,大水终于后退了。|在困难面前他从没后退过。|目前,对方已经后退到了原来的位置。|在这种情况下,暂时的后退是必要的。|后退只能造成更大的损失。|这是公司一次有计划的后退。|在学习过程中,如果选择了后退,就将一事无成。|目前,洪水已有了后退的迹象。|司令员下达了后退的命令。

【厚】 hòu 〔形〕

❶ 物体上下两面间的距离大。(thick)常做定语、谓语、补语,也做主语、宾语。

例句 今天很冷,得穿件厚毛衣。|昨天下了厚厚的一层雪。|他长了一副厚嘴唇,看起来很实在。|书太厚了,带着很不方便。|我才发现,他的脸皮厚得要命。|放心吧,我盖得很厚,不会着凉的。|厚了没关系,厚点儿结实。|才两公分,不算厚。

❷ (感情)深。[(of feeling)deep]常做谓语。也做语素构词。

词语 厚爱 厚望 厚意

例句 感谢观众多年来对我们的厚

爱。|他们用歌声表达了对同学们的深情厚意。|我和他的交情很厚,他一定会帮我的。|他对我们家的恩情很厚,千万记住要报答他啊!

❸ 厚道,待人诚恳,宽容。(be honest and kind)常做语素构词。

词语 憨厚 厚道 忠厚

例句 小伙子憨厚、朴实。|父亲是个忠厚老实的农民。

❹ (利润)大;(礼物价值)高。常做谓语。也做语素构词。

词语 厚礼 厚利

例句 这么厚的礼,我们不能收。|从这笔交易中,他获取了一笔厚利。|她送的礼太厚了,一定有求于你。

【厚度】 hòudù 〔名〕

物体上下两面间的距离。(thickness)常做主语、宾语。[量]个,种。

例句 桌面的厚度很合适。|铁皮的厚度不够,不结实。|我们已经测量了土层的厚度,很均匀。|请你量一下儿玻璃的厚度。

【候】 hòu 〔动/名〕

〔动〕等待。(wait)常做谓语。也做语素构词。

词语 候车 候诊 守候

例句 请稍候,经理马上就来。|他候了半天,也没见个人影。|昨晚,我一直守候在妈妈的病床前。|请大家先到候车室休息。

〔名〕时节。(time;season)常做语素构词。

词语 气候 候鸟

例句 这儿的气候很好。|燕子是候鸟,春天时飞回北方,冬天来时又飞到南方。

【候补】 hòubǔ 〔动〕

等待补上缺额。(be a candidate;be an alternate)常做谓语、定语。

例句 老局长快退休了,有好几个人候补呢。|我只是一名候补队员。|他被大会选为候补委员。

【候选人】 hòuxuǎnrén 〔名〕

在选举前被提名作为选举对象的人。(candidate)常做主语、宾语、定语。[量]名,位,个。

例句 候选人应该向大家说明自己的工作目标。|他和其他两位候选人一起竞争公司经理。|市长候选人有2位,副市长候选人有5位。|这些候选人都是经过民主选举产生的。|下午开会推举校长候选人。|得票超过半数的都是代表候选人。|这次公司改选,共提出了三名候选人。|我们系只有一个候选人。|候选人名单已经公布了。|这儿有几名候选人的材料,大家可以看看。|候选人名额比委员人数多两人。

【呼】 hū 〔动〕

❶ 生物体把身体内的气体排出。(exhale;breathe out;blow)常做谓语。

例句 你慢慢地呼一口气。|绿色植物能吸收二氧化碳,呼出氧气。|他喝了不少酒,一说话就呼出一股酒气。

❷ 大声喊。(cry out)常做谓语。也做语素构词或用于固定短语。

词语 呼喊 呼号 呼唤 呼声 呼吁 大声疾呼

例句 游行的队伍呼着口号通过广场。|很多人买了这种保健品后,大呼上当。|在大会上,口号呼得震天响。|环境保护委员会大声疾呼:保护地球!

H

❸ 叫，叫人来。(call)常做语素构词或用于固定短语。也做谓语。

词语 呼叫 呼应 传呼 一呼百应 直呼其名 呼之欲出

例句 这里的人心很齐，有事的时候，一呼百应。|画上的人物跟真的一样，简直呼之欲出。

【呼呼】 hūhū 〔象声〕

形容刮风、着火、打鼾(hān)、喘气等的声音。(wheeze; snore; whistle; whizz)常做状语、定语、补语。

例句 昨天北风呼呼地刮了一天。|由于风大，山火很快呼呼地着了起来。|不一会儿，小伙子就呼呼大睡了。|外面，呼呼的大风吹得人站不住。|看来他是累了，睡得呼呼的。

【呼声】 hūshēng 〔名〕

❶ 喊声，叫声。(voice; shout)。常做主语、宾语。[量]阵，片。

例句 突然，一阵呼声打破了夜晚的宁静。|体育场内呼声震天，球迷们正在为足球队加油。|河边传来救命的呼声，大伙赶紧朝那儿跑去。|面对众人愤怒的呼声，歹徒撒腿就跑。

❷ 指群众的意见和要求。(the popular demand; opinions and requirements of the masses)常做主语、宾语。[量]个，种。

例句 当前，老百姓中改革的呼声越来越高。|广大群众要求尽快解决环境问题的呼声非常强烈。|我们还是多听听群众的呼声吧。|他的一番话代表了留学生的呼声。

【呼吸】 hūxī 〔动〕

呼气和吸气。(breathe; respire)常做谓语、主语、宾语、定语。

例句 爸爸每天早晨都出去散步，呼吸呼吸新鲜空气。|我尽情地呼吸着海边的新鲜空气，觉得舒服极了。|在山顶上呼吸比较困难。|病人被送到医院时，呼吸已经停止了。|医生正在给病人做人工呼吸，希望能够抢救过来。|那匹老马停止了呼吸。|鱼的呼吸器官和人不同。

【呼啸】 hūxiào 〔动〕

发出高而长的声音。(whistle; scream)常做谓语、定语。

例句 外面北风呼啸，大雪纷飞。|大海呼啸着，我们的船十分危险。|一声令下，呼啸的炮弹飞向目标。|寂静的夜晚，传来一阵救护车的呼啸声。

【呼吁】 hūyù 〔动〕

向社会、组织或个人说明情况，争取支持和帮助。(appeal; call on)常做谓语。还可做谓语、主语、宾语。

例句 近年来，很多人呼吁要重视对学生的素质教育。|他们大声呼吁社会各界人士救助那些失学的孩子们。|我们曾呼吁过多次，可始终没得到解决。|“保护环境”的呼吁已得到了政府和民众的普遍关注。|会上，保护和平的呼吁引起了积极的反响。|对于保护环境的呼吁，政府已经采取了积极的措施。|学生家长们向全社会发出了强烈的呼吁。

【忽】 hū 〔素/副〕

〔素〕不注意；不重视。(neglect; overlook; ignore)用于构词。

词语 忽略 忽视 疏忽

例句 在研究时，他们忽略了一个重要问题。|无论何时，都不要忽视群众的力量。|一时的疏忽，差点儿酿(niàng)成大错。

〔副〕情况发生得很快，没想到。

(suddenly)做状语。也做语素构词。

词语 忽而 忽然

例句 我正跟同学聊得高兴，忽地想起了还有个约会。|两人正边走边谈，忽见刘老师迎面走来。|正在这时，忽听门外传来“咚咚”的脚步声。|舞台的灯光忽明忽暗，产生了一种特殊的艺术效果。

【忽略】 hūlüè 〔动〕

没注意到。(neglect; overlook)常做谓语。不能重叠。

例句 学习中不要忽略每一个汉字。|这么重要的证据，他怎么能忽略呢？|你完全忽略了我的存在，太不像话了。

【忽然】 hūrán 〔副〕

表示情况发生得迅速而又出人意料(没想到)。(suddenly; all of a sudden)做状语。

例句 刚才天气还挺好，忽然刮起了大风。|也不知怎么的，忽然就病了。|大家正谈得热闹，一个生人忽然跑了进来。|好不容易办好了一切手续，忽然，他又决定不出国了。|我正在看电视，忽然停电了，真是扫兴。

辨析 〈近〉突然。“突然”比“忽然”语义重，更强调情况发生得迅速和出人意料；“突然”是形容词，可做谓语、定语、补语；“忽然”是副词，只做状语。如：* 这件事太忽然了。(“忽然”应为“突然”)

【忽视】 hūshì 〔动〕

不注意；不重视。(neglect)常做谓语。

例句 这所大学很好，因为他们从没忽视过教学质量。|妈妈整天忙于自己的工作，忽视了对孩子的教育。|安全问题关系重大，忽视不得。|管理不严的问题不能再忽视下去了。|节约水资源的重要性被忽视了很久很久，如今才得到人们的普遍重视。

【狐】 hú 〔名〕

食肉类哺乳(bǔrǔ)动物，有点儿像狼，但较小。通称“狐狸”。(fox)常做主语、宾语、定语。[量]只，条。

例句 昨晚，那只白狐又出现了。|他放走了那只可爱的幼狐，让它回到大自然中去。|狐皮是很好的皮毛。

【狐狸】 húli 〔名〕

❶ 狐的通称。意义同“狐”。(fox)常做主语、宾语、定语。[量]只。

例句 狐狸喜欢吃野鼠、鸟类和家禽(qín)等。|狐狸很狡猾，所以用它来比喻狡猾的人。|昨晚，老猎人抓住了一只狐狸。|现在城里的孩子大多只在动物园见过狐狸。|狐狸的气味很难闻。|狐狸的特点是狡猾多疑。

❷ 比喻奸诈狡猾的人。(sb. like fox)常做主语、宾语、定语。[量]个。

例句 老李这只精明的老狐狸总在盘算怎样多赚点儿钱。|大家要格外小心，这个人可是条狡猾的狐狸。|别着急，狐狸尾巴早晚会露出来。

【狐朋狗友】 hú péng gǒu yǒu 〔名短〕

比喻品行不好的朋友。(evil associates)。常做主语、宾语、定语。[量]个，伙，帮。

例句 那几个狐朋狗友全来了，弄得屋子里烟雾缭绕，酒气熏天。|他常领着一帮狐朋狗友在夜总会吃喝玩乐。|不知听了哪个狐朋狗友的

话，这孩子就不上学了。

【胡】 hú 〔副〕

随意乱说乱做。(outrageously; recklessly)做状语。也做语素构词或用于固定短语中。

词语 胡说 胡来 胡思乱想 胡说八道 胡扯 胡闹

例句 有一道题我不会，胡答了一通儿。|别胡猜了，一点儿边儿都不沾。|当着客人的面，不要胡闹。|你可以发表自己的见解，但不能胡说。|她这个人心眼儿小，总爱胡思乱想。

辨析 〈近〉瞎。"胡"强调"随便"；"瞎"强调没有根据或没有效果地。此外"瞎"还做动词。如：* 妈妈总是胡操心，一点儿用也没有。("胡"应为"瞎")

▶ "胡"也做名词，指"胡子"；还指古代北部和西部的少数民族或来自那里的东西(用于构词)。如：刮胡刀 胡人 二胡 胡椒

【胡来】 húlái 〔动〕

❶ 不按规程，任意乱做。(fool with sth.)常做谓语、宾语。不能重叠。

例句 要是你不会做，可千万别胡来。|电脑知识他一点儿不懂，净在那儿胡来。|他没请示就答应了人家，这不是胡来吗？

❷ 不顾法纪或舆论，任意行动。(run wild)常做谓语、宾语。不能重叠。

例句 这是法院，不许你胡来。|当经理期间，他跟女秘书胡来，影响很坏。|把车停在路中间，这叫"胡来"。

【胡乱】 húluàn 〔副〕

❶ 马虎；随便。(carelessly; casually; at random)做状语。

例句 她起来晚了，胡乱擦了一把脸，就匆匆去上课。|小张好像有心事，晚饭只是胡乱地吃了几口。|这种事不要胡乱答应，应该好好考虑一下再说。

❷ 任意；没有道理。(unreasonably; at will; wildly)做状语。

例句 胡乱砍树是违法行为。|没经过允许，胡乱进别人的房间是不礼貌的。|老师在没弄清事实之前，从不胡乱下结论。

【胡说】 húshuō 〔动〕

没有根据地乱说。(talk nonsense; drivel)常做谓语。不能重叠。

例句 该谈正事了，别胡说了。|别听她胡说，根本没那回事。|你又胡说什么呢？|老王在那儿胡说了几天，也没人听他的。|这种时候胡说不得，弄不好会出事的。

【胡思乱想】 hú sī luàn xiǎng 〔成〕

不切实际，没有根据地瞎想。(imagine things; let one's imagination run away with one)常做谓语。

例句 你别胡思乱想，人家只是一般的朋友。|小王这两天夜里睡不着觉，常胡思乱想。

【胡同】 hútòng 〔名〕

较窄的小街道。(lane; alley)做主语、宾语、定语。[量]条，个。

例句 这条胡同住着二十多户人家。|有的胡同太窄，只能并排走两个人。|张老师家就在一条小胡同里。|打听了半天，我才找到了那个不起眼的胡同。|好多年过去了，老人已记不清那条胡同的名字了。|北京的"胡同文化"很有特色。

【胡子】 húzi 〔名〕

嘴周围和耳朵前边长的毛。(whiskers; beard)常做主语、宾语、定语。[量]根,缕(lǚ),撮(zuǒ),把。

例句 爸爸的胡子把孩子的脸扎疼了。|十几岁的孩子,脸上的胡子已经十分浓密了。|他总是留着两撇小胡子。|我习惯每天晚上刮胡子。|胡子的样式很多,有八字胡、山羊胡、络腮(luò sāi)胡等等。

【壶】 hú 〔名〕

用来盛(chéng)水等液体的容器,有嘴儿,有把手,可从嘴往外倒。(pot; kettle; bottle)常做主语、宾语、定语。[量]把。

例句 壶在桌子上呢。|导游小姐介绍说,这把壶是当地工艺品。|爷爷家又买了一把新茶壶。|我送了美国朋友一个景德镇的小酒壶。|一不小心,壶盖掉在地上摔碎了。|壶的样式不错,只是颜色不太好。

【葫芦】 húlu 〔名〕

一年生草本植物。果实中间细,像一小一大两个球连在一起。这种植物的果实也叫"葫芦"。(bottle; gourd)常做主语、宾语、定语。[量]棵,个。

例句 这棵葫芦一直爬到房上去了。|葫芦从中锯开就成了两个瓢(piáo)。|我买了一个小葫芦,摆在桌子上,很好看。|刚摘下来时,葫芦的颜色是绿的,后来就变黄了。

【湖】 hú 〔名〕

被陆地围着的大片积水。(lake)常做主语、宾语、定语。[量]个。

例句 这个湖出产一种鱼,味道特别香。|今天,我和朋友们一起游湖,大家玩得都很尽兴。|这是中国最大的淡水湖。|由于不注意环境保护,湖水已经被污染了。

【蝴蝶】 húdié 〔名〕

一种昆(kūn)虫,翅膀大而美丽。简称"蝶"。(butterfly)常做主语、宾语、定语。[量]只。

例句 一只蝴蝶落在一朵花上。|在公园散步时,一群美丽的蝴蝶一直围着我们飞来飞去。|小姑娘在纸上画了一只漂亮的蝴蝶。|孩子们都去山里抓蝴蝶了。|蝴蝶的种类很多。|我去朋友家时,他正在制作蝴蝶标本。

【糊】 hú 〔动〕

用糨糊(jiànghú)或胶水等把纸、布等粘(zhān)起来或粘在别的东西上。(paste)常做谓语。

例句 老妈妈正在用纸糊墙呢。|今天休息,我给孩子糊了一个风筝(fēngzheng)。|这本书太破了,糊了半天也没糊好。|把窗缝儿糊起来吧,要不,太冷了。

【糊涂】 hútu 〔形〕

❶ 不懂事理;对事物的认识不清楚或混乱。(muddled; confused; bewildered)常做谓语、定语、状语、补语。

例句 人老了,脑子也糊涂了。|我太糊涂了,怎么和这种人做生意。|你真是糊涂透顶了。|老王这个人,满脑子都是糊涂思想。|他今天干了一回糊涂事。|大家糊里糊涂地跟着她投资,结果上了大当。|由于发烧,马克糊里糊涂地答完了考卷。|讲了半天,大家还是听得挺糊涂的。|我睡得糊里糊涂的,不知道发生了什么事。

❷ 内容混乱的。(messy; chaos)常

H

做定语、谓语、补语。

例句 这是一笔糊涂账,怎么算也算不清楚。|我看你是个糊涂虫。|他的讲话糊里糊涂的,台下的人都听得睡着了。|这个考生的卷子答得糊里糊涂,不知道他是怎么学习的。

【互】 hù 〔副〕

互相。表示双方进行相同的动作或具有相同的关系。(mutually; each other)做状语。一般修饰单音节动词。

例句 我们班的同学,互帮互助,非常友爱。|香港特区与许多国家有互免签证的协议。|两国之间互通有无,经济贸易往来日益密切。|双方各执一词,互不相让。|夫妻两人一旦互不信任,就会出现感情危机。

【互利】 hù lì 〔形短〕

互相有利。(mutually beneficial)常做主语、定语、谓语。

例句 互利是合作的基础。|双方建立了一种互利的贸易关系。|两国政府在平等互利的基础上签订了协议。|只要彼此合作,就可以互惠互利。

【互相】 hùxiāng 〔副〕

双方具有相同的对待关系。(mutually; each other)做状语。

例句 几年来留学生们互相帮助,共同进步。|双方只有互相信任,互相理解,才能合作顺利。|每天早上,这对老人都互相扶着去公园散步。

▶ 本身含有"互相"意思的动词,不能受"互相"修饰。如:* 他和她互相恋爱了。(不用"互相")

辨析 〈近〉相互。"相互"主要用于书面,还可做形容词。如:两人相互的关系和感情很深。

【互助】 hùzhù 〔动〕

互相帮助。(help each other)常做谓语、定语。

例句 自去年以来,两个公司互助过几次。|由于工作需要,我们两个研究所曾互助过一段时间。|为了提高成绩,我们成立了互助小组。|没有互助的精神,就不能取得这么好的结果。

【户】 hù 〔名〕

❶ 门。(door)常做语素构词或用于固定短语。

词语 门户 窗户 足不出户 户枢不蠹(dù) 夜不闭户

例句 这个小镇的民风极其淳朴(chúnpǔ),路不拾遗,夜不闭户。|在信息时代,足不出户就可知天下大事。

❷ 人家;住家。(family)常做主语、宾语。也做语素构词或用于固定短语中。

词语 户口 户主 住户 用户 农户 家家户户 家喻户晓

例句 近几年,我们村的困难户越来越少。|过年时,小区里每户都贴上了"福"字。|这座新楼住进了很多外来户,互相之间都不太熟悉。|他努力学习新技术,成了村里有名的专业户。

❸ 个人或团体在银行或相关部门建立的财务往来关系。(account)常做主语、宾语。也做语素构词。

词语 储户 开户 账户 存户

例句 这家银行的存户每户都有万元以上的存款。|留学生都在大学旁边的银行开了户。

▶"户"还做量词,用于人家等。如:一户人家　三户居民　两户企业

【户口】hùkǒu 〔名〕

住户和人口,也指居民的身份以及登记这种身份的册子。(number of household and total population)常做主语、宾语、定语。[量]个。

例句 小王调到北京工作了,他的户口也迁去了。|对在城里打工的人来说,户口已经不像以前那么重要了。|最近,老王的爱人调来了,他正忙着给爱人落户口。|民工要报临时户口。|办护照得拿户口本和身份证。|中国在搞户口制度改革。

【护】hù 〔动〕

❶ 照料;保卫。(defend; safeguard)常做语素构词。也做谓语。

词语 保护　维护　爱护　护航　护林　护理　护士　护送　养护

例句 这次出海,有海军护航。|他在高速公路上护路。|这道防风林把大片耕地护起来了。|总统由四个保安护着上了车。

❷ 支持错误言行或坏人、坏事,不让批评。(shield; protect)常做谓语。

例句 她从没护过孩子,该批评时决不客气。|即使是最好的朋友犯了错误,也不能护着。

【护士】hùshi 〔名〕

在医院等医疗机构中作护理工作的人。(nurse in the hospital)常做主语、宾语、定语。[量]个。

例句 护士被称作"白衣天使"。|年底,那位护士被评为"优秀护士"。|经人介绍,他认识了一位漂亮的护士。|今天,第三医院又新来了三个护士。|这位护士的热情服务感动了全病房的人。|医院领导非常重视培养护士的职业道德。

【护照】hùzhào 〔名〕

国家机关发给出国公民的身份证件。(passport)常做主语、宾语、定语。[量]本。

例句 现在护照很容易办。|护照有点儿问题,我得赶紧去公安局。|爸爸正在给她办理护照。|在国外一定得把护照保存好。|我总记不住我的护照号码。|护照种类分普通和因公等几种。

【花】huā 〔名/形/动〕

〔名〕❶ 指花朵,大多鲜艳、有香味;开花植物。(flower; bloom; blossom)常做主语、宾语、定语。也做语素构词或用于固定短语。[量]朵,枝,束,棵。

词语 花草　花盆儿　花茶　花朵　花市　花鸟　花环　花坛　花园　国花　花好月圆　走马观花　花枝招展　百花齐放　昙花一现　落花流水

例句 快看,花开了。|春天到了,公园里的花漂亮极了。|生日那天,男朋友送了她一束玫瑰花。|老人起床以后,总是先浇浇花,喂喂鸟,然后再吃早饭。|一进门,满屋的花香使人感到舒服极了。|节日的天安门广场真像花的海洋。

❷ 形状像花的东西。(anything resembling a flower)常做语素构词。

词语 浪花　雪花　火花　烟花

例句 红的、粉的、黄的、绿的,各种颜色的烟花把夜空装点得漂亮极了。|我喜欢冬天,因为我喜欢那洁白的雪花。|只见两名跳水队员一

H

齐跳入水中，只激起了两朵小水花。|这次偶然的相遇，在两人心中产生了爱情的火花。

〔形〕❶ 颜色或种类错杂的。(colored; patterned)常做定语。

例句 她穿了一条花裙子。|那只小花猫抓住了一只大老鼠(shǔ)。|这儿简直是一个花花世界。

❷ 眼睛模糊不清。(blurred; dim)常做谓语、补语。

例句 老大爷已经七十多岁了，但耳不聋，眼不花。|我才45岁，眼睛就有点儿花了。|看了半天，眼睛都看花了，休息一会儿吧。

〔动〕用；耗费。(spend)常做谓语。

例句 这次去国外旅游，他花了不少钱。|马克花了很多精力学语法。|老王花了一天时间才修好这台洗衣机。|节省点儿吧，这个月的工资花得差不多了。|他说最近要出去做笔生意，弄点儿钱花花。

【花朵】 huāduǒ 〔名〕

花的繁殖器官，大多鲜艳有香味(总称)。(flower)常做主语、宾语。

例句 这棵牡丹的花朵特别大，很漂亮。|画上的花朵好像真的一样。|园中到处是鲜艳的花朵，吸引了无数的游客。|儿童是祖国的花朵，是我们的希望。

【花费】 huāfèi 〔动/名〕

〔动〕因使用而减少。(spend; expend; cost)常做谓语。不能重叠。

例句 写毕业论文，花费了我半年的时间。|为了参加 HSK，留学生花费了不少心血。|去各地旅游，不光钱花费得多，精力花费得也不少。|整个工程，需要花费大量人力、物力和财力。

〔名〕用掉的钱。(outlay; expenditure; expense)常做主语、宾语。[量]笔。

例句 由于添了女儿，所以家里的花费更大了。|花费这么大，光靠奖学金怎么能够呢？|出国留学，需要不少的花费。|一万块，这可是一笔不小的花费呀。

【花架子】 huājiàzi 〔名〕

❶ 指花样多而不实用的武术动作。(showy postures of martial arts——a thing that is showy but of no practical use)常做主语、宾语。[量]个，套。

例句 这套花架子没什么大用。|这几个花架子表演了好几次，没什么新花样。|光摆花架子，吓唬谁呀！|他那点儿功夫，纯粹是花架子。

❷ 比喻外表好看，但缺少实用价值的东西。也指形式主义的做法。(formalistic method of work)常做主语、宾语。[量]种。

例句 实际工作中，这种花架子要不得。|不讲实效的花架子群众十分反感。|工作要讲实效，不要做表面文章，摆花架子。|他的汉语只是花架子，没什么实际用途。

【花色】 huāsè 〔名〕

❶ 花纹和颜色。(design and colour)常做主语、宾语、定语。[量]种。

例句 这床被面花色不错。|那种布的花色比较适合中年妇女。|我喜欢这种花色，比较淡雅。|买壁纸时，千万别选这种花色。|这种花色的衬衫很受欢迎。|每个房间都是同一种花色的窗帘。

❷ 同一品种的物品的不同样式。(designs and patterns)常做主语、宾语、定语。[量]种。

例句 这个饭店的菜,花色很多,美味可口。|花色繁多的工艺品,让外国游客流连忘返。|展销会上,光灯具就有几百种花色。|一种花色的商品往往有多种价格。

【花生】 huāshēng 〔名〕

也叫"落花生"。是重要的油料作物,果仁也叫"花生",可以榨(zhà)油,也很好吃。(peanut)常做主语、宾语、定语。[量]棵,亩,粒。

例句 地里的花生已经开花了。|妈妈来信说,今年花生丰收了。|坐飞机的时候,服务员给每个乘客一袋花生。|我非常爱吃花生,常买炒花生。|山东省是中国花生的主要产地之一。|花生的营养很丰富。

【花纹】 huāwén 〔名〕

各种条纹和图形。(decorative pattern;figure)常做主语、宾语。[量]种,条,道。

例句 这张桌面的花纹不错。|这只陶碗,花纹只有几道,却非常好看。|石碑上刻着两种不同的花纹。|他家有两个老衣柜,上面绘有漂亮的花纹。

【花言巧语】 huā yán qiǎo yǔ 〔成〕

指虚伪而动听的话。(sweet words; blandishments)常做主语、宾语、定语、谓语、状语。

例句 花言巧语终究骗不了人。|我从来不信花言巧语,非得看现货再交钱。|这个花言巧语的骗子!我差点儿上了他的大当。|不管他怎样花言巧语,我也没同意。|你不用花言巧语地骗我,我再不上当了!

【花样】 huāyàng 〔名〕

❶ 花纹的式样。也泛指一切式样或种类。(pattern)常做主语、宾语、定语。[量]种。

例句 这几种家具,花样不同,您可以选择一下。|这么多花样,他竟然一种也没看中。|她很喜欢这种花样,很独特。|经过一番比较,老张一共选中了三种花样。|在花样滑冰比赛中,他们取得了好成绩。|如今,各种花样的家具,很受顾客欢迎。

❷ 骗人的手段、计策等。(trick)常做主语、宾语。[量]个,种。

例句 这个新花样是谁想出来的?|这种老花样骗得了谁呀?|鬼才知道,她又要玩什么花样。|老耍花样,谁还敢跟你交朋友!

【花园】 huāyuán 〔名〕

种着花草树木,可以游玩、休息的园子。(flower garden;garden)常做主语、宾语、定语。[量]个。

例句 那个小花园离大学很近,我常去那儿散步。|如今,城里的街心花园越来越多了。|居民小区内新修建了一个小花园,非常漂亮。|每天晚饭后,都有不少人去花园散散步。|花园中心有个小水池,里边养了很多金鱼。

【哗】 huā 〔象声〕

表示大而杂乱的声音。(clang;gurgling)常独立使用,也做状语、定语。

例句 哗,刚摆了的书又倒了。|水哗地从闸门流出来了。|钱包里的硬币哗的一声都撒到地上了。

【哗哗】 huāhuā 〔象声〕

表示水流或类似的声音。(clang;gurgling)可独立使用,也做状语、定语。

例句 哗哗,大雨不停地下着。|哗哗,水从渠里流到田里。|雨哗哗地下着。|流水哗哗地响。|我在外边就听见屋里哗哗的声音了。|农民们终于盼来了这哗哗的大雨。

【划】 huá 〔动〕 另读 huà

❶ 拨(bō)水前进。(paddle;row)常做谓语。

例句 她的双臂用力地划着水,很快游到了岸边。|星期天,他们俩在公园划了好几个小时的船。|加油!看谁划得快。|他奋力地划起了桨,迅速地把对手甩(shuǎi)在后边。

❷ 合算,值得。(be to one's profit)常做谓语(带补语)。不能重叠。

例句 上千元买件布衣服,划不来。|这块地还是种花划得来。|为这么点儿小事跑那么远的路,划不来。

❸ 用尖东西把别的东西分开,或在表面擦过去。(strike)常做谓语。

例句 他划了根火柴,把蜡烛点着。|一不小心,手被划了一个口子。|这块玻璃太厚了,一般的刀划不了。|孩子的脸被她的长指甲划破了。|火柴受潮(cháo)了,怎么划也划不着。

【华】 huá 〔名/形〕 另读 huà

〔名〕❶ 指中国。(China)常做语素构词,也做宾语。

词语 华文 华人 中华 华夏 华南

例句 她的丈夫是一位驻华大使。|现在很多外国人来华投资。|虽身在异国他乡,我仍牢记自己是个华夏子孙。

❷ 汉语。(Chinese)构成短语做定语。

例句 我买了一本《华俄词典》。

❸ 光彩。(magnificent;splendid)常做语素构词。

词语 光华 华丽 华灯

例句 大厅装饰得异常华丽。|长安街上华灯齐放。

〔形〕繁盛(fánshèng);奢侈(shēchǐ)(prosperous;flashy;extravagant)做语素构词。

词语 豪华 繁华 奢华

例句 这儿是市中心,非常繁华。|人不能只为了荣华而活着。|她的房间陈设十分奢华。

【华而不实】 huá ér bù shí 〔成〕

比喻外表好看,内容空虚。(flashy and without substance;superficially clever)常做主语、谓语、定语。

例句 华而不实是某些人的作风。|做人不能华而不实,只做表面文章。|他反对任何华而不实的东西。|我们不要华而不实的作品,不喜欢华而不实的人。

【华丽】 huálì 〔形〕

美丽而有光彩。(magnificent;gorgeous)常做定语、谓语、补语。

例句 她今天穿了一件华丽的晚礼服。|我被带到一个华丽的房间。|大厅的陈设十分华丽。|来人面带微笑,衣着华丽。|这间会客室布置得非常华丽。|灯光下,那件衣服显得更加华丽。

【华侨】 huáqiáo 〔名〕

住在国外的中国人。(overseas Chinese)常做主语、定语、宾语。[量]位,名,个。

例句 老华侨终于回到了家乡。|几个华侨在家乡投资兴建了学校。|这是爱国华侨的一片心意。|旅行

社安排我们住进一家华侨饭店。|经人介绍,他认识了一位热心的华侨。|市长亲自设宴,欢迎这批归国华侨。

【华人】 huárén 〔名〕

❶ 中国人。(Chinese)常做主语、宾语、定语。[量]个,位。

例句 很多华人在这条街上开中国餐馆。|这位华人曾为家乡捐(juān)钱办教育。|我认识了一位很有成就的华人。|在美国,到处都可以碰见华人。|我参加过一次华人的晚会。

❷ 指加入所在国国籍的中国血统的外国公民。(overseas Chinese)常做主语、宾语、定语。[量]个,位。

例句 几名美籍华人参加了这次晚会。|经过多年奋斗,这位华人终于在商界站住了脚。|经过介绍,我认识了一位在商界小有名气的华人。|不少华人第二代都在学汉语。

【滑】 huá 〔形/动〕

〔形〕❶ 物体表面特别光,摩擦力很少。(slippery; smooth)常做谓语、宾语。

例句 下了雨又下雪,路面滑得很。|我摸了摸那种丝绸料子,又软又滑。|路上结了冰,老人怕滑,不敢出门。

❷ 不老实。(cunning; crafty)常做谓语、宾语。

例句 这个人太滑了,没有一个知心朋友。|这个人看起来很老实,其实滑得厉害。|做人要诚实,不要耍滑。|挺老实一个人,不知什么时候也学滑了。

〔动〕一个物体在另一物体的表面移动。(slip; slide)常做谓语,也做语素构词。

词语 滑动 滑行

例句 在冰上一不小心就会滑倒。|滑冰、滑雪我都喜欢。

【滑冰】 huá bīng 〔动短〕

一种体育运动项目。穿着冰鞋在冰上滑行。也泛指在冰上滑行。(skating; ice skating)常做主语、谓语、宾语、定语。中间可插入成分。

例句 滑冰特别有意思。|大家都知道,滑冰是这个国家的体育强项。|大家一起去滑冰吧。|小王来的时候,我们已经滑完冰了。|我非常喜欢滑冰。|多好的滑冰场地呀!|这儿每年举行一次滑冰比赛。

【滑坡】 huápō 〔动〕

❶ 指地面斜坡上大量的土石整体地向下滑动的自然现象。(land slide; landslip)常做主语、宾语、定语、谓语。不能重叠。

例句 一到雨季,这一带滑坡不断。|这次滑坡对铁路造成了很大破坏。|对山上树木的破坏造成了这次极具破坏性的滑坡。|又发生滑坡了,不知对附近的村庄造成了什么破坏没有。|滑坡的破坏性,有时比洪水还大。|据报道,这次滑坡的速度相当快。|这个地方已经滑过三次坡了,应该采取补救措施。|山体滑坡后,已有一千多人前去抢险救灾。

❷ 比喻下降;走下坡路。(slide down a slope; decline; come down; drop)常做主语、宾语、谓语。不能重叠。

例句 行业性的滑坡,应当引起高度重视。|近年来,本市的餐饮业出现了滑坡。|宏观失控,导致了经济的滑坡。|由于质量不断滑坡,产品已

完全卖不出去了。|受经济危机的影响,一些国家的旅游业迅速滑坡。

【滑雪】 huá xuě 〔动短〕

脚穿特制的板在雪地上滑行。(skiing)常做主语、谓语、宾语、定语。中间可插入成分。

例句 滑雪是一项很有意思的运动。|滑雪对身体很有好处。|我想去哈尔滨滑雪。|才滑了一会儿雪,就浑身大汗了。|您教我滑雪好吗?|爸爸很喜欢滑雪,而且滑得相当不错。|据说,她曾是一名滑雪运动员。

H

【化】 huà 〔动/尾〕

〔动〕❶ 变;使变。(change; turn; transform)常做谓语。

例句 他的伤口化脓了。|演员们正在后台化妆呢。|这位老作家经常化名发表文章,批评时政。|你的妆化得太好了!

▶ 常构成"化…为…"格式,表示把某种事物或情况变成另一种事物或情况。如:化整为零 化公为私 化险为夷(yí)|我们化整为零,自由活动。|这是化公为私,把集体的财产据为己有。

❷ 固体变化成液体;(冰、雪等)变成水。(melt; dissolve)常做谓语。

例句 春天到了,山上的雪渐渐地化了。|天太热,雪糕刚吃了两口就化了。|铁在炉子里已经完全化了。|冻肉已经化了好几个小时,还没化开。|太阳一出来,地上的霜就化得无影无踪了。

〔尾〕表示变成某种性质或状态。(-ize)加在名词、形容词及动词后,构成动词。其中只有少数能带宾语,有的必须带上"成"、"到"、"为",才能带宾语。

词语 现代化 工业化 绿化 美化 进化

例句 这件衣服比较大众化。|老教授病情不断恶化。|绿化城市,美化生活。|应当善于把不利条件转化成有利条件。|没想到他的思想已经僵化到这种程度了。

【化肥】 huàféi 〔名〕

化学肥料的简称。(chemical fertilizer)常做主语、宾语、定语。[量]种,吨,袋。

例句 这个厂的化肥很受农民欢迎。|化肥已经及时地送到了农民手中。|农村需要大批的化肥。|他骑车去买了一袋化肥。|化肥的副作用引起了人们的普遍关注。|问了一下化肥的价格,觉得比较合理。

【化工】 huàgōng 〔名〕

化学工业的简称。(chemical industry)常做主语、宾语、定语。

例句 化工是这个市的重要产业。|这个国家的化工发展很快。|现在,我们要重点发展石油化工。|这是一种新的化工产品。

【化合】 huàhé 〔动〕

两种以上的物质经过化学反应合成另一种物质。(chemical combination)常做谓语、定语。

例句 氢和氧可以化合成水。|酸和碱(jiǎn)化合生成盐。|同学们正在进行化合实验。

【化疗】 huàliáo 〔动〕

用化学药物治疗恶性肿瘤(zhǒngliú)。(chemotherapy for treating cancer)常做主语、宾语、定语、谓语。

例句 化疗可以杀死癌(ái)细胞,但

副作用也很大。|看来,化疗的效果还不错。|没有别的办法,只好化疗了。|化疗一段时间后,老人觉得好多了。

【化石】 huàshí 〔名〕

古代生物的遗体等埋在地下变成的跟石头一样的东西。(fossil)常做主语、宾语、定语。[量]块。

例句 那块化石已经送到历史博物馆去了。|经过艰苦的工作,化石被完整地发掘(fājué)出来了。|走私古生物化石是违法的。|考古专家们正在研究新出土的动物化石。|这块猿人化石的发现给人类起源研究带来了重大突破。|这块化石的年代大约有一亿年。

【化纤】 huàxiān 〔名〕

化学纤维的简称。(chemical fibre)常做主语、定语、宾语。[量]吨。

例句 化纤有很多种用途。|化纤服装价格比纯棉的低多了。|这家公司专门经营化纤产品。|把石油加工成化纤是一个复杂的生产过程。

【化学】 huàxué 〔名〕

研究物质的组成、结构、性质和变化的学科。(chemistry)常做主语、宾语、定语。

例句 化学是重要的基础学科。|中学时,化学是我最喜欢的一门课。|有几个同学最怕考化学。|研究化学有意思吗? |本市有好几家化学研究所。|学生们正在做化学实验。

【化验】 huàyàn 〔动〕

检验物质的成分和性质。(chemical examination; laboratory test)常做谓语、宾语、定语。

例句 你不放心,去医院化验一下吧。|专家化验得很仔细,但并没有发现兴奋剂。|请您去做一下尿常规化验。|病因要经过化验才能知道。|化验结果已经出来了,没事儿。|不同的是,这种化验的过程很复杂。

【化妆】 huà zhuāng 〔动短〕

用化妆品修饰,使容貌美丽。(paint; make up; put on makeup)常做谓语(不带宾语)。中间可插入成分。

例句 女士每天上班前都要化化妆。|演员们正在后台化妆呢。|化了妆,她显得更加美丽动人。|化妆化不好,还不如不化。

【划】 huà 〔动〕 另读 huá

❶ 分开;区分。(divide)常做谓语。

例句 两个城市重新划了地界。|请老师帮我划一下句子成分吧。|最好给大家划出复习的范围。|两国的边界划得一清二楚,从没产生过纠纷。

❷ 分配。(transfer; assign)常做谓语。

例句 市政府给这所大学划了一笔款。|告诉你们一个好消息,这座大楼划给我们留学生了。|我方已经把钱划到你们公司账号上了。

❸ 计划。(plan)常做语素构词。

词语 策划 筹划 规划

例句 他们正在策划一场音乐会。|市里对这个区做了统一规划。|小王常为我们的工作出谋划策。

【划分】 huàfēn 〔动〕

❶ 把整体分成几部分。(divide)常做谓语、主语、定语、宾语。

例句 高级班的同学能正确地划分句子成分。|施工地段已经划分完

了。|地界划分得不太清楚。|财产的划分不太合理。|实践证明,这种划分很科学。|国家重新颁布了土地的划分标准。|必须严格掌握划分标准,以免造成不良后果。|公司对员工各自的职责作了明确的划分。|双方同意对两国边界重新进行划分。

❷ 区分。(differentiate)常做谓语。

例句 我们要正确划分不同性质的矛盾。

【画】 huà 〔动〕

❶ 用笔或类似笔的东西做出图形。(draw;paint)常做谓语。

例句 我就爱画画山水什么的。|广场上,许多孩子在地上画着什么。|说完,她就认真地画起来。|这幅《奔马图》,他整整画了一个月。|老画家把这几只鸟都画活了。|油画我画不好。

❷ 用笔或类似笔的东西做出线或作为标记的文字。(draw or mark with a brush,pen,etc.)常做谓语。

例句 几个体育老师正在画比赛场地。|她不住地在胸前画着十字。|这张表格画得很清楚。|我已经画了好几个圆圈,可总也画不圆。

辨析 〈近〉绘。"画"也可做名词,"绘"不行。而且"绘"多用于书面语。如:她买了一张画。

【画儿】 huàr 〔名〕

画成的艺术品。(drawing;painting;picture)常做主语、宾语、定语。[量]幅,张。

例句 那幅画儿在下个月展出。|如果你喜欢,这张画儿就送给你吧。|他收藏了几幅珍贵的古画儿。|展厅里剩下一位年轻人在欣赏那幅名画儿。|这幅画儿的作者很年轻。|中国画儿的画法很有特色。

【画报】 huàbào 〔名〕

以刊登画和照片为主的杂志。(illustrated magazine or newspaper;pictorial)常做主语、宾语、定语。[量]本。

例句 这本画报三块八。|小刘,窗台上的那本画报是你的吗?|昨天,我订了一份画报。|小孩爱看儿童画报。|这个画报的内容很好。|阅览室里画报的种类不太多。

【画家】 huàjiā 〔名〕

画画儿水平很高的人。(painter;artist)常做主语、宾语、定语。[量]位,个。

例句 这位画家是北京人。|许多画家当场作画,送给留学生。|我是通过画儿知道这位画家的。|儿子最大的愿望就是成为一名画家。|有位外商买下了老画家的十几幅作品。|我很喜欢这位女画家的风格。

【画龙点睛】 huà lóng diǎn jīng〔成〕

比喻说话、作文时,在关键地方加上精辟的语句,使内容更加生动有力。(add a word or two to clinch the point)常做谓语、宾语、定语。

例句 应该在文章的结尾画龙点睛,说一句关键的话。|他演讲的最后几句好似画龙点睛。|老师的总结起着画龙点睛的作用。

【画面】 huàmiàn 〔名〕

电影、电视或画儿的形象。(tableau;frame)常做主语、宾语、定语。[量]幅,个。

例句 电视画面怎么不清楚?|这幅作品画面很美。|他重新设计了一个画面。|电影中多次出现同一

个画面。|画面的清晰度是买电视时必须注意的。|画面的色彩很好，就这样吧。

【画蛇添足】 huà shé tiān zú 〔成〕

蛇本来没有脚，有人画蛇的时候却给它加上脚，比喻做多余的事，反而不恰当。(draw a snake and add feet to it — ruin the effect by adding sth. superfluous)常做谓语、状语、宾语、定语。

例句 挺好的一篇文章，他却画蛇添足，又说了许多废话。|她的几句话，画蛇添足，又惹来了许多麻烦。|他又画蛇添足地解释了一番。|我想再调整调整，又觉得是画蛇添足。|别干画蛇添足的事。

【话】 huà 〔名〕

说出来的能够表达思想的声音，或者把这种声音记录下来的文字。(word; remark; talk)常做主语、宾语。[量]句，段。

例句 我的话说完了。|大家想想，老师的这句话是什么意思？|听了他的话，我心里热乎乎的。|我已经跟她谈过话了，她表示以后会努力学习的。

【话剧】 huàjù 〔名〕

用对话以及动作来表演的戏剧。(modern drama; stage play)。常做主语、宾语、定语。[量]场，幕，部。

例句 近几年话剧越来越少了。|这部新编的话剧共有三幕六场。|剧院正在上演一部历史话剧。|看了这场中国话剧后，你有什么感想？|现在话剧剧本少，话剧的观众也不多。

【话题】 huàtí 〔名〕

谈话的中心。(subject of a talk; topic of a conversation)常做主语、宾语、定语。[量]个。

例句 老师的这个话题很有吸引力。|说着说着，话题就变了。|我们换个话题吧。|这件事成了人们街头巷尾谈论的新话题。|这个话题的内容很有趣，留学生谈得很热烈。

【怀】 huái 〔动/名〕

〔动〕❶ 思念。(think of; yearn for)常做语素构词。

词语 怀想　怀念　关怀　怀旧　怀古

例句 看到这些老式家具，老人怀旧了。

❷ 心里存有。(keep in mind; cherish)常做谓语(带宾语)。不能重叠。

例句 这孩子从小就胸怀大志，长大要当科学家。|大家怀着崇敬的心情，向老师们献了花。|客人们怀着极大的兴趣观看了演出。

❸ 腹中存有。(conceive)常做谓语。不能重叠。

例句 她有病，怀不了孕。|这个婴儿只怀了七个多月就出生了。|由于她正怀着孩子，所以厂里只让她干些轻活儿。

〔名〕❶ 胸部或者胸前。(bosom)常构成方位词组做句子成分，也做宾语。

词语 怀抱　怀表

例句 孩子在妈妈怀里睡得正香。|女儿的怀里搂着一个布娃娃。

❷ 心胸。(mind)常做语素构词，或用于固定短语。

词语 胸怀　心怀　开怀畅饮

例句 让她去杭州出差，正中她下怀。|他是一个胸怀坦荡的人。

H

【怀念】 huáiniàn 〔动〕

思念。(think of; yearn for)常做谓语、宾语。不能重叠。

例句 他非常怀念自己的祖国。|不知怎么了,她最近常怀念起家乡的亲人来。|留学生在一起度过的四年,是最值得怀念的。|这篇文章充满了对老友的怀念。

辨析 〈近〉思念。"怀念"重在时时记得,不能忘记;"思念"重在时时想起,希望见到。"怀念"一般用于不能再见到的人或事物;"思念"多用于还可以再见到的人或事物。

H

【怀疑】 huáiyí 〔动〕

❶ 不相信。(distrust; doubt; suspect)常做谓语、主语、宾语、定语。不能重叠。

例句 我从没怀疑过他的汉语能力。|我很怀疑这个消息的真实性。|既然你们已经怀疑上她了,为什么不问问她呢?|这种怀疑毫无根据。|我们公司对对方产生了怀疑。|她的一番解释打消了我们对她的怀疑。|她流露出怀疑的目光。|连老张也成了怀疑的对象,真没想到。

辨析 〈近〉疑惑。"疑惑"重在因为不明白而产生疑问;"怀疑"重在表示因为不相信而发生疑问。

❷ 猜。(guess)常做谓语、宾语。不能重叠。

例句 我怀疑事情另有原因。|事后,不少人怀疑这事儿和他有关。|这只是我的怀疑,不一定是事实。|不能单凭怀疑就下结论。

辨析 〈近〉猜疑。"猜疑"是无中生有地起疑心,对人对事不放心;"怀疑"则是对人对事的主观估计,不一定属实。

【怀孕】 huái yùn 〔动短〕

妇女或雌(cí)性哺乳动物有了胎。(be pregnant)常做谓语及主语、宾语、定语。中间可加入成分。

例句 她结婚不久就怀孕了。|小王怀过两次孕,但都没保住。|你不要惹她生气,她正怀着孕呢。|经过治疗,她真的怀上孕了。|她怀孕四个多月了,可一点儿也看不出来。|怀孕给大熊猫的生活带来了许多不便。|她希望怀孕,因为她非常喜欢孩子。|怀孕的滋味可不太好受。

【槐树】 huáishù 〔名〕

一种落叶树,树的花白或淡黄。(Japanese pagoda tree)常做主语、宾语、定语。[量]棵。

例句 这棵老槐树已经有80多年历史了。|槐树耐旱,生命力很强。|我家门前有几棵槐树。|星期天,全校师生去山上栽槐树。|槐树花开了,很漂亮,还有股清香味儿。|槐树的花、果实都可入中药。

【坏】 huài 〔形〕

❶ 缺点多的;性质不好的;起不好作用的。(bad; evil)常做定语、谓语、补语。也做语素构词。

词语 坏人 坏事 坏蛋 坏话

例句 这孩子有个坏习惯,不讲卫生。|一定要注意别交坏朋友。|这个人真是坏透了。|今天的天气太坏了,我们还是明天再去吧。|他的文章写得不坏。|最近你怎么学坏了?

❷ 变质的,变成无用、有害的。(go bad; spoil; ruin)常做定语、谓语、补语。不能重叠。

例句 这个玩具坏了。|那些坏鸡蛋我都扔了。|电视机坏了,得修理修理。|温度高,肉会坏的,把它放

冰箱里吧。|水杯摔坏了,不能用了。|这些巧克力都放坏了。

❸ 表示程度深。(extremely)做补语。

例句 我饿坏了。|听了这个消息,他高兴坏了。|这么长时间没见你,把我想坏了。|孩子聪明伶俐(línglì),老人喜欢坏了。

【坏处】 huàichu 〔名〕

对人或事物有害的地方。(harm; disadvantage)。常做主语、宾语。[量]个。

例句 这样做坏处很多。|这样做,坏处也要看到,不能只看好处。|按老师说的做,不会有坏处。|这对你没什么坏处,你放心吧。

【坏蛋】 huàidàn 〔名〕

坏人。(scoundrel)常做主语、宾语、定语。[量]个。

例句 那个坏蛋很快就被抓住了。|大家注意,这伙坏蛋有武器。|警察正在审讯那几个坏蛋。|“快,抓坏蛋啊!”|公安人员已经掌握了这些坏蛋的计划。

【欢】 huān 〔形〕

快乐;高兴。(happy)常做语素构词。

词语 欢乐 欢呼 喜欢 欢迎

例句 听了这个好消息,大家一起欢呼起来。|整个会场洋溢(yángyì)着欢乐的气氛。|多年不见的老同学欢聚在一起,非常高兴。

【欢呼】 huānhū 〔动〕

欢乐地叫喊。(hail; cheer; acclaim)常做谓语、定语。

例句 人们欢呼着胜利。|我们赢了,大家情不自禁地欢呼起来。|欢呼声此起彼(bǐ)伏。|他也加入了欢呼的人流。

【欢乐】 huānlè 〔形〕

快乐(多指集体的)。(happy; joyous; gay)常做定语、状语、谓语、宾语。

例句 宿舍楼传来了欢乐的歌声。|广场上到处都是欢乐的人群。|鸟儿们在树上欢乐地唱着歌。|寒假留在中国,留学生们欢欢乐乐地过了一个春节。|她的到来,给我们带来了很多欢乐。|节日的城市,到处都充满了欢乐。|他的生活太缺少欢乐了。|看,他们多么欢乐啊!

【欢送】 huānsòng 〔动〕

高兴地送别(多用集会方式)。(see off; send off)常做谓语、定语。

例句 今天晚上,我们要开会欢送将要离校的毕业生。|欢送会定在明天举行。|代表团出发的时候,欢送仪式非常隆重。

【欢喜】 huānxǐ 〔形〕

快乐;高兴。(joyful; happy; delighted)常做定语、谓语、状语、宾语。

例句 她脸上流露出欢喜的神情。|看到孙子欢喜的样子,爷爷高兴地笑了。|女儿考上了大学,爸爸妈妈满心欢喜。|妈妈见儿子回来了,欢喜得直流泪。|留学生们欢欢喜喜地过了个春节。|她十分欢喜地接受了我的邀请。|虽然心里难过,却要假装欢喜。|考试考得很好,大家有说不出的欢喜。

辨析 〈近〉欢乐。“欢喜”多用于个人的表情或心情;“欢乐”既可形容人也可形容气氛、节日、处所等。“欢喜”多用于口语;“欢乐”偏重于书面。

H

【欢笑】 huānxiào 〔动〕
快活地笑。(laugh heartily)常做谓语、定语、宾语。一般不重叠。
例句 孩子们欢笑着,看着气球飞向空中。|这么多年了,他从没有过欢笑。|宿舍外边传来阵阵欢笑声。|看着欢笑的人群,我也兴奋起来。|她强作欢笑,以免老人看出她内心的悲伤。

【欢欣鼓舞】 huānxīn gǔwǔ 〔成〕
形容非常高兴振奋。(be filled with exultation; be elated)常做谓语。
例句 全班为口语比赛取得好成绩而欢欣鼓舞。|大家听到这个消息,无不欢欣鼓舞。

【欢迎】 huānyíng 〔动〕
❶ 很高兴地迎接。(welcome; greet)常做谓语,也做主语、宾语、定语。
例句 老同学正在校门口欢迎新同学。|欢迎各位来我校参观指导。|欢迎,欢迎!热烈欢迎!|代表团什么时候来,我们要去欢迎。|他们的隆重欢迎使外宾很感动。|老板对我们的到来表示热烈的欢迎。|欢迎仪式明天上午举行。
❷ 愿意接受。(favorably receive)常做谓语、宾语。不重叠。
例句 欢迎大家提出宝贵意见。|这种商品不太受欢迎。|他们的演出,受到留学生的欢迎。

【还】 huán 〔动〕 另读 hái
❶ 回到原来的地方或恢复(huīfù)原来的状态。(go back; come back)常做谓语。
例句 爸爸还家十天后,奶奶就病故了。|这本新书还历史以真面目。|大学毕业以后,他就离开家乡,到现在只还过一次乡。
❷ 把借来的钱或物交给原主。(give back; return)常做谓语。
例句 图书馆已经关门了,书还不成了。|我去小王那儿,把钱还给他。|我知道张老师家,我去他家还过自行车。|你先走吧,我去还书,再去寄封信。|(俗语)好借好还,再借不难。
❸ 回报别人对自己的行动。(answer)常做谓语。
例句 现在买东西常常可以讨价还价。|老师批评(pīpíng)我时,我从没还过嘴。|我实在忍(rěn)不住了,还了他几句。|你送这么贵重的礼,以后我怎么还得起呢?

【还手】 huán shǒu 〔动短〕
因为被打或者受到攻击(gōngjī),反过来打击对方。(strike back; hit back)常做谓语、宾语,中间可插成分。
例句 无论如何,你都不能还手。|弟弟打他,他从没还过手。|在忍无可忍的情况下,我才还了一下手。|你太老实了,别人欺负你,你就不能还还手?|小心,对方准备还手了。

【还原】 huán yuán 〔动短〕
事物恢复到原来的状态。(return to the original condition or shape; restore)常做谓语。中间可插入成分。
例句 儿子把玩具拆开,却还不了原了。|温度一高,冰又还原成水了。|回国后,他的汉语又还原为开始的水平。

【环】 huán 〔名〕
❶ 圆圈形的东西。(ring; hoop)常做语素构词。也常做宾语,说成“环

儿”。[量]个。

词语 耳环 花环 吊环 环路 环城 环绕

例句 姑娘们戴着漂亮的耳环。|这个花环是献给贵宾的。|环城高速公路解决了交通紧张的问题。|把环儿套上去吧。|门上挂着两个铁环儿。

❷ 互相联系的一系列事物中的一个。(link)常做主语、宾语,前面常带“一”,或重叠使用。

例句 这一环关系到事情的成败,不能大意。|这种活儿环环相扣(kòu),哪一环都不能出问题。|这里是对手最薄弱(bóruò)的一环,我们就从这儿突破(tūpò)。

【环节】 huánjié 〔名〕

互相关联的许多事物中的一个。(link)常做主语、宾语(带定语)。[量]个。

例句 学习的每个环节都十分重要。|主要环节要抓,其他环节也要抓。|写汉字是最基本的环节。|缺少任何一个环节,试验都不可能成功。

【环境】 huánjìng 〔名〕

周围的地方;周围的情况和条件。(environment; surroundings; circumstances)常做主语、宾语、定语。[量]个。

例句 这儿的环境很美。|在中国的语言环境很好,但不好好利用也学不好。|这里的自然环境不错,很多人来旅游。|这个大学很注意美化周围的环境。|不用担心,我们已经适应了这儿的生活环境。|保护环境,人人有责。|我爸爸专门研究环境科学。|环境的污染(wūrǎn)问题已经引起了全世界的重视。

【缓】 huǎn 〔形/动〕

〔形〕❶ 慢,迟。(slow; unhurried)常做状语、谓语。

例句 (标牌)前方施工,车辆缓行。|老人拄着拐杖,缓缓地走来。|车速渐渐缓了下来。|由于上了年纪,他的行动比别人缓了许多。

❷ 不紧张。(relaxed)常做语素构词。

词语 缓和 平缓 缓解

例句 经过抢救,她的呼吸渐渐舒缓起来。|做事一定要分清轻重缓急,不能蛮干。

〔动〕❶ 推迟。(delay; postpone; put off)常做语素构词,也做谓语。

词语 缓期 缓刑 延缓

例句 我最近太忙,缓两天再去行吗?|出国的事缓缓再说吧。

❷ 恢复到正常的生理状态。(come to; recuperate)常做谓语。

例句 菜冻了不要紧,缓一缓就行了。|经过医生的抢救,老人终于缓过来了。

【缓和】 huǎnhé 〔形/动〕

〔形〕(局势、气氛、情况、情绪等)变得不紧张。(relaxed; relieved)常做谓语、定语。一般不重叠。

例句 他的语气十分缓和。|这段时间,那个国家局势缓和下来了。|由于下了场大雨,这个地区的旱情缓和了许多。|最好用缓和的态度跟她说。

〔动〕使不紧张。(ease up; relax)常做谓语。

例句 我来讲个笑话,缓和缓和气氛。|首先应当缓和一下双方的对立情绪,然后再商量。

H

【缓缓】 huǎnhuǎn 〔副〕

很慢；慢慢。(slowly; gradually)做状语。

例句 车队缓缓向前移动。|她身体不好，缓缓地走了过来。|知道姐姐平安到达了，妈妈才缓缓地舒了口气。|金鱼在鱼缸里缓缓游动，非常自在。

【缓慢】 huǎnmàn 〔形〕

很慢，不迅速。(slow)常做定语、谓语、状语、补语。不能重叠。

例句 我不喜欢这种缓慢的节奏。|他迈着缓慢的步子，向我走来。|你们的行动太缓慢了。|由于天气不好，所有的车都开得很缓慢。|汽车缓慢地在山坡上爬行。|西部经济发展得较缓慢。|他的心情十分沉重，话说得也十分缓慢。

【幻】 huàn 〔形/动〕

〔形〕没有现实根据的，不真实的。(unreal; imaginary)常做语素构词。

词语 幻觉 幻想 梦幻 虚幻

例句 她有一个美丽的幻想。|病中，我产生了一种幻觉。|这儿简直就是一个梦幻世界。

〔动〕奇异地变化。(change irregularly; fluctuate)常做语素构词。

词语 幻术 变幻

例句 原来这是一种幻术。|尽管国际风云变幻，中国的经济仍保持快速的发展。

【幻灯】 huàndēng 〔名〕

用较强的灯光把胶片上的图片或文字照到白幕上，使人看到的影像；也指放映幻灯的机器。(slide show)常做宾语、主语、定语。

例句 下面给大家放放介绍学校情况的幻灯。|看幻灯不如看录像有意思。|幻灯演完以后再请各位参观。|新式幻灯的放映效果就是好。

【幻想】 huànxiǎng 〔动/名〕

〔动〕对还没有实现的事物进行想象。(fancy)常做谓语。

例句 女儿从小就幻想去月亮上看看。|他幻想着自己能成为著名的科学家。|人们很早就幻想过用机器人代替人来劳动。

〔名〕对还没有实现的事物的想象。(illusion)常做主语、宾语、定语。[量]个，种。

例句 许多幻想已经变成了现实。|他的幻想破灭了，他觉得失望极了。|没有幻想，就不会有人类的今天。|这篇文章充满了幻想。|我正在读一部幻想小说。

【换】 huàn 〔动〕

❶ 给人东西的同时，从他那里取得别的东西。(exchange; barter; trade)常做谓语。

例句 以前，山区的农民常用粮食换盐。|去年，他曾来我们这儿换过东西。|她常跟同学换衣服穿。|他的房间已经换了好几次了。|我们发了财，是自己用劳动换来的。|我有点儿近视，咱俩换换座位，好吗？

❷ 用新的代替原来的。(change)常做谓语。

例句 请在下一站换车。|比赛开始不到10分钟，就换了两个队员了。|这件事要是换了他，也许能办成。|这学期，换了个新老师教我们口语。|话题已换了好几次了，大家都很感兴趣。|这是“OK”机票，可能换不了。|你去换换衣服吧，这件太脏了。

❸ 兑换(duìhuàn),用一种钱换另一种钱。(change money)常做谓语。

例句 银行关门了,今天换不成人民币了。|你得把旅行支票换成现金才能付款。|我刚才看见小张在换外汇呢。|我跟朋友换过好几次美元。|请帮我换换零钱。

【换取】 huànqǔ 〔动〕

用交换的方法取得。(exchange sth. for; get in return)常做谓语。不能重叠。

例句 农民用农副产品换取生产、生活用品。|不管他怎样做,都换取不了姑娘的欢心。|外商以技术合作为条件换取了土地使用权。

【唤】 huàn 〔动〕

大声叫喊使对方注意或过来。(call out; arouse)常做谓语。

例句 我在门口唤了两次,可没人答应。|她在梦中轻轻地唤着女儿的名字。|快回家吧!妈妈唤你吃饭呢。|这张照片唤起了我对留学生活的回忆。

【患】 huàn 〔动〕

❶ 忧虑,担心。(worry about)常做语素构词或用于固定短语。

词语 忧患 患得患失

例句 这个人总是患得患失的。

❷ 害(病)。(fall ill; suffer from illness)常做谓语。

例句 两年前,父亲患上了心脏病。|考试时我正患着重感冒。|去年,她患过一场大病,住了半年院才治好。

▶"患"也做名词,指灾难。常用于构词或固定短语。

词语 隐患 后患 患难 有备无患 防患于未然

例句 一切按规定办,才能防止事故隐患。

【患得患失】 huàn dé huàn shī〔成〕

既怕得不到,得到以后,又怕失掉。形容非常计较个人得失。(worry about personal gains and losses; be swayed by considerations of gain and loss)常做主语、谓语、定语。

例句 看来,患得患失是他犯错误的根源。|他这个人干什么都犹犹豫豫,患得患失的。|和朋友相处,不能患得患失。|你这患得患失的毛病什么时候才能改改?

【患者】 huànzhě 〔名〕

病人。(patient)常做主语、宾语、定语。[量]个,位。

例句 患者应该听医生的话。|有的患者需要住院治疗。|病房住进了一个新患者。|一切为了患者,是我们医院的指导思想。|医生应该理解患者的心情。|患者的要求是合理的。

【焕然一新】 huànrán yì xīn 〔成〕

形容出现了崭新的面貌。(take on an entirely new look; look brand-new)常做谓语、定语。

例句 春天来了,处处都焕然一新。|最近几年,整个中国焕然一新。|看着这焕然一新的海滨城市,我惊讶得说不出话来。

【荒】 huāng 〔形〕

❶ 不长农作物,人烟少,冷清。(desolate; barren)常做语素构词。也做定语、谓语。

词语 荒地 荒芜 荒凉

例句 小船顺水漂到一座荒岛。|

这荒郊野外，哪儿有人家呢？｜大水过后，地都荒了。

❷ 不合情理。（unreasonable）常做语素构词。

词语　荒诞　荒谬　荒唐

例句　这部电影的情节太荒诞了。｜你的这套理论真是荒谬。｜没想到她竟做出这么荒唐的事儿。

▶“荒”做名词，指没有种农作物的土地或严重缺少的状况。如：北大荒　开荒种地　粮荒　水荒　备荒

【荒地】　huāngdì　〔名〕

没有开垦或没有耕种的土地。（waste or uncultivated land）常做主语、宾语。[量]块。

例句　那里的大片荒地正等待开垦。｜山坡上的几亩荒地可以利用起来。｜乡亲们在山沟里开出近百亩荒地，并栽上果树。｜经过多年努力，他们把大片荒地变成了良田。

【荒凉】　huāngliáng　〔形〕

人烟少；冷清。（bleak and desolate）常做定语、谓语、宾语。不能重叠。

例句　前边是一片荒凉的沙地。｜面对这荒凉的景象，大家的心情非常沉重。｜这一带很荒凉。｜这个古镇过去十分繁华，可现在荒凉极了。｜村子里空荡荡的，显得那么荒凉。｜寒风中这古庙更让人觉得荒凉。

【荒谬】　huāngmiù　〔形〕

极端错误，非常不合情理。（absurd；preposterous）常做主语、谓语、宾语。不能重叠。

例句　这是一种极其荒谬的理论。｜他的荒谬言论受到了大家的批评。｜这种说法简直太荒谬了。｜听了他的一番推理，我觉得十分荒谬。

辨析　〈近〉荒唐。“荒谬”侧重在严重背离常情常理，极端错误，语意较重；“荒唐”侧重在错误到令人难以理解，语意较轻。“荒谬”多用于言论、思想等；“荒唐”既用于思想言行，也可用于人，还可形容行为放荡、没有节制。

【荒唐】　huāngtáng　〔形〕

❶（思想、言行）错误到使人觉得奇怪的程度。（absurd；fantastic；preposterous）常做谓语、定语、状语。

例句　他的理论荒唐透顶。｜你怎么能做出这种事，真荒唐。｜没放假就去旅游，实在是一种荒唐的想法。｜有些人荒唐地认为，有病不用看医生，过几天就行了。

❷（行为）放荡，没有节制。（dissipated；loose；intemperate）常做定语、谓语。

例句　我了解他，他决不会做出荒唐的事来。｜以前，小李曾是个荒唐的青年，现在是技术能手了。｜每天只喝酒，不是荒唐吗？｜你怎么荒唐到这种地步呢？

【慌】　huāng　〔形/动〕

〔形〕心里紧张，动作忙乱。（nervous；flurried；flustered）常做谓语、宾语。

例句　时间还来得及，你不要慌。｜事情来得太突然，我慌得不得了。｜第一次参加 HSK，我心里发慌。｜小偷见有人追来，发了慌，扔下钱包就跑了。

▶“慌”还读轻声，表示难以忍受，做补语。如：疼得慌　闷得慌｜干了一天的活儿，觉得累得慌。

〔动〕害怕；不安。（fear；be afraid；dread）常做谓语。

例句　那人一见警察过来，就慌了

神。|对方一下子慌了脚，把一杯水全洒了。

【慌乱】 huāngluàn 〔形〕

慌张而混乱。(flurried; in a hurry)常做定语、谓语、状语、补语。不能重叠。

例句 消防人员赶到火灾现场后，慌乱的人群才安静下来。|不知怎么回事，他的动作有些慌乱。|看到紧急的情况，车里的人开始慌乱起来。|火势越来越大，人们慌乱地往外跑。|他显得有点儿慌乱。

【慌忙】 huāngmáng 〔形〕

急忙，不从容。(in a great rush; in a flurry; hurriedly)常做定语、状语、谓语。

例句 我第一次看见他这副慌忙的样子。|你什么时候能把慌慌忙忙的毛病改掉呢？|马上就要上课了，我慌忙往教室跑。|见我真的生气了，他慌忙向我道歉。|你怎么这么慌忙，把衣服都丢了。

【慌张】 huāngzhāng 〔形〕

心里不安，动作忙乱。(flurried; flustered; confused)常做定语、谓语、状语、宾语。

例句 一听老师问问题，他一脸慌张的神色。|见她那慌张的样子，就知道一定是出事了。|如果遇到意外情况，不要慌张，要沉住气。|他怎么慌里慌张的，出什么事了？|那人见警察来了，顿时慌张起来。|她扔下电话，慌慌张张地跑了出去。|小王慌里慌张地告诉我：“不好了！失火了！”|见了老板，新职员显得有些慌张。

【皇】 huáng 〔名〕

君主、帝王。(emperor)常做语素构词。

词语 皇宫 皇帝 皇后

例句 圆明园是清代的皇家园林。|在封建时代，皇权是至高无上的。

【皇帝】 huángdì 〔名〕

封建王朝的最高统治者。中国的皇帝称号始于秦始皇。(emperor)常做主语、宾语、定语。[量]个。

例句 古代时，皇帝拥有最高权力。|唐代最有名的皇帝是唐太宗。|溥仪是清代最后一个皇帝。|北京故宫是皇帝的“家”。|皇帝的衣服叫龙袍。

【皇后】 huánghòu 〔名〕

皇帝的妻子。(empress)常做主语、宾语、定语。[量]个。

例句 皇后主管后宫之事。|许多宫女做梦都想当皇后。|皇后的权力很有限。

【黄】 huáng 〔形〕

像向日葵花的颜色。(yellow)常做定语、谓语。

例句 老师今天穿了一件黄衣服，很漂亮。|那个留学生黄头发，蓝眼睛，个子高高的。|小姑娘脸色很黄，大概是病了。|这块布的颜色黄得厉害，不太适合做衣服。

【黄瓜】 huánggua 〔名〕

一种植物，开黄色花，果实是普通蔬菜。(cucumber)常做主语、宾语、定语。[量]根。

例句 黄瓜两块五一斤。|这根黄瓜老了，不好吃了。|冬天大棚里种了不少黄瓜。|夏天许多人都爱吃生黄瓜。|黄瓜的味道清新爽口。|春节前，黄瓜的价格涨了近一倍。

【黄昏】 huánghūn 〔名〕

日落以后天黑以前的时候。(dusk)

H

常做主语、宾语、状语。[量]个。

例句 黄昏来临了,落日很美。|我们赶到城里时,已经临近黄昏了。|忙碌的人们送走了一个又一个黄昏。|黄昏的时候,我们终于赶到了机场。|你看,黄昏的景色多美呀!|每天黄昏,我们都去海边散步。

【黄金】 huángjīn 〔名〕

❶ 金属的一种,是黄色的,比较贵重。简称"金",俗称"金子"。(gold)常做主语、宾语、定语。[量]克,块。

例句 这些黄金产自南非。|黄金可以做成各种各样漂亮的首饰。|为稳定金融市场,政府决定抛售一批黄金。|现在黄金的价格是90元人民币一克。|这种矿石的黄金含量很高。|这个国家的黄金产量很高。

❷ 比喻宝贵。(precious)常做定语。

例句 这家大商场位于市区的黄金地段,客流量很大。|她的黄金时代是在中国度过的。|春节是中国的"黄金周"。|这部电视剧将在中央台的黄金时间播出。

【黄色】 huángsè 〔名〕

❶ 黄的颜色。(yellow)常做主语、宾语、定语。

例句 在中国,以前黄色代表皇帝。|黄色我不太喜欢,我喜欢绿色的。|别的颜色都有了,只差黄色了。|我觉得再涂点儿黄色,效果会更好。|今天,小姑娘戴了一顶黄色的帽子,很是漂亮。|交通警察穿上了黄色马甲,老远就能看见。

❷ 特指色情。(pornographic; obscene)常做定语。

例句 政府严厉查禁黄色书刊、录像带。|凡有黄色镜头的DVD,一律被销毁了。

【黄油】 huángyóu 〔名〕

从牛奶或奶油中提取的淡黄色脂肪(zhīfáng),是一种食品。(butter)常做主语、宾语、定语。[量]块,克。

例句 黄油是从牛奶或奶油中提取的。|黄油吃多了容易胖。|现在不少中国人也喜欢吃黄油了。|面包涂上黄油和果酱,很好吃。|黄油的营养价值和热量都很高。|这种黄油的质量不错,您买多少?

【蝗虫】 huángchóng 〔名〕

一种善飞善跳的昆虫(kūnchóng),是农业害虫。(locust)常做主语、宾语、定语。[量]只。

例句 无数只蝗虫在一夜之间吃掉了大片农作物。|这种农药可以迅速杀死蝗虫。|蝗虫的危害极大。

【晃】 huǎng 〔动〕 另读 huàng

❶ (光线)闪耀。(shine; dazzle)常做谓语。

例句 刚从电影院出来,觉得阳光直晃眼睛。|我用手电往屋里晃了晃,什么也没有。

❷ 很快地闪过。(flash)常做谓语。

例句 有个人影晃了一下就不见了。|这个人的武功确实厉害,手一晃,对手就倒下了。|时间过得真快啊,一晃八年过去了。

【晃】 huàng 〔动〕 另读 huǎng

摇动;摆动。(sway)常做谓语,补语。

例句 他晃了一下,但没倒。|由于风浪太大,船晃得很厉害。|老人晃了晃头,不同意我们的看法。|起风了,树枝被刮得直晃。

【灰】 huī 〔形/名〕

〔形〕❶ 黑与白之间的一种颜色。(gray;grey)常做定语。也用于构词或“是…的”固定短语中。

词语 灰暗 灰沉沉 灰蒙蒙

例句 我最喜欢穿这身灰西服。|天空灰蒙蒙的,可能要下雨了。|这幅画的背景是灰的,显得比较阴暗。

❷ 消极;失望。(disheartened; discouraged)常做谓语。也用于构词。

词语 灰心 灰溜溜

例句 考试又没考好,大家的心都灰了。|在大家的指责声中,那个人灰溜溜地走了。|工作没找成,他有些心灰意懒。

〔名〕❶ 尘土;某些粉末状的东西。(dust)常做主语、宾语。[量]层,点儿。

例句 房间里特别干净,一点儿灰都没有。|粉笔灰对教师的健康有很大危害。|几天没擦,桌子上就落了一层灰。|请你用吸尘器吸一吸地上的灰。

❷ 物质燃烧后剩下的粉末状东西。(ash)常做主语、宾语。也用于构词。[量]堆,些。

词语 烟灰 骨灰 草灰

例句 烟灰不倒,屋里就总有烟味儿。|这些灰可以用来肥田。|纸烧完了,只剩下一堆灰。|照传统,他把父亲的骨灰送回了故乡。

【灰尘】 huīchén 〔名〕

粉末状的土或其他物质。(dust)常做主语、宾语。[量]层。

例句 地板上的灰尘已积了厚厚的一层。|旅行回来发现,房间里的灰尘太多了,需要好好清扫清扫。|汽车过去,扬起了一片灰尘。|刮风那阵子,外面到处是灰尘。

【灰心】 huī xīn 〔动短〕

因失败、困难而失去信心和勇气。(lose heart)常做定语、状语、谓语。中间可加入成分。

例句 看到他灰心的样子,我们都很着急。|小伙子灰心地摇摇头,表示不想再学习了。|虽然比赛失利,但队员们并没有灰心。|无论遇到多大的困难,爸爸也没灰过心。

【挥】 huī 〔动〕

❶ 举起手臂(连同拿着的东西)摇摆。(wave; wield)常做谓语。

例句 老师挥了一下手,示意我们不要再说了。|调度员不停地挥着小旗,使车辆有秩序地通过。|武术老师挥着大刀,表演得非常好。|只见老先生大笔一挥,一幅画儿便画成了。

❷ 用手把眼泪、汗珠儿等抹掉。(wipe off)常用于固定短语。

词语 挥汗如雨 挥泪

例句 当时,同学们依依不舍,挥泪告别。|烈日下,工人们挥汗如雨,抢修铁路。

❸ 散出、散。(squander; scatter; disperse)常做语素构词或用于固定短语。

词语 挥金如土 发挥 挥发

例句 他是个亿万富翁,却从不挥金如土。|我是领导,工作上必须发挥带头作用。|洒出来的汽油一会儿就挥发了。

【挥霍】 huīhuò 〔动〕

任意花钱。(spend freely; squander)常做谓语。不能重叠。

例句 这个市长利用职权,挥霍了大量公款。|这些人任意挥霍着国

H

家财产。|他把祖父留下的遗产挥霍得精光。

【恢复】 huīfù 〔动〕

❶ 变成原来的样子。(resume; renew)常做谓语。

例句 两国的外交关系又恢复了。|国民经济已经完全恢复到了原来的水平。|睡了一天,身体还没恢复过来。|病是好了,但体力还得再恢复恢复。

❷ 使变成原来的样子。(recover; regain)常做谓语。

例句 别担心,孩子很快就能恢复健康。|在大家的劝说下,他终于恢复了理智。|经过手术,她又恢复了往日的美丽。|改革开放后,这家老字号正在恢复着自己的传统特色。|由于他改正了错误,公司又恢复了他的职务。

【辉】 huī 〔名/动〕

〔名〕闪耀的光彩。(brightness; splendour)常做语素构词。

词语 光辉　余辉　辉煌

例句 太阳落山了,只留下晚霞的余辉。

〔动〕照耀。(shine)。做语素构词。

例句 绚丽的晚霞辉映着大地。|到了夜晚,各色街灯交相辉映,很漂亮。

【辉煌】 huīhuáng 〔形〕

光辉灿烂。(brilliant; splendid)常做定语、谓语、补语。不能重叠。

例句 比赛取得了辉煌的胜利。|中华民族有过辉煌的历史,更会有辉煌的未来。|夜晚的广场,灯火辉煌。|这几年的城市建设,成就辉煌。|大厅装饰得很辉煌。|故宫里的很多殿堂建造得极其辉煌。|那金黄色的屋顶显得格外辉煌。

【回】 huí 〔动/量〕

〔动〕❶ 从别处到原来的地方。(return; go back)常做谓语,也做语素构词。

例句 回返　回程　回归　回还　回落　回升　回迁

例句 他昨天回美国去了。|三十年了,他只回过一次故乡。|由于春节期间要工作,我回不了家。|我先把东西送回家。|马克从家乡带回了一些特产。

❷ 改变成相反的方向。(turn round)常做谓语,也做语素构词或用于固定短语。

词语 回潮　回访　回顾　回去　回马枪　回想　回首　回转　回心转意

例句 上课的时候,他总回头看我。|她想回回身子,可车上的人太多了,根本回不过来。|在众人的劝说下,她终于回心转意了。

❸ 答复。(reply; answer)常做谓语,也做语素构词。

词语 回报　回答　回复　回话　回敬　回礼　回信　回应　回赠

例句 收到汇款后,请速回电话。|我回了她一份 E-mail,她大概已经收到了。|收了人家的东西,也得回人家一份礼呀。|终于不忙了,我现在可以给朋友们回回信、回回电话了。

〔量〕指事情、动作的件数、次数。(times; number of times)常构成短语做句子成分。

例句 这是怎么回事?|北京我一回也没去过。|只要两人争执起来,回回都是他让步。|上回去黄山,正

赶上下雨,没玩好。|这首歌我听过好几回了。

【回避】 huíbì 〔动〕

让开;躲开。(evade; dodge; avoid meeting sb.)常做谓语、定语。

例句 不能回避要害问题。|这件事你回避不了了。|马克不会回答,不安地回避着老师的眼光。|无论遇到什么矛盾,我们都没回避过。|在这个问题上,他采取了回避态度。|用回避的方式怎么能从根本上解决问题呢?

【回答】 huídá 〔动/名〕

〔动〕对问题进行说明;对要求表示意见。(answer; give reply)常做谓语、宾语。

例句 他正确地回答了老师的问题。|服务员热情地回答着客人们。|那个事儿我已经回答过两次了,肯定不行。|这个问题,同学们都回答错了。|对记者的提问,部长先生拒绝回答。

〔名〕对问题的答复。(answer; reply)常做主语、宾语。[量]个。

例句 那个语法问题,老师的回答不明确。|马克对老师问题的回答,引来了一阵笑声。|同意还是不同意,请给我们一个明确的回答。|对这个回答,大家还满意吧?

【回顾】 huígù 〔动〕

回头看;多比喻回想过去。(look back; review)常做谓语、宾语。

例句 座谈会上,同学们一起回顾了当年在一起的生活。|回顾一下儿过去,能使我们更加体会到今天的幸福。|经常回顾回顾历史,可以让孩子们了解历史。|老人对自己的生活进行了回顾。

辨析 〈近〉回忆。"回顾"多指回头看过去一个阶段的历史,以便总结经验,面向未来;"回忆"多指回想亲身经历的具体事情。如:* 回忆一下儿历史,可以明白谁是谁非。("回忆"应为"回顾")|他常常回忆童年时代的事。

【回击】 huíjī 〔动〕

受到攻击后,反过来攻击对方。(counter-attack; strike back)常做谓语、宾语。

例句 当天晚上,我们的飞机狠狠地回击了对方。|对敌人的进攻,我们必须给予坚决的回击。

【回来】 huí lái 〔动短〕

从别的地方到原来的地方。(come back; be back; return)常做谓语、补语、定语。中间可插入成分。

例句 50年代,从国外回来了一大批有名的科学家。|从18岁那年离开家乡后,他再也没回来过。|下课后早点儿回宿舍来,吃完饭好去听音乐会。|真没想到,你回来得这么快。|晚饭不用等我,我回不来。|晚上九点以前,我一定赶回来。|飞机终于安全地飞回来了。|请把回来的时间和航班告诉我。|请问,回来的车票也卖吗?

【回去】 huí qù 〔动短〕

从别的地方到原来的地方去。(go back)常做谓语、定语、补语。中间可插入成分。

例句 我该回去了,你早点儿休息吧。|三年前,他离开家乡,至今没回去过。|比尔决定立刻回伦敦去。|现在这么忙,我回得去吗?|小王已经回去了一个多月了,快回来了。|事儿太多,回去的希望不太大。|

我是回去的路上得病的。|今天晚上我得赶回去，明天还有课呢。|请把这些东西拿回去，我不能收。

【回收】 huíshōu 〔动〕

把物品(多指废品或旧货)收回利用。(reclaim；recover；retrieve)常做谓语，也可做主语、宾语、定语。

例句 这个厂的废水已经全部回收利用。|这家商店回收啤酒瓶。|废旧物品的回收可节约自然资源。|旧家电从去年开始回收，至今已经达到一万多台。|世界上只有少数国家掌握了卫星回收技术。

H

【回头】 huítóu 〔副〕

少等一会儿；过一段时间以后。(later)做状语。

例句 我有点儿事，咱们回头见。|你别着急，回头我再好好跟他谈谈，他会同意的。|请您拿着发票先回家，回头我们送货上门。

▶"回头"也做动词短语，指把头转向后方。如：往前走，别回头。

【回想】 huíxiǎng 〔动〕

想(过去的事)。(recall；think back)常做谓语。

例句 夜深人静时，她常一个人回想往事。|当时的情景，至今回想起来仍令人激动不已。|奶奶经常回想童年时代的生活。|你好好回想回想，都有谁参加了那次舞会？

【回信】 huí xìn 〔动短/名〕

〔动短〕答复来信。(write in reply；write back)常做谓语。中间可插入其他成分。

例句 我已经给朋友回信了。|我给她写了好几封信，她只回过一封信。|有时间得给朋友们回回信了。

〔名〕❶ 答复的信。(a letter in reply)常做主语、宾语、定语。[量]封。

例句 我的回信你收到了吗？|昨晚我给朋友写了一封回信。|妈妈收到了女儿的回信，非常高兴。|回信的地址千万不要写错了。

❷ 答复的话("信"读"信儿")。(reply)常做宾语。[量]个。

例句 快去吧，我们等你回信儿。|不管对方同意不同意，都给家里个回信儿。

【回忆】 huíyì 〔动/名〕

〔动〕回想过去的事情或经历。(call to mind；recollect)常做谓语。

例句 在这篇文章里，老人回忆了战争时期的生活。|当年上大学的情景，父亲不知回忆过多少遍了。|请好好回忆回忆当时你们都谈什么了。|她年轻时的模样，我怎么也回忆不起来了。

〔名〕对过去事情或经历的回想。(recollection of the past)常做主语、宾语，前边必带修饰成分。[量]段。

例句 对童年生活的回忆又把我带回遥远的过去。|这张照片，引起了她对往事的回忆。|在中国度过的那些日子将成为留学生的美好回忆。

【悔】 huǐ 〔动〕

做错了事或说错了话，事后认识到不该。(regret；repent)常做语素构词。

词语 悔恨 后悔 悔改 悔过 悔悟

例句 造成这么严重的后果，他追悔莫及。|这人已有了悔改的表现。|他决心彻底悔过，重新做人。

【悔改】 huǐgǎi 〔动〕

认识错误并改正。(repent and mend one's ways)常做谓语、宾语、定语。不能重叠。

例句 以前的罪行,他已经悔改了。|在大家的帮助下,小张决定彻底悔改。|给他一个悔改的机会,看看他有没有悔改的表现。

【悔恨】 huǐhèn 〔动〕

对所做的错事或说的话后悔怨恨。(regret deeply)常做谓语、状语、定语。不能重叠。

例句 我深深地悔恨自己犯下的错误。|老王对自己荒唐的过去悔恨不已。|她悔恨极了,当初为什么不努力学习呢?|在法庭上,他悔恨地哭了。|面对大家,姑娘流下了悔恨的眼泪。

【毁】 huǐ 〔动〕

❶ 破坏。(ruin;destroy)常做谓语、补语。不能重叠。

例句 一场洪水把庄稼全毁了。|这场战争毁了无数的城市、村庄。|你应该教孩子走正道,可不能毁了他。|在那次车祸中,姑娘的脸被毁得不成样子,真令人痛心。|一场意外的火灾,使这片森林被烧毁了近一半。

❷ 说坏话。(slander)常做语素构词。

词语 毁谤 诋毁 毁誉

例句 随意毁谤人要负法律责任。|有的人就爱诋毁别人,抬高自己。|大家对新厂长的评价,毁誉参半。

【毁坏】 huǐhuài 〔动〕

损坏(sǔnhuài);破坏。(destroy; damage; break; deface)常做谓语。不能重叠。

例句 毁坏森林是违法的。|长期繁重的体力劳动毁坏了他的身体。|地震中,整个城市毁坏得很严重。|这座塔被毁坏了很久了,听说准备重建。

【毁灭】 huǐmiè 〔动〕

用强大的力量破坏、消灭。(destroy;exterminate)常做谓语、宾语、定语。不能重叠。

例句 为了逃避罪责,他们已经毁灭了罪证。|这场无情的大火,完全毁灭了这片森林。|由于污染严重,湖里的鱼类已经被毁灭得干干净净。|这些珍贵的文物在战乱中遭到毁灭。|要用法律使珍稀动物免于毁灭。|他就是这样一步一步走上毁灭道路的。

【汇】 huì 〔动〕

❶ 水流会合在一起。(flow together;converge)常做谓语。不能重叠。也做语素。

词语 汇合 交汇

例句 涓涓泉水汇成了大河。|几条支流在这儿汇入长江。|附近的雨水汇合起来,就能变成山洪。|长江口因为咸水和淡水交汇,鱼类资源极为丰富。

❷ 聚集。(compile; gather together)常做谓语。也做语素构词。

词语 汇报 汇编 汇集 汇总

例句 你必须重新汇总这些数字。|今天晚上我把这些材料汇到一起,明天一早交给你。|这些数字我汇过几遍了。

❸ 通过邮局或银行把钱寄或划给另一方。(remit)常做谓语。也做语素构词。

词语 汇兑 汇票 汇款 汇费

例句 这位老人给山区的小学汇了

一笔钱。|妈妈来信说,学费已经给我汇来了。|清晨,邮递员给我送来了一张汇票,是银行的汇款到了。

▶"汇"也做名词,指聚合而成的东西或外国货币。如:词汇 总汇 外汇 汇率

【汇报】 huìbào 〔动/名〕

〔动〕向上级或群众报告。(make a report; give an account of)常做谓语。

例句 调查结果已经向上级汇报过了。|每月的学习情况,我至少向父母汇报一次。|在大会上,他汇报了自己努力学习的情况。|群众的意见和要求得常跟领导汇报汇报。|代表把谈判的过程汇报得清清楚楚。

〔名〕综合材料所形成的报告。(report)常做主语、宾语、定语。[量]个,份。

例句 获奖同学的汇报,赢(yíng)得了阵阵掌声。|这个汇报虽然简单,但很说明问题。|我把在国外的情况写成了一份详细的汇报。|听了关于安全生产情况的汇报,大家心情都很沉重。|因为时间关系,我只写了汇报提纲。

【汇集】 huìjí 〔动〕

人或事物集合在一起。(compile; collect)常做谓语、定语。

例句 这张CD汇集了很多名曲。|这本书把最新观点都汇集起来了。|我们大学汇集了世界各国的留学生。|欢庆的人群从四面八方汇集到广场。|我把情况再汇集汇集,整理之后送给各位领导。|这个公司不大,汇集的人才可不少。|长江中游的河段不长,汇集的支流却很多。

【汇款】 huì kuǎn 〔动短/名〕

〔动短〕把款汇出。(remit money)常做谓语(不带宾语)、定语。中间可插入其他成分。

例句 他刚才去邮局汇款了。|这位老板给希望工程办公室汇了一大笔款。|一位年轻人曾给灾区汇过三次款,但每次都没署名。|汇款手续不太麻烦,一会儿就完。|一到年节,汇款的人就特别多。

〔名〕汇的钱。(remittance)常做主语、宾语、定语。[量]笔。

例句 这笔汇款是他半年的生活费。|这些汇款来自世界各地。|我刚收到一笔汇款,要是有急事,你先用吧。|她去邮局取汇款了,一会儿就回来。|别着急,汇款数额比较大,好好点点。

【汇率】 huìlǜ 〔名〕

一个国家的货币兑换(duìhuàn)其他国家的货币的比例。(exchange rate)常做主语、宾语、定语。[量]个。

例句 最近,(银行的)汇率又下调了。|人民币与美元的汇率一直比较稳定。|调整汇率应当慎重。|留学生很关心人民币与其他货币之间的汇率。|汇率的长期稳定很难做到。

【会】 huì 〔助动/动/名〕

〔助动〕❶ 懂得怎样做或有能力做。(be good at; be skilled in)常做状语。不能重叠。

例句 她会游泳,但不会滑冰。|我的老师会拉小提琴,也会弹钢琴。|A:你会踢足球吗? B:不会。

❷ 善于做某事(在某方面有特长)。(be good at)常做状语。不能重叠。

例句 我爱人很会过日子。|他是个能写会画的人。|这个女人很会演戏。|小伙子不大会说话，见了生人就脸红。

❸ 有可能实现。(be likely to; be sure to)常做状语。不能重叠。

例句 领导不会同意这样做。|明天的晚会，小刘会来的。|没想到事情会这么顺利。|你的理想一定会实现，努力吧。|如果你早来一会儿，就会看到她了。|没想到会下这么大的雨。

〔动〕❶ 见面。(meet; see)常做谓语。也做语素构词。

词语 会见 会面 会客 会晤

例句 一个星期，他会了三次女朋友。|请稍等，老板正会着客呢。|我曾会过他一面。|今天晚上没事儿，我要去会会老朋友。

❷ 熟悉，通晓，理解，懂得。(know; understand; grasp)常做谓语。也做语素构词。不能重叠。

词语 体会 领会 误会 意会

例句 我只会英语，不会日语。|你会什么？可以给我们表演一下儿吗？|意大利语以前会过，现在全忘了。|这几年我深深体会到了留学了艰辛。|别误会，我不是那个意思。

❸ 集合起来。(gather; assemble)常做语素构词。

词语 会餐 会合 聚会 会商 会师 会谈 会同 会战 会诊

例句 毕业生明天中午在学生食堂会餐。|经过几位医生会诊，才找到了病因。

〔名〕❶ 为一定目的集合在一起进行的交流活动。(meeting; gathering; party; conference)常做宾语、主语。也做语素构词。[量]个。

词语 集会 舞会 晚会 庙会 运动会 会场 会期 会务 会演 会议

例句 晚上有个会。|明天要开一整天的会，一点儿空儿也没有。|下午的会两点开始，请大家准时参加。|这个会什么时候散？

❷ 主要的城市。(capital)常做语素构词。

词语 都会 省会

例句 沈阳是辽宁的省会。|早在30年代，上海就是个大都会。

【会场】 huìchǎng 〔名〕

开会的地方。(meeting-place; conference hall)常做宾语、主语、定语。[量]个。

例句 我们快去布置会场吧。|九点开会，八点半开始进会场。|整个会场不断响起阵阵掌声。|主会场在人民大会堂。|会场内外充满着喜庆的节日气氛。|会场的人数有11万。

【会话】 huìhuà 〔动/名〕

〔动〕两个或更多的人之间谈话(多用于学习别种语言或方言)。(converse)常做谓语(不带宾语)。

例句 他俩正用英语会话呢。|学汉语最好多和中国人用汉语会会话。

〔名〕指两人以上的对话。(dialogue; conversation)常做主语、宾语、定语。[量]段。

例句 我的汉语听力不错，会话还不行。|这段会话是什么意思？|我经常跟她练习会话。|我们几个人正在用汉语进行会话。|现在请大

H

家做会话练习，会话内容是旅游。

【会见】 huìjiàn 〔动/名〕

〔动〕跟别人相见(多用正式场合)。(meet with; interview)常做谓语。

例句 昨天下午，总理分别会见了来访的两国外长。|老校长曾多次会见过我们。|老板今天要会见外商。|市长刚会见完外宾，又与记者进行了亲切友好的会见。

〔名〕跟别人的相见(多用于正式场合)。(meeting)常做主语、宾语。[量]次。

例句 两国总统之间的会见很成功。|跟那位作家的会见很有意义。|外交部安排了这次会见。|这是一次历史性的会见。

【会客】 huì kè 〔动短〕

跟客人见面。(receive a visitor)常做谓语、定语。

例句 校长正在客厅会客呢。|今天我要会客，所以没时间去了。|请你安排一下会客时间。|我还不知道会客地点呢。

【会谈】 huìtán 〔动/名〕

〔动〕双方或多方共同商谈。(talk)常做谓语、宾语。

例句 两国首脑正在会谈贸易问题。|有关边界问题，两国代表已经会谈了两年，现在还要进行最后一次会谈。|经过多次会谈，双方就合作问题达成了一致。|他们还要会谈下去。

〔名〕双方或多方共同进行的商谈。(talks)常做主语、宾语、定语。[量]次。

例句 双方的会谈圆满结束了。|不知为什么，两国总理的会谈忽然中止了。|两国恢复了贸易问题的会谈。|这次会谈的气氛十分友好。|会谈的主要内容以后将公布。

【会同】 huìtóng 〔动〕

跟有关方面会合起来(办事)。(join with other organizations concerned)常做谓语(一般后接另一动词)。不能重叠。

例句 学校会同有关部门解决了留学生的宿舍问题。|外商投资办厂要会同几个部门共同审批。

【会晤】 huìwù 〔动〕

会面、会见。(meet)常做谓语、主语、宾语。不能重叠。

例句 两国领导人将于明日在国宾馆会晤。|昨天，部长亲切会晤了当地知名人士。|近日，就贸易战略问题，两国贸易部长已会晤过两次。|五国首脑的会晤引起了世界的关注。|两国外长的会晤有利于改善两国的关系。|两国领导人进行了亲切友好的会晤。|由于国内发生地震，对方取消了这次会晤。

【会议】 huìyì 〔名〕

有组织有领导地商议事情的会。(meeting; conference)常做主语、宾语、定语。[量]个，次。

例句 这次工作会议将由三人主持。|原定的商务会议按时召开了。|公司领导召开了一个紧急会议。|今天，在北京举行了教育方面的全国性会议。|电视上已经播出了会议的内容。|本次会议的主要议题是如何准备考试。

【会员】 huìyuán 〔名〕

某些团体或专业组织的成员。(member)常做主语、宾语、定语。[量]个。

例句 全体会员一致同意下次会议

在中国举行。|球迷协会的会员可以优先入场。|这个高尔夫球俱乐部共有一百多个会员。|她是作家协会的新会员。|我得到一本学会的《会员通讯录》。|有会员卡的顾客在商场购物打九折。

【会诊】 huì zhěn 〔动短〕

几个医生共同诊断疑难病症(bìng zhèng)。(consult)常做谓语、主语、宾语、定语,中间可插入成分。

例句 来自几家大医院的专家正在为病人会诊。|专家们已会过诊,制定了一套新的治疗方案。|我希望再请别的医院的大夫来会会诊。|会诊结束了,大家的看法基本一致。|这次会诊给患者带来了新的希望。|好几位医学权威参加了这次会诊。|别担心,会诊的结论不是恶性肿瘤。

【诲人不倦】 huì rén bú juàn 〔成〕

教导别人有耐心,不知疲倦。(be tirless in teaching; teach with tireless zeal)常做谓语、定语。

例句 那个老师对所有学生的问题都认真回答,诲人不倦。|做老师的就应该诲人不倦。|大家都十分钦佩她这种诲人不倦的精神。

【绘】 huì 〔动〕

画。(draw; paint)常做谓语。也做语素构词。

词语 描绘 绘画 绘制

例句 我已经绘好了一张学习进度表。|这份图表绘得很精细。|他精心绘制了一张工程设计图。|"五年计划"描绘出一幅美好的前景。

【绘画】 huì huà 〔动短〕

画画儿(drawing; painting)。常做主语、谓语(不带宾语)、宾语、定语。中间可插入成分。

例句 老画家正在专心地绘画,别打扰他。|他准备绘一幅中国画,参加留学生画展。|绘完这幅油画后,我打算出去旅行,放松一下。|绘画只是他的业余爱好。|可以看出,他的绘画具有相当深厚的功底。|这个女孩儿很擅长绘画。|听说,他在一所美术学校教绘画,很受学生欢迎。|经过刻苦练习,这孩子已经掌握了绘画的技巧。

【贿】 huì 〔名/动〕

〔名〕用来买通别人的财物。(wealth; property; bribe)常用于固定短语。

词语 行贿 受贿 索贿

例句 这个处长既贪污又受贿。|我们应该严厉打击行贿、受贿的不正之风。

〔动〕用财物买通别人。(bribe; offer bribes)常做语素构词。

词语 贿赂 贿选

例句 这个走私团伙想贿赂海关人员,被严厉地拒绝了。|经查实,他是通过贿选当上领导的。

【贿赂】 huìlù 〔动〕

用财物买通别人。(bribe)常做谓语、定语、主语、宾语。

例句 他贿赂了商场有关人员,才使这批伪劣产品摆上了柜台。|当初,为了拿到营业执照,他曾贿赂过工商部门的主管官员。|她是一位正直的法官,任何人也贿赂不了她。|为了减轻罪行,这人竟贿赂起原告来。|他本打算贿赂贿赂领导,结果碰了壁。|这是一种严重的贿赂行为。|贿赂不能动摇她的心。|老校长从来没接受过任何贿赂。

H

【昏】 hūn 〔动/形〕

〔动〕头脑迷糊；失去知觉。(faint; lose consciousness)常做谓语、补语。

例句 她昏过好几次了，快送医院吧。|我简直昏了头，不知该做什么。|她又昏过去了，快去叫医生。|小伙子昏了大概一个小时，终于醒过来了。|干完这个干那个，都快把我累昏了。|见我平安回到家，奶奶高兴得差点儿昏了。

〔形〕黑暗。(dark; dim)常做谓语。也做语素构词。

词语 昏暗 黄昏 昏黑

例句 忽然间，天昏地暗，一场暴风雨就要来临了。|天色昏昏，街上已没了行人。|屋里只点了一盏(zhǎn)油灯，有些昏暗。|在这昏暗的夜色中，我看不清周围的景物。

【昏迷】 hūnmí 〔动〕

因伤病而长时间失去知觉。(be in a stupor; be in a coma)常做谓语(不带宾语)、宾语、定语。不能重叠。

例句 她已经昏迷了好几个小时了，还没醒过来。|两个月来，病人一直昏迷着。|由于极度的饥饿，他已昏迷过好几次了。|严重的脑外伤可能引起昏迷。|小伙子受伤以后，一直处于昏迷状态。

【婚】 hūn 〔动/名〕

〔动〕男女成为夫妻。(marry; get married)常做语素构词。或用于固定短语。

词语 婚礼 婚事 婚龄 婚配 成婚 新婚 晚婚 未婚

例句 他至今未婚，不知还等什么。|别再追求她了，她是个已婚的女人。|婚礼再豪华，也不等于以后的生活一定幸福。|现在，晚婚晚育的越来越多了。

〔名〕男女结成的夫妻关系。(marriage)常做宾语、主语。

例句 我们已经结婚了。|小伙子请厂长为他证婚。|她太不幸了，一生中竟离了三次婚。|出了车祸，婚是结不成了。

【婚姻】 hūnyīn 〔名〕

因结婚而产生的夫妻关系。(marriage)常做主语、宾语、定语。[量]桩(zhuāng)。

例句 婚姻不能开玩笑，一定要慎重。|老年婚姻逐渐多起来了。|包办婚姻、买卖婚姻都不符合法律。|双方父母都很赞同这桩婚姻。|街道成立了一个婚姻介绍所。|他们最终解除了婚姻关系。

【浑】 hún 〔形〕

❶(水、空气等)不清洁、不新鲜。(muddy)常做谓语、补语、定语。

例句 刚下过雨，井里的水很浑。|杯子里的水浑浑的，倒(dào)掉吧。|装修把屋里的空气搞得特别浑。|这儿缺水，常用浑水洗手。

❷ 糊涂；不懂事。(tardy; muddleheaded)常做谓语、宾语、定语。

例句 这人真浑，什么道理也讲不通。|这种人浑起来，真让人头疼。|见没有人支持他，他发起浑来。|她时常说些浑话，让人哭笑不得。

【浑身】 húnshēn 〔名〕

全身上下。(from head to foot; all over)常做主语、定语。

例句 可能着凉了，浑身不舒服。|看你，浑身是汗，小心感冒。|他浑身都让雨淋透了。|我很累，浑身的骨头像散了架似的。|这位健美运动员表演时，浑身的肌肉都凸了出来。

【混】 hùn 〔动〕

❶ 搀杂(chānzá)。(mix)常做谓语。

例句 大米里混着不少壳子。|这酒里一定混了水,要不味道不会这么淡。|注意,人群里混了几个扒手。|别把两件事混在一起。|可以把两种面粉往一起混混。

❷ 用欺骗的手段使人相信虚假的事物。(pass for;pass off as)常做谓语。

词语 蒙混 鱼目混珠

例句 他想用假票混进去,结果被发现了。|你去混混看,也许能混进去。|几个走私犯想混过海关,但没混过去。

❸ 只要能够过得去,就这样生活下去,不作长远打算。(drift along;muddle along)常做谓语。

例句 难道你就这样稀里糊涂地混一辈子?|小伙子靠在饭店刷盘子混日子。|A:喂,干得不错吧?B:不错什么?混呗!|这个人曾在我们公司混过几年,没混好,后来走了。|他东混混,西混混,直到混不下去才回家了。|如今是竞争上岗,想混是没门儿了。

【混合】 hùnhé 〔动〕

❶ 搀杂在一起。(mix;blend;mingle)常做谓语、定语。

例句 油和水无法混合在一起。|牛奶里混合着果汁,这样做成的冰淇淋(bīngqílín)特别好吃。|鸡尾酒是用几种酒和饮料混合起来制成的。|把这几种颜色放在一起混合混合,看看效果怎么样。|正在进行的是羽毛球混合双打。|这是客货混合列车。

【混合物】 hùnhéwù 〔名〕

两种或几种物质搀杂在一起的物质。(mixture)常做宾语、主语。[量]种。

例句 空气里是很多种气体的混合物。|通过检查排出的混合物,医生发现了癌变。|这种混合物具有一些特别的性质。

【混乱】 hùnluàn 〔形〕

没有条理;没有秩序。(confused;disordered)常做谓语、定语、宾语、主语。不能重叠。

例句 这儿的交通太混乱了。|我的思路混乱极了,怎么也理不清。|原来公司的管理状况混乱得不得了,现在好转了。|警察很快控制了混乱的局面。|政府下决心治理混乱的经济秩序。|这件事处理不好,容易在公司引起混乱。|由于顾客太多,商场发生了混乱。|暂时的混乱很快平息下来了。

【混凝土】 hùnníngtǔ 〔名〕

用水泥、砂、石子和水按一定比例拌合成的建筑材料。(concrete)常做主语、宾语、定语。[量]吨。

例句 混凝土怕冻,要加防冻剂。|大坝浇注了上万吨混凝土。|大水冲垮了混凝土桥基。|这座建筑是钢筋混凝土结构。

【混为一谈】 hùn wéi yì tán 〔成〕

把不同事物混同起来,说成是同样的。(lump together;confuse sth. with sth. else)常做谓语。

例句 外国人把饺子和馄饨混为一谈,其实这是两回事。|正义战争不能和非正义战争混为一谈。

【混淆】 hùnxiáo 〔动〕

把不同性质的事物混在一起,使界限不分明(多用于抽象事物)。

(confuse; mix up)常做谓语。

例句 很多同学混淆了两个词语的意思。|不能把黑和白、好人和坏人混淆起来。|他这样混淆视听是别有用心的。

【混浊】 hùnzhuó 〔形〕

(水、空气等)含有杂质,不清洁,不新鲜。(muddy; turbid)常做定语、谓语。不能重叠。

例句 这么混浊的水怎么能饮用呢?|房间里充满混浊的空气。|河里的水长期受到污染,越来越混浊了。|空气太混浊了,快打开窗户透透气吧。

【豁】 huō 〔动〕 另读 huò

❶ 裂开;割裂。(break; crack; slit)常做谓语。

例句 我的手指豁了,快帮我包扎一下。|一不小心,裤子豁了个口子。|把口子再往大豁豁,不然倒不出来。

❷ 狠心付出很高的代价;舍弃。(give up; sacrifice)常做谓语(带补语)。不能重叠。

例句 我豁出命也要把毕业论文完成。|马克准备豁出1万元去旅游。|为了这个我什么都豁得出去。

【活】 huó 〔动/形〕

〔动〕❶ 生存;有生命。(live)常做谓语、补语。不能重叠。

例句 太可惜了,只活了一条鱼。|这个人还活着呢,快叫救护车。|老人家活了八十多岁,还是第一次坐飞机。|我们要活到老,学到老。|他永远活在我们心中。|经过医生的抢救,她终于活过来了。|医生终于把孩子救活了。|没想到,这些小树都栽活了。

❷ 维持生命。(bring up)常做谓语(带宾语)。

例句 为了活命就别在乎钱了。

〔形〕❶ 活动;灵活。(vivid; lively; movable; moving)常做谓语、定语、补语。不能重叠。

例句 现在的年轻人脑子一般都很活。|听朋友一劝,我的心还真有点儿活了。|学习方法要活,不要太死板。|别看她没读过几天书,可心眼活得很。|这是活水,很干净。|她学得很活,记得很牢。

❷ 在活的状态下。(alive)常做定语、状语,也用在"是…的"格式中。

例句 市场上,活鸡活鱼什么都有。|小孩子活捉了一条大鱼。|这条鱼买来的时候还是活的。

【活儿】 huór 〔名〕

❶ 工作,一般指体力劳动。(job; work)常做主语、宾语。[量]个。

例句 家务活儿都是妈妈干。|在厂里,他工作特别积极,脏活儿、累活儿抢着干。|下乡那阵子,什么庄稼活儿,我都学会了。|爸爸是个闲不住的人,一有空儿就干活儿。|修理家用电器是个细活儿。

❷ 产品。(product)常做主语、宾语。[量]个,批。

例句 这个活儿做得像样。|放心吧,这些活儿保证按时完成。|别看时间紧,可计划好了的活儿都得干。|公司大胆接下了这批活儿。|每天都是多干一两个小时活儿才下班。

【活动】 huódòng 〔动/名〕

〔动〕❶ (人、物体)运动。(move about; exercise)常做谓语。

例句 一下课,同学们都到外面活动。|我活动了半个多小时了,该上

场了。|大家正活动着,教练来了。|你活动得不够,再活动活动,才能下水游。

❷ 为达到某种目的而采取行动。(take purposeful action)常做谓语(不带宾语)、定语、宾语。

例句 这个星期,口语小组活动了两次。|青年志愿者一直在这一带活动。|书法小组两个星期活动一次。|近日,一些走私犯又活动起来了。|我们的合唱队已经很久没活动了,该活动活动了。|最近,活动经费比较紧张。|中国画小组的活动时间定在每周五下午。|因为没有钱,我们已经停止活动了。

❸ 动摇、不固定。(shake; be unsteady)常做谓语、定语。

例句 岁数到了,今天又活动了两颗牙。|这颗螺丝活动了,得紧一下。|桌子修好以后,再没活动过。|这把椅子活动了很长时间了,也没人修。|这个桌子腿刚修好,怎么又活动起来了?|他设计了一种活动书桌。|活动房屋用起来很方便。

〔名〕物体的运动;为达到某种目的而采取的行动。(activity)常做主语、宾语、定语。[量]项。

例句 这个庆祝活动整整进行了两天。|假期各种活动丰富多彩,很有意思。|国庆节期间,举行了盛大的庆祝活动。|他从小就喜欢参加体育活动。|为迎接奥运会,北京安排了多项活动。|此人不爱交际,活动范围很小。|这儿的活动场地太小了,我们换个地方吧。

辨析 〈近〉运动。"活动"主要指人的动作,也指具有社会意义的实践,使用范围较广;"运动"主要指大规模的社会活动,也指体育活动。如:他常参加一些社交活动。|*类似"文革"那样的活动再也不能搞了。("活动"应为"运动")

【活该】 huógāi 〔动〕

表示应该受到这样的惩罚,不值得同情。(serve sb. right)常做谓语,也做独立成分。

例句 难道我就活该受这个罪吗?|这个人总是酒后驾车,如今出了车祸,真是活该倒霉。|有工作不好好干,叫人家炒了鱿鱼,这不是活该吗?|活该!平时不好好学习,考试能考好吗?

【活力】 huólì 〔名〕

旺盛的生命力;比喻充满生机的力量。(vigor; energy; vitality)常做宾语,主语。

例句 她浑身充满着青春的活力。|新政策激发了市场的活力。|引进外资以后,企业的活力又恢复了。|你当年的活力都哪儿去了,怎么成天无精打采的?

【活泼】 huópo 〔形〕

生动自然;不呆板(dāibǎn)。(lively; vivid; vivacious)常做定语、谓语、状语、补语。

例句 我喜欢这些活泼的孩子。|生动活泼的局面,有利于经济的发展。|她天性活泼,就像个孩子。|这孩子活泼得很。|篝(gōu)火旁,留学生们欢快活泼地唱着、跳着。|新年晚会开得生动活泼。|这篇文章写得生动活泼,很值得一读。

【活跃】 huóyuè 〔动/形〕

〔动〕积极活动;使积极活动。(enliven; animate; invigorate)在句中做谓语。可重叠为ABAB式。

例句 这些政策活跃了经济。|这一带山区,活跃着一个农民剧团。|体育活动大大活跃了留学生的业余生活。|他请到一位歌星,来活跃活跃晚会气氛。|这位老演员活跃了几十年,深受观众喜爱。|很多优秀老师一直活跃在教学第一线。

〔形〕活泼而积极;气氛热烈。(brisk; active; dynamic)常做定语、谓语、补语。不能重叠。

例句 他是个文体活跃分子。|宴会上,她成为最活跃的人物。|会场气氛十分活跃,歌声不断。|他的思想十分活跃,对事物总有独特的见解。|讨论会开得很活跃。

【火】 huǒ 〔名〕

❶ 燃烧着的发光、高热气体。(fire)常做主语、宾语、定语。也常做语素构词。[量]场,把。

词语 火车 火光 火海 火花 火柴 火警 火炬 火苗 火山 火焰 火药 火灾 灯火 焰火

例句 那场大火终于被扑灭了。|炉火已经熄了,屋里渐渐冷起来。|费了好大劲儿,他才把火点着了。|仓库着火了,快去救火!|火的用处很多,但火的危害也很大。

❷ 中医指引起发炎、红肿、烦躁等的病因。(internal heat, regarded as the cause of inflammation, turgescence and restlessness)常做宾语、主语。

例句 脸上长疙瘩了,可能上火了。|最近有点儿火,嗓子总疼。|多吃西瓜可以去火。|你这火不小,吃点儿消炎药吧。

❸ 比喻急躁(jízào)或生气。(anger; fury; hot temper)常做主语、宾语。

例句 不知怎么了,他一天竟发了两次火。|一听这话,老人真动了火,很不高兴。|她的火正好没地方发,你来了,就忍着点儿吧。|你这火也太大了,为了这点儿小事,不值得。

▶"火"也做动词,指发怒。如:没等我说完,对方就火了。|注意点儿,人家已经火了。

【火柴】 huǒchái 〔名〕

一头儿有易燃物的细小木条儿,用来取火。(match)常做主语、宾语、定语。[量]根,盒。

例句 火柴不如打火机方便。|糟了!这盒火柴潮(cháo)了,划不着。|他划了根火柴,把蜡烛点着了。|她喜欢收集漂亮的火柴盒。

【火车】 huǒchē 〔名〕

在铁路上运行的交通运输工具。(train)常做主语、宾语、定语。[量]列。

例句 注意!火车进站了。|火车很快就要通到西藏了。|我准备坐火车去上海。|我们快点儿走,也许能赶上这趟火车。|火车票我已经买到了。|这趟火车的发车时间已经改了。

【火箭】 huǒjiàn 〔名〕

飞行器,速度很快,用来运载人造卫星、宇宙飞船等。(rocket)做主语、宾语、定语。[量]枚。

例句 火箭发射成功了。|这枚火箭将把通信卫星送入轨道。|发射卫星要用多级火箭。|科学家们刚刚研制出一种新型的火箭。|他爸爸是一位著名的火箭专家。|火箭的制造和发射都需要尖端的科学技术。

【火力】 huǒlì 〔名〕

❶ 燃烧煤、石油、天然气等得到的动力。(thermal power; power obtained from burning coal, oil and natural gas)做定语、宾语。

例句 火力发电成本较高。|这座大型电厂是用火力来发电的。

❷ 弹药造成的杀伤力和破坏力。(fire power)常做主语、宾语、定语。

例句 敌人的火力很猛(měng)。|距离有点儿远,我们的火力达不到。|要压住敌人的火力。|集中火力消灭他们。|在大炮的掩护下,部队迅速穿过了火力网。|我军用大炮摧毁了对方的火力点。

❸ 指人体的抗寒能力。(vigor; energy)常做主语、宾语。

例句 还是你们年轻人火力旺啊。|他觉得自己真的老了,火力不足了,常常感冒。|年纪大了,没什么火力了。

【火山】 huǒshān 〔名〕

地下的岩浆喷出地面而形成的山。(volcano)常做主语、宾语、定语。[量]座。

例句 那个地方的火山有时爆发。|这座火山正处于活动期,随时会喷发。|岛上有两座死火山。|我们只是从远处观察着这座火山,没敢走近它。|这个火山口有一平方公里大。|大量的火山灰弥漫在空气之中。

【火焰】 huǒyàn 〔名〕

燃烧着的可燃气体,也叫火苗。(flame)常做主语、宾语。

例句 大楼着火了,火焰迅速蔓延开来。|熊熊的火焰正在吞噬(shì)着这座大楼。|改革运动迅速发展起来,就像扑不灭的火焰。

【火药】 huǒyào 〔名〕

炸药的一类。(gunpowder)常做主语、宾语、定语。[量]种。

例句 火药是中国古代四大发明之一。|这种黑色火药常用来做烟花。|中国古代人民发明了火药,后来传到了欧洲。|筑路工人正在用火药炸山。|我们应该严格控制火药的制造和使用。|这种新型火药的爆炸力很强。

【火灾】 huǒzāi 〔名〕

因火造成的灾害。(fire)常做主语、宾语、定语。[量]场。

例句 这场火灾造成了重大的经济损失。|这场火灾发生得非常突然。|一个烟头,居然引起了一场火灾。|一旦发生火灾,请迅速拨打“119”。|为消除火灾隐患,列车上禁止带易燃物品。|接到火警后,消防人员迅速赶到了火灾现场。

【伙】 huǒ 〔量〕

用于人群。(band; group)常构成短语做句子成分。

例句 对面来了一伙年轻人。|那伙年轻人利用周末义务为市民服务。|公园门口围了一伙人,不知在干什么。|把人分成两伙参加比赛。|她和那些人是一伙的。

【伙伴】 huǒbàn 〔名〕

共同参加某种组织或某种活动的人。(partner; companion)常做主语、宾语、定语。[量]个。

例句 几个伙伴一商量,就利用“黄金周”一起去旅行了。|她是我童年时代的小伙伴。|我永远也忘不了班里的那些伙伴。|在伙伴的帮助下,成绩很快就上来了。|伙伴们的劝告终于使他冷静了下来。

【伙计】 huǒji 〔名〕

❶ 合作的人；伙伴。(mate)常做主语、宾语、定语。[量]个。

例句 伙计，咱们快点儿干活吧。|我的几个老伙计正等我呢，我先走了。|这位是跟我共事多年的老伙计。|一到周末，我就跟伙计们一起去钓鱼。|仔细一想，几个伙计的看法也有道理。

❷ 旧时指店员或长工。(salesman; salesclerk)常做宾语、主语、定语。[量]个。

例句 店里只雇(gù)了一个伙计。|为了扩大经营，药铺又添了两个伙计。|这个小伙计挺机灵。|伙计们每天辛辛苦苦地工作。|虽说在城里做事，但伙计们的工资都不高。

【伙食】 huǒshí 〔名〕

机关、学校等集体中所办的饭食。(food; meals)常做主语、宾语、定语。

例句 我们大学的伙食搞得很好。|食堂的伙食一般，有时我去外面吃。|我们大学在努力搞好留学生食堂的伙食。|校长亲自抓食堂的伙食，保证大家吃好。|怎么改善伙食，大家出出主意吧。|伙食的质量和价格关系到师生的切身利益。|我们这儿住宿不贵，但伙食费不低。

【或】 huò 〔连〕

表示选择关系，同“或者”。(or)用于连接词或短语。

例句 你来或她来都行。|晚会上，同学们或唱歌或跳舞，都很高兴。|下星期一或星期二，我们要进行一次测验。|星期日爸爸也不休息，他或去图书馆，或在家写书。|对方的口气或多或少有点儿勉强。

【或多或少】 huò duō huò shǎo 〔副短〕

有点儿；多少有些。(more or less)做状语。

例句 他或多或少了解一些情况。|过年了，或多或少，咱们得跟人家表示一下儿啊！|你或多或少总得吃点儿东西，身体要紧啊！

【或是】 huòshì 〔连〕

“或者”的意思，表示在被连接的词语中选择一个。(either... or...)用于连接词或短语。

例句 我看，老张或是老王都可以做这事儿。|去或是不去，明天给我个准信儿。|你去买点儿白酒或是啤酒，晚上招待客人。|今天晚上或是明天早上，货就可以到齐。|到时候，你来或是我去都可以。

【或许】 huòxǔ 〔副〕

也许。(maybe; perhaps)做状语。

例句 或许她会原谅你的。|老王或许明天能回来。|她没来上课，或许是病了。

【或者】 huòzhě 〔连〕

❶ 表示两个或两个以上的成分同时存在，相当于“有的”。(some)用于列举，后接词或短语。

例句 同学们都参加了汉语晚会，或者唱歌，或者跳舞，或者说笑话，高兴极了。|下课以后，大家都来到了运动场，或者打篮球，或者踢足球，非常热闹。

❷ 表示在连接的成分中选择一个。(or)连接词或短语，可连用。

例句 或者回国，或者留在中国，毕业前必须作出选择。|我们只有这么多钱，或者买电脑，或者买电视，你决定吧。|去看电影，或者去听音乐会，都可以。

❸ 表示包括所有的情况。(*together with "no matter" to indicate "all"*)常和"无论"、"不论"、"不管"等词搭配,后接分句。

例句 无论是书法或者绘画,她都很擅长(shàncháng)。|不管刮风或者下雨,他从没迟到过。|无论大事或者小事,他都亲自过问。

❹ 表示等同。(*indicating the same thing;same as*)。

例句 人们对世界总的看法叫做世界观,或者宇宙观。|你可以叫我老李,或者李老师。

【货】 huò 〔名〕

商品。(goods)常做主语、宾语、定语。[量]批。

例句 那批货明天就到。|库里的货不多了,得快点儿进货。|工人们正忙着卸(xiè)货。|最近,国产名牌冰箱、彩电成了热门货。|明天,我们一起去提货。|货的款式和价格都挺合适。

【货币】 huòbì 〔名〕

钱。(money; currency)常做主语、宾语、定语。

例句 中国现行的货币是人民币。|这人曾因制造假货币被判刑。|用美元可以兑换其他国家的货币。|千万不能去"黑市"兑换货币。|他一眼就能识别出货币的真假。|货币制造由政府控制。

【货物】 huòwù 〔名〕

供出售的物品。(goods; commodity)常做主语、宾语、定语。[量]种,批。

例句 首批货物已经装车,明天出发。|库里还有积压的货物,暂时先不要进货。|刚把这船货物验收完,另一船又到了。|经检查,这批货物的质量不合格,马上退回去。|这船货物的到岸价是多少?

【获】 huò 〔动〕

得到;取得。(gain; get)常做谓语(常带单音节宾语),也做语素构词。

词语 获得 获取 获悉

例句 我们的代表队在演讲比赛中荣获冠军。|他从这笔交易中获利不少。|那些探险者已全部获救,正在返回途中。|我很高兴,因为我的出国申请已经获准了。|她通过秘密渠道,获取了重要情报。

【获得】 huòdé 〔动〕

取得;得到(多用于抽象事物)。(gain;get)常做谓语。不能重叠。

例句 这次 HSK 她获得了 8 级证书。|在这次足球比赛中,我们班获得了第一名。|一年内,他就获得了两笔奖学金。|王老师的教学获得了留学生的一致好评。|女儿大学期间曾获得过三次奖学金。

辨析 〈近〉取得。"获得"重在经过奋斗或付出代价才得到;"取得"重在得到,语意较轻。它们一般只用于抽象事物,但"获得"也可用于具体事物。如:获得(取得)群众的信任 获得了 500 块钱奖学金

【获取】 huòqǔ 〔动〕

取得;夺取。(gain; obtain; acquire)常做谓语。不能重叠。

例句 这家公司的老板用非法手段获取了大量利润。|她用眼泪获取了大家的同情。|无论用什么方式,也获取不了姑娘的爱情,他失望极了。

【祸】 huò 〔名〕

危害大的事情;灾难。(disaster; ca-

H

lamity)常做主语、宾语。[量]个，场。

例句 这个祸你可闯大了。|真是祸从天降，妈妈被车撞了，正在抢救。|孩子，到了那儿好好儿干，别惹祸。|由于平时不注意防火检查，结果招来一场大祸。

【祸害】 huòhài 〔名/动〕

〔名〕❶ 祸。(disaster; curse; scourge)常做主语、宾语。

例句 洪水造成的祸害也是相当多的。|最近几年，沙尘成为破坏环境的一大祸害。

❷ 也指引起灾难的人或事物。(bane; scourge; curse)常做宾语。[量]个。

例句 蝗虫是农作物的祸害。|这家伙简直成了单位里的祸害。|车坏了得赶紧修，不然早晚是个祸害。

〔动〕损害；损坏。(bring disaster to; ruin; wreck)常做谓语。

例句 白蚁祸害了不少古建筑。|这几个祸害过老百姓的坏蛋，都被抓住了。|我家的羊被狼祸害得不轻。

J

【几乎】 jīhū 〔副〕

❶ 接近于；差不多。(almost; nearly)做状语。

例句 我们几乎有两三年没见了。|这篇论文几乎写了半年。|这里夏天早上四点钟，天就几乎大亮了。|他们哥儿俩长得几乎一样。|几乎家家都有电话了。

❷ 差点儿。(hardly; almost)做状语。

例句 故乡的变化太大了，我几乎认不出来了。|你要是不提醒(tíxǐng)我，我几乎忘了。|路太滑(huá)，刚才我几乎摔倒(shuāi dǎo)。

【讥笑】 jīxiào 〔动〕

用尖刻的话指责、嘲笑人。(sneer)常做谓语、定语、宾语。

例句 我们不应该讥笑犯过错误的人。|他那种讥笑的口吻，令大家十分反感。|只要我们的工作对社会有好处，就不要怕别人的讥笑。

辨析 〈近〉嘲笑。"讥笑"语义较重，更为尖刻。

【击】 jī 〔动〕

❶ 敲打。(beat; hit; strike)常做谓语。

词语 击掌 旁敲侧击

例句 击鼓传花很好玩。|他是击球手。

❷ 攻打。(attack)常用于构词。

词语 击败 袭击 游击 打击

例句 经过三轮苦战，他终于击败了对手，夺得冠军。|第一天我们就击落了五架敌机。|持枪歹徒被当场击毙。

❸ 碰；撞；接触。(bump into; come in contact with)常用于构词。

词语 冲击 撞击 目击

例句 改革强烈地冲击着人们的传统观念。|两车撞击起火。|他目击了一场交通事故。

【饥饿】 jī'è 〔形〕

饿。(hungry)常做主语、谓语、宾语、定语。

例句 饥饿威胁着灾区。|走了大半天，大家非常饥饿。|大家忘记了饥饿和疲劳。|饥饿的狼群把一头牛给吃掉了。

【机】 jī 〔名〕

❶ 用于生产及生活的机械或电子装置的统称。(machine)常用于构词，也做主语、宾语。

词语 机器 机械 机床 拖拉机 计算机

例句 这机、那机，把屋子堆得满满的。|人机(计算机)对话已经实现了。|这几年生活好了，家里买了好多"机"，家电几乎都全了。|我这工作天天上机(计算机)，眼睛都累坏了。

❷ 飞机的简称。(plane)常做主语、定语、宾语。

词语 机场 机组

例句 那场空难造成机毁人亡的后果。|机上乘客安全无恙(yàng)。|(机场广播)去北京的旅客，现在可以登机了。

❸ 恰好的时候。(chance)常用于构词或固定短语中。

词语 机会 时机 乘机 随机应变 机不可失

【机场】 jīchǎng 〔名〕
飞机起飞、降落的场地。(airport)常做主语、宾语、定语。[量]个。
例句 这个新机场达到了国际先进水平。|让谁去机场接客人好呢?|坐国际航班,至少得提前两个小时到机场。|那个地方就在机场附近。

【机车】 jīchē 〔名〕
用来牵引车厢在轨道上行驶的动力车。通称火车头。(locomotive)常做主语、宾语、定语。[量]台,辆。
例句 有时候一辆机车拉不动,就用两辆。|我们厂专门生产电气机车。|这台机车的速度达到了每小时240公里。

【机床】 jīchuáng 〔名〕
工作母机。(machine tool)常做主语、宾语、定语。[量]台。
例句 我们厂的机床出口到中东。|这家公司每年生产数百台精密机床。|进口机床的价格太高,还是用国产的吧。

【机动】 jīdòng 〔形〕
❶ 用机器开动的。(power-driven; motorized)常做定语,或用于"是…的"格式。
例句 自行车不可以安装机动装置。|机动玩具非常受小朋友的欢迎。|过去这些由手工操作,现在全是机动的了。
❷ 为了适应实际情况的变化而灵活变通或灵活运用的。(flexible)常做定语、谓语、状语、补语。
词语 机动费 机动人员 机动车辆 机动时间
例句 灵活机动的战略战术。|这件事能不能机动一点儿?别太死板了。|发生特殊情况,你可以机动处理。|为了满足不同层次学员的需要,课程安排得比较机动。

【机构】 jīgòu 〔名〕
机械内部构造或内部的一个单元;泛指机关、团体等及其内部组织。(mechanism; organ)常做主语、宾语、定语。[量]个。
例句 这部车的传动机构有问题。|政府目前的一个问题是机构仍然偏大。|您找的这个机构已经撤销了。|这次改革的目标是精简机构、调整机构、健全机构。|请介绍一下这个机构的内部情况。

【机关】 jīguān 〔名〕
❶ 办理事务的部门。(establishment)常做主语、宾语、定语。[量]个。
例句 行政机关不精减人员,就很难提高工作效率。|他去年刚从基层到机关,现在又想"下海"了。|机关干部都去参加义务劳动了。
❷ 整个机械的关键部分;用机构控制的。(mechanism; gear)常做宾语、主语。[量]个。
例句 开动机关,整个机器就运转起来了。|地道入口的机关一直没找到,古墓至今无法进入。

【机会】 jīhuì 〔名〕
有利的时候、时机。(chance)常做主语、宾语。[量]次,个。
例句 在职读博士,这个机会真是难得。|这次这么好的机会,你可千万不要再错过了。|有机会的话,我一定再来。|请大家再给他一次改过的机会吧!
辨析 〈近〉时机。"机会"强调有利的时间,"时机"指包括时间在内的某种有利的条件；"机会"常与"提供"、"得到"、"错过"、"失去"等词搭配，"时机"常与"掌握"、"把握"、"成熟"等词搭配。

【机灵】 jīling 〔形〕

聪明伶俐(língli)，也写作"机伶"。(clever; smart)常做谓语、定语、状语。

例句 那孩子机灵得很，反应快极了。|小李真是个机灵鬼，什么都瞒不过他。|发言人很机灵地回答了那位记者的问题。

【机密】 jīmì 〔形/名〕

〔形〕重要而秘密。(secret; confidential)常做定语、谓语。

例句 (某些文件封面标注)机密文件，注意保存。|向国外提供机密情报是违法行为。|这次行动十分机密，了解内情的人只有两个。

〔名〕重要而必须保守秘密的事。(secret)常做主语、宾语。[量]个。

例句 这些机密谁也不准泄露(xièlòu)出去。|你是军人，应该懂得保守军事机密的重要性。|要是掌握了对方的商业机密，那我们就主动多了。

辨析 〈近〉秘密。"机密"常指与国家政治、军事、经济等有关的大事，多用于正式场合；"秘密"泛指不公开的事情，多用于一般场合。如：*这件事是他的机密。("机密"应为"秘密")

【机器】 jīqì 〔名〕

由零件装配而成，能运转、变换能量或产生有用功的装置。(machine)常做主语、宾语、定语。[量]台。

例句 经过试验，这台机器运转正常。|用机器比用手工快多了。|新工人已经会开这些机器了。|机器保养多长时间搞一次？

【机器人】 jīqìrén 〔名〕

一种自动机械，由电脑控制，能代替人做某些工作。(robot; android; automaton)常做主语、宾语、定语。[量]个。

例句 机器人现在还在不断完善中。|这个机器人可以在水下工作。|那所大学研制了一种新型机器人。|将来普通人家也可以用上家用机器人了。|机器人的动作不如人灵活。|如何更好地发挥机器人的作用是人们关注的问题。

【机枪】 jīqiāng 〔名〕

机关枪的简称，有枪架，可自动连续发射。(machine gun)常做主语、宾语、定语。[量]挺。

例句 那一仗，十几挺机枪一齐打才把敌人压下去。|每个火力点配备了一挺重机枪。|把机枪放在山头作用更大。|战斗十分激烈，机枪枪管儿都打红了。

【机体】 jītǐ 〔名〕

有生命的动植物个体的统称。也叫有机体。(organ)常做主语、宾语、定语。[量]个。

例句 人类的机体，十分精细而复杂。|科学家已经成功地"克隆"(clone)出羊的机体。|不同机体的活动方式往往不同。

【机械】 jīxiè 〔名/形〕

〔名〕利用力学原理组成的装置。(machinery; machine)常做主语、宾语、语、定语。[量]种。

例句 机械包括各种机器、杠杆及零件等等。|建筑业需要多种机械。|这些机械的原理你都懂吗？|下周

J

有一个化工机械展览会。

〔形〕方式不灵活，缺少变化。(mechanical; rigid; inflexible)常做谓语、定语、状语、补语。

例句 他这个人的想法就是太机械。|用机械的方法是很难做好工作的。|只知道机械地服从上级，不是好干部。|咱们能不能灵活一点儿？搞那么机械干吗？

【机遇】 jīyù 〔名〕

状况和遭遇；时机、机会(多指有利的)。(chance)常做宾语、主语。[量]种。

例句 人类进入21世纪，既面临着发展机遇，也要迎接各种挑战。|光有才能，没有机遇，也很难做出成绩来。|机遇一出现，就应当紧紧抓住。

J

【机智】 jīzhì 〔形〕

脑筋灵活，能够随机应变。(sharp-witted)常做定语、补语、谓语、状语。

例句 教练机智的回答使记者们很佩服。|风浪越来越大，机智的船长命令马上改变航向。|在谈判桌上，她表现得非常机智。|李探长很机智，破过不少大案。|如果当时不机智地改变战术，取胜是不可能的。

【肌肉】 jīròu 〔名〕

人体和动物体的一种组织，能在神经控制下收缩，使器官运动。(muscle)常做主语、宾语、定语。[量]块。

例句 健美运动员的肌肉特别发达。|常运动可以长肌肉而不长脂肪。|从这张图上，可以看清肌肉的结构。

【鸡】 jī 〔名〕

家禽的一种，头部有鲜红色肉质的冠，翅膀短，不能高飞。(chicken)常做主语、宾语、定语。[量]只。

例句 这些鸡都是优良品种。|鸡很有营养，但全世界最便宜的肉食品可能也是鸡。|她的鸡场，养了三千多只鸡呢。|我生病的时候，妈妈让我多喝点儿鸡汤。

【鸡蛋】 jīdàn 〔名〕

母鸡产的卵。(hens' egg)常做主语、宾语、定语。[量]个。

例句 这个鸡蛋个儿真大。|我每天的早餐都是牛奶、鸡蛋。|你会做鸡蛋饼吗？

【鸡飞蛋打】 jī fēi dàn dǎ 〔成〕

鸡飞走了，蛋也打破了。比喻两头落空，一无所得。(the hen has flown away and the eggs in the coop are broken — all is lost)常做谓语、定语、补语。

例句 谁想到到头来鸡飞蛋打，买卖没做成，本钱也没了。|“未进洞房，先进班房”，说的是为准备结婚去盗窃而被抓、鸡飞蛋打的事。|人都是一个身子两只手，总不能又敲锣鼓又演戏，不然的话，锣鼓乱了，戏也唱跑了调，闹个鸡飞蛋打。

【鸡毛蒜皮】 jī máo suàn pí 〔成〕

比喻无关紧要的小事或毫无价值之物。(chicken feathers and garlic skins — trifles; trivialities)常做定语。

例句 别为了鸡毛蒜皮的小事发这么大的火！

【积】 jī 〔动〕

逐渐聚集。(accumulate)常做谓语，也用于构词。

词语 积累　积蓄　积压　积少成多　积劳成疾　日积月累

例句 每天记十几个生词，积少成

多,一年就可以记住几千个了。|连续几天的大雪,路上积了厚厚的一层。|暴雨成灾,工人们在积着水的工地上坚守岗位。|这个房子长期没人住,到处都积满了灰尘。

▶"积"又做名词,指乘法运算所得的结果。如:7乘以8的积是56。

【积极】 jījí 〔形〕

正面的,肯定的,上进的,热心的。(active)常做谓语、定语、状语、补语。

词语 学习积极 工作积极 劳动积极

例句 顾客对这些减价处理的商品态度并不积极。|这些小青年干什么都积极得很。|想干好,就得调动各方面的积极因素。|这是个积极的办法。|这些天大家正在积极地筹备一场晚会。|我们要积极扩大公司的影响,结识更多的客户。|从那以后,小王工作上变得格外积极。|3号队员在场上打得十分积极。

【积极性】 jījíxìng 〔名〕

积极向上、努力工作的思想和表现。(enthusiasm; zeal; initiative; positivity)常做宾语、主语。[量]种。

例句 领导要注意调动广大群众的积极性。|不许打击他们这种改革的积极性。|只靠一个人的积极性是干不成这件事的。|对他的积极性要给予充分肯定。|同学们学习的积极性还是挺高的嘛。

【积累】 jīlěi 〔动/名〕

〔动〕事物逐渐聚集、增多。(accumulate)常做谓语、主语、宾语。

例句 政府主要用税收的办法来积累资金。|张老师在长期的教学工作中,积累了丰富的经验。|资料积累得多了,论文写起来也就方便了。|材料一点一点地积累起来,确实不易呀!|多年的积累,为他今天的成功打下了坚实的基础。|没有平时的积累,哪里会有今天的成绩?

〔名〕国民收入中扩大再生产的部分。(accumulation; stockpile)常做主语、宾语、定语。

例句 积累对发展经济是十分重要的。|为了实现扩大再生产,就应该增加积累。|积累的比例如果过大,也会影响人民生活。

【积压】 jīyā 〔动〕

长期积存而没有处理。(keep long in stock)常做谓语、定语、宾语。

例句 才休息了两天,就积压了这么多事情要处理。|别再进货了,库里还积压着一大堆呢!|你看,这就是那批积压的自行车。|这些积压物资怎么处理?|人才流动可以避免造成积压和浪费。

【基】 jī 〔素〕

❶ 建筑物的根脚。(base; foundation; basis)用于构词。

词语 基础 基地 房基 地基 路基

❷ 起头的;根本的。(base)用于构词。

词语 基层 基数 基点 基准

【基本】 jīběn 〔形/副〕

〔形〕根本的,主要的。(main; essential)常做定语。也用于"是…的"格式。

词语 基本功 基本知识 基本理论 基本建设

例句 连电脑的基本知识都不懂,怎么行?|中国这些年大力加强了城市的基本建设。|空气、水分、阳

光，是生物生长的基本条件。|不断提高衣食住行水平，才能满足人们的基本生活需要。|发展经济、交通和通讯是最基本的。

▶ 否定式是"非基本"，不能加"不"。如：小汽车目前还是非（*不）基本生活用品。

〔副〕在主要方面，大体上。(almost; generally) 做状语。

例句 到现在，我们的目标已经基本实现。|经过一段治疗，父亲的病基本痊愈（quányù）了。

【基层】 jīcéng 〔名〕

各种组织中最低的一层，和群众的联系最直接。(gross-roots) 常做定语、宾语。

例句 小王来自基层单位。|干工作得充分发挥基层的积极性。|领导只有经常深入基层，才能了解到真实情况。|新干部都下基层锻炼去了。

【基础】 jīchǔ 〔名〕

建筑物的根脚；事物发展的根本或起点。(foundation) 常做主语、宾语、定语。[量]个。

例句 这孩子学习基础差一点儿，可画儿画得不错。|西部地区基础比较薄弱，需要大力开发。|只有打好基础，大厦才会牢固。|农业是中国国民经济的基础。|开始我没什么基础，干了一段时间才适应。|张教授是搞基础理论研究的。|老百姓也该懂点儿法律基础知识。

【基地】 jīdì 〔名〕

作为发展某种事业基础的地区或单位。(base) 常做主语、宾语、定语。[量]个。

例句 你知道中国的石油基地有多少吗？|这几大粮食基地今年都获得了丰收。|这里原来是军事基地，现在成了旅游景点。|我们学校被命名为国家级科研基地。|计划三年完成这个基地的建设任务。

【基督教】 Jīdūjiào 〔名〕

世界上主要宗教之一，把耶稣 (Yēsū) 作为救世主。(Christianity) 常做主语、宾语、定语。

例句 基督教是世界四大宗教之一。|他不信基督教，信佛教。|圣诞节属于基督教的节日。

【基金】 jījīn 〔名〕

为从事某种事业而储备的专用资金。(fund) 常做主语、宾语、定语。[量]项，笔。

例句 这项基金是用于救助失学儿童的。|我多么希望能申请到一笔科研基金啊！|诺贝尔奖是世界著名的科学奖励基金。|我们基金管理委员会每年都要报告基金的使用情况。

【激】 jī 〔动〕

❶ 水流受外力而向上涌或四处飞溅。(surge; dash) 常做谓语。

例句 海水冲击礁石激起层层浪花。|瀑布从几十米的高处落下，激起浓浓的水雾。

❷ 使发作，使感情冲动。(excite) 常做谓语。

例句 这么点儿事，竟激起一场不小的风波。|这个人就是不听劝，不如用什么办法激他一下。

❸ 冷水突然刺激身体，使生病。(fall ill from getting wet) 常做谓语。

例句 他昨天被大雨激了一下，今天发起了高烧。|把水温调好再洗，别激着。

【激动】 jīdòng 〔动〕
受到刺激后感情冲动。(agitate; stir; excite; move)常做谓语、定语、状语、宾语。
例句 见到久别的亲人,她激动得说不出话来。|也许是经历得太多了,老王怎么也激动不起来。|大家被他的自我牺牲精神深深地激动着。|演员那激动的神情感染了观众。|她用激动的声音报告:"试验成功了!"|工人们激动地表示:一定要按时完成任务。|听到喜讯,他无法抑(yì)制内心的激动。

【激发】 jīfā 〔动〕
刺激使奋发。(arouse; stimulate)常做谓语。
例句 老师的话,激发了同学们的积极性。|队友的胜利,激发了大家夺冠的信心。
▶ 常与"斗志"、"勇气"等抽象名词搭配。

【激光】 jīguāng 〔名〕
利用某些物质原子中的粒子受激发而发出的,相位、方向、频率等完全相同、能量高度集中的光。(laser)常做主语、定语、宾语。
例句 激光可以粉碎体内的结石。|激光使用得越来越普遍了。|激光唱盘已经取代了老式的唱片。|激光手术效果很好。|用激光探矿比较准确。

【激励】 jīlì 〔动〕
激发鼓励。(urge; inspirit)常做谓语、定语、宾语。
例句 他的伟大人格力量永远激励着我们。|读完这封充满激励话语的信,孩子们十分感动。|英雄们的事迹使我们深深地受到激励和鼓舞。

【激烈】 jīliè 〔形〕
(动作、言论等)剧烈。(intense)常做定语、谓语、状语、补语。
例句 经过激烈的辩论,大家终于统一了认识。|商场竞争的激烈程度,不亚于真枪实弹的战场。|那次会上的争论十分激烈。|战斗正在激烈地进行着。|上周末的那场球赛,双方打得激烈极了。
▶ "激烈"不用于"变化"等。如:*这几年,我市发生了激烈的变化。("激烈"应为"巨大")

【激情】 jīqíng 〔名〕
强烈激动的感情。(passion)常做主语、宾语。[量]种,股。
例句 毕业时,同学们都激情满怀。|从那时起,他的创作激情一发不可收。|有人说,踢足球也需要激情。|她用诗歌抒发心中的激情。

【激素】 jīsù 〔名〕
内分泌物质,对肌体的代谢、生长、发育和繁殖等起重要调节作用。以前称荷尔蒙。(hormone)常做主语、宾语、定语。
例句 老年人激素分泌要少一些。|这里面有激素,尽量少吃。|不要随便服用激素一类的药。

【及】 jí 〔动/连〕
〔动〕赶上;达到;等到;比得上。(chase after; attain; reach)常用于构词或用于短语。
词语 及格 及时 普及 望尘莫及 由此及彼 城门失火,殃及池鱼
例句 在演讲方面我不及他。
〔连〕和;与。(and)连接并列的名词或名词性短语。
例句 这儿的书,本校师生及社会

J

上的人们都可以借阅。|各国元首及部长们出席了会议。

▶ 主要的成分放在“及”前，次要的放在“及”后。

【及格】 jí gé 〔动短〕

考试成绩达到规定的最低标准。(pass; be up to the mark)常做谓语及定语。中间可插入成分。

例句 这次考试没及格，还得参加补考。|60 分就及格了。|这两门考试要是及不了格，就惨了。|不能满足及格成绩，要争取优秀。

【及时】 jíshí 〔形/副〕

〔形〕正赶上时候，适合需要。(timely)常做补语、谓语。

例句 你来得真及时，帮了我们的大忙。|这雨下得太及时了。|送报必须及时，不及时就失去意义了。

〔副〕不拖延，马上。(immediately; at once)做状语。

例句 有问题，要及时反映，及时解决。|幸亏救护车及时赶到，病人才得救了。|只有及时总结经验，才能不断进步。

【及早】 jízǎo 〔副〕

抓紧时间或提前(行动)。(as soon as possible)做状语。

例句 有病要及早治疗。|各地都在及早做好防汛准备工作。|这事不及早处理，出了问题就晚了。

【吉】 jí 〔形〕

幸运；顺利。(fortunate; propitious)常用于构词或用于固定短语。

词语 吉利 吉祥 吉庆 凶多吉少 万事大吉

【吉利】 jílì 〔形〕

吉祥顺利。(fortunate; propitious; lucky)常做谓语、定语。

例句 这句话很吉利。|有人说看见蛇不吉利。|中国人觉得红颜色吉利。|拜年时大家都说些吉利话。|中国人一般认为“六”、“八”、“十”是吉利数。

【吉普车】 jípǔchē 〔名〕

轻型越野汽车，能适应高低不平的道路。(jeep)常做主语、宾语、定语。[量]辆。

例句 在山区，吉普车比轿车实用。|他开着一辆吉普车到处兜风。|这种吉普车的性能很好。

【吉祥】 jíxiáng 〔形〕

幸运；吉利。(lucky; propitious)常做谓语、定语。

例句 祝大家在新的一年里吉祥如意。|过年时见面说的都是吉祥话。

【吉祥物】 jíxiángwù 〔名〕

某些大型运动会上用来象征吉祥的标记，多用动物图案或模型。(mascot; luck)常做主语、宾语、定语。[量]个。

例句 北京亚运会的吉祥物是熊猫。|这次运动会的吉祥物还没选定。|有人建议用兔子作为大会的吉祥物。|每位获奖运动员都同时获得一个吉祥物。|各种纪念品上都有吉祥物的图案。

【级】 jí 〔名〕

按质量、地位等的不同确定的区别；学校中按学习年限分出的班。(grade; class)常用于构词或构成短语。

词语 级别 等级 高级 年级 班级 留级

例句 我们的工资每级差二十多

元。|请问,特级花茶多少钱一斤?|这几年的学生一级比一级强。

▶“级”也做量词,用于台阶。如:从山下到山顶一共有八百多级台阶呢。

【级别】 jíbié 〔名〕

等级的区别或高低次序。(grade; class; band)常做主语、宾语、定语。[量]个,种。

例句 在军队里,级别显得尤其重要。|通过改革,逐步取消企事业单位干部的行政级别。|越是闹级别、要待遇的人,越是不能提拔。|每个级别的比赛只有三名运动员。

【极】 jí 〔副/名〕

〔副〕表示程度最高。(extremely; exceedingly)做状语、补语。

例句 他的建议极好,为整个工程节省了大量资金。|别看她是个女的,但极能喝酒。|小王自尊心极强,很难跟同事们相处。|听到这个好消息,大家高兴极了。

▶ 有些形容词如“亲爱”、“永久”、“吉祥”等不能用“极”修饰。

辨析 〈近〉最。“最”强调与同类人或事物的比较,有明显的相对性,也不能做补语。

〔名〕地球的南北两端;磁体的两端;电源或电器上电流进入或流出的一端。(pole)常用于构词。

词语 南极 北极 极地 极光 阴极 阳极 正极 负极

【极度】 jídù 〔形〕

程度达到顶点的。(extremely)常做定语、状语。

例句 队员们还没有从极度的疲劳中恢复过来。|极度的忧虑使她的精神几乎崩溃(bēngkuì)了。|地震还没有停止,现在去救人是极度危险的。|这个地区极度缺少医疗条件。

【极端】 jíduān 〔名/形〕

〔名〕事物在某个发展方向上达到的顶点。(terminus; extreme)常做宾语。[量]个。

例句 我们看问题要全面、客观,避免走极端。|这种观点是从一个极端走到另一个极端了。

〔形〕达到极点的。(top)常做定语、状语、谓语、补语。

例句 极端的利己主义早晚要吃亏的。|你们这种做法是极端的无组织、无纪律。|刘工对事业极端认真,对朋友极端热情。|与大本营失去联系的登山队员处境极端危险。|你这么说有些极端了吧?|他的看法变得很极端。

【…极了】 …jíle 〔副〕

表示程度达到顶点。(extremely)做补语,前边不能用“得”。

例句 熊猫可爱极了!|昨天的足球赛精彩极了。|一进山,马上就觉得凉快极了。|这个菜味道好极了!

【极力】 jílì 〔副〕

用最大的力量,想尽一切办法。(vigorously; clamorously)做状语。

例句 女朋友极力反对我去登山。|他极力地想表现自己。|马秘书极力要把事情办好,让各方都能满意。

【极其】 jíqí 〔副〕

非常;极。(extremely; exceedingly)做状语。

例句 改革开放以来,个体和私营企业的发展极其迅速。|剧场内气氛极其热烈。|他极其珍惜这件礼物。

J

【极限】 jíxiàn 〔名〕

最高的限度。(limit)常做宾语、主语。[量]个。

例句 汽车的时速已经达到了极限。|单车飞越长城,是挑战极限。|这个极限已经被新技术打破了。

【即】 jí 〔动/副〕

〔动〕❶ 就是。(that is; namely)常做谓语。

例句 厂长即法人代表。|宪法即国家的根本大法。|展览会定于5月30日,即下周五开幕。

❷ 靠近;接触;到。(approach)常用于构词或用于固定短语。

词语 即席 即位 可望不可即 即景生情

〔副〕立刻;就。(at once; immediately)做状语。

例句 货到即付货款。|会后我即返京。|请即回电。

【即便】 jíbiàn 〔连〕

表示假设和让步。(even if)常用于前句前,后与"也"、"还"等搭配使用。

例句 即便是你有理,也不该发这么大的火。|即便是孩子错了,还可以教育嘛。|即便是你有急事,也不该闯红灯啊!

【即将】 jíjiāng 〔副〕

某种行为或情况很快就要发生。(soon)做状语。

例句 两国的首脑会谈即将在北京举行。|全国人民代表大会即将召开。|一批近年出土的文物即将公开展出。|一想到多年的理想即将实现,我内心就激动不已。

【即使】 jíshǐ 〔连〕

表示假设和让步。(even if)常用于句首,后多用"也"等配合。

例句 即使考了第一名,也不要骄傲自满。|即使专家也无法确定他的病。|即使试验失败了,我们也要继续搞下去。|我明天一定要抽时间去看看这个服装展览,即使只能看上十分八分钟也好。

【急】 jí 〔形/动/名〕

〔形〕❶ 速度快,来势猛的。(vigorous)常做谓语、定语、补语。

例句 风越刮越大,雨也下得更急了。|一场急雨过后,太阳马上又露出来了。|他走得很急,连招呼都没打。

❷ 情况紧迫、严重。(urgent; pressing)常做谓语、定语、补语。

例句 事情很急,不能再等了。|我不急,您先给别人办吧。|今天小王有急事,不能来了。|附近没有医院,要是得个急病怎么办?|材料要得很急,就是"开夜车"也得赶出来。

❸ 容易发怒。(impatient; anxious)常做谓语。

例句 她性子太急,不适合做幼儿教师。|这礼你要是不收,我可跟你急。

〔动〕使着急。(hurry)常做谓语。

例句 你别急、别急,慢慢说。|飞机就要起飞了,他还没到,真急死人了。

〔名〕紧急严重的事情。(urgency; emergency)常做宾语、主语。

例句 你把这点儿钱,先拿去救救急吧!|当务之急是人才问题。

【急剧】 jíjù 〔形〕

急速;迅速而剧烈。(steep)常做状语。

例句 最近日元汇率急剧下跌。|

由于受西伯利亚冷空气的影响，气温急剧下降。|昨晚开始，他的病情急剧恶化。

【急忙】 jímáng 〔形〕

心里着急，行动加快。(hurried)常做状语、谓语、补语、定语。

例句 电话铃一响，他急忙抓起听筒。|听到有人敲门，我急忙跑去开门。|你急急忙忙地去哪儿啊？|你不要那么急急忙忙的，要稳当点儿。|孩子吃得急急忙忙，差点儿噎(yē)住了。|看到他急急忙忙的样子，真可笑。

▶"急忙"不受程度副词修饰，做谓语一般要重叠。如：* 很(非常)急忙|* 他总急忙。("急忙"应为"急急忙忙的")

【急切】 jíqiè 〔形〕

非常需要，无法等待。(eager; impatient)常做谓语、定语、状语。

例句 越是临近毕业，找工作的心情越急切。|人到中年，想快出成果的心情更急切了。|你们急切的心情可以理解，但是总得给我一点儿时间吧。|她那急切的目光告诉大家：再拖会出事的。|王老师急切地握着医生的手说："大夫，请您一定要救救我的学生。"

【急性】 jíxìng 〔形〕

发生急剧的，变化快的(病)。(acute)常做定语、状语。也用在"是…的"格式中。

例句 老人得的是急性肝炎。|急性肺炎多发于儿童。|因为吃了生冷食物，我得了急性肠炎。|由于病是急性发作，比较危险。|他的病是急性的，需要住院。

【急需】 jíxū 〔动〕

迫切需求。(need badly)常做谓语。

例句 为了给孩子治病，急需大家的帮助。|我厂现急需一百吨优质钢材，特向贵公司求援。|这几种专业，社会不太急需。

【急于】 jíyú 〔动〕

想要马上实现。(be eager to do sth.)常做谓语(带动词性宾语)。

例句 急于求成往往事与愿违。|因父亲病危，她急于回家探望，下午就坐飞机走了。|高考后，考生和家长都急于知道考试结果。

【急躁】 jízào 〔形〕

遇事容易激动不安，没准备好就开始行动。(impatient)常做谓语、补语、定语。

例句 对孩子，可不能太急躁了。|我一不顺心，就急躁。|事情虽然处理得有些急躁，但总算没出大问题。|你这急躁的脾气再不改，是干不好工作的。|他显得非常急躁，不知道遇到了什么事。

▶"急躁"也做名词。如：急躁会导致前功尽弃，可得注意啊。

【疾病】 jíbìng 〔名〕

病(总称)。(illness; disease)常做宾语、主语。[量]种。

例句 预防疾病比治疗疾病更重要。|老人家患有多种疾病。|疾病缠身再去医院，那可就晚了。

【集】 jí 〔名/动〕

〔名〕❶ 定期买卖货物的市场。(country fair; market)常做宾语、主语、定语。[量]个。

例句 乡里每月十五有个集。|每逢初五，姐妹们一早就去赶集。|快晌午了，集都散了。|集上各种农副

J

产品应有尽有。

❷ 著作、作品及影视片的相对独立的一部分。(volume;part)常构成短语做句子成分。

例句 这部电视连续剧一共二十九集,每天播放一集。|那本小说已经改编成多集电视连续剧了。

❸ 把零散的作品或文章收集编成的书。(collection)常用于构词或用于短语。

词语 文集 诗集 画集 全集 选集 地图集

〔动〕分散的人或物汇合在一起。(gather;assemble;collect)常用于构词,也做谓语。

词语 集中 集合 集体 集会 汇集 聚集

例句 大家集思广益,一定能解决困难。|她把报上的好文章剪下来集在一起、装订成册。

J

【集合】 jíhé 〔动〕

许多分散的人或物聚在一起;使聚集。(assemble)常做谓语、定语。

例句 明天早上八点在校门口集合。|得到通知后大家很快就集合起来了。|情况紧急,马上集合队伍,15 分钟后出发。|请告诉我们集合时间和集合地点。|对不起,我没听见集合铃响,来晚了。

【集会】 jíhuì 〔动〕

许多人聚集在一起开会。(hold a gathering)常做谓语、定语。

例句 数十万群众在广场上集会,欢庆香港回归。|法律规定,未经政府批准,不能随便在公共场所集会。|公民有言论、集会、结社的自由。|集会地点决定了吗?

▶"集会"也做名词。如:本周末在展览馆有个换房集会。

【集市】 jíshì 〔名〕

农村或城市中定期买卖货物的市场。(country fair;market)常做主语、宾语、定语。[量]个。

例句 集市是沟通城乡和货物交流的好形式。|你瞧,那条街上就有个集市。|明天早上,我要去附近的集市买东西。

【集体】 jítǐ 〔名〕

❶ 许多人的有组织的整体。(collectiveness)常做定语、主语、宾语、状语。[量]个。

例句 为了集体的荣誉,个人辛苦点儿也没关系。|个人利益应当服从集体利益。|这个集体,我们大家都热爱。|重大事务必须集体研究决定。|我们队是个团结的集体。

❷ 集体所有制的简称。(collective)常做定语。

例句 集体企业是公有制的一种形式。|我是大集体的合同工。

【集团】 jítuán 〔名〕

为了一定目的组织起来共同行动的团体。(aggregation;bloc;group)常做主语、宾语、定语。[量]个。

例句 这个房地产集团发展很迅速。|昨天,公安局破获了一个盗窃汽车的集团。|他是某集团的总经理。|现在不少行业组建了集团公司。

【集邮】 jí yóu 〔动短〕

收集和保存邮票、首日封等邮品。(collect stamps)常做主语、定语、宾语、谓语。

例句 集邮能使人学到许多知识。|全市有十几万集邮爱好者呢。|知道你喜欢集邮,我从国外给你带回一套邮票。|他从二十年前就开始集邮了。

【集中】 jízhōng 〔动/形〕

〔动〕把分散的人、事物集合在一起；把意见、经验等归纳起来。(concentrate)常做谓语。

例句 集中力量，打歼灭战。|把扶贫物资集中起来，然后再送到北部山区。|大家的意见都集中在社区管理方面了。

〔形〕人力、物力不分散或思想意见一致，没有分歧。(concentrated; converged)常做谓语、状语、补语。

例句 这篇文章内容相当集中，说理也很透彻。|大家的意见比较集中，很快取得了一致。|市里最近集中解决了几个百姓关心的"热点"问题，很得民心。|这次大会日程安排得很集中，确实体现了新会风。

▶ "集中"也做名词。如：民主集中制是在民主基础上的集中。

【集资】 jí zī 〔动短〕

从各方面聚集资金。(raise funds)常做谓语、主语、宾语、定语。

例句 这家服装厂开始是5位家庭妇女集资办起来的。|几位退休教师想集资办学。|集资也得依法进行，不能乱集资。|这项工程光靠集资不行，政府也得投入。|集资款必须专项使用，不得改变用途。

【嫉】 jí 〔素〕

怨恨某方面比自己好的人；憎恨。(envy)常用于构词，也用于固定短语。

词语 嫉妒 嫉恨 嫉恶如仇 嫉贤妒能

【嫉妒】 jídù 〔动〕

对某方面比自己好的人心里怨恨。(envy; be jealous of)常做主语、谓语、定语、宾语、状语。

例句 嫉妒使他犯了错误。|嫉妒让他失去了很多朋友。|不要嫉妒别人。|爱嫉妒人可不是个好事。|嫉妒心要不得。|嫉妒的结果往往是不好的。|他的优异成绩受到几个后进同学的嫉妒。|由于害怕别人的嫉妒，小王什么都不敢冒尖。|她嫉妒地说："那有什么了不起的！"

【籍】 jí 〔素〕

书；籍贯；代表个人对国家、组织的隶属关系。(book; birthplace; membership)常用于构词。

词语 古籍 典籍 祖籍 籍贯 国籍 学籍

【籍贯】 jíguàn 〔名〕

祖居或自己出生的地方。(the place of one's birth or origin)常做主语、宾语。

例句 他的籍贯是辽宁沈阳。|虽然我的籍贯是山西，可从来没回去过。|请问，填这个表还得写籍贯吗？|随着社会的发展，出生地比籍贯(老家)更有意义了。

【几】 jǐ 〔代〕

❶ 问比较小的数目。(a small number; a few)常构成短语做句子成分，也做宾语。

例句 你有几本中文画报？|这孩子几岁了？|到那儿坐火车得几个小时？|10减8得几？|我看不清，你看看那是几？

❷ 表示大于1小于10的不定的数目。(a few)常构成短语做句子成分。

例句 这台健身器有几十斤吧？|小音乐厅也能容纳几百人。|不知不觉我们都是四十几的人啦！

❸ 表数量多。(many)常与"好"配合。

例句 上午有好几个人来找你。|住院期间,国内的朋友打过好几次问候电话。|我今天一天就收到好几封信。|这孩子都二十好几了,还是不大懂事。

❹ 表数量不多。(few)常构成否定式短语。

例句 这家店,好家具不多,没有几样可以挑选的。|课文不难,没读几遍就背下来了。|她刚说了没几句就哭了。

【几何】 jǐhé 〔名〕

几何学的简称。(geometry)常做主语、宾语、定语。

例句 几何越学越难了。|我们哪天考几何?|几何老师又给了一大堆几何作业。

▶ "几何"也做疑问代词,表示"多少"。如:这件玉雕价值几何?|姑娘芳龄几何?

【挤】 jǐ 〔动/形〕

〔动〕(人、物)紧紧靠在一起;(事情)集中在同一时间内。(crowd)常做谓语、宾语。

例句 孩子们挤成一团,互相打闹着。|屋里挤满了人。|节后第一天上班,许多事都挤在一块儿了。|我这个人就是怕挤。

❷ 在拥挤中用身体排开人或物。(push against)常做谓语、状语。

例句 大家注意,不要挤了,请排好队。|外边的人挤得很厉害,一定要进来。|有了自己的车,再也不用挤公交车了。|没等到站,有的乘客就挤着要下车。

❸ 用压力使从孔隙中出来。(squeeze out)常做谓语。

例句 奶牛场每天挤几次奶?|我实在太忙,连头发都是挤时间理的。|鞋油全干了,挤不出来了。

❹ 排斥。(exlude)常做谓语。

例句 我的岗位不知被谁给挤掉了。|把张总挤出董事会,这不合适吧?

〔形〕在一定的时间或空间里,人或事物高度集中。(crowded)常做谓语、补语。

例句 这趟车太挤了,连站的地方都没有。|上班的路上,车辆挤得要命。|这几年,尽管住房条件有较大改善,但仍有些人家住得很挤。

【给予】 jǐyǔ 〔动〕

给。也作"给与"。(give)常做谓语。

例句 在学习上,大家给予了我许多帮助。|这种情况应该按政策给予解决。|对失学儿童仅仅给予同情是不够的。

【脊】 jǐ 〔名〕

人或动物背上中间的骨头;物体上头像脊的部分。(spine; backbone)常用于构词。

词语 脊背 脊梁 脊柱 山脊 屋脊 书脊

【脊梁】 jǐliang 〔名〕

背(bèi),即身体跟胸、腹相对的部分。(back)常做主语、宾语。

例句 李老汉劳累了一辈子,脊梁都弯了。|洗澡的时候,得请人搓搓(cuō)后脊梁。|鲁迅是我们民族的脊梁。|他没有脊梁。(指没有骨气。)

【计】 jì 〔名/动〕

〔名〕主意,策略;行动前的打算。(plan; stratagem)常做主语、宾语。也用于构词。[量]个。

词语 计策 诡计 计划

例句 眉头一皱,计上心来。|他一

计不成，又施一计。|敌人中了我们的调虎离山计。|培养人才，这是百年大计。

〔动〕❶ 算；列举。(calculate; count; number)常做谓语。

例句 来参观的人数以万计。|他看过的历史书不计其数。

❷ 计较。(fuss about)常做谓语。

例句 这种努力工作、不计报酬的精神值得学习。|他俩不计前嫌，合作得很好。

【计划】 jìhuà 〔名/动〕

〔名〕预先拟订的具体工作内容、方法、步骤。(plan)常做主语、宾语、定语。[量]个，份。

例句 原先那个计划已经过时了。|你这个计划能实现吗？|国民经济计划既不能定得太高，也不能太低。|我厂已经按时完成了计划。|我们开个员工大会，落实各项计划。|估计计划的实施不会很顺利。|这份计划的主要指标有些保守。

〔动〕做计划。(make a plan; design)常做谓语。

例句 我们计划明年建一座新图书馆。|咱们把假期活动好好计划一下。|公司正计划着上新项目呢。

【计划生育】 jìhuà shēngyù 〔动短〕

有计划地生育孩子，达到控制人口或优生的目的。(family planning)常做谓语、主语、宾语、定语。

例句 人口过多的国家应该计划生育。|不计划生育，人口增长就太快了。|计划生育是中国的基本国策。|计划生育对中国的经济和社会发展起到了巨大的作用。|中国从七十年代起，开始实行计划生育。|人口大国应该推行计划生育。|计划生育政策没有改变。|应当说，计划生育的成效非常明显。

【计较】 jìjiào 〔动〕

❶ 计算、比较。(fuss about)常做谓语、宾语。

例句 王师傅这个人从来不计较个人得失。|领导不该计较荣誉、地位。|最好还是大事不放过，小事不计较。|大家对这件事都不在乎，只有她一个人计较个没完没了。|你怎么这么爱计较呢？

❷ 争论，争辩。(argue with)常做谓语。

例句 你们俩怎么总是计较个没完没了呢？|要是谁都不让步，再计较下去，也不会有结果的。|别跟他计较了，有什么用？

【计算】 jìsuàn 〔动〕

❶ 根据已知数通过数学方法求得未知数。(calculate; compute)常做谓语。

例句 计算得很正确。|计算到小数点后两位。|计算一下所需费用。|这孩子已经学会计算四则题了。

❷ 考虑，筹划。(think over; plan)常做谓语。

例句 这点儿钱不计算着花，怎么能够呢？|先计算计算再干。

【计算机】 jìsuànjī 〔名〕

能进行数学运算的机器。俗称“电脑”。(computer)常做主语、宾语、定语。[量]台，部。

例句 计算机正在成为我们生活中不可缺少的部分。|上星期，给儿子买了台计算机。|没有计算机，很难想象世界会是什么样子。|这几种计算机软件，你们有吗？|为防止计算机病毒，昨天没敢开机。

【记】 jì 〔动/名〕

〔动〕❶ 把印象保持在脑子里。(memorize)常做谓语。

例句 学外语要多记生词。|我把他的生日记错了。|看了不少,可是记不住。

❷ 写下来,登记。(take down)常做谓语及宾语。

例句 请把黑板上的内容记下来。|你的笔记记得好,借给我看看好吗?|全连记集体二等功一次。|我说,大家开始记。

〔名〕❶ 记载、描写事物的书或文章。(chronicle)常用于构词,也做书名或篇名。

词语 日记 笔记 杂记 游记 《史记》《西游记》《登泰山记》

❷ 标志;天生的斑(bān)。(birthmark;mark)做宾语,也用于构词。

词语 标记 记号 胎记

例句 以红箭头为记。|他脸上有一块黑记。

►"记"也做量词,用于动作的次数。如:没留神,挨了一记耳光。|一记劲射,球应声入网。

【记得】 jìde 〔动〕

想得起来,没有忘记。(remember;recall)常做谓语。

例句 虽然毕业多年,但是大家都记得学生时代许多有趣的事情。|我记得你是大连人。|看他的面孔很熟,但我不记得在哪儿见过他了。|小时候的事情许多至今都还记得。

【记号】 jìhào 〔名〕

能引起注意、帮助识记的标记。(mark)常做主语、宾语、定语。[量]个。

例句 这个记号不清楚,再画大一点儿。|找了半天,什么记号也没有。|在有错别字的地方,用"△"做上记号。|校对到哪儿了,请做个记号。|不要在借的书上画任何记号。|我记得那个记号的形状是圆的。

【记录】 jìlù 〔动/名〕

〔动〕把说的、听到的话或发生的事情写下来。现在也指用音像材料把声音、图像保存下来。(record)常做谓语、定语。

例句 几本厚厚的日记,记录着他大半生的经历。|气象局每天按时观测、记录天气变化情况。|婚礼的全过程都用摄像机记录下来了。|她记录得最详细。|这条重要新闻将在今晚22点用记录速度重播。

〔名〕当场记录下来的材料,也指做记录的人。(record;recorder)常做主语、宾语、定语。[量]份,个。

例句 这份谈话记录未经本人审阅。|要说记录做得最快,就数小李了。|得尽快把记录整理好。|那天的会议小王是记录。|刘总要一份上次谈判的记录。|这份记录的内容最全。

【记性】 jìxing 〔名〕

记忆的能力。(memory)常做主语、宾语。[量]点儿。

例句 小孩的记性一般都比大人好。|上了年纪,记性一年不如一年了。|大家都羡慕小张记性好。|你怎么不长一点儿记性?整天丢三落(là)四的。

【记忆】 jìyì 〔动/名〕

〔动〕记住或想起。(memorize)常做谓语、定语。

例句 每天我都花很大功夫记忆那

些汉字。|事情过去了几十年,可我还能记忆起当时的情景。|一次意外事故,使他丧失了记忆的能力。|记忆的方法有许多种。

〔名〕过去的事情在头脑里的印象。(memory)常做主语、宾语。[量]个。

例句 对那件事我记忆犹新。|这个记忆太深刻了,怎么会忘了呢?|他的记忆很清晰。|那次旅行给我留下了美好的记忆。|这篇稿子是根据记忆整理的。

【记忆力】 jìyìlì 〔名〕

记住事物形象或事情经过的能力。(memory;faculty of memory)常做主语、宾语。

例句 李教授的记忆力真强,几十年前的事情还能说得清清楚楚。|现在我的记忆力差极了,常常是提笔忘字。|到老的时候,几乎人人都会面临记忆力减退的问题。|车祸使他失去了记忆力。

【记载】 jìzǎi 〔动/名〕

〔动〕把某件事情写在文章或书籍里。(record)常做谓语。

例句 在这篇回忆录里,作者记载了延安时期的生活情景。|《外交史录》记载着自建国以来新中国外交战线上的风风雨雨。|这篇报告文学把这位企业家的创业过程忠实地记载了下来。

〔名〕记载事情的文字材料。(record)常做宾语、主语。

例句 在鲁迅的作品中,有不少关于社会底层人民生活的记载。|从史料记载来看,台湾自古就是中国领土。|这些记载,在几种版本的民间故事书中都能看到。

【记者】 jìzhě 〔名〕

新闻机构中从事采访和报道工作的专职人员。(reporter)常做主语、定语、宾语。[量]个,名,位。

例句 电视台一位记者下午要来采访你。|他接受了报社记者的专访。|记者的工作很辛苦,甚至是很危险的。|我的志愿是长大当一名记者。|这事要是通过记者,也许能早点儿解决。

【纪】 jì 〔动/名〕

〔动〕同"记"(用于纪念、纪元等)。(same as "记", chiefly used in "纪念","纪元")

〔名〕各种社会团体要求成员遵守的行为规则。(guiding principle)常用于构词或用于固定短语。

词语 纪律 风纪 党纪国法 遵纪守法 违法乱纪

【纪录】 jìlù 〔名〕

在一定时期和范围内记载下来的最好成绩(也作记录)。(record;score)常做主语、宾语、定语。[量]项,个。

例句 这项保持多年的世界纪录今天被打破了。|这个全国最高纪录是去年创造的。|这个钻井队刷新了钻探深度的全行业纪录。|她是5000米跑的世界纪录保持者。

【纪律】 jìlǜ 〔名〕

各种社会组织为维护集体利益并保证工作正常进行而制定的要求每个成员遵守的行为规则。(discipline)常做主语、宾语、定语。[量]项,条。

例句 纪律是胜利的保证。|解放军纪律很严明。|必须遵守企业劳动纪律。|破坏纪律,要受到处分。|纪律的作用不可忽视。

【纪念】 jìniàn 〔动/名〕

〔动〕用事物或行动对人或事表示怀

念。(commemorate; mark)常做谓语、定语。

例句 用实际行动纪念公司的生日。|举国上下纪念抗战胜利五十周年。|为了父母的金婚,我们打算好好纪念一下。|纪念仪式在大礼堂举行。|纪念文章发表在《人民日报》头版。

〔名〕令人回忆的东西;表示纪念的物品。(souvenir)常做主语、宾语、定语。[量]个。

词语 纪念品 纪念碑 纪念册 纪念章

例句 这个纪念是战争中留下来的。|这套《鲁迅全集》,是给你的纪念。|照个相作为我们分别的纪念吧。|这件礼物很有纪念意义。

【纪要】 jìyào 〔名〕

记录要点的文字,也写做"记要"。(summary)常做主语、宾语、定语。[量]份。

例句 这份会议纪要很重要。|谈判纪要已经分别发给各位董事了。|这是市长的讲话纪要。|纪要的整理稿印出来了吗?

【技】 jì 〔名〕

本领。(ability; skill; technique)常用于构词或用于固定短语。

词语 技术 技巧 技能 口技 演技 技压群芳 技不如人 黔驴技穷

【技能】 jìnéng 〔名〕

掌握和运用专门技术的能力。(skill; technique)常做主语、宾语。[量]种。

例句 技能主要靠实践来培养。|交际技能是学习外语最重要的方面。|这是一所培养中等技能的专门学校。|他运用学到的技能,在工作中独当一面。

【技巧】 jìqiǎo 〔名〕

❶ 表现在艺术、工艺、体育等方面的巧妙的技能。(skill; art)常做宾语、主语、定语。[量]种。

例句 齐白石几十年如一日刻苦钻研,终于掌握了高超的国画技巧。|经过强化训练,他的表演技巧提高了不少。|不要光靠力气,还得发挥技巧的作用。

❷ 指技巧运动。(acrobatic gymnastics)常做宾语、定语。

例句 李教练专门教技巧。|技巧比赛什么时候举行?

【技术】 jìshù 〔名〕

人类在生产劳动中积累,并体现出来的经验和知识。也泛指其他操作方面的技巧。(art; technology)常做主语、宾语、定语。[量]种。

例句 如今,科学和技术是最重要的生产力。|这个班组人人技术全面,都是生产上的骨干。|小刘努力钻研技术,多次获优秀奖。|我们需要既懂技术、又懂管理的人才。|他把自己的技术,毫无保留地传授给了徒弟。|要爱护技术人才。|在20世纪,各种新技术的应用使世界发生了巨大的变化。

【技术员】 jìshùyuán 〔名〕

技术人员的职称之一。在工程师的指导下,能够完成一定技术任务的技术人员。(technician)常做主语、宾语、定语。[量]个。

例句 农业技术员主要负责农业技术的推广。|王技术员常出差。|这方面咱们不懂,还是请个技术员吧。|这个技术员的水平相当不错。

【忌】 jì 〔动〕

❶ 怨恨比自己好的人。(be envious; envy; be jealous of)常用于构词。

词语 猜忌 忌妒

❷ 怕。(be afraid of)常用于构词。

词语 顾忌 忌惮

❸ 认为不适宜而避免。(avoid)常做谓语。

例句 服药时要忌生冷腥辣。|最近为了治病,我忌口,不能吃鱼。

❹ 改掉不良习惯。(give up; quit; get rid of)常做谓语。

词语 忌烟 忌酒

例句 自从得病以后,他忌了烟。|酒我早就忌了,忌了两年了。

【季】 jì 〔名〕

一年分春、夏、秋、冬四季,每季三个月;指一段时间。(season)常用于构词。

词语 季节 季风 春季 季度 雨季 旺季 淡季 花季

例句 南方的水稻一年可以熟两季,甚至三季。

【季度】 jìdù 〔名〕

以一季(三个月)为单位时称为季度。(quarter)常做定语、宾语、状语。[量]个。

例句 昨天工人们高高兴兴地领到了季度奖金。|我们一定在本季度完成任务。|他下个季度去外地学习。

【季节】 jìjié 〔名〕

一年里某个有特点的时期。(season)常做主语、宾语、定语、状语。[量]个。

例句 这里严寒季节一到就停工了。|这个季节正是旅游旺季,票价最贵。|现在还不到季节,花还没开。|这次处理的都是季节性商品。|机关这个季节不开会,都忙夏收夏种去了。

【迹】 jì 〔名〕

留下的印儿;前人留下的事物。(footmark; mark)常用于构词。

词语 痕迹 古迹 笔迹 踪迹 迹象 事迹

【迹象】 jìxiàng 〔名〕

表现出来的不明显的现象,可用来推断事物的过去或将来。(sign; evidence)常做主语、宾语。[量]种。

例句 种种迹象表明对方毫无诚意。|这些迹象告诉人们,战争的危险已经过去。|动物、地下水等的反常现象,都是将发生地震的迹象。|经过仔细观察,没有任何可以怀疑的迹象。

【既】 jì 〔副/连〕

〔副〕已经。(already)常用于固定短语。

词语 既成事实 既定方针 既得利益 既往不咎(jiù)

〔连〕❶ 表示前提。(although)常与"则"、"就"等配合。

例句 既来之,则安之。|既要学外语,就得下功夫。

❷ 表示同时存在两种情况。(both... and; as well as)常与"且"、"又"、"也"、"还"等配合。

例句 客厅既宽敞又明亮。|我这个朋友既喝酒也抽烟。|我太太既会做中餐,还会做几样西餐。

【既然】 jìrán 〔连〕

已经如此。表示在已经出现的情况下,做出结论或决定。(since)用在上句,下句常用"就"、"也"、"还"等配合。

例句 你既然知道他不能来了，就应该早做安排。|既然事情已经发生了，再说后悔话也没用了。|既然不见了，你还不赶快去找！|既然如此，我也就不客气了。

【既往不咎】 jì wǎng bú jiù 〔成〕

对过去的错误不再责备。(forgive sb's past misdeeds; let bygones be bygones)常做谓语。

例句 对你现在的表现，大家很满意，就既往不咎了吧。|只要你改邪归正，过去那些事可以既往不咎。

【既…也…】 jì…yě… 〔关联〕

表示同时具有两种情况。(both... and; as well as)分别连接一种情况，用在共同主语之后。

例句 最近公司既不忙，也不闲。|领导对他既表扬也批评。|在国外，我既学习也打工。|我们既要看到积极因素，也要看到消极因素。

【既…又…】 jì…yòu… 〔关联〕

表示同时具有两种情况。(both... and; as well as)分别连接一种情况，用在共同主语之后。

例句 这家饭馆既便宜又实惠。|他既学汉语又学中国历史。|刚出国的时候，我是既听不明白，又说不出来。

【继】 jì 〔动〕

连续；接着。(continue; follow)常用于构词或用于固定短语。也做谓语。

词语 继任 继续 继承 继往开来 前赴后继

例句 这是继上个月之后，女队又一次夺冠。

【继承】 jìchéng 〔动〕

依法接受遗产；接受前人的传统、文化等；继续做前人留下来的事业。(succeed)常做谓语、定语、宾语。

例句 他为了继承祖业，去了香港。|他的画既继承了国画的传统，又具有自己的风格。|谢医生把祖传的医术继承了下来。|我们不但要继承伟人的思想，更要继承伟人的事业。|这次继承的财产共有五六十万。|艰苦奋斗的传统在他们身上得到了继承。

【继续】 jìxù 〔动/名〕

〔动〕(活动)连下去，延长下去，不间断。(go on; continue)常做谓语。

例句 明天继续进行小组讨论。|抢险工作继续了一周，终于恢复了通车。|暴雨使运动会无法继续下去。|五个小时过去了，手术还在继续着。

〔名〕跟某件事有连续关系的另一件事。(continuation)常做宾语。

例句 今天的讨论是昨天的继续。

【寄】 jì 〔动〕

❶ 通过邮局送。(send; post; mail)常做谓语。

例句 请问，寄一封国际快递多少钱？|稿子已经给出版社寄去了。|那时候，我老师常给我寄些新书。|邮电部规定：易燃、易爆、易腐烂物品不能寄。

❷ 把感情等放在；把事物等交给别人。(place on; deposit)常做谓语。也用于构词。

词语 寄存 寄托 寄养

例句 对第一次试验，不要寄太大的希望。|一片红叶寄深情。

❸ 依靠别人。(depend on)常用于构词。

词语 寄居 寄生 寄宿

【寄托】 jìtuō 〔动〕

❶ 把思想感情等放在某人或某种事物上面。〔place(ideal,hope,feeling,ect.)on;find sustenance in〕常做谓语。常与"希望"、"哀思"、"情谊"、"理想"等配合。

例句 青年人好像早上八九点钟的太阳,希望寄托在他们身上。|朵朵白花寄托着人们无限哀思。|他们一家人把希望都寄托在唯一的男孩身上。

❷ 把人或物托付给人家。(entrust to the care of sb. else)常做谓语。

例句 夫妻俩都去留学了,只好把孩子寄托在奶奶家。

【寂静】 jìjìng 〔形〕

没有声音,很静。(quiet; still; silent)常做谓语、定语、宾语、补语。

例句 夜里,马路上寂静得很。|病房里十分寂静。|在那个寂静的夜晚,我想家了。|艺术家的到来,打破了往日的寂静。|一到冬天,小镇就变得寂静了。

【寂寞】 jìmò 〔形〕

孤单冷清。(lonely;solitary)常做谓语、定语、补语、状语、宾语。

例句 儿女结婚后,老人家寂寞得厉害。|退休以后呆在家里,怎么能不寂寞呢?|寂寞的时候,李先生就到邻居家打牌。|朋友都走了,我只能寂寞地坐在小屋里。|每天照料着小孙子,老人的日子过得不再寂寞了。|一个人在国外,最怕的就是寂寞。

【加】 jiā 〔动〕

❶ 两个或两个以上的数目或东西合在一起。(add)常做谓语。

例句 3加4等于7。|你怎么能错上加错?|这样做简直是雪上加霜。

❷ 使数量比原来大或程度比原来高。(increase)常做谓语,也用于构词。

词语 加强 加快 加速 加深

例句 那天夜里风雨交加。|小姐,请再加两个菜。|这种药第一次服用要加一倍的量。|车已经加过油了,跑一天没问题。

❸ 把原来没有的添上去。(add;put in)常做谓语。

例句 这儿再加几笔,画儿就更好看了。|要是把这两段加上小标题,层次会清楚些。

【加班】 jiā bān 〔动短〕

增加工作时间或班次。(work overtime)常做谓语、定语。中间可插入成分。

例句 看来,不加班干不完了。|我昨晚加夜班了,今天上午在家休息。|最近一个月,每天都加两个小时的班。|加班的时候,我一般晚上8点到家。|你们周末不休息,有加班费吗?

【加工】 jiā gōng 〔动短〕

把原材料或半成品等制成成品,或使之达到规定的要求。(process;polish)常做谓语、定语。中间可插入成分。

例句 这家合资企业,主要是来料加工,产品全部外销。|我们这儿可以加工西服。|(广告)本店对外加工沙发。|我想把戒指再加一下工。|文章的后半部分能不能再加加工?|要加工的活儿都赶完了。

【加急】 jiājí 〔动〕

由于情况紧急需迅速处理。(be urgent)常做定语、谓语。

J

例句 刚收到一份加急电报。|这批货按加急件发运。|请问,加急手续费多少钱?|运这些海鲜要加急。

【加紧】 jiājǐn 〔动〕

加快速度或加大强度。(step up; speed up)常做谓语。

例句 时间不多了,大伙儿加紧点儿!|每年春节前,商业部门都加紧组织货源。|会期临近,筹委会加紧了工作。|市场需要量太大,不加紧不行啊。

【加剧】 jiājù 〔动〕

增加严重程度。(exacerbate; embitter; accelerate; intensify)常做谓语。

例句 为什么双方的矛盾加剧了呢?|考试前别想得太多,不然只会加剧心理紧张。|夜里,她的病情进一步加剧了。

【加强】 jiāqiáng 〔动〕

使更有效,更坚强。(strengthen)常做谓语、宾语。

例句 今年,领导力量加强了,工作开展得很好。|人人都应该加强法制观念。|这里要加强护林防火工作。|多练习能加强记忆。|这方面能不能再加强一些?|高层领导人的互访使两国间的友好合作关系得到进一步的加强。

【加热】 jiā rè 〔动短〕

使温度升高。(heat)常做谓语(不带宾语)、定语。中间可插入成分。

例句 凉比萨饼得加热才好吃。|先把水加加热,再放肉。|我爱喝加过热的牛奶。

【加入】 jiārù 〔动〕

❶ 加上,搀进去。(enrich; swing in with)常做谓语。

例句 加入鸡蛋后搅拌。|把面里加入少量的盐。|在水泥中按比例加入沙子才能使用。|把糖加入水中。

❷ 参加(成为组织的一员)。(join)常做谓语。

例句 他学生时代就加入了党组织。|不论男女老少都加入了狂欢的人群。|只有加入俱乐部,才能享受免费待遇。

【加深】 jiāshēn 〔动〕

加大深度;变得更深。(aggravate; intensify)常做谓语。

例句 这次访问加深了双方的了解。|我们的友谊不断加深。|这孩子不注意爱护眼睛,近视度数又加深了。|加深河道的具体施工方案正在制定。

【加速】 jiāsù 〔动〕

加快速度。(accelerate)常做谓语。

例句 改革开放,加速了国民经济的发展。|生态环境的破坏,加速了水土的流失。|我觉得列车正在加速。|队长命令全体队员加速前进。|为了加速人才和技术的引进,市政府公布了新的优惠政策。

【加以】 jiāyǐ 〔动/连〕

〔动〕表示对某一事物如何对待或处理。(*used beofre a disyllabic verb to indicate that the action is directed towards sth. or sb. mentioned earlier in the sentence*)做谓语(带双音节动词宾语)。

例句 对职员代表大会提出的问题要认真研究,加以解决。|我们对优秀青年要加以重点培养。|必须总结前人的经验,并加以继承和发扬。

〔连〕用在因果复句中,表示进一步

的原因或条件。(moreover;in addition)

例句 他身体本来就弱,加以得流感又转为肺炎,所以不得不住院了。|这个学生素质不错,加以自己刻苦努力,很快修完了规定的学分,提前半年毕了业。

【加油】 jiā yóu 〔动短〕

❶ 添加燃料油或润滑油。(oil;lubricate)常做谓语。中间可插入成分。

例句 加完油了。|加一次油,能跑二百多公里。|到下一个路口再加油。|A:请问,加多少油? B:50公升。

❷ 比喻进一步努力。用于鼓励。(make an extra effort)常做谓语。

例句 运动员,加油!|中国队,加油!|大伙加油干哪!

【加重】 jiāzhòng 〔动〕

增加重量或程度。(increase the weight of;aggravate)常做谓语。

例句 职位升高了,责任也加重了。|说到这里,他加重了语气。|他们订立攻守同盟,反而加重了罪行。|各地的滥收费,加重了农民的负担。|对破坏森林的犯罪行为要加重处罚。|病情加重的原因,尚未查清。

【夹】 jiā 〔动〕 另读 jiá、gā

〔动〕❶ 从两个相对的方面加压力,使物体固定住。(press from both sides)常做谓语,也用于构词。

词语 夹层 夹道 夹缝 夹击 夹心

例句 你能用筷子夹菜吗?|赵经理习惯手里夹着香烟想问题。|比尔夹了几下也没把面条夹起来。|把晾在外边的衣服夹好,别刮掉了。|相片夹在书里边呢。|一下班,他就夹着皮包跑出了办公室。

❷ 一种事物混在另一种事物中。(mix;mingle)常做谓语。

例句 这个老外讲话中夹着生硬的汉语,很有意思。|大风夹着暴雨,迎面扑来。|敲门声夹着喊叫声,吵得四邻不安。

▶ “夹”又读“jiá”,指双层的(衣物)。如:夹衣 夹袄 夹裤 夹被

【夹杂】 jiāzá 〔动〕

一种东西里搀进了别的东西。(be mixed up with)常做谓语、定语。

例句 暴雨夹杂着大冰雹,劈头盖脸地倾泻下来。|欢呼声夹杂着鞭炮声,响成一片。|虽然她同意了,可话里仍夹杂着一丝疑虑。|看得出他笑容里夹杂的期望。

【夹子】 jiāzi 〔名〕

用来夹东西的器具。(clip)常做主语、宾语、定语。[量]个。

例句 塑料夹子夹衣服比较干净。|你拿个夹子给我好吗?|这种夹子的大小正合适。

【佳】 jiā 〔形〕

美;好。(beautiful;fine;good)常用于构词,也做谓语、定语。

词语 佳作 佳音 佳话 佳节

例句 这次比赛成绩甚佳。|那儿的海鲜味道极佳。|他是院长的最佳人选。|还是考虑一个最佳方案吧。|难道没有最佳的选择吗?

【家】 jiā 〔名/量/尾〕

〔名〕意义见“家庭”,也指家庭的场所。(family;home)常做主语、宾语、定语。[量]个。

例句 邻居家开了一个小商店。|

北方过年的时候，几乎家家都吃饺子。|我家在江南一个小镇。|他16岁就离开家，到北京求学。|老同学最近刚搬了家，请我去看看。|我想有个家。|因为暴雨，这几家的房子都漏了。

〔量〕用于家庭或企业单位。(a unit)常构成短语做句子成分。

例句 村里住着几家渔民。|这是一家质量信得过的企业。|那家饭店的饭菜味道不错。|附近新开了一家超市。|买东西得货比三家。|在这个地区，综合医院只此一家。

〔尾〕在某个学术领域或社会活动中有成就的人，还可指经营某种行业的人。(expert; specialist in a certain field)用在名词、动词等后边，构成新的名词。

词语 物理学家　医学家　作家　歌唱家　舞蹈家　政治家　专家　企业家　银行家

【家常】 jiācháng 〔名〕

家中日常生活。(the daily life of a family)常做定语、宾语。

例句 她俩常在一起说说家常话。|都是家常饭，您别客气。(也说"家常便饭")|我们唠家常呢。|新来的领导经常和职工拉家常。

【家常便饭】 jiācháng biànfàn〔成〕

家中日常饭食。多比喻常见的、平常的事情。(ordinary food; common occurrence; routine; all in the day's work)常做主语、宾语。[量]顿。

例句 家常便饭好哇，我就喜欢家常便饭。|都是些家常便饭，请随便吃，不要客气。|二十多年来，春节的时候执行公务已经成了家常便饭。

【家畜】 jiāchù 〔名〕

为了经济或其他目的而驯养的兽类。(livestock)常做主语、宾语、定语。[量]种。

例句 家畜包括：猪、马、牛、羊等。|我住在乡下的时候，养过好多家畜。|他这个院子，就像个家畜饲养场。

【家伙】 jiāhuo 〔名〕

❶ 指工具或武器。(weapon)常做主语、宾语、定语。[量]个。

例句 这个家伙是干什么用的？|两人操起家伙就打了起来。|这家伙的分量可不轻。

❷ 指人。(fellow; guy)常做主语、宾语、定语。[量]个。

例句 小家伙真可爱。|你这个家伙就会开玩笑。|我想揍那家伙一顿。|你这家伙的饭量可不小。

❸ 指牲畜。(domestic animal)常做主语、宾语、定语。[量]个。

例句 这个小家伙能懂我的意思。|我是帮人家看着这几个家伙的。|你瞧，那家伙的个儿长得多快！

【家教】 jiājiào 〔名/名短〕

家庭教育，指家长对子弟进行的关于道德、礼节的教育；也是"家庭教师"的简称。(family education; domestic discipline)常做主语、宾语、定语。

例句 我父亲的家教很严格。|目前，外语家教很吃香。|由于从小缺少家教，她很不懂事。|这对夫妻给孩子请了三个家教。|其实，家教的作用不一定很大。

【家具】 jiājù 〔名〕

家庭用具。主要指床、柜、桌、椅等。(furniture)常做主语、宾语、定语。[量]件，套。

例句 那儿展出的家具都是最流行

的款式。|这套家具和这间新房很相配。|搬家时,我换了一套新家具。|这是进口的家具。|每件家具的设计都很新颖。|这套家具的价格太贵了。

【家破人亡】 jiā pò rén wáng 〔成〕

家园被毁灭,人遭死亡。(family ruined; with one's family broken up, some gone away, some dead)常做谓语、定语、补语。

例句 他因为吸毒,现在家破人亡。|唉,他要是早听我一句,也不至于落到今天家破人亡的地步啊!|他那是恶有恶报,自己弄得家破人亡。

【家属】 jiāshǔ 〔名〕

家庭内户主本人以外的成员,也指某人本人以外的家庭成员。(family members)常做主语、宾语、定语。[量]个,位。

例句 病人家属应该遵守医院的探视时间。|这两位都是军人家属。|学校的家属区就在附近。

【家庭】 jiātíng 〔名〕

以婚姻和血统关系为基础的最基本的社会单位,包括父、母、子女和其他共同生活的亲属在内。泛指社会成员共同生活的单位。(family; household)常做主语、宾语、定语。[量]个。

例句 幸福的家庭都是相似的。|这个家庭有祖孙三代人。|来自十几个国家的留学生组成了一个国际大家庭。|父亲出生在一个农民家庭。|小狗也是我们的家庭成员。|他的奶奶是家庭妇女。

【家务】 jiāwù 〔名〕

家庭的日常事务。(household duties)常做主语、宾语、定语。[量]种。

例句 家务虽不多,可没完没了的。|找个钟点工帮你料理家务吧。|孩子最好从小就学习干点儿家务。|常言说得好:清官难断家务事。|爱人一出差,家务活儿就落在我一个人身上了。

【家乡】 jiāxiāng 〔名〕

自己的家庭世代居住的地方。(hometown)常做主语、宾语、定语。

例句 这些年,我的家乡变得越来越美了。|谁不热爱自己的家乡呢?|他离开家乡 20 多年了,可家乡的口音一点儿没变。|家乡的一草一木对我来说都格外地亲切。

【家喻户晓】 jiā yù hù xiǎo 〔成〕

每家每户(人人)都知道。(widely known; known to all)常做谓语、宾语、定语、补语。

例句 孙悟空的故事在中国家喻户晓。|新《婚姻法》已经家喻户晓了。|这个文件要传达到全市,做到家喻户晓。|这都是家喻户晓的事儿了,你还当新闻呢!|节约用水,这不是家喻户晓的事儿吗?|声音别那么大,吵得家喻户晓的,有什么好处?

【家长】 jiāzhǎng 〔名〕

旧称一家之主,现在指父母或其他监护人。(the head of a family)常做主语、宾语、定语。[量]位。

例句 学生家长对学校的工作十分关心。|每位家长都是孩子的第一位老师。|明天,幼儿园请家长跟孩子一起游园。|现在考大学既是考孩子,也是考家长。|晚上有家长会,我得去参加。|家长的一言一行对孩子有很大的影响。

【家族】 jiāzú 〔名〕

以血统关系为基础而形成的社会组

织，包括同一血统的几辈人。(house; clan; family; kindred) 常做主语、宾语、定语。[量]个。

例句 这个家族在社会上有很大影响。|刘氏家族曾经很兴旺。|大家都知道孔氏家族。|外姓人很难进入这个家族。|这个家族的成员中出了好几位名人。|社会学家在研究这个大家族的历史。

【嘉奖】 jiājiǎng 〔动〕

称赞和奖励。(cite; commend) 常做谓语、宾语。

例句 会上嘉奖了有功人员。|做了那么大贡献还不该嘉奖吗？|这个团多次受到上级的嘉奖。|他曾经获得过两次嘉奖。

【颊】 jiá 〔名〕

脸的两侧(从眼到下颌部分)。(cheek) 常用于构词，或用于固定短语。

词语 脸颊 面颊 双颊 两颊

例句 孩子刚哭过，脸颊上还挂着泪珠。|听了这话，姑娘双颊绯(fēi)红。

【甲】 jiǎ 〔名〕

❶ 天干的第一位，泛指第一位。(first place) 常做定语。

例句 汉语最常用的 1033 个词被确定为甲级词。|肝炎分甲、乙、丙三大类。

❷ 包在人或物体外起保护作用的装备。(cover; armor) 常用于构词。

词语 铠甲 盔甲 装甲 甲板

❸ 手指或脚趾上的角质硬壳或动物坚硬的外壳。(nail; shell) 常用于构词。

词语 指甲 趾甲 龟甲 甲壳

▶ “甲”也偶做动词，指“位居第一”。如：桂林山水甲天下。

【甲板】 jiǎbǎn 〔名〕

舰船上分隔上下各层的板，特指最上面的一层。(deck) 常做主语、宾语、定语。[量]层。

例句 前甲板有火炮。|几个船员在冲洗甲板。|清晨，旅客们都到甲板上看日出。

【假】 jiǎ 〔形〕 另读 jià

不真实的；伪造的；人造的。(false) 常做谓语、定语、补语。

例句 他说的一点儿也不假，我可以证明。|别看这花假了点儿，还真够艳的。|她靠假肢登上了华山。|说假话早晚会被人知道的。|我不喜欢那个演员，演得太假。

▶ “假”也做名词。如：弄假成真 以假乱真|“3·15”是打假行动的代名词。

【假定】 jiǎdìng 〔动〕

暂时认定。(suppose; assume; grant; presume) 常用于复句前一分句做谓语。

例句 假定工程本月动工，年底就可以完成。|假定情况有变，再实施第二方案。|我们先假定她不知道，看看有没有别的原因。

【假冒】 jiǎmào 〔动〕

用假的冒充真的。(sham; disguise) 常做谓语、宾语、定语。

例句 他假冒公安人员，被逮住了。|认清商标，谨防假冒。|假冒伪劣商品实在可恨，必须坚决打击。|孙悟空火眼金睛，识破了假冒的铁扇公主。

【假如】 jiǎrú 〔连〕

如果。(if)常用于复句前一分句，提出某种假设，后一分句表示推断出来的结论或提出问题，多用“那么”、“那”、“就”、“便”等呼应。

例句 假如他愿意回去，就不要强留他了。|假如这个星期之内能完工，那么下星期就可以正常营业了。|假如你是学生放假探亲，车票可以半价。|假如师傅在，那就好了。

【假若】 jiǎruò 〔连〕

如果，若是。(provided)常用于复句的前一分句，表示假设。

例句 假若这些疑点能被证实的话，那罪犯一定是他了。|假若你遇到了这种情况，该怎么办？

【假设】 jiǎshè 〔名/动/连〕

〔名〕设想，特指科学研究中根据客观现实提出的推测性的说明。(hypothesis)常做主语、宾语。[量]个。

例句 火星上有人类的假设，目前还没有得到证实。|王总工程师提出的这个假设，我们不妨一试。|香港和澳门回归表明，“一国两制”不是一种假设，而是切实可行的。

〔动〕暂时认定。(suppose; presume)常做谓语、定语。

例句 假设她是对的，也不该跟我发火呀！|我们必须事先假设可能出现的各种不利情况。|假设的敌人并没有出现。

〔连〕意义和用法同“假如”、“如果”。(if; in case)

例句 假设A每小时走5公里，5小时后才能追上B，那么，B每小时走几公里？|别上火，假设今年不行，还有来年嘛。

辨析 〈近〉假如。“假如”只能做连词，而“假设”还可做名词、动词。

【假使】 jiǎshǐ 〔连〕

如果。(if)用法基本同“假如”。

例句 假使服两天药不见效，请再来医院看看。|假使提出书面报告一直不见答复，就直接找领导面谈。|假使合同上没有双方法人代表签字，那就无效。

【假装】 jiǎzhuāng 〔动〕

故意做出某种动作或姿态来掩饰真相，或伪造某种情况。(pretend)常做谓语，也多用于“是…的”格式。

例句 你别假装糊涂！|他低着头，假装没看见我。|有人敲门，但他不作声，假装没听见。|你瞧他那副可怜样儿，一看就知道是假装的。

【价】 jià 〔名〕

商品所卖的钱数。(price)常做主语、宾语。[量]个。

例句 价不论高低，只要货好，我都要。|这个价已经降到底了，你买不买？|A：货刚到，还没定价。B：您先给个价吧。|我们的友谊是无价的。

【价格】 jiàgé 〔名〕

商品价值的货币表现。(price)常做主语、宾语、定语。[量]个，种。

例句 同一种农产品，不同季节，价格也不同。|零售兼批发，价格面议。|市场情况在变，所以也没有一成不变的价格。|由于是厂家直销，所以降低了价格。|中国的价格体系已经发生了很大变化。|如今有了价格听证会，老百姓就放心了。

【价钱】 jiàqian 〔名〕

意义同“价格”。(price)常做主语、宾语、定语。[量]个。

例句 按说这个价钱真不贵。|您

别走，价钱还可以商量嘛。|这件玉佛，我可是花大价钱买的。|你怎么不问价钱就买回来了？|价钱的高低我不在乎，但东西要好。

【价位】 jiàwèi 〔名〕

价格的高低。(value)常做主语、宾语、定语。[量]个，种。

例句 这价位比较合适。|高价位是一般人难以接受的。|商品房应根据消费者的承受能力来定价位。|没有人能接受这种车的价位。|价位的高低要看商品的质量如何。|市场决定价位水平。

J

【价值】 jiàzhí 〔名〕

体现在商品里的社会必要劳动；积极作用。(value; worth)常做主语、宾语、定语。

例句 这幅画价值连城。|这篇论文很有参考价值。|我认为这项发明可以创造很高的价值。|价值的大小，不由个别劳动决定。

【驾】 jià 〔动〕

❶ 使牲口拉车等。(harness)常做谓语。

例句 老人驾着牛车。

❷ 操纵(交通工具)。(drive)常做谓语。

例句 她终于驾着银鹰飞上了蓝天。|小姑娘驾起小船，顺流而下。|现在不会驾车就有点儿不方便了。

▶“驾”也做名词，指车辆，借用为敬称对方。如：为您保驾　劳驾　劳您大驾|大驾光临，有失远迎。

【驾驶】 jiàshǐ 〔动〕

操纵车、船、飞机等行驶。(drive)常做谓语、定语、宾语。

例句 女宇航员也能驾驶飞船上太空了。|哥哥是船长，经常驾驶巨轮跑远洋。|听说学一个星期就能拿到驾驶证。|儿子跟我学会了驾驶。

【架】 jià 〔动/量〕

〔动〕支起来。(put up; erect; build)常做谓语。

例句 工人们只用三个月就在河上架起了一座桥。|至今已有近二十座大桥架在长江上了。|许多农民的房顶上都架起了电视天线。|大伙儿架起受伤的乘客，把他送到附近的医院。

〔量〕用于有支柱或有机械的东西。(*measure word for machines, airplanes, and instruments which nest on a tripod or stand*)常构成短语做句子成分。

例句 哪架飞机是最新式的？|这种牌子的钢琴很畅销，进了100多架，现在只剩三四架了。|这一架琴，别人已经订货了。

【架子】 jiàzi 〔名〕

❶ 用横竖交叉的材料做成的放东西或支撑物体的东西。(stand; shelf)常做主语、宾语、定语。[量]个，副。

例句 家里的脸盆架子是竹子做的。|黄瓜、豆角都得搭架子。|葡萄架子的下边有一个石桌和两个石凳。

❷ 装模作样的自大神态。(airs)常做主语、宾语。[量]副。

例句 别看他官儿不大，架子可不小。|新来的领导一点儿架子也没有，很平易。|得了，别摆臭架子了。

❸ 姿势。(stance)常做宾语。

例句 她大方地拉开架子，跳了个舞。|看对方那个架子，就知道练过武。

❹ 比喻组织,结构。(organization; institution)常做宾语。

例句 写文章最好先搭好架子,再一点点地充实。|这个部队是军级的架子,但人员并不多。

【假】 jià 〔名〕 另读 jiǎ

按照规定或经过批准不工作、不学习的时间。(holiday; vacation)常做宾语、主语。

例句 我想休一周假,去看母亲。|他不来了,请了3天假。|她工作30年,从没休过病假。|干这个工作,什么假也不能休。

【假期】 jiàqī 〔名〕

休假、放假的时期。(leave; vacation)常做主语、宾语、定语、状语。[量]个。

例句 假期很快就要到了,你有什么打算?|他的工作长年没有假期。|一到假期,你就谁也找不着了。|订个假期学习计划吧。|我这个假期要去旅游。

【假条】 jiàtiáo 〔名〕

请假时,写明请假理由和期限的字条。(application for leave)常做主语、宾语、定语。[量]个。

例句 假条我送到办公室了。|请你把这个假条带给老师。|要是不交假条就不上班,算旷工。|今天的汉语课,我们学习写假条。

【嫁】 jià 〔动〕

❶ 女子结婚。(marry)常做谓语。

例句 俗话说:男大当婚,女大当嫁。|因为身体不好,她终生未嫁。|我的女儿嫁给了一位教师。

❷ 把不好的事情转到别人身上。(shift)常用于构词或用于固定短语。

词语 转嫁 嫁祸于人

例句 有的国家为了转嫁经济危机而发动战争。

【尖】 jiān 〔形/动〕

〔形〕❶ 物体末端细小。(pointed)常做谓语、定语、补语。

例句 教堂的屋顶尖尖的。|姑娘长着副尖下巴。|考HSK以前,得把铅笔都削尖了。

❷ 声调高而细。(shrill; high-pitched)常做谓语、定语。

例句 获金奖的歌手嗓子真尖。|他尖声尖气地唱着,像个女的。

❸ (耳、目、鼻)灵敏。(sensitive)常做谓语。

例句 这孩子眼尖,耳朵也尖。|我的鼻子尖得很,有一点儿怪味儿也闻得出。

〔名〕物体锐利的末端或细小的头儿。常读"尖儿"。(point; tip)常做主语、宾语、定语。[量]个。

例句 这笔尖儿太粗了。|针尖儿扎到我的手指尖儿了。|她伸出舌头尖儿舔(tiǎn)了一下。|我都爬到塔尖儿最顶上了。

▶"尖"也做动词,指"使尖"。如:你尖着嗓子喊什么?

【尖端】 jiānduān 〔名/形〕

〔名〕尖锐的末梢;顶点。(peak)常做主语、宾语、定语。[量]个。

例句 经过检查,宝塔尖端出现了裂痕。|有时这麻木感可以一直传到四肢的尖端。

〔形〕科学技术上发展水平最高的。(most advanced; sophisticated)常做定语。

例句 这是个尖端项目,没有尖端

技术是无法完成的。|学成回国的那几位博士都是搞尖端科学的。

【尖锐】 jiānruì 〔形〕

❶ 物体的锋芒容易刺破其他物体；锋利。(sharp-pointed)常做定语、谓语、补语。

例句 他用尖锐的矛刺向扑过来的野猪。|玫瑰的刺儿十分尖锐。|我把锥子磨得非常尖锐。

❷ 认识客观事物灵敏而深刻；敏锐。(sensitive)常做定语、谓语、补语。

例句 我第一次看到这种尖锐的目光。|他的眼光真尖锐，一下子就看出了问题。|领导虽然批评得很尖锐，但态度十分诚恳。

❸ (声音)高而刺耳。(shrill)常做定语。

例句 远处传来了尖锐的警笛声。|尖锐的哨声在催促我们赶快出发。

❹ (言论、斗争等)激烈。(acute)常做谓语、定语、状语。

例句 两派的斗争很尖锐。|代表们对这个方案提出了尖锐的批评。|你不应该这么尖锐地质问他。

【尖子】 jiānzi 〔名〕

优秀的人，领头的人，带头的人。(the best of its kind)常做主语、宾语、定语。[量]个。

例句 这两个尖子在全市都很有名。|我们班有好几个尖子。|每个学科都要培养一批尖子人才。|要充分发挥尖子的带头作用。

【奸】 jiān 〔名/形〕

〔名〕出卖国家、民族、阶级利益的人。(traitor)常用于构词或固定短语中。

词语 内奸　汉奸　狼狈为奸

〔形〕自私；取巧。(crafty)常做谓语、宾语。

例句 他这个人可奸了，你斗不过他。|和她打交道可得小心，她奸得很。|小伙子诚实正派，不会藏奸耍滑。

【歼】 jiān 〔动〕

消灭。(wipe out; annihilate)常做谓语。

例句 此役歼敌两个师。|一定要全歼入侵之敌。

【歼灭】 jiānmiè 〔动〕

彻底消灭(敌人)。(annihilate)常做谓语。

例句 我军一举歼灭敌人一个军团。|这一仗，歼灭了全部残余的土匪。

【坚】 jiān 〔形〕

❶ 硬。(hard)常用于构词或固定短语。

词语 坚固　坚强　坚硬　坚冰　坚不可摧　坚如磐石

❷ 强而不动摇。(firm)常用于构词。

词语 坚定　坚决　坚信　坚守　坚持

例句 大家坚信：胜利一定属于我们。

▶"坚"也做名词，指坚固的东西(多指阵地)。如：攻坚不怕难　无坚不摧

【坚持】 jiānchí 〔动〕

坚决保持、维护或进行。(persist)常做谓语。

例句 战士们还在洪水中坚持着。|医生应该坚持救死扶伤的人道主义。|5个队员在寒冷中坚持了4个多小

时，终于登上山顶。|一定要坚持住！|你为什么还要坚持错误呢？

【坚定】 jiāndìng 〔形/动〕

〔形〕稳定坚强、不动摇。(firm)常做谓语、定语、状语、补语。

例句 大家的态度都很坚定。|船长说话的口气坚定极了。|要立场坚定，旗帜鲜明。|此时他坚定的目光代替了千言万语。|改革开放是中国坚持的坚定目标。|我们坚定地走改革开放之路。|在危险面前，他表现得非常坚定。

〔动〕使坚定。(strengthen)常做谓语。

例句 经过讨论，队员们坚定了必胜的信心。|他的话坚定了我自学成才的决心。

【坚固】 jiāngù 〔形〕

结合紧密、结实，不易破坏。(firm)常做定语、谓语、补语、主语。

例句 在山上修筑了坚固的阵地。|这座房子坚固得很，已经承受住了多次地震的考验。|新跨江大桥，建得更加坚固。|坚固耐用是大件商品的重要质量标准。

【坚决】 jiānjué 〔形〕

(态度、主张、措施、行动等)确定不移；不犹豫。(staunch; resolute)常做定语、谓语、补语、状语。

例句 一定要同灾害做坚决的斗争。|我方用坚决的态度做出了回答。|这些环保措施坚决有力，成效明显。|战斗打得很坚决，很快取得了胜利。|绝大多数市民坚决拥护这项新法案。|全党要坚决服从中央。

【坚强】 jiānqiáng 〔形〕

强固有力、不可动摇或破坏。(strong; firm)常做谓语、定语、状语、补语、宾语。

例句 战士们个个都很坚强。|这次他的表现坚强极了，顶住了各方面的巨大压力。|他的坚强意志鼓舞着我们每一个人。|老人家正以坚强的毅力克服疾病带来的痛苦。|尽管这位伤员 8 天没吃饭，但他坚强地活了下来。|在同大自然的斗争中，妇女们表现得格外坚强。|条件越艰苦，越需要坚强。

【坚忍】 jiānrěn 〔形〕

在艰苦困难的环境下坚持而不动摇。(steadfast and persevering)常做谓语、定语、状语、宾语。

例句 他的意志非常坚忍。|小李以坚忍的毅力，战胜了伤残带来的不便。|艰苦的环境锻炼了她坚忍的性格。|最困难的时候，他都坚忍地咬紧牙关挺了过来。|父亲就是靠坚忍和顽强闯过了难关。

【坚实】 jiānshí 〔形〕

牢固、结实；健壮。(solid; substantial)常做谓语、定语、补语。

例句 这座大楼的地基坚实得很。|经过 3 年刻苦钻研，他打下了坚实的理论基础。|坚实的体魄(pò)，使他在极其险恶的条件下完成了任务。|只有基础打得坚实，才能建起高楼大厦。

【坚信】 jiānxìn 〔动〕

坚决相信。(firmly believe)常做谓语。

例句 大家坚信这次试验会成功。|要坚信我们的事业一定能做大。|我坚信，有付出就必定会有收获。

【坚硬】 jiānyìng 〔形〕

非常硬。(hard)常做谓语、定语。

J

例句 这种岩石很坚硬。|这种钻头坚硬得很。|经过两年奋战,终于在坚硬的石山上挖通了隧道。

【坚贞不屈】 jiānzhēn bù qū 〔成〕
坚守气节,不向敌人屈服。(remain faithful and unyielding)常做谓语、定语、状语、补语。

例句 她在敌人面前坚贞不屈。|江姐坚贞不屈的精神,永远活在人们心中。|中国近代史是中国人民坚贞不屈地同侵略者进行英勇斗争的历史。|无数先烈在狱中表现得坚贞不屈。

J

【间】 jiān 〔量〕
房屋的最小单位。(*measure word for rooms or room space*)常构成短语做句子成分。

例句 因为学生多,请安排一间大一点儿的教室。|我想住南边的那一间。|我家有四间房子,一间客厅,两间卧室,还有一间是书房。

【肩】 jiān 〔名〕
胳膊及动物前肢跟身体主干连接的部分。(shoulder)常做主语、宾语、定语。

例句 打太极拳的时候肩要放松。|他受伤的地方在左肩。|全家的生活重担都压在父亲的肩上。

▶ "肩"也做动词,指担负。如:别看他年轻,可身肩重任呢。

【肩膀】 jiānbǎng 〔名〕
人的胳膊或动物前肢和身体主干相连的部分。(shoulder)常做主语、宾语、定语。[量]个,副。

例句 干了一天,两个肩膀都酸了。|老大爷拍着我的肩膀说,年轻人,真行!|我男朋友长着一副宽肩膀。|常做这种运动,肩膀的肌肉会非常发达。

【艰巨】 jiānjù 〔形〕
困难而繁重。(arduous; terrible)常做谓语、定语、补语。

例句 这个任务相当艰巨。|考察工作艰巨极了。|改革是一项伟大而艰巨的任务。|以后的工作将变得更加艰巨。

【艰苦】 jiānkǔ 〔形〕
艰难困苦。(difficult)常做定语、谓语、补语、状语、宾语、主语。

例句 艰苦生活特别锻炼人。|在艰苦的岁月里,涌现出了无数卓越的人物。|有些地区,孩子们的学习条件艰苦得令人难以想象。|那场战斗打得十分艰苦。|通过十年的艰苦奋斗,市容彻底改变了模样。|如果我们怕艰苦,就不到这儿来了。|艰苦并没有吓倒他们。

【艰难】 jiānnán 〔形〕
困难。(rough; hard)常做定语、状语、谓语、补语、宾语。

例句 那些艰难的日子,我永远忘不了。|我们国家,已经度过了最艰难的时期。|尽管他受了伤,可还是艰难地跑完了全程。|父母去世后,他们兄妹的生活艰难极了。|也许以后的路会更加艰难。|我们虽然胜了,但赢得十分艰难。|大家战胜了许多艰难险阻,终于完成了任务。

【艰险】 jiānxiǎn 〔名/形〕
〔名〕困难和危险。(hardships and dangers)常做宾语。

例句 探险队员历尽艰险,终于到达南极。|只有不避艰险、勇往直前的人才能成功。|在抗洪第一线,哪里有艰险,哪里就有解放军。

〔形〕非常困难而危险。(arduous and dangerous)常做定语、谓语。

例句 航海日记清楚地记录着那次艰险的经历。|修筑拦江大堤的工程十分艰险。|登山运动虽然异常艰险,但却充满了魅力。

【监】 jiān 〔动/名〕

〔动〕从旁边察看。(supervise)常用于构词。

词语 监测 监督 监管 监考 监视 监察

〔名〕关押犯人的地方。(prison)常做宾语。

例句 他由于犯法,被收监6个月。|每次探监,我都告诉男朋友好好表现,我一定等着他。

【监察】 jiānchá 〔动〕

监督各级国家机关和公务员的工作并检举他们的违法失职行为。(supervise)常做定语、宾语。

例句 监察机关责任重大。|这方面应该由有关部门进行监察。

【监督】 jiāndū 〔动〕

察看并督促。(supervise; superintend)常做谓语、定语、宾语、主语。

例句 不要老是监督孩子的学习。|他们监督得很严格。|干部必须自觉接受组织和群众的监督。|对大吃大喝者要实施社会监督。|政府工作离不开有效的监督。|义务交通员主要对交通起监督作用。|监督方式和渠道正在逐步完善。|群众的监督,有利于克服官僚主义。

▶"监督"也做名词,指做监督工作的人。如:老孙做了一辈子舞台监督。

【监考】 jiān kǎo 〔动短/名〕

〔动短〕监视参加考试的人,使他们遵守考场纪律。(invigilate)在做谓语、定语时中间可插入成分。

例句 每个考场有两位老师监考。|王老师在HSK考试中监过两次考。|监考的老师一共有几位?|考生有事可以问监考人员。

〔名〕指监考的人。(invigilator)做主语、宾语、定语。[量]位,个。

例句 监考都参加了考前培训。|监考全部由外校老师担任。|这次考试,小王做了监考。|看到监考,我就有点儿紧张。|监考的职责有好几项。|这次事故主要是监考的责任。

【监视】 jiānshì 〔动〕

从旁严密观察,以便发现不利情况。(monitor; watch)常做谓语、宾语。

例句 这几天要严密监视敌人的动静。|我军雷达时刻监视着天空。|上级命令必须对疫情进行二十四小时监视。|如今对环境污染普遍加强了监视。

【监狱】 jiānyù 〔名〕

关押犯人的处所。(prison)常做宾语、主语、定语。[量]个,座。

例句 五年前,他进了监狱,最近才出来。|因贪污罪,她被关过监狱。|监狱在市郊。|经过10年的监狱生活,他简直变了一个人。

【兼】 jiān 〔动〕

同时涉及或具有几种事物。(hold two or more concurrently)常做谓语、状语。

例句 王校长身兼数职,工作很忙。|我当老师的时候,曾经兼过一年办公室秘书。|由于没有合适的人,行政工作一直由李总工程师兼着。|

他是个品学兼优的学生。|鱼和熊掌,二者不可兼得嘛。

【兼任】 jiānrèn 〔动〕

同时担任两个以上职务;不是专长的。(hold a concurrent post)常做谓语、定语。

例句 学术委员会主任由张所长兼任。|共青团干部都兼任义务普法员。|除了本职工作,他还在外面做兼任教师。

【兼收并蓄】 jiān shōu bìng xù 〔成〕

把内容不同、性质相反的东西都吸收进来。(incorporate things of diverse nature; take in everything)常做谓语。

例句 要想建成一流的国际型大学,学术上就要兼收并蓄。|北京大学兼收并蓄,吸引了不少有名的教授。

【煎】 jiān 〔动〕

❶ 烹饪方法。锅里放少量油,加热后,把食物放进去,使表面变成黄色。(fry)常做谓语、定语。

例句 你把那些鱼煎一下吧。|当时我不会做饭,只会煎鸡蛋。|剩饺子煎着吃,味道是不是更好?|我喜欢吃煎豆腐。

❷ 把东西放在水里煮。(decot)常做谓语。

例句 她在煎(中)药呢。

【拣】 jiǎn 〔动〕

挑选;拾取。(select; pick up)常做谓语。

例句 时间有限,我先拣重要的说。|苹果拣大的给我来3斤。|把小白菜拣一拣再做。

【茧】 jiǎn 〔名〕

某些昆虫的幼虫在变为蛹之前,吐丝织成的白色或黄色的壳。(cocoon)常做主语、宾语、定语。

例句 今年蚕茧大丰收。|他这是作茧自缚。|今年茧的收购价格不变。

【捡】 jiǎn 〔动〕

拾取。(pick up; find)常做谓语。

例句 我们在火车站捡到一个小孩。|他从小就帮助家里放牛、捡柴。|把掉在树下的苹果,都捡到筐里吧。|捡钱包的小朋友没留下名字。

【检】 jiǎn 〔动〕

❶ 查。(check)常用于构词。

词语 检验　检查　检举　检修　检阅

例句 实践是检验真理的标准。|(火车站通知)各位旅客请注意,281次列车开始检票了。

❷ 约束。(engage oneself to; restrict)常用于构词,也做谓语。

词语 检点　失检

例句 这位老首长作风非常检点。|如果领导行为不检,就会失去群众。

【检测】 jiǎncè 〔动〕

检验测定。(check and measure)常做谓语、宾语、主语。

例句 明天检测一下电路设备。|经常进行质量检测,才能保证不出问题。|新产品的检测已经顺利结束。

【检查】 jiǎnchá 〔动〕

❶ 为了发现问题而用心查看。(examine; check; inspect; review)常做谓语、定语、宾语。

例句 他检查得很仔细。|这台机器检查出了毛病。|检查的结果让人吃

惊。|部里的检查组明天就到。|我厂的电视机经得起质量检查。|下个月要进行全市卫生大检查。

❷ 检讨。(criticize oneself)常做谓语、宾语。

例句 得好好检查检查犯错误的原因。|我已经在大会上检查了两次了。|他这回检查得比较深刻。|厂长明天向全厂职工做检查。|对于他的检查,大家很满意。

【检察】 jiǎnchá 〔动〕

检举和核查犯罪的事实。(examine)常做宾语、定语。

例句 他昨天已经停职,将接受检察。|经过几个月的检察,已初步确定了犯罪事实。|我朋友大学毕业后做检察工作。

【检举】 jiǎnjǔ 〔动〕

向司法或其他有关部门揭发违法、犯罪的情况。(report... to the authorities)常做谓语、定语。

例句 是这个姑娘检举的行贿问题。|这封群众来信检举得非常及时。|他向纪检部门检举过一个干部违法犯罪的事实。|司法、纪检部门有责任保护检举人。

【检讨】 jiǎntǎo 〔动〕

找出缺点、错误并作自我批评。(make a self-criticism)常做谓语、宾语、主语、定语。

例句 赵处长对自己的错误检讨得很深刻。|他已经在小组会和全体会上检讨过两次了。|我真该认真检讨一下自己的错误根源。|不好好检讨怎么能接受教训呢?|做完检讨以后,还要看行动。|这次检讨怎么样?|你最好写份检讨书。

【检修】 jiǎnxiū 〔动〕

对机器、房屋等进行检查和修理。(examine and repair)常做谓语、宾语、主语、定语。

例句 这个月要检修一下所有的设备。|那些机器早该检修检修了。|对老房子必须进行检修。|本周末开始检修。|车辆检修,一年至少得搞一次。|去年,光检修费,全公司就花了300多万。

【检验】 jiǎnyàn 〔动〕

按一定的标准检查、验证。(test)常做谓语、定语、宾语。

例句 工人们正在仔细地检验着电视机的质量。|实践是检验真理的唯一标准。|我检验了几次都没发现问题。|这些产品已经检验过了。|把这几个零件送去检验检验。|检验工作非常重要,所以一定要把好检验关。|检验结果表明,这批汽车质量完全合格。|产品不经过严格的检验,绝对不许出厂。

【剪】 jiǎn 〔动〕

用剪刀使东西断开。引申为除去。(cut; shear; trim)常做谓语。

例句 老奶奶正在灯下剪着窗花。|她头发刚剪过,显得格外精神。|我常把报上的一些小常识剪下来作为资料。|只见她三下两下就剪出了一对大红的“喜”字。|院子里的草坪该剪剪了。

【剪彩】 jiǎn cǎi 〔动短〕

在仪式上剪断彩带,表示建筑物落成、路桥通车、新造车船出厂或展览会开幕等。(cut the ribbon at an opening ceremony)常做谓语、定语。中间可插入成分。

例句 新建的百货商店由市长剪彩之后,迎进了第一批顾客。|剪完了彩再

J

参观展览。|今天剪彩的人是谁?

【剪刀】 jiǎndāo 〔名〕

切断布、纸、绳等东西用的铁制用具,两刃交错,可以开合。(scissors)常做主语、宾语、定语。[量]把。

例句 这把剪刀真好使。|我要买一把"张小泉"剪刀。|这剪刀上的商标是"王麻子"吧?

【减】 jiǎn 〔动〕

从总体或一定的数量中去掉一部分。引申为降低、衰退。(reduce)常做谓语,也用于构词。

词语 减低 减法 减缓 减少 减弱

例句 我们计划把明年的办公费减下去三分之一。|他虽然上了年纪,但精神不减当年。|输球后,队员士气非但未减,反而更加旺盛了。|无论遇到什么困难,他的工作劲头从来没减过。

【减产】 jiǎn chǎn 〔动短〕

比预期的产量减少;减少生产。(drop in production)常做谓语、定语。

例句 因今年连遭风灾,水果减产两成。|虽然粮食减了产,但蔬菜获得了丰收。|老产品不减产,就会影响新项目的开发和市场占有率。|减产的主要原因是百年不遇的大旱。

【减低】 jiǎndī 〔动〕

减少;降低。(lower;drop)常做谓语。

例句 去年12月,存款利率又减低了一次。|看到前面是十字路口,汽车减低了速度。|今年苹果产量减低了百分之十左右。

【减肥】 jiǎn féi 〔动短〕

用各种办法使体重下降,减轻肥胖的程度。(fine down; pedal away the pounds)常做谓语、主语、宾语、定语。

例句 那个姑娘最近去健美中心减肥了。|你身材可以,还减什么肥呢?|减肥成了爱美女性的重要话题。|减肥可以,但别影响健康。|小王觉得自己太胖了,决定减肥。|我实在受不了那个罪,才停止了减肥。|减肥的方法有很多。|如今各种减肥药品和减肥茶比较受欢迎。

【减轻】 jiǎnqīng 〔动〕

减少重量、数量;降低程度。(lighten)常做谓语。

例句 减轻农民负担还有很多工作要做。|一场大病使我体重减轻了5公斤。|徒步旅行,得少带行李,尽量减轻负荷。|看过心理医生以后,她的思想压力减轻了不少。|尽管住了一个月院,他的病情一点儿也没减轻。

【减弱】 jiǎnruò 〔动〕

(力量、气势、程度等)变弱。(weaken;appease)常做谓语。

例句 目前,传染病的影响正在逐渐减弱。|台风过后,风力由10级减弱到4级。|虽然经过多次挫折,但他的生活勇气从没减弱过。|由于连输了几场,球迷的支持减弱了许多。

【减少】 jiǎnshǎo 〔动〕

减去一部分。(decrease)常做谓语。

例句 出国时间一长,孩子的来信逐渐减少了。|经过机构改革,干部人数由120人减少到65人。|怎么解决部分群众收入减少的问题呢?

|由于工作太忙，他俩逐渐减少了往来。|我们坚持了“以预防为主”的方针，今年常见病、多发病减少了70%。|降水量如果继续减少下去，城市供水就无法保证了。

辨析 〈近〉减轻。“减少”重在数量由多到少；“减轻”指重量或程度由重到轻。

【简】 jiǎn 〔形/名〕

〔形〕不复杂。(simple)常用于构词。也做状语、补语、宾语。

词语 简便 简单 简历 简略 简要 简体 简章 简直

例句 简言之，必须大力节约用水。|这份检查写得过简了。|写文章要抓住要害，删繁就简。|未婚妻和我都觉得婚事应该从简。

〔名〕❶ 中国古代用来写字的竹片，也指信件。(bamboo slips)常用于构词。

词语 书简 竹简 简册

▶“简”也做动词，指“使…简”。如：精兵简政 简政放权

【简便】 jiǎnbiàn 〔形〕

简单方便。(handy; simple and convenient)常做谓语、定语、补语。

例句 经过不断改进，电脑的汉字输入简便多了。|办这种贷款手续很简便。|请问，有没有简便的方法？|乘法是加法的简便算法。|现在办营业执照的手续变得简便了。

【简称】 jiǎnchēng 〔动/名〕

〔动〕简单地称作。(be called sth. for short)常做谓语。

例句 人民代表大会简称“人大”。|奥林匹克运动会简称“奥运会”或者“奥运”。

〔名〕简单的名称。(abbreviation)常做主语、宾语。

例句 世界贸易组织的简称是“世贸”，或者WTO。|手机是移动电话的简称。

【简单】 jiǎndān 〔形〕

❶ 单纯、不复杂、不乱，容易理解或处理。(simple)常做谓语、定语、状语、补语。

例句 这孩子头脑很简单。|啤酒的制造方法不简单。|别看设计得简简单单，可非常实用。|我们找到了一种更简单的办法。|简单的故事情节，也能表现一个深刻的主题。|老画家只是简单几笔，就完成了一幅漫画作品。|不大的房间里简单地摆着几件木制家具。|别把问题看得太简单了。|老先生每餐一菜一汤，吃得很简单。

❷ (经历、能力)平凡。(commonplace)常做谓语(多用否定式)。

例句 这位企业家资助50名孩子上学，真不简单啊！|头一次参加比赛就得了冠军，很不简单。|我的经历很简单。

❸ 不细致；草率。(casual)常做定语、状语、补语。

例句 要克服简单、粗暴的工作方式。|他只简单地打个招呼就走了。|她每天简简单单地吃片面包就算是早饭了。|回头看，上次那件事处理得有些简单了。

【简短】 jiǎnduǎn 〔形〕

说话或写文章言词不长，内容简单。(brief; short)常做谓语、定语、状语、补语。

例句 他的话很简短。|评审委员的讲评简短中肯。|他一到国外，就

给父母写了一封简短的家信报平安。|电视台对此事做了简短的报道。|在会议休息时,他简短地向我介绍了他的近况。|医生简短地问过伤员伤情后,立即采取了应急措施。|这篇文章写得很简短。

【简化】 jiǎnhuà 〔动/形〕

〔动〕把繁杂的变成简单的。(simplify;predigest)常做谓语。

例句 简化办事程序,大大提高了工作效率。|"風"早就简化成"风"了。

〔形〕已经变成简单的。(simplify)常做谓语、定语。

例句 现在办出国手续比以前简化多了。|简化汉字有利于识记和书写。

【简介】 jiǎnjiè 〔动/名〕

〔动〕简要地介绍。(introduce)常做谓语、宾语、定语、主语。

例句 我给大家简介一下这座城市。|班会上,所有新同学都作了自我简介。|我没听清楚他的简介,他说的什么?|每个人简介的时间是五分钟。|导游的简介很有意思。

〔名〕简要介绍的文字。(introduction)常做主语、宾语、定语。[量]份。

例句 这些简介可以带回去。|简介应当突出重点,反映特色。|请把这份公司简介传真过去。|您先看看产品简介吧。|简介的文字不要多,而要精。|小李在修改简介的内容。

【简陋】 jiǎnlòu 〔形〕

(房屋、设备等)简单粗陋;不完善。(crude)常做定语、谓语、补语。

例句 当时,在如此简陋的实验室里取得了成功,真不简单。|古代的人类只能使用简陋的工具,进行生产活动。|那里的生活条件比较简陋。|在获得"希望工程"资助以前,这所小学简陋得几乎没法上课。|这房子盖得太简陋了吧?

【简明】 jiǎnmíng 〔形〕

简单明白。(concise)常做谓语、定语、状语、补语。

例句 汇报内容要简明扼要,不拖泥带水。|我打算买一本《简明汉英词典》。|目击者简明扼要地介绍了事故的经过。|文章写得简明才会吸引人。

【简体字】 jiǎntǐzì 〔名〕

笔画经过处理变得比较简单的字,也说"简化字",如"简化字运动"等。(simplified Chinese character)常做主语、宾语、定语。[量]个。

例句 在海外,简体字的使用也越来越广泛。|应当学习简体字。|简体字的好处是易识、易写。

【简讯】 jiǎnxùn 〔名〕

简短的消息。(news in brief)常做主语、宾语、定语。[量]条。

例句 那条简讯引起了社会的关注。|有些简讯看过就忘了。|小王常给报社写些简讯。|山田同学已经能看懂报纸上的简讯了。|这条简讯的作者我认识。|简讯的特点是什么?

【简要】 jiǎnyào 〔形〕

简单又能抓住要点。(concise)常做谓语、定语、状语、补语。

例句 他的发言简要而深刻。|这里有一份简要的说明,您看看吧。|会上,市长简要地回顾了一年来的工作。|代表们简要汇报了各方面

的意见。|这篇文章还可以写得再简要一些。

【简易】 jiǎnyì 〔形〕

简单而容易的;设备简陋的。(simple and easy; crude)常做定语、谓语、补语。

例句 学了一个星期,留学生们就会打简易太极拳了。|先看一下"简易操作规程"再干。|我们终于告别了十年的简易房,搬进了新居。|以前条件差,来客人就在客厅摆一张简易折叠床。|由于设在抗洪前线,病房十分简易。|他想尽量把程序设计得简易一些。

【简直】 jiǎnzhí 〔副〕

表示情况或行为完全或差不多如此,带夸张语气。(simply; just)做状语。

例句 当时,大伙儿激动得简直要哭出来。|他这个人简直不像话。|听到这个消息,同学们简直高兴坏了。|这几天热得简直叫人受不了。|干起活来,她简直不要命。

【碱】 jiǎn 〔名〕

化合物,有可与酸中和的氢氧化钠,可洗衣物、中和发面酸味的碳酸钠等。(alkali; soda)常做主语、宾语、定语。

例句 酸、碱、盐是化学中常见的物质。|有的人煮粥的时候习惯放一点儿碱。|这里过去是一片碱滩。

【见】 jiàn 〔动/助/名〕 另读 xiàn

〔动〕❶ 看到。(catch sight of; see)常做谓语。

例句 登上长城,才知道什么叫"百闻不如一见"。|你这是只见树木,不见森林。|这篇文章好像在哪儿见过。|这种事我见得多了。

❷ 会面。(meet)常做谓语。

例句 这位学生要见校长。|来的人你见不见?|星期天到我家去,大家见见。

❸ 接触,遇到。(come into contact with; be exposed to)常做谓语。

例句 最近天气特别干,树木见火就着。|胶卷不能见光,见了光就失效了。|青年人应该经风雨,见世面。|老母亲一见风就咳嗽。

❹ 显出。(appear; show)常做谓语。

例句 工作已初见成效。|你的病见好吗?|他怎么练也不见长(zhǎng)进。

❺ 指明出处或需要参看的地方。(show)常做谓语。

例句 人体的消化系统见本页插图。|事情经过详见《调查报告》。

▶ 这里的"见"是"见于"的意思。

❻ 表示感觉到。(sight)常做补语。

词语 看见 望见 瞧见 瞅不见 听得见 闻见 梦见

例句 怎么看也看不见。

〔助〕表示对我怎么样。(match)常用于构词。

词语 见教 见笑 见怪 见谅

〔名〕对事物的看法,意见。(opinion)常用于固定短语。

例句 不应该固执己见。|你这真是小人之见。|请发表一下您的高见。

▶ "见"做动词表示"出现"时,读"xiàn"。如:风吹草低见牛羊。

【见缝插针】 jiàn fèng chā zhēn 〔成〕

比喻善于抓住机会,利用一切可利用的时间、空间。[stick in a pin wherever there is room — make use of of every time(space)]常做谓语、定语、状语。

例句 女主人见缝插针，又让“小时工”去给孩子洗尿布。|大家都很佩服组长那见缝插针的工作作风。|两个人你一句我一句地争吵起来，孩子赶紧见缝插针地溜了。

【见解】 jiànjiě 〔名〕

对事物的认识和看法。(opinion)常做主语、宾语。[量]种，个。

例句 一谈才发现此人的见解不一般。|他关于经济改革的见解，引起了有关人士的注意。|对这个工程你什么见解也没有吗？|他善于独立思考，不论什么事，都有自己的见解。|对这个问题，小王发表了独到的见解。

辨析 〈近〉意见，看法。“见解”和“意见”：“意见”除有“见解”的意思之外，还有不满的意思；“见解”多指正式的、理性的认识，“意见”往往是一般的、初步的看法；“见解”使用范围较窄。

【见面】 jiàn miàn 〔动短〕

彼此对面相见。(meet)常做谓语(不带宾语)、定语。中间可插入成分。

例句 两人最后一次见面，是五年前的事了。|昨天我和对方代表已经见过一面了。|约好了五点半见面，人怎么还没到呢？|不见见面就说不行，为什么？|见面的时候，我们再详谈吧。|别忘了见面的时间和地点，不见不散啊！

▶“见面”是由动词“见”和名词“面”组成的动词短语，因此不能带宾语，也不能重叠为ABAB式。如：*他见面老朋友了。(应为“他跟老朋友见面了”)|*我想跟他见面见面。(应为“我想跟他见见面”)

【见识】 jiànshi 〔动/名〕

〔动〕接触事物、扩大见闻。(widen one's knowledge; enrich one's experience)常做谓语。

例句 让孩子出去走走，见识见识也是好事。|大学生们通过暑假社会调查，见识了不少人和事。|你别跟小孩子一般见识。

〔名〕见闻，知识。(knowledge; experience)常做主语、宾语。[量]种。

例句 张先生走南闯北，见识很广。|这个人一点儿见识都没有。|参加那次国际学术会议，真长见识。|旅游不仅是玩儿，还能增长各种见识。

【见笑】 jiànxiào 〔动〕

被人笑语，笑话(我)。[laugh at(me or us)]多用做谦辞。常做谓语。

例句 字写得不好，见笑，见笑。|我刚学会做菜，您可别见笑。|做得不好，让您见笑了。

【见效】 jiàn xiào 〔动短〕

发生效力。(become effective; produce the desired result)常做谓语(不带宾语)。中间可插入“了”。

例句 针灸见效快。|昨天教练才指导过一次，今天就见了效。|药倒吃了不少，就是不见效。

【见异思迁】 jiàn yì sī qiān 〔成〕

看到不同的事物，就改变原来的主意。指心意不专一，意志不坚定。(change one's mind the moment one sees something new; be inconstant; be irresolute; be like a rolling stone)常做谓语、定语。

例句 按市场规律办也并不是说我

们应当见异思迁，看哪儿发财就都跑到哪儿去。|他希望我安心本职，不要见异思迁。|找对象千万别找那种见异思迁的姑娘。

【件】 jiàn 〔量/素〕

〔量〕❶ 用于衣服（上衣类）。(piece)常构成短语做句子成分。

词语 两件上衣（背心、毛衣） 一件大衣（长袍、风衣、雨衣）

例句 你等一下，我换件衣服。|他把衬衫一件（一）件地叠好放进箱子。|这件衣服有点儿小，再说也过时了。

❷ 用于个体器物（多为种类名）。(piece)常构成短语做句子成分。

词语 两件东西 一件艺术品 三件家具 几件首饰 十件行李

❸ 用于事情、案子、公文、信函等。(document)常构成短语做句子成分。

例句 收到的三件公文都处理好了。

▶ "事件、案件、文件、信件"等名词已有"件"字的，前面不再用量词"件"。如：* 两件文件（应为"两份文件"）| * 一件案件（应为"一个案件"）| * 五件信件（应为"五封信件"）

〔素〕加在其他成分后面，构成名词。

❶ 用于更大事物的一部分。(piece)

词语 元件 器件 部件 组件 零件 配件 构件 制件 标准件

❷ 用于系列的事物等。(piece)

词语 案件 事件 文件 稿件 证件 信件 邮件

❸ 用于文件。(piece)

词语 批件 急件 密件 抄件 附件

❹ 用于行李、货物。(piece; item)

词语 大件 小件 快件 慢件

【间】 jiàn 〔名/动〕 另读 jiān

〔名〕空隙；隔阂。(room)常用于固定短语中。

词语 当间儿 乘间而入 亲密无间

〔动〕隔开、不连接。(separate)做谓语。

例句 我们两校只间着一堵墙。|两村间着一条河。|床上铺着蓝白相间的床单。

【间隔】 jiàngé 〔动/名〕

〔动〕隔开。(separate)常做谓语。

例句 两棵树之间间隔5米比较合适。|吃第一次药后，间隔5至6小时再吃下一次。|这次考试与上次考试只间隔了一个月。

〔名〕事物在时间或空间上的距离。(interval; space)常做主语、宾语。

例句 登山的时候，两个队员的间隔不要太大。|考生之间得有一定的间隔。|必须缩短两次进攻的间隔，才能尽快消灭敌人。

【间接】 jiànjiē 〔形〕

两事物通过第三者发生关系的。(indirect)常做定语、状语，也用于"是…的"格式。

例句 书本知识只是间接知识。|这方面我只有间接的经验，没太大把握。|我从老同学那儿间接地了解到他的情况。|保护动物，也间接地保护了人类。|这两个部门的关系是间接的。

【建】 jiàn 〔动〕

修造；设立，成立。(build)常做谓语、定语。

J

例句 今后一二十年，长江上游还要建几座电站。|我们村建起了希望小学。|“世界贸易大厦”预计用三年时间建成。|无论有什么困难，这项“民心工程”也要建下去。|历史上有不少朝代，都建都于长安。|新建的大桥十分雄伟。

【建交】 jiàn jiāo 〔动短〕
建立外交关系。(establish diplomatic relations)常做谓语。中间可插入成分。

例句 中国与美国于1979年1月1日建交。|因为两国还没有正式建交，目前只能通过民间进行交流。|世界上已经有近190个国家跟中国建了交。

【建立】 jiànlì 〔动〕
开始成立；开始形成；开始产生。(build; establish; set up; found)常做谓语、宾语、主语。

例句 1949年10月1日，建立了中华人民共和国。|市政府建立了市长来访工作日制度。|经过一段时间的了解，两人建立了感情。|为了更好地适应社会需求，必须把人才流动制度建立起来。|我们的友谊是建立于患难之中。|激烈的市场竞争促成了我们研究所的建立。|法制的建立、健全是经济建设顺利进行的保证。

【建设】 jiànshè 〔动/名〕
〔动〕(国家或集体)创立新事业或增加新设施。(build; construct)常做谓语、宾语。

例句 短短几年，中国沿海就建设起来十几个经济开发区。|市中心的大型商业区正在加紧建设。|我们不仅要建设社会主义物质文明，还要建设社会主义精神文明。|这个住宅小区建设得跟花园一样。|山顶上建设起了一座电视塔。

〔名〕政治、经济、文化等各方面的兴建工作。(construction)常做宾语、主语。

例句 我们要加快法制建设。|要重视基层组织建设。|经济建设是政府的中心工作。

【建议】 jiànyì 〔动/名〕
〔动〕向集体或领导提出自己的主张。(propose; suggest)常做谓语。

例句 有人建议做电视广告。|大家有什么想法，都可以向领导建议。|你能不能建议建议去海南旅游？|医生建议我去海滨疗养一段时间。

〔名〕向集体、领导等提出来的主张。(advice; suggestion)常做宾语、主语。[量]个，点，项，条。

例句 厂里采纳了他的技术改革建议。|几位委员提出了加强城市绿化的建议。|这是个很有价值的建议。|根据朋友的建议，我取消了出国的计划。|改善公共交通的建议在会上引起了强烈的反响。|共有五条建议被领导接受了。

【建造】 jiànzào 〔动〕
建筑；修建。(build)常做谓语、定语。

例句 这座寺院建造于公元十二世纪。|我们那儿的休闲广场建造得又快又好。|新建造的20万吨油轮已于昨日下水。

【建筑】 jiànzhù 〔名/动〕
〔名〕修建的房屋等。(building)常做主语、宾语、定语。[量]个，座。

例句 故宫的建筑十分精美。|一座白色建筑出现在面前：博物馆到

了。|上层建筑要适应经济基础。|这是一座典型的日式建筑。|市内到处可以见到高大而漂亮的现代化建筑。|这个建筑的风格很独特。|他在大学学的是民用建筑专业。

〔动〕修建(房子、路等)。(build)常做谓语、定语。

例句 那家公司只用了一年半就建筑起了一座摩天大楼。|经检测,水坝建筑得十分坚固。|寺院建筑在半山腰。|建筑高速公路成为交通事业发展的重点之一。|这个公司的建筑工人建筑速度快,建筑质量也是第一流的。

【贱】 jiàn 〔形〕

❶(价钱)低。(cheap)常做谓语、定语、状语、补语。

例句 越是不开放的地区,农产品越贱。|那些积压商品贱价处理了吧!|就剩这点儿了,贱卖了!|这些日子,西红柿卖得很贱。

❷ 地位低下;卑劣下流。(humble)常做定语、谓语。也用于构词。

例句 工作没有高低贵贱的区别。|那人真是个贱骨头。|你不跟他来往不行吗? 怎么那么贱!

【健】 jiàn 〔形〕

❶ 身体强壮;使强壮。(healthy)常用于构词,也做谓语。

词语 健康 健全 健在 健身 健美

例句 你看,这几位老大娘人人身强体健。|听说这种药能健胃。

❷ 在某一方面的程度超过一般。(be good at)常用于构词。

词语 健谈 健步 健忘 健将

【健康】 jiànkāng 〔形/名〕

〔形〕(身体)各方面正常,没有病残。(事物)情况正常,没有不足。(healthy;sound)常做谓语、定语、状语、补语。

例句 祝您身体健康!|这孩子健康得很。|你这种想法可不太健康。|青年既要有健康的思想,也要有健康的体魄。|经过检查,他的健康状况完全正常。|中国的改革和经济建设正在健康地向前发展。|孩子们在老师的精心培育下健康地成长。|福利院的孩子个个都长得很健康。

〔名〕身体健康的情况。(health)常做宾语、主语。

例句 餐具必须严格消毒,才能保证顾客的健康。|你也该为自己的健康想想啊!|跟名利相比,健康是最重要的。

【健美】 jiànměi 〔形〕

健康而优美。(vigorous and graceful; strong and handsome)常做定语、谓语、补语。

例句 我多么希望有一个健美的体魄呀。|不少女性喜欢健美运动。|这些学生学习刻苦,身体健美。|每天去健身房锻炼,形体变得健美多了。

▶“健美”也做名词,指健美运动。如:她天天跟着健美教练练健美。

【健全】 jiànquán 〔形/动〕

〔形〕强健而没有任何缺陷;(事物)完善,没有欠缺。(sound; perfect)常做定语、谓语、补语。

例句 健全的身心是干好工作的基础。|企业需要有一整套健全的管理制度。|我们必须树立健全的法制观念。|肌体不健全并不可怕,可怕的是思想不健全。|后来,这里的制度搞得健全多了。

J

〔动〕使完善(用于抽象事物)。(perfect)常做谓语。

例句 管理企业,首先就要建立、健全各种规章制度。|经过多年努力,国家各项主要法律已经逐步健全起来。

【健壮】 jiànzhuàng 〔形〕

人或动物强健。(healthy and strong)常做定语、谓语、补语、状语。

例句 人没有健壮的身体怎么行?|看着这些健壮的小运动员,黄教练心里十分欣慰。|他简直健壮如牛。|牧场的马匹长得健壮得很。|让每个孩子都健壮地成长起来,是全社会的责任。

J

【渐】 jiàn 〔副〕

逐步。(bit by bit; little by little)做状语。

例句 入冬后,天气日渐寒冷。|乐曲的这一段先渐强,接着渐弱。|近来先生精神渐好,又能写作了。

【渐渐】 jiànjiàn 〔副〕

表示程度或数量逐步增减。(bit by bit; little by little)做状语。常与“了”、“起来”、“下去”等配合。

例句 走了半天,渐渐地接近市区了。|太阳渐渐落下山去。|过了些日子,我对新单位渐渐地习惯了。|风渐渐地小了,雨也渐渐地停下来。|目标渐渐地大了起来。|立春一过,天渐渐地暖和起来。|渐渐地,我了解了他的脾气。|渐渐地,天黑了下来。

【践踏】 jiàntà 〔动〕

踩;比喻摧残。(tread on underfoot)常做谓语、宾语。

例句 (标牌)请不要践踏草坪。|这种做法公然践踏了国际法。|那时,侵略者肆意践踏我们的大好河山。|这种行为是对民主与法制的践踏。|我们的领土不容敌人践踏。

【溅】 jiàn 〔动〕

液体受冲击向四外射出。(spatter)做谓语。

例句 一不留神踩进水坑里,溅了一身泥。|快艇乘风破浪,溅起层层浪花。|汽车急驰,路上的雨水向两旁飞溅。

【鉴】 jiàn 〔名/动〕

〔名〕古代用青铜制作的镜子。引申为可以作为教训的事。(ancient bronze mirror; warning)常用于固定短语。

词语 宝鉴 以此为鉴 引以为鉴

例句 前车之覆,后车之鉴。

〔动〕❶ 照。(reflect)做谓语。

词语 水清可鉴 光可鉴人

❷ 仔细看,审察。(inspect)常用于构词。

词语 鉴别 鉴定

【鉴别】 jiànbié 〔动〕

辨别(真假好坏)。(distinguish; evaluate)常做谓语、宾语。

例句 您鉴别鉴别这幅古画是什么朝代的?|经过鉴别,才知道这是一件赝(yàn)品。|对什么事物都要深入了解,否则就鉴别不出来。|对西方的思想和文化,必须加以鉴别。|没有比较就没有鉴别。

【鉴定】 jiàndìng 〔名/动〕

〔名〕评定人或事物优缺点的文字。(hallmark)常做主语、宾语、定语。[量]个,份。

例句 这份自我鉴定作得很客观、全面。|李老师在给毕业生作鉴定。|这项成果还要有专家的鉴定才能

推广。|您看这个鉴定的评语合不合适?

〔动〕鉴别和评定(人的优缺点);辨别并确定事物的真伪、优劣等。(appreciate;identify)常做谓语、定语。

例句 考古学家们正在鉴定出土文物的具体年代。|首先自我鉴定,然后再互相补充。|新产品的鉴定会定于周二下午1:00举行。

【鉴于】 jiànyú 〔介〕

觉察到;考虑到。(in view of;in regard to)构成介宾短语做状语或用于因果关系复句的前一分句句首。

例句 鉴于他有立功表现,决定免于刑事处分。|鉴于当前的就业形势,他正在联系回国工作。|鉴于这里的异常天气,比赛地点将有所调整。|鉴于新世纪大量需要高科技人才,很多考生报考了与计算机有关的专业。

【键】 jiàn 〔名〕

某些乐器、电脑或其他机器上,使用时按动的部分。(key)常用于构词,也做主语、宾语。[量]个。

例句 这个键不大灵活了。|烧开水要按这个键。|先敲这个键,再敲这两个键,就行了。|学电脑先得记住每个键的名称和作用。

【键盘】 jiànpán 〔名〕

钢琴等乐器、电脑等上面安着许多键的部分。(keyboard;fingerboard)常做主语、宾语、定语。[量]个。

例句 这台电脑的键盘打起来非常舒服。|她的手像弹琴似的在敲打着键盘。|钢琴、手风琴都是键盘乐器。

【箭】 jiàn 〔名〕

❶ 古代兵器,在长约二三尺的细杆一端装上尖头,另一端安有羽毛,搭在弓上发射。现代用于射箭运动。(arrow)常做主语、宾语、定语。[量]支。

例句 这些箭最近刚出土,离现在已经有两千多年了。|射箭现在已经变成一项体育运动了。|这支箭的杆儿是什么做的?

【江】 jiāng 〔名〕

❶ 大河。(river)常做主语、宾语、定语。[量]条。

例句 这条江就是黑龙江。|我家就在江南岸。|经过治理,江水变清了。

❷ 长江的简称。(short form for the Changjiang River)常用于构词。

词语 江南(北) 大江东去 江汉平原

【姜】 jiāng 〔名〕

多年生草本植物,根茎黄褐色,有辣味,是常用的调味品,也可入药。也指这种植物的根茎。(ginger)常做主语、宾语、定语。[量]块。

例句 姜我喜欢吃一点儿。|做鱼、肉最好放点儿姜。|你是感冒了,喝一碗姜汤吧。

【将】 jiāng 〔介/副〕

〔介〕❶ 把。(*used to introduce the object before a verb*)常构成介宾短语做状语。

例句 这部电影将亿万观众深深地打动了。|母亲小心地将画儿挂在客厅。|他将钱和信托人带给儿子。

❷ 拿;用。(by;by means of)常用于固定短语。

词语 将功折罪 恩将仇报 将心比心 将计就计

〔副〕❶ 就要,快要。(will;be going to)做状语。

J

例句 天色将晚。|新年将到,大街小巷已是一片节日景象。|将到目的地时,突然下起大雨来。|未来将属于勇于创造的新一代。|本届奥运会,中国将参加几乎所有项目。

❷ 刚,刚刚。(just)做状语。

例句 来的学生将够开课的数儿。|房间不大,将将能放下两张床。|这些饭将够吃。

【将计就计】 jiāng jì jiù jì 〔成〕

利用对方的计策向对方使计策。(turn sb.'s trick against him; beat sb. at his own game)常做谓语、宾语、定语、状语。

例句 绑票的人既然是为了钱,咱们也就将计就计,用钱把他们引出来再抓捕。|你说,我是将计就计呢,还是直接揭露他呢?|那几个坏人没想到让警察来了个将计就计,一网打尽了。|军长一边来回地踱步,一边思考着"将计就计"的对策。|他仔细考虑之后,就将计就计地去了。

【将近】 jiāngjìn 〔副〕

(数量等)快要接近。(nearly)做状语。

例句 表演太极拳的那位老人将近九十岁了。|这棵古树将近30米高。|中国有将近五千年的文明史。|将近天明,大雨才渐渐停下来。|我赶到剧场时,演出已将近尾声了。

【将军】 jiāngjūn 〔名/动短〕

〔名〕将(jiàng)级军官,泛指高级将领。(general)常做主语、宾语、定语。[量]位。

例句 这位将军15岁就参军了。|今天来作报告的是一位老将军。|将军的家乡在湖北。

〔动短〕下象棋时,攻击对方的"将"或"帅"。比喻给人出难题。(check; embarrass)常做谓语、宾语。中间可插入成分。

例句 好,将军!|走这一步棋,对方就将不了军了。|他当众将了我一军,要我跳个舞。|你这不是将他的军吗?

【将来】 jiānglái 〔名〕

表示现在以后的时间。与"过去"、"现在"相对。(future)常做定语、状语、宾语、主语。

例句 将来的情况,难以预料。|你也毕业了,将来的路全靠自己走了。|我将来要做一名教师。|将来回过头看今天,也许觉得可笑。|你怎么能只看眼前,不考虑将来呢?|哪个父母不为孩子的将来着想呢?|我相信,将来会比现在更美好。

【将要】 jiāngyào 〔副〕

表示行为或情况在不久以后发生。(shall; will)做状语。

例句 7月份我们将要毕业了。|满园的苹果将要熟了。|预计本周将要有一次降雨过程。

【僵】 jiāng 〔形〕

不活动,不灵活。引申为事情难以处理,停滞不前。(numb; stiff; deadlocked)常做谓语、补语。

例句 坐得太久,整个身子都僵了。|最近他俩的关系僵得很。|把他救上来的时候,全身都冻僵了。|你别急,话说僵了就不好办了。|还是好好待她,别把关系弄得太僵。

【讲】 jiǎng 〔动〕

❶ 说;说明。(say; tell; deliver oneself of)常做谓语。

例句 我讲个故事给你们听。|不管怎么样,都得摆事实、讲道理。|对不

起，我可没讲过这句话。|你讲讲详细经过吧。|他跟我讲，他不去了。|她讲了半天也没讲明白。|老师讲了好几遍，她也没记住。|这种话，我讲不出口。|请您给我们讲讲电脑知识，行吗？|书里都讲些什么？

❷ 商议；商量。(talk to; negotiate)常做谓语。

例句 如果好好跟他讲，他会同意的。|干工作不应该总讲条件。|你跟大家讲讲，这样解决是不是可以。|你会不会讲价？

❸ 重视某方面并努力实现。(strive for)常做谓语。

例句 讲文明，讲礼貌，讲卫生。|讲团结，讲大局。|不该只讲报酬，不讲奉献。|搞建设既要讲速度，更要讲质量。|我们既要讲经济效益，也要讲社会效益。

❹ 就某方面来说。(speaking of)常做谓语。

例句 讲技术，他不如我；讲劲头儿，他比我大。|讲式样，这件好；讲颜色，那件更合适。|讲足球，我还是喜欢欧洲的。

【讲话】 jiǎng huà 〔动短〕

说话；发言。(speak; talk)常做谓语、主语、宾语、定语。中间可插入成分。

例句 市领导到会讲了话。|下面请来宾代表讲几句话，大家欢迎！|我这位朋友讲话特幽默。|王主任的讲话到中午才完。|这个孩子上课老爱讲话。|讲话的声音不大，却很清楚。|讲话稿你写好了吗？

▶“讲话”也做名词，指讲演的话。如：这篇讲话虽不长，但十分重要。

【讲解】 jiǎngjiě 〔动〕

解释；解说。(explain)常做谓语、定语、主语、宾语。

例句 你能给我讲解讲解这段英文的大概意思吗？|老师正在讲解这课主要的生词。|同桌曾经给我讲解过这道题。|课后，我又仔细地给她讲解了一遍。|展销会上，讲解员的讲解方式活泼新颖。|小王担任展览会的讲解工作已经有一年了。|这位先生的讲解令大家频频点头。|大家都专心地听着他的讲解。

【讲究】 jiǎngjiu 〔动/形/名〕

〔动〕重视。(pay attention to)常做谓语。

例句 做思想工作必须讲究方式、方法。|院长挺讲究仪表。|搞科学研究就是要讲究“认真”二字。|有些年轻人在穿戴打扮上讲究得太过分了。|近年来，普通老百姓也讲究起吃穿来了。

〔形〕精美。(nice)常做谓语、定语、补语。

例句 看得出，室内陈设极其讲究。|桌子上摆着一个十分讲究的花瓶。|整个会场布置得特别讲究。|他们夫妇俩吃得讲究极了。

〔名〕值得注意或推敲的内容。(careful study)常做主语、宾语。

例句 他这人讲究特别多。|一学才知道，原来京剧的讲究还真不少。|室内的装修可大有讲究。|凑合着吃吧，哪儿来那么多讲究！

【讲课】 jiǎng kè 〔动短〕

讲授功课。(teach)常做谓语。中间可插入成分。

例句 王先生曾经在三所大学讲过课。|最近政府常请专家给领导讲新知识课。|这学期我一周讲 12 节

J

课。|朱老师讲课讲得很生动。|讲完这堂课,还要去参加一个研讨会。

【讲理】 jiǎng lǐ 〔动短〕

❶ 评是非。(reason with sb.)常做谓语。中间可插入成分。

例句 走,咱们跟他讲理去。|跟那种人讲不了理。

❷ 遵从道理。(listen to reason)常做谓语、定语。中间可插入成分。

例句 他这人蛮不讲理。|要是双方都讲点儿理,问题早解决了。|你不讲理,咱们找个讲理的地方去。|我不是不讲理的人,我今天是太生气了。

【讲述】 jiǎngshù 〔动〕

把事情或道理讲出来。(relate)常做谓语。

例句 老奶奶向孩子们讲述着当年的苦难生活。|班长对大家讲述了去外地参观学习的情况。|作者在文章里讲述了身在异国对祖国和亲人的思念。|请你把事情的经过再讲述一遍。|老战士把这段经历讲述得有声有色。

▶"讲述"也做名词,指讲述的内容。如:听了小王的讲述,大家都感慨万分。|他的讲述,引起了我们对往事的回忆。

【讲演】 jiǎngyǎn 〔动〕

对听众讲有关某一事物的知识或对某一问题的见解。(give a speech or lecture)常做谓语(不带宾语)、定语、主语、宾语。

例句 在热烈的掌声中,他登台讲演。|那几位专家讲演得都很成功。|讲演的题目是《环境保护问题》。|讲演比赛下周举行。|整个讲演将近两个小时,效果非常好。|听了《二十一世纪》的讲演,大家深受启发。

【讲义】 jiǎngyì 〔名〕

为讲课而编写的教材。(teaching materials)常做主语、宾语、定语。[量]份,本。

例句 这些讲义都是老师自己编写的。|这本讲义是《生物学》。|麻烦你把讲义发给大家。|我除了用这本教材,还要补充一些讲义。|讲义的编写就由您承担好吗?|这份讲义的内容通俗易懂。

【讲座】 jiǎngzuò 〔名〕

一种教学形式,多利用报告会、广播、电视或刊物连载的方式进行。(a course of lectures)做主语、宾语、定语。[量]次,场,个。

例句 系里的课外讲座每月搞一次。|这个讲座由马教授主讲。|每周一次的文化讲座很受同学们欢迎。|这样的讲座应该经常举办。|我们学校经常请专家来搞讲座。|下个月举办一场科学知识讲座怎么样?|这门选修课以讲座的形式开设。|讲座的内容极其丰富。

【奖】 jiǎng 〔名/动〕

〔名〕为了表扬或鼓励而给予的荣誉或财物等。(award; prize)常做宾语、主语。[量]个,项。

例句 现在请校三好学生上台领奖。|市长亲自给市劳模发了奖。|在国际比赛中,他获得两项大奖。|一等奖是一件玻璃艺术品。|金奖被一位工程师夺走。

〔动〕用荣誉或财物等鼓励。(award)常做谓语及主语。

例句 不奖勤罚懒,哪儿来的效率?|有功者奖。|由于品学兼优,学校奖给他一笔钱。|公司决定重奖有

突出贡献的专家。|只有奖罚分明，才能调动积极性。

【奖金】 jiǎngjīn 〔名〕

作奖励用的钱。(bonus; prize)常做主语、宾语、定语。[量]份。

例句 冠军的奖金是多少？|奖金也不是万能的。|他们单位效益不好，没有奖金。|我市设立了"见义勇为"奖金。|完成承包指标后，他的奖金总数超过10万元。|得按贡献大小决定奖金额。

【奖励】 jiǎnglì 〔动〕

〔动〕给予荣誉或财物表示鼓励。(encourage and reward)常做谓语及宾语。

例句 工厂里奖励了那些脚踏实地工作的员工。|学校曾奖励过我一套《世界文学名著》。|国家每年奖励一次"有突出贡献"的专家。|这样的好医生应该好好奖励奖励。|我做好本职工作，不是为了得到什么奖励。

【奖品】 jiǎngpǐn 〔名〕

奖励的物品。(award; prize; trophy)常做主语、宾语、定语。[量]种，份。

例句 本次大奖赛的奖品由三家公司赞助。|丰厚的奖品吸引了众多的参赛者。|一等奖的奖品是一台大彩电。|这次选手有50多人，要多准备些奖品。|讲台上摆着各种奖品。|这次比赛奖品的等级有4个。

【奖学金】 jiǎngxuéjīn 〔名〕

给予学习成绩优良的学生的奖金。(studentship; scholarship)常做主语、宾语、定语。[量]笔。

例句 奖学金只发给那些学习最优秀的学生。|最后，我决定去奖学金最多的大学。|儿子学习勤奋，年年都能得到一笔奖学金。|学生可以向校方申请奖学金。|我们学校给本科生和研究生设立了奖学金制度。|靠奖学金的帮助，我没有打工就顺利读完了大学。

【奖状】 jiǎngzhuàng 〔名〕

为奖励而发给的证书。(certificate of merit)常做主语、宾语、定语。[量]个。

例句 他的奖状挂满了一面墙。|劳动模范们不仅得到了奖状，而且还有奖金。|现在奖状的式样和过去也不一样了。

【桨】 jiǎng 〔名〕

划船用具，多为木制，上半圆柱形，下半扁平而略宽。(oar)常做宾语、主语、定语。[量]副，支。

例句 一曲《让我们荡起双桨》使大家想起美丽的童年。|划桨需要力量，也需要技巧。|两支桨都给我吧。|双手握住桨的上部，别在桨中间。

【降】 jiàng 〔动〕 另读 xiáng

从上往下落；使落下。(fall)常做谓语。

例句 昨夜全区普降大雪。|本月中旬将有两次降雨过程。|飞机在雾中能安全地降下来，真不容易。|商品房价格近期恐怕降不了了。|打开空调降降温吧。|据说他曾被降过一级。|把标准再往下降降，也许就有人报名了。

【降低】 jiàngdī 〔动〕

下降；使下降。(lower; drop; reduce)常做谓语。

例句 入夏以来，菜价降低了三分之一。|联赛结束后，这支球队在国

J

内的地位已经降低了。|不制止腐败，只会使政府的威信降低。|要把损耗降低到最小限度。|降低生产成本，提高产品质量，才能占有市场。|降低药价，符合人民的利益。

【降价】 jiàng jià 〔动短〕

降低原来的定价。（lower the prices）常做谓语、主语、定语、宾语。中间可插入成分。

例句 卖不出去的货物只好降价处理。|电视机已经降过好几次价了。|这次降价促进了积压产品的销售。|降价只是一种不得已的办法。|降价商品不一定质量不好。|商品房还是比较贵，人们希望能再降降价。

J

【降临】 jiànglín 〔动〕

来到。（befall；arrive；come）常做谓语、定语。

例句 夜幕降临大地。|大难突然降临。|这幸福意外地降临在他的头上，使他万分激动。|突然降临的车祸使她失去了唯一的儿子。

【降落】 jiàngluò 〔动〕

落下；下降着落。（fall；descend；land）常做谓语、定语。

例句 救灾物资准确降落在指定地点。|东京来的飞机，已经降落了。|因为雾大，飞机无法降落，只好改飞其他机场。|热气球降落得很快，一会儿就着陆了。|刚降落的飞机，稍作休息就马上返回了。

【酱】 jiàng 〔名〕

❶ 用豆、麦发酵后加上盐做成的糊状调味品。（a thick sauce made from fermented soya beans）常用于构词。也做主语、宾语。

词语 大酱 甜面酱 黄酱 炸酱

例句 酱是中国人喜爱的食品。|她从小就爱吃黄瓜蘸酱。|吃北京烤鸭，没有酱不行。

❷ 像酱的糊状食品。（paste；jam）常用于构词或用于短语。

词语 果酱 辣酱 芝麻酱 花生酱 草莓酱

❸ 用酱、酱油腌的（菜）；用酱油煮的（肉）。（pickle in soya sauce）常用于构词或固定短语。

词语 酱菜 酱牛肉 酱萝卜 酱肘子

▶ 也做动词。指用酱或酱油腌菜。如：把萝卜酱一酱好吃。|这东西最好先用酱酱起来。

【酱油】 jiàngyóu 〔名〕

用豆、麦和盐酿造的咸的液体调味品。（soy sauce）常做主语、宾语、定语。［量］种。

例句 这种酱油是专门拌凉菜的。|哎呀，酱油搁多了！|炒青菜的时候，我不爱加酱油。|最好把肉用酱油先腌一下再做。|这种酱油的味道不错。

【交】 jiāo 〔动/名〕

〔动〕❶ 把事物送给有关方面。（give up）常做谓语。

例句 个人所得税要主动交。|他交了一张登记表。|这份报告交得太迟了。|为了扶贫，大家交上来一批衣物和现金。|学费已经交过了。|把这个任务交给我们吧。|交完答卷和试卷才能离开考场。

❷ 方向不同的线条、线路互相穿过。（cross）常做谓语。

例句 两条线（相）交于一点P。|长江与汉江交于武汉。

❸ 人与人的接触、往来。（associate with）常做谓语。

例句 我交了好几位中国朋友。|大家都愿意和他交朋友。|交友须慎重。

❹ 分配任务。(assign)常做谓语。

例句 这件事就交给你处理吧。|重大问题应该交董事会讨论决定。

〔名〕相交点;友情等。(adjoining;friendship)常用于固定短语"…之交"。

词语 春夏之交 两省之交 一面之交 忘年之交 君子之交

例句 记得是在春夏之交。|我跟他只是一面之交,并不熟悉。

【交叉】 jiāochā 〔动〕

❶ 几个方向不同的线条或线路互相穿过。(intersect)常做谓语、定语。

例句 火力交叉网。|公路和铁路在这里交叉。|"立交桥"是立体交叉桥的简称。

❷ 有相同、有不同的;有相重的。(interleave;cross)常做定语、宾语、谓语。

例句 比较文学是交叉学科。|由于国家队与市队队员有交叉,所以本场比赛市队有三名队员缺阵。|大家意见交叉,说明在某些方面有共同看法。

【交错】 jiāocuò 〔动〕

交叉;错杂。(crisscross)常做谓语、定语。

例句 那里高速公路纵横交错,四通八达。|各种颜色的霓虹灯交错着,一闪一闪的,十分好看。|交错的信息网络把中国与世界紧密地联系起来。

【交代】 jiāodài 〔动〕

❶ 将经手的事务移交给来接替的人;也指把事情、道理、意见向有关人员说明;表示嘱咐。(hand over;enjoin;explain)常做谓语。

例句 这件事,他跟我交代了两遍。|出国前,所有的工作都交代好了。|下周的会议,交代给李秘书去准备了。|只要把政策交代清楚了,群众就会积极去做。|你把注意事项再向他们交代交代。|上级交代我们15号前必须完成任务。

❷ 把错误或罪行坦白出来。(confess)常做谓语。

例句 他向组织交代了受贿的数额。|交代了三天,才把问题全交代出来。|你的错误得好好地交代交代。

▶"交代"也可做名词,表示交代的内容或做完某事的证明。如:他的交代不清楚,也不完整。|我一定要把孩子养大,给她死去的父亲一个交代。

【交点】 jiāodiǎn 〔名〕

线与线,线与面相交的点。(point of intersection)常做主语、宾语。[量]个。

例句 那两条公路的交点就在离我家不远的地方。|两条平行线永远不会有交点。|先找到交点,才能解这道题。

【交付】 jiāofù 〔动〕

交给。(submit)常做谓语。

例句 要先交付定金,房子才能租用。|领导交付给我们一项重要工作。|新办公大楼已经按期交付使用。

【交换】 jiāohuàn 〔动〕

❶ 双方各拿出自己的给对方。(exchange)常做谓语。

例句 两队互相交换队旗后,开始

了比赛。|会见时,双方就共同关心的问题,交换了看法。|我们交换交换意见好吗?|专家们曾就城市管理多次交换过意见。

❷ 以商品换商品,买卖商品。(barter)常做谓语、定语、主语。

例句 牧民们用畜产品交换盐和茶叶。|在货币出现以前,人们有了多余的产品,就拿到市场去交换。|这种交换方式今天已经很少见了。|产品的交换,方便了山区人民的生活。

【交际】 jiāojì 〔名/动〕

〔名〕人在社会中与别人或集体的来往。(company; society)常做主语、定语、宾语。[量]种。

例句 最近我的交际少多了。|此人交际很广。|她喜欢参加一些交际活动。|我与中国人交朋友是要提高汉语交际能力。|语言是人类的交际工具。|干这一行离不开各种交际。

〔动〕与他人往来。(intercommunicate)常做谓语、宾语。

例句 他交际了不少名人。|你可以交际得更广泛一些。|我这个人不善于交际。

【交流】 jiāoliú 〔动/名〕

〔动〕彼此把自己有的供给对方,以互相学习和帮助。(exchange)常做谓语、定语。

例句 会上大家交流了科研成果和管理经验。|互相交流情况是非常重要的。|最近他们交流得很频繁。|父母应该经常跟孩子交流交流思想。|要达到理想的交流效果,就得讲究交流方式。|交流的目的是什么?

〔名〕指交流的活动。(intercourse)常做主语、宾语。[量]种。

例句 经过两校校长互访,双方的交流开始了。|两国建交以来,经济和文化交流不断扩大。|这些年的交流一直很正常。|我们两市之间应扩大各种交流与合作。

▶〈近〉交换。"交换"多指较具体的事物(如礼物、意见、战俘等)的互换;"交流"除较具体的事物外,还用于较抽象的事物(如情况、人员等)的流通、沟通。如:* 经济文化交换。(应为"交流")|* 双方交流了礼品。(应为"交换")

【交涉】 jiāoshè 〔动〕

跟对方商量解决有关的问题。(negotiate)常做谓语、主语、宾语、定语。

例句 事情正在交涉之中。|双方正在交涉财产问题。|一旦交涉妥当,便可恢复邦交。|我们交涉得很顺利。|这件事必须好好跟他们交涉交涉。|正式的交涉将在下个月初。|问题刚刚开始交涉,不要太着急。|经过一番交涉,事情终于办成了。|交涉的结果怎么样?

【交手】 jiāo shǒu 〔动短〕

双方搏斗。(fight hand to hand)常做谓语(不带宾语)、定语。中间可插入成分。

例句 他俩交过两次手,都是不分胜负。|怎么说着说着就交起手来了呢?|不交手,不知道对方的实力。|那次交手之后他们竟成了好朋友。

【交谈】 jiāotán 〔动〕

互相接触谈话。(talk with each other)常做谓语、定语。

例句 两人亲切地交谈着。|我和他交谈到夜里十一点。|一见面,大

家就用汉语交谈起来。|最好请双方坐在一起交谈交谈。|交谈的气氛很好。|交谈的结果令人满意。

【交替】 jiāotì 〔动〕

接替；轮流。(replace; in turn)常做谓语、状语。

例句 这次选举完成了新老交替的任务。|在世纪交替的历史时刻，全世界都对未来充满信心。|比赛中，前几名运动员的成绩交替上升。|晚会上，歌曲、器乐和小品交替表演。

【交通】 jiāotōng 〔名〕

各种运输和邮电事业的总称，现一般指运输方面。(traffic)常做主语、定语、宾语。

例句 大连市内的交通很方便，极少交通堵塞。|尽管沿海地区水陆空交通发达，但西部一些地区交通还比较闭塞。|近几年中国的交通事业有了飞跃的发展。|经过各方努力，保证了节日期间交通干线的畅通。|雾天交通事故比较多。|这儿是通往北京的交通要道。|有辆车坏在路上，阻碍了交通。|发展经济首先要搞好交通。

【交头接耳】 jiāo tóu jiē ěr 〔成〕

彼此在耳边低声说话。(speak in each other's ears; whisper to each other)常做谓语、定语、状语。

例句 考试中不准交头接耳，不准看他人试卷。|那两个交头接耳的人是谁？|台上开大会，有几个人却在下边交头接耳地开着小会。

【交往】 jiāowǎng 〔动〕

两个或几个人之间互相来往。(associate)常做谓语、定语、主语、宾语。

例句 我们两家交往很深。|这个人不大喜欢和别人交往。|我们只是偶尔交往交往。|双方都很忙，平时没有多少交往的机会。|到了国外，要入乡随俗，注意交往的方式。|交往越久，彼此越了解。|正常的交往，能增加信任和友情。|毕业后，我和她就没有什么交往了。

【交易】 jiāoyì 〔名〕

商品的买卖或条件的交换。(deal)常做主语、宾语、定语。[量]笔。

例句 这笔交易要是做成了，我请你。|交易应该公平、诚信。|要依法坚决取缔黑市交易。|不知道在这件事上，他们之间有什么交易。|我是跟你商量，不是谈交易！|这家交易所日交易额是多少？

▶ "交易"也做动词。如：我们也可以现货交易。

【郊】 jiāo 〔素〕

城市周围的地区。(suburb; outskirt)常用于构词。

词语 郊区　郊外　郊游　市郊

例句 那个地方在北京东郊。

【郊区】 jiāoqū 〔名〕

城市周围在行政管理上属这个城市的地区。(suburb; outskirt)常做主语、宾语、定语。[量]个。

例句 现在这个城市的郊区已经富起来了。|我们厂在郊区。|现在不少人喜欢住在郊区，到城里上班。|郊区的空气很新鲜。

【浇】 jiāo 〔动〕

让水或别的液体落在物体上；灌溉。(water; irrigate)常做谓语。

例句 花儿该浇点儿水了。|他全身都让雨浇透了。|先浇点儿汽油再点火。|把草坪浇浇吧。|天太旱了，只能引水浇地。

J

【浇灌】 jiāoguàn 〔动〕

❶ 把水输送到田地里灌溉。(water;irrigate)常做谓语。

例句 有几个农民正在浇灌麦田。|不一会儿,我们就把这一大片菜地浇灌完了。|抽水机连续浇灌了几天,旱情才得到缓解。|这一点儿水浇灌不过来那么多庄稼。

❷ 把液体向模子内灌注。(pour)常做谓语。

例句 今晚连夜浇灌混凝土。|机器自动把铁水浇灌到铸件模子里。

【娇】 jiāo 〔形〕

❶(小孩子、花朵等)嫩、美丽、可爱。(sweet and charming)常做谓语、定语、宾语。

例句 江山如此多娇。|你是奶奶的娇孙女。|看着儿子围着自己撒娇,妈妈心里高兴极了。

❷ 弱、不能吃苦;东西易破。(coddled;fragile;weak)常做谓语、定语。

例句 我女儿娇得要命,一点儿苦都不能吃。|这种花娇娇的,不好养。|我不要做娇孩子,自己的事情自己做。

▶"娇"也做动词,指过度爱护;宠(chǒng)爱、溺(nì)爱。如:老王40岁才得了个儿子,因此把孩子娇坏了。

【娇气】 jiāoqì 〔形〕

❶ 意志薄弱,不能吃苦,习惯于享受的作风。(squeamish)常做谓语、定语。

例句 干这点儿活,就说累,你也太娇气了!|她娇气得什么也不肯做。|娇气的人,到哪儿都不受欢迎。

❷ 指物品、花草等容易损坏。(fragile)常做谓语。

例句 这种花很娇气,水多了不行,水少了也不行。|热带观赏鱼,娇气得很,难养活。|小心!这幅古画儿娇气得很,别碰坏了。

【骄】 jiāo 〔形〕

觉得自己了不起;猛烈。(arrogant;blazing)常用于构词或用于固定短语。

词语 骄傲 骄阳 骄气 戒骄戒躁 胜不骄,败不馁(něi) 不骄不躁

【骄傲】 jiāo'ào 〔形/名〕

〔形〕❶ 自以为了不起,看不起别人。(arrogant;self-important)常做谓语、定语、状语、补语、主语、宾语。

例句 虽然他得过好几个国际大奖,可从不骄傲。|这个学生骄傲得连自己的老师都看不起了。|不改掉骄傲的缺点,就很难进步。|女儿像个骄傲的公主。|只见他在众人面前骄傲地走过去。|得了冠军以后,她表现得很骄傲。|虚心使人进步,骄傲使人落后。|这次失败的主要原因是骄傲。

❷ 自豪。(proud)常做谓语、状语、定语、补语、宾语。

例句 我非常骄傲,我的孩子考上了北京大学。|他骄傲地告诉我,他的成果获奖了。|受到校长的表扬,她一脸骄傲的神情。|一谈到儿子,她就两眼放光,说得十分骄傲。|我为我们公司有这样的员工感到骄傲。

〔名〕值得自豪的人或事物。(pride)常做宾语。

例句 她取得这样优秀的成绩,是我们全校的骄傲。

【胶】 jiāo 〔名〕

❶ 某些具有黏(nián)性的物质。有自然的,也有人工的。通常用来黏合器物,也有的可供食用或药用。

(glue;mucus)常做宾语、主语。

例句 木匠做活儿离不了胶。|这只鞋开胶了,得抹点儿胶粘一粘。|胶有很多用途。

❷ 指橡胶或像胶一样黏的。(rubber or sth. as sticky as glue)常用于构词。

词语 胶皮 胶鞋 胶布 胶泥

▶"胶"也做动词,指用胶粘。如:镜框坏了,把它胶上。

【胶卷】 jiāojuǎn 〔名〕

成卷的照相胶片。(film)常做主语、宾语、定语。[量]个,卷。

例句 胶卷快照完了,得再买一卷。|胶卷应该放在阴凉的地方保存。|我要去照相馆冲两个胶卷儿。|装胶卷别在强光下,免得跑光。|数码相机不用胶卷。|这种胶卷的质量怎么样?

【胶片】 jiāopiàn 〔名〕

涂有感光药膜的塑料片,用于摄影。也叫软片。(film)常做主语、宾语、定语。

例句 胶片怕光怕湿。|拍风景最好用彩色胶片。|这种胶片的感光度很高。

【胶水】 jiāoshuǐ 〔名〕

粘东西用的液体的胶。(gluewater)常做主语、宾语、定语。[量]瓶。

例句 这种胶水很好用。|那瓶胶水已经失效了。|最近市场上出现了一种固体胶水。|贴那几张小广告用掉了差不多一瓶胶水。|这种胶水的性能一般。

【教】 jiāo 〔动/名〕 另读 jiào

把知识或技能传给别人。(teach)常做谓语。

例句 从来没人教过她,她的英语是自学的。|我不会,你可以教教我吗?|教外国人汉语得有一套方法。|谢教授教数学教得特别好。|王老师是教我们基础课的。|他能教好几种中国乐器呢。|老师傅把技术都教给了徒弟。|小学生我没教过,怕教不好。|A:你教得了化学吗?B:教不了,我一直是教物理的。|我这一辈子教出过很多徒弟。|他们都是马先生教出来的学生。|这个班淘气的孩子多,教起来比较吃力,有的怎么教也教不会。

【焦】 jiāo 〔形/名〕

〔形〕❶ 物体受热后失去水分,呈现黄黑色并发硬、发脆。(burnt scorched)常做补语、谓语。

例句 你怎么把我的头发烫焦了?|大火过后,树都被烧焦了。|面包烤得这么焦,怎么吃啊?|刚才稍不注意,饭就焦了。

❷ 着急。(anxious;worried)常用于构词。

词语 焦急 心焦 焦虑

〔名〕用煤制成的高温燃料。(coke)常用于构词。

词语 焦炭 煤焦 炼焦

【焦点】 jiāodiǎn 〔名〕

某些与椭圆、双曲线或抛物线有特殊关系的点;平行光线经折射或反射后的会聚点;比喻事情或道理引人注意的集中点。(focus)常做主语、宾语、定语。[量]个。

例句 我喜欢看中央电视台的《焦点访谈》。|人们争论的一个焦点是:"究竟如何进行机构改革?"|必须找出问题的焦点,才能切实加以解决。|这个焦点的温度可达一千多度。

【焦急】 jiāojí 〔形〕
着急。(worried; anxious)常做谓语、定语、状语、补语。
例句 想到这儿,他心里十分焦急。|洪水眼看就要漫过河堤,人们焦急万分。|奶奶为这事焦急得整夜没睡。|他怀着焦急的心情,盼望早日出院。|见没人注意她,小姑娘焦急地喊了起来。|时间过了半个多小时,大伙儿等得非常焦急。
▶"焦急"也做名词,指着急的心情。如:看似平静的面容掩饰不住他内心的焦急。

【焦炭】 jiāotàn 〔名〕
一种固体燃料,质硬、多孔、发热量高。用煤高温制成。多用于炼铁。(coke)常做主语、宾语、定语。
例句 烧烤用的焦炭得多带一点儿。|炼铁需要好焦炭。|焦炭质量直接影响到炼铁。

【嚼】 jiáo 〔动〕 另读 jué,jiào
上下牙齿磨碎食物。(chaw)常做谓语。
例句 这么硬,根本嚼不动。|牛肉太老了,嚼了半天也嚼不烂。|奶奶镶上了假牙,吃什么都嚼得动了。|她爱嚼口香糖。|常言说得好:吃别人嚼过的馍没味道。

【角】 jiǎo 〔名/量〕
〔名〕❶ 牛、羊、鹿等动物头上长出的坚硬、细长而弯曲的东西,上端较尖。(horn)常做主语、宾语、定语。[量]只。
例句 这条牛一只角短,一只角长。|这些鹿长着漂亮的角,角是自卫的武器。|犀牛角粉可以治病。
❷ 像角一样的东西。(sth. like horn)用于构词。
词语 号角 菱角
❸ 物体两个边沿相接的地方。(corner)常用于构词或构成短语。
词语 墙角 拐角 角落 桌角 屋角
❹ 几何学里的一种图形。(angle)常做主语、宾语,也用于构词。
词语 直角 锐角 三角形
例句 三角形两个角相加小于180°。|三个角减去这个角,得多少?
〔量〕❶ 用于可以分割成角状的东西。(quarter)常构成短语做句子成分。
词语 一角饼 一角西瓜
❷ 人民币的单位之一,一角是一圆的十分之一。(*jiao*)常构成短语做句子成分。
例句 1角等于10分。|一张车票8角钱。

【角度】 jiǎodù 〔名〕
角的大小,数学用语。通常用度或弧度表示。引申为看事情的出发点。(angle; point of view)常做主语、宾语。[量]个。
例句 这两个平面之间的角度必须大于90度。|看问题角度不同,结论就不一样。|这个电视剧选材的角度很好。|画画儿首先就得选好角度。|这部小说从一个新的角度来表现现代都市的生活。|要从全局的角度看这个问题。

【角落】 jiǎoluò 〔名〕
两堵墙或类似墙的东西相接处的凹角;偏僻的地方。(corner; nook)常做主语、宾语。[量]个。
例句 院子的一个角落种着一架葡

萄。|全市每个角落都留下了市长的足迹。|他找到一个较暗的角落坐下来。|别把灯放在角落。

【狡猾】 jiǎohuá 〔形〕

诡计多端，不可信任。也做“狡滑”。(sly; foxy; cunning)常做谓语、定语、状语、补语。

例句 狐狸很狡猾。|那家伙狡猾得很。|他那两只狡猾的小眼睛在东张西望。|狡猾的罪犯终于落网了。|他狡猾地骗过了大家。|没想到他变得这么狡猾了。

【饺】 jiǎo 〔名〕

意义见“饺子”。(dumpling)常用于短语，“饺”读“饺儿”。

词语 水饺儿 蒸饺儿 烫面饺儿

【饺子】 jiǎozi 〔名〕

半圆形的有馅儿的面食。(dumpling)常做主语、定语、宾语。[量]个。

例句 饺子是中国的代表性食品。|饺子馅别弄咸了。|我会擀饺子皮了。|包饺子难不难？|晚上吃饺子。|把饺子煎一下也很好吃。

【绞】 jiǎo 〔动〕

❶ 把两股以上的条状物扭在一起；两件以上的事件混在一起。(twist)常做谓语。

例句 缆绳是用许多股麻绳绞成的。|这两件事绞在一起，很难办。

❷ 握住条状物的两端，同时向相反方向转动，使受到挤压；拧。(wring)常做谓语。

例句 把毛巾绞干。|他绞尽脑汁，也没想出什么好办法。

❸ 用绞刀切削。(ream)常做谓语。

例句 她在绞肉馅呢。

❹ 勒死、吊死。(strangle)常做谓语。

例句 这位英雄最后被敌人绞死了。

❺ 把绳索一端系在轮上，转动轮轴，使另一端的物体移动。(wind)常做谓语。

例句 在农村，常常要绞着辘轳打水。|把拌好的水泥绞上去。

【脚】 jiǎo 〔名〕

❶ 人或动物的腿的下端，接触地面支持身体的部分。(foot)常做主语、宾语、定语。也用于构词。[量]只，双。

词语 脚面(背) 脚步 脚指头 脚跟 脚尖 脚印

例句 踢球时，他的右脚受伤了。|我感冒了，觉得有点儿头重脚轻。|她把新鞋穿在脚上试了试。|那姑娘把脚指甲染成了红的。

❷ 引申为东西的最下端。(lowest part; base; foot)常用于构词或固定短语。

词语 墙脚 山脚 高脚杯 头重脚轻

【脚步】 jiǎobù 〔名〕

指走路时两脚之间的距离或腿的动作。(footstep)常做主语、宾语、定语。

例句 他脚步很大。|脚步抬那么高干吗？|护士迈着轻盈的脚步出去了。|听脚步声，就知道是他来了。

【脚踏实地】 jiǎo tà shídì 〔成〕

形容做事认真、踏实。(have one's feet planted on solid ground — earnest and down-to-earth)常做谓语、定语、状语。

例句 我们干工作一定要脚踏实地，一步一个脚印。|他不是空谈家，而是脚踏实地的实干家。|只要脚踏实地地干，一定能干出个名堂来。

J

【搅】 jiǎo 〔动〕

❶ 用细长的硬物在混合物中转动。(stir)常做谓语。

例句 把粥搅一搅,就不烫了。|煮饺子时,要搅得轻一点儿。|咖啡搅匀了吗?|妈妈在汤里搅了搅,然后尝了一口。

❷ 扰乱,打扰。(disturb)常做谓语。

例句 他两口子常吵架,搅得四邻不安。|这孩子爱哭,哭起来搅得大人什么也干不成。|行了行了,你就别胡搅了!

【搅拌】 jiǎobàn 〔动〕

用棍子等在混合物中转动、和弄,使均匀。(stir)常做谓语。

例句 老饲养员正细心地搅拌着饲料。|涂料搅拌得越均匀,刷的效果越好。|用机器搅拌水泥,又快又匀。

【缴】 jiǎo 〔动〕

❶ 交纳,交出(指履行义务或被迫)。(pay)常做谓语。

例句 这个月的水电费缴过了。|他把家里的文物缴给了国家。

❷ 迫使交出(多指武器)。(disarm)常做谓语。

例句 战士们迅速缴下了敌人的枪。|缴枪不杀!

【缴纳】 jiǎonà 〔动〕

向政府或组织交付规定的钱物。(pay)常做谓语。

例句 我去年缴纳个人所得税一共三千多块。|全市缴纳的税金,主要用于城市的发展。|按时缴纳会费是每个会员应尽的义务。

【叫】 jiào 〔动/介〕

〔动〕❶ 人或动物的发音器官发出的较大的声音。(call; cry; shout; bray; bark)常做谓语。

例句 弟弟在门外大喊大叫着:"快来看哪!"|半夜,小狗毛毛突然叫了起来。|汽笛叫得人耳朵都要聋了。|鸡叫过三遍了。|嗓子哑得叫不出声来了。

❷ 招呼,呼唤;告诉所需要的服务。(greet)常做谓语。

例句 小王,老张叫你呢。|那么多人,都叫不过来了。|怎么还没来?我再去叫叫。|叫你叫得嗓子都干了,你怎么还没听见?|哎呀,快打"120",叫救护车!|早知道这么慢,不如叫出租车了。|我俩一共叫了三个菜、一个汤。

❸ 使;让。(ask; make)常做谓语。

例句 这么做,不是叫人为难吗?|厂里叫他去上海出差。|这么晚才得到通知,叫我怎么办?

❹ (名称)是;称为。(name)常做谓语(带宾语)。

例句 A:你叫什么名字?B:我叫王光明。|他有个女儿叫小雪,在大二学习。|大家都叫他老李头。|送初中生出国留学,我看这叫"拔苗助长"。

〔介〕被。后接动作的发出者。(by)"叫"也做"教"。常构成短语做状语。

例句 墨水叫同桌不小心碰倒了。|小张叫我批评了一顿。|旧报纸叫爸爸给卖了。|小人书叫小妹给撕坏了。|门是叫风吹开的。

【叫喊】 jiàohǎn 〔动〕

大声叫,嚷。(shout; cry; yell)常做谓语、定语。

例句 你那么大声叫喊什么呀!|是谁在走廊里叫喊哪?|孩子们叫

喊着跑出了院子。|锣鼓声、叫喊声响成一片。

【叫唤】 jiàohuan 〔动〕

❶ 大声叫。(cry out;shout)常做谓语、补语、定语。

例句 母亲焦急地叫唤着孩子的名字。|有什么事,就叫唤一下,我住隔壁。|病人疼得直叫唤。|叫唤的声音低得几乎听不到。

❷ (动物)叫。(yelp)常做谓语、定语。

例句 小鸟在树上叽叽喳喳地叫唤着。|不知为什么,马突然叫唤起来。|深夜里,狗的叫唤声传得老远。

【叫嚷】 jiàorǎng 〔动〕

喊叫。(shout)常做谓语。

例句 有人在院子里大声叫嚷着什么。|两人叫嚷着扭打在一起。|他叫嚷了半天才罢休。|早市的商贩叫嚷得四邻不安。

【叫做】 jiàozuò 〔动〕

❶ (名称)是;称为。(be called; be known as)常做谓语(带宾语)。

例句 这玩意儿就叫做数码摄像机。|通常把中秋节叫做八月节。|工业革命也叫做产业革命。|雨后阳光透过空气中的小水滴,反映出七种颜色,叫做虹。|天文学家把银河围绕成的空间叫做银河系。

❷ 引用某些熟语说明事理。(term)常做带宾谓语。

例句 中国有句谚语,叫做“路遥知马力,日久见人心”。|你这种干法,叫做“舍近求远”。

【觉】 jiào 〔名〕 另读 jué

睡眠(指从睡着到睡醒)。(sleep)常做主语、宾语。

例句 一觉醒来,天已大亮。|人老了,觉不多了。|这几天,觉总不够睡。|这回可以好好地睡上一觉了。|刚才睡了一小觉,精神好多了。|我一般不睡午觉。

【轿】 jiào 〔名〕

旧式交通工具,立方体,用竹子或木头制成,外面套着帷子,两边各有一根杆子。多由人抬着走。(sedan)常做主语、宾语、定语。[量]顶,个。

例句 如今轿只用于表演或者展览了。|过去女人出嫁都要坐轿。|轿门打开,走出一位老者。

【轿车】 jiàochē 〔名〕

供人乘坐的,有固定车顶的汽车。(bus or car)常做主语、宾语、定语。[量]辆,部。

例句 这辆豪华大轿车坐着真舒服。|如今,轿车已经进入了普通百姓家。|刚过去的结婚车队,一共有十八辆高档轿车。|还是买国产轿车便宜一些,质量也不错。|我的轿车梦终于实现了。

【较】 jiào 〔介/副〕

〔介〕表示比较。(*used to compare a difference in degree*)常构成介宾短语做状语。

例句 梅花较樱花耐寒。|三峡工程较世界其他水电站规模都大。|春季植树较其他季节更为合适。

〔副〕有“相当”的意思,表示已经达到一定的程度。(comparatively)做状语,多修饰单音节形容词。

例句 这里的环境较好,但是物价较贵。|今年冬天较冷。

【较量】 jiàoliàng 〔动〕

用竞赛或斗争的方式比本领、实力的高低。(measure one's strength with; have a contest)常做谓语、宾

J

语、定语。

例句 我们较量一下,怎么样?|我们两个队较量过,但不分胜负。|你敢和我较量较量吗?|经过一番较量,甲队获胜。|较量的结果怎么样?

【教】 jiào 〔动〕 另读 jiāo

培养人或指导如何做。(teach)常用于构词或固定短语。

词语 指教 教授 请教 教师 教诲 教导 教练 教室 教材 因材施教 言传身教

▶"教"也做名词,指宗教。如:佛教 基督教|我什么教也不信。

J

【教材】 jiàocái 〔名〕

有关讲授内容的材料,如书籍、讲义、图片、光盘等。(teaching material)常做主语、宾语、定语。[量]本,册,套。

例句 这套教材分上、下两册。|那本基础教材是王教授编写的。|当时没有合适的教材,全靠自己编。|我们正在试用一套进口原版教材。|教材的更新是非常重要的。

【教导】 jiàodǎo 〔动/名〕

〔动〕教育指导。(teach; enlighten; indoctrinate)常做谓语。

例句 老部长常教导我们要深入群众,深入基层。|要好好教导教导他们。|您教导得好,我一定照着去做。|应该教导她们要自重、自爱、自立、自强。

〔名〕教育指导的行动和内容。(instruction; indoctrination)常做主语、宾语。

例句 您的教导使大家明白了许多道理。|他把父亲的教导牢牢记在心上。|我要永远不忘导师的教导。

【教会】 jiàohuì 〔名〕

天主教、东正教、新教等教派的组织。(church)常做主语、宾语、定语。[量]个。

例句 每个教会都有一些信徒。|我同学的父亲在基督教会工作。|她的英语是解放前在教会学校学的。

【教练】 jiàoliàn 〔动/名〕

〔动〕训练别人掌握某种技术或动作(如:运动、驾驶汽车或飞机等)。(train; drill)常做定语、主语。

例句 教练车在教练场慢慢行驶。|教练工作也很辛苦。|她很有经验,教练得法。

〔名〕从事上述工作的人。(coach; instructor; trainer)常做主语、宾语、定语。[量]位,个。

例句 我们的体操教练非常有名。|教练说了,不完成规定动作不能休息。|这次比赛以后,她打算当教练了。|大家都喜欢这位新来的教练。|我得了冠军也有教练的一份功劳。|他喜欢足球教练的工作。

【教师】 jiàoshī 〔名〕

做教学工作的人。(teacher; master)常做主语、宾语、定语。[量]位,个,名。

例句 教师又被称作"园丁"。|教师应当成为学生的知心朋友。|当一名合格的教师是很不容易的。|父母是子女的第一个教师。|教师工作越来越受到全社会的尊重。|经过改革,大学的教师岗位也实行了聘任制。

【教室】 jiàoshì 〔名〕

学校里进行教学的房间。(classroom; schoolroom)常做主语、宾语、定语。[量]个,间。

例句 我们班的教室在四楼。|这里每间教室都可以使用电脑教学。|新教学中心一共有三十多个教室。|我看见老师走进教室去了。|如果教室的光照不够,会影响学生的视力。|目前语音教室的设备是最好的。

【教授】 jiàoshòu 〔名/动〕

〔名〕高等学校中职别最高的教师。(professor)常做主语、宾语、定语。[量]位,个,名。

例句 教授分正教授和副教授。|教授在学校管理上也有着重要的作用。|他工作了三十多年,才当上教授。|我们请王教授来做个学术报告吧。|学生们爱听哪位教授的课可以自己选。|这个问题还是听听专家、教授的意见吧。

〔动〕对学生讲解说明教材的内容。(instruct)常做谓语、主语。

例句 新来的刘老师教授现代文学课。|他从教30年,教授有方。

【教唆】 jiàosuō 〔动〕

指使(别人做坏事)。(instigate abet)常做谓语、定语、宾语。

例句 他们常常教唆青少年吸毒。|他是一个教唆犯。|这孩子偷东西是受了别人的教唆。

【教堂】 jiàotáng 〔名〕

某些宗教举行宗教仪式的场所。(church)常做主语、宾语、定语。[量]个,座。

例句 这座大教堂十分宏伟。|在这个国家,有许多大大小小的教堂。|去欧洲旅行,参观教堂是一个重要项目。|教堂的钟声响了十下。|我很喜欢教堂玻璃窗上的画儿。

【教条】 jiàotiáo 〔名/形〕

〔名〕宗教上的信条,只要求信徒信从,不容许怀疑批评(多比喻死板的规定等);也指教条主义。(dogma; creed; doctrine; tenet)常做宾语、主语。

例句 处理实际问题,不能死搬教条。|如果把真理当做教条,那就错了。|这也不行,那也不行,纯粹是教条!|这些教条早该打破了。

〔形〕只凭信仰,盲目接受或引用某些原则、原理;也指做事不灵活,死搬硬套。(doctrinal; dogmatic)常做谓语、定语、状语、补语。

例句 她只会死搬硬套书本上的东西,太教条了。|这个人教条得很,一点儿也不肯通融(róng)。|你怎么能用这么教条的方法来处理问题?|不能教条地对待这些规定。|领导如果搞得太教条,也会脱离群众的。

【教学】 jiàoxué 〔名〕

教师把知识、技能传授给学生的过程。(teaching)常做主语、宾语、定语。

例句 王老师的教学生动活泼。|教学是教师和学生的双向活动。|吴校长在学校分管教学。|搞教学就必须按教学规律办事。|不提高教学水平怎么能适应社会的需要呢?|教学质量是学校工作永恒的主题。

【教训】 jiàoxun 〔动/名〕

〔动〕教育训诫(jiè)。(teach sb. a lesson; lecture)常做谓语、定语。

例句 对这种人应该好好教训教训。|结果,我被狠狠地教训了一顿。|他刚当上处长,就教训起人来了。|我毫不客气地教训了他几句。|你别用教训的口气跟我说话。

〔名〕从错误和失败中取得的认识。(lesson; moral)常做宾语、主语。[量]个。

例句 不接受教训，怎么能改进工作？|你应该认真吸取这次的教训。|血的教训，值得我们牢牢记取。|这个教训实在是太深刻了！

【教研室】 jiàoyánshì 〔名〕

学校或教育部门研究教学问题的组织。(teaching and research section)常做主语、宾语、定语。[量]个。

例句 我们教研室一共有十个老师。|教研室向厅领导提交了一份最新研究报告。|楼下是教室，楼上是教研室。|老师在教研室等你呢。|下午有个教研室主任会。

J

【教养】 jiàoyǎng 〔动/名〕

〔动〕教育培养。(train; educate; bring up)常做谓语、宾语。

例句 父亲去世后，是母亲把我教养大的。|父母有教养子女的义务。|由于从小缺少教养，他的性格十分古怪。

〔名〕指一般文化和品德的修养。(education; breeding; culture; upbringing)常做宾语、主语。

例句 一看就知道这个人很有教养。|你怎么这么没有教养！|这么好的教养不是一天两天形成的。

【教育】 jiàoyù 〔动/名〕

〔动〕通过教学或其他方式培养及启发人。(educate)常做谓语、定语、宾语。

例句 英雄的事迹深深地教育了大家。|为了把学生教育好，需要学校和家长共同努力。|从小妈妈就教育我要爱劳动、爱科学。|这孩子再不好好教育教育就完了。|我们对他教育过几次，有点儿进步。|这件事主要是要做好说服教育工作。|我永远不会忘记这件事对我的教育。

〔名〕培养儿童、少年和青年准备适应社会生活的过程，以及培养中老年适应社会需要的活动。主要指学校的培养过程。(education)常做主语、宾语、定语。

例句 教育要面向世界、面向未来。|教育是现代化的基础。|不重视教育的国家是没有前途的。|应该把学校教育同家庭教育结合起来。|一个现代人，应该接受终生教育。|毕业后，他决心献身教育事业。|我们的教育方针是德智体美全面发展。|这位官员对中国的教育制度很感兴趣。

【教员】 jiàoyuán 〔名〕

担任教学工作的人员。(teacher)常做宾语、主语、定语。[量]个，位。

例句 不少家长不愿意孩子当教员，可哪个孩子离得了教员呢？|父亲是个中学教员。|教员都开会去了。|别看教员的收入不算高，可她就是爱干。

【阶层】 jiēcéng 〔名〕

指在同一阶级中因社会经济地位不同而分成的层次或由具有某种相同的特征而形成的社会集团。(stratum)常做定语、主语、宾语。[量]个。

例句 同一阶层的人都具有相同的特征。|这么贵的房子，我们工薪阶层怎么买得起呀？|人们常根据不同的工作把人分成“白领”或者“蓝领”阶层。

【阶段】 jiēduàn 〔名〕

事物发展进程中划分的段落。(stage; phase; period)常做宾语、主语、定语。[量]个。

例句 新设备安装完毕后，将进入调试阶段。|你的身体还处于恢复

阶段，不能太累。|语音阶段已经结束了，下周开始进入会话阶段。|每个阶段大约需要10天左右。|目前第一阶段的工程已经完成。|我们的研究已经取得了阶段性的成果。

【阶级】 jiējí 〔名〕

在一定社会经济结构中处于不同地位的社会集团。(class)常做主语、宾语、定语。[量]个。

例句 阶级产生于原始社会末期。|中国目前主要有工人和农民两大阶级。|“家长制”、“一言堂”是属于封建阶级的。|搞经济建设，不能用阶级斗争那一套了。

【皆】 jiē 〔副〕

都；都是。(all)做状语。常用于固定短语中。

例句 放之四海而皆准。|四海之内皆兄弟。|新建住宅皆为欧式风格。

【结】 jiē 〔动〕 另读jié

长出果实或种子(seed)。(bear; form)常做谓语、定语。

例句 我家种的草莓今年结得又大又多。|葡萄架上结满了紫红的葡萄。|别看这花不大，结的籽儿还不少。

【结果】 jiē guǒ 〔动短〕

长出果实。(bear fruit)常做谓语。中间可插入成分。

例句 从去年起，这些树就结果了。|经过剪枝和施肥，每棵树都结了很多果。|这棵树已经结了20年果了。|俗话说：栽什么树，结什么果。|不知为什么，这几棵桃树总是结不了果。

【结实】 jiēshi 〔形〕

物品坚固耐用；身体健壮。(solid; well-knit; strong; sinewy)常做谓语、定语、补语、状语。

例句 这双鞋很漂亮，但不太结实。|这几年姐姐身体不如以前结实了。|我新买的家具结实得很。|这批赛马个个都结结实实的。|再结实的衣服，让这孩子穿几个月就坏了。|她丈夫是一个结结实实的汉子。|过了个暑假，孩子们都晒黑了，也长结实了。|这木箱钉得结结实实的，摔不坏。|他结结实实地给了对方一拳。

【接】 jiē 〔动〕

靠近；碰着；连上；引申为承受、容纳、代替、迎客等。(come close to; connect; continue; take over; meet)常做谓语，也用于构词或固定短语。

词语 接触 接待 接见 接近 接受 接收 接替 迎接 接二连三 上气不接下气 交头接耳 接踵而来 摩肩接踵

例句 先把这两个线头接上再织吧。|最近特别忙，一个事儿接一个事儿。|一上午我就接了十多个电话。|王老师走后，谁接他的课？|三号队员一个鱼跃，把球接了起来。|话务员终于把线路接通了。|全家欢天喜地地把媳妇接进家门。|我拿不动了，快接接我。|下班后，她就忙着去幼儿园接孩子。|一个月后，终于接到一封家信。|市长要亲自去机场接获胜的球队。

【接班】 jiē bān 〔动短〕

接替上一班的工作；指接替前辈人的工作、事业。(succeed; carry on; take one's turn on duty)常做谓语。中间可插入成分。

例句 张师傅退休后，他女儿接了班。|我每天下午两点接班，晚十点交班。|只有努力学习，将来才能接

J

好班。|我是个医生,希望儿子接我的班,可是他不喜欢搞医。

【接触】 jiēchù 〔动〕

碰上;挨着。引申为人与人交往或发生冲突。(contact;meet with;engage)常做谓语、宾语。

例句 他的手刚接触感应器,门就自动开了。|在社会调查过程中,我接触过各种各样的人。|我说电脑怎么总关机,原来是插头接触不良。|最近,她们两人接触频繁。|新来的小李非常热情,你和他接触接触就知道了。|我们跟敌人接触过两次,没有大的伤亡。|毕业后,我们曾有过一段接触。|交战双方已经脱离了接触。

【接待】 jiēdài 〔动〕

招待。(entertain;admit;receive)常做谓语、定语、主语、宾语。

例句 校长如约接待了本报记者。|这间会客室先后接待过几十个国家和政党的首脑。|一下子来这么多人,我们接待不了。|对上访的群众,他们总是热情地接待。|这些老朋友,得好好地接待接待。|访问团是由大学校长组成的,接待规格也很高。|这次会议的接待工作十分出色。|上次的接待不太理想,这次一定改进。|来宾们一致感谢主人的盛情接待。

▶ "接待"一般不需要准备酒食。如:* 他买了不少酒菜接待老朋友。("接待"应为"招待"或"款待")

【接到】 jiē dào 〔动短〕

收到,得到;迎接到。(get;come to hand;meet)常做谓语、定语。中间可插入成分。

例句 一天就接到三封传真,催着发货。|田中同学接到家里的包裹。|至今还没接到他一点儿音信。|我们接到过群众反映的意见。|如果接到上级文件,请马上告诉我。|天气不好,飞机无法降落,看来客人是接不到了。|刚接到的通知,已经传达下去了。

【接二连三】 jiē èr lián sān 〔成〕

接连不断,一个跟着一个。(one after another)常做状语、谓语。

例句 最近雾大,接二连三地发生交通事故。|喜讯接二连三地传来。|前来报名的人接二连三,简直接待不过来。

【接见】 jiējiàn 〔动〕

跟来的人见面(多用于见地位低的人)。(receive;give an interview to)常做谓语、定语、主语、宾语。

例句 市长接见了与会代表。|国家领导人接见过他好几次。|接见的时间、地点还没定。|总理的接见,令我终生难忘。|这是一次十分重要的接见。

【接近】 jiējìn 〔动/形〕

〔动〕靠近。(approach)常做谓语。

例句 领导班子平均年龄接近四十五岁。|病人的体温今天才接近正常。|目前,主体工程已接近完工。|这个人很难接近。|由于对方防守很严,我方一时接近不了。

〔形〕相距不远。(close;near)常做谓语。

例句 这两幅画的风格非常接近。|双方的水平十分接近,所以难分胜负。|大家的看法比较接近,可以决定了。

【接连】 jiēlián 〔副〕

一个跟着一个,一次接着一次。

(one after another)做状语。

例句 上个月厂里接连发生了几起工伤事故。|他在最近几次比赛中，接连获奖。|这几天突然变冷，班里的同学接连感冒。|近来，媒体接连发表反映西部大开发的报道。

【接洽】 jiēqià 〔动〕

跟人联系，商谈有关事项。(arrange business with; take up a matter with)常做谓语、宾语、定语。

例句 事情接洽妥(tuǒ)当了。|经理去接洽一笔生意了。|打算派你跟对方接洽一下业务。|谈判双方今天已经开始接洽了。|请告知接洽的时间、地点。

【接收】 jiēshōu 〔动〕

❶ 收取，接受。(receive)常做谓语、定语。

例句 有了室外天线，可以接收更多的电视频道。|刚才接收的无线电信号是海上求助信号。

❷ 根据法令把机构、财产、人员等拿过来。(take over)常做谓语、定语。

例句 无人认领的失物暂时由公安局接收、保管。|接收工作很快完成了。

❸ 接受人或团体参加。(recruit; receive)常做谓语、定语。

例句 我市每年都要接收、安置复转军人。|今年这个学会接收了12名新会员。|住院部已经满了，再也接收不了新患者了。|限于公司的条件，目前接收的下岗工人还不太多。

【接受】 jiēshòu 〔动〕

对事物容纳而不拒绝。(accept)常做谓语。

例句 冰心老人非常高兴地接受了大家的祝贺。|他这种态度让人无法接受。|对方的条件太苛刻了，我们接受不了。|谈恋爱谈了三个月后，她终于接受了我。|他已经接受过3次大手术了。

辨析 〈近〉接收。“接收”适用范围较小，只用于具体名词；而“接受”还可与抽象名词搭配。如：* 接收任务(“接收”应为“接受”)

【接站】 jiē zhàn 〔动短〕

到车站(机场，码头)接人。(meet)常做谓语、定语、主语、宾语。中间可插入成分。

例句 朋友要来，我得去接站。|小李妈妈来看他，他接了一天的站才接到。|开学前就已经定好了接站时间。|接站的车是单位的。|接站由会务组负责。|这次会议由小李负责接站。|王主任亲自安排接站。

【接着】 jiēzhe 〔副/连〕

〔副〕连着(上面的话)，紧跟着(前面的动作)。(afterwards; then)做状语。

例句 对不起，我还有事，明天接着谈好吗？

〔连〕表示两件事先后紧连着发生。(in succession)用于复句第二分句句首。

例句 刚把晾晒的衣服收进屋，接着暴风雨就到了。

【揭】 jiē 〔动〕

❶ 把粘上去的片状物整个取下来；把盖上的东西拿开。(take off; uncover)常做谓语。

例句 小时候我常把信封上好看的邮票揭下来。|馒头还没热，锅盖不能揭。|贴在墙上的通知，不知被谁

揭走了。|大型团体操表演,揭开了全运会的帷幕。

❷ 使隐蔽的东西显露。(uncover; show up)常做谓语。

例句 当众揭人家的短,不好吧?|她这个人专爱揭别人的老底儿。

【揭发】 jiēfā 〔动〕

把隐藏的坏人坏事公开出来。(disclose; expose)常做谓语、定语、主语、宾语。

例句 群众曾经向领导揭发过他的问题。|有一份材料揭发销售科长的受贿问题。|令人震惊的腐败大案被揭发出来了。|据统计,经济方面的问题揭发得最多。|所有的揭发材料必须迅速调查核实。|大家的揭发足以说明问题。|根据群众的揭发,很快抓住了那伙流氓。

【揭露】 jiēlù 〔动〕

使隐蔽的事物显露。(expose)常做谓语、宾语。

例句 这份材料揭露了个别司法人员存在的问题。|"白皮书"对国际事务中的种种不公正作了深刻的揭露。

辨析 〈近〉揭发。"揭发"的对象是坏人坏事;"揭露"的使用范围较广,可以是一般的隐蔽着的事物。如:
* 揭发矛盾("揭发"应为"揭露")

【揭示】 jiēshì 〔动〕

使人看见原来不容易看见的事物。(reveal; bring to light)常做谓语。

例句 剧本深刻地揭示出一位老知识分子的感情世界。|科学家早已揭示了生物进化的规律。|改革与保守的矛盾冲突被小说形象地揭示出来了。

【街】 jiē 〔名〕

两边有房屋的道路;商店较多的市区。(street)常做主语、宾语、定语。也用于构词。[量]条。

词语 街道 街头 街灯 街心

例句 那条小街十分热闹。|每到年节,大街小巷张灯结彩。|他上街了。|没事儿的时候她们特爱逛街。|在国外,我拍过许多街景。

【街道】 jiēdào 〔名〕

❶ 旁边有房屋的比较宽阔的道路。(street)常做主语、宾语、定语。[量]条。

例句 北京的街道一般都是正南正北。|国庆节前,许多街道都摆满了鲜花。|去年,市里拓宽了几条主要的街道。|街道的卫生比过去强多了。|两年过去,街道两旁已绿树成荫。

❷ 关于街巷居民的。(neighbourhood)常做主语、宾语、定语。[量]个。

例句 街道是最基层的政权组织。|她在街道工作了整整二十年。|说实话,街道干部是很辛苦的。

【街坊】 jiēfang 〔名〕

邻居。(neighbour)常做主语、宾语、定语。[量]个。

例句 街坊、邻居应该互相帮助。|我们是多年的老街坊了。|我们一个街坊的儿子考上了北京大学。

【街头】 jiētóu 〔名〕

街;街上。(street)常做主语、宾语、定语。

例句 离春节还有一个多星期,街头巷尾就充满了节日的气氛。|比赛刚结束,市民们都纷纷走上街头,欢庆胜利。|街头报亭、电话亭极大地方便了群众。

【节】 jié 〔动/名/量〕

〔动〕减少消耗；限制。（save；economize）常做谓语（带单音节宾语）。

例句 什么时候都应该注意节电、节水、节油。|那时，上下一致，节衣缩食，共渡难关。

〔名〕❶ 节日，节气。（festival）常做宾语、主语。［量］个。

例句 孩子们欢天喜地地过了一个节。|我觉得过节过得比上班还累。|中国的每个节都有来历。|这个节我们放三天假。

❷ 物体各段的连接处；段落；事项；道德品质。（burl；stanza；section；rhythm；moral standard）常用于构词。

词语 关节 竹节 节拍 音节 细节 礼节 气节 晚节

〔量〕用于分段的物体或文章。（stanza）常构成短语做句子成分。

例句 第9节车厢是餐车。|我每天有四节课。|本章第三节写得最感人。|你数数，它的腿是几节？|一根甘蔗有七八节。

【节目】 jiémù 〔名〕

文艺演出或广播电台、电视台播送的项目。（program）常做主语、宾语、定语。［量］个，台。

例句 这台节目非常精彩。|小朋友，给叔叔阿姨演个节目吧。|演员们正紧张地赶排一台新节目。|电视节目的种类越来越多了。|这位节目主持人庄重大方，深受观众喜爱。

【节能】 jiénéng 〔动〕

节约能源。（economize on energy）常做定语、主语、宾语。

例句 有许多节能知识人们并不知道。|这个牌子的冰箱是节能冰箱。|节能是消费者追求的产品特色之一。|为了提高竞争力，厂家在新产品设计时越来越注意节能。

【节日】 jiérì 〔名〕

纪念日或传统的庆祝、祭祀的日子等。（festival）常做主语、宾语、定语。［量］个。

例句 中国的节日有哪些？|中秋节、元宵节、春节，这些都是中国的传统节日。|国庆节快到了，节日的气氛越来越浓了。

【节省】 jiéshěng 〔动/形〕

〔动〕使可能被消耗掉的不被消耗掉或少消耗掉。（economize）常做谓语、定语。

例句 新方案节省了很多资金。|他把零用钱节省下来捐献给了希望工程。|几年下来，全厂为国家节省出来大量的原材料。|局里用节省的办公经费，为幼儿园的孩子们买了一批玩具。

〔形〕不浪费。（restrict or limit）常做谓语、补语。

例句 公司的一切开支都很节省。|她生活得很节省。

【节育】 jiéyù 〔动〕

限制生育。（control birth）常做定语、谓语。

例句 不采取节育措施怎么控制人口呢？|应当在农村进一步宣传节育的重大意义。|中国人口这么多，不节育不得了。

【节约】 jiéyuē 〔动〕

节省（多用于较大的范围）。（save）常做谓语、宾语、定语。

例句 这项改革每年能节约成本20%。|这样积少成多，一年也能节约下来不少钱。|他们在经费的使用上从来没有节约过。|（标牌）节

J

约用水，人人有责。|提倡节约，反对浪费。|年轻人应该养成节约的好习惯。

▶"节约"也做形容词，指不浪费。如：整个工程非常节约，质量也特别好。

【节奏】 jiézòu 〔名〕

指音乐中交替出现的有规律的强弱、长短现象；比喻均匀的、有规律的工作或生活进程。(rhythm；tempo)常做主语、宾语、定语。[量]个，种。

例句 现代人的生活节奏变得越来越快了。|欢快的节奏抒发出喜庆丰收的心情。|这个节奏你能跟上吗？|无论是工作还是生活，特区人喜欢快节奏。|我不太适应迪斯科音乐那种强烈的节奏。|大家随着音乐的节奏翩翩起舞。|这首乐曲节奏的变化很快，富于表现力。|长期快节奏的生活，损害了他的健康。

【劫】 jié 〔动/名〕

〔动〕抢。(rob)常做谓语。

例句 不知什么人把她的儿子劫走了。|在混乱中，有人连着劫了几家商店。|近年来，劫机事件常有发生。

〔名〕灾难。(disaster)常用于构词或用于固定短语，也做主语、宾语。

词语 浩劫 劫难 劫后余生 在劫难逃

例句 这一劫，恐怕他是躲不过去了。|幸亏那天没去，才逃过这一劫。

【劫持】 jiéchí 〔动〕

要挟；挟持。(hijack；kidnap；hold under duress)常做谓语、宾语。

例句 歹徒劫持了人质。|一伙罪犯劫持了一辆大客车。|最近发生了一起出租汽车司机被劫持的事件。|飞往那里的班机遭到劫持。

【杰出】 jiéchū 〔形〕

才能或成就特别出众。(outstanding)常做定语，或用于"是…的"格式中。

例句 如今，他已经成为一位杰出的企业家。|杜甫是唐代最杰出的诗人之一。|李四光在地质学领域作出了杰出的贡献。|她的艺术成就是杰出的。

【杰作】 jiézuò 〔名〕

超过一般水平的好作品。(masterpiece)常做宾语、主语。[量]幅，件，部。

例句 这幅《虾》是齐白石先生的一幅杰作。|张教授把最得意的研究生看作他的"杰作"。|展出的件件杰作都闪烁着艺术家们的智慧与创新精神。|这部杰作浸透了他一生的心血。

【洁】 jié 〔形〕

干净。(clean)常用于构词。

词语 洁白 整洁 廉洁 清洁

例句 屋里的一切都那么整洁。

【洁白】 jiébái 〔形〕

没有被污染的白色。(spotlessly white；pure white)常做定语。也用于"是…的"格式。

例句 藏民们把洁白的哈达献给远方的客人。|她一笑，露出一口洁白的牙齿。|他总是穿着洁白的衬衫、蓝色的西裤。|洁白的雪地上，留下了深深的脚印。|孩子们的心灵是洁白的。

辨析 〈近〉雪白。"洁白"重在指白色的纯正，一般不做谓语，不重叠；

"雪白"强调白的程度特别高,可做谓语,可重叠。如:* 床单洁白洁白的。("洁白"应为"雪白")

【结】 jié 〔动/名〕 另读 jiē

〔动〕❶ 在条状物体上打疙瘩(gēda)或用这种方式制成物品。(knot; tie; kink)常做谓语。

例句 长年没打扫,屋里结了很多蜘蛛网。|春节时,很多商店门前张灯结彩,十分漂亮。|在老家,我帮奶奶结过鱼网,结得还不赖。

❷ 发生某种关系;凝结;结合。(have a kind of connection)常做谓语。

例句 说是速溶奶粉,可用开水一冲,结了好多块儿。|至今他俩还结着仇呢,谁也不理谁。|这个深水港从没结过冰。|早在50年代,我们两国就结成了友好邻邦。|湖里的冰结得还不太结实,滑冰很危险。

❸ 核算;解决。(solve; settle)常做谓语。

例句 那件事,他们俩私下结了。|你怎么老不说呢? 告诉我不就结了?|每天下班时,会计都得结完账才能走。|笔笔账都结得一清二楚。

〔名〕用条状物打成的疙瘩。(knot)常做主语、宾语。[量]个。

例句 这个结很难解。|蝴蝶结我怎么也系不好。|古时候人们在绳子上打结记事。|谁能解开这个结?

【结构】 jiégòu 〔名〕

❶ 各个组成部分的搭配或排列。(structure)常做主语、宾语。[量]个,种。

例句 这篇文章结构有些松散。|随着生活水平的提高,人们的食物结构也发生了变化。|汉字书法很讲究间架结构。|要改革学生不合理的知识结构。

❷ 建筑物上承担重力或外力的构造。(fabric)常做宾语、主语。

例句 这座楼房是什么结构的?|盖楼采用框架结构比较牢固。|专家认为大桥的结构设计得非常合理。|木结构是中国传统的建筑方法。

【结果】 jiéguǒ 〔名/连〕

〔名〕在一定阶段,事物发展所达到的最后状态。(result)常做主语、宾语。[量]个,种。

例句 检查结果出来了,他得的是白血病。|比赛结果出乎人们的预料。|请你尽快把研究的结果告诉我。|真希望不是这种结果。|他做事重视过程,更重视结果。

〔连〕引出事物发展的最后状态。(finally)用于复句第二分句句首。

例句 我去了好几家连锁店,结果还是没有买到。|他不愿意让步,结果两人分手了。|双方整整谈了两天,结果签订了合作协议。

【结合】 jiéhé 〔动〕

❶ 人或事物间发生密切联系。(combine; link; unite)常做谓语、主语、宾语。

例句 理论不结合实际不行。|学校教育应当同家庭教育相结合。|文艺创作要与生活紧密结合在一起。|可以把这两方面结合结合。|听、说、读、写结合起来,才能学好外语。|理论与实际的结合并不容易。|要达到内容和形式的完美结合,需要付出极大的努力。

❷ 指结为夫妻。(be united in wedlock)常做谓语、主语、宾语。

例句 经过两年的恋爱他们终于结合了。|两个年轻人一见钟情,很快

就结合了。|无论阻力多大,两位老人也一定要结合在一起。|他们的结合经过了一番曲折。|他俩结婚可以说是最美满的结合。

【结婚】 jié hūn 〔动短〕

男子和女子经过合法手续结合成为夫妻。(marry)常做谓语(不带宾语)、定语。中间可插入成分。

例句 我弟弟下个月结婚。|那个翻译和一个中学教师结了婚。|这位老人一辈子没结过婚。|我跟她是在农村结的婚。|她和她丈夫都结过两次婚。|后天就是父母结婚三十周年的纪念日。|结婚日期定在下月初八。|看,结婚车队真够气派的!

【结晶】 jiéjīng 〔名/动〕

〔名〕物质从液态或气态形成的晶体。比喻珍贵的成果。(crystal)常做主语、宾语。

例句 这种白色的结晶就是盐。|空气中的水遇冷形成结晶就成了雪花。|长城是中国人民勤劳与智慧的结晶。|这部巨著是他半生心血的结晶。

〔动〕物质从液态或是气态形成晶体。(crystallize)常做谓语、定语、主语。

例句 当温度下降时水汽就会结晶。|海盐由海水结晶而成。|它的结晶过程要几小时。|结晶跟溶解正好相反。

【结局】 jiéjú 〔名〕

最后的结果;最终的局面。(issue; ending; final result)常做主语、宾语。[量]个。

例句 这部戏的悲惨结局强烈震撼着每个观众。|她虽历尽艰险,但结局还不错。|人们看文艺作品喜欢大团圆的结局。|谁也没想到是这样一个结局。

【结论】 jiélùn 〔名〕

❶ 从前提推论出来的判断。(conclusion)常做主语、宾语、定语。[量]个。

例句 这个结论是怎么推出来的?|达尔文通过大量的观察和研究,得出了生物进化的结论。|结论的正确与否还需要实践来证实。

❷ 对人或事物所下的最后论断。(conclusion; verdict)常做宾语、主语、定语。[量]种。

例句 大油田的相继发现推翻了“中国贫油”的结论。|对人下结论不慎重哪行?|在这个问题上,他们俩的结论是一致的。|文章的结论部分再次强调了保护森林的重大意义。

【结束】 jiéshù 〔动〕

发展或进行到最后阶段,不再继续。(end; close; finish)常做谓语、定语、宾语、主语。

例句 这个学期什么时候结束?|最后两队以点球结束了这场艰苦的比赛。|代表团圆满地结束了对中国的访问。|手术进行了六个小时才结束。|演出的结束部分叫做“迎接新世纪”。|澳门回归,宣告了殖民统治在中国的结束。|上一阶段的结束意味着下一阶段的开始。

【结算】 jiésuàn 〔动〕

把一个时期的各项经济收支往来核算清楚。有现金结算和银行转账两种。(settle accounts)常做谓语、定语、宾语。

例句 按惯例,请你们把这一年的收入和支出结算一下。|结算方式

由你们定，怎么结算都行。|结算的结果使股东们大吃一惊。|公司每年12月都要进行年终结算。

【结业】 jié yè 〔动短〕

结束学业（多指短期培训的）。(complete a course; wind up one's studies)常做谓语、定语。中间可插入成分。

例句 青年干部培训班昨天结业了。|参加这次学习真不容易，总算顺利地结了业。|要是结不了业，我可怎么办？|结业考试结束之后将举行结业典礼，颁发结业证书。

辨析 〈近〉毕业。"毕业"一般指完成可以得到学历或学位证书的学习；"结业"一般指结束短期进修或培训的学习。

【捷】 jié 〔素〕

快；胜。(quick; victory)常用于构词或固定短语。

词语 便捷 快捷 敏捷 捷径 大捷 捷报 捷足先登 连战连捷

例句 如今，办出国手续越来越便捷了。|学习没有捷径可走，只有努力才能成功。|听到胜利的捷报，人们不禁欢呼起来。

【捷足先登】 jié zú xiān dēng 〔成〕

动作敏捷的先达到目的。(the swift-footed arrive first; the race is to the swiftest; the early bird catches the worm)常做谓语、定语。

例句 走到最后一圈我还领先，不料被后面一个小个子选手捷足先登，把到手的冠军抢了去。|李女士早就看中了这间临街店铺，当她去办手续时才知道，已经让一个捷足先登的外地人租去了。

【截】 jié 〔动/量〕

〔动〕切断；阻拦。(cut)常做谓语。

例句 我们马上把竹子截成两段，做了个担架。|民警截了一辆汽车，把伤员送到了医院。|你快去把厂长截回来，厂里出事了。

〔量〕段。(piece; part; slice)常构成短语做句子成分。

例句 这截铁丝还有用，不要扔了。|把这根木方儿截成两截。|话说了半截儿，就被他打断了。

【截止】 jiézhǐ 〔动〕

(到一定期限)停止。(end; close; cut off)常做谓语、定语。

例句 征文的寄送日期到6月30日截止。|报名已于昨天截止。|兑奖日期截止到今年7月31日。|截止到三月底，全厂职工已为灾区捐款两万多元。|各会员向本届年会提交论文的截止日期是9月25日。

【竭】 jié 〔素〕

尽；干(gān)。(exhaust; use up)常用于构词或用于固定短语。

词语 竭力 竭诚 枯竭 声嘶力竭

例句 取之不尽，用之不竭。

【竭力】 jiélì 〔副〕

用尽全部力量。(as best one can; do one's utmost)做状语。

例句 船正在下沉，跳进水里的人竭力向岸边游去。|虽然我很生气，但还是竭力控制着自己，没有发泄出来。|语言不通，他就用手比划，竭力让我明白他的意思。|来人竭力向总经理保证一定按时发货。

辨析 〈近〉极力。"竭力"重在用完力量；"极力"重在用最大的力量。

【姐】 jiě 〔名〕

❶ 意义见"姐姐"。(elder sister)常

做主语、宾语、定语。

例句 我大姐今年三十八岁了。|我们姐妹几个都上了大学。|那个短头发的是她二姐。|我姐的岁数不算小了，儿子都结婚了。

❷ 亲戚中同辈而年纪比自己大的女子(除嫂以外)。(sister)常用于构词。

词语 表姐　堂姐

❸ 称呼年轻的女子。(miss)常用于构词或用于短语。

词语 小姐　王姐　李姐　杨三姐

【姐姐】 jiějie 〔名〕

同父母(或只同父、只同母)而年纪比自己大的女子；同族同辈而年纪比自己大的女子(除嫂以外)。(elder sister)常做主语、宾语、定语。

例句 姐姐是小学教师。|父母去世早，姐姐就像母亲一样把我抚养成人。|那位穿红裙子的是李小明的亲姐姐。|现在城里的孩子很多都没有姐姐。|姐姐一家住在上海。

【解】 jiě 〔动/名〕 另读 jiè，xiè

❶ 分开。(separate；divide)常用于构词或固定短语。

词语 解剖(pōu)　解散　难解难分　土崩瓦解　迎刃而解　庖丁解牛

❷ 把系着的东西打开。(untie；undo)常做谓语。

例句 好像有人解开过这个包袱。|让孩子自己解解鞋带不好吗？|这根绳子系(jì)得太紧，怎么解也解不开。|他总习惯把上衣扣子解开。|把领带解下来，会舒服一点儿。|你解得太慢了，我来解吧。

❸ 分析，说明。(explain)常用于构词。

词语 解答　解说　注解　解释

❹ 去掉；清除。(eliminate；clear up)常做谓语。

例句 因为他干得不好，经理解了他的职。|就是杀了他，也难解心头之恨。|你喝点儿茶，解解酒吧。|我觉得喝汽水不解渴。|让他发发火，解一下气也就过去了。

❺ 了解，明白。(understand)常用于固定短语或构词，也做谓语。

词语 不求甚解　大惑不解　一知半解　通俗易解

例句 假期他为什么不休息，令人费解。|让我不解的是他不大用功，还总考前三名。

【解除】 jiěchú 〔动〕

去掉，消除。(eliminate；clear up；free from)常做谓语、宾语。

例句 既然你们合不来，最好及早解除婚约。|父母与子女的关系是解除不了的。|为了解除病人的痛苦，医生采取了一切措施。|毕业前，学校解除了对他的警告处分。|因为受贿，他的所有职务都被解除了。|突击队员迅速解除了截机者的武装。|工作带来的精神压力必须及时加以解除。

【解答】 jiědá 〔动〕

解释回答。(answer；explain)常做谓语、定语、宾语。

例句 厂长当场解答了职工代表提出的问题。|问事处的小姐耐心地解答着旅客的询问。|这个问题刘老师给我们解答过一次。|陈律师把有关的法律问题解答得清清楚楚。|关于高校招生录取的问题，我请杨局长解答一下。|解答的步骤对，可惜计算错了。|对记者提出的问题，总经理都一一作了解答。

【解放】 jiěfàng〔动〕

❶ 解除束缚,得到自由或发展。(emancipate; disentangle)常做谓语、宾语。

例句 新班子解放思想,大胆改革,创造出了新的业绩。|咱们的思想从来没有像今天这样解放过。|现在都什么年代了?你的思想该解放解放了。|电脑把人们从繁重的劳动中解放了出来。|别看他年纪大了,思想还挺解放的。|你们的计划可以再解放一些。|改革开放使生产力得到了解放。

❷ 特指推翻反动统治。(liberate)常做谓语、宾语、定语。

例句 1949 年,解放军解放了我的家乡。|这支部队曾解放过几个大城市。|我们这个地区解放得比较早。|穷苦的人们终于迎来了解放。|为庆祝解放举行了群众游行。|无数先烈把生命献给了祖国的解放事业。

【解放军】 jiěfàngjūn〔名〕

为解放人民而组织起来的军队,特指中国人民解放军。(liberation army)常做主语、宾语、定语。

例句 解放军是人民的子弟兵。|解放军和老百姓是鱼水关系。|许多青年积极报名参加解放军。|即使在和平时期,危难时刻还得靠解放军。|解放军的装备和战斗力正在不断加强。

【解雇】 jiěgù〔动〕

停止雇用。(fire; dismiss; kick out)常做谓语、定语。

例句 国有企业的厂长、经理有权解雇工人吗?|上个月,老板解雇了五名工人。|他因为总旷工,去年被解雇过一次。|你不说明解雇原因,我可以告你。|在很多单位,干不好就有被解雇的可能。

【解决】 jiějué〔动〕

❶ 处理问题,使有积极的结果。(solve)常做谓语、宾语。

例句 运来的设备很解决问题。|这些措施对解决当前的金融危机十分重要。|经过双方共同努力,终于解决了矛盾。|为什么这个案子至今解决不了?|别着急,这个事儿我给你解决解决。|在市长的亲自关心下,小区供水不足的困难解决得非常快。|中小学生就近上学的问题已经得到了圆满解决。|部分群众住房难的情况需要尽快解决。

❷ 消灭。(wipe out)常做谓语。

例句 把城堡里的敌人解决了就可以直接攻进去了。|我们用了一个多小时就解决了敌人两个团。|一天没吃东西,大伙儿五分钟就把一桌子饭菜都解决了。

【解铃还须系铃人】 jiě líng hái xū xì líng rén〔成〕

比喻由谁引起的的麻烦,还由谁去解决。(let him who tied the bell on the tiger take it off — whoever started the trouble should end it)做小句。

例句 解铃还须系铃人,这事只有王科长才能解决。|当初是因为他的一句话造成的误会,现在还得他去解释,解铃还须系铃人嘛!

【解剖】 jiěpōu〔动〕

❶ 剖开生物体来研究它的组织构造。(dissect)常做谓语、主语、宾语、定语。

例句 生物课上,我们解剖了一条鲫鱼。|为了研究,她已经解剖过几

百只小白鼠了。|尸体解剖完了,法医正在写报告。|这次解剖还有问题,我要重新做一遍。|尸体什么时候进行解剖?|为查明死亡原因,法医对尸体做了解剖。|我最喜欢做解剖实验了。

❷ 比喻对事物进行分析研究。(anatomise)常做谓语。

例句 文章深刻地解剖了作品主人公的精神世界。|公安人员正在开会集体解剖这一案例。|别光批评别人,也该解剖解剖自己。|解剖自己的短处需要很大的勇气。

【解散】 jiěsàn 〔动〕

❶ 集合的人分散开。(dismiss)常做谓语、定语。

例句 旅行团回国后,在机场就解散了。|大家解散后,马上回去睡觉。|听到哨声,解散的队伍又立即集合起来。

❷ 取消(团体或集会)。(dissolve)常做谓语及定语。

例句 研究工作一结束,课题组就解散了。|话剧团不该解散得那么早。|已经解散的代表,都在当天返回了所在单位。

【解释】 jiěshì 〔动/名〕

〔动〕分析;说明。(explain)常做谓语。

例句 律师向我解释了有关的法律条文。|事先,杨工程师给工人仔细地解释了机器的构造原理。|他把迟到的原因解释了一番。|请您把这个道理给大家解释解释。|老师曾经解释过这个词的用法。|解释了半天也没解释清楚。|这个问题解释起来很麻烦。

〔名〕分析,说明。(explanation)常做主语、宾语。[量]个,种。

例句 他这种解释恐怕说不过去。|科学家对地震预报不够及时做出了解释。|到底是什么原因,希望给我们一个合理的解释。

【介】 jiè 〔动〕

在两者当中;引进人或事物。(interpose;introduce)常用于构词。也做谓语。

词语 介绍 媒介 中介 介入 简介

例句 粉色介于红色与白色之间。

【介绍】 jièshào 〔动〕

❶ 使双方相识并发生联系。(introduce)常做谓语、宾语。

例句 主持人向大家一一介绍了到场嘉宾。|我给他介绍过两个对象,都没成。|我来介绍一下,这就是周博士。|张老师介绍我认识了小王。|她不认识我,你给我们介绍介绍。|现在,请各位代表作自我介绍。|我们是通过李先生的介绍认识的。

❷ 引入、带入(新的人或事物)。(recommend)常做谓语、宾语。

例句 把他介绍给广告公司挺合适。|开放以来,很多先进技术和管理经验被介绍到中国。|是他介绍我加入外语学会的。|通过李教授的介绍,他申请到了政府奖学金。

❸ 使了解或熟悉。(brief)常做谓语、宾语。

例句 班主任向家长介绍了学生在校的表现。|能不能把经验介绍得再详细一些?|我对情况不太了解,恐怕介绍不好。|请您介绍介绍公司下一步的打算。|听了大家的介绍,我对情况有了初步了解。|现在我来对使用方法做一个介绍。

【介意】 jiè yì 〔动短〕

把不愉快的事记在心里。(mind)常做谓语,多用于否定句。

例句 刚才的话你别介意!|我不介意你这样说。|他对什么都不介意。

辨析 〈近〉在意。"在意"可用于肯定句。"在意"还有留意的意思,多用于否定式。

【戒】 jiè 〔动/名〕

〔动〕❶ 防备,警惕。(guard against)常用于构词或固定短语。

词语 戒心 戒备 戒骄戒躁 戒严

❷ 改掉(坏习惯)。(get rid of; abstrain from; give up)常做谓语。

例句 我是得了那场大病以后才戒烟的。|那家伙是个酒鬼,酒是戒不了了。|在戒毒所里,戒毒效果比较好。

〔名〕指禁止做的事情。(things forbiden)常用于构词。

词语 开戒 杀戒

【戒严】 jièyán 〔动〕

国家遇到战争或特殊情况时,在全国或某一地区内采取非常措施,如增加警卫,加强巡逻,组织搜查,限制交通等。(cordon off)常做谓语(不带宾语)、宾语。

例句 今天游行区域戒严。|已经解除戒严了。

【届】 jiè 〔量〕

用于定期的会议或毕业年级。(*measure word for meeting, graduating classes, etc.*)常构成短语做句子成分。

例句 他是第十一届全国人民代表大会的代表。|她参加过两届奥运会。|明年的会议已经是第六届了。|我们都是九三届的。|欢迎历届毕业生回母校参加百年校庆。

【界】 jiè 〔名/尾〕

〔名〕两个地区或范围的划分处。(boundary)常做宾语,也用于构词。

词语 界碑 界标 界限 界石 国界

例句 两省以黄河为界。

〔尾〕❶ 一定的范围或划分处。(boundary)

词语 边界 地界 眼界 境界 分界 交界 临界 租界 管界

❷ 指某一范围社会成员的全体。(circle; group)

词语 体育界 文艺界 新闻界 妇女界 教育界

❸ 指大自然范围或动、植物等的大类别。(kingdom)

词语 自然界 动物界 植物界 生物界

【界限】 jièxiàn 〔名〕

❶ 不同事物的分界。多用于抽象事物。(bounds; dividing line)常做主语、宾语。

例句 双方界限非常明显。|普通话与方言的界限比较清楚。|我们必须分清界限。

❷ 尽头处,限度。(limit)常做主语、宾语。

例句 我县的界限到那片树林。|有些人的贪欲是没有界限的。

【界线】 jièxiàn 〔名〕

❶ 两地区分界的线。(boundary line)常做主语、宾语。

例句 两国之间的界线就是这条河。|工人先在施工区划出界线。

❷ 不同事物的分界。(demarcation line)常做宾语、主语。

例句 是非有着分明的界线。|划

清界线，避免扯皮。|有些事物的界线是很难划清的。

❸ 某些事物的边缘。(limits)常做宾语。

例句 修路工人在路面标出了准备修补的界线。|他几次把球打出了界线。

【借】 jiè 〔动/介〕

〔动〕暂时使用别人的钱或物；让别人暂时使用自己的钱或物。(borrow; lend)常做谓语。

例句 国家图书馆全天借书。|他向我借过钱。|我找他借过磁带，借了几次才借到。|你能不能借二十块钱给我？|他借了我一台 VCD，说是上课急着用。|我能借一借你的相机吗？|我的那把雨伞借老林了。|你记错了，这本书不是我的，我没借你书。|您能借给我一个旅行包吗？

〔介〕凭着，利用。(use as a pretext; rely on)组成介宾短语做状语。

例句 这不是借题发挥吗？|我借这个机会向大家表示谢意。|借着月光，我才看清他是谁。|这回借出差，顺路回家看看。

【借花献佛】 jiè huā xiàn fó 〔成〕

比喻拿别人的东西做人情。(present Buddha with borrowed flowers — borrow sth. to make a gift of it; make a present provided by sb. else)常做谓语。

例句 来，我借花献佛，敬你一杯！|这是别人送的，我就借花献佛了。

【借鉴】 jièjiàn 〔动〕

跟别的人或事相对照，以便取长补短或吸取教训。(benefit from sth.; draw lessons from certain experience)常做谓语、宾语。

例句 借鉴前人的经验，可以少走弯路。|他借鉴西洋唱法，形成了自己独特的演唱风格。|这方面可以借鉴一下国外的通行做法。|海尔集团的成功之路非常值得借鉴。

【借口】 jièkǒu 〔名/动〕

〔名〕假托的理由。(pretext)常做主语、宾语。

例句 他不来，借口是要考试了，得复习功课。|出了质量问题，怎么能找借口，推责任呢？|这种说法纯粹是借口。|他总是拿身体不好做借口，逃避劳动。

〔动〕把某件事做为(假的)理由。(use as an excuse)常做谓语(带宾语)。

例句 他不愿意参加比赛，就借口头疼不去了。|施工队借口抢时间，不注意工作质量。|不要总是借口太忙就不常回家看望父母。

【借条】 jiètiáo 〔名〕

便条式的借据。(receipt for a loan)常做主语、宾语、定语。[量]个，张。

例句 那张借条放在抽屉里呢。|这个借条是你写的吧？|管理员让小李打了个借条。|还了东西就该把借条销掉。|这张借条的内容是借钱。|在练习写作之前，我先给同学们看一看借条的样式。

【借用】 jièyòng 〔动〕

借别人的东西来使用。(borrow)常做谓语、定语。

例句 这些东西都是借用的。|你的雨伞，我可借用一下吗？|借用的物品应该按时归还。|这两位是临时借用的队员。

【借助】 jièzhù 〔动〕

靠别的人或事物的帮助(以达到目的)。(have the aid of)常做谓语(带宾语)。

例句 经过一年的努力,他借助词典可以阅读外文资料了。|要看得更远,得借助望远镜。|我借助朋友的关系才找到了一份工作。

【斤】 jīn 〔量〕

重量单位,1 斤等于 500 克。(*jin*; half a kilogramme)常构成短语做句子成分。

例句 A:虾只剩两斤了。B:两斤我都要了。|这苹果,每箱三十斤。|鸡蛋多少钱一斤?

【斤斤计较】 jīnjīn jìjiào 〔成〕

对一些细小或无关紧要的事情过分计较。(haggle over every ounce; be calculating)常做谓语、定语。

例句 什么事她都斤斤计较,从来不肯让人。|如果斤斤计较眼前的得失,事业是搞不成的。|我最怕跟斤斤计较的人打交道。

【今】 jīn 〔名〕

❶ 现在;现代。(now; modern times)常用于构词或用于固定短语。

词语 当今 今人 如今 古为今用 厚古薄今 今非昔比

❷ 当前的(年、天及其部分)。(present; this; today)常用于构词或用于短语。

词语 今天 今晨 今春 今日 今年 今夜

【今后】 jīnhòu 〔名〕

从今以后。(future)常做状语、定语。

例句 今后要加倍努力,把比赛打得更好。|过去花钱很随便,今后我得注意了。|今后的工作更艰巨。

辨析 〈近〉以后。“今后”指从目前到将来,“以后”指某一时刻之后,既可指过去,也可指将来;“以后”可以有定语,“今后”不行。如: * 昨天下班今后(“今后”应为“以后”)| * 今后的事很难说。(“今后”应为“以后”)

【今年】 jīnnián 〔名〕

说话时的这一年。(this year)常做主语、定语、状语、宾语。

例句 今年又是个丰收年。|今年的气候有点儿反常。|去年中国的 GDP 增长了 7%。|他毕业是今年不是明年。

【今日】 jīnrì 〔名〕

今天。(today)常做主语、状语、定语。

例句 今日立秋。|有个教育代表团预定今日到达。|下面报告今日天气。

【今天】 jīntiān 〔名〕

说话时的这一天;现在;目前。(today; this day; now; the present)常做主语、定语、状语、宾语。

例句 今天是中国的传统节日——春节。|你们年轻人的今天多么幸福啊!|我不喜欢把今天的事放在明天做。|今天的中国和二十年前大不一样了。|他今天到底还来不来了?|今天,农民过上了小康生活。|医生说,病人恐怕过不了今天了。|没有老一辈的奋斗,就没有我们的今天。

【金】 jīn 〔名/形〕

〔名〕❶ 一种贵重金属,用来制造货币、装饰品等。也叫金子、黄金。(gold)常用于固定短语或构词。

词语 一诺千金 一寸光阴一寸金 金钱 金额 黄金

❷ 意义见"金属"。(metal)常用于构词。

词语 五金 合金 金属

〔形〕❶ 金子的;像金子一样颜色的;比喻尊贵、贵重。(golden; highly respected; precious)常做定语,或用于"是…的"格式。也用于构词。

词语 金笔 金贵 金黄 金牌 金奖 金口玉言 乌金(煤) 金项链 金牙

例句 教堂的金顶在阳光下闪闪发光。|山窝窝飞出来个金凤凰。|她觉得项链不一定非是金的不可,漂亮就行。

【金额】 jīn'é 〔名〕

钱数。(amount of money; sum)常做主语、宾语。

例句 今天收入的金额是多少?|贷款金额为一千万元人民币。|请用大写数字填写汇款金额。

【金黄】 jīnhuáng 〔形〕

黄而微红略像金子的颜色。(golden)常做定语、谓语。

例句 金黄色的头发下面是一张熟悉的脸。|突然,眼前出现了一大片金黄金黄的菜花。|麦收时节,田野里一片金黄。|故宫在阳光下金黄金黄的。

【金牌】 jīnpái 〔名〕

奖牌的一种,奖给第一名。(gold medal)常做主语、宾语、定语。[量]块,枚。

例句 女子一万米的金牌由辽宁运动员夺得。|在全运会上,他荣获两块金牌。|为了夺金牌,运动员们常年刻苦训练。|金牌得主是一名初登乐坛的少年。|在奥运会上,中国队获金牌总数第四。

【金钱】 jīnqián 〔名〕

货币;钱。(money)常做主语、宾语、定语。[量]笔。

例句 金钱如果太多,也有不好的一面。|金钱不是万能的。|她结婚图的是男方的金钱。|为了金钱,有多少人犯了罪呀!|在金钱面前,他毫不动心。|金钱的腐蚀作用不可低估。

【金融】 jīnróng 〔名〕

指货币的发行、流通和回笼,贷款的发放和收回,存款的存取,汇兑的往来等经济活动。(banking; finance)常做定语、宾语。

例句 此人是金融界的专家。|我现在搞金融工作。|她在大学学的是金融。

【金属】 jīnshǔ 〔名〕

具有光泽和延展性,容易导电、传热等性质的单质。在常温下一般都是固体。(metal)常做主语、宾语、定语。[量]种。

例句 金属可以加工成多种产品。|金、银、铜、铁等都是金属。|韩国人喜欢用金属筷子。|金属的共性是什么?

【金鱼】 jīnyú 〔名〕

鲫(jì)鱼经过人工长期培养形成的变种,有红、黑、蓝、红白花等多种颜色,供观赏。(goldfish)常做主语、宾语、定语。[量]条,尾。

例句 金鱼是观赏鱼。|公园的池塘里有好多尾金鱼。|这种金鱼的尾巴很漂亮。

【津津有味】 jīnjīn yǒu wèi 〔成〕

形容特别有滋味、有兴趣。(with keen interest; heartily)常做状语、补语。

例句 赵阿姨津津有味地给大家讲她那段经历。|小梅津津有味地啃着一个苹果。|参观者正津津有味地欣赏着《海上日出》这幅油画。|大家听得津津有味,把时间都忘记了。|可能是饿了吧,连稀饭也喝得津津有味。|清洁工作十分辛苦,可她却干得津津有味。

【津贴】 jīntiē 〔名〕

〔名〕工资以外的补助费,也指实行供给制时发的生活零用钱。(allowance)常做主语、宾语、定语。[量]笔。

例句 每个月的津贴也有三四百块。|一发津贴,我就给你买。|年底补发了一笔野外作业津贴。|津贴数额每年都有增加。

【筋】 jīn 〔名〕

❶ 肌肉;韧(rèn)带。(muscle; tendon)常用于构词,也做主语、宾语。[量]条,根。

词语 筋骨 筋肉 蹄筋儿

例句 一天下来,累得筋都疼。|跑步的时候,不小心拉伤了筋。|经过手术,把筋接上了。

❷ 可以看见的皮下静脉。(veins that stand out under the skin)常做主语、宾语。[量]根。

例句 老人的手背上青筋暴出。|他气得太阳穴上起了青筋。

❸ 像筋的。(anything resembling a tendon or vein)常用于构词。[量]根。

词语 钢筋 橡皮筋儿

例句 我小时候可喜欢跳皮筋了。

【筋疲力尽】 jīn pí lì jìn 〔成〕

筋骨疲乏,力气用尽,形容极度疲劳。(utterly exhausted; played out; worn out; tired out; dead tired)常做谓语、补语、定语。

例句 黄太太为儿子的婚事忙碌了一个月,早已筋疲力尽。|工作一个接一个,简直把人搞得筋疲力尽。|筋疲力尽的王师傅坐在椅子上,一动也不想动。

【仅】 jǐn 〔副〕

❶ 表示限制在一定的范围内。有"只"的意思。(only; barely; merely)做状语。

例句 《鲁迅全集》这家图书馆仅有两套。|这附近西餐馆仅此一家。|车子太小,仅能坐四个人。|这次国际邀请赛,中国仅参加游泳和跳水。

❷ 有"单单"的意思。强调其中最突出的。(just)做状语。

例句 我们公司人才济济,仅博士就有四名。|全班同学的成绩都有提高,仅数学一科,平均分就提高五分。

【仅仅】 jǐnjǐn 〔副〕

表示限于某个范围。意思跟"只"相似而更强调。(only)做状语。

例句 仅仅花了十分钟,他就把车修理好了。|我们仅仅是一面之交,并不十分了解。|这座大桥仅仅半年就完工了。|仅仅三年,家乡就发生了这么大的变化。

【尽】 jǐn 〔副/介〕 另读 jìn

〔副〕❶ 力求达到最大限度。(to the greatest extent)常用于构词,也做状语。

词语 尽快 尽先

例句 怎么这么远?尽走也走不

到。|反正没事,你尽可以在那里玩上两天。

❷ 总是。(all;always)做状语。

例句 这些日子尽刮大风。|晚上尽看电视会影响健康的。|你尽吃素受得了吗?

❸ 最。(furthest; extreme)用在方位词前边做状语。

例句 尽里头还有个人。|当时,我就坐在尽边上。|车队尽前边是辆彩车。

〔介〕表示把某些人或某种事物放在优先地位对待。也写做"尽着"。(give priority to)常构成介宾短语做状语。

例句 别客气,先尽大的吃。|单人间不多,尽岁数大的住吧。

【尽管】 jǐnguǎn 〔副/连〕

〔副〕表示没有条件限制,可放心去做。(feel free to;not hesitate to)做状语。

例句 有问题,大家尽管问。|有困难,请尽管提出来。|你尽管去吧,家里的事不用担心。

〔连〕表示先承认某种事实,与"虽然"相当。(although;even though; despite)常用于转折复句的前一小句,常同"但是"、"但"、"可是"、"却"、"也"、"还是"等配合。

例句 尽管下着大雨,她还是去了。|尽管困难很多,我们也按时完成了任务。|他尽管身体瘦小,可没什么病。|他一直在场上坚持比赛,尽管他已经受了伤。

【尽快】 jǐnkuài 〔副〕

尽可能快地。(as quickly as possible)做状语。

例句 要尽快解决灾区的防病问题。|我想尽快赶到目的地。|你放心,你的要求我们尽快研究。

【尽量】 jǐnliàng 〔副〕

力求达到最大限度。(to the best of one's ability)做状语。

例句 大家明天尽量早点儿来。|尽量使用新技术,才能很快赶上世界先进水平。|能带的尽量带着,省得到那儿还得花钱买。

【紧】 jǐn 〔动/形〕

〔动〕使固定、牢固。(tighten)常做谓语。

例句 演奏前,得先把琴弦紧紧。|背包带紧过之后,得劲儿多了。|他紧了紧腰带继续干。

〔形〕❶ 物体受到压力或拉力,呈现的状态。(tight; taut; close)常做状语、补语、谓语。

例句 排球网紧绷着。|绳子捆得太紧了!|鞋带有点儿紧,松松再走。

❷ 非常接近,空隙极小。(close; tight)常做谓语、状语、补语。

例句 这个抽屉(chōuti)太紧,拉不开。|学生食堂紧靠图书馆。|他俩坐在长凳上,挨得紧紧的。

❸ 动作密切相连;事情急。(pressing; vital; urgent)常做谓语、补语、状语。

例句 这个月的生产任务很紧。|大家要抓紧时间把作业做完。|公安人员紧追不舍,终于抓住了小偷。

❹ 物体受力变得固定或牢固。(firm; tight)常做状语、补语。

例句 学生们紧紧地盯着黑板。|拿紧点儿,别掉了。

❺ 经济不宽裕。(short of money; hard up)常做谓语。

例句 孩子小时候，家里生活很紧。|他家三口人，都有工作，所以经济上从没紧过。|这两天，我手头紧一点儿，过几天还你怎么样？

【紧急】 jǐnjí 〔形〕

必须立即采取行动，不允许拖延的。(urgent)常做定语、谓语、补语、状语。

例句 一接到紧急通知，我们就出发了。|情况十分紧急，必须马上采取紧急措施。|任务紧急，赶快行动吧。|事情来得非常紧急，大伙一时不知怎么办才好。|上级紧急命令我们迅速派医务人员赶赴事故现场。

【紧密】 jǐnmì 〔形〕

❶ 十分密切，不可分隔。(inseparable；close)常做谓语、状语、补语。

例句 这两件事关系非常紧密，无法分开。|运动员们紧密团结，共同努力，终于取得了胜利。|这两部分结合得很紧密，应该一起讲。

❷ 多而连续不断。(rapid and intense)常做定语、谓语。

例句 紧密的雨点打在她脸上，有些疼。|外面的枪声十分紧密。

【紧迫】 jǐnpò 〔形〕

没有缓冲的余地。(urgent)常做谓语、定语。

例句 形势紧迫，马上决定吧。|这个任务非常紧迫，得抓紧行动。|保护环境是当前最紧迫的工作。|事情已经到了异常紧迫的地步，不能再犹豫了。

【紧俏】 jǐnqiào 〔形〕

(商品)紧缺，销路好。(hard-to-get)常做定语、谓语。

例句 对紧俏物资，政府要加强调控。|今年夏天特别热，空调成为紧俏商品。|商品越紧俏，售后服务越应该跟上。|这种节能小汽车最近十分紧俏。

【紧缩】 jǐnsuō 〔动〕

缩小。(reduce)常做谓语、定语。

例句 厉行节约，紧缩开支。|必须紧缩人员编制和办公经费。|公安人员紧缩包围圈，终于抓住了逃犯。|这篇文章还要紧缩紧缩。|请把材料紧缩在 2000 字以内。|“不见不散”是一个紧缩复句。

【紧张】 jǐnzhāng 〔形〕

❶ 精神处于高度准备状态，兴奋不安。(nervous)常做谓语、定语、状语、补语。

例句 上场前，我心里十分紧张。|一想到考试，她不禁紧张起来。|他紧张得满脸通红。|他每天紧紧张张的，生怕出事。|直到爸爸来了电话，妈妈紧张的心情才平静下来。|她努力地把紧张的情绪平和下来。|他紧张地思考着怎么答复对方。|主持人一说“比赛开始”，我就变得更紧张了。

❷ 激烈或紧迫，使人精神高度集中。(tense)常做定语、状语、谓语、补语。

例句 我喜欢那段紧张的学习生活。|紧张的比赛开始了。|工程进入了紧张的施工阶段。|冠亚军争夺赛正紧张地进行着。|工人们紧张地抢修大桥桥面。|这部电影的情节十分紧张。|我的工作不太紧张。|大三学习紧张得很。|比赛场面紧张极了。|你注意点儿，别把关系搞得太紧张了。

❸ 供应不足，难于应付。(tight)常

做谓语、定语。

例句 现在是旅游淡季，车票不太紧张。|住房紧张，即将成为历史。|交通紧张的状况目前有所缓解。|有些原材料十分紧张。

【锦上添花】 jǐn shàng tiān huā 〔成〕

在有彩色花纹的丝织品上再绣上花。比喻好上加好。(add flowers to the brocade — make what is good still better)常做谓语、补语。

例句 我们正玩得高兴，太阳出来了，照得大家暖烘烘的，真是锦上添花。|好商品，还需要好包装。这样锦上添花，肯定能打开市场。|这两年他日子过得锦上添花，今年儿子又考上了大学。

【锦绣】 jǐnxiù 〔名〕

精美鲜艳的丝织品。常比喻华丽或美好。(beautiful brocade)常做定语、宾语。

例句 这个景点叫"锦绣中华"。|我爱祖国的锦绣河山。|祖国大地似锦绣。

【谨】 jǐn 〔形〕

〔形〕❶ 小心，慎重。(careful; cautious)常用于构词或用于固定短语。也做状语。

词语 谨严 谨慎 谨小慎微

例句 老师的话我要谨记在心。|望大家谨守规程。

❷ 郑重；恭敬。(respectful)常做状语。

例句 谨向您表示热烈的祝贺！|谨致谢意。

【谨慎】 jǐnshèn 〔形〕

对外界事物或自己的言行密切注意，以免发生不利或不幸的事情。(careful; prudent)常做定语、谓语、状语、补语。

例句 老刘是个谨慎的人。|你是不是太谨慎了？|他处事很谨慎。|王小姐谨慎地打量着客人。|关于投资问题，总裁对记者回答得十分谨慎。

【尽】 jìn 〔动/副〕 另读 jǐn

〔动〕❶ 完，死。(die; exhaust; finish)常做谓语、补语。

例句 取之不尽，用之不竭。|政府想尽办法帮助贫困地区走向富裕。|父母为孩子真是操尽了心。

❷ 全部用出，用力完成。(try one's best; put to the best use)常做谓语。

例句 他对工作一直尽心尽责。|物尽其用，人尽其才。|说实话，我们已经尽了最大的努力了。|保护环境是每个公民应尽的义务。

〔副〕都；全。(all; whole; to the end)常做状语。

例句 尽善尽美。|周末，商场里尽是人。|虽不尽如人意，但已经有了不小的变化。|你尽吃肉，不怕发胖吗？

▶ "尽"也做形容词，指"全"、"所有的"。如：尽人皆知。

【尽力】 jìn lì 〔动短〕

用一切力量。(do all one can; try one's best)常做谓语、状语。中间可插入成分。

例句 我们一定尽力。|在她最需要的时候，没能为她尽上力。|只要尽力了，就是不成功也不后悔。|医生已经尽了力，您也别太难过。|您放心，我们一定尽力帮助他。|只要有一线成功的希望，也要尽力争取。

【进】 jìn 〔动〕

❶ 向前移动、发展。(move forward;advance)常做谓语。

例句 长谈之后,两个人的关系更进了一层。|高举着红旗向前进。|我军迅速东进。|战胜了这个对手,就向最后的胜利又进了一步。

❷ 从外面到里面。(come into;enter)常做谓语。

例句 父亲没进过大学。|请进。|(标牌)闲人免进。|上半场进了两个球。|进屋里说吧。

❸ 收入,接纳。(admit;take on;take up)常做谓语。

例句 九月,学校又进了一批新生。|昨天,商店里刚进了两种新式衬衫。|这批货质量有问题,不能进。|这两年,我们单位没进过人。

❹ 在动词后,表示人或事物随动作从外面到里面。(in;into)常做补语。

例句 这个股票好,可以买进。|公司调进了一位博士。|我记得把钱包放进上衣口袋了。|你放心,他听得进大家的意见。|从外边走进几个青年学生。|我上个月刚搬进新居。|有个孩子不小心掉进河里了。

【进步】 jìnbù 〔形/动〕

〔形〕适合时代要求,促进社会的。(progressive)常做定语、谓语、宾语。

例句 因为有了进步的表现,他受到大家的欢迎。|那时,许多进步青年是在进步书籍的影响下参加进步组织的。|这批新职工思想进步,又有文化知识。|到了大学,你得积极要求进步啊。

〔动〕(人或事)比原来有所发展、提高。(make progress)常做谓语、宾语、主语。

例句 这里的卫生比以前进步多了。|最近,她的汉语进步得很快。|虚心使人进步,骄傲使人落后。|弟弟的成绩有了很大的进步。|近来他工作上的进步十分明显。

【进程】 jìnchéng 〔名〕

事物变化或进行的过程。(process)常做主语、宾语、定语。[量]个。

例句 整个谈判的进程很快。|历史进程不以哪个人的意志为转移。|为了缩短施工进程,工人们日夜奋战在工地。|前辈们的奋斗加速了现代化的进程。|在改革的进程中,会出现这样那样的矛盾和问题。

【进而】 jìn'ér 〔连〕

继续往前,进一步。(and then)用于复句的后一小句。

例句 这个新方法,首先进行了试验,进而在全厂推广。|学好基础课,进而才能学好专业课。|弄懂这个问题之后,才能进而研究其他问题。

【进攻】 jìngōng 〔动〕

接近敌人并主动攻击;也指在斗争或竞赛中发动攻势。(attack)常做谓语、宾语、主语。

例句 你们团正面进攻敌人。|进攻过几次,都没成功。|进攻了80分钟才攻入一球。|在我方炮火的还击下,敌人停止了进攻。|A队在对方门前连连发起进攻,终于破门得分。|我们打退了敌人一次又一次的进攻。|在比赛中,双方的进攻都很积极主动。

【进化】 jìnhuà 〔动〕

事物由简单到复杂、由低级到高级

J

逐渐变化。(evolve)常做谓语、定语、宾语、主语。

例句 生物由低级到高级逐渐进化。|达尔文第一次提出"自然选择"的进化原理。|科学技术极大地促进了社会的进化和发展。|植物的进化是在生存竞争中"适者生存"的结果。

【进军】 jìnjūn 〔动〕

军队向目的地前进;也泛指向某一目标或目的地前进。(march; advance)常做谓语、定语。

例句 向现代化进军。|向沙漠进军。|部队正在向西线进军。|考察队即将进军南极。|进军的号角已经吹响。

【进口】 jìn kǒu 〔动短/名〕

〔动短〕外国或外地区的货物运进来。(import)常做定语、谓语。

例句 进口货不一定都好。|这些进口商品已经报关了。|我们需要从先进国家进口技术和成套设备。|某些产品因为关税较高进不了口。

〔名〕进入场地或建筑物所经过的门或口儿,常读"进口儿"。(entrance)常做主语、宾语。

例句 单号座席的进口在这边。|对不起,这是进口,出口在那儿。

【进来】 jìn lái 〔动短〕

❶ 从外边到里边(说话人在里边)。(come in)常做谓语(宾语放在"进"和"来"之间)、定语。

例句 你现在可以进来了。|小猫从门缝里进来了。|这间仓库进来过人。|请进教室来吧。|刚才进来的那个人,我不认识。

❷ 表示随着某动作到里边来。(in)做补语。当动词后有宾语时,一般事物和人的主语既可在"进来"中间,也可在"进来"之后;处所宾语必须在"进来"中间。

例句 门一开,跑进来几个小孩儿。|阳光从玻璃窗照进来。|突然从外面飞进来一只小鸟。|不能把狗带进教室来。

【进取】 jìnqǔ 〔动〕

努力上进;立志有所作为。(keep forging ahead)常做谓语、宾语、定语。

例句 我们要积极进取。|这孩子一向不求进取,把家长都急坏了。|新来的主任进取心很强。|应当提倡不断进取的精神。

【进去】 jìn qù 〔动短〕

❶ 从外面到里面(说话人在外边)。(go in)常做谓语(带处所宾语必须放在"进"和"去"之间)、定语。

例句 你怎么不进去?|这个宾馆我从来没进去过。|会场又进去了一批人。|眼睛里如果进去东西得马上清除。|咱们进屋去吧。|他跟踪的人进商店去了。|刚才进去的那个人是谁?

❷ 表示随动作到里面去。(in)做补语。当动词带的宾语是一般事物或人时,放在"进去"中间或"进去"之后都可以;但宾语是处所时,必须放在"进去"中间。

例句 小狗从花园的栅栏钻了进去。|不知从哪儿跑进去一群孩子。|还是把这些书放进书柜去吧。|*把车开进去车库。(应为"把车开进车库去")

【进入】 jìnrù 〔动〕

到了某个时间或某个范围里。(enter; get into)常做谓语。

例句 七十年代末，中国进入了改革开放的新时期。|目前，独生子女已经陆续进入婚育年龄。|当代表团成员进入会场的时候，全场响起热烈的掌声。|(标牌)非本室人员，请勿进入。

【进行】 jìnxíng 〔动〕

从事(某种持续性的正式的活动)。(conduct)常做谓语、定语。

例句 治好这种病得进行两次手术。|会谈还在进行。|这件事我们进行过详细的调查。|就“五年计划”代表们进行了充分的讨论。|会议进行了半个月。|抽奖活动还在进行的过程中。

▶“进行”的宾语常常是动词性非单音节词语。

【进修】 jìnxiū 〔动〕

为了提高政治或业务水平而离开岗位去进一步学习。(engage in advanced studies)常做谓语、定语。

例句 他曾经进修过《语言学》。|有机会我也要进修进修。|李老师将去国外进修一年。|有不少人在职进修博士课程。|进修费用谁负担？|你们那儿进修机会多不多？

【进一步】 jìn yí bù 〔动短〕

表示事情的进行在程度上比以前有所提高。(go a step further)常做状语、定语、谓语。

例句 国家正在进一步普及九年制义务教育。|进一步推广普通话的任务很艰巨。|进一步提高教学质量是教育改革的中心问题。|通过这件事，大家对法律的重要性有了进一步的认识。|在共同的学习生活中，我们彼此有了进一步的了解。|祝你们百尺竿头，更进一步。

【进展】 jìnzhǎn 〔名/动〕

〔名〕(事情)向前发展的情况。(progress; head way)常做主语、宾语、定语。

例句 试验的进展如何？|地铁工程的进展很顺利。|经过双方的努力，合作取得了重大进展。|文件发下去两个多月，工作却没见一点儿进展。|老城改造的进展速度很快。|中科院对这项重点项目的进展情况非常关注。

〔动〕(事情)向前发展。(proceed)常做谓语(不带宾语)。

例句 两国间的文化交流进展得很顺利。|你们的研究进展得怎么样了？|没想到事情会进展得这么快。

辨析 〈近〉发展。“进展”重在事情有起色，使用范围较广；“发展”重在由小到大，由低级到高级，由轻到重等，多用于较大、较正式的事物。此外，“进展”不能带宾语，一般为褒义；“发展”可带宾语，为中性词。如：* 工程发展顺利。(“发展”应为“进展”)|* 灾情进一步进展。(“进展”应为“发展”)

【近】 jìn 〔形/动〕

〔形〕空间或时间距离短。(close; near)常做谓语、定语、补语、状语、宾语。

例句 我家离公园很近。|走这条路近多了。|俗话说：远水解不了近渴。|近几个月他身体好多了。|我们两家住得很近。|等那个人走近了，我才认出是老张。|花瓶上有个小黑点儿，近看才看得出来。|你怎么舍近求远呢？|从这儿走，图的是近。

〔动〕向某一点运动，使距离、时间等

缩短。(approach; draw near)常做谓语。

例句 老校长平易近人。|运动会已近尾声,只剩下一万米跑了。|这么做,也太不近人情了!|第一天参观的人数就近万人。|夕阳无限好,只是近黄昏。|他已年近花甲,但仍辛勤工作在科研第一线。

【近代】 jìndài 〔名〕

过去距离现代较近的时代。中国通常指1840年至1919年五四运动之间的时期。(modern times)常做定语、主语、宾语。

例句 我非常喜欢近代史和近代文学。|中国的近代是从鸦片战争算起的。|这么多重大事件都发生在近代。

【近来】 jìnlái 〔名〕

指过去不久到现在的一段时间。(recently)常做状语、定语。

例句 我先生近来很忙,没有时间来看你。|近来我身体不大好,无法参加演出。|近来的天气十分寒冷。

辨析 〈近〉最近。"近来"只指说话前不久到说话时的时间,而"最近"指说话前后不久的时间;"近来"用于其间一直或经常存在的情况,"最近"还可用于短时存在的情况。如:*近来小王去过一趟上海。("近来"应为"最近")

【近年】 jìnnián 〔名〕

刚过去的几年。(recent years)常做状语、定语。

例句 这里近年连续发生过三次森林大火。|自费出国留学生近年迅速增加。|近年来,高校不断扩大招生数量。

【近期】 jìnqī 〔名〕

最近的一段时期。(in the near future)常做状语、定语。

例句 据行家分析,股市近期不会有太大的变化。|近期我区没有破坏性地震。|近期的天气,变化无常。

【近视】 jìnshì 〔形〕

视力缺陷的一种,能看清近处的却看不清远处的东西;比喻目光短浅。(myopic; shortsighted)常做谓语、定语、补语。

例句 从她的眼镜就知道,她近视得厉害。|我的视力正常,一点儿也不近视。|如果现在还不采取措施吸引人才,就太近视了。|中学生有不少是近视眼。|从那以后,我的眼睛变得越来越近视了。

【近水楼台】 jìn shuǐ lóu tái 〔成〕

因接近某人或某事物而优先得到好处。(waterside pavilion——a favorable position)常做谓语、宾语。

例句 A:音乐会的票太难买了!B:我朋友能搞到,他在音乐厅工作,近水楼台嘛!|人家一天就办完手续,那叫近水楼台,咱们怎么能跟人家比?

▶"近水楼台"也说"近水楼台先得月"。如:她在银行负责贷款,近水楼台先得月,给自己弄了套又便宜又好的房子。

【近似】 jìnsì 〔动〕

相近或相像但不相同。(be close to)常做谓语。

例句 这么做近似无情,却体现了对子女的真爱。|我的看法跟他十分近似。|他这话听起来近似于批评。

【劲】 jìn 〔名〕 另读 jìng

❶ 力气,力量。(strongness; force)

常做主语、宾语。[量]把。

例句 你的劲儿可真大。|大伙都累得一点儿劲儿也没有了。|没怎么用劲儿,就把瓶盖打开了。|他使出了吃奶的劲儿,也无济于事。|再加把劲儿,就上去了。

❷ 精神、情绪。(spirit; vigor)常做宾语。[量]股。

例句 我们越干越来劲。|年轻人一般都有股冲劲儿。|搞科研没有钻研劲儿哪儿行?

❸ 神情、态度。(manner)常做宾语、主语。[量]股。

例句 看着孩子那股高兴劲儿,妈妈早把疲劳忘了。|成名之后,他脸上总是带着一股得意劲儿。|他俩那亲热劲儿,真令人羡慕。|瞧她那不冷不热的劲儿,像谁都欠她似的。

❹ 趣味。(interest)常做"有"、"没有"的宾语。

例句 跟小孩儿玩,真没劲。|这几个学生打电玩打得特别有劲儿。

【劲头】 jìntóu 〔名〕

力量,力气;积极的情绪。(energy; spirit; vigor)常做主语、宾语。[量]股。

例句 没想到这台起重机劲头那么大。|别看他个头小,劲头可不小。|一说起上网,同学们就劲头十足。|没有力争上游的劲头,怎么能干好呢?|在球场上,他有股拼命的劲头。

【晋升】 jìnshēng 〔动〕

提高(职位或级别)。(promote)常做谓语、宾语。

例句 他于去年晋升为中将。|因为见义勇为,厂里给他晋升了两级工资。|在他三十年的工作生涯中,职务晋升过多次。|退休前,她的级别又得到了晋升。

【浸】 jìn 〔动〕

❶ 泡在液体里。(immerse; steep; soak)常做谓语。

例句 把衣服浸浸再放洗衣粉。|为抢修大桥,战士们在河中浸了一夜。|这么多衣服,盆子里根本浸不下。|那些种子经药水浸过。|把西瓜放在冰水里浸一浸再吃。

❷ 液体渗入。(permeate)常做谓语。

例句 没关系,这点儿雨,书包浸不透。|不一会儿,汗就把内衣浸湿了。

【禁】 jìn 〔动〕

❶ 明令取消、制止。(ban; prohibit)常做谓语。

例句 (标牌)仓库重地,严禁烟火。|(标牌)闲人禁入。|手术后需禁食一天。|禁毒工作已经取得了一定成果。

❷ 关押。(imprison)常做谓语。

例句 老虎禁在笼子里,就伤不着人了。|当年,许多烈士生前曾被禁于此。

【禁区】 jìnqū 〔名〕

禁止一般人进入的地区(forbidden zone)常做主语、宾语、定语。[量]个。

例句 前面那个军事禁区,没有通行证不让进。|科学无禁区。|在禁区捕捞,要罚款的。|除了禁区以外,都可以参观。|禁区的动植物受到国家的保护。

【禁止】 jìnzhǐ 〔动〕

不许可。(forbid; prohibit)常做谓语、宾语。

例句 (标牌)禁止吸烟。|禁止非法出版物。|违章操作必须严格禁

止。|这类不健康的娱乐活动,早该禁止禁止了。|这里的赌博活动为什么总禁止不住?|因修路,这里禁止机动车辆通行。|走私受到法律的严厉禁止。|破坏森林的行为经过多年禁止,已经大为减少。

【茎】 jīng 〔名〕

❶ 植物体的一部分,下部和根连接,上部一般都生有叶、花和果实。(stem;stalk)常做主语、宾语、定语。[量]根。

例句 这种花茎是一节一节的,很好看。|马铃薯不是根,是块茎。|你看,茎的上部已经长出了新叶。

【京】 jīng 〔名〕

首都;特指中国的首都北京。(the capital of a country; short for"北京")常用于构词,也做宾语。

词语 京城 京都 京剧 京味儿 京腔

例句 他的京腔可真浓。|这几趟都是进京的列车。|赴京参加国庆观礼的代表已经全部到京。

【京剧】 jīngjù 〔名〕

中国有代表性的主要剧种。以西皮、二黄为主要腔调,分生、旦、净、丑等角色,有唱、念、做、打等表演方式。也叫京戏。(Beijing opera)常做主语、宾语、定语。[量]部,出。

例句 京剧不仅在中国,在世界上也有许多爱好者。|京剧是中国的国粹(cuì)。|爷爷最爱看京剧了。|彼得不但汉语好,还会唱两段京剧呢。|京剧的念白对留学生来说是难了点儿。|很多京剧爱好者正在为保存和发扬京剧艺术而努力。

【经】 jīng 〔名/动/介〕

〔名〕❶ 织物上纵的方向的纱、线或地球表面东西距离的度数。(warp; longitude)常用于构词。

词语 经纱 经线 经纬 东经 经度

❷ 中医指人体内气血运行通路的主干;月经。(emmenia;channels)常用于构词。

词语 经络 舒经活血 月经 经血 痛经

❸ 传统的、宗教的权威著作。(classics)常做宾语、主语,也用于构词。[量]种。

词语 诗经 经典 经书 佛经 圣经

例句 父亲从小就教他读诗,读经。|那和尚念的什么经?|"十三经"都有哪些?

〔动〕❶ 管理;治理。(administer)常用于构词,也做谓语。

词语 经纪 经理 经营

例句 父亲年轻时经过几年商。

❷ 通过。(go through)常做谓语。

例句 经年累月的野外作业使老王变得黑黑的。|火车途经天津到沈阳。|协议几经反复,终于达成了。

❸ 亲身感觉;承受。(experience)常做谓语。

例句 她经不起这沉重的打击,一下子病倒了。|年轻人应该多经风雨,见世面。|是真理就应当经得起实践的检验。|小树竟经住了10级台风。

〔介〕通过(引出某一行为或行为的发出者)。(by way of; via)构成介宾短语做状语。

例句 经协商,问题得到解决。|我们是经他人介绍认识的。|经专家鉴定,这幅字是宋代的。

【经常】 jīngcháng 〔副/形〕

〔副〕同样的情况多次发生。(often; frequently; constantly)常做状语。

例句 屋里得经常打扫。|最近经常下雨,比较潮。|这儿倒不经常有大剧团来演出。|几个朋友经常去他那儿吃饭。|我们几个留学生经常用汉语交谈。

〔形〕平常的,日常的。(day-to-day)常做定语。

例句 工作一忙就不能按时吃饭,那是经常的事。|开展群众体育活动,是一项经常性的工作。

【经典】 jīngdiǎn 〔名〕

具有权威性的著作。(classics)常做主语、宾语。

例句 佛教的经典叫佛经。|这些书都是经典,得好好研究研究。

▶"经典"也做形容词,指著作具有权威性的。如:音乐会上演奏了十九世纪的经典作品。|鲁迅、巴金、郭沫若是中国现代的经典作家。

【经费】 jīngfèi 〔名〕

经常支出的费用。(expense; funds)常做主语、宾语、定语。[量]笔。

例句 项目是好项目,可经费不足怎么办?|这笔经费由两个渠道解决。|今年的办公经费比去年少一点儿。|要节约各项经费。|最近我申请到了一笔科研经费。|会上报告了经费的使用情况。

【经过】 jīngguò 〔动/名/介〕

〔动〕通过。(go through; pass)常做谓语。

例句 从车站到码头要经过两个广场。|这趟车不经过南京。|长江经过11个省市。|从北京到香港,经过了三个多小时的飞行。|你这个决定经过研究了吗?

〔名〕过程;经历。(course; experience)常做宾语、主语。[量]个。

例句 他讲述了发现大熊猫的经过。|记者现场报道了抢救伤员的经过。|这次活动的全部经过,电视台都作了转播。|事情的经过就是这样。

〔介〕通过。(after; through)常构成介宾短语做状语。

例句 经过这次活动,我才真正了解了她。|经过实习,同学们对知识掌握得更好了。|他经过三年的刻苦努力,终于取得了成功。|专家们经过几次研究,提出了现在这个方案。

【经济】 jīngjì 〔名/形〕

〔名〕❶ 社会物质生产和再生产的活动。(economy)常做主语、宾语、定语。

例句 市场经济已经取得了很大的发展。|经济搞不上去怎么行?|张市长分工抓经济。|为了保护和发展私有经济,国家出台了新的政策。|不按经济规律办事是要受到惩罚的。|我们公司既讲经济效益,也讲社会效益。

❷ 集体的收支情况及个人的生活用度。(financial condition)常做主语、定语。

例句 他经济不宽裕,别为难他了。|因为家庭经济困难,我申请了助学贷款。|那些经济条件不错的,已经买了房子和车。|上半年,厂里的经济状况有了好转。

〔形〕使用较少的人力、物力、时间,获得较大的成果。(economical)常做谓语、定语。

例句 快餐既经济又方便，很受欢迎。|靠引进先进技术改造老企业比较经济。|有没有更经济的办法？

【经理】 jīnglǐ 〔名〕

某一企业的经营管理者。(manager)常做主语、宾语、定语。[量]位，个。

例句 对不起，经理不在。|经理不同意，我有什么办法？|我想找你们经理谈谈。|这些年，中国出现了不少大大小小的经理。|还是先听听经理的意见吧。

【经历】 jīnglì 〔动/名〕

〔动〕亲眼见过，亲身做过或遭遇过。(experience; suffer)常做谓语、定语。

例句 谁没经历过欢乐和痛苦呢？|中国正在经历着一场伟大的社会变革。|人的一生要经历各种各样的事情。|当年经历的风风雨雨又出现在眼前。

〔名〕亲眼见过，亲自做过或遭遇过的事情。(sufferings; experience)常做主语、宾语。[量]段。

例句 他的经历可不简单。|坎坷(kǎnkě)的经历使她过早地衰老了。|我跟男朋友有着一段特殊的经历。|老爷爷给孩子们讲述过去的经历。|这本书是根据他的亲身经历写成的。

【经商】 jīng shāng 〔动短〕

经营商业；做生意。(engage in trade)常做谓语、主语、定语。中间可插入成分。

例句 有的人已经弃文经商了。|他大学毕业以后，在城里经过几年商。|经商可不是件容易的事。|他虽然失败了，但是并没放弃经商的打算。|我哪有经商的本事？

【经受】 jīngshòu 〔动〕

承受。(stand)常做谓语。

例句 防洪大坝成功地经受住了特大洪水的冲击。|那件事曾使他经受过巨大的压力。|在死神面前，队员们经受了一次严峻的考验。|她再也经受不了这样的打击了。

【经销】 jīngxiāo 〔动〕

经手出卖。(sell on commission)常做谓语、定语。

例句 这个小店经销各种小食品。|我们绝不经销假冒伪劣产品。|新品种西红柿受到经销商的欢迎。

【经验】 jīngyàn 〔名〕

由实践得来的知识或技能。(experience)常做主语、宾语。[量]个，条。

例句 李总经验非常丰富。|这几条经验值得我们好好学习。|那里的绿化经验很有推广价值。|及时总结经验可以更好地前进。|双方交流了社区服务经验。|顾大夫在治疗皮肤病方面很有经验。

【经营】 jīngyíng 〔动〕

筹划并管理(企业等)，泛指计划和组织。(manage; deal in; operate)常做谓语、宾语。

例句 她经营了一个服装精品店。|下岗后，夫妻俩就经营着这个茶馆。|几年前他经营过一个小公司。|这家面包房经营得很红火。|这支小乐队苦心经营十多年之后，成为了一个大型乐团。|无论是搞生产还是搞经营都离不开现代科学技术。

【惊】 jīng 〔动〕

❶ 害怕；由于突然受到刺激而精神紧张；又指骡马受刺激后狂奔乱跑。(be frightened; start; stampede)常做谓语、宾语。可用于构词或固定结构。

例句 见到她，我又惊又喜，差点儿叫出声来。|不好了，马惊了！|眼前的情形使我惊呆了。|听说她辞职"下海"了，我很吃惊。

❷ 使害怕、紧张。(fear; frighten; alarm)常做谓语、宾语。

例句 小点儿声，别惊着孩子。|在路上意外地惊跑了一只兔子。|一定要保密，不要打草惊蛇。|有匹马受了惊，拉着车拼命地跑。

【惊动】 jīngdòng 〔动〕

举动、消息等影响旁人，使吃惊或受侵扰。(alarm; disturb; start; be startled)常做谓语。

例句 马市长下基层，从不惊动老百姓。|这不幸的消息惊动了全村人。|先不要惊动大家，咱们几个知道就行了。|他睡得特别死，这点儿声儿惊动不了他。|昨夜我同屋病了，惊动了我好几次。|吵闹声惊动了警察。

【惊慌】 jīnghuāng 〔形〕

害怕，慌张。(alarmed; panic-stricken)常做谓语、状语、定语。

例句 即使在紧要关头，他也没惊慌过。|在电话中，她惊慌得说不出话来了。|面对洪水，人们毫不惊慌。|来人惊慌地报案："我被盗了！"|那个年轻人惊慌的神色，引起了公安人员的注意。|看到她惊慌的样子，大家不知出了什么事。

【惊奇】 jīngqí 〔形〕

觉得很奇怪。(wondering; amazed; shocked)常做谓语、状语、定语、宾语。

例句 我很惊奇：小老虎有位狗妈妈。|整台魔术节目令观众惊奇不已。|在异国他乡碰见我，她惊奇得半天说不出话来。|游客惊奇地问："这些都是中国产的吗？"|他惊奇地看着我，好像我是天外来客。|孩子们个个都露出惊奇的目光。|参观者显示出惊奇的神情。|他的故事，使孩子们感到无比的惊奇。

【惊人】 jīngrén 〔形〕

使人吃惊。(surprising)常做谓语、状语、定语、补语。

例句 工程浩大，投资惊人。|蚂蚁的生命力十分惊人。|座谈会上，他妙语惊人。|虽然我们互不相识，但研究的方法却惊人地相似。|在绘画艺术上，她取得了惊人的成就。|他以惊人的毅力游过了渤海湾。|这条鲸大得惊人。|拍卖会上有件象牙球，价格高得惊人。

【惊心动魄】 jīng xīn dòng pò 〔成〕

形容使人感受很深，震动很大。(soul-stirring; profoundly affecting; struck with fright or horror)常做谓语、定语。

例句 回想起在井下与死神搏斗的八天八夜，至今仍惊心动魄。|山那边那惊心动魄的炮声，一直持续到黎明。

【惊讶】 jīngyà 〔形〕

感到很奇怪。(surprised; amazed)常做谓语、定语、状语、宾语。

例句 这消息使人非常惊讶。|目睹这一情景，在场的人都惊讶得目瞪口呆。|她带着惊讶的表情看着

我。|他用惊讶的口吻说："怎么这事你真不知道?"|我惊讶地看着她那身穿戴，说不出一句话。|她惊讶地说："真没想到!"|一个只学了一年汉语的外国人竟说得这么流利，让我感到惊讶。

【惊异】 jīngyì 〔形〕

觉得非常奇怪。(amazed)常做谓语、定语、状语、宾语。

例句 那里至今仍保留着原始社会的某些风俗，我很惊异。|这情景使我惊异得不敢相信自己的眼睛。|笼子里的狐狸用惊异的目光看着这些不速之客。|没想到，她竟显出十分惊异的样子。|我惊异地望着这一切。|他惊异地问："你怎么知道我在这儿?"|对此，大家都觉得十分惊异。

【兢兢业业】 jīngjīng yèyè 〔成〕

兢兢：小心谨慎；业业：担忧害怕。形容做事小心谨慎，认真负责。(cautious and conscientious)常做谓语、定语、状语。

例句 几十年来，他一直兢兢业业，埋头苦干。|组长对工作总是兢兢业业，一丝不苟的。|此人缺乏兢兢业业的工作作风。|她这种兢兢业业的态度令人佩服。|我们都该兢兢业业地做好本职工作。|父亲兢兢业业地做了一辈子图书管理员。

【精】 jīng 〔形/名〕

〔形〕❶ 经过提炼、挑选的；完美；细。(extractive)常做谓语、补语、状语、定语。

例句 这篇小说构思精，语言美。|您的上衣做工很精。|看起来材料选得相当精。|李老师讲得少而精。|李妈妈过日子精打细算。|外语教学精讲多练比较好。|这批礼物得精选一下。|这几种都是精米。

❷ 机灵，心细。(clever; smart)常做谓语。

例句 现在的孩子比我们那时候精多了。|这两只猴子精得像人似的。

❸ 对学问、业务等非常了解和熟练。(skilled; conversant; proficient)常做谓语、补语。

例句 只有业务精才能工作好。|李大夫精于针灸。|她在计算机方面搞得非常精。

〔名〕❶ 指人的意识、思维和心理。(spirit; essence and energy)常用于固定短语或构词。

词语 聚精会神 精疲力竭 精力 精神

❷ 提炼出来的最好的部分。(essence; extract)常用于构词。

词语 香精 酒精 蜂王精 鸡精

【精彩】 jīngcǎi 〔形〕

优美，出色。常用于表演、展览、言论、文章等。(wonderful; magnificent)常做谓语、定语、补语。

例句 那场足球赛十分精彩。|本次展会精彩极了。|在大会上，他做了精彩的演讲。|相声是晚会上最精彩的节目之一。|有几篇毕业论文写得很精彩。|那位青年演员演得精彩极了。

【精打细算】 jīng dǎ xì suàn 〔成〕

(在使用人力物力上)仔细地计算。(careful calculation and strict budgeting)常做谓语、状语。

例句 王女士很会精打细算，是个持家能手。|由于尽量精打细算，工程造价降低了20%。|即使现在条件好了，我们也要精打细算地过日子。

【精华】 jīnghuá 〔名〕
最好、最纯、最重要的部分。(the best; the purest; the most important; prime)常做宾语、主语、定语。

例句 他们三位是全校毕业生中的精华。|取其精华,去其糟粕。|国画作品的精华将于本月15日在艺术馆展出。|这些民族的精华是我们的骄傲。|他们的后期作品是创作的精华部分。

【精减】 jīngjiǎn 〔动〕
经过挑选,去掉或减少不必要的。(cut; reduce; simplify; condense)常做谓语、定语。

例句 近几年,厂里精减了许多非生产人员。|一次就精减了五十多人。|人员这么多,早该精减了。|这次精减的人员占总数的三分之一。|精减的机关干部全部充实到了基层。

【精力】 jīnglì 〔名〕
精神和体力。(vigor; energy)常做主语、宾语。

例句 她这个人一贯精力充沛。|经过长途旅行,大家的精力有些不支了。|计划生育好,我们可没有精力照顾两个孩子。|她把毕生的精力都献给了科学事业。

【精美】 jīngměi 〔形〕
精致美好。(fine)常做定语、谓语、补语。

例句 精美的玻璃制品使参观者赞不绝口。|茶几上摆着一个用精美的贝壳做成的烟缸。|一般来说,包装精美的东西,价格都比较贵。|他的作品,语言精美极了。|展柜里的首饰做得十分精美。|这个台灯的造型设计得相当精美。

【精密】 jīngmì 〔形〕
精确细密。(precise)常做定语、谓语、补语、状语。

例句 这家工厂专门制造精密机床。|为了顺利完成任务,行动小组作了精密的研究。|打开一看,仪表的结构非常精密。|飞船设计极其精密。|零件加工得十分精密。|设计师们精密地计算了工程的每个细节。

【精确】 jīngquè 〔形〕
极准确;非常正确。(accurate)常做状语、定语、补语、谓语。

例句 卫星精确地进入了预定轨道。|新闻十分精确地报告了日蚀发生的时间。|我们需要非常精确的数字。|经过检测,项目小组计算得很精确。|这道题要求精确到小数点后第四位。|这个结果十分精确。

【精神】 jīngshén 〔名〕 另读 jīngshen

❶ 人的意识、思维活动和一般心理状态;也指品质或作用。(spirit; mind)常做主语、宾语、定语。[量]种,个。

例句 考试的时候精神不要太紧张。|精神也可以转化为物质。|他助人为乐,精神可嘉。|要继续发扬艰苦创业的精神。|现在非常需要这种热情为顾客服务的精神。|听众被他舍己救人的精神深深地感动了。|住院期间,妻子是他战胜病痛的精神支柱。|经过学习,大家的精神面貌焕然一新。|不能再加重她的精神负担了。

❷ 主要的意义。(essence)常做宾语、主语。

例句 关键是掌握文件精神。|你领会这段话的精神了吗?|会议精神要传达到基层。|当时的讲话精神,我至今还记得很清楚。

❸ 人表现出来的活力。(vigor; energy)常做主语、宾语。

词语 精神抖擞

例句 精神焕发,斗志昂扬。|大病之后,他的精神一直没有恢复过来。|她决心振作精神,开始新的生活。|父亲显得很疲倦,没有一点儿精神。

【精神】jīngshen 〔形〕另读 jīngshén

活泼,有生气。(vigorous; energetic; lively)常做谓语、补语、状语。

例句 这孩子大大的眼睛挺精神。|她梳着短发,精精神神的。|几年不见,她变得更精神了。|你这身衣服不错,显得非常精神。|张教授精精神神地走上讲台。

【精通】jīngtōng 〔动〕

对一种学问、技术或业务有深刻的研究并熟练地掌握。(be good at)常做谓语、定语、宾语。

例句 父亲精通天文。|我有个朋友精通三门外语。|他对考古精通得很。|精通的目的全在于应用。|我虽然懂汉语,但还没到精通的程度。|奶奶懂一点儿茶道的知识,但说不上精通。

【精细】jīngxì 〔形〕

精密细致;精明细心。(delicate; careful; fine)常做定语、谓语、状语、补语。

例句 象牙工艺品那精细的手工雕刻,深深吸引了参观者。|中国精细的景泰蓝制品在国际上享有盛名。|这个人处事特别精细。|谁都没有他精细。|张工程师在精细地核算着数据。|这套餐具做得十分精细。

【精心】jīngxīn 〔形〕

特别用心;细心。(elaborate)常做状语、谓语。

词语 精心设计 精心施工 精心挑选

例句 妈妈精心为我织了一件毛衣。|在护士们的精心护理下,他很快恢复了健康。|经过老师的精心培养,孩子们已经能够登台演出了。|她做什么事都非常精心。

【精益求精】jīng yì qiú jīng 〔成〕

(学术、技术、产品等)好了还求更好。(constantly improve sth.)常做谓语、定语。

例句 产品的质量应该精益求精。|他对技术精益求精。|导师在学术上精益求精的态度深深地教育了我。|这种对待工作精益求精的精神很值得年轻人学习。

【精英】jīngyīng 〔名〕

精华;或指非常优秀的人。(essence; outstanding person)常做主语、宾语、定语。

例句 这些科技精英是国家的宝贵财富。|精英在社会中影响很大。|这些文物都是中国文化的精英。|全运会上汇集了全国的体育精英。|精英的培养是个重要问题。|你觉得学校是否应该搞精英教育呢?

【精致】jīngzhì 〔形〕

精巧细致。(fine; exquisite)常做定语、谓语、补语。

例句 展销的那些精致的工艺品深受欢迎。|床头摆着一只精致的小闹钟。|精致的壁画表现了一千多年前的社会风貌。|画册的封面精致极了。|客厅地毯的图案非常精

致。|这枚戒指做得太精致了!|您能不能搞得再精致一点儿?

【精装】 jīngzhuāng 〔形〕

❶ 书籍的精美的装订。(hardback; hard-cover)常做定语,可用在"是…的"格式中。

例句 这是一本精装书。|精装本价格稍贵一些。|这本书是精装的。|那本书不是精装的。

❷ 商品包装精致的。(casebound)常做定语。

例句 请问,有精装"中华"烟吗?|过生日的时候,朋友送给我一盒精装饼干。|我怎么到处买不到精装巧克力呢?

【鲸】 jīng 〔名〕

海洋中的哺乳动物,形状像鱼,是现在世界上最大的动物。鼻孔在头的上部,用肺呼吸。肉可吃,脂肪可做油。俗称"鲸鱼"。(whale)常做主语、定语、宾语。[量]条。

例句 鲸是哺乳动物,不是鱼。|鲸的体长可达30米。|为了保护海洋资源,对捕鲸需要限制。

【鲸鱼】 jīngyú 〔名〕

鲸的俗称。(whale)常做主语、宾语、定语。[量]条,头。

例句 鲸鱼常常集体自杀,这是为什么?|儿子画了一条好看的小鲸鱼。|鲸鱼头上有个小"喷泉"。

【井】 jǐng 〔名〕

❶ 从地面往下凿成的能取水的深洞。(well)常做主语、宾语、定语。[量]口,眼。

例句 这口井是甜水井。|经过半个月的奋战,终于打出了一眼井。|常言说得好:吃水不忘掘(jué)井人。

❷ 形状像井的东西。(sth. in the shape of a well)常用于构词。

词语 矿井 天井 油井

【井井有条】 jǐngjǐng yǒu tiáo 〔成〕

形容有条理,丝毫不乱。(in perfect order; methodical; well-arranged)常做补语、谓语、定语。

例句 每天我都把房间收拾得井井有条。|整个庆祝活动的安排既丰富多彩又井井有条。|张先生习惯于井井有条的工作方式。

【颈】 jǐng 〔名〕 另读 gěng(仅限于"脖颈儿")

颈项。(neck)常用于构词,也用于短语中。

词语 颈椎 颈项 长颈鹿

【景】 jǐng 〔名〕

❶ 自然界和建筑物等可供观赏的事物。(scape; landscape)常做主语、宾语。[量]个。

例句 这个景儿不错,照张相吧。|我最喜欢雪景了。|走,咱们到上面看看景儿去。

❷ 情形;情况。(situation; circumstances)用于构词。

词语 背景 情景 景象 远景

❸ 戏剧、电影、电视等需要的人工或自然的景物。(setting; flat)常用于构词。

词语 内景 外景 布景

【景点】 jǐngdiǎn 〔名〕

供游览的风景点。(scenic spot)常做主语、宾语、定语。[量]个。

例句 这些景点值得看。|每个景点都有一个故事。|大家一口气看完了所有景点。|我从来没到过那个景点。|游客反映,有些景点的设施还不够完善。

【景色】 jǐngsè 〔名〕

J

风景。(scene)常做主语、宾语。[量]个,种。

例句 黄山的景色真美。|这里山川秀丽,景色宜人。|登上电视塔,便可一览全城的景色。|这篇散文描写了大草原那独特的景色。

【景物】 jǐngwù 〔名〕

可供观赏的风景和事物。(scenery)常做主语、宾语。

例句 天山的景物美不胜收。|雨越下越大,周围的景物也变得模糊起来。|这次旅游安排的都是具有代表性的景物。|在南极,有许多我们从未见过的景物。

J

【景象】 jǐngxiàng 〔名〕

现象;状况。(scene; sight; picture)常做主语、宾语。[量]种,个。

例句 云海日出的景象极为壮观。|众人相助的景象令人十分感动。|金秋季节,到处是一片丰收的景象。|大家都被眼前的景象吸引住了。

【警】 jǐng 〔素〕

戒备;感觉敏锐;危险紧急的情况;情况严重,让人注意;警察的简称。(alert; warn; alarm; *short for* "警察")常用于构词,也用于固定短语。

词语 警惕 警戒 机警 警觉 火警 警告 警车 警察 警官 民警 武警 交警 报警

【警察】 jǐngchá 〔名〕

国家维护社会秩序和治安的武装力量;也指这种武装力量的成员。(police)常做主语、宾语、定语。[量]个,名。

例句 几名警察正在帮助群众离开事故现场。|我闯了红灯,警察在我驾照上扣了两分。|(口号)有困难找警察。|一见到警察,心里就觉得安全。|警察的工作很辛苦,也很光荣。|小明把捡到的皮包交给了警察叔叔。

【警告】 jǐngào 〔动/名〕

〔动〕提醒,使警惕;对有错误或不正当行为的个人、团体、国家提出告诫。(warn)常做谓语、宾语。

例句 这次得警告警告他。|我警告你,不许酒后开车。|已经警告过他两次了。|监视器已经发出了警告。|对裁判的警告,他提出了抗议。|对此,中国政府提出了严正警告。

〔名〕对犯错误的一种处分。(warning)常做宾语、定语、主语。

例句 上次,局里已经给过他一次警告了。|因为违章操作,他受到了警告处分。|警告是行政处罚的一种。

【警戒】 jǐngjiè 〔动〕

军队为防备敌人的侦察和突然袭击而采取保障措施。(be on the alert against; guard against; keep a close watch on)常做谓语、宾语。

例句 战士们日夜在边防线上警戒、巡逻。|我的任务是警戒这座大桥。|时刻警戒敌人侵犯。|会场周围也要派人警戒警戒。|每班岗警戒一个小时。|这一带要加强警戒,确保万无一失。|入口由三班负责警戒,出口由二班担任警戒。

【警惕】 jǐngtì 〔动〕

对可能发生的危险情况或错误倾向保持警觉。(be alert)常做谓语、状语、定语、宾语。

例句 国家工作人员要警惕各种方式的行贿。|司机得时刻警惕事故的发生。|大家对这种现象得警惕一点儿。|看到两个可疑的人走过

来，公安人员马上警惕起来。|战士们警惕地守卫着边防线。|警察警惕地监视着四周的动静。|保安人员用警惕的目光观察着进进出出的人们。|(军营标语口号)提高警惕，保卫祖国。|对非典(SARS)，人们应该保持高度的警惕。

【警卫】 jǐngwèi 〔动/名〕

〔动〕用武装力量实行警戒、保卫。(guard)常做谓语、宾语。

例句 战士警卫着大桥。|整个大楼有一个班在警卫。|临近国庆节，所有重要目标都加强了警卫。

〔名〕执行警卫任务的人。(security guard)常做主语 、宾语、定语。[量]个。

例句 上午的警卫是小王。|这儿怎么一个警卫也没有？|马上给那里加派几个警卫。| 警卫的责任十分重大。

【净】 jìng 〔形/副〕

〔形〕❶ 清洁。(clean)常做补语、定语。

例句 这件衬衣没洗净。|把桌子擦净一点儿。|洗净手再吃饭。|一时找不到净水，我们只好用河水做饭。

❷ 没有剩余的。(complete)常做补语。

例句 清洁车一会儿就把垃圾收拾净了。|她这个人钱不花净不舒服。

〔副〕❶ 光，只。(only)做状语。

例句 别净想着自己，应该多想别人。|净吃肉容易发胖。

❷ 没有别的；全，都。(completely)做状语。

例句 来参加舞会的净是年轻人。|一开门满屋净是烟。

❸ 总是，老是。(always)做状语。

例句 最近，她不知为什么净请假。|这里一年到头净下雨。

【净化】 jìnghuà 〔动〕

清除杂质使物体纯净。(purify)常做谓语、宾语、定语。

例句 植树种草可以净化、美化环境。|打开机器把室内的空气净化一下。|那儿的水要经过净化，才能饮用。|读这样的好书对灵魂的净化十分有益。|有些生物对环境有净化作用。

【竞】 jìng 〔动〕

跟别人争取优胜。(compete; contest)常用于构词或固定短语。

词语 竞赛 竞技 竞争 竞选 百花竞妍

例句 年轻人竞相报名参加马拉松比赛。|各国运动员同场竞技，互相学习和促进。

【竞赛】 jìngsài 〔动/名〕

〔动〕互相比赛，争取优胜。(race)常做谓语、宾语。

例句 跑道上几个运动员竞赛得十分激烈。|公司正开展安全生产竞赛。

〔名〕比赛活动。(competition; contest; race)常做主语、宾语、定语。[量]次。

例句 全市中学生数学竞赛圆满结束。|少数大国间的军备竞赛愈演愈烈。|女儿参加过几次有奖征文竞赛。|因为违反了竞赛规则，她被取消了成绩。

【竞选】 jìngxuǎn 〔动〕

候选人在选举前进行种种活动争取当选。(run for)常做谓语、宾语、定语。

例句 他竞选村长？真没想到。|明年我想竞选学生会主席。|有4个人参加下届总统竞选。|由于竞选活动太忙，他几乎累倒了。

【竞争】 jìngzhēng 〔动〕

〔动〕为了自己方面的利益跟别人争胜。(compete)常做谓语、定语、主语、宾语。

例句 赛场上，各国选手正顽强地竞争着。|这次选销售部经理，你不去竞争一下？|海外市场竞争得十分激烈。|我们公司有竞争的实力。|不管竞争的结果怎么样，机会不能错过。|竞争是好事，有利于社会的发展。|学习上的竞争反而加深了我们之间的友谊。|没有竞争，就缺少前进的动力。|要不断前进，就离不开竞争。

【竟】 jìng 〔副〕

❶ 表示出乎意料之外。(unexpectedly)做状语。

例句 没想到对方竟提出这么无理的要求。|为了一件小事，她俩竟吵了起来。|几十年过去了，他竟还能叫出我的名字。|儿子只有三岁，竟能背不少唐诗了。|听了我这些话，她竟难过得哭了起来。

【竟然】 jìngrán 〔副〕

表示出乎意料。(to one's surprise)做状语。

例句 刚有一点儿成绩，他竟然就骄傲起来了。|我们走了个对面，她竟然没认出我来。|没想到今年夏天，大连竟然也这么热。|昏睡了一个星期之后，她竟然奇迹般地醒过来了。

【敬】 jìng 〔动/形〕

〔动〕❶ 尊重。(respect)常用于构词，也常做谓语。

词语 敬爱　敬佩　敬仰　敬重　尊敬

例句 敬老爱幼，是中华民族的优良传统。|我敬你一心为大伙，从不考虑自己。|李先生是你敬他一分，他敬你十分。

❷ 有礼貌地送上。(offer politely)常做谓语。

例句 新娘为来宾一一敬上喜糖。|升旗后，小学生们一齐向国旗敬队礼。|我敬过两次酒，可人家都没喝。|这杯酒敬我们的老朋友。

〔形〕郑重有礼貌。(respectful)常做状语。

例句 我店下周二开业，敬请光临。|各位先生敬请指教。|每届毕业生都向母校敬赠一份礼物。

【敬爱】 jìng'ài 〔动〕

尊敬和热爱。(respect and love)常做定语、谓语。

例句 敬爱的老师对我们像父母一样。|这次会上见到了我最敬爱的方教授。|人民敬爱自己的领袖。|我们姐妹俩从小就非常敬爱我们的奶奶。

【敬而远之】 jìng ér yuǎn zhī 〔成〕

表示尊敬，但不愿接近。(stay at a respectful distance; give a wide berth to)常做谓语。

例句 大家对他都敬而远之。|要多联系群众，别让大家敬而远之。

【敬酒】 jìng jiǔ 〔动短〕

以酒相敬；祝酒。(propose a toast)常做谓语，中间可插入成分。

例句 咱们去给老师敬敬酒吧。|新郎新娘给客人敬酒来了。|我代

表大家给您敬上一杯酒。

【敬礼】 jìng lǐ 〔动短〕

❶ 行礼表示尊敬。(salute)常做谓语及宾语,中间可插入成分。

例句 (军队口令)立正! 敬礼! | 向英雄纪念碑敬个队礼。|(儿童歌曲)敬个礼,握握手,大家都是好朋友。|向英雄们致以崇高的敬礼!

❷ 用于书信结尾表示尊敬的话。(with high respect)

例句 此致敬礼!

【静】 jìng 〔形〕

❶ 安定不动。(still)常做谓语、宾语、定语。

例句 那天海面上风平浪静。|你们不要满屋子跑来跑去的,静一静好不好? |这个孩子很内向,好静不好动。|开始时我画的是静物写生。

❷ 没有声响;使没有声响。(quiet)常做谓语、定语、状语。

例句 屋子里静极了。|夜深人静。|请大家静一静,现在开会了。|静静的月夜,我思念着远方的亲人。|孩子们欢快的说笑声,给静静的山村带来了活力。|河水静静地流向远方。

【静悄悄】 jìngqiāoqiāo 〔形〕

非常安静,没有声响。(quiet)常做谓语、定语、状语、补语。

例句 手术室静悄悄的,掉根针都听得见。|总攻前,前线一片静悄悄。|他俩走在静悄悄的小路上,低声说着什么。|在这静悄悄的月夜,我不禁更加思念亲人。|答完卷子,她静悄悄地走出了考场。|每天清晨,母亲都静悄悄地先起床给我做饭。|一到冬天,那里的海滨就变得静悄悄的了。

【境】 jìng 〔名〕

❶ 边界。(boundary)常做定语、宾语。

例句 这种货币只能在境内使用。|境外的亲戚常来信。|不知为什么,他被拒绝入境。|因签证到期了,我只好明天一早离境。|估计汽车现在已经出境了。

❷ 地方,区域。(area)常用于构词,也做宾语。

词语 环境 佳境

例句 两人练了一个星期,配合已经渐入佳境。

【境地】 jìngdì 〔名〕

所遭遇到的情况;境界。(circumstances; condition)常做宾语、主语。[量]种,个。

例句 天气突变,使比赛陷入进退两难的境地。|为了摆脱这种不利的境地,公司进行了大胆的改革。|再困难的境地也没有让他退却。

【境界】 jìngjiè 〔名〕

土地的界限;多引申为事物所达到的程度或表现的情况。(boundary)常做主语、宾语。[量]个。

例句 其实,有的领导思想境界并不高。|这么高尚的境界,真是了不起! |画画儿要达到他那么高的境界,还得十年工夫。

【镜】 jìng 〔素〕

有光滑平面,能照见形象的器具;利用光学原理制成的帮助视力或做实验用的器具。(mirror)常用于构词。

词语 镜子 镜头 镜框 放大镜 望远镜 显微镜

例句 这面铜镜是唐代的。|看球赛最好带着望远镜。|这个放大镜

J

的倍数是多少?

【镜头】 jìngtóu 〔名〕

❶ 装在摄影机或放映机上的透镜组合装置,用来形成影像。(lens)常做主语、宾语。[量]个。

例句 这个相机镜头特别好。|镜头别用手摸,免得弄脏了。|我的摄像机有两个镜头。

❷ 照相的一个画面。(shot)常做宾语、主语。[量]个。

例句 我们去海边取两个镜头。|她特别爱抢镜头,哪儿都少不了她。|这个镜头照的是哪儿?

❸ 拍电影时从摄影机开始转动到停止所拍下的一组画面。(scene)常做主语、宾语。[量]个,组。

例句 武打那组镜头明天开拍。|她只演过群众的镜头。|你瞧,还有我一个镜头呢!

【镜子】 jìngzi 〔名〕

❶ 一种背面有反射物质(如水银)的玻璃,用来照见形象。(mirror)常做主语、宾语、定语。[量]面,个。

例句 这面大镜子是毕业生留给母校的。|古时候镜子是铜的。|她总随身带着个小镜子,有空儿就拿出来照照。|你照照镜子,看看脸上有什么。|镜子背面有我的照片。

❷ 眼镜。(glasses)常做主语、宾语、定语。[量]副。

例句 这副镜子度数不够了,得再配一副。|父亲年纪大了,不戴镜子看不了书。|如今镜子的样式确实漂亮,可价钱也上去了。

【纠】 jiū 〔动〕

改正。(correct;rectify)常做谓语。

例句 我觉得还是应该实事求是,有错必纠。|对可能出现的这类问题,要及时纠偏。|为了打击不正之风,一些地区成立了纠风办公室。

【纠纷】 jiūfēn 〔名〕

争执的事情。(dispute)常做主语、宾语。[量]个。

例句 家庭纠纷常是由一些小事引起的。|这场债务纠纷,经过调解解决了。|他们之间的纠纷我们最好不要介入。|真希望有关领导出面来解决这个纠纷。|不要闹无原则的纠纷。

【纠正】 jiūzhèng 〔动〕

改正。(rectify)常做谓语及宾语。

例句 父母要及时纠正孩子的坏习惯。|请你纠正一下我的汉语发音好吗?|应该纠正这种不实际的想法。|这个字的写法,老师给纠正过好几次了。|我终于把不规律的生活习惯纠正过来了。|这种违反人道的做法已经得到了纠正。

【究】 jiū 〔素〕

仔细推求;到底。(study carefully, go into, investigate; after all)常用于构词。

词语 研究 追究 深究 究竟

【究竟】 jiūjìng 〔副/名〕

〔副〕❶ 表示追查事情的真相,有加强语气的作用。(actually; exactly)做状语(用在问句里)。

例句 你这一趟究竟花了多少钱?|昨晚来的那个人究竟是干什么的?|你们究竟去不去呀?|他究竟是不是你男朋友?

❷ 毕竟,到底。(after all; anyway; finally)做状语。

例句 虽然我们很晚才下班,但是究竟把该办的事都办完了。|小王究竟还年轻,遇到这样的事不知怎

么办才好。|老王究竟是老师傅,一听就知道机器的毛病出在哪儿。|婆媳俩究竟谁是谁非,旁人谁也说不清楚。

辨析 〈近〉到底。"究竟"多用于书面,也没有"到底"所具有的"终于"的意思。如:*跑了大半个北京,究竟买到了。("究竟"应为"到底")

〔名〕结果;事情的经过。(outcome)常做宾语。

例句 事后,大家都想知道个究竟。|外面响起阵阵欢呼声,小王忙把头探出窗外想看个究竟。

【揪】 jiū 〔动〕

紧紧地抓;抓住并拉。(hold tight)常做谓语。

例句 轻点儿,别揪我头发呀!|孩子揪着妈妈的衣袖不肯松手。|她轻轻地揪了揪小花猫的尾巴。|群众把那个卖假药的人揪了出来。|揪住他,别让他跑了!|你把绳子揪住了,千万别松手。|我没揪过白头发,有人说揪一根要长十根呢。|这线真结实,怎么揪也揪不断。

【九】 jiǔ 〔数〕

❶ 数目。八加一所得的。(nine)常构成短语做句子成分,也做主语、宾语。

例句 九龙壁在北海公园。|我们班一共有九名同学。|他已经大学毕业九年了。|"九"常用来表示多,比如"九牛一毛"。|三三得九。

❷ 表示多次或多数。(many)常用于构词或固定短语。

例句 这样,九泉之下,他也安心了。|敢上九天揽月。|这回真是九死一生。

▶"九"也做名词,表示时令。如:从冬至起,每九天为一"九"。|今天开始数九。|现在的年轻人,三九天都不穿棉衣。

【九死一生】 jiǔ sǐ yì shēng 〔成〕

死的可能是十分之九,活的希望只有十分之一。形容经历极大的危险而活下来。(a narrow escape from death;survival after many hazards)常做谓语、状语、定语。

例句 有一次坐飞机遇上了强气流,简直九死一生。|地震过了一个星期之后,有个孩子竟九死一生地活下来了。|那场九死一生的战斗至今想来还惊心动魄。

【久】 jiǔ 〔形〕

❶ 时间长。(for a long time;long)常做状语、补语、谓语。也用于构词或短语。

词语 久别 久住 久留 久闻大名 久经考验

例句 久住南方,到了北方很不习惯。|想了很久,也没想起来。|去了这么久,怎么也没打个电话回来?|时间一久,也就慢慢适应了。

❷ 时间的长短。(for a certain duration of time)常做补语。

例句 你来多久了?|调查进行了一个月之久。

【玖】 jiǔ 〔数〕

"九"的大写。用于正式的场合。(nine)常做宾语。

例句 写这个"九"不行,得写这个"玖"。|汇款单上要填大写的"玖"。

【酒】 jiǔ 〔名〕

用粮食或果类等发酵(jiào)制成的含乙醇的饮料。(wine;alcohol)常做主语、宾语、定语。[量]瓶,斤,种。

J

例句 酒要喝得适量才好。|再喝点儿,"酒逢知己千杯少"嘛。|这种酒劲儿大,容易醉。|对不起,我不会喝酒。|请客没有酒就没有意思。|我不大喜欢劝酒。|朋友送我一套法国酒杯。|你了解中国的"酒文化"吗?

【酒店】 jiǔdiàn 〔名〕

卖酒、饮酒的店铺(wineshop;public house);较大而设备好的旅馆(hotel)。常做主语、宾语、定语。[量]家,个。

例句 那个酒店刚建好,很豪华。|他出门净住五星级酒店。|镇上有家小酒店。|现在学酒店管理的不少。

J

【酒会】 jiǔhuì 〔名〕

形式较简单的宴会,用酒和点心待客,不排席次。客人到场、退场都较自由。(cocktail party)常做主语、宾语、定语。[量]个。

例句 今晚的酒会共有五百多位来宾。|为了庆祝国庆节,市政府将举行招待酒会。|国家领导人出席了酒会。|酒会会场设在四楼宴会厅。

【旧】 jiù 〔形〕

❶ 过去的;过时的。(past;old;out-of-date)常做定语、谓语。

例句 旧观念得改变了。|看来他还有点儿旧思想。|爷爷的脑筋有点旧了。|文章里的观点实在旧得可以。

❷ 经过长时间或经过使用而改变颜色、形状或质量的。(old)常做定语、谓语、补语。

例句 把那些旧衣服处理了吧。|现在人们生活真是好了,旧家具都没地方扔了。|哪儿收购旧家用电器呢?|厂里的旧设备早该淘汰了。|这辆车虽旧了点儿,但价格便宜。|有些房子越旧越值钱。|这件衣服穿旧了,他也舍不得扔。

❸ 指老交情;老朋友。(old friendship;old friend)常用于固定短语或构词。

词语 亲朋故旧 怀旧 念旧 旧情

【救】 jiù 〔动〕

❶ 援助,使人脱离灾难、危险或死亡。(save;rescue)常做谓语及宾语。

例句 有个队员冒着危险,跑进屋去救孩子。|李大娘煤气中毒以后,是邻居救了她。|解放军救过我们全家人的命。|当时我只想尽快把他救上来,没想别的。|大夫,你一定要把我们老师救活呀!|不能眼看着他走下坡路,得救救他。

❷ 援助人或物,使免于灾难或危险。(help;relieve)常做谓语。

例句 救灾物资源源不断地运往灾区。|我刚当消防队员,还没救过火。|孩子没钱做大手术,大家帮忙救救急吧。

【救济】 jiùjì 〔动〕

用金钱或物资帮助灾区或生活困难的人。(extend relief to;succor)常做谓语、定语、宾语。

例句 政府拨了专款,救济特困家庭。|因为一直病休,工会救济了他2000元。|红十字会曾派医务人员前往灾区救济过灾民。|他家生活这么困难,得想办法救济救济他。|救济粮、救济衣物都运到灾区了。|地震灾区有数万人急需救济。|光靠救济过日子怎么行?还得把经济搞上去。

【救灾】 jiù zāi 〔动短〕

救济受灾的人民；消除灾害。(provide disaster relief)常做定语、谓语。中间可插入成分。

例句 救灾工作很快就展开了。|政府迅速调拨救灾物资。|省长亲临救灾第一线。|他的部队到南方抗洪救灾了。|医疗队正在震区抗震救灾。|我去那里救过灾。

【就】 jiù 〔动/介/副/连〕

〔动〕❶ 靠近。(come near; approach)常做谓语。

例句 你说话不要避重就轻。|我们的生产是就地取材。|小时候家里穷，晚上只能就着油灯看书。

❷ 到；开始做。(start to do; assume the office of)常用于构词。

词语 就位 就业 就寝 就职 就任

例句 运动员、裁判员已经全部就位。|大学毕业生就业越来越不容易了。|李先生昨天正式就任本公司总裁。

❸ 搭着。(go with)常做谓语。

例句 妈妈喜欢稀饭就咸菜。|你怎么光吃菜？得就点儿饭哪。|花生米酱牛肉，就酒最好。|我学的那点儿外语，早"就饭吃"了。

〔介〕❶ 介绍动作的对象和范围等。(with regard to; concerning; on according to)常构成介宾短语做状语。

例句 就事论事恐怕不解决问题。|两国元首就共同关心的问题深入交换了意见。|会上，有关专家就解决污染的途径进行了讨论。|就现有的技术力量，我们完全能够承担这项工程。|就目前情况来看，近期不会发生太大的变化。

❷ 趁着。(conveniently; at the same time)常用于构词。

词语 就近 就便 就手儿

例句 市里规定小学生一律就近上学。|吃完了就手儿把碗刷了吧。

〔副〕❶ 表示时间。表示动作在短时间内即将发生，也可表示早已发生或已经存在。(right now; right away)做状语。

例句 你等等，我就来。|展览明天就结束了，你还不快去！|四岁的时候，她就能背很多首唐诗了。|来中国不到半年，他汉语就说得不错了。|早在五年前，我们就开始编写这部辞书了。

❷ 表示前后两事连续发生。(as soon as)做状语。

例句 这句话刚说完，他就昏过去了。|一提学习，我就头痛。|我每天一下班就赶紧回家。|身体不舒服，就别去了。

❸ 加强肯定语气；强调确定范围。(only; merely; just)做状语。

例句 这就叫"不打不相识"。|我当时就在现场。|没想到这就是那位有名的大画家。|就小李知道王老师的家，让他带路吧。|父亲没让带别的，就要两瓶好酒。|他读书不多，就小学毕业。|最近身体不好，一天就吃二两饭。|票没了，有的一个人就买十几张。|孩子的同学，一来就一大帮。

❹ 表示承接前面的意思。(in that case; then)用在复句的第二分句。

例句 你要叫护士，就按这个电铃。|那天去得晚了点儿，我就没发言。|只要资金到位，马上就动工。|最近天气不好，不刮风就下雨。|为了早点儿干完，他就整天呆在实验室

里。|买房子钱不够,就贷款吧!

❺ 表示无所谓,容忍。(used between two identical elements to express resignation)放在两个相同的成分之间。

例句 说就说,我不怕得罪人。|喝就喝,这点儿酒算什么?|脏就脏呗,明天再收拾。|他要去就去吧,多一个人也没关系。

〔连〕表示让步性的假设。(if)用于复句的前一分句的主语后,后一分句用"也"、"还是"等配合。

例句 你们就告诉我,我也不想听。|档次太低,就白给我,我也不要。|天气就再冷,他还是坚持冬泳。|就算上他,还是不够10个人。

J

【就餐】 jiùcān 〔动〕

到吃饭的地方吃饭。(have a meal; eat;dine)常做谓语、定语。

例句 全体代表在宴会厅就餐。|来不及的话,就去快餐店就餐。|这个学生餐厅就餐人数大约有1000人。|会议的就餐时间和地点不变。

【就地】 jiùdì 〔副〕

就在原处;在当地。(on the spot)做状语。

例句 由于可以就地取材,大大降低了生产成本。|本公司的产品基本上就地销售。|你们的困难应该就地解决。

【就近】 jiùjìn 〔副〕

在附近(不到远处去)。(nearby)做状语。

例句 全市适龄儿童都可以就近上学。|新开的医院使周围的居民能够就近看病了。|为方便群众就近购物,这里新建了一个超市。

【就是】 jiùshì 〔副〕

表示强调肯定的语气;限定范围。(just)做状语。

例句 天气预报真准,今天就是冷得很。|不管家里怎么反对,她就是要出国。|一年四季,他就是这一身衣服。|你觉得她不好,可我就是喜欢她。|我不饿,就是渴。|儿子特别爱看书,一买就是十本八本的。

▶ "就是"也可单用,表示同意,肯定。如:就是!我也这么看。

【就是说】 jiùshì shuō 〔动短〕

用来解释前边的话。也说"也就是说"。(that is to say; in another word)做插入语,后接解释性词语。

例句 为了发展高等教育,需要"扩招",也就是说,大学要增加招生。|现在实行双休日制度,就是说星期六、星期日都休息。|到时候你一定等着我,就是说"不见不散",好吧?

【就是…也…】 jiùshì…yě… 〔连〕

表示假设兼让步的关系或某种极端情况。(even if)

例句 学生就是有错儿,老师也绝不能搞体罚。|中国旅游点多得很,就是两个月也看不完。|我这人心宽体胖,就是喝凉水也长肉。|这里的天气很怪,就是六月有时也下雪。

【就算】 jiùsuàn 〔连〕

表示假设的让步。(even if)用在复句的前一分句中,后面常有"也"配合。

例句 去了一个星期了,就算再忙,连打个电话的工夫都没有吗?|就算他同意了,别人也不见得都点头。|吃吧,这东西有营养,就算没病,补补身子也好啊。|就算你不懂,难道大家都不懂吗?

【就业】 jiù yè 〔动短〕

得到职业；参加工作。(obtain employment)常做主语、谓语、定语。中间可插入成分。

例句 人口这么多，就业难哪。|为了减轻家里的负担，她没念大学，已经就业3年了。|毕业以后如果就不了业，我就考研。|上半年全市就业人员达25万人。|除了广开就业门路，还要转变就业观念，才能解决就业问题。

【就职】 jiù zhí 〔动短〕

正式到任(多指较高的职位)。(assume office)常做谓语、定语。中间可插入成分。

例句 新总统于今日正式宣誓就职。|父亲曾在外交部就过职。|听说她读完学位在国外就职了。|就职以来，王所长实行了好几项改革。|厂长发表了一段十分感人的就职演说。

【舅舅】 jiùjiu 〔名〕

母亲的弟兄。(mother's brother)常做主语、宾语、定语。也做称呼语。[量]个。

例句 舅舅从小就离开家了。|他有一个舅舅，两个姨。|舅舅家在上海，我还没见过舅舅的面呢。|舅舅，我好想你哟！

【舅母】 jiùmu 〔名〕

舅舅的妻子，也说“舅妈”。(aunt; wife of mother's brother)常做主语、宾语、定语。[量]个。

例句 舅母是前年和小舅结婚的。|这事找我舅母就行。|舅母的工作是中学教师。

【拘】 jū 〔动〕

❶ 逮捕或指关押。(arrest)常用于构词。也做谓语。

词语 拘捕 拘留 拘役

例句 犯了法不拘起来怎么行？

❷ 限制。(restrict; limit)常做谓语(多用否定式，带宾语)，也用于构词。

词语 拘束 拘谨 无拘无束

例句 不拘一格选人才。|你别在意，他这个人一向不拘小节。|晚会的节目可以不拘形式。

【拘留】 jūliú 〔动〕

暂时关押。(detain; take into custody)常做谓语、宾语、定语。

例句 警察拘留了那几个扰乱治安的人。|他因为打架被拘留了七天。|这个人曾经被拘留过。|根据《治安条例》判处他拘留并罚款。|拘留时间最长为15天。

【拘束】 jūshù 〔形〕

过分限制自己，显得不自然。(constrained; awkward; ill at ease)常做谓语、定语、状语、宾语。

例句 请你们像在自己家里一样，千万不要拘束。|一下子见这么多生人，儿子特别拘束。|见到他拘束的样子，我不禁笑了起来。|小女孩很拘束地抬起头来向我们问好。|新娘子拘束地回答着客人们的问话。|他不习惯这种庄重的场合，感到十分拘束。|一向举止大方的小孙今天显得很拘束。

【居】 jū 〔动〕

住；在某个位置或占有某种地位。(reside; occupy)常做谓语。也用于构词或固定短语。

词语 居民 居留 居室 居中 居住 后来居上 居安思危 二者必居其一

例句 他从不以英雄自居。|照片上张先生居左,王女士居右。|中国的粮食产量居世界第一位。

▶"居"也做名词,指住的地方。如:故居 民居

【居民】 jūmín 〔名〕

固定住在城镇的人。(resident; dweller; denizen)常做主语、定语、宾语。[量]个,位。

例句 光明小区的居民共有五千多人。|这一带的居民多半是附近几个工厂的工人。|经过选举,产生了新一届的居民委员会。|《居民公约》人人都应当遵守。|这件事要通知到各户居民。|动员全体居民都来爱护草坪绿地。

【居然】 jūrán 〔副〕

表示事情出人意料。(unexpectedly)做状语。

例句 他只学了一年汉语,居然说得这么好。|几个人居然搞起了电脑公司。|居然有人敢冒着这么大的风出海。|我好意劝说,她居然一点儿也听不进去。|明摆着的事,居然看不出来。|没想到他居然做出这种事情。

辨析 〈近〉竟然。"竟然"比"居然"语气重。

【居室】 jūshì 〔名〕

居住的房间。(living room)常做主语、定语、宾语。[量]个,间。

例句 现在多数住房居室都不大。|这间居室大约有15平方米。|两居室的房子,得30万吧?|这个楼三个居室的户型比较多。|我住三居室。

【居住】 jūzhù 〔动〕

较长时期住在某个地方。(live)常做谓语、定语。

例句 十年来他一直在北京居住。|退休以后,老人居住在女儿家。|我在这里居住过好几年。|这一带,居住环境不错。|应该说,市民的居住条件已经有了很大的改善。

【鞠躬】 jū gōng 〔动短〕

❶ 弯身行礼。(bow)常做谓语、定语。中间可插入成分。

例句 她向救命恩人深深地鞠了一躬。|现在不兴下跪,鞠个躬就可以了。|山本和子给客人鞠过躬以后,又忙着倒茶。|大家向英雄纪念碑三鞠躬。|为了表示道歉,他向我行了一个鞠躬礼。

▶"鞠躬"还指"小心谨慎的样子",用于书面。如:鞠躬尽瘁

【局】 jú 〔名/量〕

〔名〕❶ 国家机关中大于处,小于部的单位。(bureau)常做主语、宾语、定语。[量]个。

例句 各个局都已经动起来了。|建委下属的局也都派代表参加会议。|请把这份报告送给局领导审阅。|星期六局机关全体工作人员参加义务劳动。|通过机构改革,撤并了五个局,保留了八个局。

❷ 形势;境况。(situation)常用于构词或短语。

词语 局面 结局 全局 顾全大局 大局已定 当局者迷,旁观者清

❸ 某些业务机构;部分。(office part)常用于构词。

词语 邮局 药局 局部

〔量〕计算下棋或其他比赛次数的单位。(game)常构成短语做句子成分。

例句 有时候一局棋下几个小时还决不出胜负。|第三局比赛打得异常激烈。|他沉着迎战,接连扳回了两局。|这局是关键,是决胜局。

【局部】 júbù 〔名〕

整体的一部分。(part;portion)常做主语、定语、宾语。[量]个。

例句 局部要服从全局。|局部出问题有时会影响整体。|做工作不能只考虑你这个局部。|局部利益应该服从整体利益。|(天气预报)局部地区有大雨。

【局面】 júmiàn 〔名〕

事情在一定时期内的形势或状态。(aspect;situation)常做主语、宾语。[量]个,种。

例句 这种交通拥挤的局面将很快得到改变。|安定团结的政治局面是进行经济建设的重要保证。|到了那儿后,工作必须尽快打开局面。|争论到最后,形成了议而不决的局面。

【局势】 júshì 〔名〕

一定时期内政治、军事等的发展情况。(situation)常做主语、宾语、定语。[量]种。

例句 新政府上台以后,局势已日趋正常。|那里的局势非常严重。|他们这样做是为了制造一种紧张局势。|目前我们已经控制了整个局势。|这个决定是根据局势的最新变化做出的。

【局限】 júxiàn 〔动〕

限制在一定范围之内。(limit;confine)常做谓语、主语、宾语。

例句 会上的发言不仅仅局限于教学方法问题。|我们的管理不应局限于传统的方式。|如果总局限在个人的小圈子里,就难成大事。|个人经历的局限使他对经济工作缺乏了解。|这种观点显然是受到历史的局限。

【局长】 júzhǎng 〔名〕

局的最高行政负责人。(bureau chief)常做主语、宾语、定语。[量]位,个。

例句 局长正在主持一个会议。|A:我有急事找局长。B:您要找哪位局长?|局长秘书去哪儿了?

【菊】 jú 〔名〕

意义见"菊花"。(chrysanthemum)常做宾语、定语、主语。

例句 不少地方有九月初九赏菊的传统。|公园里正在办菊展。|兰、菊、竹,我都喜欢。

【菊花】 júhuā 〔名〕

多年生草本植物。叶子卵形,边缘有缺刻或锯齿,多秋季开花,供观赏。(chrysanthemum)常做主语、宾语、定语。[量]棵,朵,盆。

例句 菊花不但好看,而且有的还是药材呢。|黄妈妈最喜欢黄色的菊花。|菊花的品种很多。

【橘子】 júzi 〔名〕

常绿乔木,果实球形稍扁,红黄色,多汁,味道酸甜;果皮、种子可药用。(mandarin orange; tangerine)常做主语、宾语、定语。[量]个,棵。

例句 橘子生长在气候温暖的地方。|有人爱吃酸橘子,我的牙可受不了。|她把橘子皮晒了一窗台,准备泡茶喝。

【举】 jǔ 〔动〕

向上托或伸;引申为行动、提出、推选等。(raise;lift up)常做谓语。

例句 同意的请举手。|她把花举

J

在头上,向观众致谢。|老人家天天早上在阳台上举举手,抬抬腿,锻炼身体。|同学们公举他做代表。|老师举过这个例子,你忘了?

▶“举”也做名词,指动作、行动。如:壮举 义举 一举一动

例句 这次去北京,又看朋友又旅游,真是一举两得。

【举办】 jǔbàn 〔动〕

进行活动或办理事业。(hold; conduct)常做谓语、定语。

例句 为了普及农业知识,电视台举办了“育种技术”讲座。|区里经常在广场上举办各种文娱晚会。|电脑培训班已经举办过好几期了。|群众的福利活动还举办得不够多。|下个月他将举办一次个人画展。|这次展览的举办时间长达三个月。|研讨会的举办单位共有三个。

【举动】 jǔdòng 〔名〕

动作或行为。(act; movement)常做主语、宾语。[量]个。

例句 最近几天,他的举动很反常。|公司的这个举动是为了扩大影响。|在这么多人面前,她的举动有点儿不大自然。|我倒要看看他们会有什么举动。|做出这种不文明的举动是很不应该的。

【举世闻名】 jǔshì wénmíng 〔成〕

全世界有名。(world-famous; of world renown)常做谓语、定语。

例句 中国的长城举世闻名。|这项研究已经举世闻名了。|举世闻名的喜马拉雅山吸引着许多登山爱好者。

【举世瞩目】 jǔshì zhǔmù 〔成〕

引起全世界的注意。(attract world wide attention; become worldwide attention)常做谓语、定语。

例句 中国改革的成就举世瞩目。|举世瞩目的奥林匹克运动会每四年举办一次。

【举行】 jǔxíng 〔动〕

进行。(hold)常做谓语。

例句 周末将举行文娱晚会。|在郊区举行了千人长跑比赛。|义演本周举行不了。|两国的贸易谈判已举行过三次。|为庆祝建国50周年,北京举行了盛大的游行。

辨析 〈近〉举办。“举办”重在办理,对象一般是名词性的,如会议、学习班、事业等;“举行”重在进行,对象除集会等名词性词语外,常是比赛、会谈等兼有动词性的词语。如:*国庆节举办了盛大的游行。(“举办”应为“举行”)

【举一反三】 jǔ yī fǎn sān 〔成〕

从所举的一个事情类推而知道许多事情。(draw inferences about other cases from one instance; from a part we may judge the whole; learn by analogy)常做谓语、定语、状语。

例句 通过这次事故,要举一反三,认真查找事故隐患。|我们老师特别注意培养我们“举一反三”的能力。|经理举一反三地说:“这次促销成功说明农村是个巨大的市场,我们还要多组织其他商品下乡。”

【举足轻重】 jǔ zú qīng zhòng 〔成〕

处于重要地位,每一举动都关系到全局。(hold the balance; prove decisive; play a decisive role)常做谓语、定语。

例句 尽管李书记在班子中的地位举足轻重,但作风非常民主。|《现代汉语词典》在促进汉语规范化方面有着

举足轻重的影响。|这项举足轻重的研究,要选最优秀的人去做。

【巨】 jù 〔形〕

很大。(huge tremendous; gigantic)常用于构词。也做定语、宾语。

词语 巨大 巨人 巨额

例句 犯罪嫌疑人现已携巨款潜逃。|开业当年创汇达12亿美元之巨。

【巨大】 jùdà 〔形〕

很大。(huge tremendous; enormous; gigantic; immense)常做定语、谓语。

例句 英雄的事迹给了我们巨大的鼓舞。|巨大的响声,几十里外都能听见。|演出获得了巨大的成功。|20年的改革开放,成绩巨大。|三峡工程规模巨大。|由于该犯贪污数额巨大,将依法严惩。

【句】 jù 〔量〕

用于语言。(sentence)常做定语、宾语、主语。

例句 临别时,她送我两句诗。|你是"三句话不离本行"啊。|他几句话就说得我心服口服。|我来说两句吧。|学了半天,一句也没学会。

▶"句"也做名词,指"句子",即能表达完整意思的语言单位。如:语句 词句 造句

【句子】 jùzi 〔名〕

用词和词组构成的,能够表达完整意思的语言单位。(sentence)常做主语、宾语、定语。[量]个。

例句 这几个句子写得非常好。|请改正下列句子。|学外语常做"完成句子"的练习。|有个句子的意思我不懂。

【拒】 jù 〔动〕

抵抗;不接受。(refuse; reject; resist)常做谓语。也用于构词。

词语 抗拒 拒绝 来者不拒

例句 只有拒腐蚀,才能当个好干部。|别总这么严肃,给人"拒人于千里之外"的感觉。|如果你们拒不执行合同,我们将要求赔偿。

【拒绝】 jùjué 〔动〕

不接受(别人的请求、意见、赠礼)。(refuse)常做谓语、宾语。

例句 张经理多次拒绝了客户的礼金。|小队员拒绝接受照顾,硬是坚持到了最后。|对这种无理要求,局长拒绝过多次。|这是人家的好意,怎么好拒绝呢?|对方要我干违法的事,叫我严辞拒绝了。|我没想到一片好心竟遭到她的拒绝。

【具】 jù 〔量/名〕

〔量〕用于尸体和某些器物。(piece)常构成短语做句子成分。

例句 两个农民在河边发现了一具尸体。|塔楼上那具大钟,敲了两下,已经下半夜两点了。

〔名〕指日常生活及生产的器物。(tool; utensil)常用于构词。

词语 家具 文具 餐具 农具 牙具

▶"具"还做动词,指"有"。如:具有 具备|运动员村现已初具规模。

【具备】 jùbèi 〔动〕

具有,齐备。(have; possess)常做谓语。

例句 他具备一个企业家应有的素质。|这种衣料具备防水、保暖等多种性能。|办这件事的条件还没有完全具备。

【具体】 jùtǐ 〔形〕

J

❶ 细节方面很明确的，不抽象的。(concrete)常做定语、谓语、状语、补语。

例句 会议的具体时间，将于近期通知。|客人们在访华期间的活动都作了具体安排。|具体情况，有空儿再跟您说吧。|你的介绍能不能再具体一点儿？|专家的方案非常具体。|请您具体地谈谈合作的前景。|文件对公务员的要求提得非常具体。|看来你对以后的打算已经想得十分具体了。

❷ 特定的。(specific)常做定语。

例句 任务都分别落实到具体的人了。|每节课都有具体的教学内容和要求。

▶ "具体"也做动词。表示把理论或原则联系到特定的人或事物上。后面一定带"到"，没有否定式。如：外国人学习汉语都有困难，但是具体到不同国家的人，困难可能不同。|完成这项工程，具体到每个单位，首先要把职工的积极性充分调动起来。

【具有】 jùyǒu 〔动〕

有(多用于抽象事物)。(possess; have)常做谓语。

例句 这批新干部具有朝气和积极进取精神。|他的散文不仅具有很高的艺术性，而且具有很强的知识性和趣味性。|外国朋友都喜欢具有中国传统风格的工艺品。

辨析 〈近〉具备。"具备"除"具有"的意思外，还表示完备；"具有"的使用范围较大。如：*这件文物具备研究价值。("具备"应为"具有")|*所有条件都已具有。("具有"应为"具备")

【俱】 jù 〔副〕

全；都。(all; complete)常用于固定短语。

词语 百废俱兴　品貌俱佳　面面俱到

【俱乐部】 jùlèbù 〔名〕

进行社会、文化、艺术、娱乐等活动的团体和场所。(club)常做主语、宾语、定语。[量]个。

例句 每个周末，俱乐部都有电影。|最近他们新成立了一个俱乐部。|最近，我终于加入了高尔夫俱乐部。|他是一个足球俱乐部的教练。

【剧】 jù 〔名〕

通过演员表演故事反映社会生活的一种综合艺术。(play; drama; opera)常做主语、宾语。[量]个，部。

例句 整部剧全部由新演员出演。|老谢退休后，常去看个剧什么的。|你喜欢什么剧？

▶ "剧"也做形容词，指猛烈、厉害、加剧。如：剧烈　剧变|一阵剧痛使她昏过去了。|这是剧毒农药，使用时千万小心。

【剧本】 jùběn 〔名〕

戏剧作品，由人物对话或唱词以及舞台指示组成。(play; scenario)常做主语、宾语、定语。[量]个。

例句 这个剧本写得十分感人。|您已经发表过三个剧本了吧？|这个剧本的作者获得了本届创作大奖。

【剧场】 jùchǎng 〔名〕

供演出戏剧、歌舞、曲艺等用的场所。(theater)常做主语、宾语、定语。[量]个。

例句 剧场正在装修呢。|明天下

午在剧场排练。|我在剧场周围转了半天才找到一个停车位。

【剧烈】 jùliè 〔形〕

猛烈。(violent; acute)常做定语、状语、谓语、补语。

例句 去报到前,我经历过剧烈的思想斗争。|他忍受着剧烈的伤疼坚持跑到终点。|睡梦中,突然大地剧烈地抖动起来。|浪越来越大,船身剧烈地摇晃着。|老年人的运动不要太剧烈了。|昨天活动得太剧烈了,浑身都疼。

【剧团】 jùtuán 〔名〕

表演戏剧的团体,由演员、导演和其他有关人员组成。(theatrical company; opera troupe)常做主语、宾语、定语。[量]个。

例句 我们剧团新排了一部戏,你不去看看?|他早就离开剧团了。|剧团的经费已经有了着落。

【剧院】 jùyuàn 〔名〕

剧场;也用作较大剧团的名称。(theater)常做主语、定语、宾语。[量]个,家。

例句 北京人民艺术剧院很有名。|这家剧院的灯光和音响效果是一流的。|我常去那个剧院看戏。

【据】 jù 〔动/介/名〕

〔动〕用强力取得或保持。(occupy)常用于固定短语或构词。

词语 据为己有 据守 据有 割据 盘据

〔介〕按照。(according to)常构成短语做状语。

例句 本片据巴金的同名小说改编。|据目击证人介绍,责任在卡车司机。|据我们调查,污水是化工厂排放的。|据新华社记者报道,今年全国高等学校招生将增加 50 万人。|据我看,他俩正在搞对象。

〔名〕可以用作证明的事物。(evidence)常用于固定短语或构词。

词语 查无实据 言必有据 以此为据 单据 收据 证据 论据

【据点】 jùdiǎn 〔名〕

军队用作战斗行动凭借的地点。(strongpoint; fortified point)常做主语、宾语、定语。[量]个。

例句 附近的几个据点已经被我军拔掉了。|有消息说敌人要在村上安个据点。|周围的大村子都成了游击队的据点。|这次任务是搞清据点内的火力部署情况。|据点的敌人经常进村来欺扰百姓。

【据说】 jùshuō 〔动〕

根据别人说。(it is said that)常做独立成分,多在句首。中间可插入成分。

例句 据说地球已经有四十六亿年的历史了。|我们公司据说要发行股票。|据老师说,这次考试没有不及格的。|据他说,多吃鱼会使人更聪明。

【据悉】 jùxī 〔动〕

根据得到的消息知道。(it is reported that)常做独立成分,多在句首。

例句 据悉,今年入境旅游观光的人数已超过一亿。|据悉,长江水位正逼近历史最高水平。|这次出访的国家据悉有欧亚共 6 个国家。

【距】 jù 〔动〕

在时间或空间上相隔。(away from)常构成短语做状语。

例句 这项工程,距今已有近百年的历史。|尽管距今八百多年,但建筑艺术已达到很高的水平。|此地

距北京有上千公里。|有了高速公路,上海距苏州仅40分钟车程。

【距离】 jùlí 〔名/介〕

〔名〕相隔的长度。(distance)常做主语、宾语 。[量]段。

例句 小时候家里和学校距离很远,上学很不方便。|我们之间在认识上的距离越来越大,恐怕很难统一了。|现在中国与发达国家的经济水平还有一段距离。|怎么走才能缩短距离呢?|跟这种人最好保持一定的距离。

〔动〕两者在空间、时间上相隔。(apart from)常构成短语做状语。

例句 现在距离飞机起飞的时间不到半个小时了。|火车站距离我们村子有10公里。|我赶到剧场时,距离开演只有两分钟。

【锯】 jù 〔名/动〕

〔名〕拉(lá)开木料、石料、钢材等的工具,主要部分是具有许多尖齿的薄钢片。(saw)常做主语、宾语、定语。[量]把。

例句 一把锯够不够?|这锯不快,该打磨了。|两个人拉大锯的情况现在很少见了。

〔动〕用锯拉(lá)。(cut with a saw)常做谓语。

词语 锯树 锯木头 锯大理石

例句 电锯正把圆木锯成木板。|人工锯得太慢,要是电锯就好了。|这块石板能锯成两块凳面。

【聚】 jù 〔动〕

汇集,会合。(assemble; gather)常做谓语。

例句 物以类聚,人以群分。|聚众闹事的人已经散了。|草坪上聚着一大群孩子在做游戏。|分别五十多年的亲人终于聚到一起了。|每年春节,我们班的老同学都要在一起聚聚。

【聚会】 jùhuì 〔动/名〕

〔动〕聚集会合。(get together)常做谓语、定语。

例句 明天晚上朋友聚会,我不去不好。|校庆时,校友们都从四面八方来到母校聚会。|今年这几家公司的代表已经聚会过两次了。|聚会地点没变,还是老地方。

〔名〕聚会的事。(get-together)常做主语、宾语。[量]个。

例句 这样的聚会,以后很难得了。|上次的聚会,我因为出差没能参加。|那是一个令人难忘的聚会。

【聚集】 jùjí 〔动〕

人或事物凑在一起。(gather; assemble; collect)常做谓语。

例句 代表队聚集了全国最优秀的游泳选手。|大家的目光聚集在讲演者身上。

【聚精会神】 jù jīng huì shén 〔成〕

注意力高度集中。(gather oneself together; self-absorption)常做状语、谓语、定语。

例句 即使在电车上,也有不少人在聚精会神地读书。|我在聚精会神地看小说,没发现客人进来。|学习不聚精会神还行?|看着他聚精会神的样子,真不忍心打扰他。

【捐】 juān 〔动/名〕

〔动〕舍弃或献出。(contribute; donate)常做谓语,也用于构词。

词语 捐款 捐躯 捐献 捐助 捐资

例句 去年,几位老艺术家捐过一

大笔钱办了一所小学。|为了支援灾区，大家纷纷捐钱捐物。|他把一间房子捐出来，做阅览室。|我们已经捐过几次衣物了。

〔名〕税收的一种名称。(tax)常带上定语做主语、宾语。

例句 各种捐税大大减少了。|当时，苛捐杂税太多了。|会计去税务所上捐去了。|高速公路收费，就是向过往车辆征收路捐。

【捐款】 juān kuǎn 〔动短〕

捐助款项。(contribute money)做谓语、定语，中间可插入成分。

例句 这个普通的工人家庭，先后捐款五千元。|港澳同胞纷纷向内地灾民捐款。|市机关一共捐了多少款？|许多上次捐款的人这次又捐了。|捐款的群众一批接一批。

▶"捐款"也做名词，指捐出的钱。如：这是我们公司全体员工给灾区人民的50万捐款。

【捐献】 juānxiàn 〔动〕

向国家、集体献出财物。(contribute)常做谓语、定语。

例句 本公司决定为"希望工程"捐献100万元人民币。|爷爷把珍藏的古代名画捐献给故宫博物馆了。|他把五百多册藏书全部捐献出来了。|是志愿者捐献的骨髓救了她的命。|阅览室的图书大都是大家捐献的。

【捐赠】 juānzèng 〔动〕

赠送(物品给国家或集体)。(donate)常做谓语、定语。

例句 向希望小学捐赠各种学习用品达千余件。|他把自己家的钢琴捐赠给了幼儿园。|捐赠的物品价值数万元。

【卷】 juǎn 〔动/量〕 另读 juàn

〔动〕❶ 把东西弯转裹成圆筒形。(roll up; wrap)常做谓语。

例句 我女儿学着自己卷头发。|他的裤腿卷得高高的站在水中等。|他不爱洗衣服，脏衣服总卷成一团放在床底下。|两个人卷了半天才把那些画卷了起来。|把袖子再往上卷卷吧，别弄脏了。

❷ 人或事物被一种大的力量撮起或裹进去。(carry along; sweep away; roll like a mat)常做谓语。

例句 风卷着沙土横扫华北平原。|孩子得救了，他却被洪水卷走了。|不知不觉我们就被卷进这场纠纷中去了。|大象能用长鼻子把木头卷起来。

〔量〕用于成卷儿的东西。(roll)常构成短语做句子成分。

例句 请问，这卷纸多少钱？|请你把这几卷布料送到加工车间。

【圈】 juàn 〔名〕

关养家畜的地方。(sty; fold; pen)常做宾语、主语、定语。[量]个。

例句 暴风雪到来之前，所有的羊都进圈了。|(猪)圈不收拾干净怎么行？|圈墙得加高一点儿。

【决】 jué 〔副〕

一定。(definitely; certainly)常做状语，用于加强否定。

例句 我提的这些意见，决没有恶意。|这次事故的发生，决非偶然。|他们的关系已经彻底破裂了，决无和好的可能。

▶"决"还做动词，指河堤被水冲开、拿出主意、判断等。如：决口 决堤 决定 决断|双方最后是靠点球才决出胜负的。

J

【决不】 jué bù 〔副短〕

一定不…(never)做状语。

例句 这事他决不会答应的。|一个人也没来？这决不可能。|我们决不会让你失望的。|她表示，决不放弃自己的权利。

【决策】 juécè 〔动/名〕

〔动〕决定策略或办法。(decide; make policy; make a strategic decision)常做谓语(不带宾语)。

例句 对这件关系公司命运的大事，领导应该尽快决策。|在没有搞清楚情况之前，不能盲目决策。|已经讨论半天了，现在该决策了。

〔名〕决定或办法。(policy decision; decision of strategic importance)常做主语、宾语、定语。[量]个，项。

例句 市政府关于绿化城区的决策受到全市人民的拥护。|厂里依据市场需求制定了几项重要决策。|中国经济的迅速发展离不开改革开放的战略决策。|失败的原因是决策的失误。

【决定】 juédìng 〔动/名〕

〔动〕❶ 对如何行动做出主张。(decide; resolve; determine)常做谓语。

例句 中国政府决定派代表团参加本次多边会谈。|事情决定得太突然了，我该怎么办呢？|这事现在还决定不了。|去不去你自己决定吧。

❷ 一事物对另一事物构成前提条件；起主导作用。(determine; decide)常做谓语、定语。

例句 存在决定意识。|社会的发展决定语言的发展。|一张考卷竟决定了她的命运。|其实，在专业选择上，父母的想法并不起决定的作用。|这项改革对企业的生存和发展具有决定意义。

〔名〕决定的事项。(resolution)常做主语、宾语。[量]个，项。

例句 修建地铁的决定深受市民欢迎。|这项决定一公布，立即在全厂引起强烈的反响。|我是经过一周的考虑，才作出这个决定。|会上传达了董事会的决定。

【决口】 jué kǒu 〔动短〕

堤岸被水冲开。[(of a dyke, etc.) be breached; burst]常做谓语，中间可插入成分。

例句 暴雨下个不停，大坝有几处都决了口。|以前黄河曾多次决口。|这段堤坝，去年决过口，要注意加固。|有我们在，这儿就决不了口。

【决赛】 juésài 〔动/名〕

〔动〕体育竞赛中决定名次的最后一次比赛。(play in the finals)常做谓语、宾语。

例句 什么时候决赛？|明天就要决赛了，你有什么计划？|休息一天后进行决赛。|参加决赛的共有8名运动员。

〔名〕(final)常做主语、定语、宾语。

例句 决赛于当地时间晚上七点开始。|决赛时间因雨推迟。|中国女子足球队进入了决赛。

【决算】 juésuàn 〔动/名〕

〔动〕根据年度预算执行结果而编制年度会计报告。(make final accounts)常做谓语。

例句 执行情况要决算后才能清楚。|那个项目的费用还没决算出来呢。

〔名〕编制出来的年度会计报告。(final accounts)常做主语、定语、宾语。[量]项，个。

例句 这个决算与预算基本相符。|决算报告已经报上去了。|全体代表一致通过了年度决算。

【决心】 juéxīn 〔名/动〕

〔名〕坚定不移的意志。(determination; resolution)常做主语、宾语。[量]个。

例句 决心已定,就不要再动摇了。|A:完成这次任务,大家有没有决心? B:有!|她暗自下了决心,无论如何也得坚持到底。

〔动〕拿定主张。(make up one's mind)做谓语。

例句 灾民们决心用自己的双手重建家园。|她决心不对任何人讲出事情的真相。|大家决心提前完成这项工作。

【决议】 juéyì 〔名〕

经会议讨论通过的决定。(resolution)常做主语、宾语、定语。[量]项,个。

例句 几项决议全部通过了。|这次会议的决议非常重要,也非常及时。|我们完全拥护大会的决议。|代表们举手通过了这项决议。|这个决议的意义非同一般。

【决战】 juézhàn 〔名/动〕

〔名〕敌对双方使用主力来决胜负的战役或战斗。(decisive battle)常做主语、定语、宾语。[量]场。

例句 与敌人的决战天亮前打响了。|首长正在进行决战前的动员。|一定要取得决战的胜利。|这是一场殊死的决战。

〔动〕敌对双方为决胜而战斗。(decisive battle)常做谓语(不带宾语)。

例句 两军在河东岸决战。|为保存力量,暂时不要跟敌人决战。

【觉】 jué 〔动〕 又读 jiào。

❶ 由不明白到明白。(become aware)常用于构词或用于固定短语。

词语 自觉 先知先觉

❷ 感觉到。(feel)常做谓语。

例句 不知不觉,天已经黑下来了。|不知怎么,我身上觉着不舒服。|干起活儿来就觉不出来冷了。

【觉察】 juéchá 〔动〕

发现;看出。(become aware; sense)常做谓语。

例句 从他的神色可以觉察到事故的严重性。|尽管对这种不良现象有所觉察,但没及时制止。|她并没有觉察出大家的不满,只顾自己说下去。

【觉得】 juéde 〔动〕

❶ 产生某种感觉。(feel)常做谓语。

例句 这孩子在生人面前一点儿也不觉得害怕。|才吃了几次药,奶奶就觉得好多了。|下了船,还是觉得大地好像在摇晃。|我觉得实在对不起她。

❷ 认为,但语气较轻。(think)常做谓语。

例句 郑老师觉得这孩子很有天赋,应该好好培养。|我并不觉得这么做有什么不对的。|大家都觉得没有必要再讨论下去了。

▶"觉得"的宾语只能是非名词性词语。

【觉悟】 juéwù 〔动/名〕

〔名〕对一种政治理论或社会理想的认识程度。(consciousness)常做主语、宾语。

例句 从那以后,他的思想觉悟有

J

了很大的提高。|首都人民的觉悟就是高。|那个时代也没有奖金,全靠觉悟。|要提高觉悟,自觉地参与改革。

〔动〕指思想意识由迷惑模糊到明白清醒。(come to understand)常做谓语。

例句 那次失败使他觉悟到一个人的力量是有限的。|村民们正在逐渐觉悟,改变不讲卫生的习惯。|你要是再不觉悟,就来不及了。

【觉醒】 juéxǐng 〔动〕

醒悟,觉悟。(awaken)常做谓语(一般不带宾语)、定语、主语、宾语。

例句 民工们渐渐觉醒,不再轻信老板的谎话了。|受骗上当的人们总有一天会觉醒过来。|觉醒了的人们再也不迷信了。|中华民族的觉醒是20世纪的重大事件。|高压统治只会加速人民的觉醒。

【绝】 jué 〔形/副〕

〔形〕❶ 独一无二的,没有人赶得上的。(unique;superb;excellent)常做谓语,也用于构词。

词语 绝技 绝活儿 绝妙 绝招儿

例句 这个主意太绝了! |他那手字真绝!

❷ 走不通的,没有出路的。(desperate;hopeless;no way)常用于构词或用于固定短语。

词语 绝地 绝壁 绝境 绝处逢生

〔副〕❶ 极,极端。(extremely)做状语。

例句 绝大多数青年是积极上进的。|绝大部分工人下岗后找到了新的工作。|这是个绝好的机会,你可别错过了。

❷ 一定。表示坚决否定。(absolutely)做状语,后跟"不"、"无"等否定词。

例句 别瞎猜,他可绝无此意。|这种现象绝非少数。|成绩再大,也绝没有可以骄傲的理由。|在原则问题上我们绝不让步。

辨析 〈近〉决。"绝"和"决"做副词表示"一定"时,可互换;但表"极"的意义时,只能用"绝"。如:* 这是个决好的机会。("决"应为"绝")

【绝对】 juéduì 〔形/副〕

〔形〕无条件的,不受任何限制的,完全的。(absolute)常做状语、定语、谓语、补语。

例句 为什么事事都要绝对服从他呢? |不管别人怎么说,我绝对相信你。|对这种现象不能绝对肯定,也不应该绝对否定。|这场比赛中国队占有绝对优势。|物体时刻都在运动之中,没有绝对的静止。|看问题太绝对就容易犯错误。|别把话说得太绝对了。

〔副〕一定。(absolutely)做状语。

例句 这种房子,绝对会受顾客欢迎。|酒后开车,绝对要出事。|这么晚了,他绝对不会来了。|这个分儿绝对没有上重点大学的希望了。

【绝望】 juéwàng 〔形〕

毫无希望。(hopeless)常做谓语、定语、状语、宾语。

例句 虽然得了癌(ái)症,他却从来没有绝望过。|一次又一次沉痛的打击,使小金绝望极了。|她的话带着绝望的口气。|听到这个不幸的消息,他显出了绝望的神情。|朋友绝望地告诉我:"一点儿办法也没有了。"|孩子绝望地哭喊着:"妈妈!"|这个年轻人似乎对什么都感到绝望了。

【绝缘】 juéyuán 〔动〕

❶ 跟外界或某一事物隔开，不发生接触。(cut all ties with sth.) 常做谓语。

例句 手术后我跟酒已经绝缘了。|你这么做，不是跟大家绝缘了吗？

❷ 隔绝电流，使不能通过。(insulate)常做谓语、主语、定语。

例句 这个地方要好好绝缘。|我说怎么总跑电，原来是绝缘不好。|橡胶是一种很好的绝缘材料。

【掘】 jué 〔动〕

挖；刨。(dig；grub)常做谓语。

例句 掘地三尺，也要把它找到。|"吃水不忘掘井人。"

【军】 jūn 〔名〕

❶ 军队。(armed forces；troops；army)常做主语、宾语、定语。

例句 陆、海、空三军将举行联合演习。|刘大爷的儿子参了军。|党、政、军领导同志出席了庆祝大会。|全军已经进入战备状态。

❷ 部队的编制单位，在"师"之上。(army)常做主语、宾语、定语。[量]个。

例句 两个军协同作战。|这次战役消灭了敌人整整一个军。|前线共有10个军的兵力。

【军备】 jūnbèi 〔名〕

军事编制和军事装备。(armament；weaponry；arms)常做主语、宾语、定语。

例句 我们的军备是在正常范围之内的。|大国应当裁减军备。|有的国家还在扩充军备。|搞军备竞赛不得人心。

【军队】 jūnduì 〔名〕

为政治目的服务的武装组织。(army；troops)常做宾语、主语、定语。[量]支。

例句 解放军是一支人民的军队。|人民的军队爱人民。|军队的纪律十分严明。

【军阀】 jūnfá 〔名〕

❶ 旧时拥有武装部队，割据一方，自成派系的人。(warlord)常做主语、定语、宾语。[量]个。

例句 当时军阀割据，战争不断。|他一贯是军阀作风。|当时的口号是打倒军阀。

【军官】 jūnguān 〔名〕

被授予尉官以上军衔的军人的统称。也指军队中排长以上的干部。(military officer；officer)常做主语、宾语、定语。[量]个，位，名。

例句 这几位军官都是大学生。|她嫁给了一个军官。|军官的待遇怎么样？

【军舰】 jūnjiàn 〔名〕

有武器装备能执行作战任务的军用舰艇的统称，如巡洋舰、航空母舰、潜艇等。也叫兵舰。(naval vessel；warship)常做主语、宾语、定语。[量]艘。

例句 这艘军舰是他服役十几年的地方。|应该派军舰去完成这个任务。|这艘军舰的装备非常先进。

【军人】 jūnrén 〔名〕

有军籍的人；服兵役的人。(armyman；soldier)常做主语、定语、宾语。[量]个。

例句 正在附近的军人及时赶到现场，帮助抢救伤员。|军人的职责是保卫祖国。|我是军人，危险时刻应该冲在前面。

【军事】 jūnshì 〔名〕
与军队或战争有关的事情。(military affairs)常做定语、宾语。
例句 军事院校今年招收地方大学生。|我不大懂军事。

【军医】 jūnyī 〔名〕
军队中有军籍的医生。(medical officer)常做主语、宾语、定语。[量]个,位,名。
例句 李军医是刚分配到我们医院的。|她丈夫是一位军医。|弟弟考上了军医大学。

【军用】 jūnyòng 〔形〕
军事上使用的。(for military use; military)常做定语,也用于"是…的"格式。
例句 军用地图十分精密。|这顶帐篷是军用的。|几架军用飞机停在机场一角。|军用物资正源源不断运往前线。

【军装】 jūnzhuāng 〔名〕
军服。(army uniform)常做主语、宾语、定语。[量]套。
例句 这套军装该洗了。|她特别喜欢穿军装。|军装的颜色有好几种,你觉得哪种漂亮?

【均】 jūn 〔形/副〕
〔形〕分布、分配相等。(equal; even)常做状语、谓语。
例句 既然大家都出了力,好处应该均得。|这次的活动费由大家均摊。|因为分配不均,发生了矛盾。
〔副〕全;都。(all; without exception)做状语。
例句 这药早、晚服用均可。|全家均好,请勿念。|两个儿女均已成婚。

【均匀】 jūnyún 〔形〕
分布或分配在各部分的数量相同,时间的间隔相等。(even; well-distributed)常做谓语、宾语、补语、状语、定语。
例句 行距均匀,有利于作物生长。|两组人数不太均匀,调一下吧。|混凝土搅拌要求均匀。|间隔要做到均匀。|你瞧,油漆刷得多均匀啊。|这次的降雨分布得很均匀。|要把面均匀地撒在盘底。|他刚躺下不久,就发出了均匀的鼾(hān)声。

【君】 jūn 〔名〕
❶ 国王;皇帝。(king; emperor)常用于构词,也做主语、宾语。
词语 君主 国君 君权 君令
例句 君在上,臣在下。|国不可一日无君。
❷ 对人的尊称。(sir; Mr.)
词语 张君 诸君 君子

【菌】 jūn 〔名〕
低等植物的一大类,不开花,没有茎和叶子,不含叶绿素,种类很多。(bacterium; fungus)常用于构词。
词语 细菌 真菌 菌类

【俊】 jùn 〔形〕
相貌清秀美丽。(handsome; pretty)常做谓语、定语、补语。
例句 这个姑娘俊。|他们家的孩子都挺俊。|这孩子小时候俊得很,现在反倒丑了。|村里人人都喜欢这个俊姑娘。|几年不见,你都长成俊小伙子了。|姐妹里数小梅长得俊。

K

【咖啡】 kāfēi 〔名〕

植物名，种子制成粉末可做饮料。这种饮料的名字也叫咖啡。(coffee)常做主语、宾语、定语。[量]种，公斤，杯。

例句 这种咖啡非常有名。|我要一杯咖啡。|那个国家的咖啡产量下降了。

【卡】 kǎ 〔名/动/量〕 另读 qiǎ

〔名〕❶ 卡片的名称。(card)常做主语、宾语、定语。[量]张，种。

例句 那种生日卡真漂亮。|我要买十张贺年卡。|卡的种类很多，有会员卡、贺年卡、信用卡、电话卡等。

❷ 录音机中放置盒式磁带的装置。(cassette)常做主语、宾语，也做语素构词。

例句 这台录音机的卡不太灵了。|你的录音机有几个卡？

〔动〕夹住或被夹住。(block)常做谓语，也做语素构词。

词语 卡钳 卡尺

例句 A:抽屉怎么打不开了？B:大概被里边的东西卡住了。

〔量〕热量单位卡路里(calorie)的简称。(short for calorie)常与数词构成短语做句子成分，也做主语。

例句 卡是热量单位。|那种食物每公斤可以提供5000卡的热量。

【卡车】 kǎchē 〔名〕

运送货物的汽车。(truck)常做主语、宾语、定语。[量]辆，种。

例句 这种大卡车白天不可以进入市内。|那儿的农民每家至少有一辆卡车。|A:他爸爸是干什么的？B:他爸爸是卡车司机。

【卡片】 kǎpiàn 〔名〕

适合用于书写或印刷的纸片。(card)常做主语、宾语、定语。[量]张。

例句 A:这种卡片质量怎么样？B:很好。|为了搞研究，我已经用了五六千张卡片了。|以前，卡片的用途很广，现在被计算机代替了。

【开】 kāi 〔动〕

❶ 使关闭的东西不再关闭；打开。(open)常做谓语。

例句 门开了。|窗户开着。|箱子被人开过。|应该经常开窗，换换空气。

❷ 打通。(open up; get through)(可带"了、着、过"，可带名词宾语)。常做谓语。

例句 他们在那个地区开了一条运河。|那面墙上开着一个窗子。|他到邻村开过水渠。

❸ 指合拢的东西展开(unfold; open)或连接的东西分离(separate)。常做谓语。

例句 院子里的那棵树开花了。|你的衣服开线了。

❹ 指河流、土地的解冻。(thaw; unfreeze)常做谓语。

例句 已经是春天了，河都开了。|这里开冻以后就不能走汽车了。

❺ 指操纵或发动枪、炮、车、船、飞机、机器等。(operate; drive)常做谓语。

例句 火车开了以后，他才赶到。|司机正开着车，请别跟他说话。|我从没开过枪。|星期天咱们一起去赛车场开开车吧。

K

❻ 建立。(set up;start;found)常做谓语。

例句 他又开了一家饭店。|街对面开着一家商店。|几十年以前,他曾经开过银行。

❼ 从某一点起。(begin;start)常做谓语。

例句 这次你们开了个好头。|我们从没开过这种先例。|工厂开工了。

❽ 举行。[hold (a meeting or an exhibition)]常做谓语。

例句 里边正开着会呢。|毕业典礼已经开过了。|周末大家可以开个晚会,跳跳舞。

❾ 写出;说出。[make out (a receipt, letter, etc.); announce (a price, etc.)]常做谓语。

例句 医生给你开了药方以后再去交款。|她的工作很轻松,除了开开收据以外,就没什么可做的了。|我要去公安局办事,可以给我开个介绍信吗?|这套房卖多少钱,您开个价。

❿ 指液体的沸腾(fèiténg)。(boil)常做谓语、补语。

例句 水还没开。|水已经烧开了。

【开办】 kāibàn 〔动〕

建立(工厂、商店、学校等)。(start; set up; found)常做谓语、定语。

例句 他们在那个小区开办了很多商店,但是没有开办学校。|市里新开办了一家银行。|开公司得交开办费吗?

【开采】 kāicǎi 〔动〕

挖掘。(mine;exploit)常做谓语,也做宾语、定语。

例句 那片油田已经开采了十年。|我们应该有计划地进行开采。|开采工作一定要考虑安全问题。

【开除】 kāichú 〔动〕

把不合格的人员从组织或单位中除名。(expel;discharge)常做谓语、定语。

例句 上周公司开除了一个工人。|因为犯了严重的错误,他被学校开除了。|被开除的人还可以找别的工作。

【开刀】 kāi dāo 〔动短〕

❶ 医生给病人做手术。(operate on)常做主语、谓语(不带宾语)、宾语、定语。中间可插入成分。

例句 开刀是西医常用的治疗方法。|这次住院,他一共开了两刀。|这种病不用开刀。|开刀的费用越来越高了。

❷ 比喻从某方面或某人下手。(make sth. or sb. the first target of attack, criticism, etc.)常做谓语。

例句 最好别拿他开刀。|我想从这件事开刀,彻底解决劳动纪律方面的问题。

【开动】 kāidòng 〔动〕

指车辆的开行、机器的运转等。(start;operate)常做谓语。

例句 机器开动了。|大家都来开动开动脑筋。|火车已经开动了,送行的人们还在挥手。

【开发】 kāifā 〔动〕

❶ 以荒地、矿山、森林、水力等自然资源为对象进行劳动,以达到利用的目的。(develop; open up; exploit)常做谓语、定语。

例句 他们退役以后,一起去开发边疆了。|我们应该大力开发水利资源。|那个地区已经开发了五年

了，现在已经是个很大的经济开发区了。

辨析 〈近〉开辟。“开发”着重在发掘出来，其对象多指尚未利用的资源，如荒山、水力等；“开辟”着重表示从无到有地进行开发和建设，其对象可大可小。

❷ 发现、发掘人才、技术。(develop)常做谓语、定语。

例句 我们应该大力开发先进技术。|明天代表们要去人才开发中心参观。

【开饭】 kāi fàn 〔动短〕

准备好饭菜开始吃(供应)饭食。(serve a meal)常做谓语、定语。

例句 A:食堂几点开饭? B:十一点半。|不等了，咱们先开饭吧。|开饭的时间到了。

【开放】 kāifàng 〔动〕

❶ 指花的展开。(come into bloom)常做谓语。

例句 菊花在秋天开放。|春天到了，桃花最先开放。|一束束礼花在空中开放。

❷ 指禁(jìn)令、限制的解除。(lift a ban; lift a restriction)常做谓语、主语、定语。

例句 中国又开放了一些地区。|那个展览节日照常开放。|图书馆的科技厅向孩子们免费开放。|开放给中国带来了巨大的变化。|你可以告诉我图书馆的开放时间吗?

【开工】 kāi gōng 〔动短〕

工厂开始生产或工程开始运行。(go into operation)常做谓语(不带宾语)、定语。中间可插入成分。

例句 引水工程是上个月6号开的工。|刚建成的那个工厂明天正式开工。|开工典礼定于下午两点举行。|不知为什么，开工的日期拖了好多天了。

【开关】 kāiguān 〔名〕

电器装置上用来接通或断开电流的装置。(switch)常做主语、宾语、定语。[量]个。

例句 那个开关坏了，换个新的吧。|老王帮我在卧室加了一个开关。|这种开关的质量很不错。

【开化】 kāihuà 〔动〕

❶ 由原始状态进入文明状态。(become civilized)常做谓语、定语。

例句 那里的人们越来越开化了。|现代文明已经进入了这个不太开化的山村。

❷ 冰雪开始融化。(thaw; unfreeze)常做谓语、定语。

例句 春天来了，冰雪慢慢地开化了。|由于气温回升得很慢，所以湖面开化的过程也很长。

【开会】 kāi huì 〔动短〕

一些人聚集在一起商量事情或进行其他活动。(hold a meeting; have a meeting; attend a meeting)常做主语、谓语(不带宾语)、定语。中间可插入成分。

例句 开这个会是必要的，但时间不能太长。|咱们下午三点开个小会。|A:开会的会场布置好了吗? B:没问题，放心吧。

【开架】 kāijià 〔动〕

由读者在书架上选取图书；由顾客在货架上选取商品。(open-shelf serve)常做谓语、定语、状语。

例句 有的书不开架，借书挺麻烦的。|我们的阅览室是个开架阅览室，想看什么书自己拿。|如果能开

架售书就好了。|超市都是开架售货,十分方便。

【开课】 kāi kè 〔动短〕

❶ 学校开始上课。(school begins)常做谓语、定语。

例句 新学期九月一日开课。|洪水过后,应该保证按时开课。|A:开课的日期变了,你知道吗? B:我知道了。

❷ 开设课程,也指教师(特别是高等学校的教师)担任某一课程的教学工作。[(chiefly in college) give a course; teach a subject]常做谓语、定语。中间可插入成分。

例句 张教授下学期要开一门新课。|A:下学期,刘老师开什么课? B:她开文学课。|每位开课的教师都应该认真执行教学计划。|为了保证教学质量,每学期开课的门数不能过多。

K

【开垦】 kāikěn 〔动〕

把荒地开辟成可以种植的土地。(reclaim wasteland)常做谓语、定语。

例句 我们要开垦荒山。|李老汉开垦了十亩坡地,栽上了果树。|那是一片未被开垦的荒地。

【开口】 kāi kǒu 〔动短〕

张开嘴说话。(open one's mouth; begin to speak; start to talk)常做主语、谓语。中间可插入成分。

例句 学习外语,多开口是很重要的。|没等我开口,他就说了起来。|学习了两个月汉语,她还是开不了口。

【开阔】 kāikuò 〔形/动〕

〔形〕宽广;开朗。(spacious broad-minded)常做谓语、定语、补语。

例句 那个人心胸十分开阔。|站在山顶,他觉得视野很开阔。|开阔的广场上,人们正跳着欢快的舞蹈。|小房子都拆了,马路变得开阔了。

〔动〕使开阔。(extend)常做谓语。

例句 出国使他大大开阔了眼界。|进入了新的世纪,我们应该不断地开阔自己的知识面。

【开朗】 kāilǎng 〔形〕

地方开阔明亮(open and clear);也指思想、心胸乐观、畅快。(sanguine)常做谓语、定语、补语。

例句 我的中国朋友性格很开朗。|走出山洞,眼前豁(huò)然开朗。|我喜欢他开朗的性格。|最近,他变得开朗了。

辨析 "开朗"和"爽朗"都可以用来形容人的乐观、豁达。区别在于:"开朗"常用来形容思想、心胸、性格,"爽朗"常用来形容性情、笑声等。如:* 一进门就听见他开朗的笑声。("开朗"应为"爽朗")

【开门见山】 kāi mén jiàn shān 〔成〕

比喻说话或写文章一开始就涉及主题。(come straight to the point; declare one's intention right at the outset)常做谓语、状语、定语。

例句 警察开门见山,一上来就问他那辆车的来路。|他开门见山地问经理:"公司最近的经营状况你清楚吗?"|王老师开门见山地说:"约翰,是不是有什么困难不好意思说?"|这两句开门见山的问话让对手有些措手不及。

【开明】 kāimíng 〔形〕

原意是指从野蛮进化到文明,引伸指人思想开通,不保守固执。(enlightened)常做谓语、定语、补语。

例句 局长很开明,我一要求,他就同意了。|那个人的思想很保守,一点儿也不开明。|谁不喜欢开明的领导?|现在,我爷爷也变得开明了。

【开幕】 kāi mù 〔动短〕

演出开始时打开舞台前的幕(the curtain rises);比喻会议、展览等的开始。(open)常做谓语、定语。

例句 七点整,戏开幕了。|很多来宾应邀出席了开幕式。|开幕的时候,请您讲几句话。|大会开始时,首先由部长致开幕词。

【开辟】 kāipì 〔动〕

❶ 打开通路;创立。(open up; set up)常做谓语、定语。

例句 这家航空公司又开辟了一条新航线。|厂里专门开辟了一块场地用于职工的体育活动。|A:晚报上新开辟的栏目叫什么名?B:新开辟的栏目叫《文艺天地》。

❷ 开拓发展。(open or develop)常做谓语。

例句 成功之后,公司又开辟出了新的发展领域。|去年,我到开发区开辟工作。

【开设】 kāishè 〔动〕

❶ 开办,设立。(establish)常做谓语。

例句 开设工厂。|街对面新开设了一个超市。|开设游乐场得办什么手续?

❷ 设置。(offer)常做谓语、定语。

例句 中文系新开设了几个专业。|新开设的管理课程一定要紧密结合实际。

【开始】 kāishǐ 〔动/名〕

〔动〕❶ 从头起或从某一点起。(begin; commence)做谓语。

例句 到了部队,新的生活才算正式开始。|新学年一开始,就出现了新面貌。|考试从八点开始。

❷ 着手进行。(start)常做谓语。

例句 八点开始考试。|为了去留学,他已经开始学习英语了。|书法班现在开始报名。

〔名〕开头的阶段。(beginning)常做主语、宾语、定语。

例句 好的开始是成功的一半。|这仅仅是一个开始,事情还远远没结束。|开始的时候,都有点儿紧张,后来就好了。

辨析 "开始"和"开头"都有从头起的意思,但"开始"还有着手进行的意思,也可以带宾语。如:开始学习。|* 开头学习。

【开水】 kāishuǐ 〔名〕

煮沸的水。(boiling water; boiled water)常做主语、宾语、定语。[量]瓶,壶,杯。

例句 开水得到水房去打。|得了感冒要多喝些开水。|用开水沏茶不一定好。|这里是高原,开水的温度才80℃。

【开天辟地】 kāi tiān pì dì 〔成〕

古代神话传说盘古(Pángǔ)氏开天辟地后才有世界,后来用开天辟地指有史以来。(the creation of heaven and earth — the beginning of history)常做谓语、定语。

例句 党领导人民开天辟地,建立了新中国。|这简直是开天辟地的变化。

【开通】 kāitōng 〔动/形〕

K

〔动〕使原来不通的通畅。(remove obstacles from; dredge; clear)常做谓语。

例句 那条航道已经开通一年了。|连接北部地区的光缆什么时候能开通?|你这老脑筋得开通开通了。

〔形〕思想不守旧,不固执。(open-minded; liberal; enlightened)常做谓语、定语。

例句 到现在你还这么不开通?|我这个人有点儿保守,不怎么开通。|父亲是一个开通的老人。

【开头】 kāitóu 〔名〕

事情、行动、现象等最初发生。(beginning)常做主语、宾语、定语。

例句 万事开头难。|开头一切顺利。|你想怎样写这篇文章的开头?|开头的那一段话讲得不太合适。

【开拓】 kāituò 〔动〕

开辟、扩展。(open up)常做谓语、定语。

例句 我们在荒滩上开拓出大片农田。|几个年轻人决心用自己的双手开拓出崭新的事业。|在改革中特别需要开拓的精神。

辨析 〈近〉开辟。"开拓"着重在原有的基础上加以扩展;"开辟"着重在从无到有地进行开发和建设。如:时代要求我们不断开拓进取。

【开玩笑】 kāi wánxiào 〔动短〕

用言语或行动戏弄人,用不严肃的态度对待。(joke)常做谓语、定语、宾语。

例句 他从不和别人开玩笑。|这可不是开玩笑的时候。|你是开玩笑,还是当真?

【开心】 kāixīn 〔形〕

心情愉快。(happy)常做谓语、定语、状语、补语。

例句 今天他很开心。|最近我有一件开心的事。|孩子们开心地笑了。|这次去黄山大家玩得真开心。

【开学】 kāi xué 〔动短〕

学期开始。(term begins; school opens)常做谓语、定语。

例句 你们什么时候开学?|学校已经开学一周了。|开学典礼上午十点开始。

【开演】 kāiyǎn 〔动〕

戏剧、电影等开始演出。[(of a play or a movie) begin]常做谓语(不带宾语)、定语。

例句 快去吧,电影都开演了。|那场戏晚了十分钟才开演。|快开演的时候,我还没买到票呢。

【开夜车】 kāi yèchē 〔动短〕

在夜里继续工作或学习。(work late into the night)常做主语、谓语、定语。

例句 开夜车只是一个不得已的办法。|考试前,不少同学都开夜车。|今晚别再开夜车了,不然明天就上不了班了。|开夜车的次数多了会影响身体健康。

【开展】 kāizhǎn 〔动〕

从小向大发展。(develop; launch)常做谓语。

例句 要开展节水活动。|开展文化交流是双方的共同需要。|社区文明建设很快就开展起来了。

辨析 〈近〉发展。"开展"着重指开始进行并由小向大发展;"发展"没有开始进行的意思,着重指进展或扩大。如:* 最近几年,保险事业开展得很快。("开展"应为"发展")

【开支】 kāizhī 〔名〕

付出的费用。(expenses)常做主语、宾语、定语。[量]项。

例句 这项工程的开支很大。|为了支付女儿的学费,老张每个月都尽量节省生活开支。|必须控制集团消费的开支。|这项开支的数目大得惊人。

【凯旋】 kǎixuán 〔动〕

获胜归来。(return in triumph)做谓语、定语。

例句 祝你们胜利凯旋!|在军乐声中,部队通过凯旋门。|各县群众到机场欢迎载誉凯旋的体育健儿。

【刊登】 kāndēng 〔动〕

在报纸、杂志等刊物上登载、发表。(publish in a newspaper or a magazine)常做谓语、定语。

例句 在报纸上刊登广告效果比较好。|您的文章将刊登在下期学报上。|昨天刊登的展览会的照片色彩不错。

【刊物】 kānwù 〔名〕

定期或不定期的出版物。(publication;journal)常做主语、宾语、定语。[量]种,份。

例句 那份刊物拥有大量读者。|你喜欢哪种刊物?|我订了三份刊物。|阅览室里刊物的种类很多。

【看】 kān 〔动〕 另读 kàn

守护照料;监视。(keep under surveillance;look after)常做谓语。

例句 她的工作是看孩子。|看住他,别让他跑了。|赵师傅看门已经十年了,从没出过问题。

【勘探】 kāntàn 〔动〕

查明矿藏分布等情况。(prospect)常做谓语、定语。

例句 队员们在沙漠上勘探了两年,终于发现了大油田。|我们勘探到一个金矿。|勘探工作的生活条件十分艰苦。

【侃侃而谈】 kǎnkǎn ér tán 〔成〕

理直气壮、从容不迫地说话。(speak with fervor and assurance)常做谓语、定语。

例句 走进会议室时,只见老张正在侃侃而谈。|他定了定神,便去答辩席上朗声侃侃而谈起来。|每当看到他那侃侃而谈的样子,我就忍不住想笑。

辨析 〈近〉滔滔不绝。"侃侃而谈"侧重从容不迫,"滔滔不绝"侧重连续不断。

K

【砍】 kǎn 〔动〕

用刀、斧等工具用力把东西断开。(cut)做谓语。

例句 没发明锯以前,人们用斧子砍树。|他砍伤了一个看门人。|我虽然老了,可砍砍柴、劈劈木头还可以。

【看】 kàn 〔动〕 另读 kān

❶ 使视线接触人或物。(look at;watch;read)常做谓语。

例句 他不喜欢看书。|考完试,可以看看电影、打打扑克了。|那部电视剧没意思,我看了十分钟就看不下去了。

❷ 观察并加以判断。(observe and estimate)常做谓语。

例句 我看他是个好人。|你看我这样做行不行?|这项政策会不会改变,我们一时还看不准。

❸ 访问,探望。(visit;call on)常做谓语。

例句 去北京出差时，我顺便看了一个老朋友。|退休人员太多，你一一去看恐怕看不过来。|春节前，厂工会主席带着礼物去看退休工人。

❹ 诊治。(make a diagnosis and give treatment)常做谓语。

例句 最后是在一家大医院才把他的病看好的。|这个病很难治，请了五六个大夫也没看好。|那个老中医看病看得很仔细。

❺ 试一试。[(*used ofter a reduplicated verb or a verb phrase*) try and see (what happens)]常用在动词性词语后(该动词常重叠)。

例句 你别急，我先找找看。|要是不信，你就碰碰看。|还是再等等看。

K

【看病】 kàn bìng 〔动短〕

医生给病人治病；病人找医生治病。(make a diagnosis and give treatment; go to a doctor)常做谓语(不带宾语)、定语。

例句 王大夫下乡给农民看病去了。|明天我要去医院看病，我想请个假。|他没参加保险，看一次病就花了很多钱。|今天，看病的人很多。

【看不起】 kàn bu qǐ 〔动短〕

轻视。(look down upon)常做谓语。

例句 你别看不起这本小字典，它很实用。|大学生打工很正常，不用怕别人看不起。|没有文化会被人看不起。

【看待】 kàndài 〔动〕

对待。(treat; look upon)常做谓语。

例句 我把你当亲兄弟看待。|你可不能把我当外人看待。|从那以后大家都对他另眼看待。

【看法】 kànfǎ 〔名〕

对人或事物的见解。(opinion)常做主语、宾语。

例句 你的看法不对。|我同意他的看法。|你对他有什么看法?

【看见】 kàn jiàn 〔动短〕

看到。(see)常做谓语。中间可插入"得/不"。

例句 他六岁时，第一次看见大海。|我以前从没看见过这么大的苹果。|A:你能看得见他吗? B:我一点儿也看不见。

▶ "看"表示动作本身，"看见"表示动作的结果，二者不能换用。如：＊他看了半天，什么也没看。("看"应为"看见")

另外，"看"是持续性动词，前面可加"在"、"正在"；"看见"不行。如：＊他正在看见他。("看见"应为"看")

【看来】 kànlái 〔连〕

根据情况估计。(it seems; it looks as if; seemingly)常做插入语，连接上下文。

例句 天色越来越阴，看来马上就要下雨了。|他信心十足，看来一定能拿到金牌。|她提前半小时就交了卷，看来考得不错。

【看起来】 kàn qǐlái 〔动短〕

根据情况估计、评价。(it seems; it looks as if)常做插入语。

例句 看起来飞机不能正点起飞了。|21世纪是信息时代，看起来，我们还得多学一点儿知识啊。

【看透】 kàn tòu 〔动短〕

透彻地认识、了解。(see through; understand thoroughly)常做谓语。中间可插入成分。

例句 他总是面无表情，让人很难看透。|这个人我看透了，他并不想真心帮助我。|我实在看不透这步棋的用意。

【看望】 kànwàng 〔动〕

到长辈或亲友处问候日常生活及身体情况。(pay a visit)常做谓语。

例句 这批海外华人是专门回乡看望亲人的。|他每个星期天都去看望父母。|我昨天去看望了两位老朋友。

【看样子】 kàn yàngzi 〔动短〕

根据情况估计。(it seems as if…)常做插入语。中间可插入成分。

例句 看样子，今天要下雨。|病人昏过去了，看这个样子，得马上手术。|我跟他商量了半天，看他的样子，是不想再合作了。

【看做】 kànzuò 〔动〕

看成是。(regard as; consider; look upon as)常做谓语。

例句 千万别把这件事情看做小事。|我把他看做自己的兄弟，可他却不相信我。|我都十八了，可父母老把我看做小孩子。

【慷慨】 kāngkǎi 〔形〕

充满正气、情绪激昂；不吝惜。(generous; fervent)常做谓语、状语、定语、补语。

例句 他对人很慷慨。|有一位学生站在高处，慷慨激昂地向群众发表演说。|张总慷慨地向希望工程捐款。|人们对他慷慨的演讲报以热烈的掌声。|人们的情绪变得慷慨起来。

【慷慨激昂】 kāngkǎi jī'áng 〔成〕

情绪、语调激动昂扬，充满正气。(impassioned; vehement)常做谓语、定语、补语、状语。

例句 在会上，同学们个个慷慨激昂，纷纷表示决心到祖国最需要的地方去。|这番慷慨激昂的演讲，使许多人深受感染。|有的人尽管说得慷慨激昂，做起来却是另外一回事。|当时，我们一边慷慨激昂地喊口号，一边向群众散发传单。

【糠】 kāng 〔名〕

稻、谷等作物子实的皮或壳。(chaff)可做主语、宾语、定语。

例句 有些糠含有人体需要的养分。|那时，穷人常靠吃糠来度日。|A：糠口袋放在哪儿了呢？ B：就在院子里。

【扛】 káng 〔动〕

用肩部承担物体。(shoulder)常做谓语。

例句 来的时候，爷爷肩上扛了个大口袋。|他有劲儿，能扛动这个箱子。

【抗】 kàng 〔动〕

用力量制止对方进攻。(resist; fight)常做谓语。

例句 要做好抗旱工作。|这是抗风作物。|抗日战争进行了八年。

【抗旱】 kàng hàn 〔动短〕

在天旱时，采取水利措施，使农作物不受损害。(fight against a severe drought)常做谓语、定语。中间可插入成分。

例句 我们要积极抗旱，争取丰收。|去年，足足抗了两个月的旱。|抗旱大军有十万人。|他是抗旱工作的负责人。

【抗击】 kàngjī 〔动〕

K

抵抗并且反击。(resist and fight back)常做谓语。

例句 中国军队奋起抗击日军的入侵。|中国军队整整抗击了八年。

【抗议】 kàngyì 〔动/名〕

〔动〕对某人、某团体、某国家的言行表示强烈反对。(protest;object)常做谓语。

例句 那里的市民上街游行,抗议物价上涨。|工人们强烈抗议公司大批解雇工人。|我代表我国政府再次抗议你们的不友好行为。

〔名〕强烈的反对。(protest)常做宾语、定语。

例句 我奉命向贵国提出强烈抗议。|抗议的浪潮席卷全国。|人们高喊着抗议的口号。

【抗战】 kàngzhàn 〔动〕

抵抗外国侵略的战争;在中国特指1937～1945年反抗日本侵略的战争。(war of resistance against aggression; the War of Resistance Against Japan(1937～1945))常做主语、谓语、宾语、定语。

例句 抗战唤起了人民大众。|坚决抗战到底。|中国人民坚持了八年抗战。|抗战时期,我在太行山区工作。

【炕】 kàng 〔名〕

北方人用土坯或砖砌(qì)成的睡觉用的长方台,上面铺席,下面有孔道,可以烧火取暖。[kang,(a heatable brick bed)]常做主语、宾语、定语。[量]铺。

例句 炕已经烧热了。|你睡炕,我睡床。|炕的用处很多,不仅可以睡觉,还可以治病呢。

【考】 kǎo 〔动〕

❶ 测验。(give or take an examination, test or quiz)常做谓语、定语。

例句 今天考语文。|这孩子能考上大学吗?|我考得不理想。|我来考考你吧。|A:上午考的什么? B:先考的听力,后考的口语。

❷ 检查(inspect; check);研究。(study)常做语素构词。

词语 考勤 考察 考绩 考古 考证 考订

【考察】 kǎochá 〔动〕

实地观察调查(inspect; make an on-the-spot investigation);细致深刻地观察。(observe and study)常做谓语、宾语、定语。

例句 他在考察农业问题。|工作组还要去那里考察考察。|科学工作者正在冰川进行实地考察。|为了提高产量,他对大棚里的西红柿的生长全过程作了认真、仔细的考察。|考察队员已经一天没吃上饭了。

【考古】 kǎogǔ 〔动/名〕

〔动〕研究古代的遗迹、遗物。(engage in archaeological studies)常做谓语、定语。

例句 我明年要去西安考古。|考古工作很重要。

〔名〕指考古学。(archaeology)常做主语、宾语、定语。

例句 考古是一门古老的学科。|他不喜欢学考古。|王教授承担了两项考古课题。

【考核】 kǎohé 〔动〕

考查审核。(examine; check)常做谓语、宾语。

例句 下个月学校考核干部。|这

次对那个单位的工作考核得非常严格。|有关部门对这个项目的各项技术指标进行了全面考核。

【考虑】 kǎolǜ 〔动〕

想问题。(think over)常做谓语。

例句 你别光考虑自己,也得为别人想想。|报考哪个大学,你考虑好了吗?|这事儿让我再考虑考虑。

【考取】 kǎo qǔ 〔动短〕

经过考试被录取。(pass an entrance examination)常做谓语、定语。中间可插入成分。

例句 他考取了北京大学。|有几个考生知道自己考不取名牌大学,就报了一般的大学。|听到已经考取的消息,她高兴极了。

【考试】 kǎoshì 〔动/名〕

〔动〕通过书面或口头提问等方式,考查知识或技能。(take an examination)常做谓语(不带宾语)、定语。

例句 A:你们什么时间考试? B:我们明天上午考试。|考试地点在哪儿?

〔名〕考查知识技能的一种方法。(examination)常做主语、宾语、定语。

例句 入学考试已经结束了。|她没参加考试。|这一次大家都顺利地通过了教师资格考试。|考试制度越来越完善了。

【考验】 kǎoyàn 〔动/名〕

〔动〕通过具体事件、行动或困难环境来检验。(test)常做谓语。

例句 你应该好好考验考验他。|她是想考验一下你的决心。|公司考验了他一年,才决定提拔他。

〔名〕考查检验。(ordeal;trial)可做主语、宾语、定语。[量]种,个。

例句 这种考验很有必要。|对新手来说,这是个考验。|大家要准备接受更加严峻的考验。|这种考验的方法也太让人受不了吧?

【烤】 kǎo 〔动〕

将物体挨近火使熟或干燥。(bake;roast;toast)常做谓语,也做语素构词。

词语 烤鸭 烤猪 烤烟

例句 "全聚德"的鸭子烤得最好。|羊肉串正在火上烤着呢。|快把湿衣服脱下来烤一烤。|坐在炉子边烤烤火吧。

【靠】 kào 〔动/介〕

〔动〕❶ 依。(lean on)常做谓语。

例句 他俩背靠背坐着。|小孩靠着妈妈睡着了。|有辆自行车靠在墙边。

❷ 接近。(draw near;approach)常做谓语。

例句 船靠岸了。|靠山吃山,靠水吃水。|大家往一起靠一靠,不然照不上。

❸ 信赖。(trust)常做谓语。

例句 那个人靠不住。|他的话靠得住靠不住?

〔介〕表示动作凭借的手段、工作或依据。(depend on)构成介宾短语做状语。

例句 他们全家都靠爸爸一个人的收入生活。|冠军是靠刻苦训练取得的。|不能靠天吃饭,要大修水利工程。

【靠近】 kàojìn 〔动〕

彼此间的距离近(be near)或缩小(reduce)。常做谓语。

例句 书桌靠近窗台。|那条船慢

慢靠近了码头。|我家靠近火车站。

【科】 kē 〔名〕

❶ 学术或业务的类别。(branch of study)常做语素构词。

词语 文科 理科 牙科 妇科 专科 本科 科目 学科

❷ 行政机构中按工作性质分设的办事部门。(section; department)常做语素构词。

词语 秘书科 行政科 财务科 科长

【科技】 kējì 〔名〕

科学技术。(science and technology)常做主语、宾语、定语。

例句 科技也是生产力。|不掌握新科技,就会落后。|这是一种高科技产品。|我们应当重视科技人才。

【科目】 kēmù 〔名〕

学术的分类,学校中课程的名目。(subject)常做主语、宾语。

例句 科目设置得太多了。|新科目增加得很快。|今天考什么科目?|学位课程有几个科目?

【科普】 kēpǔ 〔名〕

科学普及。(popular science)常做定语。

词语 科普读物 科普电影 科普程度

例句 科普工作十分重要。

【科学】 kēxué 〔名/形〕

〔名〕反映自然、社会、思维等客观规律的分科的知识体系。(science)常做主语、宾语、定语。

例句 科学没有国界。|别蛮(mán)干,得相信科学。|我们应该努力攀登科学高峰。

〔形〕合乎科学的。(scientific)常做谓语、定语、状语。

例句 他们的方法很科学。|这种说法不太科学。|应该用科学的态度看待UFO。|他是一个科学家,怎么会没有科学头脑?|科学地安排时间,就不会忙乱了。

【科学家】 kēxuéjiā 〔名〕

从事科学研究工作有一定成就的人。(scientist)常做主语、宾语、定事。[量]个,位,名。

例句 科学家是国家的宝贵财富。|我们应当尊重科学家。|科学家公寓就在市政府的西边。

【科学院】 kēxuéyuàn 〔名〕

规模较大的从事科学研究的机关。(academy of sciences)常做主语、宾语、定语。[量]所,个。

例句 科学院在市郊。|国家决定合并这两个科学院。|王校长是中国科学院院士。

【科研】 kēyán 〔名〕

科学研究。(scientific research)常做主语、宾语、定语。

例句 李老师教学不错,科研怎么样?|毕业后,他就专心搞科研,出了不少科研成果。|为了这个项目,国家拨了一百万科研经费。

【科长】 kēzhǎng 〔名〕

机关中某一科的负责人。(section chief)常做主语、宾语、定语。[量]个,位。

例句 A:请问,科长在吗? B:对不起,科长不在。|新来的科长很年轻。|上级任命了两个副科长。|这件事超出了科长的职责范围。

【棵】 kē 〔量〕

多表示植物的计算单位。(*measure word for plants*)

词语 一棵树 四棵白菜 几棵草

例句 这棵树很好看。

【颗】 kē 〔量〕

多表示小而圆的东西的计量单位。(*measure word for the things small and roundish*)构成短语做定语,也做宾语。

例句 一颗颗汗珠滚落下来。|一颗粮食也不应浪费。|那颗星叫水星。|A:你拔了几颗牙? B:拔了两颗。

【颗粒】 kēlì 〔名〕

小而圆的东西。(anything small and roundish)亦可指粮食。(grain)常做主语、宾语、定语。

例句 我们要力争颗粒归仓。|那年大旱,颗粒无收。|海带晒干后,上面有不少盐的颗粒。|那种东西是颗粒状的。

【磕】 kē 〔动〕

(把东西)碰在硬东西上。(knock)常做谓语。

例句 他有一次摔在楼梯上,磕掉了一颗牙。|那个女人常到庙里烧香磕头。|不小心头上磕了个大包。

【壳】 ké 〔名〕 另读 qiào

物体的坚硬外皮。(shell)常做语素构词,也做主语、宾语。

词语 贝壳 子弹壳 鸡蛋壳 脑壳

例句 鹌鹑(ānchún)蛋的壳很薄,一碰就破。|这批花生不好,去了壳没多少东西了。

【咳】 ké 〔动〕

意义见"咳嗽"。(cough)常做语素构词,也做谓语。

词语 咳嗽 连咳带喘 干咳

例句 老人咳了半天,咳出一口痰。

【咳嗽】 késou 〔动〕

喉部或气管受到刺激时迅速吸气,接着强烈地呼气,声带发声。(cough)常做谓语、定语。

例句 不知道怎么,这两天咳嗽得厉害。|老张的气管炎好了,今年冬天一点儿也没咳嗽。|我感冒了,又发烧,又咳嗽。|医生给我开了一些咳嗽药。

【可】 kě 〔动/副/连〕

〔动〕❶ 表示可能、许可。(can; may; allow)常做状语。

词语 不可预见 可望成功 可有可无 可大可小

例句 明天我可去可不去。

❷ 表示值得(be worth),应该。(ought to)常做语素跟单音动词构词,也做状语。

词语 可爱 可靠 可怕 可惜 可怜 可笑

例句 这本书没什么可看的。|西部开发大有文章可做。

〔副〕表示强调语气。(be sure)做状语。

例句 你可别忘了这件事。|那儿的天气可冷了。|她可真行!|你可来了!我们都等你半个小时了。

〔连〕表示转折,相当于"可是"、"却"。(but)可用于主语前,也可用于主语后。

例句 他个子不高,可力气却不小。|昨天雨下的时间不长,雨量可不小。|当时大家表面很平静,可心里却很紧张。

【可爱】 kě'ài 〔形〕

令人喜爱。(lovely; likeable)常做谓语、定语、状语、补语。

例句 那个小姑娘多么可爱!|可

K

爱的大熊猫吸引着大人孩子。|她很可爱地朝大家笑了笑。|这些小朋友们打扮得真可爱。

【可不是】 kě bu shì 〔动短〕

表示附和赞同对方的话。(that is so; sure enough)做独立成分。

例句 A:天太热了。B:可不是,我热得连觉也睡不着。

【可歌可泣】 kě gē kě qì 〔成〕

值得歌颂并使人感动得流泪。(move one to song and tears; moving)常做谓语、定语。

例句 抗洪英雄的事迹可歌可泣。|这是一个可歌可泣的爱情故事。

【可观】 kěguān 〔形〕

值得看(worth seeing);达到较高的程度(impressive; considerable)。常做谓语、定语。

例句 那项工程规模可观。|他们创造了可观的经济效益。

【可贵】 kěguì 〔形〕

值得珍视和重视,常形容"精神"、"品质"等。(valuable; noble)常做谓语、定语。

例句 这种精神十分可贵。|他靠自学考上了北京大学,真是难能可贵。|我们应该学习他的可贵品质。

辨析 〈近〉宝贵。"可贵"一般形容"精神"、"品质"等抽象事物;"宝贵"除用于"生命"、"经验"、"意见"、"财富"等抽象事物外,还用于珠宝等具体的东西。如:* 她把可贵的金银首饰都献了出来。("可贵"应为"宝贵")

【可见】 kějiàn 〔连〕

可以得出判断或结论。(it is thus clear that)用来连接分句、句子或段落。

例句 经过努力,他的成绩提高了,可见,他的潜力不小。|既然没人接电话,可见她还没回来。|这种商品一上市就卖光了,可见市场需求很大。

【可靠】 kěkào 〔形〕

可以相信和依靠(dependable);真实可信(trustworthy)。常做谓语、定语。

例句 你放心,这个人很可靠。|这条消息可不可靠?|这种说法没有可靠的依据。|我们需要可靠的消息来源。

【可口】 kěkǒu 〔形〕

食品、饮料味道好。(tasty; good to eat)常做谓语、定语。

例句 您做的菜真可口。|这种饮料可不可口?|在这儿,每天都能吃到可口的饭菜。

【可怜】 kělián 〔形/动〕

〔形〕因遭到不幸而值得同情。(pitiful; pitiable; poor)常做谓语、定语、状语、补语。

例句 邻居的老太太很可怜。|那是一个可怜的孩子。|那些人现在都可怜地沿街摆摊卖东西。|她哭得太可怜了。

〔动〕同情不幸的人。(have pity on)常做谓语。

例句 谁来可怜可怜我这个老太婆呢?|我很可怜这个没钱读书的山村女孩。|他太坏了,不用可怜他。

【可能】 kěnéng 〔助动/名〕

〔助动〕也许;可以实现。(perhaps; maybe; probably)常做状语、谓语、定语。

例句 张老师可能走了。|明天可

能下雨，后天再说吧。|A：计划能实现吗？B：完全可能。|一天就拿到签证，大概是不可能的事。

〔名〕能成为事实的属性，可能性。(probability)做主语、宾语。

例句 这种可能是存在的。|我看没有这种可能。|行动之前，要考虑到各种可能。

【可怕】 kěpà 〔形〕

让人觉得害怕。(terrible)常做谓语、定语、补语。

例句 昨晚的暴风雨太可怕了。|困难并不可怕。|可怕的事情终于发生了。|你说得太可怕了。

【可巧】 kěqiǎo 〔副〕

恰好，凑巧。(as luck would have it; by a happy coincidence)做状语。

例句 我正要去找他，可巧他就来了。|这种幸运哪能可巧就轮到我们呢？|我正担心找不到座位，可巧有个人下车，空出了一个位子。

【可是】 kěshì 〔连〕

表示转折。(but)常用在转折复句中，与"虽然"、"尽管"等呼应。也可以连接段落。可用在主语前或主语后。

例句 他嘴上不说，可是心里很不满意。|大家虽然很累，可是都很高兴。|文章尽管不长，可是内容却很丰富。

【可望不可即】 kě wàng bù kě jí 〔成〕

可以看见却无法接近，形容看来可以实现而实际难以实现。(within sight but beyond reach — unattainable; inaccessible)常做谓语、定语。

例句 这种事情可望不可即。|现在买汽车对于中国百姓来说，已非可望不可即的事情了。

【可恶】 kěwù 〔形〕

令人厌恶。(hateful)常做谓语、定语、状语、补语。

例句 那个人太可恶！|这些不文明的做法可恶极了。|那可恶的家伙怎么又来了？|他可恶地出卖了他知道的一切。|他现在变得越来越可恶了。

【可惜】 kěxī 〔形〕

令人惋惜。(it's a pity)常做谓语、定语。

例句 昨天你没来参加晚会，真可惜。|放弃考试太可惜了。|这是一件十分可惜的事。

【可喜】 kěxǐ 〔形〕

令人高兴。(gratifying)常做谓语、定语。

例句 这件事情可喜可贺。|孩子考上大学多么可喜呀！|快把这个可喜的消息告诉大家。

【可想而知】 kě xiǎng ér zhī 〔成〕

想想就可以知道。(it can be imagined)常做谓语、定语。

例句 结果怎么样，大家可想而知。|这是可想而知的事。

【可笑】 kěxiào 〔形〕

使人发笑。(laughable; ridiculous)常做谓语、定语、状语、补语。

例句 这件事很可笑。|阿姨给小朋友讲了一个可笑的故事。|离开时，他很可笑地做了一个鬼脸。|那个演员表演得真可笑。

【可行】 kěxíng 〔动〕

可以实行，行得通。(feasible; workable)常做谓语(不带宾语)、定语。

K

例句 你说的这件事可行。|那个方案不可行。|我们的建议可行不可行?|我们还需要一份可行性报告。

【可以】 kěyǐ 〔助动/形〕

〔助动〕许可,可能,能够。(can; may)常做状语,也能单独回答问题。

例句 事情办完了,你可以走了。|A:我可以进来吗? B:可以。|这辆车每小时可以开多少公里?|可以让我来做这件事。

〔形〕❶ 好,不坏。(not bad; pretty good)常做谓语,补语。

例句 这个办法可以。|今天天气还可以。|那篇文章的文笔可以,内容也不错。|她唱得还可以。

❷ 表示程度相当高;厉害。(very; extremely)常做谓语、补语。

例句 你的眼力真可以。|这个孩子真是调皮得可以。|今天冷得真可以。

▶ "可以"前面不能加"很",可以加"真"。

【渴】 kě 〔形〕

口干想喝水。(thirsty)常做谓语、补语、宾语。

例句 走了两小时的山路,我渴得很。|打了半天球,大家又渴又饿。|我们都玩渴了。|我觉得很渴,就买了瓶水。

【渴望】 kěwàng 〔动〕

迫切希望。(long for; yearn for)常做谓语。

例句 人民渴望和平。|天太旱了,农民都渴望下雨。|这件事我们渴望已久了。

【克】 kè 〔量〕

国际质量、重量单位,等于千分之一公斤。(gram)构成短语做句子成分。

例句 他买了100克黄金。|做这个试验需要20克添加剂。|这种药每次服5克就可以了。

【克服】 kèfú 〔动〕

❶ 用坚强的意志去战胜。(overcome; surmount)常做谓语、定语。

例句 一路上,他们克服了不少困难。|克服不利因素。|只有注意克服自己的缺点,才能不断进步。|大家齐心合力,就没有克服不了的困难。

▶ "克服"的宾语通常是"缺点"、"错误"、"困难"、"不利条件"等。

❷ 忍受,克制。(bear; stand)常做谓语。

例句 这里条件不好,你们只好克服克服了。|教室里不准吸烟,想抽烟的人只能克服一下了。

【刻】 kè 〔动/量〕

〔动〕用刀子在竹、木、玉、石、金属等物品上雕(diāo)出花纹等。(engrave)常做谓语、定语。

例句 他刻花儿刻得不错。|你能刻石头吗?|刻的字太小不行。

〔量〕时间单位,一刻等于十五分钟。(a quarter of an hour)常与数字"1"、"3"构成数量词组做状语。还可用于固定短语或做语素构词。

词语 一刻千金　此刻　刻不容缓　立刻

例句 别急,三点一刻才下课呢。|飞机一点三刻准时降落在机场。

【客】 kè 〔名〕

客人。(guest)常做主语、宾语、定

语。还做语素构词。

词语 客车 客机 客厅 客体 客商 客房

例句 客从远方来。|对不起,我正在会客。|快回去吧,你家来客了。|这间是客房。

【客车】 kèchē 〔名〕

铁路、公路上载运旅客的车。(passenger train; bus)常做主语、宾语、定语。[量]列,辆。

例句 一列客车飞驰而来。|旅游客车进站了。|他们又设计了一种新型客车。|这辆客车的质量很好。

【客观】 kèguān 〔名/形〕

〔名〕在意识之外,而独立存在的物质世界。(objective)常做主语、宾语、定语。

例句 "客观"是一个哲学概念。|请别过分强调客观。|我们不能违反客观规律。

〔形〕按照事物的本来面貌去考察,不加个人偏见的。(objective)常做谓语、定语、状语、补语。

例句 赵书记看问题很客观。|请你客观一点儿。|这是一种很不客观的看法。|我们应该客观地分析这个事。|他现在看事情变得客观了。

【客气】 kèqi 〔形/动〕

〔动〕❶ 说客气的话。(make polite remarks; be polite)常做谓语。

例句 他客气了半天,才收下礼物。|大家都是老朋友,你就别客气了。|你怎么客气起来了?

〔形〕对人谦让有礼貌。(modest; polite)常做谓语、定语、状语。

例句 领导对我客客气气的。|她不客气地拒绝了对方的邀请。|那都是客气话,别当真。

【客人】 kèrén 〔名〕

被邀请来的人(guest);旅客(traveller);顾客。(customer)常做主语、宾语、定语。[量]位,个。

例句 客人都来了吗?|周末商店里的客人很多。|快去招待客人。|旅店里住满了参加服装节的客人。|这些是客人的席位。

【客商】 kèshāng 〔名〕

往来各地运货贩卖的商人。(travelling trader)可做主语、宾语、定语。[量]个,位。

例句 最近几年来这里做生意的客商越来越多。|欢迎来自世界各地的客商。|我们会认真考虑那位客商的建议。

【客厅】 kètīng 〔名〕

会客室。(drawing room; parlor; living room; sitting room)常做主语、宾语、定语。[量]个。

例句 这个客厅布置得很讲究。|服务员正在打扫客厅。|请客人到客厅吧。|这个客厅的门有点儿小。

【课】 kè 〔名〕

❶ 有计划的分段教学。(class)常做主语、宾语。

例句 这个学期的课太多了。|明天下午没课。|快去上课吧,别迟到了。

❷ 教学的科目。(subject; course)常做主语、宾语。[量]门。

例句 新课很有意思。|我不喜欢地理课。|这学期有几门课?

❸ 教材的段落。(lesson)常做主语、宾语、定语。

例句 平均每课有 30 多个生词。|

K

这本书一共有十五课。|今天我们学习第四课。|这一课的语法很难。

❹ 教学的时间单位。(an hour of a class)常做主语、宾语、定语。[量]节,堂。

例句 这节课是听力课。|我每天上午都是4节课。|A:你们一堂课的时间是多少? B:是50分钟。

【课本】 kèběn 〔名〕

教科书。(textbook)常做主语、宾语、定语。[量]种,本。

例句 A:数学课本多少钱一本? B:四块五一本。|这种课本学生觉得怎么样?|你喜欢新课本吗?|这本课本的插图挺有意思。

【课程】 kèchéng 〔名〕

学校教学的科目和进程。(course; curriculum)常做主语、宾语、定语。[量]门。

例句 课程都已经安排好了。|A:我们班一共有几门课程? B:四门。|课程表发了吗?

【课时】 kèshí 〔名〕

一节课的时间。(class hour; period)常做主语、宾语、定语。[量]个。

例句 我这学期课时不多。|你们班每个星期有多少课时?|他这个月上了四十课时的课。|比尔学了几十课时的口语以后,已经能和中国人会话了。

【课堂】 kètáng 〔名〕

学生上课的地方。(classroom; schoolroom)常做主语、宾语、定语。

例句 课堂是上课的地方,不准吸烟。|第一课堂很重要,第二课堂也很重要。|社会是人生的课堂。|下面进行课堂讨论。|我的课堂作业还没做完呢。

【课题】 kètí 〔名〕

研究、讨论的主要问题或有待解决的重大事项。(question; problem)常做主语、宾语、定语。[量]个,项。

例句 今年的两项课题已经确定了。|你申报科研课题了吗?|这是一个很难解决的课题。|现在我们课题小组的人手不够。

【课外】 kèwài 〔名〕

学校上课以外的时间。(extracurricular; outside class)常做定语、主语、宾语。

例句 老师不应该给学生留过多的课外作业。|她需要课外辅导。|你应该多参加一点儿课外活动。|课外也可以利用起来。|大家也要把功夫下在课外。

【课文】 kèwén 〔名〕

教科书中的正文。(text)常做主语、宾语、定语。[量]篇,段。

例句 这篇课文很有意思。|请把第二段课文念一遍。|要是课文内容不明白就来找我。

【肯】 kěn 〔助动〕

同意;愿意。(agree; be willing to)常做状语。

例句 那个人不肯告诉我他的电话。|A:他肯不肯来? B:不肯。|那个孩子肯动脑子,成绩特别突出。

【肯定】 kěndìng 〔动/形〕

〔动〕承认事实。(affirm; approve)常做谓语、定语。

例句 老师肯定了那个学生的做法。|你能肯定这是他干的吗?|我们都肯定了他的功劳,但肯定的程度不一样。

〔形〕表示承认的,正面的,明确的。

(positive;sure)常做谓语、定语、状语、补语。

例句 他的语气非常肯定。|请给我一个肯定的答复。|她肯定地说："我明天一定来。"|他们当时说得十分肯定,怎么现在又变了?

【恳切】 kěnqiè 〔形〕

诚恳而殷切。(earnest)常做谓语、定语、状语、补语。

例句 那位老朋友的态度很恳切。|妈妈用恳切的目光看着我。|她恳切地说:"我真想拜您为师。"|你瞧,那个人说得多么恳切啊!

【恳求】 kěnqiú 〔动〕

诚恳地请求。(implore;entreat)常做谓语、定语。

例句 这是我最后一次恳求你了。|你怎么恳求起我来了?|"能不能再考虑一下?"她投过来恳求的目光。

【啃】 kěn 〔动〕

一点儿一点儿地往下咬。(gnaw;nibble)常做谓语。

例句 你喜欢啃玉米吗?|这块面包太硬了,我啃不动。|那条狗正在啃骨头呢。

【坑】 kēng 〔名/动〕

〔名〕洼下去的地方(hollow);地洞。(pit)常做主语、宾语、定语。[量]个。

例句 你挖的坑太小了。|小心!前面有个坑。|炸弹把路面炸出了好几个大坑。|那个坑的大小和篮球场差不多。

〔动〕害(人)。(entrap;cheat)常做谓语。

例句 你坑得我好苦啊!|答应得好好的,临时又不干了,这不是坑人吗?

【空】 kōng 〔形〕 另读 kòng

里面没有东西或没有内容。(empty)做谓语、定语、状语、补语。

例句 箱子已经空了。|她现在两手空空,身无分文。|来了一辆空车。|他们俩只是空喝酒,不吃菜。|屋子已经搬空了。

▶"空"也做名词,指"天"。如:天空 高空 领空 空中飞人

【空洞】 kōngdòng 〔形/名〕

〔形〕没有内容或内容不充实。(empty;without content)常做谓语、定语、状语、补语。

例句 那篇文章内容很空洞。|昨天的报告空空洞洞的,没什么新东西。|空洞的理论不能解决眼前的难题。|总是空洞地议论而不行动,什么事也办不成。|刚才的发言讲得比较空洞。

〔名〕洞。(cavity)做宾语。

例句 地球的上空有一个臭氧空洞。

【空港】 kōnggǎng 〔名〕

飞机场,航空站。(airport;air harbour)常做主语、宾语、定语。[量]个,处。

例句 那个空港是十年以前建的。|这个国家只有三处可以起降波音飞机的空港。|广州市新空港的竣工典礼将在下月举行。

【空话】 kōnghuà 〔名〕

内容不实在或不能实现的话。(bunk;hollow words)常做主语、宾语、定语。[量]句。

例句 王秘书起草的报告实实在在,一句空话也没有。|空话说多

K

了，你就会失去人们的信任。|谁都不应该光说空话不干实事。|空话的害处太大了。

【空间】 kōngjiān 〔名〕

物质存在的一种客观形式，由长度、宽度、高度表现出来。(space)常做主语、宾语、定语。[量]个。

例句 宇宙空间是无限的。|小说的结尾给读者留下了一个想象的空间。|那位建筑设计师很会利用空间。|这种宇宙空间的通信设备是国产的。

【空姐】 kōngjiě 〔名〕

客机上的女服务员。(air hostess)常做主语、宾语、定语。[量]个，位。

例句 一路上，漂亮的空姐对旅客非常关心。|小李一心想当空姐。|空姐的工作收入高，但危险性也大。

【空军】 kōngjūn 〔名〕

在空中作战的军队。(air force)常做主语、宾语、定语。[量]支，个。

例句 在现代战争中，空军越来越重要。|(口号)建设一支强大的空军。|我家乡的附近有一个空军基地。

【空气】 kōngqì 〔名〕

构成地球周围大气的气体(air)；气氛(atmosphere)。常做主语、宾语、定语。

例句 海边的空气很新鲜，去散散步吧。|这里的学术空气很浓。|每天早上，我都到外面呼吸新鲜空气。|别制造紧张空气。|这几天空气湿度很大。

【空前】 kōngqián 〔形〕

以前所没有。(unprecedented; never before)常做谓语、定语、状语。

例句 本届交易会盛况空前。|这是一场空前的灾难。|各族人民空前团结。

【空调】 kōngtiáo 〔名〕

空气调节(air conditioning)；空气调节的设备，空调机(air conditioner)。常做主语、宾语、定语。[量]个，台。

例句 空调坏了。|现在，很多普通人家都安装了空调。|空调设备已经国产化了。

【空想】 kōngxiǎng 〔动/名〕

〔动〕凭空设想。(daydream)常做谓语。

例句 他还在空想呢。|现实点儿吧，别空想了。|不要闭门空想，应该深入实际了解情况。

〔名〕不切实际的想法。(fantasy; idle dream)常做主语、宾语、定语。[量]种。

例句 空想只能误事。|那份计划只是空想。|空想的事儿怎么能实现呢？

【空心】 kōng xīn 〔形短〕

东西的内部是空的。(hollow)常做定语、谓语。

例句 空心菜我喜欢吃。|放了几天的萝卜已经空心了。|这棵大白菜空了心了。

【空虚】 kōngxū 〔形〕

里面没什么实在的东西。(void; empty)常做谓语、定语、宾语。

例句 退休后，她觉得生活很空虚。|A：这篇文章怎么样？B：这篇文章的内容十分空虚。|小说表现了主人公空虚的内心世界。|当时，你不觉得空虚吗？

【空中】 kōngzhōng 〔名〕

天空中(in the air)；飞机上的(air-)；无线电的(on the air)。常做主语、

宾语、定语。

例句 空中传来飞机的马达声。|获胜后,队员们把教练抛向空中。|年轻的时候,她是一名空中小姐。|听众同志们,现在是"空中红娘"节目。

【孔】 kǒng 〔名〕

洞。(hole)常做语素构词,也做宾语。

词语 鼻孔 毛孔 无孔不入 一孔之见

例句 这座桥有十七个孔。

【孔雀】 kǒngquè 〔名〕

鸟名。头上有羽冠,雄的尾巴羽毛很长,展开时像扇子。(peacock)常做主语、宾语、定语。[量]只。

例句 孔雀开屏好看极了。|公园里养了几只孔雀。|那只孔雀的羽毛特别漂亮。

【恐怖】 kǒngbù 〔形〕

由于生命受到危胁而引起的害怕的心理。(terror;horror)常做定语、宾语、谓语。

例句 使用恐怖手段解决不了问题。|那是一双恐怖的眼睛。|恐怖分子应当受到严惩。|我没感到恐怖。|她心里恐怖极了。

辨析 "恐怖"和"害怕":"恐怖"一般指危及生命时引起的恐惧,语意重,使用范围较窄;"害怕"可因困难、危险等多种原因引起,语意轻,使用范围较宽。另外,"恐怖"是形容词,不能带宾语;"害怕"是动词,可以带宾语。如:* 恐怖老虎("恐怖"应为"害怕")

【恐惧】 kǒngjù 〔动〕

惧怕。(fear)常做谓语(不带宾语)、定语、状语、主语、宾语。

例句 我对他有点儿恐惧。|小女孩恐惧得说不出话来。|治牙前需要消除人们的恐惧心理。|她恐惧地喊叫了起来。|恐惧使她的脸变白了。|他并没感到恐惧。

辨析 "恐惧"多指一般危险引起的害怕,语意较轻;"恐怖"多指危及生命时引起的害怕,语意较重。如:* 恐惧影片("恐惧"应为"恐怖")

【恐怕】 kǒngpà 〔副〕

表示估计;担心。(be afraid; perhaps)做状语,常与"要"、"会"等配合。

例句 他恐怕不会来了。|恐怕天要下雨了。|你恐怕去不了了吧?

【空】 kòng 〔动/形〕 另读 kōng

〔动〕腾出来。(leave empty; leave blank)常做谓语。

例句 那边空出了几个位子,咱们过去吧。|我不想空着这房子,就租给了别人。|每段开头都得空两个格。

〔形〕还没有被占用的。(unoccupied)常做语素构词,也做谓语。

词语 空白 空当 空地 空缺 空闲 空余 空子

例句 里面空得很,往里走走。

【空儿】 kòngr 〔名〕

还没占用的空间或时间。(vacancy;free time)常做宾语、主语。[量]个,点儿。

例句 屋子太小,哪有空儿放钢琴呢?|我很忙,没空儿去看球赛。|你抽个空儿来一下。|车里挤满了人,一点儿空儿都没有了。

【空白】 kòngbái 〔名〕

书、报等上面没有填满或没有被利

用的部分。比喻以前没有过的事物。(blank space)常做主语、宾语、谓语、定语。[量]片,项。

例句 第二版排得太密,空白太少了。|画面上要留出一些空白。|听到这个不幸的消息,脑子里一片空白。|你可以在空白的地方写几个字。

【空隙】 kòngxì 〔名〕

中间空着的地方(gap;space),尚未占用的时间(spare time)。常做宾语、主语。[量]个,点儿。

例句 这两张桌子之间应该留点儿空隙。|教练利用比赛的空隙指导队员。|工作安排得很紧,一点儿空隙也没有。

【控】 kòng 〔动〕

身体或身体的一部分失去支撑(keep part of the body in a certain position unsupported);使有口儿的东西朝下,让里边的液体慢慢流出。(turn a container upside down to let the liquid trickle out)常做谓语。

例句 坐了一天车,脚都控肿了。|把瓶子里的水控掉再装油。|A:哎呀,我耳朵进水了!B:不要紧,歪着头跳一跳,水就控出来了。

【控诉】 kòngsù 〔动〕

向有关机关或公众陈述受害经过,以得到法律或舆论支持。(appeal)常做谓语、定语、宾语、主语。

例句 慰安妇控诉了日本军队犯下的罪行。|控诉大会在上午九点开始。|受害者泪流满面地进行了控诉。|她的控诉长达三个小时。

【控制】 kòngzhì 〔动〕

掌握住不使任意活动;操纵。(control)常做谓语、定语、宾语。

例句 资金要控制使用。|火势太大,控制不住了。|是不是控制系统出了毛病?|火势失去了控制。

【抠】 kōu 〔动〕

用手指或细小的东西从里向外挖。(dig or dig out with a finger or something pointed; scratch)常做谓语。

例句 你怎么又抠耳朵了?|那个小孩子抠了半天也没抠出什么来。|你能不能把那根钉子从地板缝里抠出来?

【口】 kǒu 〔名/量〕

〔名〕❶ 嘴。(mouth)可做主语、宾语。[量]张。

例句 说了半天,我口干舌燥的。|老虎饿急了,张开大口吃起来。

❷ 出入的地方。(entrance)常做语素构词。

词语 出口 入口 门口 关口 街口 村口

❸ (人体、物体表层)破裂的地方。(hole)常做宾语、主语,也做语素构词。[量]个,道。

词语 伤口 裂口 口子

例句 我的手裂了好几道口。|刚才不小心把衣服挂了个口。|这个口太小,再剪大一点儿就好了。

〔量〕用于计算人畜、器物的数量。(*measure word for family members, pigs, knives, etc.*)常构成短语做句子成分。

例句 我家有三口人。|他不常喝酒,只是在周末喝上两口。|那口井是去年打的。

【口岸】 kǒu'àn 〔名〕

港口。(port)可做主语、宾语、定语。[量]个,些。

例句 中国几乎所有口岸都对外开

放了。|上海是中国最大的通商口岸。|口岸工作应该加强管理。

【口袋】 kǒudài 〔名〕

用布、皮等制成的装东西的用具(bag);衣兜(pocket)。可做主语、宾语、定语。[量]个,只。

例句 这几个口袋太小了,不能装粮食。|那是一只皮口袋。|这件衣服有四个口袋。|这个口袋的下边儿破了。

【口干舌燥】 kǒu gān shé zào 〔成〕

形容口渴、焦灼或说话太多。(thirsty)常做谓语、补语、状语。

例句 这么热的天,大家口干舌燥的,买箱饮料吧。|李老师说得口干舌燥了,学生们才听明白。|我口干舌燥地讲了半天,你怎么就是听不进去呢?

【口号】 kǒuhào 〔名〕

供口头呼喊的有纲领性的起鼓动作用的简短句子。(slogan)常做主语、宾语、定语。[量]个。

例句 这个口号是大学生们先提出来的。|不能空喊口号,得干实事。|口号的鼓动作用不可低估。

【口气】 kǒuqì 〔名〕

❶ 说话的气势。(manner of speaking)常做主语、宾语。[量]种。

例句 那个人的口气可真不小,不知是什么官儿。|见了警察,他的威风一点儿也没有了,连口气也变了。|对客人怎么能用这种口气说话?一点儿礼貌也没有。

❷ 言外之意。(what is actually implied)常做主语、宾语。[量]种。

例句 两次谈话的口气都一样。|听他的口气,好像不同意这样做。

❸ 说话时流露出来的感情色彩。(tone)常做主语、宾语。[量]种。

例句 这种严肃的口气我不喜欢。|他常常用一种训斥的口气跟儿子说话。

【口腔】 kǒuqiāng 〔名〕

口内的空腔。(oral cavity)常做主语、宾语、定语。

例句 我的口腔常发炎。|医生仔细检查了他的口腔。|王大夫在口腔医院工作。

【口试】 kǒushì 〔名〕

用口头问答的方式进行的考试。(oral examination)常做主语、宾语、定语。

例句 英语口试下午两点开始。|这次口试要多长时间?|他不怕笔试,但是有点儿怕口试。|每个人口试的时间是十分钟。

【口是心非】 kǒu shì xīn fēi 〔成〕

嘴上说的是一套,心里想的是另一套。形容心口不一致。(say yes and mean no; say one thing and mean another; affirm with one's lips but deny in one's heart)常做主语、谓语、定语。

例句 口是心非,这是两面派。|你不应该口是心非。|对这种口是心非的人,你得小心着点儿!

【口头】 kǒutóu 〔形〕

用言语表达的。(oral)常做定语、状语、宾语。

例句 这仅仅是一个口头答复。|他们现在还只是口头说可以。|我们不光看口头,还要看行动。

【口香糖】 kǒuxiāngtáng 〔名〕

糖果的一种,含胶质,只能咀嚼,不能吞下。(chewing gum)常做主语、宾语、定语。[量]种,片,包,块。

例句 口香糖有很多种。|我不喜欢吃口香糖。|她很喜欢这种口香糖的味道。

【口音】 kǒuyīn 〔名〕

说话的声音(voice);方音。(accent)常做主语、宾语、定语。[量]种。

例句 他的口音好像是河北的。|我能听出她的英语里带有美国西部的口音。|我对这种口音的特点很有兴趣。

【口语】 kǒuyǔ 〔名〕

谈话时使用的语言。(spoken language)可做主语、宾语、定语。[量]种。

例句 学外语,口语很重要。|不仅要学会书面语,也要学会口语。|请问,"甭"是口语吗?|王老师的口语课很有意思。

【扣】 kòu 〔动〕

❶ 套住或搭住。(button up; buckle)常做谓语。

例句 小朋友应当自己扣扣子。|天黑了,把门扣上吧。

❷ 器物口朝下放置或盖上别的东西。(cover)常做谓语。

例句 小李把酒杯扣在桌子上,表示不再喝了。|用盘子把碗里的菜扣上吧。|有个人把帽子扣在脸上躺在树下睡觉。

❸ 用强制手段把人或东西留住不放。(arrest)常做谓语。

例句 你们怎么能随便扣人呢?|他因为酒后开车,驾驶执照让警察给扣下了。|把这批走私香烟都扣起来!|为什么扣我的奖金?

❹ 从原数额中减去一部分。(deduct)常做谓语。

例句 扣完所得税,你还有一万多块。|错一道题扣5分。

【枯】 kū 〔形〕

失去水分,变得没有水。(withered; dried up)常做谓语、定语。也做语素构词。

词语 干枯 枯竭 枯燥

例句 去年大旱,连井都枯了。|庄稼都枯死了。|村口那棵枯树现在还在。

【枯燥】 kūzào 〔形〕

单调没有趣味。(dull and dry; uninteresting)常做谓语、定语、补语。

例句 那儿的生活枯燥极了。|那篇文章很枯燥。|枯燥的日子总算过去了。|这本书写得枯燥无味。

【哭】 kū 〔动〕

因痛苦、激动而流泪。(cry)常做谓语、宾语、补语。

例句 她哭死去的丈夫,也哭自己的命运。|孩子们哭得我心烦意乱。|这个孩子就爱哭。|当时,大家都激动得哭了。

【窟】 kū 〔名〕

洞穴;某类人聚集或居住的地方。(cave)常做语素构词。

词语 石窟 山窟 窟窿 窟穴 魔窟 匪窟 贫民窟

【窟窿】 kūlong 〔名〕

孔,洞。(hole; cave)常做主语、宾语。[量]个。

例句 墙上的窟窿应该补一补了。|穿了两个月,鞋底就磨了个窟窿。|他的外衣上有个小窟窿。

【苦】 kǔ 〔形〕

❶ 苦味。(bitter)常做谓语、定语。

例句 这种药苦得我直恶心。|鱼

吃着有点儿苦，是不是弄上胆汁了？|这些野菜都是苦味的。

❷ 难受。(hardship; pain; suffering)常做谓语、定语、补语、宾语。

例句 过去，他家生活很苦。|老人苦了大半辈子了。|那种苦日子我可过够了。|前几年，家里的日子过得很苦，现在好多了。|女足运动员特别能吃苦。|当兵可不能怕苦怕累。

【苦难】 kǔnàn 〔名〕

痛苦和灾难。(suffering; misery)常做主语、宾语、定语。[量]种。

例句 经过的苦难我永远也忘不了。|老奶奶历尽了人间的各种苦难，终于过上了好日子。|他苦难的一生，激起了大家的同情。|在苦难面前，母亲从未丧失生活的勇气。

【苦恼】 kǔnǎo 〔形/名〕

〔形〕痛苦烦恼。(worried; vexed)常做谓语、状语、定语。

例句 小王为找对象而苦恼。|苦恼了好几个月才好过来。|他苦恼地说："谁能理解我呢？"|谁都有苦恼的时候。

〔名〕痛苦烦恼的事情。(affliction)常做主语、宾语。

例句 我的苦恼都是因为这个孩子的病。|A：你有什么苦恼吗？B：唉！我有太多的苦恼。

【库】 kù 〔名〕

储存大量东西的建筑物。(warehouse)常做语素构词，也做宾语、主语。[量]个。

词语 仓库 水库 国库

例句 出库、入库都得有手续。|把车开进车库。|新粮库已经建好了。

【库存】 kùcún 〔名〕

指库中现存的现金或物资。(stock)常做主语、宾语。

例句 库存还有多少？|现金库存不应过多。|尽量减少产品库存。

【库房】 kùfáng 〔名〕

储存财物的房屋。(storehouse; storeroom)常做主语、宾语、定语。[量]间，个。

例句 那间库房很大，能装几十吨货。|他们临时租了四间库房。|库房的通风要好。

【裤】 kù 〔名〕

穿在腰部以下的衣服，有腰、裆和两条腿。(trousers; pants)常做主语、宾语、定语。[量]条。

例句 这条毛裤太长了。|我买了一条休闲裤。|这条裤子裤腿有点儿短，裤腰又有点儿肥。

【裤子】 kùzi 〔名〕

意义见"裤"。(trousers; pants)常做主语、宾语、定语。[量]条。

例句 我的裤子有点儿肥。|她买了两条裤子。|这条裤子的款式很新。|裤子的颜色要跟上衣相配。

【夸】 kuā 〔动〕

❶ 把事情说得超过原有程度。(boast; exaggerate)常做语素构词，也做谓语。

词语 夸大 夸口 夸耀 夸张 夸夸其谈

例句 看你把她夸成天仙了。

❷ 称赞。(praise)常做谓语。

例句 现在咱们就夸夸咱们的老村长吧。|她又夸起了自己的儿子来了。|他都骄傲了，你就别再夸他了。

【夸夸其谈】 kuākuā qí tán 〔成〕

形容说话浮夸，不切实际。(indulge

K

in exaggeration; talk big)常做谓语、定语、状语。

例句 有了点儿进步就夸夸其谈起来,怎么这么不谦虚?|时至今日,夸夸其谈的风气仍未绝迹,这难道不应当引起我们足够的警惕吗?|没有真才实学,只会夸夸其谈地讲几句大道理,就能够赶上世界先进水平吗?

【夸张】 kuāzhāng 〔动/名〕

〔动〕把事物说得超过了原有的程度。(exaggerate; overstate)常做谓语、状语、宾语、定语、主语。

例句 你就别夸张了。|这是事实,我并没有夸张。|他很夸张地张大了嘴。|那个人总是爱夸张。|这是一种夸张的说法。|过分的夸张会引起人们的反感。

〔名〕修辞方法的一种,即用夸大的词句来形容事物;也指文艺创作中的一种描写手法。(hyperbole)常做主语、宾语、定语。

例句 夸张是一种修辞手法。|请找出文章中的两处夸张。|这幅图采用了夸张的手法。|那一段夸张的描写太精彩了。

【垮】 kuǎ 〔动〕

倒塌。(collapse; break down)常做补语、谓语。

例句 要注意休息,别把身体累垮了。|经过一天的战斗,终于打垮了敌人。|洪水冲垮了大坝。|昨晚,村东的小石桥突然垮了。|现代社会的工作压力使她的精神快要垮下来了。

【挎】 kuà 〔动〕

❶ 胳膊弯起来挂着东西。(carry on the arm)常做谓语。

例句 每天她都挎着个篮子去早市买菜。|周末,公园里到处是挎着胳膊的男男女女。|包裹太重,老奶奶怎么也挎不动。

❷ 把东西挂在肩头、脖子或腰里。(carry something over one's shoulder or around one's neck or at one's side)常做谓语。

例句 骑兵的刀是挎在腰间的。|小李总爱脖子上挎个照相机。|把枪再往上挎一挎吧。

【跨】 kuà 〔动〕

❶ 抬起一条腿越过。(step; stride)常做谓语。

例句 当过运动员的小刘三步两步就跨过了小河。|沟太宽,跨不过去。|部队已经跨过长江。

❷ 两腿分在物体的两边坐着或立着。(bestride)常做谓语。

例句 连长跨上战马,带头冲了上去。|十几座大桥跨在长江上,沟通了南北的交通。

❸ 超越时间、空间等的界限。(go beyond)常做语素构词或用于短语中。

词语 跨国公司 跨世纪人才 跨行业 跨年度 跨地区

【会计】 kuàijì 〔名〕

❶ 监督和管理财务的工作。(accounting)常做宾语、定语。

例句 母亲搞了几十年的会计。|会计工作对每个单位都十分重要。|会计业务也要与国际接轨。

❷ 担任会计工作的人员。(accountant)常做主语、宾语、定语。[量]个,名,位。

例句 李会计今年该退休了。|财会科新来了一名会计。|我们公司

想找个会计。|会计事务所越来越多了。

【块】 kuài 〔名/量〕

〔名〕成团或成疙瘩的东西。(piece; lump; block)常做宾语、主语、定语。

例句 把肉切成小块儿。|鱼冻成块儿了。|土豆块儿烧牛肉挺好吃。|冰块的大小不一样。

〔量〕❶ 用于块状、片状的东西。(piece; cube)常构成短语做句子成分。

例句 小梅把糖都吃光了,一块也没剩。|小李喜欢那种香皂,一下子就买了四块。|妈妈送给我一块手表。|她买了一块花布。

❷ 用于钱币,等于"元"。(*yuan*)常构成数量短语做句子成分。

例句 香蕉两块钱一斤。|A:你每个月吃饭要花多少钱? B:大概五六百块吧。

【快】 kuài 〔形〕

❶ 速度高;费时少。(fast; quick)常做谓语、补语、状语、定语。

例句 汽车的速度当然比自行车快多了。|他走得很快。|妈妈很快恢复了健康。|我们坐快船去吧。

❷ 高兴、舒服。(pleasant; happy; pleased)常做语素构词或用于固定短语。

词语 快乐 愉快 快感 快活 亲者痛,仇者快 大快人心 拍手称快

❸ 锋利。(sharp)常做谓语、定语、补语。

例句 这把刀快得很。|你就快刀斩乱麻吧。|他把斧子磨得很快。

❹ 灵敏。(keen; agile; acute)常做谓语。

例句 他人老了,但反应还很快。|她眼疾手快。|年轻人脑子快。

▶ "快"也做副词,表示很短的时间内就要出现某种情况。如:快过年了。|飞机快到了。

【快餐】 kuàicān 〔名〕

预先做好的能够迅速提供顾客食用的饭食。(fast food; quick meal)常可做主语、宾语、定语。[量]顿。

例句 快餐很方便。|不少孩子喜欢吃西式快餐。|那儿只有一家快餐店。|快餐业的发展很快。

【快活】 kuàihuo 〔形〕

愉快、快乐。(happy; merry; pleasant)常做谓语、状语、补语、宾语、定语。

例句 大家都很快活。|六月一日孩子们快快活活地欢度儿童节。|每天的日子过得挺快活。|我觉得很快活。|那是一段快活的时光。

辨析 〈近〉快乐。"快活"含有轻松愉快感;"快乐"含有满意和幸福感。

【快件】 kuàijiàn 〔名〕

运输速度较快的货物;快递邮件。(express mail, package, etc.)常做主语、宾语、定语。[量]种,个。

例句 快件可以跟着客车走,下车就能取。|我收到了一个美国寄来的快件。|快件的费用太高了。

【快乐】 kuàilè 〔形〕

感到幸福和满意。(happy; cheerful)常做谓语、状语、定语、宾语、补语。

例句 生活好了,可他心里并不快乐。|祝你拥有快乐的生活!|同学们快快乐乐地玩了一天。|我感到很快乐。|她过得很快乐。

K

【快速】 kuàisù 〔形〕

迅速、速度很快的。(quick; fast)常做定语、状语。

例句 那是一趟快速列车。|旅游业正在快速发展。|现在我们要快速前进!

【筷子】 kuàizi 〔名〕

用竹、木、金属、象牙等制成的夹饭菜的细长棍儿。(chopsticks)常做主语、宾语、定语。[量]双,根。

例句 这双筷子是银的吗?|玛丽还不会用筷子,得慢慢练。|筷子的种类很多。

【宽】 kuān 〔形〕

❶ 横的距离大,范围广。(spacious)常做谓语、定语、补语。

例句 这条江特别宽。|王老师的知识面比一般人宽多了。|他高高的个儿,宽宽的肩膀。|很宽的走廊里空无一人。|你管得太宽了。

❷ 不严厉。(lenient)常做谓语。

例句 对自己要严,对他人要宽。|这样处分太宽了。|对孩子的要求不能太宽。

❸ 富余。(abundant)常做谓语。

例句 现在经济发展了,人们的手头比过去宽多了。

▶"宽"也做名词,指横的距离。如:这条床单长 2.30 米,宽 1.55 米。|新房子的过道有1米多宽。

【宽敞】 kuānchang 〔形〕

(房屋、庭院等)面积大。(spacious; roomy)常做谓语、定语、补语。

例句 他家四室一厅,宽敞得很。|房前是十分宽敞的院子。|新的展览厅修得宽宽敞敞的。

【宽大】 kuāndà 〔形〕

❶ 面积或容积大。(roomy; spacous)常做谓语、定语、补语。

例句 这种衣服的袖子很宽大。|我希望家里能有一个宽大敞亮的客厅。|这家饭店门厅修得不够宽大。

❷ 对人宽容厚道。(lenient)常做主语、定语、谓语。

例句 我们的宽大是有条件的。|只要你彻底坦白,就会得到宽大处理。|这个人胸怀宽大。

【宽广】 kuānguǎng 〔形〕

面积或范围大。(broad; vast)常做谓语、定语、补语。

例句 那片草原十分宽广。|未来的道路宽广得很。|领导者应该具有宽广的胸怀。|登上山头,顿觉视野变得宽广了。

【宽阔】 kuānkuò 〔形〕

横的距离大,面积宽,范围广。(broad; wide)常做谓语、定语、补语。

例句 青海湖很大,湖面宽阔极了。|长安街的路面十分宽阔。|宽阔的草原一望无际。|到了小山顶上,视野变得宽阔了。

【款】 kuǎn 〔名〕

钱。(money)常做主语、宾语。[量]笔。

例句 那笔款你收到了吗?|我卖货,你收款。|他去银行存款了。

【款待】 kuǎndài 〔动〕

亲切优厚地招待。(treat cordially; entertain)常做谓语。

例句 这是贵客,要好好款待他们。|她盛情款待了我们。|请放心,我会款待他们的。

【筐】 kuāng 〔名〕

用竹、枝条等编的容器。(basket)常做主语、宾语、定语。[量]只,个。

例句 这只筐可以盛不少东西。|妈妈提着一个小筐去买菜了。|店里筐的种类很多,个个既好看又实用。

【狂】 kuáng 〔形〕

❶ 精神失常。(mad)常做宾语。

例句 那条狗发了狂,见人就咬。|她又发狂似的冲了上去。

❷ 猛烈,无拘束,自大。(too arrogant;stiff-necked)常做谓语、定语、状语、补语。

例句 这小子越来越狂了。|那是一条狂犬。|闹事的人狂喊着口号。|匪徒狂叫了一声,向群众开了枪。|也许刚才我说得狂了点儿,但我是真着急呀!

【狂风】 kuángfēng 〔名〕

猛烈的风。(fierce wind)常做主语、宾语、定语。[量]阵,次。

例句 一阵狂风卷走了晒在外面的衣服。|船刚出海就遇上了狂风。|狂风的破坏使这一带居民的生活变得十分困难。

【狂妄】 kuángwàng 〔形〕

极端的自高自大。(wildly arrogant)常做谓语、定语、状语、补语。

例句 做人不能这么狂妄。|那个人狂妄得很,谁也看不起。|一些狂妄的右翼分子,仍在活动。|他竟狂妄地把自己凌驾于总裁之上。|他怎么变得这么狂妄。

【旷】 kuàng 〔形/动〕

〔形〕空而开阔(spacious);心境开阔(free from worries and petty ideas)。常做语素构词或用于固定短语。

词语 旷野 地旷人稀 心旷神怡

〔动〕耽误。(waste)做谓语。

例句 旷一天工也应该扣奖金。|这个月他旷了四次课。

【旷工】 kuàng gōng 〔动短〕

职工不请假而缺勤。(stay away from work without leave)常做主语、谓语、宾语、定语。中间可插入成分。

例句 旷工是不允许的。|你怎么又旷工了?|为了减少旷工,公司制定了严格的管理制度。|旷两天工的人这个月都没有奖金。

【旷课】 kuàng kè 〔动短〕

学生不请假而缺课。(cut class;cut school)常做主语、谓语、宾语、定语。中间可插入成分。

例句 旷课是一种不良行为。|学生不应该旷课。|他又旷了一天课。|我们学校严禁旷课。|对旷课的学生,系里已经批评处分了。

【况且】 kuàngqiě 〔连〕

表示更进一层。(moreover)用在递进关系的复句中,常和"还"、"也"、"又"等呼应。

例句 北京那么大,况且你又不知道他的地址,怎么能找到他呢?|这种彩电款式很漂亮,况且价格也不贵,可以买一台。|人家热情邀请,况且还派车来接你,你就去吧。

辨析 〈近〉何况。"何况"常带上"更"、"又"等用反问语气来表示更进一层的意思,句末常用问号;"况且"没有这种用法。如:* 大人有时还会弄错,况且是孩子呢?("况且"应为"何况")

【矿】 kuàng 〔名〕

K

具有经济价值的自然化合物(mineral);开采这种化合物的场所(mine)。常做主语、宾语。[量]个。

词语 矿床 矿石 矿产 矿物 矿工 矿灯

例句 全矿、银矿这里都有。|国家在这一带开了两个矿了。

【矿藏】 kuàngcáng 〔名〕

地下埋藏的各种矿物的总称。(mineral resources)常做主语、宾语、定语。[量]种。

例句 中国西部地区矿藏丰富。|地质队又发现了两种矿藏。|那个地区矿藏的种类很多。|对我省矿藏的分布情况,我们很了解。

【矿产】 kuàngchǎn 〔名〕

地层中有开采价值的矿物。(minerals;mineral products)常做主语、宾语、定语。[量]种。

例句 中国矿产丰富。|南极大陆蕴藏着丰富的矿产。|破坏矿产资源是违法的。

【矿井】 kuàngjǐng 〔名〕

为采矿而在地下修建的井筒和巷道的统称。(mine shaft or pit)常做主语、宾语、定语。[量]个,座。

例句 这座新矿井年产原煤50万吨。|不按时修复那个矿井,全年的计划就完成不了。|小矿井的数量太多,已经成为影响环境的大问题。

【矿区】 kuàngqū 〔名〕

采矿的地区。(mining area)常做主语、宾语、定语。[量]个,片。

例句 那片矿区已有四十年的历史。|短短几年,这儿就成了一个新矿区。|整个矿区的环境已经改变了很多。

【矿山】 kuàngshān 〔名〕

开采矿物的地方。(mine)常做主语、宾语、定语。[量]个,座。

例句 这座矿山已经开采了二十年了。|明年,我们要开发那个新矿山。|我们厂是生产矿山机械的。

【矿石】 kuàngshí 〔名〕

含有有用矿物并有开采价值的岩石。(ore)常做主语、宾语、定语。[量]种,些。

例句 这种矿石十分罕见。|队员们发现了一些稀有的矿石。|这种矿石,铁的含量很高。

【矿物】 kuàngwù 〔名〕

地壳中存在的自然化合物和少数自然元素。(mineral)常做主语、宾语、定语。[量]种。

例句 这种矿物是首次在本地区发现。|那里蕴藏着多种稀有矿物。|只有在矿物的品位与含量较高时,才有开采价值。

【框】 kuàng 〔名〕

嵌在墙上为安装门窗用的架子(frame);镶在器物周围起约束、固定或保护作用的东西(rim)。常做主语、宾语,也做语素构词。[量]个。

词语 门框 框架 镜框

例句 她的眼镜框是新材料的,又轻又结实。|不少新房子采用塑钢窗框。

【亏】 kuī 〔动〕

❶ 欠缺(be short of);受损失(lose)。常做谓语。

例句 今年又亏了两万多。|这笔生意不会亏本。|放心吧,亏不了。

❷ 对不起。(disappoint; treat unfairly)常做谓语。

例句 他亏过我，我可没亏过他。|跟我干吧，我亏不了你。

❸ 因某一有利条件避免了不幸或得到好处。(luckily)常做谓语。

例句 亏了警察及时赶来，我才免遭抢劫。|亏他提醒我，不然就忘了。|正是旅游旺季，我们能买到车票，全亏老王。

【亏待】 kuīdài 〔动〕

待人不尽心或不公平。(treat shabbily; treat unfairly)常做谓语。

例句 这么多年，大伙儿可从来没亏待他。|做子女的可不能亏待老人。|A:这几年，你亏待过他吗? B:他是我弟弟，我怎么能亏待他?

【亏损】 kuīsǔn 〔动〕

支出超过收入；损失(本钱)。(loss; deficit)常做谓语。

例句 厂里连年亏损，不改革怎么行?|这家公司今年亏损得很厉害。|这是个亏损单位，纳税有困难。

【葵花】 kuíhuā 〔名〕

向日葵。(sunflower)常做主语、宾语、定语。[量]朵，棵。

例句 葵花总是向着太阳的。|后院种着一片葵花。|葵花的种类很多。|葵花的种子可以吃，也可以榨油。

【昆虫】 kūnchóng 〔名〕

节肢动物的一纲。如蜜蜂、蚊子、苍蝇等。(insect)常做主语、宾语、定语。[量]只，种。

例句 这种昆虫是害虫。|那个小孩捉了几只小昆虫。|昆虫的种类很多。

【捆】 kǔn 〔动〕

用绳子把东西缠紧打结。(tie; bundle up; bind)常做谓语。

例句 战士们在捆行李呢。|把那个坏蛋捆起来!|别把小树捆得太紧。

▶ "捆"也是量词:他手里提着一捆书。

【困】 kùn 〔动/形〕

〔动〕❶ 处在艰难痛苦中。(trouble; hinder)常做谓语。

例句 前几年，他一直被疾病所困。|由于债务所困，父亲只好加班工作，好多挣一点儿钱。|生活上的这点困难，怎么能把我困住呢?

❷ 控制在一定范围里。(surround)常做谓语。

例句 把敌人困在山沟里再消灭它。|有条大鱼被困在沙滩上了。

〔形〕❶ 贫苦、艰难。(poor; hard pressed)常做语素构词。

词语 困难 困苦

❷ 疲乏；想睡觉。(sleepy)常做谓语。也做语素构词或用于固定短语。

词语 困乏 困倦 人困马乏

例句 这几天太困了。|小女孩困极了，一躺下就睡着了。

【困境】 kùnjìng 〔名〕

困难的处境。(difficult position)常做主语、宾语、定语。[量]种。

例句 困境使他十分沮丧。|他陷入了一种无法摆脱的困境。|尽管处于困境之中，我们也不要灰心丧气。

【困苦】 kùnkǔ 〔形〕

生活上艰难痛苦。(miserable; distressed)常做谓语、定语。

例句 父亲失业后，家里的生活十

分困苦。|困苦的日子早就过去了。|谁愿意处在困苦的环境中呢?

【困难】 kùnnan 〔名/形〕

〔名〕复杂、难办的事情。(difficulty)常做主语、宾语。[量]个,些,种。

例句 这点儿困难算不了什么,我们能克服。|中国人民从来都不怕困难。|他们战胜了很多困难,终于取得了最后的胜利。

〔形〕❶ 事情复杂,阻碍多。(difficult)常做谓语、定语、状语、补语。

例句 山区的交通困难得很。|对他来说,拿点儿钱资助失学儿童不是什么困难的事。|他在病床上困难地试着坐了起来。|风浪比较大,船开得很困难。

❷ 生活穷困。(poor)常做谓语、定语、状语、补语。

例句 小时候,我家里的生活很困难。|在困难的日子里,仍然十分乐观。|母亲失业后,靠打零工困难地养活着妹妹和我。|那些年,家家的日子都过得挺困难。

辨析 "困难"使用范围较宽,可用来形容生活、学习、工作等;"困苦"只能用来形容生活、环境,使用范围比较窄。"困难"兼属名词,可同"多、少、大、小"等词搭配;"困苦"不能。如:* 玛丽觉得记汉字比较困苦。("困苦"应为"困难")|* 这不过是一个小困苦。("困苦"应为"困难")

【困扰】 kùnrǎo 〔动〕

围困并搅扰。(puzzle;perplex)常做谓语。

例句 缺水的问题一直困扰着农民。|我被这个难题困扰得难以入睡。

K

【扩】 kuò 〔动〕

使(范围等)比原来大。(expand)常做语素构词,也做谓语。

词语 扩大 扩充 扩建 扩散 扩展 扩军 扩音

例句 这条路计划再扩两米。|树坑挖小了,再扩一扩吧。

【扩充】 kuòchōng 〔动〕

增大;增多。(expand)常做谓语。

例句 工厂今年又扩充了一些设备。|随着信息资料的增加,图书馆一直在不断地扩充藏书。|要发展,就得把"硬件"好好扩充扩充。

【扩大】 kuòdà 〔动〕

增大范围。(enlarge)常做谓语、定语。

例句 为了扩大影响,总公司决定加大宣传力度。|我们的销售网也该扩大扩大了。|新展厅的面积扩大到原来的三倍。|这是一次扩大会议。

辨析 "扩大"着重指范围、规模由小到大;"扩充"着重指数量由少到多。"扩大"常同"规模、场地、机构、影响、矛盾"等词搭配使用;"扩充"常同"实力、设备、人员、资金"等词搭配使用。此外,"扩大"可做定语。如:* 扩大了不少人员。("扩大"应为"扩充")

【扩建】 kuòjiàn 〔动〕

把建筑、企业、厂矿等的规模加大。(extend; expand building)常做谓语、定语。

例句 公司正在扩建厂房。|我们学校明年要扩建。|商场的扩建工程定于本月下旬开工。

【扩散】 kuòsàn 〔动〕

气体、消息、影响、病毒等扩大并分散出去。(diffuse)常做谓语。

例句 不要扩散不可靠的消息。|这种病毒在空气中扩散得很快。|癌细胞已经扩散到了他的全身。

【扩展】 kuòzhǎn 〔动〕

向外伸展。(expand)常做谓语、定语、宾语。

例句 大连的绿地正在一天天扩展。|洞口扩展不开,工作进度很慢。|我们公司的业务范围还有扩展的余地。|这个市场太小,明年还要进行扩展。

【扩张】 kuòzhāng 〔名〕

扩大(势力、土地等)。(expand)常做谓语、定语、宾语。

例句 他们一伙不断地扩张自己的势力。|显然对方实行的是扩张政策。|如果他们继续进行扩张,我们绝不答应。

辨析 “扩张”着重指向外扩大;“扩展”着重指逐渐向四处伸展。“扩张”多用来指侵略势力、野心等,有贬义;“扩展”多用来指范围、土地等,是中性的。如:* 连长说,我们必须把阵地再扩张一下。(“扩张”应为“扩展”)

【阔】 kuò 〔形〕

❶(面积)宽;宽广。(broad; vast)常做语素构词或用于固定短语。

词语 宽阔　辽阔　广阔　开阔　海阔天空　高谈阔论

❷ 有钱;花钱过分。(rich)常做谓语、定语、补语。

例句 他家可阔了。|经商没几年,老王就阔起来了。|她现在是个阔太太了。|以前他很穷,现在可变阔了。

K

L

【垃圾】 lājī 〔名〕
脏土或扔掉的东西。(rubbish)常做主语、宾语、定语。[量]堆,袋,车,些。
例句 垃圾成了城市管理的一大问题。|垃圾怎么能随便乱扔呢?|工人正在处理垃圾。|你快把这些垃圾倒掉吧。|这个花园以前是个垃圾场。|垃圾的处理问题是环保的大问题。
▶"垃圾"还比喻没有用或有害的人或思想。如:社会垃圾 精神垃圾

【拉】 lā 〔动〕 另读 lá,lǎ,là
❶ 用力使朝自己所在方向或跟着自己移动。(pull;draw)常做谓语。
例句 他拉开书包,把书拿了出来。|我去拉他下楼来。|小车太重,我拉不动,你帮我拉一下吧。
❷ 用车载运。(transport by vehicle)常做谓语。
例句 他用三轮车拉回一车菜。|这种车可以拉东西,也可以拉人。|那些木材早就被拉走了。
❸ 牵引乐器的某一部分使乐器发出声音。(play)常做谓语。
例句 她会拉小提琴(二胡、手风琴)。|这个曲子已经拉过多次了。|你把琴借给我拉拉吧。
❹ 拖长;使延长。(drag out)常做谓语。
例句 在山上,大家拉长声音喊了几声:"快跟上,不要拉开距离"。|他一不高兴,就把脸拉得很长。
❺ 帮助。(help)常做谓语。
例句 他太不容易了,大家拉他一把吧。|朋友有困难,咱们不能不拉拉他。
❻ 拉拢,联络。(draw in)常做谓语。
例句 你怎么办什么事都要拉关系呢?|几个朋友想拉我一起去趟桂林。|这种关系最好别拉。
❼ 招揽(zhāolǎn)。(drum up)常做谓语。
例句 听说最近他又拉了一笔大买卖。|跑了一天,也没拉到什么生意。
❽ 排泄(大便)。(empty the bowels)常做谓语。
例句 夏天吃东西要注意,免得拉肚子。|他又吐又拉,只好去医院。|昨晚闹肚子,一宿拉了三四次。

【拉倒】 lādǎo 〔动〕
中止、作罢、撒手不干(某事)。(forget about it)常做谓语、定语。
例句 你不同意就拉倒。|这事拉倒吧,别再说了。|拉倒了的事就别提了。

【拉肚子】 lā dùzi 〔动短〕
腹泄(fùxiè),是消化系统疾病。(suffer from diarrhoea)常做谓语、主语、定语、宾语、补语,中间可插入成分。
例句 我已经拉了两天肚子了。|拉肚子特别消耗体力。|夏秋季要特别注意预防拉肚子。|我从半夜开始拉肚子,已经拉了五次了。|旅行时得带点儿治拉肚子的药。|他吃得拉肚子了。

【拉关系】 lā guānxi 〔动短〕
跟…联络、拉拢,使关系亲密起来。

(cotton up to)常做谓语、主语、宾语、定语,中间可插入成分。

例句 我拉了半天关系,到底把事办成了。|你别老拉关系,要按原则办。|拉关系是一种不正之风。|这里办事禁止拉关系。|拉关系的事我从来不做。

【喇叭】 lǎba 〔名〕

❶ 管乐器,上细下粗,最下端的口部向四周张开,可以扩大声音。(a musical instrument)常做主语、宾语、定语。[量]个。

例句 喇叭是中国的一种民族乐器。|我从小就学会吹喇叭了。|她第一次看见这样的喇叭。|喇叭的声音很响,可以传得很远。

❷ 有扩音作用的喇叭筒状的东西。(loudspeaker)常做主语、宾语、定语。[量]个。

例句 喇叭不响了。|为了防止噪音污染,许多城市不许汽车鸣喇叭。|高音喇叭的声音太刺耳了。

【落】 là 〔动〕 另读 lào,luō,luò

❶ 遗漏。(leave out; be missing)常做谓语、定语。

例句 这儿落了一个字。|抄那篇文章时,他竟然落了一段。|落的字补上了吗?|我把落的几句话添上了。

❷ 把东西放在一个地方,忘记拿走。(leave behind; forget to bring)常做谓语、定语。

例句 我忙着出来,把书落在家里了。|别把东西落了。|落在出租车上的钱包又找到了。|他去宾馆领回了落下的护照。

❸ 因为跟不上而丢在后面。(lag behind)常做谓语、宾语。

例句 谁也没落,都来了。|别落下我,咱们一起走吧。|大家都在努力前进,谁都不想落下。|真害怕落在后面。

【腊】 là 〔名〕

古代在农历十二月里合祭(hé jì)众神叫做腊,因此农历十二月叫腊月,冬天(多指腊月)腌(yān)制的鱼肉也用腊来称呼。(twelfth month of the lunar year)常做主语、定语。

词语 腊月 腊八粥

例句 腊尽冬残,一年又要过去了。|每年的腊月都特别冷。|快过年了,妈妈做了好几种腊肉。

【腊月】 làyuè 〔名〕

农历十二月。(the twelfth month of the lunar year)常做主语、宾语、定语。[量]个。

例句 腊月是农历年的最后一个月。|过了腊月就是年了。|她打算回老家过腊月。|腊月二十三是小年。|腊月的天气特别冷。

【蜡】 là 〔名〕

❶ 动物、矿物或植物所产生的油质,具有可塑性,能燃烧,易熔化,不溶于水,如蜂蜡、石蜡等。(wax)常做主语、宾语、定语。[量]公斤。

词语 蜡笔 蜡染 蜡像

例句 蜡可以做工业原料。|蜡很早就被用来做照明的东西了。|那个地方出产石蜡。|蜜蜂用蜡筑巢。|蜡的作用很多,如做蜡笔、蜡纸等。

❷ 蜡烛。(candle)常做主语、宾语、定语。[量]支,根。

例句 这根蜡很细。|他点着了一支蜡。|停电了,我去买几支蜡。|他当时常借着蜡的光看书。

【蜡烛】 làzhú 〔名〕

L

用蜡或其他油脂制成的供照明用的东西,多为圆柱形。(candle)常做主语、宾语、定语。[量]支,根。

例句 蜡烛照亮了别人,燃烧了自己。|蜡烛发出了淡淡的光。|她点燃了蛋糕上的生日蜡烛。|他吹灭了蜡烛,屋里什么也看不见了。|蜡烛的光太暗了。|这种蜡烛的颜色是红的。

▶ 在传统习惯上,办喜事时都要点燃成双的红蜡烛,而办丧事时则点白蜡烛。

【辣】 là 〔形〕

❶ 像姜(jiāng)、蒜(suàn)、辣椒等有刺激性的味道。(peppery;hot)常做谓语、主语、宾语、定语、补语。

例句 这个菜太辣了。|他辣得直冒汗。|这个菜他不觉得辣。|你怕不怕辣?|辣,好像是韩国菜的特点,对不对?|这几个菜做得太辣了。|他是四川人,喜欢又辣又麻的菜。

❷ 狠毒。(vicious)常做谓语。

例句 他心狠手辣。

▶ "辣"还做动词,指辣味刺激口、眼等。如:切葱时常辣眼睛。|这个菜辣嗓子。

【辣椒】 làjiāo 〔名〕

❶ 一年生草本植物,果实可食用,大多有辣味儿。(bush with hot pepper)常做主语、宾语、定语。[量]棵。

例句 这片辣椒长得真不错。|辣椒生虫子了。|我家今年种了几亩辣椒。|这里种的是改良的辣椒。|辣椒地要注意通风。|他看着这片辣椒的长势很高兴。

❷ 这种植物的果实。(hot pepper;chilli;red pepper)常做主语、宾语、定语。[量]个,斤。

例句 辣椒含有维生素。|这种辣椒不大,可是很辣。|我很爱吃辣椒。|妈妈做菜常加点儿辣椒。|辣椒油、辣椒粉都买一些吧。|辣椒的颜色有红有绿。

【啦】 la 〔助〕 另读 lā

"了"(le)和"啊"(a)的合音。兼有"了"和"啊"的作用,用在句尾表示感叹、疑问等语气。(*fusion of the sounds of "了" and "啊" and thus aquiring the meanings of both words to express exclamation and interrogation*)

例句 下雨啦!快把衣服收进来!|A:我们队比赛得第一啦!B:这太让人高兴啦!|怎么,他已经走啦?|她真的来啦?

【来】 lái 〔动/助〕

〔动〕❶ 从别的地方到说话人所在的地方。(come;arrive)常做谓语、定语。

例句 大家都来了。|前面来了一个人。|他给我来了几封信。|来的人都是小伙子。|朋友的来信已经收到了。

❷ (问题、事情)发生。(crop up;take place)常做谓语。

例句 问题又来了。|开春以后,农忙来了。|病来得很快。

❸ 做某个动作(代替意义更具体的动词)。(do)常做谓语。

例句 你别胡来!|唱得好,再来一个!|你这段话来得痛快!|(点完菜)再来两瓶啤酒。

▶ "来"在具体句子可用具体的动词代替,如例句中"来"指"干、唱、说、买"。

❹ 表示要做某件事。(will do sth.) 用在另一个动词前,一起做谓语。

例句 我来介绍一下。|让她来解释解释吧。|大家一起来想想办法。

❺ 表示动作的趋向。(come in order to)常做补语。

例句 你一定要早点儿回来。|我借来了几本新杂志。|服务员看见他进楼里来了。|她回国探亲来了。

❻ 表示动作的目的。(for the purpose of;used as)常做谓语。

例句 你能用什么理由来说服他呢?|我常拿面包来当午饭。

〔助〕❶ 表示概数。(about)用在"千、百、十"等数词或数量词后面。

例句 老人家已经五十来岁了。|我这十来天一直不太舒服。|这些菜有三斤来重。

❷表示结果或估量。(indicating the result and estimation)用在动词后。

例句 一觉醒来,已经十点钟了。|说来话长,那是十几年前的事了。|想(看)来你已经准备好了。

▶ "来"还可用在"一、二、三"等数词后,表示列举。如:(列举理由)一来太累,二来没意思,所以不想参加。

【来宾】 láibīn 〔名〕

来的客人,特指国家、团体邀请(yāoqǐng)的客人。(guest)常做主语、宾语、定语。[量]位,个。

例句 代表团的来宾们参观了故宫。|来宾一共有十几位。|今晚宴请与会的全体来宾。|他们是应邀到访的来宾。|来宾的人数超过了三百人。|宾馆的服务受到了来宾的称赞。

【来不及】 lái bu jí 〔动短〕

因时间短促,无法顾到或赶上。(there's not enough time)常做谓语,可带动词性宾语。

例句 已经来不及吃饭了。|他来不及细说就走了。|火车还有半个小时就开了,再不快点儿就来不及了。

【来得及】 lái de jí 〔动短〕

还有时间,能够顾到或赶上。(there's still some time)常做谓语,可带动词性宾语。

例句 电影七点就开演了,我们来得及去吃饭吗?|别着急,我们快点儿走还来得及。|我把这事做完再走,来得及来不及?

【来访】 láifǎng 〔动〕

前来访问。(come to visit)常做谓语(不带宾语)、定语。

例句 这个月有三批客人来访。|最近又有参观者来访。|经理接待了来访的记者。|来访的贵宾对这座城市的环境非常满意。

【来回】 láihuí 〔名/副〕

〔名〕❶ 去和回走同一路线的旅行,行程。(make a round trip;make a return journey; go to a place and come back)常做主语、定语。[量]个。

例句 从这儿到宿舍来回有一里地。|上班来回需要两个小时。|来回的距离还不太远。|到那儿去,来回的火车票大概是五百多块吧。

❷ 往返一次。(a round trip)常做主语、宾语。[量]个。

例句 这个来回只花了一百块钱。|从北京到这儿,火车一天可以跑两个来回。|他已经在院子里走了好几个来回了。

〔副〕来来去去不止一次。(back and

L

forth)做状语。

例句 我来回跑了好几次，才办成了这件事儿。|你别来回走了，坐着等一会儿吧。|他这几天忙坏了，开着车来回去机场接送客人。

【来回来去】 lái huí lái qù 〔副短〕
指动作或言语来回不断地重复。(back and forth; over and over again)常做状语。

例句 别来回来去地走了，到底应该怎么办呢？|她怕客人不明白，来回来去地说了好几遍。

【…来看】 …lái kàn 〔动短〕
表示根据情况判断。(seem or look)常与“从”搭配做状语，放在句首。

例句 从最近的销售情况来看，我们必须尽快开发新产品。|从他的话来看，他不想再学习了。|从媒体报道来看，形势不会有什么变化。

【来客】 láikè 〔名〕
来访的客人。(visitor)常做主语、宾语、定语。[量]位，个，些。

例句 这些来客受到热情欢迎。|几位来客参观了北京大学。|我们欢迎远方的来客。|大家热情接待了这些来客。|来客的要求已经清楚了。|他看了看来客登记，没发现想找的人。

【来历】 láilì 〔名〕
人或事物的历史或背景。(origin; background)常做主语、宾语。

例句 那几个人的来历还不太清楚。|这批文物来历不明。|他已经查明了汽车的来历。|这个人可是大有来历。

【来临】 láilín 〔动〕
来到、到来。(arrive; approach)常做谓语(不带宾语)、宾语、主语。

例句 新的一年来临了。|大风雪即将来临。|大家都对他的来临感到意外。|每个人都在等待着这一时刻的来临。|春天的来临带给人们希望。|艺术团的来临打破了小山村的宁静。

【来龙去脉】 lái lóng qù mài 〔成〕
山形走势像龙体一样起伏连贯。比喻事情的头尾始末，前因后果。(origin and development; cause and effect)常做主语、宾语。

例句 这件事情的来龙去脉，我已经清楚了。|请你介绍一下事情的来龙去脉。

【来年】 láinián 〔名〕
明年。(next year)常做主语、宾语、定语。

例句 来年会比今年好。|来年是重要的一年。|今年不行了，等来年吧。|不要期望来年，应该抓住现在。|来年的形势会更加稳定。|大家都在抓紧把来年的工作安排好。

【来日方长】 lái rì fāng cháng 〔成〕
未来的日子还很长。表示事情大有可为或将来还有机会。(there will be ample time; there is a long time ahead)多做小句。

例句 来日方长，他会有出息的！|别学了，歇会儿吧，来日方长嘛！|我们双方的合作可以说是“来日方长”。

【…来说】 …lái shuō 〔动短〕
表示根据情况作出判断。(it says)常与“从、按”搭配做状语，放在句首。

例句 从这点来说，这笔生意该做。

|按条件来说，他做这个工作最合适。|从这个角度来说，你的话也有道理。

【来往】 láiwǎng 〔动/名〕

〔动〕来和去。(come and go)常做谓语、定语、宾语。

例句 这是市中心，客流来往不断。|星期天，街上的人来来往往。|这条街每天来往的车辆很多。|早上来来往往的"上班族"都匆匆忙忙的。|恢复了和平，两国边界的人民又开始来往了。|因为修路，车辆被禁止来往。|为了生意，他常年来往于美国、中国之间。

▶"来往"还指交际往来，读"láiwang"。如：两家经常来往。

〔名〕交际往来的活动。(dealings)常做主语、宾语。[量]次。

例句 当时，两国间的来往刚刚开始。|我俩之间的来往有很长时间了。|他们彼此又恢复了来往。|我们之间从来没有过一次经济上的来往。

【来信】 láixìn 〔名〕

寄来或送来的信件。(incoming letter)常做主语、宾语、定语。[量]封。

例句 这封来信让她想家了。|妈妈的来信已经收到了。|他读了女朋友的来信很高兴。|我不想再看那封来信。|他把来信的内容告诉了大家。|我已经忘了那封来信的时间了。

【来源】 láiyuán 〔名〕

事物所来的地方。(source; origin)常做主语、宾语。[量]个，种。

例句 主要经济来源是工资的人们叫"工薪阶层"。|靠政府的帮助，我家的生活来源有了保证。|这种说法有三个来源。|公司最近又扩大了进货来源。

▶"来源"还做动词，指事物的起源、发生。如：这部小说来源于农村生活。

【来自】 láizì 〔动〕

从(某地、某方面等)来。(come from)常做谓语。

例句 比尔先生来自美国。|这种说法来自民间。|在长城上，我们遇到了一位来自欧洲的老人。

【赖】 lài 〔动/形〕

〔动〕❶ 依靠。(depend)常用于构词。

词语 依赖 仰赖

❷ 留在某处不肯离开。(hang on in a place)常做谓语。

例句 小毛还赖在公园不肯回家。

❸ 不承认自己的错误或责任。(deny one's error or responsibility)常做谓语。

例句 你别赖账，欠的钱该还了。|订婚以后不能赖。|车是他撞坏的，想赖也赖不了。

❹ 硬说别人有错误；责怪。(blame)常做谓语。

例句 自己做错了，不能赖别人。|大家都有责任，不能赖。|哪一个人都赖我做事太不小心了。

〔形〕❶ 不好，坏。(no good; poor)常做谓语、补语。

例句 这人真赖，没意思。|你这身衣服还不赖。|今年的庄稼长得不赖。|她做菜做得不赖。

❷ 不讲理或品行不好。(shameless)常用于构词。

词语 赖皮 耍赖

例句 你别耍赖，有什么话要好好

说。|那个人是个赖皮，欠了钱不还，还跟我死皮赖脸。

【兰】 lán 〔名〕

指兰花或兰草。(orchid or thoroughwort)常做主语、宾语、定语。

例句 梅、兰、竹、菊被古人称为植物中的“四君子”。|她最爱画竹和兰。|女人的名字中常爱用“兰”字。

【兰花】 lánhuā 〔名〕

多年生草本植物，可供观赏，也可制香料，又叫春兰。(orchid)常做主语、宾语、定语。[量]株，棵，盆。

例句 兰花在春天开放。|兰花发出淡淡的清香。|我家养了一盆兰花。|爷爷非常喜欢兰花。|兰花的香味儿真好闻。|公园正在举行兰花展。

【拦】 lán 〔动〕

不让通过，阻挡。(bar; block)常做谓语、定语。

例句 要是你非去不可，我们决不拦你。|大坝拦住了洪水。|被拦住的羊群发出咩咩(miē)的叫声。

【栏】 lán 〔名〕

❶ 栏杆。(railing)常做宾语。[量]段。

词语 围栏　一段护栏

例句 照片上，她在凭栏远望。|他俩隔栏相对，默默无语。

❷ 养家畜(jiāchù)的圈(juàn)。(shed)常做主语、宾语。[量]个。

例句 羊栏该修一修了。|爷爷正在用土垫猪栏。|这个牛栏里关了几头牛。

❸ 专供张贴布告、报纸等的装置。(notice board)常做主语、宾语、定语。[量]个。

例句 宣传栏贴满了通知。|我们要把这个报栏办好。|十字路口那儿有个广告栏。|布告栏上没有什么。|很多人围在布告栏前。

【栏杆】 lángān 〔名〕

桥两侧或凉台、看台等边上起拦堵作用的东西，也做阑干。(railing)常做主语、宾语、定语。[量]段。

例句 阳台栏杆上可以晒被子。|桥上的栏杆有的地方坏了，得赶紧修一下。|她靠着栏杆往上边看。|明天就可以安好楼栏杆了。|立交桥栏杆的上边有夜间照明的灯。

【蓝】 lán 〔形〕

像晴天天空的颜色。(blue)常做谓语、定语、补语、主语、宾语。

例句 雨过天晴，天空真蓝。|他穿一条蓝裤子。|这颜色刷得太蓝了。|蓝配上白，显得很醒目。|我喜欢蓝，不喜欢红。

【篮】 lán 〔名〕

❶ 篮子。(basket)常做主语、宾语、定语。[量]个。

例句 这个花篮编得真漂亮。|她很喜欢那儿产的小竹篮。|提篮买菜是妈妈的活儿。|那个塑料篮的边儿是红色的。|她看中了那个小花篮的样式。

❷ 装在篮球架上为投球用的铁圈儿和网子。(goal; basket)常做宾语。[量]个。

例句 5号运动员投篮特别准。|他带球上篮，投中了。|小张在三分线外投了个远篮。

▶ “篮”也指“篮球”或“篮球队”。如：男篮　中国女篮

【篮球】 lánqiú 〔名〕

球类运动项目之一，把球投入对方防守的球架铁圈中得分，也指篮球比赛所用的球。(basketball)常做主语、宾语、定语。[量]个，场。

例句 这个篮球没气了，打点儿气才能玩。|那场篮球打得很精彩。|他从小喜欢玩篮球。|她不爱打篮球，却爱看篮球。|NBA篮球比赛水平非常高。|我想当一名职业的篮球裁判。

【篮子】 lánzi 〔名〕

用藤、竹、塑料等编成的容器，上面有提手。(basket)常做主语、宾语、定语。[量]个，只。

例句 这个篮子已经用了好些年了。|"菜篮子"也指蔬菜供应。|老奶奶一手提着个篮子，一手领着个孩子。|那个村子的人都会编篮子。|这个篮子的样子、颜色都很好，就买了吧。|用什么做篮子的材料好？

【懒】 lǎn 〔形〕

不勤快。(lazy)常做谓语、定语、状语、补语、宾语。

例句 这家伙懒得很。|他也太懒了，十点还没起床。|来帮妈妈打扫房间吧，别成了懒姑娘。|我们不能好吃懒做。|听到电话铃响了，他才懒懒地睁开了眼。|我过去挺勤快的，最近才变懒了。|要提高工作效率，就得奖勤罚懒。

▶"懒"还指疲倦、没力气。如：身子发懒。

【懒惰】 lǎnduò 〔形〕

不爱劳动和工作，不勤快。(lazy)常做谓语、定语、补语、主语。

例句 你这个人怎么这么懒惰呢？|我们千万不能懒惰。|孩子不能养成懒惰的习惯。|那是一只懒惰的猫。|懒惰会一事无成。|懒惰害了他的一生。

【烂】 làn 〔动/形〕

〔动〕有机体变质。(rot; fester)常做谓语、定语。

例句 这个苹果烂了，真可惜。|有的水果容易烂，不好保存。|烂梨不能吃。

〔形〕❶ 破碎、破烂。(worn-out)常做谓语、定语、补语。

例句 这双鞋怎么这么快就烂了？|那只是一张烂纸，没什么可看的。|这堆破铜烂铁送到废品回收站去吧。|我把书都翻烂了，也没找到那句话。

❷ 某些固体物质组织变松软。(tender; soft)常做谓语、定语、状语、补语。

例句 肉不太烂，但也可以吃了。|等鸡肉烂了，再加点儿调料。|下了一夜雨，地上都是烂泥。|你烂烂地炖上一砂锅牛肉，再加点儿土豆块，好不好？|她胃不好，常把饭做得很烂。

❸ 头绪乱。(messy)常做定语。

例句 那真是一本烂账。|这个烂摊子怎么收拾？

▶"烂"还做副词，表示程度极深。如：喝得烂醉　记得烂熟

【滥竽充数】 làn yú chōng shù 〔成〕

比喻没有本领的人混在里面充数，或以次充好。(pass oneself off as one of the players in an ensemble — be there just to make up the number)常做谓语、宾语。

例句 我在队里，不过滥竽充数，挂个空名罢了。|有几篇文章还可以，但也有的是滥竽充数。

L

▶ 古代国王有个三百人的乐队，不会吹竽的南郭先生也混在里面。国王死后，新国王即位。新国王让人一个一个地吹给他听。南郭先生混不下去，只好逃走了，这就是"滥竽充数"这个成语的由来。

【狼】 láng 〔名〕

哺乳(bǔrǔ)动物，样子像狗，性凶狠，吃兔、鹿等，也伤人畜。(wolf)常做主语、宾语、定语。[量]只，匹，群。

例句 这只狼经常到村里来吃羊。|狼一般生活在森林或荒原。|老猎人又打死了一只狼。|一般动物园里都有狼。|阿姨正给小朋友讲大灰狼的故事。

【狼狈】 lángbèi 〔形〕

形容困苦或受窘(jiǒng)的样子。(in a tight corner)常做谓语、定语、状语、补语。

例句 今天太狼狈了，下出租车时才发现没带钱。|当时，你那样子真狼狈极了。|小李浑身湿透了，一副狼狈相。|瞧他那狼狈样儿。|敌人狼狈地逃跑了。|那天全队都发挥得不太好，结果狼狈地输了球。|游客们被雨淋得十分狼狈。

【狼狈为奸】 láng bèi wéi jiān 〔成〕

比喻相互勾结做坏事。(act in collusion with each other)常做谓语。

例句 他和对方狼狈为奸。

【狼吞虎咽】 láng tūn hǔ yàn 〔成〕

形容吃东西又急又猛。(wolf down; gobble up; devour ravenously)常做谓语、定语、状语。

例句 慢点儿吃，不要狼吞虎咽的。|菜一上来，几个人就狼吞虎咽，一扫而光。|看你狼吞虎咽的样子，几天没吃饭了？|每个人都狼吞虎咽地吃了几大碗。

【朗】 lǎng 〔形〕

❶ 光线充足；明亮。(light; bright)常做谓语(多用于固定格式)，也用于构词。

词语 明朗 晴朗 开朗

例句 那天天朗气清，让人觉得很爽快。

❷ 声音清晰、响亮。(loud and clear)常用于构词。

词语 朗诵 朗读 朗朗

【朗读】 lǎngdú 〔动〕

清晰(qīngxī)响亮地把文章念出来。(read loudly and clearly)常做谓语、定语。

例句 老师让学生朗读课文。|他每天都朗读一段文章，这样汉语水平提高很快。|老师告诉学生正确的朗读方法。|现在是朗读的时间。

【朗诵】 lǎngsòng 〔动〕

大声诵读诗或散文，把作品的感情表达出来。(read aloud with expression)常做谓语、定语。

例句 她在晚会上朗诵了一首诗，朗诵得真好。|我常在房间朗诵一些文学名篇。|朗诵艺术值得好好学习和研究。|请问，有没有关于朗诵技巧的书？

【浪】 làng 〔名〕

江海等起落不平的水面，也指像浪的东西。(wave; breaker)常做主语、宾语、定语。[量]个，排，层。

例句 海上风平浪静的。|眼前麦浪滚滚，一片丰收景象。|轮船在海上乘风破浪，驶向远方。|球场看台上掀起了阵阵人浪。|雪白的浪花拍打着海岸。

L

【浪潮】 làngcháo 〔名〕

比喻大规模的社会运动或声势浩大的群众性行动。(tide;wave)常做主语、宾语、定语。[量]股。

例句 改革的浪潮冲击着人们的传统观念。|新技术革命的浪潮越来越猛。|中国自20世纪70年代末以来出现了改革开放的浪潮。|这个城市掀(xiān)起了改造市容的浪潮。|这股浪潮的势头很猛。|他是这次科技革命浪潮的先锋。

【浪费】 làngfèi 〔动〕

对人力、财物、时间等用得不当或没有节制。(waste)常做谓语、主语、宾语、定语。

例句 生活好了也不该浪费粮食。|你别浪费时间,要抓紧学习。|浪费是可耻的。|浪费有时比天灾人祸更可怕。|我们坚决反对浪费。|不珍惜时间就是浪费。|浪费的时间是补不回来的。|应该克服各种浪费现象。

【浪漫】 làngmàn 〔形〕

富有诗意,充满幻想,也指行为放荡,不拘小节。(romantic)常做谓语、定语、补语。

例句 你的想法太浪漫了。|这部电影浪漫极了。|浪漫主义是一种文学创作方法。|他俩的婚姻充满着浪漫的情调。|你别把这事想得太浪漫了。

▶"浪漫"指行为时,多用于男女关系。

【捞】 lāo 〔动〕

❶ 从水或其他液体中取东西。(drag for;fish for)在句中做谓语、定语。

例句 潜水员在水中捞到了"黑匣子"。|农民在水塘里捞鱼。|捞上来的东西都摆在了岸边。|这种饭叫做捞饭。

❷ 用不当的手段取得。(get by improper means)常做谓语。

例句 你别趁机捞一把。|这几年他捞了不少钱。|他们从这场交易中捞到了很多好处。

【劳】 láo 〔动〕

❶ 劳动。(work;labour)常做谓语,多用于固定格式。

例句 不劳而获是可耻的。|我们公司实行多劳多得。|这次比赛,他们劳而无功,输惨了。

❷ 烦劳。(put sb. to the trouble of)常做谓语。

例句 劳您给捎(shāo)一封信。|劳您帮个忙,行吗?

❸ 慰劳(wèiláo)。(reward)常做谓语。

例句 那些老百姓是来劳军的。

▶"劳"还做名词,指劳动量等。如:按劳分配 劳苦功高

【劳动】 láodòng 〔动〕

人类创造物质或精神财富的活动,也专指体力劳动。(labour;physical labour)常做谓语(不带宾语)、主语、宾语、定语。

例句 他正在地里劳动呢。|我们劳动到下午五点。|劳动创造财富,劳动光荣。|劳动有时也是一种休息。|星期天我们参加了义务劳动。|教师的工作是一种脑力劳动。|这个工作的劳动强度很大。|孩子要从小养成劳动的习惯。

【劳动力】 láodònglì 〔名〕

❶ 人的劳动能力,包括体力与脑力的总和。(labour ability)常做主语、

宾语、定语。

例句 劳动力是体力和脑力的总和。|生产关系中的重要因素是劳动力。|只有人才具有劳动力。|原始社会的劳动力水平很低。|这里的劳动力资源很丰富。

❷ 相当于一个成年人所具有的体力劳动的能力,有时指参加劳动的人。(labour force; able-bodied person)常做主语、宾语、定语。[量]个。

例句 全村的男劳动力大部分去城里打工了。|工地上所有的劳动力都由他调配。|他身体不好,只能算半个劳动力。|这项工程需要大量的劳动力。|劳动力的培训由他负责。|你已经了解了全厂的劳动力状况吗?

L

【劳驾】 láo jià 〔动短〕

客气话,用于请人帮忙或让路。(excuse me)常做谓语,中间可插入成分。

例句 劳您驾帮我带个信儿。|劳您大驾,替我拿一下行李。|劳驾,请让让路好吗?

【劳民伤财】 láo mín shāng cái 〔成〕

既使人劳苦,又耗费钱财。(exhaust the people and drain the treasury; waste money and manpower)常做谓语、定语。

例句 这样做劳民伤财,大可不必。|不要兴师动众,劳民伤财。|我们不能做劳民伤财的事。

【劳务】 lǎowù 〔名〕

指不以实物形式而以劳动形式为他人提供某种效用的活动。(labor services)常做宾语、定语。

例句 这个国家向国外大量输出劳务。|我出国不是留学,是干劳务。|劳务人员要经过挑选和培训。|劳务输出的问题由两国协商解决。

【牢】 láo 〔形〕

结实;经久。(firm)常做谓语、补语、状语。

例句 房子地基很牢。|把螺丝拧上去就牢了。|这些词他记得很牢。|猴子把绳子抓得牢牢的。|我牢牢地记住了妈妈的话。

▶ "牢"还做名词,指"牢房"。

【牢房】 láofáng 〔名〕

监狱(jiānyù)里监禁犯人的房间。(prison cell)常做主语、宾语、定语。[量]间。

例句 每间牢房都很暗。|那个人住过几年牢房。|牢房里只有一张床。

【牢固】 láogù 〔形〕

结实,坚固。(firm)常做谓语、状语、补语、定语。

例句 他的专业基础很牢固。|这基础牢固得很。|她已经牢固地掌握了这门技术。|那座桥修得很牢固。|洪水也冲不垮(kuǎ)这座牢固的大坝。

【牢记】 láojì 〔动〕

牢牢地记住。(keep firmly in mind)常做谓语。

例句 他牢记着妈妈的叮嘱(dīngzhǔ)。|我们应该牢记历史的教训。|我牢记导师的教诲。

▶ "牢记"一般不能再加表示程度的状语,也不用于否定式。

【牢骚】 láosāo 〔名〕

烦闷(fánmèn)不满的情绪。(complaint; grouse; grievance)常做主语、

宾语、定语。[量]腹,点儿,肚子。

例句 你的牢骚真多。|他总爱发点儿牢骚。|那人似乎有一肚子的牢骚。|别净说牢骚话了。

【老】 lǎo 〔形/头〕

〔形〕❶ 年岁大。(old)常做谓语、定语、宾语、补语。

例句 几年不见,她老多了。|妈妈这几年老得很快。|山本先生五十多岁来中国学汉语,是班里最老的学生。|你别不服老。|按现在的标准,六十岁不算老。|几年不见,她变老了。

❷ 原来的,陈旧的,久远的。(old; outdated)常做定语。

例句 这是有名的百年老店。|这位是我们的老校长。|老毛病很难改正。|我来介绍一下,这位是我的老同学。

▶"老"还指蔬菜等长过了头,或做菜火候大。如:黄瓜太老了,不好吃了。|菜炒老了。

〔头〕❶ 表示人的排行次序,某些动植物名等。(*as a prefix of a person's name to indicate seniority, or before an animal or plant*)

词语 老师 老虎 老大 老二 老儿子

例句 弟弟是我家老三。

❷ 加在姓前用于称呼,多称呼关系较熟的中、老年人。(*as a prefix of surname to indicate seniority*)

词语 老张 老赵

▶"老"还做副词,指"长久、经常"和"很"。

词语 老迟到 老站着 老早 老开玩笑

【老百姓】 lǎobǎixìng 〔名〕

人民、居民(区别于军人和政府工作人员)。(common people)常做主语、宾语、定语。[量]个。

例句 老百姓最关心生活方面的事。|许多普通老百姓现在都住上了好房子。|新上任的市长很关心老百姓。|他从局长岗位退休,成了一个普通的老百姓。|老百姓的事就是政府的事。|领导应该关心老百姓的生活。

【老板】 lǎobǎn 〔名〕

私人工商业的财产所有者。(boss)常做主语、宾语、定语。[量]位,个。

例句 老板派我出了趟差。|张老板又办了家工厂。|他从普通职员成了大老板。|职员都不喜欢这个老板。|她在一家公司当老板的秘书。

【老成】 lǎochéng 〔形〕

经历多,做事稳重。(experienced)常做定语、谓语、状语、补语、宾语。

例句 他年纪虽不大,却是个很老成的人。|小王做事老成,让他去吧。|他年纪不大,但老成持重。|那人很老成地说:"没问题!"|工作了两年以后,他变得老成了。|那年轻人显得很老成。|我还不算老成。

【老大妈(大妈)】 lǎodàmā(dàmā) 〔名〕

对有一定年纪的妇女的尊称。(aunty)常做主语、宾语、定语。[量]个,位。

例句 王老大妈(大妈)在家照顾小孙子。|一位老大妈(大妈)热情地给我们指路。|他终于找到了那位帮过他的老大妈(大妈)。|那个老大妈(大妈)的儿子接到了她。|小伙子拿起了老大妈(大妈)的行李,

扶着她下了火车。

【老大娘(大娘)】lǎodàniáng(dàniáng)〔名〕

对年老妇女的尊称(多用于不认识的)。(aunty)常做主语、宾语、定语。[量]个,位。

例句 那位老大娘(大娘)在打听路。|一位小姑娘给刚上车的老大娘让座。|老大娘(大娘)的家很远。|那个老大娘(大娘)的女儿在这所大学上学。

【老大爷(大爷)】lǎodàye(dàye)〔名〕

对年老男子的尊称(多用于不相识的)。(uncle)常做主语、宾语、定语。[量]个,位。

例句 几位老大爷(大爷)聚在一起打太极拳。|这位老大爷(大爷)看起来有七十岁了。|大家赶快扶起了摔倒的老大爷(大爷)。|我帮着拿起了老大爷(大爷)的行李。

L

【老汉】lǎohàn〔名〕

年老的男子。(old man)常做主语、宾语、定语。[量]个,位。

例句 这个老汉年轻时力气很大。|李老汉今年六十多岁了。|你认识坐在路边晒太阳的那位老汉吗?|大家都找刘老汉,向他打听那事儿。|老汉的妻子去世早,只有一个女儿。|我们终于找到了那个老汉的家。

▶"老汉"也可用于自称。如:老汉我今年八十五岁了。

【老虎】lǎohǔ〔名〕

虎的通称。(tiger)常做主语、宾语、定语。[量]只,头。

例句 这只老虎原来生活在森林里。|动物园里的小老虎很招人喜欢。|小朋友一去动物园就爱看老虎。|这几座山里已经没有老虎了。|"老虎的屁股摸不得",指厉害的人不能惹(rě)。|我拍了几张老虎的照片。

▶"老虎"还比喻大量耗费(hàofèi)能源或原材料的设备,也比喻凶恶的人。如:煤老虎 电老虎|她简直是一只"母老虎",她家的男人特别怕她。

【老化】lǎohuà〔动〕

指塑料等在各种力的作用下变软或脆硬,后来也指在一定范围内老年人的比重增长或知识陈旧过时。(age; become old; become outdated)常做谓语、定语、宾语。

例句 这些塑料杯已经老化了。|这座城市的人口严重老化。|爸爸的知识已经老化了。|老化的橡胶不能再使用。|设备要精心保养,防止老化。

【老骥伏枥】lǎo jì fú lì〔成〕

比喻人虽老仍怀有雄心壮志。(an old steed in the stable still aspires to gallop a thousand li — old people still cherish high aspirations)常做小句。

例句 老骥伏枥,志在千里。赵老今年已是七十高龄了,可还在为慈善事业而奔走。|老人八十高龄了,可还没有放下手中的笔。真是老骥伏枥,志在千里!

▶"老骥伏枥"常和"志在千里"一起使用。

【老家】lǎojiā〔名〕

在外面成立了家庭的人指故乡的家庭,或指原籍。(old home; native place)常做主语、宾语、定语。[量]个。

例句 我的老家在南方。|这几年，老家发生了很大的变化。|春节我回了趟(tàng)老家。|他离开老家很多年了。|见到老家的人，别提多高兴了。|我已经卖掉了老家的房子。

【老奸巨猾】 lǎo jiān jù huá 〔成〕

形容(人)阅历深，老于世故，而手段极其奸诈狡猾。(a past master of machination and manoeuver; a crafty old scoundrel; a wily old fox)常做谓语、定语。

例句 这个人老奸巨猾，你可别上当！|老板果然老奸巨猾，这次对手又败在他手里了。|他是一个老奸巨猾的人。

【老龄】 lǎolíng 〔名〕

老年的，多指六十岁以上的。(old age)常做定语。

例句 老龄人口迅速增加是一个社会问题。|我们这座城市已进入老龄社会。

【老马识途】 lǎo mǎ shí tú 〔成〕

比喻对某事有经验，对情况熟悉。(an old horse knows the way; an old hand is a good guide)常做小句。

例句 毕竟是老马识途，老李来了不久，就把工厂经营得有声有色。|王先生，我们刚来，不了解情况，老马识途，还是先听听您的意见吧。

▶ 有一次，古人打仗时迷了路，就把一匹老马放开，跟着它找到了路，这就是“老马识途”的由来。

【老年】 lǎonián 〔名〕

六七十岁以上的年纪。(old age)常做定语、宾语。

例句 他在安度着自己的老年时光。|老年生活需要有人关心、照顾。|那一代人如今已进入了老年。|我还没到老年，别这么照顾我。

【老婆】 lǎopo 〔名〕

指妻子。(wife)常做主语、宾语、定语。[量]个。

例句 小王老婆生了个男孩儿。|我老婆很贤惠。|这个周末，我要带着老婆、孩子进城去。|有的男人什么都靠老婆，一点儿家务也不干。|他老婆的手艺不错。|“喂，是我老婆的电话吗？”

辨析 〈近〉妻子，夫人。“妻子”为一般的书面语；“夫人”为尊称，可做称呼语；“老婆”一般用于熟人之间。

【老气横秋】 lǎo qì héng qiū 〔成〕

形容人摆老资格、自负或形容年轻人过于老成、缺乏朝气。(arrogant on account of one's seniority; lacking in youthful vigor)常做谓语、定语、状语。

例句 不要整天老气横秋的，你才多大啊！|我就看不惯他那种老气横秋的样子。|老赵老气横秋地用食指弹了弹烟灰，真有一些老大哥的派头。

【老人】 lǎorén 〔名〕

指老年人。(old man or woman)常做主语、宾语、定语。[量]个，位。

例句 中国的老人越来越多了。|那位老人常常帮助别人。|年轻人应该照顾老人。|这几个学生经常去帮助那些有困难的老人。|这位老人的儿女都在外地工作。|她主动照顾邻居老人的生活。

【老人家】 lǎorenjia 〔名〕

尊称年老的人。(a respectful form of address to an old person)常做主

L

语、宾语、定语。[量]个,位。

例句 老人家今年七十岁了。|她老人家有三个儿女。|我们想请教那位老人家。|我真对不起他老人家。|这老人家的身体还很硬朗(yìnglang)。|领导仔细地询问了老人家的生活。

【老生常谈】 lǎo shēng cháng tán 〔成〕

老书生经常讲的话。比喻人们听厌了没有新意的话。(commonplace; platitude)常做宾语。

例句 会上说来说去,全是听腻了的老生常谈。|由于逢会必讲,本来很重要的事也成了老生常谈,不大为人所注意了。|他再不敢轻视那些“老生常谈”了。

L

【老师】 lǎoshī 〔名〕

尊称传授文化、技术的人,也泛指在某方面值得学习的人。(teacher; master)常做主语、宾语、定语。[量]个,位,名。

例句 这堂课地理老师讲得生动有趣。|今年才毕业的小刘老师非常年轻。|他大学毕业后当了一名老师。|我们问了老师几个问题。|李老师的家离学校不远。|没有老师的帮助,我的进步就不会这么大。

▶“老师”可做称呼语。

【老(是)】 lǎo(shì) 〔副〕

经常。(always)常做状语。

例句 她身体不好,老生病。|他老出差,总不在家。|你别老不说话。

【老实】 lǎoshi 〔形〕

❶ 诚实。(honest)常做谓语、状语、定语、补语。

例句 这孩子挺老实的。|做人就应该老老实实。|老实说,我也不知道这是为什么。|你应该把事情的经过老老实实地讲出来。|我们都应该说老实话,做老实人。|他从不说假话,是个老实的学生。|这孩子变得不老实了,常常爱说谎(huǎng)。|他谈得很老实。

❷ 守规矩、不惹事。(well-behaved)常做谓语、定语、状语、补语。

例句 他在厂里很老实,是个遵纪守法的工人。|这匹马不老实,骑的时候要小心。|孩子们都老老实实地在看动画片呢。|他是个老实的个体户。|经过教育,他变得老实了。

【老鼠】 lǎoshǔ 〔名〕

鼠的通称,多指家鼠。(mouse; rat)常做主语、宾语、定语。[量]只。

例句 动画片里的米老鼠很可爱。|这群白老鼠是用来做医学实验的。|老王抓住了一只老鼠。|猫是老鼠的天敌,农村养猫就是为了消灭老鼠。|人们在老鼠出没的地方投放了老鼠药。

【老太婆】 lǎotàipó 〔名〕

老年的妇女。(old woman)常做主语、宾语、定语。[量]个。

例句 那个老太婆大概有七十几岁了。|有个老太婆在马路上散步。|A:你还那么年轻? B:什么呀!都成了老太婆了。|没人喜欢厉害的老太婆。|那个老太婆的儿子在外地念大学。|几个中学生到楼上的老太婆家帮助打扫卫生。

▶“老太婆”用来称呼别人时显得没礼貌,所以不常用。

【老太太】 lǎotàitai 〔名〕

尊称年老的妇女。(old lady)常做主语、宾语、定语。[量]个,位。

例句 这个老太太身体真好。|那位老太太高兴起来,喝了一杯酒。|大家都很尊敬那位老太太。|我们应该对得起帮助我们的老太太。|老太太的家就在附近。|公安局找到了老太太的孙子。

【老天爷】 lǎotiānyé 〔名〕

迷信的人指上天掌管一切的神。(God; Heavens)常做主语,也可做独立成分,表示惊讶。[量]个。

例句 老天爷好像生气了,刮起了那么大的风。|老天爷有眼,今天天晴了。|老天爷,这是怎么回事?|我的老天爷,你怎么浑身是血!

【老头儿】 lǎotóur 〔名〕

年老的男子。(old man)常做主语、宾语、定语。[量]个。

例句 那个老头儿挺有意思。|这群老头儿每天在公园唱京剧。|外面进来个头发花白的老头儿。|没人认识那个怪老头儿。|这几个老头儿的共同爱好是下象棋。|我们都爱听那个老头儿的故事。

【老外】 lǎowài 〔名〕

俗称外国人。(foreigner)常做主语、宾语、定语。[量]个。

例句 这个老外很帅。|那些老外对古迹很有兴趣。|司机找到了那个老外,把落在车上的钱包还给了他。|海岛渔家也开始接待老外了。|我去过那个老外的家。

辨析 〈近〉外宾。"外宾"用于正式场合;"老外"用于口语,不够庄重有礼。

【老乡】 lǎoxiāng 〔名〕

同乡。(fellow-townsman; fellow-villager)常做主语、宾语、定语。[量]个,位。

例句 我们几个老乡经常聚会。|那个小老乡工作得很不错。|听口音咱俩可能是老乡。|中国有句俗话:"老乡见老乡,两眼泪汪汪。"|看在老乡的面子上,帮我一把吧。|办成这事离不开老乡的帮忙。

▶"老乡"还用来称呼。

辨析 〈近〉同乡。"同乡"多用于书面语,也不能做称呼语。

【老羞成怒】 lǎo xiū chéng nù 〔成〕

因羞愧到了极点而发怒。(fly into a rage out of shame; be shamed into anger)常做谓语、状语。

例句 他一听,老羞成怒,动手打人。|那个人老羞成怒,拿起刀就冲了过来。|大家都说他,他忽然老羞成怒地一拍桌子站起来走了。

【老爷】 lǎoye 〔名〕

旧社会对有权势的人或男主人的称呼,现在用于讽刺。(master; lord)常做主语、宾语、定语。[量]位,个。

例句 请问,你家老爷在家吗?|张老爷开了一家纺织厂。|他在旧社会做过官老爷。|领导干部不是人民的老爷。|在旧社会,老爷的话仆人是不敢不听的。|我从没进过老爷的房间。

▶"老爷"还做形容词,指"陈旧的"、"式样老的(车、船)"。如:老爷车 老爷船

【老一辈】 lǎoyíbèi 〔名〕

指年纪较大或上一代的人。(the older generation)常做主语、定语、宾语。

例句 老一辈为我们做出了榜样。

L

|老一辈有丰富的经验,值得我们学习。|年轻人应该学习老一辈的奋斗精神。|老一辈与年轻人有时想法不一样。|晚辈应该尊重老一辈。|青年应该向老一辈学习。

辨析 〈近〉先辈,前辈。"先辈"一般指去世的;"前辈"只指前一代,不一定是老的;"老一辈"可以指去世的,也可指未去世的。

【老中青】 lǎo zhōng qīng 〔名短〕
老年、中年、青年的合称。(old age and middle age and youth)常做主语、宾语、定语。

例句 老中青要互相学习,互相帮助。|我们三个人分属老中青。|老中青干部在一起工作可以发挥各自的长处,弥补各自的不足。

L

【姥姥】 lǎolao 〔名〕
外祖母。[(maternal) grandmother]常做主语、宾语、定语。[量]个。

例句 我姥姥已经七十岁了。|她姥姥最近从农村来看她。|他们全家都回老家看姥姥去了。|我们全家人都很孝敬姥姥。|姥姥的一生很不容易。|她最近才知道了一些姥姥的情况。

辨析 〈近〉外祖母,外婆。"外祖母"为书面语,不做称呼语;"外婆"多用于南方地区,可做称呼语。

【涝】 lào 〔动〕
庄稼因雨水过多而被淹(yān)。(waterlog)常做谓语、宾语、补语,不带宾语。

例句 雨下了好几天,庄稼都涝了。|今年雨虽大,但地里没涝。|中国土地辽阔,每年都既要防旱,也要防涝。|农民正在抗涝排水。|你可别把花浇涝了。

▶ "涝"还做名词,指因雨水过多而积在田地里的水。如:排涝

【乐】 lè 〔动/形〕 另读 yuè
〔动〕❶ 笑。(laugh; be amused)常做谓语、补语。

例句 那孩子一见妈妈就乐了。|你乐什么?|班长讲了个笑话,大家都乐了。|演员的表演把大家逗乐了。|我被他说乐了。

❷ 喜欢做。(like to do; be glad to do)常用于构词,或用于固定短语。

词语 乐得　乐于　安居乐业　喜闻乐见

〔形〕快乐。(happy)常做谓语。

例句 弟弟乐得唱起了歌。|听到这个消息可把我乐坏了。|她心里乐开了花。

【乐不思蜀】 lè bù sī Shǔ 〔成〕
乐而忘返或乐而忘本。(indulge in pleasure and forget home and duty)常做谓语、定语。

例句 海滩风景优美,游人至此流连忘返,乐不思蜀。|有些人来到西方国家的花花世界后,乐不思蜀,把自己的祖国都给忘了。|他跑到了南方,每天吃喝玩乐,大有乐不思蜀之状。

▶ 蜀灭亡后,国君刘禅被送到另一个地方,旁人问他:"想蜀国吗?"刘禅回答:"我在这儿很快乐,不想蜀国。"

【乐观】 lèguān 〔形〕
精神愉快,对事物的发展充满信心。(optimistic)常做谓语、定语、宾语、状语、补语。

例句 他很乐观,从不流泪。|无论遇到什么事,都应该乐观。|她总保持着乐观的情绪。|乐观的人能长

寿。|他告诉我要保持乐观。|她总能乐观地对待一切困难。|你别把问题设想得太乐观。|她变得越来越乐观。

【乐趣】 lèqù 〔名〕

使人感到快乐的意味。(pleasure)常做主语、宾语。[量]种,点儿。

例句 妈妈最大的乐趣就是看书。|工作中的乐趣只有自己最懂得。|打太极拳成了他生活中的一种乐趣。|大家躺在海边尽情享受日光浴的乐趣。

【乐意】 lèyì 〔助动/动〕

〔助动〕甘心愿意。(be willing to)常做状语。

例句 这事我很乐意做。|他乐意去一些热闹的地方。|这孩子不太乐意读书。

〔动〕满意,高兴。(be pleased; be satisfied)常做谓语、状语、补语。

例句 他听了这话,不乐意了。|谁乐意谁去。|孩子很不乐意地去他的房间睡觉了。|听了这些话,她的心里变得很不乐意。

【了】 le 〔助〕 另读 liǎo

❶ 动态助词,表示动作或变化已经完成。一般称为"了$_1$"。也可用于没发生的动作。(*used after a verb or an adjective to indicate the completion of an action or a change*)用在动词或形容词后面。

例句 本学期有十几个同学受到了表扬。|昨天我们已经去了公园。|你先去,我下了班就去。|他要是知道了这个消息,一定也很高兴。

▶ 动词不表示变化,不能加"了"。如:*他已经属于了专家。|*我以前希望了你去的。

▶ 动词表示经常性动作时,不能加"了"。如:*我以前每天早上六点钟起了床。

▶ 宾语是动词时,前面的动词一般不能加"了"。如:*他答应了比赛。|*我决定了明天动身。

▶ 连动句、兼语句中,"了"一般用在后一动词之后。如:我去图书馆借了两本书。|刚才他请服务员叫了一辆车。

❷ 语气助词,表示变化或出现新的情况。一般称"了$_2$"。(*indicating a change of a new situation*)用在句子的末尾或句中停顿的地方。

例句 下雨了。|天快黑了,今天去不成了。|天下雨了,我就不出门了。|我现在明白他的意思了。|好了,不要老说这事了。

▶ "了$_1$"、"了$_2$"同时出现时,动词后面的"了$_1$"有时可以省略。如:我在北京已经住(了)半个月了。|他都念(了)好几遍了。

▶ 有时一个"了"既在动词后,又在句子末尾,可以兼有"了$_1$"和"了$_2$"的作用。如:我已经吃了。|他三点就来了。

【勒】 lēi 〔动〕 另读 lè

用绳子等捆住或套住,再用力拉紧,系紧。(tie or strap sth. tight)常做谓语。

例句 骑手勒住了马。|行李没捆紧,再勒一勒。|领带系得太紧,有点儿勒脖子。

【雷】 léi 〔名〕

❶ 云层放电时发出的响声。(thunder)常做主语、宾语、定语。[量]声,个。

L

例句 春雷声声，春雨下个不停。|一声响雷吓了我一跳。|冬天一般不打雷。|闪电过后，天空又响起了一阵闷雷。|雷声听起来很可怕。|古代人弄不清楚雷的原因。

❷ 军事上用的爆炸(bàozhà)武器(wǔqì)。(mine)常做主语、宾语、定语。[量]颗(kē)。

例句 鱼雷是水上作战的重要武器之一。|手雷主要用于反坦克。|他们在边境上布了雷。|你们的任务是扫雷。|地雷的杀伤力很大。|你知道这种手雷的威力吗?

【雷达】 léidá 〔名〕

利用极短的无线电波进行探测的装置。(radar)常做主语、宾语、定语。[量]座，个。

例句 雷达广泛地用在航空、气象等方面。|这种雷达完全不受天气影响。|船上安装了一个先进的雷达。|确定飞机的位置得靠雷达。|雷达的作用越来越重要。|他学会了雷达的构造原理。

【雷厉风行】 léi lì fēng xíng 〔成〕

声势像雷一样猛，行动像风一样快。比喻办事严格、迅速。(with the power of a thunderbolt and the speed of lightning — vigorously and speedily; vigorously and resolutely)常做谓语、定语、宾语。

例句 听说老赵性急如火，干起工作来雷厉风行。|新市长喜欢雷厉风行的工作作风。|你在部队上习惯于雷厉风行，可在我们研究所还得再加上“细致”才行。

【雷雨】 léiyǔ 〔名〕

伴有雷电的雨，多发生在夏天。(thunderstorm)常做主语、宾语。[量]场，阵。

例句 这场雷雨持续了两个小时。|昨天的雷雨引发了洪水。|上个星期天来了一场雷雨，连飞机场也关闭了。|夏天经常有雷雨。

【垒】 lěi 〔动〕

用砖、石、土块等砌(qì)或筑(zhù)。(build by piling up bricks, stones, earth, etc.)常做谓语。

例句 老张家在房后垒了个猪圈(zhūjuàn)，猪圈外又垒了一道墙。

▶ “垒”还做名词，指军营的墙壁或工事。如：两军对垒　营垒　壁垒

【类】 lèi 〔名/量〕

〔名〕许多相似或相同事物的综合、种类。(kind; type)常做宾语。

例句 他们把采集的植物标本进行了分类。|我们按这种方法来归归类。

〔量〕用于许多相似或相同的事物。(*measure word*)常构成短语做定语、宾语。

例句 这类事你别管。|他们是两类人。|这些词可以划为一类。|那些动物属于同一类。

【类似】 lèisì 〔形〕

大致相像。(similar)常做谓语、定语、补语。

例句 这两种方法比较类似。|你说的那些话类似开玩笑。|类似现象不能再发生了。|还有很多类似的情况。|这两种动物长得十分类似。

【类型】 lèixíng 〔名〕

具有共同特征的事物形成的种类。(type)常做主语、宾语、定语。[量]种，个。

例句 每种类型都值得研究。|所

有汽车中，这种类型最好。|他俩不属同一类型。|这些衣服样式可以看做一个类型。|这种类型的人不爱说话。|同一类型的产品为什么价格不一样？

【累】 lèi 〔形〕 另读 léi、lěi

疲劳。(tired)常做谓语、宾语、补语。

例句 我累得直想睡觉。|工作了一天，累极了。|逛了一上午，实在太累了。|她觉得很累。|他感到有点儿累了。|儿子玩累了，早就睡了。|都是上坡路，走得挺累。

▶ "累"还做动词，意思是"使疲劳、操劳"。如：看书时间长了，累眼睛。|累了一天，该休息了。

【棱】 léng 〔名〕 另读 lēng、líng

❶ 物体上不同方向的两个平面连接的部分。(arris; edge)常做主语、宾语。[量]个，道。

例句 桌子棱儿碰着我了。|这块板的棱不整齐。|这个东西方方正正，有棱有角的。

❷ 物体上条状的突起的部分。(ridge)常做主语、宾语。[量]道。

例句 瓦棱一道一道的，看起来很整齐。|搓(cuō)板儿的棱都已经磨平了，该换了。|他的头撞在门框上了，起了一道棱。|地里隆起几道土棱。

【冷】 lěng 〔形〕

❶ 温度低；感觉温度低。(cold)常做谓语、定语、补语。

例句 这儿特别冷。|他冷得发抖。|冷饭不能吃。|天气预报说这两天有冷空气到来。|这天怎么一下变得这么冷？

❷ 不热情，不温和。(cold in manner)常做谓语、状语、定语、补语。

例句 她对人总是不冷不热的。|那个人的态度冷冷的。|他冷冷地说："对不起，我没空儿。"|你看她那冷冷的样子。|冷面孔是顾客不愿看到的。|我不知道他的态度为什么变冷了。

❸ 寂静，不热闹。(unfrequented; out-of-the-way; deserted)常用于构词。

词语 冷落 冷清

例句 刚才还十分热闹的会场变得冷冷清清的了。

❹ 不受欢迎的，没人过问的。(unwelcomed)做定语。

例句 他报了个冷门专业，结果很容易就考上了。

❺ 暗中的；突然的。(shot from hiding; unexpected)常做定语、状语。

例句 有什么意见明说，不能放冷枪。|冷不防从旁边跳出一个人。

❻ 比喻灰心或失望。(disappointed)常做谓语。

例句 他心灰意冷，什么也不想干了。|一见这样，我的心也冷了。

【冷淡】 lěngdàn 〔形/动〕

〔形〕❶ 不热闹；不兴盛。(desolate)常做谓语、定语、补语。

例句 那个商场的生意很冷淡。|冷淡的市场状况让人担忧。|不知为什么，这里原来很热闹，现在变得冷淡了。

❷ 不热情，不关心。(cold in manner)常做谓语、定语、状语、补语。

例句 她对我慢慢冷淡起来了。|大家对这件事的反应很冷淡。|他冷淡的表情让大家很失望。|顾客不喜欢冷淡的态度。|她冷淡地转

L

身走了。|我觉得他最近对女朋友变冷淡了。

〔动〕使受到冷淡的待遇。(treat coldly)常做谓语。

例句 好好招待一下,别冷淡了老朋友。|营业员不能冷淡顾客。

【冷静】 lěngjìng 〔形〕

❶ 人少而静,不热闹。(deserted)常做谓语、定语、补语。

例句 小站上十分冷静。|一到晚上,这儿就冷静多了。|冷静的小街上,行人很少。|他走进了冷冷静静的宿舍。|这两年,小街变得冷静多了。

❷ 沉着(chénzhuó),不感情用事。(calm)常做谓语、定语、状语、补语。

例句 你要冷静一点儿!|他慢慢冷静下来了。|我们要有冷静的头脑。|他是个很不冷静的人。|老板冷静地作出了判断。|你要冷静地对待这件事。|她表现得非常冷静。|这时候,他变得比平时冷静。

【冷气】 lěngqì 〔名〕

冷的气体,也指制冷设备。(cold air or air conditioner)常做主语、宾语、定语。[量]股。

例句 冷气从空调中吹出来。|太热了,商店的冷气都打开了。|不知从哪儿袭来一股冷气。|教室里有冷气,上课舒服极了。|用了好几年空调,可冷气的产生原理我并不清楚。

【冷却】 lěngquè 〔动〕

物体的温度降低或使物体的温度降低。(become or make cool)常做谓语、定语。

例句 实验人员用水把物体冷却了。|刚才红红的铁块现在完全冷却了。|他们对这东西作了冷却处理。|冷却塔是一种冷却装置。|科学家对冷却的效果十分满意。

【冷饮】 lěngyǐn 〔名〕

凉的饮料,大多是甜的。(cold drink)常做主语、宾语、定语。[量]杯,瓶。

例句 冷饮夏天卖得快。|冷饮成了人们消暑的必需品。|我最爱吃冷饮了。|他们走进了冷饮店,要了两杯冷饮。|冷饮的品种越来越多了。

▶ "冷饮"是一个总称,具体的有汽水、可乐、果汁、冰淇淋等等。

【愣】 lèng 〔动/形〕

〔动〕失神,呆。(stare blankly)常做谓语、补语、宾语、状语。

例句 他忽地愣了一下。|你愣在那儿干什么?|响声把孩子吓得一愣。|他气得愣了半天说不出话来。|你别发愣了,快拿着!|我只是愣愣地站着,一句话也说不出来。

▶ "愣"只做"发"的宾语。如:你在那儿发什么愣?

〔形〕说话做事不考虑效果、鲁莽(lǔmǎng)。(rash)常做定语、状语。

例句 他真是个愣小子。|你这个愣姑娘真让人哭笑不得。|别这么愣头愣脑的,好不好?|这活儿不能愣干,得慢慢来。|真没办法,他愣这么说。

【厘】 lí 〔名〕

❶ (某些计量单位的)百分之一。(centi-)常用于构词。

词语 厘米 厘升

例句 100厘米等于1米。

❷ 计量单位的名称,表示长度、重量、利率等,也比喻很小的东西。(a

L

unit of length, weight, annual interest rate, etc.)常做主语、宾语。不用量词。

例句 10厘米等于1分米。|几厘是很难称出来的。|这些东西不差毫厘。|银行把存款年利率降低了一厘。

【厘米】límǐ 〔量〕

长度单位,1米的百分之一。(centimetre)常构成短语做主语、宾语、定语。

例句 100厘米等于1米。|20厘米够吗?|这个距离只有10厘米。|这个缝儿不到1厘米。|他需要一段40厘米左右的铁丝。

【离】lí 〔动〕

〔动〕❶ 分离、分开。(leave; part from)常做谓语。

例句 话不离口,就是说学外语要多说多练。|你怎么离家三天就想家了。|鱼儿离不开水。

❷ 缺少。(without; independent of)常做谓语。

例句 发展经济离不了科学技术。|爷爷看书离不开老花镜。

❸ 距离。(from)构成动词短语做状语。

例句 我们学校离车站很近。|离春节只有十天了。|我们做的离上级的要求还差得很远。

【离别】líbié 〔动〕

比较长久地跟熟悉的人或地方分开。(part for a long period)常做谓语、定语、主语、宾语。

例句 他离别了父母,离别了可爱的家乡。|明天我们就要离别了。|离别的时刻终于到了。|我忘不了离别时的情景。|离别是痛苦的,但是也是没有办法的。|这不过是暂时的离别。

【离婚】lí hūn 〔动短〕

按照法定手续解除婚姻关系。(divorce)常做谓语、定语,中间可插入成分。

例句 那对夫妻因感情不和离了婚。|他离过两次婚。|最近的离婚率有所上升。|我那离了婚的朋友最近复婚了。

▶"离婚"做谓语不能带宾语。如:*小王离婚妻子了。(应为"小王跟妻子离婚了")

【离开】lí kāi 〔动短〕

跟人、物或地方分开。(leave; depart from)常做谓语、主语,中间可插入"得、不"。

例句 他从小就离开了家。|我已经离不开这个城市了。|离开是暂时的,不要太难过。|他俩有矛盾,离开也好。

【离奇】líqí 〔形〕

不平常;出人意料。(odd)常做谓语、定语、补语。

例句 这事真离奇。|其实事情一点儿也不离奇。|他讲了一段离奇的经历。|离奇的故事让孩子们着迷。|你说得太离奇了。

【离心离德】lí xīn lí dé 〔成〕

不一条心,不团结。(torn by dissension and discord)常做谓语、定语。

例句 领导班子离心离德,不利于今后的创业。|那些跟公司离心离德的人,绝不能提拔重用。

【离休】líxiū 〔动〕

具有一定资历、符合规定条件的老

年干部离职休养。(retire with honours)常做谓语(不带宾语)、定语。

例句 爷爷已经离休多年了。|王局长今年离休。|他是位离休干部。|离休之后,我每天看看书、养养花,安度晚年。

▶"离休"是中国目前的一种干部制度。凡新中国成立以前参加革命工作的干部,退休时可以享受"离休"待遇。

【梨】 lí 〔名〕

梨树,落叶乔木或灌木(guànmù),果实为普通水果;也指这种植物的果实。(pear)常做主语、宾语、定语。[量]棵(指树);只,个(指果实)。

例句 你家的梨长得很好。|这些梨是朋友送来的,你吃吧。|爷爷在后院种了两棵梨。|妈妈买来几斤梨。|这种梨的个儿不大,可是特别甜。|我很喜欢这种梨的味道。

【犁】 lí 〔名/动〕

〔名〕翻土用的农具,有许多种,用畜力(chùlì)或机器牵引。(plough)常做主语、宾语、定语。[量]张,个。

例句 家里的犁已用了许多年了。|那张犁很快就不能用了。|我的家乡早就不用牛拉犁了。|机械化代替了老式犁。|我已经把犁把(bà)修好了。

〔动〕用犁耕地(gēngdì)。(work with a plough)常做谓语。

例句 现在农村很少用牲口犁田,而是用拖拉机了。|几个小伙子正在犁那片稻田。

【黎明】 límíng 〔名〕

天快亮或刚亮的时候。(dawn)常做主语、宾语、定语。

例句 黎明常常代表着希望。|这天的黎明发生了一起火灾。|黎明时分,人们都在沉睡中。|他和大家一起等待黎明的到来。|我们一定要坚持到黎明。|飞机在黎明到达。

【篱笆】 líba 〔名〕

用竹子、芦苇、树枝等编成的遮拦的东西;一般环绕(huánrào)在房屋、场地周围。(bamboo fence)常做主语、宾语、定语。[量]道。

例句 篱笆在城市里比较少。|这道篱笆是用树枝编成的。|我们绕过篱笆进了他家院子。|他们两家的院子只隔着一道篱笆。|篱笆墙上爬满了丝瓜蔓。

【礼】 lǐ 〔名〕

❶ 社会生活中由于风俗习惯而形成的为大家共同遵守(zūnshǒu)的仪式,也指表示尊敬的言行。(ceremony;courtesy)常用于构词,也做宾语。

词语 婚礼　礼节　礼服　敬礼　失礼

例句 学生们向老师敬了一个礼。|都是老朋友了,你不必行这种大礼。|我是在春节举行的婚礼。|失礼了,我先告辞了。

❷ 礼物。(gift)常做主语、宾语。[量]份。

例句 礼轻情义重啊,多谢了。|这份薄礼表达我的一点儿心意。|朋友结婚,我给他送了一份礼。|帮他的忙是应该的,我怎么能收人家的礼呢?

【礼拜】 lǐbài 〔名〕

❶ 宗教徒向所信奉的神行礼。(religious service)常做宾语、定语。[量]次。

例句 她去教堂做礼拜了。|他这

个星期没做礼拜。|礼拜堂在广场附近。

❷ 星期或表示一个星期中的某天。(week;day of the week)常做主语、宾语、定语、状语。表示某天时要与“一、二、三”等连用。[量]个。

词语 礼拜一(二～六、天)

例句 这个礼拜没什么事。|一个礼拜很快就过去了。|他去北京住了几个礼拜。|我们把时间定在下礼拜,怎么样?|这礼拜的活动太多了。|我下礼拜的安排很多,实在没时间。|我礼拜一出差。|上个礼拜天你做什么了?

▶“礼拜”也指礼拜天。如:他去朋友家过礼拜。

【礼拜天(日)】 lǐbàitiān(rì) 〔名〕

星期日(天)。(Sunday)常做主语、状语、宾语、定语。[量]个。

例句 今天太忙,礼拜天(日)可以吗?|这个礼拜天(日)我们要去外面玩儿。|我在朋友家度过一个愉快的礼拜天(日)。|我们忘不了那个礼拜天(日)。|下个礼拜天(日)的安排是什么?

【礼节】 lǐjié 〔名〕

表示尊敬、祝颂、哀悼(āidào)之类各种惯用形式,如握手、献花、鞠躬(jū gōng)等。(courtesy)常做主语、宾语、定语。[量]种,套。

例句 这种礼节在问候时用。|整套礼节很复杂。|中国人常用握手这种礼节欢迎朋友。|很多人不懂外国的礼节。|我不明白这个礼节的意思。

▶ 中国常用的礼节是握手,有的少数民族有一些特别的礼节,如藏族、蒙古族献哈达。

【礼貌】 lǐmào 〔名〕

言语、动作谦虚(qiānxū)恭敬(gōngjìng)的表现。(manners)常做宾语。[量]种,点儿。

例句 小孩儿应该懂礼貌。|他对人很有礼貌。|你怎么一点儿礼貌也没有?

▶“礼貌”还做形容词,指有礼貌的。如:待人礼貌 不礼貌

【礼品】 lǐpǐn 〔名〕

赠送的物品,礼物。(gift)常做主语、宾语、定语。[量]份,件。

例句 这些礼品是准备送给客人的。|这件礼品有一段动人的故事。|双方交换了礼品。|老朋友送给我一件珍贵的礼品。|新年时我们买几个礼品盒吧。

【礼尚往来】 lǐ shàng wǎng lái 〔成〕

礼节上讲究有来有往。(courtesy demands reciprocity; deal with a man as he deals with you; pay a man back in his own coin)常做主语、谓语、宾语。或做小句。

例句 礼尚往来是传统习俗。|人家来过两次了,咱们能不去一趟吗?我们应该礼尚往来啊!|他整天忙于应酬,说是礼尚往来,哪有空学习啊?|礼尚往来,来而不往非礼也。这回咱们也帮帮他们。

【礼堂】 lǐtáng 〔名〕

开会或举行典礼的大厅。(auditorium)常做主语、宾语、定语。[量]个。

例句 我们学校的礼堂很大。|那个礼堂正举行音乐会。|那儿正在建一个大礼堂。|今天很多人在礼堂听报告。|礼堂的布置庄严而简朴。|这

个礼堂的音响设备是一流的。

【礼物】 lǐwù 〔名〕

赠送的物品。(gift; present)常做主语、宾语、定语。[量]份,件。

例句 这份礼物是朋友送给我的。|礼物虽小,情义很重。|他送给女朋友一件礼物。|我给妈妈买了一份生日礼物。|这件礼物的价格很贵。|他明白了这份礼物的意义。

【礼仪】 lǐyí 〔名〕

礼节和仪式。(ceremony and propriety)常做主语、宾语、定语。[量]种,套。

例句 这种礼仪真有意思。|那套礼仪太复杂了。|我们就别讲那么多礼仪了。|他实在受不了这些礼仪。|中国是礼仪之邦,意思是很讲究礼节、礼貌。|现在礼仪公司出租礼仪小姐和礼仪先生。

【里】 lǐ 〔名/量〕

〔名〕❶ 衣服被褥(bèirù)等东西不露在外面的那一层,纺织品的反面。(lining; inside)常做主语、宾语。[量]个。

例句 被里该洗洗了。|这衣服里儿质量不错。|这种布适合做里儿。|这面是里儿,那面是面儿。

❷ 里边、里边的。(inner)常用于固定格式或做定语。

词语 由表及里 里应外合

例句 外屋是客厅,里屋是卧室(wòshì)。|里层是一种硬质材料。

❸ 里面、内部。常构成短语,表示方位。读 li。(inside)

例句 屋里一个人也没有。|院子里栽着好多花儿。|这里冬天很冷。|我刚到北京,哪里都没去过。|车里坐满了人。

〔量〕长度单位,1 里合 500 米。(1/2 kilometre)常构成短语,做句子成分。

例句 学校离市中心只有二里路。|这里离我家有 5 里地。|长城大约有一万二千多里长,所以叫"万里长城"。|还有三里呢,快点儿走吧。|"里"是中国的长度单位,二里等于一公里。

【里边】 lǐbian 〔名〕

一定的时间、空间或某种范围以内。(inside)常做主语、宾语、定语。

例句 柜(guì)子里边儿什么也没有。|这里边有问题。|东西就放在里边儿吧。|这些事都发生在一年里边。|里边的人快出来。|衣服里边的口袋常用来放钱。

【里面】 lǐmiàn 〔名〕

同"里边"。(inside)常做主语、宾语、定语。

例句 屋里面没有人。|里面很暗,什么也看不见。|他一个人走进院子里面。|我看了看里面,什么也没发现。|里面的情况没人知道。|他叫里面的人出来一下。|他在一年里面出了三次国。

【里头】 lǐtou 〔名〕

里边。(inside)常做主语、宾语、定语。

例句 屋里头坐满了人。|柜子里头有很多钱。|他忙得顾了外头顾不了里头。|我只在商店外头看了看,没进里头。|炉(lú)子里头的煤烧得很红。|他喜欢看书里头的插图。

【理】 lǐ 〔动/名〕

〔动〕❶ 管理、办理,使整齐。(manage; run; put in order)常用于构词,

L

也做谓语。

词语 处理　办理　整理

例句 她很会理家。|出门前我对着镜子理了理头发。|电脑可以帮你理财。|快把自己的书包理一理。

❷ 对别人的言语行动表示态度、意见。(pay attention to)常做谓语。

例句 最近,你怎么不理我了?|他生气了,谁也不理。|你别理这种人。

〔名〕道理、事理。(reason; truth)常做主语、宾语。[量]个。

例句 理当如此,你别说什么了。|这种歪理没人相信。|这事是他没理。|明明没理,他偏说有理。

【理睬】 lǐcǎi 〔动〕

对别人的言语行动表示态度,表示意见。(pay attention to)常做谓语、宾语。

例句 他俩谁也不理睬谁。|她并不理睬别人怎么说。|对这些议论你完全可以不加理睬。

【理发】 lǐ fà 〔动短〕

剪短(jiǎn duǎn)并修整头发。(give a haircut)常做谓语(不带宾语)、定语,中间可插入成分。

例句 刚才,我上街理了个发。|我一个月理一次发。|这位理发师傅手艺不错。|她自己买了一套理发工具。

▶"理发"既指动作的发出者,也指动作的接受者,不用于被动句。如:他给我理发。|我理发了。

【理会】 lǐhuì 〔动〕

❶ 懂得,领会。(understand)常做谓语。

例句 你理会了这些话没有?|这篇文章的意思不难理会。

❷ 注意。(pay attention to)常做谓语。

例句 你怎么不理会人家?|人家说了半天,他也没理会。

❸ 理睬,过问。(show interest in)常做谓语。

例句 他在旁边站了半天,谁也没理会他。|别理会他,他就那样。

【理解】 lǐjiě 〔动〕

懂,了解。(understand)常做谓语、定语、主语、宾语。

例句 那时我不理解这些道理。|人和人相处,应该互相理解。|遇到不理解的事可以请教他。|他对汉语的理解程度比一般人高。|理解比什么都重要。|他多希望得到朋友的理解啊!

辨析 〈近〉明白,了解。"明白"多指知识、事理方面;"了解"指经过接触以后知道;"理解"指明白了事物的内在关系,如果指人,还含有"同情"、"原谅"的意思。

【理论】 lǐlùn 〔名〕

人们由实践概括出来的关于自然界和社会的知识的有系统的结论。(theory)常做主语、宾语、定语。[量]种。

例句 理论应该联系实际。|他提出的地震理论很有价值。|管理人员应该掌握这些基本理论。|别只说一些空洞的理论。|这是个重要的理论问题。|李教授的理论水平很高。

▶"理论"还做动词,指"争论、辩论(biànlùn)是非"。如:我不想和他理论这事。

【理事】 lǐshì 〔名〕

代表团体行使职权并处理事情的人。(member of a council; director)常做主语、宾语、定语。[量]个,名,位。

例句 理事都到齐了,可以开会了。|理事把这个问题报告了理事长。|他当选为协会的常务理事。|我们就这个问题专门请教了那个学会的理事。|理事的职责在章程中有明确规定。|有关部门很重视这些理事的意见。

▶"理事"还做动词短语,指处理事务。如:他是个不当家不理事的人。

【理顺】lǐshùn 〔动〕

使不顺的变顺。(straighten out; sort out)常做谓语、定语。

例句 到任后,他很快理顺了与各方面的关系。|这些事很难一下子理顺。|经她这么一说,刚理顺的思路又乱了。

【理所当然】lǐ suǒ dāngrán 〔动短〕

从道理上说应当这样。(of course)常做谓语、状语、定语。

例句 他这样做理所当然。|公司按规定扣你的奖金,理所当然。|现在,理所当然地轮到你了。|这是理所当然的事,有什么奇怪?

【理想】lǐxiǎng 〔名〕

对未来事物的想象或希望(多指有根据的、合理的)。(ideal)常做主语、宾语、定语。[量]个。

例句 他的理想终于实现了。|我的理想是当一名企业家。|青年应该有远大的理想。|我一定要实现童年的理想。|理想的实现使她非常激动。

▶"理想"还做形容词,指使人满意的、符合希望的情况。如:很理想不够理想|这是个理想的投资场所。

【理由】lǐyóu 〔名〕

事情为什么这样做或那样做的道理。(reason)常做主语、宾语。[量]个,种。

例句 你不来上课的理由是什么?|这个理由不大可信。|他为什么要这样,没有任何理由。|不要找什么理由,错了就承认吧。

【理直气壮】lǐ zhí qì zhuàng 〔成〕

理由充分,所以说话有气势。(with justice on one's side, one is bold and assured)常做状语、谓语、定语、补语。

例句 他理直气壮地回答了她的质问。|小李理直气壮地重复了自己的观点。|他说话不紧不慢,却理直气壮。|她知道自己错了,说话也就不那么理直气壮了。|他那理直气壮的回答让人不得不相信。|他本来错了,却说得理直气壮,真是不知羞耻(xiūchǐ)。

【力】lì 〔名〕

物理学上指物体之间相互作用,使物体获得加速度和发生形变的外因,一般也指力量、能力、体力。(power; strength; ability)常做主语、宾语、定语。[量]千克,点儿。

例句 力有很多种:重力、压力、拉力等等。|这种药的药力很强。|这个例子没有说服力。|他觉得全身无力。|力的大小、方向、作用点是力的三要素。

【力不从心】lì bù cóng xīn 〔成〕

心里想做但能力够不上。(ability falling short of one's wishes; ability not equal to one's ambition)常做谓语。

例句 管这么一大摊子事儿，我实在力不从心。|本想拿下这场比赛，无奈几个队员拉肚子，力不从心，只能把到手的冠军又送给了别人。

【力度】 lìdù 〔名〕
力量大小的程度。(degree of power)。常做主语、宾语、定语。
例句 处理的力度太小不行。|打击的力度不够，就无法制止犯罪。|这回恐怕要加大力度才能成功。|他说的话一点儿也没力度。|力度的大小决定于领导的决心。

【力量】 lìliang 〔名〕
❶ 力气。(power; strength)常做主语、宾语。[量]点儿，些。
例句 人多力量大。|别看他个子小，力量却很大。|我用尽了全身的力量。|这名运动员的双手很有力量。
辨析 〈近〉力气。"力气"多用于口语，词义范围小。
❷ 能力。(ability)常做宾语、定语、主语。
例句 我们实验室有很强的技术力量。|知识就是力量。|政府的支持是我们力量的源泉。|力量来自于群众。|一个人的力量是有限的。
❸ 作用、效力。(potency; efficacy; strength)常做主语、宾语。
例句 这种农药的力量有多大？|文艺的力量不能低估。|他感到一种不可抗拒的力量。|报纸具有很大的力量。

【力气】 lìqi 〔名〕
力量、气力。(strength)常做主语、宾语。[量]点儿。
例句 我一点儿力气也没有了。|力气是练出来的。|大象真有力气。|我拿出全身的力气，坚持跑到了终点。

【力求】 lìqiú 〔动〕
极力追求，努力谋求。(strive to)常做谓语，常带非名词性宾语。
例句 无论干什么，他都力求做到最好。|每一幅作品，他都力求完美。|他们力求保持不败的纪录。

【力图】 lìtú 〔动〕
极力谋求，竭力(jiélì)打算。(try hard to)常做谓语，常带非名词性宾语。
例句 他力图实现自己的理想。|我们要力图完成任务。
▶ "力图"不用于否定式。如：* 我们不力图完成任务。

【力挽狂澜】 lì wǎn kuáng lán 〔成〕
尽力挽回危险的局面。(make vigorous efforts to turn the tide)多做谓语，也可做定语。
例句 大家都想拆掉这段旧城墙，多亏他力挽狂澜，才使它保存了下来。|我们现在多么需要一位力挽狂澜的好厂长啊！

【力争】 lìzhēng 〔动〕
极力争取或极力争辩。(work hard for; argue strongly)常做谓语。
例句 工作上要力争上游。|这事你还得据理力争，不然就没机会了。|这次 HSK，我们要力争好成绩。

【历】 lì 〔动/名〕
〔动〕经历、经过。(go through)常做谓语，也用于构词。
词语 历程 来历
例句 李大妈历尽千辛万苦，一个人把两个孩子抚养大。|这次活动

历时半年。

〔名〕❶ 指过去的各个或各次。[all previous(occasions, sessions, etc.)]常用于构词。

词语 历年(代) 历次(届)

❷ 指历法或历书等。(calendar)

词语 日历 挂历 阳历 阴历 农历

【历代】 lìdài 〔名〕

❶ 过去的各个朝代。(past dynasties)常做主语、宾语、定语。

例句 对于教育,历代都很重视。|历代对农业发展的态度和措施都不尽相同。|这个办法流经历代。|美术馆正在展出中国历代名画。|博物院保存了许多历代的珍品。

❷ 过去的许多世代。(generations)常做状语。

例句 这里的人历代务农。|这门手艺在我家历代相传。

【历来】 lìlái 〔副〕

从来,一向。(all through the ages)常做状语。

例句 老校长历来重视教学。|这儿的人历来不吃生食。

▶ "历来"还做时间名词,指很久以来。如:这是我们历来的做法。

【历历在目】 lìlì zài mù 〔成〕

(远方的景物或过去的情景)一个一个清清楚楚地呈现在眼前。(come clearly into view; leap up vividly before the eyes)常做谓语。

例句 站在山顶往下看,城市的全景历历在目。|当时老师对我的关怀和爱护,至今还历历在目。

【历年】 lìnián 〔名〕

过去的许多年,以往各年。(over the years)常做定语、状语、宾语。

例句 公司历年的经营情况都很好。|为了写书,我查阅了历年的文书档案。|这种事历年都发生过。|这个地区历年都闹过水灾。|比照历年,今年算不错。

【历史】 lìshǐ 〔名〕

❶ 自然界、人类社会、某种事物发展的过程或个人的经历;过去的事实。(history; past records)常做主语、宾语、定语、状语。[量]段。

例句 联合国的历史有多长?|他个人的这段历史很清楚。|他专门研究(yánjiū)世界历史。|那件事已成为历史。|这是一个历史故事。|我们要历史地看待这个问题。|老师历史地分析了那个事件。

❷ 指历史学科。(history as a subject)常做主语、宾语、定语。[量]门。

例句 历史是一门必修课。|星期三考历史。|他对中国历史有兴趣。|我的历史作业完成了。|老师拿出了一幅历史挂图。

【厉害】 lìhai 〔形〕

难以对付或忍受,剧烈,凶猛。(terrible; formidable)常做谓语、补语、定语。

例句 这个女人太厉害了。|我刚跑上来,心跳得厉害。|天热得厉害。|那是一种很厉害的药。|他家养着一条十分厉害的狗。

【立】 lì 〔动〕

❶ 站。(stand)常用于构词,也做谓语。

词语 站立 立正 坐立不安

例句 你别老在那儿立着,坐下歇会儿吧。|树下立着一个人。

❷ 竖(shù)起来。(erect; set up)常做谓语。

词语 树立　竖立　立竿见影

例句 路边立着一个路标。|埋深点儿,不然这杆子立不住。

❸ 建立,制定。(found; establish)常做谓语,也可用于构词。

词语 建立　立功　立法

例句 父母给孩子立了一个规矩(guīju)。|他在银行立了一个户头。|两家公司立下了合同。

❹ 存在,生存(exist; live)。常用于构词。

词语 独立　自立　并立

▶"立"还做形容词、副词,指"直立的"和"马上"。

词语 立柜　立见成效

【立场】 lìchǎng 〔名〕

认识和处理问题时的地位和态度。(position)常做主语、宾语、定语。[量]个,种。

例句 爸爸在我学什么专业方面立场很明确。|他的立场又变了。|对方向我们说明了他们的立场。|他说了半天,大家也不明白他站在什么立场。|立场的问题是个大问题。

【立方】 lìfāng 〔名〕

数学中指数是 3 的乘方,如 a^3。(cube)常做主语、宾语。

例句 2 的立方等于 8。|你算一下这个数的立方。

▶"立方"也指"立方体"。如:你会计算这个立方的体积吗?

▶"立方"还指"立方米"。如:买了几立方石头。

【立方米】 lìfāngmǐ 〔名〕

容积单位,等于每边长为一米的一个立方体的容积。(cubic meter)常做定语、宾语、主语。

例句 这个工厂每天能加工几十立方米木材。|这几立方米的沙土可以装车运走了。|这些木头用不了,卖几立方米吧。|三立方米就够了。

【立即】 lìjí 〔副〕

表示紧接某个时刻;立刻。(at once)常做状语。

例句 放下电话,我立即报告了总经理。|合同签完,立即生效。|有消息请立即告诉我。

辨析 〈近〉马上。"马上"多用于口语,可表示稍长的时间;"立即"只表示很短的时间。如:他办完事立即(马上)就返回来了。|新的一年马上就要来了。

【立交桥】 lìjiāoqiáo 〔名〕

使道路形成立体交叉的桥梁,不同去向的车辆可同时通行。(overpass; flyover)常做主语、宾语、定语。[量]座。

例句 这座立交桥看起来很宏伟。|立交桥解决了堵车问题。|北京、上海修了不少立交桥。|汽车正通过立交桥。|这座立交桥的作用很大。|人们认识到了立交桥的优点。

【立刻】 lìkè 〔副〕

表示紧接着某个时候;马上。(immediately)做状语。

例句 他需要立刻动手术。|你别说了,我立刻就回去。|他下了班立刻赶到了医院。

【立体】 lìtǐ 〔名〕

具有长、宽、厚的物体;多层次的;立体感的。(solid; stereoscopic)常做定语。

例句 那是一个立体图案的工艺

品。|我爱看立体电影。|这部作品立体感很强。

【利】 lì 〔名〕

好处,利益。(profit)常做宾语、主语。[量]点儿,些。

例句 只要有利可图,他什么都可以做。|你不能见利忘义。|他这个人喜欢贪(tān)小利。|卖这种商品利太小。

▶"利"还指"利息"。如:两分利|这批货连本带利共二十多万。

▶"利"还做形容词,指"锋利"或"便利"。如:利剑 利刃(rèn) 情况不利

【利弊】 lìbì 〔名〕

好处和害处。(advantages and disadvantages)常做宾语、主语。

例句 这事你要认真权衡利弊。|两种方法各有利弊。|事情的利弊很清楚。|利弊得失都想好了,再做决定吧。

【利害】 lìhài 〔名〕

利益和损害。(gains and losses)常做主语、宾语、定语。

例句 这事的利害要考虑好。|利害得失有时不能预计。|他这个人常常不计利害。|老李总考虑个人利害。|利害关系要处理好。

【利润】 lìrùn 〔名〕

经营工商业等赚(zhuàn)的钱。(profit)常做主语、宾语、定语。[量]笔。

例句 这笔利润很可观。|那家公司的利润每年都在增加。|这笔生意让他获得了很高的利润。|做生意只追求利润不行,还得讲道德。|这笔利润的分配原则已经决定了。|全年的利润总数还没算出来。

【利息】 lìxī 〔名〕

因存款、放款而得到的本金以外的钱。(interest)常做主语、宾语、定语。[量]笔。

例句 以前的银行利息很高。|这笔利息可以用来买一台电视。|我昨天去银行取出了利息。|贷款要支付一定的利息。|取款得交利息税。|去年以来,利息的变化特别快。

【利益】 lìyì 〔名〕

好处。(benefit)常做主语、宾语、定语。[量]点儿,些。

例句 集体利益高于个人利益。|个人利益也不能忽视。|每个公民都要维护国家利益。|我们要从大伙儿的利益出发。|经济利益的得失是公司一定要考虑的问题。

辨析 〈近〉好处。"好处"多用于具体小事和口语,常与"给、得、没"等搭配;"利益"常用于大事,与双音节动词和名词搭配。如:个人利益(好处)|维护国家利益。

【利用】 lìyòng 〔动〕

❶ 使事物或人发挥效能。(use; make use of)常做谓语、定语、宾语。

例句 工人把这些废旧物资都利用起来了。|他们利用假期去了西双版纳。|这辆旧车还有利用价值。|房间太小,没有可利用的地方了。|这个仓库,公司打算利用一下。

❷ 用手段使人或事物为自己服务。(take advantage of)常做谓语、宾语。

例句 小心被坏人利用了。|他总

利用一些无知的孩子做坏事。|这样做可能是受利用了。|他们认为这家伙是可供利用的。

【沥青】 lìqīng 〔名〕

有机化合物的混合物，黑色或棕黑色，呈胶状，常用来铺路面，一般称柏油（bǎiyóu）。（bitumen; asphalt; pitch）常做主语、宾语、定语。[量]吨，桶，车。

例句 沥青常用来铺路。|沥青是种防水防腐材料。|房顶上浇了一层沥青。|这家工厂生产沥青。|沥青路常被叫做柏油马路。|沥青的作用很多。

【例】 lì 〔名〕

❶ 用来帮助或证明某种情况或说法的事物。（example）常做宾语、定语。

例句 老师说："请举例说明。"|法官提出了例证。

❷ 从前有过，后来可以效仿（xiàofǎng）或依据的事情。（precedent）常做宾语，也用于构词。

词语 先例　前例

例句 这次就算了，下不为例。|这事没有先例。|那项发明太伟大了，史无前例。

❸ 调查或统计时指合于某种条件的事例。（case; instance）常做主语、宾语、定语，也用于构词。[量]个。

词语 病例　案例

例句 这个病例很典型。|他们分析了这个案例。|这种病已经发现了几例。|这几例的情况都不一般。

❹ 规则，条例。（rule）常用于构词。

词语 条例　凡例

例句 有条例就按章办事。

▶"例"还做形容词，指"按规定的"、"照成规进行的"。如：例会　例行

【例如】 lìrú 〔动〕

举例用语。（take… for example）放在举的例子前面。

例句 北京有很多名牌大学，例如北京大学、清华大学等。|中国有许多少数民族，例如回族、壮族、藏族、蒙古族、维吾尔族……

【例外】 lìwài 〔动〕

在一般的规律、规定之外。（be an exception）常做谓语（不带宾语）、定语。

例句 大家都要完成任务，谁也不能例外。|大家都要遵守学校的规定，谁也不可以例外。|例外的情况是很少的。

▶"例外"还做名词，指"例外的情况"。如：不过也有例外　出现例外

【例子】 lìzi 〔名〕

用来帮助说明或证明某种情况或说法的事物。（example）常做主语、宾语、定语。[量]个。

例句 这个例子很有代表性。|一个例子还不能说明问题。|她一下子说了好几个例子。|老师举了个例子来说明。|那个例子的说服力很强。|请问，这个例子的出处是哪儿？

【荔枝】 lìzhī 〔名〕

指荔枝树，也指荔枝树的果实，是中国的特产。（litchi）常做主语、宾语、定语。[量]棵，片（指树）；个，颗，串（指果实）。

例句 荔枝生长在中国南方。|荔枝是我最爱吃的水果之一。|这个

地区盛产荔枝。|他家后面是一片荔枝。|这片荔枝林长得真好。|她特别喜欢荔枝的味儿。

【栗】 lì 〔名/动〕

〔名〕栗子树或栗子树的果实。(chestnut)常用于构词。

词语 栗子 栗色 栗壳 板栗

例句 这些家具都是栗色的。

〔动〕发抖,哆嗦(duōsuo)。(tremble)常做谓语,多用于固定格式。

例句 看到如此暴行,他不寒而栗。|老人战栗着去开门。

【栗子】 lìzi 〔名〕

指栗子树,也指这种树的果实。(chestnut)常做主语、宾语、定语。[量]棵,株(指树);粒,颗,个(指果实)。

例句 这些栗子你带回去吃吧。|你去商店买点儿糖炒栗子吧。|她喜欢吃栗子面小窝头。

【粒】 lì 〔量〕

用于小圆珠形或小碎块形的东西。(grain)常构成短语做句子成分。

词语 几粒盐 一粒米

例句 应该节约每粒粮食。|这些红豆很好看,粒粒都有一个小黑点。|那粒珍珠不错,就选那粒吧。|那包玉米掉了几粒。

▶"粒"还做名词,常说"粒儿"。如:豆粒儿 米粒儿

【哩】 li 〔助〕 另读 lī、lǐ

表示语气或列举。(*used in declarative sentences or enumerating items*)用在句尾表示确定强调的语气,也在句中表示列举。

例句 外面下着雨哩。|不急,时间还早哩。

辨析 〈近〉呢,啦。"呢"可表示疑问,"哩"不表示疑问;表示列举时同"啦"。

【俩】 liǎ 〔数〕 另读 liǎng

❶ 两个。(two)常做主语、宾语、定语。

例句 他俩一起走的。|哥俩都在中国学习。|一共五个苹果,我吃了俩。|他看不见咱俩,会着急的。|你俩的事就是我的事。|她吃了俩包子。

▶"俩"不能加量词。如:俩人(*俩个人)

❷ 不多,几个。(some; few)做定语。

例句 她今天上街没花俩钱。|就这俩人,哪够啊?

【连】 lián 〔动/副〕

〔动〕连接。(link;join)常做谓语。

例句 那儿山连着海,海连着天。|这座桥把两岸连了起来。|他俩心连着心。

〔副〕连续;接续。(continuously one after another)常做状语。

例句 她连看了三场球。|已经连下了几天雨了。|我连喊几声,没人答应。

▶"连"也做名词,是军队的编制单位。

▶"连"做介词。表示包括,甚至。如:连我在内 连皮共三斤

【连…带…】 lián…dài… 〔动短〕

❶ 表示前后两项包括在一起。(and)中间加入名词等之后做主语。

例句 连车带货都丢了。|连本带利都赚回来了。|这次连吃的带用的都买齐了。|连老带小一共来了

三十个人。

❷ 表示两种动作紧接着，差不多同时发生。(while)中间加入动词，做谓语、状语、补语。

例句 她们在舞台上连说带唱的。|她连哭带说，不知出了什么事。|那孩子连拉带扯，我只好来了。|他连滚带爬地跑了。|孩子们连蹦带跳地回家了。|考上了大学，她高兴得连说带笑。

【连…都(也)…】 lián…dōu(yě)… 〔副短〕

表示强调"连"后面的词或短语的固定格式。强调最应该(或最不应该)发生的却没发生(或发生了)，含有其他的一般情况当然没发生(或发生了)的意思。(even)常做状语。

例句 听了他的话，连我也忍不住笑了。|大家都走了，连一个人也没有了。|最近工作多，连星期天也(都)不休息。

【连队】 liánduì 〔名〕

军队中对连以及相当于连的单位的习惯称呼。(company)常做主语、宾语、定语。[量]个。

例句 连队就是战士的家。|这个连队有一百多人。|那些新兵已经分到各个连队了。|记者采访了几个连队。|我们连队的优秀事迹上了报纸。|那个演员去体验连队生活了。

【连滚带爬】 lián gǔn dài pá 〔动短〕

指走路很急，经常摔倒。(run quickly)常做谓语、状语、定语。

例句 他连滚带爬，急忙跑开了。|敌人连滚带爬地逃跑了。|看到他那连滚带爬的狼狈样儿，心里真是痛快。

【连接】 liánjiē 〔动〕

互相衔接(xiánjiē)；使连接。也做联接。(link)常做谓语、定语。

例句 这座大桥把两岸连接了起来。|他把两根电线连接在一起。|大海连接着蓝天。|线路连接的地方要注意。|这是个连接符号。

【连连】 liánlián 〔副〕

连续不断。(again and again)做状语。

例句 听了他的回答，老师连连点头。|老板连连称赞小王干得不错。|最近那儿连连发生地震。

【连忙】 liánmáng 〔副〕

赶快，急忙。(promptly)做状语。

例句 放下电话，他连忙出去了。|听见铃声，我连忙去开门。|看见客人进来了，服务员连忙迎了过来。

辨析 〈近〉赶紧、赶快。"赶紧"、"赶快"可用于祈使句。如：他连忙(赶紧/赶快)走了。|你赶紧(赶快)走吧！|*你连忙走吧！

【连绵】 liánmián 〔动〕

(山脉、河流、雨雪等)接连不断，也作联绵。(continuous)常做谓语、定语。

例句 这几天阴雨连绵。|他思绪连绵，想了很多。|连绵的雨雪使孩子们不能出去活动。|长城是沿着连绵的山势修成的。

【连年】 liánnián 〔名〕

接连许多年。(in successive years)常做定语、状语。

例句 农业获得了连年的大丰收。|连年的战争使这个国家的经济十分困难。|这家工厂产量连年提高。|老人连年劳累，终于病倒了。

L

【连篇累牍】 lián piān lěi dú 〔成〕
形容篇幅多,文辞长。(lengthy and tedious;at great length)做谓语、定语、状语。

例句 最近这些消息在报上连篇累牍。|没人喜欢看这些连篇累牍的文章。|他连篇累牍地发表了许多意见。

【连锁店】 liánsuǒdiàn 〔名〕
属于同一个公司或集团、用同一方式经营的、分散在各处的餐馆或商店。(chain shop)常做主语、宾语、定语。[量]家,个。

例句 连锁店现在越来越多。|这家连锁店经营得很好。|这个公司拥有多家连锁店。|有些公司把连锁店开到了国外。|连锁店的优势十分明显。

【连同】 liántóng 〔连〕
连;和。(together with)在句中连接两个名词或名词性短语。

例句 货物连同货单一起发走了。|今年连同去年下半年,这家公司成交了几笔大买卖。|所有的病人连同他们的家属都十分感谢这位医生。

【连续】 liánxù 〔动〕
一个接一个。(continue)常做谓语、定语。

例句 故事的前后不太连续。|队伍连续了好长好长。|他做了几个不大连续的梦。

▶ "连续"还做副词,表示前后没有断开,不停、陆续的意思。如:雨连续下了几天。|他连续得了三次第一名。

【连续剧】 liánxùjù 〔名〕
电视台或广播分为许多集、连续播放的情节连贯的戏剧。(serial radio or television play;continual play)常做主语、宾语、定语。[量]部。

例句 这部连续剧一共30集,每天放一集。|我不喜欢看连续剧。|《红楼梦》、《西游记》等著名古典小说都已经拍成电视连续剧了。|这部连续剧的故事真有意思。|她很喜欢这部连续剧的男主角。

【连夜】 liányè 〔副〕
当天夜里。(the same night)做状语。

例句 听到这个消息,他连夜就回国了。|她连夜把文章写出来了。

【帘】 lián 〔名〕
用布、竹子等做成的有遮蔽(zhēbì)作用的器物。(curtain)常做主语、宾语、定语。[量]个,幅,块。

例句 这块门帘很好看。|窗帘该洗了。|她买来了一幅竹帘。|妈妈在门上挂了个半截帘儿。|这窗帘的颜色不太好。

【莲】 lián 〔名〕
多年生草本植物,生长于浅水中,种子是莲子。又叫荷、芙蓉(fúróng)等。(lotus)常做主语、宾语、定语,也用于构词。[量]棵,朵。

词语 莲花 莲子

例句 这种莲生长在南方。|莲被中国古人看做品德高尚的象征。|水中长出一大片莲来。|莲花有很多种:白莲、红莲等。|莲的块茎长在地下,叫藕。

▶ "莲"也指莲子。如:湘莲

【莲子】 liánzǐ 〔名〕
莲的种子,可以吃,也可做药。(lotus seed)常做主语、宾语、定语。[量]粒,颗。

例句 这些莲子产于南方。|莲子很好吃。|他从老家带来了一些莲子。|妈妈在商店买了点儿莲子。|煮点儿莲子粥吧。|人们很早就知道莲子的药用作用。

【联】 lián 〔动〕
结合。(unite)常用于构词,也做谓语。

词语 联合 联邦 联名 并联

例句 计算机网络已经联起来了。

▶"联"还做名词,指"对联"。如:上联 春联

【联邦】 liánbāng 〔名〕
由若干具有国家性质的行政区域联合而成的统一国家。(federation)常做定语、主语、宾语。

例句 联邦制是这个国家的特点。|您能谈一下联邦的性质与作用吗?|英联邦包括马来西亚、澳大利亚等。|美国开始只有13个州加入了联邦。

【联合】 liánhé 〔动〕
联系使不分散,结合。(unite)常做谓语、状语、主语、宾语、定语。

例句 他们联合了许多同行。|我们要联合起来共同努力。|这两所大学已经联合办学,联合招生。|我们的联合很重要。|两家公司顺利实现了联合。|这就是联合的力量。

辨析 〈近〉结合。"结合"只做动词,除了用于人还可用于事物。如:听和说要结合起来进行练习。"联合"还做形容词,指"结合在一起的"。如:联合声明 联合收割机

【联欢】 liánhuān 〔动〕
(一个集体的成员或集体与集体)在一起欢聚。(have a get-together)常做谓语、定语、宾语。

例句 昨天晚上我们和他们联欢了。|那些人正在联欢呢。|他们两个班举行了联欢会。|联欢的地点在大厅。|新年前,他们搞过一次联欢。

【联络】 liánluò 〔动〕
彼此交接、接上关系。(get in touch with)常做谓语、定语、宾语。

例句 回国后我们也要经常联络。|老同学们常常聚会,联络感情。|联络人来了吗?|双方确定了联络方式。|那几年,我们俩失去了联络。|别急,他们正在进行联络。

【联盟】 liánméng 〔名〕
指国家结成的集团,也指个人、集体或阶级的联合。(league; union)常做主语、宾语、定语。[量]个。

例句 欧洲联盟是一个国际集团。|工农联盟是新中国的基础。|这两个国家结成了联盟。|任何力量也打不破我们的联盟。|这个联盟的目标很明显。|这些都是联盟的成员。

【联网】 liánwǎng 〔动〕
联成网络或加入网络,特指加入国际互联网络。(be united as a net or link the Internet)常做谓语、定语、状语、宾语。

例句 这些电厂将在年底联网。|联网公司将遵守同一规定。|集团公司要实行联网管理。|整个系统的电脑都需要联网。

【联系】 liánxì 〔动/名〕
〔动〕互相接上关系。(contact; get in touch with)常做谓语、宾语、定语。

例句 我们一直没有联系上。|他俩来联系过工作。|两家公司正在进行联系。|联系的结果还不知道。

|联系的方式是什么?

〔名〕互相接上的关系。(connection)常做主语、宾语。[量]点儿,些。

例句 他俩的联系不太密切。|我看出了这两段话之间的联系。|我和他没有联系。

【联想】 liánxiǎng 〔动〕

由某人或某事想起相关的人或事。(associate with)常做谓语、宾语、定语、主语。

例句 看见她,我联想起了许多。|她又联想到学生时代。|这事引起了妈妈的联想。|这孩子喜欢联想。|心理学家介绍了联想的心理过程。|你的联想真丰富。|小孩子的联想很有意思。

L

【联谊】 liányì 〔动〕

联络友谊。(keep up a friendship)常做定语、宾语、谓语。

例句 联谊会经常开展联谊活动。|两个学校进行了联谊。|双方决定加强联谊。|以后咱们两个公司常联谊联谊。

【廉】 lián 〔形〕

❶ 廉洁。(honest and clean)多用于构词。

词语 廉洁 廉耻 清廉 高薪养廉

例句 廉是中国一个重要的道德观念。

❷ (价钱)低、便宜。(cheap)一般用于固定格式或构词。

词语 低廉 价廉物美

例句 这个商店的商品物美价廉。

【廉价】 liánjià 〔名〕

价钱比一般低。(low-priced)常做定语、状语。

例句 廉价商店专门出售(chūshòu)廉价商品。|廉价服装很受欢迎。|他廉价进了一批货物。|为了还债,公司只好廉价出售了那批货。

【廉洁】 liánjié 〔形〕

不损公肥私、不贪污(tānwū)。(honest and clean; incorruptible)常做谓语、定语、主语。

例句 他很廉洁,从不利用职权谋私利。|我们领导真廉洁。|廉洁的干部受欢迎。|他决心做一个廉洁的公务员。|廉洁是一种美德。

【廉政】 liánzhèng 〔动〕

使政治廉洁。(keep the government clean and honest)常做主语、宾语、定语。

例句 廉政是人民对政府的期望。|反对腐败,提倡廉政。|这个部门采取了许多廉政措施。

【镰刀】 liándāo 〔名〕

收割庄稼(zhuāngjia)和割草的农具。(sickle)常做主语、宾语、定语。[量]把。

例句 这把镰刀用了许多年了。|这几把镰刀你随便用。|爷爷磨(mó)好了镰刀,准备收割。|那把镰刀的柄(bǐng)断了。|我试了试镰刀的锋口,挺快的。

【脸】 liǎn 〔名〕

❶ 人的面部。(face)常做主语、宾语、定语。[量]张。

例句 见到我,她的脸一下子红了。|听到这个坏消息,他拉长了脸。|孩子会自己洗脸了。|我房间里也有脸盆。

▶"脸"也指事物的表面,读"脸儿"。如:门脸儿 鞋脸儿

❷ 情面，面子。(face)常做宾语。多用于固定格式。

例句 真丢脸！|他太不要脸了！|我实在没脸见她了。

▶"脸"还指脸上的表情，读"脸儿"。如：笑脸儿

【脸盆】 liǎnpén 〔名〕

用于洗脸的盆。(washbowl)常做主语、宾语、定语。[量]个。

例句 那个脸盆是新买的。|那家商店出售各种脸盆。|门后边有个脸盆架。|脸盆的材料可以是搪瓷，也可以是塑料。

【脸色】 liǎnsè 〔名〕

❶ 脸上的颜色或脸上表现出的健康状况、气色。(complexion; look)常做主语、宾语。[量]种。

例句 他的脸色黑红，身体很棒。|她脸色苍白，大概病了。|我最近每天晒太阳，晒黑了脸色。|你没看见老李的脸色像个病人吗？

❷ 脸上的表情。(facial expression)常做主语、宾语。[量]种。

例句 他脸色变了，是不是生气了？|这种脸色，顾客怎么能满意呢？|看他的脸色，我就知道没问题了。|晚上看不清脸色，也不知他高兴不高兴。

【练】 liàn 〔动〕

练习；训练。(practise; train)常做谓语、定语。

例句 他每天都练毛笔字。|大家应该好好练一练基本功。|她练的歌叫什么名字？

【练兵】 liàn bīng 〔动短〕

训练军队，也泛指训练各种人员。(train troops; drill soldiers)常做谓语(不带宾语)、宾语、定语。

例句 操场上正在练兵。|他们经常练兵，技术很熟。|快比赛了，他们正在抓紧练兵。|这不是正式比赛，就当做练兵吧。|练兵的时候也要认真。|那是个理想的练兵场所。

【练习】 liànxí 〔动/名〕

〔动〕为了熟练反复学习。(practise)常做谓语、宾语、定语。

例句 多练习才能记住。|她正在练习写汉字。|快考试了，要抓紧练习。|你发音不好是因为平时缺少练习。|练习的时候要认真。|我告诉你一个练习的好方法。

〔名〕为巩固(gǒnggù)学习效果而安排的作业等。(exercise)常做宾语、定语、主语。[量]个。

例句 你们要多做练习。|老师让学生交练习。|这些练习本是刚发的。|马克同学已经做了许多练习题。|他做的练习都对了。|我的练习还没交呢。

【炼】 liàn 〔动〕

❶ 用加热等办法使物质纯净或坚韧(jiānrèn)。(smelt)常做谓语。

例句 工人正在炼铁。|要炼好每炉钢。

❷ 用心考虑词句，使词句优美。(try to find the exact word or sentence)常做谓语。

例句 要认真炼字炼句。|要写好文章，还须炼字炼句。

【恋】 liàn 〔动〕

想念不忘。(long for)常做谓语，也用于构词。

词语 依恋　留恋　恋恋不舍

例句 我恋着故乡的一切。|他太

L

恋家了。

▶“恋”还做名词，指恋爱。如：恋人 初恋 失恋

【恋爱】 liàn'ài 〔动/名〕

〔动〕男女相爱。(be in love; have a courtship)常做谓语(不带宾语)、定语、宾语。

例句 相识了一年以后，我们俩恋爱了。|他都快五十岁了，可从没恋爱过。|他们的夫妻感情比恋爱时还好。|新郎开玩笑地对大家说，我们从幼儿园时就开始恋爱了。

〔名〕男女恋爱的行为表现。(romantic love; courtship)常做宾语及定语。[量]次，场。

例句 你都快三十岁了，也该找对象、谈恋爱了。|他们很快就结束了那场一见钟情的恋爱。|下面，请新郎介绍一下他们的恋爱过程。

【恋恋不舍】 liànliàn bù shě 〔动短〕

非常留恋，舍不得离开。(be reluctant to part from; hate to see sb. go)常做谓语、定语、状语。

例句 大家都恋恋不舍，告别的话说了一遍又一遍。|看你那恋恋不舍的样儿！人家又不是不回来了。|当天下午我们恋恋不舍地离开大连，踏上了回国的旅途。

辨析 〈近〉依依不舍。“恋恋不舍”可指人，也可指处所；“依依不舍”常指人。

【恋人】 liànrén 〔名〕

恋爱中的一方。(lover)常做主语、宾语、定语。[量]个。

例句 这对相爱了5年的恋人终于结婚了。|他的恋人非常漂亮。|小伙子正在公园门口等恋人。|大家都羡慕那对恋人之间真挚的感情。

【链】 liàn 〔名〕

意义同“链子”。(chain)常做主语、宾语、定语，也用于构词。

词语 链条 项链

例句 我的表链断了，得换条新的。|请你说说这条生物链是怎样构成的。|她买来一条金项链戴上了。

【链子】 liànzi 〔名〕

用金属制成的小环，连起来的、像绳子的东西。(chain)常做主语、宾语、定语。[量]条，根，段。

例句 这根链子快断了。|这种链子是铁制的，很结实。|狗挣断了链子。|老人找来一根链子。|这条链子的质量特别好。

▶“链子”还专门指自行车、摩托车等的链条。

【良】 liáng 〔形〕

好。(good)常做谓语、定语，多用于固定格式，也用于构词。

词语 善良 良好 优良

例句 消化不良。|良药苦口。|这些不良行为要克服。

▶“良”也做名词，指善良的人。如：除暴安良

▶“良”还做副词，指“很”，用于书面语。如：良久 用心良苦

【良好】 liánghǎo 〔形〕

令人满意，好。(good; well)常做谓语、定语。

例句 他在班里表现良好。|这次手术效果良好。|良好的生活习惯是身体健康的保证。|这儿有良好的语言环境(huánjìng)。

【良师益友】 liáng shī yì yǒu 〔成〕

对人有教益有帮助的好老师、好朋

友。(good teacher and helpful friend)多做宾语。

例句 《读书》杂志是我的良师益友。|他在我成长的道路上给了我巨大的帮助，是我的良师益友。

▶"良师益友"既可指老师和朋友，也可指既是老师，又是朋友。

【良药苦口】 liáng yào kǔ kǒu 〔成〕

好药往往很苦。比喻忠言逆耳。(just as bitter medicine cures sickness, unpalatable advice benefits conduct)常做小句。

例句 良药苦口，真话不好听，往往会得罪人。|他的话虽然不好听，也是出于一片好心，良药苦口嘛！

▶"良药苦口"也可说成"良药苦口利于病"、"良药苦口，忠言逆耳"、"良药苦口利于病，忠言逆耳利于行"。

【良莠不齐】 liáng yǒu bù qí 〔成〕

比喻好人坏人都有，混杂在一起。(the good and the bad are intermingled)做谓语。

例句 这些工人良莠不齐。|从四面八方来的人，形形色色，良莠不齐。

【良种】 liángzhǒng 〔名〕

家畜(jiāchù)或作物中经济价值较高的品种。(fine breed; improved variety)常做主语、宾语、定语。[量]些。

例句 良种是提高产量的基础。|那个农场引进了一些水稻良种。|他培育了一些小麦良种。|良种西瓜非常甜。|老人饲养(sìyǎng)的是良种马。

【凉】 liáng 〔形〕 另读 liàng

温度低；冷。(cool; cold)常做谓语、补语、定语。

例句 她的手很凉。|秋天到了，天气渐渐凉了。|我全身被风吹凉了。|我不习惯喝凉水。|窗外吹进来了一阵凉风，真舒服。

辨析 〈近〉冷。指天气时，"冷"的程度高。如：冬天很冷。|＊冬天很凉。

▶"凉"还做动词，比喻失望或灰心。如：心都凉了。

【凉快】 liángkuai 〔形〕

清凉爽快(shuǎngkuai)。(nice and cool)常做谓语、定语、补语、状语。

例句 这儿凉快多了。|刚下过雨，天气很凉快。|我们找个凉快的地方吧。|凉快的季节到了。|秋天了，天儿变得凉快了。|我们到树阴下，凉凉快快地休息一会儿。

▶"凉快"还做动词，指使身体清凉爽快。如：太热了，洗个澡凉快一下。

【凉水】 liángshuǐ 〔名〕

温度低的水，也指生水。(cold water; unboiled water)常做主语、宾语、定语。[量]杯，些。

例句 这些凉水倒了吧。|这儿的凉水可以直接饮用吗？|出了一身汗，先别喝凉水！|冬天，他也坚持天天用凉水洗澡。|这是个凉水瓶，不能装开水。

【梁】 liáng 〔名〕

❶ 房架中水平方向的长条形承重构件。(roof beam)常做主语、宾语、定语。[量]根。

例句 房梁已经安上了。|人们常说："上梁不正下梁歪。"|新房正在上梁。|这根房梁的长度够不够？

❷ 指桥。(bridge)常用于构词。

词语 桥梁

例句 那儿正在修建桥梁。

❸ 物体中间隆起(lóngqǐ)成长条的部分。(ridge)常用于构词。

词语 山梁 鼻梁

例句 男朋友的鼻梁很高。

【量】 liáng 〔动〕 另读 liàng

用工具来确定事物的长短、大小、多少或其他性质。(measure)常做谓语。

例句 做衣服得先量量尺寸。|医生给病人量体温。|他把房间面积量错了。

【粮】 liáng 〔名〕

粮食。(grain; food)常做主语、宾语。[量]斤,吨,袋。

例句 这些粮是卖给国家的。|这点儿粮只够三天吃的,再去买点儿吧。|他家有不少余粮。|卖粮难的问题已经解决了。

【粮食】 liángshi 〔名〕

供食用的谷物等的通称。(grain)常做主语、宾语、定语。[量]种,斤,袋,车。

例句 这些粮食是给灾区准备的。|粮食对人民生活太重要了。|我们乡主要生产蔬菜和水果,也生产一些粮食。|政府正在收购粮食。|中国的粮食作物主要有小麦、水稻、玉米等。|我们应做好粮食的保管工作。

【两】 liǎng 〔量/数〕

〔量〕重量单位,1两为50克。(a unit of weight)常构成短语做句子成分。

例句 10两等于1斤。|老人喝了几两酒,话就多了起来。|这两黄金是在地下发现的。|这茶叶很贵,我就买了三两。

▶ “两”为市制,10两为1斤。

〔数〕数目,一个加一个是两个。(two)常构成数量短语做句子成分。

词语 两个人 两间房 两匹马

例句 他两个月没回家了。|我大约有两千多本书吧。|这鱼不小,两条就一斤多。|一个够吗?买两个吧。

▶ “两”还表示双方。如:两全其美 两便

▶ “两”有时表示不定数目,和“几”差不多。读轻声。如:过两天再说。|我来说两句。

辨析 〈近〉二。用法不同。读数“一二三四”,而不说“一两三四”;说“第二、二哥”,不说“第两、两哥”;两(二)米(斤、万、亿、千),不说“二公尺(公里、吨)”;说“二十”,不说“两十”。

【两极】 liǎngjí 〔名〕

地球的南极和北极;电池的阴极和阳极;比喻两个极端或两个对立面。(the two poles; two opposing extremes)常做主语、宾语。

例句 地球上的两极是最寒冷的地方。|有些国家贫富两极分化得很严重。|事物的两极常常可以互相转化。|磁铁也有两极。

【两口子】 liǎngkǒuzi 〔名〕

指夫妻俩。(couple)常做主语、宾语、定语。

例句 那两口子真是模范夫妻。|他们两口子正商量买什么牌子的电视呢。|我认识那两口子。|别去打

扰他们两口子了。|两口子的事外人最好别管。

【两旁】 liǎngpáng 〔名〕

左右两边。(both sides)常做主语、宾语、定语。

例句 路两旁全是树。|主席台两旁摆放着鲜花。|人们站在马路两旁欢迎来宾。|代表们从会场两旁走上主席台。|她两旁的年轻人是她的两个儿子。

【两手】 liǎngshǒu 〔名〕

指本领或技能。常说“两手儿”。(skill)常做宾语、主语。

例句 听说你会做菜,露两手怎么样?|他还真有两手。|你这两手真不错。

▶“两手”还指两个方面的手段、办法。如:做两手准备。|建设现代化要精神文明、物质文明两手抓。

【两小无猜】 liǎng xiǎo wú cāi 〔成〕

小男孩小女孩一起玩耍,天真无邪,没有猜忌。(live and play together in childhood innocence)做谓语、定语。

例句 那时候,他和小红两小无猜,整天一起玩耍。|我们多少有着两小无猜的美好情谊。

【两袖清风】 liǎng xiù qīng fēng 〔成〕

比喻做官廉洁。(remain uncorrupted; have clean hands)常做谓语、状语、宾语、定语。

例句 我们的市长,一身正气,两袖清风。|退休后,他两袖清风地回到了久别的故乡。|厂长干了二十年,至今仍是两袖清风。|老百姓最喜欢两袖清风的官。

【亮】 liàng 〔形/动〕

〔形〕❶ 光线强。(bright)常做谓语、补语、定语。

例句 这屋子真亮。|那盏(zhǎn)灯怎么不亮了?|老人点亮了一盏油灯。|房子刷(shuā)了以后变得亮多了。|光线太暗,咱们换个亮点儿的灯吧。

❷ (声音)强。(loud and clear)常做谓语,也用于构词。

词语 洪亮 响亮

例句 她的歌声真亮。|我的嗓(sǎng)子不太亮。

❸ (心胸、思想)开朗、清楚。(enlightened)常做谓语。

例句 你这一说,我心里亮了不少。|他这个人心明眼亮,一点儿也不糊涂(hútu)。

〔动〕❶ 发光。(shine)常做谓语。

例句 天亮了。|天还没大亮,街上很静。|屋子里亮着灯。

❷ 显露,显示。(show)常做谓语。

例句 他把护照亮了一下,又收了起来。|我只好亮出了身份,才进了场。

【亮光】 liàngguāng 〔名〕

黑暗中的一点或一道光。(light)常做主语、宾语、定语。[量]点儿,道,束。

例句 这道亮光让我们看清楚了他。|一线亮光从窗户照进来。|手电筒发出一束微弱的亮光。|那儿太暗了,没有一点儿亮光。|信号灯灭了,随着亮光的消失,周围又变成了一片黑暗。

【谅解】 liàngjiě 〔动〕

了解实情后原谅或消除意见。(understand)常做谓语、宾语。

例句 只有互相谅解，才能搞好团结。|不管我怎么说，她也不能谅解我。|双方经过协商，达成了谅解。|我们应该做到互相谅解。

【辆】 liàng 〔量〕

用于车。(*measure word for vehicles*)常构成短语做句子成分。

例句 一辆出租车开过来了。|这辆自行车真不错。|路上汽车太多，一辆接着一辆。|听说这种摩托车好，就买了一辆。|都有什么样的车？我想租一辆。

▶"辆"不用于火车的量词。如：一列火车　*一辆火车

▶"辆"可重叠后做主语，表示数量多。如：展览会上的车辆辆都很漂亮。

L

【量】 liàng 〔名〕 另读 liáng

❶ 能容纳或禁受的限度。(capacity)常用于构词。

词语 酒量　胆量　气量

例句 这人胆量很大。|我没有酒量，喝一点儿就醉了。

❷ 数量，数目。(quantity; amount)常做主语、宾语、定语。

例句 一下子要做那么多，量太大了。|质和量都重要。|对于产品，不要过分追求量。|这些产品一定要保质保量。|量的积累会导致(dǎozhì)质的变化。

▶"量"还做动词，指"估计"。如：量力而行　量才录用

【量入为出】 liàng rù wéi chū 〔成〕

根据收入的多少来安排支出。(keep expenditures within the limits of income; live within one's means)做谓语、定语。

例句 我们要量入为出，不能搞提前消费。|我们要靠自己的收入，维持自己的生存，所以要严格遵守量入为出的原则。

【量体裁衣】 liàng tǐ cái yī 〔成〕

按照身材裁剪衣服，比喻根据实际情况办事。(cut the garment according to the figure — act according to actual circumstances)常做谓语、定语或做小句。

例句 做衣服要量体裁衣，干工作也不能脱离实际。|对不同的学生按照量体裁衣的原则分别指导，才能取得最佳的教学效果。|俗话说："看菜吃饭，量体裁衣。"我们无论做什么事都要从实际出发。

【晾】 liàng 〔动〕

把东西放在阴凉或干燥(gānzào)的地方，使干燥；晒。(dry in the air; dry in the sun)常做谓语、定语。

例句 妈妈晾了一些干菜。|把被子拿出去晾晾。|衣服在外面晾着呢。|海滩(hǎitān)上晾着鱼网。|早晨晾的裤子，现在一点儿也没干。

▶"晾"还指冷落，用于口语。如：她和别人有说有笑，却把我晾在了一边。

【辽阔】 liáokuò 〔形〕

辽远广阔。(extensive)常做谓语、定语、补语。

例句 华北平原非常辽阔。|辽阔的草原就是他们的家。|中国有辽阔的海洋。|翻过山头，视野一下子变得辽阔了。

【疗】 liáo 〔动〕

医治。(treat; cure)常用于构词，也做谓语。

词语 医疗 疗养 治疗

例句 经过治疗,他的病好了。|骨折后,我请了个老中医为我疗伤。

【疗效】 liáoxiào 〔名〕

治疗的效果。(curative effect)常做主语、宾语。

例句 这种方法的疗效很明显。|中西医结合疗效很好。|这种药疗效怎么样?|针灸很有疗效。

【疗养】 liáoyǎng 〔动〕

在专门的医院进行以休养为主的治疗。(recuperate)常做谓语(不带宾语)、定语。

例句 他父亲正在海滨疗养。|张教授曾经在那儿疗养过三个月。|病好以后,他又去温泉疗养了。|民航疗养院坐落在海滨。|大连是一个疗养胜地。

【聊】 liáo 〔动〕

闲谈。(chat)常做谓语。

例句 咱俩聊聊这事儿。|老人们常常去那儿聊天。|大家在一块儿闲聊了半天。

【聊天儿】 liáo tiānr 〔动短〕

闲谈。(chat)常做谓语(不带宾语)、定语,中间可插入成分。

例句 我们老同学常在一起聊天儿。|你俩聊起天儿来没完没了。|咱们换个聊天儿的地方,怎么样?|聊天的内容挺多。

【寥寥无几】 liáoliáo wú jǐ 〔成〕

非常少,没有几个。(very few)常做谓语、定语。

例句 天色还早,街上的行人寥寥无几,商店也大都还没开门。|在众多参评作品中,能被李教授看中的寥寥无几。|这次考试太难了,只有寥寥无几的三五个人通过了考试。

【潦草】 liáocǎo 〔形〕

❶(字)不工整。(hasty and careless)常做谓语、补语、状语、定语。

例句 他的字真潦草,让人认不出来。|你别写得太潦草。|球星潦草地签下了自己的名字。|这潦草的笔迹,她十分熟悉。

❷(做事)不仔细、不认真。(sloppy)常做谓语、补语、状语、定语。

例句 这孩子写字太潦草了。|做什么认真点儿,别总浮皮潦草的。|这作业做得太潦草了。|他潦潦草草地洗了把脸,什么也没吃就上班去了。|用这种潦草的态度对待工作怎么行呢?

【了】 liǎo 〔动〕 另读 le、liào

❶ 完毕,结束。(end; finish)常做谓语、补语,多用于固定格式。

词语 没完没了 不了了之

例句 这件事该了了(liǎole)。|他说起话来真是没完没了。|买的东西太多,我的钱都花了了。

❷ 表示可能或不可能。(*after a verb to express possibility*)做补语,跟"得"或"不"连用。

词语 吃得(不)了 受得(不)了

例句 看来他来不了了。|她受伤了,躺在床上一点儿也动不了。|这事我做得了,您放心吧。

❸ 明白,懂得。(know clearly)常用于构词或用于固定短语。

词语 明了 了解 了如指掌

例句 这个问题已经很明了了。

【了不起】 liǎobuqǐ 〔形〕

❶ 不平凡,(优点)突出。(extraordinary)常做谓语、定语。

例句 爸爸很了不起。|那孩子十三岁,就上了大学,真了不起。|她是个了不起的女人。|我没什么了不起的本事。

❷ 重大;严重。(serious; grave)常做谓语、定语,常与“有(没)什么”一起使用。

例句 这事没什么了不起的。|问题不大,没什么了不起。|有什么了不起的困难不能克服?

【了解】 liǎojiě 〔动〕

❶ 知道得很清楚。(understand)常做谓语、定语、主语、宾语。

例句 我了解她。|这些情况你还不了解吧?|不了解的事别乱说。|别人对他的了解很少。|对这儿的情况,我只有个大概的了解。

❷ 打听,调查。(find out)常做谓语、宾语、主语。

例句 我向你了解一个人。|这事儿应该了解清楚。|我们对事故正在进行了解。|希望你们加紧了解,及时报告。|这次的了解还不够深入。

【料】 liào 〔动/名〕

〔动〕❶ 预料,料想。(expect)常做谓语,也用于固定格式。

词语 料事如神 不出所料

例句 我料他不能来了。|他没料到我会这样说。

❷ 照看,管理。(look after)常用于构词。

词语 照料 料理

例句 她不会料理家务。

〔名〕❶ 材料,原料。(material)常做主语、宾语。[量]块。

例句 这块料儿做裤子很合适。|我不是当运动员的料。

❷ 喂牲口用的谷物。(feed)常做主语、宾语。[量]些,点儿。

例句 这些料是喂马的。|牲口料要合理搭配。|牲口要吃草,也要喂料。|牧民们准备好了越冬的草料。

【列】 liè 〔动/量〕

〔动〕一个接一个地排起来;安排到某类事物之中。(line up; arrange)常做谓语、定语。

例句 市政府已经把这件事列入了今年的工作计划。|请大家列队站好。|这个实验被列为国家重点项目。|请按单子上列的项目清点一下。

〔量〕用于成行列的事物。(*measure word for a series or row of things*)常构成短语做句子成分。

例句 这个车站每天经过的火车有一百多列。|三点钟同时发出两列火车,一列是开往上海,一列是开往西安的。|刚刚开走一列车。

▶“列”还做名词,指“队列”或“类”。如:出列 前列 不在此列

【列车】 lièchē 〔名〕

配有机车、工作人员和规定信号的挂成列的火车。(train)常做主语、宾语、定语。[量]趟,次。

例句 开往莫斯科的国际列车已经出站了。|本次列车是由北京开往上海的。|他要去接国际列车。|前方开过来一趟特快列车。|本次列车的终到站是北京。|她是一位列车乘务员。

【列举】 lièjǔ 〔动〕

一个一个地举出来。(enumerate)常做谓语、定语。

例句 为讲解一个词的用法,老师

列举了很多例子。|文章列举出造成污染的各种原因。|这些情况我就不一一列举了。|你列举的数字可靠吗?

【列入】 liè rù 〔动短〕

安排到某类事物中。(enter in list)常做谓语、定语。

例句 这个问题被列入了大会的讨论议程。|他这次没被列入参赛人员名单。|在列入的计划里,没有这个项目。

【列席】 lièxí 〔动〕

参加会议,有发言权,没有表决权。(attend a meeting as a nonvoting delegate)常做谓语、定语。

例句 各省主管农业的副省长列席了本次大会。|列席本次政协会议的还有国务院有关负责人。|列席代表认真听取了工作报告。

【劣】 liè 〔形〕

坏,不好。(bad)多用于固定格式,或用于构词。

词语 优胜劣汰 不分优劣 劣等 卑劣 低劣

例句 他这样做太恶劣了。|这俩人难分优劣。

【烈】 liè 〔形〕

猛,强。(strong; violent)常做谓语、定语,也用于构词。

词语 烈酒 烈日 热烈 猛烈

例句 他这人性子太烈了。|这酒好烈啊!|她是个烈性子人。|他好容易驯服了那匹烈马。

▶ "烈"还指"为正义而死难的"。如:烈士 先烈

【烈火】 lièhuǒ 〔名〕

猛烈的火。(raging fire)常做主语、宾语。[量]团,场。

例句 熊熊的烈火在向树林蔓延。|一团烈火在他胸中燃烧起来。|消防队员终于扑灭了房顶的烈火。

【烈士】 lièshì 〔名〕

为正义事业牺牲(xīshēng)的人。(martyr)常做主语、宾语、定语。[量]个,位,名。

例句 这位烈士是1942年牺牲的。|他的父亲是一位烈士。|人民永远怀念这位烈士。|学生们参观了烈士事迹展览。|继承烈士遗志,献身祖国建设。

【猎】 liè 〔动/形〕

〔动〕捕捉禽兽(qínshòu);打猎。(hunt)常做谓语。

例句 他们以前去森林猎过野兔。|猎人猎获了一头野猪。

〔形〕打猎的。(hunting)常用于构词。

词语 猎手 猎狗 猎物

例句 这支猎枪用了很长时间了。

【猎人】 lièrén 〔名〕

以打猎为业的人。(hunter)常做主语、宾语、定语。[量]个。

例句 现在,世界上猎人越来越少了。|老猎人一直生活在那片大森林中。|小伙子长大以后成了一个猎人。|他找到当地的猎人当向导。|这本小说反映了猎人一生的曲折经历。

【裂】 liè 〔动〕 另读 liě

破而分开。(split)常做谓语、补语。

例句 一到冬天,我的手就裂口子。|盘子掉在地上,裂成了两半。|天太冷,水管子都冻裂了。|地都晒裂了,天太旱了。

L

【邻】 lín 〔名〕

住处接近的人家。(neighbour)常用于构词或短语。

词语 四邻 邻居 乡邻 左邻右舍

例句 远亲不如近邻。|已经半夜了,他们还又唱又跳,吵得四邻不安。|老村长患病后,乡邻都来看他。|他常常帮助左邻右舍。

▶"邻"还做形容词,指"近的"。如:邻国 邻座 邻家

【邻国】 línguó 〔名〕

邻接、邻近的国家。(neighbouring country)常做主语、宾语、定语。[量]个。

例句 中国的邻国有十几个。|邻国都在努力发展经济。|中国领导人访问了东南亚几个邻国。|借鉴邻国的经验,更好地发展自己。|你知道哪些邻国的风俗?

【邻居】 línjū 〔名〕

住家接近的人或人家。(neighbour)常做主语、宾语、定语。[量]个,户,家。

例句 邻居常来我家串门。|住进新居半年了,邻居我还一个也不认识。|刚才,我去看望了生病的邻居。|隔壁新搬来了户邻居。|邻居的孩子们常常在一起玩。|邻居的忙儿应该帮。

【林】 lín 〔名〕

❶ 成片的树木或竹子。(forest)常做主语、宾语、定语。[量]片。

例句 树林青青,真美。|防风林阻挡(zǔdǎng)了风沙。|山上是一大片竹林。|他们一起走进了那片树林。|这片松树林的范围很大。|我家就在桃树林的旁边。

❷ 聚集在一起的同类的人或事物。(a group of persons or things)常做主语、宾语。

例句 西安的碑林是著名的历史文化古迹。|艺林是指艺术界。|云南有片非常美丽的石林。

【林场】 línchǎng 〔名〕

培育和采伐(cǎifá)森林的地方或单位。(forestry centre)常做主语、宾语、定语。[量]个。

例句 那个林场离城市有一百多公里。|这几个年轻人在林场干得很出色。|国家在那儿建了一个林场。|来,尝尝我们林场的特产吧。|他做了一名林场工人。

【林区】 línqū 〔名〕

生长大片森林、出产树木的地方。(forest zone)常做主语、宾语、定语。[量]个,片。

例句 东北林区出产红松。|这片林区有三百平方公里。|我们要建设和保护好林区。|我是自愿来林区的。|林区的生态环境引起人们的高度重视。|这些都是林区特产。

【林业】 línyè 〔名〕

培育和保护森林以取得木材和其他林产品的生产事业。(forestry)常做主语、宾语、定语。

例句 林业是中国的重要产业。|林业在环境保护中有重要的作用。|国家要大力发展林业。|以前林业工人主要从事采伐工作。|人们普遍认识到林业的重要性。

【临】 lín 〔动〕

❶ 靠近,对着。(face; overlook)常做谓语。

例句 居高临下。|我家的房子临街。|这地方背山临水。|他们见了我如临大敌。

❷ 来到，达到。(arrive)常用于构词或短语。

词语 光临 来临 双喜临门 身临其境

例句 欢迎光临我校。|市长亲临现场指挥救人。|结婚加升职，真是双喜临门哪！

❸ 表示将要、快要。(just before; be about to)常做状语。

例句 临走，她给我留了一封信。|临睡以前，别忘了关窗户。|临上车的时候，我才想起票忘拿了。

【临床】 línchuáng 〔动〕

医学上医生给病人诊断(zhěnduàn)和治疗疾病。(clinical)常做定语、谓语。

例句 临床教学是医学院的重要教学环节。|张医生临床多年，很有经验。

【临近】 línjìn 〔动〕

(时间、地区)接近、靠近。(close to)常做谓语。

例句 我们疗养院临近大海。|春节已经临近了。|他们在临近市中心的地方建了一座大楼。

【临时】 línshí 〔形〕

到事情发生的时候；暂时、短期，非正式的。(temporary)常做定语、状语。

例句 临时工全都回家过年去了。|我们设立了一个临时病房。|我的工作是临时的。|他临时出去了一下，一会儿就回来。|材料你应该事前准备好，别又临时找人去借。

辨析 〈近〉暂时。"暂时"主要是副词，只表示短时间，做形容词时只修饰抽象名词。如：临时食堂(宿舍)
暂时困难

【临危不惧】 lín wēi bú jù 〔成〕

面临危难，毫不畏惧。(face danger fearlessly; betray no fear in face of danger)做谓语、定语。

例句 面对着歹徒的刀，他临危不惧，从容自若。|眼看狼群越来越近了，他临危不惧，用干柴围了一个圈，点着了火。|临危不惧的老汉镇定地嘱咐家人："不要怕！"

【临阵磨枪】 lín zhèn mó qiāng〔成〕

到了阵前才磨枪，比喻事到临头，才作准备。(sharpen one's spear just before going into battle — start to prepare at the last moment)常做主语、谓语、定语。

例句 临阵磨枪可不行，要早作准备。|明天就要考试，没有办法，我只好临阵磨枪了。|临阵磨枪的做法早晚要吃亏。

▶ "临阵磨枪"多含贬义，但有时含"准备总比不准备好"的意思。如：A：现在才想来学习啊？B：临阵磨枪，不快也光嘛！

【淋】 lín 〔动〕

水或别的液体(yètǐ)落在物体上。(pour; drench)常做谓语、宾语。

例句 他的衣服都淋湿了。|昨天下雨，我被淋感冒了。|她出去没带伞，挨了淋。

▶ "淋"还指使水或液体落在物体上。如：给凉菜淋上点儿香油。

【淋漓尽致】 línlí jìn zhì 〔成〕

详细透彻；充分，彻底。(incisively and vividly; thoroughly)常做补语、状语。

例句 这番话把中国知识分子的特点形容得淋漓尽致。|留学的情况，

L

在书中被描绘得淋漓尽致。|几个女孩子又是唱歌又是表演,淋漓尽致地表现她们自己。

【伶俐】 línglì 〔形〕

聪明、灵活。(clever)常做谓语、定语、补语。

例句 小姑娘很伶俐,人也漂亮。|真是个伶俐的孩子!|伶俐的口齿是当相声演员的基本条件。|常说绕口令,会使人口齿练得伶俐。

【伶牙俐齿】 líng yá lì chǐ 〔成〕

形容能说会道。(have the gift of the gab;have a glib tongue)做谓语、定语。

例句 她年纪最小,但是伶牙俐齿,有时大人也说不过她。|这个伶牙俐齿的王小娟,几句话就把小刘说得没词了。

▶“伶牙俐齿”多含有喜爱的意思。

【灵】 líng 〔形〕

❶ 灵活,灵巧。(quick;sharp)常做谓语。

例句 年纪大了,他的耳朵不灵了。|她心灵手巧,很能干。|狗的鼻子很灵。

❷ 灵验。(effective)常做谓语、定语、补语。

例句 这个办法很灵。|这次感冒真重,什么药都不灵了。|这是“灵丹妙药”,吃了准好。|你说得真灵,他果然得了第一。

▶“灵”还做名词,指灵柩或关于死人的。如:灵位　守灵

【灵丹妙药】 líng dān miào yào〔成〕

指能治百病的好药。比喻能解决一切问题的好办法。(a miraculous cure;panacea)常做主语、宾语。

例句 灵丹妙药也不能什么都治啊!|就算有灵丹妙药也救不了他的命了。|这是科学,而不是什么包治百病的灵丹妙药。

【灵魂】 línghún 〔名〕

❶ 迷信认为附在人的躯体(qūtǐ)上作为主宰(zhǔzǎi)的东西,灵魂离开躯体人就死了。(soul)常做主语、宾语、定语。[量]个。

例句 灵魂真的存在吗?|谁看见过灵魂?|灵魂的有无,一直是个有争议的问题。

❷ 指思想、心灵或人格、良心。(spirit;soul)常做主语、宾语、定语。

例句 她的灵魂是那样的纯洁。|做人不能出卖自己的灵魂。|教师是人类灵魂的工程师。

▶“灵魂”还比喻起决定作用的因素。如:写作的灵魂是真实。

【灵活】 línghuó 〔形〕

❶ 敏捷,不呆板。(nimble)常做谓语、定语、状语、补语。

例句 张红脑子灵活,办事能力强。|这机器真灵活。|她有一双灵活的手,干活特别快。|他灵活地跳了过去。|大象灵活地用鼻子取东西。|经过一段时间的锻炼,他受伤的手恢复得灵活多了。

❷ 善于随机应变。(flexible)常做谓语、定语、状语、补语。

例句 你办事能不能灵活一些?|我们想了一个灵活的办法。|这事被他灵活地处理好了。|要能够灵活运用学过的知识。|他现在处理问题时变得灵活多了。

▶〈近〉灵巧。“灵巧”不指随机应变。如:动作灵活(灵巧)|思维灵活|

*思想灵巧|灵活处理|*灵巧处理

【灵敏】 língmǐn 〔形〕

反应快。(sensitive)常做谓语、定语、状语。

例句 猫的动作很灵敏。|这台仪器真灵敏。|狗有一双灵敏的鼻子。|记者一般具有灵敏的思维。|猫灵敏地钻过篱笆。

【灵巧】 língqiǎo 〔形〕

灵活而巧妙。(dexterous; skillful)常做谓语、定语、状语、补语。

例句 姐姐的手真灵巧。|别看他人长得又高又大,可动作倒很灵巧。|门上挂着一个灵巧的小灯笼。|姑娘们灵巧地绣着各种动物。|这个小玩具做得很灵巧。|她跳得很灵巧,可能专门练过舞蹈。

【玲珑】 línglóng 〔形〕

❶(东西)精巧细致。(ingeniously and delicately wrought)常做谓语、定语、补语。

例句 这花瓶小巧玲珑,真漂亮。|这个比那个更玲珑可爱。|房后有一座玲珑的假山。|这个象牙球做得玲珑剔透。

❷(人)灵活敏捷。(clever and nimble)常做谓语、定语、补语。

例句 这女人八面玲珑。|那位娇小玲珑的演员表演得十分精彩。|她长得十分玲珑。

【铃】 líng 〔名〕

用金属制成的响器。(bell)常做主语、宾语、定语。[量]个。

例句 铃响了,该下班了。|闹钟铃怎么没响?|我家安了一个新门铃。|门外响起了自行车铃声。

▶"铃"也指像铃的东西。如:哑铃 棉铃

【凌】 líng 〔动〕

❶侵犯,欺侮(qīwǔ)。(insult)常用于构词或固定短语,也做谓语。

词语 欺凌 凌辱 盛气凌人

例句 他这个人总是盛气凌人的。

❷逼近。(approach)用于构词。

词语 凌晨

❸升高,在空中。(rise high)常用于构词或用于固定格式。

词语 壮志凌云

例句 直升飞机凌空升了起来。

【凌晨】 língchén 〔名〕

天快亮的时候。(before dawn)常做主语、定语、宾语、状语。[量]个。

例句 凌晨就要到了。|事故发生在凌晨时分。|凌晨的时候,他们才到。|试验开始的时间定在凌晨。|我们凌晨出发。

【零】 líng 〔数〕

❶数的空位,用于数码写成"0"。(zero sign)常用于数字中,表示数目等。

词语 305 房间 2000 年

❷表示没有数量,没有效果。(nought)常做宾语。

例句 3 减 3 等于 0(零)。|他从来不听别人的劝告,你怎么说都等于零。

❸表示某些量度的计算起点。(zero on a thermometer, etc.)常做定语。

词语 零度 零点

例句 今天的最低气温是零度。|昨天夜里零点发生了地震。|零起点的学生被安排在初级班。

▶"零"还做名词,指"零头";做形

L

容词指"零碎的"。如：七十有零　零花钱　零售

【零件】 língjiàn 〔名〕

可以用来装配机器(jīqì)、工具的单个制件。(spare parts)常做主语、宾语、定语。[量]个、批。

例句 这个零件不合适，换一个吧。|零件已用完了，再买一些吧。|这个工厂专门生产汽车零件。|我们要订购一批零件。|这批零件的质量没有问题。

【零钱】 língqián 〔名〕

❶ 币值小的钱，如角、分。(small change)常做主语、宾语、定语。[量]些，点儿。

例句 对不起，现在一点儿零钱也没有。|这些零钱就给孩子吧。|我把十元钱换成了零钱。|营业员问我有没有零钱。|女儿的零钱罐都装满了。

❷ 零花的钱。(pocket money)常做宾语。[量]点儿，些。

例句 我爱人不抽烟不喝酒，平时不花什么零钱。|这孩子的父母每个月都给她不少零钱。

【零售】 língshòu 〔动〕

把商品不成批地卖给消费者。(sell retail; retail)常做谓语、定语。

例句 (广告词)本店零售兼批发。|贸易公司一般不零售。|这些都是零售的商品。|这是零售价，批发可以便宜点儿。

【零碎】 língsuì 〔形〕

细小、分散而不完整。(scrappy)常做谓语、定语、补语。

例句 这些事零碎得要命。|家务活儿真零碎。|这堆零零碎碎的木头只能当柴火了。|零碎时间利用起来，也能学不少东西。|肉不要切得太零碎。

▶"零碎"还做名词，读作"零碎儿"，指"零碎的事物"。如：收拾零碎儿

【零星】 língxīng 〔形〕

细小稀少而不集中。(scattered)常做状语、定语。

例句 外面零星地下起小雪来。|草地上零零星星地开着小花。|只有一点儿零星的材料，恐怕不够。|那些零星活儿我干。

辨析 〈近〉零碎。"零星"不做谓语。适应对象也不完全相同。"零碎"侧重于不完整；"零星"侧重于不集中。如：零星(零碎)活儿|零星(零碎)材料|零星小雨(枪声)|*零碎小雨(枪声)|零星消息|*零碎消息

【岭】 lǐng 〔名〕

❶ 顶上有路可通行的山。(mountain ridge; mountain peak)常做主语、宾语、定语。[量]道。

例句 一道道岭挡在我们面前。|前面那道岭翻过去，路就好走了。|两天一夜，我们翻山越岭，终于到达了目的地。|我们到岭那边再休息吧。

❷ 高大的山脉。(mountain range)构成专门名词。

词语 大兴安岭　南岭　秦岭

【领】 lǐng 〔动〕

❶ 带，引。(lead)常做谓语。

例句 工作人员把我领进了局长办公室。|她领着儿子去公园了。|你去把客人领进来。

❷ 领取。(receive; get)常做谓语、定语。

例句 今天领工资。|我去办公室领一些材料。|这是刚领的新书。

❸ 接受。(accept)常做谓语。

例句 你的心意我领了,可礼物我不能收。|人家帮了他的忙,他还不领情。

❹ 领有。(be in possession of)常用于构词。

词语 领土(海、空) 占领

▶"领"还做名词。如:领口 纲领

【领带】 lǐngdài 〔名〕

穿西服时,系(jì)在衬衫领子上悬在胸前的带子。(necktie)常做主语、宾语、定语。[量]条。

例句 这条领带看上去不错。|他的那条领带跟衣服不配。|出门时一着急,忘了系领带。|我一下买了好几条领带。|我很喜欢这种领带的花纹。

【领导】 lǐngdǎo 〔动/名〕

〔动〕指引、带领。(lead)常做谓语、宾语、定语等。

例句 他领导一个大厂。|我们相信他能领导大家度过难关。|当然要服从领导。|在经理的领导下,工作取得了成绩。|必须加强领导。|领导干部要讲究领导方法。|李经理很懂领导艺术。

〔名〕担任领导的人。(leader)常做主语、宾语、定语。[量]个,位。

例句 这位领导受到了群众的欢迎。|领导应该联系群众。|他被选为公司的新领导。|群众支持这个领导。|领导的担子很重。|我们单位有一个团结的领导班子。

【领会】 lǐnghuì 〔动〕

理解、明白。(understand)常做谓语、主语。

例句 他终于领会了我的意思。|这些文件得好好领会。|我的领会是正确的。

辨析 〈近〉体会。"领会"重在理解,"体会"重在感受;"体会"还做名词。如:我领会了这个意思。|体会到了这种感情(重要性)。|你有什么收获和体会?

【领事】 lǐngshì 〔名〕

由一国政府派驻外国某一城市或地区的外交官员。(consul)常做主语、宾语、定语。[量]个,位。

例句 领事是个女外交官。|新任领事会见了侨民。|他是中国驻这儿的总领事。|我下午去领事馆办签证。

【领土】 lǐngtǔ 〔名〕

在一国主权管辖(guǎnxiá)下的区域,包括领陆、领水、领海、领空。(territory)常做主语、宾语、定语。[量]片。

例句 国家的领土神圣不可侵犯。|我们要保卫国家的领土。|维护领土完整是政府的责任。

【领先】 lǐngxiān 〔动〕

走在前面、处于前列。(be in the lead)常做谓语、状语、定语。

例句 比赛中,红队一直领先。|最后,是王健领先登上了顶峰。|现在他们处于领先水平。|这种领先地位是经过努力才得来的。

【领袖】 lǐngxiù 〔名〕

国家、政治团体、群众组织等的领导人。(leader)常做主语、宾语、定语。[量]个,位。

例句 领袖应当由选择产生。|他

被选为党的领袖。|他是一个领袖人物。

▶"领袖"不是职务的名称,也不做称呼语。

【领域】 lǐngyù 〔名〕

学术思想或社会活动的范围。(field)常做主语、宾语、定语。[量]个。

例句 这几个学术领域都取得了重大成果。|思想领域存在着复杂的情况。|我从未接触过这个领域。|这些问题分属不同的研究领域。|数学是自然科学领域的基础。

▶"领域"也指一个国家行使主权的区域。

【领子】 lǐngzi 〔名〕

衣服上围绕脖子(bózi)的部分。(collar)常做主语、宾语、定语。[量]个。

例句 衣服的领子有点儿脏。|这种洗涤剂适合洗领子。|一定要把领子熨(yùn)平。|这个领子的式样很有特点。

【另】 lìng 〔形〕

另外。(other; another)常做定语、状语。

例句 我说的是另一回事。|我们走的是另一条路。|他另有任务,不来了。|我们另选了一名代表。

【另外】 lìngwài 〔副/代〕

〔副〕在说过的之外,此外。(in addition; besides)常做状语。

例句 昨天我买了一件衣服,另外还买了双鞋。|我另外跟你说件事。|你要是做得好,另外给你加钱。

〔代〕前面说过的以外。(other; different)常做定语。

例句 我只知道小刘,不认识另外的人。|另外的事单独说。|另外,别忘了带件礼物。|我知道的就这些,另外,可能还有别的原因。

【另眼相看】 lìng yǎn xiāng kàn〔成〕

用另一种眼光来看待。指重视或歧视。(regard sb. with special respect; view sb. in a new, more favorable light; see sb. in a new light)常做谓语。

例句 苏珊的汉语说得那么流利,同学们对她不免另眼相看。|连长知道了,这个新战士是个大学生,自然另眼相看。|差生也是学生,不要对他们另眼相看。

【令】 lìng 〔动〕

❶ 命令。(command)常做谓语。

例句 他令各单位认真执行。|警察令违章司机把车停下。

❷ 使,让。(make; cause)常做谓语。

例句 这情景真令人感动。|他的话实在令我不舒服。|这消息真令人兴奋。

▶"令"还做名词,多用于构词。

词语 法令 指令 口令

【令人生畏】 lìng rén shēng wèi〔成〕

让人感到害怕。(frighten)常做谓语、定语。

例句 他的目光令人生畏。|他有一张令人生畏的脸。

【溜】 liū 〔动〕 另读 liù

❶ 滑行(huáxíng),(往下)滑。(slide)常做谓语。

例句 冬天我们常去溜冰。|运动员从雪坡上飞快地溜了下来。|我刚学,还溜得不太好。

❷ 偷偷地走开。(slip away)常做谓语。

例句 他不知什么时候溜走了。|你别想溜。|不想惊动大家,一个人悄悄地溜回了家。

【留】 liú 〔动〕

❶ 停止在一个地方;使不离去。(stay;ask sb. to stay)常做谓语。

例句 王丽萍大学毕业后,留北京了。|你有事我就不留你了。|子女都进城了,只有老人还留在农村。

❷ 保留。(keep)常做谓语。

例句 幸好我留了一套复印件。|爷爷留着白胡子。|这些旧报纸别留着了。

❸ 收下。(accept)常做谓语。

例句 我只留下一本字典,别的都没要。|你的情我领了,可礼物我不能留。

❹ 遗留,传下来。(leave behind)常做谓语。

例句 这些书我不带了,都留给你吧。|他留了什么话没有?|这是历史留下的宝贵文化遗(yí)产。

【留恋】 liúliàn 〔动〕

不忍舍弃或离开。(can't bear to part)常做谓语、状语、定语、宾语。

例句 他对那儿一直很留恋。|我十分留恋学校生活。|车要开了,他留恋地看了我一眼。|大家都怀着留恋的心情说起那次旅行。|我对她没有丝毫的留恋。|这儿的一草一木都值得留恋。

【留念】 liú niàn 〔动短〕

留作纪念。(accept or keep as a souvenir)常做谓语、宾语。

例句 分别前大家合影留念。|他为大家签名(qiān míng)留念。|她送我一支笔作为留念。|这张相片就算留个念吧。

【留神】 liú shén 〔动短〕

对危险或错误注意、小心。(be careful)常做谓语,中间可插入成分。

例句 你要留神马路上的车。|一个人出门,多留点儿神。|请你留一下神,帮我看看书店里有没有那本字典。|我一不留神摔(shuāi)倒了。

辨析 〈近〉留心,留意。着重方面和搭配不同。如:留神有危险(犯错误) 留心学习(观察) 留意各种情况

【留心】 liú xīn 〔动短〕

注意。(take care)常做谓语、状语,中间可插入成分。

例句 你留心最近的报纸了吗?|我对这事留点儿心就好了。|他留心地看起路边的广告来。|我留心观察很长时间了。

【留学】 liú xué 〔动短〕

留居外国学习或研究。(study abroad)常做谓语、定语、宾语,中间可插入成分。

例句 他来中国留学两年了。|姑姑二十年前,去美国留过学。|我还没习惯这儿的留学生活。|现在有留学经历的人越来越多了。|哥哥想从明年开始留学。|她很想留学,可是钱不够。

【留学生】 liúxuéshēng 〔名〕

在外国学习的学生。(student studying abroad)常做主语、宾语、定语。[量]位,名。

例句 这些留学生来自世界各国。|大部分留学生学习很努力。|中国

每年都向各国派留学生。|很多人认识这两个美国留学生。|留学生的宿舍很干净。|各国留学生的生活习惯不太一样。

【留言】 liúyán 〔名〕

离开前用书面形式留下要说的话。(message)常做主语、宾语、定语。[量]个,条,句。

例句 贴在我门上的那张留言不知是谁的。|她走了,也没给我写一句留言。|留言条上的话真让人感动。

▶"留言"还可用于构成动词短语。如:请留言。|我给她留言了。

【留意】 liú yì 〔动短〕

注意;小心。(be careful)常做谓语,中间可插入成分。

例句 这些小事我从不留意。|路滑,留点儿意。|他常留意各种征婚广告。

【流】 liú 〔动/名〕

〔动〕水等液体移动;流动。(flow;move)常做谓语,也用于构词。

词语 流通 流星 流传

例句 快把水龙头关了,水流到地上了。|她高兴得流出了眼泪。|我手碰破了,流了点儿血。

〔名〕指江河的流水或像水流的东西。(stream of water;current)常用于构词。

词语 河流 急流 气流

例句 这儿的冬天常有寒流。

▶"流"还指等级。如:第一流 名流

【流传】 liúchuán 〔动〕

传下来或传播开。(spread)常做谓语。

例句 这个故事从古代流传到今天。|这件事儿很快就流传开了。|这首歌当年流传很广。

【流动】 liúdòng 〔动〕

❶(液体或气体)移动。(flow)常做谓语、定语。

例句 河里的水在缓缓流动。|房间里太热了,连空气也好像不流动了。|工人们看着流动的铁水,兴奋极了。|流动的沙丘危害性很大。

❷经常变换位置。(go from place to place)常做谓语、定语。

例句 人才应该流动。|有几个队员不大稳定,可能要流动。|乡里来了一支流动的表演队。

【流浪】 liúlàng 〔动〕

生活没着落,到处转移。(roam about)常做谓语、定语。

例句 这孩子曾流浪街头,后来被福利院收留了。|现在还有人过着流浪的生活。|往日的流浪汉如今做了一家公司的经理。

【流利】 liúlì 〔形〕

清楚而通畅、灵活。(fluent)常做谓语、定语、状语、补语。

例句 您的汉语可真流利。|她说话不太流利。|那孩子说一口流利的英语。|汤姆用汉语流利地回答了所有的问题。|这篇文章写得真流利。

【流露】 liúlù 〔动〕

(意思、感情)不自觉地表现出来。(reveal)常做谓语。

例句 他的脸上流露出满意的神情。|虽然不高兴,但他没流露出来。|张老板说话时流露出得意的样子。

【流氓】 liúmáng 〔名〕

指不务正业、为非作歹(zuò dǎi)的人，也指下流恶劣(èliè)的行为。(hooligan; immoral behaviour)常做主语、宾语、定语。[量]个，伙，群。

例句 流氓被保安赶走了。|警察抓住了一个流氓。|对各种流氓行为要坚决打击。

【流水】 liúshuǐ 〔名〕

流动的水，比喻连续不断。(running water)常做主语、宾语、定语。[量]道。

例句 小河流水哗啦啦。|村边有股清清的流水。|工厂实行流水作业。

【流通】 liútōng 〔动〕

流传通行、不停滞(tíngzhì)，也指商品、货币的流转。(circulate)常做谓语、宾语、定语。

例句 绷带别扎得太紧，那样血液就不流通了。|大多数国家只流通一种货币。|目前流通领域比较活跃。|这种商品禁止流通。|室内空气要保持流通。

【流行】 liúxíng 〔动〕

〔动〕广泛传布，盛行。(be popular; prevail; fashionable)常做谓语、定语。

例句 中国越来越流行旅行结婚。|这种衣服已经不流行了。|青年人大都喜爱流行歌曲。|这种发型是今年最流行的样式。|你得的是流行性感冒。|这两年，染指甲、染头发很流行。|今年春季的流行色是米色和绿色。

【流言飞语】 liúyán fēiyǔ 〔成〕

毫无根据的话。多指背后传播的攻击或挑拨的坏话。(rumors and slanders)常做主语、宾语。

例句 这些流言飞语你不必管它。|我们身正不怕影斜，怕什么流言飞语。|不要被流言飞语所左右。

辨析 〈近〉无稽之谈。“无稽之谈”重在“没有根据”，语意轻；“流言飞语”除此之外还含有对他人名誉的损害，语意较重。

【流域】 liúyù 〔名〕

一个水系所流过的整个地区。(river basin)常做主语、宾语、定语。[量]个。

例句 目前，整个流域都发生了洪水。|黄河流域是中华文明的发祥地。|上游如果污染，就会影响整个流域。|长江流域的自然条件很好。

【硫酸】 liúsuān 〔名〕

无机化合物，化学式为 H_2SO_4，无色油状液体，做工业原料。(sulphuric acid)常做主语、宾语、定语。[量]克，升，瓶。

例句 硫酸是一种化工产品，用途较广。|镇上的那家工厂专门生产硫酸。|哪位同学回答一下硫酸的化学性质?

【柳】 liǔ 〔名〕

指柳树。(willow)常做主语、宾语、定语，多用于固定格式。

例句 春天来了，花红柳绿。|在中国古代，朋友分别要折柳相送。|春风吹拂，柳枝摇曳。

【柳树】 liǔshù 〔名〕

一种落叶乔木或灌(guàn)木，叶狭长。(willow)常做主语、宾语、定语。[量]棵，片。

例句 这棵柳树有几十年了吧?|西湖岸边长着许多柳树，景色很美。|秋天到了，路边柳树的叶子都落

L

了。|柳树的枝条可以编篮子。

【六】 liù 〔数〕 另读 lù

数目,五加一后得的数。(six)常构成数量短语,也单用做主语、宾语。

例句 今天只有六个人来上课。|孩子刚六岁。|我住在六楼。|民间有人认为,"六"是个吉利的数字。|几个孩子齐声回答:"三加上三等于六。"

【六神无主】 liù shén wú zhǔ 〔成〕

形容心慌意乱,惊惶失措。(all six vital organs failing to function; in a state of utter stupefaction)做谓语、定语、状语、补语。

例句 他心烦意乱,六神无主,什么都看不下去。|他嗫嗫嚅嚅地回答,依然埋着一张脸,现出一副六神无主的样子。|她六神无主地望着老王,不知所措。|他一被发现,慌得六神无主,竟然忘了藏起来。

【陆】 liù 〔数〕 另读 lù

"六"的大写,数字。(six)常构成数量短语。

词语 陆拾吨货

例句 (收条)今领到补助费陆佰元整。

【龙】 lóng 〔名〕

中国传说中的神异动物,曾是封建帝王的象征,现用来象征中华民族及其他比喻义。(dragon)常做主语、宾语、定语。[量]条。

词语 龙灯 龙舟

例句 世界上并没有龙,龙是想象的动物。|"九龙壁"上有九条龙。|故宫中有许多石雕的龙。|中国是龙的故乡,中国人是龙的传人。|为了吸引顾客,各大商场开展了"一条龙"服务活动。

【龙飞凤舞】 lóng fēi fèng wǔ 〔成〕

如龙飞腾,似凤飞舞。多形容书法笔势活泼。(like dragons flying and phoenixes dancing — lively and vigorous flourishes in calligraphy)做谓语、定语、补语。

例句 他写起字来龙飞凤舞,谁都不认识。|我看了看那龙飞凤舞的签名,问李刚:"这件事,别人知道吗?"|他的草书写得龙飞凤舞。

【龙头】 lóngtóu 〔名〕

❶ 自来水管等上的开关。(tap)常做主语、宾语、定语。[量]个。

例句 这个龙头坏了,换一个吧。|水龙头忘关了,水淌了一地。|别让孩子开热水龙头,太危险了。|水龙头的价格高低不等。

❷ 比喻带头的、起主导作用的事物。(leading thing)常做定语、宾语。

例句 这个公司在全行业起着龙头的作用。|龙头企业实力强,效益好。|我们要当好这个龙头。

【聋】 lóng 〔形〕

耳朵听不见声音。(deaf)常做谓语、定语、补语。也用于构词或固定短语。

词语 聋子 聋哑 耳聋眼花

例句 老父亲有点儿聋。|她为聋哑儿童做了许多事。|我耳朵在战争中给震聋了。

【笼子】 lóngzi 〔名〕

用竹条、铁丝等制成的器具(qìjù),用来养动物或装东西。(a large box or chest)常做主语、宾语、定语。[量]个。

例句 这个铁笼子是干什么的？｜爷爷做了一个竹笼子。｜这个笼子的大小正好。

【隆重】 lóngzhòng 〔形〕
盛大庄重。(grand)常做谓语、定语、状语、补语。
例句 这次大会很隆重。｜欢迎式并不隆重。｜学校为我们举行了隆重的毕业典礼。｜会议在北京隆重举行。｜今天的会开得很隆重。

【垄断】 lǒngduàn 〔动〕
把持或独占。(monopolize)常做谓语、定语、主语、宾语。
例句 市场被他们垄断了。｜他们想垄断整个国际市场。｜电讯行业被几个垄断集团控制着。｜这是一家垄断公司。｜这种垄断遭到各国的反对。｜这样下去容易形成垄断。

【拢】 lǒng 〔动〕
❶ 合上，靠近。(close; reach)常做谓语、补语。
例句 船拢岸了。｜他笑得嘴都合不拢了。
❷ 使不松散或不离开。(hold together)常做谓语、补语。
例句 你把这些柴火往一块儿拢一拢。｜妈妈一下把孩子拢在怀里。｜这些东西我怎么也弄不拢了。｜你管得住她的人，可拢不住她的心。

【笼罩】 lǒngzhào 〔动〕
像笼子(lóngzi)似的罩在上面。(cover)常做谓语。
例句 大雾笼罩了整个城市。｜夜色笼罩着大地。｜房间里笼罩着一种悲痛的气氛。

【楼】 lóu 〔名〕
两层以上的房子。(a storied building)常做主语、宾语、定语。[量]栋，幢。
例句 那座高楼很漂亮。｜这片楼都是新建的。｜我家附近盖起了许多楼。｜他们要买这栋楼。｜新楼的外表是白色的。｜楼前楼后都绿化得很美。
▶ “楼”还可用于某些饭馆、店铺。如：酒楼　茶楼
▶ “楼”还做量词，指楼房的一层。如：我们的教室在三楼。

【楼道】 lóudào 〔名〕
楼房内部的走道。(passageway)常做主语、宾语、定语。[量]个。
例句 楼道很暗，什么也看不清。｜楼道是公用的。｜服务员在打扫楼道。｜楼道的卫生由物业负责。｜楼道灯是自动开关的。

【楼房】 lóufáng 〔名〕
两层或两层以上的房子。(a building of two or more storeys)常做主语、宾语、定语。[量]座，幢(zhuàng)，栋，套，片。
例句 这套楼房是新买的。｜这片楼房住着几万人。｜这个小区共有几十幢楼房。｜有人喜欢住楼房，有的人不喜欢。｜新楼房的条件好多了。｜楼房的一层和顶层很便宜。

【楼梯】 lóutī 〔名〕
上下楼的台阶。(stairs)常做主语、宾语、定语。[量]个，架。
例句 楼梯很陡，上下楼要小心。｜这个楼梯很干净。｜年纪大的人上楼梯感到很困难。｜新楼的楼梯扶手是不锈钢的。

【搂】 lǒu 〔动〕 另读 lōu
两臂(bì)合抱。(embrace)常做谓语。

例句 妈妈高兴地把孩子搂在怀里。|久别重逢,她俩紧紧地搂在一起。

▶“搂”还做量词。如:两搂粗的大树

【漏】 lòu 〔动〕

❶ 东西从孔或缝(fèng)中流出或掉出。(leak)常做谓语。

例句 壶漏水了。|这窗户漏风。|米从塑料(sùliào)袋里漏出来了。

❷ 器物上有漏洞。(leak)常做谓语、补语、定语。

例句 这间房子漏了很久也没修。|咳,锅都烧漏了。|漏桶没法用。

❸ 遗漏、泄漏。(leave out; leak)常做谓语、补语。

例句 这个消息可别漏出去。|打字的时候漏了两个字。|你怎么数(shǔ)漏了一个人呢?

【漏税】 lòu shuì 〔动短〕

没有缴纳(jiǎonà)应交的税。(evade taxation)常做谓语、定语,中间可插入成分。

例句 以前,你们漏过一次税。|纳税人应自觉纳税,不能偷税漏税。|有的人有意漏税。|税务局发现了一个漏税企业。|偷漏税行为是违法的。

【露】 lòu 〔动〕 另读 lù

显露,表现。(show)常做谓语。

例句 小王只露了一下面,就匆匆走了。|我给大家露一手,怎么样?|女儿取得了好成绩,妈妈脸上露出了笑容。

【露面】 lòu miàn 〔动短〕

出现在一定的场合。(make an appearance)常做谓语、定语,中间可插入成分。

例句 露了一下(回)面|这是总统当选后第一次公开露面。|你怎么老不露面?|他终于找到了露面的机会。

【喽】 lou 〔助〕 另读 lóu

❶ 表示预定或假设的动作完成或变化发生。(*indicating the completion of an envisaged or supposed action*)用在动词后。

例句 吃喽饭就走。|他要知道喽一定很高兴。|到喽站叫我一下。

❷ 表示提醒注意的语气。(*to call attention to a new situation*)用在句末。

例句 水开喽。|起床喽,快迟到了。|好喽,走吧!

【炉火纯青】 lú huǒ chún qīng 〔成〕

比喻学问、技术等达到了纯熟完美的地步。(pure blue flame — high degree of technical or prefessional proficiency)常做谓语、定语、补语。

例句 他的书法已经炉火纯青了。|他的教学艺术已经达到了炉火纯青的程度。|这几年,你这套中国功夫已经练得炉火纯青了。

【炉子】 lúzi 〔名〕

供做饭、烧水、取暖、冶炼等用的器具(qìjù)或装置。(stove)常做主语、宾语、定语。[量]个。

例句 炉子烧得很暖和。|这个炉子该换了。|以前,我每天都得生炉子。|这片老房没煤气,做饭都烧炉子。|炉子的火正旺呢。|炉子的种类很多。

【陆】 lù 〔名〕 另读 liù

大陆。(land)常用于构词,也做主语、宾语。

词语 大陆 陆地 陆军 陆路 陆运

例句 来这儿,水陆空都方便。|大队人马已经登陆。|哥伦布发现了新大陆。

【陆地】 lùdì 〔名〕

地球表面除去海洋的部分。(land)常做主语、宾语、定语。[量]片,块。

例句 这片陆地很大。|陆地被海洋包围着。|经过一个星期的航行,终于看到了陆地。|地球上陆地的面积比海洋小。|这快陆地的生成年代大约在一亿年前。

【陆军】 lùjūn 〔名〕

陆地作战的军队。(land force)常做主语、宾语、定语。[量]支。

例句 陆军在战争中往往起着关键的作用。|陆军、海军、空军合称"三军"。|他参加的是陆军。|国防现代化使陆军的战斗力得到很大加强。|这附近有一所陆军学校。

【陆续】 lùxù 〔副〕

有先有后,时断时续。(one after another)常做状语。

例句 开会的人陆续都到了。|新年前陆陆续续地收到了许多贺卡。|观众陆续走进电影院。

【录】 lù 〔动〕

❶ 记载,抄写,用机器记。(record; copy)常用于构词,也做谓语。

词语 录音 录像 记录 摘录 笔录 抄录

例句 我把他的讲座录了下来。|爸爸笔录了这段谈话。|我帮她录了三次像。

❷ 采纳,任用。(employ; hire)常用于构词,也做谓语。

词语 录用 录取 收录

例句 本书收录了有代表性的论文共36篇。|我们学校的招生指标都录完了。

▶"录"也做名词,用于记载内容的名称。

词语 语录 回忆录 目录 附录 通讯录

例句 词典最后有附录。|不少名人退休后开始写回忆录。

【录取】 lùqǔ 〔动〕

选定(考试合格的人)。(enroll)常做谓语、定语。

例句 这次招生是择优录取。|他被录取为新队员。|小李没(被)录取。|录取的新生今年九月一日开学。|我终于接到了录取通知书。

【录像】 lù xiàng 〔动短/名〕

〔动短〕用专门的机器把图像和伴音信号记录下来。(videotape)常做谓语(不带宾语)、定语,中间可插入成分。

例句 我只录过一次像。|工作人员正在录像。|他们结婚时录了像。|录像的人哪儿去了?|录像的设备越来越先进了。

〔名〕用录像机、摄像机记录下来的图像。(video)常做主语、宾语、定语。[量]部,段。

例句 录像放完了。|这部录像没什么意思。|没事的时候我就看看录像。|中央台正在播放足球比赛的录像。|买录像带很贵吗?|他没时间看录像节目。

【录音】 lù yīn 〔动短/名〕

〔动短〕用专门机器把声音记录下来。(record)常做谓语(不带宾语)、定语,中间可插入成分。

例句 昨天我帮他们录了一次音。|汉语演讲比赛的时候,老师给我们录了音。|他去电台录音了。|录音的时候不要随便说话。|他让我们参观了录音室。

〔名〕用录音机记录下来的声音。(recording)做主语、宾语、定语。[量]段。

例句 录音放完了。|这段录音不太清楚。|学外语得多听录音。|我给你们放一段录音。|这段录音的效果十分理想。

【录音机】 lùyīnjī 〔名〕

把声音记录下来并能重新放出的机器,一般指磁带录音机。(tape recorder)常做主语、宾语、定语。[量]台。

例句 这台录音机还能收音。|录音机可能出了毛病。|我新买了台录音机。|这种录音机的质量怎么样?|那台录音机的样式已经过时了。

【录用】 lùyòng 〔动〕

收录(人员),任用。(employ)常做谓语、定语。

例句 公司新录用了一批员工。|他被那家公司正式录用了。|新录用的人员要先接受训练。|录用的条件您先看一下。

【鹿】 lù 〔名〕

一种哺乳动物,腿细长,尾短,跑得快,公的有角。(deer)常做主语、宾语、定语。[量]头,只,群。

例句 鹿一般生活在山区或草原。|鹿跑得很快。|动物园喂养了一群鹿。|我一边喂鹿,一边跟鹿照了张相。|鹿角、鹿茸都是药材。

【路】 lù 〔名〕

❶ 道路;门路。(road;way)常做主语、宾语、定语。[量]条。

例句 这条路不大好走。|几条路都通那儿。|前面正在修路,咱们走别的路吧。|上山有没有路?|这里路面不平,咱们慢点儿走。|他打听了一下路的远近。

❷ 路程。(journey)常做主语、宾语、定语。[量]公里,里,段。

例句 几千里的路要走几天。|路太远了,去不了。|这里离市中心还有几十里的路。|他陪我走了一段路。|路的远近没什么关系,我们有车。

❸ 做事的方法;条理。(line)常用于构词。

词语 思路 门路 路子

例句 他讲话思路不清。|这人门路广,没有他办不成的事。

▶ "路"还做量词,指"线路"、"种类"。如:坐5路(车)比较近。|他得的是哪路病?

【路程】 lùchéng 〔名〕

道路的长度。(journey)常做主语、宾语、定语。[量]段,公里。

例句 一百公里路程一个小时就到了。|别看这段路程不长,却很难走。|他们一同走过了人生的路程。|他常回忆起走过的路程。|那段路程的艰难真让人难以想象。

【路过】 lùguò 〔动〕

途中经过(某地)。(pass by)常做谓语、定语、宾语。

例句 他出差常路过北京。|我这次旅行不路过北京。|上一次考察路过的城市很多。|每次去上海都

是路过，没时间参观游览。

辨析 〈近〉经过。"经过"的对象还有时间、动作等，也做介词。如：路过(经过)北京|经过学习达到了较高水平。

【路口】 lùkǒu 〔名〕
道路会合的地方。(crossing)常做主语、宾语、定语。[量]个。

例句 这个路口有很多商店。|几乎每个路口都有红绿灯。|等了半天，我们才通过这个路口。|再过一个十字路口就是邮局。|这个路口的交通很拥挤。|我只知道路口的东边有个小学。

【路面】 lùmiàn 〔名〕
道路的表面。(road surface)常做主语、宾语、定语。[量]段。

例句 这段路面很平坦。|雪后的路面不太好走。|工人正在铺路面。|这条路的路面情况还可以。|路面的沙土很细。

【路上】 lùshang 〔名〕
❶ 道路上面。(on the road)常做主语、宾语、定语。

例句 刚下过雪，路上很滑。|已经半夜了，路上没什么车。|有辆车停在路上。|路上的车越来越多了。

❷ 在路途中。(on the way)常做状语、宾语。

例句 你路上要小心。|他正在路上，很快就到。

【路线】 lùxiàn 〔名〕
从一个地方到另一个地方所经过的道路。(route)常做主语、宾语。[量]条。

例句 马拉松比赛的路线经过站前广场。|他走的路线绕远了。|我知道一条最近的路线。|你能不能介绍一条合适的旅行路线？

▶"路线"还指思想上、工作上等方面的途径或准则。如：群众路线 经济路线 思想路线

【路子】 lùzi 〔名〕
途径、门路。(way)常做主语、宾语。[量]个。

例句 他的路子真广，什么都能办成。|她演唱的路子很宽。|我还没找到好路子。|他的文章不对路子。

【露】 lù 〔动〕 另读 lòu
显出；表现。(show)常用于构词，也做谓语。

词语 揭露 暴露 显露

例句 爸爸脸上露出了满意的笑容。

▶"露"还指在房屋、帐篷等的外面，没有遮盖(zhēgài)。如：露天 露营 露宿

▶"露"还做名词。如：露水 果子露

【驴】 lǘ 〔名〕
像马比马小，耳朵长的家畜。(donkey)常做主语、宾语、定语。[量]头。

例句 这头驴值多少钱？|驴可以干很多活儿。|老爷爷骑着驴去赶集了。|他是个驴脾气，倔(juè)得很。

【旅】 lǚ 〔名〕
军队的编制单位，也指军队。(brigade)常做主语、宾语，也用于构词。[量]个。

词语 军旅 劲旅

例句 旅比师小，比团大。|每个旅有几个团？|派个旅去保护大坝。

L

▶“旅”还做动词，表示在外地做客、旅行。用于构词。如：旅客 旅游 旅途

【旅店】 lǚdiàn 〔名〕

供旅客住的营地场所。(inn)常做主语、宾语、定语。[量]家，个。

例句 这家旅店还可以。|那段时间旅店都客满。|他住进了一家小旅店。|这一带有许多旅店。|站前旅店的条件能好一些。|旅客对那个旅店的服务不太满意。

【旅馆】 lǚguǎn 〔名〕

营业性的供旅客住的地方。(hotel)常做主语、宾语、定语。[量]家，个。

例句 那家旅馆生意不错。|附近旅馆不少。|他们合办了一个不大的旅馆。|请问，附近有旅馆吗？|这个旅馆的价格太贵了。|旅馆的条件一般比不上酒店。

【旅客】 lǚkè 〔名〕

旅行的人。(hotel guest; traveller)常做主语、宾语、定语。[量]个，名，位。

例句 旅客都上车了。|这个旅客刚回旅馆。|为旅客服好务，是我们应该做的。|我们终于找到了那位旅客。|服务员把旅客的行李送到了房间。

【旅途】 lǚtú 〔名〕

旅行途中。(trip)常做主语、宾语、定语。

例句 祝你旅途愉快！|他已经踏上了旅途。|你说说旅途见闻吧。

【旅行】 lǚxíng 〔动〕

为了办事或游览去很远的的另一个地方。(travel; tour)常做谓语(不带宾语)、定语、状语、主语、宾语。

例句 他去国外旅行了。|我们去那儿旅行了三个月。|旅行团到北京观光。|他把这事委托给了旅行社。|他俩打算旅行结婚。|这次旅行很愉快。|他很喜欢旅行。

▶“旅行”不能加处所宾语。如：*他们旅行了云南。(应为“他们去云南旅行”)

【旅游】 lǚyóu 〔动〕

旅行游览。(tour)常做谓语(不带宾语)、定语、主语、宾语。

例句 他想去国外旅游。|我这次要旅游一个月。|他们已安排了旅游路线。|旅游计划变了。|旅游是件很有意义的事。|他爸爸喜欢旅游。

【旅游业】 lǚyóu yè 〔名短〕

经营接待游客的行业。(tourism)常做主语、宾语、定语。

例句 旅游业是一项新兴产业。|旅游业成为这个国家的主要收入来源。|我们要大力发展旅游业。|这个城市开发了旅游业。|旅游业的繁荣(fánróng)带来了可观的效益。|旅游业的重要性正在为人们所认识。

【铝】 lǚ 〔名〕

一种金属，是重要的工业原料。(aluminium)常做主语、宾语、定语。[量]种，吨。

例句 铝是工业原料。|铝可以用来制造生活用品。|这家工厂加工铝。|中国进口了一批铝。|这都是铝制品：铝锅、铝盆、铝勺等。

【屡】 lǚ 〔副〕

多次。(time and again)常做状语，多用于固定格式。

词语 屡战屡胜 屡教不改 屡见不鲜

【屡次】 lǚcì 〔副〕

一次又一次。(time and again)常做状语。

例句 在数学竞赛中,他屡次获得第一名。|那个学生屡次违犯纪律。|我们屡次打败对手。

【屡见不鲜】 lǚ jiàn bù xiān 〔成〕

多次见到,就不觉得新鲜。(common occurence, nothing new)做谓语、定语。

例句 尽管走私早已屡见不鲜,但人们还是为这起罕见的文物走私大案而震惊。|如今,即使在偏远的农村,电视也屡见不鲜了。|老年婚姻这样屡见不鲜的事,还有什么可议论的?

【履】 lǚ 〔动〕

❶ 踩,走。(tread on; walk on)常做谓语,用于固定格式。

词语 如履薄冰 履险如夷

❷ 履行。(carry out)常做谓语。

例句 你一定要履约。

▶ 也做名词,指鞋等。如:出席晚会的男士都是西装革履。

【履行】 lǚxíng 〔动〕

实践(诺言、该做的事等)。(carry out)常做谓语。

例句 我一定会履行诺言。|对方不履行合同,要负违约责任。|每个公民都要履行自己的义务。

辨析 〈近〉执行。"执行"与"履行"的搭配对象不一样。"履行"常用于合同、义务、诺言、协议等;"执行"常用于政策、命令、计划、决议、路线、任务等。

【律师】 lǜshī 〔名〕

在法庭上为当事人进行诉讼(sù sòng)辩护的专业人员。(lawyer)常做主语、宾语、定语。[量]个,位,名。

例句 律师为当事人做了辩护。|律师是很受欢迎的职业。|哥哥毕业后成了一名律师。|他们已经请好了律师。律师的工作越来越重要。|她选择了律师的职业。

▶ "律师"可作称呼语。如:李律师 张律师

【率】 lǜ 〔素〕 另读 shuài

两个相关的数在一定条件下的比值。(rate)常用于构词。

词语 比率 圆周率 税率

例句 中国的人口出生率逐年下降。

【绿】 lǜ 〔形〕 另读 lù

像青草和树叶的颜色。(green)常做谓语、定语、补语。

例句 春天到了,山又绿了。|青山绿水让人喜爱。|王京今天穿了一件绿衣服。|春天到了,草坪又变绿了。

【绿化】 lǜhuà 〔动〕

种植花草树木,使环境(huánjìng)优美。(make a place green by planting trees, flowers, etc.)常做谓语、定语、主语、宾语。

例句 我们要绿化荒山(huāngshān)。|学生们正在绿化校园。|要搞好绿化工作。|绿化任务一定完成。|城市的绿化很重要。|他已经搞了多年的绿化。

【绿色食品】 lǜsè shípǐn 〔名短〕

安全无污染而保持天然营养的食

品。(green food)常做主语、宾语、定语。[量]种。

例句 这种绿色食品受到市民的普遍欢迎。|绿色食品将很快占领市场。|这家工厂专门生产绿色食品。|政府鼓励多生产绿色食品。|绿色食品的标志是全国统一的。

【卵】 luǎn 〔名〕

动植物的雌性(cíxìng)生殖细胞。(ovum)在句中做主语、宾语、定语。[量]个。

例句 鱼的卵通常叫鱼子。|虫子产了大量的卵。|实验人员找到了小白鼠的一些卵细胞。

【乱】 luàn 〔形〕

❶ 没有秩序(zhìxù),没有条理。(in a mess)常做谓语、定语、补语。

例句 对不起,屋里很乱。|听到这个消息,大家乱成了一片。|这是个很乱的地方。|他心里像一团乱麻。|那篇文章写得太乱了。

❷ 心理不安。(confused)常做谓语、补语。

例句 我心里乱极了。|你的话把我的思绪打乱了。

❸ 任意,随意。(random)常做状语。

例句 你可别乱说(乱动)。|他老是乱出主意。

▶"乱"还做动词,表示使混乱。如:以假乱真

【乱七八糟】 luànqībāzāo 〔形〕

形容混乱。(in a mess)常做谓语、补语、状语、定语。

例句 那儿乱七八糟的,别去了。|小孩儿把房间弄得乱七八糟。|桌上乱七八糟地放着一堆书。|哪儿来这么多乱七八糟的东西!

【掠】 lüè 〔动〕 另读 lüě

❶ 同"掠夺"。(plunder)常做谓语。

例句 他们掠去了大量财物。|那些珍贵的文物被掠走了。

❷ 轻轻擦过或拂过。(sweep past)常做谓语。

例句 微风掠过水面。|她掠了掠头发。|他嘴角掠过一丝微笑。

【掠夺】 lüèduó 〔动〕

夺取、抢劫(qiǎngjié)。(rob)常做谓语、主语、定语、宾语。

例句 侵略者掠夺了我们大量财富。|经济掠夺至今仍然存在。|被掠夺的文物是无价的。|老人们仍然记得侵略者的疯狂掠夺。

【略】 lüè 〔动〕

简化,省去。(omit; delete; leave out)常做谓语、宾语。

例句 详细过程就略去不说了吧。|这儿可略去一段。|时间不够,后面的内容只好从略了。

▶"略"还做形容词、名词,常用于构词。如:简略 粗略 策略 史略

【略微】 lüèwēi 〔副〕

稍微。(slightly)常做状语。

例句 请略微加点儿糖。|她略微抬了一下头。|你略微等一等好吗?

【抡】 lūn 〔动〕 另读 lún

用力挥动。(swing)常做谓语。

例句 他抡着斧子劈了半天木柴。|老人十分生气,抡起拳头就要打他。

【轮】 lún 〔名〕

❶ 轮子。(wheel)常做主语、宾语。[量]个。

例句 这个轮儿坏了。|过去马车的轮儿是木头的。|轮椅缺了一个轮儿。|他换了一个前轮。

❷ 轮船。(ship)常用于构词。

词语 海轮 渔轮 油轮 轮渡 货轮

▶"轮"还做动词、量词。如:轮着说 一轮太阳(月亮)

【轮船】 lúnchuán 〔名〕

利用机器推动的船,一般较大。(steamship)常做主语、宾语、定语。[量]艘(sōu)。

例句 这艘轮船是油轮。|轮船马上要进港了。|他们订购了一艘轮船。|工人们正在修理轮船。|这艘轮船的设计很先进。

【轮廓】 lúnkuò 〔名〕

构成图形或物体的外缘的线条,也引申为事情的概况。(outline;contour)常做主语、宾语、定语。[量]个。

例句 山的轮廓越来越清楚了。|你就说个轮廓吧。|我们看不太清他的面部轮廓。|他很快就把轮廓线画好了。

【轮流】 lúnliú 〔动〕

按照次序一个接替一个。(take turns)常做状语。

例句 我们几个领导轮流去值班。|他们轮流发表意见,我一点儿也插不上嘴。

【轮子】 lúnzi 〔名〕

车辆或机械(jīxiè)上能旋转(xuánzhuàn)的圆形部件。(wheel)常做主语、宾语、定语。[量]个。

例句 这个车轮子坏了。|汽车轮子在快速转动着。|工人换了一个新轮子。|吉普车后边还有一个备用轮子。|他们找出了这个轮子的毛病。

【论】 lùn 〔动/名〕

〔动〕❶分析和说明事理。(talk about;discuss)常做谓语。

例句 我们就事论事吧。|你给论论理儿。|他非要论出个是非来。

❷ 评定、看待。(regard;decide on)常做谓语,多用于固定格式。

例句 不能一概而论。|这两件事怎么能相提并论呢?|应该论功行赏。

〔名〕❶ 分析和说明事理的话或文章、学说。(comment)常用于构词,也可做主语、宾语。

词语 舆论(yúlùn) 社论 高论 理论 唯物论 进化论

例句 那篇社论你看了吗?|他特别喜欢高谈阔论。

▶"论"还做介词,意为"按照"。如:水果论斤卖。

【论点】 lùndiǎn 〔名〕

议论中的确定的意见。(argument)常做主语、宾语、定语。[量]个。

例句 文章的论点十分明确。|你的论点有点儿问题。|这篇文章提出了两个全新的论点。|我不同意这个论点。|作者对论点的论述很充分。

辨析 〈近〉观点。"论点"多指文章写作方面;"观点"指对事物的看法及态度。

【论述】 lùnshù 〔动〕

叙述(xùshù)与分析。(discuss)常做谓语、定语、主语、宾语。

例句 这篇文章论述了环境保护的

重要性。|他就这个问题论述了很长时间。|她论述的方法与众不同。|这篇文章的论述十分严密。|他紧紧围绕论点进行论述。|很多人不同意他的论述。

【论文】 lùnwén 〔名〕

讨论或研究某种问题的文章。(paper)常做主语、宾语、定语。[量]篇。

例句 你的毕业论文写得很好。|我的学术论文已经发表了。|他认真地阅读了这篇论文。|他发表了大量的论文。|论文的材料、观点都很新颖。

【论证】 lùnzhèng 〔动〕

论述并证明。(expound and prove)常做谓语、定语、宾语、主语。

例句 他充分论证了自己的观点。|学者们专门论证过这个问题。|论证的过程不够严密。|没人怀疑你的论证。|这种看法的可行性还需要论证。|你的论证不够有力。

L

【啰唆】 luōsuo 〔形〕

❶(言语)过多、复杂或重复。(long-winded)常做谓语、宾语、状语、补语。

例句 他说话很啰唆。|你真啰唆,别说了。|我说话不喜欢啰唆。|他啰啰唆唆地说了半天,我也没明白。|别说得那么啰唆,干脆点儿,到底怎么办?

❷(事情)麻烦,琐碎(suǒsuì)。(overelaborate)常做谓语、定语。

例句 这些手续真啰唆。|这事情也太啰唆了。|这些啰唆事都是他弄的。

▶“啰唆”又做“啰嗦”。

【罗列】 luóliè 〔动〕

❶ 陈列,分布。(set out)常做谓语。

例句 展品应分类罗列。|厂房罗列在山坡上。

❷ 列举。(enumerate)常做谓语、定语。

例句 他罗列了一大堆事例。|为了说明问题,文章罗列了许多数字。|文中罗列的数据不太可靠。

【萝卜】 luóbo 〔名〕

一种普通蔬菜(shūcài),也指这种植物的主根。(radish; turnip)常做主语、宾语、定语。[量]个,棵。

例句 地里的萝卜长得很好。|这种萝卜很甜。|孩子们正在玩“拔萝卜”的游戏。|到时候了,该收萝卜了。|萝卜的营养很丰富。|我很爱吃萝卜咸菜。

【逻辑】 luóji 〔名〕

思维的规律,也指客观的规律性。(logic)常做主语、宾语、定语。[量]种。

例句 你的逻辑,大家很难接受。|这种逻辑真让人吃惊。|这事不合逻辑。|哪有这样的逻辑?|思维分为逻辑思维和形象思维。|这学期选修课没有逻辑学。

【锣】 luó 〔名〕

打击乐器,用铜制成,形状像盘子。(gong)常做宾语、主语、定语。[量]面。

例句 大家敲锣打鼓地欢迎我们。|这面锣有很长的历史了。|大铜锣的响声特别大。|锣槌(chuí)掉在地上了。

【箩】 luó 〔名〕

用竹子编的器具,用来盛粮食或淘米等。(a square-bottomed bamboo basket)常用于构词,也可做主语、宾语。[量]个。

词语 竹箩 箩筐

例句 这个箩能装30公斤米。|他挑着满满一担箩进城了。

【箩筐】 luókuāng 〔名〕

用竹子或柳条编成的器具,用来盛粮食、蔬菜等。(a large bamboo or wicker basket)常做主语、宾语、定语。[量]个,担。

例句 这个箩筐是爷爷买的。|那担箩筐放在小屋里呢。|老爷爷挑着箩筐赶集去了。|几个妇女正在编箩筐。|这担箩筐的分量不轻啊。

【骡子】 luózi 〔名〕

驴(lǘ)和马交配生的后代。(mule)常做主语、宾语、定语。[量]头,匹。

例句 骡子的力气很大。|这匹骡子拉了很多的东西。|张老汉买回一头骡子。|我分不清骡子和马。|骡子的个子比驴高。

【螺丝钉】 luósīdīng 〔名〕

圆柱形或圆锥(yuánzhuī)形金属杆上带螺纹的零件。(screw)常做主语、宾语、定语。[量]个,颗。

例句 螺丝钉虽小,作用却很大。|这家工厂生产各种螺丝钉。|这儿用螺丝钉再固定一下。|机器上有一颗螺丝钉松了。|你要注意螺丝钉的大小,别买错了。

【骆驼】 luòtuo 〔名〕

哺乳动物,身体高大,适于在沙漠中行走。(camel)常做主语、宾语、定语。[量]匹,峰。

例句 这匹骆驼很高大。|骆驼一次能喝很多水。|我们骑着一匹骆驼,踏上了古老的丝绸之路。|他赶着一群骆驼去卖。|骆驼背上有驼峰。|她买了一些骆驼绒。

【络绎不绝】 luòyì bù jué 〔成〕

(人、马、车、船等)来往不断。(in an endless stream)常做谓语、定语、状语。

例句 春节前,逛商店的男女老少络绎不绝。|从楼上往下看,路上是络绎不绝的车辆。|成千的人络绎不绝地前来参观。

【落】 luò 〔动〕 另读 là、lào、luō

❶ 掉下,下降。(fall; drop)常做谓语。

例句 桌上落了一层灰。|秋天到了,树叶落了。|太阳落山了。

❷ 衰败(shuāibài),飘零。(decline)常用于构词。

词语 衰落 没落 沦落

❸ 停留,留下。(stay)常做谓语。

例句 房顶上落着几只小鸟。|他要在店里落落脚。

❹ 遗留在后面。(lag behind; leave behind)常做谓语。

词语 落后 落选

例句 我不愿意落在别人后面。

❺ 得到。(get)常做谓语。

例句 他的计划落空了。|我们别落什么不是。

【落成】 luòchéng 〔动〕

(建筑物)完工。(be completed)常做谓语、定语。

例句 新体育馆即将落成。|这座大厦已落成一周年了。|大厦举行了隆重的落成典礼。|新落成的大楼很漂亮。

【落地】 luòdì 〔形〕

垂到地面。(falling to the ground)常做定语。

例句 客厅的窗户是落地窗。|这个落地灯很漂亮。

▶"落地"还做动词短语,表示落到地上或婴儿出生。如:事情办好了,她的心像一块石头落了地。|随着一阵哭声,又一个婴儿(yīng'ér)落地了。

【落后】 luòhòu 〔形〕

落在后面;停留在较低水平。(backward)常做谓语、定语、补语。

例句 这台电脑已经落后了。|全国都在帮助落后地区发展经济。|这种落后的方法别再用了。|他曾经是个先进青年,可是这一两年变得落后了。

【落花有意,流水无情】 luò huā yǒu yì, liú shuǐ wú qíng 〔成〕

比喻一方有意,一方无情。多指男女恋爱一相情愿。(the waterside flower pining for love sheds petals, while the heartless brook babbles on — unrequited love)多做小句。

例句 落花有意,流水无情。姑娘根本没有把这个其貌不扬的小王放在心上。|他苦苦地追了三年,谁知落花有意,流水无情,心上人最后却嫁了一个大款。|你落花有意,她却流水无情,我看你不要自讨没趣了。

▶"落花有意,流水无情"可以分开使用。

【落井下石】 luò jǐng xià shí 〔成〕

见人掉进井里,不去救反而扔下石头。比喻乘人有难时加以陷害。(drop stones on someone who has fallen into a well — hit a person when he's down)常做谓语、宾语、定语。

例句 这个人很正直,绝不会落井下石。|在别人危急的时刻落井下石,太不道德了。|我最恨那种落井下石的人。|你不但不去帮他,还把自己的错误推在他身上,这不是落井下石吗?

【落落大方】 luòluò dàfang 〔成〕

形容言谈举止坦率自然。(natural and graceful)做谓语、定语、状语。

例句 面对着镜头,他落落大方,侃侃而谈。|姐姐有点儿拘谨,妹妹却落落大方。|落落大方的新娘子招呼客人一一坐下,又给客人端来了茶水。|玛丽落落大方地走到前面,开始了她的演讲。|徐小姐见俞先生流连顾盼的样子,便落落大方地上前招呼,窘得俞先生满脸通红。

【落实】 luòshí 〔动〕

使计划、政策等得到贯彻、执行。(carry out)常做谓语、定语、宾语。

例句 这些计划能不能落实?|责任都落实到个人了。|已经落实的事要快办好。|有些政策得不到落实。|这件事应尽早予以落实。

【落选】 luò xuǎn 〔动短〕

没有被选上。(fail to be elected)常做谓语、定语,中间可插入成分。

例句 他在这次选举中落选了。|市长会不会落选?|这次落选的人有好几个。

M

【妈】 mā 〔名〕
母亲,也称长辈或年长的妇女。(mother; aunt)常做主语、宾语、定语。也做称呼语。[量]个。
词语 姑妈 姨妈 大妈
例句 我妈不同意。|听妈的话,别去了。|想妈的时候,就打个电话。|A:妈,你把我的书放哪儿了? B:就在桌子上。

【妈妈】 māma 〔名〕
母亲。(mother)常做主语、宾语、定语,也做称呼语。[量]个,位。
例句 妈妈又上班又干家务,特别辛苦。|妈妈每天去公园散步。|爸爸不关心妈妈。|我很想念妈妈。|小林知道妈妈的意思。|马克常常想起妈妈的话。|妈妈,来客人了!
辨析 〈近〉母亲。母亲多用于书面,一般也不用来称呼。

【抹】 mā 〔动〕 另读 mǒ
擦。(wipe)常做谓语、宾语、定语。
例句 下班前,服务员认真地把桌子抹了一遍。|先来的同学很快地抹完窗户,又开始抹椅子了。|地挺干净,用不着抹了。|抹过的桌子很干净。

【抹布】 mābù 〔名〕
用来擦东西的布块等。(dishtowel; dishcloth; rag to wipe things with)常做主语、宾语、定语。[量]块。
例句 那块抹布该扔了。|服务员用抹布把箱子擦干净了。|A:你有抹布吗? 借我用用。B:就在门后边,你自己拿吧。|抹布的大小没关系,随便找一块就行。

【麻】 má 〔名/动〕
〔名〕麻类植物,也指麻类植物的纤维。(fiber crops; fiber)常做主语、宾语、定语。[量]株,缕,斤。
例句 麻是纺织的重要原料。|中国从非洲进口大量麻。|用麻绳捆比较结实。|麻的用处很多。
〔动〕感觉麻木。(numb)常做谓语、宾语、补语。
例句 左边麻了。|我胳膊发麻了。|不一会儿,觉得双手开始麻了。|冬天太冷,脚都冻麻了。|站了几个小时,腿也站麻了。

【麻痹】 mábì 〔形/名〕
〔形〕疏忽大意,失去警惕。(off one's guard)常做谓语、定语、补语。
例句 路上我有点儿麻痹。|出去旅游不能麻痹大意,要把东西保管好。|麻痹思想要不得。|多年没发生事故,一部分人的思想变得麻痹了。
〔名〕身体的某一部分知觉能力丧失和运动机能发生障碍的现象。(paralysis)常做主语、宾语。[量]种。
例句 麻痹是一种较常见的病。|他小时候得过小儿麻痹,现在走路不方便。|儿童医院专治小孩的这种麻痹。

【麻袋】 mádài 〔名〕
一种用粗麻布做的袋子。(gunnysack)常做主语、宾语、定语。[量]条,个。
例句 麻袋不够,再买几条吧。|这批麻袋又结实又便宜。|为了装大米,已经准备了几十条麻袋。|这些商品用麻袋包装。|麻袋的底漏了,得补补了。

【麻烦】 máfan 〔动/形〕

〔动〕使人费事或增加负担。(put sb. to trouble; disturb; bother sb.)常做谓语。

例句 他特别忙，别麻烦他了。|麻烦你给我寄封信吧。|对不起，麻烦问一下，去火车站怎么走？|A：谢谢！太麻烦您了。B：不客气。

〔形〕费事不好办。(troublesome)常做谓语、宾语、补语、定语。

例句 没想到办手续那么麻烦。|在中国旅游不太麻烦。|为了学汉语，我们不怕麻烦。|这次给您添了不少麻烦，非常感谢！|留学生在国外生活会遇到一些麻烦。|事情本来好办，可是不知为什么变得麻烦了。|谁也不爱做麻烦的事。|最麻烦的事是请人来家里吃饭。

【麻木】 mámù 〔形〕

发麻的感觉；也比喻对外界事物的反应慢或不关心。(numb; apathetic; insensitive)常做谓语、宾语、补语、定语。

例句 病人已经全身麻木了。|他对这样的事已经麻木了，一点儿也不关心。|站了一会儿，我的腿开始麻木了。|最近，老人对什么事情都显得那么麻木。|由于长时间学习，这个同学累得麻木了。|东北的冬天非常冷，在外边时间长了脚都冻得麻木了。|听了我的话，她脸上露出了麻木的神情，看来她不关心。

【麻雀】 máquè 〔名〕

一种常见的褐色小鸟，有的地区叫“家雀儿”。(sparrow)常做主语、宾语、定语。[量]只，群。

例句 一对麻雀落在地上，跳来跳去。|一只可爱的小麻雀飞到了我的房间。|小时候我们养过麻雀。|很多人拿面包喂公园里的麻雀。|麻雀的益处不少，人类应该成为麻雀的朋友。

【麻醉】 mázuì 〔动〕

❶手术时用药使身体暂时失去知觉。(anaesthetize)常做主语、谓语、宾语、定语。

例句 麻醉开始了，手术马上进行。|不要害怕，暂时的麻醉不要紧，过两个小时就好了。|病人手术时麻醉过一次。|为了安全，病人应该全身麻醉。|做手术需要对病人进行麻醉。|这种药麻醉效果好。|麻醉的药力一过，伤口就剧烈地疼起来。

❷用手段使人认识模糊、意志消沉。(make sb. unconcerned or apathetic)常做谓语、定语。

例句 不健康的书能够麻醉青年的精神。|用假话麻醉人们的思想，是邪教的特点。|这是一个被享乐思想麻醉的学生，学习一点儿不努力。

【马】 mǎ 〔名〕

一种常见动物，可以骑、拉车等。(horse)常做主语、宾语、定语。[量]匹，群。

例句 这匹马跑得很快。|不少国家喜欢赛马运动。|A：你骑过马吗？B：没有。|白马的速度太快了，哪匹也不如它。

【马车】 mǎchē 〔名〕

马拉的车，也指骡马拉的大车。(cart)常做主语、宾语和定语。[量]辆、架。

例句 马车在城市已经没有了，农村还常见。|小孩喜欢坐马车。|在农村，马车的作用还是很大的。

【马达】 mǎdá 〔名〕

电动机。(motor)常做主语、宾语和定语。[量]台,部。

例句 马达不转了,可能停电了。|这家工厂生产各种马达。|这部马达的毛病还没有找到。

【马虎】 mǎhu 〔形〕

粗心大意;草率(shuài)。(careless; negligent; sloppy)常做谓语、补语、定语、状语。

例句 这人办事挺马虎的,总出错。|学习汉语不能马虎。|他很随便,常常穿得很马虎。|我不舒服,课听得马马虎虎。|老师可不是马虎的人。|你应该改改马虎的毛病,不然怎么能学习好?|考试时间到了,只是马马虎虎地检查了一遍,最后果然错了一些。

▶"马马虎虎"也表示"勉强"、"一般"。如:A:你的汉语怎么样? B:马马虎虎吧。

【马克思主义】 Mǎkèsī zhǔyì 〔名短〕

马克思(Karl Marx)、恩格斯(Friedrich Engels)创立的思想体系。(Marxism)常做主语、宾语、定语。

例句 马克思主义是共产党的指导思想。|世界上有很多人研究马克思主义。|中国的大学都开设马克思主义理论课。

【马力】 mǎlì 〔名〕

功率单位。(horsepower)常做主语、宾语。

例句 马力大力量就大。|这台机器有多大马力?

【马铃薯】 mǎlíngshǔ 〔名〕

土豆。(potato)常做主语、宾语、定语。[量]棵,个。

例句 山西省的马铃薯最有名。|这种土壤适合种植马铃薯。|马铃薯的经济价值很高。

【马路】 mǎlù 〔名〕

城市或近郊的宽阔平坦的道路,也泛指公路。(avenue; street; road)常做主语、宾语、定语。[量]条。

例句 新马路又长又直。|这条马路一直通到海边。|有人过马路,慢点开。|马路两边有很多商店。

【马上】 mǎshàng 〔副〕

紧接着某个时候。(immediately)做状语。

例句 你们马上出发!|请等一下,马上就来。|快答吧,考试时间马上就要到了。|飞机马上就要起飞了。|(打电话)你先别急,我马上过去帮你。

【马戏】 mǎxì 〔名〕

经过训练的动物参加的杂技表演。(circus)常做主语、宾语、定语。[量]场。

例句 马戏很快就要开演了。|小朋友最爱看马戏啦。|大家喜欢欣赏高水平的马戏。|马戏表演最吸引人的是猴子表演。

【码】 mǎ 〔素/量〕

〔素〕表示数目的符号。(*a suffix indicating number*)用于语素构词。

词语 数码 条码 号码 价码 明码标价

〔量〕用于事情。(*measure word for things*)构成短语做句子成分。

例句 闹了半天,你俩说的是一码事。|你说的和你做的是两码事。|别听他的,根本没有这码事。|A:咱们是朋友,你就同意吧。B:那不行,一码是一码。

【码头】 mǎtou 〔名〕

M

水边停船的地方，也指交通便利的商业城镇。(wharf; port city)常做主语、宾语、定语。[量]个，座。

例句 这个码头非常忙，每天都有很多船。|那座码头是最近才修的。|开放以后，这里修建了新码头。|这里码头的条件十分理想，吸引了许多外商。|我们要彻底解决码头的环境保护问题。

【蚂蚁】 mǎyǐ 〔名〕

一种小昆虫。(ant)常做主语、宾语、定语。[量]只，群。

例句 蚂蚁搬家，说明要下雨了。|墙上有几只红蚂蚁。|蚂蚁的种类很多。

【骂】 mà 〔动〕

用粗野或恶意的话说别人，也指斥责。(abuse; curse; scold)常做谓语。

例句 他被妻子骂了一顿。|父母不应该骂孩子。|你怎么骂人呢？|这个老人脾气不好，爱骂人。|小王的哥哥骂他不努力学习。|儿子没有考上大学，骂他又能解决什么问题呢？

【吗】 ma 〔助〕 另读 má、mǎ

❶ 表示疑问的语气。(*a particle used at the end of a question*)用于是非问句的末尾。

例句 他说的话，你听清楚了吗？|田中同学，你去过北京十三陵吗？|这是你的书吗？

❷ 表示责备、质问等语气。(*a particle used at the end of a rhetorical question*)用于反问句。可和"难道"等配合使用。

例句 我说了三遍了，难道还记不住吗？|这些道理不是很清楚吗？|他不知道你是外国人吗？

❸ 点出话题。(*starting point; used to form a pause in a sentence before introducing the theme of what one is going to say*)用于句中停顿的地方。

例句 这种事情吗，哪国都有。|学汉语吗，要多说多听。|这件事吗，其实也不能怪他。

【嘛】 ma 〔助〕

❶ 表示道理非常明显。(*a modal particle used at the end of a statement*)常用于陈述句句尾。

例句 你本来应该去嘛！|有问题就说出来嘛！怕什么？|他自己要走嘛，我也没有什么办法。|成绩嘛，不是那么重要，重要的是实际汉语水平。|你去问老师嘛，老师当然明白。|人家是好学生嘛，学习就是努力。

❷ 表示期望、劝阻。(*a modal particle indicating expectation and dissuasion*)常用于祈使句末尾。

例句 你不要写得那么快嘛！|感冒了，就别去旅游嘛！

❸ 引起听话人对下文的重视。(*used to form a pause in a sentence, calling the listener's attention*)常用于句中停顿的地方。

例句 学习嘛，就得认真刻苦。|那儿的情况嘛，特别复杂。|要是自己有台洗衣机嘛，那就更方便了。|让他回国嘛，他不想走；不让他回国嘛，他又想回国。|对嘛，同学有困难，就应当多帮忙。|马克真的病了，因此嘛，他今天不能来上课了。

【埋】 mái 〔动〕 另读 mán

❶ (用土、雪等)盖住。(cover up)常做谓语、定语。

例句 大雪慢慢地埋住了小屋。|

家里人把死去的爷爷埋在了山上。|游泳的时候,他把头埋在水里。|埋的东西被别人发现了。

❷ 藏。(hide)常用于构词。

词语 埋伏 埋名 埋没

例句 战争时期,他隐姓埋名。

【埋没】 máimò 〔动〕

埋起来。也指人或功劳等显不出来,不起作用。(bury;neglect)常做谓语。

例句 大雪埋没了两位登山队员。|这里就要被垃圾埋没了。|我们不能埋没人才。|这项发明被埋没了十几年。

【埋头】 mái tóu 〔动短〕

专心努力,下功夫工作、学习、研究等。(immerse oneself in; be engrossed in)常做状语。

例句 他埋头学习,终于取得了好成绩。|王明整天埋头看书,连过节也不休息。

辨析 〈近〉专心。"专心"着重在集中注意力,"埋头"着重在努力、下功夫;"专心"是形容词,"埋头"是动词短语。如:* 课堂上,每个同学都听得那么埋头。("埋头"应为"专心")

【埋头苦干】 mái tóu kǔ gàn 〔成〕

专心致志,刻苦工作。(quietly immerse oneself in hard work; quietly put one's shoulder to the wheel)常做谓语、定语。

例句 李老师埋头苦干了四个月,终于写出了一本书。|马克埋头苦干,在汉语写作比赛中得了第一名。|我们要学习他那种埋头苦干的精神。

【买】 mǎi 〔动〕

拿钱换东西。(buy)常做谓语、定语。

例句 您想买点儿什么?|你这些水果买得便宜。|山本没有买到当天的飞机票。|你想买哪天的票?|这次来中国,买的东西太多了。|这种书,买的人不多。

【买卖】 mǎimai 〔名〕

生意,也指商业。(buying and selling;deal; business)常做主语、宾语和定语。[量]笔,家。

例句 这笔买卖咱们不做。|买卖没成功,看来还有问题。|老王在飞机场附近做买卖。|两家公司正在谈一笔大买卖。|失业后,我父亲做点儿小买卖。|一看就知道他是买卖人。|买卖方面的事我不太懂。

【迈】 mài 〔动〕

抬脚向前走。(take a step)常做谓语。

例句 门坎有点儿高,要小心迈过去。|我们向前迈了几步,才看清楚眼前这个人。|太累了,我一个台阶也迈不上去。

【卖】 mài 〔动〕

❶ 拿东西换钱。(sell)常做谓语、定语。

例句 这家商店专卖名牌服装。|A:哪儿卖工艺品? B:友谊商店卖。|卖的东西可以讲价吗?

❷ 尽力去做。(exert oneself in doing sth.; do one's utmost)常做谓语。

例句 同学们学习都很卖劲儿,成绩都不错。|干活儿不卖力气哪行?

【卖国】 mài guó 〔动短〕

出卖国家和人民利益。(betray one's country)常做谓语、定语、宾语。

例句 他卖国求荣。|卖国的事绝

对不能做。|他拒绝卖国,没做那笔生意。

【脉】 mài 〔名〕 另读 mò

❶ 输送血液的血管;也指血管的跳动。(arteries and veins; pulse)常做主语、宾语。[量]条,根。

例句 脉有静脉和动脉两种。|中医看病要号脉。|护士小姐终于摸到了病人的脉。

❷ 像血管一样的东西。(sth. linking up to form a blood-vessel-like network)用于构词。

词语 山脉 矿脉 叶脉

【脉搏】 màibó 〔名〕

动脉有规律的跳动;也比喻规律、发展方向等等。(pulse)常做主语、宾语、定语。比喻义常与"时代"、"社会"、"群众"、"思想"等配合。

例句 运动时脉搏会加快。|经过抢救,病人的脉搏又恢复正常了。|护士在数病人的脉搏。|作家必须抓住时代的脉搏,才能写出好作品。|摸清了群众的思想脉搏,工作才有针对性。|病人脉搏的跳动十分微弱,要特别小心。

【埋怨】 mányuàn 〔动〕

因为事情不合意而不满。(complain; blame)常做谓语、宾语、定语。

例句 我已经解释清楚了,你还埋怨什么?|自己考得不好,别埋怨别人。|他们之间的事你最好别管,免得受埋怨。|看到同屋那埋怨的眼神,我心里有点儿不舒服。

【馒头】 mántou 〔名〕

一种用发酵(jiào)的面粉蒸成的食品,中国北方人常吃的主食。(steamed bread; steamed bun)常做主语、宾语、定语。[量]个。

例句 馒头五毛钱一个,您要几个?|馒头是中国的常见食品。|我们可以吃馒头,但天天吃就不行。|马克爱吃这种中国东北风味馒头。|这孩子专吃馒头皮儿。|这种馒头的样子让留学生很感兴趣。

【瞒】 mán 〔动〕

不让别人知道真实情况。(hide the truth from)常做谓语。

例句 家里人把病情瞒着爷爷。|什么事也瞒不了我。|违法的事想瞒也瞒不住。|这个孩子打算瞒着父母去旅游。

【满】 mǎn 〔形/动〕

〔形〕❶ 全部充实;达到容量的极点。(full)常做谓语、补语。

例句 所有宾馆都满了,我们去哪儿住?|车厢里人满了,再也挤不进去了。|箱子装得满满的,可能超重了。|留学生宿舍已经住满了。

❷ 全。(all; whole)常做定语。

例句 马克跑得满身是汗。|他满口地方话,我们一点儿也不懂。

❸ 骄傲。(proud; arrogant)常用于构词或用于固定短语。

词语 自满 满招损,谦受益

❹ 感到足够了。(complacent; satisfied)常用于构词或用于固定短语。

词语 满足 心满意足

〔动〕使满;达到一定期限。(fill; make full)常做谓语。

例句 (饭桌上)来!再给你满上一杯。|咱们干杯,你先满上。|他们都是今年刚满二十岁。|彼得留学还不满两个月,就得到了奖学金。

【满怀】 mǎnhuái 〔动〕

心中充满。(have one's heart filled

with)常做谓语。

例句 马克满怀希望来到中国学习汉语。|哥哥满怀理想地开始新的工作。|妻子满怀深情地送别丈夫。|高中毕业后，就有几名同学满怀希望地出国留学去了。

▶"满怀"也做名词，指整个前胸部分。如：走得太急，没留神，跟别人撞了个满怀。

【满腔】 mǎnqiāng 〔名〕

内心充满。(have one's bosom filled with)常做定语。

例句 看到破坏环境的情况，我满腔怒火。|他是一个对工作满腔热忱的人。|满腔热情的同学们都来帮我。|看到那么对待动物，我实在控制不住满腔的愤怒。

【满意】 mǎnyì 〔形〕

满足自己的愿望；符合自己的心意。(satisfied)常做谓语、宾语、定语、状语。

例句 顾客对这家饭店特别满意。|他对自己这次HSK成绩不满意。|对留学生宿舍楼的条件，大家满意极了。|看了房子，他感到很满意，决定租下来。|检查一遍学生的作业，王老师觉得十分满意。|这是我最满意的成绩。|这位漂亮的姑娘还没有找到满意的对象。|这次旅游，客人们都很满意。|听完解释，外国朋友们都满意地笑了。

【满月】 mǎn yuè 〔动短〕

婴(yīng)儿出生后满一个月，在中国这是值得庆祝的。(be a month old)常做主语、宾语、谓语。

例句 孩子满月刚过完。|非常巧，王小海满月那天是"六一儿童节"。|王老师的儿子才过完满月。|也有一些家庭不过满月。|女儿还没满月，我就出国了。

【满足】 mǎnzú 〔动〕

自己感到已经足够；也指使满足。(be satisfied; satisfy)常做谓语、宾语、定语。

例句 学校为了满足留学生的要求，决定组织大家去农村参观。|HSK得到了7级，他还不满足。|父母应当满足孩子的好奇心。|来到中国，他学汉语的愿望得到了满足。|顾客的需要，商店要给予满足。|妈妈的脸上露出了满足的表情。

【蔓延】 mànyán 〔动〕

不断向周围扩展。(creep)常做谓语、宾语、定语。

例句 现在肝炎蔓延，请大家一定要注意预防。|这种不健康思想，正在一些年轻人中间蔓延。|由于卫生部门的高度重视，防止了传染病的蔓延。|蔓延的火势终于得到了控制。

【慢】 màn 〔形〕

❶ 速度低；做事、走路等用的时间长。(slow)常做谓语、状语、定语、补语。

例句 这公共汽车太慢了。|他说的汉语很慢，我都听懂了。|我们的学习速度太慢，我希望快一点儿。|再见，请慢走！|每天早上我都慢跑几圈。|请慢慢说，我是外国人，汉语不好。|有的人喜欢快节奏，也有的人喜欢慢节奏。|你真是个慢性子。|你说得慢一些，我听不清。|玛丽刚学汉语，汉字写得很慢。

❷ 不急着做。(not in a hurry)常做独立成分、状语。

例句 慢，等班长回来再说吧。|慢

M

着，我还有好多话没说完呢！|慢点儿吃，免得胃疼。

【慢性】 mànxìng 〔形〕

发作得缓慢的，也指时间拖得长久的。(slow; chronic)常做定语。也构成"的"字短语做句子成分。

例句 这种病是慢性病，不太好治。|他得了慢性肠炎。|这病转成慢性的了。

▶"慢性"也做名词，常说"慢性儿"，指做事迟缓的性情，也可指具有这种性子的人。如：王师傅是个慢性儿人，干活儿总是磨磨蹭蹭(mómócèngcèng)的。|那匹马可是个慢性儿，怎么打也走不快。

【漫】 màn 〔动/形〕

〔动〕水过满，向外流。(overflow)常做谓语。

例句 水快要漫出来了，赶快关上水龙头。|洪水漫过了大堤，冲向市区。

〔形〕❶ 满。(full)常做定语。

例句 秋天到了，香山漫山都是红叶。|那是一片大沙漠，一刮风漫天黄沙，什么都看不见。

❷ 随便。(in an easy way)用于构词。

词语 漫话 漫淡 漫游

【漫长】 mànchánɡ 〔形〕

长得看不见头的(时间、道路等)。(very long; endless; extensive)常做谓语、定语。

例句 刚刚开始学汉语，后面的路还很漫长。|暑假过去了，漫长的学习生活又开始了。|在漫长的岁月里，他有过很多特别的经历。

【漫山遍野】 màn shān biàn yě 〔成〕

山上和田野里到处都是，形容很多。(all over the mountains and plains; over hill and dale)常做主语、定语、状语。

例句 春天，漫山遍野都是花。|农村漫山遍野的花草树木让人觉得很舒服。|在非洲，动物漫山遍野地跑来跑去，自由自在。

【忙】 mánɡ 〔形/动〕

〔形〕事情多，没有空儿。(busy)常做谓语、定语。

例句 一开学，留学生的学习就忙起来了。|不要去麻烦他们，他们最近忙得要命。|A：怎么样，最近忙不忙？ B：简直忙死了。|你找王经理啊？他可是个大忙人！

〔动〕加紧地、不停地做。(be fully occupied)常做谓语。

例句 我们一直忙了四个小时，才收拾好行李。|A：快点儿吧！ B：不忙，不忙！|小李白天忙着公司的事儿，晚上又得忙家务，真累死了！|您别忙了，我坐一会儿就走。

▶"忙"也做名词，指需要帮着做的事情，常与"帮"配合使用。如：劳驾帮帮我的忙，好吗？|这个忙我可帮不上。

▶"忙"也做副词，指加快行动，多用于口语，也用于构词。如：连忙 急忙 赶忙

例句 妈妈怕影响孩子学习，忙把客人请到另一间屋。|同学们见了老师，忙向她打听考试的事。

【忙碌】 mánɡlù 〔形〕

忙着做各种事情。(be busy; bustle about)常做谓语、宾语、定语、状语。

例句 记得小时候，我父母总是忙忙碌碌的。|明天有考试，都十二点了，马克还在忙碌着。|开学前一

周，老师们又开始忙碌起来。|晚上，忙碌的人们陆续回到自己的家中。|看他忙碌的样子，真想帮他一把。|出租车司机整天都忙忙碌碌地工作着。

【盲】 máng 〔素〕

看不见东西，也比喻对某些事物分辨不清。(blind)常用于构词或用于固定短语。

词语 盲人 夜盲 文盲 色盲 盲从 盲动 法盲 科盲 盲人摸象

例句 体检发现我有轻度色盲。|搞现代化，法盲可不行。

【盲从】 mángcóng 〔形/动〕

〔形〕不管对错地附和别人。(following blindly)常做谓语、定语。

例句 上回我太盲从了，结果出了问题。|他这个人很盲从，没有自己的主见。|老板不喜欢盲从的人。|过去我们吃过盲从的亏，今后一定要吸取教训啊。

〔动〕盲目随从。(follow blindly; follow like a sheep)常做谓语、宾语。

例句 干什么自己应该有主意，不能盲从别人。|做什么事都不应该盲从，要独立思考。|我们要避免盲从。

辨析 〈近〉盲目。"盲从"可以是动词，"盲目"只是形容词；"盲目"指在认识不清的情况下跟从，"盲从"指在是非不清的情况下跟从；"盲目"能做状语。如：* 你太盲从乐观了。("盲从"应为"盲目")| * 没有明确的方向就盲从地去干，是不会有什么好结果的。("盲从"应为"盲目")

【盲目】 mángmù 〔形〕

眼睛看不见；比喻认识不清。(blind)常做谓语、定语、状语。

例句 我看你的汉语学习计划并不盲目。|他假期旅游的想法确实比较盲目。|这完全是一种盲目的行为，不会得到好的结果。|刚会说几句汉语，不要盲目乐观。|先不要盲目计划，要认真调查研究。

【盲人】 mángrén 〔名〕

眼睛看不见的人。(blind person)常做主语、宾语、定语。[量]个，位。

例句 盲人过马路时，司机要特别小心礼让。|那个穿西服的盲人你认识吗？|两位小学生扶着盲人过马路，警察也跑来帮忙。|王先生问一位盲人："你在哪儿工作？"|考虑盲人的需要，人行道上设了引导线。|他可是全国闻名的盲人歌手。

辨析 〈近〉瞎子。"盲人"是书面语，"瞎子"是口语，而且有贬义，应慎用。

【盲人摸象】 mángrén mō xiàng 〔成〕

看问题不全面，把部分当做全体。(like blind men trying to size up the elephant — take a part for the whole)常做宾语、小句。

例句 你的做法是盲人摸象，一点儿也不全面。|他这样做就像盲人摸象，不会得出正确的结论。|看问题要全面，不然盲人摸象，到头来吃亏的还是自己。

▶ "盲人摸象"是说几个瞎子摸一只大象，每个人都认为大象的样子就像自己摸到的那部分。

【茫茫】 mángmáng 〔形〕

没有边际，看不清楚。(boundless and indistinct; vast; frustrated)常做谓语、定语。

例句 海面上雾很浓，一片茫茫。|在

城市茫茫的人海里,遇到老朋友真不容易。|茫茫的大草原,一望无际。

【茫然】 mángrán 〔形〕

完全不知道的样子;也指失意的样子。(in the dark; ignorant; frustrated)常做谓语、宾语、定语、状语。

例句 老师说了半天怎么学汉语,我还是有些茫然。|老人对这件事情很茫然。|离开中国后,他心里感到特别茫然。|老同学一个个地走了,马克觉得很茫然。|听了老师的提问,同学们都露出茫然的神色,不知道怎么回答。|看到小李茫然的样子,大家都笑了。|他茫然地问道:"我也去吗?"|我茫然地望着朋友坐的飞机飞起来,心里很难过。

【猫】 māo 〔名〕

哺乳动物,能抓老鼠。(cat)常做主语、宾语、定语。[量]只。

例句 猫喜欢吃鱼。|小花猫飞快地爬到树上去了。|老鼠最怕猫。|邻居家养了几只猫。|猫的动作特别轻。|因为没找到这只猫的主人,我只好把它带回家去。

【毛】 máo 〔名/量/形〕

〔名〕动植物皮上生的丝状物,也指鸟的羽毛。(hair; feather; wool)常做主语、宾语,还用于固定短语中或用于构词。[量]根,撮。

词语 毛笔 眉毛 毛茸茸

例句 这种毛很轻,又很暖和,做被子好。|牧民正在给羊剪毛。|皮之不存,毛将焉附?

〔量〕指人民币一元钱的十分之一;角。(ten *fen*)常构成数量短语做句子成分。

例句 一支铅笔三毛。|我身上就剩八毛钱了。|五毛钱可以买碗汤喝。

〔形〕❶ 粗糙(cāo),还没有加工的。也指做事粗心,不细致。(crude; rough)常做谓语、定语。

例句 纸很毛,不好写字。|别让小刘去,他办事太毛了。|这孩子长大了也是一个毛小子。|都30岁了,怎么还那么毛手毛脚的?

❷ 慌。(panicky)常做宾语、补语。

例句 虽然他是个小伙子,但走夜路心里也发毛。|这只小狗被响声吓毛了。

【毛笔】 máobǐ 〔名〕

用羊毛等做成的笔,是中国传统的书写工具。(writing brush)常做主语、宾语、定语。[量]支,管。

例句 这些毛笔不贵,五块钱一支。|请问,最好的毛笔是哪一种?|老画家拿起毛笔在白纸上画了一幅中国画。|学习书法首先得会用毛笔。|毛笔的用处很多,既可以写字,又可以画画。

【毛病】 máobìng 〔名〕

❶ 缺点。(defect; shortcoming; fault)常做主语、宾语。[量]个。

例句 你的毛病真不少,没有人愿意跟你一个房间。|马克抽烟的老毛病改掉了。|这本词典有个毛病,就是太重了。|这台车有个费油的毛病。

❷ 指器物等发生的损伤、故障(gùzhàng)或指工作等的失误。(trouble; malfunction; breakdown)常做主语、宾语。[量]个。

例句 闹钟的毛病找到了。|洗衣机坏了,毛病到底在哪儿?|这个花瓶有个小毛病,你看出来了吗?|这几天不知怎么了,小张干活儿总出毛病。

❸ 病。(illness; disease)常做主语、宾语。

例句 这点儿小毛病,不要紧,吃点儿药就好了。|一阴天下雨,老人腰疼的毛病就容易犯。|是张大夫治好了我多年的老毛病。|A:你怎么了?B:唉,胃疼,是老毛病了,不要紧。

【毛巾】 máojīn 〔名〕

擦脸和擦身体时用的针织品。(towel)常做主语、宾语。[量]条,块。

例句 毛巾放在卫生间里了。|他太马虎了,毛巾都忘带了。|宾馆服务员每天都要为客人换毛巾。|马克一次就买了好几条毛巾。

辨析 〈近〉手巾。"手巾"除了毛巾外,还有用布做的擦脸巾和手绢(方言);"手巾"是口语,"毛巾"口语和书面语都用。

【毛遂自荐】 Máo Suì zì jiàn 〔成〕

自己推荐自己。(offer one's services as Mao Sui did; volunteer one's services)常做谓语、宾语。

例句 下星期选班长,我想毛遂自荐。|马克毛遂自荐,当了新年晚会的主持人。|有没有毛遂自荐的人?

▶ 毛遂是战国时的人,他自我推举跟平原君出使楚国,顺利地完成了任务。

【毛线】 máoxiàn 〔名〕

羊毛等纺成的线。(knitting wool)常做主语、宾语、定语。[量]根,团,股。

例句 这些毛线是从上海带回来的。|那团毛线漂亮极了。|旅游的时候,她买了一些毛线,打算回国送给妈妈。|这家公司专门从国外进口毛线。|这种毛线的质量不错,可以买点儿。

【毛衣】 máoyī 〔名〕

用毛线织成的上衣。(woolen sweater)常做主语、宾语、定语。[量]件。

例句 这件毛衣美观大方,很适合您。|王老师的老伴儿给他织了件花格毛衣,可他觉得穿不出去。|那儿早晚儿凉,带件薄毛衣吧。|这件毛衣的样子还可以。

【矛盾】 máodùn 〔名/形〕

〔名〕互相对立、排斥的事物或行为。(contradiction)常做主语、宾语、定语。[量]种,类。

例句 在大家的帮助下,同房间的两个同学的矛盾终于解决了。|这两个国家的贸易矛盾越来越严重。|班长很会处理各种矛盾。|以前,班里几个同学老闹矛盾,现在好了。|他和同屋发生了矛盾。|我们要使矛盾双方互相理解,才能解决问题。

〔形〕矛盾的状态。(state of contradiction)常做谓语、宾语和定语。

例句 去北京还是去上海学汉语,马克心里挺矛盾。|那时,我的心情矛盾极了,既想工作,又想继续学习。|学汉语还是学英语,美智子感到十分矛盾。|这种矛盾的心情是可以理解的。

【茅台酒】 máotáijiǔ 〔名〕

贵州省出产的一种白酒,简称茅台,是中国最有名的酒。(Maotai, a famous brand of Chinese spirits)常做主语、宾语、定语。[量]杯,瓶。

例句 茅台酒常被作为礼物送给外国朋友。|我想买两瓶茅台酒送给美国同学。|马克从来没有喝过茅台酒。|听说茅台酒的后劲儿不小。

【茂密】 màomì 〔形〕

(草、树)又多又密。(dense)常做谓

M

语、定语、状语、补语。

例句 松树的枝叶非常茂密。|公园的那片竹林茂密极了。|我们大学前边是一片茂密的树林。|山上的野花茂密地生长着。|院子里的树长得特别茂密。

【茂盛】 màoshèng 〔形〕

植物长得多而茁壮,也比喻经济等兴旺。(lush; luxuriant)常做谓语、补语、定语。

例句 今年雨水多,花草格外茂盛。|这家商店买卖不错,真是财源茂盛。|公园里的樱花开得正茂盛,我们去看看吧。|马路两旁的大树长得很茂盛。|茂盛的树叶,遮住了强烈的阳光。

【冒】 mào 〔动〕

❶ 向外透、往上升。(emit; belch)常做谓语。

例句 杯子里的茶冒着热气。|见到找回来的护照,她眼里的泪水禁不住冒了出来。|问了半天,他才冒出一句话来:"不知道。"

❷ 不顾(危险、恶劣的环境等)。(risk)常做谓语。

例句 这样做是要冒风险的。|放寒假了,有的留学生冒着严寒去旅游。|突然下雨,我们只好冒雨回学校。

【冒充】 màochōng 〔动〕

假的充当真的。(pretend to be)常做谓语。

例句 你的汉语还不能冒充中国人。|这些人用旧货冒充新产品。|骗子冒充警察,骗得了老人的信任。

【冒进】 màojìn 〔动〕

超出客观条件,工作开始得太早,进行得过快。(premature advance)常做谓语、宾语、主语。

例句 想一个月就学好汉语,你的想法有点儿冒进吧?|这么做并不冒进。|我们觉得应该实事求是,反对冒进。|冒进是一种不负责任的行为。

【冒牌】 màopái 〔形〕

冒充名牌。(counterfeit; fake)常做定语。也构成"的"字短语。

例句 现在,市场上冒牌货不少,顾客难辨真假。|听说不仅有冒牌商品,而且还有冒牌明星。|闹了半天,这件衣服是冒牌的。

【冒险】 màoxiǎn 〔动〕

不顾危险去做。(venture)常做谓语(不带宾语)、宾语、状语、定语。

例句 没有把握就不要去冒险。|他冒了很大的险爬上了17层。|想一个人去登山,实在有点儿冒险。|这样做真是冒险,你应该考虑考虑。|现在去那儿很安全,不需要冒险。|那个青年冒险抢救落水儿童,大家都赞扬他。|我一辈子也没干过冒险的事儿。|一个人去高原真需要冒险精神。

【贸易】 màoyì 〔名〕

商业活动。(trade)常做主语、宾语、定语。

例句 近年来,两国的贸易不断扩大。|改革以后,中国的对外贸易发展迅速。|经济发展离不开贸易。|政府应该搞好国内贸易。|这里将要建一个贸易中心。|马克在一家贸易公司工作。

【帽】 mào 〔名〕

意义同"帽子",也指作用或形状像帽子的东西。(hat; cap-like cover for sth.)常用于构词,也做宾语。[量]个。

M

词语 螺丝帽 笔帽 礼帽 草帽 旅行帽

例句 请问，草帽在哪里买？|笔帽儿掉到哪儿去了？|那个商店专门卖鞋帽。|云好像给山头戴了个帽。

【帽子】 màozi 〔名〕

❶ 戴在头上的用品。(hat)常做主语、宾语、定语。[量]顶，个。

例句 这顶帽子非常漂亮。|老人头上戴着一顶棒球帽。|去新疆旅游时，大家都买了一顶当地的帽子。|不太冷，不用戴帽子。|这些帽子的式样十分新颖。

❷ 比喻罪名或坏名义。(label; tag; brand)常做主语、宾语。[量]顶，个。

例句 “发音最差”的帽子戴不到我头上。|这次考试我考得很好，摘掉了“最后一名”的帽子。|批评别人应该符合实际，不要乱扣帽子。|你说自己是著名作家？别给自己戴高帽子了。

【没】 méi 〔副/动〕 另读 mò

〔副〕否定动作或状态已经发生。(have not or did not)做状语。

例句 昨天的晚会，同屋没去，我去了。|我没去过海边。|我们的汉语还没学好。|这次没考好，下次一定努力。|A：你有人民币吗？B：不多，我还没去银行换。

〔动〕“有”的否定式。(have no; there isn't)常做谓语。

例句 明天去上海的飞机票早没了。|真想去旅游，可没那么多钱。|这篇课文太没意思了。|A：下午3点咱们一起去书店好吗？B：对不起，我没时间。|昨天晚上为什么没电？|早上公园没什么人。|这里从来没这么热过。|他没你高。|谁都没他汉语说得好。

辨析 〈近〉没有，无。口语中多用“没”，“无”是书面语。另外“没有”可以单独回答问题，“没”一般不行，“无”也不行。如：A：你去过上海吗？B：* 无(“无”应为“没有”)。

【没吃没穿】 méi chī méi chuān 〔动短〕

没有吃的也没有穿的，形容生活很苦。(have nothing to eat or to put on; live a hard life)常做谓语、定语。

例句 那时候很多人没吃没穿，生活真苦。|这个国家因为发生了战争，老百姓没吃没穿。|正当灾民们没吃没穿的时候，政府送来了粮食和衣物。|现在，没吃没穿的情况已经极少见了。

【没错】 méi cuò 〔动短〕

❶ 表示确信。(there is no mistake; I'm quite sure; you can rest assured)常做谓语，多用在答句中。

例句 A：这是王老师在唱歌吗？B：没错！|A：这个消息是真的吗？B：没错！|导游说的没错，这里确实很美。

❷ 表示不会有什么问题，不会出差错。(can't go wrong)常做谓语，紧接小句后。

例句 按说明书去用就没错。|照我的话做没错。|在这儿下车没错。

【没关系】 méi guānxi 〔动短〕

表示不要紧，不用介意。(never mind; you are welcome)当别人对你表示关心、感谢、道歉时的答语。

例句 A：你休息几天吧，有病还来上课？B：没关系，我能行。|A：谢谢您了！B：没关系。|A：对不起，碰着您了吧？B：没关系。

【没什么】 méi shénme 〔动短〕

❶ 没关系。(it doesn't matter; you are welcome)回答别人的客气话。

例句 A:打扰您了。B:没什么。| A:对不起,我有事要去打个电话。B:没什么,别客气。| A:你是不是病了? B:没什么,就是有点儿累。

❷ 表示不难,很容易。(not difficult; easy)常做谓语、宾语。

例句 A:听说你会开车,学开车难吗? B:其实也没什么。| 都说汉语难学,我觉得没什么。

【没事儿】 méi shìr 〔动短〕

❶ 表示没关系。(that's all right)当别人对你表示关心、感谢、道歉时的答话。

例句 A:我看你脸色不太好,能坚持学习吗? B:没事儿,休息一下儿就好了。| A:谢谢你来机场送我。B:没事儿,我们是老同学嘛。

❷ 没有事情做或没有职业。(have nothing to do)常做谓语。

例句 小李近来没事儿,每天在家呆着。| 有时候下课后没事儿,就出去看电影。| 正好我这几天没事儿,可以过来帮你。

❸ 没有事故或意外,也指没有责任。(it's nothing; it's OK; it's all right)常做谓语。

例句 经过大夫抢救,病人终于没事儿了。| 不要担心,这次事故没你的事儿。

【没说的】 méi shuōde 〔动短〕

❶ 没有可以批评的缺点。也说"没的说","没有说的"。(faultless; perfect)常做谓语、宾语。

例句 马克的汉语没说的,完全可以当翻译。| 留学生宿舍没说的,条件非常好。| 王老师的课上得好,对学生又很关心,真是没说的。

❷ 没有商量或解释的余地。也说"没的说","没有说的"。(without question; undoubtedly)一般放在句首或句末。

例句 A:洗衣机你用了很久了,现在该我们用了。B:没说的! | 没说的,这次参加口语比赛的机会该给马克了。

❸ 不成问题。也说"没的说"、"没有说的"。(of course; naturally)一般在句首或句尾。

例句 没说的,有什么事就找我吧。| 咱们是朋友,这点儿小事没说的。

【没意思】 méi yìsi 〔动短〕

❶ 因为没事情做而烦闷。(be bored)常做谓语、宾语。

例句 一个人待在房间里真没意思。| 刚来那会儿,老觉得没意思。

❷ 没有趣味。(be boring; be uninteresting)常做谓语、宾语。

例句 这部电影实在没意思。| A:这次旅游怎么样? B:只我一个人,很没意思。| 不少男人不喜欢逛(guàng)街,觉得没意思。

【没用】 méi yòng 〔动短〕

没有用处。(be useless)常做谓语、定语。

例句 隔壁房间太吵了,怎么说他们都没用。| 药过期了,没用了。| 真没用! 连很容易的问题都没回答好。| 我要回国了,这些没用了。| 你怎么买了这么一个没用的东西?

【没有】 méiyǒu 〔副/动〕

〔副〕❶ 否定动作或状态已经发生。(have not or did not)做状语。

例句 一直没有收到回信,也许她

回国了。|天还没有亮,公共汽车就发车了。|客人没有着急,只是慢慢地喝着咖啡。|天气还没有冷,不要穿得太多。

❷ 用于构成问句。(*used to form interrogative sentences*)常用于句尾,多与"吗"配合。

例句 作业写完没有?|考试通过了没有?|A:小李没有来。B:没有来吗?|都过了两个月了,你们还没有研究吗?

❸ 用于否定的回答。(*used for negative answers*)常用于答句中。

例句 A:老师去了吗?B:没有。|A:这事儿你听说过?B:没有。

〔动〕"有"的否定式。(have no; there isn't)常做谓语。

例句 放假了,宿舍里没有人。|他家没有这本书。|这个电影太没有意思了。|他没有书看,我给他借了几本。|我没有办法让你也去!|今天没有雨。|怎么没有人了?|今天没有几个人来上课。|没有人教过我这个字。|小王的年龄没有三十岁。|旅游并没有想象的那么轻松。|姐姐没有弟弟聪明。

【没辙】 méi zhé 〔动短〕

没有办法。(have no way to do sth; be helpless; be hopeless)常做谓语。

例句 同屋不愿意去,我也没辙。|大家都走了,他找不到人帮忙,这下子可没辙了。|我要换班,办公室不同意,真没辙!

【玫瑰】 méigui 〔名〕

一种花,常常表示爱情。(rose)常做主语、宾语、定语。[量]棵,枝,朵。

例句 玫瑰真香!|公园里的玫瑰真漂亮。|情人节时,他送给女朋友一束红玫瑰。|这家花店专门卖各种各样的玫瑰。|玫瑰花有红色的,也有白色的、黄色的。

【枚】 méi 〔量〕

和"个"相近,多用于形体小的东西。(*measure word for small objects*)常构成短语做句子成分。

例句 我口袋里只剩下一枚硬币了。|小刘给妻子买了一枚戒指。|一枚小小的邮票竟值十万块!

【眉】 méi 〔名〕

❶ 眼眶上边的毛。(eyebrow)常做主语、宾语、定语或用于短语中,或用于构词。[量]道。

词语 浓眉 眉毛 眉眼 眉目 眉开眼笑 眉清目秀

例句 他是个浓眉大眼的小伙子。|女孩儿描眉并不一定好看。|老者双眉紧皱,满面愁容。

❷ 书页上方空白的地方。(the top margin of a page)常用于构词。

词语 书眉 眉批

【眉开眼笑】 méi kāi yǎn xiào 〔成〕

高兴的样子。(be all smiles; beam with joy)常做谓语、状语、补语。

例句 这些人眉开眼笑,一定有什么高兴的事。|同屋眉开眼笑地望着我。|经理听了,眉开眼笑地说:"太好了!"|HSK 得了 8 级,他高兴得眉开眼笑。

【眉毛】 méimao 〔名〕

眼眶上沿的毛。(eyebrow)常做主语、宾语。[量]道,对,双。

例句 爷爷的眉毛变白了,奶奶的眉毛倒还挺黑。|小姑娘的眉毛又细又长,很漂亮。|我想去美容院修修眉毛。

【眉头】 méitóu 〔名〕

两眉附近的地方。(brows)常做主语、宾语。

例句 你看他眉头不展,是不是遇到什么不愉快？|这小孩聪明极了,眉头一皱,就想出了办法来。|这回问题解决了,他再也不皱眉头了。|马克喜上眉头,他所有考试都考得很好。

【梅花】 méihuā 〔名〕

梅树的花,冬天开放。(plum blossom)常做主语、宾语、定语。[量]枝,朵。

例句 在中国,梅花象征着坚强。|梅花是中国的名花,男女老少都喜欢。|南京的梅花很有名。|桌上的花瓶里插着几枝梅花。|梅花的特点是不怕寒冷。

【媒】 méi 〔名〕

❶ 婚姻介绍。(matchmaker; go-between)常做宾语。[量]个。

例句 我们俩的婚事是老王做的媒。|她又去给别人说媒去了。

❷ 起联系作用的人或事物。(intermediary)常用于构词。

词语 媒体　媒介

例句 新闻媒体传播消息很快。

【媒介】 méijiè 〔名〕

在中间使双方发生关系的人或事物。(medium)常做主语、宾语、定语。[量]种。

例句 大家交流的媒介是汉语。|蚊子是传播疾病的媒介。|这次两家公司签定合同,他起了媒介作用。

【媒体】 méitǐ 〔名〕

交流、传播信息的工具。(medium)常做主语、宾语、定语。[量]种。

例句 各种媒体都对昨天发生的交通事故作了报道。|媒体对推销新产品很有帮助。|他们已经找了新闻媒体,为自己的产品做宣传。|我们应该充分利用各种媒体。|媒体的监督作用正在加强。

【煤】 méi 〔名〕

一种黑色矿物,主要用做燃料。(coal)常做主语、宾语、定语。也用于构词。

词语 煤炭　煤气　煤球　煤油

例句 煤是重要的资源。|这种煤是山西的。|如今都使用现代化技术开采煤。|每年都出口大量的煤。|这个地区,煤的产量很高。

【煤气】 méiqì 〔名〕

用煤制成的可燃气体,用来做饭等。(coal gas)常做主语、宾语、定语。

例句 煤气用起来很方便。|煤气给人们的生活带来了很大方便。|现在中国城市居民一般都使用煤气。|煤气公司的工人在检查煤气设备。|商店里卖各种煤气用具。

【霉】 méi 〔名/形〕

〔名〕真菌的一类。(mould)常做宾语,也用于构词。[量]种。

词语 青霉素　霉菌

例句 这儿太潮湿,衣服都长霉了。

〔形〕东西因霉菌的作用而变质。(mildewy; mouldy)常做宾语。也用于构词。

词语 霉烂　霉气

例句 哎呀！衣服发霉了。|没吃完的面包已经发霉了。|真倒霉,又堵车了。

【每】 měi 〔代/副〕

〔代〕指全部中的任何一个或一组。(every; each)构成短语做定语。

例句 每个房间住两个留学生。|每次开会,他都不来参加。|这次考试,每个同学都考得很好。

〔副〕表示同一动作有规律地反复出现。(every)做状语,常与“就、都、总”等配合。

例句 每隔三个月,他就去北京一次。|每工作五天,就休息两天。|每到春节,我们都要到李老师家拜年。|每提起那段经历,大伙儿总是特别难忘。

【每况愈下】 měi kuàng yù xià 〔成〕

情况越来越坏。(steadily deteriorate; go from bad to worse)常做谓语、定语。

例句 从去年起,父亲的身体就每况愈下,现在已经住院了。|为了挽救每况愈下的公司,老板不得不减员。

【美】 měi 〔形〕

❶ 好看;美丽。(beautiful; pretty)常做谓语、宾语、补语、定语。

词语 美观 美人

例句 杭州西湖的风景美极了。|大连是座海滨城市,特别美。|她爱美,老买新衣服。|这位夫人今天打扮得很美。|李老师的女儿长得真美。|美的风景让人喜欢。

❷ 好,令人满意的。(very satisfactory; good)常做谓语、补语、状语。

例句 北京烤鸭的味道太美了。|生活水平提高了,大家日子过得挺美。|不努力就想得到好成绩,你想得倒美。|来到中国餐馆,大家美美地吃了一顿。|等考试完了,我要美美地睡上三天三夜。

❸ 鲜美,滋味好。(delicious)常用于构词。

词语 美餐 美味

例句 美酒飘香。|昨天去饭馆吃了顿法国美餐。

❹ 得意。(pleased)常做谓语及宾语。

例句 知道了考试成绩,马克的心里美得很。|老师夸了一句,他就美得不得了。|明明不怎么样,她自己还觉得挺美。

【美德】 měidé 〔名〕

美好的品德。(virtue)常做主语、宾语。[量]种。

例句 人的美德需要从小培养。|热情好客是中国的传统美德。|助人为乐是一种美德。

【美观】 měiguān 〔形〕

(形式、样式)好看、漂亮。(pleasing to the eye; beautiful)常做谓语、定语、补语。

例句 房间的家具都很美观。|您这身衣服美观大方。|这些美观的工艺品都是在中国买的。|新年到了,教室布置得很美观。|彩灯把大楼装饰得非常美观。

【美好】 měihǎo 〔形〕

好,多用于生活、前途、愿望等抽象事物。(fine)常做谓语、补语、定语。

例句 留学生活多么美好啊!|年轻人的前途无限美好。|我们要把国家建设得更美好。|我希望家人的日子过得越来越美好。|谁不盼着美好的生活?|把美好的愿望变为现实,要经过艰苦的努力。

【美丽】 měilì 〔形〕

使人看了产生快感的;好看。(beautiful)常做谓语、补语、定语。

例句 桂林的山水美丽极了。|那位姑娘真美丽。|晚会上,女同学打扮得特别美丽。|美丽的风景让人

M

高兴。|青岛是座美丽的海滨城市。

辨析 〈近〉漂亮。"美丽"多用于景物、风光,"漂亮"多用于服饰、用具;"美丽"多用于书面语,"漂亮"多用于口语;"美丽"不可重叠。

【美满】 měimǎn 〔形〕

美好圆满。(happy; perfectly satisfactory)常做谓语、补语、定语。

例句 我祝你们生活美满,学习进步。|如今,老两口日子过得美美满满的。|几年前,我们在一起学习汉语,现在,我们都有了美满的家庭。|美满的婚姻不是人人都能得到的。

【美妙】 měimiào 〔形〕

美好,奇妙。(splendid; wonderful)常做定语、谓语。

例句 我特别喜欢美妙的古典音乐。|她美妙的歌声,令人陶醉。|在中国,有很多关于月亮的美妙传说。|设计十分美妙。

【美容】 měiróng 〔动〕

使容貌美丽。(improve looks)常做主语、宾语。

例句 美容一定要小心,当心毁容!|这个姑娘每星期都做一次美容。|很多女人都希望通过美容来使自己更年轻。

【美术】 měishù 〔名〕

造型艺术,也专门指绘画。(art)常做主语、宾语、定语。

例句 美术要从小学。|来中国,他专门研究中国美术。|在大学,我学美术,他学历史。|她的美术字写得好极了。|孩子最爱看美术片。

【美元】 měiyuán 〔名〕

美国的货币,也写做美圆,也叫美金。(dollar)常做主语、宾语。也构成数量短语做句子成分。

例句 美元跟人民币的比价是多少?|我带来的美元都换成人民币了。|出国前得去银行换美元。|我向朋友借了点儿美元。

【美中不足】 měi zhōng bù zú 〔成〕

总的很好,但还有缺点或不足的地方。(a fly in the ointment)常做宾语、定语。

例句 到中国旅游没去长城,实在是美中不足。|考试成绩不错,但听力差一点儿,马克总觉得有些美中不足。|这篇作文写得不错,美中不足之处是有几个病句。

【妹】 mèi 〔名〕

妹妹;也指年纪比自己小的女子。(younger sister)常做主语、宾语。[量]个。

例句 那几个打工妹不回家过年。|这些女同学成了好姐妹。|妈妈最疼小妹。

【妹妹】 mèimei 〔名〕

同父母或只同父、只同母而年纪比自己小的女子,也指年纪比自己小的女子。(younger sister)常做主语、宾语、定语。[量]个。

例句 妹妹考上大学了!|王经理的妹妹是大学老师。|我有一个妹妹。|论她俩的汉语水平,姐姐不如妹妹。|妹妹的想法我也不清楚。

【闷】 mēn 〔形/动〕 另读 mèn

〔形〕❶ 空气不流通引起的不舒服的感觉。(stuffy)常做谓语。

例句 商店人太多,我们赶快出去吧,快闷死了。|把窗户打开吧,太闷了!|今天的天气特别闷。

❷ 声音不响亮。(muffled)常做定语。

例句 你说话闷声闷气的,感冒了吗?

〔动〕❶ 密闭，使不透气。(cover tightly)常做谓语。

例句 米饭已经闷好了。|牛肉多闷一会儿。|有话就说出来，别闷在心里。

❷ 在屋里待着，不到外边去。(shut oneself or sb. indoors)常做谓语。

例句 这个美国同学整天闷在房间里学书法。|出去活动活动，别总闷在屋里。

【门】 mén 〔名/量〕

〔名〕房屋、车船等的出入口，也指形状或作用像门的东西。(door)常做主语、宾语、定语。[量]个，扇，道。

例句 我回去的时候，宿舍大门已经关上了。|这个车门很特别。|正门人多，咱们走边门吧。|请随手关门。|红队五号队员把球踢进了球门。|这扇门的样子是中国传统风格。

〔量〕用于炮、技术、功课等。(*a measure word*)常组成短语做句子成分。

例句 博物馆里有两门古炮。|小王学会了一门新技术。|留学生每个学期有4至5门课。|十门课我们学完了两门。|这门是1840年的大炮。

【门当户对】 mén dāng hù duì 〔成〕

指男女双方家庭的社会地位和经济情况相当，结婚很合适。(be well-matched in social and economic status for marriage)常做谓语、宾语。

例句 这对新人门当户对，婚后应当美满。|现在有的中国人结婚还是很注意门当户对。|现在，年轻人找对象已经不大讲究门当户对了。

【门口】 ménkǒu 〔名〕

门的前面。(doorway)常做主语、宾语。[量]个。

例句 留学生宿舍门口停着一些出租车。|学校门口有几个学生。|我们在电影院门口见吧。|工人师傅每天都打扫大门口。

【门铃】 ménlíng 〔名〕

安装在门里边的铃铛或电铃，用来叫门。(doorbell)常做主语、宾语、定语。[量]个。

例句 门铃响了，快去开门。|门铃又坏了，快换一个吧！|王老师家有门铃，按一下老师就知道了。|按了半天门铃，也没人出来。|这种门铃的声音特别好听，只是价钱不便宜。

【门路】 ménlu 〔名〕

做事的诀窍，也特指能达到个人目的的途径。(way; pull; social connections; access)常做主语、宾语。[量]个。

例句 现在出国的门路很多。|事情办得不太顺利，得再找找门路。|他终于摸到了学习汉语的门路。|希望你们增加贸易的门路。

【门市部】 ménshìbù 〔名〕

小商店或某些服务行业的对外营业处。(retail department)常做主语、宾语。[量]个，家。

例句 对面的小门市部卖冷饮。|那个门市部关门了。|我们好容易才找到了那家服装门市部。

【门诊】 ménzhěn 〔名〕

医生在医院或诊所里给不住院的病人看病，也指医院看病的地方。(outpatient service; clinic)常做主语、宾语、定语。

例句 A：请问，门诊在哪儿？B：往里走，左边就是。|这家门诊服务好，病人很满意。|王大夫去门诊

了。|我有点儿不舒服，要到医院看门诊。|这段时间很多人感冒，门诊的病人特别多。

【闷】 mèn 〔形〕 另读 mēn

心情不舒畅，也指心烦。(bored; depressed)常做谓语。

例句 考试没考好，他心里有点儿闷。|同学们都走了，马克一个人留在学校，实在闷得慌。

【们】 men 〔尾〕

用在代词或指人的名词后面，表示复数。(*used after a personal pronoun or a noun referring to a person to form a plural*)

词语 同学们 朋友们 你们 我们 他们 咱们

例句 同学们，这次考试考得怎么样？|他们什么时候出发？|(正式讲话前的称呼语)女士们，先生们，朋友们…

▶ 名词加"们"以后，前面不能加数量词。如：* 五个孩子们 * 三位母亲们

【萌芽】 méngyá 〔动/名〕

〔动〕植物生芽，也比喻事物刚产生。(sprout; germinate; bud)常做谓语。

例句 19世纪末期，中国近代工业开始萌芽。|一场春雨后，种子都萌芽了。

〔名〕植物新生出来的幼芽，常比喻刚产生的事物。(sth. sprouting or germinating)常做主语、宾语、定语。

例句 草嫩嫩的萌芽，预示着春天的到来。|在旧时代末期就已经出现了新时代的萌芽了。|这对青年的爱情目前还处于萌芽阶段。

【蒙】 méng 〔动〕 另读 mēng、měng

❶ 遮盖。(cover)常做谓语。

例句 过去结婚时，新娘得用红布蒙住头。|山本跟我开玩笑，从背后蒙上了我的眼睛。|那个人用黑布蒙住了头，让人无法看清。|把电脑用布蒙上，免得落灰。

❷ 受。(receive)常做谓语(带宾语)。

例句 在中国期间，蒙您关照，真是太感谢了。|蒙贵公司大力协助，我们现在业务开展得很顺利。

【猛】 měng 〔形/副〕

〔形〕气势壮，力量大。(fierce; violent; vigorous)常做谓语、定语、状语、补语。

例句 这次的大水太猛了。|比赛开始后，对方的进攻特别猛。|5号队员是一员猛将。|山里有一只猛虎。|小花猫向老鼠猛扑过去。|比赛一开始，我们就猛追猛打，得了好几分。|雨下得太猛了，等会儿再走吧。

〔副〕忽然，突然。(suddenly)做状语。

例句 上课的时候，他猛地冲了出去，大家都不知道为什么。|听到后面有声音，猛一回头，原来是同屋。|突然看见前面有人，车猛地停住了。

【猛烈】 měngliè 〔形〕

气势壮，力量大，来得突然。(violent)常做谓语、定语、状语、补语。

例句 比赛中两队都攻势猛烈。|暴风雨很猛烈，把树都刮倒了。|猛烈的鞭炮声响了起来。|小船迎着猛烈的风暴出海了。|洪水猛烈地冲击着大堤。|大火猛烈地燃烧着。|北风刮得特别猛烈。

【猛然】 měngrán 〔副〕

表示动作、行为突然、迅速发生。(suddenly)做状语。

例句 小李猛然站起来，向门外走

M

去。|已经躺在了床上,我猛然想起今天的作业还没写。|公共汽车猛然一停,我碰到了别人身上。

【梦】 mèng 〔名/动〕

〔名〕睡着后大脑的表象活动,也比喻幻想。(dream)常做主语、宾语。[量]个,场。

例句 来到中国,我的汉语梦终于实现了。|梦做得太多影响休息。|昨晚他做了一个非常有趣儿的梦。|他一心要当老板,其实这只是一场梦。

〔动〕做梦。(dream)常做谓语。多与"见"、"到"配合。

例句 来中国以前,他梦见过长城。|昨晚我梦到自己HSK得了8级。

【梦想】 mèngxiǎng 〔动/名〕

〔动〕渴望,空想。(dream of; vainly hope)常做谓语、定语。

例句 小时候我曾经梦想成为一名汉语翻译。|他早就梦想能登上长城。|别梦想了,要靠自己努力。|过去梦想的事情,现在成为现实了。

〔名〕梦想中的事,也比喻不能实现的想法。(sth. in the dream; wishful thinking)常做主语、宾语。

例句 登上了长城,我的梦想终于实现了。|美丽的梦想破灭了,她很难过。|青年人头脑中常常充满着各种梦想。|人类登上月亮已不再是一个梦想。

【眯】 mī 〔动〕 另读 mí

眼皮稍微合上。(narrow)常做谓语。

例句 老戏迷眯着眼睛在听戏。|小猫眯着眼睛趴在窗台上。|老师什么也不说,只是眯着眼睛笑。

【弥补】 míbǔ 〔动〕

把不够的部分填足。(remedy)常做谓语、定语。

例句 我们正在想办法弥补损失。|考试不及格,是有办法弥补的。|千万要小心,出了事儿就难弥补了。|他的辞职,是公司不可弥补的损失。

【弥漫】 mímàn 〔动〕

(水、烟、雾、气味等)充满空间或遍布各处。(suffuse; fill the air)常做谓语。

例句 同屋抽烟,我们房间总是弥漫着烟味儿。|高速公路上大雾弥漫,车都开得很慢。|云气弥漫着整个山峰。|走进饭馆,空气里弥漫着浓烈的烟酒气。

【迷】 mí 〔动〕

❶ 分辨不清,失去判断能力。(be lost; be confused)常做谓语。

例句 船在大海上容易迷向。|刚来中国时,他经常迷路。

❷ 过于爱好而沉醉。(be fascinated by; be crazy about)常做谓语、宾语,多与"上"配合。

例句 最近,孩子迷上了电脑。|大学生们都迷上了这个女明星。|老师讲的故事有趣极了,学生都着了迷。|小明上网已经入迷了,成天坐在电脑前。

▶"迷"也做名词后缀,表示沉醉于某一事物的人。如:戏迷 球迷 影迷 歌迷

❸ 使迷惑或陶醉。(confuse; enchant; fascinate)常做谓语。

例句 这儿的景色太迷人了。|马克从小就被汉字迷住了。|有的外国人迷上了京剧。

【迷糊】 míhu 〔形〕

(神志或眼睛)模糊不清。(confused)常做谓语、状语、补语。

例句 喝酒后,头有点儿迷糊。|那

个病重的老人有时清醒,有时迷糊。|昨天睡得太晚,他上课时就迷迷糊糊地睡着了。|孩子昨晚发高烧,烧得迷迷糊糊。|当时我们被大雾弄得迷迷糊糊,分不清东南西北。

【迷惑】 míhuò〔动〕

❶ 分辨不清,也指摸不着头脑。(be confused)常做谓语、宾语。

例句 这个词,他给我解释后,我反而更迷惑了。|听了这些人的议论,老王又迷惑起来。|应该如何学习,我现在仍觉得迷惑。|上课学习的汉语和实际不一样,马克感到迷惑。

❷ 使…糊涂或轻信。(confuse)常做谓语。

例句 这种假广告迷惑了不少人。|那些小道消息确实迷惑了不少善良的人们。|消费者不能被一些广告所迷惑。|他说自己是美国人,迷惑了不少同学。

【迷恋】 míliàn〔动〕

对某一事物过度爱好而难以舍弃。(madly cling to)常做谓语。

例句 许多外国游客迷恋杭州西湖的景色。|这群外国年轻人非常迷恋中国文化。|学生不能过分迷恋电脑。

【迷失】 míshī〔动〕

弄不清楚(方向),走错(道路)。(lose one's way)常做谓语。

例句 游人迷失了道路,只好向路边的人打听。|刚一走进大草原,我们就迷失了方向。

【迷途知返】 mí tú zhī fǎn〔成〕

犯错误后能改正。(recover one's bearings and return to the fold; realize one's errors and mend one's ways)常做谓语。

例句 犯错误不要紧,只要迷途知返,就有光明的前途。|希望你迷途知返,以后再也不要吸毒了。

辨析 〈近〉悬崖勒马。"悬崖勒马"重在指到了危险的边缘才改正,语意较重。

【迷信】 míxìn〔动/名〕

〔动〕相信鬼神、命运等,也指盲目信仰或崇拜。(have blind faith in; make a fetish of)常做谓语。

例句 有的老人迷信鬼神。|小孩特别迷信老师,觉得老师能解决所有的问题。|奶奶很迷信那种气功。|别迷信别人,得相信自己。

〔名〕相信鬼神、命运等的行为,也指盲目信仰或崇拜的行为。(superstition)常做主语、宾语、定语。

例句 迷信是一种古老的意识。|个人迷信在有的国家还存在。|破除迷信,相信科学。|我们应当反对迷信,提倡科学精神。|烧香磕头,也是一种迷信活动。|目前,有的老人迷信思想还很顽固。

【谜】 mí〔名〕

谜语,也指还没有弄清楚的或难以理解的事物。(riddle; mystery)常做主语、宾语。[量]个。

例句 这个谜谁也解不开。|自然世界里的谜太多了。|这座城市为什么突然消失了?这个问题到现在还是一个谜。|联欢会上,猜谜活动很吸引人。

【谜语】 míyǔ〔名〕

用来让人猜测的隐语。(riddle)常做主语、宾语。[量]个,条。

例句 谜语是一种民间游戏形式。|有些谜语能帮助孩子认识汉字。|马克不会猜谜语,急得脸都红了。|老

M

师上课时经常出汉字谜语让我们猜。

【米】 mǐ 〔名/量〕

〔名〕稻米，大米，还指像米似的东西。(rice)常做主语、宾语。[量]粒，斤。

词语 米饭 大米 小米 海米 花生米

例句 这种米不太好吃。|家里没有米了，明天得去买点儿。|中国南方人喜欢吃米，北方人喜欢吃面。

〔量〕长度单位，也叫“公尺”，1米＝3尺。(metre)常构成短语做句子成分。

例句 这辆车有5米长。|这间屋子足足30平方米。|我弟弟现在有一米七了。

【米饭】 mǐfàn 〔名〕

用大米做成的饭。(cooked rice)常做主语、宾语、定语。[量]碗，锅。

例句 米饭做好了，开饭吧。|锅里的米饭凉了，热热再吃吧。|今天中午吃米饭。|马克今天不吃米饭，要吃饺子。|这种米饭味儿真香！

【秘密】 mìmì 〔名/形〕

〔名〕不能让人知道的事情。(secret)常做主语、宾语。[量]个。

例句 公司的秘密一定不要说出去。|这个秘密大家已经都知道了。|请各位保守秘密。|A：你一个月挣多少钱？B：对不起，这是我的秘密。

〔形〕不让人知道的。(secret)常做谓语、定语、状语。

例句 这个情况非常秘密。|此次行动十分秘密，外人谁也不知道。|两国的谈判正在秘密地进行。|他们已经秘密回国了。|这个老人以前从事秘密工作。|秘密通道被发现了。

【秘书】 mìshū 〔名〕

管理文书并处理日常工作的人员；也指秘书职务。(secretary)常做主语、宾语。[量]个，位。

例句 办公室的秘书对留学生很热情。|教学秘书负责安排留学生的课。|她的汉语很好，在公司给总经理当秘书。|有家公司招聘秘书，你去试一试怎么样？

【密】 mì 〔形〕

❶ 事物之间距离近、空隙小。引申为感情好、关系近。(close)常做谓语、状语、定语、补语。也用于构词。

词语 密切 密度 密集 严密

例句 你写的字太密了，我看不清楚。|他跟几个中国朋友的来往很密。|会场密密地坐满了人，我们进不去了。|马克的作业本上密密麻麻地写满了各种语法问题。|在中国留学时，我跟同屋是形影不离的密友。|打太极拳不能站得太密。

❷ 秘密。(secret)常用于构词。

词语 密件 密码 密谈 机密 保密

【密度】 mìdù 〔名〕

稀和密的程度。(density)常做主语、宾语。[量]种，个。

例句 中国城市的人口密度增加了很多。|盖房子时，密度不能过大。|中国正在努力控制大城市的人口密度。

【密封】 mìfēng 〔动〕

严密封闭。(seal up; seal airtight)常做谓语、定语。

例句 这种中药邮寄时要密封好。|HSK的试卷密封后派专人送到各考点。|这个密封的箱子怎么打开呢？|马克收到一封公司的密封信，可能有重要事情。

【密切】 mìqiè 〔形/动〕

〔形〕❶ 关系近,感情好。(close; intimate)常做谓语、定语、状语。

例句 老师和我们留学生的关系很密切。|中国和外国之间的联系越来越密切了。|这两家公司之间有着密切的业务往来。|只要咱们密切合作,这件事就一定能办成。

❷ 重视;周到。(careful; close)常做状语。

例句 人们正在密切注视着事态的发展。|留学生要与学校密切配合,共同管理好留学生宿舍楼。

〔动〕使关系近。(establish links; close)常做谓语。

例句 各国留学生在学习中不断地密切感情。|这次活动,进一步密切了老师和学生的关系。

【蜜】 mì 〔名〕

蜂蜜,也指像蜂蜜一样的东西。(honey; honey-like thing)常做宾语、主语。也用于构词。[量]公斤。

词语 蜜蜂 蜜月 蜜饯

例句 生活像蜜一样甜。|我喜欢喝加蜜的牛奶。|成群的蜜蜂忙着到处采蜜。|这种蜜价钱不贵。

【蜜蜂】 mìfēng 〔名〕

一种能产生蜂蜜的会飞的小昆虫。(bee)常做主语、宾语、定语。[量]只,群。

例句 蜜蜂多么可爱啊!|春天,蜜蜂在公园里飞来飞去。|远处飞来几只小蜜蜂,落在花儿上了。|有的小孩很怕蜜蜂。|小心蜜蜂的刺!

【棉】 mián 〔名〕

草棉和木棉的统称,也指棉花或像棉花的东西。(cotton)常做主语、宾语、定语。也多用于构词。

词语 棉花 棉区 棉农 棉布 棉纺 棉纱

例句 粮、棉、油是中国主要的农产品。|这个地区产棉。|农民卖棉有市场。|中国的棉产量很高。

【棉花】 miánhua 〔名〕

草棉的通称,纺织的重要原料。(cotton)常做主语、宾语、定语。[量]公斤,棵,团。

例句 棉花和我们的日常生活有密切关系。|棉花可以纺纱。|人们的生活离不开棉花。|在很早以前,中国就开始种棉花了。|今年棉花的质量比去年好。

【棉衣】 miányī 〔名〕

直接把棉花放在里面来保暖的衣服。(cotton-padded clothes)常做主语、宾语、定语。[量]件。

例句 这件棉衣样式新颖,价格也不贵。|现在自己做棉衣的少了,买棉衣的多了。|他买了一件中国传统样式的棉衣。|顾客很关心棉衣的式样。

【免】 miǎn 〔动〕

❶ 去掉,除掉。(excuse sb. from sth.; be exempt from)常做谓语。

词语 免费 免试 免税

例句 咱们是老朋友了,这些客套都免了吧。|由于特殊原因,学校给这个留学生免了一部分学费。|A:我身体很好,来中国留学可以免体检吗? B:对不起,不能免。

❷ 使不如意的情况不发生。(avoid)常做谓语。

例句 考试前一定要好好准备,以免成绩不合格。|多亏医生及时抢

救，病人才免了一死。

❸ 不可；不要。(not allowed)常做谓语。

例句 (标牌)建设工地，闲人免进。|(广告)本公司招聘汉语翻译一名，非大学毕业者免谈。

【免除】 miǎnchú 〔动〕

除掉、免去。(excuse; prevent)常做谓语。

例句 老客户可以免除一部分费用。|司机及时把车停下了，免除了一场交通事故。|教育部免除了他的校长职务。

【免得】 miǎnde 〔连〕

避免发生某种不希望发生的事情。(so as not to)连接两个句子，多用于后一小句的开头。

例句 到中国以后赶快往家里打电话，免得父母担心。|我们得多练几次，免得口语课的时候说错了。|我顺便给你把词典买回来吧，免得你再跑一趟。

【免费】 miǎn fèi 〔动短〕

不收费。(free of charge)常做谓语。中间可插入成分。

例句 这个博物馆，学生可以免费参观。|这次旅游免费，欢迎同学们参加。|有的饭馆的米饭免费，菜和酒不免费。|因为他多次参加我们公司的旅行团，所以给他免了点儿费。

【勉励】 miǎnlì 〔动〕

劝人努力，也指鼓励。(encourage; urge)常做谓语。

例句 同学们互相勉励，决心一定要考好。|老师勉励获奖同学继续努力。

【勉强】 miǎnqiǎng 〔形/动〕

〔形〕❶ 能力不够还尽力做。(manage with an effort)常做状语。

例句 马克最近感冒了，可是还勉强坚持上课。|留学生宿舍比较吵，可是不能马上找到别的房子，只好勉强住下去。

❷ 不是完全愿意的。(reluctant)常做谓语、状语、补语。

例句 我想借同屋的自行车，可他的态度勉强得很。|一边工作一边学习，实在太勉强了。|爸爸勉强同意了我来中国学习。|马克在晚会上勉勉强强地表演了一个节目。|我看得出来你答应得有点儿勉强。

❸ 凑合，将就。(barely enough)常做状语。

例句 这件毛衣虽然旧一点儿，可是还能勉强穿一些日子。|这点儿钱也就勉勉强强够花一个月的。

❹ 理由不足。(unconvincing)常做谓语。

例句 你提供的材料太勉强了，我们很难相信。|这个理由很勉强，老师不会同意你请假。

〔动〕让人做他自己不愿意做的事。(force sb. to do sth.)常做谓语(多用于否定句)。

例句 行李太重了，搬不动，就不要勉强。|父亲勉强孩子学习中文。|你要是不愿意，我不勉强你。

【面】 miàn 〔名/量〕

〔名〕❶ 脸，也指物体外表或上边的一层。(face; surface; top)常做主语、宾语。

例句 老师面带笑容走进教室。|这张桌子的面不太光。|封面上是一幅照片。|很多姑娘去美容院修面。

❷ 部位，也指方面。(side; aspect)

常用于构词。

词语 正面 反面 全面 片面 多面手 方面

❸ 粮食粉末，也指面条、粉末。(flour; noodles)常做语素构词。

词语 白面 玉米面 凉面 拉面 汤面 辣椒面

〔量〕多用于扁平的物件，也用于见面的次数。(*measure word for flat things*)常构成数量短语做句子成分。

例句 舞台上摆着三面鼓。|他俩认识，已经见过几面。|我们在上海见过一面。

▶“面”也做动词，指“向着”。如：背山面水

【面包】 miànbāo 〔名〕

一种食品，西方人喜欢吃。(bread)常做主语、宾语。[量]个，块，片。

例句 面包有好多种。|小姐，面包新鲜吗？|两片面包一杯奶，就是很多留学生的早餐。|我喜欢甜面包。|现在很多中国人也习惯吃面包了。

【面包车】 miànbāochē 〔名〕

外形像长方形面包的中小型车。(van)常做主语、宾语。[量]辆，台。

例句 面包车就在门口，请赶快上车吧！|国产面包车不错。|我们学校有几辆面包车。|这次旅游我们坐面包车。|咱们一共 10 个人，还是租一辆面包车吧。

【面对】 miànduì 〔动〕

❶ 对着。(face)常做谓语。

例句 留学生宿舍面对大海，环境优美。|你一定要面对现实，不能再空想了。|无论发生什么事，都必须勇敢地去面对。

❷ 引申为“在…面前”。(in the face of; in front of)常构成动宾短语放在句首或句中，说明主语的行动是在什么条件下发生的。

例句 面对考试不及格的情况，老师告诉大家下次要努力考好。|面对那么多大学，很多留学生不知道怎么选择。|面对激烈的竞争，各个公司都在想办法。

【面粉】 miànfěn 〔名〕

小麦磨成的粉。(flour)常做主语、宾语。[量]公斤，袋。

例句 这种面粉特别白。|新加工的面粉很快就卖光了。|这家公司出口面粉。

【面积】 miànjī 〔名〕

平面或物体表面的大小。(area)常做主语、宾语。

例句 我买的房子面积有九十多平方米。|公园里绿地的面积已经扩大了一倍。|留学生宿舍房间的面积不太大。|他们正在测量院子的面积。|A：你知道中国的面积有多大吗？B：当然知道了，有 960 万平方公里。

【面孔】 miànkǒng 〔名〕

脸，也指相貌，还比喻人的某种精神状态。(face)常做主语、宾语。[量]张，副。

例句 他的面孔很像欧洲人。|画儿上姑娘那张面孔真漂亮。|这几天同屋总板着面孔，不知道他为什么不高兴。|晚会上遇到的都是熟悉的面孔，大家都很高兴。

【面临】 miànlín 〔动〕

面前遇到(问题、形势等)，也指面对。(be faced with; be confronted with)常做谓语、定语。

M

例句 这家公司面临着破产的危险。|同学们,这次实习你们将面临不少问题。|刚学汉语时,我们面临的最大问题是怎么写汉字。|留学生刚到中国,面临的困难不少。

【面貌】 miànmào 〔名〕
脸的样子,也指相貌或事物所呈现的景象、状态。(face;look;features)常做主语、宾语。[量]种。

例句 经过改造,留学生楼面貌变了。|这些年轻人的精神面貌不错。|他的女朋友面貌清秀,举止大方。|他刚理完发,换了一个面貌。|市政府要改变城市的面貌。|这部电影反映了那里的社会面貌。

【面面俱到】 miànmiàn jù dào 〔成〕
各个方面都要照顾到。(be attentive in every way;be considerate)常做谓语。

例句 老师的关心真是面面俱到。|演讲时要突出重点,不能面面俱到。

【面目】 miànmù 〔名〕
面貌,也指面子和脸面。(face;features)常做主语、宾语。[量]种。

例句 这个人面目真可怕,他是坏人吗?|改革后,很多城市的面目都变了。|她今天没化妆,我们看到了她本来的面目。|因为做了错事,他觉得没有面目去见大家。

【面目一新】 miànmù yì xīn 〔成〕
样子完全变成新的(变好)。(take on an entirely new look; present a completely new appearance; assume a new aspect)常做谓语、定语、状语、补语。

例句 马克理发以后面目一新,像换了个人似的。|这些老房子修理后面目一新。|看着面目一新的城市,老人很激动。|暑假过后,同学们又都面目一新地回到学校。|原来非常破旧的校舍现在已经变得面目一新了。

【面前】 miànqián 〔名〕
面对着的地方。(in the face of; before)常做主语、宾语、定语。

例句 面前就是著名的黄河。|我们的面前有很多机会,但汉语水平很重要。|开学了,学习任务就摆在同学们的面前。|马克把作业放在老师的面前。|尽管面前的困难还不少,但我们有信心学好汉语。

【面容】 miànróng 〔名〕
面貌,也指容貌。(facial features; face)常做主语和宾语。[量]副。

例句 这位老师的面容和蔼可亲。|那位新来的美国同学面容英俊,长得很帅。|成绩不错,她露出了一副满意的面容。|我忘不了临别时同学们的面容。

【面条儿】 miàntiáor 〔名〕
用面粉做的细条样的食品。(noodles)常做主语、宾语、定语。[量]斤,根,碗,种。

例句 这种面条儿是西北风味。|面条儿多少钱一碗?|很多人喜欢吃意大利面条儿。|你会煮面条儿吗?|放点香油,面条儿的味道会更好。

【面子】 miànzi 〔名〕
物体的表面;体面,情面。(outer part;feelings;reputation)常做主语、宾语。[量]个。

例句 这床被子的面子有点儿问题,给换一下吧。|还是您的面子大,一去事儿就办成了。|小王最爱

面子,不能随便说他什么不好。|都是朋友,给我个面子吧。

【苗】 miáo 〔名〕

初生的植物或蔬菜的嫩茎、嫩叶;也指初生的动物。(seedlings of cereal crops; the young of some animals)常做主语、宾语。也用于构词。[量]棵,根。

词语 树苗 麦苗 鱼苗 拔苗助长

例句 这一百多棵小苗长得很快,用不了几个月就长大了。|这片地里的苗长得很好。|麦苗儿绿油油的一片。|对那些刚长出来的苗儿,一定要特别爱护。|农民在水塘里放了很多鱼苗儿。

【描】 miáo 〔动〕

❶ 照底样画(多指用薄纸蒙在底样上画)。(trace)常做谓语。

例句 马克认真地描汉字。|新调来的工程师正细心地描着图纸。|奶奶描了一辈子鞋样儿。|刚学书法的时候,往往照着字帖描。

❷ 重复地涂抹(颜色等)。(touch up)常做谓语。

例句 这两个字不太清楚,再描一描吧。|毛笔字写完了以后千万不能描,越描越不好看。|那个姑娘每天都要描眉。|行了,用不着再描了。|你别解释了,不然越描越黑。

【描绘】 miáohuì 〔动〕

画;也指用语言文字来表现。(paint; describe)常做谓语(所带宾语多是人物、故事、情景、心理等事物)。

例句 那部小说描绘出了外国人在中国的生活情景。|这部电影生动地描绘了留学生的学习情况。|美丽的风景吸引着艺术家去尽情描绘。|这次旅游难以用语言来描绘。

【描述】 miáoshù 〔动〕

描写叙述,也指形象地叙述。(describe; depict)常做谓语、主语、宾语。

例句 这部小说真实地描述了现在中国的情况。|马克用汉语把旅游的情况描述得很清楚。|作品对留学生的描述非常真实。|小说中有许多精彩的描述。

【描写】 miáoxiě 〔动〕

用语言等把事物的形象表现出来。(describe; delineate; portray)常做谓语、宾语。

例句 这本书很值得看,里边描写了少数民族风情。|她的作品生动地描写了大学生的生活。|在中国留学的经历非常值得描写。

【秒】 miǎo 〔量〕

时间单位名称,1 分钟是 60 秒。(second)常构成短语做句子成分。

例句 还差 10 秒飞机就起飞了。|现在是 8 点 4 分 27 秒。|时间一秒一秒地过去,可老师还没来。

【渺小】 miǎoxiǎo 〔形〕

非常小。(tiny; petty)常做谓语、定语、宾语(多用于抽象事物)。

例句 和伟大的人物相比,我们渺小得很。|应该知道,一个人的力量非常渺小。|从飞机上往下看,地面的高楼都是渺小的东西。|在自然的面前,人类有时候显得十分渺小。

【妙】 miào 〔形〕

❶ 好;美妙。(wonderful)常做谓语。

例句 这个办法太妙了。|你出的这个主意妙极了。

❷ 神奇。(clever and wise)常做定语。

例句 这个医生有一双妙手，把很重的病人都治好了。|我用了一个妙计，从别人那儿借来了车。

【妙趣横生】miào qù héng shēng〔成〕
美妙的意趣不断出现。(full of wit and humor; very witty)常做谓语、定语。

例句 王老师的课妙趣横生，学生都喜欢他。|新年晚会妙趣横生，观众都很高兴。|这幅妙趣横生的画是他在中国旅游的时候买的。

【庙】miào〔名〕
供奉祖宗神位、神佛或历史名人的地方。(temple)常做主语、宾语。[量]座，个。

例句 中国农村的庙很多。|岳庙在杭州。|前面有一座庙，咱们进去看看。|这次在中国旅游，参观了很多庙。

【灭】miè〔动〕
❶ 停止燃烧。(go out)常做谓语。

例句 天亮以后，路灯就灭了。|大火烧了两个小时后才灭。|风太大，打火机总灭。

❷ 使不燃烧。(put out)常做谓语。

例句 水和土都能灭火。|消防队员用了三个小时才把火灭掉。

❸ 使不存在。(destroy)常做谓语。

例句 他们正在地里灭鼠。|除了灭苍蝇，这种药还可以灭蚊子。

【灭亡】mièwáng〔动〕
(国家、物种等)不再存在或使不存在。(be destroyed; die out)常做谓语、宾语、主语。

例句 秦始皇灭亡了六国，统一了中国。|在中国，封建制度已经灭亡。|由于环境的变化，一些动物已面临着灭亡。|这种生物的灭亡是环境恶化的结果。

【蔑视】mièshì〔动〕
轻视，小看。(look down upon)常做谓语、定语。

例句 我们应该蔑视困难。|大家不能蔑视成绩不好的同学。|这位老人十分蔑视金钱。|老板露出蔑视的神情。|看着他那蔑视的眼神，大家都很生气。

【民】mín〔素〕
❶ 社会基本成员，也指某种人。(the people)常用于固定短语中，或用于构词。

词语 国泰民安　为民除害　人民　农民　回民　居民　市民　民族　民主　民情

❷ 从事某种职业的人，也指人民中间的。(a person of a certain occupation; of the people)常用于固定短语中，或用于构词。

词语 民工　民警　民歌　民间

❸ 非军人；非军事的。(civilian)常用于固定短语中，或用于构词。

词语 军民团结　拥政爱民　民用　民航

【民兵】mínbīng〔名〕
群众性的武装人员，也指这样的组织。(militia)常做主语、宾语、定语。[量]个。

例句 民兵不是正规军人，他们平时都正常工作。|这里的民兵经常一起训练。|小丽的爷爷年轻时当过民兵。|公司的几个小伙子参加了民兵。|民兵组织在抢险救灾中发挥了重要作用。

【民工】míngōng〔名〕
参加修筑公路等工程，或帮助军队

运输的人，也指进城工作的农民。(a laborer working on a public project; a peasant working in the city)常做主语、宾语、定语。[量]个。

例句 几个民工好容易才在城里找到工作。|现在，民工成了城市的主要劳动力。|在修万里长城过程中，曾用过成千上万的民工。|小王的爷爷当过民工。|你去找两个民工来把水龙头修一修。|民工的权利应该得到保障。

【民航】 mínháng 〔名〕

民用航空的简称。(civil aviation)常做定语、主语、宾语。

例句 几年来，中国的民航事业发展很快。|请问，去民航售票处怎么走？|这是民航机场，离市中心大约30公里。|民航比较安全，还是坐民航吧。

【民间】 mínjiān 〔名〕

人民中间，也指非官方的。(folk; nongovernmental)常做定语。

例句 现在，各国的民间交流越来越多。|我们两国的民间往来已经有很长的历史了。|马克很喜欢中国的民间传说。|许多文学名著都从民间故事中吸取了营养。|很多外国人研究中国的民间音乐。

【民事】 mínshì 〔名〕

有关民法的。(civil; relating to civil law)常做定语。

例句 法律规定每个公民都有民事权利。|这件事应该由民事法庭来处理。|这是民事案件，应该通过法律程序来解决。

【民意】 mínyì 〔名〕

人民共同的意见和愿望。(popular will; the will of the people)常做主语、宾语、定语。

例句 民意是不能违背的。|这些政策符合民意，受到了大家的欢迎。|这些不能代表民意，当然没人赞成。|通过民意调查，可以了解到不少真实情况。

【民用】 mínyòng 〔形〕

人民生活所使用的，和“军用”相对。(civil; for civil use)常做定语。

例句 这个核电厂是民用设施。|这个地区有两个民用机场。|这家公司只出口民用产品。

【民众】 mínzhòng 〔名〕

人民大众。(the common people)常做主语、宾语、定语。

例句 这些改革措施，民众是赞成的。|广大民众已经逐步富裕起来。|政府鼓励民众学习外语。|发展经济要依靠民众的力量。

【民主】 mínzhǔ 〔名/形〕

〔名〕指人民参与国事或对国事自由发表意见的权利。(democracy)常做主语、宾语。[量]种。

例句 民主是政治制度进步的标志。|人应该发扬民主，大家讨论。

〔形〕符合民主原则的。(democratic)常做谓语、定语、宾语。不能重叠。

例句 这个老师的作风非常民主，大家可以自由发表意见。|不让提意见，也太不民主了！|学术研究应该民主一些。|这家公司民主气氛很浓，大家工作得很愉快。|我们大学实行民主管理，每个人都可以发表意见。|留学生希望宿舍管理要讲民主，听听同学们的建议。

【民族】 mínzú 〔名〕

历史上形成的具有共同的语言、文化等的同一类人。(nation; nationality)常做主语、宾语、定语。[量]个。

例句 每个民族都有自己独特的文化。|所有民族都是平等的。|中国有五十六个民族。|A:你是哪个民族?B:汉族。|很多外国人对中国的民族服装感兴趣。|民族问题是世界上许多国家的一个大问题。|我们要尊重每个民族的生活习惯。

【敏感】 mǐngǎn 〔形〕

对外界事物反应很快。(sensitive; susceptible)常做谓语、定语。

例句 有些人对这种药物特别敏感。|别敏感,老师不是说你。|这些记者敏感得不得了,什么事他们都知道。|他是一个非常敏感的人。|在动物中,狗是比较敏感的动物。

【敏捷】 mǐnjié 〔形〕

(动物或思维)迅速而灵敏。(quick; agile; nimble)常做谓语、状语。

例句 那几个运动员的动作相当敏捷。|这位美国同学思路非常敏捷,老师提出的问题总能很快回答出来。|猫非常敏捷地把老鼠抓住了。|在火车上,小李敏捷地爬到了最上面的卧铺。

【敏锐】 mǐnruì 〔形〕

(感觉)灵敏,也指眼光锐利。(perceptive; keen; sharp; acute; quick)常做谓语、定语。

例句 狗的嗅觉敏锐得很。|咱们班长思想敏锐,特别好提问。|当记者必须有敏锐的眼光。|作家要有敏锐的观察力,才能写出好作品。

【名】 míng 〔名/量〕

〔名〕❶ 名字或名称。(name)常做主语、宾语(常儿化)。[量]个。

例句 他名叫马克。|这所大学的名是"北京语言大学"。|老师给留学生起了个中国名。|分开的时间太长了,我竟忘记了他的名。|他叫什么名来着?

❷ 名声。(reputation; renown)常用于构词。

例句 有名 出名 闻名 著名 名望

〔量〕用于人。(*measure word for people*)常构成短语做句子成分。

例句 这家大商店有五百多名售货员。|我们大学今年来了二百名各国留学生。|马上要出发了,我们班还差一名同学。

▶"名"也做形容词语素构词,表示出名的、有名的。(well-known; famous)如:名家 名人 名牌 名师 名言 名山大川 名老中医

▶"名"也做动词,表示名字叫什么,具有文言色彩。(one's name is)如:他姓甚名谁?无处可查。|这位女英雄姓花名木兰。

【名不副实】 míng bú fù shí 〔成〕

名称、名声与实际不符合。(the name falls short of the reality; be sth. more in name than in reality; be unworthy of the name or title)常做谓语、定语。

例句 听说这个地方很美,来了才知道它名不副实。|有些饭店的菜实在名不副实。|马克明白自己汉语还不够好,是一个名不副实的翻译。

【名称】 míngchēng 〔名〕

事物的名字,也用于人的集体。(name; apellation; title)常做主语、宾语、定语。[量]个,种。

例句 这所学校原来的名称已经不用了。|他们公司的名称非常形象。

M

|你还是先把这次活动的名称确定下来吧。|你千万要记住那种药品的名称,别买错了。|你能解释一下这个名称的意思吗?

【名次】 míngcì 〔名〕

依照一定标准排列的姓名或名称的次序。(place in a competition; position in a name list)常做主语、宾语、定语。[量]个。

例句 这次口语比赛,他们班的名次排在了第二位。|我们在长跑比赛中得到的名次不理想。|别看重名次,重要的是自己的实际能力。|这次考试我没得到好名次。|请问,名次的排法有什么依据?|老师回答了有关演讲比赛名次的问题。

【名单】 míngdān 〔名〕

记录人名的单子。(name list; roll)常做主语、宾语。[量]个,份。

例句 名单已经公布了。|名单贴在院门口了。|请留学生按公布的名单上课。|请安静!现在老师就照着名单念名字。|麻烦您查一下 HSK 报考名单,看看我在哪个考场。

【名额】 míng'é 〔名〕

人员的数额。(the number of people assigned or allowed; quota of people)常做主语、宾语。[量]个。

例句 名额不多,得赶快去报名。|这所大学的招生名额已经满了。|没有名额了,这次旅游你不能参加。|听说有两个奖学金名额,谁能获得呢?

【名副其实】 míng fù qí shí 〔成〕

名称或名声和实际相符合,也说"名符其实"。(veritable; real; be sth. in reality as well as in name; the name matches the reality)常做谓语、定语。

例句 这位优秀教师名副其实,学生都喜欢她。|早就听说桂林山水很漂亮,到那儿一看,果然名副其实。|他要做一个名副其实的翻译,现在很努力地学习汉语。|王林真是一个名副其实的好丈夫,家里的活儿全包了。

【名贵】 míngguì 〔形〕

著名而珍贵。(rare; famous and precious)常做谓语、定语。不能重叠。

例句 这种宝石非常名贵,所以很难遇到。|来中国旅游的时候,老人买了一幅名贵的字画。

辨析 〈近〉珍贵。"名贵"重在"著名",而"珍贵"重在"稀少"。

【名牌】 míngpái 〔名〕

著名的牌子。(famous brand)常做主语、宾语、定语。[量]个。

例句 这些名牌在世界上影响很大。|名牌太多了,真不知买哪种好。|现在,年轻人讲究穿名牌,用名牌。|这是名牌,当然贵一点儿。|这家公司向国际市场出口中国的名牌。|这家商店专卖名牌商品。|马克希望考上中国的名牌大学。

【名片】 míngpiàn 〔名〕

向人介绍自己的长方形硬纸片。(visiting card)常做主语、宾语、定语。[量]张。

例句 王总的名片没印住宅电话。|我们交换一下名片吧。|A:这是我的名片,上面有我的电话。B:谢谢!有事儿我会给你打电话。|如今,名片的作用越来越被人们所认识。

【名人】 míngrén 〔名〕

著名的人物。(notable; famous person)常做主语、宾语、定语。[量]位。

例句 名人也有名人的苦恼。|马克参加了电视台的中文歌曲比赛后成了名人。|我们的晚会也要请几个名人参加。|那个姑娘得到了一个名人的签名。

【名声】 míngshēng 〔名〕

在社会上流传下来的评价。(reputation; renown)常做主语、宾语。[量]个,种。

例句 老王在公司名声很好,我很佩服他。|这家公司名声很大,能去工作当然不错。|这个大学的名声不太好,留学生都去别的学校了。|无论哪个公司,有个好名声是非常重要的。|每个人都要爱护自己的名声。

【名胜】 míngshèng 〔名〕

有古迹或风景优美的著名地方。(scenic spot)常做主语、宾语。[量]处。

例句 北京的历史名胜很多。|那儿没什么名胜,你为什么要去那儿旅游?|听说很多人喜欢这儿的名胜。|太田先生在中国游览了很多名胜。

【名义】 míngyì 〔名〕

❶ 做某事时作为依据的名称或称号。(name)常做介词宾语。[量]个,种。

例句 不能借公司的名义来谈个人的事儿。|有些人利用"代表"的名义去解决自己的问题。|几个同学以留学生的名义向院长反映了大家的愿望。|我以个人的名义和办公室认真谈了留学生宿舍的问题。

❷ 表面上,也指形式上。(titular)常与"上"构成方位短语做状语,后面常有"实际上"、"其实"等词语与之相呼应。

例句 马克名义上是留学生,实际上是记者。|中级名义上有两个班,其实一共还不到10个人。

【名誉】 míngyù 〔名/形〕

〔名〕个人或集团的名声。(fame; reputation)常做主语、宾语。[量]个。

例句 这家商店名誉很好,所以顾客很多。|因为产品质量问题,这家公司的名誉受到影响。|每个人都应该爱惜自己的名誉。|公司的员工不能做损害公司名誉的事。

〔形〕名义上的(多指为表示尊敬所赠给的职位或学位)。(honourary)常做定语。

例句 他是我们大学的名誉校长。|王先生担任留学生中国文化节的名誉主席。|马克被中国一所著名大学授予名誉博士学位。

【名字】 míngzi 〔名〕

人或事物的名称。(name)常做主语、宾语。[量]个。

例句 我的名字叫马克,是美国人。|这家饭馆的名字叫"好吃饭馆"。|很多中国人记不住外国人的名字。|老师给每个同学起了个好听的中文名字。|A:你的中文名字叫什么?B:对不起,我还没有中文名字。

【名作】 míngzuò 〔名〕

有名的作品。(masterpiece)常做主语和宾语。[量]部。

例句 这几部名作卖得很快。|老师的书架上摆满了名作。|阅览室里有很多名作。

【明】 míng 〔素/副〕

〔素〕❶ 次于今年、今天的。(immediately following in time)用于构词。

词语 明天 明年 明春 明早

❷ 亮；也指清楚或公开。(bright; clear; open)用于构词或用于固定短语中。

词语 明月 文明 明净 明亮 明码 灯火通明

❸ 懂得；了解；清楚。(understand; clear)用于构词或用于固定短语中。

词语 说明 明白 问明 明了 去向不明

〔副〕显然是这样。(clearly)做状语。

例句 你明知道同屋去哪儿了，为什么不告诉我？｜他明明清楚考试不能查词典，可还是带来了词典。

【明白】 míngbai 〔形/动〕

〔形〕❶ 清楚，使人容易了解的。(clear; explicit)常做谓语、定语、补语。

例句 那个句子很容易明白。｜老师的话意思很明白。｜这么明白的道理，怎么不懂呢？｜我朋友说得特别明白，用不着再解释了。｜学了很长时间汉语，有的语法到现在还弄不明白。

❷ 公开的，也指不含糊的。(open; frank)常做状语。

例句 有问题就明白地提出来，不要不好意思。｜通知上明明白白地写着：国庆节放假三天。｜商品的价格要写清楚，让顾客明明白白花钱。

❸ 聪明，也指懂道理。(sensible; reasonable)常做定语。

例句 女儿是个明白的孩子，自己知道怎么做。｜马克是个明白人，老师一说什么，他马上就知道了。

〔动〕知道，也指了解或懂得。(understand)常做谓语。

例句 大部分留学生都明白学汉语不容易。｜我始终不明白他为什么突然回国。｜大家都明白了老师的话。｜A：还有问题吗？B：没有，都明白了。

【明亮】 míngliàng 〔形〕

❶ 光线充足。(bright)常做谓语、定语。

例句 马路两旁的灯光明亮极了。｜早上拉开窗帘，房间里马上明亮起来。｜我们学校有宽敞、明亮的教室。｜留学生们正在明亮的礼堂里演出节目。

❷ 发亮的。(bright; shining)常做谓语、定语。

例句 听到HSK得到8级的消息，马克的眼光都明亮起来。｜他有一双明亮的大眼睛，真可爱。

❸ 明白。(understand)常做谓语。

例句 听了老师的解释，马克心里明亮多了。｜怎么提高汉语水平，经过考虑，我的思路慢慢明亮起来。

【明明】 míngmíng 〔副〕

说话人认为显然是这样(下文意思有转折)。(obviously; plainly)做状语，常有后续句。

例句 他明明看见我了，却装作没看见。｜明明知道要考试了，你为什么还不好好复习？｜这东西明明不值钱，却要了我很多钱。｜老师说了不能来，他还要来，那不明明是给老师出难题吗？

【明目张胆】 míng mù zhāng dǎn 〔成〕

公开地、大胆地干坏事。(brazenly; flagrantly)常做谓语、定语、状语。

例句 这一带的赌博活动越来越明目张胆了。｜你们简直是一伙明目张胆的强盗！｜考试的时候，有人明目张胆地看别人的答案。｜几个小偷明目张胆地在公共汽车上偷东西。

【明年】 míngnián 〔名〕

今年的下一年。(next year)常做主语、定语、状语。

例句 明年是狗年。|我们正在制定明年的计划。|明年夏天我们还来留学。|明年,他要去中国旅游。

【明确】 míngquè 〔形/动〕

〔形〕清晰明白而确定。(clear and definite; clear-cut)常做谓语、定语、状语。不能重叠。

例句 这些留学生学汉语的目的很明确,就是以后要当翻译。|老师对留学生的学习要求相当明确。|他们对这次活动有了明确的认识。|每个同学都有明确的任务。|我明确地告诉老板要辞职。|学校明确提出留学生必须遵守的规定。

〔动〕使清晰明白而确定。(make clear and definite)常做谓语。

例句 所有新同学都明确了近期的学习目标。|我再明确一下,大家必须在考试前到齐。

【明天】 míngtiān 〔名〕

今天的下一天,也指不远的将来。(tomorrow; the near future)常做主语、宾语、状语。

例句 明天有事,后天我们见面吧。|HSK定于明天举行。|我们全班同学明天去长城。

【明显】 míngxiǎn 〔形〕

清楚地表现出来,容易让人看出或感觉到。(clear; obvious; evident)常做谓语、定语。

例句 学习了三个月,同学们汉语水平的差别越来越明显了。|事情已经很明显,我们必须赶快行动了。|他的发音还有明显的错误。|在中国学了一年汉语,大家的汉语水平有了明显的提高。

【明信片】 míngxìnpiàn 〔名〕

写信用的硬纸片,邮寄时不用信封。(post card)常做主语、宾语、定语。[量]张。

例句 明信片已经用完了,再去买几张。|在马克的房间,各种明信片都贴在墙上。|每年新年我都收到不少明信片。|小王收集各国的明信片。|到中国旅游时,他买了很多中国名胜古迹的明信片。|A:你去哪儿? B:我去邮局寄明信片。|明信片的价格比较贵。

【明星】 míngxīng 〔名〕

有名的演员、运动员等。(star)常做主语、宾语、定语。[量]位,个。

例句 这些明星去什么地方都受到热烈欢迎。|明星们的表演很精彩,观众特别高兴。|不少人想成为明星。|很多年轻人都想看看那几个大明星。|这个人是足球明星,特别受欢迎。|观众都想得到明星的签名。|我只爱看明星的表演。

【明知故犯】 míng zhī gù fàn 〔成〕

明知道不对,还故意去做。(commit a crime or mistake on purpose)常做谓语。

例句 那个小伙子站在不准抽烟的警示牌下抽烟,那不是明知故犯吗?|老师多次说过考试不准看别人的答案,可还是有人明知故犯。|留学生要遵守规定,不要明知故犯。

【鸣】 míng 〔动〕

❶(鸟兽或昆虫)叫。(cry)常做谓语。

例句 春天到了,虫鸣鸟叫,到处充满生机。|夏天,爷爷喜欢坐在树下听蝉鸣。

M

❷ 发出声音;使发出声音。(make a sound;ring)常做谓语。

例句 节日的广场锣鼓齐鸣。|为了欢迎国宾,鸣礼炮 21 响。|他虽然 70 岁了,可是耳不鸣,眼不花,像年轻人一样。|火车鸣笛,慢慢进站了。

❸ 表达(情感、意见、主张)。(express)常做谓语。

例句 这不是小李的错儿,大伙儿都为他鸣不平。|(电视字幕)鸣谢:××市政府、××公司……

【命】 mìng 〔名/动〕

〔名〕❶ 生物具有的活动能力。(life)常做主语、宾语。[量]条。

例句 真是命不该死,他又活过来了。|手术后醒来时,大家都说我命大福大。|这次交通事故是警察救了他的命。|真不要命,那么危险的地方也去。|工资太低,一家人很难活命。

❷ 人的遭遇。(lot;fate)常做主语、宾语。[量]种。

例句 他命太好了,找了个漂亮的女朋友。|老人命苦,一生遇到过很多曲折。|老王可不认命。|没事儿时,他们喜欢用扑克算命。

〔动〕上级给下级指示。(order)常做谓语。

例句 上级命警察停止行动。|公司特命马克为分公司经理。

【命令】 mìnglìng 〔名/动〕

〔名〕上级对下级的指示。(order; command)常做主语、宾语。[量]道。

例句 政府的命令大家都要听。|命令传达到了每个人,明天早上 5 点出发。|我们今天先后接到三道公司命令。|政府发布了命令,大家都要保护环境。

〔动〕上级对下级有所指示。(order)常做谓语。

例句 老师不能命令学生。|政府命令所有的人离开这个危险的地方。

【命名】 mìng míng 〔动短〕

给予名称。(name)常做谓语、定语。多用于"…把…命名为…"或"…被…命名为…"的格式中。

例句 海边的所有景点都已经命名了。|他被学校命名为"优秀留学生"。|市政府把学校前面的街命名为"文明街"。|学校为"看中国"口语比赛获奖者举行了命名大会。

【命题】 mìng tí 〔动短〕

出题目。(assign a topic)常做谓语、定语。

例句 今天的汉语写作课,由留学生自己给作文命题。|高等 HSK 的作文都是命题作文。|这次 HSK 命题的老师都是北京的。

▶ "命题"还做名词,指"表达判断的语言形式"。如:科学家们经过研究,提出了一个新的命题。

【命运】 mìngyùn 〔名〕

生死、贫富和一切遭遇,也比喻发展变化的趋势。(destiny; fate; lot)常做主语、宾语。

例句 自己的命运要由自己来掌握。|他因为汉语好,进了一家大公司当翻译,一下子改变了命运。|我们关心公司的前途和命运。|我们的前途不能靠命运来安排。|马克想改变公司的命运。

【谬论】 miùlùn 〔名〕

极错误的言论。(fallacy; false theory)常做主语、宾语。[量]种。

例句 这种谬论没有人相信。|谬论永远也不可能变成真理。|他们用事实批驳了对方的谬论。|有的人喜欢发表谬论。|这篇文章都是谬论。

【摸】 mō 〔动〕

❶ 用手接触一下或接触后轻轻移动。(feel;stroke)常做谓语。

例句 老人亲切地摸摸孩子的头。|请你不要把我的衣服摸脏了。|我最讨厌别人摸我的脸。|你摸摸,这件衣服多软哪!|服务员不让参观的人摸展品。

❷ 用手探取。(grope for)常做谓语。

例句 小时候,我常常在河里摸鱼。|大家从书包里摸出了课本。|老人从口袋里摸出一百块钱。

❸ 了解,也指试着做。(try to find out; feel out;sound out)常做谓语。

例句 刚来公司要先摸摸各方面情况。|半年后,他慢慢地摸出一些学习汉语的经验来。|这台电脑我弄了半天,还是摸不着门儿。

❹ 暗中进行,也指在认不清的道路上行走。(go in the dark)常做谓语。

例句 几个游客摸黑走山路,天快亮才爬上山顶。|房间很黑,他小心地摸到墙边打开了灯。

【摸索】 mōsuǒ 〔动〕

试探,也指寻找。(grope; feel about)常做谓语、状语。

例句 教师们在长期实践中摸索出了许多有效的教学方法。|我们在实践中摸索出一套有效的模式。|这方面我没经验,还得摸索一段时间。|在茫茫的黑夜中,队伍小心地摸索着前进。

【模】 mó 〔素〕 另读 mú

❶ 法式、规范、标准。(pattern; standard)用于构词。

词语 模式 模范 模型

❷ 仿效。(imitate)用于构词。

词语 模仿 模拟

例句 星期六有一次HSK模拟考试。

【模范】 mófàn 〔名〕

值得学习的人或事物。(fine example)常做主语、宾语、定语。[量]位。

例句 昨天,两位劳动模范给全校师生做了报告。|老人是一位老模范。|他的模范事迹传遍了全国。|口语比赛得到第一名后,马克成了班里的模范人物。

【模仿】 mófǎng 〔动〕

照着现成的样子学着做,也做"摹仿"。(imitate;copy)常做谓语、定语。

例句 开始时,我们模仿老师的发音。|留学生模仿中国人的样子包饺子。|小孩的模仿能力真强啊!|他的模仿能力相当强,所以汉语学得好。

【模糊】 móhu 〔形/动〕

〔形〕分不清,也指不清楚。也作"模胡"。(vague; dim; indistinct)常做谓语、定语、状语。

例句 老人对以前的事早就模糊了。|天黑了,景色都慢慢地模糊起来。|这些模糊看法是非常危险的。|有的留学生对汉语语法有一些模糊认识。|我模模糊糊地记得见过那个人。

〔动〕混淆,也指使模糊。(obscure; blur;mix up)常做谓语。

例句 不要模糊两种观点的界限。

M

|口语比赛得了第一名,马克心里特别激动,泪水模糊了眼睛。

【模式】 móshì 〔名〕

某种事物的标准形式或使人可以照着做的样式。(pattern; mould; model)常做主语、宾语、定语。[量]种。

例句 学习的模式可以是多种多样的。|汉语教育模式还需要探讨。|我们应该改革落后的经济模式,创造新的模式。|要冲破旧模式的限制,保护好环境。

【模型】 móxíng 〔名〕

根据实物或图形制成的样品,一般用于展览或实验。(pattern; mould; model)常做主语、宾语。[量]个。

例句 那个北京胡同的模型做得非常细致。|老房子的模型让留学生了解到老北京人的生活情况。|看到这么漂亮的留学生公寓模型,我决定住在这儿。|办公室里放着新校区的模型。|博物馆里有一个人造卫星的模型,跟真的一样大。

【膜】 mó 〔名〕

像薄皮的组织,也指像膜的薄片。(membrane; film)常做主语、宾语。[量]层。

例句 在运动中,他的耳膜震破了。|牛奶凉了以后,上面结了一层膜。|美容时,美容师给顾客脸上涂了一层膜。

【摩】 mó 〔素/动〕

〔素〕❶ 摩擦,也指接触。(rub; scrape; stroke)常用于固定短语或构词。

词语 摩肩擦背 摩拳擦掌 摩天大楼 摩天岭 摩擦

❷ 研究切磋。(study; try to figure out)常用于固定短语或构词。

词语 揣摩 观摩

〔动〕抚摩。(stroke; massage)常做谓语。

词语 按摩

例句 老师摩着小学生的头,鼓励他努力学习。|姐姐慢慢地摩着妹妹的头发安慰她。

【摩擦】 mócā 〔动/名〕

〔动〕物体和物体紧密接触,来回移动。也写作"磨擦"。(rub)常做谓语、主语、宾语。

例句 天冷时,摩擦双手可以暖和一点儿。|车轮摩擦地面,发出嚓嚓的声响。|摩擦能生热,这是物理常识。|这两个轮子要离得远一点儿,避免产生摩擦。

〔名〕(个人或组织间)双方的矛盾、冲突。(clash; friction; conflict)常做主语、宾语。[量]次,回。

例句 两国之间的摩擦通过谈判解决了。|夫妻间的摩擦劝劝就好了。|他和同屋之间产生过一次摩擦。|马克不高兴了,是不是跟同学有摩擦了?

【摩托车】 mótuōchē 〔名〕

装有发动机的两轮车或三轮车。(motorbike; motorcycle)常做主语、宾语、定语。[量]台,辆。

例句 这摩托车真棒!|中国很多农民都买了摩托车。|为了安全,有的城市禁用摩托车。|国产摩托车的质量已经相当不错。

【磨】 mó 〔动〕 另读 mò

❶ 摩擦,也指研磨。(rub; grind; polish)常做谓语。

例句 走了一天的路,多数同学脚上

磨出了血泡。|刀不快了,你磨磨刀。

❷ 拖延,也指纠缠(jiūchán)。(waste time;pester)常做谓语。

例句 你总不说话,这不是磨时间吗?|快点儿干吧,别磨洋工了。|马克跟老师磨了半天,最后老师答应了他的要求。

【蘑菇】 mógu 〔名〕

长在树林里或草地上的菌类,有的可吃。(mushroom)常做主语、宾语、定语。[量]个,种。

例句 蘑菇味道鲜美,很多人都爱吃。|你采过蘑菇吗?|今天我们吃蘑菇。|蘑菇的种类可多了,你喜欢哪一种?

【魔】 mó 〔名〕

❶ 鬼。(evil spirit;monster;demon)常用于构词。也做主语、宾语。

词语 病魔 恶魔 妖魔 魔鬼

例句 俗话说,道高一尺,魔高一丈。|这孩子成天玩电子游戏,像着了魔似的。

❷ 神秘,也指奇异。(magic)用于构词。

词语 魔术 魔法 魔力

【魔鬼】 móguǐ 〔名〕

迷惑人、害人性命的鬼怪,也比喻邪恶的人或势力。(devil;monster;demon)常做主语、宾语、定语。[量]个。

例句 魔鬼只在传说故事中才有。|小孩子相信有魔鬼。|那个坏蛋简直是个魔鬼。|她有一副魔鬼身材。

【魔术】 móshù 〔名〕

杂技的一种,用特殊的技巧变化各种物体,也叫戏法。(magic)常做主语、宾语、定语。[量]个,种,套。

例句 魔术是非常受欢迎的一种表演。|他会变点儿魔术,小孩子都喜欢他。|魔术表演受欢迎。

【抹】 mǒ 〔动/量〕 另读 mā、mò

〔动〕❶ 涂。(smear;put on)常做谓语。

例句 手破了,快抹点儿红药水吧。|这个女老师每天都抹口红。|头发上不要抹油。

❷ 擦。(wipe;clean)常做谓语。

例句 吃完饭后要把嘴抹一下。|马克上课来晚了,抹了一下脸上的汗水,就开始听课。

〔量〕用于云霞等。(*measure word for rosy clouds,etc.*)常构成短语做定语。

例句 天上有一抹云。|一抹曙光出现在天边。

【抹杀】 mǒshā 〔动〕

不顾事实,不承认本来存在。也写作"抹煞"。(obliterate;deny)常做谓语。

例句 谁也抹杀不了四大发明对人类进步的贡献。|想抹杀客观事实是不可能的。|每个人都会犯错误,但不能把成绩也抹杀了。

【末】 mò 〔名〕

❶ 东西的梢(shāo),也指最后或不是重要的事物。(tip;end)常用于短语中或用于构词。

词语 本末倒置 秋毫之末 强弩之末 末梢 末节 年末 月末 周末 夏末

例句 这样做多少有些本末倒置。

❷ 细碎或成面儿的东西。(powder;dust)常做主语、宾语。

例句 这点儿药末儿不能扔。|茶叶没有了,就剩一点儿末儿了。|下课后老师衣服上有不少粉笔末儿。

【陌生】 mòshēng 〔形〕
生疏，不熟悉。(strange; unfamiliar)常做定语、谓语。
例句 刚到这个陌生的国家时，什么都不习惯。|有个陌生人在外面找你。|对我来说，那个地方非常陌生。|刚来中国时，对留学生来说一切都那么陌生。
辨析 〈近〉生疏。"生疏"除了没有(或很少)接触和不熟悉之外，还有由于长期荒废而不熟练和感情不亲密的意思；另外，"陌生"只用于人和地方，"生疏"还用于工作、业务、技艺、感情、关系等方面。如：* 他老了，业务也陌生了。("陌生"应为"生疏")

【莫】 mò 〔副〕
❶ 不，不要。(not; don't)做状语，多用于固定短语。
词语 望尘莫及　概莫能外
例句 仓库重地，闲人莫入。|这事我真的是爱莫能助。
❷ 没有谁或哪种东西。强调肯定。(no one; nothing; none)做状语。
例句 同学们看到自己的成绩，莫不欢欣鼓舞。|签订协议后，两家公司老板莫不笑逐颜开。
❸ 没有比…更…，用于比较。(nothing is more... than)做状语。
例句 老师的话对我是莫大的鼓励。|大连最好的季节，莫过于夏天。|马克最怕的，莫过于考试。
❹ 表示推测或反问。(perhaps; can it be that)做状语。
例句 莫不是她不来了？|莫非这件事就是他们几个干的？

【莫名其妙】 mò míng qí miào 〔成〕
事情很奇怪，不明白。也说"莫明其妙"。(be unable to make head or tail of sth.)常做谓语、宾语、定语。
例句 上课的时候，玛丽突然笑了，大家都莫名其妙。|小孙子突然走了，老人莫名其妙。|马克造的句子同学们都觉得莫名其妙。|马克汉语水平很高，这次 HSK 只得了 3 级，同学们都感到莫名其妙。|听了她莫名其妙的解释，我更糊涂了。

【漠不关心】 mò bù guānxīn 〔成〕
形容冷淡，一点儿也不关心。(indifferent; unconcerned)常做谓语、定语。
例句 他对周围发生的一切都漠不关心。|对学校的事你不能漠不关心。|一些人对别人的事表现出漠不关心的态度。

【墨】 mò 〔名〕
写字、绘画用的黑色液体。(Chinese ink)常做主语、宾语。[量]瓶。
词语 墨水　墨汁　油墨
例句 笔墨都准备好了，可以练习书法了。|墨已经用完了。|马克买来毛笔和墨，他要学习书法。|哪个商店卖墨？
▶ "墨"也做形容词，指"黑"。如：墨镜　墨绿

【墨水儿】 mòshuǐr 〔名〕
❶ 放在笔里用来写字的液体。(ink)常做主语、宾语。[量]滴，瓶。
例句 墨水儿现在很少用了。|现在谁还用墨水儿？
❷ 比喻学问或读书识字的能力。(book learning)常做主语、宾语。
例句 我这点儿墨水儿哪儿够用啊？|他肚里没有一点儿墨水儿。|老张到底有点儿墨水儿，写的文章还不错。

【默】 mò 〔副〕

❶ 不说话或不出声。(silently)做状语,后跟单音节词。多做语素构词。

词语 默写 默哀 默认 默契

例句 你怎么一天到晚总是默不作声呢?|老人总一个人在那里沉思默想。

【默默】 mòmò 〔副〕

不说话;不出声。(quietly)做状语。后跟双音节或多音节词语。

例句 很多老人都默默地工作了一生。|听了老师介绍的学汉语的方法,大家都默默地点了点头。|马克今天不高兴,默默地跟在大家后面。

【谋】 móu 〔动/名〕

〔动〕想办法寻求;暗中想办法。(seek;work for)常做谓语。也多用于构词。

词语 谋划 谋求 谋杀 谋生

例句 这个干部不谋私利。|政府的责任是为人民谋幸福。

〔名〕主意,也指计策。(plan)常用于固定短语中,或用于构词。

词语 计谋 阴谋 足智多谋 出谋划策 有勇有谋

【谋求】 móuqiú 〔动〕

想办法寻求。(seek;strive for)常做谓语。

例句 这两家公司正谋求一条合作的途径。|双方正在谋求解决矛盾的方法。|这正是失业工人谋求的职业。

【某】 mǒu 〔代〕

❶ 指不确定的或不想说出的人或事物。(certain)常做定语。

例句 事情发生在去年某月的一天早上。|我们班的某某同学考试没及格。|他爸爸是某公司的老板。|听说她搬到某个地方去了。|老师的某些问题没讲清楚。

❷ 用在姓后,指确定的人或自称。(someone;referring to oneself)常做主语、宾语、定语。不单用。

例句 同学李某也说过这件事。|王某觉得自己的水平不高。|警察在火车站抓住了小偷张某。|刘某的朋友介绍马克认识了一个中国人。

【某些】 mǒuxiē 〔代〕

指一些不能确定的人或事物。(some)常做定语。

例句 我们班某些同学学习不努力。|经过半年的练习,他掌握了中国画的某些技法。|某些人以为可以随便穿过马路,这很危险。

【模样】 múyàng 〔名〕

❶ 人的长相或打扮的样子。(look)常做主语、宾语。[量]副。

例句 妹妹的模样真像她姐姐。|同屋那模样使我想起了一个人。|晚会上看见马克打扮的模样,大家都笑了。|小李装出一副老板模样。

❷ 表示大概的情况。(approximately)常做宾语。只用于时间、年岁后面。

例句 我们的口语老师有50岁模样。|HSK大概需要150分钟模样。

【母】 mǔ 〔名/形〕

〔名〕妈妈,也指亲戚中的长辈女子。(mother;one's female elders)常用于构词。

词语 母亲 母爱 母系 母校 母语

例句 这都是父母教给我的。|他家中已没有什么人了,只有一位老母。

〔形〕动物雌性的。〔female (ani-

M

mal)〕常做定语或组成"的"字短语。

例句 母狗带着小狗在外面玩儿。|这只母鸡下的蛋特别大。|那匹马是母的。

【母亲】 mǔqin 〔名〕

妈妈。也指祖国。(mother; motherland)常做主语、宾语、定语。[量]位。

例句 母亲正在为全家准备晚饭。|公园里,年轻的母亲抱着可爱的孩子。|人人都热爱自己的母亲。|这孩子从小失去了母亲。|小王结婚一年后就做了母亲。|祖国啊,母亲!您的儿女回来了。

【亩】 mǔ 〔量〕

土地的面积单位。1亩等于666.7平方米。(*mu*)常构成短语做句子成分。

例句 我们大学占地有二百多亩。|山坡上有几亩地。|这个农民种了5亩水稻,每亩产量平均在1200斤左右。

M

【木】 mù 〔名/形〕

〔名〕树,树的材料。(tree; timber)常做定语、宾语、主语。也做语素构词。

词语 果木 松木 木棉 木刻 积木

例句 那套木桌椅很漂亮。|树林里有个小木屋。|要保护森林,不得随意上山伐木。|独木不成林。

〔形〕身体某个部位感觉不灵。(numb)常做谓语、补语。

例句 舌头都木了,什么味儿也吃不出来。|今天格外冷,手指头都木了。|现在零下30度,手脚一会儿就冻木了。|站了一上午,腿都站木了。

【木材】 mùcái 〔名〕

经过初步加工的树。(wood)常做主语、宾语、定语。[量]种。

例句 这种木材特别适合做家具。|那些拆下来的旧木材还有用吗?|这家公司专门向中国出口木材。|现在的工厂用新工艺加工木材。|前边不远就有一家木材市场。

【木匠】 mùjiang 〔名〕

制造、修理或安装木器的工人。(carpenter)常做主语、宾语、定语。[量]位,个。

例句 木匠在很早以前就有了。|中国古代最著名的木匠是鲁班。|这个老人从十几岁开始学木匠,现在很有名。|这里的活儿需要几位有经验的木匠。|这位木匠的技术不错。

【木头】 mùtou 〔名〕

木材和木料的总称。(wood)常做主语、宾语、定语。[量]根,块。

例句 那一车木头是用来盖楼的。|盖这间小屋五根木头就够了。|这些火车专门运木头。|这些老房子都是用木头造的。|这根木头的表面刻着一条龙。

【目】 mù 〔名〕

❶ 眼睛;也指像眼睛的孔。(eye; mesh)常用于固定短语或用于构词。

词语 历历在目 有目共睹 目不转睛 目光 目击 目前 目的 纲目

例句 孩子目不转睛地看着电视。|这些画儿真是难以入目。

❷ 将事物按特征或顺序等分出的类别。(item; catalogue)常做语素构词。

词语 松柏目 目录 目次 项目 书目

例句 老师为留学生开列了一些必读书目。

【目标】 mùbiāo 〔名〕
打击或寻找的对象;想要达到的标准。(target;objective)常做主语、宾语。[量]个。

例句 我们队的下一个目标是夺取今年足球赛的冠军。|目标已经出现,警察准备出击。|全班同学都把通过HSK8级作为自己的目标。|学好汉语后当翻译是我的目标。

【目不转睛】 mù bù zhuǎn jīng 〔成〕
看着不动;注意力很集中。(look with fixed eyes; watch with the utmost concentration)常做谓语、状语。

例句 老师上课,留学生个个目不转睛。|观众目不转睛地注视着舞台,等待演出开始。|这些外国游客目不转睛地盯着柜台里的中国工艺品。

【目的】 mùdì 〔名〕
想要达到的地点或境地;想要得到的结果。(purpose; aim; goal)常做主语、宾语。[量]个。

例句 我相信学好汉语的目的一定能达到。|这两个公司这次会谈的目的是进行合作。|这次旅游达到了练习口语的目的。|有的留学生学习汉语没有目的。

辨析 〈近〉目标。"目的"主要表示行为的意图,较抽象,适用范围窄;"目标"主要表示行为所指的对象,既可用于抽象事物,也可用于具体事物。如:改革的目的(目标)是建立市场经济。|*发现一个目的,准备进攻!("目的"应为"目标")

【目睹】 mùdǔ 〔动〕
亲眼看到。(see with one's own eyes)常做谓语。

例句 留学生目睹了中国的快速变化。|很多人目睹了事故的发生。|不是亲眼目睹,简直不敢相信会发生这样的事儿。

【目光】 mùguāng 〔名〕
视线;眼光;眼神。(sight)常做主语、宾语。[量]种。

例句 老人的目光很慈祥。|马克目光远大,决定在中国开办公司。|小伙子避开了老板的目光,低头工作。

【目录】 mùlù 〔名〕
按一定次序开列出来的事物的名称,也指书刊上列出的篇章题目。(catalogue)常做主语、宾语。[量]个。

例句 新书目录已经在门口贴出来了,欢迎各位留学生选购。|这本书的目录没有了。|很多同学在图书馆查图书目录。|一看目录,就知道这是本好书。

【目前】 mùqián 〔名〕
说话的时候。(at present)常做定语、状语、宾语。

例句 目前的形势特别好。|留学生目前的主要任务是学习汉语。|放假去哪儿旅游,目前我还没有什么打算。|我们刚来,目前还不了解中国的情况。|到目前为止,全校已有七千多名留学生参加了HSK考试。

【目中无人】 mù zhōng wú rén 〔成〕
骄傲自大,看不起别人。(be supercilious; consider everybody beneath one's notice)常做定语、谓语。

例句 这个同学目中无人的态度引起了别人的反感。|这种目中无人的做法没人喜欢。|他非常骄傲,目中无人。|他因为学习很好,总目中无人。

M

【牧】 mù 〔动〕
把牲畜放到草地上吃草、活动。(herd)常做谓语,也用于构词。

词语 牧民　牧场　牧区　畜牧业

例句 姑娘去牧羊了。|牧牛娃们正在山坡上玩儿呢。

【牧场】 mùchǎng 〔名〕
放牧牲畜的草地;牧养牲畜的企业。(grazing land; livestock farm)常做主语、宾语、定语。[量]块,个。

例句 在内蒙古草原,牧场大得很。|这个牧场有很多牛羊。|游客们参观了牧场。|留学生访问了牧场的主人。

【牧民】 mùmín 〔名〕
牧区中以放牧为生的人。(herdsman)常做主语、宾语、定语。[量]位,个。

例句 现在,牧民也定居了。|上次旅游的时候,留学生访问了牧民。|那一排排房子就是牧民的家。

【牧区】 mùqū 〔名〕
放牧的地方,也指以畜牧为主的地区。(pastureland; pastoral area)常做主语、宾语、定语。[量]个。

例句 牧区也办起了旅游业。|面前的大草原是新开发的牧区。|牧区饮水问题引起了政府的高度重视。

【牧业】 mùyè 〔名〕
牲畜饲养业。(stock raising; animal husbandry)常做主语、宾语。

例句 近年来,中国的牧业已经产业化。|这里的牧业吸引了许多外国客商。

【墓】 mù 〔名〕
埋死人的地方。(grave; graveyard; tomb)常做主语、宾语、定语。[量]座。

例句 这些古墓应该保护。|这位艺术家的墓非常有特色。|他们去公墓了,大约一个小时才能回来。|每年清明节,很多人都去扫墓。|墓的周围都是小松树。

【幕】 mù 〔名〕
覆盖在物体上面的大块的布、绸等,也指演出或放映电影所用的挂着的大块的布、绸等。(tent; curtain; screen)常做主语、宾语。也用于构词。

词语 开幕　闭幕　揭幕　谢幕　银幕　幕布

例句 夜幕降临,工作了一天的人们陆续下班了。|舞台上的大幕拉开了,音乐会开始了。|工作人员拉上了大幕,演出结束了。|市长把牌子上的幕揭开,市场正式营业了。

【穆斯林】 mùsīlín 〔名〕
伊斯兰教信徒。(Muslim)常做主语、宾语、定语。[量]个,位。

例句 穆斯林有自己独特的文化传统。|穆斯林的风俗习惯在中国受到了尊重。

M

N

【拿】 ná 〔动/介〕

〔动〕❶ 用手或其他方式抓住、搬动。(hold;take)常做谓语。

例句 对方手里拿着几本书。|A:这些学校的介绍材料我可以拿吗?B:随便拿。|把酒拿过来。|我没拿你的词典。|这么多东西,我一个人拿不了。

❷ 领取,得到。(get; win)常做谓语。

例句 拿大奖可不容易。|在口语比赛上最好能拿第一名。|我们队终于拿了冠军。|要想多拿奖金,就得多干活儿。

〔介〕❶ 引进所凭借的工具、材料、方法,意思跟"用"相同。(with)常构成介宾短语做状语。

例句 请拿本子写。|水果别拿热水洗。|有的自行车是拿塑料做的。

❷ 引进所处置的对象,相当于"把,对"。(equivalent to"把,对")常构成介宾短语做状语。

例句 别总拿留学生当小孩。|唉,真拿他没办法。|刚才,老师是故意拿你开玩笑的。

【拿…来说】 ná…lái shuō 〔动短〕

比如说。(for example)用于举例说明,"拿"引进例子,后接说明部分。

例句 中国的古迹很多。拿北京来说,就有长城、故宫、颐和园等等。|今年这里的气候有些反常。拿夏天来说,比往年热得多。|做什么事都不容易。拿学汉语来说,不努力是学不好的。

【拿手】 náshǒu 〔形〕

对某种技术擅(shàn)长。(adept; be good at)常做定语、谓语。

例句 唱中国歌是我的拿手好戏。|他给老朋友做了几个拿手菜。|这个留学生最拿手的节目是唱京剧。|我们老师写毛笔字很拿手。

【哪】 nǎ 〔代/副〕

〔代〕❶ 要在两个以上的人或事物中确定一个。(which)常构成短语做句子成分。

例句 这些杂志你要借哪本?|请问,您要找哪一位老师?|你看,哪件衣服最合适?|你最喜欢哪部中国电影?

❷ 表示任何一个。(any)用于任指。构成短语做句子成分。后面常有"都、也"或"哪"配合。

例句 你哪天来我都有空。|找遍了全城,哪家商店也没有那本词典。|这回老板请客,哪个菜好吃点哪个。

▶ "哪"后跟量词或数量词组时,口语常说成 něi 或 nǎi。

〔副〕表示否定。(how)用于反问,做状语。

例句 只学了一个月汉语就能当翻译,哪有这样的事?|这么多作业,哪能写完?|A:你会韩国语吗?B:我哪会韩国语?

【哪个】 nǎge 〔代〕

❶ 用于提问题,要在两个以上的人或事物中确定一个。(which)常做主语、宾语、定语。

例句 哪个是你新买的?|这些都不错,您要哪个?|你们班汉语最好的是哪个?|你们是哪个班的?|A:你想去哪个班?B:我想去中级班。

❷ 谁。(who)常做主语、宾语。

例句 哪个告诉你的?|参加口语比赛,哪个最合适?|对不起,我不认识你,你是哪个?

【哪里(哪儿)】 nǎli(nǎr) 〔代〕

❶ 问处所。(where)常做主语、宾语、状语、定语。

例句 你哪里不舒服?|请问,友谊商店在哪里?|田中先生住在哪里?|这位同学,你是哪里来的?|王老师是哪里人?

❷ 虚指。(somewhere)常做宾语。

例句 我好像在哪里见过他。|今天早上六点你没去哪里吗?

❸ 任指。(wherever; where)常做主语、宾语。后常用"都、也"配合,前面可用"无论"等。也可两个"哪里"前后呼应,表示条件关系。

例句 词典不见了,哪里都找不着。|哪里有水,哪里就可能有生命。|现在交通很方便,想去哪里就去哪里。|无论在哪里,他都努力工作。

❹ 用于反问,表示较强的否定语气。(*used in rhetorical questions to express negation*)常做状语。

例句 他哪里是老师啊,他是留学生。|这么暗,哪里看得见?|哪里有不学习就得到好成绩的事?

❺ 用于应答,表示谦虚或客气地否定。(say "no" in a polite and modest way)做独立成分,可连用两个"哪里"。

例句 A:你可帮了我的大忙了! B:哪里,这是我应该做的。|A:你的汉语说得真不错! B:哪里,哪里,还差得远。

▶"哪里"在口语中常说成"哪儿",但在❺中只说"哪里"。如:* A:您这件衣服真漂亮! B:哪儿,一般吧。("哪儿"应为"哪里")

【哪怕】 nǎpà 〔连〕

表示假设、让步。(even; even if)用于复句,常与"也、都、还"等配合。

例句 明天哪怕下大雨,咱们也得去参加 HSK。|哪怕他是汉语翻译,也要参加入学考试。|只要东西好就行,哪怕贵一点儿。

【哪些】 nǎxiē 〔代〕

"哪"的复数;哪一些。(which; who; what)常做定语、主语、宾语。

例句 你们班哪些同学 HSK 达到 8 级?|为了提高汉语水平,老师告诉了留学生哪些办法?|大家最喜欢的是哪些书?|昨天讲的语法,哪些还不懂?|北京的名胜你去过哪些?

▶ 问时间时,"哪些"后可加"天、年、日子、月份"等,不能加"日、月、星期"等。如:* 哪些月 * 哪些日 * 哪些星期

【那】 nà 〔代/连〕

〔代〕❶ 指示比较远的人或事物。(that)常构成短语做句子成分。

词语 那老师 那时候 那两个班

例句 那老人看上去七十多了。|那几年学生生活比较单调。|那次新年晚会我没参加。

❷ 代替比较远的人和事物。(that)常做主语。

例句 那是谁?|你瞧! 那就是长城。|A:你知道入学手续怎么办? B:那非常简单。

❸ 与"这"配合着使用,表示很多事物,不确指。(that, used to express indefinite things)常做主语、宾语。

例句 这要学习,那要学习,内容太

多了。|这也不行,那也不行,真不知道怎么办才好。|小孙子整天向奶奶要这要那。

❹ 特指前文提到的或已知的人或事物。(the)常构成短语做句子成分。

例句 她就是你要见的那位工程师。|A:我的词典不见了。B:是刚买的那本吗?

▶ 后面跟量词或数量短语时,口语常读成 nèi。

〔连〕承接上文的意思,引出下文的结果或结论。(in that case)用于复句,常与"如果"、"既然"等配合。

例句 如果再不努力,那就没希望了。|既然她不愿意,那就算了吧。|A:看样子他不能回来了。B:那我改天再来吧。

【那边】 nàbian 〔代〕

指代较远一点儿的地方。(there; over there)常做主语、宾语、定语等。

例句 教学楼那边有一个小卖部。|留学生楼在那边。|那边的饺子是为留学生准备的。

▶ "那边"的"那"口语中常说成 nèi。

【那个】 nàge 〔代〕

❶ 指示一个比较远的人或事物。(that; that one)常做定语、主语、宾语。

例句 那个穿红色大衣的是谁?|桂林那个地方风景美极了!|我永远忘不了那个动人的故事。|站在门口的那个留学生我认识。|A:这些礼物你可以随便要一个。B:我要那个!

❷ 代替事物、情况等。(that)常做宾语、主语、定语。

例句 不少人买酒。买那个有什么用?|真不敢想考试成绩,一想那个就头疼。|那个你就放心吧,没问题。|那个事办得怎么样了?

❸ 与"这个"配合使用,表示不确指的众多事物。(that, used to express indefinite things)常做宾语、主语。

例句 玛丽看看这个,问问那个,被这些中国工艺品吸引住了。|别管这个那个,好好学习就行。|大伙儿这个搬,那个扛,一会儿就干完了。

【那里(那儿)】 nàli(nàr) 〔代〕

指较远的处所或特定的处所。(there)常做主语、宾语、定语。

例句 那里是天安门广场。|我们那里有很多人学汉语。|钥匙在同屋那里。|从那里走过去就能看见火车站了。|我去过海南岛,那里的水果很有名。

【那么】 nàme 〔代/连〕

〔代〕指代性质、状态、程度、方式、数量等。(like that; so)常做状语、定语。基本结构是"那么+形(动、数量)"。

例句 她穿的裙子那么漂亮。|这次的 HSK 考试那么难!|我不那么喜欢唱卡拉OK。|那么晴的天一下子就阴了。|看得出,他不想那么做。|肚子疼得那么厉害!|小明有哥哥那么高了。|一星期只上那么几次课。

〔连〕承接上文,引进表示结果或判断的小句。(then; in that case)用于复句,上文常有"如果"、"既然"等配合。

例句 如果您觉得有困难,那么我们就再想别的办法。|既然是朋友,那么就别客气了。|反正已经来了,那么就安心学习吧。

【那时】 nàshí 〔代〕

那时候，指离说话的时候较远的时间。(at that time; then)常做定语、状语、宾语。

例句 老人20年前来过中国，那时的中国跟现在不一样。|马克十分怀念在中国的生活，那时他每天都很高兴。|现在同学们毕业了各自回国，过20年我们再见面，到那时，我们的汉语会怎么样？

▶“那时”指代的时间既可以是说话以前，也可以是以后。如：我等着你再来中国，到那时我去机场迎接你。

【那些】 nàxiē 〔代〕

指示比较远的两个以上的人或事物。(those)常做定语、主语、宾语。

例句 那些人是来参加HSK考试的。|她已经不喜欢那些旧东西了。|在中国学习汉语那些年，觉得什么都有意思。|那些都给你吧。|我还想看看对面那些，行吗？

▶“那些”做主语用于提问时，一般指事物不指人。如：那些是什么？|*那些是谁？

【那样】 nàyàng 〔代〕

指示性质、状态、程度和方式等。(like that; so)常做定语、状语、补语、主语、宾语。

例句 我也想买一本那样的词典。|现在没有那样的事儿。|那样说不合适。|这个老人第一次住上了那样漂亮的房子。|几年不见，他胖成那样了。|那样不行。|只有像他那样，才能成功。

【纳】 nà 〔动〕

收进、放进、接受、享受、交付等。(collect; receive; enjoy; pay, etc.)常用于构词，也做谓语。

词语 出纳 采纳 纳凉 交纳

例句 有几位老人在树下纳凉。|这项工作应该纳入明年的计划。|纳税是每个公民的义务。

【纳闷儿】 nà mènr 〔动短〕

觉得迷惑、不理解。(feel puzzled)常做谓语。

例句 这是怎么搞的？我有些纳闷儿。|这件事儿真叫人纳闷儿。|我心里纳闷儿：警察来找我干什么？

【纳税】 nà shuì 〔动短〕

按照法律或规定交税金。(pay taxes)常做谓语、定语。中间可插入成分。

例句 每个公民都要纳税。|纳完税剩下的才能用于发展或分配。|要保护纳税人的合法权益。

【哪】 na 〔助〕

“啊”的变体。当“啊”前一音节的韵尾是“-n”时，与“a”连读变成“na”。表示语气。(modification of the sound of “啊”)用于句末或句中。

例句 谢谢您哪！|看哪，多美的沙滩哪！|多加小心哪！|怎么办哪？

【乃】 nǎi 〔动/副〕

〔动〕是；就是；实在是。(be)用于判断句。

例句 失败乃成功之母。

〔副〕然后；才。(then; just, only)做状语。

例句 考试结束十天后乃公布成绩。

【奶】 nǎi 〔名〕

乳汁的通称。(milk)常做主语、宾语、定语。[量]滴，种，杯。

N

词语 牛奶　羊奶　奶酪

例句 奶你不想喝吗？|每天早饭都要喝一杯牛奶。|她每天晚上都给孩子喂两次奶。|奶制品种类很多。

【奶粉】 nǎifěn 〔名〕

牛奶、羊奶等除去水分所制成的粉末，吃时用水冲成液体。(milk powder)常做主语、宾语等。[量]点儿，些，种。

例句 一袋奶粉能冲十几杯奶。|A：孩子饿了。B：先冲点儿奶粉给他喝。|我喜欢鲜奶，不喜欢奶粉。|奶粉的营养价值比较高。

【奶奶】 nǎinai 〔名〕

❶ 祖母。〔(paternal) grandmother; grandma〕常做主语、宾语、定语。[量]位，个。

例句 你奶奶多大岁数了？|奶奶特别疼爱我。|小华有一位慈祥(cíxiáng)的奶奶。|我要记住奶奶的话。

❷ 跟祖母年纪差不多的妇女，或对老年妇女的尊称。(*a respectful form of address for an old woman*)常做主语、宾语、定语。

例句 邻居李奶奶天天早上扫院子。|我在公园散步时认识了一个奶奶。|这位奶奶的眼镜找不到了，大家帮忙找找吧。

【耐】 nài 〔动〕

受得住，禁得起。(be able to bear or endure)常做谓语。

例句 这种玻璃耐高温。|留学生宿舍的门耐火，很安全。|这种笔比较耐用。|中国的农民吃苦耐劳。

【耐烦】 nàifán 〔形〕

能忍受麻烦等，不急燥，不厌烦。(patient)常做谓语、定语、状语、补语。多用否定形式。

例句 等了很长时间，人们已经不耐烦了。|上课时间太长，同学们都不耐烦。|看见他不耐烦的样子，大伙儿也就不作声了。|老板不耐烦地敲着桌子。|擦窗户真费事，可姐姐倒擦得挺耐烦。

辨析 〈近〉耐心。“耐烦”指情绪；“耐心”指态度。“耐烦”常用于否定句，“耐心”则肯定否定都常用。“耐心”还可以做名词。如：他很有耐心。

【耐力】 nàilì 〔名〕

能够坚持较长时间的能力。(endurance)常做主语、宾语。[量]点儿，些。

例句 耐力是长跑比赛的重要因素。|速度和耐力对运动员都很重要。|长跑能锻炼耐力。

【耐心】 nàixīn 〔形/名〕

〔形〕心里不急躁，不厌烦。(patient)常做谓语、定语、状语、补语。

例句 王老师对留学生十分耐心。|办公室的工作人员有时候不太耐心。|服务员耐心的态度感动了客人。|对成绩差的同学，她总是耐心帮助。|对留学生的提问，老师回答得准确、耐心。

〔名〕指不急、不烦的心理状态。(patience)常做主语、宾语等。

例句 这里医生的耐心给病人留下了深刻的印象。|有些老师对留学生缺乏耐心。|工作越麻烦，越要有耐心。

【耐用】 nàiyòng 〔形〕

可以长期使用；不容易用坏。(durable)常做谓语、定语。

例句 刚买的洗衣机现在就坏了，一点儿也不耐用。|银餐具比玻璃的耐用。|电视机是耐用消费品。

【男】 nán 〔名/形〕

〔名〕人类两性之一，跟“女”相对；儿子。(man; son)常做主语、宾语。

例句 法律规定男女平等。|这个小区的男女老幼都很讲文明礼貌。|她生有一男一女。

〔形〕男性的。(male)常做定语，也可构成“的”字短语做句子成分。

词语 男人 男生 男式

例句 夫妇俩有一个男孩儿。|男同学都去了吗？|A:请问，男厕所在哪儿？B:就在左边。|男的到外地打工去了。|昨天来电话的是个男的。

【男人】 nánrén 〔名〕

❶ 男性的成年人。(man)常做主语、宾语、定语。[量]个。

例句 在晚会上，男人们个个西装革履(lǚ)。|没想到穿着花衣服唱歌的是一个男人。|足球是男人的运动。|商店里，男人的衣服不太多。

❷ 丈夫。(husband)常做主语、宾语、定语。[量]个。

例句 这些农村妇女的男人上城里干活儿去了。|她男人是当兵的。|丈夫死了一年后，她又找了一个男人。|她正坐在院子里洗她男人的衣服。

【男士】 nánshì 〔名〕

对成年男人的礼貌称呼。(gentleman)常做主语、宾语、定语。[量]位。

例句 我来介绍一下，这位男士就是我以前提到过的张老师。|女士优先，男士请稍候。|刚才给你打电话的是位男士。|请问，有男士化妆品吗？

【男性】 nánxìng 〔名〕

人类两性之一，以在体内产生精细胞等为特征。(the male gender; man)常做主语、宾语、定语。

例句 男性容易找工作。|护士的工作不适合男性。|我们大学男性学生占五分之三。

【男子】 nánzǐ 〔名〕

男人。(man; male)常做主语、宾语、定语。[量]名，个。

例句 一名男子悄悄地跟在她身后。|小李虽然不是美男子，可是长得也可以。|我们参加青年男子组的比赛。|他获得了乒乓球男子单打冠军。

【南】 nán 〔名〕

❶ 表示方向，也是地球南极的方向，跟“北”相对。(south)常做宾语、定语。

例句 A:请问，友谊商店在哪儿？B:往南走。|那是东，不是南。|我们大学分成南区和北区。|今天南风二到三级。

❷ 南部地区，在中国指长江流域及其以南的地区。(southern part)常做定语。

例句 中国南海石油资源很丰富。|你知道美国历史上的南北战争吗？

▶ “南”较少单用，多用于构词，如：南方 南洋 南亚 华南 江南

【南北关系】 nán běi guānxi 〔名短〕

发展中国家与发达国家之间经济和政治等方面的关系，世界上的发展中国家多在南半球，发达国家多在

北半球，所以称“南北关系”。(the relationship between the developed and developing countries) 常做主语、宾语、定语。[量]个，种。

例句 南北关系是当今世界一个非常重要的问题。|王老师专门研究南北关系。|发达国家应当用实际行动改善南北关系。|这次会议专门讨论南北关系的问题。

【南边】 nánbian 〔名〕

意义同“南”。(south) 常做主语、宾语、定语。

例句 天安门广场南边是前门。|长沙在武汉南边。|南边的那座留学生宿舍楼是新盖的。

【南部】 nánbù 〔名〕

南边的部分或地区。(southern part) 常做主语、宾语、定语。

例句 学校的南部是教学区，北部是生活区。|这个民族主要在中国南部。|中国南部地区盛产水果。|南部沿海常常刮台风。

【南方】 nánfāng 〔名〕

意义同“南”。(south) 常做主语、宾语、定语。

例句 中国南方有很多名胜古迹。|最近老张去南方出了一趟差。|春天燕子从南方飞来。|我家在南方。|中国南方人大多爱吃甜的或辣的。

【南来北往】 nán lái běi wǎng 〔成〕

来来往往。(be always on the move) 常做谓语、定语。

例句 街上的人南来北往，很热闹。|这是一家有名的酒店，南来北往的客人都喜欢在这儿住。

【南面】 nánmiàn 〔名〕

意义同“南边”。(south) 常做主语、宾语、定语。

例句 老房子南面有条小河。|留学生宿舍在教学楼南面。|我看见他坐车去南面了。

【难】 nán 〔形/动〕 另读 nàn

〔形〕❶ 做起来不容易。(difficult; hard) 常做谓语、状语、定语、补语。

例句 汉语语法不太难，汉字比较难。|汉语不难学。|这篇文章比较简单，没什么难字。|没想到这么顺利，看来原来估计难了。|这套考试题出得太难了。

❷ 表示效果(样子、声音、味道、感觉等)不好。(bad; unpleasant) 常用于构词。

词语 难看　难听　难过　难受

〔动〕使人感到困难。(put sb. into a difficult position) 常做谓语。

例句 这么点儿事难不倒我。|老师问了他一些问题，结果没难住他。|她好像什么都会，我得想办法难难她。

【难道】 nándào 〔副〕

加强反问的语气。(*used to give force to a rhetorical question*) 做状语，可放在主语前后，句末常用“吗”。

例句 你难道一点儿都想不起来吗？|别人能学好汉语，难道我们就不行吗？|难道你没听说这件事？

▶ “难道”也说成“难道说”，但后者一般放在主语前。如：难道说我们一定要坐飞机去吗？

【难得】 nándé 〔形〕

❶ 不容易得到或做到。(hard to come by) 常做谓语、定语。

例句 他这样的汉语人才很难得。

N

|才学了3个月汉语，HSK就得了6级，确实难得。|这次去西安考察，对留学生是难得的学习机会。

❷ 表示不常有。(seldom)常做状语。

例句 这样的情况难得看到。|大家都努力学习，难得逛一次街。|兄弟俩都在北京学汉语，可是难得见面。

【难度】 nándù 〔名〕

困难的程度。(degree of difficulty)常做主语、宾语。

例句 完成这项任务的难度很大。|看来，一下子筹那么多款难度确实不小。|汉语的声调对外国人来说有一定难度。|虽然有难度，也该试一试。

【难怪】 nánguài 〔动/连〕

〔动〕表示不应当责怪，含谅解的意思。(understandable)常做谓语，前后常有说明原因和情况的小句。

例句 这也难怪，他只学了一年汉语，翻译不好也正常。|小李刚毕业，没经验，也难怪她。

▶"难怪"前常用"也"缓和语气。

〔连〕表示明白了原因，不再觉得奇怪。(no wonder)常连接句子，前后常有说明真相的小句。

例句 原来他是新来的，难怪我不认识。|难怪他汉语那么好，原来他女朋友是中国人。|快过年了，难怪商店里人这么多。

【难关】 nánguān 〔名〕

难通过的关口，常比喻不易克服的困难。(difficulty; barrier)常做主语、宾语。[量]道。

例句 又一道学习难关出现在留学生面前。|比赛中他克服了一道道难关，取得了最后的胜利。|学汉语只要坚持下去，就没有过不了的难关。

【难过】 nánguò 〔动/形〕

〔动〕不容易过活。(have a hard time)常做谓语、定语。

例句 刚来中国不习惯，那些日子真难过。|她从小失去了父母，日子难过得很。|那次事故很严重，马克好不容易熬过了难过的几天。

〔形〕身体不舒服；心里不愉快。(feel bad; be grieved)常做谓语、定语、宾语。

例句 感冒了，浑身难过极了。|听到朋友出了车祸，老王心里非常难过。|知道考试成绩后，他突然有一种很难过的感觉。|没有人知道我难过的心情。|对这次事故，大家都感到很难过。

【难堪】 nánkān 〔形〕

❶ 难以忍受；受不了。(intolerable)常做谓语、定语。

例句 最近，天气炎热难堪。|听了这些难堪的话，把我气得要命。

❷ 窘(jiǒng)；难为情。(embarrassed)常做谓语、定语、宾语。

例句 当时的场面使她十分难堪。|看到马克难堪的样子，大家都笑了。|对突然发生的这种事，他感到很难堪。

【难看】 nánkàn 〔形〕

不好看，丑；不体面。(ugly; shameful)常做谓语、定语、补语。

例句 这件衣服太难看了。|你脸色难看极了，是不是病了？|哥哥戴了顶很难看的帽子。|看你难看的样子，快把脸洗洗吧。|有个女同学长得很难看。

【难免】 nánmiǎn 〔形〕
不容易避免。(hard to avoid)常做状语、谓语、定语。
例句 刚学了几个月汉语,难免会说错。|办公室没说清楚,难免大家有意见。|吃得太多,难免会发胖。|他第一次参加口语比赛,难免紧张。|由于没有经验而出错儿,是难免的事。
▶ "难免"后面的部分如果是不希望出现的结果,那么该部分既可以是肯定形式,也可以是否定形式,但意思一样。如:每个人都难免犯错误=每个人都难免不犯错误
如果该部分不是不希望出现的结果,那么它常常只有否定形式。如:老朋友久别重逢,难免不激动。|老朋友久别重逢,难免激动。

【难受】 nánshòu 〔形〕
身体不舒服;心里不痛快。(unwell; unhappy)常做谓语、定语、补语、宾语。
例句 我难受得很,什么也不想吃。|不知怎么了,我浑身难受。|当时,她非常难受的样子,把大伙儿吓坏了。|看得出,病人疼得难受极了。|听到这个消息,大家都感到十分难受。

【难题】 nántí 〔名〕
不容易解答的题目,比喻不容易解决的问题或处理的事情。(a difficult problem)常做宾语、主语。[量]道,个。
例句 马克用了半个小时才做出这道难题。|留学生刚来中国时,遇到过很多难题。|留学生宿舍楼的安全难题已经解决了。

【难以】 nányǐ 〔副〕
难于,不容易。(difficult to)常做状语,后面常跟双音节词语或短语。
例句 这样的考试结果真是让人难以相信。|留完学回国时的心情难以表达。|我家在闹市区,往往到了半夜也难以安静下来。

【难】 nàn 〔名〕 另读 nán
不幸的遭遇,灾祸。(disaster)常用于构词,也做宾语、主语。
词语 灾难 遇难 空难 难友
例句 一方有难,八方支援。|大地震前,人们并不知道大难即将临头。

【难民】 nànmín 〔名〕
由于战争或自然灾害而生活困难的人。(refugee)常做主语、宾语、定语。[量]个,批。
例句 难民都盼望早日返回自己的家园。|大火以后,一些人成了难民。|难民问题引起了全世界的注意。

【恼】 nǎo 〔动〕
❶ 生气。(angry)常做谓语、补语。
例句 你别恼我!|对那件事他恼极了。|小心点儿,别把她惹(rě)恼了。
❷ 心里不痛快。(unhappy)常用于构词。
词语 烦恼 苦恼

【恼火】 nǎohuǒ 〔动/形〕
〔动〕感到生气。(be irritated)常做谓语。
例句 考试后,马克为自己成绩不好而恼火。|你现在别去找他,他正恼火呢!|光恼火有什么用?
〔形〕生气。(angry)常做谓语、定语、宾语。
例句 口语比赛后,大家对评委的

N

不公平恼火极了。|有什么慢慢说，别恼火。|我遇到一件恼火的事。|她不小心丢了钱，感到十分恼火。

【脑】 nǎo 〔名〕

人体中主管思维等的器官；头部；思考能力。(head; brains; mind) 常做主语、宾语、定语，也用于构词。

词语 脑袋 脑海 脑筋 头脑 脑子

例句 人的脑特别发达。|要想学习好，必须多动脑。|小张一高兴，走起路来就摇头晃脑的。|脑的作用很重要。

【脑袋】 nǎodai 〔名〕

头的俗称；脑筋。(head; brains) 常做主语、宾语、定语。[量]个。

例句 他才 40 岁，可脑袋已经秃(tū)了。|我脑袋疼，不能去了，对不起。|她脑袋很聪明，还肯吃苦。|怎么忘了？你没长脑袋呀？|脑袋的大小不决定人聪明不聪明。

【脑筋】 nǎojīn 〔名〕

❶ 指思考、记忆的能力。(brains; mind)常做主语、宾语。[量]副。

例句 我的脑筋不行，学过的生词很快就忘了。|学习遇到困难要多动脑筋，想办法。|马克有一副好脑筋，学过的语法都能记住。

❷ 指思想意识。(ideas)常做主语、宾语。[量]副。

例句 奶奶的脑筋太旧，跟不上时代了。|我看你这脑筋该换换了。|搞现代化需要新脑筋。|他年纪不大，却长了一副老脑筋。

【脑力】 nǎolì 〔名〕

人的记忆、理解、想象等的能力。(mental power; intelligence)常做主语、宾语、定语。

例句 脑力也就是智力的意思。|写作要消耗(hào)脑力。|知识分子是脑力劳动者。

【脑子】 nǎozi 〔名〕

脑器官及脑浆(jiāng)的俗称；脑筋。(brain; brains; mind) 常做主语、宾语。

例句 你脑子是干什么用的？|他头部受创，脑子都流出来了。|这孩子太没脑子了，老忘事儿。

辨析 〈近〉脑袋、脑筋。“脑袋”、“脑子”、“脑筋”都有“思考、记忆的能力”的意思，但“脑袋”还有“头部”义，“脑子”则侧重指“生理上的脑器官和脑浆”义。如：* 他脑子秃了。(“脑子”应为“脑袋”)| * 他脑袋都流出来了。(“脑袋”应为“脑子”)“脑筋”还指“思想意识”。如：* 他脑袋一点儿也不落后。(“脑袋”应为“脑筋”)| * 老脑子不适应四个现代化。(“脑子”应为“脑筋”)

【闹】 nào 〔形/动〕

〔形〕喧哗；不安静。(noisy) 常做谓语。

例句 商店里太闹了。|农贸市场里闹哄哄的。|这儿近来闹得很。

〔动〕❶ 吵；扰乱。(make a noise; harass)常做谓语。

例句 他俩闹过好几次了。|有的同学半夜还在房间闹，影响别人休息。|孩子在家里又哭又闹。

❷ 发泄(情绪)。(give vent)常做谓语。

例句 别去找她，她正闹情绪呢。|小李闹了半天脾气也没人理他。

❸ 害(病)；发生过(不好的情况)。(suffer from)常做谓语。

例句 这几天我一直闹肚子。|今年北方闹旱灾,农业受到了影响。

❹ 干;弄;搞。(go in for; do)常做谓语。

例句 有的同学闹不清汉语语法。|你是怎么闹的?现在才来。|我们要先把问题闹清楚。

【闹事】 nào shì 〔动短〕

聚众捣乱,破坏社会秩序。(make trouble)常做谓语、主语、宾语、定语。中间可插入成分。

例句 校园里有几个流氓(máng)在闹事。|千万别闹什么事呀!|球迷闹事会影响社会安定。|老百姓就怕闹事。|现在闹事的人越来越少了。

【闹笑话】 nào xiàohua 〔动短〕

因粗心大意或缺乏知识经验而发生可笑的错误。(make a fool of oneself)常做谓语。中间可插入成分。

例句 我刚到中国的时候,因为听不懂汉语常闹笑话。|办事情只靠老经验就容易闹笑话。|昨天他闹了个大笑话。

【闹着玩儿】 nào zhe wánr 〔动短〕

❶ 用言语或行动跟别人开玩笑,使自己高兴。(joke)常做谓语、宾语。

例句 他俩经常闹着玩儿。|我跟你闹着玩儿呢,别当真。|你别管,他们是闹着玩儿呢。

❷ 用随便的态度对待人或事情。(take liberties with)常做谓语、宾语。

例句 可不能拿工作闹着玩儿。|开车可不是闹着玩儿的,千万小心!

【呢】 ne 〔助〕

❶ 表示疑问。(*interrogative particle*)用于特指问句尾,句中有疑问词“谁、怎么、什么、哪”等。

例句 你说谁呢?|你看怎么办好呢?|什么时候去比较合适呢?|请问,外文书店在哪儿呢?

▶ 在一定的上下文里,“呢”前可以只有一个名词性成分,表示问“在哪儿”或“…怎么样”。如:大家都来了,李老师呢?|我不太忙,你呢?

▶ 用于选择问句各项后边(可省略),常用“还是”连接。也用于有选择意义的正反疑问句末。

例句 到底是今天呢,还是明天呢?|这道题你是会做,还是不会呢?|咱们先买彩电呢,还是冰箱?|老师说得对不对呢?|代表团到了没有呢?

▶ 用于反问句,常与“哪里、怎么、何必”等配合。

例句 这儿哪里比得上我的故乡呢?|他当时不在,怎么会知道呢?|这只是小考,你们何必这么紧张呢?

❷ 用在陈述句末尾,表示确认,有点夸张的语气,常与“可、才、还”等配合。(*particle used at the end of a declarative sentence to reinforce the assertion*)

例句 那儿的风景可好呢。|别着急,飞机 8 点才到呢。|你还没尝呢,怎么知道不好吃?

❸ 用在陈述句末尾,表示动作或状态正在继续,常和“正、正在、在”或“着”等配合。(*particle used at the end of a declarative sentence to indicate the continuation of an action or a state*)

例句 上午 9 点,我们正上课呢。|她正在给家里打电话呢。|外边正

N

下着雨呢。|别吵，他在睡觉呢。

❹ 用在句中表示停顿，多用于对举或强调话题。(*particle used to mark a pause*)

例句 导游呢，你当；车呢，我来开。|买到了呢，当然好；买不到呢，再想别的办法。|你要是想走呢，我也不留你。|明天下午呢，死活我也得干完。

▶“呢”不用于是非问句。如：*他是新同学呢？(“呢”应为“吗”)|*他这么办行呢？(“呢”应为“吗”)

【内】 nèi 〔名〕

里头；里头的。(inside)常用于构词或用于固定短语，也构成短语做句子成分。

词语 内部　内地　内服　内涵　内行　内科　内幕　内容　内外　内线　内心　内衣　请勿入内　内外交困

例句 这种刊物限国内发行。|教室内禁止吸烟。|这些内容必须在年内学完。|去旅行的学生一共三十人，有病的没包括在内。

【内部】 nèibù 〔名〕

里面的部分。(inside; internal)常做主语、宾语、定语。

例句 教学楼内部很干净。|汽车内部出了问题，不能开了。|他们查看了机器内部，没有发现毛病。|这家宾馆正在进行内部装修，暂停营业。

【内地】 nèidì 〔名〕

一个国家里距离边疆(或沿海)较远的地区。中国人也往往把大陆地区称做内地。(inland)常做主语、定语、宾语。

例句 内地兴起香港游。|春节时很多香港人回内地探亲。|近年来，内地的投资环境越来越好。

【内阁】 nèigé 〔名〕

某些国家中的最高行政机关。(cabinet)常做主语、宾语、定语。

例句 新内阁于昨日组成。|有几位女部长进入内阁。|总理将于下星期召开内阁会议。

【内行】 nèiháng 〔形/名〕

〔形〕对某种事情或工作有丰富的知识和经验。(expert)常做谓语、定语。

例句 他对电脑很内行。|我对当翻译一点儿也不内行。|得请个内行人才行。|张老师是个很内行的汉语老师。

〔名〕在某方面有丰富知识和经验的人。(an expert)常做主语、宾语。[量]个。

例句 内行当领导，事业才能发展。|搞外贸他是个内行。|他这样的人不可能是内行。

【内科】 nèikē 〔名〕

医院中不用手术治疗内脏疾病的一科。(internal medicine)常做主语、宾语、定语。[量]个。

例句 内科治不了这种病。|他在医科大学学内科。|你去医院看内科还是外科？|内科病房在二楼。|我姐姐是内科大夫。

【内幕】 nèimù 〔名〕

一般人不知道的内部真实情况(多指不好的)。(inside story)常做主语、宾语。[量]个。

例句 这个内幕谁也不清楚。|十年后才揭开了那次事件的内幕。|只有几个人了解公司内幕。

【内容】 nèiróng 〔名〕

事物内部所包含的实质或存在的情况。(content)常做主语、宾语。[量]个,项。

例句 这本小说的内容很有意思。|考试的内容大家都忘了。|这次留学生活动的内容十分丰富。|他说了半天,可没什么实际内容。|联谊活动共安排了三项内容。

【内向】 nèixiàng 〔形〕

思想感情等不外露,性格不活泼。(introvert)常做谓语、定语。

例句 这个人有点儿内向。|她性格内向,不喜欢说话。|内向的人当老师不大合适。

【内心】 nèixīn 〔名〕

心里头。(heart)常做定语、宾语。

例句 孩子的内心世界是多么丰富啊!|她内心深处对汉语非常热爱。|父母应该了解孩子的内心。|看到今年毕业的留学生都取得了好成绩,老师们发自内心地高兴。

【内在】 nèizài 〔形〕

事物本身固有的。(inherent)常做定语。

例句 这辆车看起来一般,但内在质量不错。|只有掌握了事物发展的内在规律,才能取得成功。|那两件事并没有内在的联系。

【内脏】 nèizàng 〔名〕

人或动物胸、腹腔内各种器官的统称。(internal organs)常做主语、宾语、定语。[量]副。

例句 病人的内脏可能有毛病了。|有的人不吃动物的内脏。|这是教学用的人体内脏图。

【内战】 nèizhàn 〔名〕

国家内部的战争。有时也用于人民之间的矛盾和斗争。(civil war)常做主语、宾语、定语。[量]次,场。

例句 一场内战终于爆发了。|全体人民都反对内战。|这个国家经常发生内战。|这次内战的主要责任不在政府。

【内政】 nèizhèng 〔名〕

国家内部的政治事务。(internal affairs)常做主语、宾语、定语。

例句 改革开放以来,中国的内政和外交都取得了很大成绩。|每个国家都不应该干涉(shè)别国内政。|这个问题是中国的内政,其他国家不能干涉。|这是内政问题。

【嫩】 nèn 〔形〕

❶ 刚生出而柔弱;娇嫩。(tender)常做谓语、定语。

例句 这黄瓜又嫩又新鲜,来几根吧。|小孩的皮肤嫩得很。|春天,小草长出了嫩嫩的绿叶。|瞧你细皮嫩肉的,能吃得了这个苦?

❷ 某些食物烹调的时间短,很软。(underdone; tender)常做谓语、定语、补语。

例句 这盘儿牛肉还比较嫩。|嫩牛排挺好吃。|鸡蛋糕儿蒸(zhēng)嫩点儿好吃。

❸ 某些颜色浅。(light)常做谓语,也做定语,修饰"黄"、"绿"等少数颜色。

例句 上衣的式样不错,就是颜色太嫩。|这条领带的黄色有点儿嫩。|我比较喜欢嫩绿色。

词语 嫩黄 嫩绿

❹ 人的阅历浅,经验少。(inexperienced)常做定语、谓语。

例句 马克刚毕业,当汉语翻译还是嫩手。|她只有二十岁,做老师嫩了

N

点儿。|看来他说话办事还是太嫩。

【能】 néng 〔助动/形/名〕

〔助动〕能够;会;可以。(can; be able to)常做状语,也可以受程度副词修饰,单独回答问题。

例句 留学生都能说汉语。|这次考试成绩很能说明问题。|你能不能听见他说什么?|病好了,我又能上课了。|A:能完成翻译任务吗? B:能!

〔形〕有能力的。(able)常用于构词,也做谓语。

词语 能人　能干　能手　能者多劳

例句 别看他年纪小,干活儿可能啦。

〔名〕❶ 才干。(ability)常用于构词或用于固定短语中。

词语 技能　才能　低能　无能　能耐

例句 当翻译要有语言才能。|他很无能。|小张能耐可大啦。

❷ 事物做功的能力。(energy)常用于构词,也做主语、宾语。[量]种。

词语 电能　热能　太阳能　能量　能源

例句 太阳能可以发电,做饭。

【能干】 nénggàn 〔形〕

有才能,善于办事。(able)常做谓语、定语、补语。

例句 杨老师很能干,留学生都喜欢她。|这次留学生会选出了一位能干的主席。|方方面面,他都表现得很能干。

【能歌善舞】 néng gē shàn wǔ 〔成〕

在唱歌跳舞方面有特长。(good at both singing and dancing)常做主语、谓语、定语。

例句 能歌善舞是这个民族的特点。|那几个新同学能歌善舞,在晚会上十分活跃。|我有个能歌善舞的朋友。

【能够】 nénggòu 〔助动〕

❶ 有某种能力,或达到某种程度。(can; be able to)常做状语。

例句 我的汉语已经能够和中国人谈话了。|七月以前来中国,能够赶上暑假班。|由于种种原因,他的理想一直没能够实现。

❷ 表示有条件或情理上许可。(can; be capable of)常做状语。

例句 学校能够做到这一点。|没护照不能够出国。

辨析 〈近〉可以,能。“能够”与“能”:表示可能或情理、环境上许可时,多用“能”而很少用“能够”。而且“能够”一般不单独回答问题。如:* 这儿能够抽烟吗? B:不能够。(“能够”均应为“能”)

【能力】 nénglì 〔名〕

能做好工作或事情的主观条件。(ability)常做主语、宾语、定语。[量]点儿,些。

例句 每个人的能力是不同的。|汉语能力主要靠多练习来提高。|应该从小培养孩子独立生活的能力。|对不起,我没有当翻译的能力。|学习认真不认真,这不是能力问题。

【能量】 néngliàng 〔名〕

❶ 物质运动的一种物理量,物质做功的能力。(energy)常做主语、宾语、定语。[量]点儿,些。

例句 能量是可以转化的。|利用地热的能量可以发电。|能量的种类有动能、热能、化学能等。

❷ 人的活动能力。(capability)常做主语、宾语。[量]点儿,些。

例句 别看他们人不多，可能量大得很。|虽然老经理退休了，但还是有些能量的。

【能手】 néngshǒu 〔名〕

在某项工作或运动等方面很强的人。(good hand)常做主语、宾语、定语。[量]位，个。

例句 这次口语比赛，我们班的口语能手都参加了。|他兄弟俩都是开车能手。|翻译前，这些翻译能手的心情多少有点儿紧张。

【能源】 néngyuán 〔名〕

可以产生能量的物质。(energy resources)常做主语、宾语、定语。[量]种，些，点儿。

例句 能源是发展经济的重要条件之一。|人类要不断地开发新能源。|人人都有义务节约能源。|许多国家都面临能源问题。

【嗯】 ńg 〔叹〕 另读 ń

表示疑问。(*interrogative interjection*)常独立成句。

例句 A:嗯？你说什么？我听不清楚。B:可能电话有问题。|嗯？我怎么不知道？|你说行吗？嗯？

【泥】 ní 〔名〕

含水的半固体状的土。(mud)常做主语、宾语。[量]点儿，些。

例句 车上的泥得洗一下。|你怎么弄得满身是泥？|下雨后，路上到处是泥。

【泥土】 nítǔ 〔名〕

土壤；有黏(nián)性的土壤。(soil; clay)常做主语、宾语、定语。[量]点儿，些。

例句 这儿的泥土可以做泥人儿。|中国东北有大片的黑色泥土。|这片泥土的土质很好。

【拟】 nǐ 〔动〕

❶ 设计；起草。(draw up)常做谓语。

例句 这次活动要先拟个计划书。|口语比赛稿已经拟好了。

❷ 打算；想要。(intend)常做谓语，宾语多为动词性短语。

例句 新学期开学典礼拟于十月五日举行。|本学期拟请一两位著名学者来校讲学。

【拟定】 nǐdìng 〔动〕

起草制定。(work out)常做谓语。

例句 留学生的这次活动方案已经拟定了。|这次会议要拟定公司今后十年的发展计划。|合同还没有拟定完。

【你】 nǐ 〔代〕

❶ 称对方(一个人)。[you(second person singular)]常做主语、定语、宾语。

例句 请问，你是留学生吧？|你的要求是合理的。|喂，你爸爸来电话了。|你那儿怎么样？|没有你不行吗？

▶"你"做定语表示领属关系时，亲属或有密切关系的人和处所前常省略"的"。

❷ 称对方(单位或组织)。(your)常做定语。

例句 这一问题请你校研究处理。|顾客对你公司的产品质量有些意见。|你校有多少学生？

❸ 泛指任何人(有时实际上指我)。(anyone)常做主语、宾语。

例句 他提的问题你一下子很难回答。|我儿子小时候很调皮，你怎么说他也不听。|你说什么都没用，他根本不理你。

❹“你”跟“我”或“他”配合，表示“这个…”和“那个…”的意思。(*used coordinately with* “我” *or* “他” *in parallel structures to indicate several or many people behaving the same way*)常做主语、宾语。

例句 大家你一句，我一句，把小张搞糊涂了。|同学们你看看我，我看看他，都没说话。

【你们】 nǐmen 〔代〕

称不止一个人的对方。[you(second person plural)]常做主语、定语、宾语。

例句 你们都是我的好朋友。|我看过你们的作品。|一有消息我马上告诉你们。

▶“你们”做定语表示领属关系时，除亲属和有密切关系的人、团体、处所外，一般要带“的”。可跟“你们”指代的词语连用，做主语、宾语、定语。如：你们教师才是最辛苦的。|老师知道你们三个回来了。|你们服务员的工作很重要。

N

【逆】 nì 〔动/素〕

〔动〕向着相反的方向，不顺从。(counter; go against)常做谓语。

例句 这是单行线，不能逆行。|船在水中逆流前进。

〔素〕方向相反的；不顺当的。(contrary)常用于构词。

词语 逆境 逆风 逆差 逆光

例句 逆境能够使人坚强。|去年的贸易逆差为20亿美元。

【逆反】 nìfǎn 〔名〕

一种心理现象，和希望的或一般人的反应完全相反。(counterreaction)常做主语、定语。

例句 逆反是孩子常见的心理现象。|不要强迫人家，防止产生逆反心理。|大家都不同意，他偏要去，这就是逆反的心理表现。

【逆流】 nìliú 〔名〕

跟主流方向相反的水流，也比喻反动的潮流。(countercurrent)常做主语、宾语。[量]股。

例句 逆流给渡海的游泳运动员造成了一定的困难。|这种主张是不利于世界和平的一股逆流。

【逆水行舟】 nì shuǐ xíng zhōu 〔成〕

比喻在困境中，不努力就会失败。(a boat sailing against the current——must forge ahead or it will be driven back)常做谓语、宾语。

例句 当前公司正逆水行舟，大家要团结努力。|学习汉语好像逆水行舟，不进则退。|经商也是逆水行舟，不努力就会失败。

【年】 nián 〔名〕

❶ 时间单位，一年约365天。(year)常构成短语做句子成分，也用于构词。

词语 今年 三年 半年 年初 年度 年底

例句 今年是龙年。|事件发生在去年。|我学了三年汉语。|他年初回国了。

❷ 每年的。(annual)常做定语，也用于构词。

词语 年产量 年收入 年会 年利

例句 去年我公司的年销售额达到了历史最好水平。|中国煤炭年产量很高。

❸ 岁数。(age)常用于构词。

词语 年龄 年纪 年岁 年迈 年事已高 年富力强 年华

❹ 一生中按年龄划分的阶段。(a period in one's life classified according to age)常做语素构词。

例句 童年 幼年 少年 青年 中年 老年 晚年

❺ 时期,时代。(a period in history)常用于构词。

词语 近年 初年 年代

❻ 年节;有关年节的。(New Year; the Spring Festival; of or for the Spring Festival)常做宾语,也做语素构词。

例句 新年 大年三十 年画 年货 年糕 年画 过年 拜年

例句 拜年是过春节的习俗之一。|过年时,家家户户都贴年画儿。

【年代】 niándài 〔名〕

❶ 时代;时期。多指较久远的过去。(age; time)常做主语、宾语、定语。[量]个。

例句 这件事发生的年代很久了。|这样的事发生在那个年代一点儿也不奇怪。|老人喜欢讲他那个年代的故事。|开放的年代,人的思想都发生了变化。

❷ 每一世纪中从"…十"到"…九"的十年。(a decade of a century)常做主语、宾语、定语。

例句 20世纪90年代是中国经济发展最快的时期。|现在的年轻人不太了解五六十年代。|"文化大革命"发生在60年代中后期。

【年度】 niándù 〔名〕

根据需要而规定开始和结束日期的十二个月。(year)常构成短语做句子成分。[量]个。

词语 会计年度 财政年度 年度计划

例句 今年的年度学习计划执行得很顺利。|本年度经济情况良好。|今天的业务已经属于下一年度了。

【年级】 niánjí 〔名〕

学校按年限分成的级别。(grade)常构成短语做句子成分。[量]个。

例句 一个年级有几百名来自世界各国的留学生。|每个年级有四个班。|妹妹上大学二年级了。|你是几年级的学生?|高中有三个年级。

【年纪】 niánjì 〔名〕

(人的)岁数。(age)常做主语、宾语、谓语、定语。

例句 爷爷年纪大了,可是身体还不错。|我们看不出他的年纪。|他虽然上了年纪,但仍关心国家大事。|A:请问,您多大年纪了? B:对不起,可以不回答吗?|年纪的差别不重要,主要看有没有能力。

辨析 〈近〉年龄。"年纪"只用于人;"年龄"还可用于动植物。此外,"年纪"与"轻"搭配,而"年龄"与"高"搭配。如:* 这匹马的年纪很大,不能干活儿了。("年纪"应为"年龄")|* 年龄很轻("年龄"应为"年纪")|* 年纪太高("年纪"应为"年龄")

【年龄】 niánlíng 〔名〕

人或动植物已经生存的年数。(age)常做主语、宾语、定语。

例句 王老师的年龄好像不大。|请在入学申请表填上你的年龄。|A:你能告诉我你的年龄吗? B:你看我有多大?|这次招工年龄标准是19~22岁。

【年青】 niánqīng 〔形〕

处在青少年时期。(young)常做定语、谓语。

N

例句 我们是年青的一代。|我们的老师都不年青。|新校长很年青，又有能力。

【年轻】 niánqīng 〔形〕

年纪不大，多指十几岁到二十几岁；也指开创的年数不多。(young)常做定语、谓语、补语。

例句 留学生中，年轻人学习比较快。|年轻老师受到学生的欢迎。|我年轻轻的，多干点儿没什么。|张老师整天跟学生在一起，自己也年轻了。|别看他长得年轻，实际上快五十了。

辨析 〈近〉年青。"年轻"既用于人，也用于事物，如"年轻的共和国"、"年轻的学科"；"年青"只用于人。此外，"年轻"可构成动词"年轻化"。

【年头儿】 niántóur 〔名〕

❶ 指某一年。(year)常做主语、宾语、补语。

例句 第一个年头儿发生了很多故事。|我忘不了刚来中国的第一个年头。|玛丽来中国三个年头了。

❷ 多年的时间。(years; a long time)常做宾语。

例句 他家的家具都有不少年头了。|我这个朋友学汉语有年头了。

❸ 时代、年月。(days; times)常做主语，前面常加"这"、"那"等指示代词。

例句 那年头儿，大家生活都很简单。|这年头儿，没有文化不行。

【捻】 niǎn 〔动〕

用手指搓(cuō)转。(twist with the fingers)常做谓语。

例句 只有老人会用棉花捻线。|绳子已经捻好了。|把这三根线捻到一块儿。

【撵】 niǎn 〔动〕

❶ 赶走。(drive out)常做谓语。

例句 哪怕你撵他，他也不会走。|我把那几个调皮的孩子撵跑了。|这条小狗很讨厌，撵了半天也没撵走。

❷ 追赶。(catch up)常做谓语。

例句 她刚走，快去撵她。|这孩子的个儿都快撵上爸爸了。|车跑得太快，怎么撵也撵不上。

【念】 niàn 〔动〕

❶ 按着文字读出声音。(read aloud)常做谓语。

例句 他每天早上都要念生词和课文。|你念得对吗？再好好念念。|请把课文念一遍。

❷ 指上学。(study; attend school)常做谓语。

例句 高中念完了，还想念大学。|因为有病，念了一年就不念了。

【念书】 niàn shū 〔动短〕

指上学；读书。(study; read)常做谓语。中间可插入成分。

例句 小时候因为家里穷，她只念了三年书。|我真想多念点儿书。|爷爷没念过书。|多快呀，这孩子都念书了。

【念头】 niàntou 〔名〕

心里的打算。(thought, idea)常做主语、宾语。[量]个，种。

例句 这个念头不对，不要放弃汉语。|他常常有一些奇怪的念头。|因为习惯问题，他产生了换学校的念头。|带着试一试的念头，我参加了HSK高等。

【娘】 niáng 〔名〕

❶ 母亲。(mother)常做主语、宾语、定语。

例句 我娘今年六十了。|她是小宝的娘。|娘的话温暖着我的心。

❷ 称长一辈或年长的已婚妇女。(*a form of address for an elderly married woman*)常用于构词。

词语 大娘 婶娘 姨娘

❸ 对妇女的泛称,多指年轻的妇女。(a woman;a young woman)常用于构词。

词语 老板娘 娘子军 姑娘 新娘

例句 我们这个组都是女的,是"娘子军"。

【酿】 niàng 〔动〕

❶ 利用发酵(jiào)作用制造。(brew)常做谓语。也用于构词。

词语 酿造 酝(yùn)酿

例句 葡萄可以酿酒。|这酒酿得又纯又香。

❷ 逐渐形成。(lead to; result in)常做谓语。

例句 他总爱开快车,终于酿成了车祸。|双方的矛盾不是一天酿成的。

【鸟】 niǎo 〔名〕

一种动物,有羽毛,绝大多数会飞。(bird)常做主语、宾语、定语。[量]只。

例句 世界上的鸟有多少种?|人类应该爱鸟护鸟。|我家里养着两只小鸟。|有些老人天天早上提着鸟笼子去公园遛(liù)鸟。|鸟叫声把我吵醒了。

【尿】 niào 〔名/动〕

〔名〕人或动物排出的小便。(urine)常做主语、宾语、定语。[量]泡(pāo)。

例句 尿可以做肥料。|不要让孩子在公共场所撒尿。|你在这儿等一会儿,我去撒泡尿。|运动员得接受尿检。

〔动〕人或动物排泄小便。(urinate)常做谓语。

例句 唉呀,孩子又尿床了。|尿完了要洗洗手。|妈妈,我要尿尿。

【捏】 niē 〔动〕

用手指夹;用手指把软东西弄成一定的形状。(pinch; mould)常做谓语。

例句 我胳膊疼,你给我捏捏好吗?|捏住,别掉了。|那位师傅一会儿就捏好了一个泥人儿。|不少孩子爱捏橡皮泥玩。

【捏造】 niēzào 〔动〕

假造(事实)。(fabricate; trump up)常做谓语,多与抽象名词"事实"、"证据"等配合,也做宾语。

例句 捏造事实是要负法律责任的。|这个"罪名"完全是捏造出来的。|这件事纯属捏造!

【您】 nín 〔代〕

"你"的敬称。(polite form of "you")常做主语、宾语、定语。

例句 老师,您早!|您请坐,请喝茶。|A:请问,您几位想要点儿什么? B:每人一杯咖啡。|我代表大家来看望您。|没有您,我的汉语水平一定不能提高。|我完全是照您的意思做的。|我们一定不辜(gū)负您的期望。

▶ "您"的复数一般不是加"们",而是加数量短语,如"您两位"。

【宁】 níng 〔素/名〕 另读 nìng

〔素〕秩序正常,平安。(peaceful)常用于构词,或用于固定短语。

词语 宁静 安宁 宁日

N

例句 家乡发生地震的消息使他坐卧不宁。

〔名〕Níng。❶ 宁夏回族自治区的简称。(short for"宁夏回族自治区")

词语 陕甘宁地区

❷ 南京市的别称。(another name for"南京")

例句 沪(Hù)宁高速公路已经通车了。|上海到南京的铁路叫沪宁线。

【宁静】 níngjìng 〔形〕

(环境、心情)安静。(peaceful; quiet)常做谓语、定语。

例句 我们大学远离市区,宁静极了。|知道没问题后,她的心情才渐渐宁静下来。|在这宁静的夜晚,不由得想念起亲人来。|留学生楼附近有一个宁静的小花园。

【柠檬】 níngméng 〔名〕

树的一种,产于热带,果实椭(tuǒ)圆,黄色,味极酸;也指这种树的果实。(lemon)常做主语、宾语、定语。[量]棵,颗,个。

例句 柠檬生长在热带。|饮料里加不加柠檬?|柠檬汁酸得很。

【凝】 níng 〔动〕

❶ 液体变成固体或气体变成液体。(coagulate)常做谓语,也用于构词。

词语 凝固 凝结 凝聚(jù)

例句 天太冷,路上的水都凝住了。|早起一看,玻璃窗上凝了一层霜。

❷ 注意力集中。(with fixed attention)常用于构词。

词语 凝视 凝目 凝神 凝思

【凝固】 nínggù 〔动〕

❶ 由液体变成固体。(solidify)常做谓语、定语。

例句 液体遇冷就会凝固。|天气不太冷,河水还没凝固成冰。|工人把凝固的油化开。

❷ 比喻固定不变;停滞(zhì)。(be stiff; fix; stagnate)常做谓语、定语。

例句 如果思想凝固,就不能适应时代。|听到这个坏结果,她的表情慢慢凝固起来。|一进门,就感觉到一种凝固的气氛。

【凝结】 níngjié 〔动〕

液体变为固体或气体变成液体;也指血、汗、思想等变成某种抽象的事物。(coagulate)常做谓语。

例句 农民辛勤的汗水凝结成丰收的果实。|我们两国的友谊是用鲜血凝结而成的。|清晨,草丛中到处是水气凝结的露珠。

【凝聚力】 níngjùlì 〔名〕

使人或物聚集到一起的力量。(cohesion; cohesive force)常做宾语、主语。[量]种,股。

例句 中华民族有着强大的凝聚力。|怎么才能增强我们公司的凝聚力呢?|口语比赛的时候,我们班表现出了很强的凝聚力。|球队的凝聚力是胜利的重要保证。

【凝视】 níngshì 〔动〕

看着不动,认真地看。(gaze fixedly; stare)常做谓语、定语。

例句 上课时,同学们凝视着黑板,认真地听老师的讲解。|面对着那幅名画,很多人凝视了许久。|她那凝视的目光充满着友爱和信任。

【拧】 nǐng 〔动〕

用力使物体向里或向外转。(twist)常做谓语。

例句 这瓶矿泉水的盖儿怎么也拧不开。|把水龙头拧好,别浪费水。|她把衣服拧干,晒在外边。

【宁】 nìng 〔连〕 另读 níng

意义同"宁可"。(would rather)常用于固定短语。

词语 宁死不屈 宁缺毋滥(wùlàn)

例句 我宁死也不嫁他。

【宁可】 nìngkě 〔连〕

表示在比较得失后的选择。(would rather)用于复句。用在动词前,也可以用在主语前;常跟上文的"与其",或者下文的"也不"、"决不"、"也要"配合。

例句 宁可开夜车,也要把作业写完。|看到他痛苦的样子,我宁可自己生病来代替他。|我宁可挨批评,也要帮你这个忙。|人家宁可不要钱,也愿意跟你干。

▶"宁可"后面跟着的内容虽是选取的做法,但并不表示这种做法是最理想的,反而往往是需要付出一定代价、承受某种损失的。如上几例中的"死"、"加班"、"生病"等。

【宁肯】 nìngkěn 〔连〕

表示经过选择后的意愿和决定,有"情愿"的意思。(would rather)用于复句。常用在动词或主语前,常与上文的"与其"或下文的"也不"等配合。

例句 他宁肯自己多干点儿,也不愿意麻烦别人。

辨析 〈近〉宁可,宁愿。"宁肯"与"宁可":词义和用法基本相同。但当所选择的做法不是主观可以决定的时候,一般用"宁可"。如:* 宁肯穷死,也不跟别人借钱。("宁肯"应为"宁可")

【宁愿】 nìngyuàn 〔连〕

词义和用法同"宁肯"。

【牛】 niú 〔名〕

动物的一种,头长角,力气大,可以拉车、耕田或乳用、肉用。(ox; cattle)常做主语、宾语、定语。[量]头。

例句 你看,这头牛是不是病了。|草地上有很多牛。|农民家里都养了不少牛。|牛的用处很多。

【牛奶】 niúnǎi 〔名〕

牛的乳汁。(milk)常做主语、宾语、定语。[量]滴,斤,杯。

例句 一斤牛奶够我喝两天的。|牛奶含有丰富的营养。|每天早上我都喝一杯牛奶。|超市里有各种各样的牛奶。|你爱不爱吃牛奶饼干?

【牛仔服】 niúzǎifú 〔名〕

原指美国西部放牛人(牛仔)穿的衣服,用粗厚布制成,目前流行全世界。(jeans; jeans wear)常做主语、宾语、定语。[量]件,套。

例句 牛仔服现在很流行,许多年轻人都爱穿。|我过生日的时候,妈妈给我买了一套牛仔服。|老年朋友穿上牛仔服,显得年轻。|牛仔服的颜色有各种各样的,但主要是蓝色。

【扭】 niǔ 〔动〕

❶ 掉转;转动。(turn round)常做谓语。

例句 他气得扭头就走了。|因为太胖,身子一下子扭不过来。

❷ 拧(nǐng)。(twist)常做谓语。

例句 这个开关我扭不开,你来扭扭看。|小张一下子就把瓶盖扭开了。|这个水龙头怎么也扭不动。

❸ 身体走路时左右摇动。(swing)常做谓语。

例句 在晚会上,人们扭起了秧歌舞。|那个人走路扭得厉害,是不是喝醉了?|你扭来扭去的,像什么样子?

❹ 拧伤。(sprain)常做谓语。

N

例句 昨天搬家不小心扭了腰。|比赛中，我把脚扭坏了。

【扭转】 niǔzhuǎn 〔动〕

❶ 掉转。(turn round)常做谓语。

例句 她把头扭转过去，低声哭起来。|风越来越大，大家纷纷扭转车头回家。

❷ 纠正或改变发展方向。(turn back; reverse)常做谓语，多与抽象名词配合。

词语 扭转局面 扭转方向 扭转乾坤(qiánkūn)

例句 必须扭转不认真学习的倾向。|社会上一些不文明的现象很难一下子扭转过来。

【纽】 niǔ 〔名〕

❶ 扣子。(button)常用于构词。

词语 纽扣 纽子

❷ 关键。(key)常用于构词。

词语 电纽 枢(shū)纽 纽带

例句 汉语是文化交流的纽带。

【纽扣】 niǔkòu 〔名〕

衣服等的上面起扣合作用的小物件，也叫"纽子"、"扣子"。(button)常做主语、宾语、定语。[量]个，颗。

例句 上衣的纽扣掉了一个。|纽扣对衣服来说很重要。|这个老人会做旗袍的纽扣。|您这纽扣的样式挺不错的。

【农】 nóng 〔名〕

❶ 耕种田地、饲养牲畜等方面的生产。(agricultural)常用于构词。

词语 农业 农村 农田水利 农民 农家 农林牧副渔 农忙 务农

例句 我曾经下乡务过农。

❷ 从事种田、养牲畜等生产的人。(peasant; farmer)常用于构词。也做宾语。

词语 农舍 菜农

例句 谁都不能坑农。

【农产品】 nóngchǎnpǐn 〔名〕

农业生产出来的物品，如粮、棉、油料等。(agricultural products)常做主语、宾语、定语。[量]种，批。

例句 中国的农产品非常丰富。|他们公司大量进口各种农产品。|这家工厂专门加工农产品。|他们正在了解农产品的价格。

【农场】 nóngchǎng 〔名〕

具有一定规模和较高的生产力水平的农业生产单位。(farm)常做主语、宾语、定语。[量]个，家。

例句 这几个农场主要生产粮食。|学校组织留学生参观了一家国营农场。|农场的生产率一般都比较高。

【农村】 nóngcūn 〔名〕

农民集中居住的地方。(countryside)常做主语、宾语、定语。

例句 中国农村近年来发生了巨大的变化。|现在，不少农村变得像城市了。|城市应该帮助农村。|学校每年组织留学生参观农村。|农村的落后面貌正在逐步改变。|发展农村经济还要靠科技进步。

【农户】 nónghù 〔名〕

从事农业生产的人家。(peasant household)常做主语、宾语、定语。[量]家，个。

例句 几乎每家农户都养了羊、牛等。|政府把土地使用权交给了农户。|工程用地要考虑农户的利益。

【农具】 nóngjù 〔名〕

农业生产所使用的工具。(farm tools)常做主语、宾语、定语。[量]

件,副,套。

例句 这几件农具一共多少钱?|这家公司制造各种农具。|农具的现代化对发展农业十分重要。

【农贸市场】 nóng mào shìchǎng 〔名短〕

以农副产品贸易为主的市场,又称自由市场。(a market of farm produce)常做主语、宾语、定语。[量]个,家。

例句 改革开放以来,农贸市场迅速兴起。|最近城市建了很多农贸市场。|学校附近就有个农贸市场,买水果很方便。|农贸市场的农产品又多又新鲜。

【农民】 nóngmín 〔名〕

在农村从事农业生产的人。(peasant)常做主语、宾语、定语。[量]个,位。

例句 农民特别能吃苦。|农民富裕起来了。|我曾经当过农民,后来做了教师。|城市吸引了大批农民到那里打工。|改革改变了每个农民的命运。|现在农民的生活比过去好多了。

【农田】 nóngtián 〔名〕

用来耕种的田地。(farmland)常做主语、宾语、定语。[量]块,片。

例句 随着城市的发展,农田正在逐渐减少。|整齐的农田一望无际。|洪水淹没了大片农田。|为了保护环境,中国正在有计划地把一部分农田改成林地。|农民们利用冬季搞农田基本建设。

【农药】 nóngyào 〔名〕

农业上用来杀虫、除草等的药物。(pesticide)常做主语、宾语、定语。[量]种。

例句 农药在农业生产中有非常重要的作用。|有的地方用飞机喷洒农药。|这家公司经营农药。|农药的残留让我们担心。

【农业】 nóngyè 〔名〕

种植农作物和饲养牲畜的生产事业,有时也包括林业、渔业的农村副业。(agriculture)常做主语、宾语、定语。

例句 农业是中国经济的基础。|政府应该大力发展农业。|经济发展和人民生活离不开农业。|中国还是个农业国。

【农作物】 nóngzuòwù 〔名〕

农业上种植的各种植物,如粮食、蔬菜、水果、棉花等。(crops; farm plant)常做主语、宾语、定语。

例句 今年的农作物普遍生长很好。|因为灾害,农作物大面积减少。|台风毁坏了大片的农作物。|秋天正是农作物的收获季节。|要提高农作物的产量。

【浓】 nóng 〔形〕

❶ 液体或气体中含的某种成分多;稠密。(thick; dense)常做谓语、定语。

例句 这杯茶太浓了。|今晚的夜色浓极了。|房间里充满了浓浓的花香。|困极了,我就喝一杯浓咖啡。

❷ 表示程度深。(great; strong)常做谓语、定语。

例句 留学生对汉语的兴趣很浓。|那儿的学习气氛不太浓。|他对曾经学习过的地方怀有浓浓的感情。

【浓度】 nóngdù 〔名〕

一定量溶液中所含溶质的多少。(concentration)常做主语、宾语、定语。

例句 这瓶药水的浓度是多少？|请检验一下这批货物的浓度。|这个百分比表示浓度的大小。

【浓厚】 nónghòu 〔形〕

❶ 多而厚。(thick)常做谓语、定语。

例句 他的乡音十分浓厚。|飞机穿过了浓厚的云层。|高速公路因有浓厚的大雾而关闭。

❷（意识等）重。(pronounced; strong)常做谓语、定语。

例句 都21世纪了，你的封建意识怎么还这么浓厚？|我们大学的学习气氛比较浓厚。|昨晚的演出具有浓厚的中国色彩。|还没到春节，就已经感受到了浓厚的节日气氛。

❸（兴趣）大。(strong)常做谓语、定语。

例句 我对足球的兴趣越来越浓厚。|留学生了解中国文化的兴趣很浓厚。|客人们怀着浓厚的兴趣观看了民俗表演。

N

【弄】 nòng 〔动〕

❶ 用手拿着、摆弄着或逗着玩儿。(play with; fool with)常做谓语。

例句 小孩儿特别爱弄小动物。|一到星期天，爸爸就喜欢弄弄花呀鱼的。|小心，别把电脑弄坏了！

❷ 搞；做；干等。可代替某些表示具体动作的动词的意义。(make; do)常做谓语。

例句 我怎么也弄不懂汉语语法。|车有点儿毛病，你帮我弄弄？|房间弄得挺干净。|只要你好好弄，就会有前途的。|A：电脑总坏，怎么办？B：我可不会弄，还是请专业人员弄吧。|不大功夫她就弄出一桌子菜。

❸ 想办法取得。(get)常做谓语。

例句 你等着，我去弄点儿饮料来。|排了半天队才弄了两张票。|要是弄不到钱，就算了。

【弄巧成拙】 nòng qiǎo chéng zhuō 〔成〕

本想要表现聪明，结果做了蠢事。(try to be clever only to end up with a blunder; outsmart oneself)常做谓语。

例句 不要弄巧成拙。|他本想表现一下，没有想到弄巧成拙。|这笔买卖赔了本，弄巧成拙。

【弄虚作假】 nòng xū zuò jiǎ 〔成〕

搞虚假的一套骗人。(practice fraud; employ trickery; resort to deception)常做谓语、定语、宾语、主语。

例句 考试中不要弄虚作假，应该自己认真完成。|我们要坚决扭转这种学习上弄虚作假的风气。|公司关门，这就是弄虚作假的结果。|有些人总喜欢弄虚作假。|弄虚作假可不行，要经得起检查。

【奴隶】 núlì 〔名〕

为主人劳动而没有人身自由的人。(slave)常做主语、宾语、定语。［量］个。

例句 奴隶们推翻了奴隶主的统治。|不要把服务员当做奴隶。|奴隶社会早就过去了。

【奴役】 núyì 〔动〕

把人当做奴隶使用。(enslave)常做谓语、定语。

例句 任何人都没有权利奴役别人。|强国不能奴役弱国。|在历史上，劳动人民长期处于被奴役的地位。

【努力】 nǔlì 〔形/动短/名〕

〔形〕尽最大力量的。(hard-working)常做谓语、状语、补语。不能重叠。

例句 他到中国以来，学习非常努力。|有的留学生不太努力。|全班同学都努力学习。|在这次口语比赛中，马克表现得很努力。

〔动短〕表示把力量尽量使出来。(make great efforts)常做谓语。中间可插入成分。

例句 让我们共同努力吧！|别灰心，再努一次力。|A:我努力了，可是不行。B:你再努努力。

〔名〕尽最大力量的行为。(great efforts)常做主语、宾语。

例句 相信我的努力不会白费。|参加口语比赛的同学尽了最大的努力，终于获得了成功。|没有大家的努力，就没有我们公司的今天。

【怒】 nù 〔形〕

❶ 生气；愤怒。(angry)常用于构词。

词语 怒视　怒火　怒斥　怒气　愤怒　发怒

例句 听到公司的通知，大家怒气冲冲。|对腐败现象，老百姓都非常愤怒。|喜怒哀乐是人之常情。

❷ 形容气势很盛。(forceful; vigorous)常用于构词。

词语 怒涛　怒吼　狂风怒号(háo)　百花怒放

例句 海面上狂风怒号，怒涛汹涌。|一想到就要回国了，不禁心花怒放。

【怒吼】 nùhǒu 〔动〕

猛兽大声叫。也比喻发出雄壮的声音。(roar)常做谓语、定语。

例句 狮子突然怒吼起来。|战士们怒吼着冲向敌人。|怒吼的海浪几乎把小船吞没。

【怒火】 nùhuǒ 〔名〕

指强烈的愤怒。(fury)常做主语、宾语。[量]股。

例句 大家心中的怒火在燃烧。|听了这话，一股怒火冲上心头。|太让人生气了，实在不能平息心中的怒火。|看着这种暴行，人们难以克制心头的怒火。

【女】 nǚ 〔形/名〕

〔形〕女的。跟“男的”相对。(female)常做定语，也做语素构词。可构成“的”字短语。

词语 女经理　女校长　女兵　女护士　女生　女人　女儿　女士　女式　女的

例句 我的汉语老师是女的。|做护理工作，女的比较方便。|世界上好几个国家是女总统。

〔名〕❶ 女性，人类两性之一，跟“男”相对。(woman)常用于构词。

词语 妇女　女子　少女

例句 在中国，男女平等，同工同酬。

❷ 女儿。(daughter)常用于构词。

词语 长女　次女　子女　儿女双全

例句 田老师有一男一女。

【女儿】 nǚ'ér 〔名〕

女孩子(对父母来说)。(daughter)常做主语、宾语、定语。[量]个。

例句 他女儿是大夫。|王老师的女儿才3岁。|我老了，全靠女儿了。|老两口只有一个女儿。|客厅旁边是女儿的房间。|女儿的心思父母最了解。

【女人】 nǚrén 〔名〕

N

女性成年人。(woman)常做主语、宾语、定语。[量]个。

例句 女人最爱美。|女人都喜欢打扮。|这本小说的主人公是一个单身女人。|这部电视剧充分表现了女人的心理。

【女士】 nǚshì 〔名〕

对妇女的尊称。(lady;madam)常做主语、宾语、定语,也可做称呼语。[量]位。

例句 小李,那位女士等你半天了。|女士优先,请女士先上车。|昨天找你的是位女士。|这些新式女装可以更好地展示女士的风采。|这位女士,您需要帮助吗?

【女性】 nǚxìng 〔名〕

❶ 人类两性之一,与"男性"相对。(the female sex)常做主语、宾语、定语。

例句 就平均寿命来说,女性比男性长。|这个工作,要求是女性。|女性化妆品种类真多!|张教授对女性文学很有研究。

❷ 妇女。(woman)常做主语、宾语、定语。

例句 女性都喜欢化妆。|你这身打扮像个都市女性。|在中国,女性的社会地位跟男性一样。

【女子】 nǚzǐ 〔名〕

女性的人。(woman;female)常做主语、宾语、定语。[量]个,名。

例句 那个女子十分要强。|工作上,女子不比男子差。|不要轻视女子。|李大妈报名参加女子老年组的比赛。|女子健美班正在招生呢。

【暖】 nuǎn 〔形/动〕

〔形〕表示气温、室温等不冷也不太热。(warm)常做谓语、定语。

例句 天暖了,可以去外面活动了。|这里每年4月就春暖花开了。|天气预报说最近有一股暖空气。|冷的时候,商店的暖风真舒服。

〔动〕使温暖。(warm up)常做谓语。

例句 快活动活动,暖暖身子。|能不能把这壶酒暖一下再喝?

【暖和】 nuǎnhuo 〔形/动〕

〔形〕指气候、环境等不冷不热。(warm)常做谓语、定语、补语。

例句 前一阵真冷,这几天可暖和多了。|在南方,冬天也很暖和。|一开空调,屋里很快就暖和起来了。|你还是买件暖和的大衣吧。|下雪了,不穿暖和点儿不行。

〔动〕使暖和。(warm up)常做谓语。

例句 外边冷,进来暖和暖和吧。|妈妈常常用热水袋给我暖和被窝。|瞧你冻的,来,我给你暖和暖和手。

【暖气】 nuǎnqì 〔名〕

用蒸汽或热水升高室温的设备。也指蒸汽或热水。(central heating equipment;warm air)常做主语、宾语、定语。

例句 这几天暖气不太热,房间比较冷。|留学生宿舍的每个房间都有暖气。|我们这里从11月开始供暖气。|暖气设备需要年年检修。

【挪】 nuó 〔动〕

移动位置;转移。(move)常做谓语。

例句 A:请帮我挪挪电脑。B:往哪儿挪呀?|这个桌子一个人可挪不了。|那天跑步以后,大伙儿都累得一步也挪不动了。|定好的会场又挪地方了。

N

O

【噢】 ō 〔叹〕

表示了解。(oh)独立使用。

例句 噢,原来是他!|噢,这件事我知道。|A:这样可以吗? B:噢,可以可以。|A:快点儿! B:噢,好,我马上来。

【哦】 ò 〔叹〕 另读 é、ó

表示领会,醒悟。(oh)独立使用。

例句 A:明白了吗? B:哦,现在我懂了。|哦,我想起来了。|哦,是这样啊!

【殴打】 ōudǎ 〔动〕

打(人)。(beat up)常做谓语,宾语。

例句 几个流氓殴打他人。|有两个人突然互相殴打起来。|大家劝他们不要殴打了。|他遭到坏人的殴打。

【呕】 ǒu 〔动〕

吐。(vomit)常做谓语。

例句 昨天不知吃了什么,晚上呕得很厉害。|吃了药以后,我才不呕了。|小李呕了很久,没呕出什么。

【呕吐】 ǒutù 〔动〕

由于某种原因,吃下去的食物被迫从口里排出来。(vomit; retch; spew)常做谓语、宾语、主语。

例句 那天喝多了酒,呕吐得很厉害。|小王病了,呕吐出了很多东西。|直到下飞机,那个老人才停止呕吐。|大夫,我妈妈又开始呕吐了。|呕吐是这种病的特点。|经过治疗,呕吐已得到了控制。

【偶尔】 ǒu'ěr 〔副〕

有时候。(once in a while; occasionally)常做状语。

例句 这位老人偶尔也到外面活动活动。|在中国学习,马克偶尔也去旅游。|他从不抽烟,只是偶尔喝点儿酒。|现在很多人只在家看电视,偶尔才去电影院。

辨析 〈近〉偶然。"偶然"是形容词,除了做状语,还可做谓语、定语。"偶尔"只做状语。如:*这件事是偶尔的。("偶尔"应为"偶然")|*发生的事故很偶尔。("偶尔"应为"偶然")

【偶然】 ǒurán 〔形〕

事理上不一定要发生而发生的;超出一般规律;有时候的。(accidental)常做谓语、定语、状语、补语。

例句 他这次来中国很偶然。|马克HSK达到8级并不偶然。|那完全是一起偶然事故。|偶然因素有时也很起作用。|昨天在公园偶然遇见一个老朋友。|城里偶然能看见马。|事情发生得太偶然。|这个人出现得有些偶然。

P

【趴】 pā 〔动〕

❶ 胸腹向下卧倒。(lie prone)常做谓语、状语、定语。

例句 在房间里,没事儿时他经常趴在床上。|两个孩子正趴在地上玩呢。|你可别趴着睡。|这几天休息,趴的时间太长,有点儿不舒服。

❷ 身体向前靠在物体上。(bend over)常做谓语。

例句 留学生们趴在桌子上认真练习写汉字。|留学生宿舍楼外面有表演,不少人趴在房间窗户上观看。|别趴柜台,小心把玻璃压碎了。

【扒】 pá 〔动〕 另读 bā

❶ 用手或工具把东西集中或散开。(rake up;gather up)常做谓语。

例句 快把树叶扒在一起好拉走。|他急急忙忙把饭扒进嘴里就走了。

❷ 从别人身上偷东西。(steal)常做谓语,也做语素构词。

词语 扒窃　扒手

例句 他的钱包在公共汽车上被扒走了。|那个人以前扒过别人的东西。

【爬】 pá 〔动〕

❶ (人或动物)伏在地上向前移动。(crawl;creep)常做谓语、状语。

例句 电影中的士兵爬着前进。|孩子在地上慢慢地爬着。|那条蛇一边爬,一边张开嘴。

❷ 攀登。(climb;clamber)常做谓语。

例句 留学生都去爬山了。|太晚了,没电梯了,只能爬楼梯了。

【怕】 pà 〔动/副〕

〔动〕❶ 害怕,惧怕。(fear)常做谓语。

例句 老鼠怕猫。|我不信神,也不怕鬼。|孩子不怕妈妈,怕爸爸。

❷ 禁受不住。(cannot stand)常做谓语。

例句 这种手表怕水。|这孩子体质差,怕着凉。

❸ 表示担心。(be afraid sth. might happen)常做谓语。

例句 他怕晚了,赶紧打车走了。|要去旅游,我怕钱不够,去银行取了点儿。

〔副〕表示估计或猜测,有担心的意思,常有商量的语气。(I'm afraid;I suppose;perhaps)常做状语。

例句 这么热的天,怕他不会来了。|看这熟悉的笔迹,怕是妈妈的来信。

【拍】 pāi 〔动〕

❶ 用手掌打。(clap;pat;pat with palm)常做谓语。

例句 把衣服拍一拍再进来。|他的歌唱得真好,大家为他拍手鼓励。|听到这个好消息,她高兴地拍起桌子来。

❷ 波浪冲击,扑。(beat;lap)常做谓语。

例句 游泳时,浪花拍着我的身体,感觉很舒服。|海水拍打着岸边。

❸ 摄影。〔shoot;take(a picture)〕常做谓语。

例句 多漂亮的地方啊,快拍下来。|我想拍几张照片寄回去。|现在不少人结婚都拍录像了。

❹ 发送。(send)常做谓语。

例句 事情很急,赶快拍个电报。|

现在已经没有什么人拍电报了。

❺ 吹捧。(flatter)常做谓语。

例句 他是一个正直的人,从不喜欢吹吹拍拍。|公司的人都拍老板。

【拍板】 pāi bǎn 〔动短〕

比喻领导做出决定。(have the final say)常做谓语、定语,中间可插入成分。

例句 这件事老板已经拍板了。|除了厂长,谁也拍不了板。|拍板的人是谁?

【拍摄】 pāishè 〔动〕

拍照,用摄影机把人、物的形象留在底片上。[shoot (a photograph, movie, etc.)]常做谓语。

例句 明天电视台来拍摄留学生汉语节目表演。|前不久,我们在森林中拍摄到了老虎。|我喜欢拍摄静物。

辨析 〈近〉拍照。"拍照"指照相,后面不能跟宾语。如:* 我拍照同学。("拍照"应为"拍摄")|* 他拍照风景很拿手。("拍照"应为"拍摄")

【拍手称快】 pāi shǒu chēng kuài 〔成〕

拍着手喊痛快。(clap and cheer; clap hands for joy)常做谓语。

例句 小偷被抓住了,大家都拍手称快。|听到那个消息后,人们拍手称快。

【拍照】 pāi zhào 〔动短〕

照相。(photograph)常做谓语、宾语、定语。中间可插入成分。

例句 要毕业了,咱们一起拍个照吧。|给您拍照可以吗?|我的妹妹非常喜欢拍照。|他拍照的水平很高。

【拍子】 pāizi 〔名〕

❶ 拍打东西的用具。(bat)常做主语、宾语、定语。[量]个,副。

例句 苍蝇拍子哪儿去了?|他买了一副羽毛球拍子。|这个乒乓球拍子的把很长,是横握的。

❷ 音乐中计算乐音历时长短的单位,乐曲的节拍。(beat)常做主语、宾语、定语。[量]种。

例句 这首歌的拍子太快了。|老师边唱边用手打着拍子。|四三拍子的音乐很好听。

【排】 pái 〔名/量/动〕

〔名〕❶ 排成的行列。(row)常做宾语。

例句 我们大学的教学楼很整齐,成排成列。|买票的时候,请自觉站成一排。

❷ 军队的编制单位。(platoon)常做主语、宾语、定语。[量]个。

例句 一个连有三个排。|野战排已全部出发了。|三排的排长姓刘。

❸ 用竹木扎成的水上交通工具。(raft)常做主语、宾语、定语。

例句 竹排有时比小船要方便得多。|江上漂着一只竹排。|竹排的前边有一只小船。

〔量〕用于成行列的事物。(*measure word of row*)常与数词、指示代词组成短语,做定语、主语、宾语。

例句 留学生宿舍的前面有一排树。|几排旅游车停在广场上。|这些花,一排全是红色的,一排全是黄色的。|教室的桌子一共是五排。

〔动〕❶ 按次序站成行列。(put in order)常做谓语。

例句 请大家排好队。|我排在您后面。

❷ 安排,准备。(arrange)常做谓语。

P

例句 教学秘书正在排课。|大会日程还没排出来。

❸ 除去。(exclude; eject; discharge)常做谓语。

例句 被蛇咬过后首先要排毒。|我们是好朋友,让我为你排忧解难吧。|这机器可以用来排水。|目前病人排尿很正常。|做饭时要排油烟。

❹ 表演前练习。(rehearse)常做谓语。

例句 这场戏已经排了好几遍了。

【排斥】 páichì 〔动〕

使别的人或事物离开自己这方面。(repel; reject; exclude)常做谓语、定语。

例句 同性往往互相排斥。|不应该排斥和自己意见不一样的人。|对新事物采取排斥的态度是不对的。

辨析 〈近〉排挤。"排挤"是贬义词,搭配对象是不利于自己的人和组织;"排斥"是中性词,搭配对象可以是内部的或外部的人和事物,使用范围广一些。

【排除】 páichú 〔动〕

消除,除掉。(get rid of; remove)常做谓语。

例句 同学们排除母语干扰,努力学好汉语。|汽车的故障已经排除了。

辨析 〈近〉排斥。"排除"是中性词,使用范围广;"排斥"虽为中性,但用于人或组织时常有贬义,使用范围也小些。

【排队】 pái duì 〔动短〕

按照次序排成行列。(line up; queue up)常做谓语、主语、定语。中间可插入成分。

例句 请大家排队。|排队买票得一个钟头。|请问,买火车票在这儿排队吗?|自觉排队是文明的表现。|排队的人都能买到。

【排挤】 páijǐ 〔动〕

利用势力或手段使对手失去地位或利益。(push and squeeze out; edge out)常做谓语、宾语。

例句 他一贯排挤比他强的同事。|小李被排挤走了。|不同意见的人遭到排挤。

【排列】 páiliè 〔动〕

依照次序排成行列。(arrange)常做谓语、定语。

例句 货架上排列着各种商品。|士兵们在操场上排列得整整齐齐。|这种排列方法很科学。

【排球】 páiqiú 〔名〕

❶ 球类运动项目之一。(volleyball)常做主语、宾语、定语。[量]场。

例句 排球是我的强项。|很多同学都喜欢打排球。|留学生排球比赛将在下周举行。

❷ 排球运动使用的球。(volleyball)常做主语、宾语、定语。[量]个。

例句 这个排球是朋友留给我的。|比赛用的是新排球。|这个排球的质量真好。

【排山倒海】 pái shān dǎo hǎi 〔成〕

形容声势大,力量强。(topple the mountains and overturn the seas; overwhelming or sweeping)常做谓语、定语、状语。

例句 洪水排山倒海,造成的损失

很大。|比赛获胜了，球迷发出了排山倒海的欢呼。|狂风排山倒海地卷过来了！

【排长】 páizhǎng 〔名〕

军队中最低一级军官的职务。(platoon leader)常做主语、定语、宾语。[量]个，名，位。

例句 排长去开会了。|排长的话很有道理。|小李从军校毕业后当了一名排长。

【徘徊】 páihuái 〔动〕

❶ 在一个地方来回地走，比喻事物在某个范围来回波动。(pace up and down; wander; fluctuate)常做谓语。

例句 第一次来的时候，我在大学门前徘徊了很久。|他心里好像有什么事，一直在房间里徘徊。|近几年，我们公司的利润总在低水平上徘徊。|我们大学的留学生规模在两千人左右徘徊。

❷ 比喻犹豫不决，拿不定主意。(hesitate)常做谓语、定语。

例句 复杂的情况使他徘徊不前。|究竟告诉不告诉她呢？我开始徘徊起来。|当时有一部分人持徘徊观望态度。

【牌】 pái 〔名〕

❶ 用木板或其他材料做的标志。(plate)常做宾语、定语、主语，也做语素构词。[量]个，块。

词语 门牌 路牌 牌匾

例句 路边有一个公共汽车站牌。|那块路牌前面站着的就是我朋友。|我的自行车牌丢了。

❷ 张贴广告等的板。(board)常构成短语后做宾语、主语、定语。

例句 路旁竖起一块广告牌。|大学的公告牌贴了很多广告。|这块标语牌的尺寸小了点儿。

❸ 娱乐或赌博用品。(card)常做宾语、定语、主语。

例句 他们在一起打牌呢。|没事儿时，这些人常在一起玩牌。|牌放在哪儿了？|这是牌桌，可以打扑克什么的。

❹ 商标。(brand)常做宾语、主语，也做语素构词。[量]种，个。

词语 名牌 冒牌

例句 请问，那件西服是什么牌？|光看牌可不行，牌也有假的。|这个牌的电视机怎么样？

【牌子】 páizi 〔名〕

❶ 有文字作为标志或用来张贴广告等的板状物。(plate)常做主语、宾语、定语。[量]个，块。

例句 街上的广告牌子十分引人注目。|那块牌子写着什么？|这辆车怎么没有车牌子？|牌子的颜色是蓝色的。

❷ 商标。(brand)常做主语、定语、宾语。[量]种，个。

例句 产品的牌子非常重要。|她最喜欢这个牌子的香水。|有的人很喜欢外国牌子。|这种手表是老牌子。

【派】 pài 〔动/名〕

〔动〕分配；命令人做事或担任职务。(send; dispatch)常做谓语、定语。

例句 经理派小李出差了。|他被派到中国工作三年。|上级派她负责留学生的教学工作。|给留学生派的车已经到了。

〔名〕具有共同的立场、思想等的一些人。(group; school)常做主语、定语、宾语。[量]个，种。

P

例句 保守派的意见没有被采纳。|两派的代表在会谈中认真地交换了意见。|中国的太极拳分成很多派。|他是一个乐观派。

【派别】 pàibié 〔名〕

内部因观点不同而形成的小团体或分支。(group)常做主语、定语、宾语。[量]个。

例句 两个派别各自坚持自己的主张。|这几个学术派别之间的争论促进了科学的发展。|中国的武术有很多不同的派别。|他们兄弟两人加入了不同的派别。

【派出所】 pàichūsuǒ 〔名〕

公安局的基层机构,管理户口和治安等工作。(local police station)常做主语、定语、宾语。[量]个。

例句 这个派出所负责我们大学的安全。|派出所的警察十分辛苦。|留学生很多事需要派出所的帮助。|丢了东西可以报告派出所。

【派遣】 pàiqiǎn 〔动〕

派人到某地做某工作。(accredit; dispatch; mission)常做谓语、定语、宾语。

例句 中国政府派遣了一个贸易代表团。|公司派遣代表来谈判。|公司总部派遣的代表已经到了。|我们接受了公司的派遣,在中国工作一年。

【攀】 pān 〔动〕

❶ 抓住东西向上爬。(climb)常做谓语。

词语 攀登 攀缘

例句 工人攀上了五楼。|他攀着绳子一直爬上山顶。

❷ 跟地位高的人结亲戚或搞好关系。(seek connections in high places)常做谓语。

例句 人家地位高,我高攀不上。|他想跟市长攀亲。|有的人就爱攀高枝儿。

【攀登】 pāndēng 〔动〕

抓住东西爬上去。(climb; scale)常做谓语、定语。

例句 年轻的登山队员攀登上了世界最高峰。|那个年轻人没攀登上世界最高的楼。|天气不好,攀登的人只好退下来。

【盘】 pán 〔动/名/量〕

〔动〕❶ 环绕、回旋。(wind)常做谓语,也做语素构词。

词语 盘旋 盘绕 盘山

例句 她年轻时头上盘着一条辫子。|树上盘着一条蛇。

❷ 清点货物或查问。(check; examine; interrogate)常做语素构词,也做谓语。

词语 盘点 盘账 盘查 盘问

例句 商店明天下午盘货,不开门。

〔名〕❶ 盛东西的扁而浅的器具。(plate)常做主语、宾语、定语。[量]个。

例句 这些盘是在中国买的。|孩子不小心打碎了一个盘。|这个木盘的图案很漂亮。

❷ 形状像盘子的东西。(sth. shaped like a plate)做语素构词。

词语 算盘 棋盘 磨盘

〔量〕用于盘样或回旋地绕的事物。(*measure word for plate*)常与数词、指代词组成短语。做定语、主语、宾语。

例句 我买了两盘磁带,都是外国

P

音乐。|这菜真不错,再来一盘。

【盘根错节】 pán gēn cuò jié 〔成〕

比喻事情很复杂。(with twisted roots and gnarled branches — complicated and difficult to deal with; deep-rooted)常做谓语、定语。

例句 这件事盘根错节,实在很复杂。|公司里人与人的关系盘根错节,你要小心。|这种盘根错节的关系,别人很难弄清楚。

【盘旋】 pánxuán 〔动〕

❶ 环绕着飞或走。(circle)常做谓语、定语。

例句 飞机在天上盘旋了两圈才落下来。|蜜蜂在花丛中盘旋。|一直盘旋着的几只鸟最后飞走了。|盘旋的车队终于到了山顶。

❷ 徘徊,逗留。(linger; turn over)常做谓语。

例句 这个问题盘旋在他的脑中很久了。

【盘子】 pánzi 〔名〕

一种盛东西的扁平浅底器皿,一般是圆形。(plate; dish)常做主语、宾语、定语。[量]个。

例句 这个盘子是在中国旅游时买的。|吃饭的时候不小心打了一个盘子。|他家里收藏着一个古代的盘子。|这个盘子的质量非常好。

【判】 pàn 〔动〕

分辨;断定;评定;断决。(distinguish; judge; decide; sentence)常做谓语,也做语素构词。

词语 判别 判断 裁判 判刑

例句 他因盗窃被判了一年。|老师给我的作业判了98分。

【判处】 pànchǔ 〔动〕

司法部门对罪犯处以某种刑罚。(sentence)常做谓语、定语。

例句 那个罪犯被判处两年徒刑。|这个小偷还没有判处。|判处的结果是在大家意料之中的。

【判定】 pàndìng 〔动〕

断定,裁定。(judge; decide; determine)常做谓语。

例句 他根据字体判定这封信一定是姐姐写的。|法院判定由他支付这笔钱。|这件事很难判定谁对谁错。

【判断】 pànduàn 〔动/名〕

〔动〕断定。(judge)常做谓语。

例句 还是经理判断得准。|这个问题请你判断一下。|他能根据上下文的意思判断生词的意思。

〔名〕对事物的存在或某种属性进行肯定或否定的思维过程。(judgement)常做主语、定语、宾语。[量]个。

例句 他的这个判断非常准确。|判断的依据是什么?|大伙儿不同意小王的判断。

【判决】 pànjué 〔动〕

法院对诉讼案件作出决定。(pass judgement; sentence)常做主语、谓语、宾语、定语。

例句 法院的判决将在明天宣布。|这个案子已经判决完了。|他们一家人正在等待着最后的判决。|判决的结果令所有的人感到吃惊。

【盼】 pàn 〔动〕

❶ 着急地期待。(hope for)常做谓语、定语。

例句 我天天盼着家里的来信。|孩子盼着过年。|盼了很久的假期

终于到了，可以去旅游了。

❷ 看。(look)常做谓语。

例句 考试时，他左顾右盼，希望能从别人那里看到答案。

【盼望】 pànwàng 〔动〕

殷切地期望。(hope for)常做谓语、定语。

例句 孩子们盼望着新年的到来。|许多留学生盼望参加农家旅游。|盼望的老同学见面，今天终于实现了。|一直盼望的结果终于看到了。

辨析 〈近〉希望。"希望"比盼望语意轻，而且可以做名词。如：* 她美好的盼望破灭了。("盼望"应为"希望")

【叛】 pàn 〔动〕

背离自己的阶级或集团，投身到敌对一方去。(rebel against)常做语素构词，也做谓语。

词语 叛变 背叛 反叛

例句 没想到他竟然叛国了。

【叛变】 pànbiàn 〔动〕

脱离原来的组织，投向敌对的一方。(rebel; betray)常做谓语(不带宾语)、定语。

例句 他叛变了。|我们不会叛变。|叛变的行为是不能原谅的。

【叛徒】 pàntú 〔名〕

有背叛行为的人。(traitor)常做主语、定语、宾语。[量]个。

例句 叛徒不会有好下场。|叛徒的结局不会好。|大家觉得公司有叛徒。|我可不想当叛徒。

【畔】 pàn 〔名〕

江、河、湖、道路等的旁边。(side; bank; the border of a field)常构成短语或做定语、主语、宾语。

词语 江畔 枕畔 耳畔 路畔

例句 湖畔的风景非常迷人。|江畔有许多人在散步。|垃圾不应该堆在河畔。

【庞】 páng 〔名/形〕

〔名〕脸面。(the cast of one's face)常做语素构词。

词语 面庞 脸庞

例句 母亲那慈祥的面庞总浮现在我的眼前。|我永远不能忘记老师那亲切的面庞。

〔形〕❶ 多而乱。(innumerable and disordered)常做语素构词。

词语 庞杂 庞大

例句 虽然公司事情庞杂，可老板处理得井井有条。|计划很庞大。

❷ 巨大，高大。(huge)常用于固定短语。

词语 庞然大物

【庞大】 pángdà 〔形〕

形体、组织、规模非常大。(enormous)常做定语、谓语、补语，不可重叠。

例句 总经理领导着一个庞大的公司。|政府的开支十分庞大。|这次活动搞得很庞大。

辨析 〈近〉巨大。"庞大"多用于形体、组织，"巨大"多用于规模和数量。另外"庞大"常有贬义色彩；"巨大"是中性词。如：* 庞大的图书馆建成了。("庞大"应为"巨大")

【庞然大物】 pángrán dà wù 〔成〕

外表上高大又笨重的东西。(huge monster; colossus; formidable giant; monstrous creature)常做主语、宾语。

例句 一个庞然大物出现在大学门口。|重型卡车像是一个庞然大物。

【旁】 páng 〔名〕

❶ 表示方位，旁边。(side)常与名词构成短语做主语、定语、宾语。

例句 树旁有一个长椅子。|她常在大学旁的小饭馆吃饭。|天这么热，别挨在我的身旁。

❷ 其他的。(other; else)常做定语。

例句 你还有旁的事吗？|旁人不知道钥匙放在哪儿。

【旁边】 pángbiān 〔名〕

左右两边，靠近的地方。(side)常做主语、定语、宾语。

例句 教学楼的旁边有个邮局。|大学旁边是一个公园。|银行旁边的大楼就是书店。|他一直站在我旁边。|A:请问留学生宿舍楼在哪儿？B:就在图书馆旁边。

【旁门左道】 páng mén zuǒ dào 〔成〕

不正当的方法、途径。(heresy; heterodox school; unorthodox ways)常做宾语、主语、定语。

例句 有的公司做买卖喜欢走旁门左道。|考试要自己完成，不要走旁门左道！|旁门左道不要走，还是老实地做点儿事。|他搞了不少旁门左道的事，别去想。

【旁敲侧击】 páng qiāo cè jī 〔成〕

说话、写文章不直接表明，而从侧面曲折表达。(attack by innuendo; make oblique references)常做谓语、定语、状语。

例句 你不必旁敲侧击，最好直说。|老板旁敲侧击，希望有人承认。|旁敲侧击的办法，效果不错。|他旁敲侧击地说了一刻钟。

【旁若无人】 páng ruò wú rén 〔成〕

不把旁边的人放在眼里，形容从容或高傲。(act as if there was no one else present——self-assured; supercilious)在句中做谓语、定语、状语。

例句 有的同学在教室里大声说话，旁若无人。|他那种旁若无人的态度真让人受不了。|他旁若无人地走过去。

【胖】 pàng 〔形〕

指人脂肪多，肉多。(fat; plump)常做定语、谓语、补语。

例句 胖人爱出汗。|你比以前胖多了。|你一点儿也不胖。|几天没见，你怎么长胖了？

辨析 〈近〉肥。"胖"一般用于人，"肥"一般用于动物、水土、衣物等。如：* 这匹马挺胖。("胖"应为"肥")|* 上衣有点儿胖。("胖"应为"肥")

【胖子】 pàngzi 〔名〕

胖的人。(a fat person; fatty)常做主语、定语、宾语。

例句 这个小胖子很可爱。|那个大胖子吃得太多了。|那个胖子的爱人并不胖。|现在的孩子中有很多小胖子。

▶ "胖子"有时含有贬义，不要随意称呼。

【抛】 pāo 〔动〕

❶ 扔，投。(throw)常做谓语。

例句 孩子把果皮抛进了垃圾箱里。|不要把没用的东西抛在地上。|人们高兴地把鲜花抛向空中。

❷ 丢下，放弃。(leave behind; cast aside)常做谓语。

例句 汽车开过去了，把我们抛在后面。|请不要抛下我们不管。

❸ 大量出售。(sell in big quantities)常做谓语。

例句 快把手里的股票抛出去。|很多商店抛出了快过时的商品。

【抛弃】 pāoqì 〔动〕

扔掉不要,丢弃。(abandon; forsake; cast aside)常做谓语、定语。

例句 我们要抛弃那些不好的习惯。|他出国后就抛弃了自己的妻子。|她十分理解被抛弃的痛苦。

【抛头露面】 pāo tóu lù miàn 〔成〕

指在公开场合出现。(show one's face in public; go out and be seen in public)在句中做谓语,也做定语。

例句 这个同学很活跃,经常在活动中抛头露面。|有的人从来不抛头露面。|这种抛头露面的事,我不喜欢。

【抛砖引玉】 pāo zhuān yǐn yù 〔成〕

自己先发表粗浅的意见来引出别人高明的意见。(cast a brick to attract jade——offer a few commonplace remarks by way of introduction so that others may come up with valuable opinions)常做谓语、定语、宾语。

例句 座谈会上,我抛砖引玉,大家都提出了很好的建议。|老师的话经常能抛砖引玉。|他的话起了抛砖引玉的作用。|我就说几句,算是抛砖引玉吧!

【刨】 páo 〔动〕 另读 bào

❶ 挖掘。(dig)常做谓语。

例句 到了春天,同学们都到山上刨坑、栽树。|我和哥哥一同去地里刨土豆。

❷ 从整体中减去,除去。(reduce)常做谓语。

例句 十五天假刨去六天,只剩九天了。|刨了住宿费,学费就不算高。|我们班刨去生病的同学,都来上课了。

【跑】 pǎo 〔动〕

❶ 用脚或腿迅速前进。(run)常做谓语。

例句 小李跑在队伍的最前面。|每天早上大家都在校园里跑几圈。|兔子跑得快。|唉,跑不动了!

❷ 逃走,躲避。(escape)常做谓语。

例句 快追,别让小偷跑了。|快出来吧,你们跑不了啦。

❸ 漏出。(evaporate)常做谓语。

例句 瓶子没盖严,汽油都跑了。|我的自行车跑气了。|你的冰箱是不是有点儿跑电?

❹ 为某种事而奔走。(run about doing sth.)常做谓语。

例句 我留在家里,你跑外面。|他又去跑他的买卖了。|为了买这本词典,我跑遍了全城的书店。

【跑步】 pǎobù 〔动〕

为锻炼身体而跑。(run)常做谓语、定语、主语。

例句 同学们正在操场上跑步。|A:你喜欢什么运动? B:我每天早上跑步。|跑步的姿势要正确。|跑步对身体有好处。

【跑道】 pǎodào 〔名〕

❶ 赛跑专用的道。(track)常做主语、定语、宾语。[量]条。

例句 每条跑道都站了人,比赛要开始了。|跑道的周围站满了加油的人。|运动员都站在跑道上,准备起跑。

P

❷ 飞机起飞和降落时用的路。(runway)常做主语、宾语、定语。[量]条。

例句 这条主跑道已修好了。|这个机场有十几条跑道。|飞机已离开跑道,起飞了。|跑道的周围停满了各种飞机。

【泡】 pào 〔动/名〕

〔动〕❶ 较长时间放在液体中。(steep;soak;immerse)常做谓语、定语。

例句 先把衣服泡在盆里,等会儿再洗。|泡的时间越长,茶的颜色越浓。

❷ 故意消磨时间。(dilly-dally;dally over)常做谓语。

例句 他整天泡在咖啡馆里。|我没有时间跟你泡。|小王这两天没上班,在家泡病号。

〔名〕空气在液体上鼓起的圆形东西;像泡的东西。(bubble)常做主语、宾语、定语。[量]个。

例句 肥皂泡吹出后就破了。|他手上磨出一个水泡。|那个孩子吹出的泡,大小不同。

【泡沫】 pàomò 〔名〕

聚在一起的许多小泡。(foam;froth;bubble)常做主语、宾语、定语。[量]点儿,些,堆,层。

例句 这种洗衣粉泡沫很多。|啤酒倒在杯子里,冒出了很多泡沫。|这个是用泡沫塑料做的吧?

【炮】 pào 〔名〕

❶ 发射炮弹的武器。(cannon)常做主语、定语、宾语。[量]门。

例句 大炮在很早以前就出现了。|炮的构造比较复杂。|这个博物馆有各种各样的炮。

❷ 爆竹。(firecracker)常做主语、宾语。

词语 鞭炮 炮仗

例句 这种炮过年才放。|春节时,各家都要放炮。|别让小孩放炮,太危险。

【炮弹】 pàodàn 〔名〕

由火炮发射的弹药。(shell)常做主语、宾语、定语。[量]发。

例句 每发炮弹都击中了目标。|车队专门负责运送炮弹。|装书的东西是一个炮弹箱子。

【炮火】 pàohuǒ 〔名〕

作战时炮弹爆炸形成的火力网。(artillery fire;gunfire)常做主语、宾语、定语。[量]片。

例句 电影中的炮火让老人想起了战争。|猛烈的炮火把敌军打得四处逃散。|士兵们冒着炮火继续前进。|在炮火的攻击下,对方不得不撤退。

【陪】 péi 〔动〕

伴随,从旁协助。(companion)常做谓语。

例句 老同学陪新学生参观校园。|朋友来了,我陪了好几天。|您能陪老师去机场吗?|A:这几天你一直陪我,给我当翻译,谢谢了。B:不客气,我也练习了口语。

【陪同】 péitóng 〔动/名〕

〔动〕陪伴着进行某一活动。(accompany)常做谓语、定语。

例句 导游陪同我们参观了故宫。|陪同的翻译是一位留学生。

〔名〕陪同的人;陪同着一起。(companion)常做宾语、定语、主语。

例句 后边的那几位都是陪同。|有导游的陪同,他们在北京的参观

很顺利。|陪同人员都是懂汉语的留学生。|陪同已经先到了。

【培】 péi 〔动〕

❶ 为了保护而在根基处堆上土。(earth up)常做谓语。

例句 那些花该培培土了。|农民要把大堤培高培厚一些。

❷ 指打好基础。(train)常做语素构词。

词语 培训 培养 培育

【培训】 péixùn 〔动〕

培养,训练(人)。(cultivate; train)常做谓语、定语、宾语。

例句 留学生参加口语比赛前培训了一周。|培训期间,希望大家自觉遵守纪律。|新教师要经过培训。|这些新同学正在接受培训。

辨析 〈近〉培养。"培养"还有促使生物体繁殖的意思。如:这些细菌已经培养好几天了。|培养(培训)业务骨干|*花园里培训了大批花草。("培训"应为"培养")

【培养】 péiyǎng 〔动〕

❶ 用适宜的条件,使繁殖、生长、发展。(cultivate)常做谓语、定语。

例句 花房培养各种各样的花。|科学家培养了新品种。|这块实验田是新品种的培养基地。

❷ 有目的长期地训练或教育使其成长。(foster; train)常做谓语、定语。

例句 父母应培养孩子的独立精神。|我们大学培养了大批汉语人才。|老师对留学生有明确的培养目标。

【培育】 péiyù 〔动〕

培养小生物,使它发育成长,比喻对人的培养和教育。(cultivate; breed; bring up)常做谓语。

例句 老师们辛勤培育着每个学生。|这些小树苗要精心培育才行。

辨析 〈近〉培养。"培养"用于人时指"训练",用于事物时指"养成";"培育"用于人时指"抚育成长",用于事物时指"扶持"。"培育"的对象一般不能是抽象事物,还常含褒义。如:*他的坏习惯是从小培育的。("培育"应为"养成")|这片黑土地培养(育)了多少奇异的植物呀!

【赔】 péi 〔动〕

❶ 偿还损失。(pay for)常做谓语。

例句 这是我弄坏的,应该由我来赔。|损坏东西要赔。|那么多钱我可赔不起呀!

❷ 向人道歉或认错。(make an apology)常做谓语。

例句 你错怪了他,还不快赔礼道歉?|只要他肯赔不是,我就原谅他。

❸ 损失本钱。(lose money)常做谓语。

例句 这笔生意他又赔了。|我们公司的买卖从来没赔过。

【赔偿】 péicháng 〔动〕

偿还损失。(indemnify; compensate)常做谓语。

例句 损坏宿舍的东西要照价赔偿。|我可赔偿不起这么贵重的东西。|她要求对方公司赔偿她的损失。

【赔款】 péi kuǎn 〔动短/名〕

〔动短〕赔偿对方钱。(pay an indemnity; pay reparations)常做谓语(不带宾语)、宾语。中间可插入成

P

分。

例句 你把图书馆的书弄坏了，应该赔款。|丢了房间的东西，我已经赔过款了。|他已经答应赔款了。

〔名〕赔偿对方的钱。(reparation)常做主语、宾语、定语。

例句 赔款使公司受到很大损失。|因为违约，需要付给对方公司10万元的赔款。|这次对方赔款的数额相当大。

【佩】pèi 〔动〕

❶ 携带或挂在身上。(wear)常做谓语、定语。

例句 她脖子上佩着一条漂亮的项链。|出入要佩通行证。|那位女士佩的首饰很华贵。

❷ 钦佩，敬仰。(admire)常做语素构词。

词语 敬佩 佩服 钦佩

【佩服】pèifú 〔动〕

感到可敬、服气。(admire)常做谓语、状语。

例句 同学都很佩服他的汉语水平。|我对老师的演讲才能佩服得很。|他对老师佩服地竖起了大拇指。

辨析 〈近〉钦佩。"钦佩"除"佩服"义外，敬重的语气更重，多用于突出的人或事。如：我很佩服他的眼力。|*这种伟大精神令人佩服。("佩服"应为"钦佩")

【配】pèi 〔动〕

❶ 两性结合。(join in marriage; mate)常做谓语。

词语 配偶 婚配 配种

例句 他俩配成一对，很合适。|漂亮姑娘配英俊小伙子，真是美满婚姻。|家里人觉得我配他不合适。

❷ 按适当比例调和，把缺少的补足。(mix according to a fixed ratio; compound)常做谓语。

例句 老中医常常自己给病人配药。|房间钥匙丢了，得再配一把。|你会配这种颜色吗？

❸ 衬托、陪衬。(contrast; serve as a contrast or foil to)常做谓语、定语。

例句 这段录音再配上音乐就更好听了。|白字最好用红底儿配。|他表演的是个配角。

❹ 有计划地分给。(assign)常做谓语。

例句 留学生宿舍的设备配齐了。|公司给每人配了一台电脑。|我们大学给每位教授都配上了助手。

❺ 够得上，相当。(deserve; be qualified)常做谓语。

例句 他的表现哪儿配得上优秀？|他的汉语不配当翻译。

【配备】pèibèi 〔动〕

根据需要分配。(allocate; fit out)常做谓语。

例句 学校为留学生配备了语音教室。|新宿舍楼每个房间都配备了电视机。|我们各种课程配备得比较齐全。|公司为员工配备了电脑。

【配方】pèifāng 〔名〕

❶ 药的配制方法。(prescription)常做主语、宾语、定语。

例句 这种药的配方是祖传的。|配方的字迹有点儿不清楚。|按最新配方生产。

❷ 某些产品的配制方法。(formula)常做主语、宾语、定语。

例句 可口可乐的配方是个秘密。|科学家已经研究出了这种材料的

配方。|这个配方的特点是什么?

【配合】 pèihé 〔动〕

分工合作,协调一致地行动。(coordinate; cooperate; concert)常做谓语、主语。

例句 我们一直配合得很好。|只要我们好好配合,就能完成任务。|双方的积极配合使协议落实了。

【配偶】 pèi'ǒu 〔名〕

夫妻双方中的一方。(spouse)常做定语、宾语。[量]个。

例句 公司想了解员工配偶的情况。|他想通过广告找一个配偶。

【配套】 pèi tào 〔动短〕

把相关的东西组合成套。(form a complete set)常做谓语、定语、状语,中间可插入成分。

例句 想办法把这几样东西配成套。|这几张邮票怎么也配不上套了。|宿舍的配套设备已经安装好了。|没有配套的教材,学习不太方便。|这些书应该配套发给留学生。

【喷】 pēn 〔动〕

猛地散着射出。(spurt; gush)常做谓语、定语。

例句 老人正在给花喷水。|他在屋里喷了一些香水。|鲸能喷出很高的水柱。|刚才喷的药很有效,腿马上不疼了。

【喷射】 pēnshè 〔动〕

急速地涌射出来。(erupt; spray; jet)常做谓语、定语。

例句 石油从地下喷射出来。|他眼中喷射着愤怒的目光。|为了观察火山的喷射情况,科学家坐上了直升飞机。

【盆】 pén 〔名〕

盛东西或洗东西用的器皿。(basin)常做主语、宾语、定语。[量]个。

例句 这个花盆很漂亮。|这家工厂生产各种塑料盆。|我想买一个盆儿装东西。|那些盆的颜色多种多样,十分好看。

【盆地】 péndì 〔名〕

四周高的平地。(basin)常做主语、定语、宾语。[量]个。

例句 四川盆地位于中国西南部。|这个盆地的面积很大。|中国有四大盆地。|科学家正在考察塔里木盆地。

【烹饪】 pēngrèn 〔动〕

做饭,做菜。(cook)常做定语、主语、宾语。

例句 他的烹饪技术很高。|烹饪是一门技术。|他学的是烹饪。

【烹调】 pēngtiáo 〔动〕

加工食物。(cook)常做谓语、定语、主语、宾语。

例句 厨师正在为我们烹调美食。|这道菜的烹调方法是跟书学的。|中国烹调讲究色香味俱全。|他学过烹调。

辨析 〈近〉烹饪。"烹饪"包括做饭和做菜的全部技艺,做谓语一般不带宾语。"烹调"主要指做菜。

【朋】 péng 〔名〕

跟自己友好的人。(friend)常做语素构词或用于固定短语。

词语 朋友 朋党 狐朋狗友

例句 春节期间,亲朋好友欢聚一堂。|宾朋满座,举杯畅饮。|有朋自远方来,不亦乐乎?

【朋友】 péngyou 〔名〕

❶ 彼此有交情的人。(friend)常做

主语、宾语、定语。[量]个。

例句 朋友们都来为他祝贺生日。|中国朋友经常帮助我。|来中国后,他认识了不少朋友。|毕业的时候,同学们都成了朋友。|我们是多年的老朋友了。|我可以借朋友的车。|假期马克去一个中国朋友的家。

❷ 指恋爱的对象。(boyfriend; girlfriend)常做主语、宾语、定语。[量]个。

例句 他的女朋友今天来看他。|这个留学生找了一个中国女朋友。|他俩正在谈朋友。|A:你有男朋友吗? B:还没有。|她终于盼到了男朋友的来信。

【棚】 péng 〔名〕

用来遮蔽太阳或风雨的简单设备或建筑。(shed)常做主语、宾语、定语。[量]个。

例句 工地的工棚很简单。|路旁搭起了一个凉棚。|小棚的门坏了。|下雨的时候,棚顶漏水了。

【蓬勃】 péngbó 〔形〕

繁荣,旺盛。(vigorous)常做谓语、定语、状语。

例句 青年学生朝气蓬勃。|春天到了,大地万物充满了蓬勃的生机。|年轻人应该蓬勃向上。|中国的经济正在蓬勃发展。

【鹏程万里】 péng chéng wàn lǐ 〔成〕

比喻前程远大。(have a bright future)常做谓语。

例句 希望毕业以后,大家都鹏程万里。|祝你们公司鹏程万里!

【膨胀】 péngzhàng 〔动〕

❶ 由于温度升高或其他因素,物体的长度增加或体积增大。(dilate; swell)常做谓语(不能带宾语)。

例句 体积膨胀了。|空气遇热就会膨胀。

❷ 事物扩大或增长。(expand; inflate)常做谓语、宾语。

例句 人们对旅游的需求迅速膨胀。|个人欲望不能过分膨胀。|政府采取了有力措施,制止了通货膨胀。

【捧】 pěng 〔动〕

❶ 用手托着。(carry or hold in both hands) 常做谓语、定语。

例句 课堂上大家捧着书,认真学习。|姑娘们双手捧着鲜花走上舞台。|捧的时间太长了,歇一会儿吧。

❷ 说好话。(flatter)常做谓语。

例句 小李把老板捧上了天。|欢迎大家到时候来捧场。|有人专门捧明星。

【碰】 pèng 〔动〕

❶ 物体之间突然接触。(collide)常做谓语。

例句 他走路看书时碰到了树上。|手被石头碰破了。|小心,别碰着头!

❷ 相遇;遇到。(run into)常做谓语。

例句 我在街上碰到一个熟人。|正当回答不了的时候,碰上了老师。

❸ 试。(take one's chance)常做谓语。

例句 我想碰碰运气,说不定能找到一份工作。|还是找人帮忙吧,别到处乱碰了。

【碰钉子】 pèng dīngzi 〔动短〕

P

被人拒绝或训斥。(meet with a rebuff)常做谓语、定语。中间可插入成分。

例句 他找工作已经碰了几次钉子了。|开一个证明碰了两回钉子。|碰钉子的事儿我可不干。

【碰见】 pèng jiàn 〔动短〕

没约定而遇见。(meet unexpectedly; run into)常做谓语。中间可插入成分。

例句 我时常在公园碰见刘老师。|我刚才还碰见老李了。|A:最近怎么老碰不见您,太忙了吧? B:我刚旅游回来。

【批】 pī 〔动/量〕

〔动〕❶ 指出缺点、错误。(criticize)常做谓语。

例句 这种错误思想应该批一批。|他犯了错误,叫老板给批了一顿。

❷ 对下级的文件或作业等表示意见。(correct)常做谓语。

例句 老师已经把我们的作业批完了。|这份报告老板批了。|休学申请批下来了。

〔量〕用于大宗的货物和多数的人。(batch; group)常做定语、主语、宾语。

例句 第一批新产品已经投入市场了。|我们大学新来了一批留学生。|新来的留学生,一批住在宾馆,一批住在留学生宿舍。|货已经发走几批了。

【批发】 pīfā 〔动〕

成批地卖出商品。(wholesale)常做谓语、定语、宾语。

例句 这家公司批发各种水果。|大学旁边有一家批发市场。|这是批发商品,不零售。|我们这个公司专搞批发。

【批复】 pīfù 〔动〕

对下级来文的批示、答复。(give an official, written reply to a subordinate body)常做谓语、宾语。

例句 请等一下,市长正在批复文件。|学校已经对留学生的要求作了批复。|你休学的报告明天就能批复下来。

【批改】 pīgǎi 〔动〕

修改文字,并加评语。(correct)常做谓语、定语。

例句 老师对每个学生的作业都批改得非常认真。|演讲比赛的稿子还是请老师批改批改吧。|这篇作文批改的地方太多了。

【批判】 pīpàn 〔动/名〕

〔动〕对错误的思想或言行进行分析和否定。(criticize)常做谓语、定语、状语。

例句 这篇文章对社会批判得很深刻。|报纸批判了不重视环保的错误思想。|批判的依据必须充分。|我们应批判地继承传统文化。

〔名〕对错误的思想或言行进行的分析和否定。(criticism)常做宾语、主语、定语。

例句 文章作者不接受对自己的批判。|他的批判是有根据的。|这篇批判文章非常深刻。

【批评】 pīpíng 〔动/名〕

〔动〕对缺点和错误提出意见或评论。(criticize)常做谓语、定语。

例句 他学习不认真,老师批评了他。|经理对他的错误批评得很严厉。|大家批评的态度都很平和。

〔名〕对缺点或错误提出的分析或意见。(criticism)常做主语、宾语、定语。

例句 老师的批评很诚恳。|我很感谢大家的批评。|政府需要经常进行自我批评。|你应该采取合适的批评方式。

辨析 〈近〉批判。"批评"的语意轻,"批判"语意较重;"批评"多用于内部,与"教育"、"帮助"配合;而"批判"则多用于敌对的人或言行;"批评"不做状语。如:* 他迟到三次了,我们应当批判他。("批判"应为"批评")|* 对法西斯的言行就该彻底批评。("批评"应为"批判")

【批示】 pīshì 〔动/名〕

〔动〕对下级的公文提出书面意见。(write instructions or comments on a report, memorandum, etc. submitted by a subordinate)常做谓语、定语。

例句 这份文件还得经理批示一下。|我们的计划,领导已经批示了。|批示的结果,令大家大吃一惊。

〔名〕对下级的公文提出的书面意见。(written instructions or comments on a report, memorandum, etc. submitted by a subordinate)常做主语、宾语、定语。

例句 批示发下来了吗?|没有市长的批示,这件事就不行。|批示的内容已经向大家传达了。

【批准】 pīzhǔn 〔动〕

对下级的建议或请求等表示同意。(authorize; ratify; approve)常做谓语。

例句 公司批准了他的辞职请求。|大学批准了我们的入学申请。|签证要延长三个月,能批准吗?

▶ "批准"也可做名词。如:此事已获批准。|报告得到领导的批准了。

【披】 pī 〔动〕

盖或搭在肩、背上。(drape over)常做谓语。

例句 小伙子把衣服披在肩上。|国庆到了,首都北京披上了节日的盛装。|有点儿冷了,快把大衣披上吧!

【披头散发】 pī tóu sàn fà 〔成〕

头发非常散乱。(with hair dishevelled; with hair in disarray; wear hair dishevelled)在句中做谓语、定语、状语。

例句 她今天披头散发,不知为什么。|看到她那披头散发的样子,大家吓了一跳。|马路上一个女的披头散发地追着一个小伙子。

【劈】 pī 〔动〕

❶ 用刀、斧等破开。(split)常做谓语。

例句 这根木头被劈成了两半。|大船在海上劈波斩浪。

❷ 正对着,冲着。(be right against)常做谓语。

词语 劈头盖脸

例句 大雨劈头淋了下来。|他劈头就问,考试及格了吗?

【皮】 pí 〔名〕

❶ 人和动植物表面的组织。(skin)常做主语、定语、宾语。[量]张,块,层。

例句 这张狐皮十分珍贵。|很多植物的皮有药用价值。|打篮球不小心,碰破了手上的皮。

❷ 包在或围在外面的一层东西。(surface)常做主语、宾语、定语。

[量]张,块。

例句 这本书的皮儿已经破了。|包饺子要擀(gǎn)皮儿。|新书外面包了一层皮儿。|包裹皮儿外面得写上地址。

❸ 薄片状的东西。(sheet;film)常做主语、宾语。[量]张,块。

例句 豆腐皮儿很有营养。|这个地方有种小吃叫粉皮儿。

【皮包公司】 píbāo gōngsī 〔名短〕

只有公司的名义,没有固定资产、地点和人员,提着皮包从事经济活动的个人或小集体。(the company without capital,office or employee)常做主语、宾语、定语。[量]家,个。

例句 "皮包公司"常常是骗人的公司。|那是一家皮包公司。|要小心"皮包公司"。|他只是一家皮包公司的经理。

【皮带】 pídài 〔名〕

用皮革等做的腰带。(thong;belt;strap)常做定语、宾语、主语。[量]条,根。

例句 这里有一家皮带专卖店。|他腰上扎了一根高级皮带。|我最喜欢这条皮带。|皮带也是名牌。

【皮肤】 pífū 〔名〕

人和高等动物的皮。(skin)常做主语、宾语、定语。[量]块,种。

例句 他的皮肤很粗糙。|这种产品适合各种皮肤。|女人都很注意保护皮肤。|亚洲人皮肤的颜色是黄色的。

【皮革】 pígé 〔名〕

用牛、羊等的皮加工制成的熟皮。(leather)常做主语、定语、宾语。[量]块,张。

例句 人造皮革也不错。|这家皮革公司的产品很有名。|这个工厂加工各种皮革。

【疲惫】 píbèi 〔形〕

非常累。(tired out;exhausted)常做定语、状语、谓语、补语、宾语。

例句 考试后大家显出疲惫的样子。|疲惫的时候可以听听音乐。|老人疲惫地坐在椅子上。|他很疲惫。|工作了十几个小时,大家都干得疲惫极了。|玩的时候不觉得疲惫。|他感到很疲惫。

辨析 〈近〉疲乏,疲倦,疲劳。①侧重点不同,"疲劳"侧重脑体力消耗过大而劳累;"疲惫"着重表示非常疲乏;"疲乏"侧重四肢无力;"疲倦"侧重厌倦,困倦。②语意轻重不同,"疲劳"、"疲倦"语意较轻,"疲乏"较重,"疲惫"语意最重。

【疲惫不堪】 píbèi bù kān 〔成〕

形容非常劳累。(be in a state of utter exhaustion;extremely tired)常做谓语、定语、状语、补语。

例句 今天逛了一天的街,我疲惫不堪。|连续工作了二十四个小时,大家疲惫不堪。|他一副疲惫不堪的样子。|他疲惫不堪地睡了一天。|下班后,大家疲惫不堪地回家。|送走了客人,大家都累得疲惫不堪。

【疲乏】 pífá 〔形〕

脑、体感到劳累,困乏。(weary)常做谓语、定语、状语、补语、宾语。

例句 连续开夜车,我疲乏极了。|你一定很疲乏,快休息吧。|看着他那疲乏的样子,真让人同情。|他疲乏地从办公室走了出来。|没多少活儿,怎么搞得这么疲乏?|比赛后,我感到特别疲乏。

【疲倦】 píjuàn 〔形〕

P

劳累过度而感到困倦、厌倦。(tired and sleepy)常做谓语、定语、状语、补语、宾语。不可重叠。

例句 干了一夜,大家都很疲倦。|喝杯咖啡后就不疲倦了。|从他那疲倦的眼神可以猜到他又开夜车了。|上课的时候,他竟疲倦地睡着了。|夜深了,大家都疲倦了。|老板从来不知道疲倦。

【疲劳】 píláo 〔形〕

劳累,需要休息。(tired; fatigued)常做谓语、定语、宾语、主语。不可重叠。

例句 太疲劳了,大家休息休息吧。|考试以前的复习让我们很疲劳。|他眼中显出疲劳的神色。|喝茶能减轻疲劳。|过度的疲劳使他病倒了。

【疲于奔命】 pí yú bēn mìng 〔成〕

忙于奔走应付而很劳累。(be kept constantly on the run; be tired out by too much running around; be weighed down with work)常做谓语。

例句 他一天到晚疲于奔命,当老板真不容易。|为了办这些手续,我每天都疲于奔命。

【啤酒】 píjiǔ 〔名〕

用大麦和酒花制成的酒,多泡沫。(beer)常做主语、宾语、定语。[量]杯,瓶,种。

例句 这种啤酒很好喝。|这家饭店向客人免费提供啤酒。|来两瓶啤酒。|他喜欢青岛啤酒的味道。

【脾】 pí 〔名〕

人和高等动物的内脏之一。(spleen)常做主语、宾语、定语。[量]个。

词语 脾胃 脾脏

例句 脾能够调节新陈代谢。|腹部的左边是脾还是右边是脾?|脾的作用是什么?

【脾气】 píqi 〔名〕

❶ 性情。(temperament; temper)常做主语、宾语、定语。

例句 这个老人的脾气真好。|同学们都了解老师的脾气。|他这人就是好脾气,总那样和气。|一个人脾气的好坏对身体很重要。

❷ 容易激动的感情。(bad temper)常做宾语、主语。

例句 别发脾气,有话好好说。|她的脾气可真大。|老张一点儿脾气也没有,谁都乐意跟他交往。

【匹】 pǐ 〔量〕

用于马、骡或绸、布。(*measure word for horses, mules, cloth, silk, etc.*)常与数词或指示代词构成短语做定语、主语、宾语。

例句 这匹布是旅游时买的。|那两匹马,一匹是冠军,一匹是亚军。|这匹绸子的颜色比那匹好。

【否极泰来】 pǐ jí tài lái 〔成〕

情况从坏转好。(out of the depth of misfortune comes bliss; when misfortune reaches the limit, good fortune is at hand)常做主语、宾语或做小句。

例句 否极泰来是事物发展的规律。|真的是否极泰来,最近什么都顺利了。|否极泰来,他们终于看到了成功的希望。

【屁】 pì 〔名〕

❶ 从肛门排出的臭气。(wind from bowels; fart)常做宾语、主语。[量]个。

例句 消化不良,容易放屁。|谁放

的屁？真臭！

❷ 泛指任何事物。(what; anything)常做定语、宾语，多用于否定义。

例句 说他也不听，你还说个屁。｜东西都丢了，哭有屁用。

❸ 比喻没用的，细小的事物。(damned, worthless and trivial things)常做定语。

例句 他这样的话不是屁话吗？｜她心眼儿小，屁大点儿事也装不下。

【屁股】 pìgu 〔名〕

❶ 人或动物身体后端靠近肛门的部分。(buttocks)常做主语、宾语。

例句 蜂的屁股一般都有刺。｜妈妈打了孩子的屁股。

❷ 借指物体末尾的部分。(end)常做主语、宾语。

例句 这辆车的屁股叫后面的车撞坏了。｜烟缸里尽是香烟屁股。

【譬如】 pìrú 〔动〕

比如。(for example; such as)常做谓语。

例句 马克去过中国很多地方，譬如西安、上海等等。｜留学生喜欢中国音乐，譬如马克喜欢二胡，玛丽喜欢琵琶。

【偏】 piān 〔形/副〕

〔形〕❶ 不正，歪。(inclined; slanting; leaning)常做谓语、补语、定语。

例句 太阳已经偏西了。｜墙上的画太偏了。｜这个字写偏了。｜这里冬天常刮偏北风。

❷ 单独注重一个方面。(partial; prejudiced)常做状语。

例句 老师不能偏爱某个学生。｜这几天气温偏高。

〔副〕表示故意跟外来要求或客观情况相反。(willfully; insistently; persistently)常做状语。

例句 他们不去看电影，我偏去看电影。｜要他去，他偏不去。

▶ 可重叠为“偏偏”。如：他不让我去，我偏偏要去。｜刚想出门，偏偏又下起了雨。

【偏差】 piānchā 〔名〕

❶ 运动物体离开确定方向。(deviation)常做主语、宾语。［量］个，种。

例句 这个球投歪了，偏差很大。｜发射的卫星运行轨道没有偏差。

❷ 工作上的差错。(mistake; error)常做主语、宾语。

例句 这个偏差及时被经理纠正了。｜他对汉语语法的理解有偏差。｜工作中尽量避免出偏差。

【偏见】 piānjiàn 〔名〕

片面的见解；成见。(prejudice)常做主语、宾语。［量］个，种。

例句 他对同屋的偏见难以改变。｜我们对任何人都不要有偏见。｜你对他有偏见。

辨析 〈近〉成见。“偏见”是一种不全面的看法；“成见”是一种固执的看法。如：一旦产生了成见，就不易消除了。｜不是他不好，是你已经对他有了成见。

【偏僻】 piānpì 〔形〕

离城市或中心远，交通不方便。(remote; out-of-the-way)常做谓语、定语、补语。

例句 那个村子太偏僻了。｜家乡非常偏僻，生产也落后。｜马克旅游的时候去了偏僻的山区。｜这个工厂建得太偏僻了。

【偏偏】 piānpiān 〔副〕

P

❶ 故意跟要求或客观情况相反。(willfully; insistently; persistently)常做状语。

例句 上课铃声响了,可他偏偏还不回教室。|不让他去,他偏偏不听。

❷ 表示事实出乎寻常或意料。(contrary to expectations;just)常做状语。

例句 刚想出去,偏偏下起了大雨。|我去找他,偏偏他又不在家。

❸ 表示范围。(only)常做状语。

例句 大家都来了,偏偏只缺班长。|为什么偏偏我们要学这门课?

【偏向】 piānxiàng 〔动/名〕

〔动〕无原则地支持或袒护某一方。(be partial to)常做谓语。

例句 老师常偏向成绩好的同学。|你为什么偏向他呢?|裁判不能偏向任何一方。

〔名〕不正确的倾向。(erroneous tendency)常做主语、宾语。[量]种。

例句 这种偏向对学汉语不利。|只看成绩,不看能力,这是一种偏向。

【偏心】 piānxīn 〔动〕

偏向某方面,不公正。(be partial towards)常做谓语。

例句 老师偏心了。|他对小儿子偏心了。

辨析 〈近〉偏向。"偏向"可带宾语,"偏心"不能。另外"偏向"还有名词的用法。

【篇】 piān 〔量〕

用于文章、纸张、书页等。(piece; sheet; leaf)常与数词或指示代词组成短语,做主语、宾语、定语。

例句 第一篇文章不错。|刚买的书缺了两篇儿,得去换。|这篇作文是谁写的?|给我两篇纸,把老师的话记下来。

【便宜】 piányi 〔形/名〕

〔形〕价钱低,合算。(cheap)常做谓语、定语、状语、补语。

例句 这件衣服一点儿都不便宜。|太贵了,便宜一点儿吧。|便宜货不一定质量差。|哪儿有那么便宜的事?|旅游时他买了不少便宜的纪念品。|他们把积压的商品很便宜地处理了。|这种胶卷现在卖得便宜了。

〔名〕不应得的利益。(unmerited advantages)常做主语、宾语。

例句 所有的便宜他都得到了。|你怎么总占别人的便宜?|这个人什么事情都想讨点儿小便宜。

▶ "便宜"还做动词,是"使得到便宜"的意思。如:这太便宜他了。|不能白白便宜了他们。

【片】 piàn 〔量/名〕

〔量〕指地面、水面或成片的东西,也指景色、心意、声音等。(*measure word for slices, tablets, a stretch of land, a water surface, scene, atmosphere, sound, feeling, etc.*)常做定语、主语、宾语。

例句 眼前一片热闹的景象。|我对你可是一片真心。|这一大片都是我们栽的树。|面包你吃一片儿,我吃一片儿。

〔名〕❶ 扁而薄的小块儿东西。(a flat, thin piece; slice; flake)常做语素构词。

词语 唱片 相片 刀片儿

例句 这张照片是毕业时照的。|

P

我想去买几张明信片儿。

❷ 指较大地区内划分的较小地区。(part of a place)常做主语、宾语。

例句 那一片儿是我们大学的生活区。|留学生宿舍分成了东西两片。

【片刻】 piànkè 〔名〕

很短的时间;一会儿。(a short while;a moment)常做定语、补语、状语。

例句 考试不难,片刻的工夫就做完了。|犹豫了片刻,她终于走了过去。|老人和他的狗片刻不离。

【片面】 piànmiàn 〔形〕

❶ 单方面的。(unilateral)常做状语、定语。

例句 你们公司不能片面解释合同。|你不能完全听信他的片面之词。

❷ 偏于一面的。(one-sided)常做定语、谓语、状语。

例句 这是一种十分片面的看法。|你的看法太片面了。|不能片面理解老师的话。

【骗】 piàn 〔动〕

用假话使别人上当或取得利益。(deceive;cheat;swindle)常做谓语、定语、宾语。

例句 你骗得了我,可骗不了大家。|她的包被坏人骗走了。|A:今天真的不上课?你别骗我!B:真的,老师病了。|那些都是他骗来的钱。|我们决不会再受骗了。|他冒充记者,到处行骗。

【漂】 piāo 〔动〕 另读 piǎo、piào

停留在液体表面,或顺着风向、水流等移动。(float)常做谓语。

例句 船在水上漂了很远。|水面上漂着几片树叶。|那条船在海上漂了十几个小时后终于靠了岸。

辨析 〈近〉浮。"浮"除表示在液体表面停着或移动外,还可以表示在液体里游动;此外,"浮"还指办事不牢。如:孩子们一会儿就浮过河去了。|这个小青年很浮,他办事不可靠。

【飘】 piāo 〔动〕

随风摇动或飞。(fly;flare)常做谓语。

例句 白云在空中飘过。|远处飘来优美的歌声。|气球怎么飘不起来了?|冬天来了,天空经常飘起雪花。

【飘扬】 piāoyáng 〔动〕

在空中随风飞扬。(fly)常做谓语。

例句 运动场上彩旗迎风飘扬。|节日到了,到处飘扬着欢乐的歌声。

【票】 piào 〔名〕

❶ 作为凭证的纸片。(ticket)常做主语、宾语、定语,也用于构词。[量]张。

词语 票据 股票

例句 春节时,火车票很难买到。|票还没拿到,怎么上车呢。|谁去买票?|A:还有票吗?B:对不起,都卖完了。|票价是多少?

❷ 纸币。(bank note)常做主语、宾语。[量]张。

例句 零票儿都让我花了。|这些都是一百元的大票,您能不能换点儿十块的小票?

【漂亮】 piàoliang 〔形〕

❶ 好看;美观。(handsome;good-looking;pretty;beautiful)常做谓语、补语、定语。

例句 您的车真漂亮。|那个演员一点儿也不漂亮。|那个地方的风

景很漂亮。|晚会上,大家都打扮得很漂亮。|这女孩长得不漂亮,可心眼儿好。|孩子们穿着漂亮的新衣去游园。

❷ 出色,精彩。(brilliant; splendid; beautiful; remarkable)常做谓语、定语、补语、状语。

例句 马克的表演特别漂亮。|A:那场球怎么样? B:漂亮!|比尔能说一口漂亮的汉语。|这件事办得漂亮。|同学们非常漂亮地完成了翻译任务。

【撇】 piē 〔动〕

丢开,抛掉。(cast aside; neglect; abandon)常做谓语。

例句 他撇下妻子儿女来中国学汉语。|撇开烦恼吧!|你不应该把学习撇在脑后,成天玩。

【瞥】 piē 〔动〕

很快地看一下。(shoot a glance at)常做谓语。

例句 上课时他在睡觉,老师瞥了他一眼。|在街上,我无意间瞥见了那个女孩。|我只是瞥了一下,没看清。

【拼】 pīn 〔动〕

❶ 合在一起,连合。(put together; join together)常做谓语,也做语素构词。

词语 拼音 拼写 拼盘

例句 你能把这几个图板拼在一起吗?|这个汉字怎么读,你拼一拼。

❷ 不顾一切地干。(be ready to risk one's life; go all out in work)常做谓语。

例句 你每天这样拼,小心累坏了身体。|口语比赛上,两个班拼了半天,最后高级班得了第一。|别跟他拼,还是上法院吧。

【拼搏】 pīnbó 〔动〕

尽全力争取。(go all out)常做谓语、定语。

例句 只有不断地拼搏,才能取得最后的胜利。|我们要发扬这种拼搏的精神。

【拼命】 pīn mìng 〔动短〕

❶ 用性命相拼。(risk one's life)常做谓语、宾语,中间可插入成分。

例句 我就算拼上命,也要完成任务。|不值得为这事拼命。|这哪像比赛,简直是拼命。

❷ 比喻尽最大的力量。(for all one is worth; desperately)常做状语。

例句 他每天拼命地学习。|我们公司的员工个个都拼命地工作。|无论怎么拼命学,他也没达到 HSK8 级。

【贫】 pín 〔形〕

❶ 穷。(poor)常做语素构词。

词语 清贫 贫困 贫穷 贫苦 贫民

例句 很多国家存在贫富不均的现象。

❷ 缺乏,不足。(deficient; inadequate)常做语素构词。

词语 贫血 贫瘠

例句 那个国家没有什么资源,尤其贫油。

【贫乏】 pínfá 〔形〕

❶ 不丰富。(wretchedly lacking; short)常做谓语。

例句 那部电影生活气息贫乏。|他在翻译方面的经验还很贫乏。

❷ 穷困。(poor)常做谓语、定语。

例句 他家境贫乏,但学习十分刻苦。|她越来越厌倦贫乏的生活,于是来到了城市。

P

【贫苦】 pínkǔ 〔形〕

贫困穷苦。(badly off; proverty-stricken)常做谓语、定语、补语。

例句 父亲去世后,家里的生活一直很贫苦。|一家人过着贫苦的生活。|不少名人出身于贫苦的家庭。|日子过得十分贫苦。

【贫困】 pínkùn 〔形〕

生活困难,贫穷。(poor; impoverished)常做谓语、定语、补语。

例句 还有不少人生活贫困。|人们努力改变着这里贫困的面貌。|这里再也不是过去那个贫困的山村了。|父亲失业以后,生活变得更贫困了。

【贫民】 pínmín 〔名〕

生活穷苦的人。(poor people; paupers)常做主语、定语、宾语。[量]个。

例句 新的城市贫民已经出现。|由于政府的努力,城市贫民的生活已大大改善。|这些人失业以后就成了城市贫民。|他的祖父和父亲都是城市贫民。

P

【贫穷】 pínqióng 〔形〕

经济状况差,生活困难。(poor; needy; impoverished)常做谓语、定语、主语。

例句 当时,国家很贫穷。|现在,那个地区已经改变了贫穷的面貌。|贫穷不是社会主义。

【频】 pín 〔副〕

多次、连续几次。(frequently; repeatedly; time and again)常做状语。

例句 最近各种好消息频传。|宾主频频举杯,互致敬意。|老师讲课时,他频频点头。

▶ 在双音节词前用重叠式。

▶ "频"还做形容词,指次数多。如:那段日子,两个人通信特别频。|母亲的病犯得越来越频了。

【频繁】 pínfán 〔形〕

次数很多。(frequent)常做谓语、定语、状语、补语。

例句 合作以后,两家公司的交往更加频繁了。|来中国后,他的身体好多了,感冒不那么频繁了。|频繁的来往使他俩的感情越来越深。|近来,这个地区频繁地降雨。|最近,电脑病毒发作得十分频繁。

【频率】 pínlǜ 〔名〕

❶ 物体每秒种振动的次数。(frequency)常做主语、宾语、定语。[量]种。

例句 它振动的频率大约是50Hz。|每个人听到的声音的频率不完全相同。|最近汉语广播改变了频率。|这种现象和频率的高低有关系。

❷ 在一定时间或范围内事物重复出现的次数。(frequency)常做主语、宾语。

例句 常用词出现的频率较高。|公司提高了资金周转的频率。

【品】 pǐn 〔动/名〕

〔动〕辨别好坏。(savor; judge)常做谓语。

例句 这种茶得慢慢地品。|大家都来品一品这个菜的味道怎么样。

〔名〕指日常用的东西或人、事物和本质特点。(product; character)常做语素构词。

词语 商品 产品 礼品 日用品 品种 品位 品质 品德

词语 我想明天上街买点儿日用

品。|节日的市场,商品非常丰富。|他的人品不错。

【品尝】 pǐncháng 〔动〕
尝试味道。(taste;savor)常做谓语。
例句 来中国第一天就品尝了中国菜。|品尝了饺子,大家都说味道不错。|在农村,留学生品尝了新摘的葡萄。|主人要大家品尝品尝茅台酒。

【品德】 pǐndé 〔名〕
品质道德。(moral character)常做主语、宾语。[量]种。
例句 老人的品德高尚。|他高尚的品德得到了人们的赞誉。|我们要学习先进人物的高尚品德。
辨析 〈近〉品格,品质。①"品德"与"品格":"品德"多褒义,"品格"是中性词。②"品质"与"品德":"品质"指人行为作风上的表现,也指物品的质量;"品德"着重指人的道德、修养。

【品牌】 pǐnpái 〔名〕
商标牌号,著名商标。(trademark)常做主语、定语、宾语。
例句 这些知名的品牌很受消费者欢迎。|这种品牌的电视机最受欢迎。|这台电冰箱是什么品牌?|我们公司的产品已经成为了品牌。

【品位】 pǐnwèi 〔名〕
指质量、水平等。(quality)常做主语、定语、宾语。
例句 这批材料品位不低。|大厅里全是高品位的家具。|那天的节目没有一点儿品位。

【品行】 pǐnxíng 〔名〕
有关道德的行为。(moral conduct)常做主语、宾语、定语。
例句 好的品行要从小培养。|我们应使自己具有良好的品行。|一个人品行的好坏从日常生活中也能看得出来。

【品质】 pǐnzhì 〔名〕
❶ 从行为、作风上表现出来的人的本质。(character; intrinsic quality)常做主语、宾语。[量]种。
例句 他的品质很好。|从一件小事,我们可以看到他的优秀品质。|"他是一个好人",这是中国人对一个人品质的最好评价。
❷ 物品的质量。(quality)常做主语。
例句 那儿的瓷器品质优良。|这种丝绸品质是一流的。

【品种】 pǐnzhǒng 〔名〕
❶ 人工培育的生物体种类。(breed;strain;variety)常做主语、宾语、定语。[量]个。
例句 这个新品种是从国外引进的。|展出的花都是名贵的品种。|这些都是新品种水果。
❷ 泛指产品的种类。(variety)常做主语、宾语、定语。
例句 日用品的花色品种越来越丰富。|商店不断增加商品品种。|各个品种的茶具已经到货,欢迎选购。

【聘】 pìn 〔动〕
请人工作。(engage; employ)常做谓语、宾语,也做语素构词。
词语 聘请 聘任 聘用
例句 这家公司聘了几个留学生。|我们公司经费不足,聘不起专门翻译。|因为效益不好,公司解聘了几个员工。

【聘请】 pìnqǐng 〔动〕

P

请人担任某种职务。(invite)常做谓语、定语。

例句 公司聘请了两位汉语翻译。|他为女儿聘请了一位家庭教师。|这位是新聘请的汉语老师。

【聘任】 pìnrèn 〔动〕

聘请任职。(engage sb. as; appoint sb. to a position)常做谓语、定语。

例句 公司将聘任一位经济顾问。|他被聘任为北京大学的教授。|我们公司的员工一律实行聘任制。|董事会聘任他为总经理,聘任书已经下来了。

【聘用】 pìnyòng 〔动〕

聘请任用。(engage)常做谓语、定语。

例句 这个留学生毕业后被一家公司聘用了。|他们将再聘用一位汉语翻译。|聘用的人要和公司签一份合同。

【乒】 pīng 〔象声〕

❶ 形容枪声、关门声等。(crack)常做定语或单用。

例句 晚上,大家都听见“乒”的一声枪响。|“乒乒乒”,有人敲门。

❷ 指乒乓球。(table tennis)常用于固定短语。

词语 乒坛 世乒赛

【乒乓球】 pīngpāngqiú 〔名〕

❶ 球类运动项目之一。(table tennis)常做主语、宾语、定语。[量]个,盒。

例句 乒乓球是很多人喜欢的运动。|我每天都打乒乓球。|吃完饭玩一会儿乒乓球吧。|留学生乒乓球赛将在下周举行。

❷ 乒乓球运动使用的球。(table tennis ball)常做主语、宾语、定语。

例句 这种乒乓球是名牌。|我新买了一盒乒乓球。|乒乓球的大小有变化。

【平】 píng 〔形〕

❶ 表面没有高低;不倾斜。(flat; level)常做谓语、定语、补语、状语。

例句 这里的路不平。|平平的水面上浮着一只小船。|工程车早已把那块地铲平了。|把箱子平放在桌子上。|他静静地平躺在草地上。

❷ 分不出高低。(draw)常做谓语、补语、定语。也做语素构词。

词语 平等 平均 公平 平衡

例句 现在两个队的比分已经平了。|雅典奥运会上,刘翔的跨栏平了世界纪录。|这场足球赛,最后踢平了。|他跟我是平辈。|这盘棋下成了平局。

❸ 安定。(calm; peaceful)常做谓语,多用于固定短语,也做语素构词。

词语 平定 平静 平稳

例句 湖面上风平浪静。|还是心平气和地谈谈吧。

【平安】 píng'ān 〔形〕

太平安全。(safe and sound; without mishap; well)常做谓语、状语、定语。

例句 祝愿大家一路平安!|这一夜平安无事。|旅游结束了,留学生都平平安安回到学校。|谁不想过平安的日子?

辨析 〈近〉安全。“平安”多用于指人,“安全”不仅指人也可指事物;“平安”侧重“安稳,顺利”;“安全”侧重有保障无危险。如:*祝一路安全!(“安全”应为“平安”)

P

【平常】 píngcháng 〔名/形〕

〔名〕一般的时候。(usually)常做状语、定语。

例句 平常她很少出去玩。|我们平常都吃中国菜。|平常的时候,我总是早睡早起。

〔形〕普通,不特别。(common)常做谓语、定语、状语。

例句 这样的事实在太平常了。|这是很平常的事。|他过惯了平常人的生活。|他平平常常地度过了自己的一生。

辨析 〈近〉平凡。"平凡"侧重指不稀奇,"平常"侧重在"不特别";"平凡"不做名词。如:* 这是个景色平凡的地方。("平凡"应为"平常")

【平淡无奇】 píngdàn wú qí 〔成〕

很平常,没有什么奇特。(flat; prosaic; pedestrian; commonplace)在句中做谓语、定语。

例句 老人的话平淡无奇。|他在国外的几年生活平淡无奇。|他过着一种平淡无奇的生活。

【平等】 píngděng 〔形/名〕

〔形〕指地位相等。(equal)常做谓语、定语、状语。

例句 在法律面前人人平等。|这样的条件对我们不平等。|我们在贸易上坚持平等的原则。|我们应该平等地对人。

〔名〕指人们享有的相等的权利、地位和待遇等。(equality)常做主语、宾语。[量]种。

例句 平等是需要经过努力奋斗才能实现的。|他们要求的是平等。

【平凡】 píngfán 〔形〕

平常,不稀奇。(common)常做谓语、定语。

例句 他们的工作很平凡,却很有价值。|他的经历太平凡了。|平凡的人可以做出不平凡的事。

【平方】 píngfāng 〔名〕

❶ 两个相同的数目相乘。(square)常做主语、宾语、定语。

例句 2的平方是4。|25是5的平方。|它们的平方和是多少?

❷ 指平方米。(square meter)常做定语、宾语。

例句 我的卧室只有10平方大小。|这个小教室的面积能有多少平方?|这个客厅大概有40平方吧?

【平分秋色】 píng fēn qiū sè 〔成〕

双方各占一半。(have equal shares; share on a fifty-fifty basis; divide the cheerful countenance equally)常做谓语。

例句 口语比赛,两个班平分秋色,难分高低。|在选举中,两个党平分秋色。

【平衡】 pínghéng 〔形/动〕

〔形〕对立的各方面在数量或质量上相等或相抵。(balanced)常做谓语、状语、宾语、定语。

例句 中国东部与西部的发展很不平衡。|最近他的心理比较平衡。|老师希望留学生在汉语各个方面都能平衡发展。|一看到别人比自己强,她就觉得不平衡。|出现矛盾时,应该找到平衡的办法。

〔动〕使平衡。(balance)常做谓语。

例句 公司得去平衡各种关系。|遇到不顺心的事,就自己平衡吧。

▶ "平衡"也可做名词使用。如:突然停车,身体容易失去平衡。|从哲学上

P

看，平衡是相对的，矛盾是绝对的。

【平静】 píngjìng 〔形〕

心情、环境没有不安或动荡。(calm; quiet; tranquil)常做谓语、定语、状语、补语。

例句 风浪已经平静下去了。|他激动的心情很难平静。|很多人希望过平静的生活。|在论文答辩中，他平静地回答了所有的问题。|老两口的日子过得很平静。

辨析 〈近〉安静。"安静"着重指没有声音，"平静"着重指安宁，无动荡；"安静"常用来形容环境，"平静"多指水面和心情。如：* 开始考试了，教室里平静极了。("平静"应为"安静")

【平均】 píngjūn 〔动/形〕

〔动〕把总数分成若干等份。(average)常做谓语、状语。

例句 最好把这些钱平均一下。|老板把工作平均到每个人。|一共20人参加口语比赛，平均每班才两个人。

〔形〕没有轻重或多少的区别。(average; equal)常做状语、谓语、定语、补语。

例句 工作中应该有重点，不能平均使用力量。|公司给大家平均安排工作。|这里留学生的汉语水平比较平均。|我们班的同学平均年龄在35岁左右。|这次考试的成绩分布得比较平均。

【平面】 píngmiàn 〔名〕

数学上组成立体的单面。(plane)常做主语、宾语、定语。[量]个。

例句 这两个平面一样大。|这张图只有一个平面。|立方体是由六个平面组成的。|留学生看了新宿舍的平面图。

【平民】 píngmín 〔名〕

普通老百姓。(the common people)常做主语、定语、宾语。[量]个。

例句 平民是城市居民的主要部分。|这部电影反映了平民的生活。|这个留学生想了解中国平民的情况。|那位老人只是一个平民。

【平日】 píngrì 〔名〕

平常时间。(usually)常做状语、宾语。

例句 这个老人平日很少喝酒。|平日他早就睡了，今天不知为什么这么精神。|他平日言语不多。|他今天走得比平日早。

【平时】 píngshí 〔名〕

一般的、通常的时候。(at ordinary times)常做状语、定语。

例句 那个老人平时总是六点钟起床。|他平时就很注意自己的发音。|我们平时不喝酒，节日才喝一点儿。|学习汉语要重视平时的练习。

辨析 〈近〉平常。"平常"还是形容词，"平时"不做形容词；做名词时，"平时"可与"战时"等对比使用。

【平坦】 píngtǎn 〔形〕

(地势等)没有高低不平。(flat)常做谓语、定语、补语。

例句 这里地势平坦。|山里的路很不平坦。|平坦的公路两旁都是高大的树。|翻过山以后，路渐渐变得平坦了。

【平稳】 píngwěn 〔形〕

❶ 稳当，不摇晃。(smooth)常做谓语、定语、状语、补语。

例句 桌子很平稳。|他用平稳的语调讲了这个动人的故事。|飞机

平稳地降落在机场。|他的车开得又快又平稳。

❷ 平安，没有波动或危险。(stable; smooth and steady)常做谓语。

例句 这几年，他家的生活一直很平稳。|病人的情况不太平稳。|最近，这个国家的局势平稳一些了。

【平心静气】 píng xīn jìng qì 〔成〕

心情平静，态度冷静。(calm; dispassionate; cool-headed)常做谓语、状语。

例句 听力课大家都平心静气，认真听录音。|你要平心静气地跟她谈才行。|李老师叫他平心静气地想想怎么提高自己的汉语水平。

【平行】 píngxíng 〔形〕

❶ 线或平面互不相交。(parallel)常做定语、谓语、状语、补语。不可重叠。

例句 老师画了两条平行线。|这两个面不平行。|两条铁路平行地伸向远方。|你得把这两条线画平行了。

❷ 等级相同，没有隶属关系。(of equal rank)常做定语。

例句 这两个单位是平行机关。|这学期王老师教了两个平行班。

❸ 同时进行的。(simultaneous)常做状语。

例句 这两个班组正在平行作业。|两件工作很难平行进行。

【平原】 píngyuán 〔名〕

海拔较低的广大平地。(plain)常做主语、宾语、定语。[量]个，片。

例句 华北平原非常广阔。|我喜欢平原，不太喜欢山区。|北京南部是平原地区。

【平整】 píngzhěng 〔形/动〕

〔形〕平正整齐，平坦整齐。(flat; level)常做谓语、定语、状语、补语。

例句 经过整修，这片地已经很平整了。|平整的马路旁是一排排新房子。|床上平平整整地放着洗好的衣服。|先把桌布放平整再摆东西。

〔动〕填挖土方，使土地平坦整齐。(level)常做谓语、定语。

例句 这块地已经平整好了。|为了建大楼，先得平整平整地面。|刚刚平整的地里种上了果树。

【平装】 píngzhuāng 〔形〕

(书籍)封面和装订都很普通。(paperback)常做定语或用于“是…的”格式。

例句 平装书比精装书要便宜很多。|大部分书都是平装本。|这本书是平装的。

【评】 píng 〔动〕

议论；指出优缺点等。(comment; criticise; discuss)常做谓语，也做语素构词。

词语 评比 评论 评价 批评 评议

例句 我们新评出了几个优秀翻译。|小王又被评为先进了。|您评评这本书怎么样。|他要找老师评评理。

【评比】 píngbǐ 〔动〕

进行比较后，确定高低或优劣。(appraise through; comparison; compare and assess)常做定语、宾语、主语、谓语。

例句 评比的结果是高级班获得了第一名。|评比工作将于下个月进行。|我们大学要进行优秀学生的评比。|经过评比，我们班的汉语水平最高。|年终评比就要开始了。|

到底哪种商品好，还得评比评比。

【评定】 píngdìng 〔动〕

经过评判或审核决定胜负和优劣。(evaluate)常做谓语、定语。

例句 考试成绩已经评定完了。|领导的工作情况要由大家来评定。|商品质量的评定工作很复杂。

【评估】 pínggū 〔动〕

评价；估量。(assess)常做谓语、定语。

例句 专家组下周来我们大学评估教学质量。|这个计划的可行性要评估评估。|教学评估的结果很快就会公布。

【评价】 píngjià 〔动/名〕

〔动〕评定价值高低。(appraise; evaluate; assess)常做谓语、定语。

例句 留学生高度评价了中国的经济发展。|你的汉语好不好，让老师去评价吧。|要正确地评价自己的汉语能力。|评价的结果出乎意料。

〔名〕评定的价值。(appraisal)常做主语、宾语。[量]个。

例句 对于这个决定，大家的评价不一样。|读者给予这部小说很高的评价。|对这个评价您觉得满意吗？

【评论】 pínglùn 〔动/名〕

〔动〕批评或议论。(discuss; comment on)常做谓语。

例句 大家都在评论刚发生的事。|究竟谁不对，请大家来评论评论。|口语比赛结束后，留学生就热烈地评论起来。

〔名〕批评或评论的文章。(review)常做主语、宾语、定语。[量]篇。

例句 报纸的评论非常客观。|关于环境保护问题，报纸连续发表了好几篇评论。|那篇评论的题目我已经忘了。

【评审】 píngshěn 〔动〕

评议审查。(examine and appraise)常做谓语、定语、宾语。

例句 专家正在评审参加汉语作文比赛的文章。|这次书法大赛的评审结果已经公布了。|评审的专家明天就来我们大学。|评委对申报的项目进行了认真的评审。

【评头品足】 píng tóu pǐn zú 〔成〕

比喻随便评说，多方找毛病。(find fault; criticize from head to foot; comment from head to foot)常做谓语、宾语。

例句 不要随便对别人评头品足。|一些人正对他的新车评头品足。|有的人总喜欢对别人评头品足。|有的明星不接受别人的评头品足。

【评选】 píngxuǎn 〔动〕

评比并推选。(choose through public appraisal)常做谓语、定语、宾语。

例句 明天的留学生大会上将评选出优秀留学生。|大家一致评选李老师为优秀教师。|校长亲自为评选出的好学生颁发了奖品。|优秀作文已经开始评选。

【苹果】 píngguǒ 〔名〕

一种水果，味较甜。(apple)常做主语、宾语、定语。[量]个。

例句 苹果是一种常见的水果。|A:苹果多少钱一斤？B:很便宜，你要多少？|很多人都爱吃那种苹果。|他们家栽了许多苹果。|温带比较适合苹果的生长。

【凭】 píng 〔介〕

根据。(base on)常组成介宾短语做状语。

P

例句 光凭老师教是不够的，还要自己多努力。|凭着自己的努力，马克终于达到了HSK8级。|凭什么不让我参加新年晚会？|请大家凭票入场。

【瓶】 píng 〔名/量〕

〔名〕口小，腹大，有颈的容器，一般是玻璃或瓷制成的。(jar; bottle; vase)常做主语、宾语、定语。[量]个，只。

例句 这个瓶很好看。|孩子不小心打碎了一只花瓶。|这个瓶口太小了。

〔量〕常与数词、指示代词组成短语做定语、主语、宾语。(the quantity contained in a bottle, vase, jar or flask)

例句 旅游时我买了两瓶酒。|我一下喝了一大瓶水。|请问，这瓶是什么。|A：啤酒您要多少？B：来两瓶。

【瓶子】 píngzi 〔名〕

同"瓶"，口小腹大颈长的容器。(bottle; jar; flask)常做主语、宾语、定语。[量]个。

例句 桌上的那个瓶子怎么不见了？|我不小心打碎了同屋的瓶子。|瓶子盖儿哪儿去了？

【萍水相逢】 píng shuǐ xiāng féng 〔成〕

不认识的人偶然相遇。(meet by chance like patches of drifting duckweed)常做谓语、定语、宾语。

例句 我跟她在火车上萍水相逢，后来成了朋友。|这几个萍水相逢的人谈得非常亲热。|我们在一起学汉语完全是萍水相逢。

【屏】 píng 〔名〕

遮蔽物。(screen)常做语素构词。

词语 画屏　孔雀开屏　屏障　屏幕　屏风

例句 她家的客厅有一道屏风。|小家伙眼睛死死盯着电视屏幕。

【屏障】 píngzhàng 〔名〕

有遮挡作用的地形或建筑。(protective screen)常做主语、宾语、定语。[量]道。

例句 华北平原的天然屏障是北边的山脉。|长城是古代汉民族保卫北方的屏障。|这道屏障的背后就是一望无际的大草原。

【坡】 pō 〔名〕

地面倾斜的部分。(slope)常做主语、宾语、定语。[量]个。

例句 这几个坡儿都不太大。|翻过前面那个坡就到公园了。|坡的前面和后面都是树。

【泼】 pō 〔动〕

用力把液体向外倒或向外洒，使散开。(splash)常做谓语。

例句 扫地时可以泼一点儿水。|地上泼得很湿。|在云南旅游时，遇到傣族的泼水节，我全身都被泼透了。

▶ "泼"也做形容词，表示蛮不讲理。(fierce and tough)如：撒泼　泼妇

【颇】 pō 〔副〕

很，相当地。(considerably; very)常做状语。

例句 那个留学生的文章写得颇有文采。|大学旁边的饭店物美价廉，颇受留学生欢迎。|这道菜味道颇佳。

【婆】 pó 〔名〕

❶ 年老的妇女。(an old woman)常做语素构词或用于固定短语。

词语 老婆子　苦口婆心

❷ 指从事某项职业的妇女。(a

P

woman in a certain occupation)常做语素构词或用于固定短语。

词语 媒婆 接生婆

❸ 丈夫的母亲。(wife's mother; mother-in-law)常做语素构词或用于固定短语。

词语 公婆 婆婆 婆媳

【婆婆】 pópo 〔名〕

丈夫的母亲。(husband's mother; mother-in-law)常做主语、宾语、定语。[量]个。

例句 她婆婆原来是汉语老师。|她很尊重婆婆。|婆婆的话有理,媳妇应该听。

【迫】 pò 〔名/形〕

〔动〕用强力压制,强迫。(compel; force; press)常做语素构词或用于固定短语,也做谓语。

词语 压迫 强迫 饥寒交迫

例句 敌人被迫投降。|你没有理由强迫我做。|世界上,依旧有一些人过着饥寒交迫的生活。

〔形〕急促的;紧急的。(urgent)常做语素构词或用于固定短语。

词语 急迫 迫切 从容不迫

例句 那时,他没有钱,生活十分窘迫。|时间紧迫,马上出发吧。|他迫切地想知道考试成绩。

【迫害】 pòhài 〔动〕

压迫使受害。(persecute)常做谓语、宾语。

例句 他们经常迫害老百姓。|当时,很多人都受过迫害。

【迫切】 pòqiè 〔形〕

非常需要,不能等待。(pressing; urgent)常做状语、谓语、定语、补语。不可重叠。

例句 留学生迫切要求提高汉语水平。|一些人迫切希望假期去旅游。|希望和朋友见面的心情非常迫切。|为满足留学生的迫切需要,学校组织大家去参观。|他想继续学习汉语的心情变得更迫切了。

辨析 〈近〉紧迫。"迫切"侧重心情急切;"紧迫"侧重形势紧急,时间短促。如:* 时间迫切,我们必须加紧准备。("迫切"应为"紧迫")

【迫使】 pòshǐ 〔动〕

用强力或压力使做某事。(force)常做谓语。

例句 环境的恶化,迫使人类重视环保。|身体的原因迫使他提前回国了。|时间紧急,迫使代表团的活动提前进行。

【破】 pò 〔动/形〕

〔动〕❶ 使分裂,劈开。(cut; crack; break)常做谓语。

例句 弄了半天才把那块木板破开。

❷ 整的换成零的。(break up the whole into parts)常做谓语。

例句 把百元大票破成十张十元的。|A:我需要零钱,请您帮我破一下钱好吗? B:好的,您要破多少?

❸ 超出;除去。(break through)常做谓语。

词语 破格 破例

例句 他再一次破了男子百米跑的纪录。

❹ 打败,攻下。(defeat; capture)

例句 这次比赛我们大破对方,取得了比赛的胜利。|对方的两道防线都被我们破了。

〔形〕受到损伤,变得不好。(broken)常做谓语、定语、补语。

P

例句 车已经很破了，可他还是舍不得扔。|他的衣服都破了。|这么破的房子不能再住了。|他学习很努力，词典都用破了。|旅游时走破了两双鞋。

【破产】 pò chǎn 〔动短〕
企业不能继续经营，将全部财产变价还债；丧失全部财产；比喻失败。(go bankrupt)常做谓语、定语、宾语。中间可插入成分。

例句 这家公司经营不好，最后破产了。|如果不是遇上天灾，我们家也破不了产。|国家要解决破产企业职工的生活问题。|敌人的阴谋又一次宣告破产了。

【破除】 pòchú 〔动〕
除去。(do away with)常做谓语。

例句 现在我们仍要破除迷信，解放思想。|这种陈旧的观念，目前很难破除。|在改革中，一些不合理的制度都被破除了。

【破釜沉舟】 pò fǔ chén zhōu 〔成〕
比喻下定决心，不顾一切干到底。(break the cauldrons and sink the boats——cut off all means of retreat; burn one's boats)常做谓语，也做定语、状语。

例句 公司破釜沉舟，最后获得了成功。|他们破釜沉舟，战胜了对方。|他破釜沉舟地谈成了那笔买卖。

【破坏】 pòhuài 〔动〕
❶ 损坏；损害。(destroy)常做谓语、定语。

例句 不许破坏公物！|化工厂对环境有破坏作用。

❷ 违反规章，搞乱秩序。(do great damage to; disrupt; sabotage)常做谓语。

例句 破坏协议(制度、规定…)|一阵吵闹声破坏了会场严肃的气氛。|部分球迷故意制造混乱，破坏了比赛秩序。

辨析 〈近〉损坏。语意轻重不同："破坏"语义较重，是有意识的行为，"损坏"可指有意识的和无意识的行动；"损坏"用于实物，"破坏"可用于实物，也可用于抽象事物。如：* 他损坏他人的名誉。("损坏"应为"破坏")| * 手表已经破坏了，再买一只吧。("破坏"应为"损坏")

【破获】 pòhuò 〔动〕
查出案件真相并捉到罪犯、获得赃物等。(unearth; uncover)常做谓语、定语。

例句 海关破获了一起贩毒案。|警方迅速破获了那个大案。|这次破获的钱物有数百万元。

【破旧】 pòjiù 〔形〕
又破又旧。(worn-out)常做谓语、定语。

例句 胡同里的老房子大多破旧了。|这些书很破旧了，但很有价值。|那些破旧的东西都扔了吧。

辨析 〈近〉破烂。"破烂"侧重残破，"破旧"除残破外，还有陈旧的意思；此外，"破烂"还有名词的用法。

【破烂】 pòlàn 〔形〕
因时间长或使用久而残破。(tattered; ragged; worn-out)常做谓语、定语、补语。

例句 那个地方很破烂，没什么意思。|因为很长时间没住人了，小屋已破烂得不成样子。|这些破烂木头，留着没什么用了。|有的年轻人故意穿得破破烂烂的。

P

▶"破烂"也做名词(后常带"儿")。如:卖破烂儿|这位老人以拾破烂儿为生。

【破裂】 pòliè 〔动〕

❶ 完整的东西裂缝;开裂。(burst; split; crack)常做谓语(不带宾语)、定语。

例句 强烈的撞击使船突然破裂了。|这件工艺品很结实,不会破裂的。|那个破裂的花瓶,还可以修好。

❷ 关系,感情等被破坏而分裂。(rupture; break off)常做谓语(不带宾语)、定语。

例句 你们的感情还没有破裂,最好不要离婚。|双方的关系已经破裂很长时间了。|两家公司破裂的谈判又恢复了。

【破碎】 pòsuì 〔动〕

(使)破成碎块。(smash sth. to pieces; fragmentate)常做谓语、定语。

例句 杯子完全破碎了。|这台机器每小时可以破碎多少矿石?|打开箱子一看,有两件瓷器已经破碎了。|这个破碎的家庭又团圆了。

【破涕为笑】 pò tì wéi xiào 〔成〕

停止了哭泣,反而笑起来。(smile through tears; turn tears into smiles)在句中做谓语。

例句 最后知道自己的成绩不错,小王破涕为笑。

【扑】 pū 〔动〕

❶ 用力向前冲,使全身突然伏在物体上。(throw oneself on or at; pounce on)常做谓语。

例句 猫扑住了一只老鼠。|孩子一下子扑进母亲怀里。|警察突然扑上去,抓住了罪犯。|士兵向敌人的阵地猛扑过去。

❷ 扑打。(flap; dab)常做谓语。

例句 大雁扑着翅膀飞上了天。|洗完澡,给孩子扑点儿粉。

❸ 把全部心力用到工作、事业上。(devote oneself wholeheartedly to)常做谓语。

例句 他一心扑在学习上。|王老师一心扑在教学上。

【扑克】 pūkè 〔名〕

一种纸牌,共 54 张。(poker)常做定语、宾语、主语。[量]张,副。

例句 这副扑克是新的。|星期天,我们经常在一起打扑克。|玩玩可以,别成了扑克迷。

【扑灭】 pū miè 〔动短〕

扑打消灭。(extinguish; wipe out)常做谓语。

例句 人人行动,扑灭蚊蝇。|大家齐心协力扑灭了一场大火。

【扑朔迷离】 pūshuò mílí 〔成〕

比喻事物复杂,令人分辨不清。(complicated and confusing; puzzling)常做谓语、定语、补语。

例句 这件事扑朔迷离,谁都说不清。|晚上,路灯下有些扑朔迷离的影子。|这太奇怪了,让人产生一种扑朔迷离的感觉。|这件案子显得扑朔迷离。

【铺】 pū 〔动〕

把东西展开或摊开。(spread; extend)常做谓语。

例句 台布铺得平平整整。|双方谈判成功为进一步合作铺平了道路。

【仆】 pú 〔名〕

P

被雇到家里做事的人。(servant)常做语素构词。

词语 男仆 女仆 仆人

【仆人】 púrén 〔名〕

旧指被雇到家庭中做杂事的,供役使的人。(servant)常做主语、宾语、定语。

例句 这个仆人是新来的。|她以前当过仆人。|他家雇了三个仆人。|仆人的地位很低。

【葡萄】 pútao 〔名〕

一种常见水果。(grape)常做主语、宾语、定语。[量]颗,串。

例句 葡萄已经上市了。|很多人喜欢吃葡萄。|我在院子里种了一棵葡萄。|我买了两斤葡萄干送给朋友。|葡萄酒很好喝。

【葡萄糖】 pútaotáng 〔名〕

有机化合物,味甜,是人和动物能量的主要来源。(glucose)常做主语、宾语。

例句 葡萄糖易分解,好吸收。|葡萄糖对病后虚弱有很好的疗效。|病人需要补充一些葡萄糖。

【朴实】 pǔshí 〔形〕

朴素,诚实,踏实。(simple; sincere and honest)常做谓语、定语、状语、补语。

例句 这篇散文语言朴实。|这个人一点儿也不朴实。|山里人往往具有朴实的性格。|作品朴实地描写了少数民族风情。|她人很漂亮,却穿得朴朴实实。

辨析 〈近〉朴素。"朴素"着重指外表俭朴;"朴实"着重指本质诚实、踏实。如:* 老王是个性格朴素的人。("朴素"应为"朴实")|* 生活艰苦朴实。("朴实"应为"朴素")

【朴素】 pǔsù 〔形〕

❶ 不浓艳,不华丽。(simple and unadorned)常做定语、谓语、状语、补语。

例句 她总穿着朴素的工作服。|这个留学生的作文语言很朴素。|作者用简洁的语言朴素地描绘出中国的巨大变化。|她一直穿得朴素、大方。

❷ 节约,不奢侈。(thrifty; economical)常做谓语、主语。

例句 他的生活一向很朴素。|现在有的年轻人生活不太朴素。|艰苦朴素是我们的传统。

【普】 pǔ 〔素〕

广泛、共同、全面。(general; universal; widespread)常做语素构词。

词语 普通 普遍 普及 普照

【普遍】 pǔbiàn 〔形〕

广泛的,具有共同性的。(universal; general; widespread)常做谓语、定语、状语、补语。

例句 参加 HSK 在留学生中相当普遍。|学习英语在农村中不普遍。|希望尽快提高汉语水平,是留学生的普遍要求。|今年夏天普遍流行连衣裙。|现在健美运动开展得比较普遍。

【普查】 pǔchá 〔动〕

普遍调查。(general investigation)常做谓语、定语、宾语。

例句 为了服好务,学校正在普查留学生的情况。|普查工作已经开始了。|下个月,我市将进行人口普查工作。|最近,我们大学对汉语学习情况进行了一次普查。

【普及】 pǔjí 〔动/形〕

〔动〕普遍传布；普遍推广，使大众化。(popularize; disseminate) 常做谓语、定语。

例句 普通话已经普及全国。|我们要继续大力普及科学知识。|义务教育的普及工作还很艰巨。

〔形〕传布、推广得很普遍。(popular) 常做谓语、定语。

例句 手机在中国已经非常普及了。|普通话普及的范围很广。|这套名著的普及本很受读者欢迎。

【普通】 pǔtōng 〔形〕

平常的，一般的。(ordinary; common) 常做谓语、定语。

例句 她的衣服样式很普通。|这个孩子看上去很普通，实际上不普通。|他问了老师一个普通的语法问题。|我的父母都是普普通通的职员。

辨析 〈近〉一般，平常。从词义看，"一般"还有"一样"等意思，"平常"还有"时间"的意思；"一般"和"平常"都能做状语，"普通"则不行；此外"普通"多用于具体事物。如：*普通来说，……("普通"应为"一般")|*他的汉语水平很普通。("普通"应为"一般")

【普通话】 pǔtōnghuà 〔名〕

现在中国的汉语标准话。(common speech of the Chinese language; Mandarin) 常做主语、宾语、定语。[量]句，口。

例句 普通话以北京语音为标准音。|我学习汉语的时间不长，只能听懂一点儿普通话。|在学校应该讲普通话。|学汉语先要练习普通话的发音。

【谱】 pǔ 〔名/动〕

〔名〕❶ 打算，把握。(sth. to count on; a fair amount of confidence) 常做宾语。[量]个。

例句 他做事心里有谱儿。|做之前心里没个谱儿怎么行？

❷ 记录音乐的符号系统。(music; music score) 常做主语、宾语。也做语素构词。[量]个，段。

词语 简谱 五线谱 曲谱 乐谱

例句 五线谱是国际通用的音符标记。|学唱歌要先学谱。|我只会唱谱，记不住词。

〔动〕写曲。(compose music) 常做谓语。

例句 请把这首诗谱上曲。

【谱曲】 pǔ qǔ 〔动短〕

为歌词配曲。(set words to music) 常做谓语(不带宾语)，中间可插成分。

例句 这首歌由一个著名音乐家谱曲。|请您帮我给这首诗谱一段曲好吗？

【瀑】 pù 〔名〕

意义同"瀑布"。(waterfall) 常做语素构词。

词语 瀑布 飞瀑

【瀑布】 pùbù 〔名〕

从高处直落下来的水流。(waterfall) 常做主语、宾语、定语。[量]道，条。

例句 这条瀑布太漂亮了。|那个地方有很多瀑布，很好看。|你游览过庐山瀑布吗？|这瀑布的高度是多少？

P

Q

【七】 qī 〔数〕
六加一得到的数。(seven)常构成短语做句子成分。
例句 一个星期有七天。|北斗星由七颗星组成。|七个人一组。|小李住在这座楼的七层。|他是第七位来报名的同学。
▶"七"字单用或在词句末尾或在一声、二声、三声前读一声,在四声前读二声。如:(qī)十七,五十七,七楼,七天,七条,七把。|(qí)七个,七位,七月。

【七零八落】 qī líng bā luò 〔成〕
零零散散,不整齐,不集中。(scattered here and there; in disorder)。常做谓语、定语、状语、补语。
例句 他一家人七零八落。|大风以后,他们只看见那些七零八落的东西。|放假后,留学生旅游的旅游,回国的回国,七零八落剩下了几个人。|比赛中,他们被打得七零八落。

【七上八下】 qī shàng bā xià 〔成〕
形容心神不定。(an unsettled state of mind; be agitated; be perturbed)常做谓语。
例句 考试成绩公布前,我心里七上八下的。|他抬头看了看老师,心里七上八下,不知道老师是否要批评自己。

【七手八脚】 qī shǒu bā jiǎo 〔成〕
形容(参与动作的)多而杂乱。(with everybody lending a hand; in a bustle)常做状语。
例句 大家七手八脚地把摔倒的老人拉起来。|考试完了,同学们七手八脚地收拾东西。

【七嘴八舌】 qī zuǐ bā shé 〔成〕
形容人很多,你说一句,我说一句,说法不同。(all talking at once)常做状语、谓语。
例句 已经上课了,可大家还七嘴八舌地说个不停。|人们正七嘴八舌地议论明天去哪儿玩。|会上大家七嘴八舌,到散会也没有形成决议。

【沏】 qī 〔动〕
用开水冲、泡。(infuse)常做谓语。
例句 我给你沏一杯龙井。|水不太热,奶粉恐怕沏不开。|姐姐正在厨房沏咖啡。|我把茶沏上,等着客人来喝。

【妻】 qī 〔素〕
意义同"妻子"。(wife)常用于构词或固定短语中。
词语 夫妻　未婚妻　妻子　妻儿老小　娶妻生子　妻离子散
例句 现代社会实行一夫一妻制。|张教授的前妻死于车祸。

【妻子】 qīzi 〔名〕
男女两人结婚后,女子是男子的妻子。(wife)常做主语、宾语、定语。[量]个,位。
例句 他妻子是医院的大夫。|听说玛丽要跟那位男演员结婚了,她将成为他的第三位妻子。|我的成功离不开妻子的帮助。

【柒】 qī 〔数〕
"七"的大写,常用于票据账目中。(seven)常做主语、宾语。
例句 "柒"是七的大写。|发票上的"七"要写成"柒"。

Q

【凄惨】 qīcǎn 〔形〕

冷落,悲惨。(wretched; miserable)常做谓语、定语、状语、补语。

例句 这位老人没儿没女,晚年生活很凄惨。|远处传来凄惨的哭声,听了让人害怕。|看他那凄惨的样子,真叫人难过。|他最后在无人照料的情况下凄惨地死去。|没想到,一个繁华都市地震后竟变得如此凄惨。

【凄凉】 qīliáng 〔形〕

寂寞冷落,多形容环境或景物。(miserable; desolate)常做定语、补语、宾语、谓语。

例句 大水过后,到处是一片凄凉的景象。|北风吹来,空空的街道显得十分凄凉。|望着残破的房子,我的心感到一阵凄凉。|当时他的神情凄凉得很。

辨析 〈近〉凄惨。"凄凉"重在悲伤寂寞,冷落;"凄惨"重在悲惨。"凄凉"多用于形容环境、气氛或心情,语义较轻;"凄惨"多用于形容重大的不幸遭遇,语义较重。如:* 我亲眼看到他在车祸中丧生,那情景十分凄凉。("凄凉"应为"凄惨")。

Q

【期】 qī 〔名/量〕

〔名〕❶ 预定的时间,约好的日子。(predetermined time; scheduled time)常做宾语。

例句 我的签证明天到期。|面包已经过期了,不能吃了。

❷ 一段时间。(a period of time; stage)常做语素构词,或用于短语中。

词语 学期 假期 期间 期限 前期 更年期

例句 这个假期你准备去哪儿旅行?|听说手术很成功,他已经度过危险期了。

〔量〕用于分阶段、分时间产生的事物。(*measure word for things scheduled by periods*)常构成短语做句子成分。

例句 这杂志每年出版 12 期,每期 5 元。|这期汉语学习班的学生快要毕业了。

▶"期"也有动词性,指约定、等待。如:期待 期望 不期而遇

【期待】 qīdài 〔动〕

期望、等待。(await with hope)常做谓语、定语。

例句 爸爸、妈妈期待着我早日回国。|大家都期待奥运会在北京举行。|她露出期待的表情。|我忘不了老师期待的目光。

辨析 〈近〉等待。"期待"的程度深,有期望的意思,心情更迫切,"等待"的程度浅。如:我们期待世界和平。| * 别着急,你要耐心期待。("期待"应为"等待")

【期间】 qījiān 〔名〕

某个时间以内。(time; period)名词,常构成表时间的名词短语做状语、定语。

例句 他在大学学习期间做了很多社会工作。|电视台春节期间的节目非常丰富。

辨析 〈近〉时期。"期间"指一段时间内;"时期"指具有某种特征的一段时间,可没长短,受形容词和数量词的限制。在表示某一段比较长的特定时间时,这两个词可以通用。如:留学期间 在美国期间 "五四"时期 社会改革开放时期|小王在美国住了三年,这期间,曾回来过一次。

【期刊】 qīkān 〔名〕
定期出版的杂志。(periodical)常做主语、宾语。[量]种,类,套。
例句 这种期刊对学习汉语很有帮助。|要预订期刊的同学请到收发室办理。
辨析 〈近〉杂志。"期刊"和"杂志"的语义范围不同,"期刊"是集合名词,"杂志"是个体名词。如:一本杂志 一些期刊

【期望】 qīwàng 〔动/名〕
〔动〕对事物的将来或人的前途有所希望和等待。(hope;expect)常做谓语(带宾语)、定语。
例句 我们都期望着能早一天学好汉语。|孩子期望能得到一件生日礼物。|老师对我们流露出期望的目光。|达到 HSK8 级正是我们期望的结果。
〔名〕对事物的将来或人的前途的希望。(expectation)常做主语、宾语。
例句 这种期望的实现还要靠我们的努力。|我心里有许多期望。|不要辜负了老师的期望。
辨析 〈近〉期待。"期待"主要侧重于"等","期望"语义重在希望。如:妈妈期待我们早日回家。|老师期望我们都成为优秀学生。

【期限】 qīxiàn 〔名〕
❶ 限定的一段时间。(time limit)常做主语、宾语。[量]个。
例句 图书馆的借阅期限是一个月。|学习期限很短,只有十个月。|这项任务,领导给我们规定了一年期限。
❷ 所规定时间的最后界线。(deadline)常做主语、宾语。
例句 贷款的期限已经到了。|明天就是最后期限了。

【欺】 qī 〔素〕
❶ 骗人。(deceive)
常用于构词或固定短语中。
词语 欺骗 欺瞒 欺诈 欺上瞒下 自欺欺人
❷ 压迫。(bully;take advantage of)
常用于构词,或固定短语中。
词语 欺压 欺负 欺辱 欺人太甚 仗势欺人

【欺负】 qīfu 〔动〕
用粗暴无理的手段损害。(bully;treat sb. high-handedly)常做谓语、宾语。
例句 你是哥哥,不能欺负小弟弟。|大国不能欺负小国,强国不应欺负弱国。|她被人欺负了。|他长得又高又大,谁也欺负不了他。|我可不甘心受他的欺负。

【欺骗】 qīpiàn 〔动〕
用虚假的言语或行为使人上当。(deceive;cheat)常做谓语、定语。
例句 你怎么说假话欺骗大家呢?|她总认为是我欺骗了他。|你要小心,不要受人欺骗。|他自认为谁都欺骗不了他。|这是一种欺骗行为。|骗子的欺骗手段有各种各样的。

【欺人太甚】 qī rén tài shèn 〔成〕
太欺负人了,使人难以忍受。(that's going too far;that's too much of a bully)常做谓语、定语或做小句。
例句 这家伙欺人太甚,我们找他评理去!|一贯欺人太甚的黄老头这次才真正遇到了对手。|"欺人太甚!"小王"砰"地一拳砸在了桌子上。

【欺软怕硬】 qī ruǎn pà yìng 〔成〕

Q

欺负软弱或没有权势的，害怕强硬的或有权势的。(bully the weak and fear the strong)常做谓语、定语。

例句 他欺软怕硬，你越怕他，他越欺负你。|这个欺软怕硬的家伙，没有人理他。

【漆】 qī 〔名/动〕

〔名〕用漆树皮里的黏(nián)汁或其他树脂制成的涂料。(lacquer)常做主语、宾语。[量]种。

例句 门上的漆还没干，别碰。|刚买来的桌子就碰掉了一块漆。|这套家具你想刷什么漆?

〔动〕把漆涂在器物上。(lacquer; paint)常做谓语。

例句 把书架漆成咖啡色的吧。|我想找人帮我漆一下大门。

【漆黑】 qīhēi 〔形〕

非常黑。(pitch-black)常做谓语、定语、补语，不能受程度副词的修饰。

例句 山洞里一片漆黑。|他长着一脸漆黑的胡子。|突然停电了，屋子里立刻变得漆黑漆黑的。

【齐】 qí 〔动/形〕

〔动〕达到同样的高度。(be level with)常做谓语。

例句 河水齐了岸。|儿子的个儿跟爸爸一般齐了。|在齐腰的野草中发现了一只兔子。

〔形〕❶ 有序；规整。(in good order; neat; uniform)常做谓语、补语。

例句 教室里桌子不齐，显得很乱。|队伍站得齐齐的。|树墙剪得不齐。

❷ 同样，一致。(same)常做谓语。

例句 大家想法不齐，就难办了。|人心齐，事情才好办。

❸ 全。(all present; all ready; complete)常做补语、谓语。

例句 人都到齐了，开会吧。|东西都准备齐了吗?|学生还不齐，再等一会儿吧。

▶“齐”也做副词，指“一起”。

例句 大家齐动手，才能尽快完成任务。|每到春天，市民们都男女老幼齐种树。

【齐全】 qíquán 〔形〕

该有的东西都有了。(complete; having eveything that one expects to find)常做谓语、补语。

例句 旅行的东西都齐全了。|这家商店的电视机特别齐全。|妈妈把他上学的东西准备得很齐全。

【齐心协力】 qí xīn xié lì 〔成〕

众人一心，共同努力。(work as one; make concerted efforts; pull together)常做谓语、状语。

例句 只要大家齐心协力，这件事一定能成功。|这么大的困难，不齐心协力是不行的。|只有我们大家齐心协力地去做，才能完成任务。

【其】 qí 〔代〕

❶ 他(她、它)或他(她、它)们。(he, she, it or they)常做宾语。

例句 这些同学不努力学习，我们不能任其这样下去。|这些事不能让其知道。

❷ 他(她、它)的或他(她、它)们的。(his, her, its or their)常做定语。

例句 他们都参加了 HSK，其成绩却都不太理想。|世界上万物的发展，都有其特定的规律。|约翰在交通事故中死亡，其妻要求赔偿。|开

快车，乱穿马路，闯红灯，其后果很严重。

❸ 那个；那样。(that; such)常做定语(多用于固定短语)。

词语 不计其数　身临其境

例句 有理想、肯吃苦的学生，在我们班级不乏其人。

【其次】 qícì 〔副〕

第二，顺序在后。(secondly; next)做状语，多与“首先”或“第一”配合使用。

例句 你第一个发言，其次是我。|大家首先要掌握一个词的读音，其次是它的意义和用法。|内容是主要的，其次才是形式。

【其间】 qíjiān 〔名〕

❶ 那中间。(between or among them; of them; in it)常做定语、状语。

例句 我们大学有两幢留学生宿舍楼，其间的距离非常大。|来听讲座的人真多，其间还有白发苍苍的老人。

❷ 指某一段时间。(during this or that time)常做状语。

例句 他离开中国两年了，这其间，他游历了许多国家。|他毕业五年了，其间换了四次工作。

【其实】 qíshí 〔副〕

(承接前文)说明事情的真实情况，有转折义。(actually; in fact)常用于复句的后一分句开头，或动词性谓语前做状语。

例句 我以为学好汉语很容易，其实很难。|大家只知道他会写文章，其实他的画儿也画得不错。|玛丽听了我的话很生气，其实，我并没有说她的意思。|所谓的“特异功能”，其实都是骗人的。

【其他】 qítā 〔代〕

别的，另外的。(other; else)常做定语，也做定语、主语、宾语。

例句 今天就讨论到这儿，其他问题我们下一次再讨论。|今天的晚会，除了京剧以外，还有其他节目。|参观的人九点出发，其他人留在学校上课。|这个问题解决了，其他就好办了。|他这个人只钻研学问，不管其他。

【其它】 qítā 〔代〕

同“其他”，只用来指事物。(other; else)常做定语。

例句 只有这只狗病了，其它的狗都没事儿。|我只管办手续，其它事我不知道。

【其余】 qíyú 〔代〕

剩下的人或物。(the others; the rest)常用于复句的后一分句，做定语、主语。

例句 我们班一些人去看电影，其余的人在阅览室看书。|这些小说我留下三本，其余你都拿走吧。|除了有两个人请假，其余的都来了。

辨析 〈近〉其他。“其他”的语义重在“别的”，“其余”的语义重在一定范围内，去掉一些以后剩下的。

【其中】 qízhōng 〔名〕

那里面。(among them; in it)只能单独使用，一般不受其他词修饰，也做主语、宾语、定语。

例句 我们学校共有300名留学生，其中男生占40%。|他的来信谈了很多，其中也包括个人问题。|昨天参加HSK的人很多，他也在其中。|得奖学金的学生只有两个，他就是其中之一。

【奇】 qí 〔形/副〕

〔形〕指不普通的，不同的。(strange)常做语素构词，也做谓语或感叹语。不能重叠。

词语 奇怪 奇异 奇形 奇特

例句 这事真奇了。|奇了，他怎么突然长高了？

〔副〕非常，极其。(extremely)做状语。

词语 奇痒 奇大

例句 这种药价格奇高。

【奇怪】 qíguài 〔形〕

❶ 跟平常的不一样。(odd; strange)常做定语、谓语。

例句 山上有许多奇怪的石头。|海洋生物真奇怪。|这种现象奇怪得很。

❷ 难以理解，想不到。(surprised; incomprehensive)常做谓语、状语、宾语。

例句 遇到这种情况也不奇怪。|今天他怎么奇奇怪怪的？|新同学奇怪地问："这是什么？"|大家都感到很奇怪。

▶"奇怪"也做动词，指"感到奇怪"。如：我奇怪他怎么没来。|大家都很奇怪你为什么突然要回国。

【奇花异草】 qí huā yì cǎo 〔成〕

与平常不同的花草。(exotic flowers and rare herbs)常做宾语、主语。

例句 花园里长满了奇花异草。|老爷爷喜欢养花，尤其喜欢养一些奇花异草。|奇花异草在那里随处可见。

【奇货可居】 qí huò kě jū 〔成〕

把珍奇的货物囤积起来，等待高价出售，比喻挟持某种事物(或技术)作为资本向人讨价还价。(hoard as a rare commodity; a rare commodity worth hoarding)常做谓语、定语。

例句 他家的那些老家具奇货可居。|这方面的人才奇货可居。|老人收藏了一些奇货可居的古董。

【奇迹】 qíjì 〔名〕

想象不到的、不平凡的事情。(miracle; wonder)常做主语、宾语。[量]个。

例句 奇迹出现了，昏睡了两年的病人醒过来了。|他三个月就学会了汉语，这真是一个奇迹。|长城是中国人民创造的伟大奇迹。

【奇妙】 qímiào 〔形〕

新奇巧妙。(marvellous; wonderful)常做谓语、定语、状语、补语、宾语。

例句 这种现象很奇妙。|小孩子常有一些奇妙的想法。|这幅画奇妙地表现了古代的生活。|女儿把未来的世界想得十分奇妙。|科幻电影里的一切都使人感到很奇妙。

【奇特】 qítè 〔形〕

跟平常的不一样，奇怪而特别。(peculiar; queer)常做谓语、定语、补语。不能重叠。

例句 这把刀的样子很奇特。|他剪了一个奇特的发式。|这棵古树长得很奇特。

辨析 〈近〉奇怪，奇妙。"奇特"含有"特别"的意思，"奇怪"除了"特别"的语义外，还有"没想到，难以理解"的意思；"奇妙"除"奇特"的意思外，还有"美妙、好"的意思。如：这个地方吃饭的方式很奇特。|真奇怪，南方五月份竟然下起雪来了。|这两种液体放在一起，会发生奇妙的变化。

【奇形怪状】 qí xíng guài zhuàng 〔成〕

奇怪的形状。(grotesque or fantastic in shape or appearance; of strange or grotesque shapes and sizes)常做谓语、定语。

例句 山上的石头奇形怪状,有的像大象,有的像狮子。|现在年轻人的头发样子奇形怪状。|昏迷中,我眼前出现了一些奇形怪状的东西。

【歧】 qí 〔形〕

不同的。(different)常做语素构词。

词语 歧路 歧视 歧途 歧义 分歧

例句 他说的话有歧义。|我们的分歧是可以解决的。

【歧视】 qíshì 〔动〕

不平等地对待。(discriminate against)常做谓语、宾语。一般不重叠。

例句 不要歧视残疾人。|他们一直歧视我这个外地人。|妇女被歧视的情况仍然存在。|女性找工作不应受到歧视。

【骑】 qí 〔动〕

两腿分开坐在牲口或自行车等上面。(ride)常做谓语。

例句 你的自行车借我骑骑吧。|小张摩托车骑得飞快。|别骑在墙上,多危险!|牧民们骑马骑得特别好。

【骑虎难下】 qí hǔ nán xià 〔成〕

比喻做某种事进行下去困难,但又不能不进行下去。(he who rides a tiger is afraid to dismount——have no way to back down; irrevocably but unwillingly committed)常做谓语、定语。

例句 这事已经骑虎难下,他只有硬着头皮上了。|马克骑虎难下,只好把公司办下去。|遇到骑虎难下的情况怎么办?

辨析 〈近〉进退两难。两者在意义和用法上大致相同,不同之处在于,"骑虎难下"更加生动形象。

【棋】 qí 〔名〕

文体项目的一类,通常由一个棋盘和若干棋子组成,按规则摆上或移动棋子来比输赢。(chess or other similar games)常做主语、宾语,也做语素构词。[量]副,盘。

例句 一副棋玩了多年,也舍不得换。|你会下棋吗?|咱俩来一盘棋怎么样?|他是去年全国围棋比赛的冠军。|什么棋他都喜欢玩,真是一个棋迷。

词语 围棋 象棋 跳棋 军棋 棋子 棋盘 棋迷 棋王 棋圣

▶"棋"可以受许多量词的修饰,量词不同,语义就不同。"一副棋"指包括棋盘、棋子的一整套;"一盘棋"指一次比赛;"一局棋"指比赛中的一个回合;"一步棋"指比赛中摆设或移动一下棋子。如:我刚买了一副象棋。|在比赛中,选手们每走一步棋,都要考虑很长时间。|来,咱们两个下一盘。("棋"省略)|这一局我输了,下一局可就不一定了。

【旗】 qí 〔名〕

意义同"旗子"。(flag)常做主语、宾语,也做语素构词。[量]面。

词语 旗号 旗手 旗帜 国旗

例句 这面旗是群众送的。|马路两旁挂着五颜六色的小旗,节日气氛很浓。|每天日出时,广场都要举行升旗仪式。

【旗鼓相当】 qí gǔ xiāngdāng 〔成〕

形容双方实力相等，不相上下。（be well-matched; be matched in strength）常做谓语。

例句 我们俩的汉语水平旗鼓相当。|两家公司旗鼓相当，竞争很激烈。|他们两个足球队旗鼓相当，比赛很好看。

【旗号】 qíhào 〔名〕

比喻某种名义（多指借来做坏事）。（banner; flag）常做宾语、主语。[量]种。

例句 他打着"治病救人"的旗号，到处去骗钱。|说是为了方便老百姓，其实只是个旗号。|不管哪种旗号，我们都不会轻易相信。

【旗袍】 qípáo 〔名〕

妇女穿的一种长衣服，原为满族（旗人）妇女的民族服装，所以称"旗"袍，后来成为中国妇女的代表性服装。（cheongsam; mandarin gown）常做宾语、主语。[量]件。

例句 胖人穿旗袍不一定好看。|夏子在中国留学时买了一件旗袍。|你这身旗袍真漂亮。

【旗帜】 qízhì 〔名〕

❶ 旗子。（banner; flag）常做主语、宾语。[量]面。

例句 广场上的旗帜高高飘扬。|节日的街道上到处都是五彩缤纷的旗帜。

❷ 比喻榜样或模范。（model; good example）常做宾语。[量]面。

例句 张老师是教育界的一面旗帜，大家都应该向他学习。|厂里正在培养典型，为我们树立一面旗帜。

【旗子】 qízi 〔名〕

用布、纸等做成的标志，大多挂在杆子上或墙上。（flag; banner; pennant）常做主语、宾语。[量]面。

例句 这面旗子是我自己做的。|导游打着小旗子，我们很远就能看见他。|比赛场地挂满了红红绿绿的旗子。

辨析 〈近〉旗帜，旗号。"旗子"多用于口语，而"旗帜"多用于书面语。"旗帜"具有褒义色彩，"旗号"具有贬义色彩。"旗帜"多与"举起"、"举着"、"树立"等搭配；"旗号"多与"打着"、"打出"、"借着"等搭配。如：高举改革的旗帜。|老爷爷拿着旗子指挥交通。|骗子总是打着漂亮的旗号骗人。

【乞】 qǐ 〔素〕

向别人讨要。（beg; supplicate）用于构词。

词语 乞丐 乞求 乞怜 乞讨

例句 几个孩子沿街乞讨。

【乞求】 qǐqiú 〔动〕

请求给予。（beg for; supplicate）常做谓语、定语、状语。

例句 我不乞求别人的施舍。|看着孩子乞求的目光，妈妈的心软了。|孩子乞求地说："让我出去玩一会儿吧！"

【岂】 qǐ 〔副〕

相当于"哪里、怎么、难道"，表示反问的语气。（*used to ask a rhetorical question*）常做状语。

例句 这样做，岂不是难为人吗？|那些违法的事我岂能不管？

【岂不】 qǐ bù 〔副短〕

难道不…，怎么不…（*used to ask a rhetorical question*）常做状语。

例句 你这样做岂不让人耻笑？|这样解释岂不自相矛盾吗？|出国留

学既学习知识，又锻炼自己独立生活的能力，岂不是一举两得？

▶"岂不"构成的反问句表达较强的肯定意思。

【岂有此理】 qǐ yǒu cǐ lǐ 〔成〕

哪有这样的道理。(preposterous; outrageous; absurd)可独立成句，也做宾语。

例句 岂有此理，你怎么能这么说？|卖假货还不给退，岂有此理！|自己做错了事，还要怪别人，这真是岂有此理！

【企图】 qǐtú 〔名/动〕

〔动〕图谋，打算。(attempt; try)常做谓语，不能带"着、了、过"。

例句 在这部小说中，作者企图表现一种浪漫的爱情主题。|他一直企图认识所有的汉字。|不要总是企图掩饰自己的错误，得想办法改正错误。

〔名〕打算，图谋。(attempt)常做主语、宾语。[量]个，种。

例句 他这个企图永远也无法实现。|这么做究竟有什么企图？

辨析 〈近〉打算。"企图"多带有贬义，多用于书面语，"打算"多用于口语。"企图"多用于比较重大的事情或根本办不到的事情。"打算"可用于大事，也可用于小事，但一般是能办到的。如：* 我明天企图早点儿起床。("企图"应为"打算")|他企图破坏我们的合约。

【企业】 qǐyè 〔名〕

从事生产、运输、贸易等经济活动的部门，如工厂、铁路、公司等。(enterprise) 常做主语、宾语、定语。[量]个，家。

例句 企业的好坏关系到每一个职工的切身利益。|毕业后他在一家外商独资企业工作。|中国允许发展私有企业。|企业改革已经取得了很大进展。|企业的法人代表，应对企业负完全责任。

【杞人忧天】 Qǐ rén yōu tiān 〔成〕

比喻不必要的忧虑和担心。(like the man of Qi who was haunted by the fear that the sky might fall—entertain imaginary or groundless fears)常做谓语、定语。

例句 不要杞人忧天，不会有问题。|老师都告诉他考试通过了，可他还杞人忧天！|可能每个人都有杞人忧天的时候吧。

▶古代杞国有个人担心天会塌下来，吃饭睡觉都感到不安，后来就用"杞人忧天"来比喻不必要的忧虑。

【启】 qǐ 〔素〕

❶ 打开。(open)常用于构词。

词语 开启 启齿 启封

例句 书是开启智慧的钥匙。|这瓶酒是10年前生产的，还没启封呢。

❷ 开导。(enlighten; teach; educate)常用于构词。

词语 启发 启迪 启示 启蒙

例句 展示会启迪青少年更加热爱科学。

❸ 开始，出发。(start)常用于构词。

词语 启动 启用 启程 启航

例句 车子已经启动了。|代表团明天启程。

【启程】 qǐchéng 〔动〕

出发，动身。(start on a journey; set out)常做谓语(不带宾语)、宾语。

例句 第一批人员已经启程了。|旅

行团定于22日启程去黄山。|你们打算什么时候启程?

【启动】 qǐdòng 〔动〕

(机器、仪表、设备、资金等)开始工作。(start;switch on)常做谓语、定语。

例句 工程师启动了开关,发动机开始工作了。|汽油没了,汽车无法启动。|他想办一家公司,目前需要一定的启动资金。

【启发】 qǐfā 〔动/名〕

〔动〕用事例或道理使对方明白。(arouse; inspire; enlighten)常做谓语。

例句 王老师用生动的例子启发学生。|你只要耐心地启发他一下,他就会明白的。|我想启发启发那个孩子,可是启发不了。

〔名〕能帮助理解的事物或做法。(elicitation)常做宾语、主语、定语。

例句 这件事给了我很大的启发。|难道你没从中受到一点儿启发吗?|听了半天,没有什么启发。|他的启发,使我明白了一个道理。|老师讲课常用启发的方法。

Q

【启示】 qǐshì 〔动/名〕

〔动〕启发指示,使人有所领悟。(enlighten;inspire)常做谓语。

例句 这本书启示我们应该怎样去获得成功。|老科学家的一番话启示了所有听课的人。|最后是一则广告启示了他,才办起了这个厂。

〔名〕使人明白应该怎么做的事物。(enlightenment; inspiration)常做宾语、主语。[量]种,个。

例句 相声使人们在笑声中得到某种启示。|他的故事给我们以启示。|这个启示太及时了!

辨析 〈近〉启发。"启示"重在揭示道理,让人了解;"启发"重在引导打开思路。"启示"多指重要的或意义深刻的道理,"启发"的语义要轻一些。

【启事】 qǐshì 〔名〕

为了说明某事,而在报刊或墙壁等处发表的文字。(public notice; announcement)常做主语、宾语、定语。[量]则,个。

例句 这则启事是小张写的。|大家都在看墙上的失物招领启事。|居留证丢失后,要在报上刊登个启事。|启事的格式是有一定要求的。

辨析 〈近〉启示。"启事"和"启示"读音相同,但意思不同。如:* 我们在食堂贴了一张寻物启示。("启示"应为"启事")

【起】 qǐ 〔动〕

❶ 身体向上(坐或站)。(get up; stand up)常做谓语。

例句 你什么时候起床?|老爷爷每天起得很早。|客人要走了,妈妈起身送他们。

❷ 使物体由下往上升。(go up; rise)常做谓语。

例句 篮球没有气了,拍在地上也不起了。|没有风,风筝起不了高。

❸ 长出。(appear; outgrow)常做谓语。

例句 刚才我被蚊子咬了一口,脸上马上就起了一个包。|不小心头碰在门上,起了个大包。

❹ 把东西从某处或某物上弄出来。(remove; take down)常做谓语。

例句 不使劲儿,钉子起不下来。|用这把刀可以起瓶子盖儿。|到地

里去起土豆要带工具。

❺ 发生。(happen; take place)常做谓语。

例句 起风了。|看见丈夫跟女同事谈话她就起了疑心。|党员要起带头作用。

❻ 写出(稿子);给出(名字)。(draw up; draft; work out)常做谓语。

例句 同学们给我起了一个外号。|大家都说这个中文名字起得好。|写作文以前,最好先起个草稿。

❼ 建立。(build)常做谓语。

例句 这里新起了一座高楼。|这座楼起得真快。|兄弟俩分了家,另起炉灶了。

❽ 买,领取。(buy; take)常做谓语。

例句 1.1米以下的小孩儿坐车起半票。|办手续前要起一封介绍信带着。|护照起回来了。

❾ 开始。(start)常做谓语,也做补语。多与"从、由、打"配合使用。

例句 从那时候起,我就打算当一名教师。|打明天起,你就别来了。|入学时间从9月1日算起。|节约用水从我做起。|你这话从何说起呀?

❿ 表示(动作)向上、(事物随动作)出现或达到(某标准)。(*used after a verb preceded by* "从" *or* "由")常做补语。

例句 他俩抬起行李就走。|你这么一说我倒想起一件事。|台下响起热烈的掌声。|这件衣服太贵了,我买不起。|我这样做不是看不起你。

▶"起"也做量词,相当于"件"、"次"等。如:高速公路上,发生了一起交通事故。|这样的案子每年都有好几起。

【起草】 qǐ cǎo 〔动短〕

打草稿。(draft; draw up)常做谓语。中间可插入成分。

例句 起草文件|王秘书刚刚起草完一份报告。|你起草的合同,老板很满意。|这个稿是谁起草的?

【起初】 qǐchū 〔名〕

开始的一段时间。(originally; at first)常做状语。它与"后来"、"现在"等配合使用。

例句 起初,我不同意,后来觉得他说的也有道理。|我起初对这里并不适应,后来渐渐地习惯了。|起初,他一个汉字也不认识,现在他已经能看中文报纸了。

【起床】 qǐ chuáng 〔动短〕

睡觉醒来以后下床(多指在早晨)。(get up)常做谓语(不带宾语)。中间可插入成分。

例句 我每天六点半就起床。|我去的时候,他还没起床。|山田同学起床起得晚。|我头疼、发烧,起不了床了。

【起点】 qǐdiǎn 〔名〕

❶ 开始的地方。(starting point)常做主语、宾语、定语。[量]个。

例句 这条高速公路的起点在哪儿?|毕业是一个新的起点。|零起点的学生都在A班。

❷ 径赛中起跑的地方。(starting point for a track race)常做主语、宾语。

例句 起点站着8名运动员。|请运动员到起点集合。

【起飞】 qǐfēi 〔动〕

❶ (飞机等)开始飞行。(take off)常做谓语(不带宾语)、定语。

例句 我赶到机场时，飞机已经起飞了。|由于有大雾，飞机不能按时起飞。|飞机什么时候起飞？|起飞的时间推迟了一个小时。

❷ 比喻事业开始发展。(begin to develop)常做谓语(不带宾语)、定语。

例句 中国经济刚刚起飞，还有一些需要解决的问题。|我们的事业还在起飞阶段。

【起伏】 qǐfú 〔动〕

❶ 高低升降，一起一落。(rise and fall undulate)常做谓语(不带宾语)、定语。

例句 他睡得很香，胸部微微起伏。|小船随着风浪上下起伏。|起伏的山峰连绵数百里。

❷ 比喻感情、关系等起落变化。(fluctuate)常做谓语(不带宾语)。

例句 父亲的病情时好时坏，起伏不定。|最近两人的感情经常起伏。|看着老同学的来信，我心潮起伏。

【起哄】 qǐ hòng 〔动短〕

❶ 许多人在一起胡闹，捣乱。(create a disturbance)常做谓语(不带宾语)，中间可插入成分。

例句 那边有两个人在吵架，旁边还有一些人跟着起哄。|不要瞎起哄。|事故正在处理，你们起什么哄？

❷ 许多人向一两个人开玩笑。(boo and hoot)常做谓语(不带宾语)，中间可插入成分。

例句 大家一块儿起哄，让他请客。|别人开我的玩笑，你跟着起什么哄？

【起劲】 qǐjìn 〔形〕

情绪高，劲头大。(vigorous; energetic; enthusiastic)常做谓语、补语、状语。

例句 他学习不努力，说起玩儿可起劲了。|她越说越起劲。|同学们说得很起劲。|同学们起劲地唱着中文歌。

【起来】 qǐ lái 〔动短〕

❶ 由躺到坐，由坐到站。(sit up; stand up)常做谓语、补语。中间可插入成分。

例句 你快起来，让老奶奶坐这儿。|观众中起来一个小伙子。|请你起来一下。|大伙儿都累得起不来了。

❷ 起床。(get up)常做谓语(不带宾语)。

例句 我刚起来，就有人来找我。|我已经起来半天了。

❸ 指兴起，升起等。(arise)常做谓语。

例句 经过老师的动员，同学们的情绪起来了。|飞机起来了。|一会儿工夫，广场上就起来三个大气球。

❹ 用在动词后，表示向上的方向。(up; upward)常做补语。

例句 站起来！|那人抬起头来看了我一眼。|把手举起来！

❺ 用在动词、形容词后，表示动作或状态开始并继续。(*used after a verb or adjective to indicate the beginning or continuation of an action*)常做补语。

例句 听到这儿大家都鼓起掌来。|老人家说起当年的事来就十分激动。|夏天来了，天气渐渐热起来了。

❻ 用在动词后，表示某种状态由分散到集中。(*used after a verb to indicate the completion of an action*)常做补语。

例句 下雨了，快把衣服收起来。|

把桌上的东西收拾起来。|同学们应该组织起来。

❼ 用在动词后，表示回忆有了结果。(attainment of a goal)常做补语。

例句 我想起来了，他就是李先生。|我记不起来这件事了。

❽ 表示从某一方面估计或评价。(when one comes to)常做补语。

例句 看起来，你对中国文学很感兴趣呀。|看起来，雨就要停了。|算起来，我到中国已经有两年了。|听起来，这个主意不错。

【起码】 qǐmǎ 〔形〕

最低限度的；至少。(minimum; rudimentary; elementary; at least)常做定语、状语。

例句 努力学习是对学生最起码的要求。|汉语有四声，这是起码的常识。|当演员，起码的条件得会表演。|这条路起码有十米宽。|起码，你得先跟老师打个招呼。|他这一走，起码也得三五年才能回来。

【起身】 qǐ shēn 〔动短〕

❶ 动身、出发。(set out)常做谓语(不带宾语)。

例句 你们什么时候起身？|老王刚刚起身去上海。|他明早从天津起身。

❷ 起床。(get up)常做谓语(不带宾语)。

例句 才五点，妈妈就起身给孩子们做饭了。|不少学生每天六点就起身读外语。

❸ 身体由坐、躺状态站立起来。(stand up)常做谓语(不带宾语)。

例句 宴会结束了，客人起身告辞。|看见有抱小孩的乘客上车，他连忙起身让座儿。

【起死回生】 qǐ sǐ huí shēng 〔成〕

使死人复活。多形容医术高明，也形容将没有希望的事挽救过来。(bring the dying back to life; snatch a patient from the jaws of death; restore the dying of life)常做谓语、定语。

例句 医院为他做了大手术，终于使他起死回生。|咱们公司要想起死回生，只有彻底改革。|我手里并没有起死回生的药，只有大家齐心协力去闯。

【起诉】 qǐsù 〔动〕

向法院提出诉讼(sùsòng)，俗称打官司。(sue; prosecute)常做谓语。

例句 我们一定要起诉这些违法的人。|他由于贪污受贿，被人起诉了。|当事人已经向法院起诉。

【起眼儿】 qǐyǎnr 〔形〕

看起来醒目，惹人重视。(striking; eye-catching)常做谓语，多用于否定句式。

例句 别看扣子不起眼儿，可生活中却离不开它。|这小姑娘小时候不起眼儿，没想到长大了这么漂亮。

【起义】 qǐyì 〔动/名〕

〔动〕为了反抗反动统治而发动武装革命，有时指背叛自己所属的集团，投到正义方面。(rise in revolt; revolt)常做谓语(不带宾语)。

例句 人民受不了这种残暴的统治，终于起义了。|为了这支部队的前途，将军率领将士起义了。|历史上，奴隶们曾多次起义。

〔名〕为了反抗反动统治而发动的革命。(uprising)常做主语、宾语。

例句 这次轰轰烈烈的武装起义，最后还是失败了。|秦朝末年，发生了

陈胜、吴广领导的农民大起义。

【起源】 qǐyuán 〔动/名〕

〔动〕开始发生。(originate)常做谓语。后面常带介词"于"构成的介宾词组做补语。

例句 人们普遍认为,人类起源于类人猿。|人类的一切知识都起源于劳动。|汉字起源于象形文字。

〔名〕事物发生的根源。(root)常做宾语。[量]个。

例句 关于生命的起源,人们至今还有很多问题没弄明白。|这位科学家研究人类起源。

【气】 qì 〔名/动〕

〔名〕❶ 气体。(gas)常做主语、宾语或做语素构词。

词语 毒气 煤气 冷气 天然气 氧气 气球

例句 这个煤气罐里的气都用光了。|所有的气球都充满了气。

❷ 空气。(air)常做语素构词也做主语、宾语。

词语 气压 气窗 气流 大气 空气

例句 气球里的气充满后,就能飞起来了。|屋里空气不好,打开窗子透透气吧。

❸ 动物呼吸的气体。(breath)常做主语、宾语。[量]口。

例句 人老了,上楼时总觉得气不够用。|医生赶来时,病人已经没气了。|别急,先喘几口气再说。

❹ 指自然界冷热阴晴等现象。(meteorology)常做语素构词。

词语 气象 气候 气温 天气

❺ 鼻子闻到的味儿。(smell)常做语素构词或用于短语。

词语 气味 腥气 臭气 香气

❻ 人的精神状态,作风等。(vigour; style of work)常做语素构词。

词语 风气 习气 勇气 朝气 官气 娇气 孩子气

例句 这些年轻人朝气蓬勃。|新来的校长没有一点儿官气。

❼ 中医指人体内能使各器官正常地发挥作用的原动力。(vital energy; vitality)常做语素构词,也做主语、宾语。

词语 气功 元气 气虚

例句 练气功的时候,如果气运用得不好,容易得病。|中医理论讲,大病好了以后,应该补气。

❽ 欺负;不高兴的心态。(insult; bully)常做宾语、主语。

例句 没想到活了这么大岁数,还要受孩子的气。|你有本事找他去,别拿我出气。|一见了她,气就来了。

〔动〕❶ 发怒。(be angry)常做谓语。

例句 (劝说)想开点儿,别气坏了身子。|老张一听这话,气得跳了起来。

❷ 使发怒。(enrage)常做谓语。

例句 我说这话是故意要气气他。|售货员的态度太差,真是气死我了。|我气过他几次,后来他再也不理我了。

【气喘】 qìchuǎn 〔动〕

呼吸急而困难。(asthma)常做谓语(不带宾语)、定语,可受"有点儿"等副词的修饰。

例句 老人太胖了,上楼时有点儿气喘。|爬到山顶时,大家已经气喘吁吁(xūxū)了。|最近呼吸有时很费劲儿,可能是得了气喘病。|看着他

那气喘吁吁的样子，大家都劝他休息一下。

【气氛】 qìfēn 〔名〕

在一定环境中给人某种强烈感觉的精神表现或景象。(atmosphere; air)常做主语、宾语。[量]种。

例句 会场内的气氛很热烈。|考试时，气氛紧张得让人受不了。|两国领导人的会谈充满了友好的气氛。|这幅画表现了一种节日的喜庆气氛。|在欢乐的气氛中，人们迎来了新年。|会谈在友好的气氛中进行。

【气愤】 qìfèn 〔形〕

生气；愤怒。(indignant; furious)常做谓语、状语、定语。不能重叠。

例句 看到这种情景，他气愤极了。|大家都对这种不讲礼貌的行为很气愤。|她气愤地告诉我，她遇到了一件很不愉快的事。|从那张气愤的脸上，我们可以看出他此刻的心情。

【气概】 qìgài 〔名〕

在重大问题上或紧急时刻表现出来的态度、气势或做出的行为。(lofty quality; mettle)常做主语、宾语。[量]种。

例句 他的英雄气概，让人久久难忘。|人们都在称赞他在危急时刻非凡的气概。|战士们以大无畏的气概帮助危急中的群众。

【气功】 qìgōng 〔名〕

中国特有一种健身法，可以强身健体。[*qigong* (a system of deep breathing exercises)]常做主语、宾语、定语。[量]种。

例句 气功只是一种锻炼身体的方法而已。|听说阿里也练过气功。|气功的历史很悠久，种类也很多。

【气候】 qìhou 〔名〕

❶ 一定地区里，经多年观察概括出来的气象情况。(climate)常做主语、宾语、定语。[量]种。

例句 近年来，由于环境遭到破坏，全球气候出现了异常。|中国大部分地区属于温带气候。|我比较喜欢温暖湿润的气候。|气候的变化对植物的生长有很大的影响。

❷ 比喻政治、经济等动向或发展的趋势。(situation; climate)常做主语、宾语。

例句 当时的政治气候不利于文艺的发展。|这项事业是在以经济建设为中心的大气候下逐步发展起来的。

❸ 比喻结果或成就。(successful development)常做动词“成”的宾语。多用于否定句或反问句。

例句 成不了气候|成不了什么大气候|就他们几个年轻人，能成得了啥气候？|这孩子这么聪明，将来肯定能成气候。

【气力】 qìlì 〔名〕

力气；体力。(power; energy; physical strength)常做主语、宾语。

例句 年纪大了，气力不如以前了。|箱子太重了，我用尽了气力，可它却一动不动。|无论什么事业，不下大气力是不会成功的。

【气流】 qìliú 〔名〕

❶ 流动的空气。(air current; airflow)常做主语、宾语。[量]股。

例句 冷气流南下，引起这个地区的降雨。|影响中国南部天气的是一股暖湿气流。

❷ 由肺部吸入或呼出的气，是发音的动力。(breath)常做主语、宾语。

Q

例句 发 m 这个音时,气流是从鼻子里出来的。|发 t 得呼出比较强的气流。

【气魄】 qìpò 〔名〗

❶ 指人做事时的态度、能力。(courage; daring; force; spirit; boldness of vision)常做主语、宾语。[量]个,种。

例句 这个气魄,一般人比不了。|你怎么一点儿男子汉的气魄也没有?|这幅画表现了年轻人特有的气魄。|建设者们以非凡的气魄建成了这座亚洲最高的电视塔。

❷ 指事物表现出来的力量、形势。(imposing manner)常做主语、宾语。

例句 长城的气魄很雄伟。|这座大楼真高,远远望去,极有气魄。|长江像一条巨龙,以宏大的气魄滚滚向东流去。

辨析 〈近〉气概。"气魄"主要指人的精神,常与"有、没有、缺少、宏伟、雄伟、宏大"等词搭配;"气概"指人在对待重大问题时表现出来的态度、举动,常跟"英雄、英勇、豪迈、坚强"等词搭配。"气魄"可用于指人,也可用于指事物,而"气概"只用于人。如:* 万里长城有着宏伟的气概。("气概"应为"气魄")

【气球】 qìqiú 〔名〗

用橡胶、塑料等做成的充入氢(qīng)、空气等气体的球。(balloon)常做主语、宾语。[量]个,只。

例句 气球可以用来观测天气。|商店门口挂满了五颜六色的气球,非常漂亮。|现在有人坐着热气球环游世界。

【气势】 qìshì 〔名〗

(人或事物)表现出来的某种力量和情形势态。(momentum)常做主语、宾语。[量]种。

例句 黄山气势雄伟,令人惊叹。|海浪气势汹汹地不停拍打着岸边的岩石。|这部电视剧展示了高原的非凡气势。|谁看到黄河上的壶口瀑布,都会被它的气势所感染。

辨析 〈近〉气魄。"气势"着重指力量和情势;"气魄"着重指精神和魄力。"气势"常和"磅礴"、"汹汹"等词连用,"气魄"常和"宏大"等词搭配。如:天安门广场气势宏伟。|一个国家领导人应该有超人的气魄。

【气势汹汹】 qìshì xiōngxiōng 〔成〕

生气凶狠的样子。(fierce; truculent; overbearing; in a threatening manner)常做谓语、定语、状语。

例句 刚才你还气势汹汹,现在怎么不行了?|看你那气势汹汹的样子,你想把我吃了?|那个年轻人气势汹汹地跟老板说话。

【气体】 qìtǐ 〔名〗

没有一定形状和体积,可以流动的物体。(gas)常做主语、宾语。[量]种。

例句 这种气体应该装在密闭的瓶子里,要不然容易扩散。|空气、氧气、氢气等都是气体。|液体状态的东西在一定温度下可以变成气体。

【气吞山河】 qì tūn shān hé 〔成〕

形容气魄很大。(imbued with a spirit that can conquer mountains and rivers; full of daring)常做谓语、定语。

例句 三峡工程气吞山河。|他们那气吞山河的气概征服了对手。

【气味】 qìwèi 〔名〗

❶ 鼻子闻到的味儿。(smell; odour; flavor) 常做主语、宾语。[量]种,股。

例句 这种中药的气味很浓。|丁香花的气味很好闻。|你闻到一股什么特别的气味了吗?

❷ 比喻性格和志趣。(smack; taste) 常做主语,与"相投"搭配使用。

例句 他们几个人气味相投。|这两个人气味相投。

【气味相投】 qìwèi xiāng tóu 〔成〕

志趣情调合得来。(congenial to each other; have the same taste and temperament; be two of a kind) 做谓语。

例句 两人年岁相仿,气味相投,形影不离。|我俩一见面便气味相投,无话不谈。

【气温】 qìwēn 〔名〕

空气的温度。(air temperature) 常做主语、宾语。[量]度。

例句 天气预报说今天的最高气温是零上八度,最低气温是零下二度。|你要多穿点儿衣服,最近气温一直很低。|可以用温度计量一下室内的气温。

【气息】 qìxī 〔名〕

❶ 呼吸时呼出和吸入的气。(breath) 常做主语、宾语。[量]股,丝。

例句 这头牛已经气息奄奄,只剩下最后一口气了。|医生把手放在他的鼻孔上,只感觉到有一丝微弱的气息。

❷ 气味。(flavor) 常做主语、宾语。[量]股,种。

例句 一股花的气息从花园那边吹过来。|我喜欢玫瑰花的气息。|春天到了,我们可以感受阳光和泥土的气息。

❸ 比喻情调、意味、气氛或有生机的事物。(smack; flavor) 常做主语、宾语。[量]种。

例句 这篇小说的生活气息很浓。|从他的话中你可以体会到一种强烈的时代气息。

辨析 〈近〉气氛,气味。①"气息"和"气氛":"气息"表示"呼吸出入的气",以及"情调、意味"等比喻意义。"气氛"还另有"环境反映出的状态"的意思。"气息"常受"春天、芬芳、生活、时代、民主"等词的修饰,而"气氛"常受"热烈、紧张、友好、和谐"等词的修饰。"气息"常和"富有、具有、没有、具备"等搭配;"气氛"常与"增加、活跃、造成、呈现"等搭配。②"气息"和"气味":"气息"着重指人呼吸时呼出或吸入的气,"气味"着重指鼻子可以闻到的种种味儿;在用于比喻意义时,"气息"常比喻有生机的事物,而"气味"常说"气味相投",含有贬义。

【气息奄奄】 qìxī yǎnyǎn 〔成〕

呼吸微弱,快要断气的样子。(be at one's last gasp; be at the point of death; be like a person who is sinking fast) 常做谓语、定语、状语。

例句 病人已经气息奄奄,可能不行了。|那家公司气息奄奄,马上就要关门了。|医生正抢救气息奄奄的病人。|她气息奄奄地躺在病床上。

【气象】 qìxiàng 〔名〕

❶ 大气中发生的各种阴晴雨雪冷热等自然现象。(meteorology; meteorological phenomena) 常做定语。

[量]种。

词语 气象台 气象报告 气象预报 气象变化

例句 电视上每天都要介绍气象情况。|我们应该了解一些简单的气象知识。|气象卫星,可以观测到地球上的气候变化。

❷ 情景、情况。(ambience; scene; atmosphere)常做主语、宾语。

例句 春节时,大街小巷张灯结彩,都市里气象万千。|改革以后,到处都呈现出一派新气象。

辨析 〈近〉气候。"气象"指大气中的各种自然现象,如雨、风、雪等,而"气候"是指一定地区范围内的概括性的天气变化,如"温和、湿润、干燥、寒冷、炎热"等等。"气象"也可以指"情景、情况,"而"气候"可以比喻动向或结果等。如:* 我喜欢那里温暖的气象。("气象"应为"气候")| * 全市出现了大搞绿化的新气候。("气候"应为"气象")

【气压】 qìyā 〔名〕

气体的压强,一般指空气的压强。(atmospheric pressure)常做主语、宾语。

例句 今天外面又闷又热,可能是气压低。|高压锅加热后,锅里的气压升高,可使食物熟得快。|我去西藏旅游时,不太适应那里的低气压。

【气质】 qìzhì 〔名〕

指人的稳定的个性特点,如活泼、直爽、沉静、浮躁等。(temperament)常做主语、宾语。

例句 这位老师气质不错。|我比较喜欢她的气质。|她虽然漂亮,但缺乏气质。

【气壮山河】 qì zhuàng shān hé 〔成〕

形容气概豪迈,就像高山大河那样雄伟壮丽。(full of power and grandeur; magnificent)常做谓语、定语。

例句 三峡工程气壮山河。|看到这首气壮山河的诗,大家都很受感染。|这篇文章的确有气壮山河的气概。

【汽】 qì 〔名〕

❶ 液体或固体受热后变成的气体。(vapour)常做主语、宾语,也可做语素构词。口语常儿化。

词语 汽车 汽油 汽水 汽化 汽灯

例句 这杯可乐的汽儿太多了。|把盖儿盖上,别让汽跑掉。

❷ 专指水蒸气。(steam)常做宾语、主语,也做语素构词。

词语 汽船 汽笛 蒸汽

例句 锅冒汽了,可以下饺子了。|桑拿室里充满了水汽。|这些剩余的热汽还可以用来烧热水。

【汽车】 qìchē 〔名〕

用汽油等做动力,在路上行驶的交通工具。(automobile; motorcar)常做主语、宾语,也做定语。[量]辆,台。

词语 公共汽车 长途汽车 汽车站 汽车厂

例句 汽车给人们带来了方便,同时也带来了一些问题。|他的汽车是蓝色的。|我刚买了一辆小汽车。|中国是一个很大的汽车市场。|汽车走不了了,可能是汽车轮子坏了。|汽车价格再降一些,我就买一辆。

【汽船】 qìchuán 〔名〕

以蒸汽为动力的船,多指小型的。

(steamship; steamer)常做主语、宾语、定语。[量]艘。

例句 汽船已经开走了，等下一班吧。|水面停着一艘小型的汽船。|新汽船的速度真快。|汽船的发动机出了点儿毛病。

【汽水】 qìshuǐ 〔名〕

含气、糖、果汁的冷饮料。(soda water; soft drink)常做主语、宾语。[量]种，杯，瓶。

例句 这种汽水好喝吗？|请给我来一瓶汽水。|汽水的品种很多，像“可乐”、“雪碧”什么的。

辨析 〈近〉饮料。“饮料”的范围大，除“汽水”以外，还有果汁等。

【汽油】 qìyóu 〔名〕

一种燃料，用于车、船、飞机等。(gasoline; petrol)常做主语、宾语、定语。[量]种，公升。

例句 汽油又涨价了。|要走那么远路，多加点儿汽油吧。|我可不喜欢闻汽油味儿。

【砌】 qì 〔动〕

用和好的灰泥把砖、石等一层层地垒起。(build by laying bricks or stones)常做谓语。

例句 工人已经把院墙砌好了。|他正在砌炉子呢。|砌了半天才砌到1米高。

【器】 qì 〔名〕

❶用具，工具。(utensil; apparatus)常做语素构词或构成短语。

词语 器材 器具 器皿 瓷器 木器 灭火器 漆器 铁器 充电器 热水器

❷生物体中具有生理功能的部分。(organ)常做语素构词或构成短语。

词语 器官 消化器 生殖器

【器材】 qìcái 〔名〕

器具和材料。(apparatus; equipment; materials)常做主语、宾语、定语。[量]种。

词语 运动器材 照相器材 通讯器材 照明器材

例句 全部器材都买回来了。|我们的健身房需要运动器材。|任何人都不许破坏供电器材。|这条街都是农用器材商店。

【器官】 qìguān 〔名〕

生物体中具有某种独立生理机能的部分。(organ; apparatus)常做主语、宾语。[量]个，种。

词语 运动器官 消化器官 呼吸器官 内分泌器官

例句 最近他总是吃不下饭，可能是消化器官出问题了。|叶子是植物的一种主要器官。|人体是由多种器官组成的。|哪个器官出了毛病也不行。

【器具】 qìjù 〔名〕

用具；工具。(utensil; appliance)常做主语、宾语。[量]件，套，种。

例句 这家商店供应的修理器具很齐全。|仓库里各种器具整齐地摆在架子上。|我想买一套厨房器具。|你能帮我选几件照明器具吗？

【器械】 qìxiè 〔名〕

有专门用途的或构造较精密的器具。(apparatus; instrument)常做主语、宾语、定语。[量]件，套，种。

词语 运动器械 医疗器械

例句 这种器械已经过时了。|单杠、平衡木等都属于体育器械。|医疗器械的质量关系到病人的生命。

【掐】 qiā 〔动〕

❶ 用指甲按;用拇指和另一个指头使劲儿捏或截断。(pinch)常做谓语。

例句 他跟女朋友开了个玩笑,她轻轻掐了他一下。|(公共汽车售票员)车上不能吸烟,请把烟掐了。|我脖子有点儿难受,你帮我掐掐。|在公园可不能随便掐花呀。

❷ 用手在虎口部分紧紧按住。(squeeze with part of the hand between the thumb and index finger; clutch)常做谓语。

例句 警察用手掐住了那个坏蛋的脖子。|你先帮我掐一下麻袋口儿,我去找根绳子。|我的右手被他掐出了一道红印子。

【恰】 qià 〔形/副〕

〔形〕合适;适当。(proper; appropriate)常做语素构词。

词语 恰当　恰巧

例句 这句话不能这样说,措辞不恰当。

〔副〕正;正好。(exactly; precisely)常做状语。

词语 恰到好处　恰如其分

例句 这次来中国,恰逢中国国庆,所以北京显得格外热闹。

【恰当】 qiàdàng 〔形〕

合适;妥当。(appropriate; fitting; proper)常做谓语、定语、状语、补语、宾语。

例句 这个成绩对他来说很恰当。|这个地方用这个词恰当得很。|我想找一个恰当的解决方法。|他的发言恰当地表达了我们当时的心情。|因为老师处理得很恰当,所以才没有再发生矛盾。|我知道不恰当,可是不知道换一个什么词才好。|你自己觉得比较恰当就可以了。

【恰到好处】 qià dào hǎo chù 〔动短〕

恰巧到了好的地方,指说话、做事达到最合适的地步。(just right)常做谓语、状语、补语。

例句 传球必须恰到好处,才能创造得分机会。|这段话恰到好处地表达了留学生的想法。|事情处理得恰到好处。|那个留学生的汉语说得恰到好处。

【恰好】 qiàhǎo 〔副〕

刚好,正好。(just right; as luck would have it)常做状语。位置可在主语前也可在主语后。

例句 这时候,恰好张医生赶来,病人才得救了。|兄弟俩的性格恰好相反。|朋友送了我一瓶酒,恰好是我喜欢的牌子。

辨析 〈近〉恰当。"恰好"是副词,"恰当"是形容词。"恰当"可以做谓语、定语、补语、状语;还可以做"知道、觉得"等动词的宾语,"恰好"只能做状语。

【恰恰】 qiàqià 〔副〕

恰好;正好。说明动作、状态出现的与想的正好一致。(exactly; just)常做状语。

例句 您要的东西,我们这里恰恰没有。|我们两个人的想法恰恰相反。|你只要十公斤,这一箱不多不少,恰恰十公斤。|把事情搞糟的不是别人,恰恰是你自己。

【恰巧】 qiàqiǎo 〔副〕

表示事情正好巧合。(by chance; fortunately or unfortunately)做状

语，可以在主语前，也可以主语后。

例句 我正愁没人帮忙，恰巧小王走过来了。|我刚要出门，恰巧来了客人。只好明天再办自己的事了。|这次 HSK 恰巧得了 6 级。

辨析 〈近〉恰好。"恰巧"重在"巧"，表示事情发生得很偶然，而且事情可能和自己的想法一致，也可能不一致。"恰好"重在"好"，表示事情或状态正好合适，事情往往与自己的想法一致。如：我迟到了两分钟，恰好汽车还没走，真是幸运。|＊我去宿舍看朋友，恰好她不在，没有见到。("恰好"应为"恰巧")

【恰如其分】 qià rú qí fèn 〔动短〕

说话办事的分寸正合适。(apt; appropriate; just right)常做状语、补语、谓语。

例句 文章恰如其分地讽刺了那些自私的人。|这番话说得恰如其分，在座的人都表示同意。|法院对这个案子的判决恰如其分。

【洽谈】 qiàtán 〔动〕

商量、交谈。(hold talks; negotiate; consult))常做谓语、宾语。

例句 这次出国是为了洽谈一笔生意。|我们曾就合作问题洽谈过一次。|两国领导人就双边关系进行了洽谈。|他们进行了深入、广泛的洽谈。

【千】 qiān 〔数〕

❶ 表示数目，10 个 100。(thousand)常构成数量短语，做句子成分。

例句 这所大学据说有两千多留学生。|这个故事已经流传了几千年。|1001 应读成"一千零一"。|2000 年又叫"新千年"。

❷ 比喻很多。(many)常做语素构词或用于固定短语中。

例句 千方百计　万水千山　千古　千秋　千奇百怪　千里马

【千变万化】 qiān biàn wàn huà 〔成〕

形容变化极多。(ever-changing; changing in thousands of ways; volatile)常做谓语、定语。

例句 市场情况往往千变万化。|国际形势常常千变万化。|你要随时注意千变万化的股市行情。

【千方百计】 qiān fāng bǎi jì 〔成〕

形容想尽或用尽各种办法。(by every possible means)常做状语。

例句 这次比赛中，两个队都千方百计想赢对方。|这个职业介绍所千方百计地为失业职工服务。|毕业后，他千方百计地找了一个跟汉语有关系的工作。|既然接受了任务，就要千方百计去完成。

【千呼万唤】 qiān hū wàn huàn〔成〕

一再催促、呼唤。(urge; call out)常做谓语、定语。

例句 大家千呼万唤，玛丽也没出来。|人们千呼万唤，那个歌星终于唱了一首歌。|全国人民千呼万唤的《劳动法》终于出台了。

【千家万户】 qiān jiā wàn hù 〔名短〕

很多人家。(innumerable households or families)常做主语、定语、宾语。

例句 除夕夜 12 点，千家万户几乎同时燃起了鞭炮。|节约用水关系到千家万户的利益。|政府关心千家万户的普通群众。|修好道路有利于千家万户。

【千军万马】 qiān jūn wàn mǎ 〔成〕

兵、马很多，形容队伍声势浩大。(thousands upon thousands of men and horses——a powerful army; a mighty force)常做主语、宾语。

例句 千军万马过独木桥。|一个人顶千军万马。

【千钧一发】 qiān jūn yí fà 〔成〕
比喻十分危急。(a hundredweight hanging by a hair——in an extremely critical situation)常做定语。

例句 这千钧一发的紧急关头，警察把车停了下来。|他在千钧一发的关键时刻很冷静。

【千克】 qiānkè 〔量〕
质量或重量的单位，1千克就是1公斤。写做kg.(kilogramme)常构成短语，做句子成分。

例句 1千克相当于中国的2斤。|这种特级茶，1千克就要1000块人民币呢。|这种大豆每千克含油多少克?

【千里迢迢】 qiān lǐ tiáotiáo 〔成〕
路途遥远。(all the way from; from afar; from a thousand *li* away)常做谓语、定语、状语。

例句 从这儿到大西北千里迢迢，你一个人旅游，路上要小心啊! |留学生从千里迢迢的他乡来到中国学习汉语。|我们千里迢迢来到中国，为的是亲眼看看长城。

【千篇一律】 qiān piān yí lǜ 〔成〕
(文章、事物等)都是一个模式。(stereotyped; following the same pattern)常做谓语、定语、状语。

例句 这些文章千篇一律，不值得一看。|学习的内容千篇一律，大家都觉得没意思。|这种千篇一律的回答让老师哭笑不得。|学生们都千篇一律地穿着蓝色的校服。

【千丝万缕】 qiān sī wàn lǚ 〔成〕
千条丝，万条线。形容两者之间密切而复杂的联系。(countless ties; a thousand and one links; interrelated in innumerable ways)做定语、谓语。

例句 商业与人们的生活有着千丝万缕的联系。|他的工作与汉语有千丝万缕的关系。|各公司之间联系千丝万缕，不容易一下看清楚。

【千瓦】 qiānwǎ 〔量〕
电的功率单位，就是1000瓦特，写做kw。(kilowatt)常构成短语，做句子成分。

例句 这台空调的功率是2千瓦。|电站安装了6台30万千瓦的发电机。|1千瓦电多少钱?

【千万】 qiānwàn 〔副〕
务必，一定，表示说话人对听话人的请求、劝告或叮嘱。(be sure to)常做状语，常与"要、别、不"等配合。

例句 你千万要注意身体。|可千万别告诉他我去过那儿。|这件事你千万千万要记住。

辨析 〈近〉万万。语气上"千万"比"万万"弱。"千万"只用于祈使句中，"万万"既可用于祈使句，也可用于陈述句。"万万"只用于否定句，"千万"则不受此限。如：* 万万要记住("万万"应为"千万")|万万(千万)别去打扰他，他会生气的。|万万没想到今年的冬天这么冷。

【千辛万苦】 qiān xīn wàn kǔ 〔成〕
许多艰辛困苦；经受很多艰难困苦。(innumerable trials and tribulations; untold hardships)常做宾语、谓语。

例句 他们历尽了千辛万苦，终于到

达了目的地。|我们千辛万苦，最后终于完成了学业。|父母千辛万苦，为的是孩子。

辨析 〈近〉含辛茹苦。二者都可表示忍受许多苦难，意义和用法相近。不同之处在于："千辛万苦"有名词性的和动词性两种用法，而"含辛茹苦"只有动词性的一种用法。如：＊历尽含辛茹苦（"含辛茹苦"应为"千辛万苦"）

【千言万语】 qiān yán wàn yǔ 〔成〕

形容说的话很多。(thousands and thousands of words; innumerable words)常做主语、宾语。

例句 千言万语也表达不出我的情感。|她的眼睛一闪一闪的，好像有千言万语。

【迁】 qiān 〔动〕

❶ 离开原处到别的地点。(move; change one's residence)常做谓语，也做语素构词。

词语 拆迁 迁移 乔迁

例句 这家商店已经不在这儿了，迁到另一条街去了。|去年，他们全家迁入了新居。|我的老邻居已迁走一年了。|你不用迁户口也可以来这里工作。

❷ 改变；变化。(change)常做语素构词或用于固定短语。

词语 变迁 时过境迁

例句 家乡的巨大变迁令老人兴奋不已。

【迁就】 qiānjiù 〔动〕

无原则地顺从别人。(concede; give in)常做谓语、定语、宾语。

例句 他还小，你们就迁就迁就他吧。|对这种错误的行为，再也不能迁就下去了。|他跟我说话，总是用一种迁就的态度。|妈妈答应周末陪着孩子玩，似乎是一种迁就。

【牵】 qiān 〔动〕

❶ 拉着使行走或移动。(lead along; pull)常做谓语。

例句 孩子们手牵着手走过来。|穿运动衫的青年牵过来一匹马。|请把狗牵走。|他的病情变化，时刻牵着大家的心。

❷ 和…有关系。(involve; implicate)做谓语，也常做语素构词。

词语 牵扯 牵制 牵累 牵连

例句 你别跟他搅在一起，出了事，就会把你也牵进去。

【牵肠挂肚】 qiān cháng guà dù 〔成〕

比喻非常挂念。(feel deep anxiety; be very worried about; be deeply concerned)常做谓语。

例句 我在国外留学，妈妈牵肠挂肚。

【牵扯】 qiānchě 〔动〕

对其他人或事产生了不利影响；有联系。(involve; implicate)常做谓语。一般不重叠。

例句 你要注意，别把自己牵扯进去。|他除了上课，还有很多其他的社会活动，这些牵扯了他很多精力。|这两件事不是一回事，根本牵扯不到一块儿去。|买房子看起来只是钱的问题，实际上还牵扯到许多其他问题。

【牵强附会】 qiānqiǎng fùhuì 〔成〕

生拉硬扯，把不相关或关系不大的事物凑合在一起。〔draw a forced analogy; make a farfetched (or irrelevant) comparison; give a strained interpretation〕常做谓语、状语、定语。

例句 民间流传的故事牵强附会，不合史实。|不要牵强附会，他们只是普通朋友。|你把这件事牵强附会地安在了小王的头上，怎能不让他伤心呢？|这篇报道牵强附会的地方不少，影响很不好。

【牵引】 qiānyǐn 〔动〕

拉、拽(zhuài)。(tow; draw)常做谓语、定语。

词语 牵引力

例句 火车头牵引着长长的一列车厢。|货物太重了，一辆车恐怕牵引不动。|留学生的安全牵引着老师的心。|有些骨折病人需要牵引治疗。

【牵制】 qiānzhì 〔动〕

拖住使不能自由活动，对象多指"力量、精力、权力"等抽象意义。(contain; pin down)常做谓语。

例句 我们用一个人牵制住了对方几个队员。|两个机构之间互相牵制，互相监督。|用这种办法是牵制不了对方的。

【铅】 qiān 〔名〕

一种金属，符号是 Pb，银灰色。(lead)常做主语、宾语。也做语素构词。

词语 铅笔　铅粉　铅字　铅球　铅丝

例句 铅比较软，用途很多。|这种电池的外皮是用铅做的。|有的化妆品含铅，最好不要用。

【铅笔】 qiānbǐ 〔名〕

用石墨或加了颜料的黏(nián)土做笔心的笔。(pencil)常做主语、宾语、定语。[量]支，根。

例句 2B 铅笔用来考试。|借我用一下你的自动铅笔，可以吗？|HSK 一定要用铅笔答卷。|叔叔送给她一盒彩色铅笔。

【谦虚】 qiānxū 〔形〕

虚心；不自满。(modest)常做谓语、定语、状语、补语。

例句 他汉语水平很高，但在同学面前很谦虚。|有的人从来都不谦虚。|你应该谦虚一点儿。|中国人喜欢谦虚的人。|他谦虚的态度得到了大家的肯定。|老师表扬他，他谦虚地说："哪里，哪里。"|老师谦虚地表示自己还要努力。|受到表扬时应该表现得谦虚一些。

【谦逊】 qiānxùn 〔形〕

谦虚恭谨。(modest)常做谓语、定语、状语。

例句 张老师很谦逊。|你的态度要谦逊。|他是一位谦逊的领导。|他说了不少谦逊的话。|他谦逊地表示自己还要努力。

【签】 qiān 〔动/名〕

〔动〕❶ 为了表示负责或纪念，写上姓名或画上记号。(sign)常做谓语。

例句 来开会的人，都要在门口签到。|这份文件我已经签过一次了。|我怎么没看见你的名字，你是不是签错了地方？|你签的字挺漂亮。

❷ 用比较简单的文字提出要点或意见。(write down brief comments on a document)常做谓语。

例句 领导在文件后面签上了自己的意见。|我每次作业后面都有老师签的话。

〔名〕作为标志的小条儿。(sticker; tag; label)常做宾语、主语，也做语素构词。[量]张，个。

例句 李秘书在每份文件上贴了一

个签儿，写上了题目。|在书里夹张签，这样，下次看的时候很容易就能找到地方。|行李上的签儿是航空公司贴的。

词语 书签 标签

【签订】 qiāndìng 〔动〕

双方或多方订立条约、合同或协定签字。(conclude and sign)常做谓语、定语。一般不重叠。

例句 两国签订了一个新的友好条约。|合同已经签订好了。|双方必须按签订的协议进行贸易。

【签发】 qiānfā 〔动〕

由主管人同意后，签名正式发出(公文、证件)等。(sign and issue)常做谓语、定语。

例句 签发护照|市长签发了一个关于加强环境保护的文件。|所有的命令都已经签发完了。|这事儿按去年签发的国务院规定办。

【签名】 qiān míng 〔动短/名〕

〔动短〕写上自己的名字。(sign one's name)常做谓语，中间可插入其他成分。后面不带宾语和补语。

例句 请在这张单子上签一个名。|演出完了，大家纷纷请歌星签名。|请给我签个名好吗？

〔名〕写在纸等东西上的名字。(autograph)常做宾语、主语。[量]个。

例句 她收藏了很多名人的签名。|我有一个足球，上面有明星队全体队员的签名。|这个签名看起来像是假的。

【签署】 qiānshǔ 〔动〕

在重要的文件上正式签字。(sign; affix; subscribe)常做谓语。一般不重叠。

例句 两国代表在会谈之后签署了一份联合公报。|这份报告还得请校长签署一下意见。|文件已经签署过了，请立即下发。

辨析 〈近〉签订。"签订"常用于订立条约合同、协议等，"签署"常用于"文件、意见"等。"签订"必须是双方或多方共同的活动；"签署"可以是单方的活动。如：市长签署了保护环境的命令。|两个工厂签订协议，共同研制一种新产品。

【签证】 qiān zhèng 〔动短/名〕

〔动短〕指一个国家的主管部门在本国或外国公民的护照或其他旅行证件上签注、盖印，表示允许出入本国国境。(grant a visa)常做谓语(不带宾语)、宾语。中间可插入成分。

例句 我的护照办好了，再签个证就可以出国了。|听说咱们团到现在还没签到证呢。|使馆放假一周，暂停签证。

〔名〕指护照等上面允许出入境的印章、文字等。(visa)常做主语、宾语。[量]个。

例句 我的签证已经到期了，需要去延期。|去中国的签证办好了。|请问，办一个签证多少钱？|出发前还没得到签证，只好把机票改期了。

【前】 qián 〔名〕

❶ 在正面的。(front)常做定语。

例句 留学生楼在前门。|前楼已经住满了，后楼还可以住。|他在火车上从前走到后。

❷ 往前(走)。(forward; ahead)常做介词宾语或构成短语做状语。

例句 你可以一直往前。|我们向前看，发现了一辆出租车。|车朝前开，很快就到了大学。

❸ (时间)较早的。(ago; before)与

Q

其他动词或名词组成短语做状语。

例句 课前大家要认真预习。|出发前请大家再检查一下自己的东西。|要在早上8点前到达机场。

❹ 次序靠近头里。(first)与数量词构成短语使用。

例句 这次考试你排在班里的前三名。|请前二位先办手续,后面的再等一下。|看京剧的时候,我们几个坐在前排。

❺ 从前的。(former)与名词构成短语使用。

词语 前市长 前公司 前妻(夫) 前老板 前政府 前总统

❻ 过去。(preceding)常做定语。

例句 前几天我去旅游了。|我们不太了解前一时期的情况。|他前几年来中国开公司。

【前辈】 qiánbèi 〔名〕

年纪大、有某方面经验的人。(senior; the older generation)常做主语、宾语、定语。[量]位,个。

例句 这位前辈受到年轻人的尊敬。|前辈不少都经历过战争。|年轻人应该尊敬前辈。|春节时领导都去看望前辈。|我们要认真听取前辈的意见。

辨析 〈近〉先辈。"先辈"多用于书面语,意思多指家族的辈分高的人,一般已经去世。

【前边】 qiánbian 〔名〕

位置、次序靠前的部分。(in front; ahead)常做主语、宾语、定语。

例句 我们大学的前边是一个公园。|我的前边有一个美国同学。|我们一起走到了火车站前边。|上课时,老师站在最前边。|前边的内容我已经忘了,还得复习。|我迷路了,只好问前边的人。

【前车之鉴】 qián chē zhī jiàn 〔成〕

比喻从前人的失败中得来的教训。(warning taken from the overturned cart ahead; lessons drawn from others' mistakes; a lesson from the failure of one's predecessor)常做主语、宾语。

例句 前车之鉴要记住,不能犯同样的错误。|这次考试失败应当作为前车之鉴。|他们是这样走向犯罪的,我们必须牢记这个前车之鉴。

【前程】 qiánchéng 〔名〕

以后的情况、前途。(future; prospect)常做主语、宾语。

例句 前程非常美好。|公司的前程一定不错。|他看到了自己的美好前程。|这个人自己断送了前程。

【前方】 qiánfāng 〔名〕

位置靠前的部分。(ahead)常做主语、宾语、定语。

例句 车的前方是一条叉路。|开车时,司机注视着前方,没跟客人说话。|我观察了一下前方,觉得没什么危险。|前方到站就是终点站了。|他父母住在大学前方的宾馆。

▶"前方"还指战争时的前线。

【前赴后继】 qián fù hòu jì 〔成〕

前面的人上去,后面的人继续前进,形容连续不断地前进。(advance wave upon wave)常做谓语、状语。

例句 大家前赴后继,这项事业一定能完成。|解放军前赴后继地加巩大坝。

【前功尽弃】 qián gōng jìn qì 〔成〕

以前的努力全部白费。(all that has been achieved is spoiled; all one's

previous efforts are wasted)常做谓语。

例句 我们不能前功尽弃。|差一个月毕业却回国,那可就前功尽弃了。

【前后】 qiánhòu 〔名〉

❶ 在某个特定的时间前或者后。(around;about)常与表示时间的名词构成短语做状语。

例句 我们大学9月1号前后开学。|大家打算国庆节前后去旅游。|我们明天6点前后见面好吗?

❷ 某个地方的前面和后面。(in front and behind)常做主语。

例句 留学生楼的前后有很多树。|公共汽车很挤,我的前后都是人。

▶“前后”还做副词,指从开始到结束。如:他前后来过中国好几次。

【前进】 qiánjìn 〔动〉

向前行动或发展。(go ahead;make progress)常做谓语。

例句 车队冒雪前进。

【前景】 qiánjǐng 〔名〉

快要出现的景象。(outlook;prospect)常做主语、宾语。

例句 公司的前景让我们充满信心。|学汉语的前景很光明。|这些人看不到事业的前景。|企业现在的情况让我们觉得没什么前景。

【前列】 qiánliè 〔名〉

最前面的一列,比喻带头的作用、地位。(front row;forefront)常做宾语。

例句 运动会上,留学生队伍走在最前列。|这个国家的经济一直处于世界前列。|她的汉语水平排在我们的前列。|这家公司希望进入同类公司的前列。

【前面】 qiánmian 〔名〉

❶ 位置或空间靠前的部分。(in front;ahead)常做主语、宾语、定语。

例句 大学的前面有很多商店。|我家的前面是一个花园。|请把准考证放在前面。|前面的同学请先办手续。|他坐前面的出租车走了。

❷ 次序在前的部分。(above;preceding)常做定语。

例句 前面的语法都忘了。|我们要向成绩排在前面的同学学习。|马克的汉语水平应该在前面。

【前年】 qiánnián 〔名〉

去年的上一年。(the year before last)常做定语、状语。

例句 前年的成绩比今年低一点儿。|我还记得前年的事。|他前年去过南方,今年还想去。|我们前年参加了初中等的HSK,今年可以参加高等的。

【前期】 qiánqī 〔名〉

某个时期前面的阶段。(earlier stage;early days)常做定语、主语。

例句 他为公司的开业做了很多前期工作。|学习汉语要做好前期准备。|来中国前期,留学生有的不太习惯。|21世纪前期对我们很重要。

【前人】 qiánrén 〔名〉

以前的人。(predecessors)常做主语、宾语、定语。[量]个,位。

例句 前人打好了基础,后人做起来就容易。|前人给我们留下了很多宝贵遗产。|后人应该超越前人,这样才有发展。|前人的事业,后人要继承。|我们要学习前人的创业精神。

【前所未闻】 qián suǒ wèi wén 〔成〉

形容某种事极为少见,以前从来没

有听说过。(never heard of before)常做谓语、定语。

例句 这种说法前所未闻,我们都不相信。|近几年,在我们大学发生了几件前所未闻的新鲜事。

【前所未有】 qián suǒ wèi yǒu 〔成〕

以前、历史上从来没有。(hitherto unknown; unprecedented)常做谓语、定语。

例句 中国的改革前所未有。|这个留学生的汉语水平在我们大学前所未有。|发生这么大的事故,在这个地方前所未有。|最近几十年,这里发生了前所未有的变化。|这真是前所未有的事情。

【前提】 qiántí 〔名〕

事物发生、发展的先决条件。(prerequisite; presupposition)常做主语、定语。[量]个。

例句 进入专业学习的前提是有HSK6级。|开公司的前提还不具备。|和平的环境是发展经济的前提。|这家公司提出了合作的前提。

【前天】 qiántiān 〔名〕

昨天的前一天。(the day before yesterday)常做主语、定语、状语。

例句 前天是星期天。|前天的事都忘了。|你还有前天的报纸吗?|我们前天去参观了长城。|我们前天就考完试了。|他前天一直在等你。

【前头】 qiántou 〔名〕

前面。(in front; above)常做主语、宾语、定语。

例句 还没上课,教室前头很多人在聊天。|公共汽车前头只有两个人。|我上课时喜欢坐前头。|他的汉语水平应该在前头。|老师从教室后头走到前头。|前头的事就不要再说了。|老师,请再说一下前头的问题。

【前途】 qiántú 〔名〕

将来的光景。(future; prospect)常做主语、宾语、定语。[量]种。

例句 这家公司的前途非常好。|他的个人前途现在还说不清楚。|大家都认为学汉语有前途。|中国父母非常关心孩子的前途。|他的水平那么高,一定会有美好前途。|很多学生都喜欢谈前途问题。

【前往】 qiánwǎng 〔动〕

去;前去。(go to; leave for)常做谓语。

例句 代表团离开北京前往美国。|新留学生下午前往故宫参观。|大家前往考场参加 HSK。|同学病了,老师前往医院看望。

【前线】 qiánxiàn 〔名〕

战争时候,双方军队接近的地带。(front; frontline)常做主语、宾语、定语。

例句 前线非常危险。|前线又发生了激烈的战斗。|战争结束了,军队都离开了前线。|这些记者也来到了前线。|这本书写的是前线的故事。|这些大夫在前线医院工作。

【钱】 qián 〔名〕

指货币、款子、钱财等。(money)常做主语、宾语、定语。也可以做为语素构词。[量]笔,元,角,分。

词语 饭钱 钱财 车钱 工钱

例句 我的钱都存银行了。|那么大一笔钱都花完了,真可以。|新同学都去中国银行换钱了。|你可以借我一点儿钱吗?|这本词典多少钱?|我已经没有钱了。|这些钱的

Q

用途我已经安排好了。|我们不知道他那笔钱的数目。

【钳子】 qiánzi 〔名〕
用来夹东西的用具。(pliers; pincers; forceps)常做主语、宾语、定语。[量]把。

例句 这把钳子是借宿舍师傅的。|钥匙丢了,开这把锁要用钳子。|开这个木箱得找把钳子。|我用钳子把东西夹出来了。|钳子的用途很广。

【潜伏】 qiánfú 〔动〕
躲起来,隐藏。(hide; lurk)常做谓语、定语。

例句 科学家潜伏在森林里观察动物。|警察秘密潜伏在罪犯家附近。|潜伏的人都离开了。|他们发现了在树林里潜伏的军队。|警察已经到达了潜伏的地点。

【潜力】 qiánlì 〔名〕
没有表现出来的力量。(potentiality)常做主语、宾语。[量]股,种。

例句 这个留学生的学习潜力很大。|这种产品的市场潜力还看不出来。|老师要充分发挥学生的潜力。|这家公司没什么潜力。|他想挖掘自己的音乐潜力。|有的国家的经济缺乏潜力。

【潜移默化】 qián yí mò huà 〔成〕
(人的思想、性格)长期受到某方面的感染、影响而在不知不觉中发生了变化。(exert a subtle influence on sb.'s character, thinking, etc.; imperceptibly influence)常做谓语、定语、状语。

例句 好的文章能潜移默化,使留学生养成良好的语言习惯。|中国文化对很多留学生起着潜移默化的作用。|父母潜移默化地影响着孩子。

【黔驴技穷】 Qián lǘ jì qióng 〔成〕
比喻有限的一点儿本领已经使完了。(at one's wit's end)做谓语、定语。

例句 他已经黔驴技穷,什么办法也没有了。|真是到了黔驴技穷的地步,只好承认失败。

【浅】 qiǎn 〔形〕
❶ 上、下之间或里、外的距离小。(shallow)常做谓语、定语。

例句 小河的水很浅。|我们喜欢在浅水里游。|这里只是一片浅海。

❷ 容易;内容不难。(simple; easy)常做谓语、补语。

例句 这本书很浅,你能看。|这个道理那么浅,小孩都明白。|老师说的汉语比较浅,容易明白。|你能说得浅一点儿吗?|这个老师解释得浅,我们能理解。

❸ 内容、知识、经验等不够。(superficial)常做谓语、补语。

例句 这本书很浅,不值得看。|我的经验还很浅,请多指教。|他的资历太浅,不能当班长。|说得太浅,不像高级班的学生。|回答得很浅,老师不满意。

❹ (颜色)淡。(light)常做谓语,也可与表示颜色的词构成短语。

例句 这种颜色太浅了。

【谴责】 qiǎnzé 〔动〕
很严厉地用语言批评。(condemn)常做谓语、定语、宾语。

例句 很多人都谴责这种破坏环境的行为。|大多数国家谴责了侵略别国的行为。|我们应该谴责考试作弊的行为。|报纸发表了谴责的文章。|他们的行为受到了强烈谴责。|很多重要的人对这件事发出了严厉谴责。

Q

【欠】 qiàn 〔动〕
借别人的东西或财物还没还。(owe)常做谓语、定语。
例句 我欠同屋100元钱。|公司还欠着债,没有钱发奖金。|他不欠你的钱吧?|你上次说请我的客,你还欠我一顿饭呢。|这家公司欠的钱还没还。
▶"欠"还指不够、缺少。如:欠佳 欠安 欠骂 欠揍

【歉意】 qiànyì 〔名〕
对不起的感觉。(apology;regret)常做宾语。
例句 真的对不起,请接受我的歉意。|请转达我们公司的歉意。|我对他们没有什么歉意。|我不知道怎么表达我的歉意。

【枪】 qiāng 〔名〕
武器,能发射子弹,也指像枪的东西。(gun;rifle)常做主语、宾语、定语。也可以构词。[量]把,支,杆。
词语 手枪 长枪 电子枪 焊枪
例句 在中国,枪不能随便买卖。|小刘喜欢各种各样的枪。|警察不得已开了枪。|警察拿出了枪,闹事的人怕了。|枪的种类和样式很多。

【枪毙】 qiāngbì 〔动〕
用枪打死罪犯等。(execute by shooting)常做谓语、宾语。
例句 最近枪毙了一个杀人犯。|这个人应该枪毙。

【腔】 qiāng 〔名〕
❶ 动物身体内部空的部分。(cavity)常做语素构词。
词语 鼻腔 胸腔 口腔 腹腔
❷ 话。(speech)常做宾语,多用于固定格式。
例句 你为什么不答腔?|她终于开了腔。
❸ 说话的腔调。(tune;accent)常构成短语或词使用。
词语 北京腔 广东腔 美国腔 花腔
例句 很多留学生说汉语有洋腔。|我不习惯你的怪腔怪调。

【强】 qiáng 〔形〕 另读 qiǎng、jiàng
❶ 力量大、程度高。(strong;powerful)常做谓语、宾语。也做语素构词。
词语 强壮 强敌 强项 强国
例句 你的身体比我强。|他的记忆力很强。|那个同学很要强。
❷ 好;优越。(better)常做谓语。
例句 这里的条件比过去强多了。|身体比以前强一点儿了。|这家公司实力很强。
❸ 用力迫使。(by force)常做状语。
例句 这个地方被一家公司强占了。|水很大,只能强渡过去。

【强大】 qiángdà 〔形〕
(力量)大而且雄厚。(powerful)常做谓语、定语、补语。
例句 我们的经济实力强大。|这家公司还不强大。|强大的资本是公司的基础。|他们学习汉语有强大的动力。|我们要把国家建设得越来越强大。

【强盗】 qiángdào 〔名〕
用暴力抢别人钱物的坏人。(bandit)常做主语、宾语、定语。[量]个,群。
例句 强盗不会有好下场。|警察抓住了那几个强盗。|这是强盗的逻辑!

Q

【强调】 qiángdiào 〔动〕
着重指出或说明。(stress)常做谓语、定语。
例句 老师强调语法很重要。|办公室向留学生强调要遵守中国法律。|你别强调了,我们都知道了。|老师强调的内容就是重点。|这些都不是他强调的方面。

【强度】 qiángdù 〔名〕
力量大小的程度。(strength)常做主语、宾语。
例句 我们速成班学习的强度很大。|工人的劳动强度越来越小。|有的人受不了这样的学习强度。|我们不了解这种产品的强度。

【强化】 qiánghuà 〔动〕
使变得强;加强。(strengthen)常做谓语、定语、宾语。
例句 经过训练,新同学的口语大大强化了。|学校要强化所有学生的学习意识。|我们几个参加了一个强化练习班。|留学生希望接受口语的强化训练。|这次学习使口语得到了强化。

【强烈】 qiángliè 〔形〕
力量很大的,程度很高的。(strong; intense; violent)常做谓语、定语、补语、状语。
例句 大家的反应很强烈。|他想学习汉语的愿望很强烈。|那个国家发生了强烈地震。|大家强烈要求改变教学方法。|有些人强烈反对在下午上课。

【强盛】 qiángshèng 〔形〕
(国家等)力量强大、繁荣。(powerful and prosperous)常做谓语、定语、补语。
例句 国家越来越强盛。|那个国家迅速强盛起来。|唐朝是中国历史上的强盛时期。|我们要把国家建设得更强盛。
辨析 〈近〉强大。“强大”只指力量大,“强盛”还有“繁荣、昌盛”的意思,且多用于国家、民族。

【强硬】 qiángyìng 〔形〕
强有力的;不肯退让的。(strong; tough; unyielding)常做谓语、定语。一般不重叠。
例句 对方的态度很强硬,没有任何商量的余地。|我们遇到了强硬的对手。

【强制】 qiángzhì 〔动〕
用强力使服从。(force; compel)常做状语、谓语、定语。
例句 不服从判决,法律允许强制执行。|老师不能强制我们参加晚会。|你不能强制别人同意。|只能强制他们接受了。|这是一项强制措施。|没其他办法,只好采取强制办法。

【墙】 qiáng 〔名〕
用各种材料修建的外围或屏障。(wall)常做主语、宾语、定语。也可做语素构词。[量]面,堵。
词语 围墙 高墙 城墙
例句 教室的墙很白。|工人正在砌墙。|这些人翻过了大学的墙。|我不明白大学围墙的作用。

【墙壁】 qiángbì 〔名〕
墙的正面和反面。(wall)常做主语、宾语、定语。[量]堵,面。
例句 房间的墙壁不太干净。|我们教室的墙壁上有中国地图。|开学前,工人重新粉刷了教室的墙壁。|我喜欢墙壁的颜色是绿色的。

【抢】 qiǎng 〔动〕 另读 qiāng

❶ 用力把东西夺过来。(rob)常做谓语及定语。也做语素构词。

词语 抢劫　抢夺　抢手

例句 快把球抢过来！|不能抢小朋友的东西。|大家不要抢座，都有座位。|这是他抢来的东西。

❷ 赶在前面、抓紧时间。(vie for; rush)常做谓语、状语。

例句 学习也得抢时间。|他几下就抢到了我们前面。|课堂上，大家都抢着说话。|病人正在抢救。|路坏了，要抢修。

【抢购】 qiǎnggòu 〔动〕

争着购买。(rush to purchase)常做谓语、定语。

例句 人们总爱抢购降价的商品。|以前听说什么要涨价，人们就抢购什么，现在这种情况很少了。|别提了，当时抢购的东西到现在还没有用完呢。

【抢劫】 qiǎngjié 〔动〕

用暴力把别人的钱物夺走。(rob; loot)常做谓语、宾语、主语、定语。

例句 有人抢劫银行！|晚上有个坏人专门抢劫妇女的包。|昨天这个老人遭到了抢劫。|这个地方经常发生抢劫。|抢劫是严重违法事件。|抢劫在那儿时有发生。|警察抓到了抢劫的歹徒。|抢劫案已经审判完了。

【抢救】 qiǎngjiù 〔动〕

出现危急的情况下赶快救护。(rescue; save)常做谓语、定语。

例句 医生正在抢救病人。|应该抢救这些野生动物。|这次地震发生后，抢救得很及时，没有人员死亡。|病人已经抢救过来了。|抢救的时间都没有了。|医生很快决定了抢救的方案。

【强词夺理】 qiǎng cí duó lǐ 〔成〕

本来没有理，硬说成有理。形容无理强辩。(use lame arguments; argue irrationally)常做谓语、状语。

例句 小王这人有时候强词夺理。|你明明知道自己不对，为什么还要强词夺理呢？|他竭力强词夺理地分辩，可没有人听。

【强迫】 qiǎngpò 〔动〕

压迫使服从。(force)常做谓语、定语。

例句 不能强迫孩子学习。|你别强迫我！|这家公司强迫我们同意他们的条件。|老师不能用强迫的口气跟学生说话。|他们想采取强迫的手段达到目的。

辨析 〈近〉强制。“强制”是书面语，多指采用政治、经济方面的压力，“强迫”只是一般的用强力压服。

【悄】 qiāo 〔形〕 另读 qiǎo

没有声音。(silent)常做语素构词或用于固定短语中。

词语 悄悄　悄(qiǎo)无声息

例句 部队趁着黑夜，悄无声息地进了城。

【悄悄】 qiāoqiāo 〔副〕

没有声音或声音很低，行动不让人知道。(quietly; on the quiet)做状语。

例句 他悄悄地回国了，没有告诉任何人。|不知什么时候，雨悄悄落下来。|她悄悄把这件事告诉了好朋友。|我不在的时候，她悄悄地帮我收拾了房间。

【锹】 qiāo 〔名〕

挖砂、土用的工具，安有长木把儿。(spade)常做主语、宾语、补语。

[量]把。

例句 我这把锹不好用，能不能换一把？|挖坑得用锹。|刚挖了几锹就累了。

【敲】 qiāo 〔动〕

❶ 在物体上面打、击。(knock)常做谓语。

例句 "咚、咚"，有人在敲门。|"当、当"，钟声敲响了。|老师在讲桌上敲了几下，学生们马上安静下来。|大街小巷敲锣打鼓，欢庆春节。

❷ 利用权势或对方弱点向对方要财物。(blackmail)常做谓语。

例句 这伙人听说张老板很有钱，就想办法要敲他一笔。|这么胆大，竟敲到我头上来了。|对方敲了我两千块钱。

【乔装】 qiáozhuāng 〔动〕

改换服装来隐瞒自己的身份。(disguise)常做谓语。

例句 马克乔装打扮，混进了女学生宿舍。|参加晚会前，她把自己乔装成一位男士。

【侨】 qiáo 〔素〕

❶ 在国外住。(live abroad)用于构词。

词语 侨居　侨民　侨胞

例句 爷爷早年侨居印尼，后来才回国。|海外侨胞盼望祖国统一。

❷ 住在国外而保留本国国籍的人。(countrymen residing abroad)用于构词。

例句 侨汇　侨眷　侨领　侨务

词语 老人靠来自美国的侨汇生活。|侨务工作意义重大。

【侨胞】 qiáobāo 〔名〕

居住在国外的同胞。(countrymen residing abroad)常做主语、宾语、定语。[量]个，位。

例句 海外侨胞盼望祖国更加强盛。|踏上祖国的土地，侨胞们的心情很激动。|这个小镇住着6位侨胞。|祖国是侨胞的坚强后盾。

【桥】 qiáo 〔名〕

架在水面上或空中以便行人、车辆等通行的建筑物，也比喻能起沟通作用的人或事物。(bridge)常做主语、宾语、定语。[量]座。

例句 这座木桥已经有一百多年历史了。|以前长江上一座桥也没有，现在已经建了20座大桥了。|行人请走马路上面的过街桥。|文化交流是两国人民之间的友谊之桥。|你们双方想合作，我可以给你们搭桥。|桥上的石柱子上刻着许多狮子。|整个桥面宽22米，可同时通行6辆车。

【桥梁】 qiáoliáng 〔名〕

桥。(bridge)常做主语、宾语、定语。[量]座。

例句 古代的桥梁，各种各样的都有。|建一座大型的桥梁，要靠各方面协作才能完成。|这些联谊活动成为沟通人们心灵的桥梁。|他在大学学的是桥梁工程，将来想做一名桥梁设计师。

【瞧】 qiáo 〔动〕

看。(look;see)常做谓语。

例句 大妈瞧着大学毕业的女儿，心里别提多高兴了。|他过来瞧了一眼，没说话又走了。|大家都过来瞧瞧，这是什么东西？|她一直往外瞧，可能是在等人吧。

【巧】 qiǎo 〔形〕

❶ 心思灵;技术高;会说话。(skillful; ingenious)常做谓语、定语、补语。

词语 心灵手巧 能工巧匠

例句 这姑娘手真巧，做什么像什么。|干活儿有时要用巧劲儿。|这个机器设计得很巧。

❷ 恰好；正好。(coincidental; opportune)常做谓语、定语、补语。

例句 你来得巧，我刚回来。|这事巧极了，偏偏让我遇上了。|没想到出国还能碰上老同学，多巧的事儿啊！|来得早不如来得巧，来一起吃吧。

❸ 不实在的(话)。(false; cunning)常做定语。

例句 我可不相信他的花言巧语。

【巧妙】 qiǎomiào 〔形〕

(方法或技术等)灵巧高明，超过寻常的。(ingenious; clever; smart)常做谓语、定语、状语、补语。一般不重叠。

例句 这篇文章构思得很巧妙。|他对问题的回答不太巧妙。|老师给了他一个巧妙的暗示。|这个问题他巧妙地避开了。|这座建筑设计得十分巧妙。

Q

【翘】 qiào 〔动〕

东西一头儿向上抬起。(stick up; turn upwards)常做谓语。

例句 地板由于受潮，都翘了。|沙发坏了，这边儿坐下去，那边就翘起来了。|他总是有一点儿成绩就骄傲自满，翘尾巴。|麻烦你翘翘脚，让我过去。

【切】 qiē 〔动〕 另读 qiè

用力把物体分成若干部分。(cut; slice)常做谓语。

例句 我来切西瓜。|这些肉要切切才能炒。|把黄瓜切成丝吧。|菜我切不好，还是你来切吧。

【茄子】 qiézi 〔名〕

❶ 一年生草本植物，果实是球形或长圆形，紫色或绿色，是普通蔬菜。(eggplant)常做主语、宾语、定语。[量]棵。

例句 茄子已经结果了。|菜园里种了几棵茄子。|茄子苗儿很容易成活。

❷ 指茄子的果实。(eggplant)常做主语、宾语、定语。[量]个。

例句 现在市场上，茄子是两元钱一斤，很便宜。|我刚才去买了二斤茄子，晚上做个鱼香茄子。|茄子的颜色除了紫色、绿色，还有黄色、白色的。

【且】 qiě 〔副/连〕

〔副〕暂时。(just; for the time being)常做状语。

例句 且慢，我再检查一下。|我且等一下，一会儿就去。|你且先吃饭，我们再谈事儿。

〔连〕❶ 连接两个形容词或动词，表示并列关系，相当于“并且、又”。(and)

例句 他的动作灵巧且优美。|他很聪明，且又很用功。

❷ 连接两个分句，表示递进关系，相当于“并且、而且”。(moreover)

例句 我们不仅要研究现在，且要研究过去。|他对这个问题的解释不仅合理，且又带着一些幽默。

【切】 qiè 〔动/形/副〕 另读 qiē

〔动〕合、符合。(correspond to)常做谓语。

例句 写文章要切题。|这是一种不切实际的想法。

〔形〕急着做事。(anxious)常做谓语。不能重叠。

例句 小王回国心切，恨不得明天就能飞回去。|此人发财心切，没想到会受骗上当。

〔副〕一定，千万。(must；have to)做状语。

例句 我告诉你的事要切记。|学习应有老老实实的态度，切不可弄虚作假。

【切实】 qièshí 〔形〕

符合实际。(feasible；practical)常做定语、状语、谓语。

例句 解决这个问题要找到一个切实的办法。|老师为留学生切切实实地解决了生活困难。|这些措施切实可行。

【窃】 qiè 〔动/副〕

〔动〕偷。(steal)常做谓语、宾语、定语。

例句 这里采取了很多措施，以防被人窃密。|这个地方常有小偷行窃。|这起案件是全国有名的窃案。

〔副〕偷偷地。(in private；secretly)做状语。

例句 老师讲课的时候，他在下面窃笑。|他的鬼主意得逞了，不禁窃喜。

【窃取】 qièqǔ 〔动〕

偷；多比喻用不合法的手段秘密地取得。(usurp；steal)常做谓语。

例句 有人窃取了公司的商业秘密。|他总是窃取别人的研究成果。|间谍把情报窃取走了。

【窃听】 qiètīng 〔动〕

暗中偷听，通常指利用电子设备偷听别人的谈话。(eavesdrop)常做谓语、定语。

例句 有人窃听咱们的谈话吗？|我们的计划被人窃听去了。|小点儿声，可能有人在窃听。|这部电话被人安了窃听装置。

【锲而不舍】 qiè ér bù shě 〔成〕

比喻有恒心，有毅力，坚持不懈。(work with perseverance)常做谓语、定语。

例句 他锲而不舍，最后终于达到了HSK11级。|学习汉语要锲而不舍，不然就难掌握地道的汉语。|这些学生具有锲而不舍的精神。

【钦佩】 qīnpèi 〔动〕

敬重佩服。(admire)常做谓语、定语、状语、宾语。不能重叠。

例句 这个残疾青年顽强的精神令人钦佩。|我十分钦佩老师的为人。|谈到老市长时，大家都流露出钦佩的目光。|学生们钦佩地望着面前的英雄。|我们对你这种勇敢的行为表示钦佩。

【侵】 qīn 〔动〕

(用强力)进入。(invade；intrude into；infringe upon)常做语素构词。

词语 侵入 入侵 侵犯 侵害 侵略 侵权 侵占

例句 有架外国侦察机入侵中国领空。|法院对侵权案作出判决。

【侵犯】 qīnfàn 〔动〕

❶ 非法干涉别人，损害其权利。(infringe upon)常做谓语、宾语。

例句 这样做是侵犯人权。|你已经侵犯别人的隐私权了。|我的肖像权受到了侵犯。|公民的选举权和被选举权不容侵犯。

❷ 非法进入别的国家的领域。(encroach on；intrude into；invade)常

做谓语、宾语。

例句 一架飞机侵犯了中国的领空。|他们多次侵犯中国边境地区。|国家的每一寸土地都不容侵犯。

【侵害】 qīnhài 〔动〕

侵入并损害;非法损害。(make inroads on;encroach on)常做谓语、定语、宾语。

例句 害虫侵害农作物。|不法出版物正严重侵害着青少年的身心健康。|这是一种侵害行为。|我们的合法权益受到了侵害。

【侵略】 qīnlüè 〔动〕

主要指用武力进入别国领土,掠夺并压迫别国人民。(invade; aggress)常做谓语、定语、宾语。

例句 他们侵略过我们。|这是一场侵略战争。|世界人民热爱和平、反对侵略。

辨析 〈近〉侵犯。"侵略"指大规模地、有组织地在军事及经济等方面的入侵;"侵犯"是指使用强制力量越出范围损害别国或别人的利益,语义较轻,但使用范围较广。此外"侵略"可做定语。如:侵略战争 侵略行为 *侵略人权("侵略"应为"侵犯")

Q

【侵权】 qīnquán 〔动〕

侵犯、损害别人的合法权益。(violate or infringe upon other's lawful rights or interests)常做谓语、定语。

例句 你们侵权,我们要求赔偿。|这是侵权行为。

【侵入】 qīnrù 〔动〕

强行进入。(invade; intrude into)常做谓语。

例句 对方在凌晨侵入中国境内。|细菌侵入体内,容易引起疾病。|由于冷空气侵入了中国北方,北部地区气温明显下降。

【侵蚀】 qīnshí 〔动〕

逐渐侵入使变坏或暗中偷偷逐步占有。(corrode; erode)常做谓语、定语、主语、宾语。

例句 口腔内的细菌慢慢地侵蚀牙齿,使牙变成了虫牙。|不要让不健康的思想侵蚀我们的头脑。|由于大自然的侵蚀作用,长城在有些地方已经毁坏了。|这种思想上的侵蚀,我们不能不防。|人人都应该抵制不健康思想对青少年的侵蚀。

【侵占】 qīnzhàn 〔动〕

非法占有别人的财产、成果或用侵略手段占有别国的领土。(invade and occupy)常做谓语、定语。

例句 不能随意侵占他人财产。|对方侵占了部分边境地区。|他利用法律手段收回了被侵占的房子。

【亲】 qīn 〔名/形/动〕

〔名〕❶ 父、母。(parent)常做语素构词。

词语 父亲 母亲 双亲 单亲家庭

例句 我一个人在海外读书,时常想念双亲。

❷ 婚姻。(marriage)常做主语、宾语。[量]门。

词语 定亲 结亲 亲事

例句 这门亲没有结成。|妈妈给他定了一门亲。

❸ 新媳妇,新娘子。(bride)常做宾语。

例句 迎亲的车队浩浩荡荡。

〔形〕❶ 亲生的,自己生的。(related by blood;kin)常做定语。

例句 这才是他的亲女儿,刚才你看到那个是他收养的。|有时,自己的亲儿子还不如一个外人。

❷ 血缘最接近的。(related by blood)常做定语。

例句 他是我爸爸的亲弟弟,我的亲叔叔。|两个亲姐妹失散了十多年,终于又见面了。

❸ 有血缘或婚姻关系。(having blood or marriage relation)常做语素构词或用于固定短语。

词语 亲属 亲人 亲戚 近亲 亲友 沾亲带故 任人唯亲

❹ 关系近;感情好。(dear; intimate)常做语素构词。

词语 亲爱 亲密 亲切 亲热 亲近 亲疏

❺ 自己(做)。(in person)常做语素构词。

词语 亲口 亲手 亲身 亲耳 亲眼 亲自

例句 这消息是我亲耳听到的。

〔动〕用嘴唇接触(人或东西)表示亲热。(kiss)常做谓语。

例句 他亲了那孩子一下,没想到孩子却哭了起来。|回到家,她抱着小狗亲了又亲。|他跟妻子亲了半天才上飞机。|出国前,我抓起一把家乡的土亲了一下。

【亲爱】 qīn'ài 〔形〕

关系密切,感情深。(dear; beloved)常做定语。

例句 祝亲爱的祖国兴旺发达!|亲爱的妈妈,您好吗?|她是我最亲爱的朋友。

▶"亲爱"加"的"可做称呼语,用于爱人之间。

例句 亲爱的,你怎么才来?我等了你一个小时了。

【亲笔】 qīnbǐ 〔副/名〕

〔副〕亲自动笔(写)。(in one's own handwriting)常做状语。

例句 这是他亲笔写的。|国家领导人为我们大学亲笔题写了校名。|没想到,这位大作家亲笔答复我这个留学生。

〔名〕指亲自写的字。(one's own handwriting)常做宾语、定语。

例句 这些手稿是那位先生的亲笔。|你看这个签名,哪像父亲的亲笔字?|读着市长的亲笔信,老人有些激动。

【亲密】 qīnmì 〔形〕

感情好,关系密切。(close; intimate)常做谓语、定语、状语、补语。

例句 他们之间的关系很亲密。|同学们在一起像一家人一样,亲密得很。|他是我在大学时最亲密的朋友。|各个国家的同学亲密地生活在一起。|他们两家关系相处得十分亲密。

【亲戚】 qīnqi 〔名〕

跟自己家庭有婚姻关系或血缘关系的家庭或家庭成员。(relative)常做主语、宾语、定语。[量]门,家,个。

例句 我在北京一个亲戚也没有,只有一个同学。|我们两家是亲戚。|中国人过年时喜欢走亲戚。|这是亲戚的孩子,托我照顾一下。

【亲切】 qīnqiè 〔形〕

亲密而接近,热情而又关心。(affectionate; warm; amicable)常做谓语、定语、状语、宾语。不能重叠。

例句 他的发言亲切而又质朴。|校

长的语气亲切得很。|在电话中又听到了母亲亲切的声音，真让人感动。|领导们亲切地跟我们交谈。|听到这些热情的问候，我感到很亲切，也很温暖。

【亲热】 qīnrè 〔形〕

亲密而热情。(affectionate; warm-hearted; loving)常做谓语、定语、状语、补语、宾语。

例句 同学们跟老师特别亲热。|小孙子跟爷爷亲热极了。|看他们两个那样亲热的样子，好像很久没见似的。|每次遇到她，她都亲热地跟我打招呼。|他的信写得很亲热。|两个人见面又握手又拥抱，显得十分亲热。

辨析 〈近〉亲切。"亲热"重在感情亲密、热情；"亲切"重在态度真诚、关切。"亲热"多用于人与人之间的关系上；"亲切"多用于对人的关心、教导或态度、语气上。如：* 得到他亲热的关怀，我十分感动。("亲热"应为"亲切")

【亲人】 qīnrén 〔名〕

直系亲属或配偶，也比喻关系密切，感情深厚的人。(one's parents, spouse, children, etc. dear ones; those dear to one)常做主语、宾语、定语。[量]个。

例句 亲人们都劝他不要那样做。|战争让他失去了三位亲人。|在这个世界上我没有一个亲人了。|他对我就像亲人一样。|亲人的关怀和嘱托，我会永远记在心上。

【亲如一家】 qīn rú yì jiā 〔成〕

亲密得如同一家人一样。(as dear to each other as memkers of one family)常做谓语、定语。

例句 他们亲如一家，不分彼此。|这个外国人和他的中国房东亲如一家。|她们决定找亲如一家的邻居帮忙。

【亲身】 qīnshēn 〔形〕

亲自。(personal; firsthand)常做状语、定语。不能重叠。

例句 这是我在中国亲身经历的一件事。|这种感觉只有亲身体验过才能知道。|经验都是人们亲身实践后得来的。|刚才介绍的是同学们的亲身体会。

【亲生】 qīnshēng 〔形〕

自己生育的，或生育自己的。(be sb's own child; one's own)常做定语，也常构成"的"字短语做句子成分。不能重叠。

例句 他是这孩子的亲生父亲。|这对老夫妻对待你就像亲生父母一样。|儿子虽然不是亲生的，可我们非常爱他。

【亲手】 qīnshǒu 〔副〕

用自己的手(做)。(personally)常做状语。

例句 这件衣服是妈妈亲手为我做的。|回国后，他亲手做了一道中国菜给家里人吃。

【亲眼】 qīnyǎn 〔副〕

用自己的眼睛(看)。(with one's own eyes)常做状语。

例句 这件事是我亲眼所见。|如果不是亲眼看见，你是不会相信的。|我亲眼看到小偷从他的口袋里把钱拿走。

【亲友】 qīnyǒu 〔名〕

亲戚；朋友。(relatives and friends)常做主语、宾语、定语。[量]个，位。

Q

例句 临行前，亲友们都来机场送我。|我在中国没有一个亲友。|刚才有几个人找你，说是你的亲友。|亲友的关怀我永远也忘不了。

【亲自】 qīnzì 〔副〕

自己（做）。（personally; in person）做状语。

例句 为了欢迎我从国外回来，爸爸亲自给我做菜。|这件事还得你自己亲自去跑一趟。|我们去访问的时候，校长亲自陪我们参观。|这么点儿小事还用您亲自来吗？

【芹菜】 qíncài 〔名〕

一种普通蔬菜，一般只吃它的茎，味道略苦。（celery）常做主语、宾语、定语。[量]根，棵。

例句 芹菜包饺子挺好吃。|我很喜欢吃芹菜。|有的人吃芹菜叶儿，据说可以降血压。

【琴】 qín 〔名〕

有弦或键的乐器通称。（general name for certain musical instruments）常做语素构词，也做主语、宾语、定语。[量]把，架，台。

词语 风琴　扬琴　钢琴　胡琴　提琴　琴弦　琴键

例句 你的那把琴哪儿去了？|听说你会弹琴，给我们弹一曲好吗？|夜晚，优美的琴声传得很远很远。

【禽】 qín 〔名〕

鸟类的统称。（birds）常做语素构词，也做主语。

词语 飞禽　家禽

例句 他这样对待自己的亲生父母，禽兽不如。

【勤】 qín 〔形/名〕

〔形〕❶ 尽力多做或不断地做。（diligent; hardworking）常做谓语、状语。不能重叠。

例句 人勤地不懒。|母亲手特勤，家里的活儿都是她一个人干。|学什么都要勤学苦练，否则不会有成绩。

❷ 次数多，经常。（frequent; regular; constant）常做状语，也做谓语、补语。

例句 手上的细菌很多，所以要勤洗手。|你帮我勤打听打听，看考试有什么消息没有。|今年的雨勤，庄稼长得好。|我们班马克来得最勤，几乎没缺过课。

〔名〕在规定时间内准时到班的工作或劳动。[(office, school, etc.) attendance]常做语素构词。

词语 勤务　内勤　考勤　出勤　执勤　地勤

例句 今天只有小张一个人缺勤，没来上课。|最近学生的出勤情况比较好。|公司每天要统计谁来谁没来，这叫考勤。

【勤奋】 qínfèn 〔形〕

不停地努力工作或学习。（diligent; industrious）常做谓语、定语、状语、补语。不能重叠。

例句 这孩子从小就勤奋。|有的留学生不太勤奋。|他是一个勤奋的学生。|这个公司的职员每天都勤奋地工作着。|他受到挫折以后，不但没有灰心，反而变得更加勤奋了。

【勤工俭学】 qín gōng jiǎn xué 〔动短〕

利用课余时间工作，挣钱来解决学习、生活的费用。（part-work and part-study system）常做谓语、定语、主语、宾语。

例句 为了挣学费，她们要出去勤工

俭学。|他把勤工俭学的收入都用在学习上了。|勤工俭学是一种很好的助学方法。|为了减轻家里负担,留学期间需要勤工俭学。

【勤俭】 qínjiǎn 〔形〕

工作或学习努力而又节约。(hard-working and thrifty)常做谓语、定语、状语、补语。不能重叠。

例句 这个人一直十分勤俭。|现在很多人一点也不勤俭。|妈妈是一位勤俭的家庭主妇。|爸爸勤俭地生活了一辈子。|那个时期,他生活得很勤俭。

【勤恳】 qínkěn 〔形〕

努力而又塌实。(diligent and conscientious)常做谓语、定语、状语、补语。

例句 我们班长一直非常勤恳。|父亲是一个勤勤恳恳的大学教师。|这位老教师在自己的工作岗位上一直勤恳地工作着。|他工作得很勤恳。

辨析 〈近〉勤奋。"勤恳"的语义重在努力、塌实;"勤奋"的语义重在努力、奋进。"勤恳"用于工作、劳动,"勤奋"还可用于学习。此外,"勤奋"不能重叠。如:* 新同学的学习非常勤恳。("勤恳"应为"勤奋")

【勤劳】 qínláo 〔形〕

努力劳动,不怕辛苦。(diligent; industrious)常做谓语、定语。

例句 母亲非常勤劳。|勤劳的人值得尊敬。

【勤能补拙】 qín néng bǔ zhuō 〔成〕

勤奋能够弥补笨拙带来的缺陷。(diligence is the means by which one makes up for one's dullness)常做小句。

例句 勤能补拙,所以我要勤一点儿。

【青】 qīng 〔形/名〕

〔形〕❶ 蓝色、绿色或黑色。(blue or green)常做谓语、定语、补语。

例句 大雨过后,天青地绿。|路边青青的草地充满生机。|他今天穿了一双老式的青布鞋。|经过几年绿化,山变青了。

❷ 比喻年纪小,年轻。(young)常做语素构词。

词语 青年

〔名〕青年人。(young people)常做语素构词。

词语 老中青 青工 知青(知识青年)

例句 我们办公室是老中青三结合,各个年龄段的都有。|他当过知青,当过工人。

【青菜】 qīngcài 〔名〕

蔬菜的统称。(greens; vegetables)常做主语、宾语,也可做定语。[量]棵,斤。

例句 青菜、肉、蛋都买回来了。|身体不好,要多吃点儿青菜。|青菜的营养价值很高。

▶"青菜"有时特指与白菜相似的一种菜,也叫"小白菜"。

【青春】 qīngchūn 〔名〕

青年时期。(youth; youthfulness)常做主语、宾语、定语。

例句 青春是人生最宝贵的时光。|我要为祖国建设贡献青春。|青春的梦想实现了。

【青红皂白】 qīng hóng zào bái 〔成〕

比喻事情的是非、情由。(black and white; right and wrong)做宾语。

例句 父亲不分青红皂白,骂了女儿一顿。|老板总分不清青红皂白。

Q

【青年】 qīngnián 〔名〕

❶ 指人十五六岁到三十岁左右的阶段。(youth)常做定语。

例句 青年时代是人生最重要的时期。|青年人总是充满生机和活力。

❷ 指十五六岁到三十岁左右的人。(young people)常做主语、宾语、定语。[量]个。

例句 青年是国家建设的生力军。|我很佩服这些青年。|老一辈对青年寄予了很大的希望。|青年的想法和老年人的想法不会完全一样。

辨析 〈近〉年轻。"青年"是名词,主要用于人;而"年轻"是形容词,可用于人,也可用于"事业、国家"等。

【青蛙】 qīngwā 〔名〕

两栖动物,嘴和眼睛大、皮肤通常是绿色,生活在水中或靠近水的地方,跳得远,能游泳。(frog)常做主语、宾语、定语。[量]只。

例句 青蛙是人类的朋友,它可帮助我们消灭害虫。|你了解青蛙吗?|生物课上,老师用一只青蛙给我们上课。|青蛙的叫声很大,夜里常常连成一片。

【轻】 qīng 〔形〕

❶ 重量小。(light)常做谓语、定语。

例句 这件行李很轻,那件很重。|塑料自行车轻极了,搬着也方便。|手提包比背包轻一点儿。|把轻的箱子放在上面吧。

❷ 数量少,程度浅。(small in number, degree, etc.)常做谓语、定语、补语或主语。

例句 你们年纪轻轻的,要多努力才行啊。|没关系,只是受了点轻伤。|我看他病得不轻,赶快送医院吧。|老头儿对儿子很严格。轻则责备,重则打骂。

❸ 用力小。(soft; gentle)常做状语、定语、谓语。

例句 这个箱子要轻拿轻放。|同屋睡着了,我轻轻地走进房间。|轻风吹过,春天的夜晚显得格外宁静。|他走路很轻,没有一点儿声音。

❹ 不重要。(not important)常做谓语、补语。

例句 当了院长,他的责任不轻。|跟国家的利益比较起来,个人利益轻得多。|这人重情义,把钱财看得很轻。

❺ 没压力,不紧张。(relaxing; without pressure)常做语素构词,也做谓语。

词语 轻快 轻松 轻易 轻闲 轻音乐

例句 从领导岗位退下来,真是一身轻啊。

【轻便】 qīngbiàn 〔形〕

重量较小或使用方便。(light; easy to use; portable)常做谓语、定语、宾语、补语、主语。

例句 还是穿休闲装轻便。|我想买一辆轻便自行车。|这种车我觉得不太轻便。|这台摄像机设计得非常轻便。|轻便好,但也要实用。

【轻车熟路】 qīng chē shú lù 〔成〕

比喻事情又容易又熟悉。(do sth. one knows well and can manage with ease)做谓语、状语。

例句 马克轻车熟路,不一会儿就到了图书馆。|说汉语对留学生来说已轻车熟路了。|以前去过老师家,这次轻车熟路地就找到了。|他来过中国几次,在机场轻车熟路地办好了手续。

【轻而易举】 qīng ér yì jǔ 〔成〕
形容事情很容易做。(easy to do; easy to accomplish)常做谓语、定语、状语。
例句 没想到谈判那么轻而易举。|说几句汉语对留学生轻而易举。|对你来说,考试还不是轻而易举的事么?|在比赛中,他轻而易举地打败了所有的对手,夺得了冠军。

【轻工业】 qīnggōngyè 〔名〕
以生产生活资料为主的工业,包括纺织、食品工业等。(light industry)常做主语、宾语、定语。
例句 中国的轻工业很发达。|政府决定大力发展轻工业。|中国的轻工业产品在国际市场上比较受欢迎。

【轻快】 qīngkuài 〔形〕
动作不费力,轻松愉快。(brisk; spry; lively)常做谓语、定语、状语、补语、宾语。
例句 别看老李70岁了,跳起舞来轻快着呢。|酒吧里放着一曲轻快的曲子。|他稍一使劲,就轻快地跨过去了。|上了点儿油,车轮就转得轻快了。|一放假,学生们都觉得轻快多了。

Q

【轻描淡写】 qīng miáo dàn xiě 〔成〕
形容说话、作文时对某些重要的事轻轻带过。(touch on lightly; mention casually; describe with a delicate touch)常做谓语、定语、状语。
例句 他的回答轻描淡写,老师不太满意。|这事不能轻描淡写,请详细说说。|老人不大满意孙子这种轻描淡写的态度。|这么大的事,轻描淡写地说几句就算完了吗?

【轻视】 qīngshì 〔动〕
不认真对待。(despise; look down upon)常做谓语、宾语。
例句 学习汉语不能轻视发音。|这种异常现象可轻视不得。|每个人都不愿意自己受到轻视。

【轻松】 qīngsōng 〔形/动〕
〔形〕没有压力,不感到紧张。(light; relaxed; without burden; carefree)常做谓语、状语、定语、宾语、补语、主语。
例句 照相时,你应该轻松一点儿。|马克轻轻松松地达到了HSK8级。|学习太紧张了,从来没有轻松的时候。|放假的时候,感到特别轻松。|你说得轻松,你试一试,就知道有多难了。|轻松一点儿才好。
〔动〕放松。(relax)常做谓语。
例句 考完试了,应当轻松一下,出去玩玩。|回到家,我可得好好轻松轻松。|上街逛一逛,让心情轻松一下。

【轻微】 qīngwēi 〔形〕
不重的,程度浅的。(light; slight)常做谓语、定语、状语、补语。
例句 看来,这种药的作用比较轻微,效果不太理想。|她的呼吸轻微得让人难以察觉。|楼下传来轻微的脚步声。|老人的手轻微地抖动着。|地下的声音变得越来越轻微。|病人的心脏跳得很轻微。

【轻易】 qīngyì 〔形〕
❶ 轻松、容易。(easily; readily)常做状语。
例句 汉语不是轻易就能学好的。|他轻易地就得到了他想要的东西。|我们不能这么轻易地就输掉这场比赛。
❷ 随随便便。(lightly; rashly)常做状语。

例句 他从来不轻易发表自己的看法。|这人轻易不答应别人什么,答应了,就一定会做到。|轻易地下结论往往会犯错误。

【轻重缓急】 qīng zhòng huǎn jí 〔成〕

事情有次要的、主要的和不主要的,缓办的、急办的区别。(order of importance or urgency)在句中做宾语。

例句 做事情要分轻重缓急,不要盲目去做。|情况要搞清楚轻重缓急,然后再去做。

【氢】 qīng 〔名〕

气体元素,符号H,无色、无味,是最轻的元素。(hydrogen)常做主语、宾语、定语。

例句 氢具有广泛的工业用途。|气球中使用的气体大都是氢。|氢元素是所有元素中最轻的。

【倾】 qīng 〔动〕

❶ 歪;斜。(bend;lean;incline)常做谓语。

例句 他坐在桌子旁边儿,身体向前倾着。|脚下很滑,老人突然倾了一下。

❷ 倒(dǎo)。(collapse)常做语素构词,也做谓语。

词语 倾覆 倾塌 倾倒(dǎo)

例句 眼看大厦将倾,大家都无能为力。

❸ 使器物反转或歪斜,把里面的东西全倒出来。(empty;overturn and pour out)常做语素构词或用于固定短语,也做谓语。

词语 倾巢 倾家荡产 倾诉

例句 他总是倾其所有,去帮助别人。|早晨,下了一场倾盆大雨。

❹ 用尽(力量)。(do all one can; use up all one's resources)常做语素构词,也做谓语。

词语 倾听 倾诉 倾销

例句 我们一定会倾尽全力把工作做好。

【倾家荡产】 qīng jiā dàng chǎn 〔成〕

弄光了全部家产。(lose a family fortune; be reduced to poverty and ruin; be brought to total ruin)常做谓语、定语、状语、补语。

例句 办公司,他已经倾家荡产了。|竞争失败使他倾家荡产。|倾家荡产的我还能做什么?|他非要倾家荡产地开商店。|为了他打官司,老杨几乎弄得倾家荡产。

【倾盆大雨】 qīng pén dà yǔ 〔名短〕

特别大的雨。(heavy downpour; torrential rain; cloudburst)常做主语、宾语。[量]场。

例句 我刚到,倾盆大雨就从天而降。|一场倾盆大雨过后,街上的积水成了河。|昨天下了一场倾盆大雨。|老师冒着倾盆大雨赶到学校上课。

【倾听】 qīngtīng 〔动〕

细心地听取。(listen attentively to; give a hearing to)常做谓语。

例句 老师们倾听了留学生的发言。|领导应该虚心倾听一下群众的意见。|记者们怀着极大的兴趣倾听了她们的诉说。

【倾向】 qīngxiàng 〔名/动〕

〔名〕运动或发展的方向、趋势。(tendency; trend; inclination; deviation)常做主语、宾语。[量]个,种。

例句 这篇文章的思想倾向不好。|应及时纠正各种不良倾向。

〔动〕偏于赞成(对立事物中的一方)。(prefer;be inclined to)常做谓语。

例句 这两种意见,我倾向前一种。|老师倾向于挑选高级班同学参加演讲比赛。|这几种看法,你倾向于哪一种呢?

【倾斜】 qīngxié 〔形〕

❶ 歪;斜。(slope; incline)常做谓语、定语、补语。

例句 那座楼刚刚盖起来,就有点儿倾斜。|车子转弯时倾斜得太厉害了。|那条倾斜的大船,马上就要沉没了。|这座古塔变得越来越倾斜了。

❷ 比喻倾向于某一方向。(be in favour of)常做谓语。

例句 可以看出,裁判的心理向弱队倾斜。|我们的工作重心应当向经济方面再倾斜倾斜。

【清】 qīng 〔形/动〕

〔形〕❶ (液体或气体)纯净,没有杂质。(clean; pure)常做谓语、定语、补语。

例句 这湖里的水真清。|水清得能看见底儿。|这是什么汤?清汤清水的,什么都没有。|蓝蓝的天,清清的水,这里的风景真美。|深秋,这里的河水变得更清了。

❷ 静。(quiet)常做语素构词。

词语 清静 冷清 清寂

❸ 公正廉(lián)洁。(honest and upright)常做语素构词,也做谓语。

词语 清廉 清风 清官 清正

例句 他是一个清官。|官清则人民生活安定。

❹ 容易明白、辨认,非常了解。(distinct)常做补语、谓语。

例句 这个问题我怎么也搞不清。|我没戴眼镜,看不清黑板上的字。|什么时候见面,他也没说清。|谁是谁非,别人看得特别清。|事故的原因不清。

❺ 单纯。(pure)常做语素构词。

词语 清茶 清唱 清纯 清白 清一色

例句 给我倒杯清茶。|我喜欢听京剧清唱。

〔动〕❶ 除掉不纯的成分。(liquidate;clean)常做谓语。

例句 你桌子上的东西太多了,赶快清一下。|你能不能帮我把柜子清出来,我准备往里边放点儿东西。|他清了清嗓子,继续他的讲话。

❷ 点验。(count)常做谓语。

例句 年底,我们银行要统一清账。|请旅客们清一下自己的行李。

❸ 还完,结账。(settle)常做谓语、补语。

例句 你的账已经清了,可以走了。|那笔账还需要清一下。|我终于还清了借款。

❹ 一点儿也不留,彻底。(completely; thoroughly)常做语素构词。

词语 清查 清除 清理 清扫 清算

例句 周末全校要大清扫。|我跟他还有些事务要清算。

▶"清"也做名词,指清朝。

【清查】 qīngchá 〔动〕

彻底检查。(check)常做谓语。

例句 我们正在清查留学生宿舍的用品。|仓库需要彻底清查一下。|

你把今年的账目清查清查。|警察清查完了他们的物品，没有发现什么问题。

【清晨】 qīngchén 〔名〕

日出前后的一段时间。(early morning)常做主语、宾语、状语、定语。[量]个。

例句 清晨比晚上空气好。|马拉松比赛定于明天清晨开始。|这又是一个空气清新的清晨。|我们明天清晨出发。|清晨，我总会看到那位老人在树林中锻炼。|我喜欢清晨凉爽的空气。

【清除】 qīngchú 〔动〕

全部去掉。(clear away; eliminate)常做谓语。

例句 市民们很快清除了街上的雪。|垃圾已经清除干净了。|由于受贿，他被清除出了公司。

▶"清除"掉的东西都是不好的东西。

【清楚】 qīngchu 〔形/动〕

〔形〕事物容易让人了解、辨认；对事完全了解。(clear; distinct)常做谓语、定语、状语、补语，可重叠为"清清楚楚"。

例句 传真已经发过来了，非常清楚。|这个词已经清楚得不能再清楚了，你怎么还不明白？|听到女儿清楚的声音，父母才放了心。|我清楚地记得他说过的话。|来信写得清清楚楚，她不打算来了。

〔动〕明白，了解。(understand; be clear about)常做谓语。

例句 A：请问，附近有邮局吗？B：我也不太清楚。|对这里的情况，他清楚得很，你可以向他打听。|这些情况，你清楚不清楚？

【清淡】 qīngdàn 〔形〕

❶(颜色、气味)清而淡，不浓。(light; weak; delicate)常做定语、谓语。一般不重叠。

例句 我喜欢清淡的茶。|这种花有一种清淡的香味。|这种香水比较清淡。

❷(食物)含油少。(not greasy; light)常做定语、谓语、补语。

例句 现在不少人喜欢吃清淡的饭菜。|日本人口味比较清淡。|你下一次应该把菜做得清淡一点儿。

❸ 营业数额少。(dull; slack)常做谓语。

例句 最近生意比较清淡。

【清洁】 qīngjié 〔形〕

没有垃圾、尘土等；干净。(clean)常做谓语、定语、宾语、补语。一般不重叠。

例句 这座城市很清洁。|教室里清洁极了。|清洁的环境让人心情愉快。|她特别爱清洁。|她的小屋虽不大，但整理得清洁舒适。

【清理】 qīnglǐ 〔动〕

彻底整理或处理。(clear up; clear)常做谓语、定语。

例句 他每星期清理一次房间。|我们把车库清理了一遍，把没用的东西都扔了。|下午要来客人，你们赶紧把客厅清理清理。|目前，现场的清理工作还在进行。

【清晰】 qīngxī 〔形〕

清楚；鲜明；不模糊。(distinct; clear)常做谓语、定语、状语、补语、宾语。一般不重叠。

例句 文章的思路很清晰。|录音带的声音清晰极了。|雪地上留下了清晰的脚印。|我清晰地记得去年发生的那次车祸。|这张图画得不

够清晰。|网上电话，我觉得不太清晰。

【清新】 qīngxīn 〔形〕

❶ 清爽而新鲜。(pure and fresh)常做谓语、定语、补语、宾语。一般不重叠。

例句 刚刚下过雨，空气清新得很。|我喜欢这个牌子的香水，它有一种清新的香味。|空气变得清新多了。|经过一段时间的治理，这里的环境显得十分清新。

❷ 新颖不俗气。(delicate and pretty)常做谓语、定语、补语、宾语。一般不重叠。

例句 这首歌曲调清新，大伙儿都爱唱。|她的字画给人一种清新的感觉。|这篇文章的语言写得清新极了。|他的作风总让人感到很清新。

【清醒】 qīngxǐng 〔形/动〕

〔形〕(头脑)清楚，明白。(clear-headed)常做谓语、定语、状语、补语。一般不重叠。

例句 他虽然老了，但头脑却很清醒。|他对当前形势的认识清醒极了。|考试时，最重要的是保持清醒的头脑。|虽然得了第一名，但他清醒地认识到自己还有不足。|情况越复杂，老板显得越清醒。

〔动〕(神志)由昏迷恢复正常。(return to one's sense)常做谓语。

例句 睡了一天觉，我出去清醒清醒。|医生给她打了一针，才逐渐清醒过来。|他的一番话让我清醒了。

【清早】 qīngzǎo 〔名〕

清晨；日出前后的一段时间。(early in the morning; early morning)常做状语、定语。口语常说"一清早"、"大清早"。

例句 一清早，老人就去公园锻炼了。|我今天清早下的飞机。|你怎么大清早的就跑来了？|清早的车没赶上，只好坐下午的了。

【清真寺】 qīngzhēnsì 〔名〕

伊斯兰教的寺院。(mosque)常做主语、宾语、定语。[量]个，座。

例句 清真寺是伊斯兰教徒做礼拜的地方。|这儿附近有一座大清真寺。|清真寺的圆屋顶特征很明显。

【蜻蜓】 qīngtíng 〔名〕

一种昆虫，身体细长，吃蚊子等小飞虫，是益虫。(dragonfly)常做主语、宾语、定语。[量]只。

例句 蜻蜓一般生活在水边。|你看，树上落着一只蜻蜓。|据说，飞机的翅膀就是根据蜻蜓的翅膀发明的。

【情】 qíng 〔名〕

对外界的一种强烈的心理反应；男女之间相爱的心理。(feeling; emotion; love)。常做语素构词，也作主语、宾语。[量]份，片。

词语 感情 温情 恋情 情人 情绪 无情 情意 动之以情 以情感人

例句 这一片慈母之情，使在座的人都为之感动。|这篇文章表达了游子的思乡之情。|整场演出充满同胞的骨肉情。|这孩子真是有情有意啊！

❷ 事物表现出的样子。(situation; circumstances; condition)常做语素构词。

词语 军情 灾情 实情 病情 情况 情形

❸ 人际关系中的感情、面子，思考、处理问题或事物发展的一般道理。

(kindness; favour)常做宾语。

例句 你帮我向他求个情吧。|他原谅我了,因为别人给说情了。|我可以给你讲讲情,但他同意不同意我可不敢保证。|这么做虽然合情,可不合法。

【情报】 qíngbào 〔名〕

关于某种情况的消息或报告,多带机密性质。(intelligence; information)常做主语、宾语、定语。[量]个,份。

例句 这份情报很有价值。|科技情报对工业的发展至关重要。|对方窃取了我们的一份机密情报。|政府把一名外国情报人员驱逐出境了。

【情不自禁】 qíng bú zì jīn 〔成〕

控制不住自己的感情。〔cannot refrain from; cannot help (doing sth.); be seized with a sudden impulse to〕常做谓语、状语。

例句 晚会上大家高兴得又唱又跳,情不自禁。|看到熟悉的词语,留学生就情不自禁地说出来了。|我看到这里,情不自禁地流下了眼泪。

【情感】 qínggǎn 〔名〕

对外界刺激的心理反应,如喜欢、生气、伤心、害怕、讨厌等。(emotion)常做主语、宾语、定语。[量]种。

例句 我们的情感是很丰富的。|我对汉语的情感无法用语言表达。|不知是高兴还是悲伤,他心里有一种非常复杂的情感。|看到照片,她产生了一种忧伤的情感。|在情感问题上,可不能开玩笑。

【情节】 qíngjié 〔名〕

事情的变化和经过。(plot; case; circumstances)常做主语、宾语。[量]个。

例句 这个故事情节生动、感人。|这个情节我以前没听说过。|我很喜欢那部剧的情节。|整部小说没什么吸引人的情节。|在听力练习过程中,不能放过每个细小的情节。

【情景】 qíngjǐng 〔名〕

一定场合的情形、景象。(situation; scene)常做主语、宾语。[量]个,种。

例句 当时的情景记不太清楚了。|这篇文章描写了在中国学习的情景。|电视上出现了比赛现场的热烈情景。|我对分别的情景记得很清楚。

辨析 〈近〉情形。"情形"主要指事情发生的过程或进行中的样子;"情景"指事物的景象。如:* 你在国外的情景怎么样?("情景"应为"情形")

【情况】 qíngkuàng 〔名〕

事物表现出来的样子。(situation; state of affairs)常做主语、宾语。[量]个,种。

例句 各种各样的情况都有可能发生。|当时情况很危急,我们都不知道怎么办好了。|情况变了,学习方法也应当跟着变。|先谈一谈你们这里的情况吧。|我看了一下,又发现了一个新情况。|我刚来,对大学的情况不熟悉。

【情理】 qínglǐ 〔名〕

人的常情和事情的一般道理。(reason; sense)常做主语、宾语、定语。

例句 这样做真是太不应该,情理难容。|你这种说法有点儿不合情理。|有这样的结果也是情理之中的事。|不孝敬老人,情理方面说不过去。

【情形】 qíngxíng 〔名〕

事情表现出来的样子，状况。(situation; circumstances; state of affairs)常做主语、宾语。[量]个，种。

例句 当时的情形我至今还记得清清楚楚。|你在中国的情形怎么样？|他介绍了一下旅行路上所看到的情形。|对现场的各种情形都要考虑到。

辨析 〈近〉情况。"情况"的范围广，指各种变化、行动、动静等；"情形"的范围小，多指事物发生或进行中的样子。"情况"可以是具体的、也可以是抽象的，"情形"一般是具体的。"情况"常和"紧急、危急、严重"等词搭配，常做"了解、掌握、调查、反映、分析"等动词的宾语，而"情形"则不能。如：* 我们马上去事故现场了解情形。("情形"应为"情况")

【情绪】 qíngxù 〔名〕

❶ 人从事某种活动时产生的心理状态。(emotion; feeling; frame of mind; sentiments; mood)常做主语、宾语。[量]种。

例句 大家听了老师的讲话，情绪很高。|良好的情绪对身体健康有好处。|你们怎么了？怎么都没有情绪了？|考试时，大家要稳定自己的情绪。

❷ 特指不安或不愉快的情感。(depression; moodiness)常做宾语。

例句 最近他不来上课，是因为老师批评了他，他正在家里闹情绪呢。|没让你去，你是不是有情绪了？

【晴】 qíng 〔形〕

天空中没有云或云很少。(fine; clear)常做谓语、定语、补语。

例句 今天晴，明天可能要变。|晴了几天，这几天又下起雨来了。|晴天我们可以去海边玩儿。|这里的冬天，晴的时候少。|一阵大风过后，倒把天刮晴了。

【晴朗】 qínglǎng 〔形〕

没有云雾，阳光充足。(fine; sunny)常做谓语、定语、补语。

例句 那天，天气格外晴朗。|听说考试通过了，她的心情也晴朗了起来。|晴朗的天空中没有一丝云。|秋天来了，天气变得晴朗起来。

【晴天】 qíngtiān 〔名〕

无云或云很少的天气。(sunny day)常做宾语、谓语、主语。[量]个。

例句 明天是一个晴天。|现在晴天，可一会儿也许就下雨。|夏天的时候，晴天会很热。

【请】 qǐng 〔动〕

❶ 希望对方同意(要求)。(request; ask)常做谓语，常构成兼语句。

例句 我跟老师请了三天假。|技术问题还是请专家解决吧。|我得请人修修电话。

❷ 约；聘。(invite; engage)常做谓语，常构成兼语句。

例句 我结婚那天，一定请你去。|学校经常请一些专家来讲学。|我们请了一位有名的律师做公司的法律顾问。|由于工作太忙，只好请个保姆看孩子。

❸ 敬词。(please)常用于动词性词语。

例句 A：请问，报到在哪儿？B：在这儿。|请替我问他好。|请在路边儿停一下车。|请准时到场。

【请假】 qǐng jià 〔动短〕

请求允许在一定时期内不工作或学

习。(ask for absence or leave)常做谓语,中间可插入成分。

例句 我跟老师请了一天假。|一年中,马克只请过一次假。|你请假了吗?|麻烦你帮我跟班长请个假。

【请柬】 qǐngjiǎn 〔名〕

邀请客人的书面通知。(invitation card)常做主语、宾语。[量]份。

例句 婚礼的请柬都发出去了吗?|我收到一份春节晚会的请柬。|没有请柬的人不能进入会场。

【请教】 qǐngjiào 〔动〕

请求指教、指导。(ask for advice)常做谓语。

例句 对不起,有件事要向您请教。|这个问题最好去请教李老师。|老师,我想请教您一个问题。

【请客】 qǐng kè 〔动短〕

❶ 请人吃饭。(stand treat; invite relatives or friends to dinner)常做谓语,"请"后面可以带补语。可做主语、宾语。中间可插入成分。

例句 |听说你中了奖,什么时候请客?|他们家儿子结婚,足足请了三天客。|请客送礼不是好风气。|群众反对领导总请客。

❷ 付账。(pay the bill)常做谓语。

例句 你不用担心付钱,今天我请客。|我们一起去打保龄球吧,我请客。|今天出去玩,都是男朋友付钱,他请我的客。

【请求】 qǐngqiú 〔动/名〕

〔动〕有礼貌地提出要求,希望得到满足。(ask; request)常做谓语、定语。常构成兼语句。

例句 学生请求老师让他们休息一会儿。|为了上网,我们向学校请求过多次了。|他请求老板派给他们最重要的任务。|看着对方那请求的目光,你不能不答应。

〔名〕有礼貌地提出的要求。(request)常做主语、宾语、定语。[量]个。

例句 我们的请求得到了批准。|职员们向公司提出了增加工资的请求。|这个请求的出发点是合理的。

【请示】 qǐngshì 〔动〕

(向上级)请求指示。(ask for instructions)常做谓语、定语。

例句 这件事要请示一下经理。|应该去请示请示我们下一步的行动计划。|我们请示完了再去。|请示报告已经批下来了。

▶"请示"也做名词,指"请示报告"。如:《关于购买电脑的请示》

【请帖】 qǐngtiě 〔名〕

意义同"请柬"。(invitation card)常做主语、宾语。[量]份,个。

例句 每份请帖你都务必亲自送去。|昨天收到一个请帖,请我参加一个开幕式。

【请问】 qǐngwèn 〔动〕

敬词,用于请求对方回答问题。(excuse me; please; may I ask)常做独立成分,也做谓语。

例句 请问,现在几点了?|请问一下,去友谊商店怎么走?|请问您,这个字怎么读?

【请愿】 qǐng yuàn 〔动短〕

采取集体行动要求政府或主管部门满足某些愿望。(present a petition; demand at public demonstrations)常做谓语、定语。中间可插入成分。

例句 工人们又在市政府门前请愿

了。|这些学生向当局请过愿，但没有任何结果。|请愿的人群到晚上才散去。|请愿活动进行了一天。

【庆】 qìng 〔动/名〕

〔动〕为共同的喜事而表示高兴或纪念。(celebrate; congratulate)常做谓语。

例句 奶奶过生日这天，大家都来为她庆寿。|秋天，人们在村里载歌载舞，喜庆丰收。|我们举行大会，欢庆新年。

〔名〕值得庆贺的周年纪念日。(occasion for celebration anniversary)常做语素构词。

词语 国庆 校庆 店庆 厂庆

例句 建校50周年校庆大会，留学生也参加了。

【庆贺】 qìnghè 〔动〕

为共同的喜事而开展活动，或向有喜事的人道喜。(congratulate)常做谓语、定语。

例句 老张的儿子考上了大学，他明天请老邻居们吃饭，庆贺一下。|人们听说喜讯后，都来庆贺他取得了成功。|来庆贺的人挤了一屋子。

【庆祝】 qìngzhù 〔动〕

为共同的喜事进行一些活动表示快乐或纪念。(celebrate)常做谓语、定语。

例句 我们明天要开个晚会庆祝考试成功。|“十一”时，大小街道都挂满了国旗，庆祝国庆节。|市民们在市政府广场举行庆祝大会。

辨析 〈近〉庆贺。“庆祝”多指较大的、群众性的活动；“庆贺”多用于一般的活动。“庆祝”可以做“大会”“活动”等的定语，“庆贺”一般不行。如：* 昨天市里举行了庆贺大会。(“庆贺”应为“庆祝”)

【穷】 qióng 〔形〕

缺少钱物。(poor)常做谓语、定语。也做语素构词。

词语 贫穷 穷困 穷人

例句 表面他很穷，其实并不穷。|那时我们家穷得很，什么都没有。|以前，这里只是一个穷山沟，现在变成了旅游点。

▶“穷”也做动词，表示“用完”。

词语 穷尽 理屈辞穷

例句 老人穷毕生精力，写出了这部作品。

【穷苦】 qióngkǔ 〔形〕

贫穷，艰苦。(poverty-stricken)常做定语、谓语。

例句 世界上还有许多人过着穷苦的生活。|她是穷苦人家的女儿，从小就养成了节俭的习惯。|由于家里十分穷苦，我只读过三年书。|那时生活穷苦极了。

【穷人】 qióngrén 〔名〕

没有钱的人。(the poor)常做主语、宾语、定语。[量]个。

例句 现在穷人已经越来越少了。|不要看不起穷人，应当帮助穷人。|穷人的孩子往往特别勤奋。

【穷途末路】 qióng tú mò lù 〔成〕

形容无路可走。(have come to a dead end; be driven into an impasse)常做宾语、定语。

例句 老板已经感到穷途末路。|那个公司已经到了穷途末路。|政府要帮助这个穷途末路的企业。

辨析 〈近〉山穷水尽，走投无路，日暮途穷。四词意义相近，都含有无路可走的意思。不同之处在于，“穷途末路”是名词性短语，在句中常做宾语；另外三个是动词性短语，在句中常做谓语。

【丘陵】 qiūlíng 〔名〕

连成片的小山。(hills)常做主语、定语、宾语。[量]个，片。

例句 那片丘陵十分适合种植水果。|这里是丘陵地带，丘陵起伏，连绵不断。|中国南方到处是大大小小的丘陵。

【秋】 qiū 〔名〕

❶ 一年中的第三季，大约从农历七月到九月。(fall;autumn)常做语素构词，或用于固定短语中。也做定语、状语。

词语 秋风 秋季 秋色 秋天 秋高气爽 春夏秋冬

例句 秋天是水果成熟的季节。|今年的秋季来得特别早。|北方的秋雨，让人觉得格外凉。|1983年秋，我第一次来到中国。

❷ 一年的时间。(year)用于短语中。

词语 三秋 千秋万代

例句 一日不见，如别三秋。

【秋季】 qiūjì 〔名〕

一年中的第三个季节，大约从农历七月到九月。(autumn;fall)常做主语、宾语、定语、状语。[量]个。

例句 秋季是金色的季节，是收获的季节。|我忘不了那个阴冷的秋季。|秋季商品交易会即将开幕。|秋季的景色最让人着迷。|去年秋季，我们大学举行了第一届外国留学生运动会。

【秋收】 qiūshōu 〔动〕

秋季收获农作物。(autumn harvest)常做谓语、宾语、定语。不带定语。不重叠。

例句 他从城市回老家帮家里人秋收。|农民们这个时候都在忙秋收。|秋收时节，田里是一片繁忙的景象。

【秋天】 qiūtiān 〔名〕

一年中的第三季，大约从农历七月到九月。(autumn; fall)常做主语、定语、宾语、状语。

例句 北京的秋天最美。|秋天的天空又高又蓝。|到了秋天，各种水果特别丰富。|记得她是秋天来的。

【求】 qiú 〔动〕

❶ 要求。(strive for)常做谓语，可带兼语。

词语 (标语)求实创新 精益求精 求全责备

例句 |这场比赛要务求全胜。|我们要力求在寒冬到来之前完工。

❷ 请求。(beg; request)常做谓语，也用于短语。

例句 我求求您，一定要帮我这个忙。|我求过他几次了，他都没有答应。|据说，他求的签很灵。|老李好求，谁求他都行。

❸ 追求。(seek)常做谓语。不重叠。

例句 他为了求知识，只身一人来到海外。|我当官不求名，不求利，只求为人民多办实事。|这道题的得数我怎么求不出来？

❹ 需要。(demand)常与“供”对举使用，常做定语、宾语。

例句 我们目前的任务是按照市场供求关系调整生产。|这些商品非常抢手，一直供不应求。|电视机卖不出去的一个原因是供大于求。

Q

【求得】 qiúdé 〔动〕

希望得到；请求得到。(wish to gain)常做谓语。不能重叠。

例句 大家努力学习是为了求得好成绩。|我没有别的要求，只是希望求得对方的理解。

【球】 qiú 〔名〕

❶ 立体圆形。(sphere)常做定语。[量]个。

例句 请大家算一下这个球的体积是多少。|球的表面任何一点到球的中心的距离都是相等的。

❷ 球形或接近球形的物体。(anything shaped like a ball)常做语素构词。

词语 棉球 眼球 球形 月球 地球 星球

例句 用棉球把伤口擦干净。|让我们共同爱护我们的家园——地球。

❸ 特指地球。(the earth; the globe)常做语素构词或用于短语中。

词语 北半球 西半球

例句 全球气候变暖是什么原因?

❹ 指某些体育用品或球的运动。(ball or ball game)常做语素构词，也做主语、宾语。[量]个，场。

词语 排球 羽毛球 篮球 足球 乒乓球 网球 棒球 台球 高尔夫球 保龄球 水球 冰球 球迷

例句 全场比赛，一个球也没踢进去。|球有十几个，够玩的了。|那场球，他一共投进4个3分球。|打乒乓球，发球特别重要。|为了看球，他常常不睡觉，真是个球迷。

【球场】 qiúchǎng 〔名〕

球类运动的场地。(grounds where ball games are played)常做主语、宾语、定语。[量]个，座。

词语 足球场 网球场 排球场

例句 这个球场可以容纳6万观众。|为了举办奥运会，正在修建一座新球场。|球场的气氛十分热烈。|比赛开始半个小时了，可是球场外面还有不少等票的球迷。

【球队】 qiúduì 〔名〕

进行球类运动的队伍。〔(ball game) team〕常做主语、宾语、定语。[量]支。

词语 足球队 篮球队 棒球队

例句 这支球队刚回到家乡，就受到人们的热烈欢迎。|这家俱乐部有两支球队。|球队的外籍教练已经辞职了。

【球迷】 qiúmí 〔名〕

特别喜欢打球或看球赛的人。(ball game fan)常做主语、宾语、定语。[量]个。

例句 球迷们大声叫喊，为自己的球队加油。|留学生中有很多球迷。|没想到，妈妈也成了这个球队的球迷。|我有几个球迷朋友。|我们的球迷俱乐部已经成立三年了。

【区】 qū 〔名〕

❶ 一定的范围或地方。(area)常做语素构词。

词语 地区 区域 山区 老区 工业区 商业区 风景区 生活区 小区 社区 禁区

例句 必须得保持旅游风景区的自然环境。|搞好社区服务是个方向。|改革冲破了许多理论禁区。

❷ 指中国的行政划分单位。(region; district)常构成短语，也做主

语、状语、定语。

例句 新疆维吾尔自治区|宁夏回族自治区|我家住在北京西城区。|区里昨天来人检查我们的工作。|我们这区工业产值每年有四五千万。

▶"区"也做动词,指划分。如:区别 区分|应当区别是无意还是故意这两种不同情况。

【区别】 qūbié 〔动/名〕

〔动〕把两个以上的对象进行比较,认识它们不同的地方。(distinguish)常做谓语、状语、定语。

例句 这些句子有的对,有的不对,请同学们区别一下。|你来区别一下这两个词有什么不同。|我怎么也区别不出来。|对不同的情况,要区别对待。|这些欧洲人是哪国人,有什么好的区别方法吗?

〔名〕彼此不同的地方。(difference)常做主语、宾语。[量]个,种。

例句 这两种语言的区别比较明显。|我不知道这两个词的区别。|他们两个的性格有很大的区别。

【区分】 qūfēn 〔动〕

区别。(distinguish)常做谓语。

例句 你能不能区分一下这几种毛笔。|我区分不出来她们哪个是姐姐,哪个是妹妹。

辨析 〈近〉区别。"区别"是动词兼名词;"区分"只有动词用法。"区别"可以做状语,"区分"不行。如:*这些人应当区分对待。("区分"应为"区别")

【区域】 qūyù 〔名〕

地区范围。(area; region)常做主语、宾语、定语。[量]个。

例句 少数民族地区实行民族区域自治。|学校给我们指定了活动区域。|在这个区域,有五家超级市场。|区域的划分应该合理。

【曲】 qū 〔形〕 另读 qǔ

不直;弯。(bent; crooked)常做语素构词,也做谓语。

词语 曲解 弯曲 曲线 曲折

例句 大虾的背是曲的。

【曲线】 qūxiàn 〔名〕

❶ 不直的线。(curve)常做主语、宾语、定语。[量]条。

例句 两点之间曲线要比直线距离长。|沿着这条曲线设了两处停车点。|曲线两头各有一个圆。

❷ 特指形体的线条。(sth., esp. a human body, or part of it having the shape of a curve)常做主语、宾语、定语。[量]条。

例句 这个花瓶的曲线很美。|穿这种紧身毛衣能显出女性的曲线。|为了保持身体的曲线美,她天天运动。

【曲折】 qūzhé 〔形/名〕

〔形〕❶ 弯曲;不直,引申为复杂,反复,不顺利。(winding; complicated)常做谓语、定语、状语、补语。

例句 前进的道路很曲折。你要做好吃苦的准备。|这部电影的故事情节曲折得很。|河边有一条曲折的小路。|这件事经历了许多曲折的过程。|我们的事业曲折地向前发展。|小河曲曲折折地流向远方。|这条路怎么修得那么曲折?

〔名〕复杂、不顺当的情节。(complications)常做主语、宾语。

例句 我这一生遇到了很多曲折。|这项事业经历了许多曲折,终于取得了成功。|做任何工作不可能没有曲折。

Q

【驱动】 qūdòng 〔动〕
推动。(drive; push)常做谓语。
例句 这台机器靠电力驱动。|好奇心驱动他去看看到底发生了什么事。|制造假货完全是利益驱动。

【驱逐】 qūzhú 〔动〕
赶走。(drive out; expel)常做谓语、定语、宾语。
例句 大学驱逐了几个来学校闹事的人。|春风已把冬日的寒冷驱逐尽了。|被驱逐的人群中有一名女性。|这些难民没有遭到驱逐。

【屈】 qū 〔动/形〕
〔动〕❶ 弯曲,使弯曲。(bend)常做谓语。
例句 这个动作要把膝屈到底。|请屈屈腿,让我过去。
❷ 对压力让步。(yield)常做谓语。多用于否定句。不能重叠。
例句 他宁死也不屈,真是一位英雄。|古人说过"富贵不能淫,威武不能屈"。
〔形〕受到不公正的对待而难过。(wrong; injustice)常做谓语、宾语。
例句 他觉得大家都不理解自己,心里有点屈。|这件事实在屈得慌。|这样对他太不公平了,大家都替他叫屈。

【屈服】 qūfú 〔动〕
对外来的压力让步,放弃斗争。(subdue; submit; yield; knuckle under)常做谓语(用在介词"于"后,可带宾语)、主语、宾语。
例句 我们决不向困难屈服。|年轻人不应该屈服于传统势力。|这种屈服和让步是不得已的。|大家坚决反对向对方屈服。

【屈指可数】 qū zhǐ kě shǔ 〔成〕
形容数目很少。(can be counted on one's fingers——very few)常做谓语、定语。
例句 我们班里像他这样的学生屈指可数。|他去过的国家屈指可数。|黄山是中国屈指可数的几大名山之一。

【趋】 qū 〔动〕
向某个方向发展。(tend to; incline to)常做语素构词,也做谓语。不能重叠。
词语 趋势 趋向 趋附
例句 有些鱼趋光,看见光亮就游过去。|我们的国家日趋繁荣。|经过讨论大家的意见趋于一致。

【趋势】 qūshì 〔名〕
事物发展的动向。(trend)常做主语、宾语。[量]个。
例句 现在,经济的发展趋势是好的。|和平与发展的大趋势是任何人也改变不了的。|这个国家的经济呈现出良好的发展趋势。|请问,您是否能够预测一下今后 HSK 的趋势?

【趋向】 qūxiàng 〔名/动〕
〔名〕事物发展的方向。(trend)常做主语,宾语。[量]个,种。
例句 世界人口的发展趋向引起了关注。|无论做什么事,都要把握好事物发展的趋向。
〔动〕事物向着某方面发展。(tend to; incline to)常做谓语。不能重叠。
例句 经过几次讨论,这项计划趋向合理。|在医生的积极抢救下,他的病情已经趋向稳定。|目前,大家的意见正在趋向于统一。

辨析 〈近〉趋势。"趋势"是名词；"趋向"还有动词的用法。

【趋炎附势】 qū yán fù shì 〔成〕

比喻奉承依附有权势的人。(curry favor with the powerful; play up to those in power; be a follower of the rich and powerful)做谓语，也可做主语、定语、状语。

例句 他不愿意趋炎附势。|现在有些人专门趋炎附势。|趋炎附势是他的拿手戏。|趋炎附势的人都跟在老板后面转。|这个年轻人也趋炎附势地讨好老板。

【趋之若鹜】 qū zhī ruò wù 〔成〕

比喻像野鸭一样成群地跑过去。(go after sth. like a flock of ducks; scramble for sth.; go after in a swarm)常做谓语。

例句 现在流行上网，很多人趋之若鹜。|对于这种新产品，大家趋之若鹜。|有的人喜欢看热闹，有什么事就趋之若鹜。

【渠】 qú 〔名〕

人工开挖的水道。(canal; channel)常做主语、宾语。也做语素构词。[量]条。

词语 水渠 渠道 沟渠

例句 这条渠对这里的农业有很大的作用。|这里计划开挖一条新渠。

【渠道】 qúdào 〔名〕

❶ 人工开挖的水道，用来引水。(canal)常做主语、宾语、定语。[量]条。

例句 这条渠道总长 30 公里。|水库周围布满了大大小小的渠道。|渠道里的清泉源源不断地送到市区。

❷ 门路、途径。(channel; way)常做主语、宾语。[量]条。

例句 各方面的渠道都已经打通了。|这样不成，能不能再找找别的渠道？|通过这条渠道，他们引进外资上亿美元。

【取】 qǔ 〔动〕

❶ 把东西从别的地方拿到自己身边。(take; fetch; get)常做谓语。

例句 下午，我得到邮局取邮包。|对不起，我忘了带照相机，我马上回去取。|护照已经取回来了。|他从书包里取出书，准备上课。

❷ 得到。(seek; gain; incur)常做语素构词。

词语 取得 取乐 取暖 取胜 取笑 取信

例句 冬天，我们用电炉子取暖。|拿别人缺点取乐不礼貌。|这样残暴的统治只能是自取灭亡。

❸ 采用；选用。(select)常做语素构词，也做谓语。

词语 取道 录取 取材 取舍

例句 她刚来中国，还没取中文名字。|你看看这篇文章有没有可取之处。

【取长补短】 qǔ cháng bǔ duǎn 〔成〕

吸取长处来弥补短处。(learn from others' strong points to offset one's own weaknesses; overcome one's weaknesses by acquiring other's strong points)常做谓语。

例句 我和同屋今后要取长补短，互相帮助。|老师希望大家互相学习，取长补短。|全班同学只有互相取长补短，才能不断进步。

【取代】 qǔdài 〔动〕

Q

排除别的人或事物并占有其位置。(replace; substitute for)常做谓语。

例句 汉字是任何字母无法取代的。|新政府取代了旧政权。|他想取代经理的位置。

【取得】 qǔdé 〔动〕

得到。(gain; obtain)常做谓语、主语。不能重叠。

例句 这次演唱会取得了巨大成功。|我没法跟他取得联系。|这样的好成绩,我只取得过两次。|成绩的取得全靠大家的努力。

【取而代之】 qǔ ér dài zhī 〔成〕

以某人(或某事物)替换别人(或其他事物)。(replace sb.; take over)常做谓语。

例句 大内想把经理赶下台,然后取而代之。|他瞧不起上司,时时刻刻想取而代之。

【取消】 qǔxiāo 〔动〕

使原有的法律、制度、资格等失去效力。(cancel)常做谓语。不能重叠。

例句 这次运动会由于天气原因取消了。|对违反法律的学生必须立即取消他的学习资格。|这项不合理规定取消得非常得人心。

【曲】 qǔ 〔名〕 另读 qū

❶ 歌谱,乐谱。(music)常做主语、宾语。

例句 这首歌的词和曲是一个人写的。|这首歌是谁作的曲?

❷ 歌唱的作品。(song)常做主语、宾语。也做语素构词。

词语 歌曲　曲调　曲目　曲艺

例句 一曲唱罢,台下爆发出热烈的掌声。|再给大家演奏一曲吧。

【曲高和寡】 qǔ gāo hè guǎ 〔成〕

比喻知音难得,多指言论或艺术作品不通俗,能了解的人很少。(too highbrow to be popular; highbrow songs find few singers)常做谓语、定语,或做小句。

例句 陈教授曲高和寡,真正能了解他的人太少了。|这部电影曲高和寡,没几个人看得懂。|那位曲高和寡的老人,显得有些古怪。|来观看演出的人不太多,这并不奇怪,曲高和寡嘛!

【曲子】 qǔzi 〔名〕

歌谱,歌曲。(music; song)常用主语、宾语、定语。[量]支,首。

例句 你听,这支曲子怎么样?|他写的词,我给谱的曲子。|给大家唱一首新曲子吧。|这个曲子演唱难度很大。

【娶】 qǔ 〔动〕

男子把女子接过来结婚。(marry)常做谓语。

例句 怪不得他们家今天这么热闹,原来是老大娶亲。|我们同学中,大多数人都已经娶妻生子了。

【去】 qù 〔动〕

❶ 从所在地到别的地方。(go)常做谓语。

例句 A:你去哪儿? B:我去学校。|听说玛丽去北京了。|我到他家去过一趟。|您等一下,我去去就来。

❷ 除掉。(remove; wipe off)常做谓语。

例句 香蕉要去皮吃。|打太极拳可以去病强身。|把这个字去了,这句话就通了。|先去去泥,再把皮削了。

❸ 离开。(go away)常做语素构词。也做谓语、主语。不能重叠。

词语 去世　去职　扬长而去

Q

例句 听说他去职了。|想走就走吧,我们这儿去留两便。

❹ 表示要做某事。(go to do sth.)常用于动词性词语前后,构成短语做谓语。不能重叠。

例句 你去好好想想吧。|A:你干什么去? B:我理个发去。|我去买东西,你呢?

❺ 表示动作的方向。(thither; away; there)常做补语。不能重叠。

例句 国家给灾区运去了粮食、药品等物资。|他从这儿借去了不少书。|我们目送他向门口儿走去。

❻ 死。(die)常做谓语,不重叠。

例句 他就这样平静地去了。|老人是两年前去的。

【去年】 qùnián 〔名〕

今年的前一年。(last year)常做主语、宾语、定语、状语。

例句 去年发生了一件大事。|去年是我提高汉语水平关键的一年。|就在去年,她决定到中国留学。|我的毕业时间是去年。|去年这个时候,我还一句汉语也不会说。|那是去年的事了。|去年,学校建了一座新留学生宿舍楼。|这几个学生去年来过一次,今年是第二次了。

【去世】 qùshì 〔动〕

(成年人)死去。(die)常做谓语、主语、宾语。

例句 我爷爷早就去世了。|我5岁的时候,父亲去世了。|她的父母已经去世好几年了。|刘老师的去世使我们深感悲痛。|大家都对这位老朋友的去世表示了怀念之情。

【去向】 qùxiàng 〔名〕

去的方向。(whereabouts; the direction in which sb. or sth. has gone)常做谓语、主语、宾语。

例句 马克去旅游了,不知去向。

【趣】 qù 〔名/形〕

〔名〕使人愉快的感觉。(delight; pleasure)常做宾语(读做"趣儿")。

例句 这孩子活泼有趣儿,大家都喜欢。|留学生都觉得包饺子有趣儿。|大家都没理他,他讨了个没趣。

〔形〕有意思的。(interesting)常做定语。

例句 你给大家说点儿旅行趣事吧。|报纸上每天都有不少趣闻。

【趣味】 qùwèi 〔名〕

使人愉快,感到有意思的,有吸引力的感觉。(gusto; delight; interest)常做主语、宾语、定语。[量]种。

例句 他们两个人趣味相投。|这种游戏,趣味无穷,孩子们都喜欢。|他觉得学习汉语特别有趣味。|常穿什么衣服可以显示出一个人的趣味。|趣味教学可以增加孩子们的学习兴趣。|有些学校在试验趣味教育法。

【圈】 quān 〔名/动/量〕另读 juān,juàn

〔名〕❶ 环形物。(circle; ring)常做主语、宾语。常读"圈儿"。[量]个。

例句 这个圈儿不太圆。|老师在纸上画了一个圈儿。|我画的圈儿不如你画的圆。|老师让同学们坐成一个圈儿。

❷ 范围。(circle; group)常做语素构词或用于短语。

词语 包围圈 影视圈 娱乐圈 圈内(外) 社交圈

例句 对方对我们形成了一个包围圈。|我的社交圈很小。

〔动〕围住;画圈儿做记号。(encircle; mark with a circle)常做谓语。

词语 圈定 圈阅

例句 他在书上圈了几个记号。|老师在错字的上面都圈了一下。|爸爸用竹子圈出一个小花园。

〔量〕用于环形的事物。(used for things in the shape of a circle)常构成短语做句子成分。

例句 我每天早晨都要在操场上跑圈儿。|飞机在城市上空绕了一圈,才开始降落。|那儿围了一圈人,不知道发生了什么事。

【圈套】 quāntào 〔名〕

使人上当受骗的计策。(trap; toil; web; snare)常做宾语、主语。[量]个。

例句 他中了坏人的圈套。|这很可能是一个圈套,别去!|对你们的圈套,我们早有准备。|对方的圈套被我们识破了。

【圈子】 quānzi 〔名〕

❶ 环形,环形物。(ring; circle)常做宾语。[量]个。

例句 同学们在火堆旁围成了一个圈子。|说话不要绕圈子。|我绕了几个圈子才找到这家书店。

❷ 集体的范围或活动的范围。(circle; group)常构成短语,也做主语、宾语、定语。

词语 文艺圈子 体育圈子 生活圈子

例句 老人家生活的圈子比较小。|他陷入那个是非圈子,不能自拔。|圈子里的事,大家都明白。

【权】 quán 〔名〕

❶ 权力。(power; authority)常做主语、宾语。

例句 在古代,所有大权都掌握在皇帝手中。|权和钱搞交易,就会产生腐败。|我们有权提出不同的意见。|议会不是少数人掌权。|一定要坚决制止以权谋私。

❷ 权利。(right)常做语素构词,或用于短语中。

词语 发言权 主动权 发球权 人权 公民权 选举权

例句 不了解情况就没有发言权。|人权最主要的是生存权和发展权。|选举权和被选举权是公民权的一部分。

【权力】 quánlì 〔名〕

政治上的强制力量。(power; authority) 常做主语、宾语、定语。[量]个,种。

例句 权力不能过于集中。|个人的权力太大,就容易出问题。|人民给我们权力,是要我们为人民服务。|在政府中这个机关最有权力。|人民代表大会是国家权力机关。权力的作用可真大。

辨析 〈近〉权利。“权力”重在力量,“权利”重在利益。“权力”运用于国家机构、领导人等等;“权利”适用于人民、公民、群众。如:* 妇女应当享有与男子平等的权力。(“权力”应为“权利”)| * 市长有很大的权利。(“权利”应为“权力”)

【权利】 quánlì 〔名〕

公民或组织成员依法律享有的权力和利益。(right)常做主语、宾语。

例句 公民的权利应受到法律保护。|企业的合法权利必须维护。|这是我的权利,谁也不能侵犯。|只有承担了义务,才能去享受权利。

【权威】 quánwēi 〔名/形〕

〔名〕使人信服的力量或在某个范围

内被公认最有影响的人或事物。(a person or sth. of authority)常做宾语、主语、定语。[量]个,种。

例句 他在汉学界很有权威。|我们校长是国际知名的学术权威。|没想到,这位权威居然也犯了一个错误。|不要过于迷信权威人物。

〔形〕具有使人信服的力量和威望的。(authoritative)常做定语、谓语。不能重叠。

例句 周末有位汉学界的权威人士来讲课。|实践是理论的权威检验者。|还是他的看法比较权威。|这两本书比较起来,国内的这本更权威一些。

【权限】 quánxiàn 〔名〕

职权范围。(limits of authority)常做主语、宾语、定语。[量]个。

例句 这个权限太大了,需要加以限制。|我可没有那么大的权限。|你这么做不是超越权限了吗?|这不是我权限范围之内的事,我管不了。

【权宜之计】 quányí zhī jì 〔成〕

为应付某种情况而采取的临时措施。(an expedient measure; make-shift)常做宾语、主语。

例句 这只是权宜之计。|没有办法了,只好想出这个权宜之计。|那么,你的权宜之计又是什么呢?

【权益】 quányì 〔名〕

应该享有的权利、利益。(rights and interests)常做主语、宾语、定语。

例句 我的合法权益受到了侵害。|应该保护消费者的权益。|为了维护公司的权益,我们将起诉对方。|每年3月15号是中国的消费者权益日。

【全】 quán 〔形/副〕

〔形〕❶ 齐备。(complete)常做谓语、补语。

例句 这家商店的家用电器很全。|我爱集邮,各种邮品全得很。|人还没来全,好像还差两个。|中国菜太丰富了,怎么也吃不全。

❷ 整个。(whole)常做定语。也做语素构词。

词语 全部　全局　全力　全面　全民　全身　全体　全球　全文

例句 全校有三千多名留学生参加了这次植树活动。|每次比赛他都是全身心地投入进去。

〔副〕都,没有例外。(entirely; completely)常做状语。

例句 你们班的同学全来了吗?|十年不见,这里的一切全变了样儿。|她怎么想的,我全知道。

辨析 〈近〉都。“全”有形容词用法,而“都”没有。“都”有“甚至”的意思,而“全”没有。如:全新的面貌|*她连觉全没睡。(“全”应为“都”)

【全部】 quánbù 〔名〕

整个;整体中各个部分的总和。(whole)常做定语、状语、宾语。

例句 她把自己的全部精力都投入到学习中了。|全部资料都在这儿。|老人的全部财产都捐给了“希望工程”。|学习结束了,留学生们今日内全部离校了。|问题已经全部解决。|这次学习了不少语法,但还不是全部。

【全都】 quándōu 〔副〕

指全体中的每一个体,没有例外。(all)做状语。

例句 客人们全都走了。|大雪过后，山川、大地、房屋，全都是白茫茫的。|这几场比赛我们全都赢了。

【全会】 quánhuì 〔名〕
全体会议的简称。(plenary session)常做主语、宾语、定语。[量]次，届。

例句 上届全会提出了加强法制的任务。|我们计划在下个月召开一次全会。|本次全会的代表已全部到齐。

【全集】 quánjí 〔名〕
一个作者的全部作品编在一起的书。(collected edition; collected works)常做书名，也做主语、宾语、定语。[量]部，套。

词语《鲁迅全集》《老舍全集》《莎士比亚全集》

例句 |这部全集将于近日出版。|他最大的愿望就是出版自己的全集。|该套全集的最后一部书已经完成。

【全局】 quánjú 〔名〕
整个的局面。(the overall situation)常做主语、宾语、定语。[量]个。

例句 事情发展的全局都掌握在我们手里。|看事物要把握全局，要有一个全局观念。

【全力】 quánlì 〔名〕
全部力量。(all-out; with all one's strength)常做宾语、状语。

例句 我会尽全力。|尽管大家用尽了全力，可比赛还是输了。|我一定全力支持你们。|您放心，我会全力去做的。

【全力以赴】 quánlì yǐ fù 〔动短〕
用全部的力量或精力去做。(do with all one's strength; go all out)常做状语、谓语。

例句 我一定全力以赴地去做。|请大家放心，这件事我一定全力以赴。

【全面】 quánmiàn 〔形〕
各个方面的总和。(overall)常做谓语、定语、状语、补语。不能重叠。

例句 他对汉语语法的掌握比较全面。|你的看法很全面。|需要制订一个全面计划。|我们对经济形势要有一个全面的估计。|我们应该学会全面地看问题。|公司的计划已经全面完成了。|因为了解的情况不多，所以报告不会写得很全面。|制定计划时应该考虑得全面一些。

【全民】 quánmín 〔名〕
一个国家内的全体人民。(the whole people)常做定语、主语。

例句 这是一项全民的体育运动。|改革关系到全民的长远利益。|全民动员，消灭老鼠。

【全神贯注】 quán shén guàn zhù 〔成〕
精神高度集中。(be absorbed in; be preoccupied with)常做谓语、定语、状语。

例句 课堂上，大家都全神贯注。|全神贯注的孩子们一动不动听得入了迷。|大家全神贯注地盯着演讲者。|同学们一个个都全神贯注地答题。

【全体】 quántǐ 〔名〕
各部分或各个个体的总和(多指人)。(all; whole)常做主语、定语、宾语。

例句 明天的会议要求全体出席。|我们班全体都参加了这次 HSK。|全体同学都参加了毕业典礼。|在

Q

欢迎大会上，我代表全体老同学发言。|看问题不但要看到部分，还要看到全体。

【全心全意】 quán xīn quán yì 〔成〕
用全部的精力。(whole-heartedly)常做状语、谓语、定语。

例句 每个公务员都应该全心全意为人民服务。|女朋友病了，他全心全意地在医院照顾她。|她对朋友真是全心全意。|他们那种全心全意的工作态度值得我们学习。

【泉】 quán 〔名〕
❶ 从地下流出的水。(spring)常做语素构词，也用于固定短语。

词语 泉水 温泉 矿泉 喷泉 源泉 清泉 甘泉

例句 附近有一所温泉疗养院。|欧美城市喷泉比较多。

❷ 流出泉水的洞。(the mouth of a spring)常做主语、宾语、定语。[量]眼。

词语 趵突泉 虎跑泉

例句 山上以前有一眼泉，现在这眼泉已经干了。|泉水泡茶最好。

【拳】 quán 〔名〕
❶ 五指收紧后的手。(fist)常做宾语。

例句 他愤怒地挥了挥拳。|比赛中，出拳一定要快。|这个武术动作要求双手握拳。

❷ 空着手的武术。(boxing)常做语素构词，也做主语、宾语。[量]套，手。

词语 拳术 太极拳 长拳 蛇拳 醉拳

例句 这套拳，我练了几个月。|张老师打得一手好拳。|每天早晨，公园里都有几个老人练拳。

【拳头】 quántou 〔名〕
手指合拢后的手。(fist)常做主语、宾语。[量]只，个。

例句 你别招惹我，我的拳头可不认人。|他气得握紧了拳头。|大家挥动着拳头表示不满。

【拳头产品】 quántou chǎnpǐn〔名短〕
优异的、有市场竞争力的产品。(competitive products)常做主语、宾语。[量]个，种。

例句 我们公司的拳头产品已经打入了国际市场。|厂家没有自己的拳头产品就无法占领市场。

【犬】 quǎn 〔名〕
狗。(dog)常做语素构词或用于固定短语中。[量]只，条。

词语 警犬 牧羊犬 猎犬 军用犬 犬牙交错 犬马之劳 鸡犬不宁

例句 他狼狈得就像一只丧家犬。|城市里养狗得办“养犬证”。|这事闹得村子里鸡犬不宁。

【劝】 quàn〔动〕
用道理说服人，使人听从。(advise; try to persuade)常做谓语，常构成兼语句。

例句 你们劝劝她。|他们劝我别生气，我怎么能不生气呢？|大伙好不容易才把他劝走了。|他们去劝过几次，都没什么效果。|老师劝我再学习一年汉语。|别劝了，根本劝不了他。

【劝告】 quàngào 〔动/名〕
〔动〕用道理说服人，使人改正错误，接受批评。(advise; urge)常做谓

Q

语。常构成兼语句。

例句 我曾经劝告过他几次，他就是不听。|老师劝告我千万别放弃这次机会。|要不是老朋友及时劝告，我就放弃了。

〔名〕希望人改正错误或接受意见而说的话。(advice; exhortations)常做主语、宾语。

例句 这些劝告对他起了一点儿作用。|他根本听不进去别人的劝告。|他把大家的劝告当成耳旁风。

【劝说】 quànshuō 〔动〕

劝人做某件事情或对某种事情表示同意。(persuade; advise)常做谓语、宾语。

例句 老同学劝说我跟他一起学习汉语。|我劝说过好几次，他才答应。|他听了大家的劝说，没有一个人去旅游。

辨析 〈近〉劝告。"劝告"有名词的用法；"劝说"没有。"劝告"比较正式，多用于使人改正错误，或接受批评意见；"劝说"的使用范围较大。

【劝阻】 quànzǔ 〔动〕

劝人不要做某事。(dissuade sb. from; advise sb. not to)常做谓语。可构成偏正短语做主语、宾语。

例句 这事儿你们一定要劝阻他。|妈妈再三劝阻儿子不要跟坏人在一起。|谁也劝阻不了我跟她结婚的决心。|父母的劝阻让他放弃了一个人外出的想法。|由于大家的极力劝阻，他才没有犯法。|老张不顾别人的劝阻，坚持要亲自去。

【券】 quàn 〔名〕

票据或作为凭证的纸片。(certificate; ticket)常做语素构词。

词语 入场券　证券　债券

例句 一张入场券卖到一千块呢。|证券公司每天都挤满了炒股的人。

【缺】 quē 〔动〕

❶ 短少。(lack; be short of)常做谓语、定语。不能重叠。

例句 我们这里缺人，你能来吗？|已经几个月没下雨了，城市严重缺水。|这种药品从来没缺过。|缺的不是钱，而是时间。

❷ 残破。(be incomplete; be imperfect)常做谓语。

例句 这张桌子缺了一条腿儿。|老奶奶缺了好几颗牙，吃饭不得劲儿。

❸ 该到的没到。(be absent)常做语素构词，也做谓语、定语。

词语 缺席　缺勤　缺课

例句 你的课缺得太多了。|山田同学病了，缺了一个星期的课。|今天缺的人不多。

【缺点】 quēdiǎn 〔名〕

不足或不完善的地方。(shortcoming)常做主语、宾语。[量]个。

例句 我的缺点很多，请多帮助。|这台空调的缺点是费电。|每个人都有缺点，这就是人们常说的"人无完人"。|人只有正视自己的缺点，才能改正缺点。|对自己的缺点，应该有一个正确的认识。

【缺乏】 quēfá 〔动〕

〔动〕(需要的或应该有的事物)没有或不够。(be short of; lack)常做谓语、主语、宾语。不能重叠。

例句 这位设计师设计的服装缺乏现代意识。|考试没考好，主要是大家缺乏足够的思想准备。|水的缺乏给生产带来了很大的困难。|减肥不当造成了营养的缺乏。

【缺口】 quēkǒu 〔名〕
事物的短缺部分。(breach; gap)常做宾语、主语、定语。[量]个。
例句 小心,这个玻璃杯上有个缺口。|经过多次谈判,我们终于在商品价格上打开了缺口。|目前资金供应还有缺口。|大坝上那个大缺口经过连夜抢修终于堵住了。|我们就从墙的缺口处爬过去。

【缺少】 quēshǎo 〔动〕
没有或不够。(be short of)常做谓语、定语。
例句 我们办公室还缺少个人手。|有的年轻人缺少锻炼。|他的事业没成功,主要是缺少机会。|学费缺少的部分向父母借。|钙是人体不可缺少的成分。
辨析 〈近〉缺乏。"缺少"多用于口语;"缺乏"多用于书面语;表示具体的事物的量时,多用"缺少";表示比较抽象的事物的时候,多用"缺乏"。此外,"缺乏"还有形容词用法。如:缺少劳动力 缺少设备 缺乏思想准备 缺乏经验

【缺席】 quē xí 〔动短〕
开会或上课时没有到。(be absent)常做谓语、定语。中间可插入成分。
例句 今天没有人缺席。|缺席的人需要补课。

【缺陷】 quēxiàn 〔名〕
欠缺或不完备的地方。(defect; drawback)常做宾语、主语。[量]个,种。
例句 这个计划还有一些缺陷。|不要笑话别人生理上的缺陷。|应该正确认识自己的缺陷。|这个缺陷是无法弥补的。

【瘸】 qué 〔动〕
脚或腿有毛病,走路不平衡。(be lame; limp)常做谓语、定语、状语、补语。
例句 他小时候腿就有点儿瘸。|病人的脚瘸了多长时间了?|这桌子瘸了一只脚。|那只羊有条瘸腿。|昨天不小心把脚扭了,今天只得瘸着走路。|这孩子从楼上掉下来,摔瘸了腿。

【却】 què 〔副〕
但是;可是。(but)常做状语。
例句 本来我有事要告诉你,一时却想不起来是什么事了。|他刚开始学汉语,发音却比老同学好。|我帮了他,他却不高兴。|她又瘦又小,却跑得很快。

【确】 què 〔形〕
真实;坚定。(true; real)常做语素构词,也做状语、谓语。
词语 确实 确定 明确 准确 确信
例句 他讲的确是实情。|这里以前确有一棵树,后来不见了。|这药确能治病。|经查,此事不确。

【确保】 quèbǎo 〔动〕
确实地保持或保证。(ensure)常做谓语。不能重叠。
例句 一定要做好准备,确保这次HSK取得好成绩。|没有足够的资金,确保不了工程进度。|你陪他们旅游,一定要确保安全。

【确定】 quèdìng 〔动/形〕
〔动〕明确地肯定下来。(define; fix; determine)常做谓语、宾语、定语。
例句 我们的旅行路线还没确定下来。|究竟有多少人来,现在还不能确定。|我们已经确定了下一步的

计划。|经过讨论，合作的细节都得到了确定。|根据事先确定的方案，他当上了公司的业务经理。

〔形〕明确而肯定的。(definite)常做定语、状语。不能重叠。

例句 做事要有确定的思路。|他确定地回答：就是她！

【确立】 quèlì 〔动〕

牢固地建立或树立。(establish)常做谓语、定语、主语、宾语。

例句 我已经确立了自己的奋斗目标。|确立的目标不要随便改变。|企业形象的确立需要一个过程。|我在公司的地位得到了确立。

【确切】 quèqiè 〔形〕

准确恰当，真实可信。(exact; definite)常做谓语、状语、定语、补语。不能重叠。

例句 回答得对是对，但是不太确切。|这篇文章的用词十分确切。|你的概括确切极了。|确切地说，我对语法了解得还不够。|您能否给我一个确切的答案？|告诉我一个确切的消息。|他说得那么确切，我们无法不信。

【确认】 quèrèn 〔动〕

明确认定。(affirm)常做谓语、宾语。

例句 这是不是明代的作品，你来确认一下。|小姐，您能为我确认确认机票吗？|警察让他去确认一下身份。|他对汉学研究的贡献在会上再次得到了确认。|经过专家的确认，这件文物是唐代的。|消息准不准确，还有待进一步的确认。

【确实】 quèshí 〔形/副〕

〔形〕真实可靠。(true)常做定语、谓语、补语。

例句 我们已经得到了确实的消息。|这条消息不确实。|他的话确确实实，完全可信。|一定要把价钱打听得确确实实的。

〔副〕对客观事实的真实性表示肯定。(really)常做状语。

例句 这种药确实有很好的疗效。|十年不见，家乡确实发生了很大变化。|对不起，我确确实实忘了。|确实，他是作了不少贡献。

【确信】 quèxìn 〔动〕

确实地相信；坚信。(firmly believe; be sure)常做谓语。不能重叠。

例句 我确信考试一定能够成功。|大家确信他已经回国了。|人们无法确信消息是不是可靠。

【确凿】 quèzáo，旧读 quèzuò 〔形〕

非常真实可靠。(conclusive; established)常做谓语、定语、补语。

例句 证据确凿，你不承认也不行了。|警察已获得了确凿的物证。|一定要把材料搞得确确凿凿的。

辨析 〔近〕确切。“确切”重在符合实际；“确凿”重在准确、真实、不容怀疑。“确切”多用来形容语言文字、评价等准确、恰当；“确凿”多用来说明事实、证据的可靠程度。如：*这个评价比较确凿。(“确凿”应为“确切”)|*证据确切可靠。(“确切”应为“确凿”)

【裙】 qún 〔名〕

❶ 意义同“裙子”。(skirt)常做语素构词。

词语 裙子 裙带 超短裙 连衣裙

例句 有的女孩不爱穿短裙。

❷ 像裙子的东西。(sth. like a skirt)常做构词成分。

Q

词语 围裙 墙裙 裙楼

例句 把围裙系上吧，省得油了衣服。|你看墙裙刷什么颜色好？

【裙子】 qúnzi 〔名〕

一种围在腰部以下的服装。(skirt)常做主语、宾语、定语。[量]条。

例句 裙子做好了，你试一试吧。|运动的时候穿裙子不方便。|你这条裙子的样式挺漂亮。

【群】 qún 〔名/量〕

〔名〕❶ 聚在一起的人或物。(crowd;group)常做语素构词，或用于短语中。

词语 群众 群体 人群 马群 建筑群 群策群力

例句 人群中站起一个人。|河对岸是新市区的建筑群。|那群孩子真可爱。|远处有一群鸽子飞过来。|海边常可以看到一群群的海鸥。

❷ 成群的。(group)常做定语、状语。

例句 群山连绵不断，像一道城墙。|古时候人类过着群居的生活。

〔量〕用于成群的人或东西。(group; herd; flock)常构成短语做句子成分。

例句 宿舍外面有一群人。|草原上到处是一群一群的羊。

【群岛】 qúndǎo 〔名〕

海洋中互相接近的一群岛屿。(archipelago)常做主语、宾语、定语。[量]个。

例句 舟山群岛在东海。|他去过西沙群岛。|这座小岛是那个群岛的组成部分。

【群体】 qúntǐ 〔名〕

有共同性质的个人所组成的整体。(groups)常做主语、宾语、定语。[量]个。

例句 以中青年为主的教师群体在我们大学占重要地位。|我们的老师队伍是一个团结向上的群体。|城市建设应当照顾到残疾人这一特殊群体。|我们每一个成员都应当有群体意识。|这个领导班子群体素质比较高。

【群众】 qúnzhòng 〔名〕

❶ 人民大众；老百姓。(the masses)常做主语、宾语、定语。

例句 群众很关心这件事。|关心群众，为群众着想。|公司开展了群众体育活动。

❷ 不担任领导职务的人。(a member of the rank and file)常做宾语、主语、定语。

例句 我只是群众，说了不算。|干部要关心群众，千万不能脱离群众。|一般群众也能发表自己的意见。|群众的意见，领导应当认真听取。

R

【然】 rán 〔素〕

❶ 对;这样,那样。(*so; like that; correct*)常用于固定短语中。

词语 不以为然 不尽然

例句 知其然,不知其所以然。

❷ 表示转折或做形容词后缀。(*adverb or adjective suffix*)常用于构词。

词语 然而 突然 显然 欣然 忽然 飘飘然

【然而】 rán'ér 〔连〕

表示转折。(yet;but;however)用在句首,连接分句、句子、段落。

例句 马克这次HSK成绩不理想,然而他并不灰心。|宾馆的条件很好,然而服务不太好。|谁都想得第一名,然而第一名只有一个。

【然后】 ránhòu 〔连〕

表示接着某一动作或情况之后。(then;after that)用于后句开头,前句有时用"先"、"首先"等。

例句 先商量一下,然后再作决定。|先去上海,然后去广州。|先做皮试,然后注射。

【燃】 rán 〔动〕

火烧起来;引火点着。(burn)常做谓语、补语。

例句 游客和当地人在黑夜里燃起火炬跳起舞蹈。|他擦燃了一根火柴。|老人点燃了一支烟,慢慢地吸着。

【燃料】 ránliào 〔名〕

能燃烧提供能量的物质。如煤、天然气等。(fuel)常做主语、宾语、定语。

例句 城市做饭用的燃料是天然气。|这种方法节约燃料。|我们大学一年的燃料费用是一百多万。

【燃烧】 ránshāo 〔动〕

物质着火;也比喻像火一样的事物或强烈的感情。(burn)常做谓语、定语。

例句 地面上燃烧着一堆火,同学们围着火跳舞。|这些东西很容易燃烧,要小心。|爱情的火燃烧着两个年轻人的心。|大火燃烧起来了。|她的红裙子像一团燃烧的火。

【染】 rǎn 〔动〕

❶ 给物体涂上色。(dye)常做谓语、定语。

例句 日出时,大海被染红了。|姑娘们把指甲染成各种颜色。|小伙子把头发染成了红色。|染的头发还是不如自然的。|染的衣服容易褪(tuì)色。

❷ 因为接触而带上。(catch; acquire)常做谓语。

例句 我不知怎么就染了这种病。|他染上了赌博的恶习。|小心染上艾滋病。

【染料】 rǎnliào 〔名〕

能给纤维等材料上色的物质。(dye;dye stuff)常做主语、定语、宾语。[量]种。

例句 这家工厂生产的染料大部分出口。|这些布料都是用纯天然染料染的。|这个染料厂因为污染太严重而被关闭了。

【嚷】 rǎng 〔动〕

喊叫;吵闹。(shout; yell)常做谓语。

例句 别嚷了，人家都睡觉了！|晚上总有人在宿舍里大声嚷，影响别人的休息。|再嚷也没有用，还是想别的办法吧。|A：你嚷嚷什么？B：我的钱包丢了！

【让】 ràng 〔动/介〕

〔动〕❶ 把方便或好处给别人。(give way; give ground; modestly decline)常做谓语。

例句 在公共汽车上，年轻人给老人让座。|对不起，请让一让，我要过去。|姐姐总让着弟弟。|大家让开了中间的路。|我跟同屋一直互谅互让。|他把机会让给了别人。

❷ 请人接受招待。(invite; offer)常做谓语。

例句 每次去他家，他总是热情地让茶、让烟。|老师把我们让进客厅。|酒就别让了，谁能喝多少就喝多少。

❸ 转给，卖给别人。(make over)常做谓语。

例句 要回国了，这套书你打算让人吗？|你能不能让间屋子给我住。|这是他主动让的，不是别人要求的。

❹ 使；容许，可用于表示愿望。(let; allow; permit)常做谓语。

例句 让我仔细想想。|父母让我去北京学汉语，可我想去上海。|这件事非常让人难过。|让我们的友谊万古长青！|A：对不起，让你久等了。B：没关系！|A：请问，这儿让照相吗？B：对不起，不让。

〔介〕表示主语是承受动作的，后接动作的发出者。(by)常构成介宾短语做状语。

例句 你让什么东西给弄得这么脏？|活儿都让他们干完了。|自行车让人借走了。|所有的饺子都让他们吃完了。

辨析 〈近〉被。"被"后的施动者可省略，"让"不行。如：* 门让吹开了。("让"应为"被")

【让步】 ràng bù 〔动短〕

部分地或全部地放弃自己的意见或利益。(give in; give way)常做谓语、宾语、主语。中间可插入成分。

例句 考虑以后，我们决定让步。|这一次，你们能不能让让步？|经过谈判，对方公司终于让步了。|双方都作了一些让步，才签订了合同。|不要把别人的让步当成害怕他。|我们的让步是有条件的。

【饶】 ráo 〔动〕

宽容；免除处罚。(forgive)常做谓语。

例句 饶他一回|这是他第一次犯错误，饶他一次吧。|他说话不饶人。|这次饶了你，如果再犯决不轻饶。|你这样的问题要是叫经理知道，决饶不了你。

【扰】 rǎo 〔动〕

(动作、声音等)影响别人，使人不安。(disturb; trouble)常用于构词，也做谓语。

词语 干扰　扰乱　打扰

例句 政府处理了夜间施工造成的噪声扰民的问题。

【扰乱】 rǎoluàn 〔动〕

搅乱；使混乱或不安。(disturb; create confusion)常做谓语。

例句 任何人不得扰乱学校的秩序。|在宿舍举行晚会可能会扰乱大家的生活。|他由于扰乱社会治

安被警察带走了。|这么随便传假消息不是扰乱人心吗?

【绕】 rào 〔动〕

❶ 围着转动。(move round; circle; revolve)常做谓语。

例句 月亮绕着地球转,地球绕着太阳转。|新同学坐学校的车在城里绕了一圈。|运动员绕场一周,向观众致谢。|小朋友们做游戏,围着老师绕起圈儿来了。

❷ 走弯曲、迂回的路;也指说话不直接。(get around)常做谓语。

例句 小船绕过了河中的另一条大船。|我们绕过大门来到办公室。|前面出了问题,除了多绕路没有别的办法到那儿。|从这儿走太绕了。|你说话别绕弯子了,就直说吧。

【惹】 rě 〔动〕

❶ 招引;引起(不好的事情)。(invite or ask for)常做谓语。

例句 这个孩子惹事了,昨天打坏了窗户玻璃。|一句话没说好,惹出了很大的麻烦。|你别再给我惹麻烦了。

❷ (言语、行动)让对方生气。(offend)常做谓语。

例句 不要把他惹翻了。|这个人脾气很大,不好惹。|把我惹火了,可就不客气了。

❸ (人或事物的特点)引起爱憎等的反应。(attract; cause)常做谓语。

例句 为了惹人注意,她特意戴了顶红帽子。|这位先生实在惹人讨厌。|一句话把大家惹得哈哈大笑。

【热】 rè 〔形/动〕

〔形〕温度高;感觉温度高。(hot)做谓语、定语、补语。

例句 外面很热,屋里不太热。|天气渐渐地热起来了。|走了两个多小时,大家又热又累又渴。|今年夏天热得厉害。|天气很冷,但在食堂有热菜热饭。|多少年来,还没有遇到过这么热的天气。|被雨淋了,喝一杯热咖啡吧。|水已经烧热了。|沙滩被晒得热热的。

〔动〕使温度升高。(heat up)常做谓语。

例句 服务员热了一杯咖啡给那位老人。|水已经热在炉子上了。|菜都凉了,拿去热一热吧。

【热爱】 rè'ài 〔动〕

非常地爱。(ardently love; have deep love for)常做谓语、主语、宾语。

例句 中国人民热爱和平。|尽管在外多年,可他始终热爱着自己的祖国。|她非常热爱教师这个职业。|对本职工作的热爱使他们走到了一起。|这位欧洲老人对中国文化有着浓烈的热爱。

【热潮】 rècháo 〔名〕

热烈发展的形势。(great mass fervour)常做主语、宾语、定语。[量]个。

例句 学习汉语的热潮正在世界各地兴起。|一个积极提高口语水平的热潮正在各国留学生中形成。|全世界掀起了保护环境的热潮。|许多普通市民积极参加到学外语热潮之中。

【热带】 rèdài 〔名〕

赤道两侧的地带,是世界上最热的地区。(the tropics; the torrid zone)常做主语、宾语、定语。

例句 热带是最热的地区。|新加坡在热带。|热带国家没有冬天。|那里有大片的热带雨林。

【热泪盈眶】 rè lèi yíng kuàng 〔成〕
眼里含满了眼泪。(one's eyes brimming with)常做状语、谓语、补语。
例句 看到丢了的护照被警察送了回来,玛丽热泪盈眶地说:"太谢谢了!"|听到这个好消息,大家都热泪盈眶。|知道儿子获奖的消息,他热泪盈眶,激动得一句话也说不出来。|这部电影太好了,观众都感动得热泪盈眶。

【热烈】 rèliè 〔形〕
兴奋激动,情绪高涨。(warm; enthusiastic; animated)常做谓语、定语、状语、补语。不能重叠。
例句 口语课上,大家的发言十分热烈。|毕业晚会的气氛热烈极了。|他对她的感情热烈得像一团火。|演出结束时,全场响起了热烈的掌声。|我从没见过这样热烈的场面。|演讲比赛结束时,全场长时间热烈鼓掌。|各国大学生热烈响应"保护环境"的倡议。|讨论进行得很热烈。

【热门】 rèmén 〔形/名〕
〔形〕吸引人的。(arousing popular interest; popular; in great demand)常做谓语、定语。
例句 眼下汉语专业很热门。|那种商品不怎么热门。|报纸都在谈论这个热门话题。|热门货就是卖得快。
〔名〕吸引许多人的事物。(something in great demand)常做宾语、主语。
例句 没想到房屋中介成了热门。|不要只钻热门,热门也会变成冷门。

【热闹】 rènao 〔形/动/名〕
〔形〕(景象)繁荣活跃。(lively; bustling with noise and excitement)常做谓语、定语、状语、补语。
例句 新开业的商场十分热闹。|学校附近的街上很热闹。|春节时,到处是热闹的景象。|很多人都喜欢住在热闹的地方。|新年晚会正在热闹地进行着。|大家热热闹闹地玩了一阵。|圣诞晚会上大家玩得真热闹。
〔动〕使场面活跃;精神愉快。(liven up; have a jolly time)常做谓语。
例句 我们老朋友重逢,该热闹热闹。|今晚是同屋生日,我们要好好地热闹一番。
〔名〕热闹的景象。(a thrilling sight; a scene of bustle and excitement)常做宾语。
例句 春节时,外国人也到街上看热闹。|你们玩什么?我也来凑个热闹。|你来看什么热闹?

【热情】 rèqíng 〔形/名〕
〔名〕热烈的感情。(enthusiasm; zeal; warmth)常做主语、宾语。
例句 现在,大家学汉语的热情越来越高。|他的热情终于感动了大家。|我是怀着学习中国文化的热情到中国的。|观众对这次音乐会表现出极大的热情。|一来中国,他就以满腔的热情投入到汉语学习中去。
〔形〕有热情的。(fervent; warm)常做谓语、定语、状语、补语。
例句 那个城市的人热情好客。|中国朋友对我热情极了。|这里的服务员不太热情。|晚会上热情的年轻人跳起舞来。|对方热情的话感动了我。|音乐会上,热情的观众

鼓起掌来。|市长热情地同他握手。|校长热情地接待了反映问题的同学。|宾馆的服务员服务得十分热情、周到。

【热水瓶】 rèshuǐpíng 〔名〕

保存热水的保温瓶。(thermos bottle; vacuum bottle)常做主语、宾语、定语。[量]个。

例句 这种电热水瓶很实用。|留学生宿舍给每个房间提供热水瓶。|买个小热水瓶,旅行可以用。|热水瓶的保温时间一般是一天吧?

【热线】 rèxiàn 〔名〕

❶ 为了便于马上联系而经常准备着的直接连通的电话线路。(hot line)常做定语、宾语、主语。[量]条。

例句 电台开通了热线电话。|热线服务很受欢迎。|"110"开通了助人热线。|不知为什么,那个部门关闭了服务热线。|投诉热线最近特别忙。|这条热线很难打进去。

❷ 通向热点的路线。(hot line)常做主语、宾语、定语。[量]条。

例句 旅游热线总有许多游客。|这条热线吸引了不少游客。|国际旅行社新开辟了好几条热线。|为了防止拥挤,最好避开热线。|这条热线的服务还要加强。|"五一"黄金周期间,热线景点人满为患。

【热心】 rèxīn 〔形/动〕

〔形〕有热情,有兴趣,肯尽力。(enthusiastic; warmhearted)常做谓语、定语、状语,

例句 班长对工作又积极又热心。|有的人对别人的事不热心。|热心的老同学帮我办好了入学手续。|没想到,关心这件事的热心人还真不少。|他总热心帮助别人,大家都说他是个好人。|售货员热心地为我挑选了带回国的礼物。

〔动〕热情并尽力做。(warmheartedly serve)常做谓语。

例句 父亲一生热心教育事业。|回国后,她一直热心于介绍中国文化。

【人】 rén 〔名〕

❶ 能制造并使用工具进行劳动的高等动物;还可以指别人。(human being; people; other people)常做主语、宾语、定语。[量]个。

例句 这些人都是北京大学的留学生。|外国人来中国应该办理手续。|他人努力,也聪明,汉语水平提高很快。|中午休息,办公室没有人。|我们这里缺人。|A:你是哪国人?B:你看呢?|人的名字真是各种各样。|大家都不知道这个人的想法。

❷ 指某一类人。(a person engaged in a particular activity)常用于构词。

词语 工人 军人 客人 病人 介绍人

【人才】 réncái 〔名〕

有某种特长和能力的人。(talent; a person of ability)常做主语、宾语、定语。[量]个。

例句 我们国家的汉语人才比较少。|由于效益不好,这家公司的人才都离开了。|现在特别需要高水平的汉语人才。|这所大学专门培养外语人才。|这个小伙子很不错,是个人才。|人才的最大特点就是与一般人不一样。|人才的培养是一个大问题。

【人道主义】 réndào zhǔyì 〔名短〕

关怀人、尊重人、以人为中心的思

R

想。(humanitarianism)常做主语、宾语、定语。

例句 人道主义起源于欧洲文艺复兴时期。|医生应该救死扶伤,实行人道主义。|联合国在那个国家开始人道主义行动。|帮助落后国家符合人道主义精神。

【人浮于事】 rén fú yú shì 〔成〕

人员过多或人多事少。(have more hands than needed; be overstaffed)常做谓语、定语。

例句 以前,这家公司人浮于事,效率低下。|人浮于事的现象必须要改革。|现在还有人浮于事的单位。

【人格】 réngé 〔名〕

人的道德品格。(personality; human dignity)常做主语、宾语、定语。[量]种。

例句 虽然他是个普通人,但他人格高尚。|这个作家的一生体现着伟大的人格。|请尊重别人的人格。|我可以用人格担保。|父亲的人格力量鼓舞着我,我一定要把汉语学好。|学生们很喜欢李教授的人格魅力。

【人工】 réngōng 〔形/名〕

〔形〕人做的(区别于"自然、天然"的)。(man-made; artificial)常做定语。

例句 这个病人要做人工呼吸。|很久没下雨了,只好进行人工降水。

〔名〕❶ 工作的计算单位,一个人做工一天。(man-day)常做主语、宾语、定语。[量]个。

例句 三个人工加上一台机器,这些活儿两天可以干完。|修理这座房子需用多少人工?|一个人工的费用是多少?

❷ 人力;人力做的工。(manual work; work done by hand)常做宾语、定语。

例句 这些工作都可以用机器,不用人工。|人工操作比不上用电脑控制。

【人家】 rénjiā 〔名〕

住户;家庭。(household; family)常做主语、宾语。[量]个,户。

例句 这里原来一户人家也没有,现在建起了许多楼房。|那里的人家一般都很整洁。|山坡上还住着几户人家。|在农村参观时,留学生访问了一些人家。

【人家】 rénjia 〔代〕

❶ 说话人和听话人以外的人,与"别人"或"他、他们"差不多。(others; other people)常做主语、宾语、定语。

例句 人家说考试不难,我也觉得这样。|大概人家不来了。|那家公司要人,我去应聘,人家会要吗?|把这些书送给人家吧!|大家都希望我努力学习,我要不努力,怎么对得起人家呢?|多学习人家的长处。|不要总是看到人家的毛病。

❷ 说话人自己,相当于"我"。(I; me)常做主语、定语、宾语。

例句 妈,人家已经不是小孩子了,别管我了。|你让我给你借小说,人家借来了,你又不看。|我已经决定了,人家的事,不用你管。|弄坏了人家的东西,还不许人家说,哪有这个理儿?|你不帮我,还笑话人家!

【人间】 rénjiān 〔名〕

人类社会;社会上。(man's world; the world)常做定语、宾语、主语。

例句 这个地方真是人间乐园。|

老人病了很久，最后离开了人间。|每个人都是没有选择地来到人间。|人间是实在的，天堂不是实在的。

【人杰地灵】 rén jié dì líng 〔成〕

地方灵秀，产生了杰出人物。(a place propitious for giving birth to great men; the greatness of a man lends glory to a place)常做谓语、定语。

例句 四川省的乐山市人杰地灵，值得去旅游。|人杰地灵的江南出过多少优秀的人才啊!

【人尽其才】 rén jìn qí cái 〔成〕

每个人都充分发挥自己的才能。(make the best possible use of men)常做谓语、宾语。

例句 我们公司能人尽其才，你来我们公司工作吧。|我们努力做到人尽其才。|为了人尽其才，给他安排这个工作真是再合适不过了。

【人均】 rénjūn 〔形〕

按每人平均计算。(per capita)常做定语、状语。

例句 你知道中国的人均收入吗?|这个城市的人均住房面积达到了30平方米。|学校的图书馆有一百多万册书，人均五十多本。

【人口】 rénkǒu 〔名〕

❶ 住在一定地区的人的总数。(population)常做主语、定语、宾语。

例句 这个地区的人口达130多万。|你们国家的人口有多少?|中国有十三亿人口。|中国进行过五次人口调查。

❷ 一户人家的人的总数。(number of people in a family)常做主语、宾语。

例句 他们家人口不多。|父亲一个人的工资要养活全家人口。

【人类】 rénlèi 〔名〕

人的总称。(mankind; humanity)常做定语、宾语、主语。

例句 你知道人类社会有多少年历史了?|我们应该了解人类的历史。|对环境的保护有利于全人类。|人类应该消灭战争。|人类在不断地进步。

【人力】 rénlì 〔名〕

人的劳力；人的力量。(labor power; manpower)常做宾语、定语、主语。

例句 应该节约人力、物力。|这个工作需要很多人力。|市场需要多种人力资源。|人力可以用机器来代替。

【人们】 rénmen 〔名〕

许多人。(people; men; the public)常做主语、宾语、定语。[量]些。

例句 这里的人们都很热情。|天冷了，人们都穿上了冬装。|我们应该帮助那些困难的人们。|他很感谢那些帮助过自己的人们。|上班的时候，人们的脚步都是急匆匆的。

【人民】 rénmín 〔名〕

劳动群众，是社会的基本成员。(the people)常做主语、宾语、定语。

例句 人民是国家的主人。|老师从小教育我热爱祖国，热爱人民。|人民的力量是伟大的。

【人民币】 rénmínbì 〔名〕

中国的钱，以圆(元)为单位。(Renminbi or RMB, Chinese monetary unit)常做主语、宾语、定语。[量]元，角，分。

例句 人民币有元、角、分三种单位。|人民币还不能国际通用。|今天，人

R

民币和美元的比价是多少？|这张人民币的背景是长城。|这回去旅游，我带了一些美元，也带了一些人民币。|他想把美元换成人民币。

【人情】 rénqíng 〔名〕

❶ 人的感情或情理。(human feelings; human sympathy; sensibilities)常做宾语、主语。

例句 这种做法不合人情。|外国人不太了解中国的人情。|人情与法律有时是对立的。

❷ 礼节、应酬等习俗；礼物。(courtesy; etiquette; gifts)常做宾语、主语、定语。

例句 春节时，中国人都要送人情。|朋友结婚，中国的风俗是要随人情。|这个人情你来送。|人情的往来是自然的，但太多了也受不了。|在中国要注意处理好人情关系。

【人权】 rénquán 〔名〕

人的各种权利。(human rights)常做主语、宾语、定语。

例句 人权首先是生存权和发展权。|中国公民享有普遍的人权。|人权问题不能成为干涉别国内政的借口。

【人群】 rénqún 〔名〕

成群的人；指平民，公众。(crowd; throng; multitude)常做主语、宾语、定语。

例句 节日的夜晚，欢乐的人群聚集在天安门广场。|街头表演完了，人群散开了。|他俩不喜欢人多，很快走出了人群。|马克挤进了人群。|她说了声“再见”，很快就消失在人群之中了。

【人山人海】 rén shān rén hǎi 〔成〕

人非常多。(huge crowds of people; a sea of people)常做谓语、定语。

例句 广场上人山人海。|元宵节晚上，街上人山人海，大家都来看灯。|远远地就能看见广场上人山人海的场面。

【人身】 rénshēn 〔名〕

指个人的生命、健康、行为、名誉等(着眼于保护或损害)。(person)常做定语。

例句 外出旅游要注意人身安全。|有理讲理，别搞人身攻击。

【人参】 rénshēn 〔名〕

一种植物，也是补药。(ginseng)常做主语、宾语、定语。[量]棵，根。

例句 这棵人参是野生的。|中国的东北出产人参。|你应该吃点儿人参，对身体好。|他买了瓶人参酒。

【人生】 rénshēng 〔名〕

人的生存和生活；人的一生。(life)常做主语、宾语、定语。

例句 人生是短暂的。|他的人生很不平凡。|不要虚度人生。|人生的道路不一定平坦。|什么是人生的幸福？

【人士】 rénshì 〔名〕

有名望或地位的人；特殊阶级或类别的人们。(personage; gentry; public figure)常做主语、宾语、定语。[量]位。

例句 许多业内人士参加了招聘会。|中外人士一起登上了天安门。|他是一位民主人士。|宗教人士的代表也讲了话。

【人事】 rénshì 〔名〕

❶ 对工作人员的录用等进行管理的工作。(personnel matters)常做

定语、宾语。

例句 找工作应该和人事部门联系。|她在我们公司负责人事。

❷ 人的意识。(consciousness of the outside world)常做主语、宾语。

例句 病人虽然醒来了,可人事不知,成了植物人。|老人已经不省人事了。

【人体】 réntǐ 〔名〕

人的身体。(human body)常做定语、主语、宾语。

例句 这家公司经销人体模型。|美术馆正在展出人体摄影。|今天的美术课画人体。|这种物质,人体不易吸收。

【人为】 rénwéi 〔形〕

人造成的(用于不如意的事)。(artificial; man-made)常做定语,或用于"是…的"结构。

例句 人为的困难 人为因素

例句 经过调查,这场事故是人为的。

▶ "人为"也表示"人去做",用于书面。如:事在人为

【人物】 rénwù 〔名〕

在某方面有代表性或具有某种特点的人;文艺作品中的人。(figure; personage)常做主语、宾语、定语。[量]个。

例句 小说里的几个人物各有特色。|因为口语比赛得了第一名,一下子他成了全校的新闻人物。|当时在我们公司,她就是个人物。|同先进人物相比,我还差得很远。|电影中每个人物形象都很成功。|书中的人物性格很鲜明。

【人心】 rénxīn 〔名〕

大家的感情、愿望;也指人的心地。(the will of the people; human feelings)常做主语、宾语。

例句 打击了黑社会,人心大快。|人心都是相通的,我们能互相理解。|用金钱来收买人心,是办不到的。

【人性】 rénxìng 〔名〕

人的本性;人的正常感情和理性。(human nature; normal human feelings; reason)常做宾语。

例句 这个罪犯真是没有人性。|公司的管理应该注重人性。|战争中,他们失去了人性。

【人员】 rényuán 〔名〕

担任某种职务的人。(personnel; staff)常做主语、宾语、定语。[量]种。

例句 现在哪种人员最容易找工作?|公司管理人员星期六也要上班。|医务人员来到了事故现场。|要安排好下岗人员的生活。

【人造】 rénzào 〔形〕

人工制造的,不是天然的。(artificial; man-made)常做定语。也用于"是…的"格式。

词语 人造纤维 人造珍珠 人造卫星

例句 她不喜欢人造的珠宝。|这几种特别漂亮的大理石是人造的。

【人质】 rénzhì 〔名〕

被拘留作为抵押的人。(hostage)常做主语、宾语、定语。[量]个,名。

例句 三名人质已被警察救出来了。|警察成功解救了人质。|为了要钱,他们把总经理抓去当人质。|这次事件中,警察保证了人质的安全。

R

【仁】 rén 〔名/形〕

〔名〕果核或果壳最里头软的部分，大多可吃。(kernel)常做主语、宾语。

例句 这种杏仁儿很大。|核桃仁很有营养。|你爱吃花生仁儿吗？

〔形〕同情、友爱和助人的思想感情。(benevolence)用于构词或用于固定短语。

词语 仁义 仁慈 仁政 当仁不让 仁至义尽 为富不仁

【仁慈】 réncí 〔形〕

仁爱慈善。(kind; benevolent)常做谓语、定语、补语。

例句 老人非常仁慈，大家都十分尊敬她。|对这种坏人不能仁慈。|他奶奶是一位仁慈和善的老人。|她有一颗仁慈的心，谁都帮助。|不管对方装得多么仁慈，我们也不会相信他。

【忍】 rěn 〔动〕

不把某种感觉或情绪表现出来；把痛苦、困难等承受下来。(endure; tolerate)常做谓语。

例句 母亲强忍着难过，把儿子送上了飞机。|小张忍住笑，对我说："真是太有意思了！"|她忍了半天才没有让眼泪掉下来。|A：附近没有厕所，你再忍一忍吧。B：我快忍不住了。

【忍不住】 rěn bu zhù 〔动短〕

不能耐受。(unable to bear)常做状语、谓语、补语。

例句 知道父亲去世的消息，他忍不住哭出了声。|看到HSK成绩，他忍不住哈哈大笑起来。|这么多好吃的，我可忍不住了。|我肚子痛得忍不住了，快上医院吧！

【忍耐】 rěnnài 〔动〕

把痛苦或某种感情、情绪抑制住，不表现出来。(exercise patience; restrain oneself)常做谓语、主语、宾语。

例句 车坏了，同学们忍耐着寒冷，等待别的车来接。|今年太热了，还要忍耐到什么时候？|宿舍太吵，我实在忍耐不下去了。|考试以后就轻松了，你就忍耐忍耐吧。|对这样的坏人，我们的忍耐是有限度的。|跟各种人打交道，得学会忍耐。

【忍受】 rěnshòu 〔动〕

把困难、痛苦、不幸等承受下来。(bear; endure; stand)常做谓语。

例句 在国外应该能够忍受孤独。|父亲是个坚强的人，默默忍受着病痛。|我们不能忍受这样的态度。|为了孩子，母亲什么痛苦都能忍受。|她忍受不了同屋每天晚上很晚回来。

【认】 rèn 〔动〕

❶ 分辨，识别。(recognize)常做谓语。

例句 这孩子才三岁就认了不少的字。|有的留学生觉得说汉语比较容易，可是认汉字比较难。|才分别了五年，他已经变得快认不出来了。|你好好认认这个地方。|我终于认清他是个什么人了。

❷ 肯定；同意。(admit; acknowledge)常做谓语。

例句 昨天的事是你不对，快去跟同屋认个错儿吧。|参加过那么多次比赛，我们队从来就没有认过输。|借了别人的钱应该认账。

❸ 接受不幸或吃亏。(accept as unavoidable)常做谓语。

例句 不知在哪儿把钱丢了，只好

R

自认倒霉。|这次准备不太认真,成绩不好我认了。

【认得】 rènde 〔动〕

能够确定(某人或某事物)。(know;recognize)常做谓语。

例句 以前我来过,认得这里的路。|这个汉字我认得。|我不认得这种花。|我认得这位先生。

【认定】 rèndìng 〔动〕

❶ 确定地认为。(firmly believe)常做谓语。

例句 很多同学认定学汉语有前途。|我不能认定你是哪国人。|他认定提高口语水平的方法就是多跟中国人谈话。

❷ 明确承认,确定。(accept;make sure)常做谓语、宾语。

例句 公司已经审核认定了这份合同。|警察认定他就是偷钱包的人。|经过认定,这些文物是真的。

【认可】 rènkě 〔动〕

许可;承认。(approve;accept;confirm)常做谓语、宾语。

例句 老师已经认可了我们晚会的计划。|你的说法,我不能认可。|这个方案被双方认可了。|双方对谈判的结果都表示认可。

R

【认识】 rènshi 〔动/名〕

〔动〕分辨识别;了解,懂得。(know;recognize)常做谓语、定语。

例句 有几个老师还不认识我。|我们已经认识好多年了。|这些汉字我都认识。|他已经认识到了问题的严重性。|A:你认识去机场的路吗? B:不太认识。|遇到不认识的字,我再问你。

〔名〕对事物的发展规律或某个问题的理解、体会。(understanding;knowledge)常做主语、宾语、定语。

例句 他对社会的认识很深刻。|没来过中国的人对中国的认识不太准确。|你的认识还很浅。|我们要把对环境的认识提高一些。|刚到中国,对什么都没有什么认识。|对自己的错误必须有正确的认识。|每个人的认识水平和认识能力不同,对事情的看法不会一致。|对新事物,人们都有一个认识过程。

【认为】 rènwéi 〔动〕

对人或事物做出判断,确定某种看法。(think;consider;hold;deem)常做谓语。

例句 留学生都认为李老师的课很有意思。|老师认为我的学习方法不对。|他不认为自己的汉语水平低。|这个计划被认为是不可能实现的。|他一向认为应该灵活学习。|A:这篇文章,你认为怎么样? B:我认为一般。

【认真】 rènzhēn 〔形〕

严肃对待,不马虎;当真。(conscientious;serious)常做谓语、定语、状语、补语。

例句 有的同学学习特别认真,也有的不太认真。|他干什么事都认认真真的。|我是开玩笑的,你别认真。|这人认真得让人受不了。|她可是个特认真的人。|老师认真听取同学们对口语课的意见。|我们得认真地总结一下。|办公室总是认真地做好每一件事。|这种认真的工作态度值得大家学习。|每次作业,我都做得非常认真。

【任】 rèn 〔连/动〕

〔连〕在任何情况下结果、结论都一样。相当于“无论、不管”。(no

matter what, how, etc.)常用于复句前一分句，后面多带表示任指的疑问代词，常与“也、都、还是”等配合。

例句 任困难多大，也改变不了我们的决心。|任他怎么喊，都没有人听见。|任你怎么说，我也不信。|任你是谁都得根据考试成绩入学。

〔动〕❶ 听凭。(allow)常做谓语(带兼语)。

例句 这件事怎么办，任你自己决定。|住单人间还是双人间，任你们选，我们宾馆都有。|我说的都是真的，如果有半点儿假，任你们处理。

❷ 让人担当职务；担当。(appoint)常做谓语，也用于构词。

词语 任免 任用 任命

例句 我刚30岁，就在办公室任主任了。|他离开学校到公司任经理了。

【任何】 rènhé 〔代〕

不论什么。(any; whatever)做定语。后面常与“都”或“也”等配合。

例句 他觉得住在中国没有任何困难。|这件事对任何人都不要说。|马克学习很认真，遇到任何问题都要马上弄明白。|发生任何事情，都不能改变我的决心。

【任劳任怨】 rèn láo rèn yuàn 〔成〕

为大家的事不怕辛苦，不怕埋怨。(work hard regardless of criticism; bear responsibility without grudge)常做谓语、定语、状语。

例句 李老师这人工作认真，任劳任怨。|她任劳任怨的精神值得大家学习。|他一天到晚任劳任怨地干，得到了同事的尊敬。

【任命】 rènmìng 〔动〕

下命令任用。(appoint)常做谓语、定语。

例句 公司任命他为经理。|李教授被任命为校长。|这是你的任命书。

【任务】 rènwu 〔名〕

指定担任的工作或担负的责任。(assignment; task; mission)常做主语、宾语、定语。[量]个，项。

例句 这次来中国学一个月汉语，学习任务很重。|学生的任务就是学习。|公司今年的任务已经完成了。|老师交给我们一个访问中国家庭的任务。|我们已提前完成了今年的任务。|我得把任务再给你说明一下。|计划不仔细，会影响这项任务的完成。|到学期中我们正好完成了任务的一半。

【任性】 rènxìng 〔形〕

放任自己，想做什么就做什么。(willful; capricious)常做谓语、定语、补语。

例句 这个孩子从小就很任性。|他女朋友有时比较任性。|她任性得厉害。|妈妈不喜欢任性的孩子。|对任性的人，不能太迁就了。|你怎么变得这么任性？

【任意】 rènyì 〔副〕

没有限制，爱怎么样就怎么样。(willfully; arbitrarily; wantonly)做状语。

例句 所有的课程可以任意试听。|有的地方不能任意出入。|这次活动，不得任意行动。|父母不得任意打骂孩子。

【任重道远】 rèn zhòng dào yuǎn 〔成〕

责任重大，还要长期努力。(the burden is heavy and the road is long — shoulder heavy responsibilities)常做谓语、定语。

例句 这次来中国学习汉语，我们任重道远。|年轻人任重道远，要把国家建设好。|任重道远的大学生应该认识到自己的责任。

【扔】 rēng 〔动〕

❶ 挥动胳膊，使拿着的东西离开手。(throw; toss; cast)常做谓语。

例句 把球扔过来吧。|他把石头扔得很远。|你扔扔试试，看能不能扔到那儿。

❷ 丢掉。(throw away; cast aside)常做谓语。

例句 把这些东西全扔了吧。|把烟头扔在果皮箱里，不要扔在地上。|他总是扔不掉来当水手的念头。|她扔下孩子，一个人出国了。

【仍】 réng 〔副〕

表示情况不变。(still; yet)常做状语。

例句 为了省钱，至今她仍骑自行车上班。|母亲每天都很累，但仍不注意休息。|去了几家大书店，仍没有买到那本词典。|谈了多次，对方仍不同意我们公司的意见。|书看完请仍放回原处。

R

【仍旧】 réngjiù 〔副〕

情况跟原来一样。(still; yet)做状语。

例句 这个学期，我仍旧住原来的房间。|这次参加HSK，仍旧没得到8级。|毕业后，我仍旧想留在这儿。

【仍然】 réngrán 〔副〕

情况不变或恢复原状。(still; yet)做状语。

例句 中国至今仍然是世界上人口最多的国家。|几十年过去了，他的身体仍然健壮如牛。|她对老同学，仍然像过去那样热情。

【日】 rì 〔名/副〕

〔名〕太阳。(sun)常用于固定短语或用于构词，也做主语。[量]个。

词语 风和日丽　日月如梭　不见天日　日光　日食　日出东方　日照

例句 日落西山，很漂亮。

❷ 白天。(daytime; day)常用于固定短语或用于构词。

词语 夜以继日　日班　日夜兼程

❸ 天，一昼夜。(day; day and night)常用于固定短语或用于构词。

例句 多日不见，你怎么样？|咱们改日再谈吧。|度日如年的滋味真难受！|车票当日有效。

❹ 指一段时间，特指某一天。(day; date)用于构词。

词语 来日　往日　假日　生日　国庆日

〔副〕每天，一天一天地。(daily; every day)常做状语或用于固定短语。

例句 经过讨论，大家的认识日趋一致。|中国经济日趋繁荣。|这种技术日臻完善。|经过医生全力救治，她的病情日渐好转。

【日报】 rìbào 〔名〕

每天都出版的报纸。(daily)常做主语、宾语、定语。[量]份。

例句 《中国日报》全部是英语。|他每天都买一份日报在公共汽车上看。|A:有今天的日报吗？B:对不起，都卖完了。|日报的内容没什么意思。

【日常】 rìcháng 〔形〕

平时的。(day-to-day; everyday)常做定语。

例句 来中国一个月，他已经学会日常会话了。|他的日常生活安排得很丰富。|日常用品，宾馆都提供。|这是中国人的日常用语。

【日程】 rìchéng 〔名〕

按日安排的办事程序。(program; schedule)常做主语、宾语、定语。[量]个。

例句 日程已经确定了。|会议日程不变，会场改在3楼。|同学们商量好了旅行日程。|总经理已经确定了下周的工作日程。|这是汉语口语比赛的日程安排。

【日光】 rìguāng 〔名〕

太阳的光。(daylight; sunbeam)常做主语、宾语。

例句 日光从窗户射进来，房间很暖和。|这种热水器是靠日光来加热的。日光越强，水越热。|夏天，女孩子用伞挡住日光。

【日记】 rìjì 〔名〕

每天的生活和感想的记录。(diary)常做主语、宾语、定语。[量]篇。

例句 昨天的日记，我还没写呢。|她有记日记的习惯。|老师让大家每天用汉语写日记。|来中国后，马克每天都写日记。|好漂亮的日记本！

【日期】 rìqī 〔名〕

发生某事的特定日子或一段时间。(date)常做主语、宾语、定语。[量]个。

例句 开学的日期是9月1日。|期中考试的日期还没决定。|在这儿写上填表日期。|居留证超过日期要重新办理。|日期的变化，我们会通知大家。

【日新月异】 rì xīn yuè yì 〔成〕

每天每月都有新变化，发展迅速，进步快。(change with each passing day)常做谓语、定语。

例句 中国发展很快，城市和农村都日新月异。|科学的发展日新月异。|欢迎你们来看一看我们日新月异的城市。

【日夜】 rìyè 〔名〕

白天黑夜，每天每夜。(day and night)常做状语、补语、定语。[量]个。

例句 车队日夜赶路，在规定的时间到了目的地。|这些机器日日夜夜地工作着。|几个日夜的加班已经使大家很累了。

【日益】 rìyì 〔副〕

一天比一天(变化、加深、提高)。(increasingly day by day)做状语。

例句 经济形势日益好转。|留学生的汉语水平日益提高。|科学日益进步。

【日用】 rìyòng 〔形〕

日常生活中用的。(of everyday use)常做定语，也用于"是…的"格式。

例句 日用的东西在中国很便宜，不用从国外带。|这家小商店卖日用百货什么的。|这些东西是日用的。

【日用品】 rìyòngpǐn 〔名〕

日常用的物品。(articles of everyday use)常做主语、宾语、定语。[量]种。

例句 这些日用品都不错。|来中国后，他在学校的商店买了各种日用品。|日用品商店就在对面。|日用品的价格基本没有变化。

【日语(文)】 Rìyǔ(wén) 〔名〕

日本的语言。(Japanese)常做主语、宾语、定语。

例句 日语难学吗?|他会说点儿日语。|你懂日语吗?|日语的汉字和汉语的汉字不完全一样。|我买了一本日语语法书。

【日元】 rìyuán 〔名〕

日本的钱,也写作“日圆”。(yen, money circulated in Japan)常做主语、宾语、定语。

例句 那个日本同学的日元都换成人民币了。|要去中国银行才能换日元。|老人还没见过日元,不知是真是假。|请问,日元的兑换率是多少?

【日子】 rìzi 〔名〕

❶ 日期。(day;date)常做主语、宾语。[量]个。

例句 8月8号,这个日子好记。|他们结婚的日子已经选好了。|9月1号是开学的日子。|晚会的事儿,你就定个日子吧。

❷ 时间(天数)。(days;time)常做宾语、主语、补语。

例句 我忘不了在中国学习的那些日子。|考试还得过些日子。|在中国旅游的那些日子过得很愉快。|马克回国已经走了些日子了。

❸ 指生活。(life;livelihood)常做主语、宾语。

例句 现在日子好过多了。|大家的日子越过越美好。|过日子要好好计划。

【荣】 róng 〔形〕

❶ 草木茂盛。(luxuriant)常用于固定短语,也用于构词。

词语 欣欣向荣 枯荣 繁荣

❷ 为国家和人民做了有益的事而被认为值得尊敬的。(glorious)常用于构词,也做宾语、状语。

词语 光荣 荣获 荣幸 荣誉 荣辱与共

例句 全校师生都以他为荣。|在颁奖大会上,王小平荣登榜首。

【荣幸】 róngxìng 〔形〕

光荣而幸运。(honored)常做谓语、状语、定语、宾语。

例句 能跟明星照个相,实在荣幸得很。|我很荣幸,第一次参加口语比赛就得了奖。|十月一日,我荣幸地登上了天安门。|他荣幸地被选为“优秀留学生”。|这对我来说,是一个非常荣幸的事情。|接到邀请,他感到十分荣幸。|在这样的集体中生活和工作,我觉得很荣幸。

【荣誉】 róngyù 〔名〕

光荣的名誉。(honor;glory)常做主语、宾语、定语。[量]个,种。

例句 荣誉应该属于大家。|这次口语比赛他得了第一名,为我们大学争得了荣誉。|公司给了他很高的荣誉。|奖牌是荣誉的象征。|政府授予他“模范教师”的荣誉称号。

【容】 róng 〔动〕

❶ 在某空间或范围内接受。(hold; contain)常做谓语。

例句 我出了那么大错儿,真是无地自容。|这个教室能容20人。|留学生宿舍楼能容得下500人。

❷ 宽容;原谅。(tolerate)常做谓语。

例句 生活中要能容人。|不尊敬老人,情理难容。

❸ 允许;让。(permit;allow;admit; endure)常做谓语。

例句 她不容分说把我赶了出来。|请容我把话说完!|这次考试的成

R

绩不容乐观。

▶“容”也做名词,指相貌、神情、气色等。如:笑容　容光焕发　容貌　美容

【容量】róngliàng〔名〕

容积的大小;容纳的数量。(capacity)常做主语、宾语。

例句 这个水箱的容量是10立方米。|新设备开通后,电话容量增加了十倍。|这个地区有多大的人口容量?

【容纳】róngnà〔动〕

在一定的空间或范围内接受(人或事物)。(have a capacity of; tolerate)常做谓语。

例句 新建的留学生宿舍楼可容纳1000人。|这个医院能容纳500张病床。|由于学生太多,教室容纳不了了。|他喜欢自己决定,容纳不下不同的意见。

【容器】róngqì〔名〕

盛物品的器具,如盒子、盆子、杯子等。(container)常做主语、宾语、定语。[量]个,种。

例句 每个容器都要好好清洗。|那家商店卖各种容器。|实验室新买来了好多容器。|请把各种容器的作用写明白。

【容忍】róngrěn〔动〕

宽容忍耐。(tolerate)常做谓语、定语。

例句 这件事实在让人难以容忍。|不顺心也得先容忍容忍。|他容忍不了这种行为。|对这种行为不应该采取容忍的态度。

【容许】róngxǔ〔动〕

许可。(permit; allow)常做谓语、定语。

例句 现在容许留学生自己租房子住。|要容许别人把话讲完。|商品不容许退换是不合理的。|A:考试容许带词典吗? B:不容许。|法律不容许的事不能做。

【容易】róngyì〔形〕

❶ 做起来不费事。(easy)常做谓语、定语、状语、补语。

例句 学好汉语说起来容易,做起来难。|考试要得到好成绩实在不容易。|要找他,容易得很。|A:暑假去旅游,买火车票容易吗? B:太不容易了!|HSK达到8级,不是件容易的事。|不努力就得高分,哪有那么容易的事儿?|平时多练习口语,在跟中国人谈话时就容易明白。|中国菜容易做吗?|经过半年的学习,再写汉字就变得容易多了。

❷ 发生变化的可能性大。(likely; liable; apt)常做状语。

例句 得到了好成绩,容易骄傲。|衣服老放在太阳底下晒,容易变色。|回国后没有机会说,汉语容易忘。|吃得太多容易胖。

【溶化】rónghuà〔动〕

(固体)溶解变成液体,也做“融化”。(dissolve)常做谓语、定语。

例句 冰淇淋时间长了就会溶化。|这种药在水里很快就溶化了。|糖放进咖啡后,搅一搅可加快溶化的速度。

【溶解】róngjiě〔动〕

一种物质均匀地分解在液体中。(dissolve)常做谓语、定语。

例句 糖能溶解在水中。|这么多盐,怎么也溶解不完。|用勺子搅搅,药的溶解速度能快些。

【溶液】róngyè〔名〕

含有被溶解物质的液体。(solution)常做主语、宾语、定语。[量]种。

例句 这瓶溶液要小心放好。|这些瓶子里装着各种溶液,我说不出这些溶液的名字。

【融】 róng 〔动〕

冰雪变成水;不同事物合为一体。(melt;mix together)常做谓语。

例句 河里的冰快融了。|学校的这次"中国文化日"融汉语、文化为一体。|这本书融知识性和趣味性于一体。

【融化】 rónghuà 〔动〕

(冰、雪等)化成水。也做"溶化"。(melt;thaw)常做谓语、定语。

例句 阳光融化了水面的冰。|春天到了,雪慢慢地融化了。|她那冰冷的心被大家的热情融化了。|融化的雪水流入湖中。

【融洽】 róngqià 〔形〕

彼此感情好。(harmonious; on friendly terms)常做谓语、定语、补语。

例句 这次会谈气氛很融洽。|我们的同学来自几个国家,但同学关系十分融洽。|他跟同屋的关系融洽得很。|会议在融洽的气氛中结束。|她跟同学相处得特别融洽。

【柔】 róu 〔形〕

❶ 软。(soft;supple)常用于构词。

词语 柔软　柔韧　柔嫩

❷ 温和;软和。(mild)常用于构词。

词语 轻柔　柔美

【柔和】 róuhé 〔形〕

温和而不强烈;软和。(soft;gentle;mild)常做谓语、定语、状语、补语。

例句 这种咖啡口感柔和。|老人的目光很柔和。|冬天的太阳柔和而温暖。|钢琴发出柔和的声音。|我喜欢柔和的乐曲。|晚上,灯光柔和地照着马路。|母亲的手柔和地抚摸着孩子的头。|她的话说得很柔和,大家都喜欢听。|春天来了,风逐渐变得柔和了。

【柔软】 róuruǎn 〔形〕

软和(huo);不坚硬。(soft;lithe)常做谓语、定语、状语、补语。

例句 这种蛋糕很柔软,大家都爱吃。|宿舍房间里的被子特别柔软。|夏天,走在柔软的沙滩上很舒服。|她有柔软的头发,女同学都很羡慕。|演员们柔软地跳着民族舞。|雪花在空中柔软地飘着。|经过长期的练习,她的声音变得非常柔软。

【揉】 róu 〔动〕

❶ 用手反复擦或搓。(rub)常做谓语。

例句 腿受伤了,医生给他揉了揉。|困了揉揉眼睛,就又精神了。|揉了好一会儿,肩膀才不疼了。

❷ 用手掌搓,使成球形。(roll)常做谓语。

例句 我揉面,你和馅,一会儿就可以包饺子。|揉了一会儿,他把纸揉成了团儿。|孩子把泥揉成一个个泥球。

【肉】 ròu 〔名〕

❶ 人或动物皮下柔软的部分。(meat;flesh)常做主语、宾语、定语。

例句 这牛肉很嫩,你尝点儿。|咕老肉真好吃。|我不喜欢吃肉。|喝点儿肉汤吧。

❷ 瓜果的可以吃的部分。[pulp;flesh(of fruit)]常用于构词或用于

短语中。也做主语、宾语。

词语 果肉 葡萄肉

例句 这桃子肉厚。|这种水果吃肉,不吃皮。

【如】 rú 〔动/连〕

〔动〕❶ 顺从(某种心愿);像;如同。(be in accordance with; comply with; be like)常做谓语。

词语 心静如水 心急如焚

例句 这次考试的成绩不如人意。|怎样才能如你的愿呢?|我看名利如粪土。

❷ 举例子。(for instance; for example; such as)做独立语。

例句 晚会上大家表演了很多节目,如:唱中文歌、读古诗等。|这次考试的内容和 HSK 差不多,如:听力、阅读什么的。

❸ 比得上。(can compare with)做谓语,只用于否定句。

例句 我的听力不如你。|住在学校外面不如住在学校方便。|今年的夏天不如去年热。

〔连〕表示假设。(if)常用于假设复句前一分句,后一分句常用"就"、"则"配合。

例句 如下雨,活动就改时间。|发音如不标准,就不可能当翻译。|如无不当,请同意我们的要求。

▶ "如"也做介词,指按、照。如:考试将如期进行。|如实向老师汇报。

【如此】 rúcǐ 〔代〕

这样,指前面提到的某种情况。(so; in this way)常做谓语、状语、定语。

例句 学校平等看待每个国家的同学,对任何人都如此。|火车票没有了,既然如此,只好坐飞机了。|他的汉语如此流利,当然是第一名。|那么容易的问题,你还如此不明白,真没想到。|中国的人口如此之多,发展经济就很不容易。|今年我们大学来了如此规模的留学生,是很少见的。

【如果】 rúguǒ 〔连〕

表示假设。(if)用于前一分句,后一分句得出结论。有"那么、那、就、则、便"配合。

例句 如果有什么问题,可以随时来找老师。|如果下雨,就不去了。|如果你再客气,那就不对了。|如果你同屋回来了,叫他给我回个电话。|如果你不行,那么谁行呢?

▶ 也用于"如果…的话"结构。

例句 回国前,如果来得及的话,我想先去趟上海。|如果再仔细一点儿的话,这次 HSK 肯定能得 8 级。

▶ "如果…(的话)"可用于后一分句。

例句 我明天再来,如果你现在有事。|他今天该到了,如果昨天上午动身的话。

▶ 接上文,用"如果…呢"提问。

例句 我们 7 点起床,如果赶不上车呢?|最好先问他的意见,如果他不同意呢?

【如何】 rúhé 〔代〕

怎么,怎么样。(how; what)常做谓语、状语。

例句 这次考试的情况如何?|你现在的学习情况如何?|如何安排好自己的生活?|如何挑选和使用中文词典?|她常常向父母讲中国老师如何如何好。

【如火如荼】 rú huǒ rú tú 〔成〕

气氛热烈，气势旺盛。(like a raging fire)常做谓语、定语、状语。

例句 中国经济建设正如火如荼，发展很快。|如火如荼的留学生活给留学生留下了难忘的印象。|学汉语的热潮正在世界各地如火如荼地兴起。

【如饥似渴】 rú jī sì kě 〔成〕
要求非常迫切。(as if thirsting or hungering for sth.; with great eagerness)常做谓语、定语、状语。

例句 那个留学生对汉语简直如饥似渴。|那孩子用如饥似渴的眼睛盯着电视。|他明年要来中国工作，现在如饥似渴地学习汉语。|公司刚开业，老板如饥似渴地了解市场情况。

【如胶似漆】 rú jiāo sì qī 〔成〕
形容感情深，难分离。(stick to each other like glue or lacquer; remain glued to each other; be deeply attached to each other)常做谓语、补语、定语。

例句 他和女朋友如胶似漆，一会儿也分不开。|那个孩子和他的小狗如胶似漆，去哪儿都带着小狗。|他们见面不久，就好得如胶似漆，谁也离不开谁了。|看到他们如胶似漆的样子，大家都替他们高兴。

【如今】 rújīn 〔名〕
而今，现在。(nowadays; now)常做状语、宾语、定语。

例句 如今不会用电脑就不行了。|事到如今，只好就这样了。|如今的中国城市都变得很漂亮。|他的汉语达到如今的水平，说明他非常努力。

【如履薄冰】 rú lǚ bó bīng 〔成〕
非常小心和担心。(as though treading on thin ice——be very careful; acting with extreme caution)常做谓语、定语、状语。

例句 经过小桥时，这个老人如履薄冰，一点一点地挪过来。|他受不了这种如履薄冰的压力，从公司辞职了。|现在经济情况不好，公司的职员如履薄冰地工作着。

【如同】 rútóng 〔动〕
好像。(like; as)常做谓语。

例句 晚上灯火通明，如同白天。|大学的树很多，如同花园一样。|她们俩关系特别好，如同亲姐妹。

【如下】 rúxià 〔动〕
像下面所说、所列举的。(as follows)常做谓语、定语。

例句 考试注意事项列举如下：…|现将参观注意事项说明如下：…|遇到紧急情况，可采取如下几种办法：…

【如意】 rú yì 〔形短〕
符合意愿。(satisfactory; as one wishes)常做谓语、定语。

例句 他的这次考试成绩非常如意。|她只要不如意，就会哭一顿。|祝大家新的一年万事如意！|这只是你的如意算盘，还不知道结果怎么样呢？

【如鱼得水】 rú yú dé shuǐ 〔成〕
得到跟自己很投合的人或对自己适合的环境。(feel just like a stranded fish put back into water; be in one's element)常做谓语、定语。

例句 在中国，马克如鱼得水，很快认识了许多中国朋友。|来到公司后，他如鱼得水，工作取得了好成绩。|用汉语工作，如鱼得水的玛丽

很快得到了老板的欣赏。

【如醉如痴】 rú zuì rú chī 〔成〕

入迷的精神状态。(as if intoxicated and stupefied)常做定语、状语、谓语。

例句 看京剧的时候,老人显出如醉如痴的样子。|他如醉如痴地唱着卡拉OK。|晚会上,留学生如醉如痴,尽情欢乐。

【如坐针毡】 rú zuò zhēn zhān〔成〕

比喻心神不定,坐立不安。(feel as if sitting on a bed of nails; be on pins and needles; be on tenterhooks)常做谓语、定语、状语。

例句 大家都焦急地等待着比赛的结果,如坐针毡。|HSK成绩快公布了,马克如坐针毡,担心成绩不理想。|看你如坐针毡的样子,是不是出什么事了?|如坐针毡的同屋在房间里走过来走过去,也不说有什么事儿。|他如坐针毡地走来走去。

【乳】 rǔ 〔名〕

❶ 奶汁。(milk)常做主语、宾语。

例句 母乳是婴儿最好的食品。|新生儿不宜用牛乳喂养。

❷ 产生奶汁的器官。(breast)常用于构词。

词语 乳腺 乳峰 乳头 乳罩

【入】 rù 〔动/名〕

〔动〕进去;参加。(enter; go into; join)出常做谓语,也用于构词。

词语 入籍 入境 入口 入门 入时 入手 入席 入选 禁止入内 刀枪不入

例句 他破门而入。|李老师大学毕业后不久,就入了党。|我主动申请入工会。

〔名〕收进来的钱。(income)常用于固定短语中,或用于构词。

词语 入不敷出 量入为出 收入

【入境】 rù jìng 〔动短〕

进入国境。(enter a country)常做谓语、定语。

例句 每天机场有近千名外国旅客入境。|我是在北京入境的。我们的入境时间比你们早一天,是星期一。

【入口】 rùkǒu 〔名〕

进入的门或口儿。(entrance)常做主语、宾语、定语。[量]个。

例句 车站入口在东边。|这个公园有东、北、南三个入口。|我们从1号入口进去。|咱们早十点在机场北入口集合。|要记住入口的位置。|入口左边有个电话亭,咱们在那儿见面。

【入迷】 rù mí 〔形短〕

喜欢某种事物到了迷恋的程度。(enchanted; fascinated)常做谓语、补语、状语、定语。中间可插入成份。

例句 小孩子对动画片很入迷。|老爷爷很会讲故事,孩子们听得入了迷。|我妻子看足球看得特别入迷。|观众都入迷地为歌星鼓掌。|你瞧那个小青年入迷地听着音乐。|我是喜欢打高尔夫,可还没到入迷的程度。

【入木三分】 rù mù sān fēn 〔成〕

分析、议论等深刻有力。(penetrating; profound; keen)常做谓语、定语、状语、补语。

例句 老师对考试的分析入木三分。|我们读这篇文章有一种入木三分的感受。|这部小说入木三分地刻画了人物的性格。|电影把他焦急的心情表现得入木三分。

【入侵】 rùqīn 〔动〕
(敌军)入境侵犯。(invade; intrude)常做定语、谓语。
例句 入侵飞机又飞离了。|他们曾经入侵过我们国家。

【入手】 rùshǒu 〔动〕
开始做。(start with)常做谓语,前面常与"从"相配合。
例句 提高体育水平要从培养儿童入手。|学习汉语要从基础入手。|解决问题可以从调查研究入手。

【入围】 rù wéi 〔动短〕
通过一定的选拔方式进入了某个范围。(enter the examination shed)常做谓语、定语。中间可插入成分。
例句 我们班有几名同学入围了学校演讲比赛。|歌手中有三分之二恐怕入不了围。|这些产品都已入围新产品博览会。|全部入围选手都参加了集训。|观众参观了入围的所有展品。

【入学】 rù xué 〔动短〕
开始进入学校学习;开始进小学学习。(start school; enter a school)常做谓语、定语。
例句 留学生九月份入学。|新生已经入学了。|入学的日期是9月1号。|入学考试通过了。|大学入学年龄没有限制。

R

【软】 ruǎn 〔形〕
❶ 物体组织疏松,受外力作用后容易变形。(soft; flexible; supple)常做谓语、定语。
例句 这件毛衣很软。|沙发软得很,坐着很舒服。|孩子靠在软椅子上睡着了。|这是一种新的软材料,用途很多。
❷ 柔和,不用强硬的手段进行。(mild; gentle)常做谓语、定语、状语、补语、主语、宾语。
例句 老师的声音软软的,很好听。|在事实面前,他的态度软了下来。|那小姐说话软声软气的,听着不舒服。|她软磨硬泡了两三天,爸爸终于答应了。|对方话说得很软,我也就不再生气了。|办公室非常坚持原则,软硬都不怕。|这孩子吃软不吃硬。
❸ 没力气。(weak; feeble)常做谓语、状语。
例句 刘老师坚持锻炼,七十多岁还腰不弯,腿不软。|这几天感冒了,身上很软,没力气。|老人病了,软软地躺在床上。
❹ 容易被感动或动摇。(easily moved or influenced)常做谓语、定语。
例句 她的心很软,听故事也哭了。|老板耳朵软,很容易就改变主意。|奶奶是个软心肠,对谁都很好。

【软件】 ruǎnjiàn 〔名〕
电脑的程序系统或设备,也比喻工作人员的素质、管理水平、服务质量等。(software)常做主语、宾语、定语。[量]个,种。
例句 这些电脑软件都是新开发的。|我们大学的软件、硬件都不错,欢迎你来我们大学学汉语。|我们公司硬件还可以,但差的是软件——管理水平不行。|他的工作是负责软件的开发。|最近,我朋友在一个软件公司找到了一份工作。

【软弱】 ruǎnruò 〔形〕
缺乏力气或力量,也比喻意志不坚强。(weak; feeble; flabby)常做谓语、定语、补语、主语、宾语。
例句 这孩子性格软弱。|病好多

了,可身体还是软弱无力。|不要在困难面前软弱下来,坚持下去就能把汉语学好。|她软弱的样子让人同情。|不敢说真话是软弱的表现。|你怎么变得这么软弱?|软弱容易受欺负。|他把对方的宽容看成软弱。

【锐利】 ruìlì 〔形〕

(刀)光而快;(目光、言论、文笔等)尖锐。(sharp; keen)常做谓语、定语、补语。

例句 景颇族的砍刀锐利无比。|这位老作家目光锐利,笔锋也锐利。|老鹰的爪子十分锐利。|罪犯逃不过警察锐利的眼睛。|记者常写出锐利的文章,批评各种社会问题。|猎人把刀磨得非常锐利。

【瑞雪】 ruìxuě 〔名〕

应时的好雪。(timely snow; auspicious snow)常做主语、宾语。[量]场。

例句 "瑞雪兆丰年"是中国的一句俗话,意思是好雪带来好收成。|昨日,中国东北下了一场瑞雪。|终于盼来了一场瑞雪。

【若】 ruò 〔连/动〕

〔连〕如果,表示假设。(if)用在复句前一分句。常与"就、则、便"等配合。

例句 人若老了,身体就不太方便。|这次 HSK 若达到 8 级,公司就会奖励他。|若下雨,则活动改变时间。

〔动〕像;如。(like; as if)常做谓语(带宾语),或用于固定短语中。

词语 若隐若现 旁若无人 若明若暗 若有所思 若无其事

例句 老人若孩子般笑起来。|他对我简直冷若冰霜。

【若干】 ruògān 〔数〕

多少;表示概数,含有"一些"的意思。(a certain number or amount)常做定语、宾语。

例句 他学了若干年汉语,可说得还是不好。|这个学期留学生要举行若干次活动。|今年春天开学的日期要推迟若干天。|还有若干人准备来我们大学学汉语。

【弱】 ruò 〔形〕

❶ 气力小,势力差。(weak; feeble)常做谓语、定语、补语、宾语。

例句 小时候,我身体很弱。|初级班的汉语水平比中级班当然弱一些。|那个大学教汉语的老师力量较弱。|她只是个弱女子,不要欺负人家。|强将手下无弱兵嘛!意思是好老师的学生水平也高。|这个队从去年的弱队变成了强队。|这个国家经济发展减弱了。|大病一场以后,体力显得弱了。|天气预报说晚上风力将逐渐转弱。

❷ 年幼。(young)常做主语、宾语。

例句 老弱病残应得到照顾。|坐公共汽车时应把座位主动让给老弱女幼。

❸ 差;不如。(inferior)常做谓语、宾语。

例句 你的汉语弱在语法上。|论口语水平,我们并不弱于人家。|我们留学生宿舍的条件显得太弱了。

【弱点】 ruòdiǎn 〔名〕

不足的地方;力量弱的方面。(weakness; weak point)常做主语、宾语。[量]个。

例句 南方同学发音的弱点是不会发卷舌的 zh、ch、sh。|老师发现了他的弱点,总让他多练习说话。|不会汉字是欧美学生学汉语的一个弱点。|很多人看不到自己的弱点。

R

S

【撒】 sā 〔动〕 另读 sǎ

❶ 放出、张开。(cast; let go; let out)常做谓语。

例句 别老拉着我,快撒手。|老渔民把网撒了出去。|小伙子撒腿就跑,不知有什么事。|太阳撒出了一道道金光。

❷ 尽力使出来或施展出来。(let oneself go)常做谓语。

例句 有话好好说,别撒泼。|他喝醉了就撒酒疯。|我没惹你,别拿我撒气。

【撒谎】 sā huǎng 〔动短〕

说谎、说假话。(tell a lie)常做谓语、定语,中间可插入成分。

例句 好孩子不能撒谎。|为了让妈妈放心,他故意撒了一个谎。|她已经撒过几次谎了,没人相信她。|我不是撒谎的人。

【洒】 sǎ 〔动〕

❶ 使水(或其他东西)分散地落在地下。(spray; spill)常做谓语、定语。

例句 扫院子之前最好洒点儿水。|农民把农药洒在树上。|慢点儿!别把酒洒了。|洒的水太多了,地上都有点儿滑了。|一不小心,洒的汤流了一桌子。

辨析 〈近〉撒(sǎ)。"洒"、"撒"都表示"分散落下"和"使…分散落下",但"洒"的对象多是液体,"撒"的对象多是固体。如:*洒播种子。|*撒水扫地。

【腮】 sāi 〔名〕

两颊的下半部。(cheek)常做主语、宾语。[量]边,个。

例句 你左边的腮有点儿红肿。|他双手托腮坐在那里,好像在考虑着什么。

▶ 口语中称人的腮为"腮帮子"。

【塞】 sāi 〔动〕 另读 sài、sè

把东西放进有空隙(kòngxì)的地方,填入。(fill in)常做谓语、定语。

例句 他鼻子流血了,塞了一团棉花。|箱子没满,还可以塞几件衣服。|他把墙上的几个洞塞住了。|柜子里塞的东西太多了,都关不上门儿了。|你没看见我在门缝儿塞的纸条吗?

▶ "塞"还做名词,指"塞子",读"塞儿"。如:瓶塞儿

【塞翁失马,焉知非福】 sài wēng shī mǎ, yān zhī fēi fú 〔成〕

比喻坏事变成好事。(when the old man on the frontier lost his horse, who could have guessed it was a blessing in disguise——a loss may turn out to be a gain)常做小句。

例句 塞翁失马,焉知非福? 眼前受点儿小挫折,说不定还是件好事。|别难过了,塞翁失马,焉知非福?

▶ 边塞上有个老头丢了一匹马,过了几个月,那匹马带了一匹好马回来了。后来以此比喻福祸可以相互转化,坏事可以变成好事。

【赛】 sài 〔动〕

❶ 比赛。(match)常做谓语。

例句 乌龟和兔子赛跑。|今天咱们赛什么? |明天我们赛赛马吧。|他俩已经赛过几次车了。

❷ 胜、比得上。(be comparable to)

常做谓语。

例句 这些姑娘干起活儿来赛过小伙子。|我们那儿的名菜一个赛一个。|咱们的专业队还赛不过人家的业余队?

【赛会】 sàihuì 〔名〕

体育比赛大会。(sports meet)常做主语、宾语、定语。[量]次,届。

例句 这次赛会有几十个国家参加。|本届赛会设了十个项目。|中国派运动员参加了这次赛会。|赛会的日程已经定下来了。|本次赛会盛况空前。

【赛事】 sàishì 〔名〕

指比赛及与比赛相关的事宜。(game)常做主语、宾语、定语。[量]场,段。

例句 这几场赛事吸引了大量观众。|整个赛事安排得井井有条。|他因有病没有参加最近的赛事。|电视直播了所有赛事。|记者采访了本次赛事的负责人。

【三】 sān 〔数〕

❶ 数目,二加一后所得。(three)常和量词构成数量短语做句子成分,也可单用,做主语、宾语、状语。

例句 假期我去看了三位老师。|这三本书送给你吧。|这部电影我看过三遍。|"三"在汉语中常常表示"多"的意思。|事不过三,你别再找她了。|这部小说,他已写了三稿了。

❷ 表示多数或多次。(several; many)常做定语、状语,一般用于固定短语。

词语 三年五载 三令五申

例句 三年五载不是短时间。|我没有三头六臂,完不成这么多任务。|上级已经三令五申了,怎么还不执行?|你要三思而行啊。

辨析 〈近〉仨(sā)。"仨"指三个,不能再用量词。

【三长两短】 sān cháng liǎng duǎn 〔成〕

指意外的变故,有时特指人的死亡。(unexpected misfortune; sth. unfortunate, esp. death)常做宾语。

例句 要是有个三长两短,没有个准备怎么行?|万一老人家一时想不开,有个三长两短怎么办?

【三番五次】 sān fān wǔ cì 〔成〕

屡次(lǚcì)、多次。(again and again)常做状语、定语。

例句 他们三番五次地找我,我也没答应。|售后服务人员三番五次地上门服务,受到用户的赞扬。|三番五次的谈话真叫人受不了。|经不住别人三番五次的劝说,她终于同意了。

【三角】 sānjiǎo 〔名〕

形状像三角形的东西。(triangle)常做主语、宾语、定语。[量]个。

例句 糖三角是一种甜的面食。|这个"黑三角"代表重点内容。|孩子用纸叠(dié)了一个三角。|她剪出了几个三角形。|动画片里的怪物长着三角头。

【三令五申】 sān lìng wǔ shēn 〔成〕

多次命令和告诫。(repeatedly give injunctions)常做谓语。

例句 虽然对劳动纪律三令五申,迟到早退的现象仍时而发生。|要不是上级三令五申,环保工作也不会这么顺利。

【三三两两】 sānsānliǎngliǎng 〔成〕

形容数目不多。(in twos and threes;

in knots)在句中做定语、状语。

例句 广场上停放着三三两两的汽车。|人们三三两两地议论着。

【三心二意】 sān xīn èr yì 〔成〕

形容心思不专一，意志不坚定。(be of two minds; shilly-shally)常做谓语。

例句 干工作可不能三心二意。|若是他三心二意，就不用他了。

【叁】 sān 〔数〕

同“三”，为“三”的大写。(three)主要用于书写，特别是在经济账目上，如存、汇、取钱的账票上。

例句 财务单上，“三”要写成“叁”。|叁万叁仟元整。

【伞】 sǎn 〔名〕

挡雨或遮太阳的用具，可以张合，也指像伞的东西。(umbrella; sth. shaped like an umbrella)常做主语、宾语、定语。[量]把。

例句 伞坏了。|我买把伞。|伞的质量不好。

【散】 sǎn 〔动/形〕 另读 sàn

〔动〕没有约束、松开、分散。(come loose; fall apart; not hold together)常做谓语、定语，也常做语素构词。

词语 散漫 松散 散架

例句 行李没打好，都散了。|注意，队形别走散了。|散了的包得再打一下。

〔形〕零碎的、不集中的。(scattered)常做状语、补语、定语等。

例句 一些农民散居在这一带。|她买了一些散装瓜子。|大家住得很散。|我今天骨头架子都累散了。|这几位不是随团来的，是散客。

【散文】 sǎnwén 〔名〕

文学作品的一种，包括杂文、随笔等。(prose)常做主语、宾语、定语等。[量]篇。

例句 散文、小说、戏剧和诗歌是文学作品的四个大类。|散文是形散神不散。|我爱读散文，它能给人以享受。|我有位朋友是散文作家。|散文的写作手法与小说不一样。

【散】 sàn 〔动〕 另读 sǎn

❶ 由聚集而分离。(break up; disperse)常做谓语、补语。

例句 已经散会了，大家都在往外走呢。|电影散场了。|鹿群受了惊吓，都跑散了。

辨析 〈近〉散(sǎn)。“散(sǎn)”主要是指一种状态；“散(sàn)”是动词，指一种行为。

❷ 散布。(distribute)常做谓语。

例句 花儿散着一股股清香。|酒的香味散得很远。|包里散出一股药味来。

❸ 排除。(dispel; let out)常做谓语。

例句 别愁了，去海边散散心吧。|每当不愉快的时候，我总会找一些办法来散心。|找几个老朋友来聊聊天儿，散散心儿。

【散布】 sànbù 〔动〕

分散到各处。(spread; be scattered here and there)常做谓语、定语、宾语等。

例句 有人在散布谣(yáo)言。|羊群散布在山坡上吃草。|散布的火种已经燃烧起来了。|应该从根本上杜绝黄色书刊的散布。

【散步】 sàn bù 〔动短〕

随便走走(作为一种休息方式)。(take a walk)常做谓语、主语、定语

S

等。中间可插入成分。

例句 我们去外边散散步吧。|两个老人每天出来散一会儿步。|散步既是一种休息方式,也能锻炼身体。|已经很晚了,公园里散步的人都回家了。|晚饭后是散步的时间。|很多中老年人喜欢散步。

【散发】 sànfā 〔动〕

发出、分发。(send forth; distribute)常做谓语、定语、宾语等。

例句 花儿散发着阵阵芳香。|秘书处的人正在向代表们散发会议日程。|上级把散发的文件又收回去了。|这些提案是大会同意散发的。

【桑】 sāng 〔名〕

意义见"桑树"。(white mulberry; mulberry)常用于构词或用于某些短语,也可做定语。

词语 桑田 桑蚕 桑家 沧桑

例句 桑田一片绿油油的。|孩子摘了一些桑叶养蚕。

【桑树】 sāngshù 〔名〕

落叶乔木,叶子是蚕的饲料,果穗可吃,叶、果均可入药。(white mulberry; mulberry)常做主语、宾语、定语等。[量]棵。

例句 桑树在江南被大量种植。|门前的桑树结出了紫红色的果子。|村东边是一片桑树林。|桑树的果子叫桑葚(shèn),小时候我很爱吃。|桑树的叶子可以养蚕。

【嗓子】 sǎngzi 〔名〕

❶ 喉咙。(throat)常做主语、宾语、定语。[量]个。

例句 我嗓子疼,可能是感冒引起的。|嗓子不舒服,应该多喝水。|喝口水,润润嗓子。|有什么东西堵(dǔ)在嗓子那儿了,很难受。

❷ 嗓音。(voice)常做主语、宾语。

例句 他嗓子真好,宽广洪亮。|哑嗓子没法唱歌。|你放开嗓子唱吧。|他压低了嗓子跟我说起悄悄话来。

【丧】 sàng 〔动〕 另读 sāng

失去。(lose)常做谓语。

例句 他干这种坏事,真是丧尽天良。|不能做丧权辱(rǔ)国的事。

【丧失】 sàngshī 〔动〕

失去。(lose)常做谓语。一般不重叠。

例句 我们不能丧失原则。|他喝多了酒,丧失了理智。|这位老工人受了伤,丧失了劳动能力。

辨析 〈近〉失去。"失去"语意轻,也不一定指抽象名词。如:丧失(失去)机会

【扫】 sǎo 〔动〕 另读 sào

❶ 用打扫工具除去尘土、垃圾等。(sweep; sweep away)常做谓语、定语。

例句 环卫工人每天都要扫马路。|我已经扫了几次了。|刚扫的地怎么又脏了?|大家把扫起来的雪堆成了一个雪人。

❷ 除去、消灭。(eliminate)常做谓语。

例句 工兵在路上扫雷。|扫黄是一项长期而艰巨的工作。

❸ 很快地左右移动。(pass quickly along or over)常做谓语。

例句 他扫了我一眼,好像没看见一样。|节日的夜空,探照灯光束扫来扫去的,很壮观。

【扫除】 sǎochú 〔动〕

清除脏东西,除去不好的事物。

S

(clean up; sweep away)常做谓语、定语、宾语等。

例句 大家一起扫除垃圾。|我们要扫除前进道路上的一切障碍。|把扫除的工具保存好。|我们学校每周末都要搞一次大扫除。

【嫂】 sǎo 〔名〕

哥哥的妻子,也泛指年纪不大的已婚妇女。(elder brother's wife; sister)常用于构词或构成短语后做主语、宾语、定语。[量]个,位。

词语 大嫂 李嫂 嫂子

例句 我二嫂是位科学家。|表嫂生了个女孩儿。|大哥很爱大嫂。|大家正在谈论李嫂。|二嫂的模样一般,可特能干。|这事儿嫂夫人知道吗?

【嫂子】 sǎozi 〔名〕

哥哥的妻子。(elder brother's wife)常做主语、宾语、定语。[量]个。

例句 嫂子是个很能干的人。|我嫂子最近越来越胖。|哥很怕嫂子。|我嫂子的打扮越来越时髦。|嫂子的妹妹10月结婚。

【色】 sè 〔名〕 另读 shǎi

❶ 颜色。(color)常做主语、宾语、定语。[量]种。

词语 红色 五颜六色 色素

例句 绿色象征着大自然。|这种色是最近很受欢迎的流行色。|她不喜欢有色的眼镜。|很多人都选择了那种色的衣服。|色的搭配一定要适当。

❷ 脸上的表情。(look)常做主语、宾语,多用于固定短语。

例句 他脸色不好,好像病了。|那个人神色慌(huāng)张,是不是坏人?|得知儿子考上了研究生,她喜形于色。|遇到危险时,他还能面不改色,真不简单。

❸ 种类。(kind)常做主语、宾语。多用于固定短语。

词语 货色

例句 货色不行,顾客当然不会喜欢。|住宅的建筑风格各色各样。|形形色色的人们走在大街上。|各色商品摆满了柜台。

❹ 情景、景象。(scene)常用于构词。

词语 景色 夜色 山色

例句 那个城市景色十分优美。|湖光山色总给人美的享受。|大家坐在高处观赏夜色。|早晨,上班、上学的人都行色匆匆。

❺ 物品的质量。(quality)做语素构词。

词语 成色 足色

例句 今年的麦子成色很好。|这种制品成色一般。|黄金首饰要买足色的。

❻ 指妇女的美貌。(feminine charms)常用于构词,不用量词。

词语 姿色 美色 好(hào)色

例句 他什么都好,就是好色。

❼ 指情欲。(sexy)常用于构词。

词语 色情 色胆 色狼

例句 那部电影有色情内容。|他是色狼,你要小心。

【色彩】 sècǎi 〔名〕

❶ 颜色。(color; hue)常做主语、宾语、定语。[量]种。

例句 那些画色彩单调,没什么意思。|雨后,水面有一种奇异的色彩。|这幅画色彩的搭配很有特点。

❷ 比喻人的某种思想倾向或事物的某种情调。(characteristic quality; flavor; color)常做主语、宾语。[量]种。

例句 小说中悲观的色彩太浓了。|这篇文章的感情色彩十分鲜明。|那种服装体现出浓郁的民族色彩。|这部作品带有明显的地方色彩。

【森】 sēn 〔形〕

❶ 形容树木多。(full of trees)常用于构词。

词语 森林 森然 森森

例句 前面有一片森林。|松柏森森,布满了山头。

❷ 阴暗。(dark; gloomy)常用于构词。

词语 阴森森 森然

例句 树林里阴森森的,让人觉得可怕。|大厅又大又暗,森然可怖。

【森林】 sēnlín 〔名〕

大片生长的树木。(forest)常做主语、宾语、定语。[量]片。

例句 森林给人类带来了很多好处。|山那边是一片大森林。|森林的作用是保持水土、调节气候。|人类要保护森林资源。

【僧多粥少】 sēng duō zhōu shǎo 〔成〕

比喻人多东西少,不够分配。(little gruel and many monks——not enough to go round)常做谓语、定语。

例句 工厂里僧多粥少,效益总上不去。|我们下决心要精减人员,改变当前这种僧多粥少的状况。|在僧多粥少的企业里,职工们大多搞起了第二职业。

【杀】 shā 〔动〕

❶ 使人或动物失去生命、弄死。(kill)常做谓语、定语。

例句 他杀了一只鸡招待客人。|杀人偿命。|大蒜有杀菌作用。|这次杀的病毒有三个。

❷ 战斗。(fight)常做谓语。

例句 战士们杀出了一条血路。|我和他杀过一次象棋。

❸ 削弱、减少、消除。(weaken; reduce)常做谓语。

例句 喝杯冰镇可乐,杀杀暑气。|买东西的人总想杀价,卖东西的人总想抬价。|他不高兴,却拿我杀气。|挺美的古代园林中却修了个现代雕塑,真是大杀风景。

【杀害】 shāhài 〔动〕

杀死、害死。(murder; kill)常做谓语。

例句 侵略军杀害了许多妇女和儿童。|不能杀害野生动物。|警察已抓住了杀害他的凶手。|许多野生动物惨遭杀害。

【杀鸡取卵】 shā jī qǔ luǎn 〔成〕

比喻贪图眼前的微小好处而损害长远的利益。(kill the hen to get the eggs; kill the goose that lays the golden eggs)常做主语、谓语、定语、宾语。

例句 不能光顾眼前利益,杀鸡取卵不足取。|我们不能杀鸡取卵,工厂倒了,我们可就真没指望了。|这种杀鸡取卵的办法是谁想出来的?|他们这种做法无异于杀鸡取卵。

【杀一儆百】 shā yī jǐng bǎi 〔成〕

杀死一人来警戒许多人。(execute one as a warning to a hundred; execute one man to warn a hundred)常做谓语、定语、宾语,也可做分句。

例句 我们可以杀一儆百,给他们

点颜色瞧瞧。|这一招起到了杀一儆百的作用。|为了杀一儆百，我们决定从严惩处。|经理向厂里建议开除几个长期在外不归的工人，“杀一儆百”，不然生产秩序就无法维持了。

【沙】 shā 〔名〕

❶ 细小的石粒。(sand)常做主语、宾语、定语。[量]粒，吨，袋，车。

例句 阳光很强，沙都烫脚了。|沙漠地带的风沙很大。|有的农民在河里挖沙。|那些树林可以防沙。|我们需要大量的沙袋子。

❷ 像沙的东西。(sth. resembling sand)常用于构词。

词语 豆沙　蚕沙　粉沙

例句 这个包子是豆沙馅儿(xiànr)的。

▶“沙”还做形容词，指嗓音不清脆。如：沙哑　沙音

【沙发】 shāfā 〔名〕

一种有弹性的坐具。(sofa)常做主语、宾语、定语。[量]个，套。

例句 沙发已经搬进了客厅。|那个沙发坏了。|去年，老人买了一个沙发。|沙发的读音是从英语来的。|我很喜欢那套沙发的式样。

【沙漠】 shāmò 〔名〕

地面完全为沙覆盖(fùgài)，缺少流水，气候干燥，植物稀少的地区。(desert)常做主语、宾语、定语等。[量]片。

例句 那片沙漠从没人进去过。|人类能征服沙漠吗？|探险队进入了塔克拉玛干大沙漠。|沙漠的气候是白天热，晚上冷。|为了防止沙漠的危害，必须大量植树。

【沙滩】 shātān 〔名〕

水中或水边由沙子淤积(yūjī)成的陆地。(sandy beach)常做主语、宾语、定语。[量]块，片。

例句 海边的沙滩是夏日游玩的好地方。|小船被海浪冲上了沙滩。|沙滩排球是一种新的运动项目。

【沙土】 shātǔ 〔名〕

主要成分是沙的土壤(rǎng)或土。(sandy soil)常做主语、宾语、定语。[量]堆。

例句 沙土不适合这种植物生长。|这堆沙土终于被运走了。|这一带的土地主要是沙土。|改造沙土地的愿望终于实现了。

【沙子】 shāzi 〔名〕

细小的石粒，也指像沙的东西。(sand; small grains)常做主语、宾语、定语。[量]粒，车，袋。

例句 铁沙子

例句 沙子是建筑用的材料。|有粒沙子迷了我的眼睛。|有些人正在河里挖沙子。|这车沙子的质量不错，那车不行。

【纱】 shā 〔名〕

❶ 棉花、麻等纺成的细丝，可以捻成线或织成布。(yarn)常做主语、宾语、定语。[量]支，根。

例句 纱是织布的原料。|最近棉纱越来越贵。|纺织工人正在紧张地纺纱。|这批纱的质量太好了。

❷ 用纱织成的织品，也指像窗纱一样的制品。(gauze)常做语素构词。

词语 纱窗　纱布　铁纱

例句 夏天到了，该换纱窗了。|医院用的纱布都是消过毒的。|铁纱结实些，但容易生锈。

【刹】 shā 〔动〕 另读 chà

S

止住(机器、车等)。(stop)常做谓语。

例句 赶快刹车!|刘师傅把车床刹住,看看零件加工得怎么样。|遇到行人,司机刹了一下车。

【刹车】 shā chē 〔动短〕

止住车的行进或机器的运转。(stop a vehicle by applying the brakes)常做谓语,中间可插入成分。

例句 司机刹住了车。|你刹一下车,看看闸灵不灵。|司机没刹车,直接开了过去。

▶"刹车"也做名词,指刹车的装置。

▶"刹车"还比喻停止或制止,也作"煞车"。如:经济过热,必须刹车。

【砂】 shā 〔名〕

❶ 同"沙❶",指细小的石粒。(sand)常用于构词。

词语 砂布 砂纸 砂轮

例句 砂子是用来磨光、去锈的材料。

❷ 像砂的东西。(sth. resembling sand)常用于构词。

词语 砂糖 矿砂 砂眼

【啥】 shá 〔代〕

什么;什么东西。(what)常做主语、宾语、定语等。

例句 来晚了,啥都没了。|你有啥就说啥,别吞吞吐吐的。|你要干啥?|你有啥办法?|他说啥话也没用了。

【傻】 shǎ 〔形〕

❶ 头脑糊涂,不明事理。(stupid)常做谓语、定语、补语、宾语。

例句 她平时挺聪明,今天怎么傻了?|他傻得跟个小孩似的,什么也不懂。|老人只有一个傻儿子,真可怜。|观众被那个场面吓傻了。|大女儿听到这个消息,气傻了。|他又犯傻了。

❷ 死心眼,不知变通。(think or act mechanically)常做状语、定语、谓语。

例句 我傻等了半天,她也没来。|你就会傻干,不会想想办法?|他真是个傻小子。|有人说,这样干太傻了。|我认准了这样,我愿意这样傻。

【傻子】 shǎzi 〔名〕

智力低下,不明事理的人。(fool)常做主语、宾语、定语。[量]个。

例句 他这个傻子又出笑话了。|傻子才会这样做。|你别装了,大家谁也不是傻子。|没人理那个傻子,只有我可怜他。|没想到她做了傻子的妻子。

【筛】 shāi 〔动〕

❶ 把东西放在器具里来回摇动,使细的漏下去,粗的留下,也比喻挑选、淘汰(táotài)。(screen)常做谓语、定语。

例句 妈妈正在筛米。|你把这些面筛一筛。|他担心考不好被筛下来。|她又把筛过的米挑了一遍。

▶"筛"又做名词,指筛东西的器具(筛子)。

❷ 斟(zhēn)、倒(酒)。(pour wine)常做谓语。

例句 他又筛了一回酒。

【筛子】 shāizi 〔名〕

用竹条、铁丝等编成的有许多小孔的器具,可以把细碎的东西漏下去,粗的留在上头。(screen)常做主语、

S

宾语、定语。[量]个,面。

例句 筛子在农村用得比较多,有各种各样的。|这个筛子不太好了,换一个吧。|大嫂拿出个筛子准备筛米。|筛子眼儿太小了,筛不下去。

【晒】 shài 〔动〕

太阳照射;在阳光下吸收光和热。(shine upon;dry in the sun)常做谓语、定语。

例句 烈日晒得人睁不开眼睛。|几个农民正忙着晒粮食。|小花猫正在窗台上晒太阳。|快下雨了,晒好的粮食要赶紧收起来。

【山】 shān 〔名〕

❶ 地面上形成的高起的部分。(hill;mountain)常做主语、宾语、定语。[量]座。

例句 这座山有4000多米高。|那座雪山到了夏天山顶也是白的。|老人又进山采药去了。|我非常留恋故乡的山和水。|山南面是一大片树林。

❷ 形状像山的东西。(sth. resembling a mountain)常做主语、宾语、定语。[量]座。

例句 工地旁边的垃圾山已经被清理干净了。|那艘船撞到了冰山。|那个假山的后面是个池塘。

【山地】 shāndì 〔名〕

❶ 多山的地带。(mountainous region)常做主语、宾语、定语。

例句 山地生活着许多平原没有的动物。|从这儿往北就是山地了。|这是一支山地民族,打扮也特别。|我有一辆山地自行车。

❷ 在山上的农业用地。(fields on a hill)常做主语、宾语、定语。[量]片,块。

例句 这块山地适合种果树。|山地种水稻不如种经济作物。|他承包了那一片山地。|农民们把一块块山地整理得平平整整。|山地的果木很茂盛(màoshèng)。

【山峰】 shānfēng 〔名〕

山的突出的尖顶。(mountain peak)常做主语、宾语、定语等。[量]座,个。

例句 这座山峰是主峰。|那座山峰终年积雪。|登山队员终于登上了陡峭(dǒuqiào)的山峰。|这座山峰的左侧是峭壁。

【山冈】 shāngāng 〔名〕

不高的山。(low hill)常做主语、宾语、定语等。[量]座,个。

例句 春天到了,山冈一片翠绿。|村后的山冈是我小时候常去玩的地方。|我忘不了故乡的那个山冈。|重阳节时,人们纷纷登上山冈去望远。|太阳快要下山时,山冈的景色让人难忘。|下雪了,一群孩子来到山冈的坡上滑雪。

【山沟】 shāngōu 〔名〕

❶ 山间的流水沟。(gully)常做主语、宾语、定语。[量]条。

例句 这条山沟在夏天常发洪水。|一些农民在整治那条山沟。|那个山沟里有一条小溪。|山沟的两旁草木繁盛。

❷ 两山之间低凹(āo)狭窄的地方,中间多有溪流。(ravine)常做主语、宾语、定语。[量]个。

例句 那个山沟很深。|这一带的山沟到处长满了野果。|为了发展旅游,县里准备开发这条山沟。|这个山沟的特产是野羊。

❸ 指偏僻(piānpì)的山区。(a re-

S

mote mountain area)常做主语、宾语、定语。[量]个。

例句 那个穷山沟什么也没有。|我们的小山沟变得越来越富足了。|她从都市来到山沟，当了一名小学教师。|看他们的打扮，像是山沟里的人。|怎么样才能把山沟的特产卖出去呢?

【山谷】 shāngǔ 〔名〕
两山之间低凹(āo)而狭窄(xiázhǎi)的地方，中间多有溪流。(valley)常做主语、宾语、定语。[量]条，个。

例句 那个山谷很深。|那条山谷长满了松树。|探险家进入了那个山谷。|很多人想了解那个神秘的山谷。|山谷底部有一条小溪。

【山河】 shānhé 〔名〕
大山和大河，指国家或国家某一地区的土地，又作“河山”。(mountains and rivers——the land of a country)常做主语、宾语、定语。[量]片。

例句 山河壮丽，物产丰富。|我想踏遍祖国山河。|我喜欢山河的壮美。

【山脚】 shānjiǎo 〔名〕
山的靠近平地的地方。(the foot of a hill)常做主语、定语、宾语。

例句 山脚有一片树林。|山脚下有个小村庄。|下山的人终于到了山脚。

【山岭】 shānlǐng 〔名〕
连绵的高山。(a chain of mountains)常做主语、宾语。[量]座，条，道。

例句 春天到了，山岭由灰色变为青翠。|大雾笼罩(lǒngzhào)了整个山岭。|他走遍了这一带的山山岭岭。

【山脉】 shānmài 〔名〕
成行列的群山，向一定方向延展。(mountain range)常做主语、宾语、定语。[量]个，列。

例句 中国的山脉呈网络状分布。|天山山脉是西部的一列主要山脉。|科学家进入了东北山脉考察。|大兴安岭山脉的林区是中国最大的林区之一。|卫星拍出了秦岭山脉的全貌。

【山清水秀】 shān qīng shuǐ xiù 〔成〕
形容山水风景优美。(green hills and clear waters——picturesque scenery)常做谓语、定语。

例句 我的故乡山清水秀，风景如画。|桂林是一个山清水秀的地方。

【山穷水尽】 shān qióng shuǐ jìn 〔成〕
山和水都到了尽头。比喻陷入绝境。(where the hills and the rivers end——at the end of one's rope)常做谓语、定语、补语。

例句 王经理现在要钱没钱，要人没人，已经山穷水尽了。|慌什么?我们还没到山穷水尽的地步!|不瞒你说，老王，为了孩子上学，我们家已经弄得山穷水尽了。

【山区】 shānqū 〔名〕
多山的地区。(mountain area)常做主语、宾语、定语等。[量]个，片。

例句 那个山区已修通了公路。|姑娘离开山区来到城市打工。|城市要支援山区建设，发展山区经济。

【山水】 shānshuǐ 〔名〕
❶ 山上流下来的水。(water from a mountain)常做主语、宾语。[量]股。

例句 山水清甜可口，大家都喝了一点儿。|他装了两瓶山水带回城里。

❷ 山和水，泛指有山有水的风景。(mountains and rivers; scenery with hills and waters)常做主语、宾语、定语。不用量词。

例句 “桂林山水甲天下”，意思是桂林的风景天下第一。|家乡的山山水水让我留恋。|他这个北方人爱上了南国的山水。|山水画是中国画的一大类别。

【山头】 shāntóu 〔名〕

❶ 山的顶部、山峰。(hilltop)常做主语、宾语、定语。[量]个，座。

例句 山头光秃秃的，什么也没有。|爬上山头，大家忍不住欢呼起来。|山头的风景比山下壮观多了。

❷ 设立山寨的山头，比喻独霸(dú bà)一方的宗派。(faction)常做宾语。[量]个。

例句 他总爱拉山头。

【山腰】 shānyāo 〔名〕

山顶和山脚之间大约一半的地方，又叫半山腰。(halfway up the mountain)常做主语、宾语、定语。[量]个。

例句 山腰有条小道。|大家爬到山腰的时候，休息了一会儿。|车开到半山腰就不能前进了。|山腰的树林中有座不大的寺庙。

【山珍海味】 shān zhēn hǎi wèi〔成〕

山里和海中出产的各种珍贵食品，泛指丰盛美味的菜肴。(delicacies from land and sea; dainties of every kind)常做主语、宾语、谓语。

例句 山珍海味也不能总吃。|吃山珍海味，住豪华别墅。|那些人每天山珍海味，哪儿来那么多钱？

【删】 shān 〔动〕

去掉(文章中某些字句)。(leave out)常做谓语、定语。

例句 他把演讲稿删去了一段。|写文章要删繁就简。|稿子还长，再删删吧。|删去的内容都是可有可无的。|我仔细地数了数删过的名单，正好100人。

【姗姗来迟】 shānshān lái chí 〔成〕

走得缓慢从容的样子。形容不慌不忙，不能按时到达。(be slow in coming; be late)常做谓语、定语。

例句 她总是姗姗来迟。|姗姗来迟的春雨给人们又带来了希望。

【珊瑚】 shānhú 〔名〕

海里珊瑚虫的石灰质骨骼聚集的东西。(coral)常做主语、宾语、定语。[量]丛，片。

例句 珊瑚很像植物。|潜水员发现了一片美丽的珊瑚。|珊瑚岛是由珊瑚的骨骼堆积成的岛屿。

【闪】 shǎn 〔动〕

快速侧身躲避(duǒbì)。(dodge)常做谓语。

例句 他迅速闪到树后，才没被发现。|她往旁边一闪，躲开了山上滚下来的石头。|有人大喊“闪开”，吓得大家赶快闪到路边。

❷ (身体)猛然晃动(huàngdòng)(waver)。常做谓语。

例句 他脚下一滑，闪了闪，差点儿跌倒。|我下楼时闪了一下，赶忙扶住了栏杆。

❸ 因动作过猛，使一部分筋(jīn)肉受伤而疼痛。(sprain)常做谓语。

例句 他闪了脖子，头也不能动了。|你闪着哪儿了呢？|运动员起跳太猛，一下闪着了腰。

❹ 突然出现。(flash)常做谓语。

例句 她在人群中一闪就不见了。

S

|那个念头只在脑子里闪了一下。|假山后闪出一个人来。

❺ 闪耀(yào)。(sparkle)常做谓语。

例句 雪山闪着银光。|他两眼闪出凶光。|灯闪了几下，就不亮了。

【闪电】 shǎndiàn 〔名〕

云与云或地面之间发生的放电现象。(lightning)常做主语、宾语、定语。[量]道。

例句 闪电过后，紧接着一声闷雷。|为了防避闪电，高层建筑都安装了避雷针。|闪电的光照亮了夜空。

【闪烁】 shǎnshuò 〔动〕

❶(光亮)动摇不定，忽明忽暗。(glimmer)常做谓语、定语。

例句 江面上闪烁着夜航船的灯光。|她眼中闪烁着自信的光芒。|我看见了她眼里闪烁的泪花。|闪闪烁烁的繁星撒满夜空。

❷(说话)稍露出一点儿想法，但不肯明确地说。(be evasive)常做谓语、状语。

例句 他故意闪烁其词，让人摸不透。|你总闪闪烁烁，到底是什么意思？|他没有直说，只是闪闪烁烁地回答了几句。

【闪烁其辞】 shǎnshuò qí cí 〔成〕

形容说话遮遮掩掩，吞吞吐吐。(speak evasively; hedge; dodge about; evade issues)常做谓语、定语、状语。

例句 他的回答闪烁其辞，让人捉摸不透。|他那闪烁其辞的暗示，确实让手下误会了。|小王闪烁其辞地说："我是没去，小黄去没去我不太清楚。"

【闪耀】 shǎnyào 〔动〕

光彩耀眼。(glitter; shine)常做谓语、定语。一般不重叠。

例句 塔顶闪耀着金光。|闪耀的灯光让老人眼花了。

辨析 〈近〉闪烁。"闪耀"也有光亮不定的意思，但重在表示光亮很强。"闪烁"表示的光亮程度不太高，还可表示说话吞吞吐吐，也可以重叠。

【扇】 shàn 〔名〕 另读 shān

❶ 即"扇子"。(fan)常做主语、宾语、定语。[量]把。

例句 这把蒲扇破了，不能用了。|她拿了把羽毛扇给我。|我把那把香木扇送给朋友了。|扇面上画的是一幅山水画。

❷ 指板状或片状的东西。(leaf)常用于构词。

词语 门扇 隔扇 窗扇

例句 门扇坏了，修一修吧。|隔扇搬走后，房间变得敞亮多了。

▶ "扇"还做量词，用于"门"、"窗"等。

【扇子】 shànzi 〔名〕

摇动生风的用具。(fan)常做主语、宾语、定语。[量]把。

例句 那把破扇子扔了吧。|扇子是这里夏天必备的用具。|她送给男朋友一把纸扇子。|扇子的面上是一幅书法作品。

【善】 shàn 〔形〕

❶ 心地纯洁，对人友好、关怀。(good)常做定语、谓语。

例句 帮助残疾人是人人都该做的善事。|她一脸善相，不像坏人。|老人有个善举，把一生的存款都捐给了福利院。|这位师傅很和气，心也善。

❷ 良好。(satisfactory; good)常用于构词。

S

词语　善策　善本　改善

例句　公司改善了工人的工作条件。|这本书是一个善本，有较高的学术价值。

❸ 交好、友好。(kind; friendly)常做谓语。

例句　两国自古亲善，没发生过战争。

❹ 容易。(apt to; liable to)常做状语。

例句　她总多愁善感。|他太善变了，刚才还支持我们，现在又支持他们了。

▶ "善"还做名词，指"善行、善事"，也做动词，指"擅长"、"办好"。如：善有善报　行善　善歌舞

【善良】　shànliáng　〔形〕

纯洁正直、没有恶意。(good and honest)常做定语、谓语。一般不重叠。

例句　她有一颗善良的心。|善良的人们是想不到的。|她心地善良。|老妈妈对人十分善良。

【善始善终】shàn shǐ shàn zhōng　〔成〕

事情从开头到结束都做得很好。(start well and end well; do well from start to finish; see sth. through)常做谓语。

例句　希望你善始善终，站好最后一班岗。|整个活动善始善终，没出任何差错。

【善于】　shànyú　〔动〕

在某方面具有特长。(be good at)常做谓语(必带宾语)。

例句　他善于做思想工作。|领导应该善于把群众团结起来。|他非常善于交际。

【擅】　shàn　〔动/副〕

〔动〕长于、善于。(be good at)常做谓语。

例句　老王不擅言谈，说了两句就没话了。|大山汉语说得不错，他还擅书法。

〔副〕自作主张。(do sth. without authorization)常做状语。

例句　值班时不能擅离职守。

【擅长】　shàncháng　〔动〕

在某方面有特长。(be good at)常做谓语。

例句　那个医生擅长外科。|这位老干部擅长书法、绘画。|他很能干，但对于写文章却不太擅长。

辨析　〈近〉善于。"善于"侧重工作经验，"擅长"侧重技能；"擅长"可不带宾语，"善于"一定要带宾语。如：＊书法他很善于。("善于"应为"擅长")

【擅自】　shànzì　〔副〕

对不在自己职权范围之内的事情自作主张。(do sth. without authorization)常做状语。

例句　你不能擅自改变厂里的规定。|他擅自与客户签订了一份合同。|这次去外地学习，任何人不得擅自行动，要听指挥。

【伤】　shāng　〔动/名〕

〔动〕❶ 伤害。(injure; hurt)常做谓语。

例句　没事儿！只伤了点皮肉，没伤筋骨(jīngǔ)。|烟和酒太伤身体了，还是戒(jiè)了吧。|这事儿太伤他的感情了。|你怎么出口伤人？

❷ 因过度而感到厌烦。(get sick of sth.)常做补语、谓语。

例句 这孩子吃糖吃伤了，现在见了糖再也不要了。|喝药已经喝伤了，见了就想吐。|这几天伤食了，不想吃东西。|叶子伤了水，不太红了。

❸ 妨碍(fáng'ài)。(hinder)常做“有”、“无”的宾语，多用于固定短语。

例句 这样做于人有益，于己无伤。|这事无伤大雅，可以试试。

❹ 悲哀。(be distressed)常用于构词。

词语 悲伤　哀伤　感伤

例句 母亲死了，她很悲伤。|那是个感伤诗人。

〔名〕人或其他物体受到的损害。(wound)常做主语、宾语、定语。[量]处。

例句 他手上的伤已经好了。|我这两处伤很轻，没关系。|这次抢险，他身上受了五处伤。|战争年代，爷爷身上留下了很多处伤。|你的伤口已经感染了。

【伤害】 shānghài 〔动〕

使身体或思想感情受到损害。(injure; harm)常做谓语、宾语、定语等。

例句 睡眠太少会伤害身体。|不要伤害孩子的自尊心。|看到同伴受到伤害，他勇敢地站了出来。|这样处理对他们没有任何伤害。|他应该向被伤害的同志道歉。|伤害的部位是经常活动的部位。

辨析 〈近〉损害。“伤害”的对象是身体或感情，“损害”的对象多为“健康”、“利益”、“工作”等抽象名词，语意也轻。如：*知识不够，对工作有伤害。(“伤害”应为“损害”)

【伤痕】 shānghén 〔名〕

伤疤，也指物体受损害后留下的痕迹。(scar)常做主语、宾语。[量]处，道。

例句 爸爸的那道伤痕是战争时留下的。|心里的那道伤痕永远也不能抹去。|上次切菜不小心，手指上留下一处伤痕。|经过整容，烧伤的脸几乎没有伤痕。

【伤口】 shāngkǒu 〔名〕

皮肤、肌肉等受伤破裂的地方。(wound)常做主语、宾语、定语。[量]个，处。

例句 这个伤口要进行一下包扎。|伤口不大，上点儿药就行了。|护士正在包扎伤员的伤口。|医生小心地清洗他的伤口。

【伤脑筋】 shāng nǎojīn 〔动短〕

形容事情难办，费心思。(bothersome; troublesome)常做谓语、定语，中间可插入成分。

例句 这事真让我伤脑筋。|他为怎么处理这辆旧车大伤脑筋。|这是件伤脑筋的事。|她遇到了一个伤脑筋的问题。

【伤心】 shāng xīn 〔形短〕

由于遭受不幸或不如意的事心里痛苦。(sad; grieved; broken-hearted)常做谓语、状语、定语、补语等，中间可插入成分。

例句 孩子得了重病，母亲伤心极了。|想起这事，我真伤透了心。|玩具丢了，小女孩伤心地哭了。|她想起那件伤心的事就难受。|瞧，她哭得多么伤心哪。|他说得那么伤心，引起了大家的同情。

【伤员】 shāngyuán 〔名〕

受伤的人员。(the wounded)常做主语、宾语、定语等。[量]名，个，位。

S

例句 伤员们正在医院接受治疗。|有个伤员有生命危险,医生正在全力抢救。|护士的职责是护理伤员。|这几位伤员的伤势不太严重,可以活动活动。

【商】 shāng 〔动/名〕

〔动〕商量。(discuss)常做谓语。

例句 各界人士共商国是。|请大家按时出席会议,有要事相商。|价格可以面商。

〔名〕❶ 买卖货物的经济活动。(trade;commerce)常做宾语。也做语素构词。

词语 商业 商店 商品 商人 商务

例句 他最近下海经商了。|这里的边境自古就通商。|总统是前几年才弃商从政的。

❷ 做买卖的人。(businessman)常用于构词或短语。

词语 商贩 客商 富商

例句 改革开放后,大批外商到中国投资。|工商管理部门不断打击奸商的违法行为。

❸ 数学术语,除法运算的得数。(quotient)常做主语、宾语。

例句 8除以4,商是2。|那个除式的商不准确。|10除以3,得出一个近似商。

S

【商标】 shāngbiāo 〔名〕

商品表面或其包装上的专有标志或记号。(trademark)常做主语、宾语、定语。[量]个,种。

例句 商标是一种无形的资产。|短短几年,这个商标就成了驰名商标。|那家公司买下了这个有名的商标。|注册商标的使用权受法律保护。|公司请来专家为新产品设计了一个新颖的商标图案。

【商场】 shāngchǎng 〔名〕

❶ 面积较大、商品比较齐全的综合商店。(market)常做主语、宾语、定语。[量]家,座。

例句 这家商场是全国十大商场之一。|现代化商场是理想的购物场所。|这是我们在一个大商场买到的东西。|这一带又建起了几座大型商场。|商场工作人员热情地为顾客服务。

辨析 〈近〉商店。"商场"的规模一般比"商店"大。

❷ 指商界。(the business circle)常做主语、宾语、定语。

例句 商场如战场,这是中国的一句古话。|商场变化大,做买卖要小心。|他最近才进入商场,但生意发展很快。|老人退出商场,开始过一种轻松的生活。|商场的变化他很了解。|他慢慢才知道商场竞争的激烈。

【商店】 shāngdiàn 〔名〕

在室内出售商品的场所。(shop;store)常做主语、宾语、定语等。[量]家,个。

例句 商店装修以后,漂亮多了。|那家商店专门卖各种生活用品。|附近没有大商店,他们只好进城买东西。|张女士下岗后,开了个小商店。|商店的服务好,生意也就好。|她是那个商店的售货员。

【商量】 shāngliang 〔动〕

交换意见。(consult)常做谓语、定语、宾语。

例句 他们正在商量旅游的事。|这事还得跟家里商量商量。|我们

商量个办法吧。|经理用商量的口气和他谈了工作安排的事。|商量的结果是让人满意的。|这事还需要进一步商量。|他俩开始商量结婚的事了。

辨析 〈近〉商讨、商榷(shāngquè)。“商量”多用于一般问题;“商讨”指协商讨论,多指重大问题,用于书面语;“商榷”着重指互相研究学术等问题,是书面语。如:商量(商讨、商榷)问题|两国商讨(* 商量、商榷)建交的问题。

【商品】 shāngpǐn 〔名〕
用来交换的劳动产品,也指市场上买卖的东西。(goods)常做主语、宾语、定语。[量]种,件。

例句 市场繁荣,商品丰富。|商场里摆满了各种商品。|商品质量是商品的生命。

【商品房】 shāngpǐnfáng 〔名〕
作为商品出售(chūshòu)的房屋。(commercial housing)常做主语、宾语、定语。[量]间,套,栋,幢(zhuàng),片。

例句 商品房在中国越来越普遍了。|那家公司出售多种商品房。|这儿还要建一片商品房。|商品房的价格不能脱离人们的承受能力。

【商榷】 shāngquè 〔动〕
就某个学术或重要问题交换意见。(discuss)常做谓语、宾语、定语。一般不重叠。

例句 李先生在报上和一位同行商榷一个经济问题。|这个问题值得商榷。|商榷的方式由双方决定。

【商人】 shāngrén 〔名〕
买卖商品,从中取利的人。(businessman)常做主语、宾语、定语。[量]个,名。

例句 这里的商人都做服装生意。|他成了一个商人。|商人的职业道德也很重要。

辨析 〈近〉商贩(shāngfàn)。“商贩”指现买现卖的小商人。

【商讨】 shāngtǎo 〔动〕
商量讨论,为了解决较大的、较复杂的问题而交换意见。(discuss)常做谓语、宾语、定语。

例句 双方正在商讨具体问题。|双方正在进行商讨。|双方确定了商讨的时间、地点、内容。

【商务】 shāngwù 〔名〕
商业上的事务。(commercial affairs)常做定语、主语、宾语。

例句 商务代表经常参加各种商务活动。|商务中心在宾馆二层。|这些商务很难处理。|我大学毕业就搞商务了。

【商业】 shāngyè 〔名〕
以买卖方式使商品流通的经济活动。(commerce)常做主语、宾语、定语。

例句 传统商业已经发生了重大变化。|中国传统思想轻视商业,重视农业。|商业体制的改革为商业的发展带来了活力。

【商议】 shāngyì 〔动〕
为了对某些问题取得一致意见而进行讨论。(confer)常做谓语、定语、宾语等。

例句 这件事我们要商议一下。|比赛组委会正在商议评奖办法。|今天商议的主要问题是交货时间问题。|现在开始商议下一个问题。

【晌】 shǎng 〔名〕

❶ 一天以内的某段时间。(part of the day)常做补语、宾语、主语等。前面可直接加数词。

例句 她干了半晌,觉得累了。|他一睡就是大半晌。|前半晌还行,后半晌一点儿精神也没有。

❷ 中午。(noon)常做定语、宾语,不用量词。

例句 我还没吃晌饭。|她歇晌去了。

【晌午】 shǎngwu 〔名〕

中午。(noon)常做主语、宾语、补语、定语、状语。[量]个。

例句 晌午没什么事。|晌午太热了。|他忙于写方案,不觉已经是晌午了。|他一觉就睡到晌午。|我干了一晌午,才把活儿干完。|晌午饭已经吃了。|这件事等晌午吧。

【赏】 shǎng 〔动〕

❶ 赐(cì)予奖励。(award)常做谓语、定语、主语等。

例句 国王赏给他一颗宝石。|公司的赏与罚都很分明。

▶ "赏"多指地位高的对地位低的赐予奖励。如:* 大臣赏皇帝。

▶ "赏"还做名词,指"奖励或赐予的东西"。如:有赏 领赏

❷ 欣赏、观赏。(view and admire; delight in viewing; feast one's eyes on)常做谓语。

例句 中秋节赏月是中国的民俗之一。|下雪了,咱们去赏雪怎么样?|赏花、赏月,都很有情趣。|这个节目雅俗共赏。

❸ 称赞。(recognize; appreciate)常做语素构词。

词语 赏识 赞赏

例句 上司很赏识他。|大家对这道菜十分赞赏。

【上】 shàng 〔名/动〕 另读 shǎng

〔名〕❶ 位置在高处的。(above)常做主语、宾语、定语。

例句 上有天堂,下有苏杭。|上有父母,下有儿女。|你往上看,他在那儿!|上情要下达。

▶ "上"可以用在名词后表示"表面"、"范围"或"某一方面",读轻声。如:脸上 墙上 桌子上 会上 书上 报纸上 组织上 事实上 思想上

❷ 等级或品质高的。(higher)常做语素构词。

词语 上等 上级 上品

例句 这是上等茶叶。|上级来我校视察工作。|"茅台"是中国白酒中的上品。

❸ 次序或时间在前的。(last; first)常做定语。

例句 上次我没去,这次一定去。|他想起了上回的事。|上文已说过,这里就不再重复了。

❹ 向上面。(upward)常做状语。

例句 电梯上升到十楼。|他是个积极上进的青年。|这份方案要尽快上报。

〔动〕❶ 由低处到高处。(go up)常做谓语。

例句 请上楼!|游客们正要上山,天下起了大雨。

❷ 到、去(某个地方)。(go to)常做谓语。

例句 你上哪儿去?|他要上商店买东西。|孩子发烧了,快上医院吧!

❸ 向前进。(go ahead)做谓语。

S

例句 小李快上，投篮！|他见困难就上。|旅游业需要快上。

❹ 出场。(appear on the stage; enter)常做谓语。

例句 明星队一上场，观众就鼓起掌来。|演员上来了，表演开始了。|这场比赛，你们五个人上。

❺ 把饭菜等端上桌子。(supply; serve)常做谓语。

例句 一共上了六道菜。|先生请坐。上茶！

❻ 添补、增加。(add; fill)常做谓语。

例句 该给自行车上点儿油了。|司机给水箱上了一桶水。|小贩正在上货。

❼ 把一件东西安装在另一件东西上，或把一件东西的两部分安装在一起。(set; fix)常做谓语。

例句 枪上了刺刀。|师傅们正在上螺丝(luósī)。|管子已经上好了，可以通水了。

❽ 涂、擦。(apply; paint)常做谓语。

例句 他手破了，自己上了点儿药。|画家正在给画儿上颜色。

❾ 登载。(be put on record)常做谓语。

例句 他的事情上了今天的报纸。|姐姐的名字上了光荣榜。|王教授上了电视。

❿ 拧紧(发条)。(wind; screw)常做谓语。

例句 闹钟已经上过弦了。|发条别上得太紧了。

⓫ 到规定时间开始工作或学习。[be engaged(in work, study, etc. at a fixed time)]常做谓语。

例句 爸爸每天上班。|学生从八点钟开始上课。|李老师一天只上两节课。

⓬ 达到、够(一定数量或程度)。(up to; as many as)常做谓语。

例句 爷爷已经上了年纪。|这次参加考试的人上了一千。|他们家的装修真上档次。

▶ "上"还可以用在动词后表示动作的结果，可以表示"由低到高"、"有了结果或达到目的"、"表示开始并继续"。如：爬上 走上 跑上 锁上 考上 吃上 爱上 接上 忙上

【上班】 shàng bān 〔动短〕

在规定的时间到工作地点工作。(go to work)常做谓语、宾语、定语、主语等，中间可插入成分。

例句 爸爸最近特别忙，双休日都上班。|他病了，上不了班了。|她刚大学毕业，从九月份才开始上班。|休息时间长了，又很想上班。|上班时间不能看书报。|上班是一件愉快的事。|刚出院，上班能行吗？

【上报】 shàngbào 〔动〕

向上级报告。(report to a higher body; report to the leadership)常做谓语、定语、宾语。

例句 这件事需要上报，我无权处理。|他把那条信息上报给了总部。|上报的材料，秘书已经准备好了。|他写好了计划，准备上报。

▶ "上报"还做动词短语，指"登上报纸"。如：他的名字上报了，你没看见吗？

【上边】 shàngbian 〔名〕

❶ 位置较高的地方。(above)常做主语、宾语、定语。

例句 桥上边有两排石狮子。|汽

车上边放着一些行李。|大家看了看房子上边,什么也没有。|上边的部分已经坏了。

❷ 次序靠前的部分。(above-mentioned)常做主语、宾语、定语。

例句 上边谈到了一些成绩,下边开始谈问题。|别光看上边,得整篇分析。|上边的工作还不错,可还要继续努力呀。|上边的内容记录下来了。

❸ 上级。(higher authorities)常做主语、宾语、定语。

例句 上边派来了一个新领导。|上边不喜欢这种假汇报。|我已经请示了上边,他们同意了。|出了事故他不向上边汇报,受到了批评。|大家领会了上边的精神。

【上层】 shàngcéng 〔名〕

上面的一层或几层(多指机构、组织、阶层)。(upper strata)常做定语。

例句 上层领导应当关心老百姓的疾苦。|她的理想是进入上层社会。|最近,一些上层民主人士提出了几项重要的改革建议。

【上当】 shàng dàng 〔动短〕

受骗吃亏。(be taken in)常做谓语、宾语,中间可插入成分。

例句 这次我们要小心,别再上当了。|我以前上过假广告的当。|他多次上当,现在聪明多了。|妈妈担心上当,没敢买那儿的东西。

【上等】 shàngděng 〔形〕

等级高的,质量高的。(first-class)常做定语。

例句 这都是上等货,所以价格高。|上等茶叶数量不多,要买就快买吧。|他在部队时是个上等兵。

【上帝】 Shàngdì 〔名〕

基督教的最高神,是万物的创造者和主宰者。(God)常做主语、宾语、定语。[量]个。

例句《圣经》上记载,上帝创造了万物。|有人相信上帝,也有人不信。|不知道自己什么时候去见上帝。|他相信那是上帝的恩赐。

▶ "见上帝"在口语中指"死"。如:他去见上帝了。(他死了)

【上级】 shàngjí 〔名〕

同一组织系统中等级较高的组织或人员。(higher authorities)常做主语、宾语、定语。[量]个,位(只指人员)。

例句 上级派来了检查团检查工作。|上级命令我们准备抗洪抢险。|我已经请示过上级了。|下级应该服从上级。|上级的指示已经传达了。|我们正在学习上级的精神。

【上交】 shàngjiāo 〔动〕

把财物、材料等交给上级。(hand over to the higher authorities)常做谓语、定语、宾语。

例句 这些税收都必须上交国库。|上交的资料已经准备好了。|这几个财务报表正准备上交。

辨析 〈近〉上缴(jiǎo)。"上缴"的对象只是财、物。

【上进】 shàngjìn 〔动〕

向上,进步。(go forward; make progress)常做谓语(不带宾语)、定语、宾语。

例句 学生应该积极上进,努力学习。|他不太上进,让父母非常伤心。|她是个热情上进的好姑娘。|她追求上进,工作连年得奖。|我们班人人都有上进心。

【上课】 shàng kè 〔动短〕

教师讲课或学生听课。(go to class or give a lesson)常做谓语、定语、宾语,中间可插入成分。

例句 李老师正在上课,你下课后再找他吧。|这个班每天上午上四节课。|王老师上课的时间在下午。|这次上课的地点是大阶梯教室。|学生一般从上午八点开始上课。

【上空】 shàngkōng 〔名〕

指一定地点上面的天空。(in the sky;overhead)常做主语、宾语、定语。

例句 天安门广场上空回响着礼炮声。|飞机飞过了城市上空。|无数气球在广场上空飞舞。|我市上空的空气质量良好。

【上来】 shàng lái 〔动短〕

❶ 由低处到高处来。(come up)常做谓语、定语、补语。中间可插入成分。

例句 他在楼下看书,半天没上来。|你上楼来谈一谈。|游了半天了,上来休息一会儿。|上来的人全是小伙子,一个姑娘也没有。|他帮我把行李提上来了。|这问题我答不上来。

❷ 开始、起来。(begin)常做谓语。

例句 上来先别说话,听听别人怎么说。|他一上来就得了两分,观众使劲为他鼓掌。|猴子一上来就给观众敬礼,大家都笑了。

【上面】 shàngmian 〔名〕

❶ 位置较高的地方。(above)常做主语、宾语、定语。

例句 小河上面有一座小桥。|房顶上面站着不少人。|看完的杂志放回书架上面就行了。|上面部分有些破了,要修一修。

❷ 次序靠前的部分。(above-mentioned)常做主语、定语。

例句 上面列举的大量事实,说明了问题的严重性。|上面是我要讲的主要内容。|上面的内容不太重要。|他又仔细看了一遍上面的部分。

❸ 物体的表面。(surface)常做主语、宾语、定语。

例句 墙上面贴了一些广告。|衣服上面有脏东西。|他正盯着墙上面。|把灯上面的灰尘擦擦。|盒子上面的图案很漂亮。

❹ 方面。(aspect)常做主语、状语。

例句 外语上面花的精力不够。|表演上面还要下功夫才行。|你在学习上面还应该多努力。|他在找工作上面费了不少劲儿。

❺ 指上级。(higher anthorities)常做主语、宾语、定语。

例句 上面派的干部下午到。|上面了解了情况,作出了决定。|我已经请示了上面,现在还没有答复。|这事儿一定要经过上面,我没这个权。|上面的意思是厂长得大伙儿选。

【上去】 shàng qù 〔动短〕

由低处到高处去。(go up)常做谓语、定语、补语。中间可插入成分。

例句 上楼去吧,楼上安静。|我上不去了,快扶我一下。|上去的人又来帮助还没上去的人。|A:他怎么还不下楼? B:我上去看看。|我们要把纪律抓上去。|战士们冲上山头去了。

【上任】 shàng rèn 〔动短〕

指官员就职。(assume office)常做谓语、宾语、定语。

例句 新市长已经上任了。|张经

理上任两年来，成绩十分突出。|新领导明天上任。|他的上任时间定在5月3号。

【上升】 shàngshēng 〔动〕

由低处往高处移动，也指（等级、数量、程度）升高、增加。(move upward; rise; go up)常做谓语、定语、宾语。

例句 最近气温上升。|上升的物价指数已经得到了控制。|控制人口出生率的上升关系到经济建设的成败。

【上述】 shàngshù 〔名〕

上面所说的。(above-mentioned)常做主语、定语。

例句 上述都是事实。|上述有不确的地方，请指正。|上述材料都真实可靠。|上述意见仅供参考。

【上诉】 shàngsù 〔动〕

诉讼(sòng)当事人不服第一审判决，按法律程序向上级法院请求改判。(appeal)常做谓语、主语、宾语、定语。

例句 他已上诉高级法院。|我们已经向最高法院上诉了。|上诉是当事人的权利。|她的上诉被驳(bó)回了。|高级法院受理了他的上诉。|这家公司直接向最高人民法院提出上诉。|上诉理由不充分。|上诉的期限一般为10天。

【上台】 shàng tái 〔动短〕

❶ 到舞台或讲台上去。(go up onto the platform; appear on the stage)常做谓语、定语，中间可插入成分。

例句 那个小姑娘大大方方地上台表演了一个节目。|老先生讲了60年课，现在已经上不了台了。|上台的几个人都有点儿紧张。

❷ 比喻出任官职或掌权。(come to power)常做谓语、定语，中间可插入成分。

例句 经理调走了，这回该老王上台了。|新领导上了台，总该有点儿什么变化。|新上台的领导刚讲了几句话，就把员工吸引住了。|大家对刚上台的厂长不满意。

【上头】 shàngtou 〔名〕

❶ 位置较高的地方。(above)常做主语、宾语、定语。

例句 小河上头有一座桥。|船上头坐满了人。|在电视塔上头看下面，一切都变小了。|建筑师在查看大楼的上头。|拿开箱子上头的书，才能把箱子打开。

❷ 指上级。(higher authorities)常做主语、宾语、定语。不用量词。

例句 不知道上头派谁来主持工作。|上头已经同意了我们的报告。|我们这事要经过上头，不能越权。|要领会上头的精神。

❸ 某个方面。(aspect)常做宾语。

例句 为了能直接了解国外最新科技动态，他在英语上头花了很大功夫。|你从方法上头改革，思路很对。

【上网】 shàng wǎng 〔动短〕

加入信息网络，一般指加入国际互联网络。(link to the Internet)常做谓语、定语、宾语。中间可插入成分。

例句 公司的电脑全都上网了。|我的私人电脑还没上网。|这台电脑目前还上不了网。|上网的价格一降再降，有的已经免费了。|今天不能上网。

【上午】 shàngwǔ 〔名〕

一般指从清晨到正午十二点的一段

时间。(morning)常做主语、宾语、定语、补语、状语。[量]个。

例句 上午没有时间,下午再说吧。|时间定在明天上午。|上午的会改在下午了。|我等她等了一个上午。|星期六上午一起去打网球好吗?

【上下】 shàngxià 〔名〕

❶ 事物的上部和下部。(the upper part and lower part)常做主语、定语。

例句 这段木头的上下一样粗。|那窗帘真好看,上下都有花边,上下的花边还不一样。|你把这些内容记在文件的上下空白处。

❷ 地位、级别、辈分上较高的人和较低的人。(high and low)常做主语、宾语、定语。

例句 全厂上下奋战一个月,产品很快打入了市场。|公司上上下下都在议论这事。|这事影响到全校的上上下下。|对我出国留学的事,全家上下的态度都一致。|上上下下的舆(yú)论对他很不利。

❸ 从上到下。(from top to bottom;up and down)常做主语、状语。不用量词。

例句 这座大楼刚建好,上下共二十三层。|出去时没带伞,回来后,上上下下都湿了。|老人上下打量了我好一会儿。|我把车上下里外研究了一番,决定买下。

【上学】 shàng xué 〔动短〕

❶ 到学校学习。(go to school)常做谓语、定语。中间可插入成分。

例句 他每天都要上学,没时间玩。|孩子上了学,妈妈才能有时间做自己的事。|一到上学的时间,校园里就热闹起来。|在上学的路上,学生要注意安全。

❷ 开始到小学学习。(be at school)常做主语、谓语、宾语、定语,中间可插入成分。

例句 上学早不一定就好。|因为上学晚了,所以她比同班其他孩子大。|适龄儿童都应该上学,这是法律规定的。|为什么不让孩子上学?也不是上不起学。|你们国家的孩子几岁开始上学?|我儿子快到上学的年龄了。

【上旬】 shàngxún 〔名〕

每月一日到十日的十天。(the first ten-day period of a month)常做主语、宾语、定语。

例句 一月上旬有期末考试。|这儿九月上旬还比较热。|演出定在了下个月上旬。|他俩的婚礼安排在五月上旬。|上旬的事不能拖到下旬做。|我们完成了上旬的生产计划。

【上衣】 shàngyī 〔名〕

上身穿的衣服。(upper outer garment)常做主语、宾语、定语。[量]件。

例句 这件上衣很漂亮。|那件上衣过时了。|他只穿了件上衣就跑出去了。|她正在洗孩子的上衣。|那种上衣的领子不太好看。|我丢了一粒上衣的扣子。

【上瘾】 shàng yǐn 〔动短〕

爱好某种事物而成为癖好(pǐhào)。(get into the habit)常做谓语、定语、主语、补语,中间可插入成分。

例句 他抽烟已经上了瘾。|我只是偶尔打打游戏机,上不了瘾。|打麻将也是容易上瘾的事。|玩玩可以,上瘾可不好。|我喜欢打网球,打得都上瘾了。

【上游】 shàngyóu 〔名〕

❶ 河流接近发源地的部分。(upper reaches of a river)常做主语、宾语、定语。

例句 长江上游有丰富的资源。|考察队离开了上游,向下游进发。|政府决心整治这条河的上游。|长江上游地区的人口不多。|政府把上游两岸的居民迁走,准备建设三峡水库。

❷ 比喻先进。(advanced position)常做宾语。

例句 我们要力争上游。|北半球的发展水平处在上游。|这个地区的生活水平在全国属于上游。

【上涨】 shàngzhǎng 〔动〕

(水位、商品价格等)上升。(rise;go up)常做谓语、定语、宾语。

例句 雨季来了,河水上涨。|物价上涨,直接关系到老百姓的生活。|上涨的河水已经淹了市区。|政府已经控制了物价的上涨。|及时分洪可以防止河水的上涨。

【尚】 shàng 〔副〕

还。(still;yet)常做状语。

例句 母亲身体尚好。|此问题尚待研究。|此事尚不易,更别说其他事了。

【捎】 shāo 〔动〕

顺便带。(take along sth. to or for sb.)常做谓语、定语。

例句 她要我捎封信给一个朋友。|妈妈捎来一些吃的给我。|你帮我把东西捎一下。|捎来的东西我已经收到了。

【烧】 shāo 〔动〕

❶ 使东西着火燃烧。(burn)常做谓语、定语。

例句 山火烧掉了大片树林。|烧过的木头发出一股异味。|她看着烧了的照片发呆。

❷ 加热或接触某些化学药品等使物体发生变化。(cook;heat)常做谓语、定语。

例句 他会烧砖。|药水把衣服烧了个洞。|苗儿被化肥烧死了。|那个厂烧的瓦质量不错。

▶“烧”在口语中指“因有钱或条件好而忘乎所以”。如:他被钱给烧的,到处浪费。

❸ 烹调的一种方法。(stew after frying or fry after stewing)常做谓语、定语。

例句 今天爸爸亲自烧菜。|他烧了一盘羊肉给大家吃。|他烧的菜真棒。|这盘红烧肉和那盘烧茄子最好吃。

❹ 发烧。(run a fever)常做谓语。

例句 他病了,烧得厉害。|那孩子烧到39℃。|我已经不烧了。

【烧饼】 shāobing 〔名〕

烧熟的小的发面饼。(sesame seed cake)常做主语、宾语、定语。[量]个,块。

例句 烧饼是北方人爱吃的食品。|两个烧饼就是我一顿早饭。|他很爱吃烧饼。|李师傅做烧饼很拿手。|这种烧饼的味道很好。

【烧毁】 shāohuǐ 〔动〕

焚(fén)烧、毁灭、烧坏。(burn up)常做谓语、定语。

例句 林则徐在虎门烧毁了大量鸦片(yāpiàn)。|大片房屋被大火烧毁了。|被烧毁的树林还冒着黑烟。|看着烧毁的房子,大家都很悲伤。

【梢】 shāo 〔名〕

条状物较细的一头。(tip)常做定

语、宾语。

词语 树梢 眉梢 辫子梢

例句 树梢上有一只喜鹊。|看他喜上眉梢的样子，准有好事。|她辫子梢上系着一根红发带儿。

【稍】 shāo 〔副〕 另读 shào

表示数量不多或程度不深。(a little;a bit)常做状语，常要和不定量词语配合。

例句 衣服稍有些大。|你稍等我一会儿。|他稍稍吃了点儿，然后就不吃了。

【稍微】 shāowēi 〔副〕

表示数量不多或程度不深。(a little;a bit)常做状语，需不定量词语配合。

例句 咖啡稍微放点儿糖就好喝了。|我的心稍微平静了一点儿。|今天稍微有点儿冷。

【勺】 sháo 〔名〕

舀(yǎo)东西的用具，略呈半球形，有柄。(spoon)常做主语、宾语、定语。[量]把。

例句 这把勺看起来很不错。|勺可以舀汤，也能盛饭和菜。|这孩子只会用勺吃饭。|他从祖国带来几把银勺。|他看了看勺把，没发现问题。

【勺子】 sháozi 〔名〕

较大的勺儿。(scoop)常做主语、宾语、定语。[量]把。

例句 这把勺子多少钱?|她拿出一把勺子来舀汤。|这把勺子的式样像是古代的。

【少】 shǎo 〔形/动〕 另读 shào

〔形〕数量小。(few; little)常做谓语、补语、状语。

例句 这儿的人很少。|那儿商品少得可怜。|他总是说得多，做得少。|你喝点儿酒吧。

〔动〕❶ 缺，不够原有或应有的数目。(be short; lack)常做谓语。一般不重叠。

例句 账算错了，少了两元钱。|那个地方缺医少药。|哎，怎么少了一个人?

❷ 丢、遗失。(lose)常做谓语。

例句 不知道怎么少了一百元钱。|经过检查，屋里没少什么东西。

【少见多怪】 shǎo jiàn duō guài 〔成〕

见识少的人遇见平常的事也觉得奇怪。(consider sth. remarkable simply because one has not seen it before; comment excitedly on a commonplace thing)常做谓语、定语，也单独成句。

例句 你们就是少见多怪，这有什么稀奇的?|那些少见多怪的人以为自己发现了新大陆，高兴得又蹦又跳。|A:看看现在的年轻人都成什么样子了，不像话! B:少见多怪!

▶ “少见多怪”含有讥讽对方见闻少的意思。

【少量】 shǎoliàng 〔形〕

比较少的数量和分量。(a little)常做状语、定语。一般不重叠。

例句 这种产品工厂正少量地生产。|你的病应少量地进食，不吃不行。|少量样品便宜出售。|我们已出版了少量的这类书籍。

【少数】 shǎoshù 〔名〕

较小的数量。(a small number)常做主语、宾语、定语。

例句 少数应该服从多数。|少数不一定就错。|同意参加的人是少数。|我们的人一下由多数变成了少数。

|少数人不听指挥，受到了批评。

【少数民族】shǎoshù mínzú〔名短〕多民族国家中人数最多的民族以外的民族，中国指汉族以外的蒙、回、藏等民族。(ethnic minority)常做主语、宾语、定语。[量]个。

例句 中国少数民族有五十五个。|许多少数民族都有自己的文字。|回族是中国一个人口较多的少数民族。|那个地方生活着好几个少数民族。|少数民族的语言、习惯、文化等都受到国家法律的保护。|他最近去了一趟少数民族地区。

【少】shào〔形〕另读 shǎo

年纪轻。(young)常做定语、主语、宾语。也做语素构词。一般不重叠。

词语 老少 少年 少女

例句 游行时，男女老少都出来看热闹。|少壮不努力，老大徒伤悲。|这项运动不分老少都能参加。|他家办喜事，请来了全村的男女老少。

【少年】shàonián〔名〕

十岁左右到十五六岁阶段，也指这个年龄的人。(early youth; boy or girl in early teens)常做主语、宾语、定语。[量]个。

例句 少年是人生中最美好的阶段。|一群少年来到中山公园游玩。|我在路上遇见了几个少年。|少年时代是学习的好时光。|少年宫里有各种少年活动场所和少年读物。

【少女】shàonǚ〔名〕

年轻未婚的女子。(young girl)常做主语、宾语。[量]个，名，位。

例句 这个少女长得很漂亮。|那群少女显得朝气十足。|小伙子爱上了那个少女。|服装柜台前站着好几个少女。|少女的心事谁也猜不着。|大家都认为那个少女的表演水平最高。

【少先队】shàoxiānduì〔名〕

“少年先锋队”的简称，中国和某些国家的少年儿童的群众性组织。(Young Pioneers)常做主语、宾语、定语。[量]支。

例句 少先队是少年儿童的组织。|我小时候参加过少先队。|少先队员都戴着红领巾。|他参加了少先队的夏令营活动。

【哨】shào〔名〕

❶ 为警戒、侦察等任务而设立的岗位。(post; sentry post)常做主语、宾语，不用量词。

例句 观察哨设在山腰。|我在部队时每天站岗放哨。

❷ 哨子、能吹响的器物，用于集合人员、操练或体育运动。(whistle)常做主语、宾语、定语。[量]个，把。

例句 哨吹响了，比赛结束了。|哨丢了，孩子到处找。|看到一个队员犯规，裁判吹响了哨。|孩子买了个哨挂在脖子上。|哨声吸引了不少鸽子(gēzi)。

【哨兵】shàobīng〔名〕

执行警戒任务的士兵的统称。(guard)常做主语、宾语、定语。[量]个，位，名。

例句 门口有个哨兵站在哨位上。|一队哨兵在巡逻(xúnluó)。|为了保证安全，得多派些哨兵。|这儿怎么没设哨兵？|哨兵的职责是保障安全。

【奢】shē〔形〕

❶ 过分地花钱，追求享受。(luxurious)常用于构词。

S

词语 穷奢极欲 奢华 奢靡

例句 这个大款过着穷奢极欲的生活。|生活不要太奢华。|奢靡之风不可长(zhǎng)。

❷ 过分的。(extravagant)常用于构词。

词语 奢望 奢想 奢谈

例句 对生活不要有过高的奢望。|他奢求着能再次夺冠。|别奢谈什么胜利,要老老实实地争取。

【奢侈】 shēchǐ 〔形〕

花费大量钱财追求过分的享受。(luxurious)常做谓语、定语、宾语。

例句 他生活奢侈。|他生活朴素,从不奢侈。|奢侈的生活会消磨一个人的意志。|我们反对奢侈浪费,提倡勤俭朴素。|生活的奢侈导致了他的堕落(duòluò)。

【舌】 shé 〔名〕

❶ 即“舌头”。(tongue)常做主语、宾语、定语。[量]条。

例句 舌在发音中起着重要作用。|A:大夫,我感冒了。B:张开嘴,伸舌。|舌尖、舌面、舌根,都是重要的发音部位。|看中医常要看舌苔(tāi)。

❷ 像舌头的东西。(sth. shaped like a tongue)常做主语、定语、宾语。[量]条。

例句 火舌吞掉了大片树林。|他紧了紧鞋舌。|他戴了一顶鸭舌帽。

【舌头】 shétou 〔名〕

口中辨别滋味、帮助咀嚼(jǔjué)和发音的器官。(tongue)常做主语、宾语、定语。[量]条,个。

例句 舌头烂了,可能是上火了。|舌头很灵活,作用也很多。|从塔顶往下看,他吓得吐了吐舌头。|医生让病人伸出舌头来观察。|舌头的作用是吃东西和发音。|他舌头上面有一层厚厚的舌苔(tāi)。

▶ “舌头”还指“为了解敌情抓来的敌人”。如:抓了个舌头

【蛇】 shé 〔名〕

爬行动物,身体圆而细长,有鳞(lín),无四肢,有的有毒。(snake)常做主语、宾语、定语。[量]条。

例句 这种蛇有毒,要小心!|蛇可以做菜,味道鲜美。|他们捕获了几条毒蛇。|蛇胆是一种珍贵的中药。|这个包是用蛇皮做的。

【舍】 shě 〔动〕 另读 shè

丢下、放弃。(give up)常做谓语。

例句 他为了事业舍掉了许多东西。|父母舍不下孩子。|我们不要舍近求远。

【舍不得】 shě bu de 〔动短〕

很爱惜,不忍放弃或离开。(hate to part with or use)常做谓语、宾语、定语等。

例句 妈妈实在舍不得孩子,所以没走。|孩子舍不得这些玩具。|看着朋友们,他觉得有些舍不得。|就要走了,她有些舍不得,不觉哭了。|为了事业,她没有什么舍不得的东西。

【舍得】 shěde 〔动〕

愿意割舍,不吝惜(lìnxī)。(be willing to part with)常做谓语。

例句 把这些扔了,你舍得?|她很舍得花钱,这次买了很多东西。|为了学习,他舍得下功夫,常常一天都不动地方。

【舍己为人】 shě jǐ wèi rén 〔成〕

牺牲自己的利益去帮助别人。

(sacrifice one's own interests for the sake of others)常做谓语、定语。

例句 从小老师就教育我们要舍己为人。|这位老干部舍己为人,把平日节省下来的钱全部捐助给那些失学儿童了。|我们要向那些舍己为人的英雄模范学习。

【舍生忘死】 shě shēng wàng sǐ 〔成〕

形容不顾自己的生死。(disregard one's own safety; risk one's life)常做谓语、定语。

例句 他舍生忘死,从火里救出了孩子。|他舍生忘死的精神值得我们每个人学习。

【设】 shè 〔动〕

❶ 建立、布置、筹(chóu)划。(set up; work out)常做谓语、定语。

例句 我们公司的总部设在北京。|对方设宴招待了我们。|学院根据需要设了一个新专业。|今年新设的分店已经开始营业了。

❷ 假设。(given; suppose)常做谓语。

例句 你可以先设X等于1。|列方程之前要先设未知数。|你设的这个等式不成立。

【设备】 shèbèi 〔名〕

进行某项工作或供应某种需要所必需的成套建筑或器物。(equipment)常做主语、宾语、定语。[量]套。

例句 这套设备很先进,使用也方便。|我们医院的医疗设备很齐全。|公司新购进了几套办公设备。|这所学校有现代化的教学设备。|他负责设备的保养和维修。

【设法】 shèfǎ 〔动〕

想办法。(try; think of a way)常做谓语。

例句 这问题由他们自己设法解决。|他们设法克服了许多困难。|我一定设法按时到达北京。

【设计】 shèjì 〔动/名〕

〔动〕在正式做某项工作前,预先制定方法等。(design)常做谓语、定语、宾语。

例句 他又设计了一座大楼。|我们的设计思路更好一些。|我爸爸专门搞室内设计。|有关人员正在进行设计。

▶ "设计"还有"设下计谋"的意思。如:警察设计抓住了罪犯。

〔名〕根据一定的要求,预先制定好的方法、图样等。(plan)常做主语、宾语、定语。[量]项。

例句 这项设计很新颖。|功能的设计还不够完善。|我们已经完成了新车站的主体设计。|这个孩子的理想是当一名设计师。|设计图纸已经完成了。

【设立】 shèlì 〔动〕

成立、建立(组织、机构等)。(establish)常做谓语、定语。

例句 新住宅区里设立了学校、医院等。|这个路口以前设立过安全检查站。|我们学校设立了一项奖学金。|新设立的机构已经开始工作。|大家参观了那个新设立的转播台。

辨析 〈近〉设置。"设置"的对象都是"机构"。"设立"的对象范围更大一些。

【设施】 shèshī 〔名〕

为进行某项工作或满足某种需要建立起来的系统、组织、设备、建筑等。(installation)常做主语、宾语、定语。[量]套,种。

S

例句 这个住宅区的设施很齐全。|酒店的设施非常先进。|商场改进了服务设施。|生活设施的齐备是客人没想到的。|应当努力提高这套设施的利用率。

辨析 〈近〉设备。“设施”的范围广,“设备”只指“建筑”和“器物”。

【设想】 shèxiǎng 〔动/名〕

〔动〕着想、想象。(have consideration for;imagine)常做谓语。

例句 你们设想一下儿,这样会是什么结果。|他把事情设想得很完美。

〔名〕假想。(tentative idea)常做主语、宾语。[量]个,种。

例句 你的设想不符合实际。|他提出了一个大胆的设想。

辨析 “设想”表示“想象”时还可做动词。如:他设想出一种新途径。

【设置】 shèzhì 〔动〕

设立、安放、安装。(set up; put up; install)在句中做谓语、定语。

例句 这座剧院是为儿童设置的。|不要为两国关系的发展设置障碍(zhàng'ài)。|新设置的机构已经开始运转了。

【社】 shè 〔名〕

❶ 某些集体组织。(an organized body; agency)常做主语、宾语、定语。[量]家,个。

例句 这家报社在我市很有影响。|法律规定,人民可以自由结社。|他参加了老年诗社。|他是我们的社长。

❷ 某些服务性单位。(service)常做主语、宾语、定语。[量]家。

例句 茶社在我们那儿不多,但生意都不错。|我们这次旅游是委托旅行社办的。|大家不太满意这家旅社的卫生。

【社会】 shèhuì 〔名〕

指由一定的经济基础和上层建筑构成的整体,也泛指由于共同物质条件而相互联系起来的人群。(society)常做主语、宾语、定语。[量]个。

例句 社会是由各阶层的人共同构成的。|原始社会是人类最早的社会形态。|每个人都应该为社会作贡献。|社会力量办学,是一种新的办学形式。|老人常常想起旧社会的苦日子。

【社会主义】 shèhuì zhǔyì 〔名短〕

主要指一种制度,以公有制为主体,实行按劳分配原则。(socialism)常做主语、宾语、定语。

例句 社会主义是中国现行的社会制度。|中国的社会主义还处在初级阶段。|中国人民正在努力建设有中国特色的社会主义。|我们要进一步完善社会主义民主和社会主义法制。

【社论】 shèlùn 〔名〕

报社或杂志社在自己的报刊上以本社名义发表的评论当前重大问题的文章。(editorial; a leading article)常做主语、宾语、定语。[量]篇。

例句 这篇社论发表在昨天《人民日报》的头版。|那篇社论指出了目前的一个重大问题。|他执笔为报社写了一篇社论。|这篇社论的内容很重要,大家要认真学习。

【社员】 shèyuán 〔名〕

某些以社命名的组织的成员。(a member of a society, club, etc.)常做主语、宾语、定语。[量]个,名,群。

例句 每个社员都对文学社的发展提出了意见。|他终于成了这个诗社的社员。|书法社社员的名单都在这里。

【射】 shè 〔动〕

❶ 用推力或弹力送出(箭、子弹、足球等)。(shoot; fire)常做谓语、定语。

例句 这次足球比赛中,他射了两次门,都没射中。|他们喜欢射箭。|他找到了那个射出的子弹头。

❷ 液体受到压力、通过小孔迅速挤出。(discharge in a jet)常做谓语、定语。

例句 水管破了,水直射出来。|从管子里射出来的水溅了他一身。

❸ 放出(光、热、电波等)。[send out(light,heat,etc.)]常做谓语。

例句 太阳升起来了,光芒四射。|月光从树叶的空隙(kòngxì)里射到地面。|太阳射出的光真刺眼。

❹ 有所指。(allude to sth. or sb.)常用于构词或固定短语。

词语 影射 含沙射影

【射击】 shèjī 〔动〕

用枪炮等向目标发射弹头;一种体育运动。(shoot;fire;shooting)常做谓语、宾语、定语。

例句 敌人的大炮正向我们射击。|我们下午练习射击。|她是一位射击运动员。

【涉】 shè 〔动〕

❶ 徒步过水,泛指从水上经过。(wade;ford)常做谓语,多用于固定格式。

词语 跋(bá)山涉水 远涉重洋

例句 他们跋山涉水,终于到达了目的地。|我们涉水过去吧。

❷ 经历。(go through)常做谓语。

例句 他曾经涉险沙漠。

❸ 牵涉。(involve)常做语素构词。

词语 涉及 涉外 涉嫌(xián)

例句 这事涉及到好几个人。|这个经理涉嫌走私。

【涉及】 shèjí 〔动〕

牵涉到、关联到。(involve; relate to)常做谓语、定语。

例句 这件事涉及下一步的计划。|语言的变化涉及到语音、词汇、语法三个方面。|还有些问题,在这里就不一一涉及了。|涉及到的人都应当来参加这个会议。

【涉外】 shèwài 〔形〕

涉及与外国有关的。(concerning foreign affairs or foreign nationals)常做定语。

例句 涉外工作无小事。|要认真对待每一个涉外问题。|我们学校设有涉外文秘专业。

【摄】 shè 〔动〕

❶ 吸取。(absorb)常做谓语、定语。

例句 动物每天都要出来摄食。|人必须摄入足够的氧气。|孩子每天摄入的营养都有要求。|如果摄入的食物不够,就会造成营养不良。

❷ 摄影。(take a photograph of)常做谓语、定语。

例句 记者及时摄下了这一镜头。|这次去云南,他摄下了不少少数民族风情画面。|最近摄的风光照我都送去展览了。

【摄氏】 shèshì 〔名〕

温标的一种,由瑞典天文学家摄尔修斯(Anders Celsius)制定的。

S

(Celsius thermometric scale)常做定语,用"℃"表示。不用量词。

例句 今天的最高气温是38摄氏度。|这个城市冬天常常是零下5摄氏度。|这个孩子高烧到39摄氏度。

【摄影】 shèyǐng 〔动〕

照相或拍电影。(take a photograph or shoot a film)常做谓语、定语、宾语。中间可插入成分。

例句 他背着相机随考察队摄影去了。|摄影艺术有很多讲究。|这部电影由张小明担任摄影。|文物展览大厅禁止摄影。

【申】 shēn 〔动〕

说明、陈述。(state;explain)常做谓语,多用于固定格式或做语素构词。

词语 三令五申 重申 申述 申明

例句 中国政府重申了对此事的态度。|对这个问题,上级已经三令五申。

【申报】 shēnbào 〔动〕

用书面向上级或有关部门报告。[report to a higher body; declare sth. (to the Customs)]常做谓语、定语、宾语。

例句 货物已向海关申报了,现在正等着验关。|申报的材料已经准备好了。|海关官员正在检验申报的货物。|这些项目我们已经向上级作了申报。|关于进口这批货的问题,公司正在进行申报。

【申请】 shēnqǐng 〔动〕

向上级或有关部门说明理由,提出请求。(apply for)常做谓语、宾语、定语。

例句 他申请加入行业协会。|我向学校申请了奖学金。|他向我们学校提出了入学申请。|学校已经接受了他的留学申请。|申请人的申请被有关方面拒绝了。

▶"申请"还做名词。如:他写了一份申请。

【申述】 shēnshù 〔动〕

详细说明。(explain in detail)常做谓语、定语、宾语。

例句 (在法庭上)请你申述一下离婚的理由。|大家对申述的事实感到震惊。|不知为什么,她突然停止了申述。

【伸】 shēn 〔动〕

(肢体或物体的一部分)展开。(stretch)常做谓语。

例句 他站起来,伸了个懒腰(lǎnyāo)。|小朋友们在做早操,伸伸臂,弯弯腰。|他把头伸了过来。

【伸手】 shēn shǒu 〔动短〕

伸出手,比喻向别人或组织要(东西、荣誉等)。(ask for help,money,gifts,etc.)常做谓语、定语。中间可插入成分。

例句 有困难要自己解决,不能向别人伸手。|他向公司伸手要奖金,公司没同意。|向老人伸手的人太不像话了。

【伸展】 shēnzhǎn 〔动〕

向一定方向延长或扩展。(spread; extend)常做谓语、定语。

例句 到了休息时间,大家都出来伸展伸展身体。|金色的麦田一直伸展到了远远的天边。|下一节是伸展运动。

【身】 shēn 〔名/量〕

〔名〕❶ 身体。(body)常做主语、宾语。

例句 他身高一米七。|孩子翻翻身又睡着了。|他默默地转身走了。

❷ 指生命。(life)常做宾语,多用于固定格式。

例句 他奋不顾身,抢救了一名落水儿童。

❸ 自己、本身。(oneself)常做主语、宾语。

例句 身为领导,应该走在群众前面。|这座仿古建筑,让人有身临其境的感觉。|干部要以身作则。|不要以身试法。

❹ 物体的中部和主要部分。(the main part of a structure;body)常做主语、宾语、定语。

例句 车身已经脏了。|船身浮在水面上。|工人们正在油漆机身。|这座桥桥身的造型十分美观。

〔量〕用于衣服。(suit)和数词构成数量短语,做定语。

例句 新娘穿了一身白色的婚纱。|这身西装穿起来一定很帅。

【身败名裂】 shēn bài míng liè〔成〕

身份败坏,名声扫地。指遭到彻底失败。(lose all standing and reputation;bring disgrace and ruin upon oneself;be utterly discredited)常做谓语、定语、补语。

例句 他现在已经身败名裂了。|这不过是过眼烟云,到时候有他们身败名裂的一天。|他们落了个身败名裂的下场。|因为这件事,很多人弄得身败名裂。

【身边】 shēnbiān 〔名〕

身体的近旁,也指身上。(at one's side or with one)常做主语、宾语、定语。

例句 老人的身边没有人照顾。|我身边没带钱。|她悄悄地走近我身边。|最近这几年,身边的人和事都发生了很大变化。

【身不由己】 shēn bù yóu jǐ 〔成〕

指行动不能受自己支配。(involuntarily;in spite of oneself)常做谓语、状语、宾语。

例句 这条街太挤了,我身不由己,随着人流来到了一家大商店门前。|由于胃疼得厉害,他刚走了一步,便身不由己地弯下了腰。|来晚了,实在抱歉,我也是身不由己呀!

【身材】 shēncái 〔名〕

身体的高矮和胖瘦。(stature;figure)常做主语、宾语、定语。[量]种。

例句 身材高大,这是篮球运动员的一般特点。|他身材矮小,看起来很柔弱。|舞蹈教练一下子看中了她苗条的身材。|身材条件是当演员的重要条件。|很难找到这种身材的运动员。

【身份】 shēnfen 〔名〕

❶ 指自身所处的地位。(status)常做主语、宾语、定语。[量]种。

例句 他的身份有两个,既是董事长,又是经理。|他的记者身份被大家知道后,很多人来找他。|别忘了你的身份,不要太随便了。|工人以主人翁的身份参加了企业的管理。|我们并不看中身份的高低。

❷ 指受人尊重的地位。(dignity)常做宾语。

例句 你这样做,有失身份。|看样子他是有身份的人。|从他的身份来说,他不能干这种事。|他的打扮跟身份很不相称。

【身份证】 shēnfènzhèng 〔名〕

由国家统一制作、证明公民身份的

证件。(identity card)常做主语、宾语、定语。[量]个。

例句 我的身份证丢了。|请出示一下身份证。|你能记住身份证号码吗?|身份证的照片似乎不太像她本人。

【身强力壮】 shēn qiáng lì zhuàng 〔成〕

身体强壮,精力充沛。(strong; tough; sturdy)常做谓语、定语。

例句 我们个个身强力壮的,干这点儿活累不着。|他一个身强力壮的小伙子,还能照顾不了自己?

【身体】 shēntǐ 〔名〕

一个人或动物的生理组织整体。(body; health)常做主语、宾语、定语。[量]个。

例句 身体好,工作才能好。|身体不舒服就去医院看看吧。|他们每年检查一次身体。|他不太注意自己身体的变化,这可不行。

【身体力行】 shēn tǐ lì xíng 〔成〕

亲身体验,努力实行。(earnestly practice what one advocates)常做谓语、定语。

例句 老班长教导我们要艰苦朴素,他自己也身体力行。|你自己都不能身体力行,怎么去要求别人?|他是一位身体力行的实践家。

【身子】 shēnzi 〔名〕

身体。(body or health)常做主语、宾语、定语。[量]个。

例句 老人的身子还很硬朗(yìnglǎng)。|她的身子比较弱。|自己不注意身子怎么行?|身子的好坏很重要。

【呻吟】 shēnyín 〔动〕

指人因痛苦而发出声音。(moan)常做谓语、定语。

例句 病人在床上呻吟。|尽管很疼,但她从未呻吟过。|一阵微弱的呻吟声传了过来。|听见母亲的呻吟,他连忙过去看望。

【绅士】 shēnshì 〔名〕

指旧时地方上有势力、有地位的人。(gentleman; gentry)常做主语、宾语、定语。[量]个,名,位。

例句 酒会上的那位英国绅士风度翩翩。|爷爷曾经是位地方绅士。|你这么打扮起来,还真像个绅士。|他这个人很有绅士风度。

【深】 shēn 〔形〕

❶ 从上到下或从外到内的距离大。(deep)常做谓语、定语、状语、补语、宾语。

例句 那口井很深。|这儿的河水深得很。|这种鱼生活在深海里。|那里的高山深谷中有许多草药。|农民在深翻土地。|这条沟可以挖深一点儿。

❷ 道理、意思等不容易理解。(difficult)常做谓语、定语、补语、宾语。

例句 这些题太深了,我不会做。|这么深的道理,孩子能懂吗?|我想问问他,看看他到底有多深的学问。|这套考题出得深了点儿。|要从基本知识开始,不要一开始就学得很深。|学习应当由浅入深。

❸ 深刻、深入。(thoroughgoing)常做谓语、定语、补语。

例句 他对股市研究很深。|功夫再深一点儿就好了。|那年轻人给我留下了很深的印象。|这么深的记忆不会轻易忘的。|我们应该把道理讲深讲透。

❹（感情）浓厚、（关系）密切。（intimate）常做谓语、定语、补语。

例句 他们师生情谊很深。|两人关系特别深。|我们之间有很深的友谊。|这几年，他们的友谊变得越来越深。

❺（颜色）浓。（dark; deep）常做谓语、定语、补语。

例句 海水的蓝色比天空深多了。|这是一种深红色。|我不喜欢深绿色。|外面的颜色别涂得太深。

❻ 距离开始的时间很久。（late）常做谓语、定语。

例句 夜已经很深了。|已经到了深秋，天气冷了。|他直到深夜才回来。

▶ "深"还做名词，指"深度"；做副词，指"很"。如：水深两米　池子深三米　深知　深信　深恐

【深奥】 shēn'ào 〔形〕

（道理、含义）高深不易了解。（abstruse; profound）常做谓语、定语、补语。

例句 这本书深奥极了。|爷爷的话很深奥，我听不懂。|我搞不清楚那么深奥的事。|请不要讲得太深奥。

【深沉】 shēnchén 〔形〕

❶ 形容程度深。（deep）常做谓语、定语、补语。

例句 他思想深沉。|她终于理解了他深沉的爱。|暮色变得深沉了。

❷（声音）很沉。（deep; dull）常做谓语、定语、补语、状语。

例句 他说话的声音特别深沉。|他一躺下就发出了深沉的鼾（hān）声。|他的声音变得深沉了。|他深沉地唱着那首他喜欢的民歌。

❸ 沉着持重，感情不外露。（undemonstrative; reserved）常做谓语、定语、补语、主语。

例句 他虽然年轻，但性格深沉。|这个人深沉极了，谁都很难了解他。|他是个深沉的人。|她那两只深沉的眼睛一直望着我。|他一下子变得很深沉了。|她表现得极深沉，他觉得她的深沉有些做作。

【深处】 shēnchù 〔名〕

很深的地方。（depths）常做主语、宾语、定语。

例句 密林深处住着几户猎人。|海洋深处有不少资源。|潜水员潜到了河水深处。|探险队员进入了峡谷深处。|在她的内心深处一直有一个深深的遗憾。|海洋深处的生物跟浅层的不一样。

【深度】 shēndù 〔名〕

❶ 深浅的程度，向下或向里的距离。（degree of depth）常做主语、宾语。

例句 这条河的深度为 10 米。|考察队员正在测量这条河的深度。|谁也不知道那条海沟的深度。

❷（工作、认识）触及事物本质的程度。（depth）常做宾语、主语。

例句 他的发言很有深度。|人们对这个问题理解的深度不一致。|他研究的深度，别人很难达到。

❸ 事物向更高阶段发展的程度。（advanced stage of development）常做宾语。

例句 我们要向生产的深度和广度进军。|这项研究正在向深度和广度发展。

▶ "深度"还做形容词，指"程度很深的"。如：深度近视　深度肺炎

S

【深厚】 shēnhòu 〔形〕

❶（感情）浓厚。(deep)常做谓语、定语、补语。

例句 他们夫妻俩的感情十分深厚。|他们之间有深厚的感情。|深厚的情谊从她眼里流露出来。|最近，他们的感情变得更深厚了。

❷（基础）坚实。(solid)常做谓语、定语、补语。

例句 他群众基础深厚。|他的知识功底非常深厚。|这些专家都有深厚的专业知识。|他虽然年轻，但有着深厚的功力。|苦练了三年之后，他的书法功力变得更加深厚了。

【深化】 shēnhuà 〔动〕

向更深阶段发展。(deepen)常做谓语。

例句 大家对这个问题的认识在不断深化。|他们之间的矛盾又深化了。|中国正在深化改革。

【深刻】 shēnkè 〔形〕

❶ 达到事物或问题的本质的。(profound)常做谓语、定语、状语、补语。

例句 那篇文章内容非常深刻。|那本书表现了一个深刻的主题。|文章深刻地论述了改革开放以来中国的变化。|他深刻地剖析(pōuxī)了人们的内心。|李教授对这个问题分析得相当深刻。

❷ 内心感受程度很大的。(deep)常做谓语、定语、状语、补语。

例句 她给我的印象很深刻。|那座城市给他们留下了深刻的印象。|人们深刻地感受到了改革带来的变化。|又学习了一遍那篇文章，我的体会变得深刻了。

【深谋远虑】 shēn móu yuǎn lǜ〔成〕

❶ 周密地计划，往长远里考虑。(think deeply and plan carefully)常做谓语、定语。

例句 老王深谋远虑，早就打算好了。|深谋远虑的余庆，早就看出了他们的用心，想好了对付的办法。|他脸上露出深谋远虑的神色。

❷ 周密的计划，长远的打算。(foresight)常做宾语。

例句 我读书不多，说不上有什么深谋远虑。

【深浅】 shēnqiǎn 〔名〕

深浅的程度。(depth)常做主语、宾语。

例句 这条河的深浅，老人知道得很清楚。|你去打听一下这个湖的深浅。|没有人知道这一带海的深浅。

▶“深浅”还比喻“分寸”。如：他还是个孩子，说话没深浅。

【深切】 shēnqiè 〔形〕

❶（感情）深厚而亲切。(deep; profound)常做定语、状语、谓语。

例句 在外国的留学生们对祖国怀着深切的爱。|大家忘不了老校长的深切关怀。|她深切地思念故乡和亲人。|我们深切地怀念这位老朋友。|他们之间的友爱是那样深切。

辨析 〈近〉深厚。“深切”含有“亲切”义，“深厚”没有；“深厚”不能做状语。如：他俩感情深切(深厚)。|＊他深厚地爱着故乡。(“深厚”应为“深切”)

❷（认识、感受）深刻而切实。(keen; penetrating; thorough)在句中做谓语、定语、状语。

例句 两个月的参观，感受深切。|

S

大家讲述了自己深切的感受。|通过这件事,我才深切地体会到团结就是力量这个道理。|他深切地感受到知识的不足。

【深情】 shēnqíng 〔名〕
深厚的感情。(deep feeling)常做主语、宾语。[量]种。

例句 这种深情无法用语言表达。|他对祖国的深情打动了在场的每一个人。|我对故乡始终怀着一种深情。|小伙子对恋人有说不出的深情。

【深情厚谊】 shēn qíng hòu yì 〔成〕
深厚的情意。(profound sentiments of friendship)常做主语、宾语。

例句 中国朋友的深情厚谊,我永远忘不了。|我们永远不会忘记你们的深情厚谊。

【深入】 shēnrù 〔动〕
透过外部,达到事物的内部。(go deep into)常做谓语、定语、状语、补语。

例句 领导干部要深入基层。|改革开放已经深入人心。|我们应该作深入的调查和研究。|对案情我们还要深入地进行调查。|张经理的工作做得很深入。

【深入浅出】 shēn rù qiǎn chū 〔成〕
内容深刻,表达的方式却浅显易懂。(explain the profound in simple terms)常做谓语、定语、状语。

例句 老舍先生的文章深入浅出,又极为精辟。|陈教授深入浅出的报告,博得了听众的阵阵掌声。|老专家深入浅出地向我们介绍了当今医学领域的最新研究成果。

【深思熟虑】 shēn sī shú lǜ 〔成〕
深入细致地反复思考。(careful consideration)常做谓语、定语。

例句 这件事你可要深思熟虑。|他脸上带有一种深思熟虑的自信。

【深信】 shēnxìn 〔动〕
非常相信。(firmly believe)常做谓语。

例句 我深信不会出什么问题。|妈妈深信自己的孩子能考上大学。|领导深信自己的下属能完成这项任务。

【深夜】 shēnyè 〔名〕
半夜以后。(late at night)常做主语、宾语、状语、定语。[量]个。

例句 深夜静悄悄的,一点儿声音也没有。|事情发生在一个深夜。|已经是深夜了,可街上还有不少人。|他们在等深夜的火车,以便一早就赶到城里。

【深远】 shēnyuǎn 〔形〕
(影响、意义等)深刻而长远。(profound and lasting;far-reaching)常做定语、谓语。一般不重叠。

例句 近代中国的"五四运动"有着深远的历史意义。|关于宇宙的新学说,在学术界影响深远。

▶"深远"还指空间"深而远"。如:天空深远

【深重】 shēnzhòng 〔形〕
(罪恶、苦难、危机、苦闷等)程度高。(very grave;extremely serious)常做谓语、定语等。一般不重叠。

例句 洪水给人民带来的灾难十分深重。|他罪孽(zuìniè)深重。|深重的苦闷使他开心不起来。|他们面对深重的危机毫不慌乱。

【什么】 shénme 〔代〕

S

❶ 表示疑问。(what)常做主语、宾语、定语。

例句 什么是“文房四宝”? |这是什么? |你要干什么? |他有什么事? |你什么时候回国?

❷ 表示虚指或任指。(something; anything)常做主语、宾语、定语。

例句 他病了,什么也不想吃。|只要认真学,什么都能学会。|他们好像在谈论什么。|她想买点儿什么送给妈妈。|别客气,有什么就吃什么吧。|你什么时候来都欢迎。|你有什么话就都说出来吧。

❸ 用在几个并列成分前面,表示列举。(things like; such as; and so on)常做定语。

例句 我去的城市有十几个,什么北京、上海、杭州、广州、桂林等等,我都去过。|到我家来,我给你做中国饭,什么包饺子、做面条,我都行。|他会的外语可多了,什么英语、日语、汉语,他都会说。

▶“什么”还在一些句中表示“惊讶”、“不满”、“责难”、“不同意”等,多以反问句形式出现,也可单用。如:什么? 都九点了! |这是什么鞋? 刚穿就坏了。|你笑什么? 有什么可笑的? |A:那个地方可远了。B:远什么呀? 开车半个小时就到了。

【什么的】 shénmede 〔代〕

表示“之类”。(and so on)用在一个成分或并列的几个成分后。

例句 一楼摆的都是玩具、瓷器什么的。|她总吃零食,像花生、瓜子、糖果什么的。|爸爸平常总爱打个球、散个步、聊(liáo)聊天儿什么的。

▶“什么的”可以放在东西、事情的后面,但不可以放在人、国家等的后面。如:* 他去过日本、美国、英国什么的。(“什么的”应为“等等”)

【神】 shén 〔名〕

❶ 宗教、迷信指的天地万物的创造者、统治者,或有超人能力的人。(god deity)常做主语、宾语、定语。[量]个,位。

例句 神并不存在。|诸葛亮料事如神。|人们把偶然性解释成神的力量。

❷ 精神、精力。(spirit; mind)常做主语、宾语。

词语 凝(níng)神 费神

例句 你的神儿上哪儿去了? 怎么那么困? |那个小伙子两眼挺有神。|这事让你费了不少神。|你别走神,要集中注意力。

▶“神”还做形容词,指“特别高超或出奇”。如:神速 神效 神枪手

【神采奕奕】 shéncǎi yìyì 〔成〕

形容精神旺盛,容光焕发。(with a radiant look; glowing with health and radiating vigor)常做谓语、定语、状语。

例句 今天怎么神采奕奕的,有什么好事吗? |这位神采奕奕的年轻人是谁? |人逢喜事精神爽,老孙吃过饭,神采奕奕地出来散步。

【神出鬼没】 shén chū guǐ mò 〔成〕

形容出没无常,难以捉摸。(come and go like a shadow; appear and disappear mysteriously)常做谓语、定语、状语、补语。

例句 诸葛亮用兵,神出鬼没。|他异于常人的胆识、神出鬼没的智谋,使歹徒终日惶恐不安。|他神出鬼

没地把事办了。|他的牌玩得神出鬼没。

【神话】 shénhuà 〔名〕

关于神仙或古代英雄的故事。(fairy tale)常做主语、宾语、定语。[量]个,篇。

例句 这篇神话是讲人类起源的。|每个国家和民族都有不少神话传说。|神话人物常有超人的力量。

▶ "神话"可以比喻完全不真实的言论。如:他讲的都是神话,别信他的。

【神经】 shénjīng 〔名〕

神经纤维(xiānwéi)构成的组织,主要传递兴奋。(nerve)常做主语、宾语、定语。[量]根。

例句 他的神经出了点儿毛病。|她神经正常,没什么问题。|别刺激他的神经了。|应该放松一下紧张的神经。|他哥哥是个神经外科医生。|神经官能症是一种神经系统的疾病。

▶ "神经"在口语中还指"精神失常"。如:犯神经 发神经

【神秘】 shénmì 〔形〕

使人摸不透的,高深莫测的。(mystical)常做谓语、定语、状语、补语、宾语。

例句 这个人很神秘。|这座塔给人一种神秘的感觉。|外国不少人认为中国是个神秘的国家。|飞碟又神秘地出现了。|她神神秘秘地对我说了一件事。|别把事情说得那么神秘。|这事让人感到很神秘。

【神奇】 shénqí 〔形〕

非常奇妙。(miraculous)常做谓语、定语、补语、宾语。不可重叠。

例句 你说的也太神奇了。|他的经历神奇到没人相信的地步。|沙漠和海上有时会出现神奇的海市蜃楼。|这个故事有一些神奇的色彩。|这个故事编得太神奇了。|面对这种景色,游客都感到很神奇。|石林显得很神奇。

【神气】 shénqì 〔名/形〕

〔名〕神情、气概。(expression; air)常做主语、宾语。[量]种。

例句 他的神气很可笑。|队长的神气十分严肃。|瞧他那神气,和以前完全不一样。|她用一种特别的神气看着大伙儿。

〔形〕❶ 精神饱满。(spirited)常做谓语、定语、状语、补语。

例句 他穿了一套新衣服,真神气。|他开着一辆新款车,神气极了。|他很像一位神气的将军。|看到儿子那神气的样子,她心里别提多高兴了。|他神气地举起奖杯向观众致意。|孩子们今天打扮得格外神气。

❷ 自以为优越而表现出得意或傲慢的样子。(putting on airs)常做谓语、状语。

例句 他那么神气,大家都不愿理他。|别神气,取得这么点儿小成绩算什么?|他神气地摇着头,一副满不在乎的样子。|她神气地告诉别人,她有男朋友了。

【神情】 shénqíng 〔名〕

人脸上所显露的内心活动。(look)常做主语、宾语、定语。[量]种。

例句 大家的神情十分严肃。|他的神情显得很复杂。|妈妈脸上显出高兴的神情。|她流露出孩子一样的神情。|我摸不透她神情的变化意味着什么。

【神色】 shénsè 〔名〕
神情。(look)常做主语、宾语、定语。

例句 他的神色特别紧张。|小妹的神色不对，好像有什么心事。|姑娘泪流满面，显出痛苦的神色。|看着开走的车，他露出惜别的神色。|犯罪嫌疑人神色的变化，引起了审讯人员的注意。

辨析 〈近〉脸色。"脸色"除了指脸上显出的内心活动外，还指"脸的颜色"；"神色"常指不好的神情。如：神色(脸色)不愉快 *神色红润("神色"应为"脸色")

【神圣】 shénshèng 〔形〕
极其崇(chóng)高而庄严。(sacred)常做谓语、定语、状语、宾语。一般不重叠。

例句 每天升国旗的工作庄严而神圣。|这里是祖国神圣的国土。|他们发出了神圣的誓言。|民族英雄的塑像神圣地矗立在那里。|这座大教堂在阳光下显得很神圣。

【神态】 shéntài 〔名〕
神情态度。(manner)常做主语、宾语。[量]种。

例句 老人正坐在那儿看报，神态很安详。|那人的神态有些不自然。|看不出他有什么心虚的神态。|小姑娘显出不好意思的神态。

【神仙】 shénxiān 〔名〕
传说中的人物，有超人的能力，并且很自由，长生不死。比喻"能预料事情的人"或"自由自在生活的人"。(celestial being)常做主语、宾语、定语。[量]位，个。

例句 神仙是中国古代传说中的人物。|我又不是神仙，我怎么会知道？|那是一段神仙般的日子。

【审】 shěn 〔动〕
❶ 仔细地观察，考查。(examine)常做谓语、定语。

例句 这份图纸，专家审完了。|李编辑认真地审了这篇稿子，认为不错。|审过的施工方案已经上报了。

❷ 审讯。(interrogate; try)常做谓语、定语。

例句 警察正在审一个犯罪嫌疑人。|法官们正忙着审案呢。|这是一个刚审过的案子。

▶ "审"还做形容词，指"详细"、"周密"。如：审视 审慎

【审查】 shěnchá 〔动〕
检查、核对是否正确、妥当(多指计划、著作、个人的资历等)。(examine)常做谓语、宾语、定语。

例句 这个计划已经审查完了。|水利专家仔细审查了这些资料。|这个方案已通过了审查。|公安局正在对他进行审查。|审查过的材料已经存进了档案(dàng'àn)。

【审定】 shěndìng 〔动〕
审查决定。(examine and approve)常做谓语、定语。

例句 南极考察计划已经由科委审定了。|专家已经审定了这个方案。|刚刚审定的计划明天开始实施。|报纸公布了那个已经审定的方案。

【审理】 shěnlǐ 〔动〕
审查处理(案件)。(try)常做谓语、定语。

例句 法院已经审理了那个案子。|检察院决定审理那桩丑闻。|有关人员组成了审理小组。

S

【审美】 shěnměi 〔动〕

领会事物或艺术品的美。(appreciate the beauty)常做谓语、定语。

例句 他能从一个独特的角度去审美。|这件艺术品显示出独特的审美追求。|这种审美观点很多人不能接受。

【审判】 shěnpàn 〔动〕

审理和判决。(try)常做谓语、宾语、定语。

例句 这个案子已审判完了。|法院正在审判一宗经济案。|犯罪嫌疑人将受到法律的审判。|对这名犯罪嫌疑人已经进行了审判。|审判的过程很顺利。

【审批】 shěnpī 〔动〕

审查批示(计划、报告)。(examine and approve)常做谓语、宾语、定语。

例句 这个报告请上级审批。|领导已经审批了我们的计划。|旧城区改造方案已经通过了市政府的审批。|审批手续复杂不复杂?

【审时度势】 shěn shí duó shì 〔成〕

分析形势,估计其发展趋向。(judge the hour and size up the situation)常做谓语。

例句 老王审时度势,选择了主动检查。|希望你审时度势,作出明智的选择。

【审讯】 shěnxùn 〔动〕

公安人员、法院等向当事人、被告等查问案件的事实。(interrogate)常做谓语、宾语、定语。

例句 警察审讯了那个犯罪嫌疑人。|检察人员还没审讯当事人。|为了迅速破案,公安人员连夜对嫌疑人进行了审讯。|审讯的时候,犯罪嫌疑人很不老实。

【审议】 shěnyì 〔动〕

审查讨论(报告、法律等)。(review; deliberate)常做谓语、宾语、定语。

例句 代表们审议了市长的报告。|大会正在审议议案。|《政府工作报告》通过了代表们的审议。

【婶】 shěn 〔名〕

❶ 叔父的妻子。(wife of father's younger brother; aunt)常做主语、宾语、定语。[量]个。

例句 你婶才三十岁? |二婶特别能干。|我叔叔特别爱我婶。|我家人都佩服大婶的能干。

❷ 称呼与母亲同辈的已婚妇女。(aunt)常做主语、宾语、定语。[量]个,位。

例句 王婶是个爱管闲事的人。|李大婶常来我家串门儿。|大家都很尊敬那位热心的大婶。|我去张婶家坐了一会儿。

【婶子】 shěnzi 〔名〕

叔父的妻子。(wife of father's younger brother; aunt)常做主语、宾语、定语。[量]个。

例句 婶子很早就和叔父结婚了。|叔叔一向都怕婶子。|婶子的娘家在农村。

【肾】 shèn 〔名〕

人或高等动物的排泻(xiè)器官。(kidney)常做主语、宾语、定语。[量]个。

例句 肾是排泻系统的重要组织部分。|医生为他移植了一个肾。|他提出死后捐献自己的肾。|父亲的肾功能有点儿问题。

【肾炎】 shènyán 〔名〕

S

肾发生炎症，是一种病。(nephritis)常做主语、宾语、定语。[量]种。

例句 爷爷的肾炎又犯了。|那位老人患有严重的肾炎。|医生把妈妈的肾炎治好了。|肾炎的症状有哪些呢?|这个病房住了好几个肾炎患者。

【甚】 shèn 〔动/副〕

〔动〕超过、胜过。(more than)常做谓语，多用于固定格式。

词语 日甚一日

例句 他关心下属甚于关心自己。

〔副〕很，极。(very; extremely)常做状语。

例句 这个方案甚佳。|他做得甚好。

▶ “甚”也做形容词，多用于固定短语。如：欺人太甚

【甚至】 shènzhì 〔副/连〕

〔副〕表示突出强调的意思。(even to the extent that)常做状语。

例句 他对人不客气，甚至对家人也这样。|她瘦多了，甚至我都认不出她来了。|得知我考上了研究生，妈妈甚至高兴得流出了眼泪。

〔连〕表示更进一层的意思。(so far as to)用在并列成分或分句的最后一个前，前一分句常有“不但”、“不仅”等。

例句 他们贡献了自己的一切，甚至宝贵的生命。|他不但懂汉语，甚至懂一些汉语方言。|我不仅讨厌她，甚至讨厌她的穿戴。

【甚至于】 shènzhìyú 〔连〕

表示更一层的意思。(so far as to)用在后一分句前，表示强调突出，前一分句常有“不但”、“不仅”等。

例句 他今天特别不高兴，甚至于对女朋友也发火。|她不但不说话，甚至于别人问她也不理。|比尔不仅会说汉语，甚至于唐诗也能背几首。

【渗】 shèn 〔动〕

液体慢慢地透过或漏出。(ooze)常做谓语、定语。

例句 这根水管往外渗水。|雨水都渗到地里去了。|他伤得不轻，渗出的血洇红了衣裳。|工人清除了渗出来的油。

【渗透】 shèntòu 〔动〕

液体从物体细小的空隙(kòngxì)透过，也比喻一种势力、事物逐渐进入其他方面。(permeate; infiltrate)常做谓语、主语、宾语。

例句 雨水渗透了我的上衣。|这种思想已经渗透到人们的心灵深处。|这种渗透是可以阻止的。|经济渗透是某些国家常用的手法。|我们要抵制不健康的文化渗透。

【慎】 shèn 〔形〕

谨(jǐn)慎、小心。(careful)常做谓语或做语素构词。

词语 慎重 谨慎

例句 这件事很重要，你一定要慎而又慎。|我不慎把钱包丢了。

【慎重】 shènzhòng 〔形〕

谨慎认真。(cautious; careful)常做谓语、定语、状语、补语。

例句 厂长办事很慎重。|他是个很慎重的人。|我们应该采取慎重的态度处理这件事。|党委慎重地研究了好几次，才作了决定。|那事我考虑得很慎重。

【升】 shēng 〔动〕

❶ 由低处往高处移动。(rise; go up)常做谓语、定语。

例句 天安门广场每天早晨都升国旗。|清晨,太阳从东方升起。|升起的红旗在风中飘扬。

❷ (等级)提高。(promote)常做谓语。

例句 女儿升入了高中。|他最近升为校长。|副经理被升为经理了。|两国外交关系最近升为大使级了。

【升学】 shēng xué 〔动短〕

由低一级学校进入高一级学校。(go to a school of a higher grade; enter a higher school)常做谓语、定语。中间可插入成分。

例句 要升学,平时就得努力。|升了学的孩子高高兴兴地走进了新校园。|学生们这一次的升学考试很顺利。

▶ "升学"做谓语时不能带宾语。如:* 他升学高中。("升学"应为"升入")

▶ "升"还做名词、量词,指容量单位或容器。

【生】 shēng 〔名/动/形〕

〔名〕❶ 生命。(life)常用于固定格式或做语素构词。

词语 生物 丧生 杀生

例句 他舍生取义,受到了人们的尊敬。|他要在有生之年完成那本书。

❷ 生平。(all one's life)常用于构词。

词语 一生 人生 平生

例句 他的一生很平凡。|爸爸平生都不抽烟喝酒。|她终生未婚。

❸ 学习的人。(student)常做宾语、主语、定语。

例句 我们都是毕业生。|新办的学校已经开始招生了。|新生和老生同台演出了节目。|我们是师生关系。

❹ 生计。(livelihood)常用于构词。

词语 民生 谋生 营生

例句 这是关系国计民生的大事。|爷爷小时候就到东北来谋生了。

▶ "生"还指中国地方戏剧中的一种角色,为男子。如:老生 小生 武生

〔动〕❶ 生育、生长、生存。(bear; grow; live)常做谓语、定语、宾语、主语。

例句 大嫂生了一个男孩。|他生在北京,长在南方。|种子生根后,接着就生出了芽。|他的病好了以后,才体会到了生的快乐。|他贪生怕死。|我的头经常要命地疼,那时就觉得生不如死。

❷ 产生、发生。(get; have)常做谓语。

例句 刀上生了不少锈(xiù)。|太冷了,孩子的脚生了冻疮(dòngchuāng)。|她身体不好,常常生病。

❸ 使柴、煤等燃烧。(light)常做谓语、定语。

例句 这房子没有暖气,冬天只好生炉(lú)子。|妈妈在生火做饭。|他们在河边生起了一堆篝(gōu)火。|生着的柴火很快旺起来了。

〔形〕❶ 未熟。(unripe; green)常做谓语、定语、状语。

例句 这瓜太生了,不能吃。|他们很喜欢吃生鱼片。|我不吃生鸡蛋。|大白菜心儿可以生吃。

❷ 没有加工的。(unprocessed)常做定语。

例句 生铁是炼钢的原料。|这里盛产生橡胶。

❸ 不熟悉，不自然。(unfamiliar)常做谓语、定语。

词语 生人　生字

例句 我对这个地方很生。|她跟我越来越生。|生人敲门可别马上开，得问问他是谁。

▶“生”还做副词，指“很”。如：生怕　生恐

▶“生”还可做后缀，加在某些名词后边。如：医生　侍应生

【生病】 shēng bìng 〔动短〕

(人或动物)发生疾病。(fall ill)常做谓语、定语。中间可插入成分。

例句 她生病了，不能上班。|那个孩子常常生病。|我在生病的时候非常想家。|他最近生了一种奇怪的病。

【生产】 shēngchǎn 〔动/名〕

〔动〕❶ 使用工具来创造各种生活、生产资料。(produce)常做谓语、定语。

例句 那个工厂专门生产日用品。|他们生产的家用汽车很受欢迎。|去年生产的电视机，仓库里已经没有了。

❷ 生孩子。(give birth to a child)常做谓语、定语。

例句 她去医院生产了。|她生产的时候，丈夫一直守在旁边。|医生们为她作好了生产的准备。

〔名〕人们用工具创造生活、生产资料的活动。(production)常做主语、宾语、定语。[量]种。

例句 这种生产很难继续下去。|工业生产是国民经济的重要部分。|我们要大力发展农业生产。|我们厂正在努力提高生产效率。|这个厂新建了一条生产线。

【生产力】 shēngchǎnlì 〔名〕

具有劳动能力的人跟生产资料相结合而构成的征服、改造自然的能力。(productive forces)常做主语、宾语、定语。

例句 生产力是生产中最活跃的因素。|改革就是要解放生产力。|科学技术也是生产力。|中国的生产力水平还不够高，需要继续努力。

【生产率】 shēngchǎnlǜ 〔名〕

单位时间内劳动的生产效果或能力。(productivity)常做主语、宾语、定语。

例句 因为生产率太低，这家工厂终于倒闭了。|我们要努力提高生产率。|生产率的高低反映了一个工厂的效益状况。

【生词】 shēngcí 〔名〕

不认识或不懂得的词。(new words)常做主语、宾语、定语。[量]个。

例句 这课的生词不多，但语法有点儿难。|他每天能学会十个生词。|这篇课文里生词的数量太多了。

【生存】 shēngcún 〔动〕

保存生命。(live)常做谓语(不带宾语)、定语。

例句 这种动物生存在几十万年前。|人类能不能在其他星球上生存呢？|很多动物的生存空间被人为地破坏了。|生存环境越来越差。

【生动】 shēngdòng 〔形〕

具有活力或感动人的。(lively)在句中做谓语、定语、状语、补语。一般不重叠。

例句 他的讲话非常生动、感人。|

这些生动的事例让人很受教育。|这部电影塑(sù)造了许多生动的艺术形象。|这些作品生动地反映了那个时代。|那个老师讲得很生动。

【生活】 shēnghuó 〔名/动〕

〔名〕❶ 人或生物为了生存和发展而进行的各种活动。(life)常做主语、宾语、定语。[量]种。

例句 我们学校的课外文化生活丰富多彩。|生活充满了矛盾。|作家要观察生活,反映生活。|应当明白生活的道路不会那么平坦。|现在,我真正懂得了生活的意义。

❷ 衣、食、住、行等方面的情况。(livelihood)常做主语、宾语、定语。

例句 他们家的生活比以前富裕多了。|大嫂很会安排全家人的生活。|经济发展了,人们的生活水平提高了。|很多老人都改变了他们以前的生活方式。

〔动〕❶ 进行各种活动。(live)常做谓语。

例句 这位作家经常和农民生活在一起。|云南省生活着26个少数民族。|草原是牧民世代生活的地方。

❷ 生存。(live)常做谓语、定语。

例句 这种生物生活在水中。|病得那么重,她依然顽强地生活着。|这里的生活条件比以前好多了。

【生机】 shēngjī 〔名〕

❶ 生存的机会。(hope of life)常做主语、宾语。[量]线。

例句 仅有的一线生机也随着船的下沉而消失了。|全部生机都在那条即将到来的救生船上。|有人来了!他们终于看到了一线生机。

❷ 生命力。(life; vitality)常做主语、宾语。

例句 田野里生机勃勃,春天到了。|森林一片翠绿,生机盎(àng)然。

【生老病死】 shēng lǎo bìng sǐ 〔成〕

出生(生育)、衰老(养老)、生病(医疗)、死亡(殡葬)。(birth and old age, sickness and death——the lot of man)常做主语、宾语。

例句 公民的生老病死都由政府包下来是很困难的。|生老病死是自然规律,谁也抗拒不了。|我们要负责一千多职工的生老病死,也不容易啊。

【生理】 shēnglǐ 〔名〕

机体的生命活动和体内各器官的机能。(physiology)常做主语、宾语、定语。

例句 人到中老年,生理会发生很大的变化。|张教授正在讲解人脑的生理特点。|他在生理课上学过人的生理。

【生龙活虎】 shēng lóng huó hǔ 〔成〕

比喻富有生气,充满活力。(doughty as a dragon and lively as a tiger——full of vim and vigor)常做谓语、定语。

例句 三十多个战士,生龙活虎,一拥而上,背的背,扛的扛,挑的挑,抬的抬,很快就把这些东西都撤走了。|那部作品描写了生龙活虎的军营生活。

【生命】 shēngmìng 〔名〕

生物体所具有的活动能力。(life)常做主语、宾语、定语。[量]个,条。

例句 生命很宝贵,我们要善待生命。|生命不息,学习不止。|由于抢救及时,医生挽救了一条宝贵的生命。|生命的价值不是用金钱可以计算的。

▶“生命”可指人，也指动物。还可加上定语比喻某方面的能力。如：政治生命　艺术生命

辨析〈近〉性命。“性命”多用于口语，且没有比喻意义。如：* 艺术性命（“性命”应为“生命”）

【生命力】 shēngmìnglì 〔名〕
指事物具有的生存、发展的能力。(life-force; vitality)常做主语、宾语。

例句 这种植物的生命力很强。|细菌有很强的生命力。

【生怕】 shēngpà 〔动〕
很怕、很担心。(fear greatly)常做谓语。

例句 大家小心地在冰上走着，生怕滑倒。|母亲轻轻地走进来，生怕惊醒了孩子。|他一夜醒了三四次，生怕起来晚了。

▶“生怕”的宾语为非名词性词语或小句。“生怕”前不能加程度副词。如：* 生怕他。（应为“生怕他不来”）| * 非常生怕迟到。（应为“生怕迟到”）

【生气】 shēng qì 〔动短〕
因不合心意而不愉快。(get angry)常做谓语、定语、状语、补语。中间可插入成分。

例句 不管孩子怎么调皮，她一点儿也不生气。|你生谁的气？那么不高兴。|父亲生气的时候，让人害怕。|经理生气地问了他几句就走了。|他把大家都弄生气了。

▶“生气”做谓语不能带宾语。如：他生我的气。| * 他生气我。

▶“生气”还做名词，指“生命力”、“活力”。如：他画的小动物充满了生气。

【生气勃勃】 shēngqì bóbó 〔成〕
形容富有朝气和活力。(dynamic; vigorous; full of vitality)常做谓语、定语。

例句 中学生生气勃勃，到哪儿都是一片欢笑声。|改革开放以来，中国呈现出一片生气勃勃的景象。

【生前】 shēngqián 〔名〕
活着的时候。(before one's death)常做状语、定语。

例句 他生前做了不少好事，去世后很多人都怀念他。|爷爷生前是一个不平凡的人。|老人死了，生前好友都去参加追悼(zhuīdào)会。|他死后，家里人按遗嘱(yízhǔ)把他生前的存款捐给了福利院。

【生人】 shēngrén 〔名〕
不认识的人。(stranger)常做主语、宾语、定语。[量]个。

例句 正开会时，一个生人走进来，问谁是经理。|来开会的十几个人差不多没有生人，一见面就聊上了。|我的孩子小时候看见生人就哭。|那个生人的神情有点儿不自然。

▶“生人”还指“出生”。如：他是1976年生人。

【生日】 shēngri 〔名〕
(人)出生的日子，也指每年的那一天。(birthday)常做主语、宾语、定语。[量]个。

例句 妈妈的生日是十月一日。|他在火车上过的三十岁生日。|我同学的生日晚会很热闹。|父母买了孩子喜欢的生日礼物送给她。

▶中国人传统的生日食品是面条，称为“长寿面”；老人过生日称为“做寿”，别人祝贺称为“祝寿”。现在吃

生日蛋糕的越来越多了。

【生疏】 shēngshū 〔形〕

❶ 没有接触过或很少接触。(not familiar)常做谓语、定语。

例句 他刚来中国,人地生疏。|她是个新手,业务还很生疏。|去一个生疏的地方,要多留神。|我接手了一个生疏的工作。

❷ 因长期不用而不熟练。(rusty)常做谓语、定语、补语。

例句 很长时间不打球了,手都生疏了。|他以前是个司机,现在都对开车生疏了。|他又捡起了已经生疏的手艺,当起了理发师。|二十多年没做了,技术早变得生疏了。

❸ 疏远、不亲近。(not as close as before)常做谓语、补语、宾语。

例句 两年前,他们夫妻俩感情生疏起来,后来到底离婚了。|弟兄俩二十多年未见面,竟变得生疏了。|她和我之间互相都觉得很生疏。

【生态】 shēngtài 〔名〕

指生物在一定的自然环境中生存和发展的状态,也指生物的生理和生活习性。(ecology)常做主语、宾语、定语。[量]种。

例句 当地的生态不平衡。|科学家考察了这一带的自然生态。|生态环境是生存的重要条件。|发展经济不能破坏生态平衡。

【生吞活剥】 shēng tūn huó bō 〔成〕

❶ 把活生生的动物吞咽下去。(swallow sth. raw and whole)常做谓语、状语。

例句 他恨不得把这个家伙生吞活剥了。

❷ 比喻生硬地模仿或抄袭。(accept sth. uncritically)常做谓语、状语。

例句 学习外国经验不能生吞活剥。|在我识字还不多时,就生吞活剥地看起小说来。|他刚上任,就生吞活剥地进行了几项人事变动。

【生物】 shēngwù 〔名〕

自然界中由活质构成并具有生长、发育、繁殖(fánzhí)等能力的物体。(living things)常做主语、宾语、定语。[量]种,类。

例句 这种生物生活在水中。|地球上很早就有了生物。|火星上发现生物了吗?|每种生物的习性都有差别。

【生效】 shēng xiào 〔动短〕

发生效力。(go into effect)常做谓语、宾语、定语,中间可插入成分。

例句 《高等教育法》从明年1月1日起生效。|药吃下去后马上就生了效。|两国友好条约已经开始生效。|合同中要写明生效的时间。

【生意】 shēngyi 〔名〕

指商业经营、买卖。(business)常做主语、宾语、定语。[量]笔。

例句 这笔生意使公司赚(zhuàn)了很多。|这家大商店最近生意不太景气。|他专门做木材生意。|他俩谈成了一笔大生意。|生意人必须懂生意经。

【生育】 shēngyù 〔动〕

生孩子。(bear)常做谓语、宾语。

例句 我妈妈生育了三个孩子。|她一直没生育过。|中国人口太多,要实行计划生育。

【生长】 shēngzhǎng 〔动〕

❶ 人或生物体出生、发育、成长。(bear;grow;bring up)常做谓语、定语、主语。

S

例句 这种植物原来生长在南美洲。|他生长在城市,没干过农活。|这些孩子的生长情况都很正常。|植物的生长需要一定的温度和水分。

辨析 〈近〉生活。"生长"可指所有生物,着重指"发育"、"成长";"生活"则主要指人或动物的生存活动。"生长"还指"增长";"生活"无此义。且"生活"还指人的"衣、食、住、行"。

❷ 产生和增加。(come into being and grow up)常做谓语、定语。

例句 年轻人中生长着一种享乐思想。|不要取得一点儿成绩就生长骄傲(jiāo'ào)的情绪。|中国改革开放以来,迅速生长的民营企业在国民经济中占了很大比例。

【生殖】 shēngzhí 〔动〕

生物产生幼小个体以繁殖后代。(breed)常做谓语、定语。

例句 你不能不让它生殖后代。|应当了解一些生殖知识,注意生殖健康。

【声】 shēng 〔名/量〕

〔名〕声音。(sound; voice)常做主语、宾语、状语。[量]种,阵。

例句 脚步声又响起来了。|喊声、歌声、笑声充满了大礼堂。|别出声!看看外边怎么了。|她睡不着,听了一夜外面的风雨声。|在医院里不能高声说话。|她每天都大声地练习读课文。

▶ "声"还指"声调"。如:四声 去声

〔量〕表示声音发出的次数。(measure word for sounds)常构成数量或动量短语,做主语、宾语、定语、状语。

例句 她在练歌,一声比一声高。|你这声喊吓了我一跳。|他对着屋里喊了两声,但没人答应。|我唱了几声,但觉得没意思。|远处传来一声狗叫。|他一声一声地喊着,但没有听到回应。

【声调】 shēngdiào 〔名〕

声音的快慢、长短、轻重、高低等。(tone)常做主语、宾语、定语。[量]种,个。

例句 声调在汉语中十分重要。|这个字的声调不是第二声。|有的外国人发不好汉语的声调。|许多语言没有汉语这样的声调。|汉语声调的作用是区别意义。

【声名狼藉】 shēngmíng lángjí 〔成〕

形容名誉极坏。(be disreputable; have a bad name; be notorious)常做谓语、定语、补语。

例句 他现在声名狼藉,谁还敢要他?|谁也不知道他二十年前是一个声名狼藉的地痞流氓。|他被这起桃色事件搞得声名狼藉。

【声明】 shēngmíng 〔动/名〕

〔动〕公开表示态度或说明真相。(state)常做谓语。

例句 外交部发言人郑重声明:中国政府反对任何人以任何借口干涉中国内政。|他声明支持这个改革方案。|我已经声明过两次了,不会介入这事。

▶ "声明"做谓语时,宾语可以是句子。如:他声明自己没有这样做。

〔名〕声明的文告。(statement)常做主语、宾语、定语。[量]份,篇。

例句 这份声明由总经理亲自向新闻界发布。|我们厂的声明发表在一家大报上。|《人民日报》发表了

一篇政府声明。|这篇声明的内容很快传遍了全世界。

【声势】 shēngshì 〔名〕
声威和气势。(momentum; prestige and power)常做主语、宾语、定语。[量]种。

例句 这次活动声势浩大。|抗议的声势震惊了世界。|他们只是虚张声势,吓吓人罢了。|这次会议声势之大是前所未有的。

辨析 〈近〉气势。"声势"指"活动";"气势"指人和事物;"声势"和"大"、"空前"等搭配,"气势"多和"宏伟"、"汹汹"等搭配。

【声嘶力竭】 shēng sī lì jié 〔成〕
形容拼命地呼号、叫喊。(shout oneself hoarse; shout oneself blue in the face)常做谓语、定语、状语。

例句 他唱歌声嘶力竭的。|屋里传出声嘶力竭的叫喊。|她声嘶力竭地喊着:"快来人啊!"

【声像】 shēngxiàng 〔名〕
录制的声音与图像。(recording and video)常做定语。

例句 我们访问了一家声像公司。|声像资料由他保存。|这儿专门出售声像制品。

【声音】 shēngyīn 〔名〕
声波通过听觉产生的印象。(sound; voice)常做主语、宾语、定语。[量]种,阵。

例句 二胡的声音真好听。|一阵刺耳的声音传了过来。|闪电过后,传来了一阵打雷的声音。|从白天到晚上,水流声音的变化很大。

【声誉】 shēngyù 〔名〕
声望名誉。(reputation)常做主语、宾语。[量]种。

例句 声誉对于一个企业来说十分重要。|因为成就突出,他获得了很高的声誉。|做这种事有损自己的声誉。

【牲畜】 shēngchù 〔名〕
家畜。(livestock)常做主语、宾语、定语。[量]群,批,些。

例句 这批牲畜是送往肉食加工厂的。|牲畜为人们提供畜力和肉食。|不能食用病死的牲畜。|随着工业的发展,饲养大牲畜的农民已经减少了。|这个地方的牲畜饮水问题已经得到了解决。

【牲口】 shēngkou 〔名〕
用来帮助人干活的家畜,如牛、马、驴等。(draught animal)常做主语、宾语、定语。[量]头,群。

例句 这头牲口很有力气。|牲口对有些农民来说还是很重要的。|爷爷卖掉了牲口,买了拖拉机。|有一辆汽车的话,就可以不用牲口了。|她每天打扫牲口圈(juàn)。

【绳】 shéng 〔名〕
绳子。(rope)常做主语、宾语。[量]根,条。

例句 这根绳很结实。|那条钢丝绳突然断了。|她会搓(cuō)绳。|这个箱子不太结实,再用绳捆一下吧。|这根绳儿的粗细不合适。

▶"绳"在书面语中还做动词,指"纠正"、"约束"、"制裁"。如:绳之以法

【绳子】 shéngzi 〔名〕
用麻、草等拧成的条状物,用来捆(kǔn)东西。(rope)常做主语、宾语、定语。[量]根,段,条。

例句 这根绳子太细了,不结实。|

绳子系得太紧,打不开了。|他拿来一根绳子捆行李。|老人解开了绳子,船便离开了河边。|这条绳子的长短不够,再找一条长点儿的吧。

【省】 shěng 〔动/名〕 另读 xǐng

〔动〕❶ 节约、俭省。(economize; save)常做谓语、定语。

例句 老人省吃俭用,存下了一笔钱。|他买了二手车,省了不少钱。|她把省下的时间用在学习上了。|虽然省的钱不多,也够买一台电视机了。

❷ 免掉、减去。(omit; leave out)常做谓语、定语。

例句 这个字在这句话里不能省。|有朋友帮助,办手续省了不少事。|他把能省去的程序都省了。

〔名〕行政区划单位,直属中央。(province)常做主语、宾语、定语。[量]个。

例句 这个省有一千万人口。|河北省在黄河以北。|我家在南方的一个省。|中国共有23个省,还有自治区、直辖(xiá)市等。|东南沿海几个省的经济发展很快。|这个省的工业基础很好。

【省得】 shěngde 〔连〕

不使发生某种(不好的)情况;免得。(so as to save or avoid)放在第二个小句前,表示避免的情况。

例句 穿厚一点儿,省得冷。|你就住在这儿吧,省得天天来回跑。|快告诉我吧,省得我着急。

【省会】 shěnghuì 〔名〕

省行政机关所在城市,也称省城。(provincial capital)常做主语、宾语、定语。[量]个。

例句 辽宁省的省会是沈(shěn)阳。|我们的省会变得越来越漂亮了。|石家庄是河北省的省会。|他一个人从农村来到了省会。|省会的文化生活比县城丰富多了。

【省略】 shěnglüè 〔动〕

免掉、除去。(leave out; omit)常做谓语、定语。

例句 这句话可以省略。|为了缩短发言时间,我省略了一大段。|我在猜想他省略的内容是什么。|这段省略的文字实际上也写得不错。

【省长】 shěngzhǎng 〔名〕

一个省的最高行政领导人。(leader of a province)常做主语、宾语、定语。[量]个,位。

例句 省长视察了我市的经济工作。|张省长主管对外贸易。|去年他当选为省长。|每天,省长的工作日程都安排得满满的。

【圣】 shèng 〔形〕

❶ 最崇高的。(sacred)常用于构词。

词语 圣地 圣人 神圣

例句 那个地方是我心目中的圣地。

❷ 宗教徒对所崇拜(chóngbài)的事物的尊称。(holy)常用于构词。

词语 圣经 圣灵 圣水

例句 你读过《圣经》吗?

【圣诞节】 Shèngdàn Jié 〔名〕

基督教徒纪念耶稣(Yēsū)基督诞生的节日,在12月25日。(Christmas Day)常做主语、宾语、定语。[量]个。

例句 圣诞节快到了。|我们全家人一起过圣诞节。|圣诞节的时候,我要去看父母。|我们一起度过了圣诞节前的夜晚。

【胜】 shèng 〔动〕

❶ 打败(别人)。(win)常做谓语。

例句 这次比赛,我们胜了他们。|那段时间,球队战无不胜。

❷ 比另一个优越。(surpass)常做谓语。

例句 事实胜于雄辩。|他的汉语水平当然胜过我了。

▶"胜"还做名词、形容词,指"胜利"、"优美的"、"能够承担"。如:取胜 引人入胜 胜仗 胜景 胜境 胜任

【胜利】 shènglì 〔动/名〕

〔动〕❶ 在斗争或竞赛中打败对手。(win)常做谓语(不带宾语)、状语、定语。一般不重叠。

例句 我们终于胜利了。|运动员胜利归来了。|大家分享着胜利的欢乐。

❷ 工作、事业达到了预定的目的。(succeed)常做谓语、状语、定语。

例句 正义战胜了邪恶,我们胜利了。|工程胜利竣工(jùngōng)了。|大会胜利闭幕了。|胜利的信心一直鼓舞(gǔwǔ)着考察队员。

〔名〕经过战斗、竞赛、奋斗所达到的预期结局。(victory)常做主语、宾语、定语。[量]次。

例句 胜利一定属于我们。|我们已经取得了伟大胜利。|人们盼望胜利的到来。|我们品尝着胜利的果实。

【盛】 shèng 〔形〕

❶ 繁荣兴旺,蓬勃发展。(prosperous)常做谓语、定语。

例句 他的权势盛极一时。|唐代诗歌盛于历史上各个朝代。|人逢盛世精神爽。

❷ 强烈、旺盛。(vigorous)常做谓语。

例句 青年人年轻气盛,容易做错事。|房子起火了,火势越来越盛。

❸ 盛大、隆重。(grand)多用于固定短语或做语素构词。

词语 盛会 盛典 盛宴

例句 这是一个盛会。|国家总理盛宴欢迎代表团。|该国为新总统就职举行了盛典。

❹ 深厚。(abundant)常用于构词。

词语 盛情 盛意

例句 谢谢你们的盛情款待。

❺ 流行。(popular)在句中做谓语。

例句 这个班读书风气很盛。|近年来,旅游之风颇(pō)盛。

▶"盛"还做副词,指"程度高、用力大"。如:盛赞 鲜花盛开

【盛产】 shèngchǎn 〔动〕

大量地出产。(abound in)常做谓语。

例句 此地盛产木材。|中国东北盛产优质大米。|海南盛产热带水果。

【盛大】 shèngdà 〔形〕

规模大、仪式隆重(lóngzhòng)的(集体活动)。(grand)常做谓语、定语、补语。

例句 北京奥运会规模盛大。|国庆前一天,国务院举行了盛大招待会。|我们都参加了那次盛大的落成典礼。|百货大楼50年庆典的活动搞得很盛大。

辨析 〈近〉隆重。"隆重"主要指"庄重","盛大"则主要指"规模大"。

【盛开】 shèngkāi 〔动〕

(花)开得茂盛。(be in full bloom)常做谓语、定语。

例句 春天到了，花儿都盛开了。｜南国盛开着火红的英雄花。｜公园到处是盛开的菊花。｜盛开的梅花告诉人们春天到了。

【盛气凌人】 shèng qì líng rén 〔成〕

傲慢骄横的气势压人。(domineering; arrogant; overbearing)常做谓语、定语、状语。

例句 他一当官就盛气凌人了。｜我看不惯他那副盛气凌人的样子。｜他盛气凌人地对我说："你不干，可以走。"

【盛情】 shèngqíng 〔名〕

深厚的情意。(great kindness)常做定语、主语、状语。[量]种。

例句 感谢你们的盛情招待。｜我们对你们的盛情欢迎表示谢意。｜她的盛情永难忘记。｜盛情难却，我们只好接受了邀请。｜导游盛情地向我介绍情况。

【盛情难却】 shèngqíng nán què 〔成〕

深厚的情意难以拒绝。(it would be ungracious not to accept your kindness)常做小句。

例句 盛情难却，我就不客气了。｜虽然盛情难却，我还是觉得不接受为好。

【盛行】 shèngxíng 〔动〕

广泛流行。(be current)常做谓语、定语。

例句 这首歌曾经盛行一时。｜今年盛行唐装。｜去年盛行的东西今年没人买了。｜明年盛行的商品可能是汽车。

【剩】 shèng 〔动〕

意义同"剩余"。(remain)常做谓语、定语。

例句 我还剩了张电影票。｜大家吃完以后，没剩什么了。｜交完学费还剩了一些钱，我把它存进了银行。｜一个人买走了我的剩票。

【剩余】 shèngyú 〔动/名〕

〔动〕遗留下来。(remain)常做谓语、定语。

例句 他每个月都剩余一些生活费。｜家具差不多都拿走了，只剩余了两件。｜剩余的食品你可以带走。｜他把剩余的票都退了。

〔名〕从某个数量里减去一部分后留下来的部分。(surplus; remainder)常做定语、宾语。

例句 剩余物资怎么处理？｜最近他正在研究剩余价值理论。｜这个月的费用不但没有亏欠，还有些剩余。｜这些钱不够，可能不会有剩余。

【尸】 shī 〔名〕

意义见"尸体"。(corpse)常用于构词，也做主语、宾语。

词语 死尸 尸体 尸骨

例句 死尸到处都是，战争太残酷了。｜警察发现了一具尸体。｜有些人活着就像行尸走肉。

【尸体】 shītǐ 〔名〕

人或动物死后的身体。(corpse)常做主语、宾语、定语。[量]具。

例句 这具大熊猫的尸体被保存下来了。｜那几具尸体已经掩埋了。｜河边发现了一具女人的尸体。｜那具尸体的样子很吓人。｜警察在研究一具尸体的照片。

【失】 shī 〔动〕

❶ 原来的没有了；丢掉。(lose)常做谓语、宾语或做语素构词以及用于固定短语。

词语 失去　失效　失眠　患得患失

例句 遇到困难勿失信心。|他们坐失良机，后悔也来不及了。|生活中有得必有失。

❷ 没有把握住。(miss)常做谓语、宾语，也用于固定短语。

例句 我失手打碎了一个杯子。|他一失足成千古恨，最后进了牢房。|我们已经作好了准备，保证万无一失。

❸ 迷失。(lose)常做谓语。

例句 一定带上指南针，可别失了方向。|我终于找到了失群的小羊。

❹ 没有达到目的。(fail to achieve one's end)常做谓语，多用于固定格式。

例句 他大失所望，只好一个人回去了。

❺ 改变(常态)。(deviate from the normal)常做谓语。

例句 她失声痛哭起来。|听到这消息，他大惊失色。

❻ 违背、背弃。(break)常做谓语。

例句 我们不能失信，答应的事就一定要做。|她总失约，男朋友生气了。

【失败】 shībài 〔动/名〕

〔动〕在斗争或竞赛中被对方打败，事业或工作没有达到预定的目的。(be defeated; fail)常做谓语(不带宾语)、宾语、定语。

例句 实验已经失败了三次。|攻关失败了。|敌人不会甘心失败。|选手们担心失败，所以放不开动作。|失败的时候，不要灰心。

〔名〕失败的结果。(failure)常做主语、宾语、定语。[量]次。

例句 失败是成功之母。|这次失败反而让我们清醒了。|我承认失败。|失败的教训是深刻的。

【失道寡助】 shī dào guǎ zhù 〔成〕

违背道义的人得不到多数人的支持。(an unjust cause finds scant support)做谓语、定语，也做小句。

例句 失道寡助，他最终被赶下了台。|失道寡助的黑社会能打得过得道多助的警察吗？|失道寡助，他最终落了个身败名裂的下场。

【失掉】 shīdiào 〔动〕

❶ 原有的不再有。(lose)常做谓语。

例句 他听到这个消息后，一下子失掉了信心。|我和她失掉联系已经十年了。

❷ 没有取得或没有把握住。(miss)常做谓语、定语。

例句 我失掉了一个好机会。|他们失掉了战机，开始变得被动了。|失掉的时光不会再来。

【失眠】 shīmián 〔动〕

夜间睡不着或醒后不能再睡。(suffer from insomnia)常做谓语(不带宾语)、定语、宾语。

例句 最近，我晚上总失眠。|失眠的时候真难受。|他没法控制自己的失眠。

【失去】 shīqù 〔动〕

失掉。(lose; miss)常做谓语、定语。

例句 因为战争，亲人之间失去了联系。|因为生病，我失去了一个进修的机会。|这些药品已经失去了效力。|他想找回失去的爱情。

【失事】 shī shì 〔动短〕

发生不幸的事故。(have an accident)常做谓语、定语。

例句 一架飞机在海上失事。|轮船刚出海就失事了。|失事飞机的残骸(cánhái)被发现了。|人们正在抢救失事的游船。

【失望】 shīwàng 〔形〕

因希望未实现而不愉快。(disappointed)常做谓语、定语、状语、补语。

例句 他考试没通过,很失望。|看到他失望的样子,我也很难受。|姑娘失望地转过身去。|事情一直没办成,他显得有些失望。|他就这样失望地离开了公司。

【失误】 shīwù 〔动〕

由于疏忽或水平不高而造成差错。(fault)常做谓语(不带宾语)、定语、宾语。

例句 比赛中,他们传球失误了好几次。|他一着(zhāo)失误,结果棋输了。|大家又一次分析了失误的原因。|运动员在观看失误动作的录像。|我们在工作中应当避免失误。

【失效】 shī xiào 〔动短〕

失去效力。(lose efficacy; become invalid)常做谓语、定语。

例句 这药已经失效了。|因为过了期限,条约已经自动失效。|失效的药不能服用。|失效的合同没有法律效力。

【失学】 shī xué 〔动短〕

因家庭困难、疾病等失去上学机会或中途退学。(be unable to go to school; be obliged to discontinue one's studies)常做谓语、定语,中间可插入成分。

例句 他三年级的时候失学了。|希望工程就是为了救助失学儿童的。|经过多年的努力,学龄儿童的失学率已经大大降低了。

【失业】 shī yè 〔动短〕

有劳动能力的人找不到工作。(be out of work)常做谓语、定语。中间可插入成分。

例句 经济不景气,工人大量失业。|我们公司效益不好,我失业了。|失业工人生活自然比较困难。|失业问题是世界各国都在努力解决的一个难题。

【失约】 shī yuē 〔动短〕

没有履(lǚ)行约会。(fail to keep an appointment)常做谓语。中间可插入成分。

例句 约好了就不能失约。|他这个人常常失约。|失约以后应当向对方道歉。|他这个人很守信,从没失过约。

【失之毫厘,谬以千里】 shī zhī háo lí, miù yǐ qiān lǐ 〔成〕

很小的失误,结果会产生巨大的差错。(a small discrepancy leads to a great error; an error the breadth of a single hair can lead you a thousand *li* astray)常独立成句。

例句 千万不能小看这点儿差错,"失之毫厘,谬以千里"呀。|失之毫厘,谬以千里。他万万没想到,一字之差竟带来了这样的后果。

【失之交臂】 shī zhī jiāo bì 〔成〕

当面错过机会。(just miss the person or opportunity)常做谓语。

例句 机会难得,千万不要失之交臂。|就这样,我俩失之交臂,这成了我一生的遗憾。

【失踪】 shī zōng 〔动短〕

下落不明（多指人）。（be missing）常做谓语、定语。

例句 正在抓捕的犯罪嫌疑人突然失踪了。|有条船在海上失踪了，有关人员正在全力寻找。|救护队找到了一些失踪人员的尸体。|失踪的孩子至今没有消息。

【师】 shī 〔名〕

❶ 称某些传授知识或技术的人。（teacher; master）多用于固定短语或做语素构词。也做主语、宾语。

词语 师生（徒） 教师 师傅

例句 他们师生五人一起去乡下了。|他拜那位老中医为师了。

❷ 学习的榜样。（model; example）常做宾语，一般用于固定短语。

例句 前事不忘，后事之师。|失败可以为师。

▶“师”还指军队或军队的编制单位。如：正义之师 一个师 师长

▶“师”还指掌握专门学术或技艺的人。如：工程师 医师 厨师

【师范】 shīfàn 〔名〕

师范学校的简称，指培养老师的学校，也指师范专业。（normal school）常做主语、宾语、定语。[量]所。

例句 师范要扩大招生。|他报考了师范。|我是学师范的。|师范毕业生大多去中学就业。

【师傅】 shīfu 〔名〕

工、商、戏剧等行业传授技艺的人，也是对有技艺的人的尊称。（master worker; *a respectful form of address for a skilled worker*）常做主语、宾语、定语。[量]个，位。

例句 李师傅干了一辈子修车的活儿。|我师傅是位六十多岁的老艺人。|这个京剧演员从小就拜他做了师傅。|王师傅的技术水平很高。|A：师傅，我有急事，请开快点儿好吗？B：没问题。

【师长】 shīzhǎng 〔名〕

对教师的尊称。（teacher）常做宾语、定语。[量]位。

例句 他是一位可亲的兄长，又是一位可敬的师长。|在学校里，孩子们从小就受到尊敬师长、爱护公物、讲究卫生等方面的教育。|师长的风范是我们学习的榜样。

▶“师长”也指军队一个师的最高长官。如：我刚参军，还不认识我们的师长。

【诗】 shī 〔名〕

文学体裁的一种，通过有节奏、韵律的语言反映生活、抒发感情。（poetry; poem）常做主语、宾语、定语。[量]首。

例句 自由体诗为很多年轻人所喜爱。|诗是思想和感情的反映。|那位老人写了不少抒情诗。|她正在大声诵读（sòngdú）一首唐诗。|这首诗的语言是非常美的。

【诗歌】 shīgē 〔名〕

泛指各种体裁的诗。（poetry）常做主语、宾语、定语。[量]首。

例句 唐代诗歌世代流传。|唐代诗歌是老百姓普遍喜爱的。|他一生创作了大量的诗歌。|我不太喜欢诗歌，我喜欢小说。|诗歌的创作在唐朝最盛。

【诗人】 shīrén 〔名〕

写诗的作家。（poet）常做主语、宾语、定语。[量]个，位。

例句 这位诗人在当时非常有名。

|诗人创作时往往充满着丰富的想象。|他终于成为了一位诗人。|她嫁给了一个有名的诗人。|他有一种诗人的气质。

【狮子】 shīzi 〔名〕
哺乳动物,黄褐色的毛,四肢强壮,捕食动物,有"兽(shòu)王"之称。(lion)常做主语、宾语、定语。[量]头。

例句 狮子产于非洲草原。|动物园刚出生的小狮子很可爱。|小动物都怕狮子。|雄狮子的样子很威风。

【施】 shī 〔动〕
❶ 按某方式、办法去做;施展。(execute;carry out)常做谓语。

例句 那段路正在施工。|他已经无计可施了。

❷ 给予。(bestow)常做谓语。

例句 徒弟向师傅施礼。|大国常向小国施压。

❸ 在物体上加某种东西。(use;apply)常做谓语。

例句 农民在地里施肥。|她正在往脸上施粉化妆。

【施肥】 shī féi 〔动短〕
给植物上肥料。(apply fertilizer)常做谓语、定语,中间可插入成分。

例句 农民正在给庄稼施肥。|爷爷给水稻施了好几次肥了。|施肥的时间要根据作物的生长情况来决定。|技术人员正在向农民讲授正确的施肥方法。

【施工】 shī gōng 〔动短〕
按设计的规格和要求建筑房屋、桥梁、道路等。(carry out construction or large repairs)常做谓语、定语、宾语。

例句 这座大桥正在施工,不能通行。|施工的时候要注意安全。|进入施工现场要戴安全帽。|工人们正在抓紧时间施工。

【施加】 shījiā 〔动〕
给予(压力、影响等)。(bring to bear on)常做谓语(带宾语)。

例句 他施加了很大的影响。|父母不要给孩子施加太大的学习压力。

【施行】 shīxíng 〔动〕
❶ 法令、规章等公布后从某时起发生效力、执行。(put into force)常做谓语、定语。

例句 现在,政府施行了一些新的政策。|本条例自公布之日起施行。|改革方案在施行过程中难免要遇到新问题。

❷ 按照某种方式或办法去做。(perform)常做谓语。

例句 医生给病人施行了手术。|赵大夫给那位外国朋友施行针灸(jiǔ)治疗。|这个医院施行了中西医结合的新疗法。

【施展】 shīzhǎn 〔动〕
发挥(能力等)。(put to good use)常做谓语。

例句 他把全部技术都施展出来了。|晚会上,她尽情施展着自己的才华。|现在他找到施展能力的地方了。

辨析 〈近〉发挥。发挥还有"表达"的意思;"施展"是中性词,"发挥"是褒义词。如:施展(发挥)才能|发挥题意

【湿】 shī 〔形〕
沾了水的或显出含水分多的。(wet;damp)常做谓语、定语、补语。

例句 山上的云雾又浓又湿。|汗

水已经湿透了他的背心。|快把湿衣服脱下来吧。|她没带伞，回来时衣服全淋湿了。

【湿度】 shīdù 〔名〕

空气、物质中所含水分的多少。(humidity)常做主语、宾语、定语。

例句 今天的空气湿度是多少？|这种商品的湿度太大，容易变质。|我买了个湿度计放在家里，测室内的湿度。|沙漠地区空气中几乎没什么湿度。

【湿润】 shīrùn 〔形〕

潮湿润泽。(moist)常做谓语、定语、补语等。

例句 刚下过雨，空气湿润得很。|南方的气候比较湿润。|夏天躺在湿润的沙滩上很舒服。|下过雨以后，干燥的空气变得湿润一些了。

辨析 〈近〉潮湿。"潮湿"的程度高，也不能用于人，"湿润"程度轻，还可用于人。如：空气湿润(潮湿)|她的皮肤很湿润。

【十】 shí 〔数〕

数目，九加一后所得。(ten)常和量词组成数量短语。也可做主语、宾语。

例句 十个人都参加了比赛。|我们爬上了十层楼。|人们常说："十年树木，百年树人。"|十全十美。|以一当十。

【十恶不赦】 shí è bú shè 〔成〕

形容罪大恶极或坏到极点。(guilty of unpardonable evil; guilty beyond forgiveness)常做谓语、定语。

例句 他的罪行，十恶不赦。|他是个十恶不赦的恶棍。

【十分】 shífēn 〔副〕

很、非常。(very)常做状语。

例句 十分感谢！|她十分深情地唱了一首歌。|他说话不算数，我对他十分不满。

【十拿九稳】 shí ná jiǔ wěn 〔成〕

形容很有把握。(ninety percent sure; very sure; practically certain; in the bag)常做谓语、定语。

例句 这冠军，我们是十拿九稳了。|她这次考大学，不说十拿九稳，也差不多。|本来是件十拿九稳的事，结果让你弄砸了。

【十年树木，百年树人】 shí nián shù mù, bǎi nián shù rén 〔成〕

指培养人才很不容易，须作长久之计。(it takes ten years to grow trees, but a hundred to rear people)常独立成句，也可做定语、宾语等。

例句 十年树木，百年树人。提高全民族的文化素质，需要长期的努力。|你懂不懂"十年树木，百年树人"的道理？|中国有句古话，那就是：十年树木，百年树人。

【十全十美】 shí quán shí měi 〔成〕

各方面都非常完美、毫无缺陷(xiàn)。(be perfect in every way)常做谓语、宾语、定语、补语。

例句 没有人十全十美。|这件事真是十全十美。|谁也做不到十全十美。|世界上没有十全十美的东西。|这事他做得十全十美。

【十室九空】 shí shì jiǔ kōng 〔成〕

形容因灾害、战乱或政变使百姓破产、流离或死亡的凄凉景象。(nine houses out of ten are deserted——a scene of desolation after a plague or war when the population is decimated)常做谓语。

S

例句 山洪爆发使那个村子十室九空，只有高地上的几所房子没被淹到。|战争爆发后，这一带十室九空，除留有少数老年人以外，很难见到青壮年人。

【十足】 shízú 〔形〕

十分充足、纯净的。(100 percent; sheer)常做谓语、定语、状语。

例句 接到了任务，大家都干劲十足。|他总是那么神气十足。|那个戴眼镜的青年是个十足的书呆子。|在工作中，他十足地表现出了他的能力。

【石】 shí 〔名〕

构成地壳的坚硬物质，是由矿物集合而成的。(stone; rock)常用于构词，也可做主语、宾语、定语。

词语 石灰 石油 石器 石沉大海

例句 花岗石非常坚硬。|卢沟桥上有许多雕刻的石狮子。|小路铺上卵石显得很别致。

【石沉大海】 shí chén dà hǎi 〔成〕

像石头掉进大海一样没有一点儿消息或不见踪影。(like a stone dropped into the sea — disappear for ever)常做谓语、宾语、定语。

例句 他走了以后，就石沉大海，音讯全没有了。|他接连写了好几封信，但都是石沉大海，没有结果。|我的第二封信又同样遭到石沉大海的命运。

【石灰】 shíhuī 〔名〕

生石灰和熟石灰的统称，也特指生石灰。(lime)常做主语、宾语、定语。[量]袋。

例句 石灰常作为抹墙的材料。|石灰是由石灰石加工成的。|那家小工厂生产熟石灰。|石灰的颜色是白的。|杀虫也是石灰的作用之一。

▶ “石灰”俗称“白灰”。

【石破天惊】 shí pò tiān jīng 〔成〕

声音时而高亢时而低沉，出人意外。比喻某一事件、诗文议论等新奇惊人。[earth-shattering and heaven-battering — remarkably original and forceful(music, writing, etc.); great vibration or shock]常做谓语、定语、宾语。

例句 这个消息石破天惊，大家一时还不敢相信。|他说了一句石破天惊的话：“那件事是我干的！”|指挥员一声令下，万炮齐鸣，有如石破天惊。

【石头】 shítou 〔名〕

指构成地壳的坚硬物质。(stone; rock)常做主语、宾语、定语。[量]块。

例句 这些石头已经没什么用了，拉走吧。|地质队员收集了一些特殊的石头。|那座山上到处是石头。|那儿有一幢漂亮的石头房。|湖边有一艘石头船。

【石油】 shíyóu 〔名〕

埋在地下的可燃液体，从中可以提取汽油、煤油等。(petroleum; oil)常做主语、宾语、定语。[量]桶，吨。

例句 石油是工业的血液。|石油是海湾国家的主要出口产品。|中国东北盛产石油。|那家化工厂可以加工大量石油。|有计划地发展石油生产，出口石油产品。

【时】 shí 〔名〕

❶ 比较长的一段时间。(a long period of time; times)常做定语、状语。

例句 这是啥时的打扮呀？|他是我大学时的好友。|这样做，那时是要倒霉的。|抗战开始时，爷爷才几岁。

❷ 规定的时候。(fixed time)常做宾语，多用于固定短语。

词语 按时 准时 定时

例句 大家每天都按时上下班。|会议八点准时开始。|图书馆定时开放。

❸ 季节。(season)常做主语、宾语、定语。

例句 春秋两时最舒服。|要抓紧施肥，别误了农时。|这地方四时的景色各具特色。

❹ 时间单位。(hour; o'clock)与数词组成数量短语，常做主语、宾语、定语、状语。

例句 下午三时是讨论时间。|他们把出发时间定在晚上七时。|八时的飞机已经起飞了。|这是下午六时的电影票。|火车上午九时发车。|代表团早上六时抵达。

▶"时"还做"时机"、"时尚"。如：入时 时装 过时 待时

▶"时"还做副词，指"时而"。如：时断时续 时快时慢

S

【时常】 shícháng 〔副〕

常常、经常。(often)常做状语。

例句 他时常一个人去海边。|妈妈时常提醒孩子要注意交通安全。|我时常想起她的面容。

辨析 〈近〉常常，经常。"时常"不如"常常"频率高，也没有"经常"的"一贯性"意义。此外，"经常"还有形容词用法。如：他迟到是经常的事。

【时代】 shídài 〔名〕

历史上或个人生命中的某个时期。(times; the times; a period in one's life)常做主语、宾语、定语。［量］个。

例句 这是时代赋予(fùyǔ)青年的使命。|时代不同了，男女都一样。|每个人都忘不了自己的青年时代。|你不是那个时代的人，当然不知道那个时代的事。|这部电影有强烈的时代气息。

辨析 〈近〉时期。"时期"指具有某种特征的一段时间，可以很长，也可以很短，"时代"一般指很长的时间；"时期"可以加"长"、"短"、"困难"等，"时代"不行。如：封建时代(时期) 秋收时期

【时而】 shí'ér 〔副〕

❶ 表示不定时地重复发生。(from time to time; sometimes)常做状语。

例句 夜深了，外面时而传来几声狗叫。|他时而咳嗽一声。

❷ 构成"时而…时而…"格式，表示不同的现象或事情在一定时间内交替发生。(now... now...; sometimes... sometimes...)常做状语。

例句 这些天，他的心情时而好时而坏。|今天的天气时而晴时而阴。|她那种时而温柔时而厉害的性格让我受不了。|入夜，广场上的人们时而唱，时而跳，很晚了，还不愿散去。

【时光】 shíguāng 〔名〕

时间、光阴；时期、日子。(time; times; years)常做主语、宾语、定语。［量］段。

例句 在学校的那段时光真让人留恋。|时光不可虚度，要抓紧时间工

作。|青少年时期是人生最美好的时光。|我忘不了那段幸福的时光。|人老了才感到时光的可贵。|时光的流逝冲淡了许多记忆。

辨析 〈近〉时间。“时间”没有“岁月”、“日子”的意思;“时光”往往是泛指,不能用“长”、“短”修饰,却可用“美好”等修饰。如:美好(大好)时光 时间长(短)

【时候】 shíhou 〔名〕

时间里的某一点或有起止点的时间。(time)常做主语、宾语、定语等。[量]个。

例句 和他谈那事,什么时候好呢?|时候不早了,快睡吧。|那是我一生最困难的时候。|我最快乐的时光是年轻的时候。|这是什么时候的杂志?|清朝时候的男子都留辫子(biànzi)。

辨析 〈近〉时间。“时间”的范围大,“时候”多指时间中的某一点。

【时机】 shíjī 〔名〕

具有时间性的客观条件(多指有利的)。(opportunity)常做主语、宾语。[量]个。

例句 时机还不成熟,我们再等等看吧。|我们要把握住时机。|她错过了一个绝好的时机。|只有抓住有利时机,才能成功。

【时间】 shíjiān 〔名〕

❶ 物质存在的一种客观形式,由过去、现在、将来构成的连绵(mián)不断的系统。(the concept of time)常做主语、宾语、定语。

例句 时间是宝贵的。|谁也无法留住时间。|人都生活在一定的时间与空间里。

❷ 有起点和终点的一段时间。(the duration of time)常做主语、宾语、定语。[量]段。

例句 她星期天的时间都属于孩子。|上课时间定在晚上六点至八点。|24小时是地球自转一周的时间。|千万别浪费在校学习的时间。|现在才知道那段时间的重要。

辨析 〈近〉期间。“期间”是“时间”中的一段,也不能同“早”、“晚”等搭配。如:时间早(晚)

❸ 时间中的某一点。(a point in time)常做主语、宾语。[量]个。

例句 飞机起飞的时间是下午两点整。|现在的时间是早上6点。|这个时间该吃午饭了。|现在正是上班时间。|晚上7点是新闻联播的时间。

【时节】 shíjié 〔名〕

节令、季节。(season;occasion)常做宾语、主语、状语、定语。[量]个。

例句 他回家正赶上农忙时节。|清明时节雨纷纷,人们为故去的亲人扫墓。|农民农闲时节会进城打工。|春耕时节的农民特别忙。

【时刻】 shíkè 〔名〕

时间的某一点。(hour;moment)常做主语、宾语、定语。[量]个。

例句 关键时刻不能松劲儿。|那个庄严的时刻让人永远也忘不了。|我们终于盼来了这个重要的时刻。|大家那个时刻的心情都非常激动。

▶“时刻”还做副词,指“每时每刻”、“经常”。如:时刻不忘 时刻准备着

【时髦】 shímáo 〔形〕

形容人的装饰、衣着或其他事物入时。(fashionable)常做谓语、宾语、定语、状语、补语。

例句 这样的打扮很时髦。|她总喜欢赶时髦,什么流行买什么。|开车的是一位时髦青年。|他怎么也写起时髦文章来了?|小伙子时髦地留着长头发。|一向古板的他竟然也时髦地穿起牛仔服来了。|如今农村青年也穿得时髦起来了。

【时期】 shíqī 〔名〕

一段时间(多指具有某种特征的)。(period)常做主语、宾语、定语。[量]个,段。

例句 每个历史时期都有伟大的历史人物。|这个时期很平静,没发生战争。|爷爷常向我讲起他的青年时期。|在那个时期,大家都很困难。|和平时期的生活没有波澜。

【时时】 shíshí 〔副〕

常常。(often)常做状语。

例句 我时时不忘自己的责任。|在国外留学,不能时时想着家里。|二十年来,我时时想起这件事。

【时事】 shíshì 〔名〕

最近期间的国内外大事。(current affairs)常做宾语、定语。

例句 我们都很关心时事。|他总看报,知道不少时事。|部长为大家作了时事报告。|报上登了一篇时事述评。

S

【时装】 shízhuāng 〔名〕

式样最新的服装。(fashionable dress)常做主语、宾语、定语。[量]套,件。

例句 那套时装现在已经不流行了。|她买了一套特别贵的时装。|这位设计师又设计了几套新时装。|这里常有时装表演。|那个姑娘很想当一名时装模特。

【识】 shí 〔动〕 另读 zhì

认识。(know)常做谓语、定语。

例句 我奶奶没上过学,至今不识字。|我跟她素不相识。|我们识破了他的诡计(guǐjì)。|他识的字比我多。

▶"识"还做名词,指"见识"、"知识"。如:常识 有识之士

【识别】 shíbié 〔动〕

辨别、辨认。(distinguish; spot)常做谓语、定语、宾语。

例句 那个人你是怎么识别出来的?|有关人员已无法识别失事飞机的标志。|他脸上有一个很容易识别的特征。|这些文物可以用仪器进行识别。|对那些流行的东西应加以识别。

【实】 shí 〔形〕

❶ 内部完全填满,没有空隙(kòngxì)。(solid)常做补语、定语。

例句 你把洞填实些。|给树苗培土时不能压得太实。|这是一个实心球。|那是当地的实心饼,很好吃。

❷ 真实、实在。(true; real)常做定语、状语、谓语。

例句 市政府今年为老百姓办了几件实事。|请你说实话。|我就实说了吧。|不实干怎么行?|这小伙子心眼实,不会说假话。

▶"实"还做名词,指"事实"、"果实"。如:名副其实 结实

【实话】 shíhuà 〔名〕

真实的话。(truth)常做主语、宾语。[量]句。

例句 实话告诉你,我不想去。|实话实说吧,你想怎么样?|你要说实话,否则对你不利。|他总不说实话,所以没人相信他。

【实惠】 shíhuì 〔名/形〕

〔名〕实际的好处。(material benefit; solid)常做主语、宾语。[量]点儿。

例句 他做这些事,什么实惠也没有。|如今大家做事都讲实惠。|改革开放以来,老百姓得了不少实惠。

〔形〕有实际的好处。(substantial)常做谓语、定语。

例句 你送他的礼物最好实惠一些。|那是个很实惠的工作。|哪儿有那么实惠的事?

【实际】 shíjì 〔名/形〕

〔名〕客观存在的事物或情况。(reality)常做宾语。

例句 理论必须联系实际。|你的想法太脱离实际。|这份计划很切合实际。|我们应该从实际出发。

〔形〕实有的、具体的,合乎事实的。(practical; realistic)常做谓语、定语、状语、补语。

例句 你的想法倒很实际。|请举一个实际例子来说明。|要多做实际工作,不要只讲理论。|说起来容易,实际做起来就不简单了。|他的话不长,但讲得很实际。

【实践】 shíjiàn 〔动/名〕

〔动〕实行(自己的主张)、履行(lǚxíng)自己的诺(nuò)言。(put into practice)常做谓语、定语、宾语。

例句 他实践着自己的诺言。|我要亲身实践一番。|看样子,他只不过说说,并不打算亲自实践。|青年人应该努力学习,勇于实践。|这位老工人的实践经验很丰富。|科学家要具有实践的精神。

〔名〕人们改造自然和改造社会的有意识的活动。(practice)常做主语、宾语。

例句 实践出真知。|实践证明,这一理论是错误的。|实践是检验真理的唯一标准。|年轻人应该多参加社会实践。|那是一次成功的实践。

【实况】 shíkuàng 〔名〕

实际情况。(what is actually happening)常做主语、宾语、定语。

例句 昨天的足球比赛实况怎么样?|中央电视台转播了比赛实况。|很多记者在大会现场报道实况。|电视台又播放了实况录像。

【实力】 shílì 〔名〕

实在的力量。(actual strength)常做主语、宾语。

例句 二十年来,中国的经济实力大大增强。|这名运动员实力雄厚,是冠军的有力争夺者。|一个国家要维护主权,就必须有实力。|改革开放提高了中国的经济实力。

【实施】 shíshī 〔动〕

实行(法令、政策等)。(carry out)常做谓语、定语、宾语。

例句 中国的计划生育政策已实施二十多年了。|国家实施了新的出国管理条例。|要尽快拿出实施方案和实施细则。|要注意解决实施过程中的问题。|这项政策从明年一月开始实施。

辨析 〈近〉实行。“实行”可指小事,而“实施”只指大事、法令;“实行”可带非名词性词语做宾语,“实施”一般不带。如:实施(实行)新规定 实行计划生育 *实施计划生育

【实事求是】 shí shì qiú shì 〔成〕

从实际情况出发,正确地对待和处理问题。(seek truth from facts; be

S

practical and realistic)常做谓语、主语、宾语、定语、状语。

例句 我们对这件事要实事求是。|实事求是是一种科学的态度。|做什么都应讲究实事求是。|我们要发扬实事求是的作风。|他实事求是地向上级作了汇报。

【实体】 shítǐ 〔名〕
实际存在的起作用的组织或机构。(entity)常做主语、宾语。[量]个。

例句 这些经济实体在贸易中发挥了作用。|几个朋友组织了一个办学实体。|有的国际组织是政治、军事实体。

【实物】 shíwù 〔名〕
实际应用的东西,真实的东西。(material object)常做主语、宾语、定语。[量]件,个。

例句 那些实物被送往博物馆收藏起来了。|以前只听说过,今天终于见到了实物。|她拿出了几件实物给客商看。|教学中的实物教学效果很好。

【实习】 shíxí 〔动〕
把学到的理论知识拿到实际工作中去应用和检验,以锻炼工作能力。(practice)常做谓语、定语、宾语。

例句 医学院的学生来到一家医院实习。|这次实习的目的和任务已经明确了。|几名师范学院的同学已经开始了一个月的教学实习。

辨析 〈近〉见习。"见习"指工作初期的实地练习活动,"见习"不能带宾语。

【实现】 shíxiàn 〔动〕
使成为事实。(realize)常做谓语。

例句 我终于实现了自己多年的愿望。|要实现自己的目标,就要努力。|他没能实现自己的梦想。

【实行】 shíxíng 〔动〕
用行动来实现(纲领、政策、计划等)。(put into practice)常做谓语、定语、宾语。

例句 中国自1979年以来实行了改革开放的政策。|中国实行男女平等的政策。|现在实行的人才政策有利于人才的流动。|这种办法目前还未实行。

【实验】 shíyàn 〔动/名〕
〔动〕为了检验某种科学理论或假设而进行某种操作或从事某种活动。(make a test)常做谓语、宾语、定语。

例句 爱迪生实验了无数次才发明了电灯。|校长决定在一年级进行新教学方法实验。|因为停电,只好中断了实验。|实验的结果证明了那位科学家的设想。|我们已经采集了一些实验数据。

〔名〕指实验的工作。(experiment)常做主语、宾语。[量]次,项(xiàng),个,种。

例句 这种实验没有危险,不用担心。|实验是科学研究中的必要环节。|化学课离不开实验。|那位工程师正在做实验,别打扰他。

【实用】 shíyòng 〔形〕
有实际使用价值的。(practical)常做谓语、定语、宾语、补语。

例句 这种工具很实用。|这些家具既美观又实用。|这是一本很实用的词典。|设计时应该考虑实用。|有的学生学习知识只注重实用。|张工程师把机器改装得非常实用。

▶"实用"还做动词,指"实际使

用”。如:他带去了五百元,实用二百元。

【实在】 shízài 〔形〕

诚实、不虚假。(honest; true)常做谓语、定语、状语、补语。

例句 别看他年纪小,人倒实实在在的。|老张是个实在人,你就放心吧。|要干什么你就实在说吧。|他的话说得很实在。

▶“实在”在口语中还指“扎实、地道”,读 shízai。

▶“实在”还做副词,指“确实”。如:我实在不知道。|实在太好了!

【实质】 shízhì 〔名〕

本质。(substance)常做主语、宾语。

例句 这个问题的实质必须弄清楚。|那个案件的实质是什么呢?|我们要领会文件的精神实质。|应当看清事物的实质,不要被现象所迷惑。

【拾】 shí 〔数/动〕

〔数〕“十”的大写。(ten)与量词组成数量短语使用,主要用于一些特别的书写场合。

例句 (收条)兹收到词典拾册。|他去邮局寄了拾元钱书款。

〔动〕把地上的东西拿起来。(pick up)常做谓语、定语。

例句 孩子们把地上的果皮拾起来扔进了垃圾箱。|小学生把拾到的钱包交到了派出所。

【食】 shí 〔名/动〕

〔名〕❶ 人吃的或调味的东西。(food; meal)常做主语、宾语、定语。[量]种,点儿,些。

例句 每天的主食是米饭。|这儿的面食做得好。|这种药消食开胃。|自己动手,丰衣足食。|这个肉食店的生意很不错。|粮食店也出售面食制品。

❷ 一般动物吃的东西。(food for animals; feed)常做主语、宾语。[量]点儿,些。

例句 一大盆猪食全吃光了。|这种狗食看起来不错。|老人去商店买了一点儿鸟食。|我自己去河边捞了一点儿鱼食。

〔动〕吃。(eat)常做谓语。

例句 医生让她多食蔬菜。|老虎是食肉动物。

▶“食”还专指吃饭。如:食堂 废寝(qǐn)忘食

【食品】 shípǐn 〔名〕

商店出售的经过加工制作的食物。(food; provisions)常做主语、宾语、定语。[量]种,些,袋,公斤。

例句 这种食品据说可以防癌(ái)。|绿色食品很受欢迎。|国际社会支援了那个国家大量食品。|我的孩子特别爱吃小食品。|这种食品的包装很精美。

【食堂】 shítáng 〔名〕

机关、团体中供应本单位成员吃饭的地方。(canteen)常做主语、宾语、定语。[量]个。

例句 这个食堂饭菜便宜。|学校的食堂越办越好。|中午我们都去食堂吃饭。|老李承包了单位的食堂。|食堂的饭菜不太好,我们去外面吃吧。|大家对食堂的管理提了不少意见。

辨析 〈近〉餐厅(cāntīng)。“餐厅”不一定指单位的,可以是营业性的。

【食物】 shíwù 〔名〕

可以充饥的东西。(food)常做主

S

语、宾语、定语。[量]种，点儿，些。

例句 食物能提供热量。|大雪封山，那只老虎已经好几天找不到食物了。|人们越来越重视食物的营养。

【食用】 shíyòng 〔动〕

做食物用，可以吃的。(eat; edible)常做谓语、定语。

例句 这种植物能食用。|老人食用了一些人参。|食用油是做菜用的。|老师教学生辨认食用植物。

【食欲】 shíyù 〔名〕

人进食的要求。(appetite)常做主语、宾语。[量]点儿。

例句 我最近食欲不振，什么也不想吃。|他食欲特别好，一下子吃了很多。|妈妈病了以后没有一点儿食欲。|适当的运动能促进食欲。

【史】 shǐ 〔名〕

历史。(history)常做主语、宾语、定语。

例句 这件事史无记载。|他一生都爱读史。|有史以来，人类文明在不断进步。|大量史书证明了他的推断。

【史料】 shǐliào 〔名〕

历史资料。(historical materials)常做主语、宾语、定语。[量]些，种。

例句 这些史料对研究东汉社会很有帮助。|那位学者掌握了这方面的大量史料。|为了写这篇论文，他查阅了不少史料。|那些史料的价值很高。

【史无前例】 shǐ wú qián lì 〔成〕

指历史上从来没有过这种事情。(without precedent in history; unprecedented)常做谓语、定语。

例句 这件事史无前例。|这的确是史无前例的事情。

辨析 〈近〉前所未有。二者意义及用法相近，许多地方可能换用。不同之处在于："史无前例"侧重历史上没有，使用范围较窄；"前所未有"使用范围更宽泛些。

【使】 shǐ 〔动〕

❶ 派遣(qiǎn)，支使。(send; tell sb. to do sth.)常做谓语。

例句 他使人打听了一下这件事。|他已经使不动别人了，现在没人听他的。

❷ 使用。(use)常做谓语。

例句 农民现在都使拖拉机，不使牲口了。|这支笔很好使，你使使。|他使的劲儿太大，把箱子弄坏了。

❸ 让、叫、致使。(cause; make)常做谓语。

例句 那件事使我很生气。|我们办事要使群众满意。|厂里加强了管理，使产品合格率不断上升。

▶"使"还做名词，指"奉命办事的人"。如：大使 使馆 特使

【使得】 shǐdé 〔动〕

❶ 可以使用。(can be used)常做谓语(不带宾语)。

例句 这东西我们使得吗？|那个拖把使得使不得？

❷ 能行、可以。(be workable; be feasible)常做谓语(不带宾语)。

例句 这个办法使得，咱们说干就干。|你不去如何使得？

❸ 引起一定的结果。(make; cause; render)常做谓语。

例句 下雨使得大家不能出门了。|一时的激动使得她忘乎所以。

【使节】 shǐjié 〔名〕

由一个国家派驻另一国家的外交代表或办理事务的代表。(diplomatic envoy;envoy)常做主语、宾语、定语。[量]位,名,个。

例句 驻外使节每年回国述职。|驻华使节应邀参加了招待会。|他被委任为驻外使节。|中国向联合国派遣了使节。|欧盟使节团一行25人来我市访问。

【使劲】 shǐ jìn 〔动短〕
用力气。(exert all one's strength)常做谓语(不带宾语)、状语、补语。中间可插入成分。

例句 他使了很大劲,也没把饭做好。|你再使点儿劲。|她还没使劲,瓶盖就打开了。|孩子使劲地哭,妈妈怎么哄也不行。|尽管唱得挺使劲,可并不好听。

【使命】 shǐmìng 〔名〕
派人办事的命令,多比喻重大责任。(mission)常做主语、宾语。[量]个,顶。

例句 他的使命是与对方进行和平谈判。|青年的使命是努力学习,准备建设国家。|我们要担负起神圣的历史使命。|前任大使已经完成了自己的使命回国了。

辨析 〈近〉任务。"使命"的语气重,还比喻重大责任;"任务"没有这个意思。

【使用】 shǐyòng 〔动〕
使人员、器物、资金等为某种目的服务。(use;employ)常做谓语、宾语、定语。

例句 我们没使用过这种机器。|他很会使用干部。|要合理使用资金。|这种产品质量不好,已停止使用了。|先看看使用说明,然后再干。|使用的时候一定要小心。

【始】 shǐ 〔动〕
开始、最初、起头。(start)常做谓语、定语、宾语等。

例句 一年四季,春、夏、秋、冬,周而复始。|这事始于去年6月。|传说黄帝是中国人的始祖。|做什么事都应该有始有终。|他自始至终都在现场。

【始终】 shǐzhōng 〔副〕
指从开始到最后。(from beginning to end)常做状语。

例句 他始终一个人生活,没有结婚。|我始终没把这事告诉妈妈。|始终微笑的他终于死去了。

辨析 〈近〉一直。"一直"还表示方向不变;"始终"还可做名词用,"一直"不可以。如:黄河一直向东流。|这个精神要贯穿始终。

【始终如一】 shǐzhōng rú yī 〔成〕
从开始到结束都一样。指能坚持不间断。(constant;consistent;persistent)常做状语、定语。

例句 他始终如一地坚持自己的看法。|考大学是我始终如一的目标。

【驶】 shǐ 〔动〕
开动(车船),(车马等)飞快地跑。(drive;speed)常做谓语。多用于构词。

词语 奔驶 行驶 驾驶

例句 那辆车在我前面急驶而过。|我站在那里看着列车渐渐驶向远方。

【屎】 shǐ 〔名〕
从肛(gāng)门出来的排泄物。(excrement)常做主语、宾语。[量]泡(pāo),堆。

例句 那堆狗屎真臭。|孩子拉的屎已经收拾了。|你别让孩子到处拉屎。|他去厕所拉了泡屎就走了。

▶"屎"也指从眼睛、耳朵等里分泌出的东西。如:眼屎 耳屎

【士兵】 shìbīng 〔名〕

军士和兵的统称。(rank-and-file; soldier)常做主语、宾语、定语。[量]个,名。

例句 这个士兵真是好样的。|毕业后他参军当了一名普通士兵。|士兵的生活很艰苦。|他穿了一身士兵服。

▶〈近〉战士。"战士"是褒义词,"士兵"为中性词;"战士"还比喻斗争的人。

【示】 shì 〔动〕

把事物摆出来或指出来使人知道。(show)常做谓语。

例句 古时候,犯人常被斩首示众。|我跟那个姑娘招手,她也向我点头示意。|在这危急时刻,警察只得鸣枪示警。

【示范】 shìfàn 〔动〕

做出某种可供大家学习的典范。(set an example)常做谓语、宾语、定语。

例句 这个动作教练示范了三次。|请老师给大家示范示范。|老师停止了示范,让学生自己练习。|这个示范动作做得很好。

【示威】 shìwēi 〔动〕

❶ 有所抗议或要求而进行的显示威力的集体行动。(demonstrate)常做谓语(不带宾语)、宾语、定语。

例句 一些老人在广场示威。|他们在议会大厦前示威。|这些群众下午停止了示威。|示威活动持续了三个小时。|示威的地点在市政府广场。

❷ 向对方显示自己的力量。(display one's strength)常做谓语,不带宾语。

例句 你别动不动就跟老师示威。|他总喜欢向别人示威,实际上没人怕他。

【示意图】 shìyìtú 〔名〕

为了说明内容较复杂的事物或原理而画的略图。(sketch map)常做主语、宾语、定语。[量]张,份。

例句 这份示意图,我看不明白。|那张示意图清楚地标明了机器的结构。|我给你画一份示意图吧。|他拿出了这一带的地形示意图。|这份示意图的比例尺是多少?

【世】 shì 〔名〕

❶ 人的一辈子。(life)常做状语、主语、宾语。

例句 他们真的一生一世没分开。|他这一世过得很平淡。|应该抓住今世,因为没有什么来世。

❷ 时代。(age; era)常做定语、状语。

词语 当世 近世

例句 大家在讨论当世著名作家。|近世的国际风云变幻给我们很深刻的启示。|在近世,此地出过一批杰出人物。|当今之世,和平是一个重大的主题。

❸ 社会、人间。(the world)常做宾语、定语。

例句 又一个新生命问世了!|他把那些秘密都公之于世了。|世人对这件事看法不一。|孩子纯真地唱道:"世上只有妈妈好。"

S

▶ "世"还做量词,指"代"。如:
第十世传人　十二世孙

【世代】 shìdài 〔名〕
(很多)年代,好几辈子。(ages; for generations)常做状语、定语、补语。
例句 侗族民歌世代相传,保留至今。|要让这个传统世世代代传下去。|这世代的冤仇(yuānchóu)应该了结了。|我们两国世世代代的友好关系要保持下去。|这个故事不知流传了多少世代了。

【世纪】 shìjì 〔名〕
计算年代的单位,一百年为一世纪。(century)常做主语、宾语、定语。[量]个。
例句 本世纪是一个非常重要的时代。|21世纪是科学更发达的世纪。|人类是以60亿人口进入本世纪的。|这本书讲述了一个19世纪的故事。

【世界】 shìjiè 〔名〕
❶ 自然界和人类社会一切事物的总称。(world)常做主语、宾语、定语。[量]个。
例句 世界充满了矛盾。|世界还没有被人类完全认识。|人总是在不断认识世界、改造世界。|世界的万事万物都在发展变化。|她创造了一项新的世界纪录。
❷ 地球上所有地方。(everywhere in the world)常做主语、宾语、定语。[量]个。
例句 当今世界并不安宁。|第三世界人口多,经济不发达。|他想走遍世界。|中国体育正冲出亚洲,走向世界。|中国经济要赶上世界先进水平。
❸ 指社会形势、风气。(social situation)常做主语、宾语。
例句 这世界变了,好像没有钱什么事也办不成。|你也不看看,现在是什么世界?|我真看不懂这世界。
❹ 领域、人的某种活动范围。(field)常做主语、宾语。
例句 她的内心世界很丰富。|海底世界真漂亮。|那儿完全成了儿童世界。|那一带的白色建筑是神奇的科学世界。

【世界观】 shìjièguān 〔名〕
人们对世界的总的看法,也称宇宙观。(world outlook)常做主语、宾语、定语。[量]种。
例句 世界观是一个哲学概念。|我的世界观是唯物的。|儿童还没有形成世界观。|他慢慢接受了新的世界观。|世界观的问题是人生一个重要的问题。

【世外桃源】 shì wài Táoyuán 〔成〕
指不受外界影响的地方或理想中的美好境地。(the Land of Peach Blossoms—a fictitious land of peace, away from the turmoil of the world; a haven of peace)常做主语、宾语、定语。
例句 世外桃源是不存在的。|不要把这里想得那么完美,这里不是世外桃源。|我想过一种世外桃源的生活。
▶ 晋朝诗人陶潜在《桃花源记》中描写了一个与世隔绝、没有战乱、人民安居乐业的社会。后人常把这样的社会称为"世外桃源"。

【市】 shì 〔名〕
❶ 集中买卖货物的场所。(market)常做主语、宾语、定语。多用于构词。

S

词语 菜市 市场 早市 集市

例句 夜市很热闹，有各种小商品。|那儿的米市最近又繁荣起来了。|妈妈去菜市买菜了。|这种商品新近才上市。|夜市的小吃品种很多，吃不过来。|菜市的行情怎么样？

❷ 城市，也指行政区划单位。(city)常做主语、宾语、定语。[量]个。

例句 全市都在大搞绿化。|我市近年发展很快。|他从这个市调到了那个市。|前些年很多县改成了市。|市容、市貌和市民标志着城市的文明程度。|他开车从郊区到市区得一个钟头。

【市场】 shìchǎng 〔名〕

商品交易的场所；行销的区域。(market)常做主语、宾语、定语。[量]个，处。

例句 开放以来，这个市场非常繁荣。|这个市场每天都有很多人来买卖东西。|我们公司正准备开拓国际市场。|这个品牌的产品很快占领了国内市场。|中国逐步实行市场经济。|市场的管理应该进一步加强。

【市民】 shìmín 〔名〕

城市居民。(resident of a city)常做主语、宾语、定语。[量]个。

例句 每个市民都应当关心城市的建设。|市民热情地参加公益劳动。|这种服务面向普通市民。|政府出资帮助贫困市民。|这项事业得到了市民的理解和支持。

【市长】 shìzhǎng 〔名〕

一个城市的最高行政领导人。(mayor)常做主语、宾语、定语。[量]个，位。

例句 市长亲自参加了植树活动。|这位市长年轻有为，受到市民的支持。|人民代表选出了新一任市长。|市民有问题可以直接向市长反映。|王市长的工作特别忙。|代表们正在听取市长的工作报告。

【式】 shì 〔名〕

❶ 样式。(type; style)常用于构词。

词语 新(旧)式 西(中)式

例句 她穿了一套新式服装。|这道菜是西式做法。

❷ 仪式。(ceremony)常做主语、宾语、定语。[量]个。

词语 毕业式 结婚式

例句 阅兵式在天安门广场举行。|毕业式每年七月举行。|他俩在教堂举行了结婚式。|大会举行了隆重的开幕式。|至今我还清楚地记得毕业式的情形。

▶ 汉语中“结婚式”、“毕业式”、“开学式”也称“结婚典礼”、“毕业典礼”、“开学典礼”，正式宣布都用“典礼”一词。如：“毕业典礼现在开始！”主持人大声宣布。

【式样】 shìyàng 〔名〕

人造的物体的形状。(type; model)常做主语、宾语、定语。[量]种，个。

例句 这楼房式样很美观。|这种服装式样今年很流行。|设计师设计了多种式样。|她买衣服总选择流行式样。|在这个海滨城市能看到各种式样的建筑。

▶ “式样”还可说成“各式各样”，但在句中只做定语。

【…似的】 …shìde 〔助〕

表示跟某种事物或情况相像。(as...as...)用在名词、代词、动词后面，常与“好像”、“仿佛”、“跟”等搭配使用。

例句 像雪似的那么白。|他吓得好像什么似的,连话也说不清了。|病人仿佛睡着了似的。|大家急得像热锅上的蚂蚁似的。

【事】 shì 〔名〕

❶ 事情、事故。(matter; accident)常做主语、宾语、定语、状语。[量]件,个。

例句 事不多,半天就干完了。|这事不能怪他。|今天办了三件事。|我们的车在郊区出事了。|那件事的影响不太大。|你别事事都怪人家。

❷ 职业、工作。(job; work)常做主语、宾语。[量]个。

例句 毕业都一年了,什么事也没找到。|这事对他很适合,公司也看中了他。|二十多岁的人了,该找个事干了。|他在一家小公司干事。

❸ 关系或责任。(responsibility)常做宾语。

例句 没你的事了,你走吧。|这不关你们的事,你们别打听。|不能把事都推到他头上。|他把事都揽(lǎn)过去了,最后自然什么都找他。

▶ "事"还做动词,指"侍奉"、"从事"。

【事倍功半】 shì bèi gōng bàn〔成〕

形容费力大,收效小。(get half the result with twice the effort)常做谓语。

例句 如果一下子整理出那么资料,往往会出错,结果事倍功半。|有些学生学习方法不对,尽管非常努力,却只能事倍功半。

【事变】 shìbiàn 〔名〕

突然发生的重大政治、军事性事件或变化。(incident; emergency)常做主语、宾语、定语。[量]次。

例句 西安事变发生在1936年。|七七事变拉开了全面抗战的序幕。|人们都在关注这次事变。|每年此时,人们都来纪念那次事变。|事变的原因是双方矛盾激化。

【事故】 shìgù 〔名〕

意外的损失或灾祸(zāihuò)。(accident)常做宾语、定语、主语。[量]次,起,场。

例句 马路上发生了一起交通事故。|要加强管理,防止发生事故。|事故的原因正在调查中。|管理人员正在了解事故的责任问题。|事故已经发生了,哭也没用了。|这场事故引起了有关方面的重视。

【事迹】 shìjì 〔名〕

个人或集体过去做过的比较重要的事情。(incident; deed)常做主语、宾语、定语。[量]些。

例句 雷锋的先进事迹教育了几代人。|这些事迹三天也说不完。|报告人介绍了抗灾英雄的事迹。|介绍时要注意事迹的真实性。

【事件】 shìjiàn 〔名〕

历史上或社会上发生的不平常的大事情。(incident; event)常做主语、宾语、定语。[量]个。

例句 这个事件要严肃处理。|那一事件对两国关系产生了重大影响。|这一发明是自然科学史上的重大事件。|政府将妥善处理这一事件。|事件的真相已经公布。

辨析 〈近〉事情。"事情"的范围广,"事件"专指重要的事情,范围小。

【事例】 shìlì 〔名〕

具有代表性的、可以做例子的事情。(instance)常做主语、宾语、定语。[量]个。

例句 这一事例教育了很多人。|他的事例说明天才在于努力。|老师举了许多事例来说明这个道理。|不要谈太多的事例，要注意归纳。|当然事例的数量越多越好，这样能说服人。

辨析 〈近〉例子。"例子"不一定是事情，范围比"事例"广。

【事情】 shìqing 〔名〕

人类生活中的一切活动和所遇到的一切社会现象。(thing; matter) 常做主语、宾语、定语。[量]件。

例句 事情没她想的那么简单。|这件事情值得我永远回忆。|今天的事情一定要今天做完。|他能很好地处理这类事情。|你了解这些事情之间的联系吗?

▶ "事情"在口语中还指"事故"、"职业"。如：要小心，别出什么事情。|他在公司找了个事情做。

【事实】 shìshí 〔名〕

事情的真实情况。(fact) 常做主语、宾语、定语。[量]个。

例句 事实胜于雄辩(xióngbiàn)。|事实证明他是错的。|我们应该尊重事实。|我有两个事实能证明我说的是真的。|反映情况应有事实根据。|事实上，没有人知道这是怎么回事。

【事实胜于雄辩】 shìshí shèng yú xióngbiàn 〔成〕

事实比强辩更有说服力。(facts speak louder than words) 常做小句。

例句 事实胜于雄辩，对方在证据面前不得不承认了。|你再说什么也没有用，事实胜于雄辩。

【事态】 shìtài 〔名〕

局势、情况(多指坏的)。(state of affairs; situation) 常做主语、宾语、定语。

例句 事态严重，必须采取措施。|事态趋于缓和，大家松了口气。|有人故意扩大事态。|不知会出现什么严重事态。|我们正关注着事态的变化。|事态的发展已超出了人们的预计。

【事务】 shìwù 〔名〕

❶ 所做的或要做的事情。(work) 常做主语、宾语。[量]种。

例句 他事务繁忙，十分辛苦。|这些事务一个人干不过来。|他每天要处理大量事务。|她忙完了公司的事务又要忙家务。

❷ 总务。(general affairs) 常做定语。

例句 我们单位没有事务科。|他是一名事务员。|老人年轻时做事务工作。

【事物】 shìwù 〔名〕

指客观存在的一切物体和现象。(thing; object) 常做主语、宾语、定语。[量]种。

例句 事物总在不断地变化。|这些事物给人留下了深刻印象。|人类正在逐步认识客观事物。|他总用一种特别的观点分析事物。|事物的变化不以人的意志为转移。

【事先】 shìxiān 〔名〕

事情发生前，也指事情处理、了结前。(beforehand) 常做状语、定语。

例句 这件事事先没有人告诉我。|你应该事先打个招呼。|他事先已经作了一些调查。|你事先的态度可不是现在这样。|事先的准备工作做得很好。

【事项】 shìxiàng 〔名〕
事情的项目。(item)常做主语、宾语。[量]条,个。
例句 有关考试的事项请打印出来。|这些事项与我们没有关系。|在旅行前,导游说明了一些注意事项。|游泳前,教练反复交代了安全事项。

【事业】 shìyè 〔名〕
人所做的,具有一定目标、规模和系统而对社会发展有影响的经常活动。(cause)常做主语、宾语、定语。[量]项。
例句 教育事业非常重要。|这项事业得到了很多人的支持。|我想干一番事业。|国家大力发展科学文化事业。|她很有事业心。|事业的发展离不开艰苦努力。

【事与愿违】 shì yǔ yuàn wéi 〔成〕
事实与愿望正相反。(things go contrary to one's wishes)常做谓语、定语、宾语,也单独做小句。
例句 想法是好的,但结果却事与愿违。|如果违背科学规律去做,必然会导致事与愿违的结局。|本来是关心他,没想到事与愿违,他倒不高兴了。|不料事与愿违,这一次不但没赚到大钱,反而把老本儿都赔进去了。

【势】 shì 〔名〕
在政治、经济、军事等方面的力量;事物等表现出来的力量、样子。(power; momentum; the outward appearance of a natural object)常做主语、宾语,也做语素构词。
词语 权势 声势 姿势 手势
例句 他们人多势众,我们一时也挡不住。|这里地势低平,易于耕种。|这场比赛,双方势均力敌,不分胜负。|这支队伍大有泰山压顶之势。

【势必】 shìbì 〔副〕
根据形势推测必然会怎样。(certainly will)常做状语。
例句 不注意安全,势必造成严重后果。|这样做,势必引起人们的不满。|不听别人意见,势必要犯错误。

【势不两立】 shì bù liǎng lì 〔成〕
指双方矛盾尖锐,不能并存。(be mutually exclusive; be extremely antagonistic; be irreconcilable)常做谓语、定语、补语。
例句 我和他势不两立。|和马先生势不两立的袁先生调离了。|两人为了这事闹得势不两立。
辨析 〈近〉不共戴天。二者都形容仇恨极大,不能并存,但"不共戴天"多指人,"势不两立"则可以指人,也可以是其他事物。

【势均力敌】 shì jūn lì dí 〔成〕
指双方力量相等,不分上下。(match each other in strength)常做主语、谓语、定语。
例句 双方的势均力敌是一种平衡。|两位选手比了半天,结果势均力敌,难分胜负。|在势均力敌的形势下,我们只有出奇才能制胜了。

【势力】 shìlì 〔名〕
政治、军事、经济等方面的力量。(force; power)常做主语、宾语、定语。[量]种,股。
例句 那个组织的势力日益强大起来。|这股势力背景复杂,须认真对待。|直到今天,这种封建思想仍有一定的势力。|不可小看了这种势

力的影响。|这股势力的形成有深刻的社会原因。

【势如破竹】 shì rú pò zhú 〔成〕

比喻节节胜利，也形容锐不可当的气势。(like splitting a bamboo; like a hot knife cutting through butter; with irresistible force)常做谓语、定语、状语。

例句 我们的军队势如破竹。|势如破竹的红军，迅速占领了战略要地。|我们势如破竹地取得了良好的销售业绩。

【侍候】 shìhòu 〔动〕

服侍。(wait upon; look after)常做谓语、宾语、主语。

例句 有的人看不起护士这种"侍候人"的职业。|他告诉妈妈要侍候她一辈子。|由于家人的精心侍候，他的病终于好了。|儿女的尽心侍候使老人很感动。

【试】 shì 〔动〕

❶ 试验、尝试。(try; test)常做谓语、状语、宾语。

例句 老张试了一下水温，正好。|今天的饭你来做，试试你的手艺。|我试了一下，鞋太大了。|我试着问了他一下。|这个规定已经试行了一段时间。|这是个机会，大家都希望能试试。

❷ 考试。(examination; test)常用于构词。

词语 口试　试卷　初试

例句 他顺利地通过了复试。|这次的试题不太难。

【试卷】 shìjuàn 〔名〕

考试时印有试题供考试人回答或写答案的卷子。(examination paper; test paper)常做主语、宾语、定语。[量]份，套，张。

例句 这份试卷出得很好。|试卷发到手后，不要急于答题，先看看。|老师正在给学生分发试卷和答卷。|试卷的内容不太难。|先把自己的名字写在试卷的上边。

【试行】 shìxíng 〔动〕

实行起来试试。(try out)常做谓语、定语、宾语。

例句 公司正在试行新的管理办法。|新条例已经试行一年了。|试行的法规已经正式通过。|会议讨论了这部法律的试行办法。|新办法从明年一月开始试行。

【试验】 shìyàn 〔动/名〕

〔动〕为了察看某事的结果或某物的性能而从事某种活动。(test)常做谓语、宾语。

例句 老师傅正在试验一种新工艺。|新药已经试验出来了。|由总工程师亲自领导试验。|因为准备不足，上级宣布停止试验。

〔名〕为了察看某事的结果和某物的性能而从事的某种活动。(experiment)常做主语、宾语、定语。[量]次，项。

例句 试验终于成功了。|两项试验在同时进行。|那位科学家总在试验室里做试验。|这是一次非常成功的试验。|试验的结果出人意料。|这种新技术还处在试验阶段。

【试用】 shìyòng 〔动〕

在正式使用以前，先试一个时期，看是否合适。(try out)常做谓语、定语、宾语。

例句 医院正试用一种新疗法。|这种新产品已经试用了一段时间了。|这只是试用品，不出售。|新

S

职工的试用期为半年。|为了保证质量,每项成果都需要试用。

【试制】 shìzhì 〔动〕

试着制作。(trial-produce)常做谓语、主语、宾语。

例句 公司正在试制一种新药。|数字彩电已经试制出来了。|这次试制获得了成功。|新品种完成了试制,已投入生产。

【视】 shì 〔动〕

看、看待。(look at; regard; inspect)常做谓语等,多用于固定短语或做语素构词。一般不重叠。

词语 视察 视力 近视 电视

例句 他对这些事熟视无睹。|那位英雄视死如归。|我们不应该对这样的错误视而不见。

【视察】 shìchá 〔动〕

上级人员到下级检查工作;察看。(inspect; watch)常做谓语、定语、宾语。

例句 市长到工厂视察去了。|司令员打算到前线视察一下地形。|让他来视察视察吧。|视察的结果令人满意。|随部长视察的人员不多。|有关部门负责人正在进行视察。

【视角】 shìjiǎo 〔名〕

观察问题的角度。(angle of view)常做主语、宾语。[量]个,种。

例句 这个视角有利于观察。|我们要选择一个合适的视角。|这篇报道采取了比较独特的视角。

【视觉】 shìjué 〔名〕

物体的影像刺激视网膜所产生的感觉。(sense of sight)常做主语、宾语。

例句 不少动物的视觉比人优越得多。|由于一次意外事故,他的视觉受到了损伤。|绝大多数动物都具有视觉。

【视力】 shìlì 〔名〕

在一定距离内眼睛辨别物体形象的能力。(sight)常做主语、宾语、定语。

例句 我的视力不好。|老人的视力会下降。|这种仪器可以检测视力。|我看你这孩子该上医院检查检查视力。|视力的好坏直接关系到学什么专业。|医生正在给病人作视力检查。

【视线】 shìxiàn 〔名〕

用眼睛看东西时,眼睛与物体之间的假想直线,也比喻注意力。(line of sight)常做主语、宾语、定语。[量]道。

例句 大家的视线都集中在她身上。|一座大楼挡住了视线。|有人故意转移群众的视线。|登上山顶,整个城市就都在视线之内了。

【视野】 shìyě 〔名〕

眼睛看到的空间范围;眼界。(field of vision)常做主语、宾语。

例句 他的学术视野很宽广。|人总在一个地方,视野会受到限制。|多读书能开阔视野。|我们应该拓宽视野,放眼世界。

▶"视野"可引申为人所知的范围。

【是】 shì 〔动〕

起肯定判断的作用。(be)常做谓语。表示等同、归类、领属、存在、解释等多种关系。

例句《阿Q正传》的作者是鲁迅。|这张桌子是木头的。|他是一片好

S

心。|今年是今年,别说去年。|是谁告诉你的?|这场雨下的是时候。|你是吃米饭,还是吃面?|这本书是好,你应该看看。|前面是一片水田。

▶“是”还单独使用,表示答应。如:A:你知道这件事吗? B:是,我知道。

▶“是”还做形容词,指“对”、“正确”。如:一无是处 自以为是

【是的】 shì de 〔动短〕

正确,对。(right)单独使用,用于回答或表示肯定。

例句 A:你刚回来吗? B:是的,刚回来。|A:我说得对吗? B:是的,完全正确。

【是非】 shìfēi 〔名〕

❶ 事理的正确与错误。(right and wrong)常做主语、宾语。[量]些。

例句 你太糊涂了,是非不分。|这里头的是非说不清楚。|不能颠倒(diāndǎo)是非。|他不辨是非。

❷ 口舌。(dispute)常做主语、宾语。一般不用量词。

例句 那儿是非太多,别去那儿工作。|是非是他惹(rě)的,让他自己解决吧。|你别搬弄是非了。|没想到一句话惹出那么多是非。

【是非混淆】 shìfēi hùnxiáo 〔成〕

分不清正确与错误。(cannot distinguish between right and wrong)常做谓语、定语。

例句 他这个人是非混淆,黑白不分。|这个是非混淆的结论,我们不能接受。

▶“是非混淆”也可说成“混淆是非”。多为贬义短语。如:他企图混淆是非,好替自己开脱。

【是否】 shìfǒu 〔副〕

是不是。(whether or not)做状语。

例句 这种说法是否有根据?|他是否已经走了?|是否还有人来,我们等一等吧。|不知大家是否明白我的意思。

辨析 〈近〉是不是。“是否”是副词,“是不是”是动词短语,还可做谓语,多用于口语。如:他是不是(是否)能来?|那人是不是他?

【适】 shì 〔动/形〕

〔动〕符合。(fit)常做谓语,或做语素构词。

词语 适当 适用

例句 这样做不是削足适履(lǚ)吗?|这种作物适于南方生长。|很多适龄青年报名参军。

〔形〕舒服。(comfortable)常做谓语,也多作为语素构词。

词语 舒适 安适

例句 他身体不适,提前回国了。

▶“适”做谓语一般用于否定式。

【适当】 shìdàng 〔形〕

合适、妥当(tuǒdàng)。(suitable)常做谓语、定语、状语。

例句 这样处理很适当。|她演这个角色再适当不过了。|只要有适当的机会,我一定帮你介绍。|会议将选择适当的地点和时间举行。|银行适当地降低了利率。

【适合】 shìhé 〔动〕

符合(实际情况或客观要求)。(fit)常做谓语。

例句 这件衣服很适合她。|这本书适合小孩子读。|这事不太适合他。

S

【适可而止】 shì kě ér zhǐ 〔成〕
到了适当的程度就停止(指做事不过分)。(stop before going too far; know when or where to stop; not overdo it)常做谓语、定语。
例句 这件事应该适可而止,不能太过分了。|适可而止吧,我认为没有再说的必要了。|我是适可而止的意思。

【适宜】 shìyí 〔形〕
合适、相宜。(suitable)常做谓语、定语、补语。
例句 这个地方气候适宜,很多人来度假。|他找了一间适宜的房子住下了。|农民选择适宜的时候播种。|她打扮得很适宜。

【适应】 shìyìng 〔动〕
适合(客观条件或需要)。(suit)常做谓语、定语、宾语。
例句 爸爸身体不好,不适应这里的气候。|北方人对南方的天气不太适应。|运动员要有很强的适应能力。|这样的条件,他难于适应。|平常多锻炼(duànliàn),遇到困难就易于适应。

【适用】 shìyòng 〔动〕
适合使用。(be suitable)常做谓语、定语、宾语。
例句 这些方法在我们那儿完全适用。|她的皮肤适用那种化妆品。|书店里对我适用的书不多。|这些规定中已经不适用的要改一改。|这本词典他认为很适用。|那个大箱子我觉得不太适用。

【室】 shì
❶ 屋子。(room)常做主语、宾语、定语。[量]间。
例句 休息室在里边。|这套房子有两间卧室。|适当的室外活动有益于身体。
❷ 机关、工厂、学校等内部的工作单位。(a room as an administrative or working unit)常做主语、宾语、定语。[量]个。
例句 我们学校的阅览室有不少书和杂志。|单位的医务室可以看些小病。|我们公司设有一个综合办公室,负责日常工作。|她现在可能还在会议室整理图书。|室内禁止吸烟。

【逝】 shì 〔动〕
❶ (时间、流水等)过去了。(pass)常做谓语。
例句 时间易逝,青春难再。|流水东逝。
❷ 死亡的委婉语。(die)常做谓语。
例句 老人久病不治,病逝在家中。|一代文坛巨匠溘(kè)然长逝。

【逝世】 shìshì 〔动〕
去世、死亡。(pass away; die)常做谓语、定语、主语、宾语。
例句 那位老干部因病逝世。|逝世的前一天他还在写作。|他的逝世让国人很惋惜。|人民悼念这位伟人的逝世。
辨析 〈近〉死。"死"口语、书面语都用,可带宾语,可指人,也可指动植物;"逝世"多用于书面语,一般不带宾语,只指人,而且多用于受尊敬的人。

【释】 shì 〔动〕
❶ 说、消除。(explain; clear up)常做谓语,也用于构词。
词语 注释 解释 释然
例句 他俩的矛盾涣然冰释。

❷ 放开、放下、释放。(let go; set free)常做谓语。

例句 我对这本书爱不释手。|爷爷一生勤奋好学,到老还手不释卷。

【释放】 shìfàng 〔动〕

❶ 恢复被拘押(jūyā)者或服刑者的人身自由。(release; set free)常做谓语、定语、宾语等。

例句 两国各自释放了战俘。|他已经刑满释放了。|释放的人中没有他。|他因为无罪被宣布释放。|当事人说与他无关,要求释放。

❷ 把所含的物质或能量放出来。(release)常做谓语。

例句 这种肥料的养分释放缓慢。|太阳每天释放出巨大的能量。|这家工厂释放的有害烟尘造成了污染。

【誓】 shì 〔动/名〕

〔动〕表示决心依照所说的话去做。(swear; vow; pledge)常做谓语。

例句 不达目的誓不罢休。|队伍誓师出发。

〔名〕表示决心的话。(oath; vow)常做宾语。[量]个。

例句 他发过誓,决不再犯这种错误。|你起个誓吧!

【誓言】 shìyán 〔名〕

宣誓时说的话。(oath)常做主语、宾语、定语。[量]句。

例句 悲壮的誓言震憾(zhènhàn)人心。|那时的誓言我还记得。|他从心里发出了庄严的誓言。|我决不能违背誓言。|誓言的内容至今仍记忆犹新。

【收】 shōu 〔动〕

❶ 把外面的事物拿到里面;把摊(tān)开的或分散的事物集中起来。(put away; take in)常做谓语。也做语素构词。

词语 收拾 收藏 收集

例句 快下雨了,妈妈把衣服从外面收了进来。|他收起行李准备出发。

❷ 取自己有权取的东西或原来属于自己的东西;获得(经济利益)。(collect)常做谓语。

例句 银行收回了一部分贷款(dàikuǎn)。|这里实行收费服务。|老张去厂里收税了。

❸ 收获、收割。(harvest; gather in)常做谓语、定语。

词语 秋收 麦收

例句 今年早稻收得比较晚。|农民正在收庄稼(zhuāngjia)。|夏收季节农民特别忙。

❹ 接、接受、容纳。(accept; receive)常做谓语。

例句 她过生日时收到许多礼物。|老人收了不少徒弟。|他今天收到一封信,还收到一个包裹。

❺ 结束、停止(工作)。(end; stop)常做谓语。

例句 工人们收工回家了。|这事看他怎么收场。|早晨,学生六点开始出操,六点半收操。

【收藏】 shōucáng 〔动〕

收集保藏。(collect and store up)常做谓语、定语、宾语、主语。

例句 他收藏了不少古玩。|我收藏了一些小说作者的签名。|这次,他展出了近期收藏的古币。|收藏的字画年代越久越珍贵。|这些东西不值得收藏。|老人的收藏十分丰富。

【收成】 shōucheng 〔名〕

庄稼、蔬菜(shūcài)、果品等收获的成绩。(harvest)常做主语、宾语、定语。[量]个。

例句 今年的收成特别好。|这几年风调雨顺,收成不错。|农民盼望有个好收成。|今年遇到了天灾,一点儿收成也没有。|人们都在关注今年收成的好坏。|收成的分配方案已经定下来了。

【收复】 shōufù 〔动〕

夺回(失去的领土、阵地等)。(recover; recapture)常做谓语、定语。一般不重叠。

例句 郑成功在明朝末年收复了台湾。|我们要重新占领市场,收复失地。|收复的失地还要进一步巩固。

【收割】 shōugē 〔动〕

割取(成熟的农作物)。(gather in)常做谓语、宾语、定语。

例句 农民正在收割麦子。|成熟的稻子都收割完了。|由于大家的努力,全部庄稼已完成了收割。|收割季节,大伙儿都在地里忙。

【收购】 shōugòu 〔动〕

从各处买进。(purchase)常做谓语、定语、宾语。

例句 国家用保护价向农民收购粮食。|我们公司收购了一批棉花。|今年的收购计划已经完成了。|收购的粮食都送到国家粮库保存。|这些文物,个人严禁收购。

辨析 〈近〉收买。"收买"还指用好处笼络(lǒngluò)人。如:收购(收买)粮食　收买人心

【收回】 shōu huí 〔动短〕

❶ 把发出或借出去的东西、钱取回来。(take back)常做谓语、定语。一般不重叠。

例句 银行将按期收回贷款。|我们厂已经收回了成本。|全部调查问卷都收回了。|收回的资金马上投入了使用。|目前正在对收回的问卷进行统计分析。

❷ 撤销(chèxiāo)、取消(意见、命令等)。(withdraw)在句中做谓语、宾语。一般不重叠。

例句 根据群众举报,上级收回了对他的任命。|对自己发表的错误意见,他表示收回。

辨析 〈近〉取消,撤销。"取消"、"撤销"的程度强。

【收获】 shōuhuò 〔动/名〕

〔动〕取得成熟的农作物。(gather in the crops)常做谓语、定语。

例句 春天播种,秋天收获。|农民正在地里收获庄稼。|秋天是收获的季节。|农民品尝着收获的喜悦。

〔名〕收取的农作物,常比喻学习、工作等方面取得的成果或心得。(harvest; results; gains)常做主语、宾语、定语。[量]点,个。

例句 这次进山打猎(liè)收获不少。|去农村实地调查的收获很大。|农民谈起今年的收获都特别兴奋。|这三点就是他这次学习的收获。|收获的大小取决于努力的程度。

【收集】 shōují 〔动〕

使集中在一起。(gather)常做谓语、定语、宾语、主语。

例句 他正收集资料,准备写毕业论文。|那个商店收集旧电池。|请做好信息收集工作。|他们对这些材料进行了收集与整理。|商代文物的收集很不容易。

辨析 〈近〉搜集。"搜集"强调寻找,可用于具体事物,也可用于抽象事

物;"收集"只用于具体事物。

【收看】 shōukàn 〔动〕

看(电视节目)。(watch TV)常做谓语、定语。

例句 我每天都收看"新闻联播"。|我几天没收看文艺频道了。|现在可收看的节目很多。

【收买】 shōumǎi 〔动〕

从各处买进,也指用钱财或其他好处笼络(lǒngluò)人。(buy in; buy over)常做谓语、定语。

例句 有人专门收买各种旧电器。|你别收买人心,我不会上你的当了。|所有收买的酒瓶都要经过消毒处理才能使用。|被他们收买的那个员工向我们说出了他们的目的。

【收入】 shōurù 〔动/名〕

〔动〕收进来。(take in)常做谓语、定语。

例句 这笔买卖,公司收入了十几万元。|今年丰收,农民收入了不少。|每天收入的现金都要存入银行。|领导在调整收入的分配。

〔名〕收进来的钱。(income)常做主语、宾语。[量]笔。

例句 改革开放以来,国家的财政收入大幅度增加。|近些年,个人的收入普遍提高了。|收入要与支出平衡。|提高城乡居民的收入是政府的目标之一。|按收入纳税,是每个公民的义务。

【收拾】 shōushi 〔动〕

❶ 整顿、整理、修理。(put in order; repair)常做谓语、定语。

例句 爸爸妈妈高兴地为上大学的儿子收拾行李。|女儿大了,每天自己收拾屋子。|皮鞋破了,得收拾收拾。|她把什么都收拾得整整齐齐。|收拾过的房间就是不一样。

辨析 〈近〉整理。"收拾"的词义广,还指"消灭"等,对象可以是人,也可是物。"整理"多用于书面语,对象多为物。如:收拾(整理)房间 收拾敌人

❷ 使吃苦头、消灭、惩治。(settle with; punish)常做谓语。

例句 你要不听话,看你爸回来收拾你。|敌人全被我们收拾了。|警察把小偷给收拾了。

【收缩】 shōusuō 〔动〕

(物体)由大变小或由长变短;紧缩。(contract; shrink)常做谓语、定语、宾语。

例句 金属遇冷就收缩。|这块布料见水后收缩了几公分。|为了降低成本,各项开支要适当收缩。|收缩率太大的材料这里不能用。|基本建设有时候要实行收缩的方针。|由于气温下降,桥面已经开始收缩。

【收听】 shōutīng 〔动〕

听(广播)。(listen in)常做谓语、定语。

例句 老人每天早上边散步边收听新闻。|那天我没收听到实况转播。|收听会进行了两个小时。

【收益】 shōuyì 〔名〕

生产上或商业上的收入、利益。(profit)常做主语、宾语、定语。

例句 这家工厂今年的收益不错。|办企业,最好能投资少,收益大。|要努力提高收益。|近年经营不好,没什么收益。|公司收益的好坏关系到每个职工的利益。

【收音机】 shōuyīnjī 〔名〕

无线电收音机的通称。(radio)常做

S

主语、宾语、定语。[量]台。

例句 这台小收音机跟着我很多年了。|收音机有电视替代不了的优点。|电视没转播,快听听收音机。|最近又给父亲买了一台新式收音机。|这种收音机的质量怎么样?

【收支】 shōuzhī 〔名〕

指财物的收入与支出。(revenue and expenditure)常做主语、宾语、定语。

例句 今年的财政收支基本平衡。|收支平衡是国家财政稳定的标志。|国家努力平衡财政收支。|总理询问了今年的收支情况。

【手】 shǒu 〔名〕

❶ 人体上肢前端能拿东西的部分。(hand)常做主语、宾语、定语。[量]只,双。

例句 她那双手非常灵巧。|他的手受伤了。|他们俩手拉着手散步。|饭前应该洗手。|手的作用大极了。

❷ 手段、本领。(measure; ability)常做主语。

例句 此人心狠手辣(là)。|眼高手低就什么事也办不成。

❸ 擅(shàn)长某种技能的人或做某种事的人。(a person doing or good at a certain job)常用于构词。

词语 选手 国手 能手 助手 凶手

例句 歌手出场了。|他是一个技术能手。|拖拉机手开着拖拉机耕(gēng)地。

▶ "手"还做副词,指"亲手";做量词,用于技能、技术。如:手织 手抄 露两手 一手绝活儿

【手表】 shǒubiǎo 〔名〕

带在手腕(wàn)上的表。(watch)常做主语、宾语、定语。[量]只,块。

例句 爸爸的那块手表用了几十年了。|这块手表是进口的名表。|他送给她一块小手表。|一着急,出门时忘了戴手表。|我的手表带断了。|现在,手表的式样太多了!

【手电】 shǒudiàn 〔名〕

利用干电池做电源的小型筒(tǒng)状照明用具,也叫手电筒、电筒。(electric torch)常做主语、宾语、定语。[量]个。

例句 微型手电带着很方便。|这个手电用5号电池。|他打着手电出去找人了。|手电不亮了。|换一个手电电珠多少钱?

【手段】 shǒuduàn 〔名〕

❶ 为达到某种目的而采取的具体方法。(means)常做主语、宾语。[量]个,种。

例句 这个手段不高明。|采取有效的手段打击经济犯罪。

❷ 待人处世所用的不正当的方法。(trick)常做主语、宾语、定语。[量]个,种。

例句 他的手段也太卑劣(bēiliè)了。|这个手段够狠毒的。|他采取哄骗(hǒngpiàn)的手段达到了目的。|为了钱,他简直是不择手段。|他手段之毒辣(dúlà)实为罕(hǎn)见。

辨析 〈近〉手法。"手法"不指"采取的具体方法","手法"还指"技巧"。如:手段毒辣 文学手法

【手法】 shǒufǎ 〔名〕

❶ (艺术品或文学作品的)技巧。(skill)常做主语、宾语、定语。[量]个,种。

例句 这种手法是他的作品独有

的。|这部电影的表现手法很独特。|这幅中国画要用一些油画手法。|他手法的高明让人佩服(pèifú)。|老师给学生讲了这个艺术手法的使用。

❷ 手段,待人处世的不恰当的方法。(trick)常做主语、宾语、定语。[量]个,种。

例句 他的这个手法十分卑劣。|这种手法是他惯用的。|他采取了两面手法。|他识破了骗子的手法。|这种手法的作用并不大。

【手工】 shǒugōng 〔名〕

❶ 靠手的技能做出的工作。(handwork)常做主语、宾语、定语。[量]种。

例句 他的手工做得真细。|有的手工比机器做的要好。|妈妈每天做手工维持一家人的生活。|这幅手工刺绣太美了!|现在,手工的费用越来越高了。

▶"手工"还做副词,指"用手操作"。如:手工劳动　手工制作

❷ 给予手工劳动的报酬。(charge for a piece of handwork)常做主语、宾语、定语。

例句 这种玉雕(diāo)手工很高。|做一件上衣的手工是多少?|取衣服的时候再付手工。|手工的高低要看干什么活儿。

【手巾】 shǒujīn 〔名〕

土布做的擦脸巾;毛巾。(towel)常做主语、宾语、定语。[量]条。

例句 手巾在这儿。|我买了一条手巾。|他用手巾擦了一把脸。|这条手巾的图案挺好看。

【手绢】 shǒujuàn 〔名〕

随身携(xié)带的方形小块织物,用来擦汗、擦手等。(handkerchief)常做主语、宾语、定语。[量]块。

例句 她那块手绢很香。|手绢也可以做成工艺品。|她买了几块丝制的手绢。|那个柜台出售各种手绢。|我们手绢的图案是杭州西湖。|手绢的用处被纸巾取代了。

【手榴弹】 shǒuliúdàn 〔名〕

一种用手投掷(zhì)的小型炸弹,也指体育比赛用的同形器具。(grenade)常做主语、宾语、定语。[量]枚(méi),颗,个。

例句 那枚手榴弹不知为什么没响。|参加军训的学生要练习投手榴弹。|手榴弹的杀伤力也不小。

【手忙脚乱】 shǒu máng jiǎo luàn 〔成〕

形容做事慌乱,没有条理。(running around in circles; in a frantic rush; in a muddle)常做谓语、定语、状语、补语。

例句 老王惊呆了,一时间手忙脚乱,不知怎么办好。|你看你那手忙脚乱的样子!急什么?|一听到脚步声,小李手忙脚地把课外书藏到了抽屉里。|我这几天急得手忙脚乱,吃不好,睡不香。

【手枪】 shǒuqiāng 〔名〕

单手发射的枪。(pistol)常做主语、宾语、定语。[量]支,把。

例句 手枪有多种。|歹徒有一支手枪。|手枪的子弹小一些。

【手势】 shǒushì 〔名〕

表示意思时用手(有时也同时用身体某部分)所做的姿势。(gesture)常做主语、宾语、定语。[量]个,种。

例句 这个手势是什么意思?|警察的那个手势是"可以通过"。|那

S

个聋哑(lóngyǎ)人直向我们打手势。|她向我做了个手势,表示非常遗憾。|手势语是聋哑人的交际工具。|我不明白他那个手势的意思。

【手术】 shǒushù 〔名〕

医生在病人的身体上进行的切除、缝合等治疗。(operation)常做主语、宾语、定语。[量]个,例,次。

例句 手术很成功。|手术进行得不太顺利。|张教授每天做一个手术。|他需要动手术。|手术的时间很长,病人家属很担心。

辨析 〈近〉开刀。"开刀"是动词短语,常用于口语。

【手套】 shǒutào 〔名〕

套在手上的物品,用来防寒或保护手。(gloves)常做主语、宾语、定语。[量]副,只。

例句 我的手套丢了一只。|我的手套是皮的,很暖和。|老人戴上手套出了门。|摘下帽子和手套吧,屋里很暖和。|这副手套的皮子不错,只是贵了点儿。

【手续】 shǒuxù 〔名〕

(办事的)程序。(formality)常做主语、宾语。[量]道,套,个。

例句 招工手续现在简单多了。|三道手续都办完了。|他正办理出国留学的手续。|请及时办理居留手续。|这事还需要办哪些手续?

【手艺】 shǒuyì 〔名〕

手工业工人的技术。(craftsmanship; trade)常做主语、宾语、定语。[量]门,种。

例句 他那门手艺可是学了几十年的。|这种手艺快要失传了。|小伙子学会了理发的手艺。|手艺人靠自己的手艺生活。

【手指】 shǒuzhǐ 〔名〕

人手前端的五个分支。(finger)常做主语、宾语、定语。[量]个。

例句 他的两个手指黄黄的,看来抽烟抽得很厉害。|我这个手指小时候受过伤。|一不小心,刀子划破了小手指。|医生给老人包扎受伤的手指。|老人常做一些手指的运动。

【守】 shǒu 〔动〕

❶ 防备进攻;保卫。(guard; defend)常做谓语。

例句 军人为国家守边疆。|阵地终于守住了。|比赛时,球门你来守。

❷ 看护。(keep watch)常做谓语。

例句 小狗守着主人,一步也不离开。|姐姐在病床边守了三天。|让我替你守着吧,你太累了。

❸ 按照规定做,遵守。(observe)常做谓语。

例句 学生应该守纪律。|他很守时,从不迟到。|每个人都要遵纪守法。

❹ 靠近。(near; close to)常做谓语。

例句 我家守着水,走水路方便。|守着这么块宝地,不愁没出路。

【守法】 shǒu fǎ 〔动短〕

遵守法律或法令。(abide by the law)常做谓语、定语。

例句 每个公民都要守法。|老师教育学生要守法。|这家工厂是守法户。|守法的人会得到社会的尊敬。

▶"守法"常构成一些固定短语或成语。如:遵纪守法 奉公守法

【守口如瓶】 shǒu kǒu rú píng 〔成〕

S

形容说话谨慎，严守秘密。(keep one's mouth shut; breathe not a single word; be tight-mouthed)常做谓语、定语、补语。

例句 他对妻子也守口如瓶。|这事非同小可，你一定要守口如瓶。|他可不是一个守口如瓶的人，你怎么能把计划告诉他呢？|一连问了几遍，也没问出来，这个一向喜欢说话的姑娘如今却变得守口如瓶了。

【守卫】 shǒuwèi 〔动〕

防守保卫。(guard; defend)常做谓语、宾语、定语。

例句 解放军守卫着祖国的大门。|请保安负责守卫。|要加强守卫力量。

【守株待兔】 shǒu zhū dài tù 〔成〕

比喻想不通过主观努力而侥幸得到意外的收获。(stand by a stump waiting for more hares to come and dash themselves against it — trust to chance and strokes of luck)常做主语、宾语、定语。

例句 守株待兔怎么行？|等客上门，就是守株待兔。|这是守株待兔的办法。

▶ 传说从前有个农民看见一只兔子撞死在田里的树桩上，他就不再干活了，守在树桩旁，等着撞死的兔子。这就是"守株待兔"的由来。

【首】 shǒu 〔名/量〕

〔名〕❶ 头。(head)常做宾语。

例句 他昂首走进会场。|你别搔(sāo)首挠腮(náo sāi)的，快想个办法。

❷ 某些集团的领导人。(leader; chief)常做宾语。

例句 他是祸(huò)首，必须严惩(chéng)。|这次组成了以他为首的代表团出国访问。

〔量〕用于诗词、歌曲。(*measure word for songs and poems*)常做定语、主语、宾语。

例句 每首诗他写得都很棒。|她唱了一首歌，受到热烈欢迎。|"一首太少，再唱一首！"人们大声喊着。|这首没意思，主要是歌词写得不好。|他看大家都在写诗，他也写了一首。

▶ "首"还做形容词，指"最高的"；做数词，指"第一"，常用于构词或短语。如：首脑 首席 首都 首届

【首创】 shǒuchuàng 〔动〕

最先创造；创始。(initiate)常做谓语、定语。

例句 中国首创了活字印刷术。|这位科学家首创了这种方法。|应当鼓励大家的首创精神。|这种操作方法，在我们行业还是首创。|那种治疗方法在国际上属于首创。

【首都】 shǒudū 〔名〕

国家最高政权机关所在地，是全国的政治中心。(capital)常做主语、宾语、定语。[量]个。

例句 中国的首都是北京。|首都是一个国家的政治中心。|总统出访后回到首都。|这个国家一度出现过两个首都。|首都的绿化搞得很好。|(在出租车上)"师傅，我去首都机场。"

【首领】 shǒulǐng 〔名〕

某些集团的领导人。(chieftain)常做主语、宾语。[量]个，名，位。

例句 敌军首领和他的部下被包围了。|李自成是农民起义军的首领。|他经过几十年努力，逐步成为国际

海运集团的首领。|那面旗子是首领的标志。

【首脑】 shǒunǎo 〔名〕

为首的(人、机关等)、领导人。(head)常做主语、宾语、定语。[量]个,位。

例句 几国首脑先后抵达这个城市,准备举行会谈。|他当选为新政府首脑。|这里正在举行亚非首脑会议。|两国首脑的会谈将如期举行。

【首席】 shǒuxí 〔名/形〕

〔名〕最高的席位。(seat of honour)常做主语、宾语。[量]个。

例句 首席是留给首长的。|首席由家中最老的人坐。|总经理坐首席。

〔形〕职位最高的。(chief)常做定语、宾语。

例句 李总裁是我们的首席代表。|首席指挥是有名的陈先生。|他将作为首席设计师参加这次会议。|在这几位小提琴手中,他是首席。

【首先】 shǒuxiān 〔副〕

最先、最早。(first)常做状语。

例句 会上,我首先发了言。|比赛开始了,首先进行的项目是百米跑。|首先出场的是一个不太有名的歌星。

▶ "首先"还做连词,指"第一",用于列举事项,与"其次"、"第二"等搭配使用。如:首先,是主席报告;其次,是代表发言。

【首相】 shǒuxiàng 〔名〕

某些国家内阁最高的官职,职权相当于总理。(prime minister)常做主语、宾语、定语。[量]位,名,个。

例句 首相是第一次来华访问。|他当选第十任首相。|因为政治丑闻,他辞去了首相职务。

【首要】 shǒuyào 〔形〕

摆在第一位的,首先选中的。(of the first importance)常做定语。

例句 稳定是国家的首要问题。|学生的首要任务是学习。|别把首要的工作忘了。|这些首要人物都出席了开幕式。

辨析 〈近〉重要。"重要"的语义轻,可做谓语,能受"很"修饰。如:首要(重要)条件|这事很重要。

【首长】 shǒuzhǎng 〔名〕

政府的高级领导人或部队中较高级的领导人。(leading cadre; senior officer)常做主语、宾语、定语。[量]位。

例句 首长接见了与会的模范人物。|部队首长对战士非常关心。|战士们见到了军区首长,十分兴奋。|我把这事报告了首长。|首长的指示已经传达了。|我们感谢首长的关心。

【寿】 shòu 〔名〕

❶ 年岁、生命。(age; life)常用于构词或用于固定短语。

词语 寿命 长寿 寿比南山 延年益寿

例句 我们祝您健康长寿。|八十了?您真是高寿哇!

❷ 寿辰。(birthday)常做宾语、定语。

例句 我们热烈向老人祝寿。|今天是爷爷的八十大寿。|儿女们在饭店为母亲做寿。|老人过生日要吃寿面,还要摆寿桃。

▶ "寿"还做形容词,指"长命","活

S

的岁数大”。如:人寿年丰

【寿命】 shòumìng 〔名〕

生存的年限,也比喻存在或使用的期限。(life-span)常做主语、宾语、定语。

例句 龟的寿命比人长得多。|人类的平均寿命在不断提高。|运动能延长寿命。|工人在想办法提高机器的寿命。|寿命的长短,自己是很难预计的。

【受】 shòu 〔动〕

❶ 接受、得到。(receive; accept)常做谓语。

例句 他因为受贿(huì)受到法律的制裁(cái)。|他是个很受欢迎的演员。

❷ 遭受。(suffer)常做谓语、定语。

例句 他受到了上级的表扬。|小李受了委屈,伤心地哭了。|她受的苦,你想不到。

❸ 忍受。(stand, bear)常做谓语。

例句 什么样的苦,我都受得了。|在那种地方工作,简直是受折磨(zhémó)。|她的态度真叫人受不了。

【受宠若惊】 shòu chǒng ruò jīng 〔成〕

突然受到过分的宠爱待遇而感到惊喜和不安。(be overwhelmed by an unexpected favor; feel extremely flattered)常做谓语、定语。

例句 接到奖励的新房钥匙,小王受宠若惊,说话的声音都有点儿打颤。|你这么说,可真使我受宠若惊了。|受宠若惊的王科长张大了嘴,不知说什么才好。

【受聘】 shòu pìn 〔动短〕

接受聘请。(accept an appointment)常做谓语、定语。

例句 我已经受聘于那家电气公司了。|他受聘做了推销员。|受聘人员马上就开始上班了。

【受伤】 shòu shāng 〔动短〕

身体或物体部分地受到破损。(be wounded)常做谓语、定语,中间可插入成分。

例句 爷爷在战争中受过伤。|在那次事故中,他受了点儿轻伤。|比赛中,一名运动员受了伤。|受伤的人都送往医院治疗了。|他想不起受伤时候的情况了。

【授】 shòu 〔动〕

❶ 交付、给予。(award; give)常做谓语。

例句 首长亲自来给我们授旗。|上级给立功人员授奖。|经理授权他处理此事。

❷ 传授、教。(instruct; teach)常做谓语、定语。

例句 这次由李教授亲自授课。|这所函授大学也有一部分面授课程。

【授予】 shòuyǔ 〔动〕

给予(勋章、奖状、学位、荣誉等)。(confer; award)常做谓语、定语。

例句 政府授予他一枚劳动奖章。|他被授予荣誉市民称号。|学校举行了学位授予仪式。|把刚授予的奖状挂在会客室吧。

【售】 shòu 〔动〕

卖。(sell)常做谓语及宾语。

例句 这场演出正在售票。|本店零售各种食品。|这东西只在路口那家小商店有售。

辨析 〈近〉卖。“卖”多用于口语,不常像“售”那样构成词或固定短语。

【售货】 shòu huò 〔动短〕

卖商品、货物。(sell goods)常做谓语、定语。

例句 她每个周末在街头售货。|那家超市二十四小时售货。|妈妈是个售货员。|这儿商店的售货时间都达十几个小时。

【瘦】 shòu 〔形〕

❶ 脂肪(zhīfáng)少,肉少。(thin)常做谓语、定语、补语、主语。

例句 这肉真瘦,买点儿回去。|那姑娘瘦瘦的,个子很高。|人们现在只吃瘦肉。|那匹瘦马驮(tuó)不动那么多东西。|这一年他变得又瘦又黑。|为了考大学,她都累瘦了。|瘦不是病,没事儿。

❷ (衣服鞋袜等)窄小。(tight)常做谓语、定语、补语。

例句 这身衣服太瘦了,你不能穿。|衣袖、裤腿瘦一点儿显得精神。|他把那套瘦衣服送人了。|衬衣买瘦了。|这条裙子做得太瘦了。

▶ "瘦"还指土地不肥沃。如:瘦田(地)

【书】 shū 〔名〕

❶ 装订成册的著作。(book)常做主语、宾语、定语。[量]本,部,套。

例句 书是人类进步的阶梯(jiētī)。|这本书卖得不错。|我一下子买了好几本书。|我不熟悉那部书的内容。

❷ 信件。(letter)常做主语、宾语。[量]封。

例句 他们俩书来信往,已经有两年了。|小李常为他们传书带信。|他曾来书相劝,但她不听劝告。

❸ 文件。(document)一般不单独使用,常做语素构词后做主语、宾语、定语。[量]份。

例句 这份保证书由办公室保存。|他写了一份申请书。|新任大使向国家主席递交了国书。

▶ "书"还指字体。如:隶书 草书

▶ "书"还做动词,指"书写",用于书面语。如:书法 大书特书

【书包】 shūbāo 〔名〕

布或皮革等制成的袋子,主要供学生上学时装书籍、文具等用。(schoolbag)常做主语、宾语、定语。[量]个。

例句 小姑娘的书包真漂亮。|我的书包怎么不见了?|每天早晨,学生们都背着书包去上学。|妈妈给女儿买了一个双肩背的书包。|这种书包的功能很多。|书包带坏了,没法背了。

【书本】 shūběn 〔名〕

书的总称。(book)常做主语、宾语。[量]种。

例句 这些书本很有保存价值。|我翻了各种书本也没找到需要的内容。|书本知识要和实际结合起来。

▶ 〈近〉书。"书本"是集合名词,不能用"本"、"册"等量词。

【书店】 shūdiàn 〔名〕

出售书的商店。(bookstore)常做主语、宾语、定语。[量]家,个。

例句 这家书店是全市最大的。|当我赶到时,书店已经关门了。|我刚才去了一趟新华书店,买了本词典。|附近又新开了一家书店。|这家书店的面积不大,但书的种类很多。

【书法】 shūfǎ 〔名〕

文字的书写艺术,也特指用毛笔写汉字的艺术。(calligrahy)常做主语、宾语、定语。[量]种。

例句 书法是中国传统艺术的一种。|这个孩子的书法得到了名家的赞赏。|爸爸从小爱好书法。|他来中国以后迷上了书法。|没想到他很了解书法理论。

▶"书法"和"中国画"也合称"书画",都是中国传统文化的重要内容。

【书籍】 shūjí 〔名〕
书的总称。(books;works)常做主语、宾语、定语。[量]种,些,批。

例句 书籍是人类的精神食粮。|这些书籍都是爸爸留给我的。|图书馆藏有各种书籍。|要很好地保护那些宝贵的古旧书籍。|这类书籍的内容不适合青少年看。

【书记】 shūji 〔名〕
党团等各级组织中的主要负责人。(secretary)常做主语、宾语、定语。[量]个,位。

例句 党委书记在大会上讲了话。|新书记很得人心。|老李被任命为汽车公司的书记。|他要找书记反映情况。|书记办公室在二楼。|工人正在学习总书记的讲话。

【书架】 shūjià 〔名〕
放置书籍用的架子,多用木料或铁制成,也叫书架子。(bookshelf)常做主语、宾语、定语。[量]个。

例句 这个书架比较便宜。|这家工厂专门制作各种书架。|他家客厅里摆了两个大书架。|书架最顶上放着一个瓷花瓶。

【书刊】 shūkān 〔名〕
书籍与刊物。(books and periodicals)常做主语、宾语、定语。[量]种,批。

例句 各种书刊都陈列在柜台里。|书刊是现代生活不可缺少的一部分。|图书馆新进了一批书刊。|很多学生喜欢科技书刊。|最近,书刊的价格提高了不少。|明年的书刊订阅工作已经开始。

【书面】 shūmiàn 〔形〕
用文字表达的。(in written form)常做定语。

词语 书面材料 书面答复

例句 上级用书面形式通知了我们。|对代表提出的问题,市长作了书面答复。|"之所以…是因为…"这种格式常常用在书面语里。

【书写】 shūxiě 〔动〕
意义同"写"。(write)常做谓语、定语、宾语、主语。

例句 老书法家即兴书写了一副对联。|这些书写用具是由厂家提供的。|请大家停止书写,认真听讲。|这首小诗书写十分工整。

【书信】 shūxìn 〔名〕
意义同"信"。(letter)常做主语、宾语、定语。[量]封。

例句 这些书信在博物馆保存。|他俩书信往来已有两年。|纪念馆展出了鲁迅生前的两封书信。|他收藏了不少名人的书信。|阿里学会了汉语的书信格式。

【叔】 shū 〔名〕
❶ 父亲的弟弟。(father's younger brother;uncle)常做主语、宾语、定语。[量]个。

例句 我二叔是个工程师。|哥哥的孩子管我叫叔。|他叔的几个孩子都长大了。

❷ 称呼跟父亲辈分相同而年纪较小的男人。(uncle;*a form of address for a man about one's father's*

S

age)常做主语、宾语、定语,可以加上姓做称呼语。[量]个,位。

例句 这位大叔,请问去市医院怎么走?|李叔只有一个女儿。|我管他叫王叔。|爸爸让我去请邻居张叔。|我没带钥匙(yàoshi),去隔壁张叔家坐了一会儿。

【叔叔】 shūshu 〔名〕

指父亲的弟弟,也用来称呼跟父亲辈分相同而年纪较小的男子。(father's younger brother; uncle; *a form of address for a man about one's father's age*)常做主语、宾语、定语。[量]个,位。

例句 叔叔最近当了厂长,很忙。|刘叔叔是爸爸的老朋友。|那个孩子叫我叔叔。|那天自行车坏了,正好路边有位修车的叔叔。|叔叔的家离我家不远。|爸爸让我帮李叔叔的孩子学英语。

【殊途同归】 shū tú tóng guī 〔成〕

不同的道路,走到同一目的地,比喻用不同的方法得到相同的结果。(reach the same goal by different routes)常做谓语。

例句 尽管我们俩的研究方法不同,却殊途同归,得出了同样的结论。

【梳】 shū 〔动〕

用梳子整理(头发等)。(comb one's hair, etc.)常做谓语。

例句 女儿大了,能自己梳头了。|她的头发每天都得梳半个钟头。|小李梳着两根粗辫子(biànzi)。

【梳子】 shūzi 〔名〕

整理头发、胡子的用具,有齿,用竹木、塑料(sùliào)等制成。(comb)常做主语、宾语、定语。[量]把。

例句 这把梳子特别好使。|我的梳子是姐姐送的。|小姑娘买了一把漂亮的梳子。|她正用梳子给小狗梳毛呢。|这把梳子的齿太尖了。

【舒】 shū 〔动/形〕

〔动〕伸展;宽解(拘束或憋闷状态)。(stretch)常做谓语,也做语素构词。

词语 舒心 舒张 舒展

例句 他长长地舒了一口气。|这种药能舒经活血。

〔形〕指从容、轻松愉快。(pleasant and comfortable)常用于构词。

词语 舒缓 舒服 舒畅 舒坦

【舒畅】 shūchàng 〔形〕

开朗愉快;舒服痛快。(happy)常做谓语、定语、补语、宾语。一般不重叠。

例句 这天,他的心情格外舒畅。|她的心绪慢慢舒畅起来。|我从来没有这么舒畅的时候。|这样舒畅的心情她很少有。|大家玩得很舒畅。|湖面宽了,游人才觉得舒畅起来。

辨析 〈近〉舒服。"舒畅"只指人的精神方面,"舒服"的范围广;"舒服"能单独做状语,"舒畅"不可以,也不能重叠。如:心里很舒畅(舒服)身体(床)舒服

【舒服】 shūfu 〔形〕

身体或精神上感到轻松愉快;能使精神或身体感到愉快。(comfortable)常做谓语、定语、状语、补语、宾语。

例句 他什么都顺心,每天舒舒服服的。|这屋子真舒服。|她的话真让人不舒服。|她过着十分舒服的生活。|孩子舒服地睡在摇篮(yáolán)里。|我很不舒服地坐着等她。|这一觉睡得舒服吗?|吃药后他觉得舒服多了。

【舒适】 shūshì 〔形〕
舒服安逸(ānyì)。(comfortable; cozy)常做谓语、定语、状语、补语、宾语等。

例句 这里的环境很舒适。|女儿给父亲准备了一间舒适的卧室。|市政府为市民提供了舒适的生活环境。|退休的老人安闲而舒适地过着晚年。|她舒适地躺在床上。|房间收拾得很舒适。|搬到这个房间以后,我感到十分舒适。

【舒展】 shūzhǎn 〔动〕
不卷缩、不皱(zhòu)。(extend)常做谓语、定语。

例句 跳水运动员舒展手臂,准备向下跳。|我舒展了一下身体,又继续工作。|他皱起的眉头终于舒展开了。

▶"舒展"还做形容词,指"舒适"、"不卷"。如:心情舒展|晨风中,舒展的柳条在轻轻摇动。

【疏】 shū 〔动〕
❶ 清除阻塞使通畅,疏通。(dredge)常做谓语、定语,也做语素构词。

词语 疏通 疏导

例句 李冰带领百姓疏洛水。|传说上古时禹用疏的方法治理水害,获得了成功。

❷ 疏忽。(neglect)常做谓语。常和"于"配合使用。

例句 他们疏于防范,终于出了问题。|当时疏于检验,以致发错了货。

❸ 分散。(disperse)常做谓语。

例句 他一生仗义疏财,受到大家称赞。

▶"疏"还做形容词,指"稀疏"、"空虚"。

【疏忽】 shūhu 〔动〕
因粗心大意而没注意到;忽略。(overlook)常做谓语。

例句 你怎么疏忽了这么重要的事?|他的确疏忽过一两次。|这些细节全被她疏忽了。

辨析 〈近〉忽略。"疏忽"是指粗心大意而没注意到;"忽略"是指因不重视而遗漏。

▶"疏忽"还做形容词,指"粗心大意"。如:疏忽之处

【输】 shū 〔动/形〕
〔动〕运输、运送。(transport)常做谓语。

例句 新开发的油田已经开始输油了。|输水管破了,得赶快修。|输电网已经遍布全国。

〔形〕在较量时失败。(lose)常做谓语、补语、定语。

例句 这场战争他们输了。|这支球队又输球了。|连续输了几场,我们再也输不起了。|他们比输了。|上次比赛你们可是输家。

【输出】 shūchū 〔动〕
从内部送到外部,也指商品等销售到国外,或设备发出能量、信号等。(send out; export; output)常做谓语、定语、宾语。

例句 该国商品大量输出到国际市场。|一些石油输出国提高了输出价格。|这颗卫星的输出信号非常清楚。|该国的石油已经停止向国外输出。

【输入】 shūrù 〔动〕
从外部送到内部,也指商品或资本

从国外进入国内，还指信号等的进入。(bring in; import; input)常做谓语、定语、宾语。

例句 大家的鲜血输入到她体内。|大量外国商品输入到这个国家。|输入的信号不清楚。|这个国家欢迎外国资本的输入。

【输送】 shūsòng 〔动〕

从一处运到另一处，运送。(carry; transport)常做谓语、定语。

例句 建校80年来，该校已向社会输送了大批人才。|植物的根把养分输送到枝叶。|输送带把行李送到飞机上。

【蔬菜】 shūcài 〔名〕

可以做菜吃的草本植物，如白菜、萝卜等。(vegetable)常做主语、宾语、定语。[量]斤，种，棵。

例句 地里的蔬菜绿油油的。|新鲜蔬菜营养丰富。|妈妈从市场上买回了鱼、肉和蔬菜。|一年四季都能吃上新鲜蔬菜。|近年来，到处建起了蔬菜大棚。

【熟】 shú 〔形〕 另读 shóu

❶ 植物的果实等完全长成。(ripe)常做谓语、定语、补语。

例句 六月了，麦子该熟了。|这些香蕉(jiāo)还没熟透。|熟了的瓜才甜。|没熟的果子先别摘。|这西瓜还没长熟。

❷ (食物)加热到可以食用的程度(cooked)。常做谓语、定语、补语、状语。

例句 饭菜都熟了，开饭吧。|烤鸭还没熟透，再等一会儿。|冰箱里有熟食，随便吃点儿吧。|肉还没烧熟。|萝卜可以生吃，也可熟吃。

❸ 因常见的或常用的而知道得很清楚。(familiar)常做谓语、定语、状语。

例句 这个人我不太熟。|我对那一带熟得很。|今天在街上遇到一个熟人。|他对这些事熟视无睹。

❹ 因常做而有经验。(skilled)常做谓语、定语、状语、补语。

例句 他对这套工艺很熟。|我开车是个熟手，不用担心。|中国有句成语叫“熟能生巧”，意思是熟练了就能产生巧办法。|今天的作业是熟读课文。|这几个动作应该反复练熟。

❺ 表示程度深。(deeply)常做补语、状语。

例句 孩子已经睡熟了。|这事他是经过深思熟虑的。

▶ “熟”还指“加工过的”。如：熟铁 熟皮子

【熟练】 shúliàn 〔形〕

工作、动作等因常做而有经验。(skilled)常做谓语、定语、状语、补语。

例句 那位运动员动作很熟练。|老师傅的操作真熟练。|他是一个熟练工。|熟练的技术来自平时的努力。|我已经能熟练地使用电脑了。|她的汉语说得很熟练。

【熟悉】 shúxī 〔动〕

知道得很清楚。(know sth. or sb. well)常做谓语、定语、补语、状语。

例句 我熟悉这一带的情况，让我去吧。|你慢慢熟悉熟悉这儿吧。|外面传来熟悉的声音。|一辆熟悉的汽车从我面前驶过。|没几天功夫，孩子就变得熟悉了。|他很熟悉地开门走了进去。

【暑】 shǔ 〔形〕

热。(hot)常做宾语及主语，也做语素构词。不可重叠。

词语 暑假 暑期 暑气 暑天

例句 夏天容易中暑。|周末人们喜欢去海滨消暑。|寒来暑往,一晃(huàng)过去十年了。

【暑假】 shǔjià 〔名〕

学校中夏季的假期。(summer vacation)常做主语、宾语、定语、状语。[量]个。

例句 暑假开始了,学生们都能放松一下了。|今年的暑假比往年长。|我多么想在海滨过一个暑假呀!|学生们在夏令营度过了一个有意义的暑假。|暑假的时间太短了,一下子就过完了。|我俩暑假去旅游。

【属】 shǔ 〔动〕 另读 zhǔ

❶ 受管辖(xiá),归属。(be subordinate to;belong to)常做谓语。

例句 我们单位属国家建设部。|胜利终属我们。|在改革中,许多部属大学改成省属的了。

❷ 是。(be)常做带宾谓语。

例句 他说的情况属实。|这种做法实属无理。

❸ 用十二属相记生年。(be born in the year of one of the twelve symbolic animals associated with a 12-year circle)常做谓语。

例句 你属什么?|我属鸡,妈妈属蛇。

▶"属相"一共有十二个,又称生肖,它们按顺序是:鼠、牛、虎、兔、龙、蛇、马、羊、猴、鸡、狗、猪。这是中国传统的记人们生年的方法。

S

【属于】 shǔyú 〔动〕

归某一方面或为某人所有。(belong to)常做谓语。

例句 这起火灾属于责任事故。|未来是属于年轻人的。|胜利终将属于我们。

【鼠目寸光】 shǔ mù cùn guāng 〔成〕

形容眼光短浅。(a mouse can see only an inch;see only what is under one's nose;be shortsighted)常做谓语、宾语、定语。

例句 你可不要鼠目寸光,只顾现在,看不到将来。|我看你是鼠目寸光。|这种鼠目寸光的人,成不了气候。

【数】 shǔ 〔动〕 另读 shù、shuò

❶ 查点(数目),逐个(zhúgè)说出(数目)。(count)常做谓语。

例句 我邻居有个三岁的男孩,能从一数到一千。|你去数数我们今天种了多少棵树。|数了两遍,还是少一件。

❷ 计算起来,比较起来(最突出)。[be reckoned as exceptionally(good, bad,etc.)]常做谓语(必带宾语)。

例句 他的才能在全公司数一数二。|全班数他的功课好。|北京数秋季最好。

【数一数二】 shǔ yī shǔ èr 〔成〕

形容非常突出,不排第一,也排第二。(count as one of the best; be outstanding)常做谓语、定语。

例句 他的汉语水平在我们班数一数二。|他是中国近代数一数二的诗人。

【束】 shù 〔量〕

用于捆在一起的东西。(bundle)常做定语、主语、宾语。

例句 情人节时她收到了一束鲜花。|这束信都是远在美国的爱人写给她的。|买花儿吗?这束怎么样?|这花真香,我买一束。

▶"束"还做动词,指"系"(jì)"、"控

制”、“约束”等。如：束在一起 束手束脚

▶“束”还做名词，指“聚成一条的东西”。如：光束 电子束

【束缚】 shùfù 〔动〕

使受到约束、限制，使停留在狭窄的范围里。(tie; bind up)常做谓语、定语、宾语。

例句 他自己束缚了自己的手脚，什么也不敢干。|千万不要束缚年轻人的创造性。|他被束缚的身子都麻木了。|应该解放人们被束缚的思想。|要改革就要冲破传统观念的束缚。

辨析 〈近〉约束。“约束”的强制意味轻，带贬义，还有“捆绑”的意思。

【束手无策】 shù shǒu wú cè 〔成〕

像被捆住一样，毫无办法。(be at a loss what to do; feel quite helpless; be at one's wit's end)常做谓语、定语。

例句 面对火灾，他束手无策。|束手无策的人们望着洪水，一点儿办法也没有。

【束之高阁】 shù zhī gāo gé 〔成〕

比喻放弃不用。(tie sth. up and place it on the top shelf — lay aside and neglect; shelve; pigeonhole)常做谓语。

例句 大学毕业后，他就把课本束之高阁了。|局领导换了人以后，这个计划就被束之高阁了。

【树】 shù 〔名〕

木本植物的通称。(tree)常做主语、宾语、定语。[量]棵。

例句 门前那几棵树又长高了。|苹果树结满了红红的苹果。|我们每年春天都要植树。|这种树的经济价值很高。|我的书里夹着一片红树叶。

▶“树”还做动词，指“树立”、“建立”。如：独树一帜|树雄心，立壮志。

【树干】 shùgàn 〔名〕

树木的主体部分。(tree trunk)常做主语、宾语、定语。[量]根。

例句 这棵松树的树干又高又直。|树干可用来加工成各种木材。|木料主要来自树干。|那棵古树太粗了，树干部分得三四个人才能合抱过来。

【树立】 shùlì 〔动〕

建立(多用于抽象的、好的事物)。(set up)常做谓语、定语。

例句 爸爸鼓励我要树立信心。|我们应该树立起良好的学风。|她是上级树立的典型。

辨析 〈近〉建立。“建立”的对象可以是具体事物，是中性词；“树立”含褒义，对象一般是抽象的事情。

【树林】 shùlín 〔名〕

成片生长的许多树木，比森林小。(woods)常做主语、宾语、定语。[量]片。

例句 这片树林长得真好。|后山的大片树林已经保护起来了。|穿过前面的树林，就到家了。|校园里有一片小树林。|这些树林的作用是挡住风沙。|一群猴子生活在这片树林中。

【树木】 shùmù 〔名〕

树的总称。(trees)常做主语、宾语、定语。[量]种，些。

例句 花草树木带给人们优美的生活空间。|城市树木对改善环境起着重要作用。|人和动物都离不开

树木。|树木的作用不仅在于经济价值上,更在于环境保护上。

【竖】 shù 〔动/形〕

〔动〕使物体跟地面垂直。(set upright)常做谓语。

例句 几个工人正在竖电线杆。|广场上竖着一根旗杆。|他一边说一边竖起大拇指。

〔形〕跟地面垂直的,从上到下的,从前到后的。(vertical; upright)常做谓语、定语、状语。

例句 这些木头有的竖,有的横。|你们矿有几对竖井?|他竖着画了一条线。

▶"竖"还做名词,指汉字的笔画,从上一直向下,形状是"丨"。

【数】 shù 〔名〕 另读 shǔ、shuò

数目。(number; figure)常做主语、宾语、定语。[量]个。

例句 这次到会的人数是最多的。|请统计一下各班需要的教材数。|孩子会数数(shǔ shù)了吧。|儿子会算十以内的数的加减法了。

▶"数"也指数学上表示事物量的概念。如:整数 小数 分数

▶"数"还做代词,指"几个"。如:数种产品 数小时

【数额】 shù'é 〔名〕

一定的数目。(a fixed number; a definite amount)常做主语、宾语、定语。[量]个。

例句 这个数额就能保证需要了。|参赛队的数额由组委会定。|这家公司交的税不足规定数额。|数额的多少还没确定。

【数据】 shùjù 〔名〕

进行各种统计、研究或设计等所依据的数值。(data)常做主语、宾语、定语。[量]种,个。

例句 实验得到的数据将由专家作分析。|这些数据是刚统计出来的。|有关人员已经统计出来了今年经济发展的各种数据。|现在已经找不到上次实验的原始数据了。|有几个人怀疑那些数据的准确性。

【数量】 shùliàng 〔名〕

事物的多少。(quantity; amount)常做主语、宾语、定语。

例句 第一批货物的数量已经由双方决定了。|世界上熊猫的数量已经不多了。|生产中要保证数量,也要保证质量。|参加的人达不到规定的数量。|数量的大小现在尚未统计。

【数目】 shùmù 〔名〕

通过单位表现出来的事物的多少。(number; amount)常做主语、宾语、定语。[量]个。

例句 这个数目他们能同意。|准确的数目现在还不清楚。|你算好以后,就把数目告诉她。|那家公司接受了保险公司提出的数目。

【数学】 shùxué 〔名〕

研究现实世界的空间形式和数量关系的科学,包括算术、代数、几何、三角、微积分等。(mathematics)常做主语、宾语、定语。[量]科,门。

例句 数学是门基础学科。|数学很早就产生了。|他从小就爱学数学。|他不喜欢背数学的公式和定理,也不想当数学家。

【数字】 shùzì 〔名〕

❶ 表示数目的文字或符号。(numeral)常做主语、宾语、定语。[量]个,些。

例句 汉字的数字有大写和小写两种。|阿拉伯数字世界通用。|老爷爷看不懂这些数字。|数字的书写必须清楚、规范。

❷ 数量。(amount)常做主语、宾语、定语。[量]个,些。

例句 这些数字很说明问题。|生产中不要盲目追求数字。|数字的大小可反映出工作的状况。

【刷】 shuā 〔动〕

❶ 用刷子清除或涂抹。(brush; paste up with a brush)常做谓语、定语、宾语。

例句 最好每天早晚各刷一次牙。|她把鞋刷好后晒在外面了。|刚刷的墙,别弄脏了。|一到家她就开始刷地。

❷ 比喻除名;淘汰(táotài)。(eliminate; wash)常做谓语。

例句 这次考试他被刷下来了。|他让厂里给刷了。

▶ "刷"还做象声词,形容迅速擦过去的声音。如:车刷地开过去了。

【刷子】 shuāzi 〔名〕

用毛、棕、塑料丝、金属丝等制成的清除脏物或涂抹膏(gāo)油等的用具,一般为长形或椭(tuǒ)圆形,有的带柄。(brush)常做主语、宾语、定语。[量]把。

例句 这把刷子已用了很多年了。|刷子准备好了,可以刷油了。|她去商店买了一把鞋刷子。|他拿出一把刷子来刷墙。|她看了看那把刷子的价钱后,觉得有点儿贵。

【耍】 shuǎ 〔动〕

❶ 表演。(play with; flourish)常做谓语。

例句 有个人正在体校院子里耍刀。|这是旧时艺人耍的把戏。

❷ 施展、表现出来。(play)常做谓语。

例句 他爱在别人面前耍威风。|你别耍什么手腕。

▶ "耍"在方言中还指"玩"。如:到公园去耍。

▶ "耍"在口语中有"戏弄"等意思。如:咱们被人耍了。

【衰】 shuāi 〔形〕

由强转弱。(decline; wane)常做谓语。

例句 母亲已经年老力衰了。|大风刮(guā)了一天后,风势渐衰。

【衰老】 shuāilǎo 〔形〕

年老精力衰弱(shuāiruò)。(old and feeble)常做谓语、宾语、定语。

例句 两年没见,他已经衰老多了。|爷爷越活越年轻,一点儿也没衰老。|爸爸身体健康,丝毫没有衰老的迹象。

【衰弱】 shuāiruò 〔形〕

(身体)失去强盛的精力、机能。(weak)常做谓语、定语。

例句 老人的心脏已经很衰弱了。|他神经衰弱,老是睡不着觉。|母亲衰弱的身体不能受刺激了。|他那颗衰弱的心脏随时都可能停止跳动。

▶ "衰弱"还做动词,指事物由强转弱。如:敌军的攻势已衰弱下去了。

【衰退】 shuāituì 〔动〕

(身体、精神、能力等)趋向衰弱,(国家的政治、经济状况)衰落。(fail; decline)常做谓语、定语、宾语。

例句 病后,他的记忆力衰退得很快。|经过这次事变,那个国家的经

济急剧衰退。|病人身体各器官的功能都出现了衰退迹象。|该国衰退的经济今年能否恢复呢?|他的心脏功能开始衰退。

【摔】 shuāi 〔动〕

❶(身体)失去平衡而倒下。(fall; lose one's balance)常做谓语、定语。

例句 那个孩子摔了一个跟头。|路太滑,不小心摔了一跤。|摔倒的时候我什么也不知道。

❷很快地往下落。(hurtle down; plunge)常做谓语。

例句 一个工人从楼上摔下来了。|为防止摔下来,必须系上安全带。

❸扔、使落下而破损。(break; cause to fall and break)常做谓语。

例句 他不小心把一个瓶子摔了。|箱子被摔坏了。|小孩正往地上摔玩具呢。

【甩】 shuǎi 〔动〕

❶挥动、抡(lūn),用甩的动作往外扔。(swing; throw)常做谓语。

例句 常甩甩胳膊(gēbo)对身体有好处。|姑娘把辫(biàn)子一甩就走了。|战士们正在练习甩手榴弹。

❷抛(pāo)开。(leave sb. behind; throw off)常做谓语。

例句 小李跑得飞快,把别人远远地甩在后面。|小伙子被姑娘给甩了。|你可不能甩下我们不管。

【帅】 shuài 〔形〕

英俊、潇洒(xiāosǎ),漂亮。(handsome; beautiful)常做谓语、定语、补语。

例句 这个主持人真帅。|他被人称为小帅哥。|那个帅小伙儿就是小丽的对象。|你的字写得真帅。

【率】 shuài 〔动〕 另读 lǜ

带领。(lead)常做带宾谓语。

例句 国家主席将于下月初率代表团出国访问。|这次由他率队参加比赛。|李先生率家眷(jiājuàn)回故乡探亲。

【率领】 shuàilǐng 〔动〕

带领(队伍或集体)。(lead; head)常做谓语。

例句 张部长率领一个考察团出国考察。|代表团由他率领。|将军率领队伍去了演习场。

【拴】 shuān 〔动〕

用绳子等绕在物体上系(jì)住,也比喻缠(chán)住而不能自由行动。(tie; fasten)常做谓语。

例句 猎人把马拴在一棵大树上。|他被琐(suǒ)事拴住了,来不了。|共同的理想把大伙儿拴在了一起。

【双】 shuāng 〔形/量〕

〔形〕两个、偶数的、加倍的。(two; twin; even; double)常做定语、状语、宾语。

例句 老人双目失明了。|我举双手赞成。|我的票是双号。|这次比赛,我们的男女队双双获胜。|我们要努力做到思想、学习双丰收。|年轻人成双成对地在公园里谈心。|中国人送礼喜双不喜单。

〔量〕用于成对的东西。(pair)常与数词、指示代词组成数量、指量短语做定语、主语、宾语。

例句 我买了一双高跟鞋。|幼儿园的孩子们睁着一双双大眼睛看着来访的客人。|这双筷子是象牙的。|这种袜子穿着很舒服,三双全要了。|这种新款鞋一天就卖了几十双。

【双方】 shuāngfāng 〔名〕

在某一件事情上相对的两个人或集体。(both sides)常做主语、宾语、定语。

例句 双方又举行了一次会谈。|男女双方都要对家庭负责。|能否成功,关键在于双方的诚意。|我们已分别致信双方,表示愿意出面调解。|谈判能否取得结果要看双方的诚意。|双方意见不一致,这事只好放下了。

【双向】 shuāngxiàng 〔形〕

指双方互相(进行某种活动)。(two-way)常做状语、定语。也用于“是…的”格式中。

例句 这项工作要双向展开。|毕业生与用人单位是双向选择。|他们开始进行双向服务。|两国间的双向交流开展得很好。|外语教育应当是双向的:既教中国人外语,又教外国人汉语。

【霜】 shuāng 〔名〕

空气中的水汽遇冷,在地面物体上凝(níng)结成的白色冰晶,也指像霜的东西。(frost; frostlike powder)常做主语、宾语、定语。[量]层。

例句 太阳一出来,霜就化了。|昨晚下霜了。|红叶经霜后显得格外地红。|晒干的海带上有一层盐霜。|北方的霜期比南方长。

▶ “霜”还比喻白色。如:霜鬓(bìn)

【爽】 shuǎng 〔形〕

❶ 明朗清亮。(bright; clear)常做谓语。

例句 那个老人神清目爽。|这一段时间秋高气爽,我们去玩玩吧。

❷ (性格)率(shuài)直,痛快。(straightforward)常做谓语。

例句 一般来说,北方人豪爽。|她为人直爽热情。

❸ 舒服、畅快。(feel well)常做谓语。

例句 他最近身体不爽。|中国有句古话,叫“人逢(féng)喜事精神爽”。

【谁】 shuí 〔代〕 另读 shéi

❶ 问不知道的人。(who)常做主语、宾语、定语。

例句 谁拿走了今天的报纸?|谁是你同屋?|您找谁呀?|是谁告诉你的?|谁的东西丢了?|这是谁的书?

▶ “你是谁?”这种问法语气较生硬,很少当面使用。

❷ 指代不能肯定的人。(someone)常做主语、宾语。

例句 好像谁跟我说过这事。|我并没有责怪谁。|上午有谁给我来过电话吗?

❸ 指代任何人。(anyone)常做主语、宾语、定语。

例句 我刚来,谁也不认识。|谁都不愿意落在后边。|谁想去就报名吧。|不管是谁,都得实事求是。|叫谁都行。|谁的人格都应该受到尊重。

【水】 shuǐ 〔名〕

❶ 最简单的氢(qīng)氧(yǎng)化合物,无色、无臭、无味的液体。(water)常做主语、宾语、定语。[量]公斤,升,滴,杯。

例句 水在零度时就会结冰。|地球表面水占70%。|生命离不开水。|给我来杯水,太渴了。|在人们的生活中,水的作用十分重要。

❷ 泛指江、河、湖、海。(a general term for rivers, lakes, seas, etc.)常做主语、宾语、定语。

例句 这儿的青山绿水让人留恋。|她就喜欢游山玩水。|我爱家乡的山和水。|那儿的水陆交通很繁忙。

▶ "水"指"江"、"河",还可构成专门名词。如:汉水 淮水

▶ "水"还指稀汁(zhī)。如:墨水 药水

【水产】 shuǐchǎn 〔名〕

海洋、江河、湖泊(húpō)里出产的动物、藻(zǎo)类的统称。(aquatic products)常做主语、宾语、定语。[量]种。

例句 水产是这个地区的主要经济来源。|这些水产是乡下亲戚(qīnqi)送来的。|我的家乡有各种水产。|现在爱吃水产的人越来越多了。|沿海的农村可以搞水产品深加工。

【水到渠成】 shuǐ dào qú chéng 〔成〕

水流到的地方自然形成渠道。比喻条件成熟,事情自然成功。(where water flows, a channel is formed — when conditions are ripe, success will come)常做谓语,也可做小句。

例句 只要准备工作做得好,事情的发展就会水到渠成。|别着急,问题一个个解决,水到渠成嘛!

【水稻】 shuǐdào 〔名〕

种在水田里的稻。(rice)常做主语、宾语、定语。[量]棵,株,片。

例句 水稻在中国南方大面积种植。|这种水稻是优质品种。|今年他家又多种了好几亩水稻。|农民正在田里收割水稻。|他是一位国际知名的水稻专家。|水稻的生长期在北方比较长。

【水滴石穿】 shuǐ dī shí chuān 〔成〕

水不断下滴,能把石头滴穿。比喻力量虽小,只要持之以恒,就能成功。(dripping water wears through rock — constant efforts bring success)常做宾语、定语、小句。

例句 要相信水滴石穿,坚持下去就一定能成功。|我们应该有水滴石穿的精神。|母亲每天为他按摩,十年下来,水滴石穿,居然治好了儿子那只有病的脚。|只要你不丧失信心,水滴石穿,终究会成功的。

【水电】 shuǐdiàn 〔名〕

用水力发出的电能。(hydropower)常做主语、定语、宾语。

例句 水电成本低,无污染,应该大力发展。|长江上游蕴藏着巨大的水电资源。|三峡水电站将是世界上最大的水电站。|这一带山区的人民自力更生办起了小水电。

【水分】 shuǐfèn 〔名〕

❶ 物体内所含的水。(moisture content)常做主语、宾语。[量]些。

例句 西瓜的水分很大。|今年天旱,蔬菜所含的水分很低。|植物必须吸收水分才能生长。|这批粮食所含水分太高,必须先烘干再入库。

❷ 比喻某一情况中夹杂的不真实的成分。(exaggeration)常做主语、宾语。

例句 这篇报道的水分太大了。|他发言的水分还不算多。|这个汇报明显加了水分。|他们上报的数字里有很大的水分。

【水果】 shuǐguǒ 〔名〕

可以吃的含水分较多的植物果实的统称,如梨、桃、苹果等。(fruit)常做主语、宾语、定语。[量]公斤,箱。

例句 这些水果是朋友送的。|水果营养丰富，对身体有好处。|多吃水果据说能美容。|水果的种类很多，生长的季节不一样。

【水火无情】 shuǐ huǒ wú qíng 〔成〕
指水灾火灾凶猛可怕。(floods and fires have no mercy for anybody)常做宾语或小句。

例句 大家都知道水火无情，所以一定要做好防范工作。|水火无情人有情，四面八方都向灾区人民伸出了援助之手。|水火无情啊，那次大水淹没了好多村庄。

【水货】 shuǐhuò 〔名〕
原指通过水路运输的走私货，现指一般通过不正当渠道(qúdào)进出口而销售的货物。(smuggled goods)常做主语、宾语、定语。[量]批，种。

例句 这批水货已于昨日被查封。|水货会冲击正常的国际贸易。|海关查出了一批水货。|国家禁止水货的销售。

【水库】 shuǐkù 〔名〕
拦洪蓄(xù)水和调节水流的水利工程建筑物，可以用来灌溉，发电和养鱼。(reservoir)常做主语、宾语、定语。[量]座，个。

例句 十三陵水库建于1958年。|这座水库对保证城市供水非常重要。|五十年来，中国建起了很多大小水库。|在洪水到来时既要发挥水库的作用，又要保证水库的安全。|这个水库的蓄水量不大。

【水力】 shuǐlì 〔名〕
海洋、河流、湖泊(húpō)的水流所产生的做功能力，是自然能源之一，可以用来做发电和转动机器的动力。(waterpower)常做宾语、定语。

例句 人们很早就懂得了利用水力。|用水力发电既经济又清洁。|村里建起了一座小型水力发电站。|中国西南部有丰富的水力资源。

【水利】 shuǐlì 〔名〕
利用水力资源和防止水的灾害，也是水利工程的简称。(water conservancy; irrigation works)常做定语、主语、宾语。

例句 水利设施受法律保护。|中国各级政府中都有一个水利部门。|水利是农业生产的重要保证。|水利和人民生活有直接关系。|每年冬季是兴修水利的大好时机。

【水落石出】 shuǐ luò shí chū 〔成〕
水落下去，石头就露出来。比喻事情的真相彻底显露出来。(when the water subsides, the rocks emerge — the whole thing comes to light)常做谓语、补语、定语。

例句 这个案子终于水落石出了。|他很想把事情弄个水落石出。|等到水落石出的时候，我再谢你。

【水泥】 shuǐní 〔名〕
一种建筑材料，是由石灰石等材料加工而制成的。(cement)常做主语、宾语、定语。[量]袋，车。

例句 水泥是现代建筑不可缺少的材料。|这袋水泥可能是从车上掉下来的。|工人正在搅拌水泥。|这水泥路面的质量不错。|我不太懂水泥的标号。

【水平】 shuǐpíng 〔名〕
在生产、生活、思想、文化、技术、业务等方面所达到的高度。(standard; level)常做主语、宾语、定语。[量]种。

例句 玛丽的汉语水平很高。|中国人民的生活水平不断提高。|这条生产线达到了90年代世界先进水平。|他这个人没水平，别和他说什么。|管理水平的高低直接影响一个企业的效益。

▶"水平"还做形容词，指"跟水平面平行的"。如：水平方向　水平距离

【水土】 shuǐtǔ 〔名〕

❶ 土地表面的水和土。(water and soil)常做主语、宾语。

例句 这儿的水土流失很严重。|大江大河的水土保持正在引起人们的高度重视。|森林和草原能保持水土。

❷ 泛指自然环境和气候。(natural environment and climate)常做主语、宾语。[量]方。

例句 俗话说"一方水土养一方人"。|刚来时，我有点儿水土不服，闹过几次病。|我去哪儿都能适应当地的水土。

【水泄不通】 shuǐ xiè bù tōng 〔成〕

形容十分拥挤，或包围得非常严密。(not even a drop of water could trickle through; be watertight)常做谓语、状语、补语。

例句 这次音乐会的规模前所未有，四面八方，水泄不通。|树林已经水泄不通地被包围了起来。|门外的人都抢着要进去，挤得水泄不通。|屋子被围得水泄不通。

【水源】 shuǐyuán 〔名〕

河流发源的地方，也指民用或工农用水的来源。(the source of a river; source of water)常做主语、宾语、定语。[量]处。

例句 长江、黄河的水源都在青藏高原。|这些水源已不能满足城市的需要。|考察队发现了这条河的水源。|由于缺水，我们必须开发新水源。|水源的考察工作正在进行。|我市新水源建设工程已经开始了。

【水灾】 shuǐzāi 〔名〕

因久雨、山洪暴发或河水泛滥(fàn làn)等原因造成的灾害。(flood)常做主语、宾语、定语。[量]场。

例句 这场水灾给人民生命和财产造成了巨大损失。|平时要注意保护生态和有关设施的建设，以免发生水灾。|他不在家，正好躲过了一场水灾。|这座城市已看不出水灾的痕迹了。|水灾中他救起了几个人。

【水涨船高】 shuǐ zhǎng chuán gāo 〔成〕

比喻事物随着它所依靠的基础的提高而提高。(when the river rises, the boat goes up)常做谓语、宾语、定语。或做小句。

例句 现在人们对住宅已不满足于有房子住了，而是水涨船高，希望住得更宽敞、环境更好。|青少年的足球水平提高了，国家队的水平就能跟着提高，这叫做"水涨船高"。|水涨船高的道理你不会不懂吧？|公司的效益一好，水涨船高，员工的工资也就提高了。

【水蒸气】 shuǐzhēngqì 〔名〕

气态的水。(steam)常做主语、宾语、定语。

例句 车间的水蒸气大得看不清人。|水蒸气弥漫了整个厨房。|水蒸发后就变成了水蒸气。|瓦特发现了水蒸气的作用。

【税】 shuì 〔名〕

国家向征税对象按税率征收的货币或实物。(tax)常做主语、宾语、定语。[量]种,类。

例句 税是国家的主要财政来源。|利息税从1999年11月开始征收。|国家主管部门每年依法征税。|纳税是公民应尽的义务。|有的国家税种特别多。|税款应及时上交国家财政。

▶"税"常和定语一起使用。如:农业税 所得税

【税收】 shuìshōu 〔名〕

国家征税所得的收入。(tax revenue)常做主语、宾语、定语。[量]项,种,笔。

例句 税收是国家主要的财政来源。|这项税收将用于城市建设。|国家想办法增加税收。|国家制定了明确的税收法规。

【睡】 shuì 〔动〕

睡觉,进入睡眠状态。(sleep)常做谓语。

例句 大多数中国人每天都早睡早起。|他已经睡着了。|昨天晚上我睡得香极了。

【睡觉】 shuì jiào 〔动短〕

进入睡眠状态。(sleep)常做谓语、定语,中间可插入成分。

例句 已经很晚了,我该睡觉了。|今天中午他也睡了一觉。|睡觉的时候要盖好被子。|你去把睡觉的人都叫起来。

【睡眠】 shuìmián 〔名〕

睡觉的生理现象。(sleep)常做主语、宾语、定语。[量]次。

例句 他的睡眠长期不足。|我最近睡眠不好,想去医院看看。|妈妈每天很忙,缺少睡眠。|我们劝他增加睡眠。|她已进入睡眠状态。

【顺】 shùn 〔形/动/介〕

〔形〕❶ 方向相同、有条理。(in the same direction; in order)常做谓语、定语、补语。

例句 她的头发又黑又顺,真不错。|他写的字句不太顺,要改一改。|老师把不顺的地方改了改。|要理顺各种关系。|弟弟把小狗的毛梳理顺了。

❷ 顺利。(successful)常做谓语。

例句 这些年他的生活一直不太顺。|这阵子他工作特别顺。

〔动〕❶ 使方向相同、使有秩序、有条理。(arrange; put in order)常做谓语。

例句 把船头顺过来。|请你顺顺这段文字。

❷ 顺从、依从。(obey; yield to)常做谓语。

例句 他对女儿百依百顺。|因为顺风,船走得很快。|你别坚持了,就顺着老人吧。

❸ 适合、如意。(suitable; agreeable)常做谓语。

例句 这一阵他很顺心。|他看这事不顺眼。|这些话不顺他的耳。

〔介〕依自然情势、沿着。(along)组成介词短语做状语。

例句 你顺着大道走吧。|水顺着山沟流下山来。|他顺着小路往前跑。

【顺便】 shùnbiàn 〔副〕

乘做某事的方便(做别的事)。[(do sth.)in addition to what one is already doing, without much extra ef-

S

fort]常做状语。

例句 上次去北京，顺便看了一位朋友。|你如果去书店，顺便帮我买本词典。|你别客气，我不过顺便罢了。

【顺利】 shùnlì 〔形〕

在事物的发展或工作的进行中没有或很少遇到困难。(smooth; successful)常做谓语、定语、状语、补语、主语。

例句 一路上很顺利。|事情顺利得很。|顺利的时候要想着还有困难的时候。|他很顺利地通过了考试。|试验进行得很顺利。|出国手续办得不太顺利。|工作的顺利使他很得意。

▶"顺利"可以作为吉利语来祝福别人。如：祝你工作顺利！

【顺手】 shùnshǒu 〔形〕

做事没遇到阻碍(zǔ'ài)，顺利。(smooth; without difficulty)常做谓语、补语。

例句 他开始讲课时不太顺手。|这个工具他现在用起来顺手多了。|这件事他办得很顺手。|刚开始比赛时他有点儿紧张，后来就打得顺手了。

▶"顺手"还做副词，指"随手"、"顺便"。如：他顺手摘下一个苹果。|我顺手把门关上了。

【顺序】 shùnxù 〔名〕

次序。(order)常做主语、宾语。

例句 这个顺序比较合理。|组织者调整了大会发言的顺序。|别把卡片的顺序弄乱了。|请按顺序入场。

▶"顺序"还做副词，指"顺着次序"。如：顺序前进 顺序退场

【说】 shuō 〔动〕 另读 shuì、yuè

❶ 用话来表达意思，解释。(say; speak; explain)常做谓语、定语。

例句 我不会唱歌，说个笑话吧。|他会说几门外语？|请你说说这段话的意思。|你说的话我不懂。|他又开始说了。|有的人喜欢说，但听的人不一定爱听。

❷ 批评。(scold)常做谓语及宾语。

例句 这事没做好，他被说了一顿。|爸爸说了她几句，她哭了。|最近我老挨说。

❸ 指说合，介绍。(act as matchmaker; introduce)常做谓语。

例句 最近别人给他说了个对象。|这事非你去说，她才能同意。

▶"说"还做名词，指"言论"、"主张"。如：著书立说

【说不定】 shuōbudìng 〔副〕

不一定，可能。(perhaps; maybe)常做状语。

例句 他说不定已经走了。|今晚说不定要下雨。|她说不定不能来了。

▶"说不定"还做动词短语，表示"还没决定"。如：他到底同意不同意现在还说不定。

【说长道短】 shuō cháng dào duǎn 〔成〕

评论别人的是非好坏。(indulge in idle gossip; make captious comments)常做谓语。

例句 有人说长道短，你也不要太往心里去。|做事要有分寸，免得让人说长道短。

【说东道西】 shuō dōng dào xī 〔成〕

说这说那，随意谈论各种事情。(chatter away on a variety of things)常做谓语、定语。

例句 他整天和几个邻居坐在门前说东道西。|我不喜欢听你说东道西。|不要养成说东道西的习惯。

【说法】 shuōfa 〔名〕

❶ 措辞(cuòcí)表达。(way of saying a thing; wording)常做主语、宾语。[量]个，种。

例句 这个说法不太合适。|书面语的说法有时口语也可以用。|我还不明白，你能不能换一种说法？|一个意思有时有两个说法。

❷ 意见、见解。(statement; version)常做主语、宾语、定语。[量]个，种。

例句 这个说法我不能接受。|很多说法都跟这事有关。|他相信外面的各种说法。|这是个大家都能接受的说法。|这种说法的根据是什么呢？

▶"说法"近年来还有"说明"、"态度"、"评价"等义。如：到底谁是谁非，他得给个说法。|这么处理太不公平了，我想向上级讨个说法。

【说服】 shuō fú 〔动短〕

用理由充分的话使对方心服。(persuade; talk sb. over)常做谓语、定语、宾语，中间可插入成分。

例句 我终于说服了他。|弟弟已经被说服了。|我怎么也说不服他。|一时想不通的人要多做说服工作。|大家对他进行了耐心的说服。

【说谎】 shuō huǎng 〔动短〕

有意说假话。(tell a lie)常做谓语、主语、定语，中间可插入成分。

例句 他这个人常常说谎。|你又在说谎吧？|那个孩子很诚实，从没说过谎。|说谎使他失去了很多朋友。|说谎的人没人再相信他。|说谎的时候，他脸红了。

【说明】 shuōmíng 〔动/名〕

〔动〕解释明白，证明。(explain; illustrate; show; prove)常做谓语、宾语、定语。

例句 请你说明一下事情的经过。|这恰好(qiàhǎo)说明他是正确的。|关于这项改革的意义，校长作了说明。|这事请你予以说明。|说明的语言要简洁些。|他正在考虑说明的方式。

〔名〕解释意义的话。(explanation)常做主语、宾语、定语。[量]份，段。

例句 每台电器都有一份详细的使用说明。|这段说明的意思很简单。

【说情】 shuō qíng 〔动短〕

代人请求原谅，给别人讲人情。(plead for mercy for sb.; intercede for sb.)常做谓语、宾语、定语，中间可插入成分。

例句 他给儿子说过情。|你别为他说情，这次一定要处分。|我讨厌说情。|尽管说情的人不断来他家，可他坚决抵制住了这股说情风。

【司】 sī 〔动〕

主持、操作、经营。(take charge of; manage)常做谓语，多用于固定格式，也做语素构词。

词语 司机　司仪　司令　司法

例句 工作中大家既各司其职，又密切协作。

▶"司"还做名词，指中国中央部级机关里比部低一级的部门。如：外交部礼宾司　国际合作司

【司法】 sīfǎ 〔名〕

S

指检察机关或法院依照法律对案件进行的侦查、审判。(judicature)常做主语、定语、宾语。

例句 司法是一种按法律程序进行的活动。|这个案子由司法机关依法进行审判。|公民要支持司法人员的工作。|不能让不懂司法的人搞司法。

【司机】 sījī 〔名〕

火车、汽车、电车等交通运输工具的驾驶员。(driver)常做主语、宾语、定语。[量]个,名,位。

例句 出租车司机把我送到了宾馆。|这位司机主动、热情地为乘客服务。|这孩子长大后要当一名司机。|游客对观光巴士的司机很满意。|司机的态度不太好。|大家觉得这个司机的技术不错。

【司令】 sīlìng 〔名〕

某些国家军队中主管军事的领导人。(commander)常做主语、宾语、定语。[量]个,位,名。

例句 司令亲自来到了前线。|司令亲切慰(wèi)问了伤员。|他最近被提升为司令了。|士兵都很佩(pèi)服他们的司令。|司令的命令已经下达。

【司令部】 sīlìngbù 〔名〕

军队中负责指挥的指挥机关。(command; headquarters)常做主语、宾语、定语。[量]个。

例句 司令部设在山下一座民房里。|司令部下达了进攻的命令。|我军摧毁(cuīhuǐ)了敌军司令部。|侦察员们掌握了敌军司令部的情况。

【丝】 sī 〔名〕

蚕丝,也指像丝的物品。(silk; a threadlike thing)常做主语、宾语、定语。[量]根,束。

例句 那根丝很细,一碰就断。|丝是中国传统的产品,可以加工成丝绸。|江苏和浙江都出产桑蚕丝。|这块肉切丝儿还是切片儿?|那批钢丝的质量很好。

▶ "丝"还做量词,指"极小或极小的量"。如:一丝风也没有。

【丝毫】 sīháo 〔名〕

极小或很小的;一点儿。(the slightest amount or degree; a particle; a shred)常做定语、宾语、状语,多用于否定句。

例句 母亲的态度没有丝毫的改变。|那儿丝毫的变化也没发生。|这些货和发货单上的不差丝毫。|发生这么大的事,他们竟丝毫没有察觉。|他在这个问题上丝毫不肯让步。

辨析 〈近〉一点儿。"一点儿"是副词,多用于口语,既可用于具体事物,也可用于抽象事物;"丝毫"多用于抽象事物。

【私】 sī 〔名〕

个人或跟个人有关的事情、利益。(private)在句中做主语、宾语、定语。

例句 公与私不是完全矛盾的。|公私应该分明。|他这样做是为私,不是为公。|我有点儿私事出去一下。|要正确处理公与私的关系。

▶ "私"还做形容词,指"自私"、"秘密而不合法的"。如:私心 大公无私 私货

【私人】 sīrén 〔名〕

个人,属于个人或以个人身份从事的事。(private)常做主语、宾语、定语。

S

例句 现在私人也可以办大学。|私人有权处理私有财产。|这些财产属于私人。|这是一家私人企业。|可以问你一个私人问题吗?

▶"私人"还做形容词,指"非公家的"、"个人与个人之间的"。如:私人关系 私人感情

【私营】 sīyíng 〔形〕

私人经营。(privately operated)常做定语。

例句 开放以来,私营企业越来越多。|这是一家私营工厂。|这些小商店多半是私营的。

【私有】 sīyǒu 〔动〕

私人所有。(privately owned)常做定语、宾语。

例句 私有财产受国家宪法保护。|这是一家私有企业。|那些财产不能划归私有。

【私有制】 sīyǒuzhì 〔名〕

生产资料归私人所有的制度。(private ownership)常做主语、宾语、定语。[量]种。

例句 私有制是产生剥削的基础。|私有制只能给一小部分人带来最大的好处。|不少国家实行私有制。|有些人反对私有制,有些人支持私有制。|私有制的发展规律是怎样的?

【私自】 sīzì 〔副〕

背着组织或有关的人,自己做(不合乎规章制度的事)。(privately; without permission)常做状语。

例句 他开车撞人后私自了结了。|你别私自拿走这些资料。|管理员私自决定了这件事。

【思】 sī 〔动〕

❶ 思考、想。(think; consider)常做谓语等,也做语素构词。

词语 思想 思考 沉思 思索

例句 这件事你要三思而行。|你别思前想后的了,快决定吧。

❷ 思念、怀念、想念。(miss; think of)常做谓语。

例句 一个人在国外,思乡是难免的。|那对青年苦苦相思了三年。

❸ 希望、打算。(wish; hope)常做谓语。

例句 他身居海外几十年,常常思归。|穷则思变,这块穷地方终于发展起来了。

▶"思"还做名词,指思路。如:文思敏捷

【思潮】 sīcháo 〔名〕

❶ 某一时期内在某一阶级或阶层中反映当时社会政治情况而有较大影响的思想潮流。(trend of thought)常做主语、宾语、定语。[量]股(gǔ),种。

例句 19世纪欧洲主要的文艺思潮是什么?|年轻人很欢迎这种新思潮。|这股思潮的来源令人深思。|很多人接受了这种思潮的影响。

❷ 接二连三的思想活动。(thoughts)常做主语。

例句 一想到就要见到久别的亲人,我就思潮起伏,久久不能平静。|火热的斗争场面使她思潮澎湃(péngpài)。

【思考】 sīkǎo 〔动〕

进行比较深刻、周到的思维活动。(think deeply)常做谓语、定语、宾语。

例句 每位员工都在认真思考公司的命运问题。|学生应该独立思考。|事情已经决定,没有思考的余地。

S

|这是经过认真思考才作出的决定。

辨析 〈近〉思索。"思索"还有"探索"的意思。"思索"能做状语,"思考"不能。

【思念】 sīniàn 〔动〕

想念。(think of;miss)常做谓语、定语、主语、宾语。

例句 老两口思念着远在边疆的孩子。|海外侨胞常常思念故土。|他终于回到了日夜思念的故乡。|这种思念折磨(zhémó)着她。|我抑制着对亲人的思念,坚持在青藏高原工作。

辨析 〈近〉怀念。"思念"的对象一般指可能再见到的人和事物,"怀念"则用在死去的人或不能再见到的事物。如:思念家乡的朋友 怀念死去的亲人

【思前想后】 sī qián xiǎng hòu〔成〕

形容前前后后地反复考虑。(think more)常做谓语、状语。

例句 别再思前想后了,大胆干吧。|我思前想后地反复考虑,不敢随便下结论。|爸爸思前想后地琢磨(zuómo)了半天,也没想好怎么对儿子说。

【思索】 sīsuǒ 〔动〕

思考探求。(think deeply)常做谓语、定语、主语、宾语。

例句 他认真地思索过关于人生的问题。|我经过了一个痛苦的思索过程才省悟过来。|三天的思索使他明白了问题出在哪儿。|姐姐说话常常不假思索。

【思维】 sīwéi 〔名〕

人在一定基础上进行分析、推断等认识活动的过程。(thinking)常做主语、定语。[量]种。

例句 他的思维有时候很简单,有时候又过于复杂。|他有一种独特的思维方式。

【思想】 sīxiǎng 〔名〕

客观存在反映在人的意识中经过思维活动而产生的结果,也指念头、想法。(thought; idea)常做主语、宾语、定语。[量]种。

例句 人的思想是从社会实践中产生的。|他这种思想有问题。|大家应该学习这种乐于助人的思想。|我早就有参军的思想。|领导应做好群众的思想工作。|每个人的思想水平是不同的。

【思绪】 sīxù 〔名〕

思想的头绪,思路。(train of thought)常做主语、宾语、定语。

例句 今天旧地重游,我思绪万千。|他思绪纷乱,想不出个结果。|客人来了,打断了我的思绪。|思绪的混乱在这篇文章中多处表现出来。

▶"思绪"还指情绪。如:思绪不宁

【斯】 sī 〔代〕

这、此、这个、这里。(this)常做定语、宾语。

例句 斯人已去,举国同悲。|斯时,全国正欢庆这一伟大节日。|我生于斯,长于斯,深爱这里的一切。|若早努力,何至于斯?

【斯文】 sīwen 〔形〕

文雅。(gentle)常做谓语、定语、状语、补语。

例句 他言谈文雅,举止斯文。|你别那么斯文,随便点儿。|他是个斯文的学生。|瞧你那斯斯文文的样儿!|他很斯文地喝了一小口酒。|她希望弟弟表现得斯文一些。

S

【撕】 sī〔动〕

用手使东西(成为薄片状的)裂开或离开附着处。(tear)常做谓语、定语。

例句 她把布撕成两块。|他不小心把这张画儿撕了一个口子。|我的信不知叫谁给撕开了。|撕碎的纸到处都是。

【死】 sǐ〔动/形〕

〔动〕(生物)失去生命。(die)常做谓语、定语、补语、宾语。

例句 他家死了一头牛。|那位老华侨死在国外。|因为干旱,树都快死了。|给树喷(pēn)了药以后,地上有许多死虫子。|几个农民在山里发现了一个死人。|她病死在医院中。|药物把病菌杀死了。|探险就得不怕死。

辨析 〈近〉逝世。"逝世"为书面语,是敬辞,只用于人;且只是动词,不能做补语。如:那位老人逝世(死)了。

〔形〕❶ 固定、死板,不活动。(fixed; rigid; inflexible)常做谓语、状语、补语、定语。

例句 他这个人心眼儿很死。|你的脑筋(nǎojīn)太死了,要放活点儿。|学习别死记硬背。|他死不同意,我也没办法。|我们把时间定死吧!|她把话说得很死。|他是个死脑筋,你开导开导他吧。

❷ 不能通过。(impassable; closed)常做定语、补语。

例句 原来这是条死胡同。|再这样下去只能是死路一条。|他把墙上的洞堵死了。|这个大门已经被封死了。

❸ 不可调和的。(implacable)常做定语。

例句 他俩是多年的死对头。|这些蝗(huáng)虫是庄稼的死敌,一定要消灭它们。

❹ 表示坚决、达到极点等。(extremely; to death)常做状语、补语。

例句 只有死战才能胜利。|知道我考上了研究生,妈妈高兴死了。

【死亡】 sǐwáng〔动〕

失去生命。(die)常做谓语、主语、宾语、定语。

例句 经医生检查,受伤者已经死亡。|那里的森林正在大片死亡。|死亡并不可怕,可怕的是没有希望。|这个时候,大家都要勇敢地面对死亡。|他们正一步一步走向死亡。|世界上人口的死亡率越来越低了。|他在死亡线上挣扎。

【死刑】 sǐxíng〔名〕

剥夺(bōduó)犯人生命的刑罚。(death penalty)常做主语、宾语、定语。

例句 死刑是对重罪犯的惩罚。|死刑有缓期执行的。|那个杀人犯被判处了死刑。|有些法律专家建议取消死刑。|法官宣布了死刑判决书。

【四】 sì〔数〕

数目。(four)常做定语、主语、宾语。

例句 机场的飞机还剩四架。|他们已走了四天了。|四除以二等于几?|有的国家不喜欢"四"这个数字,认为不吉利。

【四处】 sìchù〔名〕

周围各地,到处。(all around)常做状语、定语、主语、宾语。

例句 毕业后他四处奔波,最后才找到了一份工作。|孩子不见了,全

家四处找也没找着。|四处的人都聚到了一起。|这个家呀,四处都是你的东西。|老人过生日时,在四处工作的孩子都回来了。

【四方】 sìfāng 〔名〕

东、南、西、北,泛指各处。(the four directions; all sides)常做主语、宾语、状语、定语。不用量词。

例句 他振臂一呼,四方响应。|抗洪英雄的名字传遍了四方。|这位作家年轻时曾遍游四方。|妈妈四方奔走才救了女儿的命。|大家四方努力,这事终于成了。|这次活动,四方朋友都来参加了。|晚上市长宴请四方宾客。

▶ "四方"还做形容词,指正方形的或立体的,可说成"四四方方"。如:四方脸 四方盒子

【四分五裂】 sì fēn wǔ liè 〔成〕

分裂成很多块。(fall apart; be rent by disunity; be all split up; disintegrate)常做谓语、定语、补语。

例句 那个国家已经四分五裂了。|四分五裂的国家机器已经陷入了瘫痪。|他们的内部搞得四分五裂,人心惶惶。

【四季】 sìjì 〔名〕

指春、夏、秋、冬,每季三个月。(the four seasons)常做主语、宾语、定语。

例句 昆明四季如春,气候宜人。|中国北方四季分明。|南亚地区没有四季。|现在蔬菜瓜果的供应已经不分四季了。|这个地区四季的变化很明显。

【四面八方】 sì miàn bā fāng 〔成〕

泛指周围各地或各个方面。(all around; far and near)常做主语、宾语、定语。

例句 这事发生不久,四面八方就都知道了。|与会者来自四面八方。|这个消息已传到了四面八方。|听说需要献血,人们很快就从四面八方赶来了。|开业典礼上,他请来了四面八方的朋友。

【四通八达】 sì tōng bā dá 〔成〕

四面八方都有路相通。形容交通方便,畅通无阻。(extend in all directions)常做谓语、定语、补语。

例句 现在的公路网四通八达,想去哪儿都很方便。|四通八达的交通促进了经济的发展。|这几年,家乡的路修得四通八达了。

【四肢】 sìzhī 〔名〕

指人体的两上肢和两下肢,也指某些动物的四条腿。(the four limbs; arms and legs)常做主语、宾语、定语。

例句 有些动物的四肢已经退化了。|别看他四肢发达,可头脑简单。|健美操既可以锻炼四肢,也使人心情愉快。|中风以后,四肢的灵活性不如以前了。

【四周】 sìzhōu 〔名〕

周围,也说"四周围"。(all around)常做主语、状语、定语。

例句 夜里很安静,四周没有一点儿声音。|他四周走了走就回来了。|我四周打听,也没打听到。|四周的人都过来了,问他有什么事。|他对新家四周的环境很满意。

【寺】 sì 〔名〕

一般指佛教庙宇。(temple)常做主语、宾语、定语。[量]座。

例句 这座佛寺已有五百年历史了。|那是一座有名的古寺。|那就是少林寺。|当地老百姓都去那座

S

寺烧香。|这座古寺的规模很大。

【似】 sì 〔动〕 另读 shì

像,如同。(similar; like)常做带宾谓语,多用于固定格式或做语素构词。

例句 他的话有点儿似是而非。|他脸上一副似笑非笑的样子,我不明白他在想什么?

▶"似"还做副词,指"似乎"。如:似应办理　似属可行

【似乎】 sìhū 〔副〕

仿佛、好像。(as if; seemingly)常做状语。

例句 他似乎发觉了点儿什么。|这个房间似乎很长时间没打扫了。|似乎有人早就预计到会这样了。|他似乎理解了我的意思。

辨析 〈近〉仿佛,好像。"仿佛"、"似乎"多用于书面语,"好像"多用于口语;"好像"还做动词。

【似是而非】 sì shì ér fēi 〔成〕

好像对,实际上并不对。(apparently right but actually wrong)常做谓语、定语、状语、补语。

例句 这种理论似是而非,很容易让人上当。|他说的话似是而非,你要认真想想。|我被这似是而非的理由弄糊涂了。|这些似是而非的观点要认真分析。|他似是而非地表了个态。|这番话讲得似是而非。

【似笑非笑】 sì xiào fēi xiào 〔成〕

好像笑又不像笑。(a faint smile on someone's face)常做谓语、定语、状语。

例句 老板脸上似笑非笑,员工们不明白是什么意思。|她似笑非笑的样子让人不知所措。|他似笑非笑地"嘿"了声。|我只好似笑非笑地敷衍(fūyǎn)了一下。

▶"似…非…"为汉语构成短语的一种格式,中间加入同一个单音节名词、动词或形容词。如:似马非马　似懂非懂　似红非红

【饲料】 sìliào 〔名〕

喂家畜或家禽(qín)的食物。(feed)常做主语、宾语、定语。[量]种,袋,公斤。

例句 那些饲料够吃一阵子了。|他开了个小工厂,专门加工饲料。|这种饲料的质量很好。

【饲养】 sìyǎng 〔动〕

喂养(动物)。(raise)常做谓语、定语、宾语。

例句 他办了个奶牛场,饲养了一百多头奶牛。|城里人很难饲养什么动物。|她是鸡场的饲养员。|这种珍稀动物在动物园已经开始人工饲养了。

辨析 〈近〉喂养。"饲养"的对象是动物;"喂养"的对象可以是动物,也可以是人。

【驷马难追】 sì mǎ nán zhuī 〔成〕

四匹马拉的车子也追不回已说的话。指话一出口就无法再收回。(a word once spoken cannot be taken back even by a team of four horses — what has been said cannot be unsaid)常做谓语。

例句 大丈夫说话驷马难追,怎么会反悔呢?|常言道:"一言既出,驷马难追",这件事就这样说定了。

【松】 sōng 〔形/动〕

〔形〕❶(事物结构)不紧密。(loose; slack)常做谓语、定语、状语、补语。

例句 那儿的土质很松。|捆好的

S

书一下子又松了。|爷爷取了一些松土回家养花。|他把鞋带松松地系(jì)上了。|你绑(bǎng)得太松。|他把土挖得松松的。

❷ 经济宽裕(yù)。(not be hard up)常做谓语。

例句 这几年我手头松了点儿,常出去旅游。|他这阵子手头并不太松,别跟他借钱了。

❸ 不坚实。(light and flaky; soft)常做谓语。

例句 这种点心又松又软,特别适合老人、小孩。|这种树木质太松,做家具不行。

〔动〕使松、解开、放开。(relax; loosen)常做谓语、定语。

例句 终于完成了任务,大家松了一口气。|孩子一松手,气球就飞了。|吃得太饱,把腰带松了松。|松开的绳子又让他捆紧了。

【松树】 sōngshù 〔名〕

种子植物,一般为常绿乔木,叶子针形,木材和树脂都可利用。(pine tree)常做主语、宾语、定语。[量]棵,片。

例句 松树到了冬天也是绿的。|在中国,松树常比喻长寿或气节高。|"岁寒三友"指的是松树、竹子和梅花。|这一带山坡上种了许多松树。|松树的树脂可以加工成松节油。|他摘了一些松树枝做成了一个大花环。

【耸】 sǒng 〔动〕

❶ 向上动,直立。(shrug; tower aloft)常做谓语。

例句 他耸了耸肩,表示毫无办法。|位于市中心的贸易大厦高耸入云。

❷ 引起注意,使人吃惊。(alarm; shock)常做谓语。

例句 你别危言耸听,没那么严重。|这太耸人听闻了。

【送】 sòng 〔动〕

❶ 把东西运去或拿出给人。(deliver; carry; give)常做谓语、定语。

例句 他给我送来一封信。|我送了件生日礼物给她。|你送的情报很重要。|她能来,我就很满足了,送的礼物我没收。

❷ 陪着离去的人一起走。(see sb. off or out)常做谓语及定语。

例句 我把朋友送到了机场。|他要走了,我们送送他吧。|你们挺忙的,别送了。|这次送的人是谁?

【送礼】 sòng lǐ 〔动短〕

赠送礼物。(give sb. a present)常做谓语、定语、主语、宾语,中间可插入成分。

例句 他俩结婚,我们应给他们送点儿礼。|这家公司开张时很多人去送贺礼。|他俩办喜事,送礼的人很多。|这种送礼的方式我还没见过。|请客、送礼现在比较流行。|他这个人从不喜欢送礼。

【送行】 sòng xíng 〔动短〕

到远行人出发的地方和他告别,看着他离开。(see sb. off)常做谓语、定语,中间可插入成分。

例句 她出国时很多人去送了行。|我为你送行来了。|到时候我们去机场给他送行。|送行的人很多,大家都有些依依不舍。

【搜】 sōu 〔动〕

❶ 寻找。(look for)常做语素构词。

词语 搜集 搜罗 搜求

例句 他搜集了不少特种邮票。|

他最近搜罗到一批史料。

❷ 搜索、检查。(search)常做谓语及定语。

例句 警察在地下室搜出了被盗物品。|搜他的时候一定要仔细。|搜到的任何东西都必须登记备案。

【搜查】 sōuchá 〔动〕

搜索检查(犯罪的人或违禁的东西)。(search)常做谓语、定语、宾语。

例句 警察搜查了那个犯罪嫌疑人的家。|他们已经搜查了两遍,可还是没有找到线索。|这次搜查的重点是毒品。|搜查的时间很短,但收获很大。|接到命令后他们立即开始搜查。

辨析 〈近〉搜索。对象不一样,“搜查”的对象是“罪犯”或“违禁物品”,“搜索”的对象是“隐藏的人或东西”。

【搜集】 sōují 〔动〕

到处寻找(事物)并聚集在一起。(collect;gather)常做谓语、定语、宾语。

例句 他搜集的文物都送到了博物馆。|这是搜集的最新资料。|这种名家字画,他最喜欢搜集。

辨析 〈近〉收集。“收集”没有寻找的意思,也不限于物,可用于人;“搜集”的对象是珍贵的,“收集”则不一定。如:搜集(收集)邮票 收集废品

【搜索】 sōusuǒ 〔动〕

仔细寻找(隐藏的人或东西)。(search for; hunt for)常做谓语、定语、宾语。

例句 战士们正在搜索残敌。|警方派人四处搜索那幅失窃的名画。|科学家研制出了搜索系统。|这种搜索功能只有鹰才具备。|接到命令后他们停止了搜索。|考察队员休息了一会儿后又开始搜索了。

【艘】 sōu 〔量〕

用于船只。(*measure word for boats or ships*)常做定语、主语、宾语。

例句 这艘油轮很大。|港口又驶来一艘客轮。|这些船中,有一艘是新的。|那些客轮,两艘开往上海,一艘开往天津。|港内的货船已走了几艘。|外国货轮还剩一艘。

【苏醒】 sūxǐng 〔动〕

昏迷后醒过来。(revive; come to)常做谓语、定语、宾语。

例句 春天到了,大地渐渐苏醒了。|医生赶到时,病人还没苏醒。|苏醒的大地充满了生机。|病人已经苏醒了。

【俗】 sú 〔名/形〕

〔名〕风俗。(custom)常做宾语、主语,多用于固定格式或做语素构词。

词语 风俗 民俗 世俗 习俗

例句 既然到了这儿,你就入乡随俗吧。|时代不同了,年轻人应该移风易俗。|这些陋俗应该改一改了。

〔形〕❶ 大众的,普遍流行的。(popular; common)常做状语、定语。

例句 坐出租车俗称“打的”。|这种植物还有一个俗名。|中国有很多俗语。

❷ 不高尚,低级的。(vulgar)常做谓语、定语、补语。

例句 那样打扮太俗了。|这个人实在俗极了。|她穿了一件很俗的衣服。|他说了一句很俗的话,大家听了都很不舒服。|这幅画儿画得有些俗。

【俗话】 súhuà 〔名〕

通俗并广泛流行的定型的语句，又称“俗语”。(common saying)常做主语、宾语、定语。[量]句。

例句 俗话说得好：“要想人不知，除非己莫为。”|那句俗语主要是批评不努力的人。|他知道许多中国的俗话。|我不懂这句俗话的意思。

▶“俗话”(俗语)是汉语熟语的一种，大多是劳动人民创造的简练而形象的语句，反映了生活经验和愿望。如：世上无难事，只怕有心人。|一个篱笆(líba)三个桩，一个好汉三个帮。

【诉】 sù 〔动〕

❶ 说给人；倾吐(qīngtǔ)(心里的话)。(tell; pour out)常做谓语，多用于构词。

词语 告诉 诉说 倾诉

例句 你别老是诉苦，还是多想想怎么干好工作吧。|这对久别重逢的恋人正在互诉衷情。

❷ 控诉。(appeal to; resort to)常做语素构词。

词语 控诉 上诉 诉状

例句 她控诉了他的罪行。|他上诉到了高等法院。

【诉讼】 sùsòng 〔动〕

检查机关、法院及民事案件中的当事人、刑事案件中的自诉人解决案件时进行的活动。(lawsuit)常做谓语、主语、宾语、定语。

例句 他们这案子正在诉讼。|这对夫妻要去法院诉讼。|这案子的诉讼已经开始了。|诉讼要以法律作为依据。|那家公司为讨还债务向法院提出了诉讼。|近年来，有关经济方面的诉讼活动大量增加。

▶“诉讼”俗称“打官司”。

【肃】 sù 〔动/素〕

〔动〕彻底清除(坏人、坏事、坏思想)。(clean up)常做谓语，多用于固定格式。

例句 政府正在肃贪，清除贪污行为。|该整肃纪律了。

〔素〕恭敬；使人敬畏，严格的。(respectful)用于构词。

词语 肃立 肃然起敬 严肃 肃静

【肃清】 sùqīng 〔动〕

彻底清除(坏人、坏事、坏思想)。(clean up; mop up)常做谓语。

例句 肃清封建迷信是一场长期的斗争。|这种不良现象必须肃清。

辨析 〈近〉清除。“肃清”的词义重，此外“清除”的对象还可以是具体事物。如：肃清(清除)坏思想(坏人、坏事) 清除垃圾

【肃然起敬】 sùrán qǐ jìng 〔成〕

生出严肃而敬仰的感情。(be filled with deep veneration)常做谓语、定语。

例句 听说这便是大名鼎鼎的作家，大学生们不觉肃然起敬。|本来样子平凡的一棵树，当你知道它的那些不平凡的故事之后，就会禁不住对它肃然起敬。|我们都用肃然起敬的目光望着他。

【素】 sù 〔形/名〕

〔形〕❶ 本色、白色、颜色单纯不鲜艳。(white; simple)常做谓语、定语、补语。

例句 白床单太素了。|这块布料颜色和花儿都素得很。|她穿了一

套素衣裙。|这身素衣服很适合她。|这块地毯设计得很素。

❷ 本来的，原有的。(native)常做语素构词。

词语 素质 素材

〔名〕❶ 蔬菜(shūcài)，瓜果等食物。(vegetable)常做主语、宾语。

例句 三荤一素摆在桌上。|我荤素都能吃。|老人信佛，只吃素，不吃荤。

❷ 带有根本性质的物质。(basic element)常做语素构词。

词语 元素 因素 色素

例句 维生素对人体有益。|这种植物含有一种毒素。

▶ "素"还做副词，指"向来"。如：素不相识 平素

【素质】 sùzhì 〔名〕

指事物本来的性质，也指人平日的修养或身体上先天的特点。(quality)常做主语、宾语、定语。[量]种。

例句 他身体素质非常棒。|每个人的自身素质都不一样。|中国政府努力提高全民的科学文化素质。|他具有良好的心理素质。|文化素质的高低取决于教育程度。|素质教育是培养人才的关键问题。

辨析 〈近〉素养。"素养"只指平时的修养，词义范围比"素质"小。

【速】 sù 〔形/素〕

〔形〕快。(fast; quick)常做状语，也用于构词。

词语 速成 速效 速写

例句 请速来我公司商谈。|这事要速战速决。

〔素〕同"速度"。(speed)常用于构词。

词语 风速 光速 车速 时速 高速 快速

例句 车速太快容易出事。|这种新型列车时速达200公里。

【速成】 sùchéng 〔动〕

将学习期限缩(suō)短，在短期内很快学完。(gain a quick mastery of a course or subject)常做定语、谓语。

例句 他进了速成班，所以进步很快。|速成教育也是教育方式的一种。|按原计划不能满足学习者的要求，应该速成。

【速递】 sùdì 〔动〕

通过邮局或专门公司快速投递。(express)常做谓语、定语。

例句 我把包裹速递给他。|邮局开办了速递业务。|现在速递公司越来越多。

【速冻】 sùdòng 〔动〕

快速冷冻。(quick-freeze)常做谓语、定语。

例句 把饺子速冻起来。|速冻食品很受欢迎。|商店有各种速冻饺子。

【速度】 sùdù 〔名〕

运动物体在某一个方向上单位时间内所通过的距离，也泛指快慢的程度。(speed)常做主语、宾语、定语。[量]种，个。

例句 火车进站时，速度减慢了。|车子的速度太快了，不安全。|一上高速公路，司机马上提高了速度。|没时间了，要加快速度。|五点钟能不能到，要看速度的快慢。|短跑速度的提高要靠科学的训练。

【宿】 sù 〔动〕 另读 xiǔ、xiù

夜里睡觉；过夜。(lodge for the

S

night)做谓语,多做语素构词。

词语 宿舍 宿营 住宿

例句 夏天,有人露宿在外边。|他们在一家小旅馆宿下了。

【宿舍】 sùshè 〔名〕

企业机关、学校等供给工作人员及家属或学生的房屋。(hostel; dormitory)常做主语、宾语、定语。[量]个,间。

例句 这间宿舍收拾得很干净。|学生宿舍设有专人管理。|工厂旁边就是一片家属宿舍。|你住单位的宿舍还是自己的房子?|宿舍的卫生要靠大家保持。|请爱护宿舍的设备。

【塑】 sù 〔动/名〕

〔动〕用泥土等软质材料制作人像等。(mould)常做谓语。

例句 那个工艺美术家正在塑一尊人像。|这种材料没法塑。

〔名〕同“塑料”。(plastics)常做定语、宾语。

例句 这些是全塑家具。|现在流行塑钢门窗。|他家装修用的是涂塑壁纸。

【塑料】 sùliào 〔名〕

以树脂等高分子化合物为基本成分加热加压而成的,具有一定形状的材料,种类很多,应用也极广泛。(plastics)常做主语、宾语、定语。[量]种。

例句 塑料在某些方面已经代替了钢铁和木头。|这种塑料质优价廉。|我们厂生产了一种新型塑料。|这个产品的外壳(ké)全是塑料。|塑料的用途越来越广。|这些都是塑料制品。

【塑造】 sùzào 〔动〕

用泥土等可塑材料塑成人物形象,也泛指用语言文字或其他艺术手段表现人物形象。(mould; portray)常做谓语。

例句 市中心广场正在塑造一座纪念铜像。|这篇小说塑造了一个农民英雄的形象。

【酸】 suān 〔形〕

❶ 像醋(cù)的气味或味道。(sour; tart)常做谓语、定语、补语。

例句 醋放多了,菜的味道太酸了。|这个苹果酸得很。|我不喜欢吃酸东西。|这股酸味实在难闻。|牛奶变酸了,不能喝了。|这个菜做得太酸了。

❷ 难过、伤心。(sick at heart)常做谓语。

例句 我鼻子一酸,掉下了眼泪。|这事真让我心酸。

❸ 因疲劳或疾病引起的微痛而无力的感觉。(ache)常做谓语、补语等。

例句 妈妈年纪大了,常腰酸腿疼。|我手腕儿(wànr)酸酸的,一点劲儿也没有。|怎么还不来?我腿都站酸了。|一直坐着,腰都坐酸了。

▶ “酸”还做名词,指一种化合物。如:盐酸 硫(liú)酸

【蒜】 suàn 〔名〕

也叫大蒜。(garlic)常做主语、宾语、定语。[量]棵,头,瓣(bàn)。

例句 蒜有一股刺激性的辣味。|蒜可以做菜,也可以入药。|他家种了一畦蒜。|中国北方人常常爱吃生蒜。|我受不了蒜的气味。|蒜的药用价值,很多人都知道。

【算】 suàn 〔动〕

❶ 根据已知数用数学方法得到未

S

知数；推测。(calculate；suppose)常做谓语、宾语。

例句 他一下午算了三十多道算术题。|我去的时候，他正在算账。|我算他今天晚上该回来了。|他想了一下后又开始算起来。

❷ 包括进去。(include；count)常做谓语。

例句 明天的活动算我一个。|算上他，一共有二十个人报名。

❸ 认做、当做。(regard as)常做谓语。

例句 他可以算一个好学生。|你们挑剩下的都算我的。|她不算是我的朋友。

❹ 承认有效力。(carry weight；count)常做谓语。

例句 你这话算不算数？|我说了不算，要经理决定。

❺ 计划。(plan)常做语素构词。

词语 打算　盘算　暗算　失算

例句 我打算放假时去旅游。

▶"算"还做副词，指"终于"。如：最后总算把这个题做出来了。

【算了】 suàn le 〔动短〕

不继续做(某事)。(let it be；let it pass)常做谓语。

例句 一点儿小事，说清楚就算了。|现在太忙，晚会的事我看算了吧。|算了，我不想再干了。|算了，算了，大家都别说了。

【算盘】 suànpán 〔名〕

一种计算数目的用具，分上下两部分，用珠子代替数目。(abacus)常做主语、宾语。[量]把。

例句 爷爷的这把算盘用了几十年。|算盘是一种古老的计算用具。|现在的财务人员用电脑，也用算盘。|算盘的好处是方便快捷，有时电脑也无法代替。|小王很快就学会了算盘的打法。

▶"算盘"在口语中还比喻"计划"、"打算"。如：如意算盘|你别光打自己的算盘了。

【算是】 suànshì 〔副〕

总算。(at last)常做状语。

例句 这一下你算是猜着了。|我的理想今天算是实现了。|一直到退休，他才算是完全轻松了。

【算术】 suànshù 〔名〕

数学中最基础、最初等的部分。(arithmetic)常做主语、宾语、定语。

例句 算术不太难学。|算术是一门基础知识。|那个孩子不喜欢学算术。|这道算术题把他难住了。|要用算术的方法来解这道题。

【算数】 suàn shù 〔动短〕

❶ 承认有效力。(count；hold)常做谓语。

例句 说话算数才有信用。|他常常说话不算数，所以没人相信他。|你说的话算数吗？

❷ 表示"到…为止"。(end)常做谓语。

例句 他决心继续努力，学会了才算数。|这些活儿不干完不算数。

【虽】 suī 〔连〕

用在复句前一分句的主语后，表示先承认某一事实，后接转折义分句。(though；although)

例句 奶奶虽然上了年纪，身体却很好。|我们虽是邻居，但像一家人一样。|他虽没来，但把副手派来了。

S

▶"虽"还表示"即使"。如：虽败犹荣

辨析〈近〉虽然。"虽"只用于前一分句，"虽然"可用于前一分句，也可用于后一分句，"虽"只用于主语后。"虽然"用在主语前后都可以，"虽"为书面语。"虽然"书面语、口语都用，也没有"即使"的意思。

【虽然】　suīrán　〔连〕

用在复句中，表示先承认某一事实，后接转折。(though; although)用在前一分句时，后一分句常用"但是"、"却"、"也"、"仍然"等词呼应，也可用在后一分句中。

例句　虽然我认识她，但是对她不太了解。|他虽然走了，东西却还在。|我虽然不喜欢这个菜，也能吃点儿。|他书读了不少，虽然年纪不大。|我怎么也找不到路了，虽然在这儿住过一年。

【虽说】　suīshuō　〔连〕

同"虽然"。(although)可用于前一分句，后一分句常用"但是"、"却"等词呼应，也可用于后一分句。

例句　虽说是开玩笑，但是他有点儿不高兴了。|她虽说才十六岁，各种家务活儿都会干了。|他一点儿也不紧张，虽说是第一次登台。|她有点儿不满，虽说没表现出来。

S

【随】　suí　〔介/动〕

〔介〕跟着。(along with)与名词、代词组成介词短语做状语。

例句　随着形势的发展，我们的任务更重了。|红旗随风飘动。|我们都随他一块儿到了那儿。

〔动〕跟随、顺从、任凭。(follow; comply with; let)常做谓语，也构成短语做定语。

例句　只要你做得对，我们都随着。|去不去随你吧！|入乡要随俗，这是句古话。|他是个随团翻译。|小李要求当一名随军记者。

▶"随"还做副词，指"不管什么时候"。如：随叫随到　随坏随修

【随便】　suíbiàn　〔形〕

不在数量、范围等方面加限制，怎么方便就怎么做。(informal; do as one pleases)常做谓语、定语、状语、补语等。

例句　你说话别太随便了。|她随随便便的样子让爸爸很不满意。|别麻烦，随便来点儿什么吃的就行。|他表现得很随便，你别放在心上。

▶"随便"还做连词，指"无论"、"任凭"。如：随便什么戏，他都爱看。

▶"随便"也做动词短语，指"按某人的方便"。如：随你的便。你想怎样就怎样。|A：想喝点儿什么？B：随便。

【随后】　suíhòu　〔副〕

表示紧接着某种行为或某种情况之后。(soon; afterwards)常做状语。

例句　你走吧，我随后就到。|我先去了一趟邮局，随后就去上班。|刚刮了半天大风，随后下起了瓢泼大雨。

【随即】　suíjí　〔副〕

随后就；立刻。(immediately)常做状语。

例句　外方参加洽谈之后随即回国了。|他去海关办完手续，随即又返回了公司。|她才说了几句话随即便被叫走了。

▶"随即"多指已经发生的事。

【随时】　suíshí　〔副〕

不管什么时候，有需要或有可能的

时候。(at any time; whenever necessary)常做状语。

例句 有问题随时可以来问我。|厂家维修人员可以随时上门服务。

【随时随地】 suí shí suí dì 〔成〕

在任何可能的时候与可能的地方。(at all times and all places)常做状语。

例句 我的旧自行车随时随地都可能坏。|王奶奶随时随地都要有人陪着。|他随时随地都在说这件事。

【随手】 suíshǒu 〔副〕

顺手;做某事时顺便(做)。(conveniently; without extra trouble)常做状语。

例句 请随手关门。|他随手从本子上撕下一张纸,写给我他的住址。|你别随手乱扔废纸。

【随心所欲】 suí xīn suǒ yù 〔成〕

随着自己的心意,想干什么就干什么。(follow one's inclinations; have one's own way; do as one pleases)常做谓语、定语、状语。

例句 你怎么能这么随心所欲呢?|她们的讨论后来变成了随心所欲的争吵。|你不能随心所欲地想什么时候上班就什么时候上班。

【随意】 suíyì 〔形〕

任凭自己的意思。(at will)常做状语、谓语。

例句 这个地方可以随意出入。|请大家随意点菜。|你别随意乱闯。|课堂上你别太随意了。

▶ "随意"有时是口语中的客气话。如:(在宴会上)这杯酒我干(gān)了,各位请随意。|去长城还是故宫,大家随意吧。

【随着】 suízhe 〔动〕

跟随;或表示产生某种结果的依据条件。(along with)组成动词短语做状语、谓语。

例句 语言随着社会的发展而发展。|随着市场的变化,我们公司调整了计划。|这几天他一直随着大家。|他已随着部队转移了。

▶ "随着"也做副词,意为"接着"、"跟着"。如:看见妻子进来,他的表情也随着发生了变化。

【岁】 suì 〔量〕

表示年龄的单位。[year(of age)]常与数词组成数量短语做宾语、谓语、宾语、主语。

例句 他有三十岁了。|她好像又回到了十六岁。|我母亲今年已经六十岁了。|小李的孩子刚一岁。|那个二十岁的小伙子刚上大学。|六十岁就该退休了。

▶ "岁"前的数目如果超过"十",在口语中可以省略。如:他今年二十。

▶ "岁"还做名词,指"年",多用于书面语。如:岁月 岁末 旧岁 岁岁平安

【岁数】 suìshu 〔名〕

人的年龄。(age; years)常做宾语、定语、主语。不用量词。

例句 A:老大爷,您多大岁数了?B:八十多了。|妈妈已经上了岁数了。|这个岁数的人应该注意高血压病。|他岁数不小了。

【岁月】 suìyuè 〔名〕

年月。(years)常做主语、宾语、定语。[量]个,段。

例句 新的岁月带来新的希望。|艰难的岁月已经过去了。|他又回

S

忆起那个难忘的岁月。|岁月的流逝使她添了几许白发。|他深深感叹着岁月的艰辛。

【碎】 suì 〔形〕

❶ 零星、不完整。(broken)常做谓语、定语、补语。

例句 窗帘的图案别太碎,要大方些。|墙角堆着一堆碎石头。|妹妹不小心把杯子打碎了。

❷ 说话唠叨(láodao)。(gabby)常做谓语。

例句 那个老太太的嘴太碎,说起话来没完没了。|你嘴太碎了,让我受不了。

▶ "碎"还做动词,指使完整东西破成零片零块。如:碎纸机 粉身碎骨

【隧道】 suìdào 〔名〕

在山中或地下凿(záo)成的通路。(tunnel)常做主语、宾语、定语。[量]条。

例句 这条隧道是去那儿的必经之路。|这列火车一路上要穿过好几条隧道。|这条隧道的工程量很大。|工人们在入冬以前完成了隧道的施工。

【穗】 suì 〔名〕

❶ 稻、麦等禾本科植物的花或果实聚生在茎(jīng)的顶端,叫做穗。(the ear of grain)常做主语、宾语、定语。[量]个。

例句 田里的稻穗都沉甸甸(diān)的,今年又是大丰收。|这片玉米穗大籽实,亩产至少600公斤。|孩子们在地里捡麦穗呢。|农艺师在用尺量谷穗的长度。|这个苞米穗的大小我可从来没见过。

❷ 用丝线、布条或纸条等扎成的挂起来往下垂的装饰品。(fringe)常做主语、宾语、定语。[量]个,串。

例句 锦旗两边的穗很好看。|大红宫灯配上金色的穗特别有气氛。|演员的服装上饰有黄穗。|门前挂着两个红罩黄穗的宫灯。

▶ "穗"还是广州市的别称。

【孙女】 sūnnǚ 〔名〕

儿子的女儿。(granddaughter)常做主语、宾语、定语。[量]个。

例句 老人的孙女已经上大学了。|她的孙女常来看她。|老人很疼爱小孙女。|爷爷、奶奶只有这一个孙女。|孙女的病让爷爷、奶奶很着急。

【孙子】 sūnzi 〔名〕

儿子的儿子。(grandson)常做主语、宾语、定语。[量]个。

例句 我的孙子已经工作了。|孙子常来看望爷爷。|老王最近抱上孙子了。|爷爷非常关心孙子的学习。

【损】 sǔn 〔动〕

❶ 减少。(decrease)常做谓语,多用于固定格式,也做语素构词。

例句 这一仗损兵折将。|他把利润增损情况向董事会作了汇报。

❷ 使事业、身体等受到损失、损害。(damage)常做谓语、宾语。

例句 你不能损公肥私。|损人利己的事咱不干。|吸烟有损健康。

▶ "损"还做形容词,指"挖苦人"、"恶毒",主要是一些方言使用。如:损人|这话真损。

【损害】 sǔnhài 〔动〕

使事业、利益、健康、名誉等受到损失。(damage)常做谓语、宾语、定语。

S

例句 灯太暗,看书容易损害视力。|我们的施工不能损害群众利益。|这件事使那个歌星的名誉受到了损害。|吸烟对健康的损害程度到底有多大?

【损耗】 sǔnhào 〔动/名〕

〔动〕损失消耗。(lose)常做谓语、定语。

例句 这批货在运输过程中损耗了百分之七八。|登山队在登顶时损耗了大量体能。|损耗的电能有多少?

〔名〕由于某种原因造成的损失消耗。(loss)常做主语、宾语。[量]些。

例句 电能的损耗是什么原因造成的?|要减少水果在运输中的损耗。

【损坏】 sǔnhuài 〔动〕

使失去原来的使用效能。(damage)常做谓语、定语、宾语。

例句 糖吃多了容易损坏牙齿。|不要损坏公物。|损坏的桌椅已送去修理了。|他主动赔偿了损坏的洗面池。|这些文物已经被大自然严重损坏了。|由于抢救及时,设备没受损坏。

辨析 〈近〉破坏。"破坏"是主动的、有意识的行为,"损坏"一般不是有意识的行为。"破坏"可用于实物,也可用于抽象事物。如:损坏(破坏)公物 破坏团结

【损人利己】 sǔn rén lì jǐ 〔成〕

使别人受到损失而使自己得到好处。(harm others to benefit oneself)常做谓语、定语、宾语。

例句 无论怎样都不应该损人利己。|他总损人利己,没人愿和他交朋友。|这是一种损人利己的行为。|损人利己的人不会有好下场。|他发财靠的是损人利己。

【损伤】 sǔnshāng 〔动〕

损害、伤害。(harm; damage)常做谓语、定语、宾语。

例句 他的话损伤了我的自尊心。|损伤的地方正好是仪器的重要部位。|由于大量饮酒,他的健康受到了严重的损伤。

辨析 〈近〉损害。"损害"多用于抽象事物。"损伤"可用于抽象事物,也可用于具体事物。

【损失】 sǔnshī 〔动/名〕

〔动〕没有代价地消耗(xiāohào)或失去。(lose)常做谓语、定语、宾语。

例句 这场大火使商店损失了大量商品。|这个仓库损失了很多粮食。|损失的货物价值数百万。|我们要尽量避免损失。|千万不要造成损失。

〔名〕没有代价地消耗或失去的东西。(loss)常做主语、宾语、定语。[量]些,点儿。

例句 这些损失本来可以避免。|这次保险公司赔偿了几乎全部损失。|地震的损失情况,目前还不清楚。

【笋】 sǔn 〔名〕

竹的嫩芽,味鲜美,可做菜。也叫竹笋。(bamboo shoot)常做主语、宾语、定语。[量]个,根。

例句 笋长大了就是竹子。|孩子们上山挖笋去了。|笋的味道很鲜美。

【缩】 suō 〔动〕

❶ 由大变小或由长变短。(contract)常做谓语、补语。

例句 这件衣服洗过后缩得很厉

S

害。|物体有热胀冷缩的性质。|钢轨冻得缩了一点儿。

❷ 没伸开或伸开后又收回去。(draw back)常做谓语、定语。

例句 做事情勇敢点儿,别缩手缩脚的。|这只乌龟的头缩起来的时候多。

❸ 后退。(draw back)常做谓语。

例句 见了困难别朝后缩。|敌人被打得缩回去了。

【缩短】 suōduǎn 〔动〕

使原有长度、距离、时间变短。(shorten)常做谓语、定语、宾语。

例句 这条路比原来的路缩短了不少。|只有缩短开会时间才能来得及。|他把已经缩短的期限又提前了一天。|他很怕缩短学习期限。

【缩小】 suōxiǎo 〔动〕

使由大变小。(lessen)常做谓语、定语、宾语。

例句 经过研究,投资规模缩小了3%。|讨论的范围比原来缩小多了。|缩小的字母有点儿看不清。|这些缩小的景观跟真的一模一样。|这几所小学的规模已经决定要缩小了。

【所】 suǒ 〔量/名/助〕

〔量〕用于房屋、学校、医院等。(*measure word for houses, schools, hospitals, etc.*)常组成数量短语等,做定语、主语、宾语、状语。

例句 我市目前有11所大学。|这所医院医疗技术不错。|新建的房子有两所是公寓。|由于经济适用房很好卖,我们计划再建几所。|我们没有能力一次就三所五所地买房子。

〔名〕处所、地方;也做机关等地方的名称。(place)常做主语、宾语,也做语素构词。

词语 场所 住所 交易所 研究所 招待所

例句 那家招待所条件还可以。|诊所很小,病人却很多。|那个地方的人民由于战争流离失所。|他俩都满意了,真是各得其所。

〔助〕❶ 跟"为"或"被"合用,表示被动。(passive marker)用在动词前,和动词一起做谓语。

例句 看问题不要被表面现象所迷惑。|这种人很难为大家所接受。

❷ 表示中心词是受事。(aux.)用在做定语的主谓结构的动词前。

例句 我所说的人,他也认识。|领导很重视大家所提的意见。|你所说的事是真的吗?

❸ 强调施事和动作的关系。(aux.)用在"是…的"格式中间的动词前。

例句 这事是大家所关心的。|教学质量是每个教育工作者所必须认真对待的。

▶ 用在动词前,常构成四字短语。如:我们要充分调动每个人的积极性,真正做到各尽所能。|这种动物人们见所未见,闻所未闻。

【所得】 suǒdé 〔名〕

应得到的或已经得到的(钱、物)。(income)常做主语、宾语、定语。[量]些,点儿。

例句 他所得很少,付出却很多。|你的所得有一部分应属于他。|这笔钱是我的劳动所得。|依法交纳所得税,是每个公民的义务。

【所得税】 suǒdéshuì 〔名〕

国家对个人和企业按一定比率从各

S

种收入中征收的税。(income tax)常做主语、宾语、定语。[量]种,笔。

例句 所得税是税收的一种。|这笔所得税将用于城市建设。|大家应该增强交纳个人所得税的法律意识。|企业不得以任何理由拒交所得税。|所得税的收入要全部上缴国库。

【所属】 suǒshǔ 〔形〕

统属之下的,自己隶属的。(what is subordinate to one or under one's command; what one belongs to or is affiliated with)常做定语。

例句 集团军首长命令所属部队准时出动。|她向所属单位提出了辞职申请。|你所属的部门是哪个?

【所谓】 suǒwèi 〔形〕

❶ 所说的。(what is called)常做定语。

例句 所谓共识,就是指共同的认识。|出了山海关就是人们所谓的东北了。

❷ (某些人)所说的(so-called),有不承认义。常做定语。

例句 他们的所谓"不知道"实际上是不愿说。|这位所谓的"教授"什么也不懂。|这就是所谓代表作吗?

【所以】 suǒyǐ 〔连〕

表示结果。(so; therefore)用在复句中,常与"因为"等搭配使用,多在后一分句,也可没有前一分句,单独使用。也用于"所以…是因为…"这一结构。

例句 他要去中国搞贸易,所以开始学汉语。|因为我不去,所以大家都不去了。|我所以对那儿比较熟悉,是因为我在那儿生活了两年。|我所以要请假,是因为爸爸得了重病。|所以呀,我才这么急急忙忙地给你打电话呀。

▶ "所以"还做名词,指"实在的情由或适宜的举动"。如:忘乎所以 不知所以

【所有】 suǒyǒu 〔形〕

一切、全部。(all)常做定语。

例句 所有的人都离开了,他才走。|我把这个月所有的奖金都买了书。|请所有的人都到操场集合。

▶ "所有"还做名词,指"领有的东西"。如:尽其所有

▶ "所有"还做动词,指"领有"。如:归国家所有 所有权 所有制

【所有权】 suǒyǒuquán 〔名〕

国家、集体或个人对于生产资料或生活资料的占有权。(proprietary rights; ownership)常做主语、宾语、定语。

例句 这家工厂的所有权归国家。|这套房子的所有权属于私人。|改变公司的所有权需经政府批准。|公司的所有权问题成了大家注意的中心。|所有权性质的改变要慎重。

【所有制】 suǒyǒuzhì 〔名〕

生产资料归谁占有的制度,是生产关系的基础。(system of ownership)常做主语、宾语、定语。[量]种。

例句 集体所有制是公有制的一种形式。|生产资料所有制决定了生产关系。|经济体制的重要内容是改变单一的所有制。|一个国家所有制的形式可以多种多样。

【所在】 suǒzài 〔名〕

❶ 处所。(place)常做主语、宾语。

例句 这个气候宜人的所在适合修疗养院。|他们选择了两条江汇合

的所在建码头。|这真是个专心读书的所在。

❷ 存在的地方。(where sb. or sth. is)常做主语、宾语。

例句 关键所在,只有几个人知道。|群众就是我们的力量所在。|医生终于查出了病因所在。

【索性】 suǒxìng 〔副〕

表示直接了当,干脆。(simply; just; might as well)常做状语。

例句 既然要考汉语水平高等证书,我们索性再学一年吧。|他有些不高兴,索性一个人在后面慢慢走。

【锁】 suǒ 〔名/动〕

〔名〕安在门、箱子、抽屉(tì)等的开合处或铁链的环孔中,一般要用钥匙才能打开。(lock)常做主语、宾语、定语。[量]把。

例句 这把锁质量特别好。|锁打不开了。|他帮我把手提箱的锁修好了。|你能打开这个锁吗?|锁的种类有很多。|你可千万别忘了锁的密码。

〔动〕❶ 用锁使门箱等关住或使铁链拴住。(lock up)常做谓语、定语。

例句 妈妈每次都仔细地锁上门后才上班。|别把孩子锁在家里,以免出事。|他双眉紧锁,可能有什么心事。|锁着的门怎么打开了?

❷ 缝纫(féngrèn)方法,用于衣物边缘或扣眼儿上。(lockstitch)常做谓语。

例句 这种缝纫机可以锁边。|妈妈正在给孩子的衣服锁扣眼儿。

S

T

【他】 tā 〔代〕

❶ 称自己和对方以外的一个人。多用于称男性，也用于男女不明或不必区分时。(he，him or it)常做主语、宾语、定语。

例句 你说的他是谁？|为写论文，最近他一天到晚跑图书馆。|他不喜欢喝可乐，只喝白开水。|我认识他，他是英国人。|经理不在。谁找他？|你要是着急，给他打手机吧。|他女朋友是我同学。|这事最好到他办公室谈。|他的电脑咱们别随便动。

❷ 另外的。(other；another)用于构词。

词语 他人 他日 他乡

例句 错过了这次，就只能留待他日了。|在他乡打工两年多，酸甜苦辣什么没尝过？

【他们】 tāmen 〔代〕

称自己和对方以外的两个或更多的人。用于都是男性或有男有女时。(they or them)常做主语、宾语、定语。

例句 那天，他们一到地方就睡了。|要是他们不愿意怎么办？|他们都这么说，不信，你问他们。|毕业五年了，我真想去看看他们。|不能因为有矛盾就不理他们。|有了这笔钱，就可以帮助他们完成学业了。|他们的年龄平均只有21岁。|应当说，他们的想法有一定道理。|不如坐他们的车去。

【他人】 tārén 〔代〕

别人。(another person；others；other people)常做宾语、定语。

例句 乐于关心、帮助他人，是一种美德。|遇事只顾自己，不管他人可不行。|我们公司从来不做损害他人权益的事。|一个好领导，要能听得进他人的意见。

【它】 tā 〔代〕

称人以外的一个或一种事物。(it)常做主语、宾语、定语。

例句 它叫什么名字？|看了机器人的表演，才知道它有这么大本事。|用惯了电脑，离了它就不行了。|还是先把它买下来，免得后悔。|我觉得它的毛特别好看。|别小看这张卡，它的用处可大了。

【它们】 tāmen 〔代〕

称不止一个的事物。(they or them)常做主语、宾语、定语。

例句 你瞧，它们玩得多高兴啊！|它们值多少钱？|这回可全靠它们了。|对动物，我们首先要爱它们，才能保护它们。|鱼回到水里，就是它们的世界了。|你了解它们的工作原理吗？

【她】 tā 〔代〕

称自己和对方以外的一个女性。(she or her)常做主语、宾语、定语。

例句 哎，她是干什么的？|大伙儿都说她去最合适。|她怕胖，饭也不敢多吃。|噢，原来是她呀！|你不喜欢她，为什么还跟她结婚呢？|看来我得说说她了。|这孩子长得真像她妈。|这是她的一片爱心。|过生日的时候，光她同学就来了十几个。

【她们】 tāmen 〔代〕

称自己和对方以外的两个或更多的女性。(they or them)常做主语、宾语、定语。

例句 我说了不算，她们根本不听我的。|她们到了一起，就会聊上大半天。|她们下岗不久又找到了新的工作。|你看她们，个个都是好样的。|要多关心、照顾她们。|太晚了，咱们去送送她们吧。|她们的车要是早到五分钟就见着他了。|把她们的意见集中起来，主要有三条。|找了半天，连她们的影儿也没看见。

【塌】tā〔动〕
(架起来或建起来的东西)倒下或陷下；凹下。(collapse; fall down; sink)常做谓语、补语、定语。

例句 地震过后，那一带的房子塌了一大半。|那天在现场，我眼看着大桥塌下来。|因为火太猛，把大楼都烧塌了一个角。|被洪水冲塌的铁路路基必须马上抢修。|那位长着塌鼻梁的就是王先生。

【踏实】tāshi〔形〕
❶(工作或学习态度)认真、实在，不急躁。也作"塌实"。(on a firm footing; steady and sure)常做谓语、定语、状语、补语。

例句 他无论干什么都踏实得很。|这人怎么这么不踏实？|没有踏实的态度，什么也做不成。|哪儿都需要踏踏实实的人。|就这么踏踏实实地学吧，准能学成。|他学得很踏实。

❷(心里)安稳。(having peace of mind; free from anxiety)常做谓语、补语、状语、宾语。

例句 从电话里听到女儿的声音，父母心里踏实多了。|事情不办完，怎么踏实得了呢？|心里有事，外面又吵，怎么也睡不踏实。|我最近特别忙，连踏踏实实吃顿饭的工夫都没有。|直到把一切都办好，她才觉得踏实了。

【塔】tǎ〔名〕
佛教的建筑物，细而高，五到十三层，尖顶。(tower; pagoda; Buddhist building erected as a memorial or shrine, usually with 5 to 13 storeys and a pointed rooftop)常做主语、宾语、定语。[量]座。

例句 这座塔有近千年的历史了。|北京的白塔你去过吗？|为了保护这座塔，现在不允许游人登了。|新建的贸易大厦就像一座塔。|金色的塔尖在阳光下闪闪发光。

▶"塔"也指塔形的建筑等，用于构词。如：水塔　灯塔　金字塔　塔吊　塔楼

【踏】tà〔动〕另读 tā
踩。(step on; tread)常做谓语。也用于构词。

词语 踏板　踏步　踏青　践踏

例句 队伍踏着整齐的步伐前进。|踏上最后一级台阶，美丽的景色一下子展现在眼前。|从此，他们踏上了医学之路。|她第一次踏入社会，是十二年前。

【台】tái〔名/量〕
〔名〕❶公共场所高出地面供讲话、表演等的设备。也指像台的东西。(platform; stage; anything shaped like a platform)常做宾语、定语。也用于构词。[量]个。

词语 讲台　舞台　站台　台阶　主席台　台词　井台

例句 获得前三名的歌手上台领奖。|她十岁就登台演出了。|这儿有个台儿，坐一会儿吧。|讲演中，

台底下掌声不断。

❷ 桌子一类的东西；做底座的东西。(stand; support)常构成词语。

词语 写字台 球台 梳妆台 台灯 台历 锅台 灯台

▶“台”也做台湾省的简称。如：台胞 台属

〔量〕用于表演或机器等。(*for certain machinery, apparatus, etc.*)常构成短语做句子成分。

例句 这台戏连演了十多场，场场爆满。|毕业班为晚会献上了一台充满激情的节目。|上个月，家里刚换了一台大彩电。

【台风】 táifēng 〔名〕

发生在海洋中的热带气旋，是一种极强的风暴，最大风力可达到或超过12级，同时有暴雨。(typhoon)常做主语、宾语、定语。[量]场。

例句 天气预报说，台风今天下午就到。|每场台风都会给我们这里造成一些损失。|别去了，万一遇到台风怎么办？|一刮台风，渔船就不能出海了。|台风前锋已经到达福建沿海。|目前，台风风力正在逐渐减弱。

【台阶】 táijiē 〔名〕

❶ 在大门前或坡道等处修建的，一级一级供人上下的建筑物。(a flight of steps; steps leadig up to a house, etc.)常做主语、宾语、定语。[量]级，个。

例句 台阶一直通到大庙门口。|这些青石台阶已经有二百多年历史了。|等爬上最后一级台阶，大伙都动不了了。|泰山一共有多少级台阶呀？|改革后，我们的生产上了一个新的台阶。|为了游人的安全，台阶两旁安装了扶手和栏杆。

❷ 比喻避免尴尬的途径或机会。(chance to extricate oneself from embarrassment or predicament)常做宾语。[量]个。

例句 在大家的嘲笑声中，他自己找个台阶退席了。|给你台阶你怎么还不下呢？

【抬】 tái 〔动〕

用力把物体搬起来。(lift; raise; carry)常做谓语。

例句 这儿的箱子抬到哪儿去了？|钢琴那么沉，没有三五个人抬不走。|请问，您能帮我抬抬吗？我实在抬不动了。|昨晚没睡好，困得眼皮都抬不起来了。|先生，请抬一下脚。|我抬头一看，原来是小张！

【太】 tài 〔副〕

❶ 表示程度过分。(too; over; excessively)做状语。

例句 这两天实在太热了。|我嫌火车太慢，就坐飞机来了。|怎么能这么干呢？太不像话了！|别太伤心，保重身体要紧。|由于太想拿第一了，结果反倒落了后。

❷ 表示程度极高(用于赞叹)。(used to express admiration or exclamation with“了”at the end of the sentence)做状语。

例句 万里长城太伟大了！|节目演得太精彩了！|杭州的风景真是太美了！|那里的人民太热情了！

❸ 很(用于否定)。(used after“不”to soften the tone of negation)做状语。

例句 这件不太好，再看看那件吧。|汉语不太容易，也不太难。|现在去还不太晚，再晚就不太礼貌了。|

刚听说这事的时候，我没太在意。

【太空】 tàikōng 〔名〕

极高的天空。(outer space)常做主语、宾语、定语。

例句 太空有无穷的奥秘等待我们去探索。|中国人飞向太空的梦想已经实现了。|飞船已按计划进入太空。|基地正在为下次太空飞行作准备。|用太空望远镜观察太空的景象。

【太平】 tàipíng 〔形〕

社会平安；安宁。(peaceful and tranquil)常做谓语、定语、状语、补语。

例句 放眼世界，天下并不太平。|百姓希望国家永远太平。|沿途所见，一派太平景象。|老人说，我真有福气，赶上了太平盛世。|人们不求别的，只求太太平平地过日子。|恐怖分子把很多国家闹得不太平。

【太太】 tàitai 〔名〕

用于对已婚妇女的尊称(多带丈夫的姓)，也用于称呼自己的或别人的妻子(多带人称代词)。(Madame; wife; Mrs.)常做主语、宾语、定语。[量]位。

例句 他的太太又贤惠，又能干。|欢迎光临！太太怎么没来？|这是我太太。|宋秘书娶了一位漂亮的太太。|我认识他太太好多年了。|哎，是你太太的电话，接不接？

【太阳】 tàiyáng 〔名〕

给地球带来光和热的恒星，表面温度6000℃，距离地球约1.5亿公里，地球围绕它旋转。也指它的光。(the sun)常做主语、宾语、定语。[量]个。

例句 火红的太阳正从东方升起。|雨停了，太阳出来了。|太阳落山的时候，我们赶到了小城。|太阳照在身上，暖洋洋的。|地里，几个农民正顶着太阳干活。|那里秋冬季雨多，很少见到太阳。|夏天有很多人在海边游泳、晒太阳。|走到院子里一看，太阳光那么刺眼。|太阳的活动对地球会产生影响。|乌云遮不住太阳的光辉。

【太阳能】 tàiyángnéng 〔名〕

太阳发出的辐射能，是地球上光和热的源泉。(solar energy)常做主语、宾语、定语。

例句 太阳能是一种取之不尽又没有污染的能源。|利用太阳能发电值得大力发展。|太阳能热水器方便、安全、省电。

【态度】 tàidu 〔名〕

❶ 人的举止神情。(manner; bearing)常做主语、宾语。[量]种。

例句 刚才我的态度不太好，请你原谅。|有话好好说，耍什么态度嘛？

❷ 对事情的看法和采取的行动。(attitude; approach)常做主语、宾语、定语。[量]种。

例句 他这种态度怎么能学好呢？|服务态度如何，直接影响服务质量。|要是当时态度坚决一点儿，也不会弄成这样。|你这是什么态度嘛？|无论做哪一行，首先得端正态度。|干得好坏是水平问题，干不干是态度问题。

【泰然】 tàirán 〔形〕

形容心情安定。(composed; calm)常做谓语。

例句 此时，我的心情十分泰然。|面对突发事件，市长沉着指挥，泰然

自若。|无论多么复杂的局面，她都能处之泰然。

【贪】 tān 〔动〕

❶ 原指爱财，现多指非法占有财物。(defalcate; practise graft)常做谓语、宾语。也构成词语。

词语 贪官 贪婪 贪污

例句 他以前就贪过好几万，这回又贪了多少？|公司的家底全被经理、会计给贪了。|政府对反贪工作抓得很紧。

❷ 对某种事物的欲望总也不满足；片面追求。(be greedy for)常做谓语。也构成词语。

词语 贪杯 贪财 贪得无厌 贪婪 贪恋 贪图 贪色 贪心

例句 人别太贪，知足者常乐嘛。|这孩子是又贪吃又贪玩。|其实她哪儿都好，就是爱贪点儿小便宜。

【贪污】 tānwū 〔动〕

利用职务的便利非法取得财物。(embezzle; practise graft)常做谓语、定语、宾语、主语。

例句 他贪污公款被抓起来了。|有个职员不到两年竟然贪污了300万。|这两年，因贪污罪被判刑的人不少。|这么做，实际上是一种贪污行为。|目前加强了惩治贪污腐败的力度。|你要知道，贪污是犯法的呀！

【摊】 tān 〔动/名/量〕

〔动〕❶ 摆开，铺平。(lay out; spread out)常做谓语。

例句 他们摊开旅游图，看看该怎么走。|谈到最后，他跟我摊了牌。|把桌布摊平，再摆上一盆花。|我不会做别的，只会摊鸡蛋。

❷ 分担。(take a share in)常做谓语。

例句 别看钱多，大伙一摊就没多少了。|把活儿摊一摊，半天就能干完。|以前房子小，一口人还摊不上5平米。

❸ 碰到(不好的事)。[(of sth. unpleasant) befall; happen to]常做谓语。

例句 这种事摊到谁头上也受不了。|你说，倒霉的事怎么都让我摊上了呢？

〔名〕设在路边、广场上的售货处(常说“摊儿”)。(booth; stall; vendor's stand by a road or on a square)常做宾语、主语、定语。[量]个。

例句 下岗以后，她就在街口摆了个摊儿。|开始，我只是跟着别人练练摊儿。|这几个摊儿都是你的？|东边那个摊儿的货最全，摊主姓于。

〔量〕用于摊开的糊状物。(for paste or thick liquid)常构成短语做句子成分。

例句 没看见人，只看见地上两摊血。|他两杯酒下肚就醉成一摊泥了。|瞧他吐的这一摊，真恶心。

【滩】 tān 〔名〕

河、海、湖边水浅时可以露出的地方；也指江河中水浅而急的地方。(littoral; beach; shoal)常构成词语。也做宾语、定语等。[量]片。

词语 海滩 河滩 沙滩 滩地 险滩 盐滩

例句 江心有一片浅滩，行船十分危险。|我们的船搁浅在滩上，动弹不得。|为了排洪，法律规定河滩上不准建房。|这片海滩一到夏天可热闹了。

【瘫痪】 tānhuàn 〔动〕

因神经机能障碍，身体局部完全或

T

部分失去活动能力。比喻机构或系统因内部问题而无法正常工作。(paralysis; palsy; be paralysed; break down; be at a standstill)常做谓语、定语、宾语。

例句 尽管瘫痪多年,他仍保持着乐观的生活态度。|由于一个部位发生故障,整个电网都瘫痪了。|长年照料瘫痪的老伴儿,使她精疲力竭。|经调查,该公司实际上处于半瘫痪状态。|脑中风可能导致瘫痪。

【坛】 tán 〔名〕

❶ 用土石等堆建的台子。(altar)常做主语、宾语。也构成词语。[量]个,座。

词语 花坛 天坛 神坛

例句 这个坛是干什么用的?|当时能建这么一座坛,很不简单。

❷ 指文艺界或体育界。(circles; world)常构成词语。

词语 文坛 体坛 艺坛 影坛 诗坛

例句 近年来,文坛越来越活跃。|经过全国运动会,涌现出一批体坛新秀。|这位足坛宿将深受球迷喜爱。

❸ 口小腹大的陶器。常盛酒、醋等。(earthen jar; jug)常做主语、宾语、定语。[量]个。

例句 这个坛儿是我做的腊八醋。|先把坛儿灌满,剩下的用瓶装。|坛里边的酒有十年了吧?

【谈】 tán 〔动〕

说话或讨论。(talk; discuss)常做谓语。也构成词语。

词语 谈话 谈论 谈判 谈天 谈心 漫谈 面谈

例句 我还有事,你们慢慢谈吧。|有空儿我想跟你好好谈谈。|我们谈过一次,谈得挺高兴。|一谈起孩子,她俩一天也谈不完。|他有点儿紧张,没谈出什么来。

【谈话】 tán huà 〔动短〕

两个或更多的人在一起说话。(chat; discuss)常做谓语、定语、宾语、主语。中间可插入词语。

例句 领导找我谈话,可能有要紧事。|他们正在客厅谈着话呢。|那天,我们谈了不少话,也喝了不少酒。|只要跟他谈过一次话,就会被他所吸引。|她不大习惯这种谈话方式。|他接完电话,便急匆匆地结束了我们的谈话。|谈话从下午一直进行到深夜。

【谈话】 tánhuà 〔名〕

用谈话的形式发表的意见。(statement)常做主语、宾语、定语。[量]篇,番。

例句 发言人这番谈话清楚地表明了政府的态度。|就治理污染问题,报上发表了两篇谈话。|应当说,这篇谈话的主观动机是好的。

【谈论】 tánlùn 〔动〕

用谈话的方式表示对人或事物的看法。(talk about; discuss)常做谓语。

例句 毕业前,同学们经常谈论未来的打算。|比赛结束后,热心的球迷还一直谈论到很晚。|事情弄清楚以前,最好不要谈论谁是谁非。|不知是什么事,他们谈论得那么热烈。

【谈判】 tánpàn 〔动〕

有关各方对需要解决的重大问题进行会谈。(negotiate)常做谓语、宾语、主语、定语。

例句 尽管有关方面谈判过多次,但仍然存在一些障碍。|为了和平,

交战各方应当无条件地坐下来谈判。|世界上好多事情需要通过谈判来解决。|中国经过十几年努力才完成入世谈判。|到目前为止,谈判还比较顺利。|谈判双方对谈判的结果表示满意。

【谈天】 tán tiān 〔动短〕

聊天。(chat; chit-chat)常做谓语、宾语、定语。中间可插入词语。

例句 经常跟朋友谈谈天,也是一种乐趣。|周末他常过来谈一会儿天。|一上船,我们几个就边吃边谈起天来。|她没事就喜欢谈天。|你瞧我多忙,连谈天的工夫都没有。

【弹】 tán 〔动〕 另读 dàn

❶ 由于一物受力后产生了恢复原状的力量,使另一物射出去。(spring; leap)常做谓语。也构成词语。

词语 弹簧 弹力 弹跳 弹性

例句 这沙发太旧了,坐下去就弹不起来了。|杂技演员在蹦床上一下弹得老高。|有个小螺丝不知弹到哪儿去了。

❷ 一个指头被另一个指头压住,再用力挣开并接触某物使动。(flick; flip)常做谓语。

例句 A:小时候你玩过弹玻璃球吗? B:玩过,不过弹得不太准。|你袖子上有点儿土,快弹一弹。

❸ 用手指、器具拨或敲打,使物体振动。(pluck; play)常做谓语。

例句 她弹过几年电子琴,弹得不错。|用手指弹琵琶弹得不太响。

【痰】 tán 〔名〕

呼吸系统分泌的粘液,含有病菌时可成为传染媒介。(phlegm; sputum)常做主语、宾语。[量]口。

例句 当时那口痰要是上不来就危险了。|我一感冒痰就多。|随地吐痰不文明,也不卫生。|有痰可以吐到手纸上。

【潭】 tán 〔名〕

深的水池。(deep pool; pond)常做主语、宾语、定语。[量]个。

例句 那个潭有两丈多深。|这山里分布着大小七八个潭。|你看,这潭水发黑,说明不浅。

【坦白】 tǎnbái 〔形/动〕

〔形〕心地纯洁,语言直率。(guileless; honest; frank; candid)常做谓语、定语、状语、补语。

例句 他是那种胸怀坦白的人。|班里的小勇对人很坦白。|怎么想就怎么说,坦白一点儿好不好?|我愿意交比较坦白的朋友。|谢谢你能坦白地告诉我这些。|人家说得多坦白呀!

〔动〕按实际情况说出(自己的错误或罪行)。(own up to; confess)常做谓语。

例句 他把问题全都坦白出来了。|自己坦白,可以争取主动。|这件事我已经坦白了。

【坦克】 tǎnkè 〔名〕

装有火炮、机枪和旋转炮塔的履带式装甲车。(tank)常做主语、宾语、定语。[量]辆。

例句 坦克机动灵活,可攻可守。|那边开过来好几辆坦克。|战斗中一共击毁了二十多辆坦克。|在现代战争中,坦克的地位十分重要。

【毯子】 tǎnzi 〔名〕

较厚的毛、棉织品,多有图案或图画,一般铺在床上、地上或挂在墙上。(carpet; blanket)常做宾语、主语、定语。[量]条,块。

例句 请问,这条毯子是纯毛的吗? |冷不冷?要不要再盖条毯子? |墙上挂着一块画着长城的毯子。|毯子上的外文你都认识?

【叹】 tàn 〔动〕

❶ 心里不痛快而呼出长气,发出声音。(sigh)常构成词语。也做谓语。

词语 叹气 叹息 叹惜 哀叹 长吁短叹

例句 说到痛处,他长叹一声,眼泪差点儿掉下来。|我队仅以一分之差与冠军无缘,令人叹惜。|从那以后,她总是长吁短叹的。

❷ 发出赞美的声音。(acclaim; praise)常构成词语。

词语 惊叹 赞叹 叹服 叹为观止

例句 惊险的飞行表演引起了观众的阵阵惊叹。|仰望三峡大坝,令人叹为观止。

【叹气】 tàn qì 〔动短〕

心里不痛快而呼出长气,发出声音。(sigh)常做谓语。中间可插入词语。

例句 你们光叹气不解决问题,还得想办法呀。|说到这儿,老人深深叹了一口气。|你没事一天到晚老叹什么气?

T

【炭】 tàn 〔名〕

木材在隔绝空气的条件下加热得到的黑色、质硬、有细孔的东西。可做燃料、火药,或用于过滤。(charcoal))常做主语、宾语、定语。[量]块。

例句 晚上吃火锅,这些炭够不够? |炭是怎么烧出来的? |火不旺了,再加几块炭吧。|用炭烤羊肉串比用电好,味儿正。|盆里炭火通红,屋里暖呼呼的。|炭的小细孔可以滤掉有毒气体。

【探】 tàn 〔动〕

❶ 打算发现(隐藏的事物或情况)。(try to find out; explore; sound)常做谓语。也构成词语。

词语 探测 探井 探求 探索 探问 试探 钻探

例句 他们探了三年,终于探出了一个大油田。|先别走,我去探探路再说。|我探过他的口气,没问题。

❷ 看望。(call on; visit)常做谓语。也构成词语。

词语 探亲 探视 探望

例句 年前到医院探病的人还真不少。|她每个月去探一次监。

❸ 向前伸出(头或上身)。(crane; stretch forward)常做谓语。也构成词语。

词语 探身 探囊取物 探头探脑

例句 坐车的时候别把头探出去。 |你上身都探到栏杆外面了,多危险! |门后边探出一个小脑袋来。

【探测】 tàncè 〔动〕

对于不能直接观察的事物或现象用仪器进行考察和测量。(probe; plumb; survey; prospect)常做谓语、宾语、定语。

例句 这艘船可以探测出深海海底的情况。|这目光似乎能探测到她的内心世界。|对大气污染状况需要进行高空探测。|中国又发射了一颗科学探测卫星。

【探亲】 tàn qīn 〔动短〕

探望亲属(一般指父母、配偶)。(go

home to visit one's family or go to visit one's relatives)常做谓语、定语、宾语。中间可插入词语。

例句 按规定,多长时间可以探一次亲?|她回乡探亲来了。|工作三年,小张还没探过亲呢。|我想利用探亲的机会搞点儿科研资料。|他请了一个月的探亲假。|头一年,我们单位不准探亲。

【探索】 tànsuǒ 〔动〕

多方寻找答案,解决疑问。(explore;probe)常做谓语、主语、宾语、定语。

例句 我们已经探索出一条适合自己情况的发展道路。|怎么走好人生路,需要自己不断地探索。|我们的探索终于取得了可喜的成果。|这些探索凝聚着两代人的心血。|经过多次探索,才找到可行的方案。|没有探索,就没有成功。|这种积极探索的精神很值得发扬。

【探讨】 tàntǎo 〔动〕

研究讨论。(inquire into; probe into)常做谓语、宾语、定语。

例句 大家正在热烈地探讨着公司发展计划。|这个问题他们探讨过多次,都没取得一致意见。|大家再探讨探讨,看看有什么更好的办法。|这份报告是否可行,恐怕还需要探讨。|你们的建议很值得探讨。|下一步的研究方向,目前还处于探讨阶段。

【探头探脑】 tàn tóu tàn nǎo 〔成〕

不断地伸出头偷偷地察看。(pop one's head in and look about)常做谓语、状语、定语。

例句 想进就进来,别探头探脑的。|哎,那边有人探头探脑地往这边看。|小丑探头探脑的样子真可爱。

【探望】 tànwàng 〔动〕

❶ 看(想发现情况)。(look about)常做谓语。

例句 我到车站的时候,她正在四处探望。|警察一边开车,一边探望着周围的情况。|他坐在窗边,不时地朝外面探望一会儿。

❷ 看望(多指远道)。(visit)常做谓语。

例句 周末我要去乡下探望一下奶奶。|年前,我的学生专门来探望我。|常回家探望父母是人之常情。

【汤】 tāng 〔名〕

❶ 食物煮后得到的汁水。(water in which sth. has been boiled)常做宾语、主语、定语。

例句 把这条鱼熬汤怎么样?|吃点儿肉,别光喝汤啊。|为了补钙,他每个礼拜炖一锅骨头汤。|鸡汤是大补的,来点儿?|有时候汤的营养比肉还多呢。

❷ 做成的汁儿特别多的副食。(soup;broth)常做宾语、主语、定语。

例句 小姐,来一个鸡蛋汤。|你尝尝我做的汤好不好喝?|我吃饭光有菜、没有汤不行。|请问,豆腐汤多少钱一碗?|汤的味道有点儿咸了。

【塘】 táng 〔名〕

水池;浴池。(pond; pool; hot-water bathing pool)常做宾语、主语、定语。[量]个。

例句 小时候,家门前有个小水塘。|人们都在挖塘蓄水抗旱。|鱼塘出鱼的时候,特别让人兴奋。|塘里的水太热,没法下去。

【糖】 táng 〔名〕

❶ 一种有机化合物，是人体热能的主要来源。(carbohydrate)常做宾语、主语、定语。

例句 米面等粮食里含有丰富的糖。|缺糖会导致头晕。|人离不了糖，但糖过多也不行。|这种糖的味道并不太甜。

❷ 食用糖。(sugar)常做主语、宾语、定语。[量]公斤。

例句 对中老年人来说，糖要少吃。|糖多少钱一公斤？|她做菜常常喜欢放一点儿糖。|请问，咖啡里加不加糖？|你太累了，喝碗糖水吧。|这个糖罐多精致啊！

❸ 糖做的食品。(sweets; candy; confection)常做主语、宾语、定语。[量]块。

例句 可能是糖吃多了，牙都吃坏了。|A：小宝，来一块水果糖？B：大夫不让我吃糖了。|商店里的糖品种真多，各式各样的。

【糖果】 tángguǒ 〔名〕

糖制的食品，其中多加有果汁、香料、牛奶、咖啡等。(confectionery; candy; sweets; sweetmeat)常做主语、宾语、定语。[量]公斤。

例句 糖果是孩子最喜欢的食品。|现在用糖果招待客人的少多了。|桌上摆着点心和糖果什么的。|节前，糖果销售量比平日高出好几倍。

T

【倘若】 tǎngruò 〔连〕

表示假设。(if; supposing; in case)常用于复句第一分句，后面常有“就”等配合。

例句 倘若情况有变，请立即通知我们。|你们倘若有困难，现在就提出来。|倘若真能成功，我请客。

【躺】 tǎng 〔动〕

身体倒在地上或其他物体上；其他物体倒在地上。(lie; recline)常做谓语、状语。

例句 你累了可以在沙发上躺一会儿。|躺在草地上晒太阳，真舒服。|台风过后，大树横七竖八地躺在路上。|别躺着看书，对眼睛不好。|这柜子太高，是躺着抬进来的。

【烫】 tàng 〔动/形〕

〔动〕❶ 温度高的物体与皮肤接触，使感觉疼痛。(scald; burn)常做谓语。

例句 水还烫手呢，再等一会儿。|刚才嘴烫了一下，好疼！|小心，别叫油给烫着。

❷ 用温度高的物体使另一物体升温或发生变化。(heat up in hot water; warm)常做谓语。

例句 天冷，把酒烫一烫再喝。|衣服都烫好了吗？|她每个月都去烫一次头。

〔形〕物体温度高。(very hot; scalding; piping hot)常做谓语、定语、补语。

例句 这么烫，怎么喝呀？|你头烫得厉害，发烧了吧？|孩子拿着一个烫红薯，一边吹气一边吃。|火辣辣的太阳一会儿就把沙滩晒烫了。

【趟】 tàng 〔量〕

表示走动的次数。(*measure word for a round trip or for a single trip of a train*)常构成短语做句子成分。

例句 为买嫁妆，她到城里去了好几趟。|看来，我得亲自走一趟了。|她没空儿，麻烦你跑一趟好吗？|这趟车不停，等下一趟吧。

【掏】 tāo 〔动〕

❶ 用手或工具伸进物体的口，把东

西弄出来。(draw out; pull out)常做谓语。

例句 今天这顿饭谁掏钱?|自己掏耳朵千万得小心。|他从包里掏出一本书看起来。|掏了半天,什么也没掏出来。|好好掏掏,掏干净点儿。

❷ 挖。(dig)常做谓语。

例句 有些动物天生会掏洞。|不一会儿,就掏出一个大洞来。|这墙太硬,根本掏不动。

【滔滔不绝】 tāotāo bù jué 〔成〕

形容连续不断(常指话多)。(talk a blue streak)常做谓语、状语、定语、补语。

例句 她一作报告就滔滔不绝。|大江东去,滔滔不绝。|等大家坐好,厂长便滔滔不绝地讲起来。|望着滔滔不绝的江水,心中感慨万千。|尽管台上讲得滔滔不绝,台下并不感兴趣。

【逃】 táo 〔动〕

❶ 为躲避不利于自己的环境或事物而离开。(escape; flee; run away)常做谓语。也构成词语。

词语 逃兵 逃犯 逃命 逃难 逃跑 逃走

例句 不少山东人当年因为灾荒逃到东北。|他想逃,可是逃不了。|火太大,只逃出来几个人。|如果逃过这一劫,就好了。

❷ 躲开不愿意或不敢接触的事物。(evade; dodge; shun)常做谓语。也构成词语。

词语 逃避 逃荒 逃学 逃税

例句 这孩子逃过两回课。|欠债还钱,逃是逃不过去的。

【逃避】 táobì 〔动〕

躲开不愿意或不敢接触的事物。(evade; shirk; escape)常做谓语。

例句 这个责任他无论如何也逃避不了。|你这么做不是在逃避现实吗?|想逃避法律的制裁,恐怕办不到。

【逃荒】 táo huāng 〔动短〕

因遇到灾荒而跑到外乡谋生。(flee from one's famine-stricken homeland)常做谓语、定语。中间可插入词语。

例句 那里过去一遇水灾人们就四处逃荒。|现在哪还有逃荒的人?

【逃跑】 táopǎo 〔动〕

为躲避不利于自己的环境或事物而离开。(run away; flee; take flight; take to one's heels)常做谓语、定语。

例句 在紧要关头,怎么能逃跑呢?|昨天逃跑了一个犯人。|这个犯人逃跑过两次。|逃跑的犯人又回来了。

【逃走】 táozǒu 〔动〕

逃跑。为躲避不利于自己的环境或事物而离开。(run away; flee; take flight; take to one's heels)常做谓语、定语。

例句 我那只鸟逃走了。|逃走的犯人又回来了。

【桃】 táo 〔名〕

一种果树,小枝光滑,花粉红色,果实接近球形,味甜,是常见水果;也指这种树的果实。(peach)常做定语、宾语、主语。[量]棵,个。

例句 每当桃花盛开时,这里就成了花海。|哪棵是桃树?哪棵是梨树?|果园里种着桃、杏、苹果等等。|买二斤桃儿路上吃。|这桃儿真甜,你尝尝?

【陶瓷】 táocí 〔名〕
用粘土烧制的陶器和瓷器的统称。(ceramics; pottery and porcelain)常做定语、宾语、主语。[量]种。
例句 那里出土了许多陶瓷制品。|景德镇是中国的陶瓷之都。|陶瓷工艺在宋代已经达到极高的水平。|不少人喜欢收藏各种陶瓷。|陶瓷往往记载着历史。

【淘气】 táoqì 〔形〕
(少年儿童等)爱玩爱闹,不听话。(naughty; mischievous)常做谓语、定语、状语。
例句 我儿子什么都好,就是淘气得很。|他小时候淘起气来简直要命。|淘气的孩子往往比较聪明。|小花猫淘气地把毛线球弄到地上。

【淘汰】 táotài 〔动〕
去掉坏的、不合适的,留下好的、合适的。(eliminate through selection or competition; die out; fall into disuse)常做谓语、宾语、定语。
例句 你这破电脑早该淘汰了。|现在手机淘汰得特别快。|面对激烈的竞争,没有知识就可能被淘汰。|没想到,第一轮比赛他就遭到了淘汰。|淘汰的东西就不能用了吗?|由于学校实行宽进严出,所以淘汰率很高。

【讨】 tǎo 〔动〕
❶ 要;请求。(ask for; request)常做谓语。也构成词语。
词语 讨饭 讨债 讨教 讨饶 乞讨 讨价还价
例句 这事不算完,我非要讨个说法不可。|你这样求他干吗?跟讨小钱似的。|先别卖,讨讨价再说。
❷ 引起。(incur; invite)常做谓语。也构成词语。
词语 讨好 讨厌 讨嫌
例句 这孩子聪明,嘴又甜,很讨人喜欢。|说起来没完没了,真讨人嫌。
❸ 就某一问题交换看法。(discuss)常用于构词。
词语 探讨 讨论 商讨 研讨

【讨价还价】 tǎo jià huán jià 〔成〕
买卖双方商量价钱。也比喻接受任务或谈判时提出种种条件。(bargain; haggle)常做谓语、定语。
例句 要是不会讨价还价,买东西准吃亏。|这是你该做的,怎么还跟领导讨价还价呢?|他们这么讨价还价,哪有一点儿诚意呀?|早市上,讨价还价声此起彼伏。

【讨论】 tǎolùn 〔动〕
就某一问题交换意见或进行辩论。(discuss)常做谓语、宾语、主语、定语。
例句 会上,代表们热烈地讨论起来。|这个计划讨论过一次,还要再讨论讨论。|各位专家讨论得非常认真、透彻。|经过认真讨论,大家统一了思想。|按议程,下午进行分组讨论。|整个讨论充分发扬了民主。|讨论还没展开,时间就到了。|讨论会上,大家围绕讨论重点踊跃发言。

【讨厌】 tǎoyàn 〔形/动〕
〔形〕惹人不喜欢;事情难办让人心烦。(disagreeable; disgusting; repugnant; troublesome; nasty)常做谓语、定语、宾语。
例句 她一说起来就没个完,讨厌死了!|你没事总打什么电话?讨不讨厌?|看什么看?讨厌!|这讨

T

厌的天气,天天下雨!|真倒霉,得了这么个讨厌的病。|办出国手续真够讨厌的。

〔动〕厌恶;不喜欢。(dislike;loathe)常做谓语。

例句 我最讨厌坐长途车了。|局长很讨厌那些溜须拍马的人。|开始他讨厌这儿,后来才慢慢适应了。

【套】 tào 〔动/名/量〕

〔动〕❶ 罩在外面。(cover with;slip over;encase in)常做谓语。

例句 今天冷,套上一件毛衣吧。|电视罩太小,套不进去。|把头套住,把眼睛露出来就行。

❷ 互相连接或重叠。(overlap;interlink)常构成词语。

词语 套版 套裁 套色 套印 套种

例句 这幅画是套版印刷的。|玉米地里可以套种大豆。

❸ 用绳圈等栓、捉。(tie;harness)常做谓语。

例句 把大车套好咱们就出发。|只见他把绳子一甩,便套住了一匹马。|常言道:舍不得孩子,套不着狼。|他买的股票全被套牢了,动不了。

❹ 模仿。(model on;copy)常做谓语。

例句 这道题只要套对了公式就能解出来。|她的文章是照着人家的套下来的。

❺ 引出(实话)。(coax a secret out of sb.)常做谓语、宾语。

例句 怎么才能把实情从他那儿套出来?|你先别急,我去套套她的话。

❻ 拉关系。(try to win;woo)常构成词语。

词语 套交情 套近乎

例句 无论他怎么套近乎,人家也不答应。

〔名〕❶ 按物体形状做成,罩在它外面的东西。(cover)常做主语、宾语。也构成词语。[量]个。

词语 手套 书套 琴套 笔套

例句 相机套怎么不见了?|这个套儿是真皮的。|我想给这把二胡做个套儿。

❷ 事物配合成的整体。(set)常构成词语。

词语 套餐 套房 套票 套曲 套装 成套 配套

例句 吃套餐上菜快,也便宜一些。|买套票可以参观所有景点,还省钱。|她喜欢穿套装。

〔量〕用于成组的事物。(for books, furniture, rooms, methods, remarks, etc.)常构成短语做句子成分。

例句 这套邮票8张,20块。|买一套紫砂茶具送人不错。|这些辅导书哪套好一点儿?|经过实践,形成了一整套管理制度。

【套装】 tàozhuāng 〔名〕

指上下身配套设计、制作的服装,多采用同一面料。一般成套出售。[suit(of clothes)]常做主语、宾语、定语。[量]套,身。

例句 这些套装都是名师设计的,一款一套。|那套红色套装我觉得不错,价格也能接受。|逛街还穿西服套装?穿休闲装多好。|这么多年她只喜欢套装。|今年套装的款式有明显的变化。|套装的特点是美观、庄重。

【特】 tè 〔形〕

❶ 不同于一般或超出一般。(special; particular)常做状语及定语。

多用于构词。

词语 特别 特产 特点 特区 特权 特色 特殊 特征

例句 这种车坐着特舒服。|这次领导特批我回家探亲。|当时风特大，雨特急。|由于特事特办，很快就立了项。

❷ 专门为某事。(specially)常用于构词。

词语 特地 特为 特意

例句 她特地做了一桌地道的川菜招待大家。

【特别】 tèbié 〔形〕

❶ 不同一般；不普通。(unusual; out of the ordinary)常做谓语、定语、状语、补语。

例句 这种加工方法特别一些。|今年的春天有点儿特别，一直很冷。|我左看右看，没发现什么特别的地方。|前十位顾客将获得特别优惠。|这种材料经过特别处理，强度很高。|她那身打扮在会场里显得很特别。

❷ 超出一般。(especially)常做状语。

例句 他特别喜欢吹牛。|那一次，观众的掌声特别热烈。|如果不是特别能吃苦，他不会有今天。

❸ 专门为某事。(for a special purpose; specially)常做状语。

例句 经理特别关照过，给有突出贡献的加薪。|后来她还特别写信来表示感谢。|下课后，老师特别把我留下来辅导。

❹ 表示更进一步。(especially)常做状语。多与"是"配合。

例句 她很爱运动，特别是游泳。|这里风景优美，特别是在夏天。|不少外国人觉得汉语难学，特别是汉字。

【特产】 tèchǎn 〔名〕

指某地区或国家特有或特别有名的产品。(special local product; speciality)常做主语、宾语、定语。[量]种。

例句 请问，这儿的特产是什么？|我们那儿的特产有好几种呢。|我给您带了一点儿家乡的特产。|旅游除了观光，少不了要买些特产。|特产的价值就在于它的特色。

【特此】 tècǐ 〔副〕

表示为某事特别在这里(通知、公告等)。用于公文、书信等的开头或结尾部分。(hereby)做状语。

例句 为确保节日交通安全，就有关问题特此通知如下。|根据委托人要求，特此说明三点。|特此公告，望周知。|特此报告，当否请复。

【特地】 tèdì 〔副〕

表示专为某事。(for a special purpose; specially)做状语。

例句 有几位同学是特地从国外赶回来参加聚会的。|这是男朋友特地送给我的生日礼物。|最后，她特地又演唱了一首大家喜爱的歌。|老师特地打电话来，让我安心养病。

【特点】 tèdiǎn 〔名〕

人或事物所独有的地方。(characteristic; distinguishing feature; trait)常做主语、宾语。[量]个。

例句 她的特点比较突出。|这种车最大的特点是节油。|什么特点也没有，买它干吗？|新款洗衣机有个特点：不用洗涤剂。|开始，大家并没有发现他这个特点。|在使用的过程中，它逐渐显示出自己的特点。

【特定】 tèdìng 〔形〕

特别指定的；某一个(人、时间、地方

等)。(specially appointed; specific; specified; given)常做定语。

例句 有几位教授是学术委员会的特定人选。|导弹直接飞向特定目标。|在特定条件下,可以灵活处理。|面对这特定的环境,如何经受住考验?

【特区】 tèqū 〔名〕

在政治、经济等方面实行特殊政策的地区。(special zone)常做主语、宾语、定语。[量]个。

例句 实践证明,特区办得非常成功。|特区已经成为改革开放的领头羊。|中国有深圳、珠海、汕头、厦门四个经济特区。|一进入特区,就感觉到一派蓬勃的生机。|特区经济走在了全国的前列。|特区的政策和前景吸引了大批的人才。

【特权】 tèquán 〔名〕

特殊的权利。(privilege; prerogative)常做宾语、主语、定语。[量]种。

例句 公民一律平等,谁也不应该有特权。|别以为成了名人就可以得到各种特权。|就算是再大的干部,也不能跟特权画等号。|特权应限制在很小的范围内。|在一些政府部门,特权思想仍然存在。

【特色】 tèsè 〔名〕

事物所表现的独特的色彩、风格等。(salient feature; characteristic)常做主语、宾语、定语。[量]种,个。

例句 她的个人画展题材广泛,特色鲜明。|中国特色可以体现在许多方面。|艺术家为观众献上了一台具有浓厚民族特色的歌舞。|游览过市容,大家都认为这座城市很有古城特色。|一些地区从本地实际出发,办起了特色农业。|烤鸭是我们店的特色菜。

【特殊】 tèshū 〔形〕

不同于同类事物或平常的情况的。(special; particular; exceptional)常做谓语、定语、状语、补语、宾语。

例句 病情比较特殊,必须马上手术。|这个人特殊得很,据说跟上面有关系。|平常这样还可以,遇上特殊情况怎么办?|这套餐具表面经过特殊处理,光亮耀眼。|总穿得那么特殊,就不怕脱离群众?|当干部的不应该搞特殊。

【特务】 tèwu 〔名〕

经过特殊训练,专门搞情报、破坏的人。(person having received special training for collecting secret information and carrying out subversive and sabotaging activities; special agent; spy)常做主语、宾语、定语。[量]个。

例句 特务常以合法身份进行活动。|最近警方抓住了一个境外来的特务。|尽管特务的活动方式很隐蔽,但也难逃法网。

【特性】 tèxìng 〔名〕

某人或某事物特有的性质。(special property or characteristic)常做主语、宾语。[量]个。

例句 这个人的特性就是爱钱如命。|老虎特性凶猛。|金属有个特性:热胀冷缩。|没有副作用是这一类药物的特性。

【特意】 tèyì 〔副〕

表示专为某事。(specially)做状语。

例句 他特意从国外买了一件礼物送给我。|您特意来送我,真不好意思。|床前特意摆上了她喜欢的水

仙花。|广场中心的雕塑是特意设计的。

【特征】 tèzhēng 〔名〕

可以作为事物特点的标志、迹象等。(characteristic; feature)常做主语、宾语。[量]个。

例句 贸易大厦的特征非常明显,很好找。|她实在太普通了,什么特征也没有。|鼻塞、咳嗽是感冒的两个特征。|你能不能把那辆车的特征说一下?

【疼】 téng 〔动〕

❶ 伤、病等引起的难受的感觉。(ache; have a pain; be sore)常做谓语、补语、宾语、定语。

例句 不知怎么了,我浑身都疼。|牙疼不算病,疼起来要人命。|怎么样?还疼不疼了?|哎呀,疼死我了!|老也不运动,打了一场球就腰酸腿疼。|脚骨折了,疼得一宿都没睡觉。|轻点儿,别把孩子弄疼了。|这下儿把我碰得真疼。|这种药只能止疼,去不了病根。|当时昏过去了,打针都不觉得疼。|现在一点儿疼的感觉都没有了。

❷ 关心;喜爱。(love dearly; be fond of; dote on)常做谓语。

例句 奶奶最疼我了。|人家谈对象了,有人疼了。|这孩子我疼还疼不过来呢,哪儿舍得打呀?

T

【疼痛】 téngtòng 〔形〕

伤、病等引起的难受的感觉。(pain; ache; sore)常做谓语、宾语、定语。

例句 癌症晚期病人往往疼痛难忍。|不麻醉,小手术也会非常疼痛的。|过度劳累也能引起疼痛。|如果感觉不到疼痛,就说明有效果了。|疼痛的原因可能是多方面的。

【腾】 téng 〔动〕

❶ 跳跃;升(到空中)。(gallop; jump; rise; soar)常做谓语。也构成词语。

词语 奔腾 欢腾 沸腾 腾飞 腾空 腾云驾雾

例句 突然,那里腾起一股浓烟。|热气球很快腾上了天空。

❷ 使空(kòng)。(make room; clear out; vacate)常做谓语。

例句 把这个小箱子腾空,装旅行用的东西。|桌上得腾出个地方来放电脑。|最近太忙,一点儿也腾不出时间。

【藤】 téng 〔名〕

某些植物的柔软的茎,可以攀着东西伸展生长。(vine; cane)常做主语、宾语、定语。[量]根。

例句 葡萄藤爬满了架。|几根老藤把树干紧紧地缠住了。|抓住这根藤就可以爬上去。|"顺藤摸瓜"就是沿着已知线索寻找根源。|夏天坐在藤椅上,又舒服又凉快。

【踢】 tī 〔动〕

抬起腿用脚撞击。(kick; play)常做谓语。

例句 他在操场上踢足球呢。|看,那群孩子踢得多带劲啊!|这匹马以前踢过人,小心叫它踢着。|周末我们经常一起跳跳舞、踢踢毽。|他一脚把球踢到场外去了。|她悄悄踢了我一下,让我别说话。

【提】 tí 〔动〕

❶ 垂手拿着(有提梁或绳套的东西)。[carry (in one's hand with the arm down)]常做谓语。

例句 一开门,只见他提着两包书

站在门口。|路上净是提着篮子买菜的主妇。|乘务员提过来一壶茶，热情地为乘客倒水。|我提不动，是他帮我提上来的。

❷ 使事物由下往上移。(lift; raise; promote)常做谓语。

例句 孩子把裤子往上提了提，马上利索多了。|当时吓得心都提到嗓子眼儿了。|这一批提起来三个局长、五个处长。|最低生活保障标准今年又提了 50 块钱。

❸ 把预定的期限往前移。(shift to an earlier time; move up a date)常做谓语。

例句 买不到票，只好把回国日期往前提了两天。|通知说，出发时间提到早晨八点。|交货期能不能往前提提？

❹ 指出或举出。(put forward; bring up; raise)常做谓语。

例句 老师，我可以提个问题吗？|有意见就提出来，别闷着。|我还有什么缺点，欢迎大家提一提。

❺ 把存放的或应得的财物取出来。(draw out; take out)常做谓语。

例句 厂里每个月都要去海关提一次货。|提完款千万要小心，不能出一点儿问题。|按合同，这次可以提到一大笔佣金。

❻ 谈(某人或某事)。(mention; refer to; bring up)常做谓语。

例句 我的困难麻烦你再跟领导提一提。|别提他，提起他我就来气。|A：你俩商量好了吧？B：别提了，她根本不同意。|刚才提到买车的事，你怎么不表态？

【提案】 tí'àn 〔名〕

提交会议讨论决定的建议。(motion; proposal; draft resolution)常做主语、宾语、定语。[量]件。

例句 他的提案引起与会代表的共鸣。|所有提案都得到了认真处理。|本次大会共收到 437 件提案。|多位代表提出了减轻农民负担的提案。|这件提案的产生凝聚着集体的智慧。

【提拔】 tíbá 〔动〕

挑选人员担任更重要的职务。(promote)常做谓语、宾语。

例句 对优秀青年干部应该大胆提拔。|最近她被提拔到市里了。|这样的人恐怕提拔不了。|经过考核，有三人受到提拔重用。

【提包】 tíbāo 〔名〕

有提梁的包，用皮、布等制成。(handbag)常做主语、宾语、定语。[量]个。

例句 提包有各式各样的，您要哪个？|女式提包越来越精巧，价钱也越来越贵了。|小刘提着两个大提包去赶火车。|她肩挎一个米色提包，十分显眼。|提包的款式和颜色最好跟衣服搭配。|你摸摸这提包的皮子，多舒服！

【提倡】 tíchàng 〔动〕

指出事物的优点，鼓励大家使用或实行。(advocate)常做谓语。

例句 应该大力提倡健康、文明的生活方式。|这东西以前提倡过一阵，现在不行了。|有的事政府不提倡，但也不反对。

【提纲】 tígāng 〔名〕

(写作、发言、学习等)内容的要点。(outline)常做主语、宾语、定语。[量]个。

例句 采访提纲写好了吗？|这个

提纲很不错，就这么讲。|汇报的时候最好带个提纲，免得落下什么。|本来有提纲，可是也没按照提纲讨论。|提纲内容重点突出，简单明了。

【提纲挈领】 tí gāng qiè lǐng 〔成〕
提住网的总绳或衣服领子。比喻简明扼要地提出问题。(take a net by the head-rope or a coat by the collar——concentrate on the main points; bring out the essentials)常做谓语、定语、状语。

例句 市长的报告提纲挈领，很有新意。|复习功课应该提纲挈领，抓住要点。|听了他提纲挈领的演讲，大家都报以热烈的掌声。|老师提纲挈领地把学过的内容给我们复习了一遍。

【提高】 tí gāo 〔动短〕
使位置、程度、水平、质量、数量等比原来高。(raise; heighten; enhance; increase; improve)常做谓语、宾语。中间可插入成分。

例句 来中国不到一年，我的汉语水平就提高了一大步。|首先要提高认识，行动才能自觉。|这套新设备可以提高十几倍工作效率。|不提高技术，要提高产品质量是不可能的。|不知为什么，这一阵产量怎么也提不高了。|经过多年努力，人们的公德意识得到了明显提高。

【提供】 tígōng 〔动〕
供给(条件、物资、意见等)。(provide; supply; furnish; offer)常做谓语。

例句 对弱势人群要提供法律援助。|致富后，他为家乡的发展提供了一大笔资金。|政府每年为下岗人员提供几百万个就业岗位。|许多商家通过提供优质服务来吸引顾客。|公共场所、交通等如何给残疾人提供方便？|这方面您能不能提供一下最新的信息？|我方愿意提供先进技术和管理经验。

【提交】 tíjiāo 〔动〕
把需要讨论、研究、处理、评价的问题、成果等交给有关机构或会议。(submit to; refer to)常做谓语。

例句 他们向大会秘书处提交了十几个提案。|这个问题提交给办公会讨论决定吧。|我们的成果已经提交到部里了。|申请签证得提交护照及其他有关材料。|近年来，她共向各种学术会议提交过二十多篇论文。

【提炼】 tíliàn 〔动〕
用化学或物理方法从化合物或混合物中取得(所需要的东西)。(extract and purify; abstract; refine)常做谓语、宾语。

例句 石油可以提炼多种化工原料。|铁就是从铁矿石里提炼出来的。|没有好设备，也提炼不了。|真理是在实践基础上经过提炼得出来的。

【提名】 tí míng 〔动短〕
在评选或选举前提出可能当选的人或事物的名称。(nominate)常做谓语、宾语、定语。中间可插入词语。

例句 有人提过他的名，可没选上。|她被提名为人大代表。|经过酝酿、提名，有5部影片入围。|获得提名已经很不简单了。|最终，她获得最佳表演提名奖。

【提前】 tíqián 〔动〕
(把预定时间)往前移。[do sth. in

advance or ahead of schedule; move up(a date)]常做谓语。

例句 他完成论文的时间比规定的提前了一个月。|工期只能提前,不能拖后。|要是来不了,最好提前打个招呼。|根据情况变化,这项比赛提前到上午进行。|完成规定学分,可以提前毕业。

【提取】 tíqǔ 〔动〕

❶ 从保管机构或一定量的财物中把存放的或应得的财物等取出。(draw; pick up; collect)常做谓语。

例句 即使把全部积蓄都提取出来,他也只能买套二手房。|用信用卡提取现金得付手续费。|请问,在哪儿提取行李?|经纪人提取一定比例的中介费是正常的。

❷ 通过某种技术方法取得。(extract; abstract)常做谓语。

例句 这种鱼油是从深海鱼类的肝脏中提取的。|警察提取到犯罪嫌疑人留下的指纹。|从石油中可以提取出多种物质。

【提升】 tíshēng 〔动〕

提高(职位、等级等)。(promote)常做谓语、宾语。

例句 王科长刚提升为处长。|反腐败大大提升了政府的威信。|如果提升得太快,不利于年轻干部的成长。|近年来,公民的法制观念得到明显提升。

【提示】 tíshì 〔动〕

把对方想不到或没想到的提出来,引起对方注意。(point out; prompt)常做谓语、宾语。

例句 我提示过他好几次,他都没在意。|到底怎么回答,能不能给提示提示?|老师给学生提示了复习重点。|经过提示,他才完成了这项考核。

▶"提示"也有名词用法。如:按照专家的提示,我们找到了解决办法。

【提问】 tíwèn 〔动〕

提出问题来问。(put a question to; quiz)常做谓语、宾语。

例句 现在老师提问,看谁能回答?|您已经提问两次了,先请别的记者提问。|我的报告就讲到这儿,下面开始提问。

▶"提问"也有名词用法。如:下面就回答这位先生的提问。

【提醒】 tí xǐng 〔动短〕

在旁边指点,使注意。(remind; warn; call attention to)常做谓语。中间可插入词语。

例句 多亏爱人提醒我,不然就晚了。|他好忘事,到时候你多提醒提醒他。|人家提醒过几回,她都没当回事。|我给你提个醒儿,再急也别发火。|您提醒得好,谢谢了。

▶"提醒"也有名词用法。如:您这个提醒太及时了!

【提要】 tíyào 〔名〕

从全部内容中提出来的要点。(summary; abstract; epitome; synopsis)常做主语、宾语、定语。[量]个,份。

例句 这份提要请发给大家讨论。|提要一共有五点。|这么厚一大本怎么看?最好有个提要。|把提要附在论文前面。|提要的文字要简练。

【提议】 tíyì 〔动/名〕

〔动〕商讨问题时提出主张请大家讨论。(propose; suggest; move)常做谓语。

例句 我提议搞一次春游。|有人提议这个问题改天再议,怎么样?

〔名〕商讨问题时提出的主张。(proposal;motion)常做主语、宾语、定语。[量]个,项。

例句 这项提议立即得到一致赞同。|提前放假,是谁的提议?|这个提议的初衷并没有什么不好。

【提早】 tízǎo 〔动〕

提前。(shift to an earlier time; be earlier than planned or expected)常做谓语。

例句 要是提早一点儿发现,就好了。|知道吗?论文答辩提早到星期六了。|能不能提早一个小时呢?

【题】 tí 〔名/动〕

〔名〕❶ 概括诗文或讲演等内容的词句。(topic; subject; title)常做宾语、主语、定语。[量]个。

例句 做文章就怕文不对题。|他讲得离题十万八千里。|今天的讨论说着说着就跑题了。|这个题不太好写。|得先把题的意思搞懂了再下笔。

❷ 练习或考试时要求回答的问题。(problem; question)常做主语、宾语、定语。[量]道,个。

例句 这回考的哪道题都不容易。|最后一道大题15分,你能得多少?|高考以前他天天做题做到半夜。|我出个题,看你能不能答上来。|你有没有什么解题的窍门?|考试的时候首先要审好每一道题。|为应付考试,学校常搞题海战术。

〔动〕写上;签上。(inscribe)常做谓语。

例句 请名人给自己的书题名成了时尚。|能不能请您给题个字啊?|画完之后,他又题上了两句诗。|随便题词实在令人生厌。

【题材】 tícái 〔名〕

构成文学和艺术作品的生活材料。(subject matter; theme; material for a literary or artistic work)常做主语、宾语、定语。[量]个。

例句 他的作品题材非常广泛。|这个题材很有社会影响力。|社会需要大量反映农村题材的作品。|表现公安干警破案的题材很受欢迎。|某些题材的艺术佳作还不多。|题材的广泛性和体裁的多样性都很重要。

【题目】 tímù 〔名〕

❶ 概括诗文或讲演内容等的词句。(title; subject; topic)常做主语、宾语、定语。[量]个。

例句 这个题目很有新意。|作文题目是:一件小事。|想好了题目,却不知从哪儿写起。|下周的讲座光看题目,就很吸引人。|题目的准确、鲜明和概括性十分重要。

❷ 练习或考试时要求解答的问题。(problems; questions)常做主语、宾语、定语。[量]个。

例句 这个题目出得有水平!|她学习特别认真,哪个题目搞不懂都不行。|解答这个题目有两种方法。|题目难度要适当,太难或者太容易都不好。

【蹄】 tí 〔名〕

马、牛、羊等动物的脚或生在脚端的角质物。(hoof; trotter)常做主语、宾语、定语。[量]个。

例句 猪蹄是一道下酒菜。|小心!别叫牛蹄踩着。|牛蹄、羊蹄的前端都分成两瓣儿。

【体】 tǐ 〔名〕

❶ 一个人或一个动物的生理组织的全部或一部分。(body or part of the body)常构成词语。也做主语。

词语 体格 体力 体温 体形 体育 体重 体质 身体 肢体 五体投地

例句 她虽然体弱多病,但精神很好。|这只幼虎体长 95 公分。

❷ 由物质构成,占有一定空间的事物。(substance or state of a substance)常构成词语。

词语 体积 个体 集体 固体 液体 整体

❸ 文字的书写形式;文学作品的表现形式。(style;form)常构成词语。也做主语、宾语。[量]种。

词语 字体 体裁 宋体 楷体 文体

例句 这种体不大好写。|那幅字叫什么体?

❹ 亲身(经历或感受)。(personally do or experience sth.;put oneself in another's position)常构成词语。

词语 体会 体验 体贴 体谅 身体力行

❺ 国家的组织制度和形式。(system)常构成词语。

词语 国体 政体

【体操】 tǐcāo 〔名〕

体育运动项目,徒手或借助器械进行动作操练或表演。(gymnastics)常做定语、宾语、主语。[量]种。

例句 体操运动员一般个子不高。|在体操项目上,她高低杠最强。|今晚有体操比赛的直播。|你喜欢哪种体操?|体操好看,可是练体操非常辛苦。|俄罗斯的体操比较强。

【体会】 tǐhuì 〔动/名〕

〔动〕通过亲身实践了解、认识。(know or learn from experience;realize;understand)常做谓语。

例句 我体会到人既要有文凭,更要有水平。|他那么帮我,使我体会到什么叫朋友。|不在现场的人是体会不出这种感情的。|你还是去体会一下那里的气氛吧。

〔名〕通过亲身实践得到的认识。(knowledge;understanding)常做宾语、主语。[量]个。

例句 这回我有个体会:干什么都不容易。|会上,小王谈了三点体会。|同学们交流了找工作的体会。|通过到南方考察,大家体会很深。|她的体会是:坚持到底才能成功。

【体积】 tǐjī 〔名〕

物体所占空间的大小。(volume;bulk)常做主语、宾语、定语。[量]立方米。

例句 这东西体积太大,放哪儿好呢?|一吨水的体积是一立方米。|先算出体积,再看怎么运输。|体积的单位是立方米。

【体检】 tǐjiǎn 〔动〕

体格检查。(physical examination)常做谓语(不带宾语)、主语、宾语、定语。

例句 小王去体检了,没上班。|我体检完了,没发现问题。|今年,他一共体检过两次。|当飞行员,体检相当严格。|中老年人最好每年作一次体检。|体检结果下星期才能都出来。

【体力】 tǐlì 〔名〕

人体活动时所能付出的力量。

T

(physical strength; physical power) 常做主语、宾语、定语。

例句 他开始跑在前面,由于体力不够,渐渐落后了。|因为体力好,他负责全队的后勤。|游泳特别消耗体力。|这可是个力气活儿,没有体力干不了。|体力劳动也是社会的需要。

【体谅】 tǐliàng 〔动〕

设想自己处在别人的地位和环境而给予原谅或理解。(make allowances for)常做谓语、宾语。

例句 不管什么时候,他都很能体谅别人。|你怎么不体谅体谅我的难处呢?|互相多体谅一下,问题就解决了。|与人相处要懂得体谅,总指责哪行?

【体面】 tǐmiàn 〔名/形〕

〔名〕身份,规矩,体制等。(dignity; face)常做宾语及主语。

例句 这么做,实在有失体面。|她一急,也顾不得什么体面了。|为人处事,还是讲究一点儿体面好。|个人的体面事小,国家的体面事大啊!

〔形〕光彩,好看。(honorable; respectable; creditable) 常做谓语、定语、补语。

例句 瞧人家捧回来个大奖,多体面哪!|你这么干,恐怕不大体面吧?|毕业后他一直想找个体面的工作。|她从年轻到现在,总是穿得体体面面的。

【体贴】 tǐtiē 〔动〕

细心把握别人的心情和处境,给予关心、照顾。(show consideration for; give every care to)常做谓语。

例句 白护士对每位病人都是那么体贴入微。|管理者只有体贴下级才能调动积极性。|他们夫妇俩一贯互相体贴,互相支持。

【体温】 tǐwēn 〔名〕

身体的温度。人的正常体温为37℃左右。[(body) temperature]常做主语、宾语、定语。

例句 最近不知为什么,我总低烧,体温一直37.5℃。|有的感冒体温不高,光咳嗽、流鼻涕。|来,给你量量体温。|用手摸体温往往不准。|有些病会引起体温的变化。

【体系】 tǐxì 〔名〕

若干有关事物或某些意识互相联系而构成的一个整体。(system; setup)常做主语、宾语。[量]个。

例句 中国的工业体系是20世纪50年代开始建立的。|这个体系代表了该领域的最高水平。|为应对各种突发事件,需要一个高效的工作体系。|他在语言学方面的观点自成体系。

【体现】 tǐxiàn 〔动〕

某种性质或现象在某一事物上具体表现出来。(embody; reflect) 常做谓语、宾语。

例句 爱国主义在这次活动中体现得极其鲜明。|他们的行为体现了中华民族的传统美德。|这些捐款体现着人们的一片爱心。|求真务实的精神在他身上得到了充分体现。

【体验】 tǐyàn 〔动〕

通过实践来认识周围的事物;亲身经历。(learn through practice; learn through one's personal experience) 常做谓语、宾语。

例句 要是能去体验体验就好了。|以前体验过一次,感觉不错。|为写小说,他到乡下体验了两年生活。

T

|不体验,怎么知道?|根据我的体验,最好晚上锻炼。|这方面她最有体验。

【体育】 tǐyù 〔名〕

❶ 以增加体力、增强体质为主要目标的教育,通过参加各项运动来实现。(physical culture; physical training)常做主语、宾语、定语。

例句 在学校,体育既重要,又容易被忽视。|这孩子上小学的时候,体育比较差。|王教授教了三十多年的体育。|在初中,我最爱上体育。|我们的体育老师全是体育院校毕业的。|体育分不够也升不了学。

❷ 指锻炼身体的各种活动。(sports)常做定语、主语、宾语。

例句 体育场馆应该向体育爱好者开放。|不管春夏秋冬,他都坚持体育锻炼。|你多参加一些体育活动,身体就好了。|体育对提高全民族的健康水平非常重要。|很多人喜欢体育,爱看体育比赛。

【体育场】 tǐyùchǎng 〔名〕

进行体育锻炼或比赛的露天场地,多有固定看台。[sports field (or ground); stadium]常做主语、宾语、定语。[量]座,个。

例句 这个体育场可容纳10万名观众。|整座体育场设计新颖,功能完善。|到体育场看球跟在家看电视,感觉就是不一样。|各国代表团进入体育场的时候,观众热烈鼓掌。|新体育场的大屏幕真大!|球迷的喊声回响在体育场上空。

【体育馆】 tǐyùguǎn 〔名〕

进行体育锻炼或比赛的室内场所,一般有固定看台。(gymnasium; gym)常做主语、宾语、定语。[量]座,个。

例句 这座体育馆改建后,将达到奥运会标准。|附近的那个体育馆经常进行国际比赛。|如今不少文艺表演也在体育馆搞。|这一片都是体育馆,你找哪个体育馆?|把体育馆的"门坎"降低,可以方便市民锻炼身体。|体育馆的门票多少钱一张?

【体制】 tǐzhì 〔名〕

政府、企业、事业单位等的组织制度。(structure; system)常做主语、宾语、定语。[量]种。

例句 体制不适应市场经济,就需要改革。|哪种体制更好,要通过实践来看。|从体制入手,才能彻底解决问题。|改革旧体制,建立新体制。|目前的各种问题中,体制问题往往是主要的。|体制改革是根本性的改革。

【体质】 tǐzhì 〔名〕

人体的健康状况及对外界的适应能力。(physique; constitution; health condition of a human body and its ability to adapt to the outside)常做主语、宾语、定语。[量]种。

例句 虽然体质比较弱,可他还是参加了比赛。|体质差的人爱得病。|经常锻炼,可以增强体质。|没有好体质怎么行?|由于体质原因,她没去成。|人们体质的差异大多与遗传有关。

【体重】 tǐzhòng 〔名〕

身体的重量。(weight)常做主语、宾语、定语。[量]公斤。

例句 我身高一米八,体重六十八公斤。|现在体重超标的人越来越多。|她们练健美,主要是为了减体

重。|又跑步又节食，总算把体重降下来了。|体重的变化可以反映身体的健康状况。

【剃】 tì 〔动〕

用专门的刀子刮去(头发、胡子等)。(shave; razor)常做谓语。

例句 头发长了，该剃了。|天太热，他剃了个光头。|胡子没剃干净，再剃一剃。|刀不快了，剃不掉。|小心点儿，别剃破了皮。

【替】 tì 〔动/介〕

〔动〕用 A 换 B，起 B 的作用。(replace; take the place of)常做谓语。

例句 小李病了，谁替替她？|他太累了，我去把他替下来。|别小看这个岗位，一般人还替不了。|她替你上课，行吗？

〔介〕表示行为的对象。(for)常构成短语做状语。

例句 出了这种事，大家都替她难过。|我决心考研究生，替父母争气。|没想到有那么多人替他送行。

【替代】 tìdài 〔动〕

代替(用 A 换 B，起 B 的作用)。(replace; substitute for; displace; take the place of)常做谓语、定语。

例句 数码相机替代了普通相机。|他在这个领域的地位目前还无人替代得了。|A-1 型是 A 型的替代产品。

T

【替换】 tìhuàn 〔动〕

把原来的换成别的。(substitute for; displace; replace)常做谓语、定语。

例句 可不可以让老张替换一下老王？|如果用新药来替换，效果会更好。|这两个词能随便替换吗？|走得急，只带了一件替换衣服。|“替换练习”你会不会做？

【天】 tiān 〔名〕

❶ 太阳、月亮和星星所在的广大空间。(the heavens; the sky)常做主语、宾语。也构成词语。

词语 天边　天地　天翻地覆　天河　天空　天上　天文　天涯海角　航天

例句 天快亮了。|传说天和地是盘古开出来的。|办这事比登天还难哪！|古代中国人就有飞天的梦想。|哪怕上天入地，也要把他找出来。

❷ 位置在顶部、上部的。(overhead)常用于构词。

词语 天棚　天花板　天窗　天桥

例句 他躺在床上，望着天花板出神。|有了天桥，行人又方便又安全。

❸ 一昼夜 24 小时；也指白天或某一段时间。(day)常做主语。也构成词语。

词语 今天　明天　一天　每天　第二天　上半天

例句 那里几乎天天下雨。|最近天越来越长了。|天晚了，我送送你。

❹ 季节；气候。(season; weather)常做主语、宾语。也构成词语。[量]种。

词语 春天　伏天　雨天　阴天

例句 过了一会儿，雨过天晴。|这种天真让人受不了。|要是天好，去郊游怎么样？|农民靠天吃饭的历史发生了变化。|变天了，穿件毛衣吧。|这叫什么天？一会儿冷一会儿热的。

❺ 自然的。(natural; inborn; innate)常构成词语。

词语 天敌 天然 天性 天灾 天资

例句 猫是老鼠的天敌。|国家这么大,天灾是难免的。|女儿天资聪颖,学什么像什么。

❻ 迷信的人指自然界的统治者或神仙住的地方。(God; Heaven)常构成词语。

词语 天国 上天 天堂 天意 归天

例句 真是上天有眼,好人有好报啊! |俗话说:上有天堂,下有苏杭。

【天才】 tiāncái 〔名〕

❶ 超出一般的智慧和创造力。(genius; talent; gift; endowment)常做主语、宾语、定语。[量]个。

例句 天才来自于勤奋。|她从小就显示出了音乐天才。|计算机实在是天才的发明。

❷ 有天才的人。(gifted person; genius)常做主语、宾语、定语。[量]个。

例句 他在这方面是个天才。

【天长地久】 tiān cháng dì jiǔ 〔成〕

跟天和地一样,永远不变。(enduring as the universe; everlasting and unchanging)常做谓语、定语。

例句 愿我们的友谊天长地久! |诗中赞美了天长地久的爱情。

【天地】 tiāndì 〔名〕

天和地;比喻人们活动的范围。(heaven and earth; field of activity; scope of operation)常做宾语、主语、定语。[量]片。

例句 两个人拜了天地,就算是结婚了。|李教授每天都在实验室,那里成了他的天地。|他在绘画领域开出了一片属于自己的天地。|我头一晕,就觉得天地都在转。|到了那里,才发现天地是多么宽广。|这件事告诉人们,天地之间有真情。

【天翻地覆】 tiān fān dì fù 〔成〕

形容变化巨大或秩序很乱。(heaven and earth turning upside down)常做定语、补语、谓语。

例句 这二十多年,中国发生了天翻地覆的变化。|为了这么一点儿小事就闹得天翻地覆,日子还能过吗? |小强只要在家,家里就天翻地覆。

【天空】 tiānkōng 〔名〕

日月等星球所在的广大空间。(the sky; the heavens)常做主语、宾语、定语。

例句 晴朗的天空一丝云也没有。|天空出现了一架飞机。|一松手,气球升上了天空。|由于污染,天空的颜色变得灰蒙蒙的。

【天气】 tiānqì 〔名〕

一定范围和时间内大气发生的气象变化,如温度、气压、风、降水等的情况。(weather)常做主语、宾语、定语。[量]种。

例句 A:今天天气怎么样? B:天气好极了。|在一月,这种温暖的天气很少见。|最近天气变化无常,要注意身体。|明天去不去,要看天气而定。|我很不习惯那里闷热的天气。|天气预报说今晚有大雪。|南极的天气情况十分恶劣。

【天然】 tiānrán 〔形〕

自然存在或产生的。(natural)常做定语。也构成"的"字短语。

例句 黄山都是天然风景。|长江

源头有巨大的天然冰川。|在我们身边,天然的东西越来越少了。|放心吃吧,这是纯天然的。|与人造的相比,人们还是更喜欢天然的。

【天然气】 tiānránqì 〔名〕

埋藏在油田、煤田和沼泽地带的可燃气体。(natural gas)常做主语、宾语、定语。[量]立方米。

例句 中国西部天然气储量十分丰富。|跟石油一样,天然气也是重要的化工原料。|使用天然气方便、清洁。|"西气东送"就是把西部的天然气输送到华东。|在沙漠中发现了一个大型天然气田。|中国天然气的开发前景非常乐观。

【天色】 tiānsè 〔名〕

天空的颜色,用来指时间早晚和天气变化。(colour of the sky; weather)常做主语、宾语。

例句 由于天色已晚,他们决定第二天再干。|天色不早了,该起来了。|看看天色就知道时间差不多了。|你瞧这天色,恐怕要下雨。

【天上】 tiānshàng 〔名〕

天空。(the sky; the heavens)常做主语、宾语、定语。

例句 看! 天上有个热气球。|天上飘着朵朵白云。|兴奋的人们把帽子扔到天上去了。|你往天上看什么呢?|天上的星星亮晶晶。|我爱看天上的晚霞。

【天生】 tiānshēng 〔形〕

天然生成。(born; inborn; inherent; innate)常做定语、状语。也构成"的"字短语。

例句 他俩真是天生的一对。|这姑娘天生丽质,而且心地善良。|狗天生就会游泳。|我的本事哪是天生的? 是学出来的。

【天堂】 tiāntáng 〔名〕

某些宗教指人死后灵魂居住的幸福的地方。比喻幸福美好的生活环境。(heaven; paradise)常做主语、宾语、定语。

例句 天堂是不错,可是在哪儿呢? |天堂信则有,不信则无。|A:"上有天堂,下有苏杭"是什么意思? B:就是说苏州和杭州像天堂一样美好。|有人认为,多做好事,死后就能上天堂。|依我看,天堂的生活也不过如此。

【天文】 tiānwén 〔名〕

日月星辰在宇宙间分布、运行等现象。(astronomy)常做宾语、主语、定语。

例句 你懂不懂天文? |他开始想学天文,后来改学气象了。|李教授知识渊博,上知天文,下知地理。|很多孩子觉得天文很有意思。|天文观测只是她的业余爱好。|日食是一种有趣的天文现象。

【天下】 tiānxià 〔名〕

❶ 指中国或世界。(land under heaven; world; China)常做主语、宾语、定语。

例句 如今天下太平,人民幸福。|天下为公,是人们美好的理想。|当初他只身闯天下,很不容易。|他这身功夫打遍天下无敌手。|这真是:天下之大,无奇不有。|青年人应该关心天下大事。

❷ 指国家的统治权。(rule; domination)常做宾语、主语。

例句 说到底,国家是人民的天下。|天下在我们手里,怕什么?

【天线】 tiānxiàn 〔名〕

用来发射或接收无线电波的装置。(aerial;antenna)常做主语、宾语、定语。[量]根。

例句 远远看去,密密麻麻的电视天线像树林一般。|安装了有线,原来的天线用不着了。|听不清的话,接一根天线试试。|卫星通信离不开天线。|飞船能上天,其中就有天线的功劳。

【天涯海角】 tiān yá hǎi jiǎo 〔成〕

形容极远的地方。(the remotest corners of the earth;the ends of the earth)常做宾语。

例句 我走遍天涯海角也要找到她。|就算是天涯海角,我们也要去。

【天真】 tiānzhēn 〔形〕

❶ 心地单纯,性情直率。(innocent;simple and unaffected)常做谓语、定语、状语、补语。

例句 他那么天真,又充满活力。|她虽然20岁了,可说话还像个天真的孩子。|儿子天真地问:人真的能长生不老吗?|看,她们笑得多天真哪!

❷ 头脑过于简单。(simple-minded;naive)常做谓语、定语、状语、补语。

例句 社会这么复杂,我们可不能太天真了。|这种天真的想法根本行不通。|她天真地以为,人都像她那么善良。|凡事想得太天真,就容易吃亏。

【天主教】 Tiānzhǔjiào 〔名〕

基督教的一派,以罗马教皇为教会最高统治者。(Catholicism)常做主语、宾语、定语。

例句 天主教是公元11世纪从基督教分裂出来的。|跟其他宗教比,天主教有什么特点?|很多国家都信奉天主教。|附近有一座天主教教堂。|她妈妈是天主教信徒。

【添】 tiān 〔动〕

增加。(add;increase)常做谓语。

例句 天凉了,添件衣服吧。|已经够烦的了,你就别给我添乱了好不好?|锅里已经添过好几次水了。|吃好了吗?要不要再添两个菜?|油箱够满的,添不进去了。

【田】 tián 〔名〕

❶ 种农作物的土地。(field;farmland)常做宾语、主语。也构成词语。[量]亩。

词语 田地 田间 田野 田园

例句 我家祖祖辈辈都是种田的。|他把田让妻子种,自己进城当了农民工。|你下过田吗?|那时候,家里一亩田也没有。

❷ 指可以开采的矿物带。(an open area abounding in some natural resources)常构成词语。

词语 煤田 油田 气田

例句 新疆发现了一座大型油气田。

【田地】 tiándì 〔名〕

种农作物的土地。(field;farmland;cropland)常做主语、宾语、定语。

例句 山上的田地现在种上树了。|那年大旱,田地大部分干裂了。|建国初期,农民分到了田地。|田地周围是一排排小树。

【田间】 tiánjiān 〔名〕

田地里。(field;farm)常做主语、宾语、定语。

例句 田间一派丰收的景象。|大

忙时,就把饭送到田间。|长年在田间劳作,他皮肤变得黝黑。|今年的田间管理搞得比往年细。

【田径】 tiánjìng 〔名〕
体育运动项目的一大类。"田"指跳跃、投掷,"径"指赛跑、竞走等。(track and field game)常做主语、宾语、定语。

例句 田径可以锻炼爆发力或耐力。|在奥运项目中,田径占有很大比例。|她非常喜爱田径和游泳。|这次运动会,我参加两个田径项目。|田径比赛竞争特别激烈。

【田野】 tiányě 〔名〕
田地和未耕种的较开阔平坦的地带。(field; open country)常做主语、宾语、定语。[量]片。

例句 春天的田野充满生机。|那里有一片片绿色的田野。|高速公路穿过田野,通向远方。|农民在田野里劳作。

【恬不知耻】 tián bù zhī chǐ 〔成〕
做了坏事还满不在乎,一点儿也不知道羞耻。(not feel ashamed; have no sense of shame; be shameless)常做谓语、定语、状语。

例句 你怎么恬不知耻? |没想到这个恬不知耻的家伙还反咬一口。|他竟恬不知耻地说:"那我就不客气了!"

T

【甜】 tián 〔形〕
像糖和蜜的味道。也用于比喻。(sweet; honeyed)常做谓语、定语、补语。也构成词语。

词语 甜点 甜美 甜蜜 甜头 甜言蜜语 苦尽甜来

例句 今天的生活比蜜还甜。|苹果甜得很,来一个吧。|这孩子就是嘴甜,说话招人喜爱。|尝了一口,没吃出甜味来。|医生说,甜东西吃多了对身体不好。|这个菜有点儿糖就行,别做甜了。|听听人家这话,说得多甜哪!

▶"甜"也可形容舒服、愉快。如:这孩子睡得真甜。

【填】 tián 〔动〕
把凹的地方垫平或塞满;补充;在空格处写上字或数字。(fill; stuff; write; fill in)常做谓语。也用于构词。

词语 填报 填补 填充 填空 填写 填鸭

例句 路上那个坑得赶快填平。|我先填饱肚子。|请您先填填这几份表。|有一个空儿我没填上。

【填补】 tiánbǔ 〔动〕
补上空缺或不足。(fill)常做谓语。

例句 那个位置让他去填补比较合适。|这项研究成果填补了国内的空白。|这点儿钱填补不了那么大的亏损。|她每天靠打牌来填补精神的空虚。

【填写】 tiánxiě 〔动〕
在表格、单据等的空白处写上应写的文字或数字。(fill in; write)常做谓语。

例句 你能用中文填写入学申请表吗? |光表格就填写了好几份,还不知结果怎么样。|填写了两遍才合格。|好,你填写得非常准确。

【挑】 tiāo 〔动〕 另读 tiǎo
❶ 从两个或更多的人或事物中找出符合要求的。(select; choose)常做谓语、宾语。

例句 这么贵的东西,得好好挑挑。

|你帮我挑吧,我不会挑。|挑了半天,也没挑出一个满意的来。|主教练新挑了几个年轻队员。|这些都挑过了,你挑花眼了吧?|我看都差不多,不用挑了。

❷ 在细小方面过分要求。(nit-pick;be hypercritical;be fastidious)常做谓语。

例句 这个人太挑了!|这不是明摆着挑毛病吗?|她心直口快,你就别挑字眼儿了。|我不是挑他,他也太不像话了!

❸ 用肩膀把扁担担子扛起来。(carry on the shoulder with a pole;shoulder)常做谓语。

例句 山上都是小道,送货全靠肩挑人扛。|他挑着一百多斤的担子走得飞快。|战士们每天都把房东的水缸挑满水。|这么重,你挑挑试试,挑得动挑不动?

【挑选】 tiāoxuǎn 〔动〕

从两个或更多的人或事物中找出符合要求的。(select;choose;pick up)常做谓语、宾语。

例句 车展上挤满了挑选新款车的人。|挑选了两遍,才挑选出一件满意的。|挑选人才也不能求全责备。|经过精心挑选,由张教授担任首席科学家。

【条】 tiáo 〔量/名〕

〔量〕❶ 用于细长的东西。(for long or narrow or thin things)常构成短语做句子成分。

例句 她系着一条花丝巾。|你看我这鱼,条条都新鲜。|当年城里只有一条大街。|哪条路近走哪条。|朋友给我带了两条好烟。|有人坐着总喜欢把一条腿架在另一条腿上。|厂里新上了一条生产线。

❷ 用于分项的事物。(item;article)常构成短语做句子成分。

例句 我给领导提过两条意见。|报上那几条新闻你都看了吗?

〔名〕❶ 细长的东西或形状。(twig;a long narrow piece;strip;slip)常构成词语。

词语 枝条 柳条 面条 布条 纸条 线条 条块结合 条纹

例句 树木枝条上挂着雪,十分好看。|瓷瓶上画着彩色的条纹。|许多中央直属企业改为条块结合管理。

❷ 分项目或层次。(item;article)常构成词语。

词语 条款 条理 条例 条目 井井有条

例句 管理制度共列了25个条目。|他把生产管理得井井有条。

【条件】 tiáojiàn 〔名〕

❶ 能影响事物发生、存在、发展的因素;状况。(condition;term;factor)常做主语、宾语。[量]个。

例句 什么条件都有了,就看天气怎么样了。|那里条件很艰苦,你受得了吗?|我们这儿条件不太好,还请多包涵。|普及家庭医生,目前还不具备这个条件。|没有条件可以创造条件。

❷ 为某事提出的要求或标准。(requirement;prerequisite;qualification)常做主语、宾语。[量]个。

例句 干可以,条件只有一个:必须干好。|条件这么高,谁能达到啊?|我去没问题,不过得答应我一个条件。|有的人干什么都要讲条件。

【条款】 tiáokuǎn 〔名〕

文件或合同等的具体项目。(item; clause; article)常做主语、宾语、定语。[量]项。

例句 这项条款已经不适应今天的情况了。|新《婚姻法》的每项条款都体现了以人为本。|代表们对全部条款逐项进行了审议。|购房之前,要仔细搞清合同的各项条款。|本次人大将对《宪法》个别条款的内容作必要的修改。|有些条款的表述还需要进一步完善。

【条理】 tiáolǐ 〔名〕

思想、言语、文字的层次。(orderliness; proper arrangement or presentation)常做主语、宾语。

例句 他讲起话来不但条理分明,还有幽默感。|文章内容不错,可惜条理不够清楚。|从屋内的陈设看,主人做事很有条理。|先把条理搞清,再动笔。|韩秘书总是把工作安排得有条有理。

【条例】 tiáolì 〔名〕

由国家规定的某些事项或某机构的组织、职权等的法律文件;也指某一组织、团体制定的章程等。(rules; regulations; ordinances)常做主语、宾语、定语。[量]个。

例句 这个条例对加强交通管理十分必要。|《条例》颁布以来,取得了显著成效。|根据形势变化,又制定了一个补充条例。|有了这个条例,治安管理就有章可循了。|条例的部分内容有必要加以修改、完善。|关键在于抓好条例的贯彻落实。

【条文】 tiáowén 〔名〕

法规、章程等的分条说明的文字。(clause; article)常做主语、宾语。[量]项。

例句 条文规定,每届董事会任期三年。|法律条文既要严谨,又要有可操作性。|新章程增加了两项条文。|该法共有八项条文涉及环境问题。|条文内容应当富有时代精神和中国特色。|这方面可以根据条文的具体说明执行。

【条形码】 tiáoxíngmǎ 〔名〕

商品的代码标记。用粗细相间的黑白线条表示数字,印在商品包装上,用于计算机识别。[bar code; Universal Product Code (UPC)]常做主语、宾语、定语。[量]个。

例句 条形码印在商品包装上。|没有条形码的商品越来越少了。|有时候计算机对个别条形码识别不了。|条形码下面还有一行号码可以人工输入。|条形码的发明是一个创造。

【条约】 tiáoyuē 〔名〕

国家之间签订的有关政治、军事、经济等方面的权利和义务的文书。(treaty; pact)常做主语、宾语、定语。[量]个,项。

例句 本条约自签字之日起生效。|历史上的不平等条约,中国政府都不予承认。|两国签订了一项友好条约。|人大常委会正式批准了这个条约。|条约的每项规定,双方都必须遵守。

【条子】 tiáozi 〔名〕

窄而长的东西;也指写有简单事项的纸条。(strip; a brief informal note)常做主语、宾语、定语。[量]个。

例句 条子写的是什么?|那天,五颜六色的条子挂满了大厅。|人不

T

在，给她留个条子吧。|写个条子贴门上，告诉他咱们走了。|条子上的字太草，你能看懂吗？

【调和】 tiáohé 〔动〕

❶ 劝说双方消除纠纷，重新和好。(mediate; reconcile) 常做谓语、定语。

例句 他们没什么大不了的矛盾，调和调和就没事了。|这两口子隔阂(géhé)太深，恐怕调和不了。|调和了这么长时间，双方的关系也没什么改善。|这是原则问题，根本没有调和的可能性。

辨析 〈近〉调解。“调和”重在双方重新和好；“调解”重在劝说双方消除矛盾。“调和”还有“妥协”、“让步”的意思；也可做形容词，有“均匀”、“配合得适当”的意思。如：那几个人不知为什么闹起来了，去调解一下吧。|＊这事只有请法院依法调和了。(“调和”应为“调解”)|＊在原则问题上，绝不能调解。(“调解”应为“调和”)

❷ 用让步的方法避免冲突或争执。(compromise; make concessions) 常做谓语、定语。

例句 这关系到民族的尊严，绝不能调和。|不涉及原则问题倒可以调和调和。|我认为在大是大非面前没有调和的余地。

【调剂】 tiáojì 〔动〕

把多和少、忙和闲等加以适当的调整，使符合需要。(adjust; regulate) 常做谓语、定语、宾语。

例句 学生们计划搞点儿娱乐活动，调剂调剂生活。|接到报告后，指挥部迅速调剂给灾区一批粮食。|这批原料调剂得太及时了。|建立合作关系之后，双方的人员和设备可以互相调剂使用。|调剂物资马上就到。|最近，公司对各部门的技术力量作了调剂。

【调节】 tiáojié 〔动〕

从数量上或程度上调整，使适合要求。(regulate; adjust) 常做谓语、定语、宾语。

例句 中国经济正逐步转向以市场调节为主。|给大伙儿说个笑话，调节调节气氛。|这些闸门调节着水的流量，十分重要。|其实，我曾试着调节过自己的情绪，可是不行。|游泳池的水温调节半个小时就可以调节到合适。|这种药对内分泌(nèifēnmì)有很好的调节作用。|最近物价上涨较快，应该迅速采取调节措施。|经过一段时间的调节，各班的教学进度基本一致了。|大棚里湿度太大，应该加以调节。

【调解】 tiáojiě 〔动〕

劝说双方消除矛盾。(mediate; make peace) 常做谓语、定语、宾语。

例句 去年我们法院共调解了十几桩离婚案。|这起家庭纠纷，我们已经调解过多次了，没用。|你们调解得太及时了，不然会出人命的。|这两家公司的情况你最熟，还是你去调解调解吧。|他们的分歧太大，恐怕调解不了。|街道成立了一个调解小组，专门调解各类纠纷。|看来，他们夫妻之间已没有调解的余地了。|两系学生发生矛盾后，学校领导及时进行了调解。|他们家总闹不和，邻居都懒得调解了。

【调皮】 tiáopí 〔形〕

❶ (儿童、少年等)爱玩爱闹，不听劝告。(naughty; mischievous) 常做

谓语、定语、状语、补语、宾语。

例句 小时候，我很调皮。|班里有个学生，调皮极了。|她是个非常调皮的小姑娘。|调皮的孩子往往很聪明。|小花猫调皮地看着我，不知又闯了什么祸。|最近，我那儿子变得更调皮了。|挺老实的一个孩子怎么也学会调皮了？

辨析 〈近〉顽皮。"调皮"既可用于人，也用于动物；"顽皮"一般用于人。"调皮"多用于口语；"顽皮"多用于书面语。

❷ 不顺从。(unruly; tricky)常做定语、谓语。

例句 老王特别能驯服一些调皮的牲口。|调皮的野马终于被制服了。|这头驴特别调皮，小心点儿。

【调整】 tiáozhěng 〔动〕
改变原有的情况，使适应客观环境和要求，发挥更大作用。(adjust; regulate; revise)常做谓语、定语、宾语。

例句 经过讨论，我们重新调整了工作计划。|近几年，公务员的工资调整过两次了。|据了解，这次班子结构调整得很合理。|公司的分配制度是五年以前定的，早该调整调整了。|这次调整的结果令人满意。|只有加快调整的步伐，才能适应经济的发展。|最近，有关部门对物价进行了调整。|情况变了，有关方针、政策也应及时加以调整。

T

【挑】 tiǎo 〔动〕 另读 tiāo
❶ 用细长的东西的一头支起或拨。(raise; push sth. up with a pole or stick)常做谓语。

例句 敌人用枪挑起一件白衬衫，表示投降。|快把门帘挑高一点儿，客人到了。|我手扎了个刺，没挑出来，你帮我挑挑吧。

❷ 制造矛盾，引起不和。(stir up; instigate)常做谓语。也用于构词。

词语 挑拨 挑动 挑唆 挑衅 挑战

例句 这分明是故意挑起事端。|你要是再挑事，我就不客气了。

【挑拨】 tiǎobō 〔动〕
故意制造矛盾，引起纠纷。(instigate; incite; sow discord)常做谓语。

例句 她俩本来关系挺好，不是有人挑拨，哪能见面都不说话？|这人爱挑拨是非，离她远点儿。|我们俩是多年的老朋友了，谁想挑拨离间也挑拨不了。

【挑拨离间】 tiǎobō líjiàn 〔成〕
指搬弄是非，使别人不和。(sow discord; foment dissension; incite one against the other; drive a wedge between)常做谓语、定语、状语。

例句 尽管有人挑拨离间，但我还是相信他。|总挑拨离间的人到头来不会有好下场。|她挑拨离间地说："有人说你的坏话。"

【挑衅】 tiǎoxìn 〔动〕
借端生事，企图引起纠纷或战争。(provoke)常做谓语、定语、宾语。

例句 他这么做，不是向我挑衅吗？|最近边境地区发生过两起挑衅事件。|这篇讲话完全是一种挑衅。

【挑战】 tiǎo zhàn 〔动短〕
故意使敌人生气而跟自己打仗。也指鼓动对方跟自己竞赛。(throw down the gauntlet; challenge to battle; incite the enemy's anger on purpose to engage the enemy in a battle; challenge to a contest)常做谓语、定语。中间可插入词语。

例句 不管对方怎么挑战，我们就是不上当。|我们还没准备好，挑什么战？|他们已经向我们挑战了，我们应不应战？|挑战的一方先发言。

【跳】 tiào 〔动〕

❶ 腿用力使身体突然离开原来的地方。(jump; leap)常做谓语、补语。也构成词语。

词语 跳板 跳槽 跳高 跳绳 跳水 跳舞 跳远 跳跃

例句 你能跳多远？|两米二的高度试跳了三次也没跳过去。|车已经开动了，他赶紧跑两步跳上了车。|人老了，跳不动了。|小白兔蹦蹦跳跳真可爱。|听到这个消息，小王高兴得跳起来。

❷ 物体由于弹性作用突然向上移动。(bounce)常做谓语。

例句 药片掉到地上跳了几下，就找不着了。|皮球你越使劲拍，它跳得越高。|探测器在火星表面跳了几十次才停下来。

❸ 一起一伏地动。(move up and down; beat; pulsate)常做谓语。

例句 你摸摸，我的心跳得多厉害！|病人的脉搏已经不跳了。|她跟我说，今天右眼皮总跳。

❹ 越过应该经过的。(skip; make omissions)常做谓语。

例句 他从小就特别聪明，跳过两次级呢。|(听CD时)把这首歌跳过去，听下一首吧。|现在请大家跳两行，直接看第四行。

【跳槽】 tiào cáo 〔动短〕

比喻离开原来的单位或职业到别的单位或改变职业。(throw up one job and take on another; job-hop)常做谓语、主语、宾语、定语。中间可插入词语。

例句 有的科研人员为了多挣钱，跳槽经商去了。|短短一年时间，他竟跳过两次槽。|我没想到，有那么好的工作她还会跳槽。|小刘觉得搞电脑不适合自己，就跳了槽。|如今跳槽很是流行。|这次跳槽改变了他的人生道路。|她准备跳槽去另一家公司。|既然签了合同，就不允许随便跳槽了。|我看你都快成跳槽专业户了。

【跳动】 tiàodòng 〔动〕

一起一伏地动。(move up and down; beat; pulsate)常做谓语。

例句 听众的心随着那优美的旋律一起跳动。|她的胸膛里跳动着一颗慈爱的心。|由于用力，他颈部的血管在剧烈地跳动。

【跳高】 tiàogāo 〔名〕

一种田径运动，一般由运动员按规定助跑后跳过横杆。(high jump)常做主语、宾语、定语。

例句 跳高既靠力量，也讲究技巧。|我跑步还可以，跳高是我的弱项。|她正练跳高呢。|这次运动会我们队有两个人报了跳高。|刘小兰得了跳高第一名。|提高跳高水平，还得靠科学训练。

【跳舞】 tiào wǔ 〔动短〕

用身体有节奏的动作(多随着音乐)来表现的艺术形式。(dance)常做谓语、宾语、定语。中间可插入词语。

例句 晚会上大家唱歌、跳舞，玩得特别开心。|退休以后，她常去公园跳跳舞，散散步。|小姐，请你跳个舞可以吗？|我爱看跳舞，学跳舞可不行。|她跳舞的姿势非常优美。

【跳远】 tiàoyuǎn 〔名〕

一种田径运动，一般由运动员按规定助跑后跳进沙坑。(long jump; broad jump)常做主语、宾语、定语。

例句 跳远很容易踩线犯规。|跳远起跳后，腿要尽量往前伸。|这次比赛她报了一个跳远。|跳远项目还有一种叫三级跳远。|跳远运动员一般腿长，弹跳好。

【跳跃】 tiàoyuè 〔动〕

腿用力使身体突然离开原来的地方。(jump; leap; bound)常做谓语、定语、补语。

例句 野羊在草原上奔跑跳跃。|广播体操最后一节是跳跃运动。|人们高兴得欢呼、跳跃。

【贴】 tiē 〔动〕

❶ 把薄的东西粘到另一个东西上。(paste; stick; glue)常做谓语。

例句 请问，我这封信得贴多少钱的邮票？|不准乱贴小广告。|通知没贴住，刚贴上一个多小时就掉了，得再重贴了。

❷ 紧挨。(keep close to)常做谓语。也构成词语。

词语 贴己 贴近 贴切 贴身 贴心 贴边

例句 看她俩好的，都贴到一起了。|车贴着马路边儿停了下来。|那天饿得我前胸都贴后背了。

❸ 从经济上帮助。(subsidize; help out financially)常做谓语。

例句 自从进城打工，她每月都贴给家里不少钱。|这种过时的东西，倒贴我也不要。

【铁】 tiě 〔名/形〕

〔名〕金属元素，银白色，硬但可延展，用途很广，也是炼钢的原料。[iron (Fe)]常做主语、宾语、定语。也用于构词。[量]公斤，吨。

词语 铁板 铁轨 铁匠 铁路 铁丝

例句 铁很容易生锈。|这把刀铁多钢少，用用就不快了。|宁可砸锅卖铁，也要让孩子上学。|经过化验，采集的石头里含铁，可以炼铁。|把实体墙换成铁栏杆，内外通透，敞亮美观。|我觉得铁锅炒菜比铝锅好吃。

〔形〕形容坚硬、坚强、牢靠、确定不移。(hard or strong as iron; resolved; determined; indisputable; unalterable)常做定语、谓语。也构成词语。

词语 铁饭碗 铁汉 铁军 铁拳 铁腕 铁证 铁案如山 铜墙铁壁 铁面无私

例句 这是铁的事实，谁也否认不了。|他是我的铁哥儿们。|歇歇吧，就算是铁人也得喘口气啊。|他们俩的关系铁得很。|我们处长辞官下海，那可是铁了心了。

【铁道】 tiědào 〔名〕

有钢轨供火车行驶的道路。(railway; railroad)常做定语。

例句 工程由铁道部第十四工程局承建。|他的儿子考上了铁道学院。

【铁饭碗】 tiěfànwǎn 〔名〕

比喻非常稳定的职业、职位。(iron rice bowl——a secure job)常做主语、宾语、定语。[量]个。

例句 如今，铁饭碗已经打破了。|本以为坐机关是个铁饭碗，现在看也未必。|铁饭碗的单位不好找。

【铁路】 tiělù 〔名〕

有钢轨的供火车行驶的道路。(railway; railroad)常做主语、宾语、定语。[量]条。

例句 铁路仍然承担着全国主要的运输量。|铁路是国民经济的大动脉。|山区通铁路以后,经济很快发展起来。|仅用一年,那里就修建起了一条电气化铁路。|有两条铁路干线通过这里。|还要提高铁路运力。

【厅】 tīng 〔名〕

❶ 聚会或招待客人用的房间。(hall)常做主语、宾语、定语。也用于构词。[量]个。

词语 大厅 客厅 餐厅

例句 这个厅能坐下500人。|房子不错,可惜厅小了点儿。|这套房缺一个厅。|她家有个50平方米的厅,跳舞都行。|厅的正中铺着地毯,厅的一角摆着一架三角钢琴。

❷ 政府某些机关的名称。(a department in a big government organization; office)常做主语、宾语、定语。也用于短语。[量]个。

词语 办公厅 教育厅 卫生厅 交通厅

例句 那个厅去年的工作受到基层好评。|改革方案提出撤一个厅,合并两个厅。|厅领导要求厅机关带头转变工作作风。

【听】 tīng 〔动〕

❶ 用耳朵接受声音。(listen; hear)常做谓语。也构成词语。

词语 听见 听讲 听觉 听课 听力 听取 听写 听众 随身听

例句 周末打算跟朋友一起去听音乐会。|每天他都听一个小时的汉语录音。|你没听过她的歌吗?|能不能大点儿声?我听不清楚。|两点有个讲座,去听听吧。|不少年轻人喜欢听着"随身听"走路。|小时候听广播爱听评书,听得特别入迷。|常言道:耳听为虚,眼见为实。

❷ 接受别人的劝告或意见。(listen to; heed; obey)常做谓语。

例句 你说东,他说西,我到底听谁的?|听妈妈话,别买了,好不好?|怎么说她也不听,真没办法。|当初要是听大伙的意见,早就干完了。|你听我一句劝,还是去医院检查一下吧。

❸ 让别人愿意怎样就怎样。(allow; let)常构成词语。

词语 听凭 听任 听便 听其自然 听天由命 听之任之

例句 既然违章了,就听凭警察处理好了。|孩子大了管不住,听其自然吧。|该做的都做了,行不行只能听天由命了。

【听话】 tīng huà 〔动短〕

按长辈或领导的话去做。(heed what an elder or superior says; be obedient)常做谓语、定语。中间可插入词语。

例句 这孩子从小就特别听话。|你还没去呀?怎么不听我的话呢?|要是听了你的话,也不会到这个地步了。|听话的孩子也许缺少创造性。|有的领导只喜欢听话的下属。

【听见】 tīng jiàn 〔动短〕

听到。(hear)常做谓语。中间可插入词语。

例句 昨天夜里就听见外面下雨了。|小点儿声,我听得见。|刚才,你听没听见车来了?|太远了,一点儿也听不见。

【听讲】　tīng jiǎng　〔动短〕
听人讲课或讲演。(visit a class; attend a lecture)常做谓语、定语、宾语。
例句　课堂上,大家都在认真地听讲。|他一边专心听讲,一边做着笔记。|听讲的学生大部分是中文系的。|那位同学,请你注意听讲。

【听取】　tīngqǔ　〔动〕
听(意见、反映、汇报等)。(listen to)常做谓语。
例句　不愿意听取群众意见的领导不是好领导。|如何看待这次改革,厂长曾多次听取过工人的反映。|会上,经理认真地听取了各部门的汇报。|事故发生后,主要责任人虚心听取了大家的批评。

【听说】　tīng shuō　〔动短〕
听人说。(be told; hear of; it is said)常做谓语。可用在句首,中间可插入词语。
例句　你听说了吗?星期三的考试改到下午了。|我早就听说过这件事了。|听小王说,电视又降价了。|听说张总买了辆宝马。|听说?你听谁说的?|听说我们厂要和外商合资开发新产品。|我只是听说,还没确认。|这事你听说多长时间了?|她离婚,我比你听说得还早。

【听写】　tīngxiě　〔动/名〕
〔动〕语文教学方法之一,由教师发音或朗读,学生用笔记录,用来训练学生听和写的能力。(dictate)常做谓语、宾语。
例句　今天老师给我们听写了一篇短文。|这个词听写过好几次了,可还是记不住。|还没听写完就打下课铃了。|有时间的话,你们可以互相听写听写生词。|请大家准备好,现在开始听写。
〔名〕用来训练学生听与写的能力的一种语言教学方法。(dictation)常做主语、宾语、定语。[量]次。
例句　没想到,这次听写这么难。|听写是为了提高听和写的能力。|做听写练习越紧张越做不好。|她的听写成绩一直是班里最好的。|这课我没复习,真害怕听写。|我们差不多每周都有一次听写。

【听众】　tīngzhòng　〔名〕
听讲演、音乐或广播的人。(audience; listeners)常做主语、宾语、定语。[量]位。
例句　节目播出后,热心的听众纷纷给她打来电话。|一位听众给电台写信,诉说了自己的苦恼。|听了他的讲演,很多听众感动得流下了眼泪。|我是"滨城时空"节目的忠实听众。|交响乐团的演奏,打动了现场所有的听众。|主持人约了几位听众来直播间做节目。|看了听众的来信,她非常激动。|为了满足听众的要求,节目将在下周重播。

【亭子】　tíngzi　〔名〕
建在花园或路旁供人休息的小建筑物,一般只有柱子没有墙。(pavilion)常做主语、宾语、定语。[量]个,间。
例句　这个亭子给行人提供了不少方便。|湖边再建一间亭子,就更美了。|一进亭子,她顿时觉得凉爽了许多。|亭子的红柱子上刻着一副对联。

【停】　tíng　〔动〕
❶ 不再进行。(stop; cease; halt; pause)常做谓语。也构成词语。

T

词语 停办 停顿 停止 停滞 停刊 停课 停学 停业 停战 停职

例句 风停了,雨也停了。|因为资金短缺,工程停过一个多月。|几点了?我的表停了。|经济一旦发生泡沫,短时间内停不下来。|车来了,快把手里的活儿停一停,去欢迎客人。|不久,停办近三个月的出境游正式恢复。|再困难也不能停课呀!|那家商店因为卖假货被罚停业整顿。

❷ 不继续前进。(stop over; stay)常做谓语。

例句 原计划在那儿只停一天,结果停了三天。|这次实习路过你家,不停停吗?|事这么多,哪儿停得了啊?|我们走走停停,天黑才到目的地。

❸ (车、船等)不继续前进;短时间放着(车等)。(be parked; lie at anchor; be placed)常做谓语。

例句 船就停在二号码头。|喂,司机,请停一停,有人下车。|正着急时,一辆出租在她身边停了下来。|车多了也不方便,没地方停。|就把车停在楼下的停车场吧。

【停泊】 tíngbó 〔动〕

(船)停在某处。(anchor; berth)常做谓语。

例句 港区停泊着两艘20万吨级的巨型油轮。|游船停泊在岸边,等候着下船观景的游客。|那里以前停泊过大船,后来水位下降,便无法停泊了。

【停顿】 tíngdùn 〔动〕

❶ (事情)中止或暂停。(stop; halt; pause; be at a standstill)常做谓语、定语。

例句 双方的谈判几乎完全停顿下来。|这个项目因组织者生病停顿了将近半年。|当时,生产基本处于停顿状态。

❷ 说话中间短时停止。[pause(in speaking)]常做谓语、宾语、定语。

例句 为了引起注意,他停顿了一下,才接着说下去。|这段朗诵她停顿得恰到好处。|因为紧张,演讲中出现过两次意外的停顿。|停顿时间不宜过长,以免语气中断。

【停留】 tíngliú 〔动〕

暂时不继续前进。(stay for a time; stop; remain)常做谓语、宾语、定语。

例句 看来,他的认识还停留在几年前的水平。|回国途中,我在东京停留了两天。|根据变化,团长决定不做停留,直飞北京。|为发展旅游,对免签证的过境旅客延长了停留时间。

【停止】 tíngzhǐ 〔动〕

不再进行。(stop; cease; halt; suspend; call off)常做谓语。

例句 新股发行停止了一个星期又恢复了。|由于证人未到,法庭调查只好停止。|他们的空中侦察从来没有停止过。|听到警报,必须马上停止工作,迅速疏散。|首长命令,停止前进。

【停滞】 tíngzhì 〔动〕

因受阻而不能顺利运动或发展。(stagnate; be at a standstill; bog down)常做谓语(不带宾语)、定语。

例句 战乱造成生产停滞,经济几乎崩溃。|如果观念停滞不前,就无法适应新的形势。|由于上述原因,研究工作陷入停滞状态。

【挺】 tǐng 〔动/副〕

〔动〕❶ 伸直或凸出（身体或身体某一部分）。（stick out; straighten up）常做谓语。

例句 大家个个挺胸抬头，精神得很。|弟弟挺直了身板儿，还是没有哥哥高。|挺着个大肚子，不大方便。|当时累得腰都挺不起来了。

❷ 勉强支撑。（endure; stand; hold out）常做谓语。

例句 这么多年，日子全是靠母亲一个人挺下来的。|她嫌丈夫没出息，挺不起这个家。|有病就治，别硬挺着。

〔副〕很。（very; rather; quite）做状语。

例句 这两天还挺热。|孩子学习挺努力，家长也挺放心。|她人挺好，也挺能干。|我看这件就挺不错的，穿上一定挺精神。|雨挺大，等会儿再走吧。

▶“挺”也做形容词，指硬而直，多用于构词。如：笔挺　挺拔　挺立

【挺拔】 tǐngbá 〔形〕

直立而高耸。（tall and straight; towering）常做谓语、定语。

例句 河边，白杨挺拔。|他挺拔的身材，多帅气！

【挺立】 tǐnglì 〔动〕

直立。（stand upright; stand firm）常做谓语。

例句 海岸线上高高地挺立着一座灯塔。|这座北方的最高建筑正在一天天挺立起来。|姿态各异的松树挺立在山间。

【铤而走险】 tǐng ér zǒu xiǎn 〔成〕

没有办法，只好冒险。（take a risk in desperation; make a reckless move）常做谓语、补语。

例句 那时是因为生活困难，才铤而走险，去外地闯荡的。|实在想不出什么办法，王经理只好铤而走险了。|他被债主逼得铤而走险，干起了走私的勾当。

【艇】 tǐng 〔名〕

比较轻便的船；也指较小的军用船只。（a light boat; a small military vessel）常做主语、宾语、定语。多用于构成词语。[量]艘，只。

词语 舰艇　快艇　救生艇　汽艇　游艇　潜水艇　巡逻艇

例句 那艘小艇停在湖边的专用码头上。|指战员们上艇后就起航了。|艇身经过维修，焕然一新。

【通】 tōng 〔动/形〕

〔动〕❶ 没有堵塞，可以穿过；使不堵塞。（open; through）常做谓语、补语。

例句 经过修理，管道终于通了。|刚才通了，现在又不通了。|卫生间下水道堵了，得请人来通通。|地铁三号线昨晚打通了。|我看，他的办法行得通。

❷ 有路达到。（lead to; go to）常做谓语、补语。

例句 条条大路通罗马。|过去那儿不通公路，现在都通了好几年了。|铁路已经通上了“世界屋脊”。|大桥于昨日建成通车。|连接两地的高速公路就要修通了。|这条路走不通，那条路走得通。

❸ 连接，来往，传达。（connect; communicate; tell）常做谓语、补语。也用于构词。

词语 沟通　连通　相通　通知　通报　通商　通气

例句 今后双方既要互通信息，更

要互通有无。|她出国后跟家里一个星期至少通一次电话。|手机打不通。|开始人家不同意,后来总算说通了。

❹了解,懂得。(understand;know)常做谓语。

例句 他既通英文,又通德文。|业务不通怎么能干好工作呢?|跟这种不通情理的人说不清楚。|我只是粗通文字而已。

〔形〕❶(文章)没有逻辑和语法毛病。(logical;coherent)常做谓语、补语。多用于否定句。

例句 那篇稿子文理不通。|这段写的是什么?念都念不通。|您看看这个前言,写得通不通?

❷一般的,平常的。(common;general)常用于构词。

词语 通病　通常　通称　通俗

例句 声调掌握不好是汉语初学者的通病。|土豆是马铃薯的通称。

❸整个的,全部的。(all;whole)常用于构词。

词语 通共　通体　通宵　通盘

例句 为准备考试,昨晚熬了个通宵。|这是经过通盘考虑,才作出的决定。

▶"通"也做名词,指精通某方面的人。如:玛丽不仅汉语说得地道,还是个中国通呢。|他学电脑、搞软件,已经成了电脑通。

【通报】 tōngbào 〔动/名〕

〔动〕上级机关把工作情况或经验教训等书面通告下级机关。(circulate a notice)常做谓语、宾语。

例句 局里通报批评了有关责任人。|领导班子廉洁自律的情况每年都向全校通报一次。|这种严重违纪行为应该通报全县。|他见义勇为的事迹受到了市政府的通报表彰。|听说私设"小金库"的事被通报了。

〔名〕上级机关通告下级机关的文件。(circular; document circulated among departments at a lower level)常做主语、宾语、定语。[量]个,份。

例句 通报介绍了几个乡办企业的成功经验。|这份通报给我们敲响了警钟。|上级就这方面的问题已经发过两个通报。|学习通报以后,大家深受震动。|为落实通报精神,召开了科以上干部会议。

【通常】 tōngcháng 〔形〕

一般;平常。(general; usual; normal)常做定语、状语。

例句 通常情况下,她六点左右就能到家。|这道菜通常的做法是先过油。|星期天市长也很忙,通常不在家。|爷爷通常五点起床出去锻炼身体。

【通道】 tōngdào 〔名〕

通过的路;往来的大路。(thoroughfare; passageway)常做主语、宾语、定语。[量]条。

例句 当时,那条通道被堵死了。|楼内发生火灾时,人们可以使用这条安全通道。|为了方便外国人入境,机场开辟了专用通道。|只有他知道通道的出口。|有人被困在通道里边了,赶快救人!

【通风】 tōng fēng 〔动短〕

❶使空气流通。(ventilate)常做谓语、定语。中间可插入词语。

例句 把窗子打开,通通风。|通了一天风,房间里的油漆味小多了。|窗户打不开,通不了风。|为了安

T

全，矿井下的通风设备必须保持完好。|那儿有个通风口。|这套房子南北向，通风条件特别好。

❷ 透露消息。（divulge information）常做谓语。中间可插入词语。

例句 你能不能先给我们通通风，研究的结果怎么样？|由于谈判期间给对方通过风，经理秘书被公司开除了。|你不要给他通风报信。

❸ 空气流通，透气。（be well ventilated）常做谓语、主语。

例句 这屋子不通风，闷得很。|走廊通风，去透透气。|这个房间通风良好，很舒服。

【通告】 tōnggào 〔动/名〕

〔动〕普遍地通知。（give public notice; announce）常做谓语。

例句 省政府通告各市县做好防台风准备。|幸亏上级通告得及时，否则这次的损失会更大。

〔名〕普遍通知的一种文件。（public notice; announcement; circular）常做主语、宾语、定语。［量］份。

例句 这份通告很简短。|通告要求，清明节期间要特别注意防火。|不一会儿，小区物业管理通告就都贴出去了。|人们一边看通告，一边议论着。|当时太忙，我没看通告的详细内容。|按照通告的精神，半个月就得动迁完。

【通过】 tōngguò 〔介/动〕

〔介〕引出实现某动作的条件或手段。（by means of; by way of; through）构成介宾短语做状语。

例句 通过他，我认识了正达公司的总经理。|我们通过一些老艺人收集到很多民间故事。|通过学习和讨论，大家统一了思想。|通过参加课外活动小组，孩子们提高了动手的能力。|通过厂长的介绍，客户对这种新产品有了全面的了解。

〔动〕❶ 从事物的一边到另一边；穿过。（pass through; get past）常做谓语。

例句 汽车一辆接一辆地通过了新长江大桥。|河道太窄，大船无法通过。|电流只通过了几秒钟，线路就又出毛病了。

❷ 提议、提案等经过规定人数的同意而成立。（adopt; pass; carry）常做谓语、宾语。中间可插入词语。

例句 这项提案已经一致通过了。|博士论文答辩之前，我真担心通不过。|几项决议通过得都很顺利。|经过多年努力，我们的申请最终获得了通过。

❸ 由有关的人或组织同意。（ask the consent or approval of）常做谓语、宾语。

例句 这只是你个人的想法，不通过组织怎么行呢？|解决这个问题需要通过董事会。|大小事情都得通过他，否则办不成。

【通航】 tōngháng 〔动〕

有船只或飞机来往。（be open to navigation or air traffic）常做谓语（不带宾语）、宾语、定语。

例句 两地空中航线通航后，非常方便。|这条海上运输线已经通航三十多年了。|新航线从开始通航至今仅半年，就取得了可观的效益。|经过双方努力，中断的航线很快又恢复通航了。|通航的具体时间，将于下月公布。

【通红】 tōnghóng 〔形〕 另读 tònghóng

T

很红；十分红。(very red; red through and through)常做谓语、定语、补语。

例句 你看他两眼通红，一定又熬夜了。|炉火通红通红的，烤得身上暖呼呼的。|通红的牡丹美丽而华贵。|在通红的晚霞里，小镇显得分外迷人。|孩子的小鼻子冻得通红。|别哭了，眼圈哭得通红，多难看哪。|火光把天空映得通红。

【通货膨胀】 tōnghuò péngzhàng 〔动短〕
纸币的发行量超过流通所需要的货币量，引起纸币贬值，物价上涨。(inflation)常做主语、谓语、宾语、定语。

例句 通货膨胀有时候是很难避免的。|如果不及时调控，就会通货膨胀。|要实现可持续发展，就必须抑制通货膨胀。|努力把通货膨胀的影响降到最低水平。

【通情达理】 tōng qíng dá lǐ 〔成〕
形容说话做事合情合理。(showing good sense; understanding and reasonable; sensible)常做谓语、定语、状语。

例句 别看她文化不高，可非常通情达理。|我觉得小杨是个通情达理的人。|妻子通情达理地说："你放心去吧，家里的事有我呢。"

【通商】 tōng shāng 〔动短〕
(国家或地区之间)进行贸易。(have trade relations)常做谓语、宾语、定语。中间可插入词语。

例句 中国古代通过"丝绸之路"与中西亚通商。|各国通商促进了各自的经济发展。|边境地区以前通过商，后来中断了。|两岸实现通商，对两岸人民有利。|为了通商，历史上曾发生过多次战争。|为扩大通商渠道，中国开辟了一个新的通商口岸。

【通顺】 tōngshùn 〔形〕
(文章)没有逻辑和语法上的毛病。(clear and coherent; smooth)常做谓语、补语、状语、定语。

例句 文章内容很好，只是有的地方还不大通顺。|你这么一改，就通顺多了。|把文章写得通顺一些，这个要求高吗？|通过训练，学生们都能把想说的话通顺地表达出来了。|这么通顺的作文在班里并不多见。

【通俗】 tōngsú 〔形〕
浅显易懂，适合一般人需要的。(popular; common)常做谓语、定语、状语、补语、主语、宾语。

例句 他的作品非常通俗，深受老百姓喜爱。|不少年轻人爱唱通俗歌曲，崇拜通俗歌星。|华教授善于把深奥的理论通俗地介绍给大众。|文章写得通俗易懂，很有启发性。|就艺术而言，通俗与高雅都需要。|歌曲演唱方法有美声、民族、通俗三种。

【通信】 tōng xìn 〔动短〕
用书信沟通信息。(communicate by letter; correspond)常做谓语、主语、定语。中间可插入词语。

例句 一年来我们只通过一次信。|她常给父母打电话，不常通信。|刚到那儿时没有电话，只能互相通信联络。|有了电子邮件，通信方便极了。|给我留个通信地址吧。

▶"通信"也做动词，指用电波、光波传送文字、图像等。如：通信工程 通信卫星 数字通信|数字通信

可以大大提高通信速度和质量。

【通行】 tōngxíng 〔动〕

❶（人和交通工具等）在交通线上通过。(pass through; go through)常做谓语、宾语、定语。

例句 遇到行人在斑马线上通行，车辆要停让。|新桥可以同时通行八辆汽车。|(标牌)前方修路，禁止通行。|这条路改成单行线以后，通行速度大大提高。

❷（在一定范围内）普遍使用。(general; current)常做谓语、定语。

例句 加入WTO以后，需要适应国际通行的做法。|这种结算方式是世界通行的。|那里通行三种语言。|每个行业都有一些通行的标准。

【通讯】 tōngxùn 〔名/动〕

〔名〕具体生动地报道事件或人物的文章。(news report; newsletter; correspondence)常做主语、宾语、定语。[量]篇。

例句 头版头条的长篇通讯写得十分感人。|与一般的新闻相比，通讯要生动具体得多。|根据现场采访，王芳写了一篇通讯。|有两家电台广播了这篇通讯。|通讯体裁适合反映典型的人物和事件。

〔动〕用电讯设备传送信息。(exchange information through communication equipment)常做谓语、定语。

例句 一百多年前，人类就用无线电来通讯了。|我们厂的通讯设备出口到许多国家。|随着通讯手段的现代化，人们的距离越来越小。

【通讯社】 tōngxùnshè 〔名〕

采访和编辑新闻供报社、电台、电视台、互联网等使用的机构。(news agency; news service)常做主语、宾语、定语。[量]家。

例句 通讯社每天提供的只是新闻总量的一小部分。|新华通讯社简称新华社，是中国国家通讯社。|许多国家都有一家最主要的通讯社。|她从新闻系毕业后，成为一家通讯社的记者。

【通用】 tōngyòng 〔动〕

❶（在一定范围内）普遍使用。(in common use; current; general)常做谓语、定语。

例句 尽管公制单位早已世界通用，但英美等国仍通用英制。|西欧国家大多通用欧元。|英语已经成为各国间通用的国际语言。|我要去中国，有没有通用的电源插头？

❷ 某些写法不同但读音相同的汉字可以互换。(interchangeable)常做谓语、定语。

例句 “词典”跟“辞典”可以通用。|不同的字通用的现象在文字改革后已经很少了。|可以互换的同音异形字叫通用字。

【通知】 tōngzhī 〔动/名〕

〔动〕把需要知道或照着做的事情正式告诉别人。(notify; inform)常做谓语、宾语。

例句 这个会一定要通知到每个人。|再去通知一下吧，别漏了人。|你通知谁了？我怎么没听说？|通知过两遍，她还不知道？|口头通知一下，请评委先碰个头。|办公室通知：星期六体检。|哎呀，有个局长忘了通知了。

〔名〕包含通知内容的文书或口信。(notice; circular)常做主语、宾语、定语。[量]个。

例句 通知上个星期就发下去了。|通知说,15号上午8点交房。|马上在门口贴个通知。|有个口头通知要告诉大家。|通知说,不同的垃圾不能混在一起。

【同】 tóng 〔形/介/连〕

〔形〕❶ 一样。(same; alike; similar)常做谓语、定语、状语。多构成词语。

词语 同伴 同胞 同窗 同等 同感 同甘共苦 同盟 同期 同时 同事 同乡 同学 同样 同志

例句 两国条件不同,不能简单地去比。|“衣”和“医”音同义不同。|他俩同一个学校出来的,水平却差得这么大。|她们俩是同一天出生的。|代表团其他成员也同机到达。|哥俩同是一母所生,可性格一点儿也不一样。

❷ 跟…一样。(be the same as; be similar to)常做谓语。

例句 此栏内容同前(上)。|“缴纳”同“交纳”。

❸ 一齐(做)。(together; in common)常做状语。也构成词语。

词语 共同 会同 陪同 同甘共苦

例句 在那里,他与村民同吃同住同劳动。|无论到什么时候,我都与你同行。

〔介〕跟(引进动作的对象或比较的事物)。(with)常构成介宾短语做状语。

例句 演员们走上台同观众见面。|决定之前需要同有关专家认真研究一下。|论条件,我们同他们的差别并不大。

〔连〕和(表示联合关系)。(and)常构成短语做句子成分。

例句 今年同去年都增长了10%以上。|事业同家庭哪个更重要?|现在同以前不是一个标准。

【同伴】 tóngbàn 〔名〕

一起工作、行动或生活的人。(companion; a person who works, lives or does things together with sb.)常做主语、宾语、定语。[量]个。

例句 同伴们都同意小李的办法。|一个同伴也没有,多扫兴啊!|周末,她常约上几个同伴去练健美。|找个同伴出去租房住,能省不少钱。|要是同伴的性格跟你合不来,怎么办?|他二十,同伴的年龄也差不多。

【同胞】 tóngbāo 〔名〕

同父母所生的;同一个国家或民族的人。(born of the same parents; compatriots)常做主语、定语、宾语。[量]个。

例句 海峡两岸的同胞都是一家人。|港澳同胞欢庆回归祖国。|原来她俩是同胞姐妹,怪不得那么像呢。|血浓于水,同胞情谊似海深。|热烈欢迎来自大洋洲的同胞们!

【同步】 tóngbù 〔形〕

两个或更多的量在随时间变化过程中保持一定的相对关系;泛指相关的事物在进行速度上保持协调一致。(synchronous; in step with; in pace with)常做谓语、状语、定语。

例句 你的动作要跟他同步。|它们的变化为什么不同步呢?|上半年全厂实现了产值与上缴利税同步增长。|精神文明应该与物质文明同步发展。|昨天发射的两颗同步卫星已经进入轨道。

【同床异梦】 tóng chuáng yì mèng 〔成〕

T

比喻虽共同生活或共同做事，却各有各的打算。(share the same bed but dream different dreams——be strange bedfellows)常做谓语、宾语。

例句 当年一起"下海"的几个朋友如今已同床异梦，难以合作了。|要是人人同床异梦，什么事也干不成。|他们表面上是一伙儿，实际上是同床异梦。

【同等】 tóngděng 〔形〕
等级或地位相同。(of the same class, rank, or status; on an equal basis)常做定语、状语。

例句 具有大学本科或同等学力的人都可以报名。|在同等条件下，有实践经验者优先。|无论年龄、资历，同样的岗位享受同等待遇。|在他的内心，权与钱同等重要。|无论是谁，在法律上都应该同等对待。

【同甘共苦】 tóng gān gòng kǔ 〔成〕
共同享受幸福，共同担当艰苦。(share weal and woe; share comforts and hardships)常做谓语。

例句 领导和群众同甘共苦，共渡难关。|他俩十多年来同甘共苦，感情可深呢。|不能跟我们同甘共苦，就不算真朋友。

【同行】 tóngháng 〔名〕
❶ 行业相同。(of the same trade or occupation)常做主语、谓语、定语、宾语。

例句 同行可以联合起来，搞集团公司。|他们几个同行，有共同语言。|同行的企业既有竞争，也需要合作。|我们全家同行，都当老师。

❷ 同一个行业的人。(people of the same trade or occupation)常做主语、宾语、定语。[量]个。

例句 同行到一起，有的是话说。|俗话说，同行是冤家。你看呢？|那个事我想约几个同行再商量商量。|这位同行的看法很有道理。

【同类】 tónglèi 〔名〕
❶ 类别相同。(of the same kind)常做定语。

例句 这两本属于同类小说，都是反映农村改革的。|近日发生了多起同类案件。|把同类现象集中到一起，可以更清楚地认识它们。

❷ 类别相同的人或事物。(people or things of the same kind)常做主语、宾语。

例句 它们是同类。|他和他的同类都受到了应有的惩罚。|老虎和猫属于同类。|这种动物从不伤害同类。

【同盟】 tóngméng 〔名〕
为采取共同行动、通过订立盟约而形成的整体。(alliance; league)常做主语、宾语、定语。[量]个。

例句 这个军事同盟是50多年前结成的。|第一次世界大战时，德奥两国结成了同盟。|几个小朋友订了"攻守同盟"：谁也不准泄密。|这个同盟的成员国一共有十个。|你们同盟的目标是什么？

【同年】 tóngnián 〔名〕
同一年。(the same year)常做定语、状语。

例句 同年夏天，她去了国外。|这座图书馆5月通过验收，同年9月正式开馆。|我们同年出生，我比她小五个月。|他2004年大学毕业。同年，应聘到我公司。

【同期】 tóngqī 〔名〕

T

同一个时期；同一届。（the corresponding period; the same term）常做状语、定语、宾语。

例句 她两个孩子同期毕业，又都考上了研究生。|他赴美进修期间，巧遇同期在美的李教授。|我们是同期毕业生，后来走了不同的路。|第一季度的产值比去年同期高30%。

【同情】 tóngqíng 〔动〕

❶ 对别人的不幸产生相同的感情。（sympathize with; show sympathy for）常做谓语、宾语、定语。

例句 我很同情她，也十分想帮她。|他从没同情过我，简直是铁石心肠。|听了她的一番话，人们不禁同情起她来。|你别总那么麻木，也该同情同情别人。|这种事我见得多了，不值得同情。|他家的情况，希望全社会都能给予同情和帮助。|这些没钱念书的孩子引起了很多人的同情。|听着听着，她也流下了同情的泪水。|他怎么连一点儿同情心也没有？

❷ 对于别人的行动表示赞成。（approve of; endorse）常做谓语、宾语。

例句 你们的要求并不过分，我很同情你们。|中国人民一贯同情并支持非洲人民的正义斗争。|对于贵国地震灾区所受到的损失，我们深表同情。|对反对恐怖（kǒngbù）主义的斗争，不仅要给予同情，更要全力支持。

【同时】 tóngshí 〔名/连〕

〔名〕同一个时候。（at the same time）常做状语或构成介宾短语做状语。

例句 我们俩同时考上了音乐学院。|在抓紧工程进度的同时，必须注意工程质量。|与此同时，另一家商场也打出了降价的广告。

〔连〕表示进一步；并且。（moreover; besides; furthermore）常做状语。

例句 小张的表现既得到了姑娘的尊重，同时也赢得了姑娘的爱情。|任务非常重要，同时也十分艰巨。

【同事】 tóngshì 〔名〕

在同一单位工作的人。（colleague; fellow worker）常做主语、宾语、定语。[量]个，位。

例句 我们几个老同事常聚在一起。|你那位同事真能干。|同事们都走了，只有他一个人还在办公室加班。|这位是我的同事小丁。|结婚那天，她请了二十几位同事。|他同事关系处得特别好。|每当我遇到困难，同事们都热情帮助我。

【同屋】 tóngwū 〔名〕

住在同一个房间的人。（roommate）常做主语、宾语、定语。[量]个。

例句 他同屋是美国人。|我同屋毕业以后，又来了一个新同屋。|玛丽很喜欢她的同屋，两人好得不得了。|山本同学一大早就去机场送他同屋了。|今天是我同屋的生日，我们要开个晚会。|同屋的东西特别多，都没地方放了。

【同学】 tóngxué 〔名〕

在同一个班级或学校学习的人；也用来称呼学生。（fellow student; schoolmate）常做主语、宾语、定语。也做称呼语。[量]个，名，位。

例句 全班同学都同意周末去公园玩。|这几个同学刚来，先办入学手续吧。|男同学站在左边，女同学站在右边。|他是我大学同学，我们已经十年没见面了。|热烈欢迎新同

学！|我觉得，同学之间的感情最纯真。|在同学们的帮助下，我的学习成绩有了很大提高。|同学，请问去地铁站怎么走？|同学们，现在上课。

【同样】 tóngyàng 〔形/连〕

〔形〕相同，一样，没有差别。(same; identical; similar)常做定语、状语。

例句 同样的衣服，两个店的价钱差一百块。|原来他们几个做同样的工作。|两次实验，采用的是同样的方法。|领导迟到，同样扣奖金。|这两项工作同样重要。

〔连〕连接并列的句子，其后有语音停顿。(alike; same; likewise)

例句 上大学可以成材，同样，自学也可以成材。|你没吃饭，同样，大家不是也没吃饭吗？|人家不赞成你的做法，同样，我也不赞成。

【同意】 tóngyì 〔动〕

对某种主张表示相同的意见。(agree; consent)常做谓语、宾语。

例句 你们的请示领导同意了。|我从来没同意过这种无理要求。|她非常同意你的意见。|厂里不同意这么做。|我完全同意这个计划。|你怎么又同意起她的看法来了？|对咱们的改革方案，上级表示同意。

【同志】 tóngzhì 〔名〕

为共同的理想、事业而奋斗的人，特指同一个政党的成员；也用于人们之间的称呼。(comrade)常做主语、宾语、定语。也做称呼语。[量]个，位，名。

例句 这几名同志表现都不错。|老王同志已经退休了。|年末要奖励有重大贡献的同志。|市领导来慰问同志们啦！|同志之间应当以诚相待。|同志们的心情可以理解，但是现在需要冷静。|同志们，加油啊！|同志，请问去和平广场怎么走？

【铜】 tóng 〔名〕

金属元素。淡紫红色，延展性和导电性好，是重要的工业原料。[copper(Cu)]常做主语、宾语、定语。也构成词语。[量]公斤，吨。

词语 铜币 铜牌 铜钱 铜墙铁壁

例句 铜不但用于工业，还可以制作艺术品。|铜不如铁硬，可是铁容易生锈。|用铜好，还是用不锈钢好？|他以前炼过铜。|门上的铜把手古色古香的。|铜钥匙既美观，又耐用。

【童年】 tóngnián 〔名〕

儿童时期；幼年。(childhood)常做定语、主语、宾语。[量]个。

例句 在人的一生中，童年时代最值得珍贵。|大家沉浸在童年的回忆之中。|李老师的童年是在乡下度过的。|她有一个幸福的童年。

【统筹】 tǒngchóu 〔动〕

从总体上统一想办法、定计划或设法弄到。(plan as a whole)常做谓语。

例句 作为领导，应该能够统筹全局。|救灾款主要由政府统筹。|安排工作要统筹兼顾，不能只顾局部。

【统计】 tǒngjì 〔动/名〕

〔动〕把各方面合在一起计算。(add up; count)常做谓语。

例句 她们正兴奋地统计着今天的营业额。|分数我统计了好几遍，不会错的。|出勤率统计完了，这个月满勤达到95%。|数据刚刚统计出

来，整理完就上报。|总数统计错了，你再统计统计。

〔名〕指对某一现象有关的数据的搜集、整理、计算和分析等。(statistics)常做定语、主语、宾语。

例句 统计数字非常精确，我们核对过了。|你马上把统计结果送到经理办公室。|统计表已经做好了，明天就发下去。|这个统计必须百分之百准确才行。|还得多长时间才能把统计搞出来？

【统统】 tǒngtǒng 〔副〕

全，都。(all; completely; entirely)做状语。

例句 所有干部统统到会议室开会。|一切不合理的规章制度要统统废除。|开学前，所有的教室统统被粉刷一新。|除了值班的以外，其余的人统统救火去了。

【统一】 tǒngyī 〔动/形〕

〔动〕部分联成整体；不一致归于一致。(unify; unite; integrate)常做谓语、宾语、主语。

例句 用"一国两制"方式统一祖国是人心所向。|这些年来，他们俩的看法很少统一过。|大家的意见总是统一不起来，怎么办？|咱们一起讨论一下，统一统一思想。|受阅队伍的动作一定要保持完全统一。|海峡两岸终会实现统一。|国家的统一、民族的团结是最重要的。

〔形〕一致的；整体的；单一的。(unified; unitary)常做谓语、定语、状语。

例句 商量了半天，看法还是不太统一。|委员们的意见比较统一。|他们几个人口径怎么这么统一？|中国是个统一的多民族的国家。|最后才确定了统一的集合时间。|服装是学校统一订做的。|粮食由国家统一收购。

【统战】 tǒngzhàn 〔名〕

"统一战线"的简称，即几个阶级或政党为了共同的政治目的结成的联盟。(united front)常做定语、宾语、主语。

例句 当前，统战工作仍然十分重要。|他是公务员，在统战部门。|无论革命还是建设，都离不开统战。|统战是一项政策性很强的工作。

【统治】 tǒngzhì 〔动〕

用政权来控制、管理国家或地区；支配，控制。(rule; dominate)常做谓语、定语、宾语。

例句 清朝统治中国近三百年。|什么东西也统治不了人们的思想。|新时期，占统治地位的必须是经济建设。|推翻了殖民统治，非洲人民才获得了独立。

【捅】 tǒng 〔动〕

❶ 扎。(stab; poke)常做谓语。

例句 尽管他被捅了两刀，最后还是抓住了歹徒。|因为用力太大，他把拉门捅出个窟窿。|小心，别捅破了。

❷ 碰。(push; touch; nudge)常做谓语。也构成词语。

词语 捅娄(lóu)子　捅马蜂窝

例句 我捅了她一下，她才不说了。|再往周围捅捅，看能不能找着。|哎哟，你捅疼我了！

❸ 揭露。(expose; disclose; let out; give away)常做谓语。

例句 这事要是捅出去可不得了！|家丑怎么能往外捅呢？

【桶】 tǒng 〔名〕

盛东西的器具，用木头、铁皮、塑料等制成，多为圆筒形，有些有提梁。(barrel; tub; pail; bucket; keg)常做主语、宾语、定语。[量]个。

例句 每个大桶都盛着不同年份的葡萄酒。|唉，桶放哪儿了？|这点儿油用不着桶，找个瓶儿就装下了。|爷爷常提着个小桶去钓鱼。|去掉桶的重量，净重是25公斤。

▶"桶"也可借用做量词。如：要给学生"一碗水"，老师先得有"一桶水"。|劳驾，帮我把这桶油搬过去。

【筒】 tǒng 〔名〕

❶ 粗竹管；也指较粗的管状物。(a section of thick bamboo; a thick tube-shaped object)常做主语、宾语、定语。多构成词语。[量]个。

词语 竹筒 笔筒 烟筒 邮筒 万花筒

例句 这个筒是塑料的吧？|她们把硬纸板卷成一个个筒。|筒内外都有防潮层。

❷ 衣物的筒状部分。(any tube-shaped part of an article of clothing, etc.)常构成词语。

词语 裤筒 袜筒 长筒靴(袜)

例句 裤筒这么瘦，我穿不了。|现在比较流行长筒靴。

【痛】 tòng 〔动〕

❶ 伤、病等引起的难受的感觉。(ache; pain)常做谓语、宾语、补语。

例句 我头痛、发烧，可能是感冒了。|昨天不知吃了什么，肚子痛了一宿。|轻点儿，我这刀口痛得要命。|刚拔了一颗牙，痛死我了。|还不到一个月，伤腿就一点儿也不痛了。|要是不觉得痛，可以下地走走。|对不起，踩痛你了吧？

❷ 悲伤。(sadness; sorrow; grief)常用于构词。

词语 悲痛 沉痛 痛心

例句 好好的树林毁成这样，谁看了能不痛心？

❸ 尽情地，深深地，彻底地。(extremely; deeply; thoroughly; bitterly)常构成词语。

词语 痛打 痛感 痛恨 痛哭 痛快 痛改前非

例句 当时气得我真想把他痛打一顿。|他决心从此以后痛改前非，重新做人。

【痛恨】 tònghèn 〔动〕

深深地恨。(abhor; hate bitterly; utterly detest)常做谓语。

例句 他痛恨自己，当时为什么那么软弱。|广大群众对腐败现象十分痛恨。|尽管内心痛恨至极，她却没有表现出来。

【痛苦】 tòngkǔ 〔形〕

身体或精神感到非常难受。(pain; suffering; agony)常做谓语、定语、补语、状语、宾语。

例句 下岗就够痛苦了，身体再有病，不是更痛苦吗？|一想到那件事，她就痛苦得吃不好，睡不安。|我实在不愿意再提那段痛苦的生活。|抛弃旧的生活方式，往往要经历一个痛苦的过程。|既然早就分居了，为什么还要痛苦地维持下去呢？|我看就算了，何必把大家搞得那么痛苦呢？|看得出，他是忍受着巨大的痛苦才坐起来的。

【痛快】 tòngkuai 〔形〕

❶ 高兴。(joyful; delighted; gratified)常做谓语、定语、状语、补语、宾语。

例句 这几天她一直不痛快。|成功

之后，心里那股痛快劲儿就甭提了。|主人痛快地举起酒杯："来，干！"|总不知足，日子怎么能过痛快呢？|只要跟他在一起，我就觉得痛快。

❷ 兴趣尽量得到满足。(to one's heart's content; to one's great satisfaction)常做谓语、定语、状语、补语。

例句 大热天吃一块冰镇西瓜，真痛快！|看别人游得那痛快样儿，我也想下水了。|下了班咱们去痛痛快快地洗个温泉吧。|昨天那场球赢得太痛快了！

❸ 直爽。(straightforward; simple and direct; forthright)常做谓语、定语、状语、补语。

例句 他这人说话办事都特别痛快。|到底行不行，你给个痛快话儿！|没等我说完，头儿就痛快地签了字。|真没想到，人家答应得这么痛快。

【偷】 tōu 〔动〕

趁别人不注意把东西拿走归自己所有。(steal; pilfer)常做谓语。

例句 我的钱包被偷了。|偷东西是犯法的。|用这种安全锁，车一般偷不走。|他连着偷了三次才被抓住。

【偷窃】 tōuqiè 〔动〕

秘密地非法取得。(steal; pilfer)常做谓语、定语、宾语。

例句 昨晚有人偷窃了办公室的笔记本电脑。|他曾因偷窃被判刑。|这种做法就是偷窃行为。|为防止偷窃，室内外都安装了摄像机。

【偷税】 tōu shuì 〔动短〕

有意不交纳或少交纳应交纳的税款。(evade taxes; deliberately not pay taxes or pay fewer taxes than required)常做谓语、主语、宾语、定语。中间可插入词语。

例句 尽管依法交税是义务，可还是有人偷税。|这个企业去年偷过一大笔税，受到了重罚。|偷税违法，违法必究。|无论是谁，都不允许偷税。|通过检查，发现了好几个偷税的单位。

【偷偷】 tōutōu 〔副〕

指行动不被人发现。(stealthily; secretly; covertly)做状语。

例句 他偷偷地走进来，吓了我一跳。|我实在不想听下去了，就偷偷溜出了会场。|警察偷偷地摸上去，一下子就把坏人捉住了。|朋友偷偷塞给我一张纸条。|当时我正开会，只能偷偷给你打手机。

【头】 tóu 〔名/量/形/尾〕

〔名〕❶ 人身体最上部或动物最前部有口、眼等的部分。(head)常做主语、宾语。[量]个。

例句 我头有点儿不舒服，想休息一会儿。|每次吃鱼，头都是妈妈吃。|俗话说，打蛇先打头。|慢点儿走，小心碰了头！

❷ 指头发或头发的样式。(hair or hair style)常做主语、宾语。

例句 你看我的头剪得怎么样？|我太太每天早上梳头就得半个多小时。|外边风大，我头还没干，等会儿再走吧。|你该去烫烫头了。|她的脸型不适合留这种头。

❸ 物体的顶儿或尖儿。(top; tip; end)常做主语、宾语。也用于构词。[量]个。

词语 山头　笔头

例句 这东西怎么一头大，一头小

啊？|一场春雨过后，地里的小苗都露出了头。

❹ 事情的起点或终点。(beginning or end)常做宾语。[量]个。

例句 来，我起个头，咱们一块儿唱。|他做事总是没头没尾的。|孩子就是孩子，玩起来就没个头了。|我真想不起来了，你给我提个头。

❺ 物品的剩余部分。(remnant; remains; leftover)常构成词语。

词语 布头 蜡头 粉笔头

例句 这个包是用布头拼的。

❻ 领导者。(head; chief; leader)常做主语、宾语、定语。[量]个。

例句 头儿说了，今天必须干完。|别吵了，头儿来了。|当个头儿也不容易，整天操不完的心。|你是头儿，我们听你的。|听说头儿的想法跟咱们一样。

▶ 以上第❸❹❺❻项"头"常说"头儿"。

〔量〕用于牛、驴、大象等；也用于蒜等。(for certain domestic animals; for garlic)常构成短语做句子成分。

例句 几头大象慢慢地走进树林去了。|一头奶牛一天能产多少奶？|他一顿能吃一头蒜。

〔形〕第一的，最前面的。(first; number one)常构成词语。

词语 头等(奖、舱、车厢) 头号 头班车 头版头条

例句 获头奖的两个人都是留学生。|刚来头几天，我很不习惯。|早上起晚了，没赶上头班车。|你知道吗？那件事上了头版头条，成了今天的头号新闻！

〔尾〕❶ 跟在单音节名词后。(*added to a monosyllabic noun*)

词语 木头 石头 舌头

❷ 与动词、形容词构成名词。(*added to a verb or adjective*)

词语 看头 想头 听头 来头 甜头 苦头

例句 这本书我看过，没什么看头。|在国外期间，既有甜头，也吃过苦头。

❸ 跟在方位词后。(*added to a word of locality*)

词语 上头 前头 里头

【头发】 tóufa 〔名〕

人的眼眉、耳朵、后脖子以上长的毛。(hair)常做主语、宾语、定语。[量]根。

例句 头发太长了，该剪了。|别看王老先生头发全白了，可精神特别足。|我大概最近用脑过度，每天都掉十几根头发。|有的年轻人喜欢把头发弄得五颜六色的。|随着生活水平的提高，人们越来越注意头发的保养了。|那东西简直比头发丝还要细。

【头脑】 tóunǎo 〔名〕

思维能力。(savvy; brains; mind)常做主语、宾语。

例句 这两天发烧烧得我头脑不大清楚了。|领导如果头脑发热，就很危险了。|他办事很有头脑，完全可以放心。|赢了一场就了不得了？小心被胜利冲昏了头脑。

▶ "头脑"重叠为"头头脑脑"，指领导者。如：事故发生后，市里的头头脑脑很快到了现场。

▶ "头脑"还指"头绪"。如：他讲了半天，我还是摸不着头脑。

【头头是道】 tóutóu shì dào 〔成〕

T

形容说话做事很有条理。(clear and logical; closely reasoned and well argued)常做谓语、补语、状语。

例句 别看她年轻,说起话来头头是道。|会上他说得头头是道,会后就不是那么回事了。|这么难的问题,他却能回答得头头是道。|当时,领导头头是道地讲了半天,职工们对破产还是难以接受。

【头子】 tóuzi 〔名〕

首领,含有贬义。(chieftain; chief; boss)常做主语、宾语、定语。[量]个。

例句 听说那个犯罪集团的头子抓到了。|这个头子已经交代了犯罪事实。|像这样的流氓头子,应该重判。|只要逮住了头子,案子就好破了。|根据团伙头子的交代,警察迅速抓捕了其他成员。

【投】 tóu 〔动〕

❶ 向一定的目标扔。(throw; fling; hurl)常做谓语。

例句 他连着投了两个三分篮,才使客队反败为胜。|5号队员投了三次才把球投进去。|你投铅球能投多远?|虽然投得不太远,可是投得很准。

❷ 放进去。(drop; put in)常做谓语。

例句 下星期投票选举县人大代表。|是我亲自把信投到门口的邮筒里的。|上次那个项目投了20万,结果都打了水漂。

❸ 寄给人。(send; deliver; dispatch)常做谓语。

例句 他每年都要给新闻媒体投几篇稿。|村民们把问题直接投书政府有关部门。

❹ 找上去,参加进去。(go to; seek; join; enter)常构成词语。

词语 投案 投奔 投靠 投亲 投身 投宿 投医

例句 犯罪嫌疑人主动投案,争取得到宽大处理。|他从青年时代就投身地质事业。|千万不要有病乱投医。

❺ 合,迎合。(fit in with; agree with; cater to)常构成词语。

词语 投机 情投意合 投其所好

例句 两人情投意合,成为终身好友。|他得知张局长喜欢字画,便投其所好地送去两幅。

【投标】 tóu biāo 〔动短〕

为得到建筑工程的承包权或大宗商品的购买权,按照招标的条件提出自己的价格,填写标单。(submit a tender; enter a bid)常做谓语、定语、宾语。中间可插入词语。

例句 国家规定,在选择施工单位时,必须公开招标和投标。|他们也投过标,但没竞争过人家。|这个工程投标单位已经有十几家了。|经检查,投标的整个过程是公平和公正的。|凡是具备条件的单位或个人都允许投标。|经过认真分析,我们公司决定投标。

【投产】 tóuchǎn 〔动〕

投入生产。(go into operation; put into production)常做谓语、定语、宾语。

例句 新厂于今年9月正式建成投产。|这条生产线刚投产一年就收回了全部成本。|根据统计,两个投产项目成效显著。|整个工程质量验收100%合格,同意投产。

【投放】 tóufàng 〔动〕

❶ 大量地投进去。(throw in; put in; put into)常做谓语、定语。

例句 开春在水库里一共投放了一百多万尾鱼苗。|饵料一下子不能投放得太多。|尽管投放量不小,但效益不明显。

❷ 把人力、物力、财力、商品等投入到生产或流通领域。(put man power, resources, capital, etc. into production or circulation)常做谓语、定语。

例句 多年前,香港工商界就向"珠三角"投放过大笔资金。|为建设三峡工程,国家已经投放了大量的物力和财力。|新款电视机刚一投放市场,就受到消费者的青睐。|货币的投放量必须适度,才能保证经济的发展和稳定。

【投机】 tóujī 〔形/动〕

〔形〕见解相同。(agreeable; congenial; holding the same view; having the same opinion)常做谓语、补语。

例句 我去找过他,可是话不投机,就散了。|我们几个特别投机,常在一块儿聊。|看起来,她俩谈得挺投机。

〔动〕利用时机取得私利。(speculate; be opportunistic; seize a chance to seek private gain)常做定语、谓语、宾语。

例句 领导者要善于识别那些投机分子。|现在有些人是抱着投机心理在炒房地产。|学习得下真功夫,千万不能投机取巧。|实际上,搞投机是不会有好结果的。

【投机倒把】 tóujī dǎobǎ 〔动短〕

指根据对市场变化的预测,用套购转卖等手段牟取暴利的商业投机。(engage in speculation and profiteering)常做谓语、定语、宾语、主语。

例句 他以前投机倒把,赚了不少钱。|把你那些投机倒把的事都说出来吧。|你不能总靠投机倒把过日子吧?|投机倒把破坏市场秩序,必须坚决打击。

【投机取巧】 tóujī qǔqiǎo 〔成〕

利用时机谋取私利,或不下功夫而凭小聪明取得成功。(seize every chance to gain advantage by trickery)常做谓语、定语、宾语。

例句 学习不能投机取巧,必须扎扎实实才行。|他平时工作很认真,不是那种投机取巧的人。|想靠投机取巧发财是靠不住的。

【投票】 tóu piào 〔动短〕

一种选举方式,由选举人把写好被选举人的选票投进票箱。有时也用这种方式表决议案。(vote; cast a vote)常做谓语、定语、宾语、主语。中间可插入词语。

例句 今天大会将投票选举新一届国家领导人。|经过认真比较,他投了朱教授的票。|选民们一大早就来到投票站,投上了庄严的一票。|用投票的方法能够充分体现每个人的意志。|下午三点正式开始投票。|投谁的票完全由选民自己决定。

【投入】 tóurù 〔动/形/名〕

〔动〕❶ 投到某种环境中。(put into; throw into)常做谓语。

例句 一到工地,我们就投入到紧张的劳动中去了。|孩子高兴地投入母亲的怀抱。|这套设备什么时候可以投入使用?|地铁五号线将于本月底正式投入运营。

❷ 投资。(invest; put capital into

an enterprise)常做谓语、宾语。

例句 要力争少投入,多产出。|改造老企业,不投入不行,但都靠国家投入也不行。|不但要看投入,也要看回报率。

〔形〕做某事集中精力,全力以赴。(concentrated; engrossed; devoted)常做谓语、补语。

例句 这个人不论干什么都非常投入。|你那么投入,值得吗?|她戏演得特别投入,特别动感情。

〔名〕投入的资金。(investment; input)常做主语、宾语、定语。[量]笔。

例句 工程的全部投入预计约需一个亿。|国家的教育投入每年都在增加。|送孩子出国留学,对家长来说是一大笔投入。|许多家庭无力承担购买商品房的投入。|这个项目投入总额达1800万美元。

【投诉】 tóusù 〔动〕

向有关部门或有关人员申诉(提出自己的意见或要求)。[appeal;(of a customer) complain]常做谓语、主语、宾语、定语。

例句 从上任那天起,就常有人投诉他。|他觉得受了骗,向消费者协会投诉过。|住户已多次向环保局投诉这家工厂乱倒垃圾的问题。|这个问题,最好向有关部门投诉。|有时尽管吃了亏,却投诉无门。|他彻底灰了心,不准备投诉了。|投诉信这么多,究竟是怎么回事?

【投降】 tóuxiáng 〔动〕

停止对抗,向对方屈服。(surrender; capitulate)常做谓语、定语、主语。

例句 敌军投降了。|战士们表示:宁可战死,也绝不投降。|我打不过你,我投降还不行吗?|对手这么强,恐怕咱们队也只有投降的份儿了。|对投降的士兵也要讲人道,不能虐待。|有时候,投降也是一种明智的选择。

【投掷】 tóuzhì 〔动〕

向一定的目标扔。(throw; hurl; cast; fling)常做谓语、定语。

例句 标枪他能投掷68米。|投掷铁饼不容易,没投掷过的得好好练。|小朋友们正在高兴地做投掷游戏。

【投资】 tóu zī 〔动短〕

为达到一定目的而投入资金。(invest; put in money to achieve some objective)常做谓语、定语。中间可插入词语。

例句 建这个厂,三家股东共投资4000万元。|这么好的机会,你不投点儿资吗?|他以前曾经投过资,后来又把钱都撤了。|企业家投资办学是好事,不知人家能投多少资?|应该是谁投资、谁受益才对。|投资一方占百分之多少的股份?|为筹集到足够的资金,还要增加投资渠道。

【投资】 tóuzī 〔名〕

为达到一定目的所投入的资金。(investment; invested money)常做宾语、主语、定语。[量]笔。

例句 由于市场前景看好,外商决定增加投资。|对外开放以来,中国吸引了大量的海外投资。|花钱送孩子出国学习,就算是智力投资吧。|这些投资来之不易,必须管好用好。|那两笔投资的效益十分明显。

【透】 tòu 〔动/形〕

〔动〕❶(液体、气体、光线等)穿过、通过。(penetrate; pass through)常

做谓语。

例句 哎呀，雨太大了，伞都透雨了。|阳光透过树叶暖暖地照在身上。|把门缝堵上，就透不了风了。|这屋里什么味儿啊？开窗透透气吧。|透过她的目光，我已经明白了。

❷ 暗地里告诉。(tell secretly; inform on the sly)常做谓语。

例句 我给你透个信儿，小刘要跳槽了。|她透过话儿，没有三十万，谁也别想买走。|这事是怎么透出去的？

❸ 显露。(show; appear; look)常做谓语。

例句 孩子的小脸蛋儿白里透红。|说到这儿，王老板透着一脸的无奈。

〔形〕深入的，充分的。(thorough; clear; in a penetrating way)常做补语。

例句 只要把道理说透了，人家会理解的。|最近的股票行情怎么也摸不透。|雨太小，下了一天，还是没下透。|熟透的苹果挂满枝头，很是诱人。

【透彻】 tòuchè 〔形〕

了解、分析得深入而细致。(penetrating; thorough)常做补语、定语、谓语。

例句 刚才的发言分析得非常透彻。|只要把道理讲透彻，相信群众会理解的。|李工程师从原理到操作规程，给新工人作了透彻的说明。|了解情况不透彻，就很难得出正确的结论。

【透明】 tòumíng 〔形〕

(物体)能透过光线的。也用于比喻。(transparent; lucid)常做谓语、定语、补语。

例句 这纸真薄，几乎透明了。|卫生间用花玻璃就不那么透明了。|现在公司的经营状况透明多了，员工都比较满意。|透明的冰灯吸引了无数的游客。|她不喜欢穿得太透明。

【透明度】 tòumíngdù 〔名〕

透明的程度。(diaphaneity; transparency)常做宾语、主语。

例句 政府的工作还要进一步增加透明度。|只有提高透明度，才能保证老百姓的知情权。|采用了新技术后，镜片的透明度明显提高。

【凸】 tū 〔形〕

高于周围。(protruding; raised; higher than the surrounding area)常做谓语。

例句 路面凹凸不平，把车里的人颠得都散架了。|刚过三十，他就胖得肚子都凸出来了。|因为牙疼，腮帮子凸起老高。

【秃】 tū 〔形〕

❶ 没有头发、毛、叶子或树木的。(bald; bare)常做谓语、定语、补语。

例句 化疗以后，她的头发全秃了。|院子里，有只秃尾巴老母鸡。|一场大火，把好好的一座山烧成了秃山。|那里不到十月，树叶子就掉秃了。

❷ 原有的尖儿没有了。(blunt; unpointed; pointless)常做谓语、定语、补语。

例句 铅笔尖秃了，得削削了。|秃笔怎么写字啊？|这把锥子用了十年，尖儿都磨秃了。

【突出】 tūchū 〔动/形〕

〔动〕使超过一般。(stress; emphasize; highlight; give prominence to) 常做谓语。

例句 写文章不突出重点不行。|这部电影突出了爱国主义的主题。|要是把这部分再突出突出,就更好了。|喜欢突出自己,必然引起大家的反感。

〔形〕显得超出一般。(outstanding; prominent; conspicuous; salient)常做谓语、定语、补语。

例句 他的答辩观点鲜明,重点突出。|她的汉语水平在班里是最突出的。|昨天的比赛,客队表现得非常突出。

【突击】 tūjī 〔动〕

集中兵力向敌人突然猛攻。多比喻集中力量,加快工作进度。(assault; make a sudden and violent attack; make a concentrated effort to finish a job quickly; do a crash job) 常做谓语、定语、状语、宾语。

例句 我们突击了一个星期,总算按时交了货。|为加快进度,必须组建一支突击队或者突击小组。|经过突击检查,发现了一批不合格产品。|要是平时抓点儿紧,哪至于最后搞突击呢?

【突破】 tūpò 〔动/名〕

〔动〕集中兵力攻破一点。也指打破困难、限制等。(break through; make a breakthrough; surmount; top)常做谓语。

例句 工人们突破了厂里规定的生产定额。|搞市场经济就必须突破地方保护主义。

〔名〕打破某种限制的行动。(breakthrough)常做宾语、主语。[量]个。

例句 改革需要在理论和实践上不断地有新的突破。|"克隆"技术是自然科学领域的一个重大突破。|这个突破对中国田径运动的发展具有重要意义。

【突然】 tūrán 〔形〕

在极短的时间里发生;很意外。(abrupt; sudden; unexpected) 常做谓语、定语、状语、补语。

例句 事情这么突然,我一点儿思想准备都没有。|面对这突然的变化,大家一时不知该怎么办。|突然,会场响起了热烈的掌声。|丈夫的突然去世,给了她巨大的打击。|由于问题提得很突然,谁也答不上来。

【图】 tú 〔名〕

用线条或颜色表现出来的形象。(picture; drawing; chart; map; diagram) 常做宾语、主语。也用于构词。[量]张。

词语 图案 图表 图画 图片 图书 图形 图纸 地图 插图

例句 听你说那儿不好找,还是画个图吧。|看图识字,好学好记。|买房子光有图不行,还应该看实物。|这几张图设计得很有新意。

【图案】 tú'àn 〔名〕

有艺术感的花纹或图形。(pattern; design)常做主语、宾语。[量]幅。

例句 花瓶上图案精美。|这些图案反映了当时的社会生活。|建筑艺术离不开图案。|看着这一幅幅美丽的图案,不能不佩服古人的聪明才智。

【图表】 túbiǎo 〔名〕

表示各种情况、标明各种数字的图和表格的总称。(chart; diagram;

graph)常做主语、宾语。[量]张。

例句 图表比语言形象得多。|这几张图表清楚地显示出了未来的天气变化。|办公室的墙上挂满了大大小小的各种图表。|两位经理正在分析图表。

【图画】 túhuà 〔名〕

用线条或色彩构成的形象。(picture; painting; drawing)常做宾语、主语、定语。[量]幅。

例句 数百名小学生在地上画图画,祝愿世界和平。|女儿用一幅图画做了一张贺卡送给我。|哪幅图画是你画的?|图画课是小朋友最爱上的课。

【图片】 túpiàn 〔名〕

用来说明事物的图画、照片等的统称。(picture; photograph)常做主语、宾语、定语。[量]张。

例句 全部图片都是由两位科学家提供的。|图片显示,火星表面主要是沙石。|新闻发布会上展示了几张现场发回的图片。|大家可以通过大量的图片和实物了解他传奇的一生。|今天晚报头版头条的图片新闻你看了吗?

【图书馆】 túshūguǎn 〔名〕

收集、保管图书资料供人阅览、参考的机构。(library)常做主语、宾语、定语。[量]座,个。

例句 请问,市图书馆在哪儿?|那个图书馆24小时开放。|我读研那会儿,整天泡在图书馆。|新校区要建一座更现代化的图书馆。|宿舍不太安静,还是图书馆的学习环境好。|你办图书馆的借书证了吗?

【图像】 túxiàng 〔名〕

画成、摄制或印制的形象。(image; picture)常做主语、宾语、定语。[量]幅,个。

例句 数字电视图像特别清晰。|最近,这幅图像经常出现在广告上。|我的电视有毛病了,怎么也调不出图像来。|把这个图像放大一倍效果就更好了。|整个图像的色调似乎过于暗淡。

【图形】 túxíng 〔名〕

在纸等平面上表现出来的物体的形状。也指几何图形。(graph; figure; geometric figure)常做主语、宾语。[量]个。

例句 这个图形立体感很强。|要是图形不准确,很容易误导学生。|光说不行,画个图形就直观多了。|根据下列图形,可以证明一个什么定理?

【图纸】 túzhǐ 〔名〕

画了图样的纸。多指设计图。(blueprint; drawing; paper on which a design is drawn)常做主语、宾语、定语。[量]张。

例句 图纸就是这样,错不了。|整个工程的图纸有上万张。|从毕业起我就画图纸,一干就是十年。|这房是看图纸买的,结果上了当。|你瞧,图纸的比例是1∶100。

【徒弟】 túdi 〔名〕

跟着师傅学习的人。(apprentice; pupil; disciple)常做主语、宾语、定语。[量]个。

例句 徒弟超过师傅是常有的事。|我这些徒弟个个都不错。|王师傅一辈子带过几十个徒弟。|有句老话说,教会了徒弟,饿死了师傅。|她不但传授徒弟技术,还关心徒弟的生活。

【途径】 tújìng 〔名〕

为达到目的所走的路或采用的方法。(way; road; path; channel; approach; avenue)常做主语、宾语。[量]条。

例句 哪条途径走得通,就走哪条。|明明正常途径能办成,有人偏要走后门。|海关查获了一批通过非法途径走私的汽车。|经过反复研究,我们找到了一条可行的途径。

【涂】 tú 〔动〕

❶ 把油、粉、药、颜色等抹到物体表面上。(apply; anoint; smear; daub paint, colour, rouge and powder, medicine, etc., to objects)常做谓语。

例句 在表面涂上一层油就不会锈了。|颜色怎么涂得乱七八糟的?太难看了。|这儿的粉没涂匀,再稍稍涂涂。|打针以前,得涂点儿酒精消消毒。

❷ 抹去。(erase; cross out; blot out)常做谓语。

例句 这行数字不要了,用修正液涂了吧。|油漆一干,就涂不掉了。

【屠杀】 túshā 〔动〕

大批残杀。(massacre; slaughter; butcher)常做谓语、宾语。

例句 侵略军屠杀了成千上万的老百姓。|当时,全村一千多群众惨遭屠杀。

【土】 tǔ 〔名/形〕

〔名〕❶ 陆地表面的一层能生长植物的松软物质。(soil; earth)常做主语、宾语、定语。

例句 这山上土少石头多,只长着几棵松树。|江南土肥水美,是鱼米之乡。|每次探亲,他都忘不了带回一包家乡的土。|以前,那里一刮风就弄得人一身土。|一群孩子正围着土堆做游戏。

❷ 田地;国土。(field; land; territory)常构成词语。

词语 土地 国土 领土 寸土寸金 寸土必争

例句 每一寸国土都是神圣不可侵犯的。|香港是个寸土寸金的地方。

〔形〕❶ 本地的,中国民间的。(local; native; indigenous)常做谓语、定语、补语。也构成词语。

词语 土产 土话 土气 土法 土生土长 方言土语 土洋结合

例句 别看这机器样子土一点儿,可挺管用。|杨工程师是自学成才的土专家。|有时候,土办法也能解决大问题。|他都高中毕业了,可话说得土得很。

❷ 不合潮流;不开通。(crude; unenlightened; uncouth; rustic)常做谓语、定语、补语。

例句 瞧她那头型,多土啊!|你这想法太土了。|不管她怎么打扮,也改不了那个土样儿。|现在都什么年代了,还穿得这么土。

【土地】 tǔdì 〔名〕

田地;国土。(field; land)常做主语、宾语、定语。[量]片。

例句 土地是农民的命根子。|这片美丽的土地养育着几百万勤劳的人民。|越来越多的农民离开了土地,进城务工。|张县长在任三年间,走遍了全县每一块土地。|一些地方无计划开发,导致土地资源迅速减少。

【土豆】 tǔdòu 〔名〕

马铃薯的一种名称。是分布很广的

农作物。地下块茎肥大，供食用。(potato)常做主语、宾语、定语。[量]个。

例句 在欧美等国家，土豆是主要的食物之一。|土豆既能做菜，也能做主食。|这一带大量种植土豆。|把土豆切成块儿放在烤箱里烤，别有风味。|来一个凉拌土豆丝，怎么样？|西方人喜欢吃土豆泥、炸土豆条。

【土壤】 tǔrǎng 〔名〕

地球陆地表面的一层能够生长植物的较松的物质。(soil)常做主语、宾语、定语。

例句 东北平原的黑土地土壤肥沃，是有名的粮仓。|什么样的土壤适合种茶？|植树种草不仅保护环境，还能改良土壤。|化肥用久了会破坏土壤的有机成分。

【吐】 tǔ 〔动〕 另读 tù

❶ 使东西从嘴里出来；东西从口儿或缝儿里长出来。(spit; force sth. out of one's mouth)常做谓语。

例句 随地吐痰既不卫生，也不文明。|他只是干咳，吐不出痰来。|有个绕口令叫“吃葡萄不吐葡萄皮儿”。|你见过蚕吐丝吗？|我到四川，正是杨柳吐绿的时节。

❷ 说出来。(say; tell; speak out; pour out)常用于构词。

词语 谈吐 吐露 吐字 吐口

例句 见面后，才发现他谈吐不凡。|因为吐字不清，她的普通话测试没过关。|现在万事俱备，就等领导吐口了。

【吐】 tù 〔动〕 另读 tǔ

(胃里的东西)不自主地涌出。比喻被迫退还财物。(vomit; throw up)常做谓语。

例句 不知什么原因，昨晚吐了好几次。|我是光恶心，吐不出来。|再吐吐吧，吐光了就好了。|为了赶这批活儿，差点儿没把大伙累吐了血。|你怎么贪污的，就怎么给吐出来。

【兔子】 tùzi 〔名〕

哺乳动物，耳大，上唇分裂，尾短，后腿长，善跑跳。有家养和野生的。(rabbit; hare)常做主语、宾语、定语。[量]只。

例句 你知道兔子跟龟赛跑的故事吧？|俗话说，兔子不吃窝边草。|她家养了两只小兔子，可好玩了！|周末打算开车去山里打野兔子。|有句歇后语是：兔子尾巴——长不了。|兔子的肉和毛都是好东西。

【团】 tuán 〔名/量〕

〔名〕❶ 成球形的东西。(sth. shaped like a ball)常构成短语做句子成分，也做主语、宾语。口语常说“团儿”。[量]个。

词语 饭团儿 面团儿 线团儿 纸团儿

例句 这个饭团儿有一两重。|先把毛线缠成线团儿才好织东西。|你猜纸团儿里头是什么？|把面做成一个个小团儿，每个团儿再擀成饺子皮儿。

❷ 为某项工作或活动而组成的集体；组织名称。(group; society; organization)常构成短语做句子成分，也做主语、宾语、定语。[量]个。

词语 代表团 旅游团 主席团 参观团 检查团 慰问团 共青团

例句 参加人代会的各代表团已经全部到京。|跟旅行团旅游省事、省钱、省时间。|灾区群众热烈欢迎中

央慰问团。|大会主席团成员共67人。|这次招商共组两个团,一个团去北美,一个团去西欧。|带团的导游小姐姓黄,服务特别周到。|我刚到14岁就加入了团组织。

❸ 军队编制中比师低一级的单位。(regiment; a military unit usually subordinated to a division, and commanding several battalions)常做主语、宾语、定语。[量]个。

例句 我团奉命赶赴救灾第一线。|一个团不够,马上再派两个团。|团首长命令三营火速前进。|把团指挥所放在那个山坡上。

〔量〕用于成团的东西。(for sth. in the shape of a ball)常构成短语做句子成分。

例句 当时特别难过,心里像堵着一团棉花。|小猫把那团毛线弄到沙发底下去了。|一团团乌云带着大雨向我们压过来。

▶"团"也做形容词,指圆形的;又做动词,指把东西揉成球形。如:那孩子团脸,大眼睛,挺精神。|她把草稿团了团,扔进了纸篓。

【团结】 tuánjié 〔动/形〕

〔动〕为实现共同的理想或完成共同的任务而联合或结合。(unite; rally)常做谓语、主语、宾语、定语。

例句 只要大家团结起来,就没有办不成的事。|即使他有错,也该团结他。|我们班长很有威信,同学们都团结在他的周围。|团结就是力量。|别说了,这话不利于团结。|越是困难的时候,就越是需要团结。|这样做是为了达到团结的目的,而不是相反。

〔形〕友好;和睦。(harmonious; united; friendly)常做谓语、定语、补语。

例句 你瞧,她们几个多团结呀。|我们之间什么矛盾也没有,团结得很。|有一个团结的班子,才能干好工作。|街坊邻居互相帮助,相处得团结、和睦。

【团聚】 tuánjù 〔动〕

长时间分别后又到了一起(多指亲人)。(reunite; come or join together)常做谓语(不带宾语)、定语、宾语。

例句 当了八年"牛郎织女",夫妻俩终于团聚了。|中国人过年最重要的是全家团聚。|没想到老朋友分别三十年后竟团聚在海外。|婚后我们是团聚的时间短,分别的时间长。|盼了二十年,总算盼到了团聚。

【团体】 tuántǐ 〔名〕

有共同目的或爱好的人组成的集体。(group; organization)常做主语、定语、宾语。[量]个。

例句 机关团体也有代表参加会议。|团体购买,价格优惠。|如果买团体票,可以便宜25%。|钓鱼协会也属于一个团体。

【团员】 tuányuán 〔名〕

代表团、参观团等的成员。特指中国共产主义青年团的成员。(a member of a visiting group, delegation, etc.; League member; a member of the Communist Youth League of China)常做主语、宾语、定语。[量]名,个。

例句 所有团员分别访问了企业、学校和幼儿园。|几个团员带头组织了一次"爱心行动"。|代表团共有15名团员。|在大学,我们班几

乎都是团员。|这次出访，每个团员的任务都很重。

【团圆】 tuányuán 〔形/动〕

〔形〕圆形的，圆满的。也指亲人离散后又回到一起。(round; reunion) 常做定语及状语。

例句 瞧那孩子的团圆脸，多可爱呀！|儿子回来以后，全家总算过上团圆日子了。|影片最后是大团圆的结局。|团团圆圆过大年。

〔动〕亲人离散后又回到一起。(reunite) 常做谓语(不带宾语)。

例句 她多么盼望骨肉团圆那一天哪！|分别多年，他们夫妻终于团圆了。|从那以后，全家就没团圆过一回。

【团长】 tuánzhǎng 〔名〕

代表团等的负责人。也专指军队中团的最高军事首长。(head of a delegation, troup, etc.; regimental commander) 常做主语、宾语、定语。[量]位。

例句 团长由李经理担任。|团长命令，三营从正面进攻。|报告团长，全团集合完毕，请指示。|你是团长，我们听你的。|这次出访，老王非常辛苦，确实尽到了团长的职责。|要是都不服从团长的指挥，那不就乱了吗？

【推】 tuī 〔动〕

❶ 向外用力，使物体顺着用力的方向移动。(push; shove; thrust) 常做谓语。

例句 路上雪很厚，只能推着车走。|推了半天，怎么也推不上去。|把轮椅往我这边推推。|你干吗呀？推得我都要倒了。|灯修好了，把电闸推上试试。

❷ 用工具贴着物体表面向前剪或削。(cut; pare; plane; mow) 常做谓语。

例句 广场上的草坪推得跟地毯似的。|天气热，推个平头凉快。|我推不动，他行，几下就把木板推光了。

❸ 使事情开展。(push forward; promote; advance) 常做谓语。也用于构词。

词语 推广 推动 推销 推行

例句 加把劲儿，把工作再向前推一步。

❹ 根据已知的确定或想到其他的。(deduce; infer) 常做谓语。也用于构词。

词语 类推 推测 推导 推断 推理 推算 推想

例句 这道题你是怎么推出来的？

❺ 让给别人。(decline; yield; give sth. to others) 常做谓语。也用于构词。

词语 推辞 推让

例句 这么好的机会，你怎么给推了？

❻ 把预定的时间向后改。(delay; postpone; put off) 常做谓语。也用于构词。

词语 推迟 推延

例句 她把休假推到夏天了。|要是再推一推，就赶上过年了。|这事最好往后推几天。

❼ 不承担责任或拒绝做。(shift; shirk; push away) 常做谓语。也用于构词。

词语 推托 推脱 推诿 推卸

例句 当时明明是他定的，怎么能

推责任呢？|你别把事情推得一干二净好不好？|听说你来，下午的会我也给推了。|为了搞科研，他推掉了所有的应酬。

【推测】 tuīcè 〔动〕

根据已知的来想象未知的。(infer; guess; conjecture)常做谓语、宾语。

例句 让我们来推测一下，下一步他要干什么。|股票市场瞬息万变，不好推测。|这么说也没什么根据，只是一种推测。|你是根据什么作出推测的？

【推迟】 tuīchí 〔动〕

把定好的时间往后改动。(put off; postpone; delay)常做谓语。

例句 为了读研，她只好推迟了婚期。|雾还没散，起飞时间推迟到中午前后。|运动会因雨推迟一天。

【推辞】 tuīcí 〔动〕

表示不接受(任命、邀请、礼物等)。(decline)常做谓语。

例句 这点儿小意思，您就不要推辞了。|老朋友请我们去做客，怎么好推辞呢？|这份差事，我是实在推辞不掉才干的。

【推动】 tuī dòng 〔动短〕

使事物前进；使工作展开。(promote; encourage; motivate; push forward)常做谓语。中间可插入词语。

例句 在他的推动下，活动开展得红红火火。|开始情况不熟，工作根本推不动。|发展经济主要还是靠市场来推动。|总结经验是为了推动工作。

【推翻】 tuī fān 〔动短〕

用武力彻底改变旧政权；根本否定已有的说法、计划等。(overthrow; overturn; topple; repudiate; cancel; reverse)常做谓语。中间可插入词语。

例句 中国革命推翻了三座大山，建立了新中国。|不推翻殖民主义，就没有民族的独立。|这项研究成果推翻了原有的结论。|案子证据确凿，量刑准确，谁也推不翻。

【推广】 tuīguǎng 〔动〕

扩大事物的使用范围。(popularize; spread; extend)常做谓语、宾语。

例句 几十年来，推广普通话成绩巨大。|他们的好经验已经推广到全市了。|新技术推广得怎么样了？|这种节水器非常值得推广。

【推荐】 tuījiàn 〔动〕

把好的人或事物向人或组织介绍，希望使用。(recommend)常做谓语。

例句 我想把你推荐给张院士做助手。|她推荐了几种药，都挺好用。|这次公开招聘，谁都可以推荐。|他想了半天也没推荐出一个来。

【推进】 tuījìn 〔动〕

把工作推向前进。也指军队或战线向前进。(promote; advance; move forward)常做谓语。

例句 新的一年，各项工作都要向前推进一步。|推进改革，扩大开放。|把高校科研推进到一个新的阶段。|部队正向敌后推进。|西部战线昨天又推进了5公里。

【推理】 tuīlǐ 〔动〕

逻辑学上指思维的基本形式之一，是由已知判断(前提)推出新判断(结论)的过程。(infer; reason)常做谓语、宾语、定语。

例句 我们一推理就明白是怎么一回事了。|如果知道了前提，经过推理可以得出结论。|思考往往是推理的过程。

T

【推论】 tuīlùn〔动〕

用语言的形式进行推理。(infer; deduce)常做谓语、宾语。

例句 按照这个想法去推论,结果会怎样?|据此推论,就业问题短期内难以解决。|根据专家的推论,今冬又是暖冬。

【推算】 tuīsuàn〔动〕

根据已有的数据计算。(calculate; reckon; estimate)常做谓语、宾语。

例句 请你推算一下,整个工程需要多少投资。|这颗星的轨道已经被天文学家准确地推算出来。|经过推算,全区经济明年可以增长8%。|据推算,下一次日食将在6月下旬发生。

【推销】 tuīxiāo〔动〕

扩大货物的销路。(market; peddle)常做谓语、宾语、定语。

例句 这么多电视得赶快推销出去。|为推销新产品,厂里派了二十多人搞推销。|"买一送一"是一种推销策略。

【推心置腹】 tuī xīn zhì fù〔成〕

比喻真诚待人。(repose full confidence in sb.; confide in sb.)常做谓语、定语、状语。

例句 他和同事能推心置腹,哪怕家里的事也不回避。|交上这样推心置腹的朋友,真是一大幸事。|昨天,我们俩推心置腹地交换了意见。

【推行】 tuīxíng〔动〕

普遍实行;推广。(pursue; practise; implement)常做谓语。

例句 中国农村推行联产承包责任制。|计划生育推行二十多年来,少生了几亿人。|群众不理解,再好的方案也推行不下去。|城镇医疗保险已经普遍推行开来了。

【推选】 tuīxuǎn〔动〕

口头提名选举。(elect; choose)常做谓语、定语。

例句 大家一致推选她当代表。|推选了半天,一个也没推选出来。|推选标准、推选程序都必须公开。

【腿】 tuǐ〔名〕

❶ 人和动物用来支持身体和走动的部分。(leg)常做主语、宾语、定语。[量]条。

例句 站了两个小时,腿都酸了。|这孩子腿这么长,将来一定是大个儿。|她每天早上都到公园压腿、踢腿,打太极拳。|小羊摔伤了一条腿,怪可怜的。|我腿劲儿足,走个三五十里没事。|芭蕾舞演员的腿型特别好。

❷ 家具等下部像腿一样起支撑作用的部分。(a leglike support)常做主语、宾语、定语。[量]条。

例句 这桌子一条腿儿短,不太稳。|病床一般腿儿有轮子,可以推着走。|要是嫌椅子高,只能把腿儿去掉一截。|家里有几个三条腿的塑料凳。

【退】 tuì〔动〕

❶ 向后移动。(retreat; move back)常做谓语。也用于构词。

词语 后退 倒退 退步 退路 退让

例句 敌人已经退了。|经过治理,沙漠不仅停止了前进,还退回去5公里。|学如逆水行舟,不进则退。

❷ 使向后移动。(withdraw; remove)常做谓语。

例句 你有什么退兵的好办法?|相机不用时,最好把电池退出来。

❸ 离开某单位或某场所。(quit;

adjourn; withdraw from)常做谓语。也构成词语。

词语 退场 退出 退庭 退伍 退席 退休 退学 退职

例句 比赛结束后,兴奋的球迷还不肯退场。|法官宣布退庭。|小田退伍以后,成了运输专业户。|因为身体不好,她在大二时退了学。

❹ 减弱,下降。(decline; decrease, recede; ebb)常做谓语。

例句 由于年代久远,壁画有些退色。|吃过药,睡了一觉,烧就退得差不多了。|潮水退去,露出金色的沙滩。

❺ 交还。(return; refund)常做谓语。

例句 商家承诺:不满意就退货。|由于房子与合同不符,人们纷纷要求退款。|今天走不了了,把票退了吧。|文件用完后请退给办公室。

【退步】 tuì bù 〔动短〕

❶ 落后,向后退。(retrogress; lag behind)常做谓语、主语、宾语。中间可插入词语。

例句 我得加把劲儿,决不能退步。|没想到跟上届比赛比,他退了一大步。|最近缺课比较多,成绩明显退步了。|退步是怎么造成的?|据市场调查,我们的产品出现了退步。

❷ 让步。(give in; give way)常做谓语。中间常插入词语。

例句 双方都退退步,问题不就解决了吗?|常言说得好,退一步海阔天空。|退一步说,利息不给,也得先把本钱还给我呀。

【退出】 tuìchū 〔动〕

离开会场等场所或单位、组织等。(withdraw from; secede)常做谓语、宾语。

例句 几个无关人员退出了会场。|因为受伤,他中途退出了比赛。|超过25岁就可以退出团组织。|我不感兴趣,便选择了退出。

【退还】 tuìhuán 〔动〕

把已经收下的东西还回去。(return)常做谓语。

例句 那笔钱已经如数退还了。|房证用完应该退还给房主。|入境检查之后,护照就退还给我了。

【退休】 tuìxiū 〔动〕

职工因年老或工伤等离开工作岗位,按期领取生活费用。(retire)常做谓语、定语。

例句 中国工人一般男55岁、女50岁退休。|他已经退休七八年了。|有不少人由于各种原因提前退休。|近几年,退休职工迅速增加。|她们的退休生活搞得丰富多彩。

【吞】 tūn 〔动〕

❶ 不嚼或不细嚼,整个儿或成块儿地咽下去。(swallow; devour)常做谓语。也构成词语。

词语 吞噬 吞咽 狼吞虎咽 囫囵吞枣

例句 药太苦,吞也吞不下去。|当时太饿了,包子整个儿就往下吞。|那么大的老鼠,被蛇一点儿一点儿给吞进去了。

❷ 用强力占有别国领土或别人的产业;把公共的或别人的财物占为己有。(take possession of ; annex)常用于构词。也做谓语。

词语 侵吞 独吞 吞并 吞灭 吞没

例句 有的国家通过战争吞并了大片土地。|大伙的东西,她怎么能独吞呢?|那么多钱,全叫他给吞了。

【吞吞吐吐】 tūntūn tǔtǔ 〔成〕

形容说话有顾虑，想说又不敢说的样子。(hesitate in speech; hem and haw; mutter and mumble)常做谓语、状语。

例句 不知为什么，他说话吞吞吐吐的。|别吞吞吐吐了，有话就直说吧。|小明吞吞吐吐地对爸爸说："我可以去吗？"

【屯】 tún 〔动/名〕

〔动〕聚集，储存；驻扎(军队)。(collect; store up; station or quarter)常用于构词。也做谓语。

词语 屯兵 屯集 屯聚

例句 当时，边境屯兵百万，形势十分紧张。|那里屯集了大批救灾物资。|新建的国家粮库屯粮数百万吨。

〔名〕村庄。(village)常做主语、宾语。[量]个。

例句 这一带屯屯都种花。|每个屯选一名代表参加培训。|二人转剧团到咱屯来啦！

【托】 tuō 〔动〕

❶ 手掌或其他东西向上承受(物体)。(support with the hand or palm; hold in the palm)常做谓语。

例句 女儿双手托着下巴不知在想什么。|大海托起一轮鲜红的太阳。|服务员用盘子托着酒杯请客人选用。

❷ 请别人替自己办理或照料。(entrust; ask)常做谓语。也用于构词。

词语 托付 托管 托运 委托 寄托 托儿所

例句 小梅，托你点儿事行吗？|每次出国都有人托她带东西。|孩子这两天托给他姑姑了。|你看我，不托关系也照样办成了。

❸ 找借口不做。(give as a pretext)常用于构词。

词语 托病 托词

例句 为了炒股，他常托病不上班。|她说忙，我看只是个托词而已。

▶ "托"还有"依赖"义，用于"托福"等。如：A：好久不见了，身体好吗？B：托您的福，还不错。

【托儿所】 tuō'érsuǒ 〔名〕

照管、教养婴幼儿的处所。(kindergarten; nursery)常做主语、宾语、定语。[量]个。

例句 由于生育率下降，托儿所逐步减少了。|这孩子没上过托儿所，是姥姥把他带大的。|小区里就有个托儿所，很方便。|托儿所的阿姨是谁你都忘了吗？|托儿所那帮小朋友如今都上大学了。

【托福】 tuō fú 〔动短/名〕

〔动短〕客气话，表示靠别人的福气使自己幸运。(thanks to you; have luck by relying on another's good fortune)常做谓语。中间可插入词语。

例句 A：最近身体怎么样？B：托您的福，还可以。|A：听说您升官了？B：托福托福。

〔名〕美国对非英语国家留学生的英语考试 TOEFL 的音译。(Test of English as a Foreign Language)常做主语、宾语、定语。[量]次。

例句 据调查，"托福"确有高分低能问题。|他考了三次"托福"，但分数都不高。|为了准备托福，我参加过好几个辅导班。|中国于 1981 年 12 月首次开设托福考试。|"托福"成绩已经下来了，我考了 610 分。

【拖】 tuō 〔动〕

❶ 拉着物体，使挨地面或其他物体表面移动。(pull; drag; tug; haul)常做谓语。

例句 两个人把小船拖上岸。|她几乎是被拖着走完全程的。|地板没拖干净,再拖拖吧。|这个火车头拖了十六七节车厢。

❷ 把时间延长,不快办。(delay; drag on)常做谓语。也用于构词。

词语 拖拉 拖欠 拖沓 拖延

例句 要是拖了工期,就得交违约金。|你再急,人家就是拖着不干。|这么拖下去,咱们可拖不起。|我看这事先不急,拖一拖再说。|本来是个好事,拖来拖去,拖得大家都不想去了。

【拖拉机】 tuōlājī 〔名〕

主要用于农业的动力机器,可拉着不同的农具耕地、播种、收割等。(tractor)常做主语、宾语、定语。[量]辆,台。

例句 那几台拖拉机都在地里呢。|拖拉机比较适合大片的土地。|他买了辆拖拉机跑运输。|农业生产离不了拖拉机。|拖拉机的功能可不少哇。|县里举办了一个拖拉机展销会。

【拖延】 tuōyán 〔动〕

把时间延长,不迅速办理。(delay; postpone)常做谓语。

例句 该办不办,这不是明摆着拖延时间吗?|这病如果不抓紧治,拖延下去就危险了。|工程款拖延了半个月还没到,急死人了!|此事必须迅速处理,不得拖延。

【脱】 tuō 〔动〕

❶ (皮肤、毛发等)掉落。(shed; come off)常做谓语。也用于构词。

词语 脱发 脱落

例句 他在海边游完泳就晒太阳,结果脱了一层皮。|因为遗传,他30多岁头发就差不多脱光了。|这猫脱毛脱得厉害,弄得家里哪儿都是毛。

❷ 取下,除去。(take off)常做谓语。也构成词语。

词语 脱粒 脱色 脱水 脱脂

例句 衣服都淋透了,快脱下来吧。|昨晚喝多了,连鞋都没脱就睡了。|唉,袜子叫我脱到哪儿去了?|他冻坏了,帮他脱脱外套。

❸ 离开。(get out of; break away from; escape from)常构成词语。也做谓语。

词语 摆脱 逃脱 脱离 脱贫 脱产 脱钩 脱节 脱身 脱险

例句 县里定出了三年脱贫致富的规划。|经过脱产培训,她们的业务水平大大提高。|与企业脱钩是政府机构改革的重要一环。|说一套做一套,不是理论跟实际脱节吗?|出了这么大的事故,领导是脱不了干系的。

【脱离】 tuōlí 〔动〕

离开(某种环境、情况或联系)。(break away from; separate oneself from; be divorced from)常做谓语。

例句 经过连夜抢救,她终于脱离了危险。|干部脱离了群众,就像鱼离开了水。|他下海以后,跟原单位的关系就完全脱离了。|我们的联系脱离过一年多,后来恢复了。

【脱落】 tuōluò 〔动〕

(附着的东西)掉下。(drop; fall off; come off)常做谓语。

例句 化疗会引起头发等脱落。|老李80高龄,竟从未脱落过一颗牙齿。|壁画历经千年,颜色已部分脱落。|经查,车门被撞处油漆脱落严重。

【脱颖而出】 tuō yǐng ér chū 〔成〕
比喻人的才能全部显露出来。(the point of an awl sticking out through a bag——talent revealing itself)常做谓语。
例句 这些学生里说不定哪天就会有人脱颖而出。|身居下层而有才能的人要脱颖而出,是要克服许多阻力的。|应当创造条件,让优秀人才脱颖而出。

【驮】 tuó 〔动〕
用背部承受物体的重量。(carry or bear on the back)常做谓语。
例句 在沙漠里,水和食品全靠骆驼来驮。|这匹马驮着受伤的主人回到了家。|A:他那么胖,你驮得动吗? B:我驮驮试试。

【妥】 tuǒ 〔形〕
❶ 适当。(appropriate; proper; well arranged)常做谓语、宾语。也用于构词。
词语 妥当 妥善 妥帖 稳妥
例句 这么干,恐怕不妥吧? |把一个好人说成这样,明显欠妥。|想来想去,她还是觉得不妥。
❷ 齐全,完毕。(ready; settled; finished)常做补语、谓语。
例句 年货全都办妥了吗? |明天走不了,机票还没买妥呢。|事都妥了,您就放一百个心吧。

T

【妥当】 tuǒdang 〔形〕
稳当合适。(appropriate; suitable; proper)常做谓语、定语、补语。
例句 我看还是先打个电话妥当一点儿。|比来比去,坐什么也不如坐火车去妥当。|有没有更妥当的办法呢? |这种事得找个妥当人办才行。|她心细,一定会搞得妥妥当当的。

【妥善】 tuǒshàn 〔形〕
妥当完善。(appropriate; proper; well arranged)常做状语、谓语、定语、补语。
例句 这事关系群众利益,必须妥善解决。|灾民已经得到了妥善安置。|还是派个有经验的当队长妥善一些。|大家别急,得想个妥善的办法才行。|事情最后处理得比较妥善,各方都很满意。

【妥协】 tuǒxié 〔动〕
通过让步避免矛盾或争论。(come to terms; capitulate; compromise)常做谓语、定语、宾语。
例句 在原则问题上决不能跟他们妥协。|争了半天没结果,双方只好妥协了。|经过讨价还价,总算找到了一个妥协的方案。|经过艰苦的谈判,最后双方达成了妥协。

【椭圆】 tuǒyuán 〔名〕
长圆形,也指长圆的物体。(ellipsoid)常做定语。也常构成"的"字短语。
例句 地球是圆的,还是椭圆的? |运动员在椭圆形的跑道上你追我赶。|一个个椭圆的大西瓜真是喜人。

【唾沫】 tuòmo 〔名〕
口中分泌的液体,也叫口水。(saliva; spittle)常做主语、宾语、定语。[量]口。
例句 他讲到激动处,唾沫都飞出来了。|那儿有个人突然昏过去了,唾沫流了一脸。|气愤的人们朝那个坏蛋身上吐唾沫。|懂事的孩子咽了好几口唾沫,也没舍得吃。|对不起,我的唾沫星子喷着你了吧?

W

【挖】 wā 〔动〕

用工具或手从物体表面向里面用力取出东西。(dig; excavate)常做谓语、定语。

例句 这个地方的土很硬,不用机械挖不了。|得多长时间才能挖完?|他们挖地基挖出了几件文物。|这样挖法可不行。

【挖掘】 wājué 〔动〕

从深处挖出来。(excavate; unearth)常做谓语、定语、宾语。

例句 施工队正在挖掘土方。|为了提前完成任务,全厂职工不断地挖掘生产潜力。|考古工作者从这里挖掘出来不少珍贵的文物。|这次挖掘出来的文物非常有价值。|从昨天下午开始,我们就停止挖掘了。

【娃娃】 wáwa 〔名〕

小孩儿。(baby; child)常做主语、宾语、定语。[量]个。

例句 那个玩具娃娃真可爱!|姐姐生了个胖娃娃。|优秀运动员必须从娃娃开始培养。|他 20 岁了,可还是张娃娃脸。

【瓦】 wǎ 〔名〕

❶ 用泥土烧成或用水泥等制成的覆盖房顶的东西。(tile)常做主语、宾语、定语。[量]片。

例句 房子漏雨,是不是瓦坏了?|博物馆使用白墙青瓦,风格独特。

❷ 用泥土烧成的。(made of baked clay)常用于构词。

词语 瓦盆 瓦罐

【瓦解】 wǎjiě 〔动〕

比喻崩溃(bēngkuì)或分裂;使对方的力量崩溃。(disintegrate; collapse; crumble)常做谓语、定语、宾语。

例句 敌人的防线已经瓦解了。|我们很快地瓦解了对方的进攻。|他打入敌人内部做瓦解工作。|要对敌方进行瓦解,必须把政治攻势与军事攻势配合起来。

【袜子】 wàzi 〔名〕

一种穿在脚上的东西,用棉布、毛、丝或化学维纤制成。(socks; stockings; hose)常做主语、宾语、定语。[量]只,双。

例句 这双袜子破了,该换新的了。|他穿凉鞋从来不穿袜子。|妻子给我织了双毛袜子。|我不太喜欢这种袜子的颜色。

【哇】 wa 〔助〕

❶ "啊"受前一字韵母 u 或 ao 影响而发生的变音,表示赞叹、惊异、祈使、疑问、肯定等语气。(*used in place of* "啊" *after a word ending in* u *or* ao *to express admiration, surprise, imperative, question and affirmation*)用在句末。

例句 你买的衬衫多好哇!|电视塔那么高哇!|别耽误时间了,快走哇。|这种药是不是苦哇?|答卷子时你可要写清楚哇。

❷ 表示停顿、引起注意。(*used in place of* "啊" *after a word ending in* u *or* ao *as the sign of pause in the middle of a sentence to draw attention to what one is going to say next*)用在句中或小句末。

例句 他对我们的好处哇,说也说不完。|现在是春节期间,火车票哇,可不好买啦。

【歪】 wāi 〔形〕

❶ 不正；斜；偏。(crooked; askew; inclined)常做谓语、定语、补语。

例句 这座古塔歪得很厉害，不修不行了。|地震过后，村里的房屋全部倒塌了，只剩下几堵歪墙。|那张画挂歪了。|你看他，帽子戴得歪歪的，像个什么样子？

❷ 不正当的；不正派的。(devious; crooked)常做定语、补语。

例句 歪风邪气不打击怎么行？|不能听他的，他尽出歪点子。|我这话是为你好，你可别想歪了。

【歪曲】 wāiqū 〔动〕

故意改变(事实或内容)。(distort; misrepresent; twist)常做谓语、宾语。

例句 你不要歪曲我的意思。|这篇文章把历史歪曲了。|要尊重事实，不要有丝毫的歪曲。

【外】 wài 〔名〕

❶ 外边；外边的。(outer; outside)常用于构成词语。也做状语、主语、宾语、定语。

词语 外表 党外 国外 外衣 内外交困 里里外外

例句 因为校内没有心理学老师，讲课时只好外请。|这是个秘密，千万别外传(chuán)。|对不起，电话不外借。|校门外有一家商场。|我叔叔在国外。|城外的住宅楼越来越多了。

❷ 指自己所在地以外的；外国。(foreign; external)常用于构成词语。

词语 外地 外国 外省 国外 对外贸易 内外有别

❸ 称母亲方面的亲戚。[(relatives) of one's mother, sisters or daughters]用于构词。

词语 外公 外祖母 外甥 外孙 外孙女

❹ 关系疏远的；非正式的。(not closely related; unofficial)用于构词。

词语 外人 见外 外号 外传(zhuàn)

例句 您这么客气，不是见外了吗？

❺ 以外。(besides; apart from)常用于构词。

词语 此外 除外

例句 除新同学外，别人也想去参观。

【外边】 wàibian 〔名〕

❶ 超出某一范围的地方。(out; outside)常做主语、宾语、定语。

例句 院子外边新栽了一些树。|宿舍里边是床，外边是衣柜。|屋里放不下这个箱子，先把它放在外边吧。|外边的空气真好，咱们出去走走吧。

❷ 指外地、国外。(a place other than where one lives or works)常做宾语、定语、主语。

例句 女儿在外边上大学，放假时才能回来。|老太太跟女儿一块儿住，外边的子女年年都来看她。|王老汉不光这一个儿子，外边还有两个女儿呢。

❸ 表面。(surface; exterior)常做主语、宾语。

例句 铁管外边涂了一层红漆。|你把她的地址写在包裹外边，有空我就帮你送去。

【外表】 wàibiǎo 〔名〕

表面(的样子)。(outward appearance; exterior; surface)常做主语、宾语。[量]个,种。

例句 20年过去了,老宅的外表完全改变了。|这台机器不但构造精密,外表也很美观。|不能只看外表,最重要的是人品好。

【外宾】 wàibīn 〔名〕

外国客人。(foreign guest; foreign visitor)常做主语、宾语、定语。[量]位。

例句 外宾们游览了万里长城。|国家主席会见了来访的外宾。|市长认真地回答了这几位外宾的问题。

【外部】 wàibù 〔名〕

❶ 某一范围以外。(outside; external)常做主语、宾语、定语。

例句 外部没有问题,问题肯定出在内部。|你注意单位内部是对的,但也不能完全忽视外部。|我们主要依靠自己的力量,也欢迎来自外部的帮助。

❷ 表面;外表。(surface; exterior)常做主语、宾语、定语。

例句 虽然那辆车外部被碰伤了,但还能行驶。|你只看到了事物的外部,怎么能作出正确的判断呢?|企业的外部形象也很重要。

【外出】 wàichū 〔动〕

到外面去,特指因事到外地去。(go out)常做谓语(不带宾语)。

例句 经理外出了一会儿。|刚才我外出了。|为了公司的事,老王经常外出。

【外地】 wàidì 〔名〕

本地以外的地方。(parts of the country other than where one is)常做主语、宾语、定语。

例句 外地是指本地以外的地方。|小刘是这个旅游社的导游,经常去外地。|这个城市有很多外地人来打工。

【外电】 wàidiàn 〔名〕

国外通讯社的电讯消息。(dispatches from foreign news agencies)常做主语、宾语、定语。[量]条,则。

例句 外电报道了那个地区发生地震的消息。|我早就看到了那条外电。|这是一则外电消息,不一定准确。

【外观】 wàiguān 〔名〕

物体从外表看的样子。(outward appearance; exterior)常做主语、宾语、定语。[量]种,类。

例句 这种家具的外观十分精美。|这座建筑物的外观是欧式的。|买东西既要看外观,也要看内在质量。|很多青年特别讲究自己的外观形象。

【外国】 wàiguó 〔名〕

本国以外的国家。(foreign country)常做主语、宾语、定语。

例句 熊猫的产地在中国,外国没有。|这些土特产运到外国,可以卖几倍的价钱。|外国报纸说,北京是自行车的城市。

【外行】 wàiháng 〔形/名〕

〔形〕对某种事情或工作不懂或没有经验。(amateurish; unprofessional; having no knowledge or experience for certain things or work)常做谓语、定语。

例句 对这种事,我外行。|照相他可不外行。|不懂就别老说外行话了。|外行人看不出什么名堂。

〔名〕外行的人。(layman; nonprofessional; outsider; amateur)常做主

语、宾语。[量]个。

例句 外行不能领导内行。|我对京剧是个外行。|你不能老当外行。

【外汇】 wàihuì 〔名〕

用于国际贸易清算的外国货币等。(foreign exchange)常做主语、宾语、定语。[量]笔,点儿,些。

例句 外汇对国际贸易来说是非常重要的。|出口农产品可以换取外汇。|我想在银行开一个外汇账户。|中国的外汇储备是多少?

【外交】 wàijiāo 〔名〕

一个国家在国际方面的活动。(diplomacy;foreign affairs)常做宾语、定语、主语。

例句 搞外交既要坚持原则,又要有灵活性。|中国已经和一百多个国家建立了外交关系。|改革开放以来,中国的内政和外交都取得了巨大成绩。

【外界】 wàijiè 〔名〕

某处物体以外的空间或某个集体以外的社会。(the outside world)常做主语、宾语、定语。

例句 最近,外界有很多关于这方面的报道。|本公司的计划请诸位不要透露给外界。|别听信外界的传闻。

【外科】 wàikē 〔名〕

医院中主要用手术来治疗疾病的一科。(surgical department)常做主语、宾语、定语。[量]个。

例句 外科在二楼。|A:我这个病看哪一科? B:看外科。|她爱人是个外科医生。

【外力】 wàilì 〔名〕

外部的力量。(external force;outside force)常做主语、宾语、定语。[量]股。

例句 外力造成了这次事故。|发展经济,当然要依靠自己的力量,但也可以适当借助外力。|外力的推动可以加快经济的发展。

【外流】 wàiliú 〔动〕

(人口、财富等)转移到外地或外国。(drain;outflow)常做主语、谓语、宾语、定语。

例句 国有资产的外流控制住了。|那个公司的人才都得到了重用,没有一个外流到其他公司的。|国家级的文物坚决禁止外流。|人才外流的原因是什么?

【外面】 wàimian 〔名〕

意义同“外边”。(outside)常做主语、宾语、定语。

例句 窗户外面有一棵树。|我们去外面走走吧,老在屋里呆着闷得慌。|有的商品质量很好,就是外面的包装不好看。

【外婆】 wàipó 〔名〕

意义同“外祖母”。[(maternal) grandmother]

【外企】 wàiqǐ 〔名〕

外资企业。(foreign enterprise)常做主语、宾语、定语。[量]家。

例句 外企就是外资企业。|本市已经兴办了一千多家外企。|不少大学生希望成为外企工作人员。

【外事】 wàishì 〔名〕

外交事务。(foreign affairs)常做主语、宾语、定语。

例句 外事无小事。|李局长负责外事。|明天,市长要参加两项外事活动。

【外头】 wàitou 〔名〕

意义同“外边”。(outside; out; outdoors)常做主语、宾语、定语。

例句 外头再好也不如家里舒服。|您坐里头,我坐外头。|外头的喧闹声分散了他的注意力。

【外向型】 wàixiàngxíng 〔形〕

指对外的,容易表露的。(extroverted; export-oriented)常做定语。

例句 中国正在大力发展外向型经济。|我的女朋友是外向型性格。

【外形】 wàixíng 〔名〕

外表的形状、样子。(appearance; external form; contour)常做主语、宾语、定语。[量]种。

例句 这种车外形十分美观。|我不喜欢那种彩电的外形。|整座大厦的外形设计是一流的。

【外衣】 wàiyī 〔名〕

穿在外面的衣服;比喻掩盖本来面貌的伪装(用于贬义)。(coat; outer garment; appearance; garb)常做主语、宾语、定语。[量]件,套。

例句 这种外衣样式很新。|刘大姐穿了一件新外衣。|那家伙骗了很多人,因为他总是披着慈善的外衣。|外衣的款式很多。

【外语(文)】 wàiyǔ(wén)〔名〕

外国的语言或文字。(foreign language)常做主语、宾语、定语。[量]种,门。

例句 这种外语难不难?|他是有名的语言学家,精通五种外语。|姐姐的理想是当一名外语教师。

【外资】 wàizī 〔名〕

由外国投入的资本。(foreign investment; foreign capital)常做主语、宾语、定语。[量]笔,批。

例句 那笔外资已经到位了。|我们应该积极引进外资,改造老企业。|这批外资的使用要经董事会研究。

【外祖父】 wàizǔfù 〔名〕

母亲的父亲。[(maternal) grandfather]常做主语、宾语、定语。[量]位,个。

例句 我的外祖父已经80岁了。|我同学的外祖父是知名专家。|他没见过女朋友的外祖父。|放假回国一定要去看看外祖父。|我已经想不起外祖父的样子了。|妈妈保留着一张外祖父的相片。

【外祖母】 wàizǔmǔ 〔名〕

母亲的母亲。[(maternal) grandmother]常做主语、宾语、定语。[量]位,个。

例句 外祖母去年已经去世了。|A:您外祖母还好吗? B:很好,谢谢!|我很想念外祖母。|妈妈一直照料着外祖母的生活。

【弯】 wān 〔名/动/形〕

〔名〕曲折的部分。常读成“弯儿”。(turn; curve; bend)常做主语、宾语。[量]个。

例句 前面那个弯儿很大,开车要小心。|她说话老爱拐弯抹角。

〔动〕使弯曲。(bend)常做谓语。

例句 孙师傅用铁丝弯了个钩子。|总弯着腰干活儿,腰都酸了。|用机器把那根管子弯一下。

〔形〕意义同“弯曲”。(tortuous; curved; winding)常做谓语、定语、补语。

例句 父亲多年操劳,腰过早地弯了。|弯树根可以做工艺品。|这条弯弯的小路通向山顶。|树枝都让雪压弯了。

【弯曲】 wānqū 〔形〕

不直。(winding; meandering; zigzag; crooked; curved; anfractuous)常做谓语、定语、状语。

例句 这种病使她的十个手指全都弯曲了,无法正常生活。|这棵弯曲的老树不知有多少年了。|我们沿着一条弯弯曲曲的小路前进。|小溪弯弯曲曲地顺着山沟流下去。

【湾】 wān 〔名〕

水流弯曲的地方;海洋伸入陆地的部分。(a bend in a stream; gulf; bay)常做主语、宾语、定语。[量]个。

例句 这个海湾盛产鱼虾。|过了前面的那个小水湾,就到家了。|河湾的对面是一座现代化的城市。

【豌豆】 wāndòu 〔名〕

黄绿色的球形豆子,可以吃。(pea)常做主语、宾语、定语。[量]粒,颗。

例句 豌豆做菜味道好,有营养。|你吃过豌豆吗?|豌豆的价钱不贵。

【丸】 wán 〔名/量〕

〔名〕中医指制成小球形的药;泛指球形的小东西。口语常说"wánr"。(pill; bolus; ball; pellet)常做主语、宾语、定语。[量]个,粒。

例句 肉丸多少钱一斤?|医生开了一盒药丸。|鱼丸汤味道不错。

〔量〕常用于药品。(for pills of Chinese medicine)常构成短语做句子成分。

词语 一丸药

例句 一次吃三丸。

【完】 wán 〔动/形〕

〔动〕消耗尽;没有剩的;结束。(use up; run out)常做谓语、补语。

例句 鱼离开水,生命就完了。|这项工程本月完不了。|节目表演完了,大家热烈地鼓起掌来。|作业没做完怎么办?|

〔形〕全;完整。(intact; whole)常构成词语。

词语 完好 体无完肤 完璧(bì)归赵

【完备】 wánbèi 〔形/动〕

〔形〕应该有的全都有了。(perfect; complete)常做谓语、宾语、定语、状语、补语。

例句 那个阅览室的参考书很完备。|实验室的设备还不够完备。|完备的研究条件使工作很顺利。|文章具体而完备地论述了作者的观点。|这次展销会准备得十分完备。|家里的东西添置得很完备。

〔动〕使完备。(complete; perfect)常做谓语。

例句 学校完备了考试规定。|法律要在施行中逐步完备。

【完毕】 wánbì 〔动〕

完了;结束。(end; finish)常做谓语、补语。

例句 收尾工程已经完毕。|我去找他时,他们刚好训练完毕。|比赛的各项事宜都准备完毕了。

【完成】 wán chéng 〔动短〕

按照预期的目的结束;做成。(fulfil; accomplish; finish)常做谓语,可构成"完得/不成"格式。

例句 我们按期完成了科研任务。|由于特殊原因,要按时完成指标有些困难。|这么多的工作怎么能完成得了?|完不成计划怎么办?

【完蛋】 wán dàn 〔动短〕

W

灭亡；垮台。(be done for; be finished)常做谓语。

例句 由于经营不善，他的公司完蛋了。|不走正路的终久要完蛋。

【完美无缺】 wánměi wú quē 〔成〕

十分完美，没有缺点。(perfect; flawless)常做谓语、定语、补语。

例句 这件出土玉衣几乎完美无缺。|那件完美无缺的工艺品真不知是怎么做出来的。|这幅画画得完美无缺。

【完全】 wánquán 〔形〕

齐全；完整；不缺少什么；全部。(complete; whole)常做谓语、定语、状语、补语。

例句 他的回答很完全。|这是一个不完全的统计。|这是一具完完全全的恐龙骨骼(gé)化石。|我完全同意你的意见。|这篇译文完完全全是直译的。|这段话的意思表达得很完全。

【完善】 wánshàn 〔形/动〕

〔形〕齐全而良好。(perfect; consummate)常做谓语、定语、状语、补语。

例句 这家医院的设备比较完善。|你写的这份计划还不太完善。|国家应该有完善的法律。|新事物的发展要有个不断完善的过程。|他完善地解决了难题。|事情办得非常完善。

〔动〕使齐备而良好。(perfect; improve)做谓语。

例句 国家正在完善法制。|这家商店正进一步完善规范化服务。

【完整】 wánzhěng 〔形〕

具有、保持着应有的各部分；没有损坏或残缺。(thorough; integrated; unabridged; intact; complete)常做谓语、宾语、定语、状语、补语。

例句 这些资料是完整的。|在运输过程中一定要保持货物的完整。|那件事在我的脑子里至今还有个完整的印象。|这套光碟看完了，我把它完完整整地还给你。|那批出土文物保存得很完整。

辨析 〈近〉完全。"完整"着眼于整体，指整体不残缺。"完全"着眼于"全"，指各个部分不缺少。如：用最美好的语言、最完整的结构去表现它。|我的衣服完全湿透了。|*我的衣服完整湿透了。("完整"应为"完全")

【玩】 wán 〔动〕

❶ 做使自己愉快的活动。读做"wánr"。(play; frolic; entertain oneself)常做谓语。

例句 最好别让孩子玩火柴。|在这儿住了十几年，也没来这个公园玩过。|一玩起来就把时间忘了。|退休后，我也想玩玩鸟啊鱼呀什么的。

❷ 做某种文体活动。读做"wánr"。(be engaged in cultural or sporting activity; play)常做谓语。

例句 我不懂围棋，从来没玩过。|她只会拉二胡，钢琴玩不了。

❸ 使用(不正当的方法、手段等)，读做"wánr"。(resort to; employ)常做谓语。

例句 他是个老实人，从来不跟人玩手腕。|你怎么跟我玩起心眼儿来了？

【玩具】 wánjù 〔名〕

专供儿童玩的东西。(toy; plaything)常做主语、宾语、定语。［量］件，个，种。

例句 这种玩具又会走又会飞。|中国玩具出口到许多国家。|爸爸给女儿买了一些玩具。|没有一个孩子不喜欢玩玩具的。|附近有一个玩具商店。

【玩弄】 wánnòng 〔动〕

❶ 玩东西或动物;不严肃、不正派地对待。(dally with; play with; juggle with)常做谓语、宾语、定语。

例句 孩子们在玩弄小狗。|她遭到了坏人的玩弄。|这只是他经常玩弄的手段之一。

❷ 施展(手段等)。(employ; resort to)常做谓语、定语等。

例句 阴谋家常玩弄权术。|虽然那个小偷玩弄的花招很多,最终还是被警察抓住了。

【玩物丧志】 wán wù sàng zhì 〔成〕

沉迷于爱好的事物,而丧失了进取的志向。(riding a hobby saps one's will to make progress; excessive attention to trivia saps the will; be a playboy without ambitions)常做谓语。

例句 你千万不要玩物丧志。

【玩笑】 wánxiào 〔名〕

玩耍的行动或嬉笑的言语。(joke; jest)常做主语、宾语、定语。[量]个。

例句 玩笑不能开过分了。|我是跟你开个玩笑,别当真。|那是玩笑话,别信他的。

【玩意儿】 wányìr 〔名〕

❶ 玩具。(toy; plaything)常做主语、宾语。[量]个,种,些。

例句 布娃娃一类的玩意儿在玩具商店可以买到。|现在的孩子都玩起了电动汽车一类的新鲜玩意儿。

❷ 东西;事物。也写作"玩艺儿"。(things)常做主语、宾语、定语。

例句 这玩意儿没什么用,还是处理了吧。|他出国喜欢买一些有特色的小玩意儿。|那玩意儿的样子像只小鸟。

【顽固】 wángù 〔形〕

思想保守,不愿接受新事物。(obstinate; stubborn; die-hard)常做谓语、定语、状语、补语。

例句 马先生有点儿顽固,不容易说服他。|老孙真是个顽固的人,对什么新鲜事物都看不惯。|你瞧,他还在顽固地争辩。|他的态度变得很顽固。

【顽强】 wánqiáng 〔形〕

奋力坚持,不改变。(tenacious; indomitable)常做谓语、定语、状语、补语。

例句 他很顽强,从没向困难低过头。|运动员一般都有着顽强的意志。|尽管环境恶劣,考察队员们仍顽强地坚持工作。|在困难面前他表现得非常顽强。

【挽】 wǎn 〔动〕

❶ 拉。(draw; pull)常做谓语。

例句 孩子们手挽着手做游戏。|女儿紧紧地挽着妈妈的胳膊。

❷ 向上卷(衣服)。(roll up)常做谓语。

例句 她挽起了袖子准备做饭。|你把裤腿往上挽一挽。

❸ 同"绾",把长条形的东西盘起来打成结。(coil up)常做谓语。

例句 绳子太长,给它挽个扣儿吧。|把头发往上挽一挽,显得利索点儿。

【挽救】 wǎnjiù 〔动〕

从危险中救出来。(save; rescue)常做谓语、宾语、定语。

例句 王大夫多次挽救过我父亲的生命。|那个做过坏事的青年及时得到挽救,才没有继续犯罪。|大家想了许多挽救她的办法。

【晚】 wǎn 〔形〕

时间靠后的;后来的;衰老。(late; later)常做谓语、定语、状语、补语。也用于构词。

词语 晚辈 晚节 晚年 晚秋

例句 时间太晚了,快睡吧。|哎呀,晚了十分钟了。|刘女士对晚清历史很有研究。|去旅行的人还没到齐,晚走一会儿吧。|昨天听讲座他去晚了。

▶"晚"也做名词,表示"晚上"。如:晚会 晚安 晚车 晚班 晚饭 从早到晚

【晚报】 wǎnbào 〔名〕

下午出版的报纸。(evening paper)常做主语、宾语、定语。[量]份,张。

例句 这份晚报很受欢迎。|我要买一张今天的晚报。|《新民晚报》的趣味性很浓。

【晚餐】 wǎncān 〔名〕

晚上吃的饭。(supper; dinner)常做主语、宾语、定语。[量]顿,份。

例句 晚餐六点开始。|为了欢迎老朋友,主人准备了一顿丰盛的晚餐。|每份晚餐的价格十块钱。

【晚饭】 wǎnfàn 〔名〕

晚上吃的饭。(supper; dinner)常做主语、宾语、定语。[量]顿。

例句 今天的晚饭很好吃。|妈妈每天下班后还要给我做晚饭。|这顿晚饭的味道不错。

【晚会】 wǎnhuì 〔名〕

晚上举行的以文娱节目为主的集会。(evening party; soirée)常做主语、宾语、定语。[量]个,次。

例句 上一次的晚会很吸引人。|星期六我们要举行一个晚会。|春节晚会的节目十分精彩。

【晚年】 wǎnnián 〔名〕

人年老的时期。(old age; one's later years)常做主语、宾语、定语。[量]个。

例句 老王的晚年是幸福的。|大家都希望他能安度晚年。|爷爷晚年的身体情况很好。

【晚上】 wǎnshang 〔名〕

日落后到深夜前的时间,也泛指夜里。(evening; night)常做主语、宾语、定语、状语。[量]个。

例句 昨天晚上挺凉的。|那件事发生在星期六晚上。|服装节期间,晚上的活动很多。|晚上我要去看一个朋友。

【惋惜】 wǎnxī 〔动〕

对人的不幸遭遇或事物的意外变化表示同情、可惜。(regret; feel sorry for sb. or about sth.)常做谓语、宾语、状语。

例句 得知这幅名画被盗,人们都很惋惜。|大家对她没拿金牌感到很惋惜。|王大夫十分惋惜地说:"病人如果早一点儿送来就好了。"

【碗】 wǎn 〔名〕

盛饮食的器具,口大底小,口一般是圆形的。(bowl)常做主语、宾语、定语。[量]个。

例句 这个青花碗是我在景德镇买

的。|过年了,换一套新碗吧。|这种碗的样子很好看。

▶"碗"还可借用为量词。如:一碗汤 吃了三碗(饭)

【万】 wàn 〔数/副〕

〔数〕数目,十个千;形容很多。(ten thousand;a very great number)用于构成词语。也构成短语做句子成分。

词语 万物 万福 万里长城 万事如意 万象更新 万水千山

例句 上海的人口超过一千万。|人民大会堂又叫"万人大会堂"。

〔副〕极;很;绝对。(absolutely;under any circumstance)用在"不、没(有)、勿"等否定副词前面,表示强调否定。

例句 损人利己的事万不可做。|我们万没想到事情会这样。|希望你履行自己的诺言,万勿失信。

【万不得已】 wàn bù dé yǐ 〔成〕

实在没有办法,不得不这样。(as a last resort; out of absolute necessity)常做谓语、定语。

例句 小李万不得已,只好一个人出远门。|不到万不得已的地步,谁也不会这么做。

【万分】 wànfēn 〔副〕

非常;极其。(very much; extremely)常做状语、补语。

例句 等了一个星期还没有消息,经理心里万分着急。|多年的愿望终于实现了,老人家激动万分。

【万古长青】 wàn gǔ cháng qīng 〔成〕

永远像春天的草木一样茂盛。比喻某种精神、事业或友谊永不衰退。(remain fresh forever; be everlasting)常做谓语。

例句 我们的友谊万古长青。

【万水千山】 wàn shuǐ qiān shān 〔成〕

形容路途遥远险阻。(ten thousand torrents and a thousand crags——the trials of a long and arduous journey)常做主语、宾语。

例句 万水千山也隔不断对亲人的思念。|他们跨越了万水千山。

【万岁】 wànsuì 〔动〕

祝愿人、精神和事物等永远存在。(long live)常做谓语。

例句 我们两国人民的友谊万岁!|世界人民大团结万岁!

【万万】 wànwàn 〔副〕

绝对;无论如何。(absolutely)做状语,只用于否定。

例句 答应人家的事,万万不能失信。|万万没想到气温突然降到了零下。|即使取得了很大的成绩,也万万不能骄傲。

【万无一失】 wàn wú yì shī 〔成〕

绝对不会出错。(no danger of anything going wrong; no risk at all; perfectly safe)常做宾语、谓语。

例句 这件事你就放心吧,我保证万无一失。|这一回虽不能说万无一失,但也差不多。|我们已经练习过几百次了,绝对万无一失。

【万一】 wànyī 〔名/连〕

〔名〕❶ 万分之一;表示极小的一部分。(one ten thousandth; a very small percentage)常做宾语。

例句 英雄们的精神是那样伟大,用语言难以表达万一。|万里长城的雄伟壮观,笔墨难以描绘万一。

❷ 指可能性极小的意外变化。(eventuality; contingency)只做"防、怕"等词的宾语。

例句 做事要考虑周全，以防万一。|俗话说：不怕一万，只怕万一。还是带着雨伞吧。

〔连〕表示可能性极小的假设。用于不如意的事情。(just in case; if by any chance)连接分句。

例句 万一算错，就会影响整个工程。|万一飞机到得太晚，会议就改在明天上午。|你不要说得这么肯定，万一他不来呢？

【万紫千红】 wàn zǐ qiān hóng 〔成〕

形容百花齐放，色彩绚丽，比喻繁荣兴盛、丰富多彩的景象。(a riot of color; a blaze of color; innumerable flowers of purple and red)常做谓语、定语、补语。

例句 公园里万紫千红。|改革开放以后，经济发展得很快，商品市场出现了万紫千红的大好局面。|节日的天安门广场被鲜花装扮得万紫千红。

【汪】 wāng 〔形/动/量〕

〔形〕水深而广；充满水或泪水的样子。(deep and vast)常用于构词。

词语 汪洋 汪汪

例句 她长着一双水汪汪的大眼睛。|发生什么事了？怎么眼泪汪汪的？

〔动〕液体聚集在一起。(collect; accumulate)常做谓语。

例句 刚下过雨，路上汪了不少水。|她眼里汪着泪水，显得十分委屈。

〔量〕用于液体，常读"wāngr"。(for liquid)

词语 一汪油 两汪眼泪

【汪洋】 wāngyáng 〔名〕

形容水特别多的样子。(vast; immense)常做宾语、定语。

例句 那年发大水，我的家乡成了一片汪洋。|长江从上海附近流入汪洋大海。

【汪洋大海】 wāngyáng dà hǎi 〔成〕

形容大海水势浩大，辽阔无际。比喻某种力量非常强大。(a boundless ocean)常做宾语。

例句 我们航行了三天三夜，看见的只是汪洋大海。|千百万人的智慧和力量可以聚合成汪洋大海。|面对汪洋大海，爷爷想起好多往事。

【亡】 wáng 〔动〕

逃跑；失去；死；灭亡。(abscond; flee; lose; die; conquer)常构成词语。

词语 逃亡 亡命 死亡 亡羊补牢 亡国 灭亡

例句 突发的灾害会造成许多人家破人亡。|那次战斗非常激烈，伤亡惨重。

【亡羊补牢】 wáng yáng bǔ láo 〔成〕

比喻出了差错后及时补救。(mend the fold after the sheep is lost)常做主语、谓语、定语。

例句 亡羊补牢，为时不晚，咱们重新开始吧！|像这一类不足之处，只好以后再版时"亡羊补牢"了。|现在醒悟还来得及，"亡羊补牢"嘛。|"亡羊补牢"的道理你应该明白吧？

▶ 古时有个人，他的羊圈破了，丢了一只羊，别人劝他补一补羊圈，他却说："羊已经丢了，补羊圈有什么用呢？"第二天他又丢了一只羊。这次他赶快把羊圈补好了，以后再也没有丢过羊。这就是"亡羊补牢"的由来。

【王】 wáng 〔名〕
古代最高的统治者或爵(jué)位。某一范围或领域中最高、最大或最强的。(king; monarch; duke; prince; best or strongest of its kind)常用于构词。也做宾语。

词语 王位 帝王 亲王 王子 王牌 蜂王 国王

例句 "擒贼先擒王"的意思是,要解决问题必须抓主要矛盾。

【王国】 wángguó 〔名〕
以国王为国家元首的国家。(kingdom)常做主语、宾语、定语。[量]个。

例句 那个封建王国存在了一千多年。|我们访问了丹麦王国。|这个王国的古老文化充满了魅力。

【网】 wǎng 〔名/动〕
〔名〕用绳、线等织成的捕鱼、捉鸟的器具;像网的东西。(net; sth. like a net)常做主语、宾语、定语。[量]张。

例句 这张网是我自己织的。|他设计了一种用于远洋捕鱼的网。|她猛打一拍,可惜球没过网。|这种网的价格可以接受。

〔动〕用网捕捉;像网似的罩着。(catch with a net; net; cover or enclose as with a net)常做谓语。

例句 咱们去河里网鱼吧。|看,我网着了一只野鸡!

【网络】 wǎngluò 〔名〕
❶ 指由许多相交错的分支组成的系统。(network; a system consisting of interconnected branches)常做主语、宾语、定语。[量]个。

例句 地震后,交通网络受到了严重破坏。|这个新兴城市已经形成了合理的经济网络。|人们对网络的作用越来越重视了。

❷ 在电的系统中,由若干元件组成的用来使电信号按一定要求传输的电路或其中的一部分。(network; circuit or part of a circuit consisting of a number of component parts that transmit signals according to instructions)常做主语、宾语、定语。

例句 现在,输电网络比以前多了好几倍。|因特网(Internet)是目前世界上最大的电脑网络。|很多大学都采用了网络教学。

【网球】 wǎngqiú 〔名〕
一种球类运动,球场中间有网,双方用拍子来回打球;也指网球运动使用的球。(tennis; tennis ball)常做主语、宾语、定语。[量]场,个。

例句 网球是我喜爱的一项运动。|每到周末她都要去打场网球。|替我买几个网球好吗?|这个网球拍挺好使的。

【往】 wǎng 〔动/介〕
〔动〕去。(go)常做谓语。

例句 街上人来人往,十分热闹。|他俩一个往南,一个往北。|你往北京,我往西安。

〔介〕表示动作的方向。(toward; to)常构成介宾短语做状语、补语。

例句 注意,往这儿看!|人往高处走,水往低处流。|(列车广播)本次列车开往上海。

【往常】 wǎngcháng 〔名〕
过去的一般的日子。(habitually in the past; as one used to do formerly)常做主语、宾语、定语、状语。常

与"现在"等配合使用。

例句 现在是现在,往常是往常。|现在父亲的身体不如往常了。|如今,往常的老办法好多都行不通了。|往常他骑车很快,可今天却很慢。

【往返】 wǎngfǎn 〔动〕

来回;反复。(journey to and fro)常做谓语、宾语、定语、状语。

例句 因为工作,他常常往返于北京与上海之间。|今天不回来了,我懒得天天往返。|请问,往返票多少钱?|最近,他一直在大连和沈阳之间往返。

【往后】 wǎnghòu 〔名〕

从今以后。(from now on; later on; in the future)常做定语、状语。

例句 往后的日子会越过越好的。|学会汉语,往后跟中国人打交道就方便了。|现在就这么胖,往后怎么办?

【往来】 wǎnglái 〔动〕

❶ 去和来。(come and go)常做谓语、定语。

例句 马路上车辆往来得很频繁。|那段路十分难走,行人往来不便。|中山路往来的车辆很多,特别是上下班时间。

❷ 互相访问;交际。(visit each other; be in contact)常做谓语、宾语、定语。

例句 他们几个人往来得很密切。|我们始终保持着往来。|我跟老家的人已经十几年没有往来了。|往来的目的是为了增进友谊。

【往年】 wǎngnián 〔名〕

以往的年头;从前。(before; former years)常做主语、宾语、定语。

例句 今年到十二月才冷,往年刚十一月就冷了。|今年的汽车产量大大超过往年。|往年的收成没有这么好。

【往日】 wǎngrì 〔名〕

过去的日子;从前。(former days; bygone days)常做宾语、定语、状语。

例句 我现在的身体不如往日。|往日的友情真是难以忘记。|展览会上有很多往日没听说过的新产品。

【往事】 wǎngshì 〔名〕

过去的事情。(past events)常做主语、宾语。[量]件。

例句 十年前的往事涌上心头。|爷爷一喝酒就想起了许多往事。

【往往】 wǎngwǎng 〔副〕

表示某种情况时常存在或发生。(more often than not; often; frequently)做状语。

例句 他们是好朋友,往往一谈就是老半天。|那时,他往往工作到深夜。|对困难估计不足,往往就是失败的开始。

辨析 〈近〉常常。"往往"和"常常"都表示某种情况经常发生。但"常常"强调动作间隔的时间短,"往往"则主要表示到目前为止的情况,不能表示将来发生的行为、动作。如:*以后请你往往来玩。("往往"应为"常常")

【妄】 wàng 〔形〕

不合理的、超出常规的;胡乱。(bizarre; absurd; preposterous; presumptuous; rash; reckless)常做状语;也用于构词。

词语 妄想 妄图 狂妄

例句 不了解情况不要妄加评论。

|他怎么可以妄下断语呢？|你也太妄作主张了！

【妄图】 wàngtú 〔动〕

狂妄地计划。（try in vain; vainly attempt）常做谓语（带宾语）。

例句 歹徒妄图逃跑。|他们妄图抢劫银行。|一个小偷妄图入室盗窃，结果被捉住了。

【妄想】 wàngxiǎng 〔动/名〕

〔动〕狂妄地打算。（make a vain attempt; vainly hope to do sth.）常做谓语。

例句 你别再妄想了。|他妄想着有一天能当上大老板。

〔名〕不能实现的打算。（vain hope; wishful thinking）常做主语、宾语。

例句 这种痴心妄想是肯定实现不了的。|他想瞒过大伙儿的眼睛，可那是妄想。

辨析 〈近〉妄图。"妄想"有名词的用法，"妄图"没有；"妄想"做谓语，可不带宾语，"妄图"不行。如：*你别再妄图了。（"妄图"应为"妄想"）

【妄自菲薄】 wàng zì fěibó 〔成〕

没有根据地轻视自己。（belittle oneself; be unduly humble; underestimate one's own capabilities）常做谓语、定语。

例句 不要妄自菲薄，觉得自己什么都不行。|如果都对自己民族的文化妄自菲薄，也就没有世界多彩的文化了。|对历史抱妄自菲薄的态度是不可取的。

【忘】 wàng 〔动〕

意义同"忘记"。（forget）常做谓语。

例句 这件事我一辈子也忘不了。|小李把词典忘在教室里了。|糟了，出门时忘带钥匙了。|最近好忘事，早饭都忘了两次了。

【忘乎所以】 wàng hū suǒ yǐ 〔成〕

形容因为高兴或得意而忘记了一切。（be carried away; be swollen-headed; forget oneself）常做谓语、定语、状语、补语。

例句 他第一次参加 HSK 得了 6 级，就忘乎所以了。|我再也不想看见他那副忘乎所以的样子了。|老朋友再次相聚，我们忘乎所以地大说大笑，惹得周围的客人不停地朝我们看。|得了冠军，他高兴得忘乎所以。

【忘记】 wàngjì 〔动〕

经历的事物不再留在记忆里，应做的或准备做的因为不注意而没做；不记得，没记住。（forget; overlook; neglect）常做谓语、定语。

例句 我把他的电话号码忘记了。|除了我以外，他们都忘记了身份证号码。|你能回忆起忘记的事吗？

【忘却】 wàngquè 〔动〕

忘记。（forget）常做谓语。

例句 大家已经渐渐忘却了先前的争吵。|为了搞试验，王教授常常忘却吃饭。|当时的情景是我永远也不能忘却的。

辨析 〈近〉忘记。"忘却"的对象常指以往的人或事，多用于书面语。"忘记"可以指将要做的事情，既可用于书面语，也可用于口语。如：这件事我可从未忘却过。|*你不要忘却明天还有课呢。（"忘却"应为"忘记"）

【望】 wàng 〔动〕

❶ 看；向远处看。（look over; stretch one's eyes over; gaze into the

distance)常做谓语。

例句 老人久久地朝对岸望着。|孩子出神地望着远方。|他望了望我,笑了。

❷ 盼望;希望。(look forward to; expect)在句中做谓语。

例句 望今后常联系。|望你多多保重。|父母望子成龙是可以理解的。|会议如期举行,望按时参加。|因升学无望,她只好当了工人。

【望而生畏】 wàng ér shēng wèi 〔成〕

一见就感到害怕。(be terrified by the sight of sb. or sth.)常做谓语。

例句 父亲生气的时候,令人望而生畏。|汉字和西方的拼音字母完全不同,西方学生常常望而生畏。

【望洋兴叹】 wàngyáng xīng tàn 〔成〕

多比喻因力所不及或条件不够而感到无可奈何。(lament one's littleness before the vast ocean — bemoan one's inadequacy in the face of a great task; feel powerless and frustrated)常做谓语。

例句 别人都买房买车,我只能望洋兴叹。|小王看到别人买电脑,自己也想买,可是钱不够,只好望洋兴叹。

【望远镜】 wàngyuǎnjìng 〔名〕

观察天体或远处物体的光学仪器。(telescope)常做主语、宾语、定语。[量]架,个。

例句 这架天文望远镜是世界上最先进的。|我想买个望远镜。|望远镜的用处可大了。

【危害】 wēihài 〔动/名〕

〔动〕使受到破坏;损害。(impair; jeopardize)常做谓语、宾语。

例句 除了大气污染以外,水污染也危害着人类的健康。|这类影片会对青少年产生危害。

〔名〕受到破坏的内容。(impairment)常做主语、宾语。[量]种。

例句 破坏环境危害威胁着全人类。|你们认识到这种危害的严重性了吗?

【危机】 wēijī 〔名〕

指危险的祸根;严重困难的关头。(crisis)常做主语、宾语、定语。[量]场,次。

例句 经济危机会给人们的生活带来很大的影响。|政府领导人民战胜了这场危机。|上次金融危机的教训太深刻了。

【危急】 wēijí 〔形〕

危险而紧急。(in imminent danger; in a desperate situation; critical)常做谓语、定语。

例句 现在形势很危急。|他的病情非常危急!|在这危急时刻,一个警察一拳打倒了那个歹徒。

【危险】 wēixiǎn 〔形〕

有遭到损害或失败的可能。(perilous; dangerous)常做谓语、宾语、定语。

例句 这儿危险,你别靠近。|消防队员冒着生命危险,冲进着火的大楼,救出了孩子。|他的病情很严重,还没有度过危险期。

【危在旦夕】 wēi zài dànxī 〔成〕

危险就在眼前。(on the verge of death or destruction; in imminent danger)常做谓语。

例句 整个村庄已被大水包围,危在旦夕。|当国家和民族危在旦夕的时候,我们应该挺身而出。

【威风】 wēifēng 〔名/形〕

〔名〕使人敬畏的声势或气魄。(might; power and prestige; awe-inspiring manner)常做主语、宾语。

例句 老将军虽然上了年纪,但威风不减当年。|你别再跟我耍威风了。|要长自己的志气,灭敌人的威风。

〔形〕有威风。(imposing; impressive; awe-inspiring)常做谓语、宾语。

例句 看,他的样子多么威风啊!|警察看起来威风得很。|小伙子们穿上军装,显得很威风。

【威力】 wēilì 〔名〕

强大的使人畏惧的力量。(power; force; might)常做主语、宾语、定语。[量]种。

例句 我们的威力已经发挥出来了。|中国改革开放的政策已经显示出了巨大的威力。|这是一种新式火箭,威力的大小还需要进一步检验。

【威望】 wēiwàng 〔名〕

声誉和名望。(prestige)常做主语、宾语。[量]种。

例句 领导的威望要在工作中逐步树立起来。|他在我们公司威望很高。|他在人民心中享有崇高的威望。

【威胁】 wēixié 〔动〕

用威力逼迫使人屈服。也用于死亡、灾害等。(threaten; menace)常做主语、谓语、宾语。

例句 谁的威胁也不要怕。|你想威胁我吗?|空气污染威胁着人民的健康。|癌症使他面临着死亡的威胁。

【威信】 wēixìn 〔名〕

威望和信誉。(prestige; popular trust)常做主语、宾语。[量]种。

例句 这种威信是在实践过程中建立起来的。|他在我们这里有很高的威信。|没有威信是当不好领导的。

【微不足道】 wēi bù zú dào 〔成〕

微小得不值一提。(negligible; insignificant)常做谓语、宾语、定语。

例句 我这点儿进步微不足道。|个人利益同国家利益相比,显得微不足道。|这点儿微不足道的礼物,请你收下。

【微观】 wēiguān 〔名〕

深入到分子、原子、电子等构造领域的,泛指较小范围的。(microcosmic)常做主语、宾语、定语。

例句 宏观当然很重要,微观也不是可有可无的。|不但要研究宏观,而且要研究微观。|这篇文章的特点是,作者非常善于从微观的生活细节中取材。

【微乎其微】 wēi hū qí wēi 〔成〕

形容非常细微或数量非常少。(very little; next to nothing)常做谓语、定语。

例句 尽管这件事的影响微乎其微,但也要引起注意。|这些微乎其微的变化,你注意了吗?

【微机】 wēijī 〔名〕

微型电子计算机的简称。(computer)常做主语、宾语、定语。[量]台。

例句 现在,微机在各个领域得到了广泛应用。|下半年我打算买一台微机。|微机的作用实在太大了。

【微小】 wēixiǎo 〔形〕

极小。(little; tiny)常做谓语、定语。

例句 虽然我个人的力量很微小,但我会尽自己的全力把工作做好。

|对那场比赛的胜利,我只起了十分微小的作用。|即使是微小的进步,也应该肯定。

【微笑】 wēixiào 〔动/名〕

〔动〕不明显地笑。(smile)常做谓语、定语、状语。

例句 老人家朝我们微笑点头,十分和蔼可亲。|孩子们微笑的脸庞像一朵朵盛开的鲜花。|他微笑着对我说:"不客气。"

〔名〕不明显的笑容。(smile)常做主语、宾语。

例句 孩子的微笑招人爱。|按照服务规范,所有营业员都应该面带微笑。

【巍然屹立】 wēirán yìlì 〔成〕

形容高大雄伟,直立不动的样子。(stand lofty and firm; stand rock-firm)常做谓语、定语。

例句 人民英雄纪念碑巍然屹立在天安门广场。|望着那巍然屹立的大桥,我心情很激动。

【为】 wéi 〔动/介〕 另读 wèi

〔动〕❶ 做。(do;act)常用于固定短语。

词语 为非作歹 为所欲为 敢作敢为 大有可为

例句 若要人不知,除非己莫为。

❷ 充当;算做;作为。(act as; serve as)常做谓语,可构成"以…为…"格式。

例句 青年演员纷纷拜老艺人为师。|大家亲切地称他为大哥。|现代汉语以北京语音为标准音。|我们应该以友谊为重。

❸ 成;成为。(turn;become)常做谓语、补语。

例句 植树造林可以变沙漠为良田。|他被选为班长。|别灰心,只要努力,失败是可以转化为成功的。

❹ 是。(be;mean)常做谓语。

例句 参加这次汉语演讲比赛的多为青少年留学生。|这次签证的有效期为一年。

❺ 附在单音副词、形容词后共同修饰双音节形容词、动词,表示程度、范围。(*used after an adjective to form an adverb to indicate degree or scope or after an adverb for emphasis*)常构成短语。

词语 甚为高兴 极为重要 深为感动 广为流传

〔介〕被。(*used with*"所"*in a passive sentence*)常构成介宾短语做状语。常与"所"配合。

例句 这种艺术形式为广大人民所喜闻乐见。|每个人都要保持清醒的头脑,不应为表面现象所迷惑。

【为难】 wéinán 〔形/动〕

〔形〕感到不容易应付。(embarrassed;awkward)常做谓语、宾语、定语、状语。

例句 看样子他很为难。|要是你觉得为难,就不勉强你了。|瞧吧,为难的事还在后头呢!|他为难地说:"我试试看吧,不一定行。"

〔动〕使…为难。(make things difficult for)常做谓语、定语。

例句 他待人很好,对谁也没为难过。|他居然为难起我们来了。|为什么要采取这种为难人的态度呢?

【为期】 wéiqī 〔动〕

从时间、期限的长短上看。(for a certain period of time; by a definite date)常做谓语(带补语)。

例句 我参加了为期三周的汉语

班。|展销会为期半个月,从十月一日起至十五日止。

【为首】 wéishǒu 〔动〕
作为领导人。(with sb. as the leader;headed by)常与"以"构成的介宾短语配合,也可构成"的"字短语。
例句 以外交部长为首的政府代表团,将于下月初出访东南亚。|那个大学生诗社以他为首。|他们为首的是个博士。

【为所欲为】 wéi suǒ yù wéi 〔成〕
想干什么就干什么,多指干坏事。(do as one pleases;do whatever one likes;have one's own way)常做谓语、定语、状语。
例句 你以为你可以为所欲为了吗?|那个家伙是个为所欲为的人。|他为所欲为地欺压村民,被告上了法庭。

【为止】 wéizhǐ 〔动〕
截止;终止。(up to;till)多用于时间、进度等。常做谓语、定语。
例句 到昨天为止,报名者已经超过六百人了。|我看你就到此为止吧,别再闹了。|迄今为止的三年中,她共五次打破三项世界纪录。

【违背】 wéibèi 〔动〕
违反,不遵守。(violate;go against;run counter to)常做谓语、宾语。
例句 他这么说,不是违背良心吗?|王经理很讲信用,从没违背过诺言。|这些规章制度绝不准许违背。

【违法】 wéi fǎ 〔动短〕
不遵守法律或法令。(break the law;be illegal)常做主语、谓语、宾语、定语。
例句 违法必究,违法必罚。|任何一个公民都不能违法。|他的行为已构成了违法。|违法的事咱们可不能做。

【违反】 wéifǎn 〔动〕
不符合(法则、规程等)。(violate;infringe;act contrary to)常做谓语、宾语。
例句 你们做的事是违反原则的。|劳动纪律不准违反。|这是国家的规定,难道能够违反吗?

【违犯】 wéifàn 〔动〕
违背和触犯(法律等)。(violate;infringe;act contrary to)常做谓语、宾语。
例句 违犯了纳税法要受到追究。|宪法违犯不得。|环境保护法不准违犯。

【围】 wéi 〔动〕
❶ 四周拦挡起来,使里外不通。(enclose;fence off;surround)常做谓语、定语。
例句 乐队在广场上演出,四周围了很多人。|王老师刚一进门,同学们就把他围住了。|这片海滩地围的面积大概有一平方公里。
❷ 绕。(encircle)常做谓语。
例句 风太大,你围上头巾再出去吧。|把你的围裙借给我围一围。

【围攻】 wéigōng 〔动〕
包围起来进行攻击。(besiege;lay siege to;jointly attack sb.)常做谓语、主语、宾语。
例句 一些不明真相的工人正在围攻厂长。|被围攻的敌人投降了。|对走私分子的围攻开始了。|激战三天三夜,终于粉碎了敌人的围攻。

【围巾】 wéijīn 〔名〕
围在脖子上的保暖、保护衣领或做

装饰的织物。(muffler; scarf)常做主语、宾语、定语。[量]条,种。

例句 请问,这条围巾多少钱?|近几年来流行羊绒围巾。|我看围巾的式样都不错。

【围棋】 wéiqí 〔名〕

棋类运动的一种。双方用黑白棋子互相围攻吃对方的棋子,以占"位"多的为胜。(*weiqi*, a game played with black and white pieces on a board of 361 crosses)常做主语、宾语、定语。[量]副,盘。

例句 围棋是一种高雅的运动。|你喜欢下围棋吗?|今年的围棋擂台赛比去年更激烈。

【围绕】 wéirào 〔动〕

❶ 在周围绕着。(go round; encircle)常做谓语。

例句 地球围绕着太阳运行,月亮围绕着地球运行。|这是一座山城,四面有群山围绕。

❷ 以某个问题或事情为中心。(centre on)常做谓语。

例句 大家围绕着汉语语法问题进行了热烈的讨论。|围绕去不去泰山的问题,同学们商量了好半天。

【桅杆】 wéigān 〔名〕

船上挂帆的杆子。(mast)常做主语、宾语、定语。[量]根。

例句 这条帆船的桅杆是两根。|船长发现水平线处露出了一根桅杆。|这根桅杆的高度是多少?

【唯独】 wéidú 〔副〕

单单,只。(only; alone)常做状语。

例句 别的事还可以放一放,唯独这件事必须赶快做。|别的客人都到了,唯独主持人还没来。

【唯恐】 wéikǒng 〔动〕

只怕,有担心的意思。(for fear that; lest)常做谓语。

例句 唯恐落后|老师讲课时,同学们都专心听讲,唯恐漏(lòu)掉一句话。|她轻轻地走进屋子,唯恐惊醒了孩子。

【唯利是图】 wéi lì shì tú 〔成〕

只为财利,不顾别的。(be bent solely on profit; put profit first; be interested only in material gain)常做谓语、定语、主语。

例句 有的人唯利是图,用假货冒充名牌产品,卖给消费者。|那小子是个唯利是图的家伙。|唯利是图是他的本性。

【唯命是从】 wéi mìng shì cóng 〔成〕

只要有命令就听从,让做什么就做什么。(always do as one is told; be absolutely obedient; receive absolutely one's instruction)常做谓语。

例句 您有什么指示,我唯命是从。|对于张师傅的嘱咐,他表面上唯命是从,心里却有自己的想法。

【唯物论】 wéiwùlùn 〔名〕

意义、用法同"唯物主义"。(materialism)

【唯物主义】 wéiwù zhǔyì 〔名短〕

哲学中两大派别之一,认为世界是物质的,物质是第一性的。(materialism)常做主语、宾语、定语。

例句 唯物主义主张世界是可以认识的。|你知道唯物主义吗?|这种说法是唯物主义的观点。

【唯心论】 wéixīnlùn 〔名〕

意义、用法同"唯心主义"。(idealism)

【唯心主义】 wéixīn zhǔyì 〔名短〕
哲学中两大派别之一,认为物质世界是精神的产物,精神是第一性的。(idealism)常做主语、宾语、定语。
例句 唯心主义分为主观的和客观的两种。|我不大了解唯心主义。|王教授在讲座中向学生们介绍了唯心主义的发展历程。

【唯一】 wéiyī 〔形〕
只有一个。(only;one and only)常做定语。
例句 姐姐是我唯一的亲人。|唯一的办法就是向客人道歉。|我们学校有全市唯一一棵千年古柏。

【惟妙惟肖】 wéi miào wéi xiào 〔成〕
形容描写或模仿得非常好,非常像。(remarkably true to life; absolutely lifelike)常做谓语、定语、补语。
例句 他跳的新疆舞简直惟妙惟肖。|小阿姨惟妙惟肖的模仿使大家大笑起来。|他学老师的神态,学得惟妙惟肖。

【维持】 wéichí 〔动〕
使继续存在下去;保持。(maintain; keep)常做谓语、宾语、定语。
例句 秩序太乱,请大家帮助维持维持。|全家人就靠爸爸的工资维持生活。|我们的关系还打算维持。|这种状况维持的时间不会很长。

【维护】 wéihù 〔动〕
维持保护,使不遭受破坏。(safeguard;defend;uphold)常做谓语、宾语。

例句 公民有维护国家利益的义务。|集体的荣誉必须维护。|落后的制度不值得维护。
辨析 〈近〉维持。"维护"侧重表示护卫,使不受破坏。"维持"侧重表示继续存在、能够保持。如:和平的环境要努力维护。|那个运动员的成绩一直维持在很高的水平上。

【维生素】 wéishēngsù 〔名〕
人以及动物生长所必需的最重要的某些营养成分。有几十种,如维生素A、B、C等。旧称维他命。(vitamin)常做主语、宾语、定语。[量]种。
例句 维生素是人体必需的。|这个孩子发育不良,可能缺少某种维生素。|现在人们越来越重视维生素的营养作用了。

【维修】 wéixiū 〔动〕
保护并修理。(maintain; keep in repair)常做谓语、宾语、定语。
例句 这附近的住宅都维修完了。|车已经维修过两次了。|厂方向用户保证,产品售出以后一定负责维修。|你来制定一个维修计划吧。
辨析 〈近〉修理。①"维修"的对象多是大机器或建筑物;"修理"的对象可以是大型机器,也可以是小型的。如:维修大楼 修理钢笔②"维修"的对象不一定是不能使用的;"修理"的对象常是受到损坏而不能继续使用的。如:为了延长机器的使用寿命,需要定期维修。|玩具坏了,需要修理。

【伟大】 wěidà 〔形〕
品德、才能、气象或规模特别了不起。(great; outstanding; grand)常做谓语、定语、补语。
例句 母爱最伟大。|万里长城确实伟大。|鲁迅是伟大的思想家和文学家。|她生得伟大,死得光荣。

【伪】 wěi 〔形〕
❶ 有意做出某种表情等掩盖本来

的面目；假的。(fake; bogus; false)常用于构成词语。

词语 伪装 伪造 伪钞 伪劣 去伪存真

❷ 非法的；非正统的。(puppet; illegitimate)常用于构成词语。

词语 伪政府 伪组织 伪军

【伪劣】 wěiliè 〔形〕

冒牌的、质量低劣的。(fake or of low quality)常做定语。也构成"的"字短语。

例句 这种产品是假冒伪劣的。|这批电池不是我们厂生产的，纯属伪劣产品。|政府对假冒伪劣商品的查处非常严厉。

【伪造】 wěizào 〔动〕

假造。(fabricate)常做谓语、定语。

例句 这个犯罪团伙专门伪造美元。|历史是伪造不了的。|这是一份伪造的证件。

【尾】 wěi 〔名/量〕

〔名〕❶ 某些动物身体后部突出的部分。(tail)常做宾语、定语，也可用于短语。

词语 虎头蛇尾 摇尾乞怜

例句 小狗见了主人又摇头又摆尾。|你喜欢喝牛尾汤吗？

❷ 末端。(end)常做宾语、定语。

例句 做事情不能有头无尾。|油轮的尾部没下沉。

❸ 主要部分以外的部分；没有做完的事情。(remaining part; unfinished part of sth.)做宾语。

例句 工程已经收尾了。

〔量〕用于鱼。(*for fish*)构成数量短语做句子成分.

例句 妈妈在集市上买了两尾活鱼。|这尾鱼足有二斤重。

【尾巴】 wěiba 〔名〕

❶ 鸟、兽、鱼、虫等动物的身体末端突出的部分。(tail)常做主语、宾语、定语。[量]条。

例句 燕子的尾巴像剪刀。|金鱼在水里不停地摆动着尾巴。|你了解马尾巴的作用吗？

❷ 某些物体的尾部。(tail-like part)常做主语、宾语、定语。

例句 风筝的尾巴太长了！|飞机尾巴涂着一面小红旗。|干部应该带领群众前进，不能做群众的尾巴。|你还能记起那架飞机尾巴上的图案吗？

❸ 比喻剩余的小部分。(remnant)常做宾语。

例句 做事情不要留尾巴。|"割尾巴"是什么意思？

【委屈】 wěiqu 〔形/动〕

〔形〕受到不应有的批评或待遇，心里难过。(feel wronged due to unjustified criticism or treatment; nurse a grievance)常做谓语、宾语、定语、状语。

例句 他这么待我，我实在太委屈了。|无论如何我也不能让孩子受委屈。|看到他委屈的样子，姐姐也难过起来了。|她太老实了，委委屈屈地过了一辈子。

〔动〕让人受到委屈。(cause sb. to feel wronged)做谓语。

例句 这回可真委屈你了，实在对不起。|情况紧急，先委屈委屈你吧。

【委托】 wěituō 〔动〕

请人代办。(entrust; delegate)常做谓语、宾语。

例句 大哥委托他的朋友来机场接我。|买书的事我委托小王了。|你要记住老李的委托,一定要把事情办好。

【委员】 wěiyuán 〔名〕
委员会的成员。(member of a committee)常做主语、宾语、定语。[量]个,位。

例句 工会委员都由基层选举产生。|主持人宣布,明天选举学术委员会的委员。|几位新当选的委员学历都比较高。

【卫生】 wèishēng 〔形/名〕
〔形〕能防止疾病,有益于健康。(good for one's health; hygienic; sanitary)常做谓语、定语、补语。

例句 那家饭店特别卫生。|不洗手就吃饭很不卫生。|那里的卫生条件怎么样?

〔名〕符合卫生的情况。(hygiene; sanitation)常做主语、宾语。

例句 这个小区的卫生搞得不错。|我们常在周末打扫卫生。|如果人人都讲卫生,人民的健康水平就一定会提高。

【卫生间】 wèishēngjiān 〔名〕
旅馆或住宅中有卫生设备的房间。(toilet; washroom)常做主语、宾语、定语。[量]个。

例句 请问,卫生间在哪儿?|清洁工正在打扫卫生间。|卫生间的气味怎么那么香?

【卫生筷】 wèishēngkuài 〔名〕
经过严格消毒的一次性使用的简易筷子。(sanitary chopsticks)常做主语、宾语、定语。

例句 卫生筷虽然方便,但要消耗大量木材。|卫生筷既简易又卫生。|我不喜欢用卫生筷。|现在,用卫生筷的饭店越来越多。

【卫星】 wèixīng 〔名〕
❶ 围绕行星运行的天体;也指人造卫星。(satellite; moon; man-made satellite)常做主语、宾语、定语。[量]颗。

例句 卫星围绕行星运行。|月球是地球的卫星。|"探索2号"进入了预定的卫星轨道。

❷ 像卫星那样环绕着中心的。(sth. that surrounds a certain centre like a satellite)做定语。

例句 应该有计划地在大城市周围建设一些"卫星城"。

【为】 wèi 〔介/动〕 另读 wéi
〔介〕❶ 表示行为的对象。(in the interest of; for)构成介宾短语做状语。

例句 刚入冬,饭店就为顾客准备了火锅。|政府是为人民服务的。|试验为治疗癌症找到了新的途径。

❷ 表示目的或动机。(for the purpose of; for the sake of)构成介宾短语做状语。

例句 我们都为你们的成功高兴。|为方便买家用电器的顾客,本店实行免费送货。|我提议,为各位的健康和幸福干杯!

〔动〕表示行动的对象。(stand for; support)做谓语。

例句 陈老师从不考虑自己,总是一心一意为学生。|我这样做不是为个人,而是为国家、为社会。

【为何】 wèihé 〔副〕
为什么。(why; for what reason)常做状语。

例句 你为何一言不发?|她为何那么高兴?

【为了】 wèile 〔介〕

表示动作行为的目的。(for; for the sake of)构成介宾短语做状语。

例句 为了提高产品质量,厂里改造了老设备。|运动员们为了能参加奥运会,每天训练,连星期天也不休息。|让我们加倍努力吧,为了美好的未来。|我学习汉语是为了在中国工作。|(医院的标语)一切为了人民健康!

【为人作嫁】 wèi rén zuò jià 〔成〕

比喻为别人辛苦忙碌,自己得不到一点儿好处。(sewing sb. else's trousseau — doing work for others with no benefit to oneself; toiling just for the benefit of others)常做谓语、宾语。

例句 成绩都算他们的,那我们何必为人作嫁呢?|编辑们甘愿为人作嫁,培养了一大批作家。|赚了钱都是老板的,打工不过是为人作嫁罢了。

【为什么】 wèi shénme 〔介短〕

问原因或目的。(why; how is it that)常做宾语、状语。

例句 我真不懂这是为什么!|凡事都应该问个为什么。|你为什么来中国?|他为什么生气了?

【未】 wèi 〔副〕

❶ 不。(not)做状语,也用于构成词语。

词语 未免 未可厚非

例句 这个小伙子的前途未可限量。

❷ 没有,不曾。(have not; did not)做状语,也用于构成词语。

词语 未了 未遂(suì) 未雨绸缪 未老先衰

例句 (门口的通知)未经许可,不得进入。|他生在山乡,从未见过大海。

【未必】 wèibì 〔副〕

不一定。带有委婉否定的语气。(may not; not necessarily)做状语。

例句 别去问了,这件事他未必知道。|国营商店的东西未必就便宜。|不要过于自信,你的意见未必对。

【未来】 wèilái 〔名〕

❶ 就要到来的或以后的时间。(coming; approaching; next; future)常做主语、宾语、定语。

例句 未来是属于你们青年人的。|展望未来,我们信心百倍。|在这本书中,作者对未来提出了一些设想。|未来二十四小时内有大到暴雨。

❷ 将来的美好光景。(future; tomorrow)做主语、宾语。

例句 美好的未来靠我们去努力创造。|现在的年轻人一定会有幸福的未来。

❸ 希望。(hope; future)常做宾语。

例句 孩子们身上寄托着我们的未来。|少年儿童是祖国的未来。

【未免】 wèimiǎn 〔副〕

"实在不能不说是…",表示所说的情况不大合适。(rather; a bit too; truly)做状语。

例句 你这样对待客人,未免不太礼貌。|我觉得这种评价未免高了一些。|在这件事情的处理上,老师未免有些性急。

【未雨绸缪】 wèi yǔ chóumóu 〔成〕

比喻事前作好准备或预防。(repair the house before it rains ; provide for a rainy day; take precautions)常做谓语。

例句 凡事要未雨绸缪,早作打算。

W

|这个做法,好就好在未雨绸缪,有备无患。

【位】 wèi 〔量/名〕

〔量〕用于表示人,含有敬意。(for people)常构成短语做句子成分。

词语 诸位先生 各位来宾

例句 这位女士,您有什么事?|昨天我家来了几位客人。|二位有空儿请到我那儿坐坐。

〔名〕所在或所占的地方。(place; location)常做主语、宾语。[量]个。

例句 阅览室里的空位还有几个。|这家饭馆没有位了,去别的地方吧。

【位于】 wèiyú 〔动〕

在;位置在某处。(be located; be situated; lie)做谓语(带宾语)。

例句 大连位于辽东半岛南端。|贸易大厦位于市中心。

【位置】 wèizhì 〔名〕

❶ 所在或所占的地方。(seat; place)常做主语、宾语。

例句 火车站附近的商店位置好,生意兴隆。|请给这几位客人安排一下位置。

❷ 地位;职位。(position; place)常做主语、宾语。

例句 语法在汉语学习中的位置十分重要。|你既然占着这个位置,就要把工作搞好。|鲁迅在中国现代文学史上占有重要位置。

W

【味】 wèi 〔名〕

物质所具有的能使舌头或鼻子得到某种感觉的特性。(taste; flavour)常做主语、宾语。[量]种,股。

例句 茅台酒的味儿香极了。|中国菜色、香、味俱全。|你闻到一股什么味儿没有?|A:这是我的拿手菜,尝尝味儿吧。怎么样?B:没什么味儿。

【味道】 wèidào 〔名〕

❶ 物质所具有的能使舌头得到某种感觉的特性。(taste; flavour)常做主语、宾语。[量]种,股。

例句 中国菜的味道好极了。|可乐有一种特殊的味道,我最爱喝了。

❷ 内心的感觉。(inside feelings)常做主语、宾语。[量]股,种。

例句 看完这场电影,心里的味道很难受。|听了他讲的经历,心里有一股说不出来的味道。

❸ 趣味。(interest; delight)常做动词"有"的宾语。

例句 这篇文章读起来很有味道。

【畏惧】 wèijù 〔动〕

害怕。(fear; dread)常做谓语、宾语。

例句 只有不畏惧困难,才能战胜困难。|恶霸被抓以后,村民们再也不觉得畏惧了。

【胃】 wèi 〔名〕

人和某些动物消化器官的一部分。能消化食物。(stomach)常做主语、宾语、定语。

例句 大夫,我的胃有点儿不舒服,您给看看吧。|喝酒过度会伤胃。|胃病是司机的职业病。

【喂】 wèi 〔叹/动〕

〔叹〕打招呼的声音。(hello; hey)单用,一般在句首。

例句 喂,你去哪儿?|喂,小孩的鞋掉了。|喂,请让一让。|(打电话)喂,你好,张先生在吗?

〔动〕❶ 给动物东西吃;饲养。

(feed; raise)常做谓语。

例句 饲养员每天得喂三次奶牛。|小战士把马喂得壮壮实实的。|我家里喂着两只小狗。

❷ 把食物送到人嘴里。(send food into the mouth of a person)常做谓语。

例句 护士一勺一勺地给病人喂饭。|妈妈耐心地喂孩子牛奶。|喂老人吃药得喂得慢一点儿。

【蔚然成风】 wèirán chéng fēng 〔成〕

指事情发展兴盛,成为风气。(become common practice; become the order of the day)常做谓语。

例句 现在,外出旅游蔚然成风。|当今社会,回归自然蔚然成风。

【慰问】 wèiwèn 〔动〕

(用言语或物品)安慰、问候。(express sympathy and solicitude for; extend one's regards to; convey greetings to; salute)常做谓语、宾语、定语。

例句 省长到灾区慰问受灾人民。|那么多病人,我们几个怎么慰问得过来?|国家领导人向全体队员表示热烈的祝贺和亲切的慰问。|感谢大家对我的慰问。|慰问团安排了两场慰问演出。

【温】 wēn 〔形/动〕

〔形〕不冷不热。(warm; lukewarm)常做定语。也构成"的"字短语。

例句 大米粥是温的。|吃药一般用温开水。

〔动〕❶ 稍微加热。(warm up)常做谓语、定语。

例句 把酒放在开水里温一温再喝。|菜凉了,得温温。|温的时间太短,饭还是有点儿凉。

❷ 复习。(review; revise)常做谓语、定语。

例句 外语我已经温过好几遍了。|快要考试了,好好地温温功课吧。|温的次数越多,考试就越有把握。

【温带】 wēndài 〔名〕

南半球和北半球气候比较温和的地带。(temperate zone)常做主语、宾语、定语。

例句 温带四季分明,冷暖适宜。|中国大部分地区在温带。|我喜欢温带的气候。

【温度】 wēndù 〔名〕

冷热的程度。(temperature)常做主语、宾语、定语。

例句 最近几天温度升高了。|请你看看体温计的温度。|温度的高低影响着农作物的生长。

【温度计】 wēndùjì 〔名〕

测量温度的仪器。(thermograph)常做主语、宾语、定语。[量]支,个。

例句 这支温度计不太准。|小赵买了一个电子温度计。|这种温度计的精确度很高。

【温和】 wēnhé 〔形〕

❶ (气候)不冷不热。(temperate; mild; moderate)常做谓语、定语、补语。

例句 云南昆明气候温和,四季如春。|温和的气候适合农作物的生长。|最近几天,气候变得温和起来了。

❷ (性情、态度、言语等)不严厉、不粗暴,使人感到亲切。(gentle; mild)常做谓语、定语、状语、补语。

例句 奶奶的性格很温和。|近来他变了,说话的语气温和多了。|张

老师是个非常温和的人。|“这个工作我做不合适。”马小姐温和地推辞了。|尽管他的话说得十分温和，但意思仍然令人吃惊。

▶“温和”又读 wēnhuo，形容物体不冷不热。如：饭还温和，快吃吧！

【温暖】 wēnnuǎn 〔形/动〕

〔形〕(气候、环境等)不冷也不热。(warm)常做谓语、定语、宾语。

例句 夏天，这里海水很温暖。|春天到了，天气一天天温暖起来。|他的家乡在温暖的南方。|听了这番话，我觉得特别温暖。

〔动〕使温暖。(warm)常做谓语。

例句 熊熊篝(gōu)火温暖着我们的身体。|即使你对他再好，也温暖不了他那颗冷漠的心。

▶〈近〉温和。“温暖”可以比喻使人感到亲切、友爱，而且有动词的用法。如：大家对他的帮助，使他感到了集体的温暖。|*大家的关怀温和着他。(“温和”应为“温暖”)

【温柔】 wēnróu 〔形〕

温和柔顺。多形容女性，有时也用于形容大自然。(gentle and soft)常做谓语、宾语、定语、状语、补语。

例句 老师的声音又温柔又平静。|令人难忘的是她的美丽与温柔。|小红是个温柔而美丽的姑娘。|大自然有严酷的一面，也有温柔的一面。|妻子温柔地靠在我身上。|那位女歌手唱得婉转温柔，观众们听得如醉如痴。

辨析 〈近〉温和。“温柔”着重表示性情；“温和”着重表示态度，也可以形容气候。“温柔”多形容女性；“温和”形容的对象男女不限。如：爷爷和奶奶都很温和。

【瘟疫】 wēnyì 〔名〕

流行性急性传染病。(pestilence)常做主语、宾语。[量]种。

例句 这种瘟疫很可怕。|只有全民动员起来，才能消灭瘟疫。|水灾过后，那个地区发生了瘟疫。

【文】 wén 〔名/量〕

〔名〕❶ 字；文字。(character; script; writing)常用于构词。

词语 甲骨文 文盲 英文

❷ 文章。(literary composition; writing)常用于构词。

词语 散文 应用文 文学 文人 作文

例句 小学生也要学习写作文。

❸ 以古汉语为基础的书面语。(classical Chinese)常用于构成词语。

词语 不文不白 文言 半文半白 文白夹杂

❹ 非军事的。(civilian; civil)常用于构成词语。

词语 文职 文官武将 文武双全

▶“文”也做形容词，指柔和的。常用于构词。如：文雅 文静 斯文

〔量〕用于旧时铜钱。(for copper cash in old times)构成数量短语使用，也用于固定短语。

词语 一文钱 身无分文 不取分文

【文化】 wénhuà 〔名〕

❶ 人类所创造的物质财富和精神财富的总和。又特指精神财富，如文学、艺术、教育、科学等。(culture; civilization)常做主语、宾语、定语。[量]种。

例句 各民族文化都有自己的特

W

点。|中华民族有五千年的灿烂文化。|西安是一座古老的文化名城。

❷ 指运用文字的能力及一般知识。(education; culture; schooling; literacy)常做宾语、定语。

例句 农民也应该学习文化。|没有文化，怎么搞现代化？|他的文化程度很高。

【文件】 wénjiàn 〔名〕

公文、信件等。(documents; papers; instruments)常做主语、宾语、定语。[量]份。

例句 那份文件非常重要，要注意保密。|经理正在看刚收到的文件。|我不知道这份文件的具体内容。

【文科】 wénkē 〔名〕

教学上对文学、语言、哲学、历史、经济等学科的统称。(liberal arts)常做主语、宾语、定语。[量]门。

例句 大学的文科跟理科应该互相渗透。|文科又叫社会学科或人文学科。|你喜欢文科，还是喜欢理科？|我在高中上的是文科班。|这里的文科学校要比理工科学校少。

【文盲】 wénmáng 〔名〕

不认识字的成年人。(an illiterate person; illiterate)常做主语、宾语。[量]个。

例句 经过几十年的努力，文盲已经很少了。|奶奶是个半文盲。|政府仍在努力消灭文盲。|你应该送孩子上学，不然他会成为新文盲。

【文明】 wénmíng 〔名/形〕

〔名〕文化。(civilization; culture)常做主语、宾语、定语。[量]种。

例句 文明有两种，一种是精神的，一种是物质的。|努力建设精神文明和物质文明。|黄河流域是中华文明的摇篮。

〔形〕社会发展到较高阶段或具有较高文化的。(civilized; with a higher stage of development of society or higher level of culture)常做谓语、定语、补语、状语。

例句 这些大学生举止文明，很有教养。|中国是文明古国之一。|参加晚会的孩子们都表现得非常文明。|乘客都很文明地排队上车。|救死扶伤，文明行医。

【文凭】 wénpíng 〔名〕

毕业证书。(diploma)常做主语、宾语、定语。[量]份，张。

例句 老刘念了不少书，文凭就有四五个。|光有文凭，没有水平也不行。|院长向毕业研究生颁发文凭。|找工作时，文凭的用处虽然很大，但更重要的是看有没有真才实学。

【文人】 wénrén 〔名〕

指会做诗文的读书人。(man of letters; scholar; literati)常做主语、宾语、定语。[量]个。

例句 很多文人都学会了用电脑写作。|我的男朋友是个文人。|老李说话做事都有文人的特点。

【文物】 wénwù 〔名〕

历史上遗留下来的在文化发展史上有价值的东西，如建筑、碑刻、生活用品及艺术品等。(cultural relic; historical relic; valuable objects in the history of cultural development left behind from the past)常做主语、宾语、定语。[量]件，种。

例句 这座汉墓出土的几十件文物有很高的研究价值。|世界各国都十分重视保护历史文物。|走私文物是犯法的。|他是位文物收藏家。

【文献】 wénxiàn 〔名〕
有历史价值或参考价值的图书资料。(document; literature)常做主语、宾语、定语。[量]种,份,篇。

例句 北京图书馆的文献十分丰富。|那篇论文中引用了不少历史文献。|写毕业论文要查很多文献。|这份科学文献价值极高。

【文学】 wénxué 〔名〕
用语言文字形象地反映社会生活的艺术。包括戏剧、诗歌、小说、散文等。(literature)常做主语、宾语、定语。

例句 中国古典文学非常丰富。|女儿在大学学习文学。|父亲是研究现代文学的。|他从小就对文学很感兴趣。|这份文学刊物值得一读。|通过阅读大量的文学作品,他大大提高了自己的文学素养。

【文学家】 wénxuéjiā 〔名〕
掌握文学知识或从事文学活动的人。(man of letters)常做主语、宾语、定语。[量]位。

例句 这位文学家在世界上很有名。|鲁迅是中国伟大的文学家。|她已经成了有名的文学家。|我很爱读这位文学家的作品。

【文雅】 wényǎ 〔形〕
(言谈举止)温和有礼貌,不粗俗。(elegant; refined; cultured; polished)常做谓语、宾语、定语、补语。

例句 王先生文雅得很。|你就不能文雅一点儿吗?|我喜欢文雅,不喜欢豪放。|弟弟是个文雅的大学生。|舞蹈"千手观音"表演得高贵而文雅。

【文言】 wényán 〔名〕
以古汉语为基础的书面语。(classical Chinese; written Chinese based on the ancient classical Chinese popular in China before the May 4th Movement in 1919)常做主语、宾语、定语。

例句 文言需要专门学习才能搞懂。|有人喜欢在文章里夹几句文言。|有几个留学生的汉语水平越来越高,已经能看懂文言小说了。

【文艺】 wényì 〔名〕
❶ 文学和艺术的总称。(literature and art)常做主语、定语、宾语。

例句 文艺来源于生活。|国外也有研究中国民间文艺的。|小王喜欢文艺。|他是搞文艺理论的。|大学里常常举行文艺讲座。

❷ 特指表演艺术。(art of performance)常做定语。

例句 这个节目在全国文艺会演上得了二等奖。|这个周末礼堂有文艺晚会。

【文章】 wénzhāng 〔名〕
❶ 篇幅不很长的文字作品;泛指著作。(a piece of short writing; essay; article)常做主语、宾语、定语。[量]篇。

例句 李先生这篇文章写得非常好。|我喜欢看生动活泼的文章。|这篇文章的观点很有新意。

❷ 比喻暗含的意思。(hidden meaning; implied meaning)常做主语、宾语。

例句 他这番话里的文章可不简单哪!|我看这(件事)里面大有文章。

❸ 值得做的事。(way of doing sth.)常做动词"做"的宾语。

例句 请不要在这件事上做文章。|只在产量上做文章是不够的,还应该在产品的质量和升级换代方面大

W

做文章才行。

【文质彬彬】 wén zhì bīnbīn 〔成〕

形容人文雅有礼貌。(gentle; urbane; suave)常做谓语、定语、补语。

例句 来人衣着整洁,文质彬彬。|没想到文质彬彬的小王,办起事来这么麻利干脆。|他今天怎么表现得这么文质彬彬?

【文字】 wénzì 〔名〕

❶ 记录语言的符号,如汉字、拉丁字母等。(characters; script; writing)常做主语、宾语、定语。[量]种,类。

例句 这种文字已经失传。|中国在三千年以前就产生了文字。|有了文字才能记录和保存那么多知识。|他对文字的起源很有研究。

❷ 语言的书面形式;文章(多指形式方面)。(written language)常做主语、宾语、定语。

例句 这篇论文的文字很精练。|请你修改一下这段文字。|姐姐在出版社,是搞文字工作的。

【闻】 wén 〔动〕

❶ 听见。(hear)常做谓语。

例句 大家都耳闻目睹(dǔ)了这一切。|一路上的所见所闻令人振奋。|俗话说:百闻不如一见。|未见其人,先闻其声。

❷ 用鼻子嗅(xiù)。(smell)常做谓语。

例句 他一边闻一边说:"真香。"|我闻到了一股大蒜味儿。|A:你闻闻这是什么味儿? B:闻不出来。

【闻名】 wénmíng 〔动〕

❶ 听到名声。(be familiar with sb.'s name; know sb. by repute)常做谓语。

例句 对那位专家,我只是闻名而已,并未见过面。|我们是为了"取经",闻名而来的。

❷ 有名。(well-known; famous; renowned)常做谓语。

例句 中国丝绸闻名于世界。|杭州西湖全国闻名。

【闻所未闻】 wén suǒ wèi wén 〔成〕

听到了以前没有听到过的,多形容事理或论述的新鲜、奇特。(unheard-of; hear what one has never heard before)常做谓语、定语。

例句 这样的人我以前闻所未闻。|有这样的怪事? 确实闻所未闻。|古墓中出土了不少闻所未闻的文物。

【蚊子】 wénzi 〔名〕

昆虫名,喜欢叮人或动物,能传染疾病,皮肤被叮咬的地方发痒。(mosquito)常做主语、宾语、定语。[量]只。

例句 蚊子对人类的危害很大。|房间的蚊子太多了,睡不好觉。|我一会儿就打死了10只蚊子。|蚊帐可以挡住蚊子,防止叮咬。|刚躺下,耳边就听见蚊子的嗡嗡声。

【吻】 wěn 〔名/动〕

〔名〕指接吻。(kiss))常做宾语。[量]个

例句 那个明星一边下飞机,一边向众人送飞吻。|丈夫给了妻子一个长吻。

〔动〕用嘴唇接触人或物,表示喜爱。(kiss)常做谓语。

例句 每天她都吻吻孩子,才去上班。|母亲吻了几下儿子的照片,流出了泪水。

【稳】 wěn 〔形/动〕

〔形〕❶ 稳定；稳当。(steady; firm)常做谓语、状语、补语。

例句 销售经理张强在公司的地位很稳。|这次坐的飞机稳极了。|完成最后一个动作后，他稳稳地落在了地上。|轮船已经靠岸，停稳了。|那张桌子放得不太稳。

❷ 沉着；可靠。(steady; certain; reliable)常做谓语、状语。

例句 他做事很稳，可以放心。|小王有时候不稳，这事还是让别人去做吧。|这次比赛，你能稳拿冠军吗？

〔动〕使稳定。(stabilize; calm)常做谓语。

例句 你先稳住那个坏蛋，别叫他跑了。|价格上先稳一稳再说。|等她稳住脚，小偷早跑了。

【稳当】 wěndang 〔形〕

稳重妥当。(reliable; secure; safe)常做谓语、宾语、定语、状语、补语。

例句 大家都认为这个考察计划很稳当。|这么做恐怕不太稳当吧？|做事情我一向主张稳当点儿。|还是想个稳当的办法吧。|咱们稳稳当当地走也晚不了。|这个问题处理得不大稳当。

【稳定】 wěndìng 〔形/动〕

〔形〕稳固安定；没有变动。(stable; steady)常做谓语、宾语、定语、状语、补语。

例句 最近几天他的情绪逐渐稳定下来了。|谁不希望经济稳定呢？|对一个国家来说，保持稳定最重要。|我想找个稳定的工作。|游船终于稳定地停在了浅滩上。|人民的生活水平在稳定地提高。|通过努力，物价变得稳定了。

〔动〕使稳定。(stabilize)常做谓语。

例句 这一措施稳定了物价。|你去跟他谈谈，先稳定一下他的情绪。

【稳妥】 wěntuǒ 〔形〕

稳当；可靠。(safe; reliable)常做谓语、宾语、定语、补语。

例句 他办事稳妥，你们不必担心。|派老杨去采购，大伙儿都认为不大稳妥。|大家商量一个稳妥的办法吧。|这事得选个稳妥的人去。|没想到事情安排得这么稳妥。

【问】 wèn 〔动〕

❶ 不知道、不明白的事情提出来请人解答。(ask; enquire; seek information about)常做谓语。

例句 我能用汉语问路了。|对不起，问个问题，可以吗？|去友谊商店怎么坐车，你去问问。|那个问题问得他下不来台。

❷ 管。(hold responsible; intervene)常做谓语。

例句 买东西不能只看价钱、不问质量。|他对生活琐事从来不问。|你也该问问孩子的学习了。

▶“问”有时做介词，表示“向”、“跟”。如：我问小王借了两本小说。|你问我要，我问谁要去？

【问答】 wèndá 〔名〕

发问和回答。(questions and answers)常做定语。

例句 上回考试我有一道问答题没做上来。|这次答辩用问答方式进行。

【问好】 wèn hǎo 〔动短〕

询问安好，表示关切。(send one's regards to; say hello to)常做谓语，中间可插入词语。多与“向、代、替”

等构成的介词短语配合。

例句 请向我的朋友们问好。|代我们问老师好。|替我问伯父、伯母好。|张厂长每天早上都站在厂门口,向每个工人问一声好。

【问候】 wènhòu 〔动〕

问好。(send one's regards to; extend greetings to)常做谓语、宾语、定语。

例句 咱们去问候一下老校友吧。|我代表市政府向大家致以亲切的问候。|她见了我,连一句问候的话也没有。

【问卷】 wènjuàn 〔名〕

列有一些问题让人回答的书面调查材料,目的在于了解人们对这些问题的看法。(questionaire; paper with many questions to be answered in order to seek views on these questions)常做主语、宾语、定语。[量]份。

例句 设计调查问卷很有讲究。|进行问卷调查是了解问题的好方法。

【问世】 wènshì 〔动〕

著作、产品等开始上市或出现。(be published; come out)常做谓语、定语。

例句 他的新作即将问世。|电脑问世后,社会发生了巨大的变化。|这是一部还没问世的作品,只有少数人看过它的样稿。

【问题】 wèntí 〔名〕

❶ 要求回答的题目。(question; problem)常做主语、宾语、定语。[量]个。

例句 这几个问题太难,我回答不了。|练习的问题比较容易。|老师请马克回答问题。|发言人耐心地解答了记者的问题。|这个问题的意思我还不太清楚。

❷ 需要研究讨论来解决的矛盾、难题。(problem; issue)常做主语、宾语、定语。[量]个。

例句 那个公司的问题很多,可以说是问题成堆。|大自然有很多无法解释的问题。|A:帮我买本书,好吗? B:没问题。|这些问题的难度太大。

❸ 事故或麻烦。(trouble; mishap)常做主语、宾语。

例句 小心点儿,什么问题也别出。|酒后开车会有问题。|办手续时遇到了不少问题。|您放心吧,不会出问题的。

【问心无愧】 wèn xīn wú kuì 〔成〕

自己问自己,没有什么可惭愧的。(have a clear conscience; feel no qualms upon self-examination)常做谓语。

例句 成绩虽然不太好,但他尽力了,他问心无愧。|做事只要问心无愧就行。|不管你是否原谅我,反正我问心无愧。

【嗡】 wēng 〔象声〕

表示蜂等的声音。(drone; buzz; hum)常做定语、状语。

例句 电扇发出轻微的嗡嗡声。|嗡地一声,我的脑子里一片空白。|蜜蜂嗡嗡地飞过来、飞过去。

【窝】 wō 〔名/动/量〕

〔名〕❶ 鸟兽、昆虫住的地方;比喻坏人聚居的地方。(nest; lair; den)常做主语、宾语。[量]个。

例句 鸟窝搭在树杈上。|土匪窝就在这深山老林里。|两只小燕子在屋檐下筑了一个窝。|我要给小猫做一个窝。

❷ 比喻人或物体所占的位置。(place)常做主语、宾语。

例句 连一个固定的窝都没有，你让我到哪儿去找他？|总在一个地方干没意思，想挪挪窝儿。|这个衣柜放在这儿挡道，给它挪个窝儿吧。

〔动〕❶ 积聚而不能发作或发挥。(hold in)常做谓语。

例句 这两天我心里窝了一股火儿没处发。|有什么意见就说出来，不要窝在心里。|有王师傅指挥，肯定窝不了工。

❷ 使弯曲。(bend)常做谓语。

例句 他把图纸窝起来放进了书包。|窝过来窝过去，一会儿就把铁丝窝断了。

〔量〕用于猪、狗、鸡等一胎所生的动物。(litter;brood)常构成短语做句子成分。

例句 这窝小猪全是黑的。|那窝狗崽真可爱。|老母鸡孵(fū)出了一窝小鸡。

【窝囊】 wōnang 〔形〕

❶ 因受委屈而烦闷。(feel vexed; be annoyed)常做谓语、定语。

例句 这几天心里挺窝囊。|你把委屈说出来吧，别尽受窝囊气。

❷ 无能；怯懦。(good-for-nothing; hopelessly stupid)常做谓语、状语、定语、补语。

例句 那个人真窝囊。|他可不是个窝囊人。|人别活得那么窝囊，该出头时得出头。

【我】 wǒ 〔代〕

❶ 称自己。(I or me)常做主语、宾语、定语。

例句 我已经出过三次国了。|我刚上大学。|谢谢你来看我。|你不能随便进我的房间。|我家在农村。

❷ 指称“我们”。(we or us)常做主语、宾语、定语。

例句 那时敌强我弱，非常困难。|现在形势对我十分有利。|中国服装业比较发达。

❸ “我、你”对举，表示泛指。(one; anyone)常做主语、宾语。

例句 你看着我，我看着你，谁也不说话。|这里的东西不分你我，随便用吧。

❹ 虚指自己。(self)常用于固定格式中。

例句 他那种忘我的工作精神令人钦佩。|要懂得自我保护，也要帮助别人。

【我们】 wǒmen 〔代〕

❶ 称包括自己在内的一些人。(we or us)常做主语、宾语、定语。

例句 我们是昨天一起来的。|我们都非常想更多地了解中国文化。|那里的农民热情地欢迎我们。|我们的工作取得了很大的成绩。|我们学校在市中心。

❷ 指“我”。(I or me)常做主语、定语。

例句 上次我们讲完了第九课，今天我们开始讲第十课。|我们那口子(指夫或妻)是个热心人。

❸ 指“你们”。有密切听话人与说话人关系的作用。(you)常做主语、宾语。

例句 作为老师，我希望我们每个同学都能取得好成绩。|员工们，家人正期待着我们呢！

【我行我素】 wǒ xíng wǒ sù 〔成〕

不管别人怎么说，还是按照平常的做法去做。(persist in one's old

ways;stick to one's old way of doing things)常做谓语、定语。

例句 不少人劝过他,可他依然我行我素。|不能我行我素,要多听听别人的意见。|妹妹是个我行我素的人。

【卧】 wò 〔动〕

❶ 躺下。(lie)常做谓语。

例句 他这种病需要卧床休息。|她病得很厉害,卧在床上起不来。|你得静卧几天才行。

❷ (动物)趴。(crouch)常做谓语。

例句 大门外卧着一只狗。|老虎在一块大石头旁边卧下了。

【卧铺】 wòpù 〔名〕

火车上供旅客睡觉的铺位。有的长途汽车也有。(sleeping berth)常做主语、宾语、定语。[量]个,张。

例句 卧铺比硬座舒服多了。|你身体不好,得睡卧铺。|他去卧铺车厢找同学。|我买三张卧铺票。

【卧室】 wòshì 〔名〕

睡觉的房间。(bedroom)常做主语、宾语、定语。[量]间。

例句 这间卧室很宽敞。|孩子帮助我清扫卧室。|新房子有三间卧室和一个大客厅。|卧室的面积不太大,但十分舒适。

【卧薪尝胆】 wò xīn cháng dǎn 〔成〕

比喻刻苦自励,发愤图强。[sleep on brushwood and taste gall — undergo self-imposed hardships(to strengthen one's resolve to wipe out a national humiliation or to accomplish some ambition)]常做谓语、定语。

例句 我们卧薪尝胆,一年就恢复了局面。|老周卧薪尝胆十年,终于从失败走向了成功。|有卧薪尝胆的精神还怕不能成功?

▶ 春秋战国的时候,越王勾践被吴国俘虏了。勾践回国后,立志要报仇。睡觉睡在干柴上,吃饭以前都要先尝一下胆,以此提醒自己不忘报仇。这就是"卧薪尝胆"的由来。

【握】 wò 〔动〕

用手拿或抓。(hold;grasp)常做谓语。

例句 他握了握我的手,请我坐下。|中国朋友握着我的手说:"明年北京见。"|这几天我的手肿得都握不住笔了。

【握手】 wò shǒu 〔动短〕

两个人伸手互相握住,是见面或分别时的礼节,也用来表示祝贺或慰(wèi)问。(shake hands; clasp hands)常做谓语、定语,中间可插入词语。

例句 老同学们又见面了,大家都互相握手、拥抱。|他紧紧地握着我的手。|世界上大多数国家都有握手的礼节。

【乌】 wū 〔名/形〕

〔名〕乌鸦。(crow)用于某些短语。

词语 月落乌啼 爱屋及乌

〔形〕黑色。(black;dark)常做谓语、补语。

例句 他冻得不轻,嘴唇都乌了。|我的手不小心被门夹乌了。

【乌鸦】 wūyā 〔名〕

一种黑色的鸟。(crow)常做主语、宾语、定语。[量]只。

例句 天下乌鸦一般黑。|在中国,乌鸦象征不吉利。|很多人不喜欢

乌鸦。|乌鸦的食物有谷物、果实什么的。

【乌烟瘴气】 wū yān zhàng qì 〔成〕
比喻环境嘈杂、秩序混乱或社会黑暗。(a foul atmosphere; a pestilential atmosphere)常做谓语、定语、补语。

例句 宿舍楼里乌烟瘴气的,怎么住?|我们公司乌烟瘴气,很多人都辞职了。|这里空气清新,从前那个乌烟瘴气的工厂区不见了。|他们把单位搞得乌烟瘴气。

【乌云】 wūyún 〔名〕
黑云。(black clouds; dark clouds)常做主语、宾语。[量]片,块。

例句 天空乌云密布,暴风雨要来了。|大片的乌云过后,天气又晴朗起来。|天空笼罩着浓浓的乌云。

【污】 wū 〔名/形〕
〔名〕浑浊的水,泛指脏东西。(dirt; filth)常做主语、宾语。

例句 他受了伤,身上血污斑斑。|这种洗衣粉又去污又能漂白衣物。

〔形〕脏。比喻不廉洁。(dirty; filthy; foul)常做定语。

例句 污水治理已经初见成效。|人民最恨贪官污吏。

【污染】 wūrǎn 〔动〕
使沾染上有害物质。(pollute; contaminate)常做谓语、宾语、定语。

例句 烟囱冒出的滚滚浓烟污染了周围的空气。|农作物被污染了。|有的地方海洋污染得很厉害。|化工厂采取净化措施,不让江水遭到污染。|(标语)保护自然,防治污染。|大气污染的后果是很严重的。

【巫婆】 wūpó 〔名〕
女巫。以装神弄鬼、搞迷信活动为职业的女人。(witch; sorceress)常做主语、宾语、定语。[量]个。

例句 如果人们都不迷信,巫婆也就没有市场了。|有些落后地区至今还有巫婆。|巫婆的话你怎么能相信?

【呜】 wū 〔象声〕
指风等声音。(toot; hoot; zoom)常做定语、状语。

例句 "呜"的一声,一列火车飞驰而过。|大风呜呜地刮着。|玩具坏了,小弟弟呜呜地哭了起来。

【呜咽】 wūyè 〔动〕
❶ 低声哭。(sob; whimper)常做谓语、宾语、状语。

例句 失去了亲人和家园,灾民在悲伤地呜咽。|在大家的劝说下,她终于停止了呜咽。|说到这儿,他又呜呜咽咽地哭了起来。

❷ 比喻发出感到凄凉的悲哀的声音。(weep; wail; lament; moan)常做谓语、定语。

例句 青松呜咽,大地悲鸣。|大海呜咽,向这位伟人致哀。|远处传来呜咽的笛声,月光下草原显得格外凄凉。

【诬蔑】 wūmiè 〔动〕
假造事实破坏别人的名誉。(slander; vilify; calumniate; smear)常做谓语、宾语。

例句 你诬蔑人。|你这是诬蔑。

【诬陷】 wūxiàn 〔动〕
诬蔑陷害。(frame a case against sb.)常做谓语、宾语、定语。

例句 你不能诬陷好人啊。|他曾经受过诬陷。|采用诬陷手段实在卑鄙。

【屋】 wū 〔名〕

❶ 房子。(house)常用于构词。

词语 房屋 屋顶 屋檐

❷ 屋子。(room)常做主语、宾语。[量]间。

例句 大屋做客厅,小屋当卧室。|北屋虽冷点儿,但看风景挺方便。|上学时,我们俩住一间屋。

【屋子】 wūzi 〔名〕

房间。(room)常做主语、宾语、定语。[量]间。

例句 这间屋子有15平方米。|我家有三间屋子。|这间屋子的窗户特别小。

【无】 wú 〔动/副/连〕

〔动〕没有。(not have; there is not)常做谓语。

例句 如果他目中无人,又怎么能指望别人的合作呢?|他手里并无任何证据。

〔副〕不。(no; not)用于构词。

词语 无须 无需

例句 这件事无须请示,我可以负责。|我们无需别人的帮助。

〔连〕不论。(no matter what, whether, etc.; regardless of; irrespective of)用在条件复句中前一分句的主语后面,表示在任何条件下,结论都一样。

例句 职位无高低,都是工作的需要。|事无巨细,张总均亲自过问。

【无比】 wúbǐ 〔形〕

没有别的能够相比,表示程度极高。(incomparable; unparalleled; matchless)常做谓语、定语、状语、补语。

例句 这个决定聪明无比。|回到祖国,他感到无比的高兴。|他无比疼爱自己的女儿。|这里的风光美丽无比。

【无病呻吟】 wú bìng shēnyín 〔成〕

比喻无故地长吁短叹或没有真实情感而强作感慨。(moan and groan without being ill; make a fuss about an imaginary illness; adopt a sentimental pose)常做谓语、宾语。

例句 写文章要有真情实感,不能无病呻吟。|她总无病呻吟,令人讨厌。|这篇文章只不过是无病呻吟罢了。

【无产阶级】 wúchǎn jiējí 〔名短〕

工人阶级。也泛指不占有生产资料的劳动者阶级。(the proletariat)常做主语、宾语、定语。

例句 无产阶级为社会的进步和文明作出了伟大的贡献。|没有无产阶级,历史发展就失去了动力。|实现共产主义是无产阶级的目标。

【无偿】 wúcháng 〔形〕

不要代价的;没有报酬的。(free; gratis; gratuitous)常做定语、状语。

例句 中国经常向其他发展中国家提供无偿援助。|许多青年志愿者为社会提供无偿服务。|邻居们无偿地照料两位老人。

【无耻】 wúchǐ 〔形〕

不顾羞耻;不知羞耻。(shameless; brazen; impudent)常做谓语、定语、状语。

例句 这种行为真是无耻!|没想到他这么无耻!|他竟然无耻地提出这种要求。|你怎么能做出这种无耻的事!

【无从】 wúcóng 〔副〕

表示没有门路或找不到头绪(做某件事)。[have no way (of doing

W

sth.); not be in a position (to do sth.)]做状语。

例句 复习资料很多，一时无从下手。|心中有千言万语，却无从说起。|这句话出自哪本书，已经无从查考。

【无的放矢】 wú dì fàng shǐ 〔成〕

比喻说话做事没有目标，不看对象。(shoot an arrow without a target; shoot at random)常做谓语、宾语、定语。

例句 考试前的准备不能无的放矢。|有些人不了解情况却在那里无的放矢，乱说一通。|这么做不是无的放矢吗？|凡是无的放矢的空谈，都要避免。

【无动于衷】 wú dòng yú zhōng 〔成〕

心里一点儿不受感动；一点儿也不动心。(aloof and indifferent; unmoved; untouched; unconcerned)常做谓语、定语、状语。

例句 这个人对什么都无动于衷。|大家都觉得那孩子可怜，只有他无动于衷。|不管我怎么说，对方脸上仍然是一副无动于衷的表情。|小张无动于衷地说："这事跟我有什么关系？"

【无法】 wúfǎ 〔动〕

没有办法。(unable; incapable)常与其他动词性词语一起做谓语。

例句 你的问题，我确实无法解决。|老朋友见面，内心的激动无法形容。|你的车已经撞成了这个样子，无法修理了。

【无法无天】 wú fǎ wú tiān 〔成〕

形容违法乱纪，不受管束，任意干坏事。(defy all laws; become absolutely lawless; run wild)常做谓语、定语。

例句 他们无法无天。|撞了人还开车逃跑，简直无法无天！|这几个无法无天的小青年被警察镇住了。|那是个无法无天的年代！

【无非】 wúfēi 〔副〕

只；不过；不外乎。(nothing but; no more than; simply; only)做状语。

例句 大家给你提意见，无非是帮助你。|他俩无非谈了些如何学习汉语方面的事。|那里什么东西都有，无非贵一点儿。

【无话可说】 wú huà kě shuō 〔动短〕

没有可以说的话。(have nothing to say)常做谓语、定语、状语、补语。

例句 要是你非这么做不可，我也无话可说。|听了她的哭诉，大伙儿一时无话可说。|每当无话可说的时候，老宋就抽起烟来。|看到孩子无话可说地站在那儿，我的心又软了。|服务员态度不好，被经理批评得无话可说。

【无稽之谈】 wújī zhī tán 〔成〕

没有根据的话。(an unfounded statement; fantastic talk; sheer nonsense)常做主语、宾语。

例句 这些无稽之谈不要相信。|这纯属无稽之谈。|他的话并不全是无稽之谈。

【无济于事】 wú jì yú shì 〔成〕

对于事情没有帮助。(not help matters; of no help; of no avail; to no effect)常做谓语。

例句 别等了，再等也无济于事。|他在这儿也无济于事，我们还是自己想办法吧。|她觉得这些安慰只是增添伤感，却无济于事。

【无拘无束】 wú jū wú shù 〔成〕

自由自在，不受约束。(unrestrained; unconstrained; free and easy)常做谓语、定语、状语、补语。

例句 小伙伴们在一起无拘无束，玩得十分开心。|留学生和中国学生无拘无束，谈得很高兴。|我喜欢无拘无束的谈话气氛。|我们来到野外，无拘无束地唱啊，跳啊，闹了大半天。|她们谈得无拘无束，非常开心。

【无可奉告】 wú kě fènggào 〔动短〕

没有可以告诉的(用于外交等场合)。(no comment)常做谓语。

例句 这个问题我无可奉告。|A：请问部长先生，能否介绍一下事情的背景？B：对不起，无可奉告。

【无可奈何】 wú kě nàihé 〔成〕

没有办法；没有办法可想。(be utterly helpless; have no way out; have no choice)常做谓语、宾语、定语、状语。

例句 在顽皮的小孙子面前，奶奶无可奈何。|开始时，我对汉字无可奈何。|考试不及格，小王觉得无可奈何。|看着他那无可奈何的样子，我真想笑。|买不到火车票，马克无可奈何地留在学校。|遇到这样的麻烦事，我也只能无可奈何地应付一下。

【无孔不入】 wú kǒng bú rù 〔成〕

有洞孔就钻。比喻善于利用一切机会进行活动。(get in by every opening; be all-pervasive; seize every opportunity)常做谓语、定语。

例句 你们无孔不入啊。|传染病往往无孔不入，所以必须严加防范。|要警惕无孔不入的色情内容。

辨析 〈近〉见缝插针。二者都有善于利用机会的意思，但"见缝插针"可用于褒义，而"无孔不入"含贬义。

【无理】 wúlǐ 〔形〕

没有道理。(unreasonable; unjustifiable)常做谓语、定语、状语。

例句 这种做法确实无理。|考试不及格还要升级，这种无理要求不能答应。|你不但违反了交通规则，还躺在马路上不起来，真是无理取闹。

【无聊】 wúliáo 〔形〕

❶ 由于清闲而烦闷；内心空虚，没有寄托。(bored)常做谓语、宾语、定语、状语。

例句 老呆在家里，实在无聊。|他总是一天忙到晚，似乎闲着就无聊。|放假以后，同学都回家了，他一个人在学校觉得无聊极了。|这种无聊的生活我早就过够了。|星期天没事，她十分无聊地在街上东游西逛。

❷ 著作、言谈、举止等没有意义而使人讨厌。(senseless; silly; stupid)常做谓语、宾语、定语。

例句 他太无聊，到处说闲话。|有些人整天谈吃讲穿，真无聊。|你觉得这样做很有意思，可我觉得很无聊。|这么无聊的小说，有什么看头？

【无论】 wúlùn 〔连〕

表示在任何假设条件下结果或结论都不会改变。(no matter what, how, etc.; regardless of)后面带任意性疑问代词或选择性词语，常同"都、也"等配合。

例句 无论做什么工作，他都很认真。|大家无论遇到什么困难，都可

以随时来找我。|明天无论是好天还是坏天,都要去。|这样做,无论对你还是对我,都有好处。

【无论如何】 wúlùn rúhé 〔动短〕

不论怎么样,表示在任何条件下结果不会改变。(in any event;at all events;in any case;at any rate;whatever happens)常做状语,有时可以放在主语前。

例句 3月1日以前,你们无论如何要回来。|无论如何,你一定要参加我们的婚礼。|我们能过上这样的好日子,这是20年前无论如何也想不到的。

【无能为力】 wú néng wéi lì 〔成〕

用不上力量;没有能力或能力达不到。(powerless; helpless; incapable of action)常做谓语、宾语、定语。

例句 病到这种程度,医生已经无能为力了。|这件事,我也无能为力。|朋友让我帮他做买卖,我感到无能为力。|看到我那无能为力的样子,她失望地走了。

【无情】 wúqíng 〔形〕

❶ 没有感情。(unfeeling; heartless)常做谓语、定语、状语、补语。

例句 你怎么这么无情?|别怪我无情,我也是不得已呀。|他不是无情的人,一定会帮助你的。|你这样无情地对待她,太过分了。|他做得这么无情,太不像话了!

❷ 不留情。(merciless; ruthless)常做谓语、状语。

例句 比赛无情,我们必须承认失败。|我的确常批评别人,然而更多的是无情地解剖我自己。

【无情无义】 wú qíng wú yì 〔成〕

没有人与人之间互相关心、爱护的感情。(heartless and faithless)常做谓语、定语、补语。

例句 他对我无情无义,但我对他不能无情无义。|我想他不是那种无情无义的人。|这样对待养母,做得太无情无义了!

【无穷】 wúqióng 〔形〕

没有尽头;没有限度。(infinite; endless; boundless)常做谓语、定语。

例句 他讲的这番话,意味无穷。|榜样的力量是无穷的。|一想到公司的美好前景,我身上就有无穷的干劲儿。|在中国旅行,他感到了无穷的乐趣。

【无穷无尽】 wú qióng wú jìn 〔成〕

没有尽头,没有止境。(infinite; endless; boundless; inexhaustible)常做谓语、定语。

例句 学习简直无穷无尽。|他心中有无穷无尽的烦恼。

【无声无息】 wú shēng wú xī 〔成〕

没有声响,也形容人或地方等默默无闻。(silent; unknown; obscure)常做谓语、定语、状语、补语。

例句 小猫走起路来无声无息的。|我实在不愿意过这种无声无息的日子了。|上课后,马克无声无息地走进教室。|雪花无声无息地飘落下来。|他走了,走得无声无息。

【无时无刻】 wú shí wú kè 〔成〕

时时刻刻。(all the time; incessantly)常做状语及定语。

例句 他无时无刻不在思念家人。|留学那些年,我无时无刻不在考虑如何努力学习。|他对我那种无时无刻的关怀,令我非常感动。

【无数】 wúshù 〔形〕

❶ 难以计算,形容极多。(innumerable;countless)常做谓语、定语。

例句 每年有无数观光客来中国旅游。|他一生经历磨难无数。|无数的鲜花和掌声包围着她。|无数的星星在夜空中闪烁(shuò)。

❷ 不知道真实情况。(not know for certain;be uncertain)常做谓语。

例句 对自己考得怎么样,我确实心中无数。

【无所不能】 wú suǒ bù néng 〔成〕

什么都能做,形容能力强。(omnipotent;versatile)常做谓语、定语。

例句 他的汉语水平很高,听、说、读、写,无所不能。|到十六岁时,这个小神童就已经到了无所不能的地步。

【无所不为】 wú suǒ bù wéi 〔成〕

形容什么坏事都干得出来。(do all manner of evil;stop at nothing)常做谓语。

例句 小张胆子很大,无所不为。|这个人吃喝嫖赌,无所不为。

【无所事事】 wú suǒ shì shì 〔成〕

闲着不做任何事情。(be occupied with nothing;have nothing to do;idle away one's time)常做谓语、定语。

例句 他整天无所事事。|你不能老这样无所事事吧?|那些无所事事的人纷纷围过来看热闹。

【无所谓】 wúsuǒwèi 〔动〕

❶ 说不上,谈不到。(cannot be called;not deserve the name of)常做谓语。

例句 棉衣嘛,保暖就行了,无所谓好看不好看。|饿了就吃,无所谓好吃不好吃。

❷ 不在乎;没有什么关系。(be indifferent;not matter)常做谓语、定语。

例句 怎么都行,我无所谓。|分数无所谓,关键在于是不是学懂了。|别的都无所谓,主要是责任问题要弄清楚。|他这个人对什么都抱无所谓的态度。

【无所作为】 wú suǒ zuòwéi 〔动短〕

不去努力干好或没做出什么成绩。(attempt nothing and accomplish nothing;be in a state of inertia)常做谓语、宾语、定语。

例句 我这一辈子无所作为。|你不要总觉得自己无所作为。|实际上,无所作为的人并不多。

【无微不至】 wú wēi bú zhì 〔成〕

没有一处细微的地方不到,形容关怀、照顾得非常细致周到。(meticulously;in every possible way)常做谓语、宾语、定语、状语、补语。

例句 老师对我很关心,无微不至。|他对朋友真的无微不至。|护士小姐对我的照顾可以说是无微不至。|丈夫无微不至的照顾使妻子非常感动。|鲁迅先生无微不至地关心青年作家的成长。|他对小红照顾得无微不至。

【无限】 wúxiàn 〔形〕

没有限度,没有尽头。(infinite;limitless;boundless;immeasurable)常做谓语、定语、状语。

例句 我认为这家公司前景无限。|青年人的前途是无限的。|将来的生活一定无限美好。|这个业余剧团有无限的生命力。|我父母无限热爱自己的教育事业。

辨析 〈近〉无比。“无限”着重表示没有限度；“无比”着重表示没有别的能够比得上，“无比”能做补语。如：无限风光在险峰。|那里的风光美丽无比。|＊风光美丽无限。（“无限”应为“无比”）

【无线电】 wúxiàndiàn 〔名〕
用电波在空中传送信号的技术设备；无线电收音机。（radio；wireless）常做主语、宾语、定语。［量］台。

例句 无线电已经发明一百多年了。|现在农村不但有无线电，电视也越来越多了。|无线电技术被广泛地用于通讯、广播、电视等方面。

【无效】 wúxiào 〔形〕
没有效力；没有效果。（of no avail；invalid；null and void）常做谓语、定语、补语。

例句 对不起，这份证明已经无效了。|哎呀，我的居留证快无效了。|（车票）只限当日使用，过期无效。|搞了一上午卫生，很快又脏了，这不是无效劳动吗？|姐姐的病医治无效，昨天晚上去世了。

【无疑】 wúyí 〔形〕
没有问题。（beyond doubt；undoubtedly）常做谓语、定语、状语。

例句 两个公司的合并已经确定无疑了。|我已经得到了八级，这已无疑了。|他对这个问题作出了肯定无疑的回答。|多听多说，对学外语无疑会有很大帮助。

【无意】 wúyì 〔动〕
没有做某种事的愿望；不是故意的。（have no intention；not intend to；not be inclined to）常做谓语。

例句 她既然对你无意，我看就算了。|由于对方无意降价，我们只好另找门路。|A：你怎么算错了？B：实在抱歉，我是无意的。

【无影无踪】 wú yǐng wú zōng 〔成〕
没有影子和痕迹。形容完全消失。（without a trace）常做谓语、定语、状语、补语。

例句 我的书无影无踪，再也找不到了。|从此以后，这个人就无影无踪，不知去向了。|看着整整三年无影无踪的丈夫，妻子差一点儿认不出来了。|我的小狗就这样无影无踪地消失了。|我的怒气被他一席话说得无影无踪了。

【无忧无虑】 wú yōu wú lǜ 〔成〕
没有一点儿忧虑。（free from care；free from all anxieties）常做谓语、定语、状语、补语。

例句 我的童年无忧无虑，非常幸福。|小兰是一个纯洁可爱、无忧无虑的女孩。|他在中国无忧无虑地生活了四年。|如今，人们的日子过得无忧无虑。

【无缘无故】 wú yuán wú gù 〔成〕
没有一点儿原因。（without cause or reason；for no reason at all）常做状语。

例句 她怎么无缘无故提前回国了？|小李无缘无故地被老师批评了一顿，委屈极了。|我不能无缘无故地收你的礼物。

【无知】 wúzhī 〔形〕
缺乏知识；不懂道理。（ignorant）常做主语、谓语、宾语、定语、状语。

例句 无知常常导致愚蠢的行为。|他也太无知了，怎么能这样说话呢？|这种做法显得很无知。|你别

怪他,他还是个无知的孩子。|小时候,我无知地以为人可以长生不老。

【无足轻重】 wú zú qīng zhòng 〔成〕

形容无关紧要,不值得重视。(of little importance;of little consequence;insignificant)常做谓语、定语。

例句 这点儿损失无足轻重,不要再想了。|不要以为这个岗位无足轻重。|那些无足轻重的小事,别再提了。|保护环境决不是一个无足轻重的问题。

【梧桐】 wútóng 〔名〕

一种树。木材白色,可造乐器等。(Chinese parasol tree)常做主语、宾语、定语。[量]棵。

例句 那里梧桐到处都是。|街道旁种着高大的梧桐,既美观又阴凉。|栽下梧桐树,引来金凤凰。

【五】 wǔ 〔数〕

数目。(five)常构成短语做句子成分。

例句 鱼不贵,五条才八块钱。|这家航空公司光波音747就有五架。|这是五位客人的饭。|我去了五次也没买着满意的鞋。

【五彩缤纷】 wǔcǎi bīnfēn 〔成〕

形容色彩繁多艳丽。(colorful;blazing with color)常做谓语、定语、补语。

例句 花园里开满了各种花,五彩缤纷,漂亮极了。|老师那绘声绘色的讲述把孩子们带进了一个五彩缤纷的神奇世界。|整个会场被布置得五彩缤纷。

【五花八门】 wǔ huā bā mén 〔成〕

比喻花样繁多。(multifarious;of a wide variety)常做谓语、定语。

例句 这些人的职业五花八门,干什么的都有。|同学们提的问题五花八门。|那些留学生有五花八门的中国名字。

【五体投地】 wǔ tǐ tóu dì 〔成〕

两手、两膝和头一起着地。比喻佩服到了极点。(prostrate oneself before sb.)常做谓语、定语、补语。

例句 看了他的表演,我简直五体投地。|他显出一副五体投地的样子。|学生们对杨老师佩服得五体投地。

【午】 wǔ 〔名〕

日中的时候;白天十二点。(noon;midday)常用于构词。

词语 中午 上午 下午 午餐 午睡

【午饭】 wǔfàn 〔名〕

中午吃的饭。(lunch;midday meal)常做主语、宾语、定语。[量]顿。

例句 午饭吃什么?|今天我自己做午饭。|几个日本朋友请我们去饭店吃午饭。|今天午饭的味道特别好。

【伍】 wǔ 〔数〕

"五"的大写。(five)常构成短语做句子成分。

例句 一共伍佰伍拾伍圆整。

【武】 wǔ 〔名〕

关于军事或技击方面的。(military;connected with boxing skill,swordplay,etc.)常做主语、宾语、定语,也用于构词。

词语 威武 武器 武术 武装 武艺

例句 文能定国,武能安邦。|这些孩子每天跟着师傅练武。|只能动口,不许动武。|文武之道,一张一弛。

【武警】 wǔjǐng 〔名〕

"中国人民武装警察"的简称。(armed police)常做主语、宾语、定语。[量]个。

例句 武警是警察的一种。|武警不仅保卫国家安全,还为人们排忧解难。|人们一致认为他是个优秀的武警。|武警战士把五星红旗高高升起。

【武力】 wǔlì 〔名〕

强暴的或军事的力量。(force; military force; armed might; armed strength; force of arms)常做主语、宾语、状语。

例句 武力并不是万能的。|这事得通过法律,绝不能使用武力。|靠武力侵略别国的时代已经过去了。|国家之间的矛盾应该通过谈判,而不是武力解决。

【武器】 wǔqì 〔名〕

❶ 直接用来杀伤敌人和破坏敌方军事设备的工具,如枪、炮、导弹等。(weapon; arms)常做主语、宾语、定语。[量]件,种。

例句 化学武器十分危险,应当予以禁止。|现在,生产武器的工厂逐渐减少了。|这种武器的杀伤力很大。

❷ 泛指进行斗争的工具。(means)常做主语、宾语。[量]种。

例句 批判的武器就是笔。|批评和自我批评是一种思想武器。

【武术】 wǔshù 〔名〕

打拳和使用兵器的技术,是中国传统的体育项目。(*wushu*, martial arts such as shadow-boxing, swordplay, etc., as part of Chinese traditional sports)常做主语、宾语、定语。

例句 中国武术受到很多外国朋友的喜爱。|武术分很多种类。|这个留学生每天都跟老师练习武术。|小秦在少林寺学过一年武术。|他武术水平很高,得过全国武术比赛的冠军。

【武装】 wǔzhuāng 〔名/动〕

〔名〕军事装备。(arms; military equipment)常做主语、宾语、定语。

例句 各国军队的武装正在向现代化方向发展。|经过十几分钟的战斗,我军就解除了敌人的武装。|为了国家安全,必须建立强大的武装力量。

〔动〕用物质的或精神的武器来装备。(arm; equip with arms; provide troops with arms)常做谓语、定语。

例句 用新理论的武器武装我们自己。|努力用最现代化的武器把军队武装起来。|全副武装的军人真神气。

【侮辱】 wǔrǔ 〔动〕

使对方的人格或名誉受到损害,蒙受耻辱。(insult; humiliate)常做谓语、宾语。

例句 他以前侮辱过她,如今很后悔。|随意侮辱人的行为是不道德的。|我不能忍受这种侮辱。

【舞】 wǔ 〔名/动〕

〔名〕舞蹈。(dance)常做主语、宾语、定语。[量]个。

例句 这个舞太难,跳个别的吧。|这个留学生想学习中国民族舞。|唱个歌啦,跳个舞啦,她样样都行。|那个双人舞的动作十分优美,我想学学。

〔动〕做出舞蹈动作;拿着东西舞蹈或挥动。(move about as in a dance; dance with sth. in one's hands)常做谓语。

词语 载歌载舞 手舞足蹈

例句 武术运动员舞了一会儿刀，又舞起棍棒来。|她们手舞着花束庆祝胜利。|爸爸舞累了，儿子接着舞起来。|她的双剑舞得真好。|你也来舞几下龙吧。

【舞蹈】 wǔdǎo 〔名〕

以有节奏的动作为主要表现手段的艺术形式，一般用音乐伴奏。(dance)常做主语、宾语、定语。[量]个，种。

例句 晚会的节目很精彩，舞蹈特别受欢迎。|人们随着音乐跳起了欢快的舞蹈。|优美的舞蹈表演是舞蹈演员辛苦汗水的结晶。

【舞会】 wǔhuì 〔名〕

跳交际舞的集会。(dance; ball)常做主语、宾语、定语。[量]次，个，场。

例句 舞会晚上七点开始。|这次舞会既热闹又文雅。|本周末将举行舞会，欢迎留学生参加。|舞会的来宾有一百多人。|舞会的曲子既有华尔兹，又有迪斯科。

【舞台】 wǔtái 〔名〕

供演员表演的台，也比喻某种常面对公众的职业等。(stage; arena)常做主语、宾语、定语。[量]个。

例句 新剧场的舞台非常大。|他已经退出了历史舞台。|昨天新任总统正式登上政治舞台。|别看她年纪小，已经有十年的舞台经验了。

【舞厅】 wǔtīng 〔名〕

专供跳舞用的大厅；供跳舞用的经营性场所。(dance hall; ballroom)常做主语、宾语、定语。

例句 每到周末，舞厅就热闹起来。|我从来没进过舞厅。|那家舞厅的票很贵。|由于舞厅的地点在市中心，所以生意很红火。

【勿】 wù 〔副〕

不要。表示禁止或劝阻。(don't; never)做状语。

例句 (公共场所的标牌用语)请勿吸烟。|(公园等处的标牌用语)请勿攀折花木。|(办公室门外标牌用语)非工作人员请勿入内。|(写信用语)近来一切均好，勿念。

【务】 wù 〔名/动/副〕

〔名〕事情。(affair; business)常用于构词。

词语 公务 事务 任务 税务

〔动〕从事；致力。(be engaged in; devote one's efforts to)常做谓语。

例句 我的祖辈都务农。|政府应该务实。

〔副〕一定要；必须。(be sure to; must)做状语。

例句 对走私分子就是要除恶务尽。|这场比赛我们要务求全胜。

【务必】 wùbì 〔副〕

必须；一定要。(must; be sure to)做状语。

例句 工作总结明天务必要上交。|公司的各项规章制度务必严格执行。|大家都希望听你的学术报告，请你务必去讲一次。|任务紧急，务必按时完成。

【物】 wù 〔名〕

❶ 东西；自己以外的人或环境。(thing; matter; the outside world as distinct from oneself)常用于构成词语。

词语 万物 物质 货物 飞行物 待人接物

例句 人尽其才，物尽其用。|人以群分，物以类聚。|她待人接物十分热情周到。

❷ 内容。(content; substance)做"有、无"的宾语，用于固定短语中。

词语 言之有物　空洞无物

【物极必反】 wù jí bì fǎn 〔成〕

事物发展到极限必然向相反的方向转化。(things will develop in the opposite direction when they become extreme)常做小句。

例句 你先别太高兴，物极必反，小心出问题。|比赛中每个人都希望胜利，但如果因此而压力太大，就会物极必反，发挥不出应有的水平。

【物价】 wùjià 〔名〕

商品的价格。(prices)常做主语、宾语、定语。

例句 这几年物价一直在上涨。|一般来说，中小城市的物价比大城市低一些。|如果有必要，政府会采取适当的措施控制物价。|物价问题是老百姓最关心的。

【物理】 wùlǐ 〔名〕

物理学，研究物质内部结构和运动规律的学科。(physics; innate laws of things)常做主语、宾语、定语。

例句 数学要学习，物理也要学习。|物理是一门科学，可以解释许多自然现象。|他研究物理研究了三十年。|我们物理老师水平很高。

【物力】 wùlì 〔名〕

可供使用的物资。(material resources)常做主语、宾语、定语。

例句 这个公司的物力非常雄厚。|文件要求各单位都要十分注意节约物力，不得浪费。|中国人力资源、物力资源都十分丰富。

【物流】 wùliú 〔名〕

商品实体在流通过程中的经济活动。如商品储运、包装等活动。(logistics)常做主语、定语。

例句 物流是目前经济活动中的一个重要环节。|你说的那家物流管理公司在哪儿？

【物品】 wùpǐn 〔名〕

东西(多指日常生活用品)。(article; goods)常做主语、宾语、定语。[量]种。

例句 这里物品丰富，生活十分方便。|(火车站、汽车站用语)禁止携带易燃易爆物品上车。|由于时间紧，我只带了些日用物品就走了。|托运物品重量不能超过20公斤。

【物体】 wùtǐ 〔名〕

由物质构成的、占有一定空间的个体。(body; substance; object)常做主语、宾语、定语。[量]个。

例句 这个物体坚硬、透明。|水上漂着两个白色的物体，不知是什么。|(物理课上)请同学们注意观察这个物体的形状。

【物业】 wùyè 〔名〕

指已建成投入使用的各类建筑物及其相关的设备、设施和场地。(housing and related equipment, services, etc.)常做主语、定语。

例句 "物业"有几个意思？|物业管理是个新兴的行业。|这片住宅楼是哪家物业公司的？

【物以稀为贵】 wù yǐ xī wéi guì 〔成〕

东西因为稀少而珍贵。(when a thing is scarce, it is precious)常做小句。

例句 物以稀为贵，我小时候想吃

块巧克力都不容易。|山顶上的矿泉水卖到五块钱一瓶,物以稀为贵呀!

【物质】 wùzhì 〔名〕

❶ 人的意识之外的独立的客观存在的。(substance; matter)常做主语、宾语、定语。

例句 物质可以决定精神。|物质不灭是一条真理。|应当正确认识什么是物质。|人类一直在不断地发现物质的运动规律。|物质的存在是客观的。

❷ 特指金钱、生活资料等。(material; money; means of substances)常做定语。

例句 数千年来,人类创造了伟大的物质文明。|生产发展了,人们的物质生活和精神生活的水平也越来越高了。|一个人不能只满足于物质享受。

【物资】 wùzī 〔名〕

生产、生活、军事等方面所需要的物质资料。(goods and materials)常做主语、宾语、定语。[量]种,批。

例句 现在国内市场繁荣,物资充裕,价格稳定。|各种救灾物资已经运走了。|为支援地方,中央紧急调拨了一批军用物资。|请问,物资供应站在哪里?

辨析 〈近〉物质。"物资"仅指生产、生活、军事等所需的物质资料,意义范围比"物质"小。如:* 物资的存在决定人们的意识。("物资"应为"物质")

【误】 wù 〔动/形〕

〔动〕❶ 耽误。(miss)常做谓语。

例句 火车误点了,晚到半小时。|他办事很认真,从来没误过事。|起来晚了,差点儿误了船。

❷ 使受损害。(hinder; impede)常做谓语。

例句 聪明反被聪明误。|不抓教育会误了下一代。

〔形〕不是故意的。(by mistake; by accident)常做状语。也用于构词。

词语 误解 误会 误伤 误诊

例句 我误以为他是中国人,结果他是日本人。|下车时一着急,不小心误拿了别人的包。

▶"误"也做名词,指错儿。如:由于判断有误,出了车祸。

【误差】 wùchā 〔名〕

测定的数值或计算中的近似值与准确值的差。(error; difference between a determined value or an approximate value in calculation and the accurate value, as 0.33% for 1/3, the error being 1/300)常做主语、宾语。[量]点儿。

例句 不该发生的误差必须纠正过来 。|这台计算机运算误差极小。|经过测量,房子面积有微小的误差。

【误导】 wùdǎo 〔名/动〕

〔名〕错误的引导。(misadvice; misdirection)常做主语、宾语、定语。[量]种。

例句 这种误导是不该发生的。|这么说不是误导吗?|误导的影响如何尽快消除?

〔动〕错误引导。(mislead)常做谓语。

例句 新闻界不应误导群众。|你别误导孩子了。

【误会】 wùhuì 〔动/名〕

〔动〕错误地理解对方的意思。

(mistake; misunderstand) 常做谓语、定语。

例句 先生,请您别误会。|他完全误会了我的话。|一个玩笑,竟使两人误会到这种地步。|误会的程度太深了,一时也很难说清楚。

〔名〕对对方意思的错误理解。(misunderstanding) 常做主语、宾语、定语。[量]个,场。

例句 那场误会终于解开了,他们两人又好了起来。|一个误会,使他俩分了手。|你这么做怎么能不产生误会呢?|这场误会的责任在我,实在对不起。

【误解】 wùjiě 〔动/名〕

〔动〕理解得不正确。(misread; misunderstand) 常做谓语。

例句 我不是那个意思,你误解了我刚才的话。|由于语言障碍,开始彼此误解过好几次。|希望你们俩不要再误解下去了。

〔名〕不正确的理解。(misunderstanding) 常做主语、宾语、定语。[量]个,种。

例句 双方的误解已经完全消除了。|有人认为核电站不安全,其实这是一种误解。|误解的产生,是缺少沟通造成的。

辨析 〈近〉误会。"误会"除了"误解"的"理解不正确"义外,还表示辨别、判断有误。如:* 原来她不是你女朋友呀! 对不起,我误解了。("误解"应改为"误会")

【悟】 wù 〔动〕

了解;领会;觉醒。(realize; awaken) 常用于构成词语。也做谓语。

词语 若有所悟　执迷不悟　恍然大悟

例句 我悟到了学汉语的最好办法。|他终于悟出了一个道理:没有努力就没有收获。|别急,你再好好悟一悟就明白了。

【雾】 wù 〔名〕

接近地面的水蒸气遇冷变成的浮在空气中的小水滴;像雾的东西。(fog; fine spray) 常做主语、宾语、定语。

例句 雾太大了,几米以外什么也看不见。|山腰浮着白色的雾,美极了!|下雾了,开车慢一点儿。|由于空气污染严重,那个地区雾的颜色常常是深灰色。|雾都伦敦(London)早已旧貌换新颜了。

X

【西】 xī 〔名〕

❶ 四个主要的方向之一，太阳落下去的一边。(west)常做定语、主语、宾语。

例句 南美洲、北美洲都在西半球。|黄河西岸是陕西省，东岸是山西省。|下车以后，道西就是邮局。|他们骑着车往西去了。|我们在树林里迷路了，不知哪儿是东，哪儿是西。

❷ 欧美地区；内容或形式属于欧美的。(Occident; Western)常用于构词。

词语 西餐 西服 西式 西药 中西

例句 我们去吃西餐吧。|有时候西药治不了的病，中药可以治。|他不太喜欢穿西服。|我看应该中西结合，取长补短。

【西北】 xīběi 〔名〕

西和北之间的方向；也指中国西北地区。(northwest)常做宾语、定语、主语。

例句 大学毕业后我主动要求到大西北工作。|兰州在中国的西北。|西北地区的气候比较干燥。|这里冬天经常刮西北风。|中国西北有丰富的石油。

【西边】 xībian 〔名〕

太阳落山的一边。(west)常做主语、宾语、定语。

例句 天安门广场的西边是人民大会堂。|车站的西边有个大商场。|我家在大楼的西边。|一直往西边走，你就会看到邮局。|西边的太阳就要下山了。|请把西边的那个窗户打开。

【西部】 xībù 〔名〕

西面的地区。(west)常做主语、宾语、定语。

例句 当前，西部是国家投资发展的重点。|中国可以分为东部、中部和西部。|西部地区的经济发展非常重要。|这是一部美国西部片。

【西餐】 xīcān 〔名〕

西式的饭食，吃时用刀、叉。(Western-style food)常做主语、宾语、定语。[量]顿。

例句 西餐在中国逐渐流行起来了。|这个饭店的西餐做得很好。|我们去吃顿西餐吧，我还没吃过呢。|学校门口就有家西餐店。|西餐的吃法有很多讲究。

【西方】 xīfāng 〔名〕

太阳落下去的一方；特指欧美各国。(west; the West; the Occident)常做主语、宾语、定语。

例句 太阳落山了，西方留下一片彩霞。|西方和东方各有自己的特点。|小提琴是从西方传入中国的。|有些人还不大了解西方。|二战以后，西方经济发展很快。|东西方文化差异很大。

【西服】 xīfú 〔名〕

源于西方的服装，特指包括上衣、裤子及背心的西式男装。(Western-style clothes)常做主语、宾语、定语。[量]套，身。

例句 这套西服得一千多块吧？|我们厂生产的西服，主要是出口。|绝大多数男士都喜欢穿西服。|请把这套西服干洗一下吧。|西服的

式样有好几种。|西服的优点是美观舒适。

【西瓜】 xīguā 〔名〕

一年生草本植物,茎蔓生,果实是浆果,多是球形,水分多,味甜;这种植物的果实。(watermelon)常做主语、宾语、定语。[量]棵,个。

例句 新疆的西瓜又大又甜。|现在西瓜不仅夏天可以吃到,冬天也可以吃到了。|我家种了两亩西瓜。|有一种新品种西瓜,个儿小,皮薄,特别甜。|西瓜汁和西瓜皮有清暑解热的功能。

【西红柿】 xīhóngshì 〔名〕

普通蔬菜,草本,开黄花,结球形红色或黄色浆果;这种植物的果实。(tomato)常做主语、宾语、定语。[量]个,斤。

例句 西红柿含有丰富的维生素C。|西红柿有粉红色的、红色的,还有金黄色的呢。|有了大棚,冬天也能种西红柿。|我们用西红柿做汤吧。|西红柿的营养很丰富。

【西面】 xīmian 〔名〕

太阳落山的一面。(west)常做主语、宾语、定语。

例句 那座大山的西面就是我的故乡。|市区的西面有一条河。|人民大会堂在天安门广场的西面。|新动物园位于市区西面。|我住在西面的那栋楼里。|西面墙上,挂着他俩的结婚照。

【西南】 xīnán 〔名〕

西和南之间的方向;也指中国的西南地区。(southwest)常做宾语、定语、主语。

例句 青藏高原位于中国的西南。|你往西南走,就到电信大楼了。|中国西南地区少数民族很多。|操场的西南角有个沙坑,可以练习跳远。|快看,西南来雨了。

【西医】 xīyī 〔名〕

从欧美各国传入中国的医学;用这种理论治病的医生。(Western medicine; a doctor trained in Western medicine)常做主语、宾语、定语。[量]个,位。

例句 有的病西医还治不了。|"中西医结合"就是指把中医和西医结合起来。|我是个西医,不会针灸。|现在很多中医大夫也研究西医的理论。|中医的治病方法和西医的方法完全不同。

【吸】 xī 〔动〕

❶ 生物体把液体、气体等从口或鼻孔引入体内。(inhale; breathe in)常做谓语、定语。

例句 拍X光片时,医生对我说:"吸气!呼气!"|为了健康,他不吸烟了。|女儿一边看电视一边用吸管吸饮料。|当时我很累,坐在椅子上深深地吸了几口气。

❷ 把外部的物质引到内部。(absorb; suck up)常做谓语。

例句 塑料布不吸水,可以用来防潮。|他用棉布吸干大缸里的积水。|要是没有根,树木怎么吸养分呢?

❸ 把别的东西、注意力等引到自己的一边来。(draw to oneself; attract)常做谓语。

例句 磁石能吸铁。|用一块吸铁石把撒在桌子上的大头针吸起来吧,一根一根捡太费劲。|天天吸尘,怎么还这么脏?

【吸毒】 xī dú 〔动短〕

吸食毒品,如鸦片、海洛因等。

X

(take addictive drugs)常做谓语(不带宾语)、主语、宾语、定语。中间可插入成分。

例句 当年他曾经吸过毒。|他吸了两次毒就上瘾了。|他才十七岁，就吸了一年毒了，太可惜了。|经过治疗，他不吸毒了。|吸毒有害健康。|政府正采取各种措施禁止吸毒。|现在世界上吸毒的人有多少?

【吸纳】 xīnà 〔动〕

吸收，接纳。(admit)常做谓语。

例句 音乐家协会今年吸纳了一批年轻有为的新会员。|我们应该吸纳更多的学历高、有能力的人来公司工作。|只有广开就业门路，才能吸纳更多的下岗人员，实现再就业。

【吸取】 xīqǔ 〔动〕

吸收采取。(absorb; draw; assimilate)常做谓语、定语。

例句 不断地吸取别人的成功经验，有利于搞好工作。|这项发明充分吸取了学术界最新的研究成果。|这些都是从兄弟单位吸取的经验。|应该吸取的教训太多了。

辨析 〈近〉吸收。"吸取"较多地用于抽象的"经验"、"教训"、"力量"等;"吸收"多用于具体的人或事物。如: * 应该吸收的教训太多了。("吸收"应为"吸取")

【吸收】 xīshōu 〔动〕

❶ 物体把外部、外界的成分或物质吸到内部，或使某些现象、作用减弱或消失。(absorb; draw; assimilate)常做谓语、定语、宾语。

例句 去年这个地区吸收的外资有两亿美元。|绿色植物能吸收空气中的二氧化碳。|由于气温太高，吸收的水分很快就蒸发掉了。|肠炎会影响营养的吸收。

❷ 组织或团体接受某人为自己的成员。(recruit; enrol; admit)常做谓语、定语。

例句 作家协会吸收他为新会员。|足球队吸收新队员的事研究了吗?|他俩是最近吸收的党员。

【吸烟】 xī yān 〔动短〕

人把烟燃烧后的气体引入体内。(smoke)常做谓语(不带宾语)，中间可插入成分。也做主语、宾语、定语。

例句 每天晚饭后，他都要吸一支烟。|谢谢!我不吸烟。|不要在公共场所吸烟。|吸烟有害健康。|室内禁止吸烟。|最近，我改掉了吸烟的坏习惯。

【吸引】 xīyǐn 〔动〕

把别的物体、力量或别人的注意力引到自己这方面来。(attract; fascinate; draw)常做谓语。

例句 桂林山水吸引了无数中外游客。|长篇小说《红楼梦》吸引了千千万万的读者。|这部电影非常吸引人。|孩子们被动画节目吸引住了。|盛开的鲜花，把蜜蜂和虫子都吸引到自己的身边。

【希】 xī 〔动〕

心里想着出现某种情况。(hope; wish)常做谓语，也用于构词。

词语 希望 希冀

例句 希准时出席。|敬希读者指正。|久未联系，希见谅。|那是一种希冀的目光。

【希望】 xīwàng 〔动/名〕

〔动〕心里想达到某种目的或出现某种情况。(hope; wish; expect)常做谓语、定语。

例句 父母都希望自己的孩子能有出息。|妈妈希望我当医生。|我希望放假后和你一起去黄山旅游。|不希望的事还是发生了。

〔名〕愿望或希望所寄托的对象。(hope; wish; expectation; a person or thing on which hope is placed)常做主语、宾语、定语。[量]个。

例句 父母的希望终于变成了现实。|这次比赛,我们有夺冠的希望。|青少年是祖国的希望。|希望的落空是谁也没想到的。

【希望工程】 xīwàng gōngchéng 〔名短〕

捐助偏远落后贫困地区失学儿童的活动和工作。(Project of Hope)常做主语、宾语、定语。

例句 希望工程在全国各地进展十分顺利。|搞好希望工程,提高全民教育水平!|这个县用希望工程捐款建了好几所希望小学。

【牺牲】 xīshēng 〔动〕

❶ 为正义的事业舍弃自己生命。(sacrifice oneself; die a martyr's death; lay down one's life)常做谓语、定语、宾语。

例句 为了保护学生,她光荣地牺牲了。|在抗日战争中,无数先烈牺牲了自己的生命。|在战争中牺牲的人民英雄永垂不朽。|为了国家,我们不怕流血牺牲。

▶ "牺牲"也可做名词:如:我们要避免(bìmiǎn)不必要的牺牲。

❷ 泛指舍弃某种利益。(sacrifice; give up; do sth. at the expense of)常做谓语、定语。

例句 为了科学事业,他们夫妻俩牺牲了个人的幸福。|他爱厂如家,为了工作牺牲了许多休息日。|为了家庭,妈妈已经牺牲得太多了。|这种牺牲精神是我们成功的保证。

【稀】 xī 〔形〕

❶ 事物出现得少。(rare; scarce; uncommon)常用于构词或固定短语中。

词语 稀少　稀罕　珍稀　稀有

例句 物以稀为贵。|这个偏僻的山村人烟稀少。

❷ 事物之间距离远,空隙大。(thin; sparse; scattered)常做谓语、定语、状语、补语。

例句 这几年由于太操劳(cāo láo),他头发稀多了。|孩子张开嘴的时候,露出了几颗稀稀的小牙。|时间还早,会场上只稀稀地坐着几个人。|由于天旱,麦苗出得很稀。

❸ 含水多。(watery)常做谓语、定语、补语。

例句 你煮的粥太稀了。|她早上常常吃稀饭。|面和得这么稀,怎么能包饺子呢?

【溪】 xī 〔名〕

小河沟。(brook)常做主语、宾语、定语。[量]条。

例句 这条小溪清澈见底,溪里有许多水草。|我常常思念故乡的小溪。|儿时,我俩常常去村东的小溪摸鱼。|下了一场大雨,溪水都涨满了。

【熙熙攘攘】 xīxī rǎngrǎng 〔成〕

形容人来人往,非常热闹。(bustling with activity; with people bustling about)常做谓语、定语。

例句 春节前,商店里顾客熙熙攘攘。|透过窗户,可以看到街上熙熙攘攘的人群。

【熄】 xī 〔动〕
灭；停止燃烧。(extinguish; put out; go out; die out)常做谓语。
例句 汽车突然熄火了。|太晚了，熄灯睡觉吧。|睡觉前，得把炉火熄掉。|这儿是医院，请把烟熄了。

【熄灭】 xīmiè 〔动〕
停止燃烧。(go out; die out)常做谓语、定语、状语。
例句 电灯突然熄灭了。|炉火熄灭了好一会儿了。|大风一吹，熄灭的山火又燃烧起来。|奥运会的火炬将永不熄灭地传递下去。

【膝】 xī 〔名〕
大腿和小腿连接的关节的前部。通称膝盖。(knee)常做主语、宾语、定语。
例句 他双膝都磕破了，鲜血直流。|妈妈和我在一起促膝谈心。|尽管老两口膝下无子，可常有许多年轻人来照顾他们。|昨天锻炼时，不小心膝关节受了伤。

【膝盖】 xīgài 〔名〕
大腿和小腿相连接的关节的前部。(knee)常做主语、宾语、定语。[量]个。
例句 由于有风湿病，他的膝盖经常痛。|经过检查，膝盖没受伤。|跳高时，要好好保护膝盖。|孩子没留神，把膝盖碰破了一块皮。|我的膝盖骨摔坏了。

【习惯】 xíguàn 〔名/动〕
〔名〕长期形成的，不容易改变的行为、倾向或社会风尚。(habit; custom)常做主语、宾语、定语。[量]个。
例句 我每天早晨跑步，这个习惯是最近几年养成的。|少数民族的风俗习惯各不相同。|晚睡晚起不一定是好习惯。|应该养成良好的学习习惯。|向习惯势力挑战很不容易。
〔动〕常常接触某种情况而逐渐适应。(be used to; be accustomed to)常做谓语、状语。
例句 我对北京的气候很不习惯。|留学生们已经习惯了这儿的生活。|老年人一般都习惯于早起。|她习惯在夜深人静的时候写作。|每天下班，她都习惯地去商店逛逛。

【习俗】 xísú 〔名〕
习惯和风俗。(custom; convention)常做主语、宾语。[量]个，种。
例句 过春节的习俗，南方和北方有些不同。|家乡的各种习俗，我永远都不会忘记。|每个民族都有自己的习俗。|到中国后，玛丽了解了不少有意思的习俗。

【习题】 xítí 〔名〕
教学上供练习用的问题、题目。(exercises)常做主语、宾语、定语。[量]道，个。
例句 虽然习题不多，可是都做对也不容易。|这道习题很难，我想了半天也没做出来。|这本书里有各种类型的习题。|为了准备HSK，我买了好几本习题集。

【习以为常】 xí yǐ wéi cháng 〔成〕
常做某事，成了习惯。(be accustomed to sth.)常做谓语、定语。
例句 没过多久，我对城市的喧闹就习以为常了。|现在每家只有一个孩子，人们对于父母过分关爱孩子已经习以为常了。|这在中国是习以为常的事，没什么可奇怪的。

【席】 xí 〔名〕

❶ 常用竹、苇、草等编成的薄片，也叫“席子”。(mat)常做主语、宾语、定语。[量]领。

例句 竹席特别凉快。|天热了，铺上凉席吧。|这凉席的尺寸跟床正合适。

❷ 某种场合或会议中的座位。(seat; place)常做宾语，也用于构词。

词语 出席 缺席 退席 软席

例句 参加这次会的人很多，会场上座无虚席。|宴会马上就开始了，请大家入席。

❸ 成桌的饭菜。(feast; banquet; dinner)常做主语、宾语、定语。[量]桌。

例句 席已经摆好了，宴会可以开始了。|爸爸七十岁生日时，咱们订两桌席吧。|这些野菜过去根本上不了席，现在倒成了特色菜了。|这桌席价钱并不贵。

【席位】 xíwèi 〔名〕

集会时个人或集团所占的座位；特指议会中当选的人数。[seat(at a conference, in a legislative assembly, etc.)]常做主语、定语、宾语。[量]个。

例句 主席台上的席位一共是二十个。|各党派在议会中的席位已经确定了。|民主党在大选中占了多数席位。|席位的数目是多少，就发多少张请帖。

【袭】 xí 〔动〕

❶ 突然地打击。(make a surprise attack on raid)常做谓语，也用于构词。

词语 奔袭 袭击 偷袭

例句 虽然寒气袭人，但滑雪者的兴致丝毫不减。

❷ 照样做(下去)。(follow the pattern of; carry on as before)常用于构词。

词语 抄袭 因袭 沿袭

例句 你不应该抄袭别人的作业。|要改革就不能因袭陈规旧俗。

【袭击】 xíjī 〔动〕

军事上指出其不意的攻击；比喻突然的打击。(make a surprise attack on; attack by surprise)常做谓语、定语、宾语。

例句 他们袭击了敌人的军火库。|昨夜暴风雪袭击了草原牧场。|这个地区曾被洪水袭击过多次。|那次袭击彻底消灭了贩毒组织。|好几个村子遭到了龙卷风的袭击。

辨析 〈近〉攻击。“袭击”指出其不意突然进攻，还有比喻用法；“攻击”着重指公开的进攻。如：* 台风攻击了这个地区。(“攻击”应为“袭击”)

【媳妇】 xífù 〔名〕

儿子或晚辈亲属的妻子，也指妻子。(son's wife; the wife of a relative of the younger generation; wife)常做主语、宾语、定语。[量]个。

例句 王老太太的两个媳妇都在银行工作。|小王的媳妇是个护士。|婆婆很喜欢这个心灵手巧的儿媳妇。|老两口对媳妇很不满意。|我媳妇的家务活，干得特别好。

辨析 〈近〉妻子。“妻子”多用于书面，“媳妇”多用于口语。如：都四十岁了，他还没娶上媳妇。|* 报纸上刊登了一位军人媳妇的故事。(“媳妇”应为“妻子”)

【洗】 xǐ 〔动〕

❶ 用水或汽油等去掉物体上面的脏东西。(wash; bathe)常做谓语、定语。

例句 我到家时,妈妈正在洗衣服。|把这几个杯子洗洗吧。|这些菜没洗干净,你再洗一遍。|这是要洗的床单,放在洗衣机里吧。

❷ 冲洗。(develop; process)常做谓语。

例句 明天上午,我要去洗照片。|黑白胶卷我可以自己洗。|这些照片洗得不错。

❸ 去掉磁带上的录音、录像。(clear; erase)常做谓语。

例句 这盘带子很重要,千万别洗了。|我的录音机有毛病,录的东西洗不干净。

【洗涤】 xǐdí 〔动〕

用清洁剂去掉物体上的脏东西。(wash; cleanse)常做谓语。

例句 洗涤衣物要用洗涤剂。|用过的试管,需要很好地洗涤。|实验器具都已经洗涤过了。

【洗衣机】 xǐyījī 〔名〕

自动洗衣服的机器。(washing machine)常做主语、宾语、定语。[量]台。

例句 洗衣机已经相当普及。|我家的洗衣机用了十年多了,该换一台新的了。|买一台全自动洗衣机得多少钱?|用洗衣机洗衣服又省力又干净。|国产洗衣机的质量没有问题。

【洗澡】 xǐ zǎo 〔动短〕

用水洗身体。(have a bath; bathe)常做谓语、定语,中间可插人成分。

例句 我每天都洗澡。|谁在浴室洗澡呢?|天真热,洗个澡舒服舒服。|洗澡的水可别太热了。|这套房子的洗澡间很大。

【喜】 xǐ 〔动〕

❶ 爱好,喜欢。(like)常用于构词或固定短语中。

词语 喜欢　喜爱　好大喜功　喜新厌旧　喜闻乐见

例句 喜新厌旧这个成语常用来表示爱情不专一。|昨晚演的都是群众喜闻乐见的节目。

❷ 某种东西适宜于配合什么东西;某种生物适宜于什么环境。(love; be fond of)常做谓语。

例句 君子兰不喜光,别让它天天晒太阳。|海带喜荤(hūn),跟肉一起炖吧。

【喜爱】 xǐ'ài 〔动〕

对人或事物有好感或感兴趣。(like; love; be fond of; be keen on)常做谓语、定语、宾语。

例句 比尔特别喜爱中国山水画。|她喜爱滑冰。|牡丹花富贵艳丽,惹人喜爱。|看见这个天真的孩子,她脸上露出了喜爱的神情。|各人有各人的喜爱,这有什么可奇怪的?

【喜欢】 xǐhuan 〔动/形〕

〔动〕喜爱。(like; love; be keen on)常做谓语。

例句 很多外国人喜欢中国画。|这首歌我喜欢极了。|对什么事他都喜欢问个为什么。|小李很喜欢帮助别人。

辨析 〈近〉喜爱。"喜欢"可以做形容词,搭配对象较广;"喜爱"只是动词,只能与具体的人或事物搭配。如:* 弟弟喜爱思考问题。("喜爱"

应为"喜欢")

〔形〕高兴;愉快。(glad;happy;elated;filled with joy)常做谓语。

例句 妈妈买了一只小花猫,我喜欢得不知说什么好。|快把你得的奖牌拿出来看看,让大家都喜欢喜欢。

【喜鹊】 xǐquè 〔名〕

鸟名,尾长,一般有黑白两色羽毛,在中国,它的叫声表示喜事要来了。(magpie)常做主语、宾语、定语。[量]只。

例句 一大早一只喜鹊就在树上喳喳叫,今天会有什么喜事呢?|传说中,每年阴历七月初七,喜鹊就会在天河上搭一座桥,让牛郎和织女相会。|中国人都很喜欢喜鹊。|喜鹊的食物是虫子。

【喜事】 xǐshì 〔名〕

泛指值得祝贺的事;特指结婚的事。(a happy event;marriage;wedding)常做主语、宾语。[量]件。

例句 他的大女儿结婚了,小女儿考上了研究生,真是喜事不断。|小王的喜事,办得很热闹。|人逢喜事精神爽。|香港回归,这是全中国人民的一件大喜事。

【喜讯】 xǐxùn 〔名〕

使人高兴的消息。(happy news;good news;glad tidings)常做主语、宾语。[量]个。

例句 新产品一炮打响,喜讯传来,令人振奋。|她在青年歌手电视大奖赛上获得了第一名,这个喜讯迅速传遍了家乡。|听到儿子被一家大公司录用的喜讯,爸爸高兴极了。|哥哥打电话告诉我,爸爸昏迷一天一夜之后醒过来了,这真是个大喜讯。

【喜悦】 xǐyuè 〔形〕

愉快;高兴。(happy;joyous)常做谓语、宾语、定语。

例句 实验终于成功了,大家的心情无比喜悦。|听到观众热烈的掌声,她心中十分喜悦。|明天就要去北京读大学了,他怀着喜悦的心情向朋友告别。|他的长篇小说获奖了,他感到无比喜悦。

辨析 〈近〉高兴,愉快。"喜悦"一般不做状语和补语,不重叠;多用于书面语。如:* 小女孩刚刚还在哭,可现在又喜悦起来了。("喜悦"应为"高兴")|* 我喜悦地告诉妈妈:"我考上北大了!"("喜悦"应为"高兴")

【戏】 xì 〔名〕

通过演员表演来反映社会生活的艺术。(drama;play;show)常做主语、宾语、定语。[量]出,场。

例句 快走吧,戏都快开演了。|这出戏,我看过两次了。|参加演出的有黄梅戏、豫剧、越剧这几种地方戏。|在中学时代,他演过戏。|第三场戏的台词,还需要修改一下。

【戏剧】 xìjù 〔名〕

通过演员的表演来反映社会生活的艺术。(theatre;drama;play)常做主语、宾语、定语。[量]部。

例句 戏剧包括话剧、歌剧、舞剧等等。|不同种类的戏剧的艺术形式和表现手法也不同。|具有一定的文学修养,才能很好地欣赏戏剧。|黄女士是搞戏剧服装设计的。|戏剧语言包括人物语言和舞台说明。

【系】 xì 〔名〕 另读 jì

❶ 高等学校中按学科所分的教学单位。(department)常做主语、宾语、定语。[量]个。

例句 中文系一共有五百多名学生。|每个系都有一个图书资料室。|我们俩在一个学校工作,但不在一个系。|系领导下午去开会。|请问,系办公室在哪儿?

❷ 系统。(system)常用于构词。

词语 派系 水系 直系

例句 直系亲属有继承权。|英语和德语属同一语系。|土星是太阳系九大行星之一。

【系列】 xìliè 〔名〕

相关联的成组成套的事物。(series; set)常做主语、宾语、定语。[量]个。

例句 高教职称系列包括:助教、讲师、副教授、教授。|我们公司的产品有三个系列。|这是一部电视系列剧。|儿童出版社出版了一系列卡通读物。

【系统】 xìtǒng 〔名〕

同类事物按一定关系组成的整体。(system)常做主语、宾语、定语。[量]个。

例句 这个地区的灌溉系统规模很大。|叔叔两年前就离开了教育系统。|她们三姐妹都在卫生系统工作。

▶"系统"又做形容词,指有条理、成系统的。如:这篇报告讲得不太系统。|解决下岗工人就业是个系统工程。

【细】 xì 〔形〕

❶(条状物)横剖面小;很小;精。(thin; slender; thin and soft)常做谓语、定语、状语、补语。

例句 绳子细了一点儿。|这丝线比头发还细。|展会上展出的都是江西的细瓷。|她那细细的声音,让人觉得她还是个小姑娘。|这个象牙球雕得很细。

❷ 仔细;详细,周密。(careful; meticulous)常做谓语、状语、补语。

例句 她的心特别细,常常发现别人发现不了的错误。|过日子要精打细算。|临睡前,他又把各处细细地检查了一遍。|这篇文章他看得很细,连标点符号也都改过来了。

【细胞】 xìbāo 〔名〕

生物体的基本结构和功能单位。(cell)常做主语、宾语、定语。[量]个。

例句 细胞通常是肉眼看不见的。|在适宜的环境下,细胞可以分裂。|放射性元素可以杀死癌(ái)细胞。|在显微镜下可以观察动物细胞的基本结构。|在细胞中央的那个东西是细胞核。

【细节】 xìjié 〔名〕

细小的环节或情节。(details)常做主语、宾语、定语。[量]个。

例句 调查中发现的一些细节,常常对破案有极大的帮助。|他工作太忙,不大注意生活细节。|我们先把计划总体上确定下来,然后再研究那些细节。|这篇小说的细节描写十分感人。

【细菌】 xìjūn 〔名〕

微生物中的一大类,体积微小,在自然界中分布很广,作用很大。(germ; bacterium)常做主语、宾语、定语。[量]种。

例句 有的细菌对人类有利,有的细菌能使人生病。|苍蝇带有很多细菌,容易传染疾病。|用细菌做武器是很不人道的。|你得的是细菌性痢疾。

【细小】 xìxiǎo 〔形〕
细微的，很小的。(very small; fine; tiny; trivial)常做谓语、定语、补语。
例句 事情虽然细小，但我们也要认真对待。|她的声音细小极了，根本听不清她在说什么。|你不要为那些细小的事情生气。|这两幅画有些细小的差别。|雨点变得越来越细小，渐渐地像雾一样了。

【细心】 xìxīn 〔形〕
用心细密。(careful; attentive)常做谓语、定语、状语、补语、主语。
例句 幼儿园的阿姨对孩子非常细心。|妹妹做事比哥哥细心多了。|她是个很细心的人，您就放心吧。|新来的王厂长细心地向大家了解厂里的生产情况。|儿女们对病重的妈妈照顾得很细心。|细心和谨慎是医务工作者应有的素质。

【细致】 xìzhì 〔形〕
精细周密。(careful; meticulous; painstaking)常做谓语、定语、状语、补语。
例句 宋老师批改作业非常细致。|绘图是一项细致的工作，丝毫不能马虎。|要养成细致观察的好习惯。|王编辑细致地分析了我的作品的优点和缺点。|领导为我们的生活考虑得非常细致。

【虾】 xiā 〔名〕
节肢动物，体外有软壳，生活在水中，是鲜美的食品。(shrimp)常做主语、宾语、定语。[量]只，个。
例句 这种虾是养殖的。|虾在水中游动时，眼睛向外横着。|齐白石最会画虾，他画的虾跟活的一样。|她非常喜欢吃虾。|虾的味道十分鲜美。|市场上有虾仁、虾米和虾皮。

【瞎】 xiā 〔动/副〕
〔动〕❶ 眼睛看不见东西。(blind)常做谓语、补语。
例句 那场车祸使她的左眼瞎了。|我真是瞎了眼，买了一个假货。|老人的双眼已经瞎了五年了。|那匹马的右眼被树枝扎瞎了。
❷ 损失。(lose)常做谓语、补语。
例句 今年太旱了，庄稼都瞎了。|你如果不去，会白瞎一个名额。|那几张票瞎不了，下午我和几个朋友一起去。|我不大会抽烟，这么好的烟让我抽，不是抽瞎了吗？
〔副〕没有根据地；没有效果地。(foolishly; to no purpose; groundlessly)常做状语。
例句 你并没亲眼看到这事，可别瞎说。|他那个人，就爱瞎吹牛。|我瞎忙了三天，什么也没干成。|他不懂，不要听他瞎指挥。

【峡】 xiá 〔名〕
两山夹水的地方(多用于地名)。(gorge)常做主语、宾语、定语。[量]个。
例句 长江三峡风景特别美。|三门峡水库在河南省。|江水冲峡而出，流速很快。

【峡谷】 xiágǔ 〔名〕
河流经过的深而窄的山谷。(gorge; canyon)常做主语、宾语、定语。[量]个，条。
例句 这条峡谷大约有五公里长。|我们去美国大峡谷游览过。|黄土高原上的大峡谷风光十分壮美。|峡谷两旁的峭壁上，开着不少红色的杜鹃花。

【狭隘】 xiá'ài 〔形〕
❶ 宽度小。(narrow)常做谓语、定语。

例句 这儿山道狭隘，跑不了汽车。|穿过狭隘的山口，前面是一马平川。

❷（心胸、气量、见识等）不宽广，局限在一个小的范围内。（parochial; narrow and limited）常做谓语、定语、状语、补语。

例句 他那个人心胸狭隘。|这种看法狭隘得很。|只顾眼前利益而反对改革是一种狭隘的观念。|他一直狭隘地认为妻子出去当“小时工”（帮人做工作或家务的人）很丢面子。|年纪大了以后，他变得越来越狭隘了。

辨析 〈近〉狭窄。“狭隘”用于较大的空间和“思想”、“利益”等许多抽象事物；“狭窄”用于多种具体的事物，也用于“心胸”、“范围”等少数抽象事物。如：* 他房间的外面是一条狭隘的走廊。（“狭隘”应为“狭窄”）| * 这是一种狭窄的保守意识。（“狭窄”应为“狭隘”）

【狭窄】 xiázhǎi 〔形〕

❶ 宽度小。（narrow; cramped）常做谓语、定语、补语。

例句 校门口这条街既狭窄，人又多，常常堵车。|这一段河床非常狭窄，所以水流特别急。|晚上，地质队员们在一条狭窄的山沟里搭起了帐篷。|我们沿着狭窄的楼梯登上了塔顶。|路两旁有不少小贩在做生意，本来不宽的路变得更狭窄了。

❷（心胸、见识、范围等）不宽广，不宏大。（narrow and limited）常做谓语、定语、补语。

例句 他的知识面很狭窄，应该大量阅读课外读物。|这种杂志专业性很强，发行的范围十分狭窄。|这是一种狭窄的见识。|研究得太狭窄，往往不容易出成果。

【霞】 xiá 〔名〕

日光照射，使云层呈现黄、橙、红等彩色的自然现象。（rosy clouds; morning or evening glow）常用于构词。

词语 彩霞　云霞　霞光　晚霞　朝霞

例句 雨过天晴，云霞满天。|朝霞映红了天空，美丽极了。|天水相接的地方出现了一道彩霞。|站在山上看晚霞，真是别有情趣。

【下】 xià 〔动/名/量〕

〔动〕❶ 由高处到低处。（descend; get off; alight）常做谓语、补语。

例句 晚上十点，我才下飞机。|人们常说：“上山容易，下山难。”|我同屋病了，下不了床。|有人在大厅等你，你快下去吧。|请您坐下说吧。|今天太累了，吃过晚饭，我就躺下了。

❷（雨、雪等）降落。（come down; fall）常做谓语、定语。

例句 下雨了。|大雨过后，又下起了冰雹。|今年冬天一场雪也没下。|昨晚下的雪都化了。

❸ 发布，送。（issue; send out; deliver）常做谓语。

例句 首长，快下命令吧！|婚礼的前一周下请帖，可以吗？|开会的通知已经下过了。

❹ 去；到（处所）。（go to）常做谓语。

例句 他们几个人都下过乡。|王厂长下车间了。|今天中午，咱俩下饭馆吧。

❺ 使用。（apply; use）常做谓语。

例句 要取得好成绩，就应该多下

工夫。|只要肯下力气，工作就能做得更好。|治病要对症下药。|他总是全都构思(gòusī)好了，才下笔。

❻(动物)生产。(give birth to;lay)常做谓语、定语。

例句 昨天，咱家的母猪下了一窝小猪。|这只花母鸡每天都下一个蛋。|刚下的两只小羊羔，可爱极了。

❼到规定的时间结束日常工作或学习等。(get out of;get off)常做谓语。

例句 我们中午12点下课。|4点钟，我还下不了班，不能去机场送你了。|下班以后，她要到夜校学习。

❽进行(棋类游艺或比赛)。(play)常做谓语。

例句 中午咱们下盘象棋，好不好？|我们办公室里她围棋下得最好。

❾放入。(put in;cast)常做谓语。

例句 白洋淀的渔民在下网捕虾。|不下本钱，怎么做生意？|水开了，该下饺子了。

❿退场。(exit)常做谓语。

例句 从左边上场，右边门下场。|黄队请求换人，三号下，六号上。

⓫在动词后，表示由高到低，能容纳，完成等义。(down; indicating the capacity for holding or containing; indicating the finalizing of an action etc.)做补语。

例句 您坐下，听我慢慢说。|这么个小屋，住不下五个人。|箱子不小，装得下这些衣服。|在学校打下的基础到现在还有用。

〔名〕❶位置在低处。(below; down;under)常做主语、宾语、定语。

例句 人们常说："上有天堂，下有苏杭。"|我站在18楼往下看，人和车都变得那么小了。|楼下的邻居是刚搬来的。

❷次序或时间在后的。(next; second;latter)常做主语、定语。

例句 这次算了，可以原谅你，但是下不为例。|我下星期去北京出差。|下个月就过春节了。|这辆车太挤，我们等下一辆吧。

〔量〕❶用于动作的次数。常儿化。(time;stroke)构成数量短语做补语、状语。

例句 钟响了五下，该起床了。|我敲了几下门，屋子里一点儿动静也没有。|我问他问题他没有回答，只是摇了两下头。|她正在一下一下地打着节拍学唱歌呢。

❷用在"两"、"几"后面，表示本领、技能。常儿化，也说"下子"。(what one is good at or capable of)常做主语、宾语。

例句 他那两下儿还真行，一会儿就帮我把车修好了。|你真有两下子，到底得了第一。|在这儿吃饭吧，我给你们露几下儿。

【下班】 xià bān 〔动短〕

工作结束。(get off work; knock off)常做谓语(不带宾语)、定语，中间可插入词语。

例句 我每天八点上班，下午五点下班。|今天加班，六点也下不了班。|下班以后，咱们去看电影好不好？|下班时间快到了，把东西收拾一下吧。

【下边】 xiàbian 〔名〕

位置在下的。(below; under)常做主语、宾语及定语。

例句 山下边住着几户人家。|这个街心花园的下边是个地下停车

场。|我把留给女儿的纸条压在字典下边了。|我都上来半天了,他们还在下边呢。|立交桥下边的车站是几路车的?|存折放在最下边的抽屉里。

【下达】 xiàdá 〔动〕

向下级发布或传达命令。(transmit to lower levels)常做谓语。

例句 司令员下达了全线总攻的命令。|厂长正在向各车间下达第一季度的生产任务。|市政府曾下达过两个整治市容工作的文件。

【下放】 xiàfàng 〔动〕

❶ 把某些权力交给下层机构。(transfer to lower levels)常做谓语。

例句 总公司把财务、人事的权力下放给了各分公司。|要搞好国有大型企业,政府必须下放管理权。

❷ 把干部调到下层机构或送到农村、工厂等去锻炼。(transfer sb. to work at the grass-roots level or to do manual labour in the countryside or in a factory)常做谓语、定语。

例句 小董是下放到这儿来锻炼的最年轻的干部。|"文革"中,许多干部下放到农村劳动改造。|下放干部去农村劳动是上个世纪的事情了。

【下岗】 xiàgǎng 〔动〕

❶ 离开执行守卫、警戒等任务的岗位。(come or go off sentry duty)常做谓语、定语。

例句 他正在站岗,五点下岗。|刚刚下岗的民警只回来喝了点儿水,就又回到车流中去了。

❷ 失去工作。(lose one's job)常做谓语、定语、主语。

例句 他去年就下岗了,下岗以后,经过培训又找到了一份新工作。|全社会都在关注下岗职工的再就业问题。|下岗并不可怕,关键是转变就业观念。

【下海】 xià hǎi 〔动短〕

❶ 到海中去;(渔民)到海上(捕鱼)。(go to sea; go fishing on the sea)常做谓语、定语。中间可插入成分。

例句 A:到了海边,为什么不下海?B:今天身体不舒服,下不了海。|刚下海时,我也晕船。

❷ 指放弃原来的工作经商。(give up one's job to engage in trade)常做谓语、定语、主语。

例句 在机关里工作了两年,他就下海了。|下海的头一年,他很不适应。|有一段时间,下海是一件很时髦的事。

【下级】 xiàjí 〔名〕

同一组织系统中等级在下的。(lower level; subordinate)常做宾语、定语。[量]个。

例句 我们的领导很关心下级,在他手下工作很舒心。|以前我们在一个部队,我是他的下级。|王市长经常帮助解决下级的困难。

【下降】 xiàjiàng 〔动〕

从高到低。(descend; drop; fall)常做谓语、定语。

例句 立秋之后,气温下降了好几度。|飞机突然下降,把乘客吓了一跳。|不知为什么,孩子的数学成绩最近下降了许多。|最近,电脑价格仍有下降的可能。

【下课】 xià kè 〔动短〕

❶ 上课结束。(finish class)常做谓语(不带宾语)、定语,中间可插入成分。

例句 我们中午12点下课。|下了这节课,我就去医院。|下课的时间到了,可铃怎么还没响?|下课的时候,同学们围着老师问问题。

❷(足球)教练因为执教水平低而被要求辞去职务。(be dismissed from one's position)常做谓语、定语。

例句 如果这场球赛再输,主教练就该下课了。|要求教练下课的呼声越来越高。

【下来】 xià lái 〔动短〕

❶ 由高处到低处来。(come down)常做谓语、定语。

例句 客人刚从车上下来。|明年的任务已经下来了。|中央下来一个工作组专门处理这个问题。|从山上下来的那些人是电视台的。

❷ 用在动词之后,表示动作的趋向、结果等。(down)做补语。

例句 有一个骑自行车的小男孩从车上摔了下来。|小猴子在树上爬上去爬下来的,十分好玩。|会议的内容,你一定要记录下来。|业余时间去学外语,虽然很困难,可我还是坚持下来了。

❸ 用在形容词之后,表示程度继续增加。(*used after an adjective, indicating increasing degree*)做补语。

例句 天色渐渐暗下来了。|因为坚持锻炼,身体最近瘦了下来。

【下列】 xiàliè 〔形〕

下面所开列的。(following; listed below)常做定语。

例句 本学年获得奖学金的,有下列同学:……|预防感冒,应注意下列问题。|请大家严格遵守下列规定。

【下令】 xià lìng 〔动短〕

下达命令。(give orders; order)常做谓语,中间可插入成分。

例句 国务院下令要求坚决打击假冒伪劣产品。|市政府下令集中开展一次"扫黄"工作。|这么点儿小事,您下个令不就行了?|拆除违章建筑,政府已经下了几道令了。

【下落】 xiàluò 〔名〕

寻找中的人或物所在的地方。(whereabouts)常做主语、宾语。

例句 在这次沉船事故中,15名船员下落不明。|三个孩子一起离家出走三四天了,他们的下落到现在还没有查清。|你昨天丢的提包有下落了。|丈夫离家出走两年以后,她才得知他的下落。

【下面】 xiàmian 〔名〕

❶ 位置较低的地方。(below; under; underneath)常做主语、宾语、定语。

例句 山下面是一片金色的麦田。|大树下面坐着几位乘凉的老人。|轮船从南京长江大桥下面顺流而下。|我住在你下面的那个房间,你是306,我是206。

❷ 次序靠后的部分。(the next in order; following)常做主语、宾语、定语。

例句 下面是我要谈的老年人的生活保障问题。|文章的主要内容在下面。|现在请大家开始讨论下面的几个问题。

❸ 指下级。(lower level; subordinate)常做主语、宾语、定语。

例句 对这种做法,下面有些意见。|这个文件必须向下面传达。|领导干部要经常了解下面的情况。

【下去】 xià qù 〔动短〕

❶ 由高处到低处去。(go down; descend)常做谓语、定语。

例句 你快下去吧，有人在大厅等你呢。|领导到基层了解情况必须下决心，否则下不去。|这车真挤，每一站都是下去的人少，上来的人多。

❷ 用在动词之后，表示趋向或动作继续。(down)做补语，中间可插入词语。

例句 她一不小心，从楼梯上摔下去了。|今天一定要把这些木材运下山去。|即使遇到天大的困难，我也一定要坚持下去。|学两年汉语还不够，你还应该继续学下去。

❸ 用在形容词后，表示某种状态已经存在(或开始)，并将继续发展。(develop;grow)常做补语。

例句 舞台的灯光渐渐暗下去了。|父亲得了胃病，一天天消瘦下去。

【下台】 xià tái 〔动短〕

❶ 从舞台或讲台上下来。(step down from the stage or platform)常做谓语(不带宾语)、定语，中间可插入成分。

例句 演出结束后，大家先不要下台，领导要上台来和我们一起照相。|你上台之后，她才能下台。|下了台之后，他的心才渐渐平静下来了。

❷ 指卸去公职。(fall out of power; leave office)常做谓语(不带宾语)、定语，中间可插入成分。

例句 告诉你一个好消息，杨院长下台了。|竞选连任失败后，他只好下台了。|看样子，他下不了台。|下台干部保持好心情十分重要。

❸ 比喻摆脱窘迫或困难的情况。(get out of a predicament or an embarrassing situation)常做谓语(不带宾语)，中间可插入其他词语。

例句 这个玩笑太过分了，使人下不了台。|大家的质问，使他无法下台。

【下午】 xiàwǔ 〔名〕

中午十二点到傍晚的时间段。(afternoon)常做主语、宾语、定语、状语。

例句 下午是我们自学的时间，很少上课。|口语比赛在明天下午。|他用了整整一个下午才把车弄好。|我来处理今天下午的事情。|下午我要去机场接朋友。|星期天没事，睡了一下午。

【下乡】 xià xiāng 〔动短〕

到农村去。(go to the countryside)常做谓语(不带宾语)、定语，中间可插入成分。

例句 李刚是主管农业的副市长，经常下乡。|这个学期，高中一年级的同学要下乡劳动一周。|春节过后，县长下了两次乡。|我们几个人都曾经是下乡知识青年。

【下旬】 xiàxún 〔名〕

每月21日到月底的日子。(the last ten-day period of a month)常做时间状语、定语、宾语。

例句 十月下旬要期中考试，得早点儿准备。|九月下旬要举办一个国际汽车展览会。|这里六月下旬的气温就比较高了。|足球联赛从二月下旬开始，年底结束。

【下游】 xiàyóu 〔名〕

河流接近出口的部分。[lower reaches(of a river)]常做主语、宾语、定语。

例句 这条江的下游很宽，水流平缓。|黄河上游水比较清，下游泥沙过多，水是黄的。|我省的经济发达

地区，一般都处于珠江下游。|黑龙江下游的鱼很多。

【吓】 xià 〔动〕

害怕，使害怕。(frighten; scare)常做谓语。

例句 轻一点儿，别吓着孩子。|一辆车很快地从我身边开过去，吓了我一跳。|戴上面具吓吓小芳。|爷爷突然倒在地上，全家人都被吓坏了。|那天在山上，看见一条蛇，把她吓得连气都不敢出。

【夏】 xià 〔名〕

❶ 一年四季中气温最高的、白天最长的季节。(summer)常做宾语、定语。

例句 大部分国家有春夏秋冬四季。|入夏之后，雨水充足，庄稼长得很快。|今年的夏装式样太多了。|夏粮又获得了大丰收。

❷ 朝代，约公元前21世纪到公元前16世纪。(the Xia Dynasty)常做主语、宾语、定语。

例句 夏是中国第一个朝代。|汤王灭了夏，建立了商。|这几件陶器是夏的文物。

【夏季】 xiàjì 〔名〕

四季之一，气温最高，白天最长。(summer)常做主语、宾语、定语。[量]个。

例句 昆明是春城，夏季不热，冬季不冷。|东北的冬季很冷，可夏季也很热。|许多植物在夏季生长得最快。|南极洲有一百多个夏季考察站。|夏季的水果，种类多，价格也便宜些。

辨析 〈近〉夏天。"夏季"多用于书面语；"夏天"多用于口语。如：* 北京将承办2008年夏天奥运会。("夏天"应为"夏季")|* 大夏季的穿那么多，不热吗？("夏季"应为"夏天")

【夏天】 xiàtiān 〔名〕

夏季。(summer)常做主语、宾语、定语、状语。[量]个。

例句 今年夏天可真热啊！|我们这儿，一年四季最美的还是夏天。|这个城市四季如春，夏天的最高温度也没超过20℃。|我已经两个夏天没去海边游泳了。

【仙】 xiān 〔名〕

神话中长生不老又有超凡能力的人。(celestial being; immortal)常用于构词，也可做宾语。

词语 仙人　仙女　神仙　仙鹤　仙境

例句 传说中有修炼(xiūliàn)成仙的人。|一天了，你不吃不喝只是坐着，想成仙吗？|遇到难办的事，她常常求仙拜佛。

【仙女】 xiānnǚ 〔名〕

年轻的女仙人。(female celestial; fairy maiden)常做主语、宾语、定语。[量]个，位。

例句 传说仙女在天上很寂寞，很向往人间的生活。|传说中的仙女大多是美丽而善良的。|她简直漂亮得像仙女一样。|仙女的形象常出现在绘画中。

【先】 xiān 〔副/名〕

〔副〕时间或次序在前的。(earlier; before sb. else; before doing sth. else; first; in advance)做状语。

例句 请让老人先上车。|我先做作业，然后再预习。|我们先去银行，后去书店，好不好？|你先别着急，慢慢说。

〔名〕前面；先前。(earlier on; before)常做宾语。

X

例句 咱们有言在先，你可别后悔。|联赛结果还是我们队占先。

【先锋】 xiānfēng 〔名〕

作战或行军时的先头部队；现多用来比喻起先进作用的个人或集体。(van; vanguard)常做主语、宾语、定语。[量]个。

例句 那几个开路先锋已经把红旗插在了山顶上。|这些劳动模范，都是各条战线上的先锋。|这次行军，让一班打先锋。|他是工人阶级的先锋战士。

【先后】 xiānhòu 〔名/副〕

〔名〕先和后。(order; priority)常做宾语、定语。[量]个。

例句 事情越多，越要有个先后轻重，不能乱抓。|请大家按先后顺序排队上车。|这部词典的编者排名不分先后。

〔副〕前后相接。(one after another; successively)做状语。

例句 去年，他先后发表了两部长篇小说。|这个月，我先后出过四趟差。|为了这件事，他们俩先后给我打了五六次电话。

【先进】 xiānjìn 〔形〕

进步比较快，水平比较高，可以作为学习榜样的。(advanced)常做谓语、定语、补语。

例句 这套医疗设备非常先进。|他们弟兄俩一个很先进，一个很落后。|我们要努力学习先进的科学技术。|连续几年，他都是我们单位的先进工作者。|这种电脑已经变得不先进了。

▶"先进"也做名词，指先进的人或集体。如：学先进，争上游。|张老师是多年的老先进了。

【先前】 xiānqián 〔名〕

以前或某个时候以前。(before; previously)常做宾语、定语、状语。

例句 改革开放以来，农民的生活比先前好多了。|他戒烟以后，比先前胖多了。|先前那些不愉快的事，我早就忘了。|这是我家先前的房子。|她先前不在这个学校工作。|先前，他曾在我们公司当过副经理。

辨析 〈近〉以前。"以前"可以用在动词后面表示时间，"先前"不能；"以前"能和"很久"、"不久"、"很早"等连用，"先前"不能。如：*吃饭先前要洗手。("先前"应为"以前")|*他很早先前来过中国。("先前"应为"以前")

【先生】 xiānsheng 〔名〕

❶ 对知识分子的称呼。特指老师。(teacher)常做主语、宾语、定语。[量]个，位。

例句 那位老先生在教几个孩子写毛笔字。|他爷爷早先是一位教书先生。|王先生的知识很渊博(yuānbó)，学生们都很喜欢他。

❷ 称别人的丈夫或对人称自己的丈夫。(husband)常做主语、宾语、定语。

例句 小刘的先生很帅。|这是我先生送我的生日礼物。|你见过她的先生吗？|屋里都是我先生的东西。

❸ 对成年男子的尊称。(Mister; sir; gentleman)常做称呼语，也做主语、宾语、定语。[量]位。

例句 先生，请签个字。|女士们，先生们，大家晚上好！|A：有位先生来找过您。B：您知道那位先生是谁吗？A：他说他姓张，请您跟他联系。这是那位先生的电话号码。

【先天不足】 xiāntiān bù zú 〔成〕
指天生体质弱，比喻事物的根基差。(congenital deficiency; inborn weakness)常做主语、宾语、定语。

例句 先天不足给他的生活带来了极大的不便。|弱智常常是先天不足，而不是后天造成的。|由于先天不足的原因，这孩子失去了上学的机会。

【先行】 xiānxíng 〔动/形〕
〔动〕先进行；预先进行。(go ahead of the rest; in advance)常做谓语(不带宾语)、状语。

例句 古代打仗一般都是兵马未动，粮草先行。|要搞好现代化，教育和科技应该先行。|对不起，我有点儿要紧的事，先行告退了。|计划先行下发，请大家作好准备。

〔形〕走在前面的。(ahead; in advance)常做定语。

例句 孙中山是中国民主主义革命的先行者。|铁路运输是国民经济的先行官。

【先斩后奏】 xiān zhǎn hòu zòu 〔成〕
原指封建时代官吏先将要犯处死，然后再向上报。比喻先采取行动，然后再上报。(execute the criminal first and report to the emperor afterwards — act first and report afterwards)常做谓语、定语。

例句 小杨决定先斩后奏，先把合同签了再报告经理，不然就来不及了。|遇到紧急情况你们可以先斩后奏。|我不赞成他这种先斩后奏的做法。

【纤维】 xiānwéi 〔名〕
天然或人工合成的细丝状物质。(fibre; staple)常做主语、定语、宾语。[量]根，丝。

例句 芹菜的纤维比较多。|这条丝巾是用人造纤维织的。|纤维植物是指能从中取得纤维的植物，如棉花、亚麻等。

【掀】 xiān 〔动〕
❶ 揭；使遮挡或覆盖的东西向上离开。(lift)常做谓语。

例句 我掀开门帘，可是屋里没人。|母亲一掀锅盖，一股热气冲了出来。|这个月又结束了，快把这页(挂历)掀过去吧。

❷ 涌起；翻腾。(surge)常做谓语。

例句 大海掀着巨浪冲向岸边。|他喝醉了，把满桌子的饭菜掀了一地。|风浪猛地把小船掀翻了。

【掀起】 xiānqǐ 〔动〕
❶ 揭起。(lift; raise)常做谓语、定语。

例句 老爷爷掀起杯子盖，喝了几口茶，开始给孩子们讲故事。|主人掀起门帘，请我们进去。|她掀起被子，钻进了暖呼呼的被窝。|被风掀起的茅草落了一地。

❷ 往上涌起；翻腾。(surge; cause to surge)常做谓语、定语。

例句 江水掀起了波涛。|大海怒吼着，掀起了滚滚的大浪。|我曾在海滨看见过被台风掀起的排排巨浪。

❸ 大规模兴起(运动等)。(set off; start)常做谓语。

例句 群众性体育活动的热潮正在全区掀起。|最近我市掀起了春季爱国卫生运动。|在全国范围内将掀起一个“打假”高潮。

【鲜】 xiān 〔形〕
❶ 肉、鱼、菜等没变质。(fresh)常做谓语、定语。

例句 今天买的黄瓜又鲜又嫩。|这些鱼不鲜了。|早市上蔬菜、水果、鲜鱼、鲜肉……什么都有。|本店专门经营干鲜果品。|最近,鲜啤酒很受欢迎。

❷ 味道好。(delicious; tasty)常做谓语。

例句 这是活鱼做的汤,味道特别鲜。|上回吃的羊肉汤简直鲜极了。

▶“鲜”也做名词,指鲜美的食物或鱼虾等水产食物。如:荔枝是刚从树上摘下来的,快尝尝鲜。|在大连,吃海鲜是一大特色。

【鲜红】 xiānhóng 〔形〕

鲜明的红色。(bright red)常做谓语、定语。

例句 她的围巾鲜红鲜红的,在雪地上显得分外好看。|鲜红的太阳照射着大地。|鲜红的血液一滴一滴地流进了病人的血管。

【鲜花】 xiānhuā 〔名〕

鲜艳的花。(fresh flowers; flowers)常做主语、宾语、定语。[量]朵,枝,束。

例句 春天来了,公园里到处鲜花盛开。|这些花车都是用鲜花装饰起来的。|朋友住院了,我送上一束鲜花表示问候。|刚开业的鲜花市场上,鲜花多得很。

【鲜明】 xiānmíng 〔形〕

❶ 鲜艳明亮。(bright)常做谓语、定语。

例句 墙上的油画,色彩挺鲜明的。|在灯光照射下,演员们的服装特别鲜明。|照片上那鲜明的色调(sèdiào)具有很强的艺术效果。

❷ 分明而确定、不模糊。(clear-cut; distinct)常做谓语、定语、状语。

例句 这篇文章的观点很鲜明。|李部长在报告中用数字作了鲜明的比较。|车祸以后,他的脸上留下了一道鲜明的伤痕。|作者在小说《西游记》中鲜明地塑造了孙悟空这个形象。

【鲜血】 xiānxuè 〔名〕

鲜红的血液。(blood)常做主语、宾语。

例句 在同歹徒的搏斗中,一位干警受了重伤,鲜血流了一地。|烈士们用鲜血换来了今天的幸福与和平。|一个素不相识的陌生人献出了200CC鲜血,挽救了她的生命。

【鲜艳】 xiānyàn 〔形〕

鲜明而美丽。(bright-coloured; gaily-coloured)常做谓语、定语、状语、补语。

例句 盛开的鲜花十分鲜艳。|在庄严的国歌声中,鲜艳的五星红旗高高升起。|花儿鲜艳地开放,鸟儿欢快地歌唱。|这满树的红梅开得多么鲜艳啊!

【闲】 xián 〔形/动〕

〔形〕没有事;没有活动;有空儿。(not busy; idle)常做谓语、定语、状语、宾语。

例句 前些天我太忙了,可这几天又闲得很。|事儿太多了,我哪有闲工夫跟你聊天?|刚退休时,他很不习惯,常常在家闲坐着。|孩子送到姥姥家以后,我又觉得太闲了。

〔动〕(房屋、器物等)被放置而未使用。(not in use; lying idle)常做谓语(不带宾语)、定语。

例句 别让小院的地闲着,可以种点儿花或者菜什么的。|这间房子已经闲了很久了,租出去吧。|我有一辆闲车,你先开吧。

被怀疑有某种行为的可能性。(suspicion)常做宾语、定语。

例句 路边那个人有作案的嫌疑。|你一点儿也不避嫌疑,不怕受牵连吗?|老刑警凭着丰富的经验,发现了两个犯罪嫌疑人。

【显】 xiǎn 〔动/形〕

〔动〕露出,表现。(show;display)常做谓语(带宾语)。

例句 这次去参加比赛,我们可要显显身手了。|随着水位的降低,这艘沉船渐渐显出来了。|听了我的请求,他的脸上显出为难的样子。|她穿上竖条衣裙,一点儿也不显胖。

〔形〕明显。(apparent; obvious)常做谓语。

例句 画儿挂在这儿,一点儿也不显。|才吃了一次药,效果还不显。

【显得】 xiǎnde 〔动〕

表现出(某种神态、情形)。(look; seem;appear)常做谓语。

例句 听了这些话,他显得很生气。|雨过天晴,空气显得格外清新。|节日的天安门显得更加壮丽。|旅游回来,人虽然瘦了,但显得很有精神。

【显而易见】 xiǎn ér yì jiàn 〔成〕

指非常明显,容易看出来。(obviously; evidently; clearly)常做谓语、定语。

例句 人不能说谎,这个道理显而易见,可你为什么就不改呢?|他不是自杀而是谋杀,这是显而易见的。|他连这种显而易见的问题都不明白,别的就更不懂了。

【显然】 xiǎnrán 〔形〕

非常明显。(obviously; evidently; clearly)常做谓语、状语,不重叠。

例句 对方要采用进攻型的打法,这很显然。|坐在那儿就睡着了,显然是太累了。|假期时他不回国,也不去旅游,显然是另有打算。|看起来,住院以后,爷爷的病情显然有了好转。

辨析 〈近〉明显。"明显"还可做定语、补语,"显然"一般不能。如:*这是一个显然的错误。("显然"应为"明显")

【显示】 xiǎnshì 〔动〕

明显地表现。(show;manifest)常用谓语、定语。

例句 这次演出,充分显示了他的表演才华。|几年来,改革开放的巨大成就已经充分显示出来了。|你乒乓球打得那么好,这次比赛你也应该报名参加,显示一下自己的能力。|彩色屏幕上显示的图像十分清晰。

【显微镜】 xiǎnwēijìng 〔名〕

观察微小物体用的光学仪器,主要由一个金属筒和两组透镜组成。(microscope)常做主语、宾语、定语。[量]台,架。

例句 这台显微镜是从德国进口的。|化验室新买了一批显微镜。|生物实验课上,我们用显微镜观察细胞的结构。|您能给我讲讲显微镜的结构原理吗?

【显著】 xiǎnzhù 〔形〕

明显而突出。(notable; marked; striking; remarkable; outstanding)常做谓语、定语、状语。

例句 这种药疗效显著。|近些年,人民的生活水平有了显著的提高。|五年中,整个城市发生了显著的变化。|最近,他在各方面都显著地进步了。

【险】 xiǎn 〔形〕

危险。(dangerous; perilous)常做谓语、定语。

例句 这个球太险了,只差一点儿就进门了。|上山的那条小路险极了。|华山是一座险山,你们去那儿旅游,可真让人担心。|幸亏舵手非常有经验,我们才闯过了航道的险段。

▶"险"也做名词,指发生危险的可能性等。如:冒点儿险 抢险救灾

【县】 xiàn 〔名〕

行政区划单位,由地区、自治州或直辖市领导。(county)常做主语、宾语、定语。[量]个。

例句 这个县每年有三万农民外出打工。|中国共有两千多个县。|我爱人在县政府工作。|县领导都下乡了,下礼拜才能回来。

【县城】 xiànchéng 〔名〕

县政府所在的城镇。(county seat; county town)常做主语、宾语、定语。[量]个。

例句 我出生的那个小县城以前不通火车。|附近有个古老的县城,那儿有很多古迹。|近几年,这个县城的变化很大。|县城的中间有一条笔直宽阔的马路。

【县长】 xiànzhǎng 〔名〕

县政府的最高负责人。(the head of a county)常做主语、宾语、定语。[量]个,位。

例句 县长正在开会,布置防洪工作。|在县人代会上,代表们选出了一位女县长。|我们县的环保工作由县长亲自抓。|A:请问县长办公室在几楼? B:二楼。

【现】 xiàn 〔动/副/名〕

〔动〕露在外面,使人可以看见。(show; appear)常做谓语。

例句 他嘴上没说什么,但脸上已现出不满的神情。|三杯酒没喝完,张峰就现了原形。|事物一出现就很快消失了,我们可以说是"昙花一现"。

〔副〕临时;当时。(in time of need; extempore)做状语。

例句 我们店的面包都是现做现卖,很受欢迎。|飞机票现去买就行。|这种车很好开,现学都来得及。

〔名〕现在。(present; current; existing)常用于构词。

词语 现代 现存 现今 现行 现状

例句 我们公司的现状不容乐观。|这部书现存两种宋代版本。

【现场】 xiànchǎng 〔名〕

❶ 发生事故或案件的地点和该地点当时的状况。[scene(of a crime or accident)]常做主语、宾语、定语。[量]个。

例句 事故现场一定要保护好。|市长亲临火灾现场指挥灭火。|公安人员已经调查完了事故现场的情况。

❷ 直接从事生产、演出、试验等的场所。(site; spot)常做宾语、定语、状语。

例句 观众朋友们:我们现在是在卫星发射现场向您报道。|圣诞晚会现场的气氛非常热烈。|今天下午五点,中央台现场直播那场球赛。

【现成】 xiànchéng 〔形〕

已经准备好,不用临时做或找的;原有的。(ready-made)常做定语,也用于"是…的"格式。

例句 我这儿有现成的酒和菜,就请他们几个到这儿来聚餐吧。|你去资料室看看有没有现成的材料。|礼物是现成的,你帮我带去就行

了。|房间里的家具都是现成的,搬去住就行了。

【现代】 xiàndài 〔名〕

现在这个时代。中国多指1919年“五四”运动后。(modern times;the contemporary age)常做定语、主语、宾语。

例句 他们夫妻俩,一个研究现代文学,一个研究现代经济。|这是一部现代题材的影片。|齐白石是现代著名画家。|在中国,现代常指1919年以后的历史时期。|历史进入现代以后,发展非常迅速。

【现代化】 xiàndàihuà 〔动/名〕

〔动〕使具有现代先进水平科学技术水平。(modernize)常做谓语。

例句 工业要现代化,农业也要现代化。|我们研究所的实验手段已经现代化了。

〔名〕具有现代先进水平的科学技术。(modernization)常做主语、宾语、定语。

例句 农业现代化是农业发展的重要条件。|我们学校在两年内实现了教学设备现代化。|张副经理被派到国外学习现代化的管理方式了。

【现金】 xiànjīn 〔名〕

可以当时拿出来交付的钱;银行库存的货币。(cash;cash reserve in a bank)常做主语、宾语、定语。[量]笔。

例句 这么多现金别放在保险柜里,送到银行去吧。|你带着一大笔现金出差,路上可要多加小心。|过去出国带现金,现在带卡带支票,又方便又安全。|现金交易在国际贸易中很少使用。

【现钱】 xiànqián 〔名〕

现金。(cash;ready money)常做主语、宾语。

例句 我们的现钱不够了,明天再来交款取货吧。|车的主人让我们马上付现钱。|我一时去哪儿弄这么多现钱呢?

【现实】 xiànshí 〔名/形〕

〔名〕客观存在的事实。(reality;actuality)常做主语、宾语。[量]个,种。

例句 我们的国家还不够发达,现实就是这样。|生活的现实告诉我们要自强、自立。|你要坚强起来,敢于面对这个现实。|我们考虑问题不要脱离现实。

〔形〕合乎客观情况的。(real;actual)常做谓语、定语、状语、补语。

例句 新院长做事情、想问题都很现实。|我觉得这个计划不太现实。|这是个非常现实的问题。|你能不能现实一点儿考虑问题?|尽管她想得很现实,但也不一定能实现。

【现象】 xiànxiàng 〔名〕

各种事物在发展变化中所表现出来的外部形态和联系。[appearance (of things);phenomenon]常做主语、宾语。[量]种,个。

例句 事物的现象有时不能反映它的本质。|地震是一种自然现象。|实验中出现了一些反常现象。

【现行】 xiànxíng 〔形〕

现在实行或正在进行的。(currently in effect;in force;in operation)常做定语。

例句 我们现行的生育政策是“优生优育”。|“按劳分配”是中国现行主要的分配制度。

X

【现在】 xiànzài 〔名〕

指说话的时候,有时包括说话前后或长或短的一段时间。(now; at present)常做主语、宾语、定语、状语。

例句 现在几点了?|现在正是秋收季节。|山本先生既了解中国的过去,又了解中国的现在,称得上是个“中国通”。|我们从早上一直工作到现在。|现在的生活条件比以前的好多了。|现在,比赛开始!

【现状】 xiànzhuàng 〔名〕

目前的情况。(present situation; existing state of affairs; status quo)常做主语、宾语。[量]个,种。

例句 西部地区落后贫困的现状必须改变。|虽然我们已经取得了很大的成绩,但不能满足现状。|访问团的成员很想了解中国经济发展的现状。

【限】 xiàn 〔动/名〕

〔动〕指定范围。(set a limit; limit; restrict)常做谓语。

例句 这个公司招聘工作人员条件很严,限性别、限年龄、限学历、限专业。|演讲的时间限三分钟,演讲的内容、形式不限。|限你们三天完成任务。

〔名〕指定的范围。(limit; bounds)常做宾语,与“以…为”配合。

例句 这个地方以河为限,分成了两个县。|两国以界碑为限,界碑南边是缅甸。|交货的时间以本月底为限。

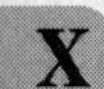

【限度】 xiàndù 〔名〕

范围的极限;最高或最低的数量或程度。(limit; limitation)常做主语、宾语、状语。[量]个。

例句 这个桥洞规定的车高限度是3米。|我们要努力将受灾的损失减少到最低限度。|做任何事都要有个限度,不能太随自己的心意。|最大限度地调动人的积极性是改革的主要目标之一。

【限期】 xiànqī 〔名/动〕

〔名〕限定的时间。(time limit)常做主语、宾语。[量]个。

例句 交订金的限期是年底以前。|报名的时间是三天,不能超过限期。

〔动〕限定时间。(set a time limit)常做状语。

例句 分配的任务必须限期完成,不能拖延。|各大学一般要求新生限期报到。|工商局要求这家违法的饭店限期整改。

【限于】 xiànyú 〔动〕

受某种条件或情形的限制;局限在某一范围之内。(be limited to; be confined to)常做谓语(带宾语)。

例句 限于时间,我只能讲到这里了。|这件事只限于我们几个人知道就行了,不要再告诉别人。|限于目前的经营情况,我们不得不精减部分人员。

【限制】 xiànzhì 〔动/名〕

〔动〕规定范围,不许超过;约束。(confine; restrict; limit)常做谓语、宾语、定语。

例句 治疗过程中,有时要限制病人的饮食。|国际象棋比赛要限制时间。|这个医院探视病人的时间限制得很严。|孩子还小,花钱得限制限制。|躺在病床上,他的自由受到了限制。|这个单位招工限制的条件太多。

〔名〕规定的范围。(limit; restriction)常做主语、宾语。[量]个。

例句 为了维护正常的交通秩序,这些限制是必要的。|A:报名参加比赛,有什么限制吗? B:有年龄限制。

【线】 xiàn 〔名/量〕

〔名〕❶ 用丝、棉、麻、金属等制成的细长而且可以随意弯曲的东西。(string; thread; wire) 常做主语、宾语、定语。[量]根,条。

例句 线太细,不能用。|这条线正在抢修,电话暂时不通。|放风筝的时候,一定要离高压线远一点儿。|钉这个扣子最好用灰色的线。|毛线的质量不错,买一斤吧。

❷ 交通路线。(route; line) 常做主语、宾语。[量]条。

例句 这条铁路线十分繁忙。|京九线早已开通运行了。|我们机场还要开通几条国际航线。|这列车从大连直接到北京,沿线各站全都不停。

❸ 连接两点的直的或弯的图形。(line)常做主语、宾语、定语。[量]条。

例句 马路上的斑马线是行人走的。|开车得按路上的标志线走,否则就违章了。|在银行办事应在一米线后边等。

❹ 边缘交界的地方。(boundary; demarcation line) 常做主语、宾语。[量]条。

例句 中国的海岸线很长。|小镇离国境线很近。|国家制定了最低生活保障线。

❺ 所接近的某种边际。(brink; verge)常做宾语。

例句 世界上还有许多人在贫困线以下挣扎。|他很感谢医生把他从死亡线上抢救回来。

〔量〕用于抽象事物,数量限用"一",表示极少。(*used with numeral* "一" *before abstract things, indicating very little*)构成数量短语做定语。

例句 好朋友的帮助,使小王又产生了一线希望。|化验结果是恶性肿瘤,他觉得最后的一线生机也没有了。

【线路】 xiànlù 〔名〕

电流或运动物体所经过的路线。(line; circuit; route) 常做主语、宾语、定语。[量]条。

例句 一定要千方百计保证冬季公交线路畅通无阻。|台风过后,全县有三分之一的地区电话线路不通。|请你们抓紧时间,尽快修复有线电视线路。|公交路线的畅通关系到全市人民的工作和生活。|我市又新开了两条信件速递线路。

【线索】 xiànsuǒ 〔名〕

比喻事物发展的脉络或弄清问题的途径。(clue; thread) 常做主语、宾语、定语。[量]个,条。

例句 这篇小说的线索有两条。|在调查过程中我们又发现了一个新的破案线索。|现在我们把几个线索综合分析一下。|主要线索的中断,使案情变得更复杂了。

【宪法】 xiànfǎ 〔名〕

国家的根本法,具有最高的法律效力。(constitution)常做主语、定语、宾语。[量]部。

例句 宪法是国家的根本大法。|宪法规定:"公民在法律面前一律平等。"|全国人民代表大会有权制定和修改宪法。|人人都要坚决维护宪法的尊严。

【陷】 xiàn 〔动〕

❶ 掉进。(get stuck or bogged down)常做谓语(不带宾语)。

例句 他一不小心,两脚陷在泥水里了。|车轮陷在沙里,怎么也出不来。|现在醒悟还来得及,否则会越陷越深。

❷ 凹进。(sink; cave in)常做谓语(不带宾语)。

例句 两夜没睡觉,他眼窝儿都陷下去了。|大雨过后,路上陷下去一个大坑。

【陷入】 xiànrù 〔动〕

❶ 落在(不利的境地)。(fall into; land oneself in)常做谓语。

例句 暴风雪使交通陷入停顿状态。|去年,这个厂曾有几个月陷入半停产的状态。|陷入困境的她并没有灰心丧气。

❷ 比喻深深地进入(某种境界或思想活动中)。(be deep in; be lost in)常做谓语。

例句 年轻时,她曾陷入情网而不能自拔。|看着眼前的一切,我陷入了沉思。|老人陷入了对美好往事的回忆中。

【馅】 xiàn 〔名〕

面食点心里包的糖、豆沙或细碎的肉菜等。常说"馅儿(xiànr)"。(filling; stuffing)常做主语、宾语、定语。[量]种。

例句 饺子馅儿有点儿咸了。|A:你爱吃什么馅儿? B:什么馅儿都行。|这种面包有豆沙馅儿。|包点儿素馅儿包子吧。

【羡慕】 xiànmù 〔动〕

看到别人的好处、长处等而希望自己也有。(admire; envy)常做谓语。

例句 毕业后,他找到一份理想的工作,同学们都很羡慕他。|你很羡慕我有个幸福的家庭,是不是?快点儿结婚吧。|哥哥买了台笔记本电脑,弟弟羡慕极了。|她的学习成绩总是那么好,真让人羡慕。

【献】 xiàn 〔动〕

把实物、意见等恭敬庄严地送给集体或尊敬的人。(offer; present; dedicate)常做谓语。

例句 热情的观众跑上台给演员献花。|两位英雄把青春和生命都献给了边疆。

【献身】 xiànshēn 〔动〕

把自己的全部精力或生命献给祖国、人民或事业。(dedicate oneself to; give one's life for)常做谓语、定语。

例句 父亲一生献身石油工业。|为抢救落水儿童,他勇敢地献身了。|他们全家都献身于教育事业。|祖国需要大批具有献身精神的科学家。

【乡】 xiāng 〔名〕

❶ 农村。(countryside)常用于构词或用于固定短语,也做宾语。

词语 乡村 乡下 城乡差别

例句 县长下乡检查工作了。

❷ 自己生长的地方或祖籍。(native place)常用于构词,也做宾语。

词语 家乡 故乡 乡亲 乡情 乡音

例句 姐姐初中毕业后,就回乡务农了。|老华侨思乡心切,一退休就回来了。

❸ 县级下面的行政区划。(township, a rural administrative unit under the county)常做主语、宾语、定语。[量]个。

例句 我们乡是全县的先进乡。|

X

这个县共有九个乡。|乡的行政领导人是乡长。

【乡村】 xiāngcūn 〔名〕

主要从事农业,人口分布比较分散的地方。(countryside; village)常做定语、宾语、主语。[量]个。

例句 十几年来,乡村的面貌有了很大的变化。|走在乡村的小道上,我的心情别提多愉快了。|我和一位中国朋友到她家乡过了几天乡村生活。|她是一位乡村歌手。|现在,城里的孩子很少有人到过乡村。|乡村是什么样儿?我真想去看看。

【乡亲】 xiāngqīn 〔名〕

同乡;对农村中当地人民的称呼。(a person from the same village or town; local people)常做主语、宾语、定语。[量]个,位。

例句 在农村演出的时候,乡亲们对我们特别热情。|哥哥考上了大学,学费是乡亲们帮他凑的。|在火车上,我俩遇到了一位乡亲。|我这位乡亲的最大愿望就是在城里找个工作。

【乡下】 xiāngxià 〔名〕

农村;乡里。(countryside; village)常做宾语、定语、主语。

例句 老人一个人住在乡下,儿子和女儿都在城里。|妈妈去乡下看姥姥了。|乡下的生活也很有意思。|乡下比城里安静。

【相】 xiāng 〔副〕

互相;表示一方对另一方的动作。(each other; indicating an action performed by one person toward another)常做状语。

例句 理论要与实际相结合。|听到这个好消息,大家都奔走相告。|我好言相劝,可她就是不听。|两人的汉语水平不相上下。|实不相瞒,你的事情没有办成。

【相比】 xiāngbǐ 〔动〕

两个或两个以上的人或事物放在一起比较。(compare)常做谓语、定语。

例句 这两个公司的实力不能相比。|和姐姐相比,我的成绩差多了。|相比的结果,只有这种产品质量合格。|相比之下,还是去这所学校学汉语比较好。

【相差】 xiāngchà 〔动〕

两者相比有差别或有距离。(differ)常做谓语。

例句 他们弟兄俩相差十岁。|这几种产品看起来差不多,但实际上质量相差很大。|我们俩的体重相差不大。|这两天的气温相差五六度。

【相当】 xiāngdāng 〔形/副〕

〔形〕适宜;合适;与…相称的。(suitable; fit; appropriate)常做定语。

例句 我虽然想买房,可还没遇到相当的价格和地点。|我们应该找一位有相当能力的同志来担任这个职务。

〔副〕表示程度高。(quite; fairly; very)常做状语。

例句 这条河相当深。|今年的贺岁片相当吸引人。|最近我相当忙,过一段时间再说吧。|她们姐妹俩长得相当像。

▶ "相当"还做动词,指数量、水平、条件等相差不多。如:两个队的实力基本相当。|那个工厂今年的产量相当于去年的两倍还多。

X

【相等】 xiāngděng 〔动〕
(数目、分量、程度等)彼此一样。(be equal)常做谓语(不带宾语、补语)。

例句 我们两个班人数相等。|两道题得数相等吗?|这几间房子面积都相等。

【相对】 xiāngduì 〔动/形〕
〔动〕❶ 相互对着。(face to face)常做谓语(不带宾语)、状语。

例句 人民大会堂和中国历史博物馆隔着天安门广场遥遥相对。|这个地方,两山相对,中间是深深的峡谷。|两列火车相对开了过来。|路两旁高楼大厦相对而立。

❷ 指性质上互相对立。(opposite to each other)常做谓语、定语。

例句 在会上,两派的意见针锋相对。|意义相对或相反的词叫反义词。|他们俩分别代表相对的一方。

〔形〕❶ 依靠一定的条件而存在的,随一定的条件而变化的。也用于"是…的"格式。(relative)常做定语。

例句 这几个分公司都有相对的独立性。|大小、多少、高矮、长短等都是相对的,不是绝对的。

❷ 比较的。(relatively; comparatively)常做状语、定语。

例句 相对来说,这篇论文的论述更有力一些。|这场球赛,我看还是客队相对强一点儿。|我们厂电冰箱的市场占有率只有相对优势,并没有绝对优势。

【相反】 xiāngfǎn 〔形〕
事物的两个方面互相对立或排斥。(opposite; contrary; on the contrary)常做谓语、定语、状语。

例句 报道的情况与事实正相反。|她俩对化妆的看法完全相反。|从不同的角度考虑这个问题,会得出完全相反的结论。|儿子做错事,父母不但没有批评他,相反还安慰他。

【相符】 xiāngfú 〔动〕
(条件、思想等)彼此相合。(conform to; tally with; correspond to)常做谓语(不带宾语、补语)。

例句 我的条件和这个公司的招聘条件正相符,我要去试试。|他反映的情况和事实不相符。|大家的想法和领导的考虑完全相符。|准考证、身份证和本人相符的人才可以进入考场。

【相辅相成】 xiāng fǔ xiāng chéng 〔成〕
形容几种事物关系密切,相互依存。(supplement and complement each other)常做谓语、定语。

例句 这两种方法各有长短,相辅相成。|学习与工作相辅相成,并不矛盾。|教与学是相辅相成的两个方面。

【相关】 xiāngguān 〔动〕
彼此关联。(be interrelated)常做谓语(不带宾语、补语)、定语。

例句 这事和我毫不相关。|环境保护与人们的生活密切相关。|这是完全不相关的两件事。|一个产业的调整,往往会影响到相关的产业。

【相互】 xiānghù 〔形/副〕
〔形〕两相对待的。(mutual; reciprocal)常做定语,也用于"是…的"的格式中。

例句 应该注意事物之间的相互联系。|我和同事之间的相互关系都非常好。|现在,邻居之间的相互来

往越来越少了。|感情是相互之间的事。|国家之间的友好交往应该是相互的。

〔副〕互相。(each other)做状语。

例句 人和人之间应该相互尊重。|是朋友就应该相互关心,相互帮助。|当洪水到来的时候,我们在房顶上相互鼓励,直到获救。

辨析 〈近〉互相。"相互"既是副词又是形容词;"互相"只是副词。如:＊夫妻俩互相关系非常好。("互相"应为"相互")

【相继】 xiāngjì 〔副〕

一个跟着一个。(one after another; in succession)常做状语。

例句 快开学了,学生们相继返校。|他的几个朋友相继结婚了,可他还是单身。|广告播出后,我们相继接到数百封来信。|一年之内,父母相继去世,家境很快衰落下去。

【相交】 xiāngjiāo 〔动〕

❶ 交叉。(intersect)常做谓语(不带宾语)、定语。

例句 有数条铁路干线相交于北京。|公路和铁路相交的地方是一个不大的县城。|两条相交的直线只能有一个公共点。

❷ 互相交往;做朋友。(associate with; be friends)常做谓语(不带宾语)。

例句 他和同学相交密切。|我们俩已经相交二十多年了。|两位老人是相交多年的好朋友。

【相识】 xiāngshí 〔动〕

相互认识。(be acquainted with each other)常做谓语(不带宾语)、定语。

例句 他们俩才相识了几天,就成了好朋友。|我们相识很久了。|我和他刚刚相识,互相之间还不了解。|相识的日子虽然不长,但大家相处得很好。

辨析 〈近〉认识。"认识"除用于人以外,还用于事物,可带宾语;比"相识"口语化。如:＊A:你相识那个人吗? B:我不相识他。("相识"应为"认识")

▶ "相识"也做名词,指认识的人。如:我们已经是老相识了。

【相似】 xiāngsì 〔形〕

相像。(alike; similar)常做谓语、定语、补语。

例句 这两个人面貌这么相似,是兄弟俩吧?|他们父子俩的脾气相似得很。|两者并没什么相似之处。|新出版的几部小说反映的都是相似的主题。|这对孪生姐妹长得十分相似。

【相提并论】 xiāng tí bìng lùn 〔成〕

把不同的人或事物放在一起来谈。(mention in the same breath; place on a par)常做谓语。

例句 你不该把这两件事相提并论。|他的英语水平怎么能和美国人相提并论呢?|田中同学学习特别刻苦,别人都不能和她相提并论。

【相通】 xiāngtōng 〔动〕

彼此连贯沟通。(communicate with each other; be interlinked)常做谓语(不带宾语)、定语。

例句 虽然我们相距遥远,但我们的心相通。|村里的地道全都相通。|这两件事情虽不同,道理却相通。|从那以后,两颗相通的心靠得更近了。

【相同】 xiāngtóng 〔形〕

彼此一致，没有区别。(identical; alike; the same)常做谓语、定语。

例句 我们俩兴趣爱好相同。|你们再一起去买衣服的话，式样不要相同。|我们班有两个同学的生日正好相同。|大家都提了相同的意见。

【相信】 xiāngxìn 〔动〕

认为正确而不怀疑。(believe in; be convinced of; trust; have faith in)常做谓语。

例句 大家都很相信你，你可要好好干哪。|王教授很相信自己的判断力。|我一直相信他们的实验一定会成功。|她不相信那件事是真的。

【相形见绌】 xiāng xíng jiàn chù 〔成〕

相互比较之下，一方显得不足。(prove inferior by comparison; pale by comparison; be outshone)常做谓语、补语、定语。

例句 他的演讲非常精彩，使其他的人都相形见绌。|跟那辆车比，这辆就显得相形见绌了。|挨着高楼的是一些相形见绌的低矮房舍。

【相应】 xiāngyìng 〔形〕

互相呼应或相适应。(corresponding; relevant; fitting; appropriate)常做谓语、状语、定语。

例句 这篇文章前后不相应。|时代变了，人们的观念当然相应地改变了。|进入新世纪，管理方法不相应地科学化可真不行。|为了提高工作效率，我们要对人员进行相应的调整。

【香】 xiāng 〔形〕

❶ 气味好闻；食品味道好。(fragrant; sweet-smelling)常做谓语、定语。

例句 这盆花香极了。|做了什么好吃的？这么香！|我不爱用香味浓的化妆品。|好香的酒啊！

❷ 吃东西胃口好；睡得好。(with relish; with good appetite; sound)常做谓语、补语。

例句 饿了吃什么都香。|这几天，他病了，吃东西一点儿也不香。|太累了，这一夜，我睡得很香。

【香肠】 xiāngcháng 〔名〕

用肉等制成的肠状食品。(sausage)常做主语、宾语、定语。[量]根。

例句 香肠可直接食用，是一种方便食品。|买个面包，再买两根香肠，午餐就解决了。|这种香肠的味道很特别。

【香蕉】 xiāngjiāo 〔名〕

多年生常绿草本植物，果实长而弯，果肉软而甜。(banana)常做主语、宾语、定语。[量]个，根，串。

例句 香蕉一年四季都能吃到，也不贵。|女儿吃了两根香蕉就饱了。|农民把一串串香蕉从树上砍下来。|香蕉的产量很高。|你见过香蕉林吗？

【香味】 xiāngwèi 〔名〕

好闻的气味。(sweet smell)常做主语、宾语、定语。[量]种，股。

例句 饭菜的香味使我觉得更饿了。|茉莉花的香味很好闻。|窗外飘来一股槐花的香味。|这种香味的香水，我可不喜欢。

【香烟】 xiāngyān 〔名〕

用纸卷着烟丝做成的条状物，也叫纸烟、卷烟、烟卷儿。(cigarette)常做主语、宾语、定语。[量]根，支，包，盒。

例句 香烟对身体有害。|请帮我去买包香烟吧。|这种香烟的劲儿太大。|香烟广告做得再好，我也不吸。|不能随便乱扔香烟头儿。

【香皂】 xiāngzào 〔名〕
含有香料的，洗脸、洗手用的块状去污品。(perfumed soap)常做主语、宾语、定语。[量]块。

例句 药物香皂有杀菌、消毒作用。|香皂用多了对皮肤不一定好。|这儿有香皂，请用吧。|香皂的味儿这么香，是什么牌子的？

【箱】 xiāng 〔名/量〕
〔名〕存放物品的方形器具；像箱的东西。(box; case; anything in the shape of a box)常用于构词或短语中，做主语、宾语。

词语 集装箱　信箱　木箱　箱子

例句 妈妈给我买了一个皮箱，出国留学时好用。|钳子在工具箱里。

〔量〕用于"箱子"的计量。(for things contained in a box)常构成短语做句子成分。

例句 车上装的是十几箱书。|回国时，他带回来了好几箱仪器。|买了一箱苹果，够吃一个月的。|这箱啤酒是12瓶吗？

【箱子】 xiāngzi 〔名〕
收藏衣物的方形器具。(box; case)常做主语、宾语、定语。[量]个。

例句 这对箱子是我的嫁妆。|现在年轻人结婚很少准备箱子了。|把毛毯放在那个樟(zhāng)木箱子里吧。|箱子盖儿碰坏了一个角。

【镶】 xiāng 〔动〕
把物体嵌入另一物体内或围在另一物体的边缘。(inlay; set; mount; rim; edge; border)常做谓语、定语。

例句 玻璃打了一块，请人镶上吧。|太阳从黑云背后给它的四周镶了一道金边。|这条裙子再镶上花边就更漂亮了。|镶的牙再好，也不如自己的牙。

【详细】 xiángxì 〔形〕
周密；完备。(detailed; minute)常做谓语、定语、状语、补语。

例句 他的工作记录很详细。|事故的详细情况还不清楚。|她把事情的经过详详细细地讲了一遍。|我的听课笔记记得很详细。

【享】 xiǎng 〔动〕
物质或精神上得到满足。(enjoy)常做谓语。

例句 我们像兄弟一样，应该有福同享。|你还年轻，应该自己干事，坐享其成可不行。|你苦了一辈子，现在该享享清福了吧？|老人在海外多年，最近要回国安享晚年。

【享福】 xiǎng fú 〔动短〕
享受幸福。(enjoy a happy life; live in ease and comfort)常做谓语(不带宾语)。中间可插入其他成分。

例句 他年轻时吃了很多苦，现在总算可以享福了。|父母辛苦了一辈子，晚年该让他们享点儿福了。|和妈妈住在一起的时候，我真享福。|天天住宾馆，我就享不了这个福。

【享乐】 xiǎnglè 〔动〕
享受安乐。(lead a life of pleasure; indulge in creature comforts)常做定语、谓语、宾语。

例句 有些人，永远不会知道享乐的滋味是什么。|老人劳累了一辈子，从没享乐过一天。|一心追求享乐的人不会有什么出息。

【享受】 xiǎngshòu 〔动〕

物质上或精神上得到满足。(enjoy)常做谓语、宾语、主语。

例句 孙子、孙女围着老人笑着、闹着,他们在尽情享受着天伦之乐。|每个公民都应该享受民主的权利。|退休后老人该享受享受了。|辛勤工作了一辈子,退休后她才学会了享受。|干部应该吃苦在前,享受在后。

【享有】 xiǎngyǒu 〔动〕

在社会上取得(权利、声誉、威望等)。(enjoy)常做谓语(带宾语)。

例句 在中国,男女享有平等的权利。|这位服装设计师在国际上享有盛誉。|我爷爷在村里享有很高的威望。

【响】 xiǎng 〔形/动〕

〔形〕声音大。(loud; noisy)常做谓语、补语。

例句 掌声响极了。|别把电视开得太响。|他吹号吹得真响,可我一点儿也吹不响。

〔动〕发出声音。(make a sound; sound; ring)常做谓语、补语。

例句 闹钟响了好一会儿,她才起床。|汽车喇叭响了三下。|除夕夜里十二点,全城响起了一片鞭炮声。|会场上响起了阵阵掌声。|录音机怎么不响了?

【响亮】 xiǎngliàng 〔形〕

(声音)宏大。(loud and clear)常做谓语、定语、状语、补语。

例句 他从小声音就很响亮。|听到响亮的国歌声,这位游泳冠军流下了激动的眼泪。|青年们响亮地喊着口号。|欢乐的锣鼓(luógǔ)声敲得响亮极了。

【响声】 xiǎngshēng 〔名〕

(动作或活动)发出的声音;动静。(sound; noise)常做主语、宾语。[量]阵,种。

例句 楼上地板的响声,真使人心烦。|房间里静极了,只有钟表发出嘀哒嘀哒的响声。|花瓶掉在地上打碎了,孩子被响声惊醒了。

【响应】 xiǎngyìng 〔动〕

回声相应,比喻用言语行动表示赞同,支持某种号召或倡议。(respond; answer)常做谓语、定语。

例句 市民纷纷响应政府扶贫帮困的号召,积极捐款捐物。|大学生们都积极响应"争当志愿者"的倡议。|对这个倡议,响应的人还不少呢。

【想】 xiǎng 〔动/助动〕

〔动〕❶ 动脑。(think; ponder)常做谓语。

例句 你帮我想个办法吧。|大家想一想,这个问题该怎么回答?|我实在想不起来钥匙放在哪儿了。|这事你都想了好几天了,难道还要再想吗?

❷ 认为;估计。(suppose; consider; think)常做谓语。

例句 我想,他一定会来的。|你想,你能习惯那儿的生活吗?|我想今晚不会下雨。

❸ 不能忘记,希望见到。(miss; remember with longing)常做谓语。

例句 他们夫妻俩很想在国外念书的儿子。|A:到这儿以后,你想不想家? B:怎么不想呢? 想得很啊。|爷爷去世以后,小孙子很想他。

〔助动〕希望;打算。(would like to; want to; feel like)做状语。

例句 假期,我想到北京游览名胜古迹。|比尔想去书店买几本汉语

书。|星期天,你们想干什么?

【想法】 xiǎngfa 〔名〕

思考所得的结果;意见。(idea; opinion)常做主语、宾语。[量]个。

例句 王老师建议组织留学生去幼儿园参观,这个想法不错。|有什么想法你就快说吧。|能不能把你的想法告诉大家?

▶"想法"也有"想办法"的意思。这时的"法"不读轻声。如:毕业后,我得想法找份好工作。

【想方设法】 xiǎng fāng shè fǎ 〔成〕

想尽办法。(do everything possible; try every means)常做谓语、状语。

例句 尽管家里生活很困难,但父母还是想方设法供我读完了大学。|老王想方设法,终于找到了失散多年的姐姐。|作为企业,我们必须想方设法地满足消费者的需求。

【想念】 xiǎngniàn 〔动〕

对人或环境不能忘记,希望见到。(miss; remember with longing; long to see again)常做谓语、定语。

例句 住在国外的时候,我非常想念祖国,想念亲人。|年纪大了,他常常想念那个曾经生活过的小村庄。|首长十分想念和他一起战斗过的战友。|外婆是我最想念的人。

辨析 〈近〉怀念。"想念"着重表示希望见到;"怀念"着重表示不能忘记。"想念"多用于有可能再见到的人或环境;"怀念"多用于不能再见到的人或环境。"怀念"多用于书面语。如:奶奶很怀念过去。|* 他想念死去的爷爷。("想念"应为"怀念")

【想象】 xiǎngxiàng 〔名/动〕

〔名〕心理学上指在已知材料的基础上,经过新的配合而创出新形象的心理过程。(imagination)常做主语、宾语、定语。[量]个。

例句 孩子们的想象是很丰富的。|写诗离不开想象。|让我们展开想象的翅膀。

〔动〕对不在眼前的事物想象出它的具体形象。(imagine; fancy)常做谓语。

例句 她想象着出国后的学习和生活情况。|家乡的变化,你可想象不到。|四十年没见面的老同学会变成什么样,我实在无法想象。

【向】 xiàng 〔动/介〕

〔动〕❶ 对着。特指脸或正面对着。(face)常做谓语。

例句 我们几个人的房间全都向东。|政府的工作应该面向群众,面向基层。|请面向观众站好。|葵花总是向着太阳。

❷ 无原则地支持或保护某一方。(side with; be partial to)常做谓语。

例句 哥哥总是向着最小的妹妹。|自家人向自家人,这很正常。|我们不能向人不向理呀。

〔介〕表示动作的方向。(towards; to)构成介宾短语做状语、补语。

例句 休息了一小会儿后,我们又继续用力向上爬。|他非常刻苦,我们都应该向他学习。|台阶一直通向山顶。|江水在这里流向大海。

【向导】 xiàngdǎo 〔名〕

带路的人。(guide)常做主语、宾语、定语。[量]个,位。

例句 我们的向导是一位爱说话的中年人。|你们在这儿路不熟,没有向导怎么行?|进了林区,很容易迷路,我

给你们找一位有经验的向导吧。|老向导一席话,使大伙儿放心了。

【向来】 xiànglái 〔副〕

从来,一向。表示从过去到现在都如此。(always;all along)做状语。

例句 女儿的房间向来收拾得整整齐齐的。|王秘书对工作向来认真负责。|我向来不喜欢太热闹。|他向来不抽烟。

【向往】 xiàngwǎng 〔动〕

因热爱、羡慕某种事物或境界而希望得到或达到。(yearn for; look forward to)常做谓语、定语、宾语。

例句 孩子一直向往出国留学,却没有想到出国后会遇到难处。|中学毕业后,他选择了海运专业,因为他一直向往大海。|那里是我向往的地方。|提起上海,她充满了向往之情。|信里表达了他对军人生活的无限向往。

【项】 xiàng 〔量〕

用于分项目的事物。(for itemized things)常构成短语做句子成分。

例句 我们今天开会,有两项内容。|她终于获得了这项十米台跳水的冠军。|领导派给我一项重要的任务。|货物的运输问题见合同的第三项条款。

【项链】 xiàngliàn 〔名〕

戴在脖子上的首饰。(necklace)常做主语、宾语、定语。[量]条,串。

例句 这条项链不是纯金的。|她戴的那串珍珠项链很雅致。|他给妻子买了一条带蓝宝石的项链。|项链坠儿是钻石的好,还是白金的好?

【项目】 xiàngmù 〔名〕

事物分成的门类。(item)常做主语、宾语、定语。[量]个。

例句 本公司经营的项目很多。|他们所申报的科研项目,只有一个获得了批准。|主体项目的建设现在已经完成了。|我是项目负责人,欢迎各位专家的到来。

【巷】 xiàng 〔名〕

较窄的街道;胡同。(lane;alley)常做主语、宾语、定语。[量]条。

例句 元宵节的时候,我们这里大街小巷都挂满了彩灯。|地震后,这里成了空巷。|这条巷的名字叫"松林巷"。|酒馆就在巷尽头。

【相】 xiàng 〔名〕

❶ 外貌。(looks;appearance)常做宾语。[量]副。

例句 看你这副可怜相!|人家都说我长着一脸福相。|我们被大雨淋成了落汤鸡,一副狼狈相。

❷ 坐、立等的姿态。(bearing;posture)常做宾语。[量]个。

例句 小孩子应该站有站相,坐有坐相。

【相声】 xiàngsheng 〔名〕

曲艺的一种,用说笑话、滑稽问答、说唱等引起观众发笑。(cross talk; comic dialogue)常做主语、宾语、定语。[量]个,段。

例句 相声常常是两个人表演的,也有一个人或好几个人表演的。|今天我们俩给大家说段相声。|看外国朋友表演相声,格外有意思。|侯宝林是一位著名的相声大师。|相声语言具有很高的艺术价值。

【象】 xiàng 〔名〕

陆地上最大的哺乳动物,耳大,鼻长,皮厚。(elephant)常做主语、宾语、定语。[量]头。

例句 象能帮人干活,还能表演节

目。|孩子们非常喜欢动物园里的小象和象妈妈。|象的样子看起来很笨,其实它很聪明。|象的数目越来越少了,必须全力保护。

【象棋】 xiàngqí 〔名〕

棋类运动的一种。(Chinese chess)常做主语、宾语、定语。[量]副。

例句 中国象棋和国际象棋不同。|几位老人常常在树荫下下象棋。|孙女给爷爷的新年礼物是一副象棋。|周末举行象棋比赛,想参加的请报名。

【象征】 xiàngzhēng 〔动/名〕

〔动〕用具体的事物表现某种特殊意义。(symbolize; signify; stand for)常做谓语、定语。

例句 鸽子象征着和平。|火炬常常象征着希望。|学了课文以后,我明白了杨树的象征意义。

〔名〕用来表现某种特别意义的具体事物。(symbol)常做宾语。[量]种。

例句 万里长城常常作为中国的象征。|青松被当做高尚品格的象征。|这件礼物是我们双方友好合作的象征。

【像】 xiàng 〔动/名/形〕

〔动〕在形象上相同或有某些共同点。(be like; resemble; take after)常做谓语。

例句 人们常说,女儿像父亲。|这孩子烧得像团火,大概有 40℃了。|天空海蓝海蓝的,像用水洗过似的。|她不像你这么聪明,但像你一样勤奋。|他总像哥哥一样关心我。|她的微笑像阳光般温暖。

〔名〕比照人物制成的形象。(picture)常做主语、宾语、定语。[量]张,个。

例句 这张像画得很好。|他最擅长给人画像了。|这尊像制作于公元 820 年。

〔形〕表示事物之间有某些共同点。(likeness)常做谓语、补语。

例句 她和姐姐太像了,我常常把她俩搞错。|这三胞胎兄弟长得像极了。|儿子常爱画小动物,画得可像啦。

【像样】 xiàngyàng 〔形〕

够一定的标准或水平。(presentable; decent; sound)常做谓语、定语、补语。

例句 他画的中国画、写的毛笔字,都挺像样的。|儿子用橡皮泥捏的小兔子还真像样。|虽然家里连件像样的家具也没有,可老人却为灾区捐款一万元。|这个年轻人现在变得不像样了,常常喝酒喝到半夜。

【橡胶】 xiàngjiāo 〔名〕

高分子化合物,弹性好,绝缘,不透水,不透气。(rubber)常做主语、宾语、定语。[量]种。

例句 橡胶可以制成多种生产、生活用品。|橡胶有天然橡胶和合成橡胶两种。|轮胎是用橡胶做的。|热带适宜种植橡胶。|海南岛有大片的橡胶林。|橡胶的用途十分广泛。

【橡皮】 xiàngpí 〔名〕

一种文具,用于擦掉字迹。(rubber; eraser)常做主语、宾语、定语。[量]块。

例句 这块橡皮一点儿都不好用。|考试时别忘了带铅笔和橡皮。|请大家用铅笔答卷,写错了可以用橡皮擦干净。|要是橡皮的质量不好,会越擦越脏。

【消】 xiāo 〔动〕

❶ 逐渐减少到没有。(disappear; vanish)常做谓语(不带宾语)。

例句 吃两天药以后,身上的红点全消了。|太阳一出来,就冰消雪化了。|去海边走走,一切烦恼就会烟消云散。

❷ 使逐渐减少直到没有。(dispel; remove)常做谓语。

例句 我们餐厅的餐具每天都消毒。|没什么大不了的事情,你快消消气吧。|多喝点儿茶消消暑。|看完病,医生给我开了些消炎药。

【消除】 xiāochú 〔动〕

使不存在。(eliminate; dispel; remove)常做谓语。

例句 领导和同事的关心和鼓励,使我消除了顾虑。|采用这种先进技术能基本消除废水对河的污染。|旧的习惯势力不能一下子就被消除。|这种"除臭剂"是专门用来消除冰箱臭味的。

【消毒】 xiāo dú 〔动短〕

用物理方法或化学药品杀死致病的微生物。(disinfect; sterilize)常做谓语、定语,中间可插入成分。

例句 餐具、茶具应该经常消毒。|病房已经消过毒了。|这些物品,每天晚上都要用紫外线照射的方法消一次毒。|消毒的方法有好多,比如烘烤、浸泡、高温等。|我挺爱闻消毒水的味儿。

【消费】 xiāofèi 〔动〕

为满足生产和生活需要而消耗财富。(consume)常做谓语、定语、宾语、主语。

例句 中国人喜欢白酒,每年要消费很多白酒。|没想到,您这儿的消费水平这么高啊!|各地都成立了消费者协会。|衣、食、住、行,这些都是人们的日常消费。|社会集团的消费不得不控制。

【消耗】 xiāohào 〔动〕

❶ 因使用或受损失而逐渐减少。(consume; use up)常做谓语、定语。

例句 锻炼能消耗掉多余的热量和脂肪。|为了编好这部书,他消耗了大量的心血。|动物在冬眠期间靠消耗体能活着。|运动员主要靠饮食来补充消耗的体力。

❷ 使消耗。(let sb. or sth. consume or use up)常做谓语。

例句 比赛时先不要主动出击,尽量消耗对方的体力。|我们要想办法消耗敌人的有生力量。

【消化】 xiāohuà 〔动〕

❶ 食物在胃肠内变为能被吸收的养料。(digest)常做谓语、定语、宾语、主语。

例句 胃肠的作用就是消化食物,吸收养料。|膨化食品很容易消化。|肉不烂,孩子吃了不好消化。|人老了,消化器官也容易出问题。|这种药能帮助消化。|这两天我消化不良,还是少吃点儿吧。

❷ 比喻理解、吸收所学的知识。(digest)常做谓语、定语。

例句 复习的作用就是更好地消化所学的知识。|第五课的内容太多,在课堂上,我还消化不了。|这种新理论比较难,要消化的东西很多。

【消极】 xiāojí 〔形〕

❶ 否定的;反面的;阻碍发展的。(negative)常做定语、谓语。

例句 我们应该把消极因素变成积极因素。|这次事故给工作带来了

消极的影响。|这本书稿内容很消极，不能出版。

❷ 不求进取的；消沉。(passive; inactive)常做谓语、定语、补语。

例句 一个年轻人，不求进取，工作消极，这怎么可以？|妻子得了癌症以后，他一直十分消极。|你不应该用消极的态度对待批评。|她为什么变得这么消极？

【消灭】 xiāomiè 〔动〕

❶ 消失，灭亡。(die out; perish; pass away)常做谓语(不带宾语)。

例句 恐龙早就在球上消灭了。|腐败现象不会自行消灭。

❷ 使消灭；除掉。(wipe out; abolish; eliminate)常做谓语。

例句 用科学方法消灭农作物的病虫害，是发展农业的重要方面。|为了防治传染病，应该消灭蚊虫。|消灭城乡差别的工作是长期的。

辨析 〈近〉消除。"消灭"比"消除"语义重，对象可以是人、具体事物，也可是抽象事物；"消除"的对象一般是比较抽象的事物；"消除"不能是自身行为。如：*他们之间的误会已经消灭了。("消灭"应为"消除")。

【消失】 xiāoshī 〔动〕

逐渐减少以至没有。(disappear; dissolve)常做谓语(不带宾语)。

例句 父亲的背影消失在拥挤的人群中。|儿子出车祸以后，她脸上的笑容消失了。|车祸以后，他的记忆几乎全部消失了。|那个男人留给她的是永不消失的记忆。

【消息】 xiāoxi 〔名〕

❶ 关于人或事物情况的报道。(news; information)常做主语、宾语、定语。[量]条。

例句 刚才广播的那条消息你听到了吗？|张编辑专门负责编排国际消息。|今天的报纸有很多新消息。|我很怀疑这条消息的真实性。

❷ 音信。(tidings; news)常做主语、宾语。[量]个。

例句 他一去三年，消息不明。|这个消息可靠吗？|听到侄女考上大学的消息，我十分高兴。|她是我的老同学，可是二十多年了，我一直没有她的消息。

【销】 xiāo 〔动〕

❶ 除去；解除。(cancel; annul)常做谓语。

例句 他在销赃时，被人发现了。|回来后，请到办公室销假。

❷ 卖。(sell; market)常做谓语、宾语。也用于构词。

词语 销售　畅销　销路　供销

例句 这种货很好销。|我们是以销定产。|反正是代销的，销不了就退货。

【销毁】 xiāohuǐ 〔动〕

熔化毁掉；烧掉。(destroy)常做谓语、定语。

例句 中国主张全面销毁核武器。|查获的假烟全部销毁！|那些旧报表已经被销毁了。|在他企图销毁罪证的时候，公安人员逮捕(dàibǔ)了他。|这次销毁的毒品有上百公斤。

【销路】 xiāolù 〔名〕

货物销售的出路。(sale; market)常做主语、宾语、定语。[量]条。

例句 最近低价房销路不错。|我们还应该开拓几条新销路。|没有销路的产品为什么还要生产？|厂

领导正在开会，研究产品销路问题。

【销售】 xiāoshòu 〔动〕

卖。(sell; market)常做谓语、定语。

例句 他在公司专门负责向国外销售纺织品。|我们带来的展销品，两天内就销售一空。|这种汽车被销售到非洲一些国家。|空调的销售量在逐年增加。

【小】 xiǎo 〔形/头〕

〔形〕❶ 在体积、面积、数量、力量强度等方面不及一般的或比较的对象。(little; small; petty; minor)常做谓语、定语、补语。

例句 她的声音太小，听不清。|这个房间比那个小多了。|用那个小杯子喝白酒。|孩子屋里除了一张小床以外，剩下的都是玩具。|他给儿子的鞋买小了，衣服买大了。|你能不能把录音机关小点儿？

❷ 年龄在兄弟姐妹中排在最后或年龄较轻。(young)常做谓语、定语。

例句 在家里，他最小。|孩子还小，不懂事。|他小小年纪就知道帮爹娘干活儿。|她还是个小姑娘的时候，我就认识她了。

〔头〕称呼比自己年纪小的人。(*used before family name, given name, etc.*)用在姓前。

例句 打电话的是谁呢？小张还是小李？|小刘，帮我个忙，好吗？

▶ "小"也做名词，指"年纪小的人"。如：她上有老，下有小，生活负担很重。

▶ "小"还指短时间，做状语。如：暑假时，我去乡下小住了几日。

【小便】 xiǎobiàn 〔名/动〕

〔名〕人尿。(urine)常做主语、宾语。

例句 孩子的小便是淡红的，快带他去医院看看吧。|为了确诊，得化验一下小便。

〔动〕(人)排泄尿。(urinate)常做谓语。

例句 大人不能让孩子随地小便。|考试中间要小便怎么办？

【小吃】 xiǎochī 〔名〕

饭馆中分量少、价钱低的菜；饮食业中出售的年糕、粽子、元宵等食品的统称。(snacks; refreshments)常做主语、宾语、定语。[量]种。

例句 成都的风味小吃又多又便宜。|这条街的小饭店专门经营经济小吃。|品尝小吃，可以体会到地方的文化特色。|这些小吃的味道都不错，你尝尝吧。

【小费】 xiǎofèi 〔名〕

顾客、旅客额外给饭店、旅馆等行业中服务人员的钱。(tip; gratuity)常做主语、宾语、定语。[量]点儿，元。

例句 小费不用交给老板吗？|在中国一般不用给小费。|美国的餐馆服务员，收入主要靠小费。|小费的多少，由客人自己决定。

【小鬼】 xiǎoguǐ 〔名〕

对小孩子亲切的称呼。(child; imp)常做主语、宾语、定语和称呼语。[量]个。

例句 这个小鬼很机灵。|这个任务，就交给那个小鬼吧。|这小鬼的家人都不在了，我们就收留了他。|小鬼们，快来吃苹果。

【小孩儿】 xiǎoháir 〔名〕

儿童；子女(多指未成年的)。(child)常做主语、宾语、定语。[量]个。

例句 一些小孩儿在院子里踢球。

|王大妈常常帮助邻居看小孩儿。|请给抱小孩儿的乘客让个座。|现在在城里,差不多都是一家只有一个小孩儿。|请问,小孩儿的衣服在哪儿买?

【小皇帝】 xiǎohuángdì 〔名〕

年龄小的皇帝;现在常用来比喻在家庭中占核心地位的独生子女。(young emperor;only son or daughter)常做主语、宾语、定语。[量]个。

例句 现在这些小皇帝可不得了,什么事都得依着他。|康熙继位的时候才八岁,是个小皇帝。|家长的宠爱使独生子女变成了小皇帝。|咳,小皇帝的脾气还真大!

【小伙子】 xiǎohuǒzi 〔名〕

年轻的男子。(lad)常做主语、宾语、定语。[量]个,位。

例句 这小伙子多精神!|我问路的时候,遇见了一位热心的小伙子,是他把我送来的。|几年没见,小孙子长成大小伙子了。|老大娘十分感谢小伙子的帮助。

【小姐】 xiǎojie 〔名〕

对年轻女子的尊称。(a young lady;Miss)常做主语、宾语、定语、称呼语。[量]个,位。

例句 飞机上的服务小姐简称"空姐"。|他对面坐着一位小姐,一路上一直看着车窗外面,没说一句话。|那位服务员小姐的态度好极了。|小姐,结账。

【小麦】 xiǎomài 〔名〕

主要的粮食作物,一年或两年生,子实加工成面粉;这种作物的子实。(wheat)常做主语、宾语、定语。[量]棵,种,粒。

例句 小麦主要生长在中国北方。|小麦分春小麦和冬小麦两种。|今年国家按保护价收购小麦。|积雪有利于冬小麦的生长。|小麦的加工水平影响面粉的质量。

【小米】 xiǎomǐ 〔名〕

去皮后的粟(谷子)的子实。(millet)常做主语、宾语、定语。[量]粒,颗。

例句 小米营养价值很高。|山西、山东都盛产小米。|早饭准备的是小米粥。|现在,小米的价钱比大米的还高些。

【小朋友】 xiǎopéngyǒu 〔名〕

儿童;对儿童的称呼。(children;little boy or girl)常做主语、宾语、定语、称呼语。[量]个,位。

例句 幼儿园的小朋友正在院子里做游戏。|老师正在教小朋友唱歌。|现在比一比,看看哪个小朋友的衣服穿得最快。|小朋友,你长大了想做什么呢?

【小时】 xiǎoshí 〔名〕

时间单位,一天一夜分为 24 个小时。(hour)常做主语、宾语、补语。[量]个。

例句 1 小时是 60 分钟。|还有两个小时,去飞机场来得及。|1 天等于 24 个小时。|为了按时完成任务,他每天都工作十几个小时。|我们都等你半个小时了,你怎么才来?

辨析 〈近〉钟头。"小时"可用于书面语,也可用于口语,"钟头"常用于口语;"小时"有时可以不用量词"个","钟头"一般都用量词"个"。如:* 一昼夜等于 24 个钟头。("钟头"应为"小时")|我都来了两个钟头了。

【小数】 xiǎoshù 〔名〕

十进分数的特殊表现形式,如 3/10

可以写成 0.3；501/100，可写作 5.01。在小数中间用的符号“.”叫小数点。(decimal)常做主语、宾语、定语。[量]个。

例句 小数可以换成分数，如“0.33”就可以写成 33/100。|这道题的结果是个小数。|小数的加减法我已经学会了。|π≈3.1415926…它是个无限不循环小数。

【小数点】 xiǎoshùdiǎn 〔名〕
小数(如 0.29)中间的符号“.”叫做小数点。(decimal point)常做主语、宾语、定语。[量]个。

例句 小数点要写清楚。|有一道题，我少写了一个小数点，所以全部错了。|计算小数时，一定要弄准小数点的位置。

【小说】 xiǎoshuō 〔名〕
一种叙事性的文学体裁(tǐcái)，通过人、情节、环境的描述来表现社会生活。(novel; fiction)常做主语、宾语、定语。[量]部，篇。

例句 小说可分为长篇小说、中篇小说、短篇小说、小小说等几种。|小说有人物、环境、情节三要素。|因为昨天晚上看小说看得太晚，上班都迟到了。|现在，小说的作者常参加签名售书活动。|这部小说的情节十分吸引人。

【小提琴】 xiǎotíqín 〔名〕
乐器的一种，有七根弦，体积小，发音较高。(violin)常做主语、宾语、定语。[量]把。

例句 小提琴是一种西洋乐器，它的声音非常优美。|小时候，她学过小提琴。|欧洲著名的小提琴演奏家将来华演出。|小提琴协奏曲《梁祝》非常动人。

【小心】 xiǎoxīn 〔动/形〕
〔动〕注意；留神。(take care; be careful; be cautious)常做谓语。

例句 一路上你要小心自己的身体。|(标牌)小心油漆！|小心别烫着！|天凉了，小心别感冒了。|下雪了，路很滑，一不小心就会摔跤。

〔形〕谨慎；仔细。(careful)常做谓语、状语、定语。

例句 做这项工作要非常小心。|护士小心地把病人扶下床。|他是个小心谨慎的人。

【小心翼翼】 xiǎoxīn yìyì 〔成〕
原来形容恭敬严肃的样子，后来形容举动十分谨慎，一点儿不敢疏忽。(with the greatest of care; very cautiously)常做谓语、状语、补语、定语。

例句 他不论做什么事，都小心翼翼的。|女儿小心翼翼地给我包扎好手上的伤口。|大家小心翼翼地从冰河上走过去。|这件事发生后，大家做事说话都要变得小心翼翼了。|服务员端着一盘子菜，一副小心翼翼的样子。

辨析 〈近〉谨小慎微。“小心翼翼”着重形容十分小心；“谨小慎微”表示过分小心，以至缩手缩脚，含贬义。如：* 她不喜欢小心翼翼的男人。(应为“谨小慎微”)

【小型】 xiǎoxíng 〔形〕
形状、型号或规模小的。(small-sized)常做定语。

例句 老张家买了一辆小型拖拉机。|这种小型的轻便沙发很实用。|大家都把小型公共汽车叫做“小公共”。|请十几个人来开个小型座谈会，可以吧？

X

【小学】 xiǎoxué 〔名〕

对儿童、少年进行初等基础教育的学校。(primary school)常做主语、宾语、定语。[量]所。

例句 这所小学是用“希望工程”款建的。|我们区共有十所小学。|我是从这所小学毕业的。|前不久,我们小学同学聚会,大伙儿兴奋极了。

【小学生】 xiǎoxuéshēng 〔名〕

接受小学教育的少年儿童。(primary school pupil)常做主语、宾语、定语。[量]个,位。

例句 一队小学生手拉着手过马路。|“老奶奶,您坐吧!”让座的是一个背着书包的小学生。|减轻小学生学习负担已经成了全社会关注的问题。|小学生的课外活动应该丰富多彩一些。

【小子】 xiǎozi 〔名〕

❶ 男孩子。(boy)常做主语、宾语、定语。[量]个。

例句 还是小子比丫头力气大。|去年她生了个胖小子。|这闺女像个小子模样。

❷ 人,用于男性,含轻蔑的意味。(bloke; fellow)常做主语、宾语,也做称呼语。[量]个。

例句 那个小子真不够朋友!|他小子太欺负人了。|小子!你敢骂人?!|邻居的儿子是个坏小子。

【小组】 xiǎozǔ 〔名〕

为工作、学习等而组成的小集体。(a small group)常做主语、宾语、定语。[量]个。

例句 几年来,我们电工小组一直是厂里的先进生产小组。|口语比赛分两个小组进行。|同学们可以按自己的兴趣参加不同的课外活动小组。|每个星期我都参加一次书法小组的活动。|王教授是我们小组的顾问。

【晓】 xiǎo 〔名/动〕

〔名〕天刚亮的时候。(dawn; daybreak)常用于构词或固定短语中。

词语 拂晓 破晓 晓雾 鸡鸣报晓 晓行夜宿

例句 天刚破晓,我们就上路了。|部队晓行夜宿,整整五天,才到达了目的地。

〔动〕知道;使知道。(know; let sb. know; tell)常用于构词或固定短语中。

词语 晓畅 晓得 通晓 家喻户晓 晓以利害

例句 王老师通晓唐诗宋词。|你应该对她晓之以理,动之以情。

【晓得】 xiǎode 〔动〕

知道。(know)常做谓语。

例句 我也不晓得他家的电话。|他自己晓得该干什么。|你晓得他什么时候回国吗?|为什么会发生这样的事,我一点儿也不晓得。

辨析 〈近〉知道。“晓得”是方言词,是口语;“知道”可用于口语,也可用于书面语。

【孝】 xiào 〔形/名〕

〔形〕尽心奉养,服从父母。(filial)常用于构词,也做谓语。

词语 孝顺 孝敬 孝道 孝心 孝子

例句 他可是个孝子啊!|对父母不孝,对别人也很难诚心诚意。

〔名〕丧服;孝顺的心意。(mourning; filial piety)常做宾语。

例句 长辈死后,小辈一般要穿孝。

|他给奶奶戴孝。|平时我不在家，现在爸爸病了，我要多陪陪爸爸，尽尽孝。

【孝顺】 xiàoshùn 〔形〕

尽力奉养父母，顺从父母的意志。(filial)常做谓语、定语、补语。

例句 他们这几个孩子都挺孝顺的。|我是独子，不孝顺怎么行呢？|咱们小琴是个孝顺的孩子。|在媳妇的影响下，儿子也变得孝顺多了。

▶“孝顺”也做动词，可带宾语。如：孝顺父母是一种美德。

【肖像】 xiàoxiàng 〔名〕

以某一个人为主体的画像或照片(多指没有风景陪衬的大幅相片)。(portrait; portraiture)常做主语、宾语、定语。[量]幅，张。

例句 这张人物肖像画得十分成功。|哪位画家最擅长画肖像？|她还会绣肖像呢。|展出的几幅肖像作品艺术价值都很高。

【校】 xiào 〔名〕

学校。(school)常做主语、宾语、定语。也用于构词。

词语 学校 校风 校庆 校友 夜校

例句 我们全校共有三百名留学生，来自十五个国家。|开学时，同学们要按时返校。|这是我们学校的旧校址。|贵校的管理是一流的。

【校徽】 xiàohuī 〔名〕

学校成员佩带在胸前的的标明校名的徽章。(school badge)常做主语、宾语、定语。[量]枚。

例句 教工的校徽一般是红底白字；学生的校徽一般是白底红字。|学校规定：学生必须佩带校徽才能进校。|你们校徽上的字真漂亮。

【校园】 xiàoyuán 〔名〕

泛指学校范围内的地面。(campus; school grounds)常做主语、宾语、定语。[量]个。

例句 我们学校的校园特别大。|学校号召同学们利用周末绿化、美化校园。|晚上，校园的公共场所如图书馆、教室楼都灯火通明。|市政府对各学校校园的周边环境进行了统一整治。

【校长】 xiàozhǎng 〔名〕

学校中的最高负责人。(headmaster; principal; president)常做主语、宾语、定语。[量]个，位。

例句 我们学校的校长是一位有名的书法家。|校长向学生宣布了学校的规章制度。|他最近被提升为副校长。|下面，请校长发奖。|现在校长的重要职责之一是解决办学经费问题。

【笑】 xiào 〔动〕

❶ 露出愉快的表情；发出欢喜的声音。(smile; laugh)常做谓语、宾语、定语。

例句 这孩子才三四个月就会笑了。|看着小孙子玩得那么开心，爷爷奶奶笑得合不上嘴。|朋友的信写得太有意思了，我看着看着忍不住笑出声来。|她从小就爱笑，脸上总带着笑模样。|姐姐笑着把录取通知书放在了我的手上。

❷ 笑话别人。(ridicule; laugh at)常做谓语。

例句 我汉语说得不好，你别笑我。|同伴都笑他没能耐。|你也不会游泳，怎么倒笑起别人来了？

【笑话】 xiàohuà 〔名/动〕

X

〔名〕能引人发笑的谈话或故事;供人当做笑料的事情;笑柄。(joke;jest)常做主语、宾语、定语。[量]个,则。

例句 这几个笑话可有意思了,你看看吧。|爷爷最会讲笑话。|因为语言不通,我在那儿闹了不少笑话。|他可是个笑话大王,能让你笑破肚子。

〔动〕耻笑。(ridicule;laugh at)常做谓语。

例句 别的小朋友学习不好,你应该帮助他,不应该笑话他,记住了吗?|不要笑话别人家里穷,我们也不过是刚富起来。|笑话残疾(cánjí)人是不道德的。|只要尽力了,就不怕别人笑话。

【笑容】 xiàoróng 〔名〕

含笑的神情。(smile;smiling expression)常做主语、宾语。[量]副。

例句 外婆那慈祥的笑容深深地留在我的记忆中。|他笑容满面。|儿子考上了北京大学,母亲的脸上露出了欣慰(xīnwèi)的笑容。|突然到来的不幸,使他脸上失去了往日的笑容。

【笑容可掬】 xiàoróng kě jū 〔成〕

形容满脸堆笑的样子。(show pleasant smiles; be radiant with smiles)常做谓语、定语、状语。

例句 酒店服务员个个笑容可掬,服务非常周到。|面对着他笑容可掬的样子,我们的气也消了大半。|老人笑容可掬地握住我的手。

【笑逐颜开】 xiào zhú yán kāi 〔成〕

形容眉开眼笑,非常高兴。(beam with smiles; one's face wreathed in smiles)常做谓语、定语。

例句 听到儿子考上了北京大学,老俩口笑逐颜开。|看着孩子们一张张笑逐颜开的小脸,张老师感到十分欣慰。

【效】 xiào 〔素〕

❶ 某种力量或做法产生的结果。(effect)常用于构词或固定短语中。

词语 效果 有效 无效 效益 效力 失效

例句 这种药对胃病很有效。|这份证明已经失效了,需要再开一份。|3号运动员犯规,进球无效。

❷ 摹仿。(follow the example of;imitate)用于构词或固定短语中。

词语 效法 效仿 仿效 上行下效

❸ 为别人或集团献出(力量或生命)。(devote to)用于构词。

词语 效忠 效劳 效力 效命

例句 他一直效忠于公司。|愿为大家效劳!

【效果】 xiàoguǒ 〔名〕

由某种力量、做法或因素产生的结果(多指好的)。(effect;result)常做主语、宾语、定语。[量]个,种。

例句 这位青年教师讲课的效果不错。|这个电影院的音响效果好极了,但影像效果不太好。|我都吃了两天药了,但是没有一点儿效果。|广告打出去以后,收到了令人满意的效果。|教学效果的好坏,要看学生对知识的掌握情况。

【效力】 xiàolì 〔名/动〕

〔名〕事物所产生的有利作用。(effect)常做主语、宾语。[量]种。

例句 煎(jiān)药的方法不对,药的效力会受到影响。|你的这些材料,没有法律效力。|没想到,师傅的话

在他心中产生了一种特殊的效力。

〔动〕出力服务。(serve; render a service to)常做谓语(不带宾语、补语)、定语,中间可插入其他词语。

例句 毕业后,你马上回去,为国效力。|我们都愿意为母校效点儿力。|他一直没有为她效力的机会。

【效率】 xiàolǜ 〔名〕

单位时间内完成的工作量。(efficiency)常做主语、宾语、定语。[量]种。

例句 采用新技术以后,我们厂的生产效率提高了许多。|此人办事效率极高。|别光开夜车,应该讲究学习效率。|这种低效率的原因是生产技术落后。

【效益】 xiàoyì 〔名〕

效果和利益。(beneficial result; benefit)常做主语、宾语、定语。[量]种。

例句 近几年,我们厂的效益不太好。|我们办报纸,既要注意经济效益,又要注意社会效益。|没有良好的管理,就不会有高效益。|实行了效益工资,极大地调动了工人的生产积极性。

【些】 xiē 〔量〕

表示不定的数量。(some; a little more; a little)常构成短语,做主语、宾语、定语、补语。

例句 这些是大家的心意,你就收下吧。|这种练习册不错,我也要去买一些。|前些天他就回国了。|联欢会上来了好些外国朋友。|弟弟比哥哥还高些。|父亲比以前瘦了一些。

【歇】 xiē 〔动〕

❶ 休息。(have a rest)常做谓语、定语。

例句 干了半天了,咱们歇一会儿吧。|天这么热,不歇歇怎么行?|歇的时间一长,就不想动了。

❷ 停止。[stop (work, etc.); knock off]常做谓语。

例句 今天我们厂歇工。|你哪天歇班?|这个商店因为装修要歇业一个月。

【协定】 xiédìng 〔名〕

协商后订立的共同遵守的条款。(agreement; accord)常做主语、宾语、定语。[量]个,项。

例句 本贸易协定自签字之日起生效。|双方领导人签订了停战协定。|双边协定促进了两国的贸易。|两年过去了,协定的某些条款需要修改了。

【协会】 xiéhuì 〔名〕

为促进某种共同事业的发展而组成的群众性团体。(association; society)常做主语、宾语、定语。[量]个。

例句 今年,作家协会召开了两次创作理论研讨会。|许多地方都成立了消费者协会。|你们这儿也有集邮协会吗?|球迷协会的活动大概最多了。

【协商】 xiéshāng 〔动〕

共同商量,以便取得一致意见。(consult; talk things over)常做谓语、定语、宾语。

例句 除了领土问题外,其他问题我们都可以协商。|为了合并的事,两个厂都协商了好几个月了。|今天,我们大家在一起协商协商,看看能不能解决这个问题。|协商的结果还比较理想。|经过协商,双方决定共同开发旅游资源。

【协调】 xiétiáo 〔形/动〕

〔形〕配合得适当。(harmonious; concerted)常做谓语、定语、补语。

例句 你们两个人的动作还不够协调,再练练吧。|几个单位共同完成这个任务,需要解决好协调的问题。|双方合作以来,一直配合得很协调。

〔动〕使配合得适当。(coordinate; harmonize)常做谓语、宾语。

例句 大型团体操必须注意协调每队的动作。|只有经常协调产销关系才能正常生产。|这几个部门的关系,请你去协调协调。|整个工程由刘总负责指挥和协调。

【协议】 xiéyì 〔名/动〕

〔名〕国家、政党或团体间经过谈判、协商后取得的一致意见。(agreement)常做主语、宾语、定语。[量]个,项。

例句 协议规定,任何一方不得私自出售、转让此项专利。|两国已达成协议,共同开发海底石油。|双方保证遵守协议的全部条款。

〔动〕协商。(agree on)常做谓语(不带宾语)、定语。

例句 双方协议,提高收购价格。|我们是协议离婚的。|协议的结果,各方都比较满意。

辨析 〈近〉协商,协定。"协议"、"协定"既是名词又是动词;"协商"只是动词。"协商"可重叠,"协议"、"协定"不能重叠。

【协助】 xiézhù 〔动〕

帮助,辅助。(assist; help)常做谓语、宾语。

例句 我是来协助张科长工作的。|这件事请您协助协助,怎么样?|这两位老人每天早晚都在这个路口协助民警维持交通秩序。|现在我们公司遇到了困难,望贵公司予以协助。

▶"协助"也可做名词。如:有了你们的协助,我们的研究才这么顺利。|在拍摄过程中,我们得到了当地群众的大力协助。

辨析 〈近〉帮助。"协助"表示从旁帮助共同搞好;"帮助"既可表示共同搞好,也可表示代替别人搞。"协助"多用于战斗、工作等具体方面;"帮助"使用范围较广,可用于具体事物,也可用于抽象事物。如:* 你就放心出差吧,这事我一定协助你办成。("协助"应为"帮助")| * 我们得多从思想上协助他。("协助"应为"帮助")

【协作】 xiézuò 〔动〕

若干人或若干单位互相配合来完成任务。(cooperate; coordinate)常做谓语(不带宾语)、定语、宾语。

例句 我们两个单位一直协作得很好。|集团内的各个企业一定要密切协作。|旅游公司跟我们是协作单位。|这个科研项目需要我们两家进行协作。

▶"协作"也做名词。如:大家的通力协作是完成这个任务的基本保证。

【邪】 xié 〔形〕

不正当;不正常。(evil; heretical; irregular)常做谓语,也用于构词。

词语 邪道 邪路 邪说 邪门 邪气

例句 这个点子太邪了!|那小子心眼儿不正,邪着呢。|你年纪轻轻

的，可别走邪道啊！|不打击那些歪风邪气，正气就上不来。

【挟持】 xiéchí 〔动〕

从两旁抓住或架住被捉住的人（多指坏人捉住好人）。(seize sb. on both sides by the arms)常做谓语、定语。

例句 抢劫银行之后，两个歹徒各挟持了一名妇女上了车。|是个蒙面人挟持了总经理。|被挟持的人质生命安全受到威胁。

【斜】 xié 〔形〕

跟平面或直线既不平行也不垂直的。(oblique; slanting; tilted)常做谓语、定语、状语、补语。

例句 他的眼睛稍微有点儿斜。|这条路有一个很大的斜坡。|我们走这条斜道吧，近多了。|北风夹着雪片，迎面而来，我不得不斜着身子前行。|这条线你画斜了。

【携】 xié 〔动〕

拉（手）；带。(carry; take along; take sb. by the hand)常用于构词，也做谓语。

词语 携带　携手　提携

例句 让我们携起手来共同前进。|她对乘客扶老携幼，热情周到。|案发后，案犯携巨款潜逃。

【携带】 xiédài 〔动〕

随身带着。(carry; take along)常做谓语、定语。

例句 他一个人在西藏工作了八年，一直没有携带家眷。|她携带着简单的行李，匆匆上路了。|毕业时，他只携带了几箱书就来到了东北。|每位乘客可以随身携带 20 公斤物品。|上飞机前，携带的东西都要经过安全检查。

【鞋】 xié 〔名〕

穿在脚上走路时着地的东西。(shoes)常做主语、宾语、定语，也用于构词。[量]双，只。

词语 皮鞋　凉鞋　运动鞋　拖鞋　鞋油

例句 孩子的鞋又小了。|布鞋又轻又软，穿起来很舒服，你不去买一双吗？|不少学生都喜欢穿旅游鞋。|鞋的保修期一般是三个月。

【写】 xiě 〔动〕

❶ 用笔在纸上或其他东西上做字。(write)常做谓语、定语。

例句 这几位外国人写汉字写得这么好。|他常常给爸爸妈妈写信。|这孩子每天都在这块小黑板上写字、画画儿。|安娜写的汉字得到了老师的表扬。

❷ 文学创作。(compose; write)常做谓语。

例句 他以前写过诗，现在常写散文。|退休以后，父亲写了一部回忆录。|这部长篇小说，她写了整整三年。

❸ 描绘。(describe)常用于构词。

词语 抒写　写实　写生　写真

例句 周末去郊外写生怎么样？

【写作】 xiězuò 〔动〕

写文章（有时专指文学创作）。(writing)常做主语、宾语、定语。

例句 写作并不是件容易的事。|他从中学起就喜欢写作。|想好了提纲以后，王教授便开始动手写作了。|我们一周有 4 节写作课。|写作小组一共有十几个同学。

【血】 xiě 〔名〕 另读 xuè

在血管中流动的红色液体。

(blood)常做主语、宾语、定语。[量]滴,点儿。

例句 病人的血流得太多,现在需要马上输血。|前边出了车祸,地上有一大滩血。|请明天早上空腹来抽血化验。|我们要记住这血的教训。

▶"血"在双音节词、固定短语中,除"血淋淋"、"血糊糊"等,常读"xuè"。

【泄】 xiè 〔动〕

❶ 液体、气体排出。比喻人松劲儿。(let out; release)常做谓语。

例句 气球里的气都泄光了。|劲儿可鼓不可泄。|必要的时候,我们就开闸(zhá)泄洪。|听到落榜的消息,他就像一只泄了气的皮球,一下子没了精神。

❷ 秘密被人知道了。〔let out(a secret)〕常做谓语。

例句 有人早给他泄了底。|你放心,我泄不了密。

❸ 尽量地发出。(give vent to; vent)常做谓语。

例句 你不能在工作中泄私愤。|说几句,泄泄怨气就算了。

【泄露】 xièlòu 〔动〕

不应该让人知道的事情让人知道了。(let out; reveal)常做谓语。

例句 喝醉酒以后,李处长向对方泄露了公司的底细。|把国家的经济情况泄露给外国间谍(jiàndié)是一种犯罪。|她无意间泄露了下岗人员的名单。|泄露的机密使我们的工作陷入了被动。

【泄气】 xiè qì 〔动短〕

失去信心和干劲。(lose heart; feel discouraged)常做谓语(不带宾语)、定语。中间可插入成分。

例句 三次高考都失败了,弟弟完全泄气了。|这次比赛成绩不太好,可你不要泄气,下次继续努力!|你应该给大家鼓鼓劲儿,不应该泄大家的气嘛。|别说泄气话了。|他像一只泄了气的皮球,一点劲儿都没有了。

辨析 〈近〉灰心、气馁。"泄气"、"灰心"是动宾式短语,中间可插入成分;"气馁"是形容词。"泄气"可形容气球、皮球等;"灰心"、"气馁"常与人搭配。如:他非常气馁地说了些泄气的话。|* 别干那些灰心的事。("灰心"应为"泄气")

【泻】 xiè 〔动〕

❶ 很快地流。(flow swiftly)常做谓语(不带宾语)。

例句 大河奔流,一泻千里。|泉水从山石上泻下来,形成飞瀑。|月光如流水一般,静静地泻在绿色的草地上。

❷ 拉肚子。(have loose bowels; have diarrhoea)常做谓语。

例句 这孩子经常泻肚子。|昨天不知吃了什么,她上吐下泻。|这么一会儿就泻了三次了。

【卸】 xiè 〔动〕

❶ 把运输的东西从运输工具上搬下来或把零件从机械上拆下来。(unload; discharge)常做谓语。

例句 我们三个人一组,有的卸砖,有的卸水泥,有的卸沙子。|大家很快就把一车皮货卸完了。|先得把轮胎卸下来才能修。|这种机器我不熟悉,卸不开。

❷ 把加在人身上的东西取下来或去掉。(remove; strip)常做谓语。

例句 演员正在后台卸妆呢。|任务完成了,我也卸下了一副重担。|他思想上的压力很大,你劝劝他,帮他卸卸包袱吧。

【屑】 xiè 〔名/动〕

〔名〕碎末。(bits;scraps)常做主语、宾语。[量]点儿,些。

例句 这些碎纸屑是谁弄的?|炸的时候,在肉的外边裹点儿面包屑。|门口又有水又有泥,在地上洒些木屑吧。

〔动〕认为值得(做)。(consider sth. to be worth doing)常做谓语,一般用于否定意义。

例句 这点儿小事不屑一提。|他很傲慢,对我们几个常常是不屑一顾的样子。|她是个名演员,一定不屑扮演这样的小角色。

【谢】 xiè 〔动〕

❶ 用言语等表示感激。(thank)常用于构词。常做谓语、定语。

词语 谢谢 感谢 酬谢 谢意

例句 这点儿小事不用谢了。|是他帮了你的忙,你该谢他。|要谢的人是你自己,如果你自己不努力、不刻苦,谁又帮得了你呢?

❷ (花或叶子)脱落。[(of flowers, leaves) wither]常用于构词。做谓语。

例句 这种花特别好看,但只开一天就谢了。|不知为什么,花和叶都谢了。

【谢绝】 xièjué 〔动〕

委婉地拒绝。(politely refuse; decline)常做谓语。

例句 科长谢绝了客户赠送的礼物。|门上挂了一块牌子,上面写着:"谢绝推销。"|老同学婉言谢绝了我的邀请。|小刘的请求又一次遭到了谢绝。|这一次谢绝的理由是他要加班。

辨析 〈近〉拒绝。"谢绝"指有礼貌地拒绝,言辞比较委婉,常用于书面语。"拒绝"指不接受,语义较重,态度强硬,多用于口语。"谢绝"常与"盛情"、"好意"、"参观"、"邀请"、"采访"、"会客"等搭配;"拒绝"常与"接受"、"回答"、"请求"、"诱惑"等搭配。如:*这种邀请,他已经拒绝过多次了。("拒绝"应为"谢绝")|*拒绝会客。("拒绝"应为"谢绝")|*谢绝诱惑。("谢绝"应为"拒绝")

【谢谢】 xièxie 〔动〕

向人表示谢意。(thank)常做谓语。

例句 你应该好好谢谢这位服务员小姐。|谢谢大家的关心和帮助。|谢谢你帮了我这么多忙。|A:我来帮你提箱子吧。B:谢谢!

辨析 〈近〉感谢。"谢谢"常用于口语,可以单说,不做定语、宾语,也不与表程度的词语搭配。"感谢"可用于书面,不单说,可做定语、宾语,可与表程度的词语配合。如:*老人连续说了几遍谢谢的话。("谢谢"应为"感谢")|*表示衷心的谢谢。("谢谢"应为"感谢")|A:送给你一件小礼物,请收下。B:①谢谢。(*感谢)②非常感谢。(*非常谢谢)

【心】 xīn 〔名〕

❶ 人和高等动物体内推动血液循环的器官。(the heart)常做主语、宾语。[量]颗,个。

例句 人心脏的大小跟本人的拳头

差不多。|面试的时候,我紧张得心都要蹦出来了。|有的人很喜欢吃猪心。|我想吃点儿强心健脾的药。

❷ 思想;感情。(mind; feeling)常做主语、宾语、定语。[量]颗。

例句 我没做错什么,所以我心安理得。|不知为什么,他今天总是心不在焉。|他带着一颗受伤的心离开了。|说句心里话,谁不想家?|人和人之间需要的是心的沟通和交流。

❸ 中心,中央部分。(center; core)常做主语、宾语。

例句 她的眉心有颗黑痣。|圆心是跟圆周上各点距离相等的一点。|她把糖放在手心上,让小孙女走过来拿。|一艘船在江心沉了。

【心爱】 xīn'ài 〔形〕

衷心喜爱。(loved; treasured)常做定语。

例句 她心爱的女儿去美国了。|这把小提琴是他最心爱的东西。|我爸爸把心爱的书弄丢了。|毕业时她随心爱的人一起去了西藏。

【心不在焉】 xīn bú zài yān 〔成〕

心思不在这里。形容思想不集中。(absent-minded; inattentive)常做谓语、定语、状语。

例句 老师讲着课,他却在下面东张西望,心不在焉。|老李还想再说,但看对方心不在焉,就打住了。|考试时,心不在焉的比尔把自己的名字写错了。|他一边看电视,一边心不在焉地写着作业。

【心得】 xīndé 〔名〕

在工作、学习活动中体验或领会到的知识、技术、思想、认识等。(what one has learned from work, study, etc.)常做主语、宾语、定语。[量]篇。

例句 这篇心得写得很深刻、很实际。|假期时,老师让我每周写两篇读书心得。|我愿意把我的学习心得介绍给大家。|这是我的心得笔记。

【心花怒放】 xīn huā nù fàng 〔成〕

心里高兴得像鲜花盛开一样。(burst with joy; be wild with joy; be elated)常做谓语、补语。

例句 他听了这消息以后,不禁心花怒放。|小黄满面春风,心花怒放,就等着做新郎了。|他高兴得心花怒放。

【心灰意懒】 xīn huī yì lǎn 〔成〕

灰心失望,意志消沉。(be dispirited; be disheartened; be downhearted)常做谓语、定语、状语。

例句 他心灰意懒,不愿再干下去了。|他看见李春一个人心灰意懒的样子,觉得很奇怪。|小王心灰意懒地低头坐在沙发上,半天一动不动。

【心惊肉跳】 xīn jīng ròu tiào 〔成〕

形容十分恐惧不安。(palpitate with anxiety and fear; be jumpy)常做谓语、定语、状语。

例句 他一听警笛响就心惊肉跳,害怕是来抓自己的。|听到响声,心惊肉跳的小华用被子蒙住了头。|晚上她只好一个人心惊肉跳地呆在家里。

【心理】 xīnlǐ 〔名〕

❶ 人的头脑反映客观现实的过程,也指感觉、知觉、思维、情绪等。(psychology)常做主语、宾语、定语。

例句 心理是脑的机能。|她专门研究儿童心理。|这是一种正常的心理现象。

❷ 泛指人的思想、感情等内心活

动。(feeling;mentality)常做主语、宾语、定语。

例句 年轻人的心理有时不被老人理解,而老人的心理有时也不被年轻人理解,大概这就是造成代沟的原因之一吧?|工作生活顺利就高兴,不顺利就烦恼,这是很正常的心理。|经过激烈的心理斗争,我决定参加明天的比赛。|这次比赛中,他心理状态欠佳,没有得到好名次。|人的心理年龄和生理年龄常常是不一致的。

【心里】 xīnli 〔名〕

❶ 胸口内部。(in the heart; at heart)常做主语、定语。

例句 最近,他常常觉得心里发闷。|吃过药后,我感觉心里舒服多了。|晕船时,心里的难受劲儿简直没法说。

❷ 思想里,头脑里。(in the mind)常做主语、宾语、定语。

例句 心里怎么想就怎么说。|有烦恼就说出来,别闷在心里。|雷锋永远活在人民的心里。|我能猜得出你心里的秘密。

【心灵】 xīnlíng 〔名〕

指内心、精神、思想等。(heart; soul;spirit)常做主语、宾语、定语。

例句 这个女孩子长得不漂亮,但心灵很美。|她的心灵曾经受过很大的刺激,所以精神一直不太好。|父母的离异,常常会使孩子幼小的心灵受到伤害。|人们常说:眼睛是心灵的窗户。|心灵的创伤常常更难治愈。

▶"心灵"还做主谓短语,常与"手巧"搭配。如:她是个心灵手巧的姑娘。|从小就学会使用筷子,可以让孩子们心灵手巧。

【心满意足】 xīn mǎn yì zú 〔成〕

内心感到满足。(be perfectly content;be fully satisfied)常做谓语、定语、状语。

例句 只要一辈子不愁吃,不愁穿,我就心满意足了。|他脸上带着心满意足的笑容接待着来客。|看到儿女们都长大成人,张大爷心满意足地笑了。

【心目】 xīnmù 〔名〕

指想法和看法。(mind; mental view)常做定语,多与"中"配合。

例句 在大家的心目中,王局长是最好的领导。|他心目中只有别人,唯独(wéidú)没有他自己。|她觉得小李就是自己心目中的白马王子。

【心平气和】 xīn píng qì hé 〔成〕

心情平定,态度温和。(even-tempered and good-humored; calm)常做谓语、定语、状语。

例句 常看看蓝色的大海,可以使人心平气和。|看到他心平气和的样子,我的火气也慢慢地消了。|小李没发火,而是心平气和地跟我谈了一下午。

【心情】 xīnqíng 〔名〕

感情状态。(state of mind;mood)常做主语、宾语、定语。[量]种。

例句 30年后再相见,老同学们的心情都很激动。|我怀着崇敬(chóngjìng)的心情采访了这位英雄。|海水、沙滩和带着咸味的微风使她的心情渐渐地平静下来。|心情的好坏有时和天气有关系。

【心事】 xīnshì 〔名〕

心里盘算(多指感到为难的事)。(a load on one's mind)常做主语、宾语。[量]桩,点儿,些。

例句 她最近总是心事重重的。|我有桩心事,也不知该不该对你说。|杜老师常常一个人低着头想心事。|小张最近常常无精打采,好像有什么心事。

【心思】 xīnsi 〔名〕

❶ 想法;念头。(thought; idea)常做主语、宾语。

例句 他的心思,我怎么知道?|想去留学的心思她早就有,只是一直没有机会。|我一下子就猜中了姐姐的心思。

❷ 脑筋。(thinking)常做宾语。

例句 这件事办不成,你别白费心思了。|为了达到目的,他简直挖空了心思。

❸ 想做某件事的心情。(mood; state of mind)常做主语、宾语。[量]点儿。

例句 这件麻烦事弄得他一点儿心思都没有。|明天就是新年了,谁也没心思学习。|儿子病了,你还有心思去参加聚会?|明天就考试了,我哪儿有心思闲聊天?

【心态】 xīntài 〔名〕

心理状态。(psychology; state of mind)常做主语、宾语、定语。[量]种,个。

例句 对待这个问题,大家心态各异。|不管遇到什么情况,都应该保持良好的心态。|心态的好坏,主要在于自己的调整。

【心疼】 xīnténg 〔动〕

疼爱;舍不得;惋惜。(love dearly; feel sorry; be distressed)常做谓语、定语、状语、宾语。

例句 奶奶最心疼她的小孙子。|儿女受了伤,父母怎能不心疼?|那对古董花瓶打破了,实在心疼得很。|妹妹最心疼的小狗被人偷走了。|母亲十分心疼地看着孩子烫伤的手。|看到国家的财产遭到破坏,大家都觉得非常心疼。

【心头】 xīntóu 〔名〕

心上。(heart; mind)常做主语、宾语、定语。

例句 她不能说什么,心头像堵了东西似的,闷得慌。|重逢时千言万语涌上了心头。|妈妈说的这些,我一定牢牢记在心头。|我来帮你解开心头的疙瘩(gēda)。

【心血】 xīnxuè 〔名〕

心思和精力。(painstaking care)常做主语、宾语、定语。

例句 她一生的心血都倾注在教育事业上。|为了实验的成功,大家付出了多少心血啊!|父母为子女不论耗费多少心血都心甘情愿。|这部著作是他一生心血的结晶。

辨析 〈近〉血汗。"心血"着重表示有关脑力方面劳动;"血汗"着重表示有关体力方面的劳动。"心血"做宾语常与"倾注、耗费"等动词搭配。如:* 这项科研成果倾注了他们的多少血汗哪。("血汗"应为"心血")

【心眼儿】 xīnyǎnr 〔名〕

❶ 内心;心地;存心。(heart; mind; intention)常做主语、宾语。

例句 他呀,心眼儿好着呢。|儿子这么有出息(chūxi),妈妈打心眼儿里高兴。|俗语说:"狐狸给鸡拜年,没安好心眼儿。"

❷ 聪明、智慧。(cleverness; intelligence)常做主语、宾语。

例句 小王的心眼儿可多了,你不用为他担心。|他有心眼儿,什么事

都想得很周到。|你走上社会了,凡事得长个心眼儿。

❸ 对人的不必要的顾虑和考虑;气量(指小或窄)。(unfounded doubts; unnecessary misgivings; tolerance)常做主语、谓语、补语、定语,常与"小"配合。

例句 她心眼儿小,别跟她一般见识。|你的心眼儿就像针眼儿那么大,这怎么行呢?|跟同事们相处,可别太小心眼儿。|他人老了,变得有点儿小心眼儿了。|我可不是小心眼儿的人。|王大妈这个人心直口快,一点儿心眼儿都没有。

【心意】 xīnyì 〔名〕

对人的情意;意思。(regard; kind feelings; intention; purpose)常做主语、宾语。[量]片,份,点儿。

例句 你的心意我领了,可这礼物太贵重,还是带回去吧。|我们送她束鲜花,表表心意吧。|这是大家的一片心意,请您一定接受邀请。|因为语言不通,我无法表达我的心意。

【心愿】 xīnyuàn 〔名〕

愿望。(cherished desire; aspiration; dream; wish)常做主语、宾语、定语。[量]个。

例句 我从小的心愿就是当一名医生,但这个心愿始终没能实现。|我们在长城上遇到了一位老华侨,登长城是他多年的心愿。|合家团圆是每个人的心愿。|美好心愿的实现需要自己不懈的追求和努力。

【心脏】 xīnzàng 〔名〕

人和高等动物推动血液循环的器官,也比喻中心。(the heart; the central or most vital part of anything)常做主语、宾语、定语。[量]个,颗。

例句 他的心脏跳动得很有力。|医生为我移植(yízhí)了一颗心脏。|北京是中国的心脏。|上个月,爷爷做了一次心脏手术。

【心直口快】 xīn zhí kǒu kuài 〔成〕

性情直爽,有话就说。(frank and outspoken; saying what one thinks without much deliberation)常做谓语、定语。

例句 他这个人心直口快,有啥说啥。|我喜欢跟心直口快的人交朋友。

【心中】 xīnzhōng 〔名〕

心里。(in the heart; in the mind)常做主语、宾语、定语。

例句 她的心中充满了忧伤。|那位英雄将永远活在人民的心中。|年轻人心中的激情像火一样燃烧着。|她强忍着心中的悲痛,安慰着父母,照顾着儿子。

【辛】 xīn 〔素/名〕

〔素〕辣;身心劳苦或痛苦。(hot; hard; suffering)用于构词或固定短语中。

词语 辛辣 辛苦 辛勤 艰辛 辛酸 含辛茹苦

例句 胡椒,味辛辣。|他从小没有父亲,母亲含辛茹苦把他抚养大。

〔名〕天干的第八位。(the eighth of the ten Heavenly Stems)

词语 甲乙丙丁戊己庚辛壬癸 辛丑年

例句 1911年是农历辛亥年,所以这一年推翻帝制的革命称为"辛亥革命"。

【辛苦】 xīnkǔ 〔形/动〕

〔形〕身心劳苦。(hard;laborious)常做谓语、定语、状语、补语。

例句 考大学前每天要学习十几个小时,太辛苦了。|煤矿工人的工作辛苦得很。|她现在才知道了辛苦的滋味。|父母辛辛苦苦地操劳了一辈子。|这两年,我做得很辛苦。

〔动〕客套话,用于求人做事。(work hard;go to great trouble;go through hardships)常做谓语。

例句 这件事就辛苦你了。|这稿子要得急,今天晚上你要辛苦一下了。|请各位辛苦辛苦帮个忙吧。|经理要看这份合同,辛苦你跑一趟,马上送去吧。

【辛勤】 xīnqín 〔形〕

辛苦勤劳。(hardworking;industrious)常做定语、状语。

例句 教师就好像是辛勤的园丁一样。|一群辛勤的小蜜蜂在鲜花丛中采蜜。|她们在辛勤地培育着下一代。|每天,环卫工人都十分辛勤地忙碌在大街小巷中。

辨析 〈近〉勤劳。"辛勤"着重指身心劳苦而勤恳,多用来形容人及工作劳动等;"勤劳"着重指劳动多,不怕辛苦,多用于形容人、民族及习惯、作风、品德等。"辛勤"多做状语,也做定语;"勤劳"多做定语,也做谓语。如:* 妈妈很辛勤。("辛勤"应为"勤劳")|* 她具有辛勤的美德。("辛勤"应为"勤劳")

【欣】 xīn 〔素〕

喜悦。(glad;happy;joyful)用于构词或固定短语。

词语 欣赏 欢欣 欣喜 欣慰 欣逢佳节 欣然前往

例句 见到儿子的入学通知书,她的脸上露出了欣慰的笑容。|王老师欣然接受了同学们的邀请。

【欣赏】 xīnshǎng 〔动〕

❶ 享受美好的事物,领略其中的趣味。(appreciate; enjoy)常做谓语、定语。

例句 他久久地欣赏着那幅名画。|我们登上长城,欣赏着长城内外的壮观景象。|这种音乐,我欣赏不了。|每个人的欣赏眼光都不同。

❷ 认为好,喜欢。(like; admire)常做谓语、定语。

例句 许多外国朋友都很欣赏中国书画。|总经理十分欣赏他的才干。|校长对学生的做法持一种非常欣赏的态度。

【欣欣向荣】 xīnxīn xiàng róng 〔成〕

形容草木茂盛;比喻事业蓬勃发展。(thriving;prosperous)常做谓语、定语。

例句 一场春雨过后,公园里的花草树木欣欣向荣,茁壮成长。|在全体员工的共同努力下,公司的发展欣欣向荣。|祖国到处是一派欣欣向荣的景象。|城北就是欣欣向荣的经济技术开发区。

【锌】 xīn 〔名〕

金属元素,符号 Zn。[zinc(Zn)]常做主语、宾语、定语。

例句 锌俗称白铅。|铁板镀上锌,可以防锈。|这孩子的病是缺锌造成的。|锌的质地比较脆(cuì)。|电池里有锌片。

【新】 xīn 〔形〕

❶ 刚出现的或刚经历到的。(new; fresh)常做定语。

例句 春天来了,田野里到处是一片片新绿。|今年种的白菜都是新

品种。|第一次坐飞机时,有一种新感觉。

❷ 没有用过的;不用于过去的人或事物。(brand new; unused)常做谓语、定语。

例句 这房子还很新。|用电脑考试是新方法。|他的师傅创造出了一种新工艺。|为了参加毕业典礼,他买了一套新西服。

❸ 刚。(newly; recently)常做状语。

例句 我们学校新建了一座教学楼。|山田新买了一套《汉语大词典》。|附近有一家新开的超市。|新来的总经理姓王。

【新潮】 xīncháo 〔名/形〕

〔名〕新的潮流。(new fashion; new trend)常做宾语。[量]种,股。

例句 这是一股文艺新潮。|别盲目地追新潮。

〔形〕符合新潮的;时髦的。(fashionable)常做谓语、定语、补语。

例句 这位理发师做的发式很新潮。|她对新潮服饰最感兴趣。|现在,中老年人也变得新潮了。

【新陈代谢】 xīn chén dàixiè 〔成〕

❶ 生物体不断地从外界吸收营养物质,排出体内废物的过程。简称"代谢"。(metabolism)常做主语、宾语、定语。

例句 新陈代谢是永恒的。|生物体都在不断地进行着新陈代谢。|新陈代谢规律是客观必然的。

❷ 比喻新的事物滋生发展,代替旧的事物。(the new superseding the old)常做宾语、定语、谓语。

例句 老同志退休,年轻人接班,这也是一种新陈代谢嘛。|新陈代谢的现象在人类社会中也比比皆是。|你这些东西早就该新陈代谢了。

【新房】 xīnfáng 〔名〕

❶ 刚建成的房子。(new house)常做主语、宾语、定语。[量]套,间。

例句 他刚买的那套新房是三室两厅。|新年前,老人搬进了新房。|新房的面积比旧房大一倍还多。

❷ 新婚夫妇的卧室。(bridal chamber)常做主语、宾语、定语。

例句 姐姐的新房布置得可真漂亮。|当时结婚没房子,就临时把办公室当了新房。|新房的门上、窗户上都贴着大红的双"喜"字。

【新近】 xīnjìn 〔名〕

最近;不久前的一段时期。(recently; lately; in recent times)常做状语、定语。

例句 他家新近才搬到这里。|我新近听说小李出国了。|新近的报纸上发表了一篇他写的文章。

【新郎】 xīnláng 〔名〕

结婚时的男子。(bridegroom)常做主语、宾语、定语。[量]位。

例句 新郎是个医生,还爱好写作。|那位胸前别着小红花的就是新郎。|新郎的弟弟和我是好朋友。|新郎的个子很高,差不多有一米八。

【新年】 xīnnián 〔名〕

元旦;新的一年开始的一天。(New Year)常做主语、宾语、定语、状语。

例句 春节、新年、国庆、"五一",这几个节日都是法定休息日。|祝大家新年快乐!|我们要回老家过新年。|钟声敲了十二下,新年到了。|他新年要去女朋友的家。

【新娘】 xīnniáng 〔名〕

结婚时的女子。(bride)常做主语、

宾语、定语。[量]位。

例句 婚宴后，新郎新娘去蜜月旅行了。|40 岁时，她才成为他的新娘。|在参加集体婚礼的几位新娘中，她打扮得最漂亮。|新娘的父母都是医生。

【新人】 xīnrén 〔名〕

❶ 具有新的道德品质的人；新出现的人物。(new personality; new talent; people of a new type) 常做主语、宾语。[量]代。

例句 开学以来，学校里新人新事不断涌现。|这几位都是深受观众喜爱的文艺新人。|他们是建设祖国的一代新人。

❷ 新郎、新娘。(bride and bridegroom) 常做主语、宾语、定语。[量]对。

例句 参加集体婚礼的几对新人步入了礼堂。|望着这对幸福的新人，父母的脸上露出了欣慰的笑容。|我们都是新人的同事。

【新生】 xīnshēng 〔形/名〕

〔形〕刚产生的；刚出现的。(newborn; newly born) 常做定语。

例句 这些年轻人都是建设祖国的新生力量。|对新生事物我们应该热情扶植(fúzhí)。|她是专做新生儿护理工作的。

〔名〕❶ 新入学的学生。(a new student or pupil) 常做主语、宾语、定语。[量]个。

例句 新生全都按时报到了。|我们系今年一共招收了 40 名新生。|下面请新生代表讲话。

❷ 新的生命。(new life; rebirth; regeneration) 做宾语。

例句 心脏移植(yízhí)手术非常成功，他获得了新生。|经过帮助教育，这位失足青年又获得了新生。

【新式】 xīnshì 〔形〕

新产生的式样；新的形式或仪式。(new type) 常做定语。也用于“是…的”格式。

例句 他把家里的老式家具卖掉，换了一套新式家具。|掌握新式武器要有科学文化知识。|这个厂的机器设备都是最新式的。

【新闻】 xīnwén 〔名〕

❶ 报纸、广播、电台等报道的国内外消息。(news) 常做主语、宾语、定语。[量]条。

例句 新闻播送完了。|每天晚上的“新闻联播”我一定要看。|各大报纸都刊登了这条新闻。|他是一位新闻记者，主要负责采访文化、教育方面的新闻。

❷ 泛指社会上最近发生的新事情。(news) 常做主语、宾语、定语。[量]件，个。

例句 这学期，我们学校的新闻特别多。|城里都有什么新闻？快给我们说说。|她是我们这儿各种新闻的义务宣传员。

辨析 〈近〉消息。“消息”比“新闻”的适用范围宽，可指新闻报道或新发生的事情，也可泛指传出来的情况，还可以指音信。如：*他离家后一直没有新闻。(“新闻”应为“消息”)

【新鲜】 xīnxiān 〔形〕

❶ 没变质；没经过加工处理；没有枯萎的。(fresh) 常做谓语、定语、补语。

例句 这鱼真新鲜。|现在一年四季都可以买到各种新鲜的水果和蔬菜。|我坐在荷塘边，风带来一阵阵新鲜的荷叶荷花的香味。|每天早

上往花上喷点儿水，枝叶就又变得新鲜了。

❷ 经常流动的，不含杂质的（气体）。(fresh)常做谓语、定语、补语。

例句 山里的空气可真新鲜。|我们去海边散散步，呼吸点儿新鲜空气吧。|刚下过雪，空气变得十分新鲜。

❸ 出现不久，还不普遍；少见的；希罕。(new;rare)常做谓语、定语、宾语。

例句 你说的这事可真新鲜。|在农村，电视早就不算什么新鲜事物了。|刚来的时候，这儿的一切我都觉得新鲜。

【新兴】 xīnxīng 〔形〕

最近兴起的；处于生长或发展时期的。(new and developing; rising; burgeoning)常做定语。

例句 这是一座新兴的工业城市。|女子足球是我市一项新兴的体育活动。|信息技术产业是一种新兴产业。

【新型】 xīnxíng 〔形〕

新的类型；新式。(new type; new pattern)常做定语。也用于"是…的"格式。

例句 这是一种新型建筑材料。|这种新型机车的速度很快。|我们公司的经营管理完全是新型的。

【新颖】 xīnyǐng 〔形〕

新鲜别致。(new and original; novel)常做谓语、定语、补语。

例句 周小姐设计的几套服装款式新颖极了。|在这部影片中，他采用了一种新颖的拍摄手法。|这种手机设计得新颖别致。

【薪】 xīn 〔名〕

❶ 柴火。(firewood; faggot; fuel)常用于构词或用在固定短语中。

词语 柴薪 釜底抽薪 抱薪救火 杯水车薪

例句 正在关键的时候，你们不干了，这不是釜底抽薪吗？

❷ 薪水。(salary)用于构词，也做宾语。

词语 薪水 薪金 月薪 工薪

例句 这个职位月薪1000元。|我们都是工薪阶层。|公司月初发薪。|听说最近国家要给公务员加薪。

【薪金(薪水)】 xīnjīn(xīnshui) 〔名〕

工资。(salary; pay; wage)常做语、宾语、定语。

例句 据说外企的薪水很高。|第一次领的薪水，我都交给了妈妈。|孩子们靠父母的薪水生活。|公司员工的薪水标准每年调整一次。

【信】 xìn 〔动/名〕

〔动〕❶ 相信。(believe)常做谓语、定语。

例句 他说的事，你信不信？|小女孩不信那个陌生人的话。|大家都不信事情会这么顺利。|对老王说的话，信的人不多。

❷ 信奉。(believe in; profess faith in)常做谓语。

例句 他们全家都信佛。|我有一个信基督教的朋友。|父亲从来不信鬼神。

〔名〕❶ 书信。(letter)常做主语、宾语、定语。[量]封。

例句 这封信是刘老师的，麻烦您捎给他。|我已经很久没收到家里的信了。|男朋友每星期都给我写一封信。|女儿帮她把信的内容翻译成了汉语。

❷ 信儿，信息。(message; information)常做主语、宾语。[量]个。

例句 这信儿你先别告诉他。|事情办得怎么样，请你早点透个信儿。|请快点去给他报个信儿。

【信贷】 xìndài 〔名〕

银行存款、贷款等信用活动的总称。(credit)常做宾语、定语。

例句 为鼓励部分产业，银行实行低息信贷。|她丈夫在银行信贷部工作。|他们公司和这家银行有信贷往来。

【信封】 xìnfēng 〔名〕

装书信的封套。(envelope)常做主语、宾语、定语。[量]个。

例句 这个信封太小了，装不了生日卡。|他去邮局买了几个航空信封。|信封上贴了一张很漂亮的邮票。|信封的背面写着几个字："内有照片，勿折！"

【信号】 xìnhào 〔名〕

用来传递消息或命令的光、波、声音、动作等。(signal)常做主语、宾语、定语。[量]个。

例句 信号不太好，电视的图像不清楚。|船触礁了，船长发出求救信号。|在飞机上使用手机会干扰飞行信号。|前边路口的信号灯坏了。

【信件】 xìnjiàn 〔名〕

书信和递送的文件、印刷品等。(letter; mail)常做主语、宾语、定语。[量]些。

例句 这些信件全都是留学生的。|国庆节放假，请上班以后来取信件。|我公司专门邮寄特快专递信件。|新年、春节左右信件数量都大量增加。

【信口开河】 xìn kǒu kāi hé 〔成〕

随口乱说。(wag one's tongue too freely; talk at random; talk irresponsibly; shoot one's mouth off)常做谓语、定语、状语。

例句 他信口开河，乱说一通。|别信他，他只不过信口开河而已。|这个信口开河的家伙把什么都说出去了！|他信口开河地胡说他就是部长，别人竟也信了。

【信赖】 xìnlài 〔动〕

信任并依靠。(trust; have faith in; count on)常做谓语、定语、宾语。

例句 工人们都十分信赖这位工程师。|他是一位人民信赖的好总理。|院长用一种信赖的目光看着小王，这更坚定了他的信心。|李科长一向都非常认真，值得信赖。|他用自己的行动赢得了大家的信赖。

【信念】 xìnniàn 〔名〕

自己认为可以确信的看法。(belief; faith; conviction)常做主语、宾语。[量]个。

例句 必胜的信念是战胜困难的前提。|凭着这种坚定的信念，他终于战胜了死神。|他把信念看得比自己的生命还重要。

辨析 〈近〉信心。"信念"是中性词，表示认为可以确信的看法；"信心"是褒义词，表示相信愿望可以实现的心理。"信念"常与"坚定"、"改变"、"表明"等动词搭配；"信心"常与"满怀"、"充满"、"增强"、"缺乏"、"丧失"等动词搭配。如：* 任何挫折和困难都改变不了他必胜的信心。("信心"应为"信念")|* 一次又一次的失败并没使大家丧失信念。("信念"应为"信心")

【信任】 xìnrèn 〔动/名〕

〔动〕相信而敢于托付。(trust; have confidence in)常做谓语。

例句 他是一位劳动模范,厂长十分信任他,把最重的任务交给了他。|对这位班长,老师非常信任。|你一向工作认真负责,大家都信任你,你就干吧。

〔名〕相信。(trust)常做主语、宾语、定语。

例句 同事的信任是最可宝贵的。|朱处长的为人和能力,使他很快就赢得了领导和群众的信任。|从她的眼睛里,我看到了信任的目光。

辨析 〈近〉相信。"信任"的对象不是自己或事物;"相信"的对象可以是别人,也可以是自己、事物,使用范围广。"信任"是动词,也是名词;"相信"只是动词。如:* 我们信任,只要大家共同努力,就一定会取得好成绩。("信任"应为"相信")

【信息】 xìnxī 〔名〕

❶ 音信;消息。(news; message; information)常做主语、宾语、定语。[量]些。

例句 这些信息我们应该好好分析一下。|厂家一定要了解市场需求的信息。|销售信息的反馈对制定新的销售计划十分有用。

❷ 特指用符号传送的报道,报道的内容是接收符号者预先不知道的。(information)常做主语、宾语、定语。

例句 这些最新的信息都是我们从国际互联网中获得的。|这台先进的计算机能准确地传递信息。|人类已经进入了信息社会。|信息论是研究信息以及信息的发送、传递和接收的科学。

【信箱】 xìnxiāng 〔名〕

邮局设置的供人投寄信件的箱子;收信人设在门前用来收信的箱子。(mailbox; letter box; postoffice box)常做主语、定语、宾语。[量]个。

例句 信箱常设在邮局门口或十字路口旁。|请帮我把这封信投进信箱里,好吗?|按规定,住宅楼都要在一楼安装信箱。|这个信箱的开启时间是早、中、晚各一次。

【信心】 xìnxīn 〔名〕

相信自己的愿望或预期一定能够实现的心理。(confidence; faith)常做主语、宾语。

例句 虽然任务很重,但大家都信心十足。|信心和勇气是成功的必要条件。|毕业生们对自己的前途充满了信心。|失败是成功之母嘛,不要丧失信心。|选手们都满怀信心地参加了比赛。

【信仰】 xìnyǎng 〔动/名〕

〔动〕对某人或某种主张、主义、宗教极度相信和尊敬,以之作为自己行动的榜样或指南。(believe in; have firm faith in)常做谓语、定语。

例句 她们姐妹三个一个信仰佛教,一个信仰天主教,还有一个不信教。|对这一学说,他信仰到了极点。|在中国,公民都有宗教信仰的自由。

〔名〕极度相信和尊敬的某种主张、主义。(faith; belief; conviction)常做主语、宾语。

例句 共同的信仰使他们走上了共同的道路。|任何事情也动摇不了我的信仰。

【信用】 xìnyòng 〔名〕

能够履行跟人约定的事情而取得的信任。(trustworthiness; credit)常

X

做主语、宾语。

例句 做生意和做人都一样，信用很重要。|这个公司重合同，守信用。|他一向很讲信用。|我们决不能因为遇到了困难完不成任务而失去信用。

【信用卡】 xìnyòngkǎ 〔名〕

银行发给储户的一种代替现款的消费凭证。(credit card)常做主语、宾语、定语。[量]张，个。

例句 在中国信用卡有好多种。|不少人还不了解、也不习惯使用信用卡。|请问，用信用卡付款可以吗？|过去由于信用卡的种类不同，使用很不方便；实行统一联网后，哪种卡付款都可以了。

【信誉】 xìnyù 〔名〕

信用和名誉。(prestige; reputation; credit)常做主语、宾语、定语。

例句 信誉对每个公司都非常重要。|这家工厂的产品信誉一向很好。|这是一个重合同、守信誉的单位。|这种品牌的冰箱有很好的信誉。|信誉的好坏是企业成败的关键。

【兴】 xīng 〔动〕 另读 xìng

❶ 兴盛；流行；使盛行。(prevail; prosper; rise; become popular)常做谓语。

例句 现在年轻人兴染发。|今年最兴这种颜色。|学外语的风气是这些年兴起来的。

❷ 开始；创立。(start; begin; initiate)常做谓语。

例句 大地震之后，这个地区百废待兴。|兴业难，守业更难。

【兴办】 xīngbàn 〔动〕

兴起；创办。(initiate; set up)常做谓语。

例句 最近他兴办了一所私立钢琴学校。|要兴办一个企业可真不容易。|要想发展，首先应该兴办教育。

【兴奋】 xīngfèn 〔形〕

振奋；激动。(be excited)常做谓语、定语、状语、补语、主语、宾语。

例句 第一次上舞台，她又兴奋又紧张。|签证办好了，他兴奋得睡不着觉。|他怀着兴奋的心情领到了奖学金。|演出结束后，观众都兴奋地跑上前和演员握手。|几杯酒喝下去后，他变得很兴奋。|过度兴奋对健康不利。|那天晚上，大家都抑制不住内心的兴奋，聚在一起聊到天亮。

【兴风作浪】 xīng fēng zuò làng 〔成〕

掀起风浪。多比喻制造事端，存心捣乱。(stir up trouble; make trouble; fan the flames of disorder)常做谓语。

例句 一有机会，他就兴风作浪，想要闹点儿事。|我们要加强管理，不能让坏人兴风作浪。|如果有人再兴风作浪，就坚决打击。

【兴建】 xīngjiàn 〔动〕

开始建筑。多指规模较大的工程。(build; construct)常做谓语、定语。

例句 这里正在兴建一个大型水电站。|兴建这个钢铁基地，一共用了三年的时间。|这座大桥兴建于1958年。|正在兴建的工厂是一家中外合资的化工厂。

辨析 〈近〉修建。“兴建”着重表示开始施工、建筑；“修建”着重表示施工、建筑。“兴建”一般用于规模较大的；“修建”可用于规模大的，也可用于规模小的。如：* 在这儿兴建

X

一个蓄水池好不好?("兴建"应为"修建")

【兴起】 xīngqǐ 〔动〕

刚出现并兴盛起来。(rise; spring up)常做谓语、定语。

例句 农村正在兴起科学种田的新风。|我们单位兴起了学电脑的热潮。|外语热已经兴起很长时间了。|去年兴起的绿化热潮使这个城市变得越来越美。

【兴旺】 xīngwàng 〔形〕

兴盛,旺盛。(prosperous; flourishing; thriving)常做谓语、定语。

例句 我们的事业日益兴旺发达。|他们的生意越来越兴旺。|节日的市场呈现出一派兴旺繁荣的景象。

【星】 xīng 〔名〕

❶ 夜晚天空中闪烁发光的天体。(star)常做主语、宾语、定语。[量]颗。

例句 天上的星亮晶晶。|今夜月明星稀,微风习习。|夜空中缀满了数不尽的星星,我只能认出北斗星和织女星。|这种花就像小星,所以它的名字叫"满天星"。|星星的光亮闪烁不定。

❷ 天文学上指宇宙间能发射光或反射光的天体。(celestial body)常用于构词。

例句 太阳是恒星,地球是行星。|卫星本身不能发光。

❸ 细碎或细小的东西。(bit; particle)常做主语、宾语。

例句 铁匠打铁的时候,火星四溅。|他太老了,过去的事只记得一星半点了。|他说话太急的时候,嘴里就会飞出唾沫星。|三天没吃饭,我饿得眼冒金星。

❹ 明星。(star)常做主语、宾语、定语。[量]颗,位。

例句 这几位笑星都是大家所熟悉的。|小巨人姚明是一位世界著名的篮球明星。|很多歌迷都非常崇拜(chóngbài)这位男歌星。|这个电影明星名气可大着呢!

【星级】 xīngjí 〔名〕

表示达到了一定的等级的(宾馆、饭店等)。(grade of hotels in star)常做定语、宾语。

例句 这条街上有十几家星级酒店。|我们住三星级饭店就可以了。|重新装修以后,这个饭店已达到星级了。

【星期】 xīngqī 〔名〕

计时单位,每星期共有七天。(week)常做主语、宾语、状语、补语、定语。[量]个。

例句 一个星期有七天。|商品交易会开幕的时间在下星期。|我这个星期休假。|放寒假时,他去北京的叔叔家住了两个星期。

辨析 〈近〉周。"星期"常带量词"个";"周"一般不用量词,而且还有别的意思。如:* 我们下个周开学。("下个周"应为"下周"或"下个星期")

【星期日(星期天)】 xīngqīrì (xīngqītiān) 〔名〕

星期六的下一天。(Sunday)常做主语、宾语、定语、状语。[量]个。

例句 星期日可能有雨。|我们出发的时间是这个星期日。|星期日上午,你有空吗?|这个星期日的活动,我不能去参加了。|下个星期日我们大家要去长城游览。

【星星】 xīngxing 〔名〕

夜晚天空中闪烁发光的天体。(star)常做主语、宾语、定语。[量]颗。

例句 亮晶晶的星星布满了夜空。|遍地的野花就像闪亮的星星。|蓝宝石一样的夜空是星星的故乡。

【星星之火,可以燎原】 xīngxīng zhī huǒ,kěyǐ liáo yuán 〔成〕

多比喻开始显得微小的新生事物,有着广阔的发展前景和旺盛的生命力。(a single spark can start a prairie fire)多独立成句。

例句 别看这个发明刚刚成功,要知道,星星之火,可以燎原。|星星之火,可以燎原,农村土地承包的经验迅速推广到了全国各地。

【腥】 xīng 〔形〕

有鱼、肉类气味的。(having the smell of fish, seafood, etc.)常做谓语、定语、补语。

例句 A:甲鱼血腥不腥? B:很腥。|这鱼味儿太腥。|海水有一股腥味儿。|刚洗过鱼,我的手弄得很腥。

▶"腥"也可用做名词,指腥味儿。如:在鱼里加点儿料酒去去腥吧。

【刑】 xíng 〔名〕

刑罚。特指对犯人的体罚。(punishment; torture)常做宾语。

例句 法律规定必须量刑定罪。|他杀了那么多人,死刑也算轻的。|中国早已废除了苦刑。|他曾因走私被判了五年刑。

【刑场】 xíngchǎng 〔名〕

处决犯人的地方。(execution ground)常做主语、宾语。

例句 刑场旧时也称法场。|这地方以前是个刑场。|罪犯已被押赴(yāfù)刑场。

【刑法】 xíngfǎ 〔名〕

规定什么是犯罪行为,犯罪行为应受到什么惩罚的各种法律。(criminal law)常做主语、宾语、定语。[量]部。

例句 刑法是惩处犯罪的主要依据。|中国都有哪些刑法?|按刑法规定,他可能不会被判刑。

【刑事】 xíngshì 〔名〕

有关刑法的。(criminal; penal)常做定语。

例句 负责审理刑事案件的法庭叫刑事法庭。|谁犯了罪,都要追究刑事责任。|他是一名刑事审判员。

【行】 xíng 〔名/动/形〕

〔名〕❶ 行为;行动。(behaviour; conduct)常用于构词。

词语 品行 行为 行动 罪行

例句 人应该言行一致。|敌人的暴行激起了人民的无比愤怒。|这简直是兽行。

❷ 行程;旅行或跟旅行有关的。(trip)常构成短语做句子成分。

例句 千里之行,始于足下。|我们用了大约半个月的时间完成了这次沙漠之行。|请您介绍一下这次欧洲之行的情况吧。

〔动〕❶ 走。(go; walk; travel)常做谓语。

例句 这样的好马能日行千里。|古人主张"读万卷书,行万里路",这很有道理。|车多道窄,真是行路难。

❷ 做;办。(do; carry out)常做谓语。

例句 你就行行好,别难为他了。|

请行个方便，让我把车推过去好吗？|他那都是老一套，已经行不通了。

❸ 可以。(be all right; will do)常做谓语，不带宾语补语。

例句 A：我们明天去买书，行不行？B：行。|让孩子一个人在家里可不行。|她只是感冒，吃点儿药就行。

〔形〕能干。(capable; competent)常做谓语。

例句 班长真行，演讲得了第一名。|他样样都会，确实很行。|小王这个人只会嘴上说，干事真不行。

【行程】 xíngchéng 〔名〕

路程；进程。(route or distance of travel)常做主语、宾语、定语。[量]段。

例句 我们考察了许多地方，行程上万里。|历史发展的行程是无法阻挡的。|他们在海上航行了二十多天以后，才完成了全部的行程。|行程的艰难就不必说了。

【行动】 xíngdòng 〔动/名〕

〔动〕❶ 行走；走动。(move about)做谓语，不带宾语，可带补语。

例句 手术一周以后，他就能下床行动了。|那次车祸以后，爷爷的腿一直行动不便。|山高路陡，天又下雨，队伍行动十分缓慢。

❷ 指为实现某种意图而具体地进行活动。(act; take action)常做谓语(不带宾语)、定语。

例句 任务刚布置下去，大家就行动起来了。|各抢险小组马上行动！|党派或组织一般都有行动纲领。|我们要先制订好行动计划。

〔名〕行为；举行。(action; operation)常做主语、宾语。

例句 我们这次的行动是到地震灾区去援救灾民。|他最近的行动很古怪。|了解一个人不仅要听他说的是什么，还要观察他的行动。|他把誓言(shìyán)变成了行动。

【行贿】 xíng huì 〔动短〕

用财物向主管人员或官员贿赂，以谋求一定的利益。(bribe; offer a bribe)常做谓语(不带宾语，中间可插入成分)、定语、宾语。

例句 经调查发现，他总共行贿八万元。|王小姐曾经对主管人员行过贿，但没成功。|我们要坚决打击行贿受贿的行为。|他的罪名是行贿。

【行径】 xíngjìng 〔名〕

行为；举动(多指坏的)。(act; action; move)常做主语、宾语。[量]种。

例句 他的无耻行径受到了同志们的唾弃。|她终于鼓起勇气揭发了他的丑恶行径。|大家都讨厌他那种阳奉阴违的卑劣行径。

【行军】 xíng jūn 〔动短〕

军队进行训练或执行任务时从一个地点走到另一个地点。(march)常做谓语(中间可插入成分)、定语。

例句 夜里风大雪大，行军十分艰难。|部队连夜行军十几个小时，战士们十分疲惫。|他行过军，打过仗，也受过伤。|行军路线已经确定了。|今天夜里新战士要进行急行军训练。

【行李】 xíngli 〔名〕

旅行时携带的物品；也指卧具。(luggage; baggage)常做主语、宾语、定语。[量]件，套。

例句 这三件行李都是我的。|你随身带一件行李就行，其他的可以托运。|下飞机后，还得取行李。|我下

乡时,妈妈为我准备了一套新行李。|这件行李的重量是20公斤。

【行人】 xíngrén 〔名〕
在路上行走的人。(pedestrian; foot traveller)常做主语、宾语、定语。[量]个。

例句 行人要遵守交通规则。|那地方很偏僻,晚上行人很少。|一辆出租车撞倒了一个行人。|没有行人的帮助,我就没命了。

【行使】 xíngshǐ 〔动〕
使用;履行。(exercise; perform)常做谓语。

例句 每个中华人民共和国的公民都可以行使自己的公民权。|有的干部辜负了党和人民的期望,不能正确地行使手中的权力。

【行驶】 xíngshǐ 〔动〕
(车船)行走。(go; travel; ply)常做谓语(不带宾语)、定语。

例句 汽车在盘山公路上缓慢地行驶。|飞机在空中也要按航线行驶。|我们的考察船在太平洋上行驶了二十多天。|火车飞快地行驶在京广铁路上。|车队行驶的路线不变。

【行为】 xíngwéi 〔名〕
受思想支配而表现在外面的活动。(action; behaviour; conduct)常做主语、宾语。[量]种。

例句 随地吐痰这种行为很不文明。|小王拾金不昧的高尚行为使外国朋友十分感动。|他终于交待了自己的不法行为。|你要为自己的行为负责。

【行星】 xíngxīng 〔名〕
按照一定轨道、围绕恒星旋转、本身不发光的星体。(planet)常做主语、宾语、定语。[量]颗,个。

例句 行星不发光,只能反射其他发光星体的光。|太阳系有九大行星。|地球也是一颗行星。|那颗行星就是以发现它的科学家的名字来命名的。

【行政】 xíngzhèng 〔名〕
行使国家权力的机构,或指机关、企业、团体等管理工作。(administration)常做定语。

例句 国务院是最高行政机构。|舅舅是搞行政工作的。|小刘学的专业是行政管理。|省、市、区、县、乡等是不同的行政区划单位。

【行之有效】 xíng zhī yǒuxiào 〔成〕
实行起来有成效。(effective; effectual)常做谓语、定语。

例句 这个办法行之有效。|实践证明,针灸是一种行之有效的疗法。

【形】 xíng 〔名〕
外形;形体;形状。(form; body)常做主语、宾语。

例句 齐白石的虾形神兼备,栩栩如生。|我太胖,体形不好。|她们俩每天形影不离。|老王病了,瘦得都走了形。

【形成】 xíngchéng 〔动〕
通过发展变化而成为具有某种特点的事物,或者出现某种情形或局面。(form; take shape)常做谓语、定语。

例句 几百万年以前,由于地壳的断裂,形成了这个大峡谷。|作者采用对比的写法,使两个人物的性格形成鲜明的对照。|这地方两山对峙,中间形成了一个大风口。|这种理论,大约形成于20世纪80年代。|他是研究中华民族形成史的。

【形而上学】 xíng ér shàng xué 〔名短〕

同辩证法相对立的世界观或方法论。(metaphysics)常做主语、宾语、定语、状语。

例句 形而上学也叫玄学,是唯心主义的。|用孤立静止、片面的观点看世界,认为一切事物都是孤立的、不变的,就叫形而上学。|用形而上学的观点、方法处理事情肯定会出错。|形而上学地看问题怎么行呢?

【形容】 xíngróng 〔动〕

对事物的形象或性质加以描述。(describe)常做谓语。

例句 当时高兴的心情简直没法形容。|听说你刚从张家界回来,给大家形容形容那儿的美景吧。|他把那姑娘形容得美极了。|把经过说清楚就行了,不要乱形容。

【形式】 xíngshì 〔名〕

事物的形状、结构。(form; shape)做主语、宾语、定语。[量]种。

例句 芭蕾舞这种艺术形式是从国外传来的。|写文章时,内容与形式要统一。|有些选修课可以采用开卷的形式考核成绩。|"百花齐放"比喻不同形式和风格的艺术可以自由发展。|写诗不能只追求形式美。

【形势】 xíngshì 〔名〕

❶ 地势(多指军事角度看)。(terrain; topographical features)常做主语、宾语、定语。[量]种。

例句 这里山高水急,形势险要。|两位侦察员仔细地观察了附近的形势。|形势的险要给进攻造成了很大困难。

❷ 事物发展的状况和趋势。(situation; circumstances)常做主语、宾语、定语。[量]种。

例句 上半年,我们厂的生产形势非常好。|他每天看新闻,了解国内外形势。|形势的变化太快了,让人难以预料。|政治形势的稳定是发展经济的重要保证。

【形态】 xíngtài 〔名〕

事物形状或表现;词的内部变化形式。(form; shape; pattern; morphology)常做主语、宾语、定语。[量]种。

例句 山上到处可以看到形态各异的大石头。|经济基础决定意识形态,意识形态又反作用于经济基础。|汉语虽然形态变化很少,但是虚词却很丰富。

【形象】 xíngxiàng 〔名/形〕

〔名〕❶ 能引起人的思想或感情活动的个体形状或姿态。(image; form; figure)常做主语、宾语、定语。[量]个。

例句 英雄的形象将永远活在人们的心中。|我一直忘不了她年轻时的形象。|图画教学通过形象来培养、提高儿童认识事物的能力。|人的思维方式有两种,一种是逻辑思维,另一种是形象思维。

❷ 文艺作品中创造出来的生动具体的激发人们思想感情的生活图景,通常指人物的神情面貌和性格特征。(imagery)常做主语、宾语、定语。[量]个。

例句 小说中的人物形象生动、逼真。|作品塑造了一个企业家的典型形象。|他在论文中分析了人物形象的性格特征。

〔形〕指描绘或表达具体、生动。常做谓语、定语、状语、补语。

例句 小说的描写生动形象。|作者用形象的语言描绘了20年代上海滩的生活图景。|作品形象地反

映了改革开放以后的巨大变化。|你瞧,那幅画画得多形象啊!

【形形色色】 xíngxíngsèsè 〔成〕

各种各样,种类繁多。(of every hue; of all shades; of all forms; of every description)常做谓语、定语。

例句 社会上的人形形色色,什么样的都有。|店里摆着形形色色的玩具。

【形影不离】 xíng yǐng bù lí 〔成〕

像物体和它的影子一样,片刻不离。形容彼此关系很好,经常相互伴随。(be inseparable as body and shadow; be always together)常做谓语、定语。

例句 他俩关系很好,形影不离。|她和小花形影不离,相依为命。|那个整天和你形影不离的小王,今天怎么没见他?

【形状】 xíngzhuàng 〔名〕

物体或图形由外部的面或线条组合而呈现的外表。(form; shape; appearance)常做主语、宾语、定语。[量]个。

例句 桂林有座小山的形状很像大象的鼻子,所以叫"象鼻山"。|雪花的形状都是六角形的。|这个农民画出了他见到的那个飞行物的形状。|这种形状的花盆我很喜欢。

【型】 xíng 〔名〕

类型;样子。(type; model)常做主语、宾语、定语。

例句 她的脸型是圆型的。|我的血型是O型。|这种新型建材有很多优点。|那款新车是流线型的。|他们家买了一辆小型货车。

【型号】 xínghào 〔名〕

规格和大小。(type; model)常做主语、宾语、定语。

例句 他们厂生产的产品品种多样,型号齐全。|根据设计方案,我们应该改换钢的型号。|每种尺寸的内衣都有A、B两种型号。

【醒】 xǐng 〔动〕

酒醉、麻醉或昏迷的神志恢复正常状态;睡眠状态结束或尚未入睡。(sober up; come to; wake up; be awake)常做谓语、补语。

例句 昏迷了三天三夜,她终于醒了。|睡了一夜,他的酒还没醒。|天太热了,孩子一直醒着不睡。|这几天太累了,早上总也醒不过来。|进来吧,我早就醒了。

【兴高采烈】 xìng gāo cǎi liè 〔成〕

兴致高,情绪热烈。(in high spirits; in great delight; excited; jubilant)常做谓语、定语、状语、补语。

例句 "六一"儿童节的时候,公园里的孩子们都兴高采烈的。|一群兴高采烈的年轻人围在一起跳迪斯科。|李刚兴高采烈地跑进屋,告诉了大家一个好消息。|联欢会非常有意思,同学们都玩得兴高采烈。

【兴趣】 xìngqù 〔名〕

喜好的情绪。(interest)常做主语、宾语。[量]个,种。

例句 他的兴趣爱好很广泛。|她对围棋的兴趣很浓。|一位日本留学生对中医产生了浓厚的兴趣。|她最近总是无精打采的,对什么都不感兴趣。

辨析 〈近〉兴致。"兴趣"主要指喜好的情绪,多用于口语;"兴致"主要指情绪高,兴头足,多用于书面语。"兴趣"常与"广泛"、"浓厚"、"强烈"等形容词搭配,常受"有"、"没有"

"感"、"产生"、"怀着"等动词支配；"兴致"则常与"好"、"坏"、"高"、"低"等形容词搭配。如：* 大家观看画展的兴趣很高。("兴趣"应为"兴致") | * 对音乐我不感兴致。("兴致"应为"兴趣")

【兴致勃勃】 xìngzhì bóbó 〔成〕

兴致很高的样子。(full of zest; in high spirits)常做谓语、定语、状语。

例句 老干部们兴致勃勃，没有休息就又去海边游泳了。|看到大家兴致勃勃的样子，我也不想扫大家的兴。|同学们兴致勃勃地观看了京剧。

【杏】 xìng 〔名〕

杏树；杏子。(apricot)常做主语、宾语、定语。[量]棵，个，斤。

例句 这杏儿又酸又甜，真好吃。|他在院子里栽了两棵苹果，两棵杏儿。|我买了二斤杏儿。|树上开满了白色、粉红色的杏花。

【幸】 xìng 〔素〕

❶ 幸福，幸运。(fortunate; lucky)常用于构词或用在固定结构中。

词语 幸福 幸运 幸事 三生有幸

例句 能有这样的好朋友，真是有幸。|这太不幸了。

❷ 意外地得到成功或免去灾害。(fortunately; luckily)常用于构词。

词语 幸亏 幸免 侥幸

例句 飞机失事后，机上人员无一幸存。|我很侥幸地得了第一，今后还要刻苦努力。

X

【幸福】 xìngfú 〔形/名〕

〔形〕(生活、境遇)称心如意。(happy)常做谓语、定语、状语、宾语。

例句 人民的生活越来越幸福。|他们结婚50年了，是对幸福的夫妻。|这个孤儿在大家的关心下幸福地生活着。|老人们在老年公寓幸福地安度晚年。|虽然不是很富裕，但是现在我觉得幸福极了。

〔名〕使人心情舒畅的环境和生活。(happiness; well-being)常做主语、宾语。[量]种。

例句 幸福不是从天上掉下来的；幸福要靠自己去创造。|我有生以来从未体验到这样的幸福。|她病愈出院后，更加感到人生的幸福。|不同的人对幸福会有不同的理解。

【幸好】 xìnghǎo 〔副〕

幸亏。(luckily; fortunately)做状语。

例句 幸好我们带了伞，不然就成了"落汤鸡"了(被雨淋湿了)。|幸好打了个电话，要不我就白去了。|幸好遇到个会说英语的中国人，帮了不少忙。

辨析 〈近〉幸亏，多亏，幸而。"幸好"、"幸亏"、"多亏"常用于口语；"幸而"多用于书面语。"多亏"还有动词用法。如：多亏了你，我才顺利地办成了这件事。

【幸亏】 xìngkuī 〔副〕

表示借以免除困难的有利情况。(luckily; fortunately)做状语。

例句 幸亏大夫及时赶到，不然病人就没救了。|幸亏我们提前出发，要不就赶不上火车了。|幸亏带了地图，我们才没迷路。|考试差一点儿就迟到了，幸亏你提醒了我。

【幸运】 xìngyùn 〔形/名〕

〔形〕形容称心如意的。(fortunate; lucky)常做谓语、定语、状语、宾语。

例句 跟父辈相比，我们真是幸运

得很。|他中了头奖，太幸运了。|她真是个幸运的人，什么事都那么顺利。|我很幸运地见到了很多著名的科学家。|这件好事连他自己都觉得幸运。

〔名〕好运气；出乎意料的好机会。(good luck; good fortune) 常做主语、宾语、定语。[量]种。

例句 但愿这种幸运也能降临到我的头上。|让她主演，那是她的幸运。|幸运的到来使他都不敢相信这是真的。

【性】 xìng 〔名/尾〕

〔名〕性别；类别；与性欲、生殖有关的。(nature; character; sex; gender) 做主语、宾语、定语。

例句 同性相斥，异性相吸。|俄语的名词有阳、阴、中三性。|适当地对中学生进行性教育是必要的。

〔尾〕表示事物的某种性质或性能。(nature; character) 做后缀构成名词。

词语 自觉性 科学性 传染性 可能性 风湿性 先天性 老年性 流行性 弹性

例句 他的党性很强。|计划要有科学性。|十天内完成这个任务简直没有可能性。|这个小孩有先天性心脏病。|她得的是流行性感冒。

【性别】 xìngbié 〔名〕

雌雄两性的区别，通常指男女两性的区别。(sex; sexual distinction) 常做主语、宾语、定语。

例句 性别不是主要问题。|这个单位招聘员工对性别没有要求。|在中国男女同工同酬，没有性别差异。

【性格】 xìnggé 〔名〕

对人、对事的态度和行为方式所表现出来的心理特点，如刚强、懦弱、急躁等。(nature; temperament) 常做主语、宾语、定语。[量]种。

例句 王先生性格内向，不大喜欢与人交往。|她性格软弱，很不坚强。|环境的改变，有时会改变一个人的性格。|每个人都有自己的性格特点。

辨析 〈近〉性情。"性格"只用于人；"性情"可用于人，也可用于动物。如：* 大熊猫的性格很温和。("性格"应为"性情")

【性命】 xìngmìng 〔名〕

人和动物的生命。(life) 常做主语、宾语。[量]条。

例句 病人病情严重，性命难保。|你不能拿工人的性命当儿戏。

【性能】 xìngnéng 〔名〕

机械或其他工业制品对设计要求的满足程度。(function; performance; property) 常做主语、宾语、定语。[量]种。

例句 这台计算机的性能非常稳定。|你要好好了解这些性能。|对这种新产品还需要进行性能方面的测定。

【性情】 xìngqíng 〔名〕

性格。(disposition; temperament; temper) 常做主语、宾语、定语。

例句 大熊猫性情温顺。|那个姑娘不仅长得漂亮，而且性情温柔。|生活的打击和压力使他的性情越来越暴躁。|大家都感觉到她性情的变化。

【性质】 xìngzhì 〔名〕

一种事物区别于其他事物的根本属性。(quality; nature) 常做主语、宾语、定语。[量]种。

例句 氧气的性质要从两个方面看:一是物理性质;二是化学性质。|这个案件的性质需要进一步分析。|我们应该根据事情的性质采取不同的处理方法。|这是两个不同性质的企业。

辨析 〈近〉特性。"特性"表示的是某人、某事的物质属性。"性质"可用于具体事物,也可用于抽象事物;"特性"一般只用于具体事物。如: * 这场革命的特性是民主主义的。("特性"应为"性质")

【姓】 xìng 〔名/动〕

〔名〕表明家族的字。(surname; family name)常做主语、宾语。[量]个。

例句 你的姓怎么写?|有些国家的女人结婚以后要改成丈夫的姓。|多年来,他一直隐姓埋名。

〔动〕以…为姓。(be surnamed)常做谓语。

例句 请问您贵姓?|我姓赵。|她姓欧阳,是复姓。

【姓名】 xìngmíng 〔名〕

姓和名字。(surname and personal name; full name)常做主语、宾语。

例句 填表时,姓名一定不要写错。|他在支票上签上了自己的姓名。|拿到答卷,请先写上班级和姓名。

【凶】 xiōng 〔形〕

不幸的;凶恶;厉害。(inauspicious; ominous; fierce; terrible)常做谓语、定语、补语。

例句 那个人样子很凶。|歹徒手里拿着刀,一脸的凶相。|他看着弟弟难过的样子,心想:他带来的一定是凶信。|弟弟的精神病又犯了,闹得很凶。

【凶多吉少】 xiōng duō jí shǎo 〔成〕

坏的可能性大,好的可能性小。(be fraught with grim possibilities; bode ill rather than well)常做谓语。

例句 昨天发生了雪崩,看来登山运动员凶多吉少。|和抢劫犯谈判凶多吉少,大家都很为赵队长担心。

【凶恶】 xiōng'è 〔形〕

(性情、行为或相貌)十分可怕。(fierce; ferocious; fiendish)常做谓语、定语、状语、补语。

例句 劫机的歹徒(dǎitú)十分凶恶。|这个凶恶的家伙终于被警察抓住了。|那个男人凶恶地瞪着小男孩,叫他把钱交出来。|他突然变得那么凶恶。

【凶狠】 xiōnghěn 〔形〕

❶(性情、行为)凶恶狠毒。(fierce and malicious)常做谓语、定语、状语。

例句 这些歹徒凶狠残暴。|他们简直不是人,是凶狠的豺狼。|渔夫的妻子凶狠地骂了他一顿。

❷猛烈。(powerful; vigorous; violent)常做谓语、定语、状语。

例句 我队进攻猛烈,扣球凶狠。|十号抬脚来了一个凶狠的射门,球进了。|他一连凶狠地刺了二十几剑,胜利地结束了比赛。

【凶猛】 xiōngměng 〔形〕

(气势、力量)凶恶强大。(violent; ferocious)常做谓语、定语、状语、补语。

例句 尽管台风来势凶猛,但早有准备的人们并没有慌乱。|再凶猛的野兽到了笼子里也就没有危险

X

了。|老虎凶猛地扑向小山羊。|暴风雨来了,海浪变得异常凶猛。

【兄】 xiōng 〔名〕

哥哥;亲戚中同辈比自己大的男子;对男性朋友的尊称。(elder brother; elder male relative of the same generation; a courteous form of address between male friends)常做主语、宾语、定语。

例句 家兄最近去了上海。|他们俩是我的表兄表嫂。|你老兄的运气可真不错。

【兄弟】 xiōngdì 〔名〕

❶ 哥哥和弟弟。(brothers)常做主语、宾语、定语。[量]个,对。

例句 我们兄弟两个一个在日本,一个在美国,好多年没见面了。|他们俩就好像是一对亲兄弟。|我共有五兄弟,每个人都开了一个饭店。|请各个兄弟单位支持、帮助我们。

❷ 弟弟;称呼年纪比自己小的男子(亲切的口气);称呼辈份与自己相同的人或对众人说话时的谦称(读xiōngdi)。[younger brother; a familiar form of address for a man younger than oneself; (used by a man, usually in a public speech) I]常做主语、宾语、称呼语。[量]个。

例句 我兄弟比我小三岁。|大家都是兄弟,帮忙是应该的。|遇到困难别忘了来找兄弟我。|小兄弟,去火车站怎么走?

【汹涌】 xiōngyǒng 〔动〕

水猛烈地向上涌。(turbulent)常做谓语(不带宾语)、定语、状语。

例句 台风来了,海面波涛汹涌。|为了抢救落水的孩子,他跳进了汹涌的洪水中。|一连下了两天暴雨,湖水汹涌地起伏着。|海浪汹涌地扑打着海岸。

【胸】 xiōng 〔名〕

躯干的一部分,在颈和腹之间。有时也指心里(跟思想、见识、气量等有关)。(chest; bosom; thorax; mind; heart)常做主语、宾语、定语。

例句 他的左前胸中了一刀,差一点儿伤到心脏。|大家都胸有成竹,相信一定能成功。|手术的部位在前胸。|那位胸前别着红花的就是新郎。|我的胸围是90厘米。

【胸怀】 xiōnghuái 〔名/动〕

〔名〕胸膛;抱负;气量。(heart; mind)常做主语、宾语。

例句 做人应该胸怀坦荡(tǎndàng)宽广。|他是个胸怀宽广的人,不会干当面一套背后一套的事。|老爷爷敞着胸怀,坐在树荫下乘凉。

〔动〕心里怀着。(keep in the mind; cherish)常做谓语。

例句 王刚胸怀大志,一定要成就一番事业。|年轻人应该胸怀祖国,放眼世界。|他胸怀着报效国家的心愿,放弃了优越的条件回国参加建设。

【胸膛】 xiōngtáng 〔名〕

胸,也指胸怀。(chest)常做主语、宾语、定语。

例句 战士们的胸膛燃烧着愤怒的火焰。|我们应该挺起胸膛,勇敢地面对困难、压力。|英雄用自己的胸膛堵住了敌人的枪口。|我的胸膛里也跳动着一颗火热的心。

【胸有成竹】 xiōng yǒu chéng zhú 〔成〕

比喻处理事情心中先有主意。(have a well-thought-out plan, stratagem, etc.)常做谓语、定语、状语、补语。

例句 把功课复习好了，考试时才能胸有成竹。|胸有成竹的小李不慌不忙走上前去，三下两下就把机器修好了。|大家胸有成竹地说："保证完成任务！"|他十分镇静，显得胸有成竹。

【雄】 xióng 〔形〕

❶ 生物中能产生精细胞的。(male; staminate)常做定语、宾语、主语，也用于"是…的"格式中。

例句 这是一头勇猛的雄狮。|它们的儿女，要由雄鸟来喂养。|刚出壳的鸡很难分辨雌和雄。|银杏树，雌雄异株。|开屏的孔雀是雄的。

❷ 有气魄的；强有力的。(grand; imposing; powerful; mighty)常用于构词或用在固定短语中。

词语 雄伟 雄姿 雄壮 雄兵 雄辩 雄心勃勃 雄才大略

例句 天安门前国旗护卫队战士的雄姿给我留下了深刻的印象。|事实胜于雄辩。|他雄心勃勃，想干出一番事业来。

【雄厚】 xiónghòu 〔形〕

(人、物力、财力)充足。(ample; rich; solid; abundant)常做谓语、定语、补语。

例句 我们的技术力量十分雄厚。|这个队有雄厚的实力。|我们市这几年发展得很快，经济实力变得雄厚了。

【雄伟】 xióngwěi 〔形〕

雄壮而伟大。(grand; imposing; magnificent)常做谓语、定语、状语、补语。

例句 华山气势雄伟。|这次去北京，我看到了雄伟的天安门。|我们终于登上了古老而雄伟的长城。|古塔雄伟地屹立(yìlì)在江边。|在金色夕阳的映照下，天安门变得更加雄伟了。

【雄壮】 xióngzhuàng 〔形〕

(气魄、声势)强大。(magnificent; majestic; full of power and grandeur)常做谓语、定语、补语。

例句 检阅(jiǎnyuè)的队伍雄壮威武(wēiwǔ)。|雄壮的军号声响彻云霄。|军乐队演奏的一曲曲雄壮有力的乐曲深深地感染了在场的观众。|为了唱得雄壮有力，还要继续练习。

【熊】 xióng 〔名〕

一种哺乳动物。(bear)常做主语、宾语、定语。[量]头。

例句 熊有好多种，比如棕熊、白熊、黑熊。|熊看起来很笨，其实很聪明，能表演节目。|动物园里有好几头熊，我最喜欢的是那头小熊。|熊的捕食动作很敏捷。

▶"熊"还可做形容词，有"怯懦"、"没有能力"的意思。如：你真熊，什么事也做不好。

【熊猫】 xióngmāo 〔名〕

中国特产的珍贵的哺乳动物，形状像熊，毛色黑白相间。(panda)常做主语、宾语、定语。[量]只。

例句 熊猫是中国独有的一种珍贵动物。|孩子们最喜欢熊猫。|熊猫的样子真可爱。|熊猫的食物是竹叶、竹笋。

【休】 xiū 〔动/副〕

〔动〕❶ 停止；罢休。(stop; cease)常做谓语。

例句 现在休会半个小时。|她因为生病休了半年学。|为这事双方一直争论不休。

❷ 旧时指丈夫不要妻子，断绝夫妻关系。(cast off one's wife and send her home)常做谓语。

例句 现在，丈夫不能休妻了。

〔副〕不要。多见于早期白话。(don't)做状语。

例句 说话文明些，休得无理。|休要胡言乱语。

【休戚相关】 xiūqī xiāngguān 〔成〕

彼此的欢乐与忧虑都相互关联。(be bound together by common interests; share joys and sorrows)常做谓语、定语。

例句 我们每个人都与国家的命运休戚相关。|我们是休戚相关的两个公司。

【休息】 xiūxi 〔动〕

暂时停止工作、学习或活动。(have a rest; rest)常做谓语(不带宾语)、定语、主语、宾语。

例句 这个星期天我不休息。|小李都休息了半个月了，可病还没好。|你出差刚回来，好好休息休息吧。|中午我们没有休息的地方。|休息是为了更好地工作。|你病了，需要休息。

【休闲】 xiūxián 〔动〕

休息；过清闲的生活。(rest; live at leisure)常做谓语、定语、主语。

例句 今天是星期六，我们去海边休闲一下怎么样？|穿休闲服、休闲鞋，特别舒服。|随着休息日的增多，休闲度假开始成为新时尚。

【休养】 xiūyǎng 〔动〕

休息调养。(recuperate; convalesce)做谓语(不带宾语)、定语、宾语。

例句 出院后他又在家休养了几个月。|你身体太弱，去海边休养休养吧。|这儿有山有水，是个休养的好地方。|你还不能上班，需要休养一段时间。

【修】 xiū 〔动〕

❶ 修理；整治。(repair; mend; overhaul)常做谓语、定语。

例句 他去修车了。|我刚刚把电视修好。|帮我修修电灯吧。|修的洗衣机取回来了。

❷ 兴建；建筑。(build; construct)常做谓语、定语。

例句 这个地方正在修铁路。|工人们正在修水力发电站。|这座大桥修了三年。|那个机场是两年前修的。|我住的是新修的宿舍。

❸ 剪或削，使整齐。(trim; prune)常做谓语。

例句 最近忙得指甲也没修。|把园子里的花枝修一下吧。|你不修修眉毛吗？

【修订】 xiūdìng 〔动〕

修改订正(书籍、计划等)。(revise)常做谓语、定语、宾语。

例句 张教授这些日子在修订他的书。|这份计划再修订一下吧。|这本字典的修订本出版了。|这本教材需要修订。

【修复】 xiūfù 〔动〕

修理，使事物原有的功能恢复。(repair; restore; renovate)常做谓语、定语、宾语。

例句 工人们冒着大雨，只用了两个小时就修复了被冲坏的铁路。|在雨季到来之前，一定要修复好河堤。|西安兵马俑的修复工作一直在进行。|这件文物需要尽快加以修复。

【修改】 xiūgǎi 〔动〕
改正文章、计划等里面的错误、缺点。(revise; modify; alter; amend)常做谓语、定语、宾语。

例句 这两天他正在修改论文。|计划已经修改两次了,可还有些问题。|把错字和标点修改修改,这份材料就可以打印了。|这是还没修改的初稿,你先看看。|这篇文章还需要修改。

【修建】 xiūjiàn 〔动〕
(工程)施工。(build; construct; erect)常做谓语、定语、宾语。

例句 我市还要修建新的国际机场。|这个大型水电站需要五年才能修建好。|新体育馆的修建方案已经批准了。|盼望了多年的跨海大桥终于开始修建了。

【修理】 xiūlǐ 〔动〕
使损坏的东西恢复原来的形状或作用。(repair; mend; fix)常做谓语、定语、宾语。

例句 他会修理照相机。|电视机我可修理不了。|椅子坏了,你帮我修理修理吧。|刚修理好的冰箱又坏了。|这个教室有好几副耳机都需要修理了。

【修养】 xiūyǎng 〔名〕
❶ 指理论、知识、艺术、思想等方面的一定水平。(accomplishment; mastery)常做主语、宾语、定语。

例句 他的文学修养很高。|在书法和绘画两方面,赵先生都有很深的修养。|艺术修养水平直接影响着演出效果。

❷ 指养成的正确待人处事的态度。(accomplishment in self-cultivation; self-possession)常做主语、宾语。

例句 这个服务员的修养很差。|他一点儿修养也没有,常和人吵架。|我们做服务行业工作的得不断提高自己的修养。

【修正】 xiūzhèng 〔动〕
❶ 修改使正确。(correct; revise; amend)常做谓语、定语、宾语。

例句 我们应该坚持真理,修正错误。|这份修正案需要经过大会讨论。|输入电脑的错误数据需要进行修正。

❷ 篡改(理论、主义)。(alter; revise)常做谓语。

例句 他们修正了政治经济学的理论。

辨析 〈近〉修改。"修正"有篡改经典理论、政策、主义的意思;"修改"没有。"修正"的语义重;"修改"轻。如:* 文章写好后要反复修正几遍。("修正"应为"修改")

【修筑】 xiūzhù 〔动〕
修建(道路、工事等)。(build; construct; put up)常做谓语、定语。

例句 解放军修筑了这条高原上的公路。|我当过工程兵,修筑了三年铁路。|古代劳动人民修筑长城,流了多少血汗哪!|这是战争时修筑的工事。

【羞】 xiū 〔动/名〕
〔动〕不好意思;难为情;使难为情。(shy; bashful)常做谓语、宾语。

例句 大家都开她的玩笑,她羞得脸都红了。|这么大了还尿床,羞不羞?|平时她很怕羞,今天要参加比赛,她紧张得不得了。

〔名〕耻辱。(shame; disgrace)常做宾语。

例句 小孩子也知羞啊!|做错了事就大胆地承认,不能遮羞。

【羞耻】 xiūchǐ 〔形〕

不光彩;不体面。(shameful; ashamed)常做谓语、定语、宾语。

例句 你居然说出这样的话,不羞耻吗?|像这样羞耻的事怎么好意思做呢?|干出这么缺德的事,连大家都替你感到羞耻。|他从来不知道羞耻,简直是个无赖。

【秀】 xiù 〔素〕

清秀;优异;特别优异的人才。(elegant; beautiful; excellent talent)常用于构词或用在固定短语中。

词语 秀丽 优秀 新秀 山清水秀 后起之秀

例句 小高的训练成绩十分优秀。|她是一个歌坛新秀。|我的家乡是个山清水秀的小山村。|这位年轻人是书法界的后起之秀。

【袖】 xiù 〔名/动〕

〔名〕袖子。(sleeve)常做主语、宾语、定语。[量]只。

例句 这件衣服袖短了。|她的连衣裙没有袖。|我的毛衣袖口破了。

〔动〕藏在袖子里。(tuck inside the sleeve)常做谓语。

例句 你别袖着手看,快来帮帮忙。|朋友有了困难,我们绝不能袖手旁观。

【袖子】 xiùzi 〔名〕

衣服胳膊上的筒状部分。(sleeve)常做主语、宾语、定语。[量]只。

例句 西服的袖子有点儿长。|把袖子挽起来,别弄湿了。|袖子的肥瘦不合适,我没买。

【绣】 xiù 〔动〕

用彩色丝、绒、棉线在绸、布等上面做成花纹、图像或文字。(embroider)常做谓语。

例句 这个地方的妇女都会绣花,她们常常聚在一起绣门帘、绣枕头、绣手绢。|她们在红旗上绣上了五角星。|A:这个手绢绣了多长时间了?B:差不多绣了半个月了。|被面上绣着几朵牡丹,漂亮极了。

【锈】 xiù 〔名/动〕

〔名〕铜、铁等金属表面因氧化形成的物质。(rust)常做主语、宾语、定语。

例句 铜锈是绿色的,有毒。|这些铁管子都生锈了。|长时间不用,这些工具都长满了锈。|沉船打捞出水时,已经锈迹斑斑了。

〔动〕生锈;长锈。(become rusty)常做谓语(不带宾语)、定语。

例句 这把剑是父亲留下的,已经锈了。|铁锁好久没开了,都锈死了。|把那些锈了的工具磨一磨吧。

【嗅】 xiù 〔动〕

用鼻子辨别气味;闻。(smell; scent; sniff)常做谓语。

例句 缉毒犬可以嗅出毒品的气味。|小狗在他的脚上嗅来嗅去。

辨析 〈近〉闻。"嗅"常用于书面语;"闻"常用于口语。此外,"闻"有听的意思。

【须】 xū 〔助动〕

须要;一定。(must; have to)常做状语。

例句 在图书馆看书须安静。|祖父病情严重,须住院治疗。|汽车夜间行驶须开灯。

【须知】 xūzhī 〔名〕

对所从事的活动必须知道的事项。(points for attention; notice)常做主语、宾语、定语。[量]份,张。

例句 我的"新生报到须知"找不到了。|墙上贴了一张考试须知。|请把游览须知发给大家。|参观须知的内容千万别忘了。

【虚】 xū 〔形〕

❶ 空;空虚;不实在。(void; empty)常做谓语、状语、补语。

例句 树刚栽上,土还很虚。|他房间的门虚掩着。|你怎么变得这么虚,一点儿也不实在。

❷ 因心里惭愧或没有把握而勇气不足。(diffident; timid)常做谓语、宾语。

例句 我没做什么亏心事,我虚什么?|A:你敢不敢跳下去?B:不行不行,我心里虚极了。|我说的不是你,你发什么虚?

❸ 弱。(weak; in poor health)常做谓语、定语、补语。

例句 老张最近大病一场,身体虚得很。|这么虚的身体,怎么能上班?|这些日子,她的身子变得越来越虚。

【虚假】 xūjiǎ 〔形〕

与实际不符合的。(false; sham)常做谓语、定语、状语、宾语。

例句 李师傅对人热情真诚,从不虚假。|她那个人不怎么样,虚假得很。|新闻记者不能搞虚假的报道。|当时他只是虚假地说了几句客气话。|做学问要扎扎实实,不能有半点儿虚假。

【虚弱】 xūruò 〔形〕

❶ (身体)不结实。(weak; in poor health)常做谓语、定语、状语、补语、宾语。

例句 大病一场之后,我的身体一直很虚弱。|小时候他常闹病,身体虚弱得很,但现在长得可壮实了。|为了养家,妈妈每天拖着虚弱的身子坚持上班。|看到大伙儿,他十分虚弱地站了起来。|手术以后,爷爷变得越来越虚弱了。|好长一段时间了,我常常觉得虚弱乏力。

❷ (国力、兵力)软弱;薄弱。(weak; feeble)常做谓语、定语、补语。

例句 由于国际金融危机的影响,一些国家的财政十分虚弱。|政府如果采取妥协(tuǒxié)的政策,那将是虚弱的表现。|战乱会使国力变得虚弱。

【虚伪】 xūwěi 〔形〕

不真实;不实在;做假。(sham; false; hypocritical)常做谓语、定语、状语、补语、宾语。

例句 老李虚伪得很,谁都不愿意和他来往。|朋友有困难的时候,需要的是真诚的帮助,而不是虚伪的同情。|看到大家都难过的样子,他也虚伪地掉了几滴眼泪。|几年不见,这个人的言谈举止变得更虚伪了。|我的这个朋友对人热情实在,没有一点儿虚伪。

辨析 〈近〉虚假。"虚伪"重在不诚实,口是心非;"虚假"重在不真实。如:* 这份材料中的几个数字都是虚伪的。("虚伪"应为"虚假")

【虚心】 xūxīn 〔形〕

不自以为是,能够接受别人的意见。(modest; open-minded)常做谓语、定语、状语、补语、主语。

例句 他从来都这么虚心。|张工程师是个很虚心的人。|我们应该虚心学习别人的好经验。|会上大家批评

他的时候，他表现得不太虚心。|虚心使人进步，骄傲使人落后。

【需】 xū 〔动〕

需要。(need; want; require)常做谓语、宾语。

例句 受灾地区急需各种救援物资。|病人急需输血。|这份计划还需修改。

【需求】 xūqiú 〔名〕

由需要而产生的要求。(demand; requirement)常做主语、宾语。

例句 人们对商品的需求越来越高。|厂家要根据市场需求进行生产。|我们资料室的图书还不能满足科研的需求。

【需要】 xūyào 〔动/名〕

〔动〕应该有或必须有。(need; want; require)做谓语、定语。

例句 我需要你的帮助。|学校需要安静的环境。|这篇文章需要修改。|爷爷年纪大了，需要有人照顾。|请把需要的东西准备好。

〔名〕对事物的欲望或要求。(needs)常做主语、宾语。

例句 祖国的需要就是我们的志愿。|目前住房还不能满足人们的需要。|有什么需要告诉我，请别客气。

【徐徐】 xúxú 〔副〕

慢慢地。(slowly; gently)做状语。

例句 在庄严的国歌声中五星红旗徐徐升起。|大幕徐徐拉开，演出开始了。|列车徐徐驶出车站。|雪花徐徐飘落下来。

辨析 〈近〉慢慢。"徐徐"用于书面语；"慢慢"常做口语。如：* 你扶着奶奶徐徐走。("徐徐"应为"慢慢")

【许】 xǔ 〔动/副〕

〔动〕❶ 答应(送人东西或给人做事)。(promise)常做谓语、定语。

例句 吹灭生日蜡烛之前心里要许个愿。|我许过孩子，星期天带他去动物园。|许的愿，你可一定要兑现。

❷ 家长做主给女孩订婚。(be betrothed to)常做谓语。

例句 这姑娘已经许了人家了。|老人把女儿许给了本村的一个小伙子，可是女儿说什么也不同意。

❸ 允许；许可。(allow; permit)常做谓语。

例句 我想去同学家玩，可是妈妈就是不许。|这次比赛只许成功，不许失败。|对不起，这儿不许拍照。|刚做完手术，医生不许他下床，并且只许一个人护理他。

〔副〕也许，或许。(perhaps; maybe)做状语。

例句 小李没来，许是病了？|怎么一个人也没有？许是我记错了时间？

【许多】 xǔduō 〔数〕

很多；数量多(表示概数)。(many; much; a lot of)常做主语、宾语、定语、补语。

例句 最近发生了十几起车祸，许多都是酒后驾车造成的。|音像书店来了不少新录音带和CD碟，我一下子买了许多。|我们许多年没见面了。|许许多多的朋友参加了他的婚礼。|这首歌我听了许多遍了，但我还想听。

辨析 〈近〉很多，好多，好些。"许多"可重叠为AABB或和ABAB式；而"很多"、"好多"、"好些"只可重叠为ABAB式，且常用于口语。

【许可】 xǔkě 〔动〕

准许;容许。(permit;allow)常做谓语、宾语、定语。

例句 因为我是记者,所以被许可进入现场采访。|他想去西藏工作,可父母就是不许可。|非本厂工作人员未经许可,不得入内。|没有老板的许可,我不能给你打折。|我已经领到了经营许可证。

【序】 xù 〔名〕

❶ 次序。(order;sequence)常做宾语。

例句 报名的人很多,但井然有序。|停车场的所有车辆都排列有序。|我失业以后,生活就处于无序状态。

❷ 序言。(preface;foreword)常做主语、宾语、定语。[量]篇,个。

例句 这篇序是请刘教授写的。|书写好了,请谁作序呢?|序的内容常常是说明写书的宗旨和经过等等。

【序言】 xùyán 〔名〕

一般写在著作正文之前的文章。(preface;foreword)常做主语、宾语、定语。[量]篇。

例句 这本书的序言写得很好,可以当做一篇论文发表。|有的书有序言,也有的书没序言。|成书的经过,我在序言里介绍得很详细。|序言的篇幅一般都不长。

【叙】 xù 〔动〕

说;谈;论述。(talk;chat;narrate;recount;relate)常做谓语。

例句 两个老太太在一起叙家常呢。|好,咱们闲言少叙,书归正传。|什么时候咱们老同学聚一聚,叙叙旧吧。|这篇文章叙事详实。

【叙述】 xùshù 〔动〕

把事情的前后经过记载下来或说出来。(narrate;relate;recount)常做谓语、定语、主语、宾语。

例句 他俩详细地叙述了事情的经过。|请把这个民间故事的内容叙述一遍。|给你五分钟,简单叙述叙述就行。|叙述的条理不够清楚。|她的叙述清楚、详细。|听完了刘大夫对手术过程的叙述,大家都鼓起掌来。|作品采用了叙述加描写的写法。

【叙谈】 xùtán 〔动〕

随意交谈。(chat;chitchat)常做谓语。

例句 我们几个老同学常聚在一起叙谈往事。|他俩一直叙谈到深夜。|咱们好长时间没见面了,这次可得好好叙谈叙谈。

【畜产品】 xùchǎnpǐn 〔名〕

畜牧业产品的统称,也叫畜产。(livestock products)常做主语、宾语、定语。[量]种。

例句 新疆的畜产品很有名。|他们公司专门出口各种畜产品。|我们村有自己的畜产品加工厂。

【畜牧】 xùmù 〔名〕

饲养大批牲畜或家禽(多专指牲畜)。(livestock husbandry)常做定语及宾语。

例句 在农林牧副渔这五业中,"牧"指的是畜牧业。|这几年生活好了,主要靠畜牧产品的出口。|草原地区有丰富的牧草资源,应该大力发展畜牧生产。|我们这个地区的生产以畜牧为主。

【酗酒】 xùjiǔ 〔动〕

没有节制地喝酒;酒后耍酒疯。(indulge in excessive drinking)常做谓语(不带宾语)、定语。

例句 这个年轻人没出息,常常酗

酒。|小张因为酗酒闹事,受过上级批评。|酗酒的人可不能开车。

【续】 xù 〔动〕

❶ 连续不断。(continue)常用于构词。

词语 连续 陆续 继续

例句 南极考察队的队员们在建站时,每天连续工作十六七个小时。|来宾陆续进入会场。

❷ 接在原有的后头。(extend;join;continue)常做谓语、定语。

例句 绳子太短,再帮我续上一截吧。|这部电视剧原来想拍六集,后来又续了两集。|这部书的续编已经出版了。

❸ 添;加。(add;supply more)常做谓语。

例句 火要灭了,快续柴火!|要不要再续点儿茶。|昨天医生又给我续了三天病假。

【絮叨】 xùdao 〔动/形〕

〔动〕反反复复、来回地说。(be long-winded;be garrulous;be wordy)常做谓语、宾语。

例句 爷爷和奶奶常常坐在一起絮叨往事。|妈妈要是絮叨起来,就没完没了。|人老了总爱絮叨。

〔形〕形容说话啰嗦;来回地说。(long-winded;garrulous;wordy)常做谓语、状语、补语。

例句 他这个人特别絮叨。|妈妈絮絮叨叨地嘱咐了我好几遍。|这几年奶奶变得越来越絮叨。

【蓄】 xù 〔动〕

储存;留着;也指心里藏着。(store up;grow;entertain;harbour)常做谓语。

例句 这下边是个池子,用来蓄水。|两年前爷爷才蓄起雪白的胡须。|是不是有人蓄意纵火,现在还不能下结论。

【宣布】 xuānbù 〔动〕

正式告诉(大家)。(declare;proclaim;announce)常做谓语、定语、宾语。

例句 现在宣布大会纪律。|主持人宣布比赛开始。|我宣布:本学期获得奖学金的一共有十名同学,他们是…|他被宣布无罪释放。|刚才宣布的名单里有小张吗?|这个新计划大家都希望早点儿宣布。

【宣称】 xuānchēng 〔动〕

公开地用语言、文字表示。(profess;assert;declare)常做谓语。

例句 他们公开地宣称,要用武力解决问题。|他宣称自己绝没有任何经济问题。

【宣传】 xuānchuán 〔动〕

对群众说明讲解,使群众相信并跟着行动。(propagate;conduct propaganda)常做谓语、定语、主语、宾语。

例句 不但要宣传交通法规,更要严格执行。|要经常向群众宣传保护生态环境的知识。|这些政策已经向市民宣传过两三次了。|他们致富的经验应当好好宣传宣传。|他在宣传部门工作。|广告宣传会影响消费者的购买决策。|“3·15”消费者权益日那天,我们要去商业区搞宣传。

【宣读】 xuāndú 〔动〕

在集会上向群众朗读(文件、论文等)。[read out(in public)]常做谓语。

例句 主持人宣读了获奖名单。|

X

今天下午要宣读一份文件。|我的论文大约要宣读半个小时。

【宣告】 xuāngào 〔动〕
宣布(多用于重大事情)。(declare; proclaim)常做谓语。

例句 中华人民共和国的成立,宣告了中国历史进入了新纪元。|历时15天的亚运会宣告胜利闭幕。|从今天起,旧的规定宣告废止。|我们厂是全市第一家宣告破产的企业。

【宣誓】 xuān shì 〔动短〕
担任某个任务或参加某个组织时,在一定的仪式上当众说出表示决心的话。(make a vow; take an oath)常做谓语、定语,中间可插入成分。

例句 新总统于昨日宣誓就职。|不要忘记,我们曾在党旗下宣过誓。|宣誓的时候,我感到非常庄严和神圣。

【宣言】 xuānyán 〔名〕
(国家、政党或团体)对重大问题公开表示意见的宣传、号召性的文告。(declaration; manifesto)常做主语、宾语、定语。[量]个,篇。

例句 《独立宣言》发表于1776年,宣言的重大作用一直影响到今天。|会后,两国的领导人共同发表了一个联合宣言。

【宣扬】 xuānyáng 〔动〕
广泛宣传,使大家知道;传布。(publicise; propagate; advertise)常做谓语。

例句 这几天,他四处宣扬自己的观点。|中国有句俗话:家丑不可外扬。意思是不要把家里不光彩的事宣扬出去。|大肆宣扬的结果是我们对这件事更加反感。|这种"经验"根本不值得宣扬。

辨析 〈近〉宣传。"宣扬"多用于不好的事情,常含贬义;"宣传"多用于好的事情,属中性词。如:* 校方不愿意把教师打了学生这件事宣传出去。("宣传"应为"宣扬")

【喧宾夺主】 xuān bīn duó zhǔ 〔成〕
比喻客人占了主人的位置,或外来的、次要的事物占了原有的、主要的事物的地位。(a presumptuous guest usurps the role of the host; the secondary supersedes the primary)常做谓语、宾语。

例句 要分清主次,千万不要喧宾夺主。|怎么他先发言?这不是喧宾夺主吗?

【悬】 xuán 〔动〕
❶ 挂。(hang; suspend)常做谓语。

例句 两山之间的钢缆上悬着缓缓移动的缆车。|几个五彩的大气球悬在广场的上空。|他久久地欣赏着悬在门额上的牌匾,那上面的几个大字太美了。

❷ 无着落;没有结果。(be unresolved; be outstanding)常做谓语、定语。

例句 录取通知书一直没发下来,我的心始终悬着。|事情还没有解决,一直悬在那儿。|孩子脱离了危险,母亲悬着的心才放了下来。

▶ "悬"还做形容词,指"危险"。如:刚才差一点儿从山上滚下来,真悬!

【悬挂】 xuánguà 〔动〕
借助外力使物体附着于某处。(hang; fly)常做谓语、定语。

例句 过年的时候,我们这儿家家门前都悬挂着红灯笼(dēnglong)。|

大楼的正中悬挂着巨幅广告牌。|他的身体悬挂在半空中,太危险了。

【悬念】 xuánniàn 〔名〕

欣赏戏剧、电影或其他文艺作品时,对故事发展和人物命运的关切心情。(suspense)常做主语、宾语、定语。[量]个。

例句 悬念可以加强作品的艺术感染力(gǎnrǎnlì)。|电视连续剧每一集结束的时候常给观众留下个悬念。|这部小说的开头就出现了一个悬念,非常吸引人。|这个悬念的设计十分成功。

【悬崖】 xuányá 〔名〕

高而陡的山崖。(steep cliff; precipice)常做主语、宾语、定语。[量]个。

例句 这个悬崖十分陡峭(dǒuqiào)。|这条路一侧是高山,一侧是悬崖。|那个人在悬崖边上照相,非常危险。

【旋】 xuán 〔动〕

❶ 转。(revolve; circle)常做谓语。

例句 听到这个坏消息,我忽然觉得天旋地转。|飞机在天空旋了一个圈。

❷ 返回;归来。(return)用于构词。

词语 凯旋 回旋

例句 战士们凯旋。|难道一点儿回旋余地都没有吗?

【旋律】 xuánlǜ 〔名〕

经过艺术构思而形成的有组织有节奏的和谐的音乐。(melody)常做主语、宾语。[量]个。

例句 这支曲子的旋律很优美。|旋律是乐曲的基础。|她不喜欢这种强烈跳动的旋律。|我对这个主旋律印象太深了。

【旋转】 xuánzhuǎn 〔动〕

物体围绕一个点或一个轴做圆周运动。(revolve; rotate)常做谓语(不带宾语)、定语、宾语。

例句 地球在不停地绕着地轴旋转,同时也在围绕着太阳旋转。|她在台上旋转着,旋转着,好像要飞起来似的。|水车在水的推动下旋转起来了。|旋转的车轮把我们带到了大草原。|上周末,我们在国贸大厦的旋转餐厅边喝咖啡,边看风景,有意思极了。|飞机停稳后,螺旋桨才停止旋转。

【选】 xuǎn 〔动〕

❶ 挑选。(select; choose; pick)常做谓语。

例句 我想选这种眼镜架。|她们几个选了半天也没选好要买的衣服。|这些录音机哪种好,你帮我选选吧。|导演说女主角还没选定。

❷ 选举;推选。(elect)常做谓语。

例句 我们今天下午选班长。|优秀护士已经选出来了。|他的父亲被选为劳动模范了。|同学们选了两名代表去看望赵老师。

【选拔】 xuǎnbá 〔动〕

挑选出好的。(select; choose)常做谓语、定语。

例句 下个星期就要选拔参赛选手了。|经过三天的初赛,选拔出了十名决赛的歌手。|事业的发展需要从年轻干部中选拔一批优秀人才充实到领导岗位。|为了参加学校的演讲比赛,我们班首先举行选拔赛。

辨析 〈近〉挑选,选定。"选拔"的对象是人,不是事物。如:* 这是我们选拔的新书。("选拔"应为"选定"或"挑选")

【选定】 xuǎndìng 〔动〕

挑选确定；选举确定。（decide on；fix）常做谓语、定语。

例句 电视剧的主角还没选定。|工厂要动迁，第一件事就是选定新厂址。|大家选定了三名同学参加口语比赛。|昨天选定的新书都是国际贸易方面的。

【选集】 xuǎnjí 〔名〕

选录一个或多人的著作而成的集子，常用做书名。（selected works；selections；anthology）常做主语、宾语、定语。[量]本。

例句《毛泽东选集》简称《毛选》。|我昨天买了一本《中篇小说选集》。|这本选集的发行量很大。

【选举】 xuǎnjǔ 〔动〕

〔动〕用投票或举手等表决方式选出代表或负责人。（elect）常做谓语、定语、宾语。

例句 不少国家用全民投票的方式选举总统和议员。|市人民代表已经全部选举出来了。|全厂职工一致选举王工（程师）当工会主席。|现在公布选举结果。|今天下午的村民大会上，全体村民要进行选举。

【选民】 xuǎnmín 〔名〕

有选举权的公民。（voter；elector）常做主语、宾语、定语。[量]个、批。

例句 选民们积极参加了昨天的投票。|年满十八周岁的公民就成为合法选民。|总统候选人向选民们作出许多承诺，来争取选民的支持。|这次选举充分体现了选民的意愿。|去投票时，别忘了带选民证。

【选取】 xuǎnqǔ 〔动〕

挑选取用。（select；choose）常做谓语。

例句 上山的路有三条，我们选取了一条远些但容易走的路。|这部诗集共选取了三百首唐诗。|表演者可以随意选取一份礼物作为纪念。

【选手】 xuǎnshǒu 〔名〕

参加比赛的队员。（player；contestant；an athlete selected for a sports meet）常做主语、宾语、定语。[量]个，名。

例句 八名选手参加100米决赛。|这次全国运动会，我省派出了三十个选手。|我们学校有一名选手获得了英语比赛的第二名。|各队选手的实力都非常强。

【选修】 xuǎnxiū 〔动〕

从指定的可以自由选择的科目中，选定自己要学习的科目。（take as an elective course）常做谓语、定语。

例句 在英语、日语、俄语这三门外语中，可以选修一门。|这学期我选修了汉字、中国民俗两门课。|我打算选修中国历史专业。|这学期我们班有三门必修课、三门选修课。

【选用】 xuǎnyòng 〔动〕

挑选使用或运用。（select for employment or for use）常做谓语。

例句 我们可以选用这个新方案。|这套西服是选用进口面料做的。|他们公司选用年轻而且学历高的优秀人才做高级管理者。|这套教材我们选用过一年，不太理想。

【选择】 xuǎnzé 〔动/名〕

〔动〕挑选。（choose；select）常做谓语、定语。

例句 高中毕业后，我的两个好朋友选择了完全不同的专业。|我们一定要选择一个合理的设计方案。|这几种办法哪种好，你帮我选择选

择吧。|这道题要求从A、B、C、D四个答案中选择唯一恰当的答案。|我去过几次人才市场,可以选择的工作不多。

〔名〕挑选。(choice; selection)常做主语、宾语。[量]个,种。

例句 你走的是一条自学成才的道路,实践证明这个选择是正确的。|到中国来学汉语,这是明智的选择。|你面前有多种选择,关键在你自己怎么做。

【削减】 xuējiǎn 〔动〕

从已定的数目中减去。(cut down; reduce)常做谓语。

例句 由于改革了经营管理体制,将会削减一部分工作人员。|明年的开支大约要削减三分之一。|能不能把设计预算削减下来?

【削弱】 xuēruò 〔动〕

(力量、势力)变弱。(weaken; cripple)常做谓语、宾语。

例句 两名主力队员抽到国家队去以后,我们队的力量削弱了。|要想办法削弱敌人的力量。|党的领导任何人也削弱不了。|我们在市场上的优势不能受到削弱。

辨析 〈近〉减弱。"削弱"多用于因外界的原因而变弱;"减弱"多用于因自身的原因而变弱。"削弱"可带宾语,可用在"被"字句、"把"字句中;"减弱"不能。如:*刮了一夜大风,到早上风力慢慢地削弱了。("削弱"应为"减弱")

【靴子】 xuēzi 〔名〕

有长筒的鞋。(boots)常做主语、宾语、定语。[量]双,只。

例句 我的靴子是牛皮的。|她买了一双很漂亮的靴子。|这双靴子的质量很好。

【穴】 xué 〔名〕

洞;动物的窝;人体上可以针灸的部位。(cave; hole; acupuncture)常用于构词。

词语 洞穴 孔穴 巢穴 穴位

例句 俗话说:不入虎穴,焉得虎子?|我太阳穴疼。|人昏迷时,掐人中穴可以苏醒(sūxǐng)过来。

【学】 xué 〔动/名〕

〔动〕❶ 通过听讲、阅读或练习等得到知识或技能。(study; learn)常做谓语、定语、宾语。

例句 我一边工作,一边学研究生课程。|暑假时,她学会了开车。|他汉语学得不错。|你是司机,不应该只会开车,也该学学修车。|在学校时学的知识不够用,工作以后还要边干边学。|京剧我很喜欢学。

❷ 模仿。(imitate; mimic)常做谓语。

例句 这孩子聪明得很,学什么像什么。|他能学鸟叫,学得像极了。|小孙子学着爷爷的口气说话,把大家逗得哈哈大笑。

〔名〕学问;学校;学科。(learning; school; subject of study)常用于构词或用在固定短语中。

词语 学府 学会 学科 学名 学问 学位 学者 小学 中学 大学 文学 化学 数学 语言学 经济学 真才实学

例句 没有真才实学怎么行?|中学分两个阶段:初中和高中。|弟弟考上了大学,大家都替他高兴。|我们是经济学专业的毕业生。

【学费】 xuéfèi 〔名〕

学习所需的费用。(tuition; tuition

fee)常做主语、宾语。[量]笔。

例句 学费我已经准备好了。|到中国留学,学费不太贵。|开学时,我要交一大笔学费。|为了交学费,山本回国打了一年工。|对交不起学费的大学生,银行可以提供贷款。

【学会】 xuéhuì 〔名〕

由研究某一学科的人组成的学术团体。(learned society; society; institute)常做主语、宾语、定语。[量]个。

例句 我们学会今年要开年会。|我想申请参加修辞(xiūcí)学会。|学会秘书处负责日常工作。|凡学会的会员都可报名参加。

【学科】 xuékē 〔名〕

按照学问的性质划分的门类,有时也指学校的教学科目。(a branch of learning; a school subject; a course of study)常做主语、宾语、定语。[量]个。

例句 物理、化学、生物等这几个学科都包括在自然科学中。|你们学校开设了哪些学科?|大学不抓学科建设不行。

【学历】 xuélì 〔名〕

学习的经历,指最后在哪一级学校毕业。(record of formal schooling; academic credentials)常做主语、宾语、定语。

例句 他学历很高,是博士毕业。|最低要有大学本科学历才能在这儿工作。|选人既要看学历,也要重视能力。|请问,可以给我开一份英文的学历证明吗?

【学年】 xuénián 〔名〕

学校规定的学习年度。中国的一学年一般指从秋季开学到第二年的暑假。(school year)常做主语、宾语、定语。[量]个。

例句 一学年包括两个学期。|安娜打算从下个学年开始到本科班学习汉语言专业。|暑假已经过去,我们又迎来了一个新的学年。|请大家考虑一下本学年的学习计划。

【学派】 xuépài 〔名〕

同一学科中由于学说、观点不同而形成的派别。(school; school of thought)常做主语、宾语、定语。[量]个。

例句 地心说和日心说这两个学派的观点完全不同。|研究《红楼梦》的有很多学派。|作为学派的代表人物,毛教授的工作十分繁重。|这个学派的主要观点是什么?

【学期】 xuéqī 〔名〕

学校把一个学年分成两个或三个阶段,每个阶段叫学期。(term; school term; semester)常做主语、宾语、定语。[量]个。

例句 新学期马上就要开始了,我得准备功课了。|在中国一学年分为两个学期。|我要在这个学校学习一个学期。|下面请院长作学期工作总结。

【学生】 xuésheng 〔名〕

在学校读书的人;向老师或前辈学习的人。(student; pupil; disciple; follower)常做主语、宾语、定语。[量]个,名。

例句 这个学校的学生很多。|学生们都去参加口语比赛了。|我们班一共有15名学生。|教室里有两个学生在学习。|你们今年全校的学生数是多少?

【学时】 xuéshí 〔名〕

一节课的时间，通常为45分钟。(class hour)常做主语、宾语、定语。[量]个。

例句 2～3个学时就可以完成一个讲座。|这门课一学期有140多学时。|换教材以后，需要增加一些学时。|老师一周要完成十几个学时的教学任务。

【学术】 xuéshù 〔名〕

有系统的、专门的学问。(science; learning)常做定语。

例句 《中国语文》是一份学术性很强的杂志。|他写的那篇关于语法的学术论文已经发表了。|学会一般都是学术团体。|学校下星期举行学术报告会。

【学说】 xuéshuō 〔名〕

学术上有系统的主张。(theory; doctrine)常做主语、宾语、定语。[量]种。

例句 儒家的学说简称儒学，这个学派的创始人是两千多年前的孔子。|16世纪，波兰天文学家哥白尼创立了以太阳为中心的学说——"日心说"。|进化论这一学说的影响很大。

【学位】 xuéwèi 〔名〕

国家根据专业学术水平，通过一定考核授予成绩合格者的称号，有学士、硕士、博士等。(degree; academic degree)做主语、宾语、定语。[量]个。

例句 学士学位是大学本科毕业后才能获得的。|经过三年的努力，他终于获得了硕士学位。|我拿着学位证书、戴着博士帽照了一张相。

【学问】 xuéwen 〔名〕

正确反映客观事物的系统知识；知识；学识。(learning; knowledge; scholarship)常做主语、定语。[量]门，点儿。

例句 汉字里边的学问可大啦。|老人是个博士，很有学问。|学问的深浅当然重要，可为人的好坏更重要。

辨析 〈近〉知识。"学问"常用于口语；"知识"可用于书面语。如：*学问经济("学问"应为"知识")|*知识可大了。("知识"应为"学问")|*做知识("知识"应为"学问")

【学习】 xuéxí 〔动〕

从阅读、听讲、研究、实践中获得知识或技能；效法。(study; learn)常做谓语、定语、宾语、主语。

例句 他在北京大学学习中国历史。|她每个星期六都带女儿去学习弹钢琴。|他们出国考察、学习了三个月。|张处长的工作方法很好，我们都应该好好向他学习学习。|开学时，我要订个学习计划，到了期末，再写个学习总结。|他从小就喜欢学习。|不论工作多忙，你都不要放弃学习。|我儿子的学习从来不用我操心。

【学校】 xuéxiào 〔名〕

集中授课的场所。(school; educational institution)常做主语、宾语、定语。

例句 这所学校是我二十年前工作的地方。|明天我们要到一所学校去参观。|我们学校的教学楼很新。

【学以致用】 xué yǐ zhì yòng 〔成〕

学习能应用于实际。(study for the purpose of application; study sth. in order to apply it)常做谓语。

例句 他从农学院毕业以后，学以致用，承包了一个农场。|学习外语应该学以致用。

【学员】 xuéyuán 〔名〕
一般指在大、中、小学以外的学校或训练班学习的成员。(student)常做主语、宾语、定语。[量]个，位，名。

例句 电脑班的学员都很努力。|驾驶学校年年招收新学员。|她是会计班的学员。|请填写《学员登记表》。

【学院】 xuéyuàn 〔名〕
高等学校的一种，以某一专业教育为主。(college; institute)常做主语、宾语、定语。[量]所。

例句 我们学院一共有十个外语专业。|姐姐考上了北京电影学院。|她毕业于这所学院。|这是我们学院的传统。|我们都是师范学院的毕业生。

【学者】 xuézhě 〔名〕
在学术上有一定成就的人。(scholar)常做主语、定语。[量]位。

例句 这几位青年学者都非常有成就。|大家有什么问题可以向这位学者请教。|参加这次讨论会的有几位国际上的知名学者。|宋教授很有学者风范(fēngfàn)。

【学制】 xuézhì 〔名〕
教育制度；学习年限。(educational system; length of schooling)常做主语、宾语、定语。[量]种。

例句 这个学院的学制有两种，一种是四年制的本科，另一种是三年制的专科。|我们可不可以缩短学制？|中国和日本学制的差别不大。

【雪】 xuě 〔名〕
空气中的水蒸气遇冷凝成的白色晶体。(snow)常做主语、宾语、定语。[量]场，阵。

例句 俗话说：瑞雪兆(zhào)丰年，这场雪下得太好了。|这山上的雪终年不化。|傍晚时，纷纷扬扬地下起了大雪。|我很喜欢雪景。

【雪白】 xuěbái 〔形〕
像雪一样洁白。(snow-white; snowy white)常做谓语、定语、补语。

例句 刚下过雪，大地一片雪白。|奶奶的头发已经雪白雪白的了。|小白兔长着红红的眼睛，雪白的毛，谁见了谁爱。|园子里开满了雪白的梨花。|用了一天的时间，我俩把墙壁刷得雪白。

【雪花】 xuěhuā 〔名〕
从空中飘下的雪，形状像花，因此叫雪花。(snowflake)常做主语、宾语、定语。[量]片。

例句 没有风，雪花轻轻地从空中飘落下来。|我伸出手，一片片洁白的雪花落在我的手掌里，很快就化了。|雪花的形状是六角形的。

【雪中送炭】 xuě zhōng sòng tàn 〔成〕
下雪天给人送炭取暖。比喻在别人急需的时候，给以帮助。(send charcoal in snowy weather — provide timely help)常做谓语、定语、宾语。

例句 省医院雪中送炭，给灾区空运来了药品。|银行及时提供了一笔贷款，起到了雪中送炭的作用。|值此洪水围困之际，这批粮食实属雪中送炭。|他这样帮助我，真是雪中送炭。

【血】 xuè 〔名〕 另读 xiě

人或高等动物体内循环系统中的液体组织，红色。(blood)常用于构词。

词语 血液 血型 血亲 血流成河

【血管】 xuèguǎn 〔名〕

血液在全身循环所经过的管状器官。(blood vessel)常做主语、宾语、定语。[量]条，根。

例句 血管分动脉、静脉和毛细管等几种。|你太瘦了，手上的血管这么清楚。|输液首先得找合适的血管。|她割断了自己腕部的血管想自杀。|心、脑血管疾病的死亡率很高。|他的背部长了个血管瘤。

【血汗】 xuèhàn 〔名〕

血和汗，象征辛勤的劳动。(blood and sweat; sweat and toil)常做主语、宾语、定语。

例句 我们的血汗建起了公司的大厦。|为了修长城，劳动人民流了多少血汗哪！|这些粮食都是农民用血汗换来的，怎么能白白浪费掉呢？|我的学费都是父母的血汗钱。

辨析 〈近〉心血。"血汗"指血和汗，着重象征体力方面的劳动；"心血"指心思和精力，着重象征脑力方面的劳动。"血汗"常与"流尽"、"榨干"、"吸干"等搭配；"心血"常与"费尽"、"倾注"、"耗费"等搭配。如：*她为孩子们的成长倾注了一生的血汗。("血汗"应为"心血")

【血压】 xuèyā 〔名〕

血管中的血液对血管壁的压力。(blood pressure)常做主语、宾语、定语。

例句 血压是身体检查时必检的一个项目。|病人的血压很不稳定，时高时低。|大夫，我想量一量血压。|我给妈妈买了一个血压计。

【血液】 xuèyè 〔名〕

血；比喻主要的成分或力量等。(blood; lifeblood; lifeline)常做主语、宾语、定语。

例句 血液由血浆、血细胞和血小板构成。|石油就好像工业的血液。|新来的几名大学生为我们厂增加了新鲜血液。|他得的是一种血液病。

【熏】 xūn 〔动〕

(烟、气等)接触物体，使变颜色或沾上气味；熏制。(smoke; fumigate)常做谓语、定语。

例句 这么浓的烟味太熏人了。|她会熏鸡。|化工厂的气味熏得人喘不过气来。|这熏鱼的味道不错。

【寻】 xún 〔动〕

找。(look for; seek)常做谓语。

例句 她对生活失去了信心，于是寻了短见(自杀了)。|我能了解那种寻不到知音的苦恼。|他在报上发了一条寻人启事。

辨析 〈近〉找。"寻"多用于具体的人或物；"找"还可用于抽象事物，如"找原因"、"找差距"等，使用面较宽。"寻"多用于书面语；"找"口语色彩较浓。

【寻根问底】 xún gēn wèn dǐ 〔成〕

寻求根由，追究底细。(get to the bottom of things; inquire deeply into)常做谓语、定语、状语。

例句 这件事就让它过去吧，不要再寻根问底了。|无论什么事情，他都喜欢寻根问底。|我们应该鼓励这种寻根问底的做法。|我已经很

不耐烦了，可他还寻根问底地想弄清楚我到底一个月能挣多少钱。

【寻求】 xúnqiú 〔动〕

寻找追求。(seek; explore)常做谓语。

例句 她一生都在寻求人生的真谛。|他一生都在寻求真理。|年轻人应该为寻求知识而刻苦努力。|他很绝望，觉得再也寻求不到希望了。

【寻找】 xúnzhǎo 〔动〕

找。(look for; seek)常做谓语。

例句 我们的工作就是勘探(kāntàn)、寻找石油。|她现在需要寻找一条新的出路。|每个人都想寻找一份理想的工作，但不一定都能寻找到。

【巡】 xún 〔素/量〕

〔素〕巡查；巡视。(patrol; make one's rounds)常用于构词。

词语 巡查　巡逻　巡回　巡视　巡夜　巡游

例句 县长去巡查堤坝了。|这个艺术团经常到各地去巡回演出。|我们小区里有保安值班巡夜。

〔量〕遍，用于给全座斟酒。(a round of drinks)

例句 酒过三巡，大家的话渐渐多了起来。

【巡逻】 xúnluó 〔动〕

巡查警戒。(patrol; go on patrol)常做谓语(不带宾语)、定语、宾语。

例句 每天巡警们都在市内各处巡逻。|大连有女骑警，她们骑着马巡逻，很威武。|他们几个轮流巡逻了一夜。|我有巡逻任务，不能喝酒。|这次由李所长来组织巡逻。

辨析 〈近〉巡视。"巡逻"没有"视"的意思，不带宾语；"巡视"可带宾语。如：县长巡视受灾后的情况去了。

【询问】 xúnwèn 〔动〕

征求意见；打听。(ask about; inquire about)常做谓语、定语。

例句 新厂长详细地询问了全厂的生产情况。|我打电话询问过那个公司的地址。|客户对我们的新产品有什么意见，请你打电话询问一下。|他用询问的目光望着大家。

【循】 xún 〔素〕

遵守；依照；沿袭。(follow; abide by)常用于构词或固定短语中，也做谓语。

词语 遵循　因循　循环　循规蹈矩　循循善诱

例句 这个问题应该循着他的思路去想。|科学管理要做到事事有章可循。

【循环】 xúnhuán 〔动〕

事物周而复始地运动或变化。(circulate; cycle)常做谓语(不带宾语)、定语、宾语、状语。

例句 血液在血管内不断地循环着。|3. $\dot{3}\dot{1}$这个小数可以无限地循环下去。|这次比赛是淘汰赛，不是循环赛。|你看这只青蛙，血液已经停止了循环。|这家影剧院的电影是循环放映的。

【循序渐进】 xún xù jiàn jìn 〔成〕

按照一定的步骤逐渐深入或提高。(follow in order and advance step by step)常做主语、宾语、谓语、状语。

例句 循序渐进是一种在教学中应该遵循的原则。|在实验中，我的导师一再强调要循序渐进。|循序渐进

的过程常常是一种量的积累过程。|学习、锻炼身体等都要循序渐进。|你不要着急,要循序渐进地学。

【循循善诱】xúnxún shàn yòu 〔成〕

善于有步骤地进行引导。(be good at giving systematic guidance; teach with skill and patience)常做谓语、定语、状语。

例句 老师非常认真,对我们循循善诱。|她是一个循循善诱的好老师。|父母循循善诱地教导孩子要做一个对社会有用的人。

【训】xùn 〔动〕

教导;训诫。(give sb. a lecture)常做谓语。

例句 今天这小子做错了事,他爹又该训他了。|李局长脾气不好,爱训人。|我被连长训了一顿。|她把孩子训哭了。|这几个人太不认真,得好好训训。

【训练】xùnliàn 〔动〕

有计划、有步骤地使具有某种特长或技能。(train; drill)常做谓语、定语、宾语、主语。

例句 这个教练训练出了一批优秀长跑运动员。|足球队到高原去训练了,他们要训练两个月。|球队应该制定一个科学的、严格的训练计划。|这些警犬都受过训练。|训练正在紧张地进行。

【讯】xùn 〔名〕

消息,信息。(message; information)常做主语、宾语。

例句 梁山伯的死讯,使祝英台十分悲痛。|今天下午传来了实验成功的喜讯。|据新华社讯,新疆伽师发生了6.8级的地震。

【迅】xùn 〔素〕

迅速。(fast; swift)常用于构词或固定短语中。

词语 迅速 迅疾 迅捷 迅猛 迅雷不及掩耳

例句 这几位篮球运动员动作迅疾,投球准确。|洪水来势迅猛。|我们要以迅雷不及掩耳之势向敌人发起进攻。

【迅速】xùnsù 〔形〕

速度高;非常快。(rapid; swift; prompt)常做谓语、定语、状语、补语。

例句 集合时大家非常迅速。|这几年,我们的城市建设工作有了迅速的进展。|战士们迅速地冲上山顶。|因为有急事,她迅速地办好手续,提前回国了。|国民经济发展得很迅速。

【徇私舞弊】xùnsī wǔbì 〔成〕

为了私情弄虚作假。(do wrong to serve one's friends or relatives)常做谓语、定语。

例句 他身为法官,却徇私舞弊,影响极坏。|徇私舞弊的人必须受到制裁。

Y

【压】 yā 〔动〕

❶ 对物体加力(多指从上往下)。(press; push down; hold down; weigh down)常做谓语、定语、宾语。

例句 李师傅在货物上盖了一层防雨布,又在布上压了一些石头。|我的红毛衣压在箱子最下面,压得太死,不好拿。|小心压的力量太大,下面的东西会压坏的。|别把包放在我的包上,我的包怕压。

❷ 使稳定,平静。(calm)常做谓语。

例句 他尽力把火儿压下来,不和妻子吵架。|我终于压不住,咳嗽起来。|你把嗓门压压,行吗?

❸ 用强力制止,控制。(bring pressure to bear on; suppress; daunt; intimidate)常做谓语、宾语。

例句 听说领导故意压他,不让他施展自己的才能。|我这个人就不怕别人压我。|员工们的意见被压下去了。|我可不怕压。

❹ 非常接近。(approach; be getting near)常做谓语。

例句 当时,大兵压境,形势危急。|太阳压着树梢,天快黑了。|乌云正向北边压过去。

❺ 放着不动。(pigeonhole; shelve)常做谓语。

例句 这个问题已经压了一年多了,下面意见很大。|很多产品压在仓库里卖不出去。|收到文件要赶紧处理,不要压起来。|双方争得太厉害了,压一压再说吧。

❻ 赌博时下注。[stake; risk(money)]常做谓语。

例句 你压什么?快点儿压,马上就知道结果了。|游戏结束时,才知道自己压错了。|那天赌博,金老板一次就压上了两万元。

▶"压"也做名词,指"压力"。如:变压器 电压 血压 大气压

【压力】 yālì 〔名〕

❶ 物体所承受的与表面垂直的作用力。(pressure)常做主语、宾语。[量]种,千克。

例句 水下的压力很大,一般人受不了这种压力。|有时候家里停水是因为压力不够。

❷ 制服人的力量。(pressure)常做主语、宾语。

例句 A:如果压力太大了,对方会不会索性不还?B:在目前的态势下,我看不会。|迫于各方面的压力,他只能退出竞选。|我队在场上始终给对方施加强大的压力。

❸ 承受的负担。(tension; stress)常做主语、宾语。

例句 中学生学习上的压力必须减下来。|修了城市轻轨后,交通压力大为缓解了。|人口迅速增加对经济和社会造成了巨大的压力。|工作上有压力是好事,我们可以把压力变成工作的动力。

【压迫】 yāpò 〔动〕

❶ 用强力使别人服从自己。(oppress; repress)常做谓语、宾语。

例句 上级不能压迫下级。|任何人也压迫不了我们。|妇女受压迫的日子一去不复返了。|哪里有压迫,哪里就有反抗。

❷ 对有机体的某个部分加上压力。

(constrict)常做谓语、定语。

例句 由于肿瘤压迫了神经,因此产生了疼痛。|治疗疼痛有一种压迫法。

【压缩】 yāsuō 〔动〕

❶ 加上压力,使体积缩小。(constrict;compress)常做谓语、定语。

例句 可以把空气压缩在一个结实的罐子里。|机器把大堆棉花压缩成一包一包的。|你吃过压缩饼干吗?

❷ 减少(人员、经费、字数)。(reduce;condense;cut down)常做谓语。

例句 改革后我们厂的人员从三千人压缩到两千人。|由于改乘火车,压缩了旅行开支,每人只花了很少的钱。|A:我起草的报告您看了吧?B:看过了,有些长,你把它再压缩压缩吧。|对不起,人员编制实在压缩不下去了。|写文章要精,宁可把长篇压缩成短篇,也不要把短篇扩展为中篇。

【压抑】 yāyì 〔动/形〕

〔动〕限制感情、力量等,使不能充分流露或发挥。(constrain;inhibit;hold back;depress)常做谓语、宾语。

例句 母亲压抑着自己的痛苦,尽力不让我们看出来。|我再也压抑不住内心的悲痛,放声哭起来。|那时,她虽然处处受压抑,但仍坚持照常工作。

〔形〕受限制的。(restrained;inhibited)常做定语、谓语、宾语。

例句 会场里那种压抑的气氛,让人感到呼吸困难。|这儿的空气太压抑了!|在这种环境中他时时感到十分压抑。

【压韵(押韵)】 yā yùn 〔动短〕

诗歌等句末用韵母相同或相近的字,使音调和谐优美。(rhyme)常做谓语、定语、宾语。

例句 这两个句子不太压韵。|这个地方要用一个压韵的字。|写诗讲究压韵。

【压制】 yāzhì 〔动〕

用强力限制或制止。(restrain;inhibit;suppress)常做谓语、宾语、定语、主语。

例句 压制民主、压制批评只会走向反面。|领导怎么能压制群众呢?|我怎么也压制不住心中的怒火。|我们早就提出了改革建议,却受到个别领导的压制。|对群众意见不能采用压制的手段。|压制是解决不了问题的。

辨析 〈近〉压抑。"压制"重在用强力制止、限制活动、群众、民主等,语义较重;"压抑"重在用感情力量去限制精神和情感等,语义稍轻。此外,"压抑"还有形容词用法。如:*领导不能压抑群众。("压抑"应为"压制")|*在这种氛围中,我感到特别压制。("压制"应为"压抑")

【呀】 yā 〔叹/象声〕 另读 ya

〔叹〕表示惊奇。(oh;ah)单独成句。

例句 呀!下雪了。|呀!你回来了,我还以为你过几天才回来呢。|A:呀!我忘了带钥匙了。B:没关系,我有。

〔象声〕表示开门、唱歌或鸟叫的声音。(creak)常做状语、定语。

例句 A:她呀呀呀地唱了半天,也不知道唱的是什么。B:别说外行话,人家那是练声呢。|门"呀"地一声开了。|乌鸦"呀"地一声飞走了。

【押】 yā 〔动〕

❶ 把财物交给对方作为保证。(mortgage; pawn)常做谓语，也用于构词。

词语　典押　抵押　押金

例句　A:听说你把自己的房子押出去了。B:是啊，没办法，资金运转不开了。|如果把书拿回去看的话，请押十块。

❷ 暂时把人扣留，不准自由行动。(detain; take into custody)常做谓语。

例句　一间屋里押着三个犯人，押了一个星期了。|把他押过来！|群众把坏蛋押到了派出所。

❸ 跟随着照料、看管。(escort)常做谓语。

例句　我们押着货物出发了。|A:他从来没押过犯人，一个人能押得了吗？B:没事，下午就有人配合他了。

【鸦片】 yāpiàn 〔名〕

用罂粟果实中的乳状汁液制成的一种毒品。俗称大烟。(opium)常做主语、宾语、定语。

例句　鸦片是一种毒品，吸了会上瘾。|种植和贩运鸦片要受法律制裁。|他以前吸过鸦片，现在戒了。|鸦片的毒害特别严重。

【鸦雀无声】 yā què wú shēng 〔成〕

比喻非常静。(not even a crow or sparrow can be heard; silence reigns)常做谓语、定语、状语。

例句　听到这个消息，屋子里的人全都鸦雀无声了。|今天考试，每个教室都鸦雀无声。|鸦雀无声的会场，突然爆发出雷鸣般的掌声。|大厅里，一时间鸦雀无声地静了下来。

【鸭】 yā 〔名〕

鸟类的一种，嘴扁腿短，善于游泳，肉可以吃，绒毛可以做衣服、被子等。一般指家养的。(duck)常用于构词。

词语　鸭子　烤鸭　野鸭　板鸭　鸭蛋　鸭绒　鸭舌帽

例句　我特别爱吃北京烤鸭。|鸭绒枕头睡着舒服得很。

【鸭子】 yāzi 〔名〕

意义同"鸭"。(duck)常做主语、宾语、定语。[量]只。

例句　鸭子习惯在水边生活。|天气太热了，鸭子不下蛋了。|姥姥家养了好几十只鸭子。|鸭子的绒毛可以做被子，又轻又暖和。

【牙】 yá 〔名〕

❶ 人和某些动物口中嚼(jiáo)食物的器官。(tooth)常用于构词，也做主语、宾语、定语。[量]口，颗，排。

词语　牙医　牙科　牙刷　门牙　镶牙　牙签

例句　我牙不好，是因为小时候吃糖吃得太多了。|A:您怎么不吃呀？B:人老了，牙都快掉光了，哪咬得动这东西。|最好每天刷两次牙。|孩子刚长了两颗小牙。|姑娘一笑，露出一口白牙。|我的牙缝比较大，吃东西容易塞牙。

❷ 形状像牙的东西。(tooth-like thing)常用于构词。

例句　有位老人坐在马路牙上。|月牙出来了。

【牙齿】 yáchǐ 〔名〕

人和某些动物口中咬碎食物的器官。(tooth)常做主语、宾语、定语。[量]口，颗，个，排。

例句　牙齿对人的健康非常重要，

牙齿不好,会影响全身。|人有二十八颗牙齿。|老虎长着一口锋利的牙齿。|要好好保护自己的牙齿。|牙齿表面最好半年清洗一次。

【牙膏】 yágāo 〔名〕

刷牙时用的膏状物,有清洁、保护牙齿的作用。(toothpaste)常做主语、宾语、定语。[量]支,管。

例句 牙膏是必不可少的日用品。|牙膏的品种很多。|我刚用完了一管牙膏,还得去买。|我爱人每天都用药物牙膏刷牙。

【牙刷】 yáshuā 〔名〕

刷牙用的小刷子。(toothbrush)常做主语、宾语、定语。[量]个,把。

例句 牙刷几个月就该换一把新的。|我不喜欢用这个牌子的牙刷,太硬了。|这把牙刷的毛很适合老年人,刷得又干净又舒服。

【芽】 yá 〔名〕

植物刚长出来的可以发育成茎、叶或花的部分。(bud; sprout)常做主语、宾语。[量]个。

例句 种子刚发出的芽被踩倒了。|春天来了,小草发芽了。|大火过后,树上又长出了新芽。

【崖】 yá 〔名〕

山或高地的陡立的侧面。(cliff)常用于构词,也做定语。

词语 山崖 悬崖 崖口

例句 崖上盛开着美丽的杜鹃花。|站在崖边危险。

【哑】 yǎ 〔动〕

❶ 天生或因为生病而不能说话。(mute; dumb)常用于构词,也做谓语(不带宾语)。

词语 哑巴 聋哑 哑剧

例句 这老头儿又聋又哑,跟他说什么都没用。|她从小就哑。

❷ 嗓子干,发不出声音或发音低而不清楚。(hoarse)常做谓语(不带宾语)、定语、状语、补语。

例句 作了一天报告,嗓子都哑了。|因为发炎,嗓子哑了三天了。|他那哑嗓子唱歌能好听吗?|老师病了,只好哑着嗓子给我们上课。|昨天看球赛,他把嗓子都喊哑了。

【哑口无言】 yǎ kǒu wú yán 〔成〕

像哑巴一样没有话说。(be left without an argument; be rendered speechless; be dumb as a fish)常做谓语、补语。

例句 大家你看我,我看你,哑口无言。|他常常被老师批评得哑口无言。|小王被说得哑口无言。

【轧】 yà 〔动〕 另读 zhá

滚动重物把东西压碎、压实。(roll)常做谓语。

例句 他骑车不小心,轧了别人的脚。|轧道机把路面轧得非常平整。|这台机器轧棉花轧得很快。

【亚】 yà 〔形/名〕

〔形〕❶ 较差。(second; inferior)常用于"…不亚于…"格式。

例句 这件艺术品的价值不亚于那件。|他的文学水平不亚于那些有名的作家。

❷ 次一等的。(second; lower than)常用于构词。

词语 亚军 亚热带

例句 这里是温带,却生长着亚热带作物。

〔名〕亚洲的简称。(Asia)常用于构词。

词语 东北亚 南亚 西亚 亚、非、拉

例句 欧亚大陆是世界上最大的陆地。

【亚军】 yàjūn 〔名〕

体育、游艺等竞赛中的第二名。[second place(in a sports contest); runner-up]常做主语、宾语、定语。[量]个,项。

例句 亚军站在冠军下一个台阶上。|这次网球比赛,他只得了亚军。|亚军的奖牌叫银牌。

【呀】 ya 〔助〕 另读 yā

"啊"由于受前一个字韵母 a、e、i、o、ü 的影响而发生的读音变化,作用不变。(*used in place of* "啊" *when the preceding word ends in sound* a,e,i,o,or ü)用于句末或停顿。

例句 这是谁的呀?|你这次考试得了第一名,真了不起呀!|你说他呀,我还以为是谁呢。|什么苹果呀、柑橘呀、西瓜呀,这儿都有。

【烟】 yān 〔名〕

❶ 物质燃烧时产生的黑、灰、黄、白等颜色的气体。(smoke)常做主语、宾语、定语,也用于构词。[量]股,缕。

词语 烟尘 烟雾 烟囱 烟火 烟幕 炊烟

例句 烟含有有害物质。|工厂排放的黑烟污染空气。|从门缝里钻进来一股烟。|你闻到一股烟味了吗?

❷ 烟草,或由烟草制成的产品。(cigarette or pipe tobacco)常做主语、定语、宾语,也用于构词。[量]棵,支,根,包,盒。

词语 香烟 烟卷儿 烟缸 烟嘴儿 烟头 烟灰

例句 烟我早就戒了。|我可以抽支烟吗?|这烟的味道我抽不惯。|种烟收益很大。|(标牌)请勿吸烟。

❸ 像烟的东西。(mist; vapour)常用于构词或用于固定短语。

词语 烟波 烟海 烟雾弹 烟消云散

例句 我和他的误会早已烟消云散了。|早春的洞庭湖上烟波浩淼(miǎo)。

【烟草】 yāncǎo 〔名〕

一年生草本植物,叶子大,是制造香烟的主要的原料。(tobacco; the tobacco plant)常做宾语、主语。[量]棵。

例句 这一带大量种植烟草。|我们厂直接从农村收购烟草。|烟草可以加工烟丝和香烟。

【烟囱】 yāncōng 〔名〕

炉灶、锅炉上排烟的管。(chimney)常做主语、宾语。[量]个。

例句 经过治理,冒黑烟的烟囱几乎没有了。|烟囱堵了,需要把里面的东西清理一下。|为了改善市区环境,许多工厂搬迁,先后炸掉了十几个烟囱。

【烟卷儿】 yānjuǎnr 〔名〕

香烟。(cigarette)常做主语、宾语、定语。[量]支,根,包。

例句 我觉着烟卷儿没有自己卷的烟叶好抽。|科长嘴里叼了根烟卷儿,慢慢往家走。|烟卷儿的价钱也涨了。

【烟雾】 yānwù 〔名〕

泛指烟、雾、云气等。(smoke, mist, or vapor)常做主语、宾语、定语。[量]团,阵。

例句 除夕夜放过鞭炮后，到处烟雾弥漫。|随着一声巨响，烟雾冲天，原来的旧楼消失了。|山谷里充满着白色的烟雾。|A：请问，飞机怎么还不起飞？B：对不起，由于烟雾的影响，机场暂时关闭了。

【淹】 yān 〔动〕

❶ 大水盖过了人或物。（flood；submerge）常做谓语、定语。

例句 大水把田地、房子都淹了。|去年那场洪水淹了两个县。|这次比上次淹得厉害。|A：大堤已经决口了，你还不赶快回家看看。B：我家地势高，淹不着。|水退了，淹了的房屋渐渐露出水面。

❷ 汗水等使皮肤痛或痒。（irritate the skin）常做谓语。

例句 A：这孩子老哭什么？B：孩子被尿淹了屁股，不舒服了。|胳肢窝让汗淹得难受。

【淹没】 yānmò 〔动〕

大水漫过，盖过；也用于比喻。（flood；submerge）常做谓语、定语。

例句 海潮很快淹没了这片沙滩。|他的讲话被掌声淹没了。|她是那么普通，只要走进人群，便会淹没在茫茫人海之中。|A：这场洪水过后，你们村损失大吗？B：咋不大？淹没的土地就有一千多亩。

【延】 yán 〔动〕

❶ 意义同“延长”。（extend；prolong）常用于构词。

词语 延长 蔓延 绵延

例句 大兴安岭绵延1200公里。

❷（时间）向后推迟。（put off；postpone；delay）常用于构词，也做谓语。

词语 延期 迟延 拖延

例句 运动会因雨延期了。|春节的假期又往后延了两天。|A：今天不是报名的最后一天了吗？B：不是，报名期限延到10号。

【延长】 yáncháng 〔动〕

向长的方面发展。（extend；prolong）常做谓语、定语。

例句 考试不会延长时间的，所以要看好表。|铁路延长到了我们家门口。|新影片很受欢迎，所以放映时间延长了一周。|A：你要抓紧点儿，延长的时间不会太久。B：我知道，你放心吧。

【延缓】 yánhuǎn 〔动〕

使发展的速度变慢，时间拉长。（delay；postpone）常做谓语、定语。

例句 经常运动，可以延缓衰老。|这病太重，再好的药恐怕也延缓不了他的死亡了。|由于采取一些措施，所以延缓了环境恶化的速度。|有没有延缓的办法？

【延期】 yán qī 〔动短〕

推迟原来规定的日期。（defer；put off；postpone）常做谓语、状语。

例句 比赛由于天气的关系延期了。|这项工程要延期一个月完工。|A：这个会不开了吗？B：开，只是延期举行。

【延伸】 yánshēn 〔动〕

延长，伸展。（extend；stretch；elongate）常做谓语。

例句 这条公路一直延伸到森林边上。|飞行航线又向前延伸了，我坐飞机可以直接到家。|大陆向海洋延伸的部分叫大陆架。

辨析 〈近〉延长。“延长”可以指长度，也可以指时间，而“延伸”只能指

长度。如:公路延长了。|公路又向前延伸了。|＊考试时间延伸了。("延伸"应为"延长")

【延续】 yánxù 〔动〕

照原来样子继续下去。(continue; go on; last)常做谓语。

例句 这种无人管理的状况难道还要延续下去吗?|每年春节家家户户都要团聚,这个传统一直延续至今。|雨后,天空出现了一道彩虹,这种现象只延续十几分钟就消失了。

【严】 yán 〔形〕

❶ 周到,紧密。(tight)常做谓语、状语、补语。

例句 他的嘴很严。|窗户不严,风直往屋里吹。|海关对走私查得很严。|我晚上睡觉把被子盖得严严的。|瓶口被严严地封上了。|人们在堤上日夜巡查,严防死守。

❷ 认真,厉害。(strict; severe; stern; rigorous)常做谓语、补语、状语、宾语、主语、定语。

例句 我们的老师对学生严得很。|要求自己一定要严一点儿。|刘经理对工人们管得极严。|开展严打整治以来,社会治安明显好转。|对屡教不改的坏人要严加惩处。|坦白从宽,抗拒从严。|这些规定,我们都觉得太严。|还是严一点儿好,不然不行。|俗话说,"严师出高徒"。

【严格】 yángé 〔形/动〕

〔形〕在遵守制度或掌握标准时认真不放松。(strict; rigorous; rigid; stringent)常做谓语、定语、补语、状语、宾语。

例句 入学考试非常严格。|企业必须有严格的制度。|海关对食品检查得比较严格。|对学生应该严格要求。|A:这么做是不是太严格了点儿? B:不这样做的话,产品的质量能保证吗?

〔动〕使…严格。(rigorously enforce)常做谓语(带宾语)。

例句 只有严格制度,才能保证工作效率。|登机必须严格各项手续。

【严寒】 yánhán 〔形〕

(气候)非常寒冷。(severe cold)常做定语、谓语、宾语。

例句 不知道他们怎么度过这严寒的冬季。|气候严寒,空气干燥,是北方冬天的特点。|工人不畏严寒,在冰雪中连续工作了几个小时,才把道路打通。

【严禁】 yánjìn 〔动〕

严格禁止。(strictly prohibit)常做谓语。

例句 加油站严禁烟火。|严禁出售变质、过期的食品。|电影院里严禁吃带皮的食品。

【严峻】 yánjùn 〔形〕

严重;严肃。(stern; severe; rigorous)常做谓语、定语、状语、补语。

例句 主任进来时表情严峻,大家都不知道发生了什么事。|当前的形势十分严峻。|这对新工人来说是个严峻的考验。|他严峻地看了看我们,没有说话。|市场形势变得越来越严峻。

【严厉】 yánlì 〔形〕

严肃而厉害。(stern; severe)常做谓语、定语、状语、补语、宾语。

例句 我们老师很严厉。|他批评人的时候严厉极了。|望着校长那严厉的神情,同学们都很紧张。|市民们严厉地谴责这种不道德的行为。|尽管批评得很严厉,但这样对

你有好处。|周院长显得十分严厉,其实他为人非常善良。

辨析 〈近〉严格。"严厉"重在厉害的神情、表情、语气、态度等;"严格"重在做事情认真,不马虎。此外,"严格"还有动词用法。如:* 严厉纪律("严厉"应为"严格")| * 她的语气很严格。("严格"应为"严厉")。

【严密】 yánmì 〔形/动〕

〔形〕事物间结合非常紧;周到。(tight;close)常做谓语、定语、补语、状语。

例句 政府发言人说话很严密。|他们有严密的组织。|这个瓶子封得不太严密。|警察严密地监视这几个人的行动。

〔动〕使严密。(tighten up)常做谓语(带宾语)。

例句 只有严密计划,才能确保成功。|要进一步严密各项规章制度。

【严肃】 yánsù 〔形/动〕

〔形〕❶(神情、气氛等)使人感到紧张的。(serious;solemn)常做谓语、定语、状语、补语。

例句 院长严肃起来,我们都很怕他。|他的样子严肃极了。|在这种严肃的场合,我也不敢随随便便。|她严肃地对我说:"我不是开玩笑。"|A:他说得挺严肃,我们都相信了。B:你们就不知道今天是愚人节?

❷(作风、态度等)认真。(earnest)常做谓语、定语、状语。

例句 爸爸工作起来一向严肃、认真。|在工作时应当采取严肃的态度。|我们准备严肃处理这个事故。

〔动〕使严肃。(strictly enforce)常做谓语(带宾语)。

例句 我们要严肃考试纪律。|(标语)严肃法纪,打击犯罪。

【严重】 yánzhòng 〔形〕

程度深,影响大,情况危急。(serious;grave)常做谓语、定语、状语、补语。

例句 情况越来越严重了。|他的病情严重到了极点。|我们遇到了一些严重的问题。|这是今年发生的最严重的交通事故。|学校旁边的自由市场严重影响了教学秩序。|有个运动员伤得很严重。

【言】 yán 〔名/动〕

〔名〕❶话。(speech)常用于构词或用于固定短语中。

词语 方言 言语 发言 诺言 语言 言论 言辞 有言在先 言外之意 一言为定

例句 你能实现诺言吗?|咱们有言在先,谁先完成谁胜。

❷汉语中的一个字。(character;word)常用于构词。

词语 万言书 五言诗

〔动〕说。(speak;say;talk)常用于固定短语中。

词语 言之有理 知无不言 言无不尽 言过其实

例句 只有在充分民主的条件下,才能做到"知无不言,言无不尽"。

【言过其实】 yán guò qí shí 〔成〕

说话过分,不符合实际。(exaggerate;overstate)常做谓语、定语。

例句 这篇报道未免有些言过其实。|你言过其实了,事情并没有那么严重。|人们并没有被他言过其实的话吓住。

【言简意赅】 yán jiǎn yì gāi 〔成〕

言语简练而意思完备。(concise

and comprehensive; compendious)常做谓语、定语、状语。

例句 这篇文章言简意赅。|很难相信这篇言简意赅的评论出自一个中学生之手。|导游言简意赅地讲了讲路上应该注意的地方,我们就出发了。

【言论】 yánlùn 〔名〕

关于政治和一般公共事务的议论。(opinion on public affairs; expression of one's political views; speech)常做主语、宾语。[量]些,种。

例句 这些言论有些片面。|公民言论自由。|我们不能同意他们的这种言论。|近来流传着一些不正确的言论。

【言外之意】 yán wài zhī yì 〔成〕

话里没有直接说但能使人体会出来的意思。(implication; what is actually meant; the real meaning)常做主语、宾语。

例句 他这句话的言外之意是你应该给他送点儿礼,不然事情就办不成。|我听出了主人的言外之意,赶紧告辞。

【言语】 yányǔ 〔名〕 另读 yányu

说的话。(spoken language; speech)常做主语、宾语、定语。

例句 言语粗俗是缺乏教养的表现。|别看他言语不多,可句句在理。|从大伙儿的言语中我大致了解了事情的经过。|学外语,重点是培养言语交际能力。

【岩】 yán 〔名〕

意义同"岩石"。(rock)常用于构词。

词语 花岗石 岩石 层岩 岩层 岩洞 岩浆

例句 花岗岩十分坚固。

【岩石】 yánshí 〔名〕

构成地壳的矿物的总称。十分坚硬,俗称石头。(rock)常做主语、宾语、定语。[量]块。

例句 这块巨大的岩石被分成了几大块。|山上到处都是大岩石。|松树从岩石的缝隙(xì)中长出来,显示了顽强的生命力。|地质队员们采集岩石标本,来了解这个地区的矿产情况。

【炎】 yán 〔形/名〕

〔形〕极热(指天气)。(scorching; burning hot)常用于构词。

词语 炎热 炎夏 炎炎 炎凉

例句 这几天,烈日炎炎,十分炎热。|我早已看透世态炎凉,对什么都不感兴趣了。

〔名〕炎症。(inflammation)常做宾语,也用于构词。

词语 胃炎 肝炎 鼻炎 炎症

例句 你的嗓子发炎了。|最近我的鼻子有点儿炎症。

【炎热】 yánrè 〔形〕

(天气)非常热。(burning hot)常做谓语、定语,不重叠。

例句 这里天气炎热,日平均气温38℃以上。|天气炎热极了,很多动物都躲在洞里不出来。|炎热的夏天终于过去了。

【沿】 yán 〔介〕

顺着(路或物体的边)。(along)常构成短语做句子成分。也用于构词。

词语 沿岸 沿街 沿途 沿线 沿用

例句 我们沿河栽了许多树。

▶"沿"也做名词,指"边"。如:前

沿 边沿｜部队已经进入前沿阵地。｜窗台边沿有些缺损。

【沿儿】 yánr 〔名〕
边儿。(side)常与名词构成短语做句子成分。

词语 炕沿儿 桌沿儿 缸沿儿

例句 老奶奶坐在炕沿儿上缝针线。｜水桶把缸沿儿碰掉了一小块儿。

【沿岸】 yán'àn 〔名〕
靠近江、河、湖、海的地区。(along the bank or coast)常做主语、宾语、定语。

例句 沿岸是一片片绿油油的树木。｜他们在沿岸盖起了高楼，建起了厂房。｜现在，河沿岸的人民早已摆脱了洪涝灾害。｜为了修水库，沿岸的居民都搬了家。

【沿海】 yánhǎi 〔名〕
靠海的一带。(along the coast; coastal)常做主语、宾语、定语。

例句 最近，中国东南沿海将有台风。｜沿海是最先发展起来的地区。｜中国80年代以后，在沿海建立了许多经济技术开发区。｜一艘潜艇侵犯了我东南沿海。｜外资企业大多分布在沿海。｜沿海地区经济发展得很快。

【沿途】 yántú 〔名〕
沿路。(throughout a journey; on the way)常做状语、定语。

例句 我们走了许多地方，沿途看到不同的地貌和风情。｜沿途，我交了很多中国朋友。｜这种情况在沿途的许多地方都有。

【研究】 yánjiū 〔动/名〕
〔动〕❶ 努力发现事物的真相、性质、规律等。(study; research)常做谓语、宾语、主语。

例句 动物学家正在研究熊猫的繁殖规律。｜张教授对语法问题研究得很深。｜李老师研究古文字已经研究三十多年了。｜经过多年研究，终于获得成功。｜对癌(ái)症的研究一直没有重大突破。

❷ 考虑或讨论。(consider; discuss)常做谓语。

例句 我们再研究研究这个计划。｜这个问题今天研究不完了，明天再接着研究吧。｜你们已经研究过多次了，怎么还没有结果？

〔名〕研究活动或结果。(research)常做主语、宾语、定语。[量]项，个。

例句 这项研究由王院士主持。｜研究表明，现代生活方式会引起“城市病”。｜市长一直关心着我们的研究。｜研究项目定下来了，研究经费也解决了。｜研究小组在会上介绍了他们的研究成果。

【研究生】 yánjiūshēng 〔名〕
经考试录取在大学或研究所里进行研究性的工作和学习的人。论文通过后得到硕士或博士学位。(graduate student)常做主语、宾语、定语。[量]个，名。

例句 研究生有两种，一种是硕士研究生，一种是博士研究生。｜听说小张正在复习，准备考研究生。｜今年，我的导师多招了一名研究生。｜他正在进修研究生课程。｜这次招聘厅局级干部，要求必须有研究生学历。

【研究所】 yánjiūsuǒ 〔名〕
专门研究某种学科或专业的单位。(research institute)常做主语、宾语、定语。[量]个。

例句 我们研究所任务很重,但是研究所的人员和条件不够。|他毕业以后,来到了国际政治研究所。|这所大学中有五个重点研究所。|A:小王,来我们所这么长时间了,感觉怎么样?B:挺好,我很喜欢研究所的学术氛围。

【研制】 yánzhì 〔动〕

研究制造。(develop)常做谓语、宾语。

例句 科研人员正在研制新产品。|新产品已研制成功了。|经过两年研制,一种新型建筑材料问世了。

【盐】 yán 〔名〕

食盐(一种无机物,味咸,用于做菜等)的通称。(salt)常做主语、宾语、定语。[量]粒,公斤,袋。

例句 这个菜盐放多了。|家里做菜没盐了,我去买点儿盐。|人离不开盐,可是盐吃多了也不好。|在这个时候,你这样对他,就好像在伤口上撒了把盐。|盐罐放哪儿了?|盐里加了碘(diǎn)。

【颜色】 yánsè 〔名〕

❶ 各种光波在视觉中所产生的印象。(color)常做主语、宾语、定语。[量]种。

例句 A:你看这衣服的样式行吗?B:还行,就是颜色太花了,我恐怕穿不出去。|颜色非常多,你可以随便挑。|我们两口子都不太喜欢这种颜色。|白色的光是由七种颜色的光组成的。

❷ 指显示给人看的厉害的脸色或行动。(countenance; facial expression)常做"给"的宾语。

例句 这次非给他点儿颜色看看。|这种人,不给他点儿颜色,不知道厉害。

【掩】 yǎn 〔动〕

❶ 盖上,遮上。(cover; hide)常做谓语,也用于构词或用于固定短语。

词语 掩人耳目　掩蔽　掩藏　掩盖　掩护　掩埋　掩饰　掩映　掩耳盗铃

例句 小姑娘用手掩住了嘴,偷偷地笑了。|我扶着树,你们来掩土。|把孩子的被子掩好了,妈妈才休息。

❷ 关、合。(close; shut)常做谓语。

例句 我去他房间时,门掩着,但里面好像有人说话。|风太大,快把窗户掩上。|这么热的天还掩着门。|有时看书看累了,就掩上书,闭着眼睛休息一会儿。

❸ 关门或合上箱子盖儿时被卡住。(get squeezed)常做谓语。

例句 小心,别掩着手。|手被门掩了一下,现在还疼。

【掩耳盗铃】 yǎn ěr dào líng 〔成〕

捂住耳朵偷铃。比喻自己欺骗自己。(plug one's ears while stealing a bell — deceive oneself; bury one's head in the sand)常做谓语、定语。

例句 这帮家伙掩耳盗铃,还以为别人不知道呢。|掩耳盗铃的把戏迟早会被拆穿。

▶ 传说有个人去偷铃,他怕铃发出响声,就把自己的耳朵堵上了,他以为这样别人也听不见了。这就是"掩耳盗铃"的故事。

【掩盖】 yǎngài 〔动〕

❶ 盖住,遮住,用于具体事物。(cover; overspread)常做谓语。

例句 大雪掩盖了地面。|院子里

绿荫掩盖,非常凉快。|这点儿布掩盖不住这些货,下雨会淋湿的。

❷ 隐瞒,用于抽象事物。(cover up;conceal)常做谓语。

例句 有人有意掩盖事实。|她掩盖不住悲痛的心情。|真相是掩盖不了的,总有被揭穿的时候。

【掩护】 yǎnhù 〔动〕

❶ 用一部分队员吸引、压制敌人,以保护其他队员行动的安全。(shield;screen;cover)常做谓语、定语。

例句 我掩护你们,你们先冲出去。|他用身体掩护了我,自己却牺牲了。|一个连恐怕掩护不了那么多人。|为了完成掩护任务,我们天不亮就出发了。

❷ 采取某种方式暗中保护。(shield)常做谓语、宾语。

例句 他打入了敌人内部,掩护了不少自己的同志。|要不是大嫂掩护我,我早就没命了。|A:老张这几天身体不太好,这不,一直躺着。B:你别替他打掩护了,我知道他没病。

▶ "掩护"也可做名词,指遮蔽身体的物体。如:这片树林可以作掩护,别人发现不了咱们。|有人以外交官的身份为掩护,专门搞情报。

【掩饰】 yǎnshì 〔动〕

使用手段来掩盖(缺点、错误等)。(cover up;conceal)常做谓语、状语。

例句 他企图掩饰自己的错误。|他再也掩饰不住内心的悲哀,失声痛哭起来。|尽管他想把自己的紧张掩饰起来,可办不到。|有的人毫不掩饰地向组织要官、要待遇。

辨析 〈近〉掩盖。"掩饰"多用于书面,且常含贬义,只用于抽象的事物,如"缺点、错误"等;"掩盖"不受此限,在用于抽象事物时常与"矛盾、现象、情况"等词搭配。如:* 不该掩饰矛盾,而应当解决矛盾。("掩饰"应为"掩盖")

【眼】 yǎn 〔名〕

❶ 人或动物看东西的器官;眼睛。(eye)常用于构词,也做主语、定语、宾语。[量]只,双。

词语 眼睛 眼光 眼前 眼力 眼镜 眼泪 眼色

例句 看她那一双大眼睛,又圆又亮。|你做的那些事,我是眼不见心不烦。|A:你是不是害了眼病?怎么红了?B:没事,刚才被迷了一下。

❷ 眼儿,小洞。(a small hole)常用于构词,也做宾语、定语。[量]个。

词语 针眼 枪眼 泉眼 扣眼

例句 墙上有一个眼儿,可以看到里边。|把眼儿堵上吧。|这个眼儿好像不够大。

▶ "眼"也做名量词或借用为动量词。如:村子里新打了一眼井。|我只看了一眼,就明白了。|他上一眼、下一眼、左一眼、右一眼,打量了我半天。

【眼高手低】 yǎn gāo shǒu dī 〔成〕

要求标准高,但工作能力低。(have high standards but little ability;be fastidious but incompetent)常做谓语、定语。

例句 年轻人容易眼高手低,说起来头头是道,做起来就不是那么回事了。|小张一贯眼高手低,什么也干不好。|学习要踏实,不然就会养成眼高手低的毛病。

【眼光】 yǎnguāng 〔名〕

❶ 视线。(eye)常做主语、宾语。

例句 大家的眼光都集中在他手中的奖杯上。|我不敢看她那可怜的眼光。|对方用怀疑的眼光看着我。

❷ 认识事物的能力;观点。(sight; vision)常做宾语、主语。[量]种。

例句 别总用老眼光看人。|你真有眼光,当初选择了这个好专业。|咱们俩眼光差不多,都选择了他。

【眼睛】 yǎnjing 〔名〕

人或动物的看东西的器官。(eye)常做主语、宾语、定语。[量]只,个,双,对。

例句 玛丽的眼睛是蓝色的。|我这只眼睛有点儿不舒服。|这小姑娘有一双水汪汪的大眼睛。|一定要保护好眼睛。|你眼睛周围怎么都青了?|眼睛保健十分重要。

【眼镜】 yǎnjìng 〔名〕

戴在眼睛上,帮助看清东西或保护眼睛的用品。(glasses)常做主语、宾语、定语。[量]副。

例句 你的眼镜真漂亮。|父亲配了一副新眼镜。|我的眼睛近视,离不了眼镜。|眼镜腿坏了。|这副眼镜的度数太深了,我戴着不合适。

【眼看】 yǎnkàn 〔动/副〕

〔动〕看着不好的事情发生、发展。(watch helplessly)常做谓语(常带“着”)。

例句 我眼看着事故的发生。|孩子走偏了路,父母怎么能眼看着不管?|洪水马上就要淹没村庄了,人们只能眼看着,一点儿办法也没有。

〔副〕马上,立刻。(soon; in a moment)做状语。

例句 眼看就要考试了,我还一点儿没复习呢。|大雨眼看要来了。|眼看钱要花光了,得想想办法。

【眼泪】 yǎnlèi 〔名〕

眼睛里流出的水一样的东西。(tears)常做主语、宾语、定语。[量]滴,行。

例句 说到这儿,眼泪不由自主地流下来。|A:你怎么哭了? B:没有啊,我这眼睛风一吹就流眼泪。|谁相信她的眼泪呢?|眼泪的味道有点儿咸。

【眼力】 yǎnlì 〔名〕

❶ 眼睛看清物体的能力。(eyesight; vision)常做主语、谓语。

例句 奶奶这么大年纪了,可眼力一点儿也不差。|最近我的眼力不行了,得配眼镜了。|小王,你真好眼力。

❷ 分清是非的能力。(judgment; discrimination)常做主语、宾语。

例句 A:你眼力真好,一眼就看出来这是假货。B:也没什么,看得多了,辨别能力就会强的。|马警官很有眼力,坏人绝逃不过他的眼睛。

【眼前】 yǎnqián 〔名〕

❶ 眼睛的前面。(before one's eyes)常做主语、宾语。

例句 眼前是一条大河,没有船是过不去的。|眼前,一片绿油油的庄稼惹人喜爱。|又翻过一座山,李庄就在眼前了。

❷ 现在。(at the moment; at present; now)常做状语,也可做定语。

例句 A:能借给我点儿钱用吗? B:对不起,我眼前比较困难,没有钱借给你。|不要只看到眼前的一点点损失,要看得远一点儿。

【眼色】 yǎnsè 〔名〕

❶ 向人表达某种意思的目光。(a hint given with the eyes; wink)常做

主语、宾语。[量]个。

例句 A:她这个眼色是什么意思? B:那还用说,嫌你话多了。|他看见我给他递了个眼色,便不说话了。|小李做事,总是看别人的眼色。

❷ 能根据不同情况采取不同办法的能力。(comprehension)常做宾语。

例句 这孩子真长眼色,见客人来了马上去倒茶。|A:你怎么这么没眼色?人家谈对象,你去那儿干什么? B:我哪儿知道啊?又没人告诉我。

【眼神】 yǎnshén 〔名〕

❶ 眼睛的神态。(expression in one's eyes)常做宾语、主语。[量]种,副。

例句 画中的人物流露出一副忧伤的眼神。|你看他的眼神,好像有什么话要说。|他用一种特殊的眼神看着我。|A:这人的眼神有点儿不正常。B:我看他不像好人。

❷〈方言〉(常读 yǎnshénr)眼力,视力。(eyesight)常做主语、宾语。[量]个。

例句 A:不好意思,我眼神儿不好,没看出来你是谁。B:我说呢,跟你招手,你一点儿反应也没有。|开车可要有一个好眼神儿。

【眼下】 yǎnxià 〔名〕

目前,现在。(at the moment; at present; now)常做主语、状语。

例句 眼下是农民一年中最忙的时候。|眼下,我没那多钱还你,先给你一部分吧。

【演】 yǎn 〔动〕

❶ 变化。(develop; evolve)常用于构词。

词语 演变 演进 演化

例句 人类是长期演化的产物。

❷ 发挥。(perform)常用于构词。

词语 演讲 演说

例句 整场演说十分精彩。

❸ 按程序练习。(practice)常用于构词。

词语 演算 演习 演练 演示

例句 消防队员正在演练高层建筑救火。

❹ 在大家面前表现艺术等。(act; play)常用于构词,也做谓语、定语。

词语 表演 演奏 演出

例句 A:这个角色由你来演怎么样? B:我可演不了。|她已经四十岁了,可在这部戏中演一个二十岁的姑娘。|这星期演的电影是进口大片。

【演变】 yǎnbiàn 〔动〕

发展变化。(develop; evolve)常做谓语、定语、宾语。

例句 世界在不断地演变。|人是由猿演变来的。|有些生物演变得很慢,几乎看不出来。|老先生专门研究植物的演变过程和规律。|经过亿万年的演变,地球才成了今天这个样子。

【演唱】 yǎnchàng 〔动〕

表演唱歌或唱戏等。(sing)常做谓语、主语、定语、宾语。[量]次,回。

例句 下面由著名歌唱家王兰为大家演唱。|你给大家演唱一段京剧吧。|我觉得您演唱得很有感情。|今天的演唱非常成功。|经过刻苦努力,他已经形成了自己的演唱风格。|观众非常喜爱她的演唱。

【演出】 yǎnchū 〔动/名〕

〔动〕把歌舞、戏剧、曲艺、杂技等表

演给观众看。(perform)常做谓语。

例句 会上演出了民族歌舞。|这次他们一共演出了八场。

〔名〕戏剧、歌舞、曲艺、杂技等表演。(performance)常做主语、宾语、定语。[量]场。

例句 演出非常成功。|庆"十一"文艺演出今天晚上在大剧院举行。|前来观看演出的有上万人。|从节目单上可以看出,演出阵容很强大。

【演讲】 yǎnjiǎng 〔动〕

讲话;演说。(make a speech; give a lecture)常做谓语、宾语、主语、定语。

例句 今天下午是张教授给我们演讲。|小李演讲得很出色。|下面由山本同学发表演讲。|演讲是一门艺术,需要一定的技巧。|演讲比赛的题目有两个。

【演说】 yǎnshuō 〔动/名〕

〔动〕就某个问题对听众说明事理、发表见解。(make an address; deliver a speech)常做谓语、定语、宾语。

例句 报告团一连演说了五场。|大山同学的演说技巧不错。|姜博士喝了几口水,然后继续演说。

〔名〕就某个问题对听众发表的讲话。(speech)常做主语、宾语。[量]个。

例句 他的演说非常成功。|来访的美国总统在北京大学发表了演说。

【演算】 yǎnsuàn 〔动〕

按一定原理和公式计算。(perform mathematical calculations)常做谓语。

例句 全班都在教室里演算数学题。|这道题我已经演算过好几遍了,还是没算出来。|妹妹比我演算得快。

【演习】 yǎnxí 〔动〕

实地练习(多指军事的)。(manoeuvre; drill; exercise)常做谓语、主语、宾语。

例句 战士们正在演习。|空军要经常演习空降。|我们已经演习好几回了,应该没有问题了。|这项演习是三个国家联合举行的。|根据协议,两国军队要定期举行军事演习。

【演员】 yǎnyuán 〔名〕

参加演出的人。(actor or actress; performer)常做主语、宾语、定语。[量]名,个,位。

例句 演员们都准备好了,马上就可以上场了。|我从小就想要当一名演员。|演员的服装是我们公司设计的。

【演奏】 yǎnzòu 〔动〕

用乐器表演。(play a musical instrument)常做谓语、主语、宾语。

例句 晚会上,他演奏了一首莫扎特的曲子。|你看他演奏得多起劲。|演奏很成功,在全城引起了轰动。|听众十分欣赏这位钢琴家的演奏。

【厌】 yàn 〔动〕

不喜欢。(dislike; detest)常用于构词。

词语 厌烦 厌弃 厌食 厌世 厌恶 讨厌

例句 刘小姐服务态度特别好,从不厌烦。|孩子最近消化不良,有些厌食。|我讨厌半夜来电话。

【厌恶】 yànwù 〔动〕

(对人或事物)特别反感。(abhor; be disgusted with)常做谓语、定语、状语。

例句 我非常厌恶这种无聊的事情。|大家对假广告厌恶透了。|学

Y

习时间长，孩子就产生了厌恶心理。|听到这儿，老人厌恶地直摇头。

辨析 〈近〉讨厌。“厌恶”多用于书面，语义较重；“讨厌”口语、书面语都用，语义轻些。

【咽】 yàn 〔动〕

使嘴里的食物或别的东西通过咽头到食道里去。(swallow)常做谓语。

例句 快点儿把嘴里的药咽下去。|小弟弟不小心咽下一颗扣子，我们只好送他去医院。|这么难吃的饭怎么咽得下去？

【宴】 yàn 〔动/名〕

〔动〕请人喝酒吃饭。(entertain at a banquet; fete)常做谓语，也做语素构词。

词语 宴会 宴请

例句 老张的儿子明天结婚，准备在饭店大宴宾朋。

〔名〕酒席。(feast; banquet)常做宾语，也用于构词。

词语 宴席 酒宴 国宴

例句 今天我在“东来顺”设宴招待大家。|A:打扮得这么漂亮，是去赴宴吗？B:我倒是想，你请我呀。

【宴会】 yànhuì 〔名〕

请客人喝酒吃饭的正式集会。(dinner party; banquet)常做主语、宾语、定语。[量]个。

例句 宴会在三楼大厅举行。|快点儿，宴会马上就要开始了。|我们经理要举行一个答谢宴会，感谢大家一年来的支持。|A:晚上有一个宴会，恐怕得晚一些回来。B:那我们就不等你了。|宴会的规模很大，宴会大厅里充满了热烈的气氛。

【宴请】 yànqǐng 〔动〕

设宴招待。(entertain; fete)常做谓语、宾语。

例句 昨天来了一批日本客人，公司宴请了他们。|省政府今晚宴请友好访问团。|我方已经宴请过一回了，这回是对方回请我们。|我要参加一个宴请。

【宴席】 yànxí 〔名〕

请客的酒席。(feast; banquet)常做主语、宾语、定语。[量]桌。

例句 结婚宴席都订了。|你摆了几桌宴席啊？|俗话说：“天下没有不散的宴席。”|宴席的档次还挺高哇！

【验】 yàn 〔动〕

❶通过某种方式检查或测试。(check; examine)常做谓语，也用于构词。

词语 试验 考验 检验 测验

例句 明天早晨，我要到医院去验血。|对不起，要验一验您的身份证。|怎么还要验尿？我已经验过一回了。

❷产生设想的效果。(prove effective; produce the expected result)常做谓语，也用于构词。

词语 灵验 应验

例句 我试了几次这种方法，屡试屡验。

【验收】 yànshōu 〔动〕

按照一定标准检查，然后收下。(check before acceptance; check and accept)常做谓语、宾语。

例句 我们经理要去验收那艘新油轮。|全部工程都验收过了，完全合格。|我们干完了，请您验收验收吧。|据说这座桥的工程质量不合格，没有通过验收。

【验证】 yànzhèng 〔动〕
通过实验来证实。(verify)常做谓语、宾语、定语。
例句 这条理论正不正确,还要进一步验证。|我们可以在实践中验证课堂上学习的知识。|数据是否准确,最好验证一下。|我说的话是会得到验证的。|验证的结果表明,我们的结论是正确的。

【燕】 yàn 〔名〕
一种小鸟,翅膀尖而长,尾巴分开像剪刀。春天飞到北方,秋天到南方。常见的有家燕。(swallow)常用于构词,也做宾语、主语。
词语 燕尾服 燕子
例句 小李练了功夫以后,身轻如燕。|(谚语)七九河开,八九燕来。

【燕子】 yànzi 〔名〕
家燕的通称。(swallow)常做主语、宾语、定语。[量]只。
例句 燕子每年秋天都会飞到南方过冬。|燕子是益鸟,要保护它们。|昨天,我家房檐(yán)下飞来两只燕子。|燕子的尾巴像一把剪刀。

【扬】 yáng 〔动〕
❶ 高举,往上升。(raise)常做谓语,也用于构词。
词语 飘扬 扬花 扬威 昂扬
例句 人们扬起头,看着红旗缓缓升起。|胳膊太累,扬不起来了。|让我们扬起理想的风帆,向着未来前进。|他冲我扬了扬手,我赶紧跑过去。
❷ 往上撒。(throw up and scatter; winnow)常做谓语。
例句 有几个农民在场院扬粮食。|谷子已经全部扬完了。
❸ 使出去。(spread; make known)常用于构词。
词语 扬名 扬言 表扬 颂扬 赞扬 传扬 宣扬 张扬
例句 为了扬名,她正准备开一场个人演唱会。|烈士的英名天下传扬。|这个人特别谦虚,自己的成绩从不张扬。

【扬汤止沸】 yáng tāng zhǐ fèi 〔成〕
比喻救急,或办法不彻底,不能从根本上解决问题。(try to stop water from boiling by skimming it off and pouring it back——apply a palliative)常做谓语、宾语。
例句 别那么认真了,你就扬汤止沸,救救急吧。|机制不变,更换经理只不过是扬汤止沸。|靠银行贷款发工资,犹如扬汤止沸,是维持不下去的。

【羊】 yáng 〔名〕
哺乳动物,一般头上有一对角。分山羊、绵羊等多种。(goat or sheep)常做主语、宾语、定语。[量]只。
例句 这只羊一天能产多少奶?|我养的两只小羊长大了。|你放过羊吗?|现代科技已经可以"克隆"羊了。|羊肉很鲜美,可有人受不了那股膻味。

【阳】 yáng 〔名/形〕
〔名〕❶ 中国古代哲学认为一切事物都有对立的两个方面,阳是其中的一个方面。如:山之南为阳,水之北为阳等等。(*Yang*, the masculine or positive principle in nature in Chinese philosophy, medicine, etc.)常用于构词。
词语 阴阳 阳性
例句 世上万物都有阴阳两方面。

Y

❷ 太阳。(sun)常用于构词,也做宾语。

词语 阳光 阳历 夕阳 朝(zhāo)阳

例句 夕阳映红了半边天。|请问,有没有朝(cháo)阳的房间?

〔形〕露在外面的;凸出的;向太阳的;与男性有关的;带正电的。(positive; masculine; outside; out; male)常用于构词。

词语 阳沟 阳台 阳文 阳面 阳刚 阳极

例句 人们一般喜欢阳面的房间。|这个舞蹈充分表现了男子汉的阳刚之气。

【阳奉阴违】 yáng fèng yīn wéi 〔成〕

表面上遵从,暗地里不执行。(overtly agree but covertly oppose; comply in public but oppose in private)常做主语、谓语、定语。

例句 阳奉阴违是两面派行为。|他一贯阳奉阴违。|这种阳奉阴违的人,你能信任他吗?

【阳光】 yángguāng 〔名〕

太阳发出的光芒。(sunlight; sunshine)常做主语、宾语、定语。[量]束,道,线,片。

例句 阳光太强了。|阳光、空气和水是我们离不开的。|我住地下室,整天见不到阳光。|窗外射进一缕阳光,天已经亮了。|人们躺在沙滩上充分享受阳光的温暖。

【杨】 yáng 〔名〕

常见落叶乔木树。(poplar)常用于构词。

词语 白杨 小叶杨 杨树 杨柳

例句 白杨挺拔、坚强。

【杨树】 yángshù 〔名〕

意义同“杨”。(poplar)常做主语、宾语、定语。[量]棵。

例句 杨树是一种很好的绿化树种。|我家门前种了几棵杨树。|杨树的花又小又轻,飞起来像雪花一样。

【洋】 yáng 〔形/名〕

〔形〕外国的,现代化的。(foreign; modern)常用于构词。也做定语、谓语、补语。

词语 洋房 洋气 洋人 洋货 洋装

例句 我不会弄这些洋玩意。|土办法、洋办法都试试,哪个方法好就用哪个。|这副眼镜挺洋。|她总是穿得很洋。

〔名〕比海更大的水域。(ocean)常用于构词。

词语 海洋 大洋 大西洋 太平洋

例句 环太平洋国家的经济合作逐年发展。

【仰】 yǎng 〔动〕

❶ 抬头,脸向上。(face upward)常做谓语。

例句 仰起头,才能看见教堂的尖顶。|头仰得太高受不了。|我仰着头看天上的星星,仰了一会儿就累了。

❷ 尊敬。(admire; respect; look up to)常用于构词。

词语 敬仰 信仰 景仰 仰慕

例句 久仰大名,见到您非常荣幸。|张院士是人们敬仰的科学家。

【养】 yǎng 〔动〕

❶ 供给生活用的东西或费用。(support)常做谓语。

例句 刚工作时，我一个月才挣40元钱，却要养一家人。|她一个人辛辛苦苦养大了五个儿女。|两个孩子，我可养不起。

❷ 喂食并照料动物；种花草。(raise；grow)常做谓语、定语。

例句 退休在家，养养花，散散步，生活很愉快。|这鱼我怎么就养不好呢？|养的虾不如天然的好吃。

❸ 生育。(give birth to)常做谓语。

例句 他爱人养了一个大胖小子。|她身体那么不好，竟养了四个孩子。

❹ 培训，形成。(form；foster；cultivate)常用于构词。

词语 培养 养成

例句 从小培养讲文明的好习惯。|你怎么养成了这么个坏毛病？

❺ 用药或好的东西等使身体健康。(rest；convalesce；recuperate one's health)常做谓语。

例句 你还是回家好好休息，养养精神，明天再来吧。|养好了身体比什么都重要。|手术后，我在家养了好长时间，才恢复过来。

【养成】 yǎngchéng 〔动〕

培养成的；形成。(shape；form)常做谓语、定语、主语。

例句 我从小养成了不吃早饭的习惯。|千万不要养成懒惰的坏毛病。|A：早上起床就抽烟这习惯你还没改？B：唉，多年养成的习惯很难改掉了。|素质的养成不是一天两天的事情，往往需要一个较长的过程。

【养分】 yǎngfèn 〔名〕

物质中所含的能供给有机体或动植物营养的成分。(nutrient)常做谓语、宾语。[量]种。

例句 养分是动植物生长不可缺少的东西。|由于大雨的冲刷，土壤中的养分都散失了。|胡萝卜非常有养分。|我头发又干又涩，可能是缺少什么养分。

【养活】 yǎnghuo 〔动〕

❶ 供给生活资料或生活费用。(support；feed)常做谓语。

例句 父亲的工资要养活全家五口人。|我没有那么多钱，养活不起你。|您放心，没儿没女，政府会养活您的。

❷ 喂养(动物)。(raise)常做谓语。

例句 家里养活了上百头猪。|现在养活狗也要交税，真是养活不起了。|A：我觉得养活猫不如养活狗。B：不如都不养活。

【养料】 yǎngliào 〔名〕

能供给人或动植物营养的物质。(nutriment；nourishment)常做主语、宾语、定语。[量]种。

例句 养料如果不够，叶子就会变黄。|植物生长需要充足的养料。|养料的供应靠的是植物叶脉的输送。

【养育】 yǎngyù 〔动〕

养活并教育。(bring up；rear)常做谓语、定语。

例句 父母都有养育子女的责任。|这块土地养育了300万人民。|即使有困难，我们也要把孩子养育成人。|我长大后要努力工作，报答父母的养育之恩。

【养殖】 yǎngzhí 〔动〕

培育和繁殖(水中的动植物)。[cultivate；breed(aquatics)]常做定语、谓语、宾语。

例句 由于靠近海边，所以这里的

养殖业十分发达。|我不太喜欢吃养殖的虾。|村里办了养殖场,我哥哥成了养殖技术员。|这里近海养殖许多海带。|利用湖海发展养殖是一条致富门路。

【氧】 yǎng 〔名〕

一种气体,符号 O_2。通称氧气。[oxygen(O)]常做主语、宾语。

例句 氧在工业上用途很广。|人到高山上呼吸很困难,是由于缺氧。|现在,有的人专门花钱吸氧。

【氧化】 yǎnghuà 〔动〕

物质跟氧化合的过程。(oxidize; oxidate)常做谓语、宾语、定语。

例句 铁生锈是铁氧化了。|煤的燃烧过程也是一种氧化过程。|金属表面发生了氧化,所以变得不光亮了。

【氧气】 yǎngqì 〔名〕

氧的通称。(oxygen)常做主语、宾语、定语。[量]毫升,瓶,袋。

例句 氧气要是不够用,病人随时都会有生命危险。|我们需要带几袋氧气。|氧气瓶发生了爆炸。

【痒】 yǎng 〔形〕

❶ 皮肤受到轻微刺激时引起的想挠的感觉。(itch; tickle)常做谓语、宾语、补语。

例句 我的后背痒痒,你帮我挠挠。|刚才被蚊子叮了,现在痒得厉害。|别碰她,她特别怕痒。|我浑身被花粉刺激得直痒。

❷ 形容一种强烈的愿望。(itch)常做谓语、宾语。

例句 看到别人踢球,我的脚也有点儿痒。|一说到出国,他心里就痒得厉害。|好几天没下棋了,我心里发痒,真想好好下一回。

【样】 yàng 〔名/量〕

〔名〕❶ 形状。(shape; appearance)常做主语、宾语、谓语,也用于构词。常读"yàngr"。[量]个。

词语 模样 式样 样子

例句 这双鞋样儿不错,价格也便宜。|几年不见,样儿一点儿也没变。|你怎么成这样儿了?我一点儿也认不出来了。|这几年城里变化很大,一年一个样儿。

❷ 用来作为标准的东西。(sample; model pattern)常做宾语,也用于构词。

词语 样本 榜样 样品 图样

例句 林林常学着大人的样儿说话。|我们是看样儿定货。

〔量〕表示事物的种类。(kind; type)常构成短语做句子成分。

例句 我做几样菜,晚上过来一起喝酒。|买这两样东西一共花了我四百元。|我把东西一样一样摆出来,让他们看清楚。|这孩子样样都好,就是不喜欢说话。|一共有三样啤酒,您要哪样的?

【样品】 yàngpǐn 〔名〕

做标准的物品(多用于商品推销或材料试验)。(sample; specimen)常做主语、宾语。[量]件,个。

例句 样品和产品的质量应该是一样的。|A:这件衣服还有吗? B:只剩下一件样品了。|我想看一下样品。

【样子】 yàngzi 〔名〕

❶ 形状;外表。(shape; appearance)常做主语、宾语。[量]种,个。

例句 这条裙子样子不错。|我不喜欢这条裤子的样子。|你还记不记得他长什么样子?

❷ 表情。(manner; air)常做主语、宾语。[量]个,种。

例句 他们那神秘的样子,让人觉得好像发生了什么事。|你看到老萧生气的那个样子了吗?|我可不喜欢她那种拍马屁的样子。

❸ 作为标准的东西。(sample; model; pattern)常做主语、宾语。[量]个,种。

例句 衣服样子给你送来了,就照这个样子做吧。|我的鞋是照你那双鞋的样子买的。

❹ 形势。(tendency; likelihood)常做宾语。[量]个。

例句 看样子,她不会来了。|天好像要下雨的样子。|照这个样子发展下去,生活会越来越好。

【妖】 yāo 〔名/形〕

〔名〕神话传说中的怪物。(monster; goblin)常做主语、宾语,也用于构词。

词语 妖怪　妖魔　妖精

例句 那个传说中的女妖是狐狸变的。|《西游记》中的孙悟空专门除妖降魔。

〔形〕❶ 坏而迷惑人的。(evil and fraudulent)常做定语,也用于构词。

词语 妖术　妖言

例句 村子里竟有人相信他有妖术。|不要相信这些妖言。

❷ 打扮奇特,作风不正派(多指女性)。(seductive)常用于构词。

词语 妖艳　妖冶　妖里妖气

例句 你怎么打扮得妖里妖气的。

【妖怪】 yāoguài 〔名〕

神话传说中样子奇怪可怕,有特殊本领,常常害人的怪物。(goblin; monster)常做主语、宾语、定语。[量]个,种。

例句 传说中,妖怪会各种各样的法术。|在这个故事里有一个老妖怪。|传说“年”是一种妖怪,每年十二月都出来吃人。|孩子喜欢听妈妈讲妖怪的故事。

【要求】 yāoqiú 〔动/名〕

〔动〕提出具体愿望或条件,希望得到满足或实现。(ask; demand; require; claim)常做谓语。

例句 中学要求学生统一着装。|他要求我必须按时赶到。|你的条件不够,再要求下去也不会有结果的。|你要是真想参加,就再跟领导要求要求吧。

〔名〕所提出的具体愿望或条件。(demand; requirement; claim)常做主语、宾语。[量]个,点,项。

例句 你们的要求太高了,我们恐怕达不到。|对方提出的两项要求我们应该尽量满足。|对这项工程,专家组还有什么要求吗?|放假前,老师讲了几点要求,希望大家做到。

【腰】 yāo 〔名〕

❶ 身体中部较细的部位。(waist)常做主语、宾语、定语。[量]个。

例句 我洗了一下午衣服,累得腰疼。|你的腰真细,只有一尺八吧?|那孩子弯腰把地上的纸拾了起来。|她胖得都找不到腰了。|A:老李怎么住院了?B:说是腰上长了一个肿瘤。

❷ 裤子上部的边儿。[waist(of a garment)]常做主语、宾语、定语。

例句 裤子还行,可腰太肥了。|A:我不喜欢这种腰儿,有没有别的样子?B:有,您再看看这个。|腰的尺

寸不合适，穿上肯定不好看。

❸ 指钱包或衣兜。(pocket)常构成短语做句子成分。

例句 我腰里有钱，够花的了。|以前他是一个穷光蛋，现在腰缠万贯。

❹ 事物的中间部分。(middle)常构成短语做句子成分。

例句 走到山腰就能看见一座古庙。|他承包的果园在半山腰上。|朋友送给我一对细腰花瓶。

【邀】 yāo 〔动〕

约请。(invite; ask)常做谓语，也用于构词。

词语 邀请　邀集　应邀

例句 周末我邀了几个朋友一起坐一坐。|女朋友邀我明天去公园玩。

【邀请】 yāoqǐng 〔动/名〕

〔动〕请人到自己的地方来或到约定的地方去。(invite)常做谓语。

例句 本届研讨会邀请了十几位知名专家。|我们先后邀请过他们两次。|最近，美国一所大学邀请我去讲学。|A：对方说没空来，咱们是不是再邀请邀请？B：不用，不来就算了。

〔名〕要别人来或到别的地方去的要求、请求。(invitation)常做主语、宾语、定语。[量]个。

例句 A：您身体都这样了，怎么好再去？B：老战友的邀请怎么好意思不答应呢？|这个邀请我已经谢绝了。|听说小李也得到了邀请。|办签证需要对方发一个正式邀请。|至今我们还没见到对方的邀请函。

【窑】 yáo 〔名〕

❶ 烧制砖瓦陶瓷等的建筑物。(kiln)常做主语、宾语。[量]座。

例句 这座窑过去是专门给皇宫烧瓷器的。|我想建一座窑，做我自己设计的艺术品。|过去这里是几座石灰窑，还有一座砖窑。

❷ 指土法生产的小煤矿。(pit)常用于构词，也做宾语。

词语 煤窑　砖窑

例句 为了安全，乡政府决定关闭所有小煤窑。|下窑挖煤又累又危险。

【谣】 yáo 〔名〕

❶ 民歌，儿歌。(ballad; rhyme)常用于构词。

词语 民谣　童谣　歌谣

例句 我至今还记得小时候唱的那首童谣。

❷ 假消息。(rumor)常用于构词。

词语 谣言　谣传　造谣

例句 最近谣传电费涨价，请大家不要相信。

【谣言】 yáoyán 〔名〕

没有事实根据的消息。(rumor)常做主语、宾语、定语。[量]个，种。

例句 谣言不可怕，只要不去理它，就会慢慢消失。|有时候谣言也可以杀人。|A：有许多谣言，说她又要离婚了。B：既然是谣言，就不要听了。|不要轻易听信谣言。|请查一查这个谣言的来源。

【摇】 yáo 〔动〕

摆动。(shake; swing)常做谓语。

例句 风摇着树枝，发出沙沙的声音。|旗杆摇得太厉害，恐怕要倒了。|他冲我摇摇头，表示不行。|孩子摇着妈妈的手请求妈妈给他买一件新玩具。|我们快点儿把船摇到对岸去。|老大爷摇了两下铃，学生们都从教室里跑出来。

【摇摆】 yáobǎi 〔动〕
向相反的方向来回地移动或变动。(sway; rock; vacillate; sway)常做谓语、状语、定语。
例句 风中的柳枝不停地摇摆。|小花狗摇摆着尾巴,欢迎主人回来。|政策不能一会儿这样一会儿那样,总是左右摇摆。|A:你看,那边有一个人摇摇摆摆地朝我们走过来。B:快走,肯定是个醉鬼。|看你摇摇摆摆的样子,喝多了吗?

【摇晃】 yáohuàng 〔动〕
来回地摆动。(shake; rock; sway)常做谓语、状语、定语。
例句 病人的身体摇晃了一下,差一点儿倒下。|小孩摇晃着脑袋,正在背唐诗。|这瓶药在喝之前要摇晃摇晃。|他好像喝多了,摇摇晃晃地向门口走过去。|A:看你这摇摇晃晃的样儿,是不是病了? B:我感觉烧得厉害,浑身发冷。

【摇头摆尾】 yáo tóu bǎi wěi 〔成〕
形容喜悦或悠然自得、得意轻狂的样子。(shake the head and wag the tail — assume an air of complacency or levity)常做谓语、定语、状语、补语。
例句 小狗见到我回来,高兴地跑到我跟前,向我摇头摆尾。|我最看不惯他在领导面前摇头摆尾的样子。|几个孩子摇头摆尾地念道:"人之初,性本善……"|小狗见到了妈妈,高兴得摇头摆尾。

【摇摇欲坠】 yáoyáo yù zhuì 〔成〕
摇动着好像要落下来,也形容极不稳固。(tottering; crumbling; on the verge of collapse)常做谓语、定语、状语。
例句 他的统治已经摇摇欲坠了。|大火过后,屋架歪斜着,一副摇摇欲坠的样子。|在河边、路旁的青草上,露珠摇摇欲坠地闪着光。

【遥】 yáo 〔形〕
远。(distant; remote; far)常用于构词,或用于固定短语。
词语 遥遥 遥远 遥望 遥控 千里之遥 路遥知马力
例句 回国的日子遥遥无期。|站在山上遥望北京城,十分美丽。|路遥知马力,日久见人心。

【遥控】 yáokòng 〔动〕
通过有线或无线电设备,在远处使用、控制机器、仪器等。(remote control; telecontrol)常做谓语、定语、主语。
例句 在地面上就可以遥控卫星飞行。|小汽车模型坏了,遥控不了了。|在千里之外也可以遥控导弹的发射方向。|A:你们总经理出国了,现在公司还不是你说了算。B:李经理现在是在国外,但还遥控着公司。|电视机使用遥控器开关和调台,就方便多了。|飞船遥控失灵了,情况万分危急。

【遥远】 yáoyuǎn 〔形〕
很远。(distant; remote; far away)常做定语、谓语、补语。
例句 (歌词)在那遥远的地方,有一位好姑娘。|恐龙生活在遥远的侏罗纪。|我非常想念遥远的故乡。|开车去西藏,路途遥远,请多保重。|你想得太遥远了,还是现实点儿吧。

【杳无音信】 yǎo wú yīnxìn 〔成〕
一直没有一点儿消息。(there has been no news whatsoever about sb.;

never been heard of since)常做谓语、定语。

例句 三年前,他去了国外,从此杳无音信。|一直杳无音信的大李突然回来了。

【咬】 yǎo 〔动〕

❶ 上下牙齿对着用力切开或夹住物体。(bite;snap at)常做谓语。

例句 早上起晚了,咬了几口馒头就上班了。|牛肉太硬了,怎么也咬不动。|昨晚,我被蚊子咬了好几个包。

❷ 狗叫。(bark)常做谓语。

例句 昨晚,你家的狗咬了一夜。|黑暗中,一只狗在狂咬。|你听,狗咬得厉害,是不有什么情况?

❸ 为了减轻自己罪责而说别人。(incriminate another person when blamed or interrogated)常做谓语。

例句 在法庭上,他把自己的同伙都咬出来了。|A:都怪你,让我丢这么大的丑。B:明明是你自己的错,怎么反咬我一口。

【咬文嚼字】 yǎo wén jiáo zì 〔成〕

比喻过分地斟酌字句。(pay excessive attention to wording)常做谓语、定语、状语。

例句 我不喜欢咬文嚼字。|他有咬文嚼字的习惯。|钱秘书咬文嚼字地读了一遍文章,提出了一大堆修改意见。

【药】 yào 〔名/动〕

〔名〕❶ 能治病、防病、消灭虫害的东西。(medicine; drug; remedy)常做主语、宾语、定语。也用于构词。[量]片,粒,副,包,盒。

词语 药材 药房 药方 药品 药物 药性

例句 药买回来了。|这种药每天吃三次,每次吃一粒。|你晚上别忘记吃药。|我去给你抓几副中药。|伤口得上点儿药。|现在的药价比以前贵多了。

❷ 某些有化学作用的东西。(certain chemicals)常用于构词。也做宾语、主语、定语。[量]包,捆,公斤。

词语 火药 炸药 弹药

例句 这点药恐怕不够,得再加点儿药。|那几箱子药潮了,不能用了。|这药的威力大,不能装多了。

❸ 专指有毒的药。(kill with poison)常做宾语、主语。

例句 听说,邻居家的女孩没考上大学就喝药了。|你看着她点儿,小心她想不开喝了药。|这些药他都喝光了,大概活不了多长时间了。

〔动〕用药毒死。(kill with poison)常做谓语。

例句 我想买点儿耗子药,药药那些可恶的耗子。|花长虫子了,得药一下。|这些虫子太厉害了,怎么药都药不死它们。

【药材】 yàocái 〔名〕

制中药的原料。(medicinal materials;crude drugs)常做主语、宾语、定语。[量]种。

例句 这些药材都是很名贵的。|我爷爷是搞药材的,他经常上山采药。|这种草据说是一种药材,可以治头疼病。|新规定的药材收购价格比过去高了。|我在药材公司工作。|一定要好好保护我们的药材资源。

【药方】 yàofāng 〔名〕

❶ 为治疗某种疾病而列出的若干

种药物的名称、用量和用法。(prescription)常做主语、宾语。[量]个。

例句 这个药方对治疗头疼很有效。|这本书里记载了治疗各种病的药方。|妈妈得了一种奇怪的病,试了几个药方也不见效。

❷ 写着药方的纸。(prescription paper)常做宾语、主语。

例句 医生给我开了一张药方。|把你的药方收好,下次还要用它买药。|A:药方给我看看好吗? B:这个药方就是给你的,请按方服药。

【药品】 yàopǐn 〔名〕

药物和化学试剂的总称。(medicines and chemical reagents)常做主语、宾语、定语。[量]种。

例句 据说,这种药品质量不合格。|这次去北京,是想采购一些药品。|这家药房药品的种类最多。

【药水】 yàoshuǐ 〔名〕

像水一样的药。(liquid medicine)常做主语、宾语、定语。[量]滴,毫升,瓶。

词语 眼药水 红药水 紫药水

例句 你给我买的那药水很好用。|这儿还要再上点儿药水。|装药水的瓶子用后要集中处理。|药水的浓度好像有点儿问题。

【药物】 yàowù 〔名〕

能防治疾病和病虫害的物质。(medicines; drugs; pharmaceuticals)常做主语、宾语、定语。[量]种。

例句 A:主任,你看这些药物能用吗? B:不能,这些药物都已过期了。|没有一种药物对这种疾病有特效。|看样子,这大概是药物中毒的反应。

【要】 yào 〔动/助动/连〕 另读 yāo

〔动〕❶ 希望得到或保持。(want; ask for; wish; desire)常做谓语。

例句 A:这本书你还要不要了? B:当然要。|我跟邻居要了一盆花。|请问,您要点儿什么菜?|这孩子常跟父母要钱,要不到就闹。|我的那本书让小张要走了。|我要不了这么多,我只要一斤。

❷ 叫,让。(ask sb. to do sth.)常做谓语(带兼语宾语)。

例句 老师要班长去找他。|他要我给他发个电子邮件。|医生要他好好休息几天。

〔助动〕应该,必须;很快会发生。(have to; must; should)常做状语。

例句 你要按时吃药。|上课之前一定要先预习。|这件事千万不要告诉他。|天要下雨了,拿上伞吧。|田中同学明天要回国了,咱们去看看她吧。

〔连〕❶ 如果。(if; suppose; in case)用来连接句子。

例句 要没有你帮忙,我们到晚上也干不完。|你要不去,我也不想去了。|要有时间,我一定把外语好好复习一下。

❷ 或者。(or; either... or...)连接句子,表示选择关系。经常和"就"连用。

例句 要就打网球,要就打羽毛球,快决定吧。|要就我一个人去,你们都别去了。

▶"要"也有形容词性,指重要的。常用于构词。如:要点 险要 要领 紧要 要员 主要 要事|这篇文章有三个要点。|请到我办公室,我有要事跟你相商。

▶"要"也有名词性,指重要的内容。

常用于构词。如：纲要　摘要　提要｜讲话很快，只能择要记录一下。

【要不】 yàobù 〔连〕

如果不是这样。(otherwise; or else; or)连接句了，表示选择关系。

例句 我得走了，要不就赶不上火车了。｜从大连可以坐火车直接去北京，要不坐船先去天津，再倒火车也行。｜要不你就别去了，反正也没什么重要的事情。

【要不然】 yàobùrán 〔连〕

如果不这样的话。(otherwise; or else; or)同"要不"，连接句子，表示选择关系。

例句 一定要好好学习，要不然将来怎么办？｜把这些菜都放冰箱里，要不然就坏了。｜要不然这样，今天休息，明天再去。

【要不是】 yàobúshì 〔连〕

如果不是…(if it were not for; but for)连接句子，表示假设关系。

例句 要不是抢救及时，他就没命了。｜要不是我帮他，他不会这么快干完的。｜要不是我劝他，他可能会自杀的。｜要不是他有钱，我是不会嫁给他的。

【要点】 yàodiǎn 〔名〕

❶ 话或文章等的主要内容。(main points; essentials; gist)常做宾语、主语。[量]个。

例句 请概括一下这篇文章的要点。｜我只说说几个要点，其他的内容请大家自己看。｜写文章，做什么事，都要抓住要点。｜A：讲话要点都记下来了吗？B：记下来了。

❷ 重要的根据点。(key strong-point)常做宾语、主语。[量]个。

例句 这个地方向来都是战略要点。｜公司的战略要点在广州。

【要好】 yàohǎo 〔形〕

指双方感情很好。(be on good terms; be close friends)常做谓语、定语。

例句 两个人从小就很要好。｜我们是非常要好的朋友。

【要价】 yàojià 〔名/动〕

〔名〕做买卖的人向顾客提出的商品价格。(charge)常做主语、宾语。[量]个。

例句 A：这件衣服的要价是120元。B：要价太高了，你给便宜些。｜我不能接受这个要价。

〔动〕索要价格。(ask a price; charge)常做谓语。

例句 这些小贩漫天要价。｜这件大衣他要价两千八。

【要紧】 yàojǐn 〔形〕

严重，重要。(important; serious)常做谓语、定语。

例句 钱当然很要紧，可命比钱更要紧。｜这些东西要紧得很，一定要保存好。｜A：哎呀！我的手划了。B：只是划破了皮，不要紧，上点儿药就好了。｜箱子里没有什么要紧的东西，不锁也没关系。

【要领】 yàolǐng 〔名〕

❶ 要点。(main points; gist)常做宾语。[量]个。

例句 A：老师，这题我答得不对吗？B：你答得不得要领，没有说出真正的原因。｜只要抓住了要领，讲演就成功了一半。

❷ 体育和军事操练中某项动作时的基本要点。(essentials)常做宾语。[量]个。

例句 做动作时必须掌握要领。｜

A:练了这么多天,我怎么还是打不准? B:没抓住射击要领,枪怎么能打得准呢?

【要么】 yàome 〔连〕

或者。(or; either... or...)连接两个句子,表示选择关系。也可两个连用。

例句 你写封信,要么打个电话,告诉家里我们什么时候回去。|你最好去一趟,要么我替你跑一趟。|要么吃米饭,要么吃馒头,反正你得吃点儿东西。|要么你去,要么我去,怎么都行。

【要命】 yào mìng 〔动短/形〕

〔动短〕使失去生命。(drive sb. to his death; kill)常做谓语、定语,中间可插入成分。

例句 没想到,吞下了这一枚小金戒指,就要了她的命。|A:他的话你该听。B:我就不听他的,他还敢要命啊? |你不说,我就要你的命。|毒品是要命的东西,千万不能沾上。

〔形〕❶ 表示程度达到极点。(terribly; confoundedly; extremely; awfully)常做补语。

例句 我被蚊子咬了一口,痒得要命。|A:来,咱俩杀盘棋。B:别烦我,我累得要命。|他们俩以前好得要命,怎么又分手了?

❷ 给人造成严重困难(着急或生气时说)。(a nuisance)常做谓语。

例句 真要命,火车快开了,他还不来。|你可真要命,怎么又把钥匙丢了? |你说这孩子要不要命? 天天缠着我给他买东西。

【要是】 yàoshi 〔连〕

如果,如果是。(if; suppose; in case)连接句子,表示假设关系。后面常与"就"、"那么"连用,也说"要是…的话"。

例句 A:我今天太累了,不想去了。B:要是你不去的话,他们会生气的。|要是没事做,就去打工吧。|要是我去做,那么他干什么? |我想一个人去旅游,要是父母同意的话。

【要素】 yàosù 〔名〕

构成事物的必要因素。(essential factor; key element)常做宾语、主语。[量]个,种。

例句 氢和氧是构成水的基本要素。|学习方法、学习时间、努力程度是提高成绩的几个要素。|生产力的要素是生产者、生产工具和生产技术。

【钥匙】 yàoshi 〔名〕

开锁用的东西。(key)常做主语、宾语、定语。[量]把。

例句 一把钥匙开一把锁。|我的钥匙丢了,进不去屋了。|只有两把钥匙不够,还得再去配两把。|这种锁只有用钥匙才能锁上。|到处都可以买到钥匙链做的旅游纪念品。

【耀】 yào 〔动〕

❶ 光线强烈地照射。(shine; dazzle)常用于构词。

词语 照耀 耀眼

例句 在日光下,那座玻璃大厦非常耀眼。

❷ 显示出来。(boast of)常用于构词或用于固定短语中。

词语 炫耀 夸耀 光宗耀祖 耀武扬威

例句 老张常向人夸耀自己读博士的儿子。

【耀眼】 yàoyǎn 〔形〕

Y

光线强烈,使人眼花。(dazzling)常做谓语、定语、补语。

例句 这儿的光线这么耀眼。|太阳照着大楼的玻璃墙,格外耀眼。|你穿的这件衣服太耀眼了。|他把墙涂成了耀眼的黄色。|夕阳红得耀眼。

【爷】 yé〔名〕

❶ 父亲的父亲。(grandfather)常做称呼语,也做主语、宾语、定语。

例句 爷,你要吃点儿什么?|我爷以前是这个工厂的工人。|去找你爷回家吃饭。|A:小二,把爷的衣服拿过来。B:爷,是这件吗?

❷ 对长辈的或年长男子的尊称。(uncle)常用于构词。

词语 大爷 陈爷 二爷

例句 大爷,您多大年纪了?

❸ 旧时对主人、财主、官僚的一种称呼。(master; sir; lord)常用于构词。

词语 老爷 太爷 王爷

例句 老爷还有什么吩咐?

❹ 迷信的人对神的称呼。(God)常用于构词。

词语 老天爷 佛爷 灶王爷 阎王爷

例句 A:老大爷,收成怎么样啊?B:今年老天爷照顾,收成不错。|农历腊月二十三是送灶王爷上天的日子。

【爷爷】 yéye〔名〕

❶ 爸爸的爸爸。[(paternal) grandfather]常做主语、宾语、定语,也做称呼语。[量]个。

例句 你爷爷在家吗?我找他下棋。|爷爷刚给我买了新玩具。|我很想念我爷爷。|以前爷爷的身体不太好,后来坚持打太极拳,现在好多了。|爷爷,您早点儿休息吧。

❷ 跟祖父同辈的或年纪差不多的男人。(grandpa)常做主语、宾语、定语,也做称呼语。

例句 张爷爷,您好,您去哪儿呀?|小时候,邻居刘爷爷对我特别好,常给我买好吃的。|把这些东西给那个白胡子爷爷送去。|A:你看见这位爷爷的眼镜了吗?B:没看见。

【也】 yě〔副〕

❶ 表示两事物在某方面一样。(also; too)做状语。

例句 A:您来点儿什么?B:他要饺子,我也来一盘吧。|水库可以养鱼,也可以净化空气。|你也来了?|A:你的家乡冬天怎么样?B:我家乡跟这儿一样,冬天也下雪。|这件衣服我也喜欢。

❷ 表示无论什么条件结果都相同。(still; yet)做状语,常与“虽然、无论、再、任何”等配合使用。

例句 虽然下起了雨,我们也没迟到。|宁可不睡觉,也要看足球比赛。|A:我不清楚这事,你不要再问了。B:你不说我也知道。|无论是谁,也得买票才能进去。|再聪明也得学习。|谁也不知道他多大岁数了。

❸ 表示加强语气。(even)做状语,常与“连”或“一”配合使用。

例句 A:来,咱们再干一杯。B:还喝吗?看你连眼睛也红了。|你怎么连饭也不吃就走啊?|风停了,树叶一动也不动。|我给他的钱他一分也没花。|街上连个人影也没有。

❹ 表示减轻语气。(*used in a hesitant or guarded statement*)常做状语。

例句 这件事也只好这样了，没有什么好办法了。|这幅画画得也还不错。|也难怪他不高兴，你们对他也太不客气了。|你也不是外人，我都告诉你吧。

【也许】 yěxǔ 〔副〕

❶ 可能；对情况的猜测。(maybe; perhaps; probably)做状语。

例句 那年他就二十五岁了，现在也许早就结婚了。|也许今天会下场大雪。|A：你什么时候回来？B：我这次回国，也许不会再回来了。|你也许不明白我学习美术的原因。

❷ 表示商量的语气。(maybe)做状语。

例句 A：这个地方也许用这个词更好。B：对，这样比原来好多了。|A：你说这次活动一定需要我参加吗？B：也许你来会更好一些。|你也许错了吧，你再想一想。

【冶金】 yějīn 〔名〕

炼金属。(metallurgy)常做定语。

例句 冶金工业在国民经济中十分重要。|冶金行业造成的污染正在得到治理。|中国人很早就掌握了冶金技术。

【冶炼】 yěliàn 〔动〕

用高温电解等方法把矿石中需要的金属提取出来。(smelt)常做谓语、定语、宾语。

例句 这个厂主要冶炼铁矿石。|随着先进技术的使用，冶炼能力和水平不断得到提高。|这种矿石经过冶炼，能提取出来铝。

【野】 yě 〔名/形〕

〔名〕❶ 离居民区较远的自然环境。(open country; the open)常用于构词。

词语 旷野 野地 野火 野外 田野 野餐

例句 野火烧不尽，春风吹又生。

❷ 界限。(boundary; limit)常用于构词。

词语 视野 分野

❸ 指不当政的地位。(not in power; out of office)常用于构词。

词语 下野 在野 朝野

例句 这个决定在朝野上下引起轰动。

〔形〕❶ 不是人饲养的(动物)或种植的(植物)；自然生长的。(wild; uncultivated; undomesticated; untamed)常做定语，也用于构词。

词语 野马 野味 野生 野菜 野猪

例句 这是野狗，很凶的，你不要惹它。|他们说明天要拿这只枪去打野兔。

❷ 粗暴不讲理、没礼貌。(rude; rough)常做谓语、定语。也用于构词。

词语 粗野 撒野 野蛮

例句 这伙人实在太野了，随便打人骂人。|有个学生野极了，谁也管不了。|她一点儿也不像小姑娘，倒像一个野小子。

❸ 不受限制的。(unrestrained)常做谓语、补语、状语。

例句 这丫头野得厉害，一会儿也呆不住。|A：你别在外边野了，快回来吧。B：让我再玩一会儿吧。|这几天放假，心都玩野了，不想学习了。|他不干正事，一天只知道在外边野跑。

【野蛮】 yěmán 〔形〕

❶ 不文明；没有开化。(uncivilized;

savage)常做定语。

例句 在这个原始森林里发现了野蛮部落的遗迹。|在野蛮时代,生产力极度落后。

❷ 蛮横残暴。(cruel; brutal)常做谓语、状语、定语。

例句 这群流氓太野蛮了。|他这个人野蛮得很,你别去惹他。|侵略军野蛮地把村子里的人都杀光了。|我们不能容忍这种野蛮行为。

【野生】 yěshēng 〔形〕

生物不靠人工而是在自然环境中生长。(wild; undomesticated; uncultivated; feral)常做定语,也用于"是…的"格式。

例句 野生动植物的数量越来越少了。|在野生条件下,大熊猫容易得病甚至死亡。|这种动物都是野生的,人工不能养。|还是野生的人参(shēn)好。

【野兽】 yěshòu 〔名〕

家畜以外的兽类。(wild beast)常做主语、宾语、定语。[量]个,种,头。

例句 这种野兽很厉害,常常到村子里来。|野兽常出没于这一带。|我们在树林里碰见过一头不知名的野兽。|你看,不知是什么野兽的脚印。

【野外】 yěwài 〔名〕

离居住点或居民点较远的地方。(field; open country)常做主语、宾语、定语。

例句 野外可能有这种草。|勘探队常年在野外作业,十分辛苦。|我家的狗死了,我们把它埋到了野外。|我喜欢那些野外工作,比如找矿、采集标本等等。|我们班周末要搞野外训练。

【野心】 yěxīn 〔名〕

对领土、权力或名利比较强烈而不正当的要求。(ambition)常做主语、宾语、定语。[量]个,种。

例句 此人野心很大,一直想当大官。|我可没有那种野心,只想老老实实过日子。|他是一个野心家。

【业】 yè 〔名〕

❶ 行(háng)业。(trade; line of business)常做语素构词。

词语 商业 工业 农业 林业 服装业 饮食业

❷ 某种工作。(occupation; profession; employment; job)常用于构词。

词语 业余 转业 就业 职业

例句 李科长是去年转业的。

❸ 学习的课程。(course of study)常用于构词。

词语 毕业 结业 修业

例句 大学本科一般要修业四年。|我是去年毕业的。

❹ 事业。(cause; enterprise)常用于构词。

词语 业绩 功业 创业

例句 这位市长在职期间,业绩显著。

❺ 财产。(estate; property)常用于构词。

词语 家业 产业 业主

例句 如何满足业主的需要是物业公司面对的大问题。

【业务】 yèwù 〔名〕

个人或某个机构的专门工作。(professional work; business)常做主语、宾语、定语。

例句 不知道他的业务搞得怎么样?|最近业务特别忙。|姐姐是搞业务的。|许多公司要到国外去发展业务。|要不断学习才能提高业

务水平。|下午有个业务研讨会。

【业余】 yèyú 〔形〕

❶ 工作时间以外的。(sparetime)常做定语。

例句 这些事只能利用业余时间干。|钓鱼是我的业余爱好。|A:你工作那么忙,哪有时间再上学读书?B:这是一所业余学校,只在晚上和周末上课。

❷ 非专业的。(amateur)常做定语,或构成"的"字短语。

例句 我的摄影最多只能算业余水平。|虽然是业余剧团,但演得还可以。|业余的倒比专业的唱得好。

【叶】 yè 〔名〕

❶ 植物吸收阳光、空气和水分来制造营养的器官,一般是绿色。通称叶子。(leaf)常做主语、宾语,常读"yèr"。[量]片。

例句 这种花,叶是红色的,花是黄色的。|这片叶像一只手。|我想去树林里采点儿松树叶。|叶面上趴着一只小虫子。

❷ 像叶的。(leaf-like thing)常用于构词。

词语 百叶窗 千叶莲

【叶子】 yèzi 〔名〕

植物叶的通称。(leaf)常做主语、宾语、定语。[量]片。

例句 叶子是植物进行光合作用的器官。|有些植物的叶子秋天变黄,有些植物的叶子常年都是绿色。|她把一片红叶子夹在书里。|A:我这瓶花漂亮吗?B:不错,再插几片叶子,效果会更好。|叶子的颜色怎么发黄了?

【页】 yè 〔名/量〕

〔名〕一张纸。(a piece of paper)常用于构词。

词语 册页 活页

例句 请问,有活页夹吗?

〔量〕书中的一张纸。(page or leaf)常构成短语做句子成分。

例句 这本书共有三百多页。|一页稿纸大约有三百个字。|我只用五页纸就够了。|把名字写在最前面的那页上。|这页上的画是我画的。|本子上一页一页都写满了字。|复习时,他一页页地看,特别认真。

【夜】 yè 〔名〕

从天黑到天亮的一段时间。(night;evening)常做主语、宾语,也用于构词或构成短语做句子成分。

词语 深夜 子夜 夜宵 夜半 夜晚 夜景 夜生活

例句 夜已经很深了。|夜是这样的静,风是这般的轻。|他常工作到十一二点,昨晚又度过了一个不眠之夜。|我喜欢这迷人的夜。|4月7日夜,这里发生了一起凶杀案。|除夕之夜,全家人一起吃了顿团圆饭。|我们走了一天一夜才找到一家旅馆。|昨天晚上我一夜没合眼。

【夜班】 yèbān 〔名〕

夜里工作的班次。(night shift)常做主语、宾语、定语。[量]个。

例句 夜班很辛苦,日子长了受不了。|我一周上两个夜班。|下夜班的工人都已经回家了。|今天晚上,校长在这儿值夜班。|我们去给夜班工人送夜班饭。

【夜不闭户】 yè bú bì hù 〔成〕

晚上睡觉不用关门。形容社会治安秩序好,风气好。(doors are not bolted at night — law and order prevail)常做谓语、定语。

Y

例句 小区里夜不闭户。|加强治安管理,建设一个夜不闭户的小区。

【夜间】 yèjiān 〔名〕

夜里。(nighttime)常做主语、宾语、状语、定语。

例句 这儿白天虽然热,可夜间很凉快。|我们想在夜间进行这项实验。|部队准备夜间出发。|这里,夜间气温达到零下30℃。

【夜郎自大】 Yèláng zìdà 〔成〕

比喻妄自尊大。(ludicrous conceit of the King of Yelang — parochial arrogance)常做谓语、定语。

例句 要多向别人学习,不要夜郎自大。|教训教训那个夜郎自大的家伙。

▶ 夜郎是汉朝时的一个小国,由于交通不便,他们不知道夜郎和汉朝谁大。这就是"夜郎自大"的故事。

【夜里】 yèli 〔名〕

从天黑到天亮的一段时间。(nighttime)常做状语、宾语、主语。

例句 夜里,儿子从美国打来电话,说他很想家。|我们夜里行动,大家作好准备。|这种花在夜里开。|天气预报说夜里有中到大雨。

【夜生活】 yèshēnghuó 〔名〕

夜间的交际、娱乐等活动。(night life)常做主语、宾语。

例句 现在人们的夜生活比较丰富。|老年人一般很少过夜生活。

【夜晚】 yèwǎn 〔名〕

夜间;晚上。(night)常做状语、定语、主语、宾语。[量]个。

例句 这种鸟夜晚出来活动。|夜晚,村子里一片寂静。|电视塔夜晚的景色非常漂亮。|夜晚比较凉,最好白天去。|祝各位度过一个愉快的夜晚!

【夜以继日】 yè yǐ jì rì 〔成〕

日夜不停。(day and night; round the clock)常做谓语、状语。

例句 这几个月,工人们夜以继日,废寝忘食,终于提前建成了这座科技馆。|为了赶稿子,我夜以继日地工作了好几天。

【夜总会】 yèzǒnghuì 〔名〕

一种供人们夜间娱乐的场所。(nightclub)常做主语、宾语。[量]家,个。

例句 这家夜总会每天晚上都有很多人。|不少人都去夜总会过圣诞节了。|我想在这儿开一家夜总会。

【液】 yè 〔名〕

像水一样的东西。(liquid; fluid; juice)常用于构词。

词语 液体 液态 输液 黏液 唾液

例句 当时我不能吃东西,只能靠输液维持生命。

【液体】 yètǐ 〔名〕

像水一样可以流动的物质。(liquid)常做主语、宾语、定语。[量]种。

例句 你知道这些液体是什么吗?|铁在高温条件下就变成液体了。|水在常温常压下是液体。|这种液体内含多种维生素。

【一】 yī 〔数/副〕

〔数〕❶ 最小的正整数。(one)常构成短语做句子成分,也做主语、宾语,还用于固定短语中。

词语 一刀两断 一目了然 一分为二

例句 "一"是最小的正整数。|三

减去二是一。|一斤苹果多少钱?|昨天买了一件衬衫,但不太合适。|我只买一张,多少钱?|一瓶酒花了五十块钱。|两辆自行车,你骑一辆,我骑一辆。|他每年都去一次广州。|A:这本小说好看吗? B:我只看了一眼,没发现有什么意思。

❷ 同样的。(same)常构成短语做句子成分,也用于固定短语。

词语 一模一样　一视同仁　言行一致

例句 这两本书是一个人写的。|A:这么老远,麻烦你亲自送来,真不好意思。B:咱们是一家人,别说那么多客气话。|我买、你买都得花钱,还不是一回事吗?

❸ 全,满。(whole;all)常构成短语做句子成分,也用于固定短语。

词语 一辈子　一心一意　一路平安　一无是处

例句 A:看你,弄了一身的水。B:没关系,一会儿就干了。|太热了,我出了一头汗。|睡了一下午的觉,还是困。|他乱七八糟地写了一黑板。|服务员一不小心把酒洒了我一裙子。

❹ 表示时间短或尝试。(*used to indicate that the action occurs just once or lasts for a short time*)用于两个相同的单音节动词中间。

例句 等一等,我还有事要说。|你看一看吧,这样子行不行。|合适不合适,一定要试一试,然后才知道。

〔副〕❶ 表示一种动作或情况出现后紧接另一种动作或情况,或产生某种结果。(*used before a verb or a verbal measure word to indicate an action to be followed by a result*)常在复句的前一分句中做状语,后面多与"就"、"便"等配合使用。

例句 他的想法我一看就知道。|医生一检查,他果然得的是肺炎。|我一讲学生们就明白了。|我一看见他就恶心。|玛丽在中国一住便是十年。|铃声一响,学生们纷纷跑出教室。|小狗一跳就跳过去了。

❷ 表示动作、变化突然出现或者是彻底的。(*used before a verb or an adjective, indicating the suddenness or thoroughness of an action or a change in the situation*)常做状语。

例句 听完这句话,我心里一惊,是不是又发生什么问题了。|我们把房间粉刷一新。|这部电影值得一看。|A:昨天要不是你帮我,那场面我是应付不下来了,真是太谢谢你了。B:这点儿小事不值一提。

【一…就…】 yī…jiù…〔关联〕

❶ 表示两件事紧接着发生。(the moment;as soon as;at once)前后的两个动词不同,表示一种动作或情况出现后紧接着发生另一种动作或情况。

例句 这孩子一有时间就上网。|最近身体不好,稍一动就出汗。|真聪明,我一说你就懂了。|A:中午你一定要来啊。B:请放心,一下课我就去。

❷ 前后两个动词相同,主语也相同。表示动作一旦发生就达到某种程度,或有某种结果。

例句 老师一讲就讲了三个小时。|我在北京一住就是八年。|他一选就被选上了。|冰面很滑,一滑就出去老远。

Y

表示完全否定。(not a single)"一"后面常接量词和名词,"也"后面常用"不、没"配合。

例句 他一句汉语也不会说。|我一首中国歌也不会唱。|京剧我一次也没看过。|老父亲在这儿一天也呆不下去了,急着要回家。|难道一分钱也没有吗?

【一一】 yīyī 〔副〕

一个一个地。(one by one;one after another)做状语。

例句 他把我们给在座的领导一一作了介绍。|发言人一一解答了记者提出的问题。|这么多规定我们不可能一一解释。|一定把请帖一一送到每个人手里。

【伊斯兰教】 Yīsīlánjiào 〔名〕

世界上主要的宗教之一。盛行于西亚、北非地区。在中国被称为清真教或回教。(Islam;Islamism)常做主语、宾语、定语。

例句 伊斯兰教是世界三大宗教之一。|阿拉伯人主要信仰伊斯兰教。|伊斯兰教的教义博大精深。

【衣】 yī 〔名〕

❶ 意义同"衣服"。(clothing;clothes)常用于构词。

词语 上衣 内衣 大衣 外衣 棉衣 衣服 衣领 衣裳 衣着

❷ 包在物体外面的一层东西。(covering;coating)常用于构词。

词语 糖衣 笋衣

例句 有糖衣的药片往往很苦。|把炮衣摘掉,准备射击!

【衣服】 yīfu 〔名〕

穿在身上遮住身体并保暖的东西。(clothing;clothes)常做主语、宾语、定语。[量]件,套。

例句 A:这件衣服不贵,又很合体,买了吧。B:再看看。|哇!这身衣服真精神!|做衣服比买衣服便宜、合身。|这件衣服的样子不错,可衣服颜色一般。

【衣冠楚楚】 yīguān chǔchǔ 〔成〕

衣服和帽子戴得整齐漂亮。(be decently dressed; be immaculately dressd)常做谓语、定语、状语。

例句 小王衣冠楚楚,满面春风,站在台阶上招呼着客人。|大家看见这些衣冠楚楚的省城人来了,又走了,也不知他们来干什么,也就不理他们。|他衣冠楚楚地走了出来,脸上挂着得意的微笑。

【衣锦还乡】 yī jǐn huán xiāng 〔成〕

取得功名富贵后回到家乡,含有夸耀的意思。(return to one's hometown in silken robes)做谓语、定语。

例句 你少说也挣了几百万吧,可以衣锦还乡了。|衣锦还乡的小王一下车就被乡亲们围住了。

【衣裳】 yīshang 〔名〕

衣服。(clothes; clothing)常做主语、宾语、定语。[量]件,套。

例句 这件衣裳有点儿旧了。|A:帮我看看穿哪件合适。B:你穿这套衣裳吧,跟今天的场合比较相配。|衣裳的样子你喜欢吗?

【医】 yī 〔名/动〕

〔名〕❶ 医生。[doctor (of medicine)]常用于构词。

词语 医生 军医 牙医 名医

❷ 医学。(medical science)常用于构词,也做宾语。

词语 中医 西医 医科 医学

例句 他是搞医的。|学医学费高、时间也长。

〔动〕治疗。(cure;treat)常做谓语。

例句 头痛医头,脚痛医脚,不是好办法。|这位老中医医好了母亲多年的腰痛病。|你这病得找一个好大夫好好医医。|谁也医不好他的心病。

【医疗】 yīliáo 〔名〕

疾病的治疗。(medical treatment)常做定语。

词语 医疗设备 医疗队 医疗保险 医疗器械 医疗技术

例句 我们的医疗水平还需要进一步提高。|中国的医疗事业发展很快。|参加医疗保险是社会保障的重要方面。

【医生】 yīshēng 〔名〕

把治病作为职业的人;大夫。(doctor;medical man)常做主语、宾语、定语。[量]个,位。

例句 医生是值得尊敬的职业。|我长大了要当一个医生。|孩子病得厉害,快点儿请医生吧。|这位医生的技术相当可以。

【医务】 yīwù 〔名〕

医疗事务。(medical matters)常做定语。

例句 医务工作者得有医德。|搞医务工作要认真、仔细。|医务人员都在接受新技术培训。

【医务室】 yīwùshì 〔名〕

设在机关、学校、工厂等的小型机构。(clinic)常做主语、宾语、定语。[量]个。

例句 医务室今天不开门。|我去一下医务室。|医务室的医生告诉我要吃点儿消炎药。

【医学】 yīxué 〔名〕

以保护和增进人类健康,预防和治疗疾病为研究内容的科学。(medical science)常做主语、宾语、定语。

例句 医学是受人尊敬的一门科学。|他们两个儿子都在大学学习医学。|这是一本医学杂志。|每个人都应该懂一点儿医学常识。

【医药】 yīyào 〔名〕

医疗和药品。(medicine)常做定语。

例句 她在一家医药公司工作。|为了帮助我交医药费,全公司开展了募捐活动。|医药卫生机构常常向群众宣传卫生知识。

【医院】 yīyuàn 〔名〕

治疗和护理病人的机构,也兼做健康检查、疾病预防等工作。(hospital)常做主语、宾语、定语。[量]个,所,家。

例句 医院离这儿有两站。|上午我去医院,看一位住院的朋友了。|去年,这里新建了一所大型医院。|牙病最好去专门的医院治疗。|这家医院的专家门诊费比较合理。

【医治】 yīzhì 〔动〕

治疗。(cure;treat)常做谓语、主语、宾语。

例句 李医生曾医治好了五位这类患者。|没有一位医生能医治他的病。|他因为医治无效,于昨天早上去世了。|由于技术条件和费用不足,还有许多病人等待医治。

【依】 yī 〔动/介〕

〔动〕❶ 靠。(depend on)常用于固定短语中,也用于构词。

词语 相依为命 唇齿相依 依偎 依附 依靠

例句 丈夫去世后，我和儿子相依为命。

❷ 同意，顺着。(comply with; listen to)常做谓语。

例句 我让他跟我走，他就是不依。|如果你依了我，我什么都可以给你。|我们劝他休息休息，他怎么也不依。

〔介〕❶ 按，按照。(according to)常构成介宾短语做句子成分。

例句 依此办法，我们也可能解决其他问题。|你们就依着这个意思去办吧。

❷ 按照某人的看法或说法。(in one's view)常构成短语单独使用。

例句 依我看，学汉语不十分难。|这件事，依你之见怎么办好？|依我看，这样可以。

【依次】 yīcì 〔副〕

按照次序。(in proper order; successively)常做状语。

例句 人们依次入场。|患者要按着顺序依次就诊。|王老师每天上课都要依次点学生的名字。

【依旧】 yījiù 〔形/副〕

〔形〕和以前一样。(as before)常做谓语，不重叠。

例句 家乡青山依旧，绿水长流。|没想到他这么大年纪了，还和年轻时一样，浪漫依旧。|现在都21世纪了，可那里却一切依旧。

〔副〕照样。(still)做状语。

例句 别人都走了，他依旧坐在那儿看书。|多年不见，她依旧那么年轻、漂亮。|住了一个月的院，可病情依旧不见好转。

【依据】 yījù 〔介/名〕

〔介〕根据。(according to)常构成介宾短语做状语。

例句 依据市场调查，厂里作出了开发新项目的决定。|依据法律，你应该赔偿损失。|我们依据有关政策制定了这个原则。

〔名〕作为根据的事物。(basis; foundation)常做主语、宾语。

例句 这些依据不太可靠。|你这样说，有依据吗？

【依靠】 yīkào 〔动/名〕

〔动〕别的人或事物达到一定的目的。(rely on)常做谓语。

例句 这件事的成功，完全依靠大家的努力。|我什么都没有，只有依靠法律。|儿女都不在身边，老太太谁也依靠不上。|有的人依靠手中的权力为自己谋私利。

〔名〕可以依靠的人或东西。(backing; support)常做宾语、主语。［量］个。

例句 对他来说，养花算是一个精神依靠。|现在，你是妈妈唯一的依靠了。|父母去世的时候，我还小，什么依靠也没有。

【依赖】 yīlài 〔动〕

❶ 依靠别的人或事物而不能自立或自给。(depend on)常做谓语、定语。

例句 我从来不依赖别人。|总是依赖父母，将来怎么办？|这个国家的粮食主要依赖进口。|他这种人，依赖不得。|依赖思想不能有。

❷ 各个事物或现象互为条件而不可分离。(be interdependent)常做谓语。

例句 工业和农业互相依赖。|在生产线上，每道工序都是互相依赖的。

【依然】 yīrán 〔形/副〕

Y

〔形〕和以前一样。(as before)常做谓语。

例句 又回到草原了,这里风景依然。

〔副〕和以前一样。(still)做状语。

例句 他依然坚持自己的看法,不愿意改变。|多年不见,她的性格依然那么开朗。

【依依不舍】 yīyī bù shě 〔成〕

留恋,不忍分离。(be reluctant to part;cannot bear to part)常做谓语、状语、定语。

例句 分手时,大家都有点儿依依不舍。|直到他的身影消失了,姑娘才依依不舍地回家。|看到同学们依依不舍的样子,我的眼睛湿润了。

【依照】 yīzhào 〔介/动〕

〔介〕以某事物为根据照着进行。(according to)常构成介宾短语做状语。

例句 依照法律规定,高收入者要交纳个人所得税。|每个部门都要依照这个决定执行。|事情不能只依照个人的想法去做。

〔动〕照着某种标准做。(accord with)常做谓语。

例句 他这个人办事,从来不依照规定。|每天的活动应严格依照作息时间。

【壹】 yī 〔数〕

"一"的大写。(one)用于正式的文件或书写票据钱数等。

例句 存入人民币壹仟叁佰圆整。|收到汽车壹拾叁辆。

【一半】 yíbàn 〔名〕

二分之一。(half;one half;in part)常做主语、宾语、定语、状语。

例句 代表团有10个人,一半是领导,另一半是专家。|A:这个西瓜太大了,我买一半可以吗? B:当然可以。|把这块蛋糕分开吧,你吃一半,我吃一半。|这条路我们只走了一半。|他一生中一半时间都是在国外度过的。|小时候家里穷,偶尔吃一个苹果都要分开,一半一半地吃。

【一辈子】 yíbèizi 〔名〕

一生,从生到死。(a lifetime)常做主语、宾语、定语、补语。

例句 江教授一辈子都在搞植物学研究。|我老了,可这一辈子没有什么遗憾的。|怎么都是过一辈子,何必争权争利的?|我花了一辈子的时间,终于做成了这件事。|小伙子发誓说要等她一辈子。

【一步登天】 yí bù dēng tiān 〔成〕

比喻一下达到极高的境界、程度或地位。(reach the sky in a single bound — attain the highest level in one step;have a meteoric rise)常做谓语、定语。

例句 他攀上了这门高亲后,一步登天,当上了总经理。|你别想这一步登天的好事了!

【一触即发】 yí chù jí fā 〔成〕

(箭扣在弦上)一碰就发射出去。比喻事态发展十分紧张,一触动就会爆发。(may be triggered at any moment;be on the verge of breaking out)常做谓语、定语。

例句 形势一触即发。|大家的情绪一触即发。|两伙人正处在一触即发的形势。

【一次性】 yícìxìng 〔形〕

只一次的,不须或不做第二次的。(once only;disposable)常做定语、状语。

Y

例句 一次性筷子虽然方便，但浪费木材。|退休工人都发给一次性补助金。|（商店广告）本店一次性处理过季毛衣，欢迎选购。

【一带】 yídài 〔名〕

某地及其附近的地方。（the area around a particular place）常做主语、宾语。

例句 最近，那一带经常下雨。|这一带，一千多年前是一座城。|我们在江南一带有几家分公司。|今年的旱情主要集中于华北一带。

【一旦】 yídàn 〔名/副〕

〔名〕一天之内。（in a single day; in a very short time）常做宾语。

例句 没想到一场大火使我们十年建设的成果毁于一旦。|防洪大堤，竟在一天之内就被冲垮了，多年的辛苦毁于一旦。

〔副〕❶ 假如有一天。多用于不好的事。（once; in case）做状语。

例句 这种情况一旦发生，后果不堪设想。|一旦失败了，他可能受不了这种打击。

❷ 有一天，表示不确定的时间，多用于已经发生的事。（someday）做状语。

例句 他们过去的感情那么深，一旦离别，怎么能不伤心呢？

【一道】 yídào 〔副〕

一同，一路，一起。（together; side by side）做状语。

例句 A：我们俩一道去吧。B：好，正好我也有事。|他们夫妻一道去新马泰了。

【一定】 yídìng 〔形/副〕

〔形〕❶ 规定的，确定的，固定不变的。（fixed; specified; definite; regular）常做定语、谓语。

例句 按照一定的方法，才能做得又快又好。|每个工厂都有一定的纪律。|文章内容没有一定的要求，写什么都可以。|路程一定，走得越快，时间用得越少。

❷ 特定的，相当的，某种程度的。（proper; fair; due; given; particular; certain）常做定语。

例句 没有一定的汉语水平，看不懂这篇文章。|这种变化在一定的条件下才能出现。|我们的工作有了一定成绩，但还要继续努力。|与发达国家相比，中国的经济还有一定的差距。

〔副〕❶ 表示态度坚决；要求别人必须做到。（must）做状语。

例句 A：你明天一定来啊！B：放心，我一定去。|到了那里一定努力工作。|我有时间一定去看望你。|你一定别忘了我告诉你的事。|我们一定不辜负（gūfù）您的希望。

❷ 没有疑问。（certainly; surely）做状语。

例句 我想他一定会同意的。|你一定是说错了。|A：大家相信你一定能行。B：那我就试试。|我不一定来，因为我可能没空儿。|你不一定要看那么多书，只看一两本就够了。|A：你来吗？B：不一定。

【一度】 yídù 〔副〕

❶ 一次，一阵。（once）常做定语。常与“×年”连用。

例句 两年一度的贸易洽谈会开幕了。|人们正在准备欢庆一年一度的春节。|经过一度拼搏，我们终于取得了胜利。

❷ 曾经，有过一次。(on one occasion; for a time)做状语。

例句 对方曾一度中断谈判，最终还是签了字。|他们两个一度分手，后来又和好了。|我一度不喜欢体操，后来不知为什么又爱上了这项运动。

【一概】 yígài 〔副〕

表示适用于全体，没有例外。(one and all; without exception; totally; categorically)做状语。

例句 这些情况我一概不清楚。|所有的汽车一概要经过检测才能出厂。|不是他自己的事情，他一概不闻不问。|对外国的东西不能一概吸收，也不能一概排斥。

【一概而论】 yígài ér lùn 〔成〕

用同一个标准来评论、看待或处理。(treat as the same)常做主语、谓语。

例句 同样是儿童，各有各的个性，一概而论就不对了。|各地区的发展不平衡，不能一概而论。|天下事不可一概而论。

【一个劲儿】 yígejìnr 〔副〕

不停地连续进行下去。(continuously; persistently)做状语。

例句 他一个劲儿劝我也去试一试。|雨一个劲儿地下。|我叫他，他好像没听见，还一个劲儿地往前走。

【一共】 yígòng 〔副〕

合在一起。(altogether; in all)做状语，句中常有表示数量的词语。

例句 我们学校一共有三千名学生。|这些东西一共多少钱？

Y

【一贯】 yíguàn 〔形〕

(思想、作风等)一直是这样，从来没有改变。(all along; consistent)常做定语、状语。

例句 实事求是是党的一贯作风。|事实使我改变了对他的一贯看法。|他一贯这样。|中国政府一贯反对霸权主义。

【一哄而散】 yí hòng ér sàn 〔成〕

一群人吵吵闹闹地一下子都走开了。(disperse in a hubbub)常做谓语。

例句 看到有警察来了，闹事的人一哄而散。

【一会儿】 yíhuìr 〔名/副〕

〔名〕很短的一段时间。(a little while)常做补语及定语。

例句 他们只休息了一会儿，就又开始工作了。|我就走了一会儿，就发生了这件事。|太累了，真想睡一会儿。|请等一会儿。|雨真大，一会儿工夫街上水就满了。

〔副〕指在很短的时间之内。(in a moment)做状语。

例句 一会儿我们要出去。|妈妈一会儿就回来了，别哭了。|雪下得很大，一会儿就白茫茫一片了。|A:你们先忙着，我去做饭。B:我们一会儿就走，你别准备饭了。

【一会儿…一会儿…】 yíhuìr… yíhuìr… 〔状短〕

表示两种动作、状态交替进行或出现。(now... now...; one moment... the next...)

例句 她不知怎么了，一会儿哭、一会儿笑的。|那姑娘气得脸一会儿红，一会儿白。|他一会儿出去，一会儿进来，忙得团团转。|联欢会上，主人一会儿跟这位客人说话，一会儿给那位客人倒酒，非常热情。|老蒋一会儿说好，一会儿又说不好，

不知他是怎么想的。

【一技之长】 yí jì zhī cháng 〔成〕

某一种技术特长。(professional skill; proficiency in a particular field; speciality)常做宾语、主语。

例句 没有一技之长,很难找工作。|领导应该尽量发挥员工的一技之长。|通过培训,使下岗工人具备了一技之长。|我的一技之长就是开车。

【一见如故】 yí jiàn rú gù 〔成〕

初次见面就像老朋友一样,形容很合得来。(feel like old friends at the first meeting; hit it off well right from the start)做谓语、定语。

例句 两人一见如故,热烈地聊上了。|我真舍不得离开这一见如故的朋友。

【一块儿】 yíkuàir 〔名/副〕

〔名〕同一个地方。(at the same place)常做宾语。

例句 过去,我们常在一块儿玩。|把这两个包放在一块儿。|在这个问题上,他俩总说不到一块儿。

〔副〕一起,一同。(together)常做状语。

例句 你跟他一块儿走吧。|去年,我们一块儿去的上海。|下午,我们一块儿开会,讨论一下这个问题。|A:我就不再去找她了,你俩一块儿来啊。B:好,我告诉她。

【一路平安】 yílù píng'ān 〔成〕

路上没有危险,顺利。(have a pleasant journey; have a good trip)常做谓语、状语。

例句 祝你一路平安!|他们一路平安地到达了。

【一路顺风】 yílù shùnfēng 〔成〕

旅行或路上顺利,平安。(have a pleasant journey)常做谓语。

例句 祝你们一路顺风!|祝你旅途愉快、一路顺风!

【一律】 yílǜ 〔形/副〕

〔形〕一个样子;相同。(same; alike)常做谓语、宾语。

例句 这片房子样式一律,缺少个性。|写文章就怕千篇一律。|穿衣戴帽,各有所好。何必强求一律呢?

〔副〕适用于全体,没有例外。(all; without exception)做状语。

例句 演出时一律穿白衬衫。|不管是谁,在法律面前一律平等。|这里的商店一律晚上八点关门。

【一面…一面…】 yímiàn…yímiàn… 〔关联〕

表示两个动作同时进行。(at the same time)常用于复句两个分句的动词前。

例句 老师一面讲,一面在黑板上写。|他们一面走,一面谈论着刚才看的电影。|我每天都是一面听新闻广播,一面吃早饭。

【一面之词】 yí miàn zhī cí 〔成〕

单方面的话。(the statement of only one of the parties)常做主语、宾语。

例句 他的一面之词不能不使我产生怀疑。|A:我看他说得在理,应该支持他。B:我们不能只听他一面之词,也该听听女方有什么话说。

【一目了然】 yí mù liǎorán 〔成〕

一眼就看得清清楚楚。(be clear at a glance)常做谓语。

例句 A:科长,我把这个月的销售情况画成了图表,您看看怎样。B:这张表太好了,销售情况可以一目了然。|

他做得怎么样，大家都一目了然。

【一切】 yíqiè 〔代〕

❶ 全部，各种。(all; every) 常做定语。常与"才"、"都"配合使用。

例句 一切问题都有办法解决。|入学的一切手续都办好了。|必须把握住一切机会发展自己。

❷ 泛指所有的事物。(everything; all) 常做主语、宾语。

例句 请放心，这里一切都好。|夜里，一切都那么寂静。|老人把自己的一切都献给了科学事业。|我想知道发生的一切。|祖国和人民的利益高于一切。

【一事无成】 yí shì wú chéng 〔成〕

连一件事也做不成；事业上没有一点儿成就。(accomplish nothing; get nowhere) 常做谓语、定语。

例句 他养过猪，也搞过塑料大棚，可是到头来一事无成。|我已经三十多岁了，可还是一事无成。|一事无成的王老汉觉得自己这辈子算是白活了。

【一视同仁】 yí shì tóng rén 〔成〕

对人不分亲疏厚薄，一样看待。(treat equally without discrimination) 常做谓语、定语、状语。

例句 不管哪个国家的学生，老师对他们都一视同仁。|厂家这种一视同仁的做法得到了用户的一致肯定。|不管你穿得怎么样，服务员都一视同仁地为你服务。

【一望无际】 yí wàng wú jì 〔成〕

一眼看不到边。形容非常辽阔。(stretch as far as the eye can see; stretch to the horizon) 常做谓语、定语。

例句 辽阔的大海一望无际，没有尽头。|一望无际的草原上，羊群就像朵朵白云缓缓游动。

【一系列】 yíxìliè 〔形〕

许多有关联的或一连串的(多用于事物)。(a series of) 常做定语。

例句 双方就目前存在的一系列问题进行了会谈。|现在公布的一系列改革方案都对发展经济有利。|这件大案涉及到一系列部门。

【一下】 yíxià 〔数量短/副〕

〔数量短〕一次或表示尝试的意思。常读"yíxiàr"。(one time; once) 做补语。

例句 请在这儿等一下，我马上就回来。|请你看一下，这样写行不行？|先生，我打听一下，去友谊商店怎么走？|合不合适，你试一下。

〔副〕很快地，在很短时间内。(in a short while; all at once; all of a sudden) 做状语。

例句 带的钱一下都花光了。|孩子们一下都从屋子里跑了出来。|这个问题太简单了，我一下就猜出来了。

【一下子】 yíxiàzi 〔副〕

很快地。(in a short while; all at once; all of a sudden) 做状语。

例句 天一下子就冷了。|我一下子就认出你来了。|她的脸一下子就红了。

【一向】 yíxiàng 〔副/名〕

〔副〕从过去或某一时间到现在(表示情况保持不变)。(consistently; all along) 做状语。

例句 奶奶一向思想保守，可最近有了变化。|他做事一向很认真。|这个事，我一向是反对的。|A：您一向可好哇？ B：好，好，你怎么样啊？

〔名〕过去的一段时间。(earlier on; lately) 常做状语，多与"这、那、前"

等配合使用。

例句 前一向,常有人来这儿玩;这一向,不怎么来了。|那一向,雨下得很大,地淹了不少。

【一泻千里】 yí xiè qiān lǐ 〔成〕

多形容江河奔流直下,又快又远,也比喻文笔气势奔放。(rush down a thousand *li*——flow powerfully; bold and flowing)做谓语、定语、状语。

例句 洪水一泻千里,吞没了大片土地、人家和牛羊。|这首长诗气势磅礴,一泻千里。|当看到这一泻千里的长江时,我不禁为之感到震撼。|黄河顺此转了个弯儿,又一泻千里地奔流向前了。

【一样】 yíyàng 〔形/助〕

〔形〕相同,没有差别。(the same; alike)常做谓语、定语、状语。

例句 这两件衣服颜色一样。|姐俩虽然是双胞胎,但性格却不一样。|今年跟去年不完全一样。|A:一样的东西,为什么价格不一样? B:质量不同啊。|都是一样的房间,随便住吧。|衣服旧了一样穿。|我左手一样会写字。

〔助〕似的(用于比喻)。(as... as...)常用于词或短语后构成比况短语做句子成分。

例句 刘大夫像对待自己亲人一样地对待那位患者。|她的眼睛蓝得像大海一样。|他有一颗金子一样的心。

【一意孤行】 yí yì gū xíng 〔动短〕

不听劝阻坚持按自己的意思行事。(cling obstinately to one's course; act willfully; insist on having one's own way)常做谓语、定语、状语。

例句 大家都劝小刘,可他一意孤行。|最好多听听别人的意见,不要一意孤行。|这种一意孤行的态度,非栽跟头不可。|他不顾家人的反对,一意孤行地和女友结了婚。

【一再】 yízài 〔副〕

一次又一次。(again and again)做状语。

例句 我一再解释,人家就是不相信。|老师一再强调这门课很重要。|大伙儿一再劝我去参加比赛,可我就是没信心。

【一阵】 yí zhèn 〔数量短〕

动作或情况继续的一段时间。(a period of time; a spell)常做补语、定语。

例句 车队走了一阵,便停下来休息。|他们在一起谈了一阵,又玩了一阵。|一阵掌声过后,新郎新娘从人群中走了出来。|昨夜刮了一阵大风,把树都刮倒了。|房间里,传来一阵阵笑声。|A:这一阵你到哪儿去了? 老是看不见你。B:一直在帮朋友收拾房子。

【一致】 yízhì 〔形〕

相同,没有分歧。(consistent; identical; unanimous)常做谓语、状语、定语、宾语。

例句 我和你的观点基本一致。|大家一致同意选山口当班长。|经过谈判,双方取得了一致。|在买车方面,我们有一致的看法。

【仪】 yí 〔素〕

❶ 人的外表。(appearance)常用于构词。

词语 仪表 仪容 威仪

例句 就职典礼充分显示了总统的威仪。

❷ 礼节(ceremony; rite)常用于构词。

Y

词语　司仪　仪式　礼仪　仪仗队

例句　有仪仗队欢迎是国家的最高礼仪。

❸ 科学方面的精密器具。(instrument)常用于构词。

词语　地动仪　仪表　仪器　测试仪　治疗仪

【仪表】 yíbiǎo 〔名〕

❶ 人的外表(包括容貌、姿态、风度等)。(appearance)常做主语、宾语。

例句　他的哥哥仪表堂堂,人也聪明。|公司职员的仪表应该很讲究。|一看就知道这个人十分注意自己的仪表。

❷ 测定温度、气压、电量、血压等的仪器。(instrument)常做主语、宾语。[量]种,个。

例句　那几个仪表已经送来了。|经测定,这批仪表全部合格。|测量电压需要一种专门的仪表。

【仪器】 yíqì 〔名〕

科学上用于实验、计量、观测、检验、绘图等的比较精密的器具或装置。(instrument; apparatus)常做宾语、主语、定语。[量]个,台,套,种。

例句　这些都是精密仪器,使用时要小心。|要仔细地观察星星,需要天文仪器。|这台仪器设备花了我们很多钱。|那两套仪器不合乎标准,必须退货。|测一下这个仪器的精密度。

辨析　〈近〉仪表。"仪表"是用于测量的,形状像钟表一样,有刻度。"仪器"是指比较精密的机器。

【仪式】 yíshì 〔名〕

举行典礼的程序、形式。(ceremony; rite)常做主语、宾语。[量]个。

例句　今天的仪式特别隆重。|仪式还没进行完,天就下起了大雨。|国家主席为外国元首来访举行了正式的欢迎仪式。|A:你的婚礼是怎么操办的? B:我们是旅行结婚,没有搞结婚仪式。

【姨】 yí 〔名〕

❶ 对妈妈的姐妹的称呼。(mother's sister; maternal aunt; aunt)常用于构词,也做宾语。

词语　大姨　二姨　姨母　张姨

例句　我只有一个姨。

❷ 妻子的姐妹。(wife's sister; sister-in-law)常用于构成称呼语。

词语　大姨子　小姨子

❸ 跟母亲年龄相差不多的女性。(aunt)常用于构成称呼语。

词语　阿姨　王姨

例句　阿姨对我非常好。|王姨,您早!

【移】 yí 〔动〕

❶ 改变位置。(move)常用于构词或用于固定短语中,也做谓语。

词语　转移　迁移　移动　移民　愚公移山

例句　把这块石头移一下吧。|我想把地里的花移到盆里。|您能不能往里移一移?

❷ 改变、变动。(change; alter)用于固定短语。

词语　移风易俗　贫贱不能移

【移动】 yídòng 〔动〕

改换原来的位置。(move; shift)常做谓语、定语、宾语。

例句　据天气预报说,冷空气正向南移动。|他移动了一下身体,继续讲下去。|我们把沙发往里移动移

动。|随着音乐,列车开始移动,慢慢地驶出了车站。|家具还在老地方,没有移动的痕迹。

【移动电话】yídòng diànhuà 〔名短〕

指利用无线传输装置或卫星来传递信息,从而达到通话的目的的电话。不受线路的限制,可以到处移动,因而叫移动电话,也叫手机。(mobile phone)常做主语、宾语、定语。[量]部。

例句 移动电话很方便,什么地方都可以用。|他的汽车上也配上了移动电话。|A:移动电话的费用是不是比较高? B:不一定,这要看你选择什么样的服务。

【移民】 yí mín 〔动短〕

从原居住地搬到其他地方或国家居住。(migrate)常做谓语、宾语、定语、主语。

例句 A:听说你想移民? B:现在正联系,还没定呢。|杨大夫一家前几天移民加拿大了。|为建设三峡工程,需要大批移民。|很多国家不允许移民。|美国是移民国家,但现在的移民法非常严格。|移民给库区带来了新的致富门路。

▶"移民"也做名词,指搬到新地区或新国家成为当地居民的人。如:移民的生活得到当地政府的关心。|他是法国移民,现在在美国定居。|政府正在尽全力安置移民。

【遗】 yí 〔素〕

❶ 丢失。(lose)常用于构词。

词语 遗失 遗弃

例句 她收留了一个被遗弃的婴儿。

❷ 漏下。(omit)常用于构词。

词语 遗漏 遗忘 补遗

例句 答完题后检查一下,不要有遗漏。|这件事早就被遗忘了。

❸ 留下。(leave behind)常用于构词。

词语 遗产 遗传 遗嘱 遗憾 遗迹 遗书 遗著 遗留 遗志

例句 临终前老人留下遗嘱,把全部财产捐给社会。|继承先烈的遗志,建设现代化国家。

【遗产】 yíchǎn 〔名〕

❶ 死者留下的财产。(legacy; inheritance)常做宾语、主语。[量]笔。

例句 他父亲去世后,给他留下了一笔遗产。|兄弟俩正在商量把父亲留下的遗产捐助给福利基金会。

❷ 借指历史上留下来的精神或物质财富。(inheritance; heritage)常做宾语、主语。[量]笔。

例句 我们的祖先给我们留下了一笔丰富的文化遗产。|如何继承历史遗产是今天的重要课题。|这些医学遗产对今天的研究很有帮助。

【遗传】 yíchuán 〔动〕

生物体的构造和生理机能等方面由上代传给下代。(heredity)常做谓语、定语、宾语。

词语 遗传学 遗传基因

例句 据研究,高血压也可以遗传。|他的那些优点都遗传给了他儿子。|这是一种常见的遗传疾病。|他个子那么矮,是遗传。

【遗憾】 yíhàn 〔名/形〕

〔名〕想做但没有成功的事。(regret; pity)常做宾语、主语。[量]个。

例句 没有读研究生,是我终生的遗憾。|如果儿子找到个好工作,又成了家,我就没什么遗憾了。|最大

的遗憾是没能见他最后一面。

〔形〕不称心，非常惋惜（在外交上常用来表示不满和抗议）。（regrettable; regretful）常做谓语、宾语、定语、状语。

例句 你不能跟我一起去，非常遗憾。|登一次泰山，没看见日出，太遗憾了！|对这种影响两国关系的做法，我们表示遗憾。|这么好的机会没抓住，你不感到遗憾吗？|你不能坚持学到毕业，实在是一件遗憾的事。|他遗憾地摇摇头，表示毫无办法。

【遗留】 yíliú 〔动〕

（以前的事或现象）继续存在；（过去）留下来。（leave over; hand down）常做谓语、定语。

例句 山洞里遗留着原始人的遗迹。|许多矛盾没有解决，一直遗留到现在。|宴会结束后，屋里仍遗留着酒气。|当时正在全力解决一些遗留问题。

【遗失】 yíshī 〔动〕

由于大意而失去（东西）。（lose）常做谓语、定语。

例句 在路上，我遗失了护照和钱。|这里面是重要的文件，千万别遗失了。|在好心人的帮助下，遗失的东西又找回来了。

【遗体】 yítǐ 〔名〕

❶ 死者的尸体（多用于所尊敬的人）。[remains (of the dead)]常做主语、宾语、定语。[量]具。

例句 烈士的遗体被送回了家乡。|大家按顺序瞻仰了遗体。|昨天举行了遗体告别仪式。

❷ 动植物死后的残余物质。（remains）常做主语、宾语。

例句 动物遗体被沙子埋住了。|这么难闻的气味是动物遗体腐烂后产生的。|考古队员发现了一批商代动植物遗体。

【遗址】 yízhǐ 〔名〕

毁坏的年代较久的建筑物所在的地方。[site (where sth. was)]常做主语、宾语。[量]处。

例句 圆明园遗址得到了妥善保护。|最近发现了一处汉代村落遗址。|罗马帝国已不复存在了，我们只能从遗址看到它昔日的灿烂文明。

【疑】 yí 〔素〕

❶ 不能确定是真是假；不相信。（doubt; disbelieve）常用于构词或用于固定短语中。

词语 半信半疑　疑惑　怀疑　将信将疑　疑虑　迟疑　猜疑

例句 见他有些迟疑，我赶紧说明原因。

❷ 不能确定的，不能解决的。（doubtful; uncertain）常用于构词。

词语 疑问　无疑　生疑　释疑　疑惑　疑心

例句 这个因果关系是无疑的。|看到他紧张的神态，我不免生疑。

【疑惑】 yíhuò 〔动〕

心里不明白，不相信。（feel uncertain; not be convinced）常做谓语、定语、状语、宾语。

例句 我有点儿疑惑，对方怎么知道我的电话呢？|本来就不明白，现在更加疑惑了。|孩子们用疑惑的目光看着我。|他疑惑地问我："这是真的吗？"|你还有什么疑惑？|为了解除她的疑惑，不知费了多少口舌。

【疑难】 yínán 〔形〕

有疑问而难于判断处理的。(knotty;difficult)常做定语、宾语。

例句 李大夫专门治疗一些疑难疾病。|我们要想办法解决这些疑难问题。|A:有什么疑难可以来找我。B:谢谢,我会经常来讨教。

【疑问】 yíwèn 〔名〕

有怀疑或不理解的问题。(question;doubt)常做主语、宾语、定语。[量]个。

例句 这些疑问如今都已经有了答案。|大家还有什么疑问?|我不禁产生一个疑问:小王为什么不参加这次比赛?|这个句子是一个疑问句。

【乙】 yǐ 〔名〕

天干的第二位。用于表示处于第二位的事物或顺序。也可代替某人某事物。(the second of the ten Heavenly Stems; second; *used for an unspecified person or thing*)常做宾语、定语、主语。

例句 这个故事是说甲骑车撞了乙,甲不但不道歉,反而打了乙。|我的作业得了个"乙"。|乙级医院当然不如甲级医院了。|乙方违约,责任应由乙方承担。|在汉语中,"乙"常表示第二的意思。

【已】 yǐ 〔动/副〕

〔动〕停止。(stop; cease; end)常用于固定短语。

词语 后悔不已 争论不已 死而后已

〔副〕意义同"已经"。(already)常做状语。

例句 时间已过,他还没来。|他年纪虽小,却已明白了很多事情。|事已过去,就别再追究了。|天色已晚,路上行人越来越少。

【已经】 yǐjīng 〔副〕

表示事情完成或时间过去。(already)做状语。多与"了"配合使用。

例句 小王让我告诉你,票已经买到了。|孩子已经大了,让他自己决定吧。|温度已经下降到零下20℃。|今天已经星期五了。|火车已经开了,他才赶到。

【以】 yǐ 〔介/连〕

〔介〕❶ 用,拿。(with;by means of)构成介宾短语做状语。

例句 我是以老朋友的身份跟你商量。|以写文章而论,小郑是一把好手。|我要以行动证明这个计划是能成功的。

❷ 按照,根据。(according to)构成介宾短语做状语。

例句 以每人一个苹果来分,好像不够。|情况不会以你的想象而改变。

❸ 因为,由于。(because of)构成介宾短语做状语。

例句 法院以这件事判定他有罪。|妈妈以儿子获得世界冠军而无比自豪。

❹ 用在动词之后,表示"给与"。(with)构成介宾短语在单音节动词后作补语。

例句 六乘以三等于十八。|我谨代表全体同学向我们的老师致以节日的问候。|对贫困学生上大学,政府应给他们以帮助。

❺ 常用于"以…为…"的格式中,表示"把…作为…"或"认为…是…"的意思,或表示比较起来怎么样。(as)

例句 我学汉语以提高听说水平为

主。|大家应当以实现共同的理想为目标。|这块地以种玉米为宜。

❻ 放在单纯方位词前，表示时间、方位、数量等界限。(*used before certain localizers to form compound localizers*)常用于构词形成合成方位词。

词语 以上　以下　以来　以前　以后　以外　以内

〔连〕表示目的。(in order to; so as to)常用于两个动词或动词短语之间。

例句 改革旧体制以适应市场经济的需要。|教师互相听课以改进教学。

【以便】 yǐbiàn 〔连〕

使…容易实现。(so that; in order to)用于连接复句的两个分句。

例句 最好把稿子用大号字打出来，以便能够看清楚。|请写上你的地址，以便给你回信。|在这儿再建一个市场，以方便群众购物。

【以后】 yǐhòu 〔名〕

现在或所说某时之后的时期。(after; later)常做状语。

例句 以后，我一定要找一份好工作。|下班以后，她先去市场买菜，然后回家做饭。|从那以后，他情绪一直不好。|说完以后，大家都笑了起来。|出国以后，我很少见到中国人。

【以及】 yǐjí 〔连〕

又、和。(as well as; along with)连接并列的词或短语。

例句 造纸、印刷、火药以及指南针，都是中国古代的伟大发明。|老李、小陈以及另外几位同志先后在大会上发了言。|市场上鸡、鸭、鱼、蛋以及水果、蔬菜等，应有尽有。|做还是不做，以及如何去做，都应该尽快决定。

【以来】 yǐlái 〔名〕

表示从过去某时直到说话时为止的一段时间。(since)常构成短语做句子成分。

例句 自古以来，尊老爱幼就是一种公认的道德标准。|展览会开幕以来，共接待观众上万人次。|三个星期以来，我一直在练习发音。|请大家申报一下去年以来的科研成果。

【以免】 yǐmiǎn 〔连〕

表示使下文所说情况不发生。(in order to avoid; so as not to; lest)连接复句的两个分句。

例句 你应该往家里打个电话，以免父母担心。|去海边最好带上雨伞，以免被太阳晒伤。|过马路要走人行横道，以免发生危险。|你就在这儿别走，以免我找不到你。

【以内】 yǐnèi 〔名〕

在一定的时间、处所、数量、范围的界限之内。(within; less than)常构成方位短语做状语。

例句 他在三年以内完成了两部长篇小说。|这个任务要在两个小时以内完成。|考场周围 100 米以内，不允许有噪音。|厂区以内不准闲人随便出入。

【以前】 yǐqián 〔名〕

比现在或某一时间早的时间。(before; formerly)常做状语、定语、宾语。

例句 以前，我们并不认识。|你以前在哪儿工作？|来中国以前，我一句汉语也不会说。|很早以前，这里还是一个小村子。|不久以前，他来过一次。|那是以前的事了。|以前

的学生不像现在这样。|现在不像以前了,交通特别方便。

【以上】 yǐshàng 〔名〕

高于或前于某一点。(more than; the above)常做主语、状语、定语、宾语、补语。

例句 以上仅是我个人的一点想法。|A:你看,五楼以上都停电了。B:肯定是跳闸了。|这次比赛规定,十七岁以上的人才可以参加。|积雪都在山腰以上,常年不化。|我这身体能工作到六十岁以上。

【以身作则】 yǐ shēn zuò zé 〔成〕

用自己的行动作榜样。(set a good example with one's own conduct)常做谓语、定语、主语。

例句 老张虽然是领导,但在工作中总能以身作则。|干部应该以身作则,否则工人们不会服你的。|我很佩服他这种以身作则的精神。|以身作则是必须做到的。

【以外】 yǐwài 〔名〕

在一定时间、处所、数量、范围的界限之外。(beyond; outside)常做主语、定语、宾语,也用于"除了…以外"格式中。

例句 围墙以外,就不属于我们的了。|现在不少人有工资以外的收入。|小猫一下子跳到两米以外。|A:你那儿有几个人要去?B:除了我以外,小张也想参加。|除了吃饭、睡觉以外,你好像没有事情可做了。

【以往】 yǐwǎng 〔名〕

过去。(before; formerly)常做状语、定语。

例句 以往我们都是七月中旬放暑假。|这地方以往是一片沙漠。|现在他完全改变了以往的生活习惯。|以往的春节晚会没有今年的好看。|A:您的身体比以往结实多了。B:我坚持锻炼一年了,确实有成效。

【以为】 yǐwéi 〔动〕

认为。(think; consider)常做谓语。

例句 我以为你是中国人,原来你是日本人。|我以为今年的冬天不会冷,结果最低气温竟达到零下三十五度。|我以为:要想做出成绩,必先付出努力。|她满以为这次能见到他,谁知又没见到。|A:小李呢?我以为你们能一起来。B:他有事,来不了。

辨析 〈近〉认为。"以为"多用于事实与原来的判断不同时,多用于口语;"认为"不受此限,多用于书面。如:* 原认为今天不会冷,结果这么冷。("认为"应为"以为")

【以下】 yǐxià 〔名〕

低于、位于某一点。下面的话或内容。(below; under; the following)常做主语、定语、宾语。

例句 以下,是我们的研究成果,请各位批评指正。|A:这一跤摔得可不轻,动一动,看看怎样?B:我感觉腰以下有点儿麻。|气温已降到零度以下。|副教授以下的老师不需要参加。

【以至】 yǐzhì 〔连〕

❶ 直到,一般表示从小到大,从少到多,从浅到深,从低到高,有时也用于相反的方向。(down to; up to)连接词、短语或句子,用在最后两项之间。

例句 看一遍不懂,就看两遍、三遍以至许多遍。|用这种方法,可以提高效率几倍以至十几倍。|做工作不要只考虑到今年,而要考虑到明

年以至以后几年。

❷ 由上文所说的情况而产生的结果。(to such an extent as to...; so... that...)连接句子。

例句 他走得这么快,以至我们都追不上他。|进入信息时代,高科技知识这么多,以至人们不知所措。

【以至于】 yǐzhìyú 〔连〕

❶ 直到。(down to; up to)连接句子,用于后两项之间。

例句 制定经济和社会发展规划,要想到十年、二十年以后,以至于更远的将来。

❷ 由上文所说的情况而产生的结果。(to such an extent as to...; so... that...)连接句子。

例句 这篇文章他读了许多遍,以至于都能背下来了。|A:你怎么知道来的就是小王? B:我对他太熟悉了,以至于光听脚步声就知道是他。

【以致】 yǐzhì 〔连〕

表示下文是上文引起的结果(多指不好的结果)。[(usually indicating an unpleasant result) with the result that]常用于连接复句的两个分句。

例句 他们没有经过调查,以致得出了这样错误的结论。|我的腿受了重伤,以致几个月都不能动。

辨析 〈近〉以至。"以致"没有"直到"的用法;它们都可表示结果,但"以致"多用于不好的或说话人不希望的结果;"以至"没有这样的意思。如:*这种方法可以提高效率几倍以致几十倍。("以致"应为"以至")|*对课文太熟了,以致能背下来。("以致"应为"以至")

【倚】 yǐ 〔动〕

❶ 靠着。(lean on or against)常做谓语。

例句 游人倚着栏杆,望着海面的风景。|别倚门,这门坏了,倚不住。|孩子倚着妈妈,一句话也不说。

❷ 靠着某种事物(做不好的事)。(rely on)常做谓语。

例句 你别倚势欺人。|这几个坏人倚着个别领导的保护胡作非为。

【椅】 yǐ 〔名〕

意义同"椅子"。(chair)常用于构词。

词语 桌椅板凳　藤椅　躺椅　椅子　转椅

例句 晚饭后,爷爷靠坐在躺椅上给我们讲故事。

【椅子】 yǐzi 〔名〕

用木头等制成的有靠背的坐具。(chair)常做主语、宾语、定语。[量]把。

例句 A:你们房间怎么连坐的东西都没有? B:噢,椅子拿出去修了,还没送回来。|一张餐桌得配四把椅子。|教室里还缺几把椅子。|椅子的靠背坏了,我得找人修一修。

【一般】 yìbān 〔形/助〕

〔形〕通常、普通的。(general; ordinary)常做定语、状语、谓语。

例句 这个字在一般的字典上找不到。|A:你们总是开车去吗? B:一般我们都不开车去,坐电车比较方便。|那家饭馆的菜一般。|这小伙子很不一般。

〔助〕一样。用于比喻。(same as; just like)常构成短语做句子成分,多与"像、好像"等配合使用。

例句 晚上,天边的云像火一般。|汽车飞一般地向前方驶去。|他那

雕塑一般的脸上一丝表情也没有。

【一本正经】 yì běn zhèng jīng 〔成〕

形容庄重严肃的样子。(in all seriousness; in dead earnest)常做谓语、定语、状语、补语。

例句 A:我觉得小唐挺老实的。B:别看他表面上一本正经,我还不了解他? | 守卫站在门口,目视前方,一副一本正经的样子。| 只见他走到那位小姐跟前,一本正经地说:"小姐,可以请你跳个舞吗?" | 看到老师来了,他赶忙拿出课本看起来,装得一本正经的。

【一边】 yìbiān 〔名〕

❶ 东西的一面;事情的一方面。(one side; side)常做主语、宾语、定语。

例句 A:帮我找找,看箱子上有通信地址吗? B:箱子这一边贴着地址。| 她们两个,你支持哪一边? | 刀的这边不快了,用那一边吧。| 每一边的关系都得处理好才行。

❷ 旁边。(aside)常做宾语、主语。

例句 A:前面堵车,开不过去了。B:那就把车停到一边吧。| 我们先玩,你在一边休息一会儿。| 操场一边站着不少学生。

❸ 表示两个动作同时进行。(at the same time)可单用,也可两个连用,用于动词之前。

例句 少先队员们一边往前走,一边唱着歌。| 她看着电视,一边织着毛衣。

【一边…一边…】 yìbiān…yìbiān… 〔关联〕

表示两个动作同时进行。(at the same time)用于动词之前。用于连接两个句子。

例句 我们一边吃饭,一边谈生意。| 妈妈一边干活儿,一边跟奶奶聊天。| 我们一边听一边记。

【一尘不染】 yì chén bù rǎn 〔成〕

指人丝毫不受坏习惯、坏风气的影响;也形容非常干净。(not soiled by a speck of dust; spotless)常做谓语、定语、补语。

例句 房间里一尘不染。| 母亲在银行长期跟钱打交道,却一尘不染。他是一尘不染的人。| 大家很快就帮我把卧室收拾得一尘不染。

【一刀两断】 yì dāo liǎng duàn 〔成〕

比喻坚决断绝关系。(sever at one stroke — make a clean break)常做谓语、定语。

例句 A:咱俩从此一刀两断! B:你想跟我一刀两断? 没门儿! | 一刀两断的决心也不好下。

【一点儿】 yìdiǎnr 〔名〕

❶ 表示少而不定的数量。(a little; a bit)常做宾语、定语、补语、状语、主语。

例句 不要这么多,只放一点儿就行了。| 给我一点儿水吧。| 屋子里一点儿声音也没有,好像没有人。| 听说他的病好一点儿了。| 我肚子疼,只能一点儿一点儿往前走。| 这药一点儿就能治好病。

❷ 加强否定。(the least bit)常做主语。

例句 你说的一点儿也不错。| 他的话我一点儿也没听明白。| 这件事我一点儿也不知道。| 他一点儿也不会喝酒。

【一帆风顺】 yì fān fēng shùn 〔成〕

比喻非常顺利,没有挫折。(plain sailing)常做谓语、宾语、状语。

例句 原以为办签证很难，没想到却一帆风顺。|祝你工作一帆风顺！|我们这次旅行一帆风顺。|我也希望能一帆风顺。|但愿能一帆风顺地完成考察。

【一方面…一方面…】 yì fāngmiàn…yì fāngmiàn… 〔关联〕

表示两种相互关联的事物或一种事物的两个方面。(on the one hand...,on the other hand...;for one thing...,for another...)常用于连接复句的两个分句。

例句 一方面由于天气寒冷，一方面也由于资金缺乏，这项工程只好停工了。|学习好，一方面要靠自己的努力，一方面也要有好条件。|我们一方面增加投入，一方面加强管理，使得产量稳步提高。

【一干二净】 yì gān èr jìng 〔成〕

形容什么东西也没剩下。(thoroughly;completely)常做补语，谓语。

例句 桌子上的菜被吃得一干二净。|这趟旅行，钱花得一干二净，一分也没剩下。

【一鼓作气】 yì gǔ zuò qì 〔成〕

比喻趁劲头大的时候一下子把事情完成。(press on to the finish without letup;get sth. done in one sustained effort)常做谓语、定语、状语。

例句 不少留学生一鼓作气，拿到了本科毕业证书。|我们应该发扬这种一鼓作气的精神。|大家你追我赶，一鼓作气爬上了山顶。

▶ 古人打仗时击鼓表示前进。古人认为打仗靠士气，第一次击鼓振奋士气，第二次击鼓就有所衰退，第三次击鼓时士气就完全没有了，所以应该在第一次击鼓时进军。

【一国两制】 yì guó liǎng zhì 〔名短〕

一个国家两种制度。是由中国政府提出来的祖国统一的基本方针。即在一个统一的国家内，大陆实行社会主义制度，香港、澳门、台湾实行资本主义制度。(one country，two systems)常做主语、宾语。

例句 和平统一、一国两制是解决台湾问题的最佳方案。|中国政府主张和平统一、一国两制。

【一呼百应】 yì hū bǎi yìng 〔成〕

一声呼喊马上很多人响应。(hundreds respond to a single call)常做谓语、定语、状语。

例句 听说学校号召捐款救灾，师生员工一呼百应。|你没见过他一呼百应的场面吗？|市民们一呼百应地要求他下台。

【一举】 yìjǔ 〔名/副〕

〔名〕一种举动，一次行动。(one action; one stroke; one fell swoop)常做宾语。

例句 成败在此一举。|你真是多此一举。

〔副〕一下子。表示经过一次行动(就达到的)。(at one stroke)常做状语。

例句 我们一举消灭了蟑螂。|我们一举解决了这个历史遗留问题。|这部电影使她一举成名。

【一举两得】 yì jǔ liǎng dé 〔成〕

做一件事情得到两个好处。(gain two ends at once; kill two birds with one stone)常做谓语、定语、宾语。

例句 这样既改善了环境，又增加了收入，一举两得。|他这样做是一举

两得，既解决了自己的问题，又帮助了朋友。|这是件一举两得的好事。

【一口气】 yìkǒuqì 〔副〕

不间断地（做某件事）。（at one go; in one breath）常做状语。

例句 这些活儿我一口气干完算了。|他一口气吃了五个包子。|我这两天一口气跑了好几个单位，都不要人，工作真不好找。

【一劳永逸】 yì láo yǒng yì 〔成〕

辛苦一次把事情办好，以后就不再费事了。（by one supreme effort gain lasting repose——settle a matter once and for all）常做谓语、定语、状语。

例句 学习无止境，不能一劳永逸。|虽然这是一个一劳永逸的办法，但成本太高。|为了彻底改变城市面貌，市政府决定对污染企业实行一劳永逸的搬迁改造。

【一连】 yìlián 〔副〕

表示动作继续不断或情况连续发生。（in a row; running; in succession）做状语。

例句 一连下了三天雨，河里的水都满了。|为了赶任务，我一连两天没睡觉。|在大家的鼓励下，山本一连唱了好几首歌。

【一毛不拔】 yì máo bù bá 〔成〕

连一根毛也不舍得拔下来，比喻非常小气。（unwilling to give up even a hair——very stingy）常做谓语、定语。

例句 你可别指望老张，他从来一毛不拔。|这么点儿东西都舍不得给，真是一毛不拔！|这种一毛不拔的做法太让人失望了。

【一旁】 yìpáng 〔名〕

旁边。（aside）常做主语、宾语、定语。

例句 有位画家正在街头画画儿，一旁有几个人在围观。|每次比赛的时候，他总是站在一旁为我加油。|一考完试，我们都把书放在一旁，准备度假去了。|我还没开口，一旁的小李说话了："这种事太平常了。"

【一齐】 yìqí 〔副〕

同时。（at the same time; simultaneously; in unison）常做状语。

例句 随着指挥棒一抬，乐手们一齐开始演奏。|行李和人一齐到的。|A：我们班什么时候走？B：明天早晨八点，三个班一齐出发。

【一起】 yìqǐ 〔名/副〕

〔名〕同一个地方。（the same place）常做宾语。

例句 我们两个在一起工作，后来分开了。|命运使他们三个人走到了一起。|把杂志都放一起吧。

〔副〕一同。（together）常做状语，多与"跟、同、和"配合使用。

例句 A：明天我们几个一起去，行吗？B：可以。|两个小伙伴一起上学，一起回家，一起复习功课。|我儿子常和邻居的孩子一起玩。

辨析 〈近〉一齐。"一起"重在表示同一个地点，还做名词；"一齐"重在表示时间上同时发出，只是副词。如：我进去的时候，大家的目光一起投向了我。（"一起"应为"一齐"）

【一清二楚】 yì qīng èr chǔ 〔成〕

非常清楚。（perfectly clear）常做谓语、状语、补语。

例句 事情已经一清二楚，是他扔的烟头引起这场火灾的。|你最好把事情从头到尾一清二楚地讲一遍。|当时的情景我记得一清二楚。

【一穷二白】 yì qióng èr bái 〔成〕

形容经济文化落后。(poor and blank)常做谓语、定语。

例句 当时,村里一穷二白。|家乡改变了一穷二白的面貌。

【一身】 yìshēn 〔名〕

❶ 全身,浑身。(the whole body; all over the body)常做主语、宾语、定语。

例句 这小伙子身体特别棒,一身是劲儿。|他一个人打入走私集团内部,同事们都说他一身是胆。|汽车飞快开过去,溅了我一身水。

❷ 一个人。(a single person)常做主语、谓语,多用于文言格式中。

例句 她到现在还只孑(jié)然一身。|他又当校长,又当书记,一身二职。

▶"一身"也做短语,指"一套"。如:今天他休息,穿了一身运动服。|这一身是新做的吗?

【一生】 yìshēng 〔名〕

一辈子,从生到死。(all one's life; throughout one's life)常做主语、宾语、定语、补语。

例句 爷爷的一生经历过很多难忘的事情。|鲁迅的一生是与封建势力斗争的一生。|为了科学研究工作,他献出了自己的一生。|老人把一生的积蓄都捐给了国家。|我决心为教育事业奋斗一生。

【一时】 yìshí 〔名〕

❶ 一个时期。(a period of time)常做谓语、补语。

例句 唉,此一时彼一时,不要太伤心了。|虽然他得意一时,最终还是下台了。

❷ 短时间。(for a short while)常做状语、定语。多用于否定句。

例句 A:走,到健身房活动活动去。B:我一时走不开,你先去吧。|我的想法你一时还理解不了。|这辆汽车一时修不好,不如坐公共汽车去吧。

❸ 临时,偶然。(for the time being)常做状语。

例句 突然见面,我一时想不起他是谁了。|听到这些话,我一时不知怎么办才好。

❹ 一会儿。(now..., now...)常构成"一时…一时…"格式。

例句 这里天气变化很大,一时阴,一时晴。|他一时聪明,一时糊涂。

【一手】 yìshǒu 〔名〕

❶ (~儿)指一种技能或本领。(skill; proficiency)常做定语、宾语。

例句 小王能写一手好字。|这么快就把自行车修好了,你真有一手。|我做菜做得不错,今天给你们露一手。

❷ (~儿)指不好的手段。(trick; move)常做主语、宾语。

例句 他这一手真够黑的,一下害了两个人。|你一定要小心他这一手。

❸ 一个人单独地。(all by oneself)常做状语。

例句 这些后果都是他一手造成的。|这个事是他在幕后一手操纵。|女儿的婚事是由父母一手包办的。

【一丝不苟】 yì sī bù gǒu 〔成〕

一点儿也不马虎。形容认真仔细。(not be the least bit negligent; be scrupulous about every detail; be conscientious and meticulous)常做谓语、定语、状语。

例句 他工作时一丝不苟。|我们今天的成功来自于平时一丝不苟的训练。|风雪中,交通警察仍在一丝不苟地指挥车辆。

【一塌糊涂】 yì tā hútú 〔成〕

形容混乱、糟糕到不可收拾的地步。(in a complete mess; in an awful state; in utter disorder)常做谓语、定语、补语。

例句 看着眼前的试卷,我脑子里却一塌糊涂,什么也想不起来。|这间一塌糊涂的宿舍里到处堆满了东西,连下脚的地方也没有。|经理出国才三天,公司怎么就乱得一塌糊涂了?

【一同】 yìtóng 〔副〕

表示同时同地做某件事。(together; at the same time and place)常做状语。

例句 春节到了,公司领导与员工一同欢度节日。|明天,大家一同出发。|看见客人进来,大家一同起立鼓掌。|我们俩一同上学,又一同出国深造。

【一头】 yìtóu 〔副/名〕

〔副〕❶ 表示几件事同时进行。(at the same time)常做状语,常连用。

例句 我一头忙工作,一头忙家里。|你一头稳住他,我一头想办法。

❷ 突然;表示动作很急。(suddenly; all at once)常做状语。

例句 我刚一出门,一头碰见了老师。|小王拉开车门,一头钻了进去。

❸ 头部突然往下扎或往下倒的动作。(headlong)常做状语。

例句 我看见他一头扎进水里,半天没有出来。|A:怎么了,人怎么躺在这儿? B:他突然发病,一头倒在地上。

〔名〕❶ 一边。(one end)常做主语、宾语。

例句 桌子一头放着杂志,另一头放了几本书。|扁担一头挑着货,另一头挑着粮食。|A:晚上你睡觉时脑袋在哪一头? B:靠墙这边。

❷ 相当于一个头的高度。(a head)常做补语。

例句 弟弟反倒比他哥哥高一头。|这孩子一年长了一头。

【一相情愿】 yì xiāng qíngyuàn 〔成〕

只是单方面的主观愿望,不考虑客观实际。(one's own wishful thinking)常做谓语、定语、状语及宾语。

例句 你这边一相情愿,对方却没有一点儿意思,这事怎么能成?|那个姑娘只是他一相情愿的女朋友。|她也不管别怎么想,就一相情愿地跟着去了。|大伙儿都认为他俩根本不可能成,因为只是一相情愿。

【一些】 yìxiē 〔数量〕

❶ 表示不定的数量,比较少,但比"一"多。(some; a number of; a few)常做定语、宾语。

例句 我买了一些水果,咱们一起吃吧。|我做了一些事情,但做得还不够。|这么多东西,我一个人用不完,给你一些。

❷ 表示略微。(a little)常做补语。

例句 他的病好一些了。|这儿的路不好走,小心一些。|人生多有不顺,想开一些!

【一心】 yìxīn 〔形〕

❶ 专心。(wholeheartedly; heart and soul)常做状语。

例句 这孩子一心要出国留学,拼命学外语。|厂长一心想着大伙儿,自己的事却常常顾不上。|A:你们是好朋友,你劝劝她。B:她一心要嫁给他,别人怎么说也没用。

❷ 齐心,同心。(of one mind)常做谓语。

例句 只要大家团结一心，什么事都能做好。

【一心一意】 yì xīn yí yì 〔成〕
专心，没有杂念。(heart and soul; wholeheartedly)常做谓语、定语、状语。

例句 小王对女朋友一心一意。|李师傅干活时一心一意的那股劲儿，你们谁也比不上。|虽然他有女朋友了，可小英还一心一意地爱着他。

【一行】 yìxíng 〔名〕
一群(指同行的人)。(a group travelling together; party)常做主语、宾语、定语。

例句 代表团一行参观了历史博物馆。|国务院举行盛大宴会，欢迎来访的××总理一行。|一行人一下飞机，就直奔事故现场。

【一衣带水】 yì yī dài shuǐ 〔成〕
水面像一条衣带一样窄，形容仅隔一水，相距不远。(a narrow strip of water)常做谓语、定语。

例句 尽管东村跟西村一衣带水，经济状况却差别很大。|中日两国是一衣带水的邻邦。

【一知半解】 yì zhī bàn jiě 〔成〕
知道得不多，理解得不深。(have a smattering of knowledge; have scanty knowledge)常做宾语、定语。

例句 不能仅仅根据一知半解，就下结论。|如果满足于一知半解的水平，是做不出学问来的。

【一直】 yìzhí 〔副〕
❶ 表示顺着一个方向。(straight)常做状语。

例句 A:邮局就在前面吗? B:一直往前走，就能看见邮局。|我们一直沿河找下去，终于找到一条小船。

❷ 表示动作始终不断或状态始终不变。(all the way; always; all along)常做状语。

例句 他毕业后一直在机关工作。|雨一直下个不停。|她对我一直很好。|我一直不太习惯这里的天气。

❸ 强调所指的范围。(from... to...)常做状语。

例句 气温一直下降到零下四十度。|全村人从老人一直到小孩都参加了医疗保险。|从小学一直到大学我都是班长。

【亿】 yì 〔数〕
一万万。(a hundred million)常构成短语做句子成分。

例句 这种植物是一亿年以前就存在的。|外商在这个厂投了近亿元，建立新的生产线。|这些化石在地下埋了两亿年。|十三亿人齐心合力，一定能把祖国建设好。|我市上半年增加储蓄(chǔxù)三亿元人民币。

【亿万】 yìwàn 〔数〕
泛指极大的数目。(hundreds of millions; millions upon millions)常构成短语做句子成分，也做定语。

例句 这位商业巨子把亿万元资金投入到家乡的建设中。|亿万中国人民已经走上小康之路。

【义】 yì 〔名/形〕
〔名〕❶ 公正的、有利于人民的道理。(justice; righteousness)常做语素构词或用于固定短语中。

词语 道义 起义 大义灭亲 义不容辞

例句 支援西部开发，我们大学生义不容辞。

❷ 情谊，感情。(emotion)常用于构

词,或用于固定短语中。

词语 情义 无情无义 忘恩负义

例句 约翰与中国人民结下了深厚的情义。

〔形〕❶ 符合正义、公益的。(just; righteous)常用于构词。

词语 义举 义演 义诊 义务

例句 为支援灾区,昨晚举行了一场义演。|中医院的20多位专家利用周末为市民义诊。

❷ 因抚养或拜认而成为亲属的。(adopted or adoptive)常用于构词。

词语 义父 义子 义母 义女

【义务】 yìwù 〔名/形〕

〔名〕公民或法人按法律规定或在道德上应尽的责任。(duty; obligation)常做宾语、主语。[量]个,项。

例句 子女有赡养父母的义务。|我年纪大了,但希望能为社会再尽一点儿义务。|A:今天的作业你帮我写吧。B:帮你写作业?我可没有这个义务。|依法纳税是每个公民的义务。|这项义务应该由政府承担。

〔形〕不要报酬的。(volunteer; voluntary)常做定语、状语。

例句 机关干部常参加一些义务劳动。|他给我们找了一名义务顾问。|昨天星期六,有不少中学生在街上义务宣传交通知识。|A:我们请你一起去逛街,好吗?B:好,我义务给大家做导游。

【艺】 yì 〔名〕

❶ 技能,技术。(skill)常用于构词或用于固定短语中

词语 技艺 工艺 手艺 园艺 艺高人胆大

❷ 意义见"艺术"。(art)常用于构词,也做宾语。

词语 文艺 曲艺 艺人

例句 她从小跟着李先生学艺。

【艺术】 yìshù 〔名/形〕

〔名〕❶ 用形象来反映现实的文学、绘画、雕塑、建筑、美术、音乐、戏剧、电影等的统称。(art)常做主语、宾语、定语。[量]种,门。

例句 艺术具有教育作用。|真是开玩笑,这种画也叫艺术?|中国的曲艺是一门传统艺术。|我家有好几个艺术工作者。|这套家具一点儿艺术感也没有。

❷ 指有创造性的方式、方法等。(skill)常做宾语。

例句 干工作也要讲一点儿艺术。|王校长做事很有领导艺术。

〔形〕形状独特而美观的。(conforming to good taste)做谓语。

例句 这个盆景挺艺术。

【忆】 yì 〔动〕

回想,记得。(recall; remember)常做谓语,也用于构词。

词语 回忆 记忆 忆想

例句 老朋友相聚忆起当年的旧事,心中感慨万千。|忆往事,酸甜苦辣一起涌上心头。

【议】 yì 〔动/名〕

〔名〕意见,言论。(opinion; view)常用于构词。

词语 提议 建议 异议

例句 会上,有人对工程质量提出了异议。

〔动〕讨论,商量。(discuss; exchange views on; talk over)常做谓语。也用于构词。

词语 议论 议会 会议 议事

例句 A:这件事请大家先议一议。B:我们议过了,意见基本一致。

【议案】 yì'àn 〔名〕

列入会议议程的提案。(proposal; motion)常做主语、宾语。[量]项。

例句 这项议案被否决了。|我们提出的议案有了结果。|代表们向大会共提出了 73 项议案。

【议程】 yìchéng 〔名〕

会议上议案讨论的程序。(agenda)常做宾语、主语。[量]个,项。

例句 这项提议已经列入会议议程。|代表们一致通过了全部议程。|会议议程已经进行了一半。

【议定书】 yìdìngshū 〔名〕

是有关国家就个别问题所取得的协议,通常是正式条约的修正或补充。也做为单独的文件。(protocol)常做主语、宾语。[量]份。

例句 这份议定书从 7 月 10 日起生效。|五国代表昨日签定了一份贸易议定书。|条约附有两份议定书。

【议会】 yìhuì 〔名〕

某些国家的最高立法机关或最高权力机关。(parliament; congress; legislative assembly)常做主语、宾语、定语。

例句 议会今天举行了专门会议。|新任总统 35 岁就进入了议会。|议会成员由选举产生。

【议论】 yìlùn 〔动/名〕

〔动〕对人或事物的好坏、是非等发表意见。(talk; discuss)常做谓语、主语。

例句 大家正在议论明天的事怎么办。|你们自己先议论一下。|你没听见别人都在议论我吗?|议论议论对认识问题有好处。

〔名〕对人或事物的好坏、是非发表的意见。(comment)常做主语、宾语。[量]种。

例句 各种议论都有,到底怎么办好呢?|这些议论传到她耳朵里,肯定得气坏了。|A:你听见大家对分配方案有什么议论吗? B:听到一些。|我白发了一通议论,什么用也没有。

【议员】 yìyuán 〔名〕

在议会中有表决权的正式代表。(member of a legislative assembly)常做主语、宾语、定语。[量]个,位。

例句 议员们正在开会。|下月选举国会议员。|在这个问题上,每位议员的态度都很重要。

【亦】 yì 〔副〕

也。(too; also)做状语,也用于固定短语中。

词语 亦步亦趋 人云亦云

例句 (会议通知)自带论文 5 份,或在大会服务中心复印亦可。

【异】 yì 〔形〕

❶ 有分别的,不同的。(different)常用于构词或用于固定短语中。

词语 异读 异邦 异国 异常 异国 异性 日新月异 异口同声 大同小异

例句 我们俩的想法大同小异。|身居异国,难免思念故乡。

❷ 奇特,特别。(strange; unusual)常用于构词或用于固定短语中。

词语 异香 奇异 异想天开

例句 不要异想天开,还是踏踏实实地干吧。

❸ 另外的，别的。(other; another)常用于构词。

词语 异日 异地 异物

例句 经过半个小时的手术，医生从孩子胃里取出了异物。

❹ 惊奇，奇怪。(surprise)常用于构词。

例句 对中国在20年中发生的巨大变化，外国朋友十分惊异和赞叹。

【异常】 yìcháng 〔形/副〕

〔形〕不同于平常的。(abnormal; unusual)常做谓语、定语、补语。

例句 会议室气氛有些异常。|通过地震观测，科学家们发现了一些异常现象。|最近几天，他表现得有些异常。

〔副〕非常，特别。(extremely)做状语。

例句 见到分别多年的亲人，老人的情绪异常激动。|教室里异常安静。|今天异常闷热，人们纷纷去海边游泳。

【异口同声】 yì kǒu tóng shēng 〔成〕

形容不同的人，意见和说法一致。(with one voice; in unison)常做谓语、定语、状语。

例句 我去问他的朋友，他们异口同声，都说不知道。|这种异口同声的回答让老板大吃一惊。|大家异口同声地说："去！"

【异想天开】 yì xiǎng tiān kāi 〔成〕

形容想法奇特。(indulge in the wildest fantasy; have a most fantastic idea)做主语、谓语、定语、状语。

例句 异想天开没什么不好。|你们异想天开，不努力还想考好，这怎么可能呢？|异想天开的美梦终于破灭了。|他异想天开地提出了到月亮上去旅行的计划。

【抑制】 yìzhì 〔动〕

❶ 大脑的两种基本神经活动过程之一。作用是阻止或减弱器官机能的活动。(restrain; check)常做谓语、定语。

例句 在这种紧张的气氛下，我的思维突然被抑制住了，脑子里一片空白。|人在睡觉的时候，大脑处于抑制状态。

❷ 压下去；控制。(restrain; control)常做谓语、定语。

例句 我抑制不住内心的喜悦。|她再也抑制不住了，失声痛哭起来。|众人心里充满了难以抑制的愤怒。

【译】 yì 〔动〕

意义同"翻译"。(translate; interpret)常用于构词也做谓语。

词语 口译 笔译 音译 译文 编译 直译

例句 您能帮我把这份说明书译一下吗？|这套设备可以把一种语言译成5种语言。|对不起，我不大懂西班牙文，译不了。|谁能译成中文？

【译员】 yìyuán 〔名〕

翻译人员。(interpreter)常做宾语、主语、定语。[量]个，名，位。

例句 他是团里的译员，负责口译工作。|我很羡慕译员。|所有译员都在准备会议文件。|译员的水平直接影响双方的交流。|译员的工作非常繁忙，常常没有节假日。

【易】 yì 〔形/动〕

〔形〕❶ 做起来不费事的。(easy)常用于构词或用于固定短语中。

词语 轻易 简易 容易 易如反

掌 得之不易 显而易见

例句 这种办法行不通是显而易见的。

❷ 平和。(amiable)常用于构词或用于固定短语中。

词语 平易 平易近人

例句 老张虽是专家,却十分平易。

〔动〕❶ 改变、交换。(exchange)常用于构词或用于固定短语中。

词语 变易 易名 易帜 移风易俗

例句 这家公司易名为"服装贸易公司"。

❷ 交换。(exchange)常用于构词或用于固定短语中。

词语 贸易 交易

例句 边境地区至今仍有以物易物的贸易方式。

【易拉罐】 yìlāguàn 〔名〕

包装饮料或其他流质食品的金属罐,封口的金属片很容易拉开;也指这种包装的饮料。(pop-top; pull-top; flip-top)常做主语、宾语。[量]个,听。

例句 这种易拉罐多少钱一个? | 这家废品公司回收易拉罐。

【意】 yì 〔名〕

❶ 意思。(meaning)常用于构词或用于固定短语中。

词语 同意 意义 来意 词不达意 意向 意犹未尽

例句 讨论会开到晚上,代表们仍意犹未尽。

❷ 心愿,愿望。(wish; desire)常用于构词。

词语 中意 任意 满意 意图 意志

例句 走了几家商店,才选了一件中意的风衣。

❸ 事先的想法。(expectation)常用于构词或用于固定短语中。

词语 意外 意想 出其不意

例句 他突然辞职,真是意想不到。

【意见】 yìjiàn 〔名〕

❶ 对事情的一定的看法或想法。(idea; view)常做宾语、主语。[量]个。

例句 你对这件事有什么意见? | 我们来交换一下意见。| 我的意见并没有反对你的意思。

❷ (对人、对事)认为不对因而产生不满意的想法。(objection; complaint)常做宾语、主语。[量]个,条。

例句 A:小刘,我对你有点儿意见。B:请坐下,有什么意见慢慢说吧。| 你有什么意见说出来,别光生气。| 我给你们工作提几条意见,这些意见如果不对,请批评。

【意料】 yìliào 〔动/名〕

〔动〕事先对情况、结果等估计。(anticipate; expect)常做谓语(带补语"到、不到")。

例句 我意料到他会来。| 这种事情有时意料不到。| 这是他没能意料到的。

〔名〕事先对情况、结果等的估计,评价。(expectation)常做宾语、定语,多与"之外、之中、之内、以外"等配合使用。

例句 这种事真是出乎意料。| 一切都在意料之中。| 干了活儿又要挨批评,这真是意料之外的事。

【意气风发】 yìqì fēngfā 〔成〕

形容精神振奋,气概豪迈。(high-

Y

spirited and vigorous; daring and energetic)做谓语、定语、状语。

例句 公司上下意气风发，斗志昂扬。|老厂长充满爱意地看着这群意气风发的年轻人，为他们正赶上改革开放的好时候而感到高兴。|我们意气风发地走进大学校门。

【意识】 yìshí 〔名/动〕

〔名〕人脑对于客观物质世界的反映，是感觉、思维等各种的心理活动的总和。(consciousness; awareness)常做主语、宾语。[量]种。

例句 各种现代意识已经深入到我们生活的方方面面。|病人已经没有任何意识了。|我们校长很有改革意识。

〔动〕感觉。(be aware of; realize)常做谓语。

例句 我没意识到他不高兴了。|看见树枝发绿，才意识到已经是春天了。|A:你不觉得这件事不能让更多的人知道吗? B:这一点当时没意识到。

【意思】 yìsi 〔名〕

❶ 语言文字的意义；思想内容。(meaning; idea)常做主语、宾语。[量]个。

例句 A:这首诗的意思你懂了吗? B:谢谢，我懂了。|你知道这个词是什么意思吗? |我不懂英语，不明白这段话的意思。

❷ 意见，想法。(opinion; wish)常做主语、宾语。

例句 大家的意思是让你去。|我的意思是这件事应该让大伙儿决定。|他并没有不同意的意思。|我想听听大家的意思。

❸ 指礼品所代表的心意。(a token of affection, appreciation, gratitude, etc.)常做主语、宾语。

例句 这点儿小意思，不成敬意。|这是我的一点儿意思，你一定要收下。

▶"意思"也做动词，指表示一点儿心意。如：你送点儿东西意思意思，事情就好办了。|大家受累了，我得请客意思一下。

❹ 事物发展的方向，苗头。(suggestion; hint; trace)常做宾语、主语，常与"有"搭配。

例句 A:天好像有下雨的意思，咱们快走吧。B:可不是，但愿别马上下。|这棵树有些开花的意思。|一点儿刮风的意思也没有。

❺ 趣味。(interest; fun)常做宾语、主语，多与"有，没有"配合使用。

例句 这个话剧真没意思。|A:这本小说有意思吧? B:没有什么意思。|你讲的笑话太没意思了。|今天出去玩，一点儿意思也没有。

【意图】 yìtú 〔名〕

希望达到某种目的的打算。(intention)常做宾语、主语。[量]个。

例句 你不必隐瞒自己的意图。|我搞不清对方的意图。|你的意图是好的，但结果不理想。|他们的意图很明显，就是为了争市场。

【意外】 yìwài 〔形/名〕

〔形〕意料之外的，没想到的。(unexpected)常做谓语、定语、状语、宾语。

例句 这件事有点儿意外。|她被这意外的事故吓呆了。|我在华盛顿意外地碰到了以前的同学。|事情的结局让大家都感到意外。

〔名〕意外的不幸事件。(accident; mishap)常做宾语。

例句 为避免发生意外，我们做了充分的准备。|过马路要走人行横道，以免出意外。|出门前，要检查一下煤气和电，防止发生意外。

【意味着】 yìwèizhe 〔动〕
含有某种意义。(mean; implicate)常做谓语。

例句 不承认历史意味着不能正确对待历史。|这一场比赛的失利意味着我们与冠军无缘了。|如果对方不来电话，就意味着有问题了。

【意向】 yìxiàng 〔名〕
意图、目的。(intention; purpose)常做主语、宾语、定语。[量]个，种。

例句 由于外商意向不明，使谈判没有进展。|该厂有扩大规模的意向。|对方表示了联合办学的意向。|这个意向协议书已经签署了。

【意义】 yìyì 〔名〕
❶语言文字或其他信号所表示的内容。(meaning; sense)常做主语、宾语。[量]种，个。

例句 这篇讲话意义重大。|这个字有好几个意义。|这句话除了字面的意义外，还有更深层的意义。|广场中央的水晶球表示什么意义？

❷价值，作用。(significance)常做宾语、主语。

例句 他这么搞有什么意义呢？|文字的发明，对于人类的进步具有深远的意义。|改革开放对中国来说，意义深远。|孩子们度过了一个有意义的暑假。

辨析 〈近〉意思。"意义"重在道理、作用，多用于较重要的事物或活动，常与"深远、重大、战略"等配合；"意思"的词义范围较广，多用于较具体的、一般的场合。如：*改革开放意思重大。("意思"应为"意义")|*课文是什么意义？("意义"应为"意思")

【意志】 yìzhì 〔名〕
为达到某种目的所表现出的决心和毅力。(will; willpower)常做主语、宾语。[量]种。

例句 他虽然身有残疾，但意志顽强，所以才做出了常人难以做出的成绩。|战胜困难需要坚强的意志。|光靠领导个人的意志，是无法完成任务的。|意志如何关系到事业的成败。

【毅力】 yìlì 〔名〕
坚强持久的意志。(willpower; will; stamina; tenacity)常做主语、宾语。[量]种。

例句 这个十三岁的男孩与疾病斗争的毅力令人敬佩。|这种超人的毅力给我们留下了深刻的印象。|他可真有毅力。

【毅然】 yìrán 〔副〕
坚决地，毫不犹豫地。(firmly; resolutely)常做状语。

例句 大学毕业后，他毅然放弃了城市的优裕生活，到一个偏僻的山村当了一名小学教师。|在国外学成后，他没有留恋优厚的生活条件，而是毅然回到了祖国。

【翼】 yì 〔名〕
❶鸟类及昆虫的翅膀。(the wings of a bird, an insect, etc.)常做宾语、主语。

例句 天鹅展开双翼，在空中自由地飞翔。|展出的丝织品，薄如蝉翼。|这种鸟的翼已经退化了。

❷飞机等像翼的部分。(the wings of a plane)常做主语、宾语。

例句 尾翼涂有一只袋鼠。|这个座位可以看到机翼。

❸ 侧。(flank;wing)常用于构词。

词语 左翼 右翼 侧翼

例句 部队正向敌军侧翼运动。

【因】 yīn 〔介/名〕

〔介〕❶ 凭借、根据。(according to)常用于固定短语中。

词语 因势利导 因地制宜 因人而异 因材施教 因陋就简

❷ 表示原因;因为。(because of)常构成介宾短语做状语。

例句 小王因病没来上班。|会议因故延期了。|A:你们春节去海南了吗? B:别提了,因机票不好买没去成。

〔名〕原因。(reason)常用于构词或用于短语中。

词语 事出有因 因由 前因后果

例句 A:老张怎么会突然晕倒呢? B:目前还不知道病因。|公安人员正在调查她的死因。

【因此】 yīncǐ 〔连〕

因为这个(后接结论或结果)。(therefore; for this reason)用于复句的后一分句,可与"由于"(不与"因为")配合使用。

例句 A:这个人你很熟啊! B:我和他一起工作了好多年,因此很了解他。|由于气温突然下降,因此许多孩子都感冒了。

【因地制宜】 yīn dì zhì yí 〔成〕

根据各地的不同情况制定相应的措施。(suit measures to local conditions)常做谓语、状语。

例句 各地应该因地制宜,发展当地的特色经济。|不因地制宜,搞"一刀切"就容易犯错误。|公路修通之后,村里因地制宜地搞起了农家游。

【因而】 yīn'ér 〔连〕

表示因果关系;因此。(as a result; thus)用于连接复句的分句。可与"由于"(不与"因为")配合使用。

例句 他被大雨淋着了,因而病了好几天。|由于使用了新教材,因而教学效率提高了。|下游泥沙越积越高,因而河水容易泛滥(fànlàn)。

【因素】 yīnsù 〔名〕

❶ 构成事物的基本成分。(element)常做宾语、主语。[量]个。

例句 科学技术是构成生产力的一个因素。|你知道汉语的一个音节包括哪几个因素吗?|这个因素不可忽视。

❷ 决定事物成败的原因或条件。(factor)常做宾语、主语。[量]个。

例句 坚持不懈是事业成功的一个重要因素。|一个偶然的因素,使实验没能成功。

【因特网】 Yīntèwǎng 〔名〕

互联网络。指将各自独立的电脑通过线路连接而成的系统,使所有电脑用户能够共享。(Internet)常做主语、宾语。

例句 因特网给生产和社会生活带来了巨大的变革。|我的电脑进入因特网了。|通过因特网,你可以获得大量的信息、可以购物甚至在家里办公。

【因为】 yīnwèi 〔连/介〕

〔连〕表示原因或理由。(because)用于连接两个句子。可与"所以"配合使用。

例句 因为路上堵车，所以迟到了。|A：你们不是今天中午的机票吗？怎么还不走？B：因为天气不好，飞机改在明天起飞了。|他的伤因为治疗及时，所以好得很快。|昨天我没来，因为有别的事情。

〔介〕表示原因。(because of)常构成介宾短语做状语。

例句 他因为这件事受到了表扬。|因为签证的关系，我们无法按时出发。|他因为成功而兴奋异常。

【因噎废食】 yīn yē fèi shí 〔成〕

吃东西噎住了，从此不再吃东西。比喻偶然遇到一次挫折就停止不干。(give up eating for fear of choking — refrain from doing sth. necessary for fear of a slight risk)常做谓语。

例句 公司里虽说情况复杂，但如果因噎废食，问题就更无法解决了。|有人对我有意见，但总不能因噎废食，我还得工作啊！|失败一次就因噎废食，怎么行呢？

【阴】 yīn 〔名/形〕

〔名〕❶ 中国古代哲学家认为一切事物中的两大对立之一。[(in Chinese philosophy) *yin*, the feminine or negative principle in nature]常做主语、宾语、定语。

例句 中国古代哲学认为，世上万物都是阴、阳结合。|A：你懂不懂阴阳五行？B：一点儿不懂。

❷ 指月亮。(the moon)常用于构词。

词语 阴历　太阴

〔形〕❶ 隐藏的，不露在外面的；背朝太阳的；凹进的；带负电的；(hidden; back; in intaglio; negative)常用于构词或用于固定短语。

词语 阴沟　阴谋　阴面　阴文　阴极　阳奉阴违

例句 阴面的房间有点儿冷。|你不能阳奉阴违。

❷ 天空中绝大部分被云遮住。(overcast)常做谓语，也用于构词。

词语 阴天　阴雨

例句 A：天阴了，可能要下雨。B：快把晾晒的被子收回来吧。|一连阴了好几天，还没晴。

❸ 指属于鬼神的。(of the nether world; of ghosts)常用于构词。

词语 阴间　阴曹地府　阴司

例句 但愿在阴间咱们还能相见。

❹ 指心眼坏，不正派。(sinister; insidious)常做语素构词，也做谓语。

词语 阴险　阴谋

例句 此人表面和善，实际上阴得很。

【阴暗】 yīn'àn 〔形〕

光线不足，不明亮。比喻心眼不正或前途不好。(dark; gloomy)常做谓语、定语、补语。

例句 这房子是地下室，所以又阴暗又潮湿。|天空慢慢阴暗下来了。|那一刻，我觉得自己的前途阴暗极了。|小狗趴在阴暗的角落里，一动不动。|别总是怀着阴暗的心理待人处事。|窗户一关，房间立刻变得阴暗了。

【阴谋】 yīnmóu 〔动/名〕

〔动〕暗中计划(做坏事)。(conspire; plot; scheme)常做谓语(带宾语)、定语。

例句 分裂主义分子正阴谋暴动。|他们阴谋分裂国家。|阴谋分子已全部落网了。|这次阴谋活动彻底

失败了。

〔名〕暗中做坏事的计划。(conspiracy;plot;scheme)常做主语、宾语。[量]个。

例句 敌人的阴谋不会得逞。|有人正在策划一个大阴谋。|我们粉碎了一个破坏公司名誉的阴谋。

【阴天】 yīntiān 〔名〕

天上有很多云的天气。(an overcast sky;a cloudy day)常做主语、宾语、状语。[量]个。

例句 A:阴天让人真不舒服。B:阴天也有好处,出去玩不晒。|天气预报说明天是个阴天。|阴天衣服不爱干。

【音】 yīn 〔名〕

❶ 由于振动而产生的声。(sound)常用于构词。也做宾语、主语。[量]个。

词语 音律 音乐 口音 杂音 噪音

例句 有些外国人发不好〔r〕这个音。|我听得出来他的弦外之音。|她激动得说话的音都变了。

❷ 消息。(news)常用于构词。

词语 传音 音信 回音

例句 这位女士出国后就没有一点儿音信了。|A:行还是不行,你给个回音。B:好,晚上就给你信儿。

【音响】 yīnxiǎng 〔名〕

❶ 声音(多指声音所产生的效果)。(sound)常做主语、宾语、定语。

例句 这个剧场的音响非常好。|有人专门追求一种震撼人心的音响效果。|那几个技术人员正在调试音响。

❷ 录音机,电唱机或CD机以及扩音器等的统称。(hi-fi stereo component system)常做主语、宾语。[量]套。

例句 这套音响是我新买的。|他是个"发烧友",专门研究音响。|我买了一套高级组合音响。

【音像】 yīnxiàng 〔名〕

录音和录像的合称。(audiovisual)常做定语。

例句 我哥哥开了一家音像店。|这张CD是某音像出版社出版的。|近几年,音像制品的种类越来越多了。

【音乐】 yīnyuè 〔名〕

用有组织的好听的声音来表达人的思想感情、反映现实生活的一种艺术。它的最基本的要素是节奏和旋律,分为声乐和器乐两类。(music)常做主语、宾语、定语。[量]种。

例句 音乐是人们不可缺少的精神食粮。|好音乐可以陶冶人的情操。|我不懂音乐,听不出这支曲子的意思。|他非常热爱音乐。|他出身于音乐世家,爷爷、爸爸都是音乐家。|这首音乐作品体现的是一种田园情趣。

【银】 yín 〔名/形〕

〔名〕一种金属元素,符号Ag。白色质软,用途很广,通称银子或白银。[silver(Ag)]常做定语,也用于构词。

词语 白银 水银 银子 银牌

例句 一套银餐具得好几千吧?|她戴着一只银手链。

〔形〕❶ 跟货币有关的。(relating to currency or money)常用于构词。

词语 银行 银根

例句 为控制通货膨胀需要紧缩银根。

❷ 像银子的颜色。(silver-coloured)常做定语,也用于构词。

词语 银色 银发 银河 银幕

例句 他穿了一身银色的西服。|A:他们门口有什么标志吗? B:门上方挂着一块红底银字的牌匾。|老妇人那头银发显得格外精神。

【银行】 yínháng 〔名〕

经营存款、贷款、汇兑等业务的金融机构。(bank)常做主语、宾语。[量]家,个。

例句 这家银行24小时都可以取款。|听说那家银行倒闭了。|街拐角处有一家银行。|不花的钱最好存进银行。|A:我要到银行去换点儿钱。B:等一下,我也去。

【银幕】 yínmù 〔名〕

用来显示电影、幻灯或投影影像的白布,也指电影。(screen)常做主语、宾语、定语。[量]块。

例句 银幕是新的,投影效果特别好。|这段故事已经上了银幕。|在这儿挂一块银幕就可以演电影了。|追星族对她银幕之外的情况也非常了解。

【淫秽】 yínhuì 〔形〕

男女在性行为上违反道德标准或言行下流的。(obscene; salacious)常做定语、谓语。

例句 这家出版社因为出版淫秽书刊而被关闭。|这些淫秽杂志不允许带入中国国境。|这些书的内容实在淫秽不堪。

【引】 yǐn 〔动〕

❶ 拉;牵(draw)常用于构词。

词语 牵引 万有引力 吸引

例句 机车牵引着18节车厢飞速驶过。

❷ 带领。(lead)常做谓语。silever-co-loured 或者 siler-coloured

例句 请您在前面为我们引引路。|从一百多公里外把水引到了市区。

❸ 使出现。(induce)常做谓语

例句 不要引火烧身。|一张照片引出了一段故事。|我只是抛砖引玉,主要还是听听专家的意见。

❹ 用来作为依据。(quote; cite)常做谓语,也用于构词或用于固定短语。

词语 引言 引证 引用 引经据典 旁征博引

例句 在这篇文章中,引了一首古诗。|例子引了不少,但还不能充分证明自己的论点。|下面引一段领导讲话。

【引导】 yǐndǎo 〔动〕

带领;指引、启发。(lead; guide)常做谓语、宾语、主语。

例句 教师要善于引导学生自己思考。|爸爸引导我走上网球生涯。|主人在前面引导,客人们边走边看。|没有你的引导,我不会有今天的成绩。|老师的科学引导使学生们顺利地解开了一个个难题。

【引进】 yǐnjìn 〔动〕

从外地或国外引入(人员、资金、技术、设备等)。(introduce from elsewhere)常做谓语、定语、主语、宾语。

例句 通过引进先进设备,生产水平大大提高了。|努力引进人才是我们公司成功的重要原因。|这次引进的外资大部分用于购买设备。|技术引进对于企业的发展至关重要。|不能光靠引进,还要自主开发。

【引经据典】 yǐn jīng jù diǎn 〔成〕

引用经典著作中的语句或故事作为论证的依据。(quote the classics; quote authoritative works)常做谓语、定语、状语。

例句 别看他说话引经据典的，真做起事情来就没本事了。|教授这番引经据典的高谈阔论取得了很大的成功。|他一点儿办法没有，但当有人提出意见时，他又引经据典地说这个不行、那个不对。

【引起】 yǐnqǐ 〔动〕

一种事情、现象、活动使另一种事情、现象、活动出现。(give rise to; lead to)常做谓语。

例句 我怕引起误会，所以先跟他说明了一下。|这本自传引起了广大读者的兴趣。|他的话引起了大家的争论。|注意别引起麻烦。

【引人入胜】 yǐn rén rù shèng 〔成〕

形容风景、名胜或文艺作品特别吸引人。(absorbing; fascinating; enchanting; bewitching)常做谓语、定语、补语。

例句 文章要立意新颖，引人入胜。|这是一部引人入胜的小说。|单田芳的评书说得引人入胜。

【引人注目】 yǐn rén zhùmù 〔成〕

引起人的注意。(noticeable; conspicuous; spectacular)常做谓语、定语、主语、宾语。

例句 白小姐穿了一条花裙子，格外引人注目。|经过三年的努力，他做出了引人注目的成绩。|引人注目不一定是好事。|我不喜欢引人注目。

【引入】 yǐnrù 〔动〕

引导使进入。(lead into; draw into; introduce from elsewhere)常做谓语。

例句 他把那位商人引入内室，秘密商谈起来。|是兴趣把我引入了科学的殿堂。|千万别把孩子引入误区。|张市长善于在谈笑中把会谈引入正题。

【引用】 yǐnyòng 〔动〕

用别人的话(包括书面材料)或做过的事作为依据。(quote; cite)常做谓语、定语。

例句 文中引用了大量事实来说明问题。|引用别人的要加上引号。|如果引用得过多，那就变成抄袭了。|引用的数据必须经过核实。

【引诱】 yǐnyòu 〔动〕

使用某种手段让别人按照自己的意图去做(多用于做坏事)。(lure; seduce; entice)常做谓语、宾语、主语。

例句 他引诱过好几个孩子干坏事。|金钱、美女引诱不了这位领导干部。|引诱那些意志薄弱的人比较容易。|杨局长抵不住金钱的引诱，终于犯下了大错。|什么引诱也不能使他动摇。

【饮】 yǐn 〔动/名〕 另读 yìn

〔动〕喝，有时特指喝酒。(drink)常做谓语，也用于构词或用于固定短语中。

词语 饮料 饮食 餐饮 饮水思源

例句 他端起酒杯，一饮而尽。|饮酒过多，对身体非常有害。

〔名〕可以喝的东西。(drinks)常用于构词。

词语 热饮 冷饮

例句 冷饮有可乐，热饮有咖啡。

【饮料】 yǐnliào 〔名〕

经过加工制造供饮用的液体,如酒、茶、汽水、桔子汁等。(drink)常做主语、宾语、定语。[量]种,杯,瓶。

例句 这种饮料不错,你尝一尝。|我不喜欢喝饮料,只喝白开水。|A:你要哪种饮料? B:给我来杯茶。|这饮料的味道不大对,是不是过期了?

【饮食】 yǐnshí 〔名/动〕

〔名〕吃的和喝的东西。(food and drink)常做主语、宾语、定语。

例句 饮食要卫生。|为了减肥节制饮食。|要注意饮食多样化。

〔动〕吃东西和喝东西。(eat and drink)常做主语、宾语。

例句 饮食有规律是保持健康的前提。|老李很注意自己的饮食。

【饮水】 yǐnshuǐ 〔名〕

供人喝和做饭用的水。(drinking water)常做主语、宾语。[量]吨,滴。

例句 那儿是沙漠地区,饮水缺乏。|这儿的饮水受到了污染。|公司帮助村里打了一口深井,使村民喝上了干净的饮水。|由于连续两年大旱,市里规定只能限量供应饮水。

【隐】 yǐn 〔动/形〕

〔动〕藏而不露。(hide)常做谓语,也用于构词。

词语 隐蔽 隐藏 隐居 隐约 隐瞒

例句 为了逃避抓捕,他隐姓埋名,到外省打工。|几幢小木屋隐在密林深处。

〔形〕藏在深处的。(latent; lurking)常用于构词。

词语 隐情 隐患 隐私

例句 每个人都有自己的隐私权。|经检查,发现了一处重大事故隐患。

【隐蔽】 yǐnbì 〔动/形〕

〔动〕用别的事物把人或东西掩盖起来使不被发现。(conceal; take cover)常做谓语、宾语。

例句 有人来了,快到地下室隐蔽起来。|孩子们隐蔽在树林中。|战士们利用地形巧妙地隐蔽自己。|首长命令部队进行隐蔽。

〔形〕不公开的,不显露的。(hidden)常做谓语、定语、状语、补语。

例句 这个地方比较隐蔽。|找一个隐蔽一点儿的地方,把这些东西保存起来。|战士们隐蔽前进。|他藏得非常隐蔽。

【隐藏】 yǐncáng 〔动〕

藏起来不让发现。(hide)常做谓语、定语。

例句 他心里隐藏着一个秘密。|把这些重要文件隐藏起来。|最近有个农民发现一个隐藏上千年的古墓。

辨析 〈近〉隐蔽。"隐蔽"重在用东西掩盖;"隐藏"重在"藏起来"。"隐蔽"有形容词用法,"隐藏"没有。如:*她心中隐蔽着一个秘密。("隐蔽"应为"隐藏")|*森林中的小木屋很隐藏。("隐藏"应为"隐蔽")

【隐瞒】 yǐnmán 〔动〕

把事实真相掩盖起来不让人知道。(hide; hold back)常做谓语、定语、状语。

例句 为了工作方便,他隐瞒了自己的身份。|我没隐瞒,把事情经过都告诉你了。|看起来,再也隐瞒不下去了。|我把隐瞒了多年的事情都说了出来。|她毫不隐瞒地表达

了自己的想法。

【隐约】 yǐnyuē 〔形〕

看起来或听起来不很清楚；感觉不很明显。(faint; indistinct)常做定语、状语。

例句 远处可以看到隐约的群山。|我听见屋子里隐隐约约的哭声。|他隐约地感觉到我们的谈话跟他有关。|透过浓雾，隐隐约约地看到海上有几个岛屿。

【印】 yìn 〔名/动〕

〔名〕❶ 图章。(seal; chop; stamp)常做主语、宾语。[量]个。

例句 我的印不见了。|印可以代表某种权力。|请你在这儿盖一个印。|毕业证书需要加盖钢印。

❷ 留下的痕迹。(mark; print)常做宾语、主语，也用于构词。[量]个，道。

词语 烙印 脚印 印迹

例句 刀在桌子上划出了一道印。|A:这个印是怎么弄的？B:搬上来时在楼梯上碰的。

〔动〕❶ 留下痕迹。特指文或图画等留在纸上或器物上。(print; engrave)常做谓语、定语。

例句 新华三厂印商标最精致。|我要在背心上印上学校的名字。|这种油墨在塑料上印不上。|A:怎么搞的，印的字一点儿也不清晰。B:对不起，只有一个这样，下面的没问题。

❷ 符合。(tally; conform)常用于构词或用于固定短语中。

词语 印证 心心相印

例句 我跟丈夫一直心心相印。

【印染】 yìnrǎn 〔动〕

在布上印花和染色。(print and dye)常做谓语、定语、宾语。

例句 这批丝绸还没印染。|这个厂的印染技术比别的厂好。|印染工业特别要防止造成污染。|经过印染，白布变成了漂亮的花布。

【印刷】 yìnshuā 〔动〕

把文字、图画等印在纸上。(print)常做谓语、定语、宾语。

例句 书已经排完版了，马上就可以印刷。|靠先进设备才能印刷出这么精美的图片。|现在，印刷质量越来越好了。|招生简章已经开始印刷了。

【印象】 yìnxiàng 〔名〕

人或事情在人的头脑里留下的迹象。(impression)常做主语、宾语。[量]个。

例句 我的印象是：这是个诚实的人。|大连给我的第一印象是美丽、清洁。|我很难改变这个不好的印象。|上次聚会他给我留下了深刻的印象。

【应】 yīng 〔助动/动〕

〔助动〕表示情理上必须。(should; ought to)常做谓语。

例句 犯了错误，应立即改正。|写文章应简明、流畅。

〔动〕❶ 听到叫声后回答。(answer; respond)常做谓语。

例句 听到喊声，他回过头应了一声："哎。"|喊了半天，也没人应。|我叫你，你怎么不应？

❷ 同意。[agree (to do sth.); promise]常做谓语。

例句 这事既然应了，就必须办好。|我说了多少好话，他才勉强应下来。

【应当】 yīngdāng 〔助动〕

应该。(should; ought to)常做谓语。

例句 这事应当怎么办呢?|如果复习好了,考试就应当没有问题。|这是我应当做的,不用谢。|这样做应当不应当?

【应该】 yīnggāi 〔助动〕

❶ 表示情理上必须如此。(ought to; should)常做状语、谓语。

例句 他病了,你应该去看一看。|A:你说他应不应该帮我? B:太应该了。|我们应该给他点儿信心。|他这样说确实太不应该了。

❷ 估计情况必然这样。(should)常做状语。

例句 他学过汉语,这么简单的话应该会说。|这个人应该靠得住。|你们是同学,应该很了解吧?

【英】 yīng 〔名〕

❶ 才能和智慧超过一般的人。(a person of outstanding talent or wisdom)常用于构词。

词语 英豪 英雄 群英 精英 英杰 英明 英才 英勇

例句 北京中关村集中了一批高科技精英。|劳模大会上群英云集。

❷ 指英国。(Britain; England)常用于构词。

词语 英文 英语 英尺 英磅

例句 英磅和人民币的兑换率是多少?

【英磅】 yīngbàng 〔名〕

英国的本位货币。(pound)常做主语、宾语、定语。

例句 十英磅可以吃一顿好饭。|我要用美元换英磅。|最近英磅的价格略有下降。

【英俊】 yīngjùn 〔形〕

❶ 才能出众。(eminently talented; brilliant)常做定语、谓语。

例句 事业需要一大批英俊有为的青年。|我这几个同学个个英俊有为。

❷ (男青年)容貌俊秀又有精神。(handsome and spirited)常做谓语、定语、补语。

例句 她的男朋友很英俊。|他是一个英俊小伙。|男模特长得非常英俊。

【英明】 yīngmíng 〔形〕

才能、智慧出众而富有远见。(wise; brilliant)常做定语、谓语、状语、补语。

例句 在党的英明领导下,中国经济迅速发展。|这个决策非常英明。|厂长英明地做出了停止生产这个产品的决定。|他这件事办得挺英明。

【英雄】 yīngxióng 〔名/形〕

〔名〕❶ 才能勇武过人的人。(hero)常做主语。[量]个,位。

例句 我在这里总觉得“英雄无用武之地”。

❷ 不怕困难,不顾自己,为人民利益而英勇斗争,令人敬佩的人。(hero)常做主语、宾语、定语。[量]个,位。

例句 抗洪英雄受到人们的尊敬。|人民永远怀念这位英雄。|英雄的名字永远留在人民心中。

〔形〕具有英雄品质的。(heroic)常做定语。

例句 这是一个英雄的集体。

【英勇】 yīngyǒng 〔形〕

勇敢出众的人。(valiant; brave)常做谓语、定语、状语、补语。

例句 在扑火过程中,小张非常英勇。|他英勇的表现令人佩服。|战士们英勇地跳入洪水,保护大堤。|班长在战斗中表现得非常英勇。

【英语(文)】 Yīngyǔ(wén) 〔名〕
英国、美国等国家使用的语言和文字。(English)常做主语、宾语、定语。

例句 英语是国际交往中使用最多的一种语言。|我的英语不好,这种场合怕应付不下来。|进入21世纪以后,学习英语显得更加重要。|世界上说英语的人大约有10亿。|英语的语法和发音不太难。

【婴】 yīng 〔名〕
意义见"婴儿"。(baby;infant)常用于构词或用于固定短语中。

词语 女婴 男婴 婴孩 婴儿

例句 护士抱出一个女婴,交给孩子父母。

【婴儿】 yīng'ér 〔名〕
出生到周岁之间的小孩。(baby;infant)常做主语、宾语、定语。[量]个。

例句 这个婴儿很健康。|用奶粉喂婴儿。|李先生为即将出生的孩子买了一张婴儿床。

【樱花】 yīnghuā 〔名〕
❶ 落叶乔木,花白色或粉红色。原产日本。(oriental cherry)常做主语、宾语、定语。[量]棵。

例句 公园里有一片樱花。|樱花开花的时候非常漂亮。|樱花的花期很短。

❷ 这种树的花。(cherry blossom)常做主语、宾语、定语。[量]朵。

例句 樱花开了,满眼都是白色的、粉色的花。|每年春季日本人都要去赏樱花。|樱花的香气不大,却非常好看。

【鹰】 yīng 〔名〕
一种凶猛的鸟类,上嘴像钩子,有长而尖利的爪。(hawk;eagle)常做主语、宾语、定语。[量]只。

例句 鹰主要捕食各类小动物。|天上飞着一只鹰。|人们常用鹰来比喻那些志向远大或态度强硬的人。|鹰的目光很锐利,从高空就能看清地面上的猎物。

【迎】 yíng 〔动〕
❶ 意义同"迎接"。(greet; welcome)常做谓语,也用于构词。

词语 欢迎 迎接 迎新

主人热情地把我们迎进屋里。|刘老师不认识这儿,我去迎迎。|你看那车队,是迎亲的。

❷ 对着、冲着。(move towards)常做谓语。

例句 我们必须迎头赶上。|五星红旗在空中迎风飘扬。|我们迎着困难前进。

【迎接】 yíngjiē 〔动〕
到某个地方去陪同客人等一起来;面对;承受。(meet;greet)常做谓语、定语。

例句 我要去机场迎接客人。|主人走到离家很远的地方迎接我们。|人们兴高采烈地迎接新年。|把客人迎接到宾馆后,紧接着举行了欢迎宴会。|迎接地点改在站前广场西侧。

【迎面】 yíng miàn 〔动短〕
冲着脸。(head-on;in one's face)常做状语。

例句 北风迎面刮着,冻得我发抖。

|我正往市场走,迎面碰上一个朋友。|还没到地方,迎面已飘来阵阵清香。

【盈】 yíng 〔动〕

❶ 充满。(be full of)常用于构词。

词语 充盈 丰盈 恶贯满盈 车马盈门

例句 房间里充盈着愉快的笑声。|结婚那天,真是车马盈门,热闹极了。

❷ 多出来,多余。(have a surplus of)常用于构词。

词语 盈利 盈余 盈亏

例句 实行科学种田的农民不仅摆脱了贫困,还有不少盈余。

【盈利】 yínglì 〔动/名〕

〔动〕获得利润。(gain)常做谓语。

例句 今年工厂盈利上千万元。|这样干下去,不会盈利。

〔名〕企业单位的利润。(profit)常做主语、宾语、定语。

例句 盈利主要用在发展生产和发放奖金上。|公司用部分盈利资助失学儿童。|全年的盈利指标已经提前实现了。

【营】 yíng 〔动/名〕

〔动〕想办法求得;管理。(seek; operate)常用于构词,或用于固定短语中。

词语 营救 经营 钻营 私营 国营 营私舞弊 公私合营

例句 经过三个小时营救,所有遇险者都获救了。|现在私营企业越来越多了。

〔名〕❶ 军队的驻地。(camp; barracks)常用于构词或用于固定短语中。

词语 营房 安营 步步为营

例句 俗话说:"铁打的营房,流水的兵。"

❷ 军队的编制单位,小于团,大于连。(battalion)常做主语、宾语、定语。[量]个。

例句 敌人的三个营都被我们消灭了。|二营目前正在训练。|这次战斗损失了一个营。|两个营的人力恐怕也不够。

【营养】 yíngyǎng 〔名〕

❶ 为了有机体的生长发育从外界吸取需要物质的作用。(nutrition)常做主语、定语、宾语。

例句 这孩子是不是营养不良?|要关心老年人的营养补充。|不注意营养容易得病。

❷ 养分。也比喻对人的精神生活有良好作用的影响。(nourishment)常做主语、宾语、定语。

例句 水果的营养很丰富。|少吃些没多少营养的方便面。|蔬菜、牛奶、水果都很有营养。|我从这些书里吸取了丰富的营养。|豆类的营养价值很高。

【营业】 yíngyè 〔动〕

(商业、服务业、交通等部门)开始经营。(do business)常做谓语(不带宾语)、宾语、定语。

例句 那家商店今天不营业。|才营业一天,就挣了两万多块。|你们每天几点营业?|你们公司有哪些营业项目?

【蝇头小利】 yíng tóu xiǎo lì 〔成〕

微小的利益。(a petty profit)做主语、宾语。

例句 蝇头小利蒙蔽了他的眼睛。|不要贪图蝇头小利。|我们起早贪黑,不过赚些蝇头小利。

【蝇子】 yíngzi 〔名〕

苍蝇。(fly)常做主语、宾语、定语。

[量]只。

例句 屋子里,一只蝇子飞来飞去。|我打死了两只蝇子。|这是蝇子卵,以后会变成小蝇子。

【赢】 yíng 〔动〕

❶ 胜利。(win;beat)常做谓语、补语、主语。

例句 我和他打赌,结果我赢了。|这场战争谁能赢?|我们的球队打赢了。|赢了当然好,输了也不可怕。

❷ 获利。(gain)常用于构词。

词语 赢利 赢余

例句 开业不久,就开始赢利了。

【赢得】 yíngdé 〔动〕

取得。(win;gain)常做谓语(带宾语)。

例句 整场表演赢得了阵阵掌声。|他这一个投球赢得了全场的喝彩。|这位小伙子终于赢得了姑娘的心。|我们赢得了胜利。

【影】 yǐng 〔名〕

❶ 意义同"影子"。(shadow,reflection)常用于构词,也做主语、宾语(常说"影儿")。[量]个。

词语 树影 倒影 阴影 人影 影子

例句 A:你找到了吗? B:我找了一大圈,连个影儿也没找到。|随着太阳渐渐落下去,影儿也越来越长了。|他看见了自己映在水里的影儿。

❷ 照片。(picture;photo)常做主语、宾语。[量]个。

例句 去长城没带相机,连个影儿也没留下。|来,我们合个影吧。|人们都想在这里留个影儿。

❸ 电影。(film;movie)常用于构词。

词语 影迷 影片 影视 影星 影院

例句 这位影星有不少影迷。|现在的影视节目你喜欢什么?

【影片】 yǐngpiàn 〔名〕

❶ 用来放映电影的胶片。(film)常做主语、宾语。[量]盘。

例句 影片没到,只好推迟放映。|取影片的还没回来。

❷ 放映的电影。(movie)常做主语、宾语、定语。[量]部。

例句 这些科教影片很受欢迎。|最近我看了一部新影片,是反映企业改革的。|这部影片的主题和艺术手法都相当好。

【影响】 yǐngxiǎng 〔动/名〕

〔动〕对别人的思想或行动起作用。(affect;influence)常做谓语。

例句 他们打了一夜扑克,实在影响我休息。|别玩了,会影响学习的。|房子离路这么远,有一点儿声音也不会影响到你。|父母的言行会影响孩子的成长。

〔名〕对人或事物所起的作用。(effect;influence)常做主语、宾语。[量]个,种。

例句 父母的影响对孩子的成长很重要。|他到处说别人的坏话,影响不好。|她爱好音乐是受家庭的影响。|你说这话要考虑影响。

【影子】 yǐngzi 〔名〕

❶ 物体上的形象;镜中、水面等反映出来的物体的形象。(shadow;reflection)常做宾语、主语。[量]个。

例句 窗户外闪过一个人的影子。|一看地上的影子就知道已经是中午了。|小狗看见自己镜子里的影

子,以为是另一只狗,狂吠起来。|树叶的影子映在窗帘上。

❷ 模糊的形象。(trace;sign)常做主语、宾语。

例句 那件事我连点儿影子也记不得了。|我仿佛看见了他的影子。

【应】 yìng 〔动〕

❶ 回答,同意。(answer; respond)常用于构词。也做谓语。

词语 答应 呼应 应承 响应 一呼百应

例句 我求他的事,他一口应了下来。

❷ 满足要求、允许、接受。(comply with;grant)常用于构词,也做谓语。

词语 应聘 应邀 应征

例句 美国总统应邀来到中国访问。|有求必应是他为人的特点。|我应朋友的邀请去参加她的生日晚会。

❸ 顺从,适合。(suit; respond to)常用于构词。

词语 顺应 适应 应时 应景

例句 后来事情的发展都应了你的话了。|你别走,在这里应个景儿吧。

❹ 对付。(deal with; cope with)常用于构词或用于固定短语中。

词语 应变 应急 应付 应对 应接不暇

例句 由于交通堵塞十分严重,不得不采取应急措施。|开业那天,张经理迎来送往,应接不暇。

【应酬】 yìngchou 〔动/名〕

〔动〕交际往来;友好相待。(have social intercourse with; treat with courtesy)常做谓语、宾语、定语。

例句 如果客人来了,你先去应酬一下。|这么多人,我有点儿应酬不过来。|在官场上做事,要学会应酬。|我不善于应酬,遇到这种场合不知怎么办好。|这只是一些应酬话,别当真。

〔名〕指社交需要的宴会。(a social engagement)常做宾语、主语。[量]个。

例句 今晚,我有个应酬。|应酬太多了,几乎天天都有。

【应付】 yìngfu 〔动〕

❶ 对人或事物采取措施、办法。(deal with;cope with)常做谓语、宾语。

例句 我一个人应付这么复杂的事情恐怕不行。|这种场面她应付自如。|放心吧,一切由我应付。|考试快到了,我也要应付应付。

❷ 不认真,表面上对付;勉强将就。(do sth. perfunctorily; make do)常做谓语、定语、宾语。

例句 这么做只是为了应付上级检查。|你别老应付我,到底行不行?|你去跟他说说,把他应付走。|这身衣服参加舞会恐怕应付不过去。|他这个人就喜欢应付,向来不认真。|时间来不及了,快想个应付的办法吧。

【应聘】 yìngpìn 〔动〕

接受聘请。(accept an offer of employment)常做谓语。

例句 公司只招收一名职员,却有几百人前来应聘。|这个岗位没有人应聘。

【应邀】 yìngyāo 〔动〕

接受邀请。(on invitation; at sb's invitation)常做状语。

例句 朋友今天结婚,我们应邀去

参加婚礼。|中国领导人应邀出访亚洲四国。|有不少知名学者应邀出席这次讨论会。

【应用】 yìngyòng 〔动〕

❶ 使用。(apply;use)常做谓语。

例句 这种方法应用得最普遍。|由于应用了新技术,产品质量明显提高。

❷ 直接用于生活或生产的。(applied)常用于构词或用于短语中。

词语 应用文 应用语言学 应用科学 应用技术

例句 写作文可以从写应用文开始。|近年来,应用科学得到了较快的发展。

【映】 yìng 〔动〕

因光线照射而显出物体的形象。(reflect;mirror;shine)常做谓语。

例句 夕阳映着群山。|湖边的大厦倒映在水中。|炉火把他的脸映得通红。

【硬】 yìng 〔形/副〕

〔形〕❶ 物体受外力作用时不容易改变形状。(hard;stiff;tough)常做谓语、定语、补语,也用于构词。

词语 坚硬 硬币 硬化 硬度 硬件 硬卧

例句 这木头比石头还硬。|这饭太硬了,没法吃。|我不喜欢睡硬床。|面包放了好几天,变得又干又硬。

❷ (性格)刚强;(意志)坚定;(分量)重。(strong; firm; obstinate)常做谓语、定语、补语、宾语。

例句 不管怎么劝,她嘴还是那么硬。|这是一项硬规定,每个人都得遵守。|他是一条硬汉子。|人家话说得很硬。|李嫂可是吃软不吃硬。

❸ (能力)强;(质量)好。[good (quality);able (person)]常做谓语、定语、补语。

例句 这个牌子硬得很,常常买不到。|工作上他是很硬的骨干。|我们需要一位技术过硬的人。

〔副〕❶ (态度)坚决;固执(hard;tough)做状语。

例句 我不想参加,几个朋友硬把我拖了去。|不让他学,他硬要学。|如果硬不告诉她,她会生气的。

❷ 勉强。(manage to do sth. with difficulty)做状语。

例句 我看你身体不太好,别硬撑着上班了。|看样子,硬干可能会损坏机器。|她俩有矛盾,别硬分在一组。

【硬件】 yìngjiàn 〔名〕

❶ 构成计算机的各个部件和装置的统称。(hardware)常做主语、宾语、定语。[量]种。

例句 计算机的硬件没问题,还需要一些软件。|硬件还不完全配套。|我又买了几种硬件。

❷ 比喻生产、科教等需要的场所、设备等。(hardware)常做主语、宾语、定语。[量]种。

例句 软件有了,硬件也要齐全。|学校的硬件不错,不知教师队伍怎么样?|我们正在引进新生产线,以加强硬件。|他们投巨资改善了工厂的硬件条件。

【哟】 yo 〔叹/助〕

〔叹〕表示轻微的惊叹。(*expressing slight surprise*)用于句首。

例句 哟,你踩我的脚了!|哟,是你呀!我都没认出来。|哟,都几点了,你还不起床?

〔助〕表示祈使语气。(*used at the end of a sentence to indicate the imperative mood*)用于句末。

例句 大家一起用力拉哟!|这可怎么办哟!

【拥】 yōng 〔动〕

❶ 抱,围着。(hug; gather around)常做谓语或用于固定短语中。

例句 奶奶拥着孙子坐在火炉前。|同学们拥着老师走了出来。

❷ 人群挤着走。(crowd; throng; swarm)常做谓语。

例句 门一开,人们一拥而入。|人群不断地往前拥着。|话音刚落,大伙儿一下子拥了过去。

❸ 赞成并支持。(support)常用于构词或用于固定短语中。

词语 拥军优属 拥戴 拥护 拥政爱民

例句 每年春节前夕,地方的拥军优属和部队的拥政爱民活动都搞得非常热烈。

【拥抱】 yōngbào 〔动〕

为表示亲热友好而抱住对方。(embrace; hug)常做谓语、主语。

例句 父亲拥抱着儿子,半天没说一句话。|一下飞机,他就与前来迎接的老朋友拥抱在一起。|让我们张开双臂拥抱这美丽的大自然。|母亲的拥抱给了我无限的温暖。

【拥护】 yōnghù 〔动〕

对政策、领袖和党等表示赞同并全力支持。(support; uphold; endorse)常做谓语、定语、宾语。

例句 人们都拥护这个新政策。|大家都拥护他当校长。|如果你不拥护我们的决定,可以提出不同意见。|这个办法非常好,群众拥护得很。|现在拥护的人越来越多了。|改革开放的方针得到了全中国人民的拥护。

【拥挤】 yōngjǐ 〔动/形〕

〔动〕(人或车、船等)挤在一起。(be crowded; be packed)常做谓语、定语。

例句 桥上拥挤着来往的人群。|路被拥挤得水泄不通。|拥挤着的人群渐渐散了。

〔形〕地方小而人或车、船等多。(crowded)常做谓语、定语、补语。

例句 这个市场什么时候都是这么拥挤。|候车室里太拥挤了。|一到节日,公园里到处都是拥挤的人群。|这里坐得太拥挤了。

【拥有】 yōngyǒu 〔动〕

领有、具有(大量的土地、人口、财产、权力等)。(have; possess; own)常做谓语。

例句 中国拥有丰富的地下资源。|尽管他拥有很大的权力,但却从不以权谋私。|我们图书馆拥有的大都是科技类图书。

辨析 〈近〉具有。"拥有"主要用于具体的人或东西,也可用于抽象事物;"具有"只用于抽象的事物,一般不用于人。如:* 这件事拥有深远的意义。("拥有"应为"具有")

【庸】 yōng 〔素〕

平凡;不高明;没有作为。(commonplace; inferior; second-rate)用于构词。

词语 平庸 庸才 庸医 中庸 庸俗 庸庸碌碌

例句 尽管他能力平庸,却当上了局

长。|我不愿意庸庸碌碌过一辈子。

【庸俗】 yōngsú 〔形〕

言行不高尚。(low; vulgar; philistine)常做谓语、定语、补语、状语。

例句 这些言情小说太庸俗了,庸俗得让人无法相信是名家的作品。|有些录像内容庸俗得很。|你别跟这种庸俗的人在一起。|个别演员的表演太庸俗了。|不能这么庸俗地看问题。

【永垂不朽】 yǒng chuí bù xiǔ 〔成〕

(姓名、事迹、精神等)永远流传,不会消失。(be immortal; sb.'s memory will live forever)常做谓语、定语。

例句 这种舍己救人的精神永垂不朽。|人民英雄永垂不朽。|在人民心中,他是一位永垂不朽的伟人。

【永久】 yǒngjiǔ 〔形〕

永远;长久。(permanent; perpetual)常做定语、状语。

例句 我把这张照片作为永久的纪念。|几个国家在南极建立了永久基地。|爱情故事是永久的话题。|要永久地保持现状是不可能的。

【永远】 yǒngyuǎn 〔副〕

时间长久,没有结束的时候。(always; ever; forever)做状语。

例句 祝你永远年轻!|学习永远没有止境。|我会永远地记住这一天。

【勇】 yǒng 〔形〕

意义见"勇敢"。(brave)常用于构词或用于固定短语中。

词语 勇敢 奋勇 勇武 勇于 英勇 有勇有谋 智勇双全

例句 要勇于自我批评。|我方球员越打越勇。

【勇敢】 yǒnggǎn 〔形〕

不怕危险和困难;有胆量。(brave)常做谓语、定语、状语、补语。

例句 这孩子真勇敢。|登山运动需要勇敢精神。|解放军战士勇敢地跳入洪水,抢救百姓。|救火的人个个都表现得很勇敢。

【勇气】 yǒngqì 〔名〕

不怕任何危险和困难的精神。(courage)常做主语、宾语。[量]个,种。

例句 这时候他的勇气不知跑到哪里去了。|A:你怎么不参加汉语演讲比赛? B:我可没有勇气在那么多人面前讲话。|你要有勇气承认自己的错误。|小姜终于鼓起勇气向她求婚了。

【勇士】 yǒngshì 〔名〕

有力气有胆量的人。(a brave and strong man)常做主语、宾语、定语。[量]个。

例句 勇士们终于登上了世界最高峰。|政府表扬了这三位勇士。|勇士的英名永存。

【勇往直前】 yǒng wǎng zhí qián 〔成〕

勇敢地一直向前进。(march forward courageously; advance bravely)常做谓语、定语。

例句 我们不怕困难,会勇往直前。|读着这封信,仿佛能感到一种不畏险阻、勇往直前的气概。

【勇于】 yǒngyú 〔动〕

在困难面前不退缩不推诿。(have the courage to)常做谓语。

例句 新队长在工作上勇于开拓。|我们要勇于跟违法现象进行斗争。|由于勇于承认错误,他得到了大家谅解。

【涌】 yǒng 〔动〕
水或云气冒出；从水或云气中冒出；比喻出现。(gush; well; pour; emerge; rise; surge)常做谓语。
例句 水从泉眼中不断地涌出来。|一提起失散的女儿，母亲便泪如泉涌。

【涌现】 yǒngxiàn 〔动〕
(人或事物)大量出现。(emerge in large numbers)常做谓语。
例句 新时期涌现出大批优秀人才。|今年以来，好人好事不断涌现。|当时的情景经常在我脑海里涌现。

【踊跃】 yǒngyuè 〔形〕
情绪热烈，争着做。(eagerly; enthusiastically)常做谓语、状语、补语。
例句 这次招聘，报名很踊跃。|同学们都踊跃报名参加比赛。|活动中，大家表现得十分踊跃。

【用】 yòng 〔动/名〕
〔动〕❶ 使人或物为某种目的服务。(use)常做谓语、定语，也用于构词。
词语 用具 用法 使用 用品 利用
例句 买这套衣服用了不少钱吧？|这信是用毛笔写的。|他用行动来证明自己是对的。|这种软件你会用吗？|把你的伞借我用用。|我用了很长时间才学会开车。|用过的碗筷洗后要消毒。
❷ 需要。(need)常做谓语。
例句 A：用不用把他请来？B：我看不用吧。|屋里还挺亮，不用开灯。|只有二百斤大米，用得上一辆车吗？|用不了半小时，饭就做好了。
❸ 吃；喝(礼貌用语)。(eat; drink)常做谓语。
例句 请您用菜。|用完餐后请到客厅里休息。|请慢用。
〔名〕用处，效果。(usefulness)常做宾语、主语。
例句 这本书先留着，可能以后还有用。|你再说也没用，我们已经决定了。|这种东西一点儿用也没有。|我提过了，可什么用也没有。

【用不着】 yòng bu zháo 〔动短〕
不需要。(not need; have no use for)常做谓语、定语。
例句 这种事用不着我。|A：我来帮你吧！B：用不着。|用不着的东西都收起来吧。

【用处】 yòngchu 〔名〕
人或物起作用的地方。(use; good)常做主语、宾语。[量]个，种。
例句 雨伞的另一个用处是防晒。|我觉得找家教用处不太大。|这本字典对学习汉语有用处。|A：把这些旧书都扔了吧。B：我看别扔，以后可能会有用处。

【用法】 yòngfǎ 〔名〕
使用的方法。(usage; use)常做主语、宾语。[量]个，种。
例句 这种洗衣机的用法很简单。|用法看说明书就明白了。|不了解用法不能随便用。

【用功】 yòng gōng 〔动短/形〕
〔动短〕努力学习。(work hard; study diligently; be studious)常做谓语(不带宾语)，中间可插入成分。
例句 平时多用点儿功，考试就不难了。|妈妈劝儿子要用功读书。|别用功了，出去玩一会儿吧。

〔形〕学习很努力。(hardworking; diligent; studious)做谓语、定语。

例句 这孩子特别用功，门门功课都是优。|班里用功的学生比较多，也有不用功的人。

【用户】 yònghù 〔名〕

指某些设备、商品的使用者或消费者。(user; consumer)常做主语、宾语、定语。[量]个。

例句 用户们对这种产品不太满意。|(厂商的口号)用户就是上帝。|他是我们的一个用户，买了我们厂的车。|厂家非常注意听取用户的意见。

【用具】 yòngjù 〔名〕

日常生活、生产等使用的器具。(utensil; apparatus)常做主语、宾语、定语。[量]件，套。

例句 你需要的全套用具都在这儿。|买了新房，得添置几件厨房用具。|这些测量用具的价格太高了。

【用力】 yòng lì 〔动短〕

用力气；使劲。(put forth one's strength; exert oneself)常做谓语、主语，中间可插入成分。

例句 不用力恐怕搬不动。|我用尽全力也不行。|如果再用点儿力瓶盖就会打开。|由于用力过大，把工具弄坏了。

【用品】 yòngpǐn 〔名〕

使用的物品。(articles for use)常做主语、宾语、定语。[量]件，种。

例句 这家店各种用品应有尽有。|体育用品的质量越来越好。|A:你又跑回去拿什么？B:我得带一些洗漱用品。

【用途】 yòngtú 〔名〕

发挥作用的方面或范围。(use)常做主语、宾语。[量]种。

例句 这套工具的用途很多。|这种录音机只有两种用途。|我来介绍一下新材料的用途。

辨析 〈近〉用处。"用处"用于人，也可用于事物；"用途"只用于事物，多用于书面语。如：* 人老了就没有用途了吗？("用途"应为"用处")

【用心】 yòng xīn 〔动短〕

集中注意力。(attentively; diligently; with concentrated attention)常做谓语、状语。中间可插入成分。

例句 当时要是多用点儿心，就不会出问题。|这孩子做什么事都不用心。|你要用心学习，才能考上大学。

▶"用心"也做名词，指心思、想法。如：有些人就是别有用心。|这么做真是用心良苦。

【用意】 yòngyì 〔名〕

怀着心思想法。(intention; purpose)常做主语、宾语。[量]个，种。

例句 这种用意是好的，但效果不理想。|我的用意不过是提醒大家一下。|她马上就明白了我的用意。

【优】 yōu 〔形〕

❶ 非常出色；美好。(outstanding; excellent)常用于构词或用于短语中。

词语 优异 优美 优良 优点 优秀 品学兼优 质优价廉 优胜劣汰

例句 我从小学到大学一直是优等生。|我们的产品质优价廉。

❷ 给予好的待遇。(give preferential treatment)常用于构词。或用于固定短语中。

词语 优待 优惠 拥军优属

例句 市里规定，65岁以上的老年人可以得到优惠服务。

【优点】 yōudiǎn 〔名〕

好处；长处。(merit; strong point; good point)常做主语、宾语。[量]个。

例句 这种产品优点很多。|老实、勤快是他的两个优点。|这种设计有很多优点。

【优惠】 yōuhuì 〔形〕

(待遇)比一般的好。(preferential; favourable)常做定语、谓语。

例句 多买价格优惠。|如果你到我们公司的话，待遇可以优惠。|我们可以按最优惠价格出售给你们。|国家对外商投资给予了优惠条件。

【优良】 yōuliáng 〔形〕

(品种、质量、成绩等)十分好。(fine; good)常做谓语、定语。

例句 这些棉花品种优良。|我从老市长身上看到了老一辈的优良传统。

【优美】 yōuměi 〔形〕

十分美好。(graceful; fine)常做谓语、定语、补语。

例句 我们学校的环境很优美。|她舞姿优美极了。|诗人用优美的语言抒发了对大自然的热爱。|她演唱了一首优美的民歌。|坚持锻炼，可以使体形变得更优美。

【优胜】 yōushèng 〔形〕

成绩优秀，超过别人。(superior; winning)常做定语。

例句 这次比赛，我们代表队获得优胜。|优胜单位代表共18人出席了大会。|本次竞赛小李获得了优胜奖。

【优先】 yōuxiān 〔形〕

先得到某种待遇。(have priority; take precedence)常做谓语、状语、定语。

例句 (广告)本公司招聘公关人员，懂外语者优先。|成绩好的学生会优先录取。|我们要优先考虑那些大龄下岗工人。|根据法律，配偶等直系亲属在继承遗产方面有优先权。

【优秀】 yōuxiù 〔形〕

(品行、学问、成绩等)非常好。(outstanding; excellent)常做定语、谓语、补语。

例句 这些都是我们厂的优秀工人代表。|他写出了许多优秀的诗歌。|这篇文章非常优秀。|我由于成绩优秀，被保送上了大学。|在比赛中，她表现得十分优秀。

辨析 〈近〉优良。"优秀"比"优良"程度高；"优良"只用于事物，"优秀"可以指人，也可指事物。"优良"常用来形容"作风、传统、成绩、品种、质量、性能"等，"优秀"常用于人物、人材、成绩、作品、品质、事迹"等。如：* 她是优良的学生。("优良"应为"优秀")|* 继承艰苦奋斗的优秀传统。("优秀"应为"优良")

【优异】 yōuyì 〔形〕

特别好。(exceedingly good)常做定语、谓语。

例句 这次考试，他取得了优异成绩。|他门门功课都优异。|这台机器，性能优异。

【优越】 yōuyuè 〔形〕

优胜，优良。(superior; advantageous)常做谓语、定语。

例句 现在的孩子生活条件很优越。|我们的生活比落后地区优越得多。|有这么优越的学习环境，怎么能不好好学习呢？|我从来不靠父母优越的地位，全靠自己的努力。

【优质】 yōuzhì 〔形〕
质量优良。（high quality）常做定语、宾语。

例句 靠优质产品才能占领市场。|应当为顾客提供全方位的优质服务。|我们一定努力做到优质、周到、热情。

【忧】 yōu 〔动/名〕
〔动〕发愁，担心。（worry about）常用于构词或用于固定短语中。

词语 忧闷 担忧 忧伤 忧愁 忧虑 忧国忧民 杞人忧天

例句 到了晚年，这位老干部仍忧国忧民。

〔名〕使人发愁的事。（sorrow; anxiety; concern; care）常用于构词或用于固定短语中。

词语 忧患 高枕无忧 为国分忧 先天下之忧而忧

例句 虽然现在形势很好，但也要有一点儿忧患意识。|想办法帮助失学儿童是为国分忧的好事。

【忧虑】 yōulǜ 〔动〕
忧愁；担心。（be worried; be anxious; be concerned）常做谓语、宾语。

例句 我常常忧虑这件事。|那时，他曾忧虑过一阵。|别忧虑了，没什么可怕的。|我为母亲的病感到忧虑。

【忧心忡忡】 yōu xīn chōngchōng 〔成〕
心事重重，非常忧愁。（heavyhearted; care-lade; weighed down with anxieties）常做谓语、定语、状语。

例句 为了这件事，老王忧心忡忡。|实际上大多数居民并没有睡，正在度过一个忧心忡忡的长夜。|她忧心忡忡地问：“大娘，她们怎么还不回来呀？”。

【忧郁】 yōuyù 〔形〕
忧伤，苦闷。（sad; depressed; melancholy; dejected）常做谓语、定语、状语、补语。

例句 哥哥近来十分忧郁，不知是什么原因。|歌声听起来那么忧郁。|失恋后小李忧郁极了。|望着那忧郁的目光，我只能说些安慰的话。|母亲忧郁地说：“你爸的病又重了。”|一向开朗的她不知怎么变得忧郁起来。

【幽静】 yōujìng 〔形〕
非常雅致安静。（quiet and secluded; peaceful）常做谓语、定语、补语。

例句 公园里幽静极了。|这里环境幽静，很适合养病。|那儿有一片幽静的树林。|多么幽静、美丽的月夜啊！|树林里显得很幽静。

【幽默】 yōumò 〔形〕
有趣可笑而含义深刻。（humorous）常做谓语、定语、状语、补语、主语、宾语。

例句 我男朋友幽默极了。|别看他不爱说话，可说起话来却挺幽默的。|幽默的语言让人回味无穷。|老周幽默地告诉我，他得了“妻管严”。|这话说得真幽默。|他的幽默是众所周知的。|你认为他缺乏幽默，我可不这么认为。

【悠】 yōu 〔形〕
❶ 久、远；（remote in time or space）用于构词。

词语 悠久 悠扬

例句 草原辽阔，歌声悠扬。

❷ 闲。(leisurely)用于构词。

词语 悠闲 悠然

例句 游人悠闲地散步、赏花。

▶"悠"也做动词，指在空中摆动。如：姑娘们站在秋千上悠来悠去。|消防队员抓住绳子，用力一悠，就上了二楼。

【悠久】 yōujiǔ 〔形〕

年代久远。(long; age-old)常做定语、谓语。

例句 埃及的金字塔有着悠久的历史。|中国是一个文明古国，有着悠久的文化传统。|印度历史悠久。

【尤】 yóu 〔副〕

更；更加(particularly; especially)做状语。

例句 学习汉语发音，掌握声调尤为重要。|弟兄两个都有心脏病，而弟弟尤甚。|此地产水果，尤以桃子著称。

【尤其】 yóuqí 〔副〕

表示更进一步，更突出。(especially; particularly)常做状语。

例句 我喜欢音乐，尤其是中国古典音乐。|我们家人都爱运动，尤其是我爸爸。|这些书都不错，这一本尤其好。|你们的想法都不错，尤其是老张的想法，更有前瞻性。

【由】 yóu 〔介/动〕

〔介〕❶ 归，表示依靠。[(done) by sb.]常构成介宾短语做状语。引进动作的施行者。

例句 这个排球队由20名队员组成。|下午的会议由李主任主持。|去不去由你。|由你介绍公司章程。

❷ 表示方式、原因或来源。(because of; due to)常构成介宾短语做状语。

例句 A：查清是什么病了吗？B：是由感冒引起的肺炎。|这事由我而起，我要负责。|人大代表由选举产生。

❸ 从，表示处所、时间或发展变化范围的起点。(from)常构成介宾短语做状语。

例句 我们下午三点由学校出发。|由这儿去开发区坐轻轨只要三十分钟。|他由一名普通教师当上了校长。|由不懂到懂需要一个过程。|这本书由浅入深，写得好。

❹ 从，表示经过的路线、场所。(by; via; through)常构成介宾短语做状语。

例句 请观众由东门入场。

❺ 表示根据。(according to)常构成介宾短语做状语。

例句 由此看来，他对历史很有研究。|由结果可以知道试验方法是正确的。

〔动〕❶ 顺从、听从。(be up to sb.; rest with sb.)常做谓语。

例句 不能老由着她。|信不信由你。|A：小张住院了，你不去看看她吗？B：我倒想去，可工作太忙，身不由己呀。|这回可由不得你了。

❷ 经过。(pass through; go by way of)常用于构词或用于文言句式中。

词语 经由 必由之路

例句 这是上山的必由之路。

▶"由"也做名词，指原因。如：理由 事由

【由此可见】 yóu cǐ kě jiàn 〔动短〕

从这里可以看出来。(thus it can be seen)用于句中或句首作插入语。

例句 比赛中他只得了第六名，由此可见，还需要好好训练。

【由于】 yóuyú 〔介/连〕

〔介〕表示原因。(owing to; thanks to; as a result of; due to; in virtue of)常构成介宾短语做状语。

例句 由于工作关系，他常和外国人打交道。|许多人由于天气变化较大得了感冒。|由于资金不到位，施工停止了。

〔连〕因为。(because; since)用于复句的前一个分句中，常与"才，所以，因而、因此、以至"等配合使用。

例句 由于老师指导有方，同学们很快掌握了四个声调。|由于天气条件不好，所以飞机推迟了起飞时间。|由于情况复杂，因此需要时间调查。|由于管理不严格，以至产品质量总搞不上去。

【邮】 yóu 〔动/形/名〕

〔动〕寄，汇。(post; mail)常做谓语、定语、宾语。

例句 A：小姐，我要邮一个包裹。B：请您先填张邮单。|钱已经邮过去了。|上次邮的东西你们收到了吗？|有一封信我忘邮了。

〔形〕有关邮务的。(postal; mail)常用于构词。

词语 邮局 邮电 邮票 邮政 邮费 邮件 邮箱

〔名〕指邮票。(stamp)常用于构词。

词语 邮展 集邮 邮集

例句 邮展吸引了许多集邮爱好者。

【邮包】 yóubāo 〔名〕

通过邮局寄的包裹。(postal parcel)常做宾语、主语、定语。[量]个。

例句 昨天收到一个邮包。|毕业的时候，我要把这些东西打一个邮包寄回家去。|邮包太重了，花了我不少钱。|A：请问，您的邮包装的是什么？B：是一些干的海产品。|请在邮包外面写上收件人的详细地址。

【邮电】 yóudiàn 〔名〕

邮政、电信的合称。(post and telecommunications)常做定语。

例句 我要去邮电大厦寄钱。|我们这里办理各种邮电业务。

【邮购】 yóugòu 〔动〕

售货部门接到汇款后把货物寄给购货人。(mail-order)常做谓语、宾语、主语。

例句 您现在拿走，还是邮购？|所有书都可以邮购。|邮购省事。

【邮寄】 yóujì 〔动〕

通过邮局寄(post; send by post)常做谓语，也做定语。

例句 我邮寄给你。|邮寄的东西收到了。

【邮局】 yóujú 〔名〕

办理邮政业务的机构。(post office)常做宾语、主语、定语。[量]个，家。

例句 我父亲在邮局工作。|这里有一家邮局，我们进去看看。|邮局在马路对面。|邮局的营业时间应该长一点儿。

【邮票】 yóupiào 〔名〕

邮局发售的，贴在邮件上的表明已付邮费的凭证。(stamp)常做主语、宾语、定语。[量]张，枚，套。

例句 邮票贴在这儿。|你要纪念邮票吗？|邮票的种类很多，也很漂亮。

【邮政】 yóuzhèng 〔名〕

邮寄信件、包裹,办理汇兑,发行报刊等邮电业务。(postal service)常做定语。

例句 这里的邮政业务很全。|国内信封要写上邮政编码。

【犹】 yóu 〔动/副〕

〔动〕如同,像。(just as;like)用于固定短语中。

词语 过犹不及 虽死犹生

例句 他们虽死犹生。

〔副〕还,尚且。(still)用于固定短语中。也做状语。

词语 记忆犹新 困兽犹斗

例句 毕业前老师的嘱咐至今仍记忆犹新。|当时的情景犹在眼前。

【犹如】 yóurú 〔动〕

如同;好像。(just as;like;as if)常做谓语(带宾语)。

例句 听完这首乐曲,犹如喝了一杯沁人心脾的美酒。|走进灯会,犹如走进了灯的海洋。|夜晚的工地灯火通明,犹如白昼。|这一消息犹如晴天霹雳(pīlì)。

【犹豫】 yóuyù 〔形〕

拿不定主意。(hesitating;irresolute)常做谓语、定语、状语、补语。

例句 她站在那儿犹豫不定。|别犹豫了,快拿主意吧。|我犹豫了一下,还是同意了。|看你那犹犹豫豫的样子,真急死人了!|老板毫不犹豫地签了字。|他的眼神变得很犹豫。

【犹豫不决】 yóuyù bù jué 〔成〕

拿不定主意。(hesitate;remain undecided)常做谓语、定语、状语。

例句 A:该拿主意了,不要再犹豫不决了。B:不行,我们还应该仔细考虑一下。|这种犹豫不决的态度使他错过了一个极好的机会。|他犹豫不决地写上了"A",想了一想,又把它擦了,改成了"B"。

【油】 yóu 〔名/动/形〕

〔名〕动植物体内所含的脂肪或矿产的可燃液体。(fat;oil)常做主语、宾语。也用于构词。[量]滴,公斤,升。

词语 豆油 香油 猪油 黄油 汽油 石油 油田 油轮 油港 鞋油 油腻

例句 菜里油太多对身体不好。|我得给车加点儿油。

〔动〕❶ 用油漆等涂抹。(apply tung oil, varnish, or paint)常做谓语。

例句 把桌子油一下,不就和新的一样了吗?|这个柜子油得不好。

❷ 被油弄脏。(be stained with oil or grease)常做谓语、补语。

例句 窗帘被油了一块。|小心,别把衣服弄油了。

〔形〕待人处事不实在。(oily;glib)常做谓语、补语。

例句 这老家伙油得很。|别学得那么油,还是老实点儿好。

【油菜】 yóucài 〔名〕

❶ 一种草本油料作物,开黄花,种子可以榨食油。(rape)常做主语、宾语、定语。[量]棵。

例句 油菜开花时,遍地金黄。|我们村里种植了大面积的油菜。|油菜种子可以榨油,叫菜籽油。

❷ 普通蔬菜,略像白菜,叶子浓绿色。(green rape)常做主语、宾语、定语。[量]棵。

例句 一斤油菜多少钱?|今天晚上我们吃炒油菜。|油菜的味道有点儿像小白菜。

【油画】 yóuhuà 〔名〕

西洋画的一种,用含油的颜料在布或木板上画成。(oil painting)常做主语、宾语、定语。[量]幅。

例句 这幅油画价值连城。|我学过油画,但画得不好。|这幅油画的构思很独特。

【油料】 yóuliào 〔名〕

动植物油或从矿物中提取的油的总称。(oil)常做主语、宾语、定语。[量]公升,吨,种。

例句 油料不够了。|得节省油料。|大豆、油菜、花生等都是油料作物。

【油漆】 yóuqī 〔名/动〕

〔名〕泛指油类和漆类涂料。(paint)常做主语、宾语、定语。[量]公斤,桶,种。

例句 油漆干了。|这些家具恐怕需要一大桶油漆。|哪种油漆的质量比较好。

〔动〕用油或漆涂抹。(cover with paint;paint)常做谓语。

例句 把门窗油漆一下。|白油漆是油漆栏杆的。

【油腔滑调】 yóu qiāng huá diào 〔成〕

说话轻浮油滑,不诚恳。(glib)常做谓语、定语、状语。

例句 这人说话油腔滑调的,很难让人相信。|今天,总是油腔滑调的老石居然也一本正经地谈起工作来了。|他总是油腔滑调地跟同事们打招呼。

【油田】 yóutián 〔名〕

有大量石油的地带。(oilfield)常做主语、宾语、定语。[量]个,片。

例句 这片油田面积很大,储量丰富。|西部地区又发现了一个大油田。|油田管理局设在油田中心区。

【铀】 yóu 〔名〕

金属元素,符号U。有放射性,主要用于原子能工业。[uranium(U)]常做主语、宾语。

例句 铀有放射性,接触时需认真防护。|核燃料主要是铀。

【游】 yóu 〔动/形/名〕

〔动〕❶ 人或动物在水里行动。(swim)常做谓语。

例句 鱼儿在水里自由自在地游着。|你游得不错。|累是累,可我还想再游一会儿。

❷ 观光,闲逛。(rove around;saunter;stroll;travel;tour)常用于构词。

词语 游历 游玩 游园 游人 游览 游乐

例句 周末,公园里游人不少。

〔形〕不固定的。(moving about;roving;floating)常用于构词。

词语 游牧 游民 游击 游资

例句 草原上的游牧民族如今大都有固定的家。

〔名〕江河的一段。(part of a river;reach)常做语素构词。

词语 上游 中游 下游

例句 这条河流的中下游受到了污染。

【游击】 yóujī 〔动〕

对敌人进行分散的、无规律的攻击。(guerrilla warfare)常做定语、宾语。

例句 新四军在密林中进行游击战争。|参加纪念大会的有不少当年的游击队员。|A:那时候为什么要进行游击战呢?B:当时敌强我弱,只好到处打游击。

【游客】 yóukè 〔名〕

游览的人。(visitor; tourist)常做主语、宾语、定语。[量]个,名。

例句 旅游旺季时,游客如潮。|(广播)哪位游客丢了一个包,请到门口认领。|这个海滩浴场,每天要接待几千名游客。|我们经常听取游客意见,以便改进工作。

【游览】 yóulǎn 〔动〕

边走边看(名胜、风景)。(go sightseeing)常做谓语、定语、宾语。

例句 这次我们游览了黄山、泰山等地,非常尽兴。|我想利用暑假游览一下北京的名胜古迹。|咱们商量一下游览路线。|因为下雨,提前结束了游览。

【游人】 yóurén 〔名〕

游览的人。(visitor; tourist)常做主语、宾语、定语。[量]位。

例句 今天天气不好,游人不多。|动物园新来的大熊猫吸引了不少游人。|尽管下起了雨,游人的兴致还是很高。

【游戏】 yóuxì 〔名/动〕

〔名〕娱乐活动。如捉迷藏、猜灯谜等。(game)常做主语、宾语、定语。[量]个,种。

例句 有些游戏可以开发孩子的智力。|我们来做一个游戏吧。|游戏的规则你知道吗?

〔动〕玩耍。(play)常做谓语。

例句 几个孩子正在院里游戏。|年轻人千万不要游戏人生。

【游行】 yóuxíng 〔动/名〕

〔动〕广大群众为了庆祝、纪念、示威等在街上成队前进。(march; parade)常做谓语。

例句 兴奋的球迷一直游行到半夜。|愤怒的人们举着标语上街游行。

〔名〕游行活动。常做主语、宾语、定语。(demonstration; march; parade)[量]次。

例句 游行是谁组织的?|上午十点,人们在广场举行了示威游行。|路上,我们遇到了庆祝胜利的游行队伍。

【游泳】 yóu yǒng 〔动短〕

人或动物在水里游动。(swim)常做谓语、主语、宾语、定语,中间可插入成分。

例句 有几个孩子在河里游泳。|小王游泳游得真不错。|游一会儿泳,再洗个热水澡,舒服极了。|游泳可以减肥。|我六岁就学会了游泳。|游泳比赛进行了四天。

【游泳池】 yóuyǒngchí 〔名〕

人工建造的供游泳用的池子。(swimming pool)常做主语、宾语、定语。[量]个。

例句 这个游泳池是标准游泳池。|玛丽家有一个小游泳池。|游泳池的水必须定期消毒、更换。

【友】 yǒu 〔素〕

❶ 朋友。(friend)用于构词。

词语 女友 战友 老友 好友

例句 女友最近跟他分手了。|好友相见,特别亲热。

❷ 关系亲近的。(friendly)用于构词。

词语 友好 朋友 友情 友谊 友人 友军 友邦

例句 几十年的交往,两家结下了深厚的友情。|欢迎友队代表前来参观!

【友爱】 yǒu'ài 〔形/名〕

〔形〕友好、亲爱。(friendly)常做谓语、定语。

例句 大学四年,同学之间非常友爱。|这是一个团结、友爱的集体。

〔名〕友谊。(friendship;friendly affection;fraternal love)常做主语、宾语。

例句 友爱可以成为克服困难的力量。|我们需要友爱,离不开友爱。

【友好】 yǒuhǎo 〔形〕

关系亲近和睦(mù)。(friendly;amicable)常做谓语、定语、状语、补语。

例句 两个国家一直很友好。|以前他们友好极了,现在却变成了敌人。|我们要保持、发展这种友好关系。|建立友好学校的协议今天签字。|我跟邻居友好相处多年,从未发生过矛盾。|这次对方表现得很友好。

【友情】 yǒuqíng 〔名〕

友谊;朋友的感情。(friendship)常做主语、宾语、定语。[量]种。

例句 他的友情给了我坚持下去的力量。|他们俩在交往中结下了深厚的友情。|分别了十年,终于有机会坐在一起共叙友情。|他总是以友情为重,不计较个人得失。|分别的时候,才知道友情的珍贵。

【友人】 yǒurén 〔名〕

朋友。(friend)常做主语、宾语。[量]个,位。

例句 三百多位国际友人前来参加本届展览会。|欢迎各界友人。

【友谊】 yǒuyì 〔名〕

朋友间的交情。(friendship)常做主语、宾语、定语。

例句 祝我们的友谊地久天长!|这次交流会是为了加深友谊,促进合作。|学好汉语,架起友谊的桥梁。

辨析 〈近〉友情。"友谊"重在友好的关系;"友情"重在友好的感情。"友谊"常用于正式的、严肃的场合;"友情"则用于一般场合。如:* 愿我们的友情万古长青!("友情"应为"友谊")

【有】 yǒu 〔动〕

❶ 领有;占有;具有。(have; possess)常做谓语。

例句 我有一个姐姐,没有妹妹。|我有两本英汉词典。|这件事我也没有什么好办法。|我有事要和你商量。|还是请有经验的人干吧。

❷ 存在。(there is; exist)常做谓语。

例句 村子里有过一位百岁老人。|树上有两只喜鹊。|冰箱里有冷饮。|天气预报说,明天早上有大雾。

❸ 表示估计或比较。(*used in making an estimate or a comparison*)做谓语。

例句 儿子有妈妈高了。|这条河有三十米宽。|您有多大岁数了?|这场音乐会的观众有两千人。

❹ 发生或出现。(*used to indicate sth. appearing or occurring*)常做谓语。

例句 玛丽有病了。|我的成绩有了很大提高。

❺ 某;表示不定的人或事物。(*used with the meaning of "certain" or "some"*)常做定语。

例句 有一天,我在街上遇见了一位多年不见的老师。|好像有人动

过。|有时候,我也上网聊聊天。

❻ 表示客气。(*used before certain verbs in polite formulas*)用在某些动词的前面。

词语 有请 有劳

例句 这事就有劳老同学你帮忙了。

【有(一)点儿】 yǒu(yì)diǎnr 〔副〕
稍微;程度不高。指不理想和不如意的方面。(a little; somewhat)做状语。

例句 这孩子有点儿毛病。|天气有点儿冷了。|妈妈对我有点儿不放心。|我身体有点儿不舒服。

【有备无患】 yǒu bèi wú huàn 〔成〕
事先有准备就可以避免祸患。(where there is precaution, there is no danger; preparedness averts peril)常做谓语、宾语。

例句 A:今天天气很好,还带什么雨伞? B:有备无患嘛!|来不来是他的事,但我们要准备好,有备无患。|时间紧迫,为了有备无患,我们先来研究一下大体的部署吧。

【有待】 yǒudài 〔动〕
要等待。(remain; await)常做谓语(带宾语)。

例句 这个问题有待进一步研究。|西部地区有待我们去开发、建设。

【有的】 yǒude 〔代〕
人或事物中的一部分。(some)做主语、定语。

例句 我们班都去旅行了,有的去上海,有的去天津,还有的去香港。|菜有的不熟,有的不好吃。|有的人不喜欢这种舞蹈。|有的车是进口的。

【有的是】 yǒudeshì 〔动〕
强调很多。(have plenty of; there's no lack of)常做谓语。

例句 钱我有的是,就是找不到合适的投资对象。|大连我有的是朋友,有事都可以帮忙。|食品一条街上,吃的东西有的是。

【有的放矢】 yǒu dì fàng shǐ 〔成〕
对准靶子射箭。比喻言论、行动目标明确。(shoot the arrow at the target — have an object in view)常做谓语、定语。

例句 知道了问题所在,说话时就可以有的放矢。|针对这种情况,学校有的放矢,制定了一套新制度。|有的放矢的产品,才会有效益。

【有关】 yǒuguān 〔形/动〕
〔形〕有关系。(related; concerned; relevant; pertinent)常做定语。

例句 有关部门要调查这件事。|你要去找有关部门。|有关人士对记者发表了看法。

〔动〕关系到。(have something to do with; relate to conern)常做谓语。

例句 这件事据说和小张有关。|这笔生意有关我们公司的发展。|气候异常跟环境污染有关。

【有害】 yǒu hài 〔动短〕
有坏处。(be harmful to; do harm to)常做谓语、定语。

例句 我不知道这种物质有没有害。|吸烟对身体有害。|这种有害气体吸入人体,会诱发多种疾病。|总玩游戏机对青少年会产生有害的影响。

【有机】 yǒujī 〔形〕
❶ 含碳原子。(organic)常做定语。

例句 有机体是有生命的。|王教授是研究有机化学的。

❷ 指事物构成的部分密不可分，之间的关系像一个生物体一样。(organic)常做定语、状语。

例句 每一个观点都是文章的有机组成部分。|各部门构成了公司的有机整体。|怎么能把它们有机地联系在一起？

【有口皆碑】 yǒu kǒu jiē bēi 〔成〕

比喻丰功伟绩人人赞颂。(win universal praise; be universally acclaimed)常做谓语。

例句《儿童文学》出版以来，有口皆碑。|老百姓有口皆碑，称赞龙县长是个清官。

【有口无心】 yǒu kǒu wú xīn 〔成〕

嘴上爱说，但心里没什么。(be sharp-tongued but not malicious)常做谓语、主语、定语。

例句 丽丽这个人有口无心，说完就完了。|你别总是这样有口无心，把别人都得罪了，自己还不知道。|有口无心有时候不一定是坏事。|他是一个有口无心的人，别跟他生气了。

【有力】 yǒulì 〔形〕

有力量；分量重。(strong; forceful)常做谓语、定语、状语、补语。

例句 他的论文，论据充分，论证有力。|A：老师，我的修改稿您看了吗？B：看过了，文章修改后，比以前的有力得多了。|对这些犯罪行为，要采取有力措施予以打击。|这次实验有力地证明了我们的观点是正确的。|你这几句话说得特别有力。

【有利】 yǒulì 〔形〕

有好处，有帮助。(beneficial; favourable)常做谓语、定语、补语。

例句 情况的变化对我们很有利。|休渔有利于渔业生产。|条件对我们有利极了。|要利用现在的有利条件。|形势变得十分有利。

【有两下子】 yǒu liǎng xià zi 〔动短〕

有些本领。(have real skill; know one's stuff)常做谓语。

例句 你真有两下子！|这个人有两下子，活儿干得又快又好。|他很有两下子，中国菜做得特别好吃。

【有名】 yǒumíng 〔形〕

名字为大家所熟悉；出名。(famous; well-known)常做谓语、定语。

例句 这家饭店在这一带挺有名。|这儿因为有一座唐代的寺庙，所以才有名。|这个品牌有名得很。|队里来了一位有名的教练。|香港是世界有名的自由港。

【有名无实】 yǒu míng wú shí 〔成〕

光有虚名，实际上并不是那么好。(in name but not in reality; merely nominal — titular)常做谓语、定语。

例句 别看他是个教授，其实有名无实。|这家饭馆净是些有名无实的菜。|这些人中不乏有名无实之辈。

【有气无力】 yǒu qì wú lì 〔成〕

形容虚弱、没有精神。(weak; feeble)常做谓语、定语、状语、补语。

例句 她有气无力的，怎么能搬得动这个箱子？|看你有气无力的样子，是不是感冒了？|她有气无力地说："真对不起。"|大家已经饿得有气无力了。

【有趣】 yǒuqù 〔形〕

能引起人的好奇或喜爱。(interesting; amusing)常做谓语、定语、补语、宾语、主语。

例句 跟他聊天很有趣。|昨天我参加了一个聚会,有趣极了。|相比来说,我童年的生活比现在有趣得多。|书中有那么多有趣的故事。|今天晚上过得真有趣。|A:这些节目你觉得有趣吗?B:还行。|有趣不等于水平高,我没看好这个电影。

【有声有色】 yǒu shēng yǒu sè 〔成〕

有活力。(full of sound and colour; vivid and dramatic)常做定语、状语、补语、谓语。

例句 听到他有声有色的讲述,大家仿佛身临其境一样。|业余活动有声有色地开展起来了。|别看这些演员年龄不大,但演得有声有色。|小说的描写有声有色,情节又非常曲折,很吸引读者。

【有时】 yǒushí 〔副〕

有的时候。(sometimes)做状语。

例句 我们有时去图书馆上网。|尽管有时不懂,可还是坚持学下来了。

【有时候】 yǒu shíhou 〔动短〕

有的时候;某个时候。(sometimes)常做状语。

例句 有时候,我真想休息一下,但又怕老板发现。|我有时候不在家吃饭,去饭馆随便对付一下。|邻居有时候帮我一下,可我不愿意总麻烦人家。

【有始有终】 yǒu shǐ yǒu zhōng 〔成〕

形容能坚持到底。(carry sth. through to the end)常做谓语、定语、状语。

例句 我要有始有终,站好最后一班岗。|有始有终的人才能成功。|全队有始有终地圆满完成了任务。

【有限】 yǒuxiàn 〔形〕

❶ 有一定限度。(limited)常做谓语、定语。

例句 A:李主任,我们的事你就不能管一管?B:我的权力有限,不能什么事都管。|他把自己有限的休假时间都给了我。

❷ 数量不多,程度不高。(slender)常做谓语、定语。

例句 由于水平有限,论文可能会有许多不足。|靠有限的这么几个人,怎么能做完那么多工作?

【有效】 yǒuxiào 〔形〕

能实现目标的;有效果。(effective; efficatious; valid)常做谓语、定语、状语、补语、宾语。

例句 据说这种药比较有效。|您的签证一年内有效。|我试过了,这种方法有效得很。|政府正采取有效措施保护我们的环境。|这次行动,有效地打击了走私活动。|要想做得更有效,就要强化管理。|这种方法我认为有效。

【有些】 yǒuxiē 〔代/副〕

〔代〕有一部分;有的。(some)常做主语、定语。

例句 这班的学生,有些是参加工作后又来学汉语的。|有些人是我们请的,有些人是自己来的。

〔副〕表示程度不太高。(somewhat; rather)常做状语。

例句 我有些饿了。|看起来她有些难过。|他嘴上说没什么,心里肯定有些不快。

【有眼无珠】 yǒu yǎn wú zhū 〔成〕

比喻不能辨别事物的好坏、对错。(have eyes but see not; possess no true discernment)做谓语、定语。

例句 他痛恨自己有眼无珠，没有认清传销的本质。|您就是李县长？我真是有眼无珠。|这有眼无珠的家伙，竟然把我们当成了小商贩。

【有益】 yǒuyì 〔形〕

有好处。(useful; beneficial)常做谓语、定语。

例句 饭后散步有益于身体健康。|青年应当多读一些有益的书。|我老了，可还想做一些对人们有益的事情。

【有意】 yǒuyì 〔动/副〕

〔动〕有某种想法；愿意。(be disposed to; have a mind to)常做状语、谓语。

例句 领导有意让他去做，看看他的能力怎么样。|要是你有意帮我，就跟我一块儿去。|看样子，小伙子对这个姑娘有意。|我有意，可不知人家同不同意。

〔副〕故意。(purposely; deliberately)做状语。

例句 他总是有意给我们制造麻烦。|你这不是有意害我吗？|如果有意隐瞒事实真相，是要负法律责任的。

【有意思】 yǒu yìsi 〔动短〕

❶ 有意义的。(significant; meaningful)常做谓语、定语、补语，中间可插入成分。

例句 他这份计划有点儿意思，我们回去再好好琢磨一下。|你能不能讲点儿有意思的话题？|这话说得很有意思。

❷ 有趣。(interesting; enjoyable)常做谓语、定语、补语。

例句 老爷爷的故事生动、有意思，很吸引人。|晚会上演了几个有意思的节目。|李老师讲得很有意思。|你觉得没意思，我倒觉得有点儿意思。

【有用】 yǒu yòng 〔动短〕

可以利用；有用处。(valuable; useful)常做谓语、定语，中间可插入成分。

例句 这本书很有用。|你要去比赛，拿这么多衣服有什么用？|我想给孩子买一个有用的礼物。

【又】 yòu 〔副〕

❶ 表示重复、继续或反复交替。(again)做状语。

例句 孩子刚喝了一杯果汁，现在又要喝可乐。|过两天又是星期六了，孩子们都要回来过周末。|一天又一天，一年又一年，就这样三年过去了。|他把女朋友的照片拿出来，看了又看。

❷ 表示几种情况同时存在。(*indicating simultaneous existence of more than one situation or property*)做状语。

例句 他刚从北京回来，又去了上海。|她又想去，又不想去，拿不定主意。|张总既是厂长，又是高级工程师。|这孩子又聪明又漂亮，谁都喜欢。|她是一个好妻子，又是一位好母亲。

❸ 表示转折，或加强否定、反问语气。(*indicating contrary actions or ideas*)做状语。

例句 我早就想告诉你，又怕你听了伤心。|我有很多的话，可又不知从何说起。|没有钱又有什么关系？|早就想找您，可又不敢来。|你又怎么了，为什么不高兴？

❹ 补充说明原因。(also; in addition)

例句 你年纪大了，身体又不好，干脆退休吧。|天黑了，路又滑，路上小心点儿。|老朋友都来了，你又没什么要紧事，吃了饭再走吧。

❺ 表示整数之外再加零数。(indicating an odd number in addition to a whole number)

例句 $3\frac{1}{2}$应读做三又二分之一。|他去了一年又两个月。

辨析 〈近〉再。"又"常用于已经完成了的；"再"常用于还没完成的。如：* 明天又说吧。("又"应为"再")|* 我再看见你了！("再"应为"又")

【右】 yòu 〔名/形〕

〔名〕面向南面时，靠西的一面。(the right side; west)常用于构词，也做主语、宾语。

词语 右边 右面 右手 右上角

例句 右是这边，那是左边。|这是左，那是右。

〔形〕保守的；反动的。(conservative; reactionary; the Right)常用于构词，也做谓语。

词语 右倾 右派 右翼分子

例句 这种观点有点儿右了。|那个人一贯右得很。

【右边】 yòubian 〔名〕

靠右的一边。(the right side; the right)常做主语、宾语、定语、状语。

例句 街道右边有几家小商店。|A：你说的那本书在哪儿？B：在右边。|你走右边，我走左边。|右边那家饭店的菜很好吃，左边那家的不太好。|我右边这只眼睛近视。|各位游客，请右边上船。

【幼】 yòu 〔形/名〕

〔形〕年纪小。(young)常用于构词。

词语 幼小 幼儿 幼稚 幼虫 幼年

例句 早在幼年时起，她就开始学习音乐了。

〔名〕小孩。(children; the young)常用于固定短语中。

词语 扶老携幼 老幼皆宜 男女老幼

例句 听说艺术团来演出，十里八村的男女老幼一大早就来到现场。|蜂蜜是老幼皆宜的食品。

【幼儿园】 yòu'éryuán 〔名〕

对上小学前的儿童进行教育的机构。(kindergarten; nursery school)常做主语、宾语、定语。[量]所，家。

例句 幼儿园一般只收三岁到五岁的孩子。|我们社区又新建了一所幼儿园。|这家幼儿园的教学水平比较高。|幼儿园的老师工作很辛苦。

【幼稚】 yòuzhì 〔形〕

❶ 年纪小。(young)常做谓语、定语、补语。

例句 你还小，太幼稚，有些事你不明白。|那个小孩真可爱，幼稚的小脸红通通的。|这本书在我幼稚的心里留下了深深的烙印。

❷ 形容头脑简单、缺乏经验。(childish; naive)常做谓语、定语、状语、补语、宾语。

例句 你的想法太幼稚了，根本不可能实现。|他们的经验不足，还比较幼稚。|这个问题幼稚极了。|你怎么想得这么幼稚，竟然幼稚地提这样的问题？|他的发言大家感到很幼稚。|这个办法你也许觉得幼稚。

【诱】 yòu 〔动〕

❶ 引导。(guide; lead; induce)常用于构词或用于固定短语中。

词语 循循善诱 诱导

例句 经过循循善诱的帮助，小王终于认识了错误。

❷ 使用手段引人顺从自己的意愿。(lure; seduce; entice)常用于构词或用于文言格式中。

词语 诱惑 引诱 诱敌深入

【诱惑】 yòuhuò 〔动〕

❶ 使用手段，使人认识模糊而做坏事。(entice; tempt; seduce; lure)常做谓语、定语、宾语、主语。

例句 坏人诱惑孩子去偷东西。|金钱、美女都诱惑不了他。|一些人因为受到诱惑，开始吸毒。|他们采取诱惑的手段使领导干部跟他们一起犯罪。|金钱的诱惑使一些人走了上了犯罪道路。

❷ 吸引、招引。(attract; allure)常做谓语。

例句 窗外迷人的景色诱惑着我。|即使是球场上热闹的喊声也诱惑不了他。

【于】 yú 〔介/尾〕

〔介〕❶ 在(表示时间、范围等)。(in; on; at)常构成介宾短语做状语、补语。

例句 中华人民共和国于1949年10月1日成立。|货物已于昨日收到。|国际服装节昨天于大连开幕。|鸦片战争发生于1840年。|不断创新，我们就会立于不败之地。

❷ 向；对(表示对象或方向)。(indicating direction; with regard to; to)常构成介宾短语做状语、补语。

例句 目前的形势于我们有利。|A：你看我还能做些什么？B：事情已经发展成这样了，你再做什么也于事无补。|他没有办法了，只能求助于人。|他一生致力于生物科研工作。

❸ 自、从(表示处所、来源)。(from)常构成介宾短语做补语。

例句 黄河发源于青海省。|好成绩来源于勤奋。

❹ 比。(*indicating comparison*)常构成介宾短语作补语。

例句 她这次考试的成绩略高于我。|他们家的收入低于平均水平。

❺ 被。(*indicating the doer of an action*)常构成短语作补语。

例句 这篇文章恐怕要见笑于大方之家。|这场比赛力争不要负于对手，打平就行。

❻ 给(表示对象)。(to)常构成介宾短语作补语。

例句 他自己的错，偏要嫁祸于人。|我的这些成绩归功于老师的帮助。

〔尾〕用于构成动词或形容词。

词语 合于 在于 属于 至于 敢于 勇于 好于 难于 易于

【于是】 yúshì 〔连〕

表示后一事紧接着前一事，后一事情往往是由前一事件引起的。(so; then)用来连接复句的两个分句，可用于主语后或前。

例句 他本来不太满意，听我这么一说，于是接受了这个现实。|A：你俩怎么会成为朋友呢？B：刚到中国的时候，都是他帮助我，于是我们很快就成了好朋友。|病人越来越多，我们忙不过来，于是又请了几位大夫来。

【余】 yú 〔动/名/数〕

〔动〕剩下。(leave)常做谓语，也用于构词。

词语 余力 余晖 余地 余额 余热 余粮 残余 剩余

例句 去掉花销，还余五百元。|他的工资很低，每月除了吃饭，余下来的钱很少。

〔名〕指某种事情、情况以外或以后的时间。(beyond; after)常构成短语做状语。

例句 工作之余，我喜欢养养花，弹弹琴。|欢迎会上，兴奋之余，主人跟客人一起跳起了舞。

〔数〕大数或度量单位等后面的零头相当于“多、来”。(more than)常构成数量短语做句子成分。

例句 到场的有一百余人。|十余位代表就这个问题进行大会辩论。|三十余天，我都在船上工作。

【鱼】 yú 〔名〕

水中的主要动物，一般身侧扁，用鳃呼吸，是人类的主要食物。(fish)常做主语、宾语、定语。[量]条。

例句 鱼离不开水。|昨天，我在河里钓到一条好大的鱼。|我喜欢吃鱼。|鱼的种类很多，营养也很丰富。

【鱼目混珠】 yú mù hùn zhū 〔成〕

拿鱼眼睛冒充珍珠。比喻以假充真。(pass off fish eyes as pearls — pass off sth. sham as genuine)常做谓语、定语。

例句 不法商贩把假烟和真烟摆在一起，鱼目混珠。|对这种鱼目混珠的行为要坚决打击。

【娱乐】 yúlè 〔动/名〕

〔动〕使人快乐。(give pleasure to; amuse)常做谓语、定语。

例句 钓鱼、打球可以娱乐身心。|忙完这些活儿，咱们出去娱乐娱乐。|现在，娱乐场所越来越多了。

〔名〕快乐有趣的活动。(entertainment)常做主语、宾语、定语。[量]种。

例句 我们宾馆各种娱乐都有。|下棋是他最喜欢的娱乐。|工会常在周末搞一些娱乐活动。

【渔民】 yúmín 〔名〕

以捕鱼为职业的人。(fisherman)常做主语、宾语、定语。[量]个。

例句 渔民们又出海了。|我的父母以前当过渔民。|这个村子里的人都是渔民。|渔民的生活富裕起来了。

【渔业】 yúyè 〔名〕

捕捞或养殖水生动植物的生产事业。(fishery)常做主语、定语、宾语。

例句 渔业是我们这儿的主业。|我们想大力发展渔业和加工业。|渔业收入占我们村总收入的百分之五十左右。

【愉快】 yúkuài 〔形〕

快乐；舒畅。(happy; joyful; cheerful)常做谓语、定语、状语、补语。

例句 老人们在老年公寓的生活很愉快。|听到考试通过的消息，我的心情愉快极了。|那是一次愉快的经历。|孩子们愉快地唱着歌。|A：这几天在我们这儿玩得怎么样？B：谢谢你，这几天过得非常愉快。

【榆树】 yúshù 〔名〕

落叶乔木，叶子卵形。木材可供建筑或制家具。(elm tree)常做主语、宾语、定语。[量]棵。

例句 这棵榆树有八十年了。|这

一带有不少榆树。|榆树叶子可以喂羊。

【愚】 yú 〔形〕

❶ 笨;傻。(stupid; foolish)常用于构词或用于文言短语中。

词语 愚蠢 愚昧 愚人 大智若愚

例句 这种做法愚不可及。

❷ 用于自称的谦词。(I)常用于构词,也做主语。

词语 愚弟 愚见

【愚蠢】 yúchǔn 〔形〕

不聪明。(stupid; foolish)常做谓语、定语、状语、补语。

例句 他真愚蠢!|你不觉得你自己的行为很愚蠢吗?|这个想法愚蠢极了。|我好心却做了一件愚蠢的事。|他愚蠢地以为做了坏事可以不受惩罚。|你怎么变得越来越愚蠢?

【愚公移山】 Yúgōng yí shān 〔成〕

比喻不怕困难,意志顽强。(like the Foolish Old Man who removed the mountains — with dogged perseverance)常做主语、定语。

例句 愚公移山,靠的是坚强的意志。|愚公移山的精神值得世代发扬。

【愚昧】 yúmèi 〔形〕

缺乏知识;不明事理。(ignorant)常做谓语、定语、状语、补语。

例句 由于那里比较闭塞,老百姓有些愚昧。|那个愚昧的时代已经过去了。|少数愚昧的人为了挣钱,竟然破坏森林。|当时渔民们曾愚昧地认为,让女人上船工作不吉利。|由于长期与外界隔绝,那里的人显得十分愚昧。

辨析 〈近〉愚蠢。"愚昧"主要指没有文化,落后。"愚蠢"主要指头脑不灵活。"愚昧 "主要用来形容集体、时代、社会等,"愚蠢"主要指人、语气、行为、动物等。如:* 愚蠢的时代已经过去了。("愚蠢"应为"愚昧")

【舆论】 yúlùn 〔名〕

群众的言论。(public opinion)常做主语、宾语、定语。[量]种。

例句 社会舆论纷纷谴责这种不道德的行为。|为了推销自己的新产品,厂家正在大造舆论。|迫于国际舆论,两国代表进行了和平谈判。|竞选双方都在进行舆论宣传。

【与】 yǔ 〔介/连〕

〔介〕跟。(with; against)常构成介宾短语做状语。

例句 这件事与你无关。|经过平等协商,我们与对方建立了合作关系。|到山区工作要有与困难作斗争的思想准备。

〔连〕和。(and)连接并列的词或短语。

例句 家庭与社会都要关心下一代的成长。|我的文章题目是《论继承与创新》。

【与此同时】 yǔ cǐ tóng shí 〔介短〕

在同一时间。(at the same time)常做插入语。

例句 我们搞了一次新闻发布会,与此同时,新型汽车展也开幕了。|小张可是双喜临门,被牛津大学录取为博士生,与此同时,又获得了一份奖学金。

【与其】 yǔqí 〔连〕

表示经过比较之后，不选择某事（而选另一事）。(rather than; better than)常用于连接复句，用于前一分句，后面常与“不如”等配合。

例句 与其一个人在家闲着，不如跟我们到海边散散心。|与其你去，还不如我去。|我们与其给钱解决暂时困难，不如给他找一份工作。

【予】 yǔ 〔动〕

给。(give; grant; bestow)常用于构词，也做谓语。

词语 授予 给予 予以

例句 张先生被授予“见义勇为英雄”的称号。|对这种无理要求，我们不予理睬。

【予以】 yǔyǐ 〔动〕

给以。(give; grant)常做谓语（带双音节动词性宾语）。

例句 因为他在工作中做出了很大成绩，局里对他予以表扬和奖励。|对违反规定的人应予以批评教育。|对有困难的人予以照顾。

【宇宙】 yǔzhòu 〔名〕

❶ 包括地球及其他一切天体的无限空间。(cosmos)常做主语、宾语、定语。

例句 宇宙有无穷的奥秘。|观测宇宙，天文工作者发现了许多奥秘。|人类用宇宙飞船探索宇宙奥秘。

❷ 一切物质及其存在形式的总体。(universe)常做主语、定语。

例句 中国古代哲学认为“四方上下曰宇，往古今来曰宙。”|宇宙是万物存在的空间和时间。|宇宙观就是世界观。

【羽】 yǔ 〔素〕

鸟的毛。(feather; plume)常用于构词。

词语 羽绒 羽扇 羽翼 羽毛

例句 冬天穿羽绒服，又轻又暖和。

【羽毛】 yǔmáo 〔名〕

鸟类身体表面所长的毛。(feather; plume)常做主语、宾语、定语。[量]根。

例句 鸟类都长有羽毛，羽毛可以保护身体。|羽毛做成的羽毛画，非常漂亮。

【羽毛球】 yǔmáoqiú 〔名〕

❶ 球类运动项目之一。(badminton)常做主语、宾语、定语。

例句 羽毛球运动量很大。|和我们一起去打羽毛球吧！|羽毛球比赛正在激烈地进行。|亚洲的羽毛球水平很高。

❷ 羽毛球运动使用的球，用软木包羊皮装上羽毛制成。(shuttlecock)常做主语、宾语、定语。[量]个。

例句 羽毛球多少钱一个？|打一场比赛得用七八个羽毛球。|这种羽毛球的质量一般，打几下就坏了。

【雨】 yǔ 〔名〕

从云中降下的水。(rain)常做主语、宾语，也用于构词。[量]场，滴，阵。

词语 雨点儿 雨季 雨量 雨伞 雨水 雨鞋 雨衣

例句 雨停了，我们走吧。|A：外面正在下雨，带把伞吧。B：雨不太大，不用打伞。|昨晚下了一场雨，今天外边的空气格外好。|天气预报说，今天下午有大雨。

【雨水】 yǔshuǐ 〔名〕

由降雨而来的水。(rainfall; rainwater)常做主语、宾语、定语。

例句 今年的雨水不够，所以庄稼

长得不太好。|下雨了，把花搬到外面浇点儿雨水。|把雨水收集起来就可以满足浇灌的需要。|雨水的量不大，还需要浇灌。

【雨衣】 yǔyī 〔名〕

防雨外衣。(raincoat)常做主语、宾语、定语。[量]件。

例句 雨衣太小了。|外边要下雨了，带上雨衣吧。|雨衣的颜色有红、绿、蓝、黄好几种，你喜欢哪种？

【语】 yǔ 〔素/动〕

❶ 话。(language; tongue; words; set phrase; proverb; saying)常用于构词或用于固定短语。

词语 语言 语音 汉语 千言万语 成语 古语 短语 豪言壮语 俗语

❷ 代替语言表示意思的动作或方式。(sign; signal)常用于构词。

词语 手语 哑语 旗语

例句 为了跟聋哑人打交道，我得学点儿手语。

〔动〕说。(say; speak)常用于构词或用于固定短语。也做谓语。

词语 耳语 低语 胡言乱语 语无伦次

例句 我问他什么，他都低头不语。|这孩子总是不言不语的。

【语调】 yǔdiào 〔名〕

说话时一句话里语音高低轻重的变化情况。(intonation)常做主语、宾语、定语。[量]种。

例句 学习汉语，语调很重要。|这句话的语调应该是这样的。|你的发音不错，但要注意语调。|语调的正确程度是学生口语水平的重要标志。

【语法】 yǔfǎ 〔名〕

❶ 语言的结构方式，就是组词造句的规则。(grammar)常做主语、宾语、定语。[量]种。

例句 学外语，语法是基础。|这句话意思能明白，但语法不对。|不懂语法怎么办？|学语法是为了说得正确。|这本语法书，可以解决大部分语法问题。

❷ 对语言结构规律的研究。(grammar study)常构成偏正短语。

词语 描写语法 历史比较语法

例句 你知道功能语法吗？

【语气】 yǔqì 〔名〕

❶ 说话的口气。(tone; manner of speaking)常做宾语、主语。[量]种。

例句 你怎么能用这种语气跟爷爷说话？|听语气，他好像全知道了。|她的语气不对呀！你听出来了吗？

❷ 语法上根据不同语气把句子分成的四种类型(陈述、疑问、祈使、感叹)。(mood)常做主语、宾语。[量]种。

例句 不同语气表达不同的意思。|这句话的语气用得不对，应该用陈述语气。|反问句可以加强语气。

【语文】 yǔwén 〔名〕

语言和文学(或文字)。(language and literature)常做主语、宾语、定语。

例句 “语文”是语言和文字的简称。|下一节课是语文。|我从小就喜欢语文。|他的语文水平还不如小学生。|语文学习很重要。

【语言】 yǔyán 〔名〕

❶ 人类特有的交流思想、进行思维的工具，是由语音、词汇和语法构成的体系。(language)常做主语、宾

语、定语。[量]种。

例句 语言是人类特有的。|语言是一种交流工具。|掌握一种语言不是很容易的事。|我到中国来不只是学习语言,还要学习中国文化。|这种语言现象很有意思。

❷ 说的话。(spoken language)常做主语、宾语。[量]种。

例句 在奥运村,各种语言你都能听到。|刚出国时,语言不通是最大的问题。|由于和妻子缺少共同语言,不久就分手了。

【语音】 yǔyīn 〔名〕

人说话的声音。(speech sounds)常做主语、宾语、定语。[量]种。

例句 语音很重要,要是发音不准,就没法交流了。|学习一种语言,首先是学习语音。|有人觉得语音课没意思,这是不对的。

【语重心长】 yǔ zhòng xīn cháng 〔成〕

言语恳切,情意深长。(sincere words and earnest wishes)常做谓语、定语、状语。

例句 谢老的话语重心长。|我永远忘不了老师那语重心长的嘱咐。|校长语重心长地说:"祝你们事业有成。"

【与会】 yùhuì 〔动〕

参加会议。(participate in a conference)常做谓语、定语。

例句 邀请的专家全部与会,并作了学术发言。|与会代表就中心议题进行了热烈的讨论。|与会期间,李经理来过三次电话。

【玉】 yù 〔名〕

❶ 一种矿物,半透明,有多种颜色和光泽,多用来加工装饰品或工艺品。(jade)常做主语、宾语、定语,也用于构词。[量]块,种。

词语 玉石 玉帛 玉玺 玉器

例句 这种深绿色的玉很少见。|这件玉佛是用一整块玉刻成的。|玉的颜色有白、绿、黄等。

❷ 比喻洁白、美丽、高贵的。[(of a person esp. a woman) pure; fair; handsome; beautiful]常用于构词或用于固定短语。

词语 玉颜 亭亭玉立 抛砖引玉

例句 几年不见,她已长成个亭亭玉立的大姑娘了。|我的发言只是抛砖引玉罢了。

【玉米】 yùmǐ 〔名〕

❶ 一年生农作物,高两米左右,叶子长而大,子实可食用或制淀粉等。(Indian corn; maize; corn)常做主语、宾语、定语。[量]棵。

例句 地里的玉米才长了半米多高。|这块地很适合种玉米。|玉米地里还可以套种大豆。

❷ 这种植物的果实。(ear of Indian corn)常做主语、宾语、定语。[量]穗,粒。

例句 玉米营养丰富。|仓里堆满了玉米,看来又是个丰收年。|玉米粥很受欢迎。

【浴】 yù 〔素〕

洗澡。(bath; bathe)常用于构词。

词语 沐浴 淋浴 浴室 浴巾 海水浴 日光浴

例句 下午去海水浴。

【浴室】 yùshì 〔名〕

洗澡的房间。(bathroom or shower room)常做定语、宾语、主语。[量]间。

例句 这套房子没有浴室,很不方便。|苏珊正在浴室洗澡。|光浴室

的设备就花了三万多块。|浴室旁边是洗手间。|这套房子的浴室很大。

【预】 yù 〔副〕

事先。(in advance; beforehand)常用于构词,也做状语。

词语 预报 预计 预测 预定 预告 预习 预见

例句 预祝大会圆满成功。|预祝你取得好成绩。

【预报】 yùbào 〔动/名〕

〔动〕事先报告(多用于天文、气象等方面)。(forecast)常做谓语、定语。

例句 电视里正在预报明天的电视节目。|气象台预报得不太准。|这个信息,昨天就已经预报了。|真的下雨了,看来预报的信息很准啊。

〔名〕对一些消息、天气或经济发展势态等做的事先报告。(forecast)常做主语、宾语。[量]个。

例句 台风预报是昨天发布的。|你看今天的天气预报了吗?|我每天都看股市预报。

【预备】 yùbèi 〔动〕

提前准备。(prepare; get ready)常做谓语、定语,也单用。

例句 助手们正在预备一些材料,明天要做实验。|我要的工具都预备齐了吗?|钱都预备出来了。|预备的酒谁都没喝。|(比赛时)预备!跑!|(一起做时)预备!开始!

【预测】 yùcè 〔动〕

事先推测或测量。(calculate; forecast)常做谓语、定语。

例句 据说这台设备可以预测孩子的身高。|A:大夫预测得准不准?B:不太准。|预测的结果出来了。

【预订】 yùdìng 〔动〕

事先订购。(book; subscribe)常做谓语、定语。

例句 我预订了回去的机票。|今年我都去邮局预订报纸了。|放心吧,房间已经预订好了。|请问预订的杂志来了吗?

辨析 〈近〉预定。"预定"重在决定事情;"预订"重在购买东西。如:*报纸和杂志的预定工作已经开始了。("预定"应为"预订")

【预定】 yùdìng 〔动〕

事先规定或约定。(fix in advance; predetermine; schedule)常做谓语、定语。

例句 这座大楼预定明年五月完工。|我们预定下周二见面。|工作都按预定计划完成了。

【预防】 yùfáng 〔动〕

事先防备。(prevent; take precautions against; guard against)常做谓语、定语、宾语。

例句 水灾之后,要预防传染病。|这种情况,很难预防。|A:这场洪水你们损失怎么样?B:由于预防得及时,所以损失不大。|我们已经采取了预防措施。|对交通事故应积极加以预防。|治理社会治安,应以预防为主。

【预告】 yùgào 〔动/名〕

〔动〕事先告知。(announce in advance)常做谓语。

例句 本场比赛的失利,预告了这个队今年与冠军无缘了。|新事物产生的同时也就预告了旧事物的灭亡。|这么大的事,事先怎么不预告预告呢?

〔名〕事先的通知(多用于播出、演出、出版等)。(advance notice)常做主语、宾语。[量]个,张。

例句 预告说今天晚上在人民剧院演出话剧《茶馆》。|你看新书预告了吗?|看看电视节目预告就知道晚上有没有球赛了。

【预计】 yùjì 〔动〕

事先计算,计划或估计。(calculate in advance; estimate)常做谓语、定语。

例句 这项工程预计明年年初完成。|带的钱预计只能花到月末。|预计今年大学增加招生60万人。|交工日期比预计的日期提前了十多天。

【预见】 yùjiàn 〔动/名〕

〔动〕根据事物的发展规律估计到将来的情况。(foresee; predict)常做谓语。

例句 我早已预见到了对方会走这一步。|谁也预见不到的事情发生了。|他三年以前就预见会发生洪水。

〔名〕能事先料到将来的能力和见识。(foresight)常做宾语、主语。[量]个,种。

例句 这个科学的预见对于指导研究非常重要。|他很有预见。

【预料】 yùliào 〔动/名〕

〔动〕事先推测。(expect; predict)常做谓语、定语。

例句 我预料:他一定会来。|这件事谁也没预料到。|如果预料到结果是这样,当初就不干了。|工作中常会出现预料不到的问题。

〔名〕事先的估计。(expectation)常做主语、宾语。

例句 我们的预料没有错。|事情果然不出我的预料。

【预期】 yùqī 〔动〕

事先期待。(expect; anticipate)常做定语、谓语。

例句 我们这次实验达到了预期目的。|演出没有达到预期的效果。|学生们取得了预期的成绩。|可以预期,你们将取得胜利。

【预赛】 yùsài 〔名/动〕

〔名〕决赛之前进行的选拔赛。(preliminary contest)常做主语、宾语、定语。[量]次,场。

例句 第一组的预赛已经开始了。|他参加了预赛,但成绩不太好。|预赛人数为42人。

〔动〕意义同前。(participate in preliminary heats)常做谓语、宾语。

例句 我们三个已经预赛过了。|现在正在进行预赛。

【预算】 yùsuàn 〔名〕

政府或单位对将来一定时期内收入和支出的计划。(budget)常做主语、宾语。[量]个。

例句 今年的支出预算是三千万元。|我们做的预算通过了。|全年支出已经超过了预算。|这项工程得好好作一个预算。

【预习】 yùxí 〔动〕

上课前学生自学将要讲的课程。(prepare lessons before class)常做谓语、定语。

例句 每天晚上,我都要预习第二天要学的内容。|A:生词你预习了吗?B:预习了。|不预习,上课时会很困难。|课文我还没预习完。|下面说明一下预习的内容。

【预先】 yùxiān 〔副〕

在事情发生或进行之前。(in advance; beforehand)常做状语。

例句 A:中午一起去游泳好不好?

B:不能去,下午要开会,我们得预先布置会场。|你没有预先通知,我们怎么准备?|我预先声明,如果下次他不参加,那我也不去了。|有什么情况请预先告知。

【预言】 yùyán 〔动/名〕

〔动〕事先说出(将来要发生的事情)。(foretell; predict)常做谓语。

例句 专家预言:信息产业和生物工程将在21世纪迅速发展起来。|很多记者赛前曾预言胜利一定会属于我们队。

〔名〕带有预见性的言论。(prediction)常做主语、宾语。[量]个。

例句 A:他的预言能实现吗? B:预言毕竟是预言,到底怎样还要等等看。|我并不相信这个预言。

【预约】 yùyuē 〔动〕

事先约好。(make an appointment)常做谓语、定语、宾语。

例句 我跟他预约在这儿见面。|酒店已经满了,一个床位也预约不上。|预约的时间已经过去了,病人怎么没来?|请问您有预约吗?如果没有预约,经理不会见你。

【预祝】 yùzhù 〔动〕

预先祝愿。(congratulate beforehand; wish)常做谓语(带宾语)。

例句 我们预祝这次大会圆满成功。|预祝你取得好成绩。|预祝你旅行顺利。

【欲】 yù 〔名/动〕

〔名〕想得到某种东西的要求。(desire; longing; wish)常用于构词或构成短语。

词语 性欲 物欲 食欲 购买欲 求知欲

例句 我病了,一点儿食欲也没有。|青年人的求知欲很强。

〔动〕❶ 想要,希望。(want; desire; wish)常用于文言格式或固定短语中。

例句 己所不欲,勿施于人。|会上,代表们畅所欲言,气氛十分热烈。

❷ 将要。(about to; just going to; on the point of)做状语。常用于文言格式中或固定短语中。

例句 山雨欲来风满楼。|山上一块大石头摇摇欲坠。

【欲望】 yùwàng 〔名〕

想得到某种东西或想达到某种目的的要求。(desire; wish; lust)常做主语、宾语。[量]种。

例句 这孩子的求知欲望很强。|妈妈给萍萍买了一架钢琴,总算满足了孩子的欲望。|在生活上我没有太多的欲望。

【遇】 yù 〔动〕

❶ 碰见。(meet; encounter)常用于构词或用于固定短语中,也做谓语。

词语 相遇 遇险 不期而遇

例句 要不是遇上大风,船早就到了。|昨天在大门口遇到一个老同学。

❷ 对待。(treat; receive)常用于构词。

词语 待遇 冷遇

例句 没想到在他那里遭到了冷遇。

❸ 机会。(chance; opportunity)常用于构词。

词语 机遇 际遇

【遇到】 yù dào 〔动短〕

碰到。(come across; run into)常做谓语、定语,中间可插入成分。

例句 最近,我上班的时候常遇到

中学同学。|我这次去可能遇不到他了。|A:刚才遇到的人是谁呀? B:上进修班时的同学。

【遇见】 yù jiàn 〔动短〕

碰到。(come across; run into)常做谓语、定语,中间可插入成分。

例句 这次去,没遇见经理,只看见了他的秘书。|要是遇不见你,真不知怎么办才好。|前几天遇见的事,实在太奇怪了。

【寓】 yù 〔名/动〕

〔名〕居住的地方。(residence)常用于构词。

词语 客寓 公寓

例句 校外建了一批大学生公寓。

〔动〕❶ 居住。(live; reside)常用于构词。

词语 寓所 寓居

例句 车一转弯,便到了张先生的寓所。

❷ 寄托。(contain; imply)常用于构词。

词语 寄寓 寓意 寓言

例句 这篇寓言寓意很深。

【寓言】 yùyán 〔名〕

用故事或拟人手法来说明某个道理或教训的文学作品,带有讽刺或劝告的意思。(fable; allegory; parable)常做主语、宾语、定语。[量]个,篇。

例句 这篇寓言故事告诉我们人生很短,应惜时努力。|这本书中收录了几十个寓言。|这篇寓言的道理很深刻。|人们需要寓言故事。

Y

【愈】 yù 〔副/动〕

〔副〕更加、越发。(more)常做状语。

例句 我学了一段时间之后,愈觉基础知识的重要。|往上走,风景愈发漂亮了。

〔动〕病好。(recover)常用于构词,也做谓语、补语。

例句 病已痊愈,可以出院了。|我的病已经完全治愈了。|他病愈后比以前更努力学习了。

【愈…愈…】 yù…yù… 〔连〕

意义同"越…越…",表示程度随情况变化而增加。(the more... the more...)分别连接动词性词语或形容词性词语。

例句 雨愈下愈大,风愈刮愈猛。

【冤】 yuān 〔名/形〕

〔名〕因受到不公平对待而产生不满和仇恨。(grievance; injustice)常做宾语。

例句 我不信有冤没处说。|"文革"中,不少干部、知识分子含冤而死。|到法院去伸冤。

〔形〕上当;不公平、无根据的。(be taken in; unfair; wronged)常做谓语、定语。也用于构词。

词语 冤案 冤家 冤情

例句 A:白跑一趟,真冤。B:怪你自己,事先打个电话不就没这事了吗?|到最后一分钟输的球,冤死了!|别尽花冤钱。

【冤家路窄】 yuānjiā lù zhǎi 〔成〕

形容仇人或不愿相见的人偏偏碰见。(enemies are bound to meet on a narrow road — one can't avoid one's enemy)常做宾语。

例句 一抬头,小莉从那边走了过来,真是冤家路窄!|小偷提心吊胆地上了火车,不料冤家路窄,正碰上警察李刚。

【冤枉】 yuānwang 〔动/形〕

〔动〕受到不公平的待遇，或被加上不应有的罪名。(wrong; treat unjustly)常做谓语、宾语。

例句 A:你不能冤枉好人。B:我一点儿也不冤枉你。|有证据在这儿，谁也冤枉不了你。|我可受不了这种冤枉。

〔形〕不值得、吃亏。(not worthwhile)常做谓语、补语、宾语，不重叠。

例句 这么个小玩意，花了那么多钱，真冤枉。|干了一上午冤枉活儿，也没有人看见。|这钱花得不冤枉。|凶手到现在也没找到，他死得真冤枉。|这样说我，我觉得很冤枉。

【元】 yuán 〔量/素〕

〔量〕货币单位，同"圆"。(yuan)常用于构词或构成短语做句子成分。

词语 美元 日元 韩元

例句 你应该交两千元人民币。|三个一共是一千二百元。|借我几元钱，好吗？

〔素〕❶ 开始的，第一的。(first; primary)用于构词。

词语 元始 元旦 元年 元月 纪元

例句 元月就是一月。

❷ 为首的。(chief; principal)用于构词。

词语 元首 元老 元帅 元勋 元凶 状元

例句 李先生是我们这一行的元老。|三百六十行，行行出状元。

❸ 主要、根本。(basic; fundamental)用于构词。

词语 元音 元素

例句 汉语普通话有6个元音。

❹ 要素。(term)用于构词。

词语 一元论 二元论 一元二次方程 论元

【元旦】 Yuándàn 〔名〕

公历新年的第一天。(New Year's Day)常做主语、宾语、定语、状语。[量]个。

例句 元旦是新一年的第一天，所以也叫新年。|明天就是元旦了。|元旦的早晨有些雾，但这不会影响我们的庆祝活动。|元旦那天，我们开了一个新年舞会。

【元件】 yuánjiàn 〔名〕

构成机器、仪表等的一部分，常由若干零件组成。(element)常做主语、宾语、定语。[量]个。

例句 这个元件是电脑上用的。|你去电子商店，替我买些电视机元件。|由于元件的质量不过关，因此机器总出毛病。

【元首】 yuánshǒu 〔名〕

国家的最高领导人。(head of state)常做主语、定语、宾语。[量]个，位。

例句 中国元首近日将访问俄罗斯。|为了欢迎外国元首，在广场上举行了欢迎仪式。|国家元首的专机当然是最好的飞机。

【元素】 yuánsù 〔名〕

构成事物的主要成分；化学上指具有一定相同特性的同一类原子的总称。(element)常做主语、宾语、定语。[量]种。

例句 这种塑料的主要元素是乙烯。|有的元素很难提炼出来。|水是由氢和氧两种元素组成的。|这些记录元素的符号叫元素符号。

【元宵】 yuánxiāo 〔名〕

❶ 农历正月十五日夜晚。因为这一天叫上元节，所以晚上叫元宵。(the night of the 15th of the 1st lunar month)常做主语、定语、宾语。

例句 元宵是中国的一个传统节日。|今天是元宵节。|每年正月十三开始，我们家乡就闹元宵了。

❷ 用糯米粉做成的球形食品，有馅，是元宵节的传统食品。〔sweet dumplings made of glutinous rice flour(for the Lantern Festival)〕常做主语、宾语、定语。[量]个。

例句 元宵南方人叫汤圆。|现在不仅正月十五吃元宵，平常也随时可以买到。|元宵馅儿有各种各样的。

【园】 yuán 〔名〕

种植蔬菜、花木、果树的地方；供人游览、娱乐、休息的地方。(an area of land for growing plants; a place for public recreation)常用于构词。

词语 园子 花园 公园 果园 菜园 植物园 园林 园艺 动物园

例句 房前屋后都是菜园。|我们研究所有一个植物园。

【园林】 yuánlín 〔名〕

种植花草树木，供人游览休息的风景区。(gardens)常做主语、宾语、定语。[量]处。

例句 苏州园林是中国园林艺术的代表。|我想去参观一下这里的园林。|中国的园林艺术非常有名。

【员】 yuán 〔名/尾〕

〔名〕人。(personnel)常用于构词。

词语 超员 满员 减员 动员 人员

例句 春节前后，火车常超员。|企业改革的重要方面是减员增效。

〔尾〕❶ 指工作或学习的人。(a person engaged in some field of activity)常用于构词。

词语 教员 学员 演员 雇员 职员 服务员 售货员 指挥员 炊事员 员工

❷ 指团体或组织中的成员。(member)常用于构词。

词语 党员 团员 会员 队员 组员

【原】 yuán 〔形/名〕

〔形〕❶ 最初的，开始的。(original; primary)常用于构词。

词语 原始 原生动物 原作 原先

例句 这幅画的原作保存在艺术馆里。

❷ 本来的。(original)常用于构词，或用于固定短语。

词语 原价 原地 原样 原班人员 原形毕露

例句 这些衣服都按原价打八折。|售出商品如保持原样可以退货。

❸ 没加工的。(unprocessed; raw)做构词成分。

词语 原木 原棉 原油 原料

例句 原料都是进口的。

〔名〕宽广而平坦的地方。(plain)常用于构词。

词语 平原 高原 草原 原野

例句 我有些不适应那里的高原气候。

【原材料】 yuáncáiliào 〔名〕

原料和材料。(raw and processed materials)常做主语、宾语、定语。[量]种，批。

例句 目前原材料有些紧张。|这样可以节省原材料。|原材料的价格上涨,对我们的生产很有影响。

【原告】 yuángào 〔名〕

向法院提出诉讼的人或机关、团体。也叫原告人。(plaintiff; prosecutor)常做主语、宾语、定语。[量]个。

例句 原告要求被告赔偿精神损失。|物资公司是这起案件的原告。|原告的证词和物证都非常有力。

【原来】 yuánlái 〔形/副〕

〔形〕没有改变的。(original; former)常做定语、宾语。

例句 A:你现在住在哪儿? B:我还住在原来的地方。|她原来的名字不叫王小雨。|这次活动是按原来的计划进行吗?|那是原来,后来变了。

〔副〕❶ 以前某一时期、当初。(originally; formerly)做状语。

例句 原来这个地方交通不方便,现在好多了。|我现在不是老师了,原来是。|原来大学招生少,去年开始增加了。

❷ 发现从前不知道的事情,一下子明白了。(as a matter of fact; actually; as it turns out)常做状语

例句 A:我以为是谁敲门,原来是你。B:怎么,不欢迎吗?|怪不得屋子这么安静,原来没有人。|原来你没走啊,我以为你早走了。

【原理】 yuánlǐ 〔名〕

带有普遍性的,最基本的,基础性的规律。(principle)常做主语、宾语、定语。[量]个,条。

例句 原理我不懂,我只会操作。|A:你知道飞机在天上飞是什么原理吗? B:不知道。|这种器械运用的是杠杆原理。|原理的正确与否还要进一步加以证明。

【原谅】 yuánliàng 〔动〕

对疏忽(shūhū)或错误等不批评惩罚。(excuse; forgive; pardon)常做谓语、宾语。

例句 A:他还小,原谅他吧。B:这种行为我们不能原谅。|我来晚了,请多原谅。|老师原谅了我的错误。|我得到了大家的原谅。

【原料】 yuánliào 〔名〕

指没有经过加工制造的生产用材料,如用来纺织的棉花等。(raw material)常做主语、宾语、定语。[量]种,批。

例句 现在,原料紧缺的情况已经过去了。|这种原料,我们很需要。|报纸上说,有些原料的价格还要上涨。|我厂新购进了一批原料。

【原始】 yuánshǐ 〔形〕

❶ 最初的,第一手的。(original; firsthand)常做定语,也构成"的"字结构做句子成分。

例句 通过调查,我掌握了一些原始资料。|A:你见过这次谈话的原始记录吗? B:没有,我只见过复印件。|这份材料是最原始的。

❷ 最古老的,未开发的,未开化的。(primeval; primitive)常做定语、谓语。

例句 这是原始动物的化石。|保存下来的原始森林已经不多了。|这个山洞有一些原始人生活的痕迹。|这种生产方式太原始了。

【原先】 yuánxiān 〔形〕

从前、起初。(original; former; in the beginning; originally)常做定语、状语。

例句 这是我原先的地址，现在变了。|我现在胖了，原先的衣服都不能穿了。|原先，我没想去西安，他们一再邀请，我才去的。|我原先以为你是学生，原来你是老师呀？|他原先是个农民，现在已经成了作家。

【原因】 yuányīn 〔名〕

造成某种结果或发生某件事情的条件。(reason; cause) 常做主语、宾语。[量]个。

例句 失败的原因是什么？|他成功的原因是勤奋好学。|A：你们知道发生这起交通事故的原因吗？ B：不知道，我过来时，事故已经发生了。|不知道什么原因，他今天没来上课。|机器坏了，可是找不到原因。

【原油】 yuányóu 〔名〕

开采出来的没经过加工的石油。(crude oil; crude) 常做主语、宾语、定语。[量]升，吨。

例句 中国50%的原油产于大庆油田。|原油可以加工成汽油、柴油及多种化工产品。|这口油井日产原油100吨。|由于过量开采，原油产量逐年下降。

【原原本本】 yuányuánběnběn 〔副〕

从头到尾。(from beginning to end) 做状语。

例句 他把事情原原本本告诉了我。|报告中原原本本地说明了整个过程。

【原则】 yuánzé 〔名〕

说话、做事所依据的准则。(principle) 常做主语、宾语、定语、状语。[量]个，条，项。

例句 这项原则还要继续贯彻下去。|民主选举的原则已经公布了。|无论什么时候，都要坚持原则。|多劳多得，按劳分配是我们的分配原则。|你怎么这么没有原则？|在一些原则问题上，我们不能让步。|我们原则同意你们的建议，具体内容还要进一步磋商。

【原子】 yuánzǐ 〔名〕

构成化学元素的最小粒子，由原子核和电子组成。(atom) 常做主语、宾语、定语。[量]个。

例句 原子也可再分，分成更小的电子、质子。|分子可以分成若干个原子。|原子的核裂变会产生巨大的能量。

【原子弹】 yuánzǐdàn 〔名〕

一种利用原子能的巨大能量进行杀伤和破坏的武器。(atom bomb) 常做主语、宾语、定语。[量]颗，枚。

例句 原子弹是杀伤力最大的武器。|二战后期，美国向日本投放了两颗原子弹。|据说，世界上现有原子弹的爆炸力可以毁灭人类几十次。

【原子能】 yuánzǐnéng 〔名〕

原子核发生裂变或聚变反应时释放出的巨大的能量。(atomic energy) 常做主语、宾语、定语。

例句 原子能可以用于工业、军事等各个方面。|原子能是一种消耗少、而能量巨大的能源。|利用原子能可以发电。|世界人民都赞成原子能的和平利用。

【圆】 yuán 〔形/名/动〕

〔形〕❶ 圆周形。(round; circle) 常做定语、谓语、补语。

例句 我要买一个圆镜子。|这是一个圆筒。|中秋的月亮最圆。|肚子都吃圆了。

❷ 完满；周全。(tactful；satisfactory)常做谓语、补语。

例句 他做事很圆，各方面都能照顾到。|这话说得不圆。

〔名〕圆周所包括的平面；圆圈。(circle)常做主语、宾语。[量]个。

例句 这个圆有多大？|老师在黑板上画了一个圆。

〔动〕使完满、周全。(make plausible；justify)常做谓语。

例句 A：他们要是来问，我怎么回答？B：你自己应付吧，只要能圆过去就行。|他出来圆了一下场，这事才算过去。

【圆满】 yuánmǎn 〔形〕

没有缺点，没有漏洞；使人满意。(satisfactory)常做谓语、定语、状语、补语。

例句 事情的结果很圆满。|希望您能给我一个圆满的答复。|国际汽车展已经圆满地结束了。|大会开得非常圆满。

【圆珠笔】 yuánzhūbǐ 〔名〕

用油墨书写的一种笔，笔尖是个小钢珠。又叫油笔。(ball-pen)常做主语、宾语、定语。[量]支。

例句 我的圆珠笔没油了。|写正式文件不能用圆珠笔。|能借给我一支圆珠笔吗？|圆珠笔的颜色有很多种。

【援】 yuán 〔动〕

❶ 以手牵引。(climb)常用于构词。

词语 攀援

例句 勇敢的登山队员奋力向上攀援。

❷ 引用。(cite)常用于构词。

词语 援引 援例

例句 该消息援引了一位官员的谈话。

❸ 帮助。(aid)常用于构词，或用于固定短语中。

词语 支援 增援 援手 援助 孤立无援

例句 他总是有求必应，施以援手。

【援助】 yuánzhù 〔动〕

支援、帮助。(help；support；aid)常做谓语、定语、宾语。

例句 全国人民全力援助灾区人民。|我们一下子援助不了这么多东西。|我们的友好城市援助我们20辆汽车。|无数的好心人向病童伸出了援助之手。|援助物资马上到达。|对于你们的无私援助，我们表示衷心的感谢。|由于某种原因，他们停止了援助。

【缘】 yuán 〔名〕

❶ 原因。(reason)常用于或用于固定短语中。

词语 缘由 缘故 无缘无故

例句 没想到她竟无缘无故地生我的气。

❷ 人与人或人与事物产生联系的可能性。(predestined relationship)常做宾语，也用于构词。

词语 人缘 姻缘 缘分

例句 如果有缘，我们还会再见面的。|咱们俩个真有缘，又见面了。|俗话说：“有缘千里来相会，无缘对面不相识。”

【缘故】 yuángù 〔名〕

原因。(reason)常做主语、宾语。[量]个。

例句 学习成绩下降，缘故是多方面的。|客人到现在还没来，不知是

什么缘故。|也许是不好意思的缘故吧，他没来参加联欢会。

【猿】 yuán 〔名〕
一种跟猴相似，比猴大的动物。有的跟人类很相似。(ape)常做主语、宾语、定语。[量]只。
例句 猿可能和人类是亲戚。|猩猩、长臂猿都是一种猿。|猿的样子跟猴差不多。

【猿人】 yuánrén 〔名〕
最原始的人类，虽留有猿类的某些特征，但已具备人的主要特征。(ape-man)常做主语、宾语、定语。[量]个。
例句 猿人已经知道用火。|他长得像猿人。|这是猿人的骨骼。

【源】 yuán 〔名〕
❶ 水流开始的地方。(source)常用于构词或用于固定短语中。
词语 源泉 源头 发源 饮水思源 源远流长
例句 长江和黄河的源头离得很近。|中朝友谊源远流长。
❷ 事物来的地方。(source; cause)常用于构词。
词语 资源 货源 病源
例句 目前正在到处寻找货源。|这次的感冒病源是一种病毒。

【源泉】 yuánquán 〔名〕
泉水的开头；比喻事物的来源。(source)常做主语、宾语。
例句 文学创作的源泉在于生活。|劳动是幸福的源泉。

【远】 yuǎn 〔形〕
❶ 时间或距离长。(far away; distant)常做定语、谓语、补语、状语。
例句 鹰可以看到很远的地方。|A:我去给你找一所近一点儿的房子。B:好，远的地方我可不去。|我家离车站比较远。|年代不远，老年人还记得。|我有个同学走得最远，现在在冰岛呢。|她站在那儿远远地看着我。
❷ (血统关系)不密切。(distant)常做定语、谓语。
例句 我们是远亲。|俗话说:远亲不如近邻。|虽说亲戚关系很远，但大家的关系处得很好。
❸ (差别)程度大。(by far; far and away)常做状语、状语。
例句 事情远不像你想象的那么简单。|现在有些农村生活水平提高很快，远远超过了城里。|这些钱差远了。

【远大】 yuǎndà 〔形〕
长远而广阔，不限于目前。(long-range; broad; ambitious)常做定语、谓语、补语。
例句 他从小就有远大的目标。|努力吧，你们的前程远大。|你应把目光放远大些。

【远方】 yuǎnfāng 〔名〕
很远的地方。(a distant place)常做主语、宾语、定语。
例句 远方有座大山。|好客的牧民用奶茶招待远方的客人。|飞机飞上蓝天，飞向远方。

【远见卓识】 yuǎnjiàn zhuóshí 〔成〕
远大的眼光，卓越的见识。(foresight and sagacity)做主语、宾语。[量]种。
例句 远见卓识是领导者应有的品质。|投巨资上高科技设备体现了公司领导的远见卓识。

【远景】 yuǎnjǐng 〔名〕

❶ 远距离的景物。(distant view)常做主语、定语、宾语。[量]个。

例句 画中远景是山水,近景是一个小木屋。|远景的衬托作用也很重要。|这个照相机对远景的分辨力极强。

❷ 将来的景象。(long-range perspective;prospect)常做主语、宾语、定语。

例句 公司的发展远景是振奋人心的。|从专家的报告中我们看到了美好的远景。|工程师为我们描绘了一幅美妙的远景。|请谈谈本市城市建设的远景规划。

【远走高飞】 yuǎn zǒu gāo fēi 〔成〕

指跑到很远的地方去。(fly far and high; be off to distant parts)做谓语、定语。

例句 他已经远走高飞了。|远走高飞的小高又回来了。

【怨】 yuàn 〔名/动〕

〔名〕仇恨。(resentment)常用于构词或用于固定短语中。

词语 宿怨 恩怨 积怨 怨恨 怨声载道 毫无怨言

例句 我跟你没什么恩怨,为什么这样恨我?

〔动〕责怪。(blame; complain)常做谓语。

例句 这件事我不怨你,只怨我自己。|他怨谁也怨不到我头上啊!|咱俩谁也别怨谁。|怨我没说清楚。

【怨声载道】 yuàn shēng zài dào 〔成〕

怨恨声充满道路。形容人民群众普遍不满。(cries of discontent rise all round; complaints are heard everywhere)做谓语。

例句 各种各样的费,使农民怨声载道。|对腐败现象,群众早已怨声载道。

【怨天尤人】 yuàn tiān yóu rén 〔成〕

怨恨天命,责怪别人。形容遇到不称心的事情一味归咎客观,埋怨别人。(blame god and man — blame everyone and everything but oneself)做谓语。

例句 他整天怨天尤人,只会一事无成。

【院】 yuàn 〔名〕

❶ 意义同“院子”。(courtyard; yard; compound)常用于构词,也构成短语做句子成分。

词语 院落 庭院 后院 场院 院子

例句 院里种了好多牡丹花。|我把自行车放在院外了。

❷ 某些机关和公共处所的名称。(a designation for certain government offices and public places)常用于构词。

词语 法院 国务院 医院 众议院 科学院 研究院 电影院

❸ 指大学。(college; academy; institute)常用于构词。

词语 学院 院校

例句 院领导都来参观我们的展览。|这次院校排球比赛在我院举行。

【院长】 yuànzhǎng 〔名〕

某些机关学院或公共场所的最高领导人。(dean of a college)常做主语、宾语、定语。[量]个,位。

例句 院长也来参加讨论。|这位是院长助理。|民主选举院长是我院的重大改革。

【院子】 yuànzi 〔名〕

房屋前后用墙或栅栏围起来的空地。(courtyard; yard; compound)常做主语、宾语、定语。[量]个。

例句 院子不大,却种了不少蔬菜。|我家院子能摆10桌酒席。|车放在院子里不会出问题的。|院子围墙是用木头做的。|院子里外都是花。

【愿】 yuàn 〔名/动/助动〕

〔名〕❶ 希望实现的目的。(hope; wish; desire)常用于构词或用于固定短语中。

词语 心愿 志愿 愿望 如愿以偿 事与愿违

例句 孩子考上了大学,也了却了我一生最大的心愿。

❷ 迷信的人向神佛所许下的报答。(vow)常做宾语。[量]个。

例句 妈妈去庙里许了一个愿。|许愿后还要去庙里还愿。

〔动〕希望。(wish)常做谓语(不带宾语)。

例句 愿你事业有成。|愿父亲注意身体,健康长寿。|愿天长蓝、水长清。

〔助动〕乐意。(be willing)做状语。

例句 A:你愿做这份工作吗? B:愿意。|你不愿去,就算了吧。|我愿与他和解。

【愿望】 yuànwàng 〔名〕

希望将来能达到某种目的的想法。(desire; wish) 常做主语、宾语。[量]个。

例句 孩子出国留学的愿望终于实现了。|他年轻时那些美好的愿望都成了泡影。|A:你有什么愿望? 继续读书还是去工作? B:我想继续读书。|做任何事都不能光凭主观愿望。

辨析 〈近〉希望。"希望"侧重想要达到的目的或出现的情况,可用于人;"愿望"重在对美好事物的向往,多用于积极的方面。"希望"还有动词用法。如:* 孩子是父母的愿望。(应为"希望")|* 我愿望你能参加。("愿望"应为"希望")

【愿意】 yuànyì 〔动/助动〕

〔动〕同意(做某事)。(be ready; be willing)做谓语。

例句 A:当班长你愿不愿意? B:我不愿意。|他们不愿意你去。|这事他非常愿意。

〔助动〕希望(发生某种情况或做某事)。(wish; like; want)常做状语。

例句 朋友愿意让我在这儿多住几天。|大家愿意考试题容易些。|我不愿意看到这种不文明的现象。|A:看你累得那样,休息休息吧。B:谁也不愿意这么累,可是有什么办法呢?

【曰】 yuē 〔动〕

说。(say)做谓语,用文言句式中。

例句 古人曰:逝者如斯夫,不舍昼夜。

【约】 yuē 〔动/名/副〕

〔动〕❶ 预先说定。(make an appointment)常做谓语。

例句 A:咱们跟他们约约吧。B:我已经约好了,明天上午11点在公园门口集合。|我跟她约过好几次,也没见上一面。

❷ 请。(ask or invite in advance)常做谓语。

例句 不巧,这次没约到老刘。|我

Y

约过她两次,她都不肯来。|A:下午约了小王来我家,你也一起来吧。B:好,我一定去。

❸ 限制。(bind;limit)常用于构词。

词语 约束 制约

例句 权力没有了制约,就容易走向反面。

❹ 俭省。(thrifty)常用于构词。

词语 节约 俭约

〔名〕商量好的事。共同订立需要遵守的条文。(pact)常做宾语,也用于构词。

词语 条约

例句 我们还是签个约吧。|A:咱们有约在先,你不能反悔。B:那当然。

〔副〕大概。(about)常用于构词。也做状语。

词语 大约 约计 约数 约莫

例句 该市人口约有一百五十万。|班机约于下午三点抵达本港。|A:这次会议有多少人参加?B:约有五十人。

【约会】 yuēhuì 〔动/名〕

〔动〕预先约定相见。(make an appointment)常做谓语。

例句 她和男朋友每星期约会一次。|A:哎,小王怎么没来?B:他呀,一定和女朋友约会去了。

〔名〕预先约定的会面。(appointment)常做主语、宾语、定语。[量]个。

例句 今天的约会看来是泡汤了。|A:你晚上有时间吗?B:对不起,我晚上有个约会。|约会的时间改了。

【约束】 yuēshù 〔动〕

限制使不超出范围。(bind; restrain)常做谓误、宾语、主语。

例句 是该好好约束约束这孩子了。|不约束一下恐怕不行了。|我的行动受到了约束。|对干部必须从制度上加以约束。|这种约束看来是有必要的。

【月】 yuè 〔名/形〕

〔名〕❶ 地球的卫星。(the moon)常用于构词,也做主语、宾语。

词语 月光 月亮 月球 月牙

例句 明月已经挂在天上了。|我喜欢中秋节天上那一轮圆月。

❷ 计时的单位,公历一年分为十二个月。(month)常用于构词,也做主语、宾语、状语、定语、补语。

词语 月初 月底 月末 月份

例句 一年有十二个月,大月三十一天,小月三十天。|我的房租是按月收的。|参加工作以后,我月月给妈妈寄钱。|我花了三个月的时间才译完这本书。|一个月的时间不算太长。|这次旅行走了一个多月。

〔形〕❶ 每月的。(monthly)常用于构词。

例句 月报 月经 月刊 月票 月息 月薪

例句 这本是月刊。|如果经常坐车,买月票很方便。

❷ 形状像月亮的。(full-moon-shaped; round)常用于构词。

词语 月饼 月琴

例句 按照传统,中秋节要吃月饼。

【月份】 yuèfèn 〔名〕

指某一个月。(month)常构成短语做句子成分。

例句 七月份,我要去一趟哈尔滨。|我妹妹八月份结婚。|七月份的产

Y

量比六月份提高了。|A:这里几月份最热?B:七、八月份是最热的两个月。|一年有十二个月份。

【月光】 yuèguāng 〔名〕

月亮的光线。(moonlight)常做主语、宾语。[量]束,道。

例句 今晚的月光格外地亮。|月光如水一般,静静地泻在这叶子和花上。|从云层里透出一束淡淡的月光。

【月亮】 yuèliang 〔名〕

月球的通称。(the moon)常做主语、宾语、定语。[量]个。

例句 月亮躲在云后面了。|今晚的月亮真圆啊!|A:我喜欢中秋节的月亮,又大又亮。B:其实每个月都有这样的时候,只是没去注意。|月亮光是反射太阳的光。

【月球】 yuèqiú 〔名〕

围绕地球转动的卫星。本身不发光,只能反射太阳光。通称月亮。(the moon)常做主语、宾语、定语。[量]个。

例句 月球没有生物。|人类已经乘宇宙飞船登上了月球。|月球的直径只是地球的四分之一。

【乐】 yuè 〔名〕 另读 lè

音乐。(music)常用于构词,也做宾语、定语。

词语 乐器 音乐 乐曲 声乐 乐团

例句 大会开始时,乐队奏乐。|他是一位有名的乐手。

【乐队】 yuèduì 〔名〕

演奏不同乐器的许多人组成的集体。(band)常做主语、宾语、定语。[量]个,支。

例句 那支著名的乐队明天要来这里表演。|这支小乐队由四个人组成。|我们请了一个乐队来给婚礼助兴。|这个乐队的指挥非常有名。

【乐器】 yuèqì 〔名〕

演奏音乐使用的器具。(musical instrument)常做主语、宾语、定语。[量]件,种。

例句 这几件乐器我都会。|这种乐器的声音很好听。|A:你会演奏什么乐器?B:我会吹小号。|我练习这种乐器已经好几年了。

【乐曲】 yuèqǔ 〔名〕

音乐作品。(musical composition)常做主语、宾语、定语。[量]首。

例句 这首乐曲体现的是一种奋斗精神。|你会弹肖邦的乐曲吗?|这首乐曲的作者是蒙古族。

【阅】 yuè 〔动〕

❶ 看(文字)。(read)常用于构词,也做谓语。

词语 阅览 订阅 翻阅

例句 报告已阅,很好。|来信阅过,非常感谢!

❷ 检查。(review; inspect)常做谓语,也用于构词。

词语 检阅

例句 展览也可以让市领导检阅一下我们的产品。

❸ 经历。(pass through; experience)常用于构词。

词语 阅历

例句 李先生当过兵、出过洋,阅历很广。

【阅读】 yuèdú 〔动〕

看(书报)并领会其内容。(read)常做谓语、定语。

例句 我已经认识三千多个汉字，可以阅读报纸了。|这么简单的书，他可以阅读。|只有一个星期，他就阅读完了全部资料。|A：你还要提高阅读速度。B：有提高阅读速度的好办法吗？

【阅览室】 yuèlǎnshì 〔名〕

提供书、报刊等供看的房间。（reading room）常做主语、宾语、定语。［量］个。

例句 阅览室在二楼。|A：下课了，你不回寝室，还去哪儿？B：我要去阅览室查一些报刊资料。|阅览室的灯还亮着，可能还有人。

【跃】 yuè 〔动〕

跳。（leap；jump）常用于构词。也做谓语。

词语 跳跃 跃进 飞跃

例句 A：怎么会弄成这样？B：他想从这儿跃过去，可是摔了下来。|跃过这条沟时要小心点。|我们的产量跃上了一个新的台阶。

【跃进】 yuèjìn 〔动〕

跳着前进，比喻极快地前进。（make a leap；leap forward）常做谓语。

例句 本月的生产已经跃进到历史最好水平。

【越】 yuè 〔动/副〕

〔动〕❶ 跨过（阻碍），跳过。（get over；jump over）常做谓语。

例句 越过这座山，前面有一个小村子。|这道沟我可越不过去。|翻山越岭，终于找到了要找的草药。

❷ 不按照一般的次序，超出（范围）（exceed；overstep）常做谓语，也用于构词。

词语 越级 越界 越位

例句 这样做，属于越权行为。|不该把处级领导越过去，直接向局里汇报。

〔副〕表示程度因某种原因的影响而加深。（all the more）常用于“越…越…”或“越来越”的格式中。

例句 天越来越冷了。|那个人越看越像我同学。

【越…越…】 yuè…yuè… 〔关联〕

表示程度随某种条件的变化而变化。（the more... the more...）做状语。

例句 她越说越生气。|A：雨越下越大，咱们找个地方躲躲吧？B：好吧。|汉语越学越有意思。

【越冬】 yuè dōng 〔动短〕

度过冬天（多指植物、昆虫等）（live through the winter）常做谓语、定语。中间可插入成分。

例句 这种虫子在地下越冬。|燕子在北方越不了冬，它要飞到南方去。|这些越冬作物都长得很好。|越冬的小麦都变绿了。

【越过】 yuèguò 〔动〕

经过中间的界限、障碍物等由一边到另一边（surmount；cross）常做谓语。

例句 越过这条河，就到我家了。|越过一片草地，是一个大湖。|这一级部门不能越过。

【越来越…】 yuè lái yuè… 〔关联〕

表示程度随时的发展而加深。（more and more）做状语。

例句 弟弟的个子越来越高。|A：天越来越冷了，你要多穿些衣服。B：我知道。|他的口语越来越好。|产品越来越不能满足消费者的需要。

【云】 yún 〔名/动〕

〔名〕由水滴、冰晶形成的在空中飘浮的物体。(cloud)常做主语、宾语、定语。[量]片,朵。

例句 天上的云很多很厚,要下雨了。|云渐渐散开,太阳出来了。|天空多么蓝,一朵云也没有。|掌握云的变化规律,可预报天气情况。

〔动〕说。(say)做谓语。

词语 人云亦云　不知所云

【云彩】 yúncai 〔名〕

云。(cloud)常做主语、定语、宾语。[量]片,朵。

例句 天上连一片云彩也没有。|云彩的形状真是变化无穷。|夕阳西下,天边有一道红色的云彩。

【匀】 yún 〔形/动〕

〔形〕均匀。(even)常做补语、状语。

例句 你脸上的粉擦得不匀。|要把颜色涂得匀一些。|在锅底匀匀地抹一层油,再放上面糊,饼就做成了。

〔动〕❶ 使均匀。(even up; divide evently)常做谓语。

例句 把这两个碗里的饭匀一匀。|把钱匀一下,大家分开带。

❷ 抽出一部分给别人或做别用。(spare)常做谓语。

例句 把你的玩具匀给小弟弟点儿。|我明天不能去了,实在匀不出工夫来。|你该匀出点儿时间,关心一下孩子的学习。

【允】 yǔn 〔动〕

许可。(permit; allow; consent)常用于构词。

词语 应允　允许

例句 求了他半天,才应允。

【允许】 yǔnxǔ 〔动〕

许可;同意。(permit; allow)常做谓语、宾语。

例句 父母不会允许我这样做。|我只允许过他一次。|这样的事不允许再发生了。|(门口的牌子写着)未经允许,不得入内。|我想读在职博士课程,希望您能允许。

【孕】 yùn 〔动/名〕

〔动〕怀胎。(be pregnant)常用于构词。

词语 孕育　孕妇　孕期

例句 孕妇在孕期尽量不要吃药。

〔名〕怀胎的现象。(pregnancy)常用于构词。

词语 怀孕

例句 尽管妻子怀孕九个月了,还是照常上班。

【孕育】 yùnyù 〔动〕

怀胎生育,比喻已有的事物中酝酿着新事物。(breed; gestate)常做谓语。

例句 这大雪中孕育着春的生机。|其实这花早在严冬就孕育好了花蕾。|那时,“一国两制”的构想已经在邓小平心中孕育成熟了。

【运】 yùn 〔动/名〕

〔动〕❶ 物体的位置发生变化。(movement; motion)常做语素构词。

词语 运动　运行

❷ 把东西从一个地方弄到另一个地方。(carry; transport)常做谓语。

词语 这些菜要运到什么地方去?|他去运货了,马上就回来。|书都运回来了。

❸ 利用。(use)常用于构词。

词语 运笔　运用

例句 写书法,运笔非常重要。

〔名〕人的遭遇。(luck)常用于构词。

词语 运气 好运 幸运 恶运 走运

例句 祝你好运!|最近他不太走运,总是输棋。

【运动】 yùndòng 〔动/名〕

〔动〕事物发展;位置变化活动。(move; turn around)常做谓语、定语、主语、宾语。

例句 世界上的一切物体都在不停地运动。|早上最好出去运动。|坐时间长了,得运动一下腰。|部队正在向东线运动。|运动着的物体都有一定的速度。|运动对身体有好处。|我爸爸喜欢各种运动,经常打打球、钓钓鱼什么的。

〔名〕❶ 政治、文化、生产等方面有组织、规模较大的群众性的活动。(movement; campain; drive)常做主语、宾语。[量]个,次。

例句 这次技术革新运动搞得很成功。|他亲身经历了这场运动。|全国人民都积极参加植树运动。

❷ 体育活动。(sports)常做主语、宾语、定语。[量]项。

例句 足球运动在英国开展得最普遍。|他们学校很重视球类运动。|这个运动项目适合于老年人。

【运动会】 yùndònghuì 〔名〕

多项体育运动的比赛大会。(sports meet)常做主语、宾语。[量]届,次。

例句 学校第 25 届运动会将于 10 月 20 日举行。|我参加过全省运动会。|北京将主办 2008 年夏季奥林匹克运动会。

【运动员】 yùndòngyuán 〔名〕

参加体育运动比赛的人。(sportsman or sportswoman; athlete; player)常做主语、宾语、定语。[量]个,名。

例句 运动员都已经入场了。|我长大了要当个足球运动员。|作为一名运动员,应该遵守体育道德。|目前,我队运动员的身体和精神状态都很好。

【运气】 yùnqi 〔名〕

人生的各种遭遇;幸运。(luck; fortune)常做主语、宾语。[量]种,个。

例句 你运气真好,找了这么一位能干的妻子。|我运气不好,又输了。|你这小子真有运气,考一次就通过了。

【运输】 yùnshū 〔动〕

用交通工具把东西或人从一个地方运到另一个地方。(transport)常做谓语、宾语、主语、定语。

例句 马上往灾区运输一批救灾物资。|我们运输队的运输能力很强。|应当大力发展运输业。|这个城市交通运输很发达。|铁路运输比公路运输便宜。

【运送】 yùnsòng 〔动〕

把人或物资运到别处。(transport)常做谓语。

例句 水果用飞机运送。

【运算】 yùnsuàn 〔动〕

用数学方法算出算题或算式的结果。(operation; calculate)常做谓语、定语。

例句 请同学们运算一下这道题。|这么快就运算出来了?|计算机运算速度快得很。

【运行】 yùnxíng 〔动〕

按固定的路线或方式反复地运动(多指星球、车船等)。(move; be in motion)常做谓语、定语。

例句 地球是绕着太阳运行的。|发动机运行得很正常。|火车经过几次提速,运行时间大大缩短。

【运用】 yùnyòng 〔动〕

根据事物的特性加以利用。(use; wield; apply)常做谓语。

例句 运用这种方法,可以提高生产效率。|这个公式运用过了,可还是算不出来。|运用汉语跟中国人交流,可以更快地提高汉语水平。

【运转】 yùnzhuǎn 〔动〕

❶ 沿着一定的轨道行动。(turn round; revolve)常做谓语。

例句 太阳周围有九颗行星围着它运转。|当北极星运转到这个位置时,就是早晨了。

❷ 指机器转动。(work; operate)常做谓语。

例句 停电了,机器无法运转。|机器运转得十分灵活。|这是一台新机器,要先慢慢运转。

【运作】 yùnzuò 〔动〕

(组织、机构等)进行工作;开展活动。(be in operation; run)常做谓语、定语、宾语。

例句 为保证海关正常运作,我们增加了人力。|公司出了一些问题,我们要改变一下各部门的运作方式。|新建的公司已经开始运作了。

【晕】 yùn 〔动〕 另读 yūn

头脑发昏,周围物体好像在转,人有要跌倒的感觉。(feel dizzy)常做谓语,也用于构词。

词语 晕船 晕车 眼晕 晕机

例句 因为有风浪,他晕船了。|他坐车晕得厉害。

【酝酿】 yùnniàng 〔动〕

造酒的发酵(jiào)过程,比喻做准备工作。(brew; ferment)常做谓语、定语。

例句 整个计划还在酝酿。|改革方案已经酝酿很久了。|他正在酝酿一篇小说。|不知酝酿的结果怎样了。

【蕴藏】 yùncáng 〔动〕

蓄积而没有露出或挖掘。(hold in store)常做谓语、定语。

例句 那里蕴藏着丰富的石油和天然气。|这种金属蕴藏在地下已经上亿年了。|群众中蕴藏着许多智慧。|这里蕴藏的铁矿很丰富。

Z

【杂】 zá 〔形/动〕

〔形〕❶ 多种多样的、不纯、不单一。(miscellaneous; sundry; mixed; various; diverse)常做谓语、定语、状语、补语。也用于构词。

词语 杂烩 杂货 杂技 复杂 杂活儿

例句 学的东西太杂了,反而学不好。|我的工作杂得很。|这儿杂人太多,是不是换个地方谈?|这篇文章写得太杂了。

❷ 正项以外的、正式的以外的。(extra; irregular)常用于构词。

词语 杂费 杂务 杂牌 杂质

〔动〕混合在一起。(mix; mingle)常做谓语。

例句 黑狗身上杂有白毛。|绿色的草地上杂着各种野花。

【杂技】 zájì 〔名〕

各种技艺表演的总称,如车技、口技、顶碗、走钢丝、魔术等。(acrobatics)常做主语、宾语、定语。[量]种。

例句 今天的杂技精彩极了。|杂技很受欢迎。|留学生们很喜欢中国杂技。|吴桥是中国杂技之乡。

【杂交】 zájiāo 〔动〕

不同种属或品种的动物或植物进行交配或结合。分为有性和无性两种。(hybridize; crossbreed)常做谓语、定语。

例句 水稻杂交后,产量大大提高了。|马和驴杂交的后代叫骡子(luózi)。|专家正在指导农民培育杂交苹果。

【杂乱】 záluàn 〔形〕

多而乱,没有秩序或条理。(mixed and disorderly; in a jumble)常做谓语、定语、状语、补语。

例句 屋子里到处都是小孩的玩具,十分杂乱。|当时,姐姐的思绪杂乱得很。|杂乱的小院里住着三家人。|我想快点儿摆脱杂乱的事务,专心做学问。|走廊里杂乱地堆放着一些旧家具和日用品。|书呀本子什么的杂乱地放在桌子上。|他的发言东拉西扯,讲得很杂乱。|房间小,东西多,显得有些杂乱。

辨析 〈近〉混乱。"杂乱"侧重于多而杂,种类或个数多而且互相搀杂在一起;"混乱"侧重于搅乱在一起而显得不统一,不稳定。此外,"杂乱"常形容具体的东西或某些事情,"混乱"常形容抽象的事物,如思想、局面、状态、秩序等。

【杂乱无章】 záluàn wú zhāng 〔成〕

又多又乱,没有条理。(disorderly and unsystematic; disorganized)常做谓语、定语、补语。

例句 屋里的东西杂乱无章,摆得哪儿都是。|能不能把这些杂乱无章的材料整理出来?|村里的房子盖得杂乱无章。

【杂文】 záwén 〔名〕

现代散文的一种,形式自由,偏重议论,也可叙事。(essay)常做主语、宾语、定语。[量]篇。

例句 鲁迅的杂文很有战斗力。|这篇杂文很有现实意义。|我特别爱看杂文。|那篇文章的体裁是杂文。|杂文的作用是其他体裁代替不了的。|那是一本杂文集。

【杂志】 zázhì 〔名〕

成本的定期出版物。(magazine)常做主语、宾语、定语。[量]本,份,期。

例句 这份杂志是双月刊。|这些杂志内容都挺丰富。|明年我得多订两份杂志。|他非常爱看体育杂志。|这种杂志的读者大都是知识分子。|现在杂志里边也有广告。

【杂质】 zázhì 〔名〕

混在某种物质中的不纯的成分。(impurity)常做主语、宾语、定语。[量]种。

例句 经过处理,水中的杂质消失了。|这种饮料中的杂质超过了卫生标准。|实际上,绝对不含杂质的东西是不存在的。|经检测,杂质的含量为0.1%。

【砸】 zá 〔动〕

❶ 用重的东西对准物体打;重的东西落在物体上。(pound;tamp)常做谓语、定语。

例句 不小心,石头砸了我的脚。|锤子砸在手上,砸得真疼。|弟弟正在砸核桃,砸的仁儿有一小碗了。|爷爷告诉我为了地基能结实,砸的劲儿还得再大点儿。

❷ 打破,也比喻事情失败。(break;smash)常做谓语、补语。

例句 谁砸公司的牌子,我就砸谁的饭碗。|这件事差点儿让他给砸了。|这场戏千万别演砸了。|他把好事弄砸了。

【咋】 zǎ 〔代〕 另读 zé,zhā

怎么。(how;why)常用于动词或形容词前面做状语,表示询问原因或方式。用在形容词前面时,后边常有"这么"、"那么"、"这样"、"那样"等词;用在名词前边时,中间常用量词。

例句 你说说是咋回事?|唉,这事咋办呢?|请问,去火车站咋走?|哎,昨天你咋没去?|今天咋这么热!|他咋那么有意思?|你脸咋红了?不好意思啦?

【灾】 zāi 〔名〕

自然的祸害或人为的不幸。(calamity;disaster)常做宾语或用于构词。

词语 天灾 火灾 灾祸 水灾

例句 今年,我们县遭了水灾。|"破财免灾"是一种迷信说法。

【灾害】 zāihài 〔名〕

旱、涝、风、虫、雹、战争等自然造成的或人为的祸害。(calamity;disaster)常做主语、宾语、定语。[量]次。

例句 地震灾害给人类造成了巨大的损失。|那场灾害是百年不遇的。|去年全社会齐心合力,战胜了几场大的自然灾害。|很多自然灾害的发生,往往无法预料。|这次灾害的严重后果,电台、报纸已经报道了。

【灾荒】 zāihuāng 〔名〕

指自然给人造成的损害(多指荒年)。(famine due to crop failures)常做主语、宾语。[量]场,次。

例句 那场灾荒持续了三年。|我们一定能战胜灾荒。

【灾难】 zāinàn 〔名〕

天灾人祸所造成的严重损害和痛苦。(suffering; calamity; disaster; catastrophe)常做主语、宾语、定语。[量]场。

例句 乱砍树木造成的灾难,不是短时间能够消除的。|由于预防工作做得好,避免了这场可能发生的灾难。|这场灾难的受害者达数十

万人。|有些灾难的发生,是可以避免的。

辨析 〈近〉灾害。"灾难"侧重于天灾人祸给人造成的惨重损失和痛苦,语义较重;"灾害"偏重于自然因素造成的灾情和危害,语义稍轻。

【栽】 zāi 〔动〕

❶ 种植。(plant;grow)常做谓语。

例句 今天植树节,下午我们去栽树。|大葱都栽完了。

❷ 插上;硬给安上。(erect;insert;plant)常做谓语。

例句 不该把事故的责任硬栽到我头上。|这不是事实,是栽赃。

辨析 〈近〉种。"栽"常和秆子、树、菜秧、罪名一类词语搭配;"种"常与粮食、蔬菜、花木、庄稼、田、地等词语搭配。

❸ 摔倒;跌倒。也比喻受挫。(tumble;fall)常做谓语。

例句 刚才没注意,栽了一个跟头。|昨晚骑车,我差点儿栽到沟里去。|这事要小心,不能栽进去。

【栽培】 zāipéi 〔动〕

❶ 种植、培养。(cultivate;grow)常做谓语

例句 林场正在人工栽培人参。|苹果新品种栽培得很成功。|我们栽培过这种水稻,但不太理想。|这种作物已经栽培了一个多世纪了。

❷ 比喻培养、造就人材;也指官场中对人的照顾、提拔。(foster;train;educate;patronize)常做谓语、宾语。

例句 承蒙恩师栽培,不胜感激。|今后还靠领导多多栽培。|我能取得今天这样的成绩,不能忘记母校的栽培。

辨析 〈近〉培养。"栽培"用于人时多用在客套场合,带有请求、感恩之意;"培养"没有客套色彩。

【宰】 zǎi 〔动〕

杀。比喻向买东西或接受服务的人要高价。(butcher;overcharge;soak;fleece)常做谓语。

例句 蒙古族兄弟特意宰了一只羊来款待我们。|这家餐馆特别宰人。|出租车宰客的情况时有发生。

【再】 zài 〔副〕

❶ 表示动作的重复或继续(一般指未实现的)。(once more;again)做状语。

例句 时间还早,再坐会儿吧。|人不能一错再错。|你要是再哭,小朋友就不跟你玩了。|都过了半个多钟头了,再等也是白等。

❷ 表示动作将在某一情况或某一时间后出现。[(*for a delayed action, preceded by an expression of time or condition*) then, only then]做状语。

例句 你一定要吃完了饭再走。|等问题调查清楚了再处理。|今天没时间,明天再说行不行?|对不起,货卖完了,下礼拜再来看看吧。

❸ 表示程度增加。[(*used before adjectives*) more; *-er*]做状语。

例句 颜色再淡一点儿就好了。|再苦不能苦孩子,再难不能难教育。|这天儿旱得不能再旱了。

❹ 表示在任何条件下情况都不会改变。[(*indicating no change in any case*) *no matter how... still* (*not*)]常与"也、都"配合,用于复句中。

例句 狐狸再狡猾,也斗不过好猎手。

Z

|别人的东西再好都不能要。|我再手紧,也不能看着你有困难不管。

❺ 表示补充,有“另外”,“又”的意思。(in addition; on top of that)做状语。

词语 再一个 再一次 再有(就是)

例句 我们学校的留学生主要是日本的、韩国的,再一个是俄罗斯的。|这件事再一次说明了一个真理:物极必反。|我家种了30亩小麦,再还有5亩棉花。|买车的有小王、大李,再就是老孙。

❻ 表示范围扩大。(to a greater extent)做状语。

例句 这个企业除了改革,再没有出路。|丰厚的回报使外商决定再投资1亿美元,建设新生产线。

❼ 加强语气。[(not) any more]做状语,多用在否定词的前面,句末常用助词“了”。

例句 你再不能给孩子增加压力了。|再没有比“果王”更好吃的水果了。

▶ “再”也可用于习用语“首先…其次…再(其)次”,意思同“第一…第二…第三…”;“一而再,再而三”,意思为“反复地”。

【再见】 zàijiàn 〔动〕

客套话,用于分手时。(goodbye)常做谓语、定语。也可独立成句。

例句 再见了,亲人们!|老师,再见!|来,宝贝,跟妈妈再见!|再见的时刻终于到了。

【再接再厉】 zài jiē zài lì 〔成〕

一次又一次地继续努力。(make persistent efforts; continue to exert oneself; work ceaselessly and unremittingly)常做谓语。

例句 我们要再接再厉,争取拿更多的金牌。|你这次考得很好,希望以后再接再厉。

【再三】 zàisān 〔副〕

一次又一次。(over and over again; time and again)做状语,补语。

例句 我再三向他道谢。|我向老人再三表示歉意。|王英考虑再三,还是给家里打了个电话。|父母叮嘱(dīngzhǔ)再三,可他就是不听。

【再生产】 zài shēngchǎn 〔名短〕

指生产过程的不断重复和经常更新。(reproduce; repeat or renew production)常做主语、宾语、定语。

例句 目前,公司资金短缺,再生产难以维持。|厂里正准备扩大再生产。|本年度投入了很多资金,用来扩大再生产的规模。

【再说】 zàishuō 〔动/连〕

〔动〕表示留待以后办理或考虑。(not deal with sth. until some time later; put off until some time later)常做谓语。

例句 这事以后再说吧。|关于福利问题,过两天再说。|机票先别买,等对方的传真到了再说。

〔连〕表示进一步说明理由。(what's more; besides)用在复句中,连接两个分句。

例句 他不来就算了吧,再说活儿也干得差不多了。|天黑了,再说你又不认识路,还是明天再去吧。|别做饭了,怪麻烦的,再说我也不饿。

【在】 zài 〔介/动/副〕

〔介〕表示时间,处所,范围等。[at, in, or on(a place or time)]常构成介宾短语做状语、补语。

例句 这种颜色在国外很流行。|田中先生在一年里学会了不少中国话。|在房间的角落里有一盆花。|请把这本书放在桌子上。|这件事发生在昨天上午。|橘子生长在南方。

〔动〕❶ 存在,生存。(be alive; exist)常做谓语。

例句 他的父母都在。|我今天晚上不在学校。|辛亥革命在1911年,不是1910年。|请问,张老师在吗?

❷ 决定于。(lie in; depend on; rest with; rely on)常做谓语。

例句 他学习这么好,全在自己的努力。|去不去在你,反正我都告诉人家了。|锻炼贵在坚持。

〔副〕表示动作进行或状态的持续。(*indicating an action in progress*)常做状语。

例句 我们的业务在扩展。|大家在排练。|这两年我一直在学习汉语。

【在乎】 zàihu 〔动〕

❶ 在于。(lie in; rest with; depend on)常做谓语(带宾语)。

例句 文章不在乎多,而在乎精。|进步主要在乎自己的努力。

❷ 放在心上。(care about; mind; take to heart)常做谓语、定语。

例句 我不在乎。|人家笑你,你在乎不在乎?|我比较在乎别人怎么看我。|他故意装出不在乎的样子。|那不在乎的语气深深地刺痛了她的心。

【在意】 zài yì 〔动短〕

放在心上;留意。(take notice of; care about; mind; take to heart)常做谓语。

例句 这些小事,他很在意。|我说的那些话,你别在意。

【在于】 zàiyú 〔动〕

❶ 指出事物的本质,原因的所在之处;正是、就是。(lie in; consist in)常做谓语(带宾语)。

例句 丰富的知识在于平时的积累。|我们厂的问题就在于产品的质量上不去。|改革的目的在于解放生产力。

❷ 决定于(某一因素,某一对象)。(depend on; rest with; be determined by)常做谓语(带宾语)。

例句 一年之计在于春。|行不行在于你。|事情能否成功在于主客观条件是否具备。

【在座】 zàizuò 〔动〕

在聚会、宴会等的座位上,泛指参加聚会或宴会。[be present (at a meeting or a banquet)]常做谓语、定语。

例句 今天的毕业典礼,很多领导在座。|在座的来宾有很多是劳动模范。|这事在座的人没有不知道的。

【载】 zài 〔动〕 另读 zǎi

❶ 用车、船等运输工具装(人或物)。(carry; hold; be loaded with)常做谓语。

例句 这部大客车最多能载70人。|我这辆车可载不了那么多货。

❷ 充满(道路),积满。(all over the road)常用于固定短语。

词语 风雪载途 怨声载道。

▶"载"也做副词,表示"又",起连接作用。构成"载…载…"格式。如:载歌载舞 载笑载言

【载歌载舞】 zài gē zài wǔ 〔成〕

又唱歌，又跳舞。形容尽情欢乐。(festively singing and dancing)常做谓语、定语、状语。

例句 市民们载歌载舞。|同学们在电视上看到了自己载歌载舞的形象。|欢乐的人群载歌载舞地向市中心进发。

【载重】 zàizhòng 〔动〕

(交通工具)负担重量。(load; carrying capacity)常做谓语、定语。

例句 一节车皮载重多少吨？|厂里新进了新型载重汽车。|波音747的载重量比较大。

【咱】 zán 〔代〕

❶ 咱们。(we or us)常做主语、宾语、定语。

例句 宝宝，咱不买玩具了，你的玩具已经够多了。|听说百货大楼正在打折，咱也去买点儿便宜货呗。|他们这次来，是专门冲着咱的。|明天咱爸妈要来看孙子。

❷ 我。(I or me)常做主语、宾语。

例句 咱可没有那么大的本事。|你就知道自己去，怎么不告诉咱？

【咱们】 zánmen 〔代〕

总称己方(我或我们)和对方(你或你们)。[we or us(including both the speaker and the person or persons spoke to)]常做主语、宾语、定语。

例句 咱们一块儿去食堂吃饭吧。|咱们什么时候出发？|那种事可找不到咱们，是吧？|其实，最苦最累的是咱们。|咱们老师怎么还不来？|咱们班有几个国家的留学生？

【攒】 zǎn 〔动〕

积累、储蓄(chǔxù)。(accumulate; save; collect bit by bit)常做谓语、定语。

例句 女儿把压岁钱都攒起来存进了银行。|他攒了很多邮票。|攒的易拉罐有一箱子了，快处理了吧。

【暂】 zàn 〔副〕

短时间内。(temporarily; for the time being; for the moment)常做状语，(后面常带单音节词)。

例句 访问团计划暂住一周。|对于这个问题我们暂不答复。|年终检查暂告一段落。

【暂且】 zànqiě 〔副〕

暂时地。(for the time being; for the moment)常做状语。

例句 房子不好，你暂且住几天。|附近没有停车场，车就暂且放门口吧。|这件事暂且不提为好。

【暂时】 zànshí 〔形〕

短时间之内。(temporary; transient)常做状语、定语。

例句 马克暂时还回不来。|这里车辆暂时禁止通行。|你暂时等几天吧。|这只是暂时的安排，以后怎么办还不知道。

【赞成】 zànchéng 〔动〕

同意(别人的主张或行为)。(approve of; favor; agree with; assent)常做谓语、宾语、定语。

例句 大家都赞成他的主张。|全体职工都赞成改革。|对这个建议我赞成得很。|这个方案大家都表示赞成。|她的意见得到了大家的一致赞成。|会上，我投了赞成票。|赞成的人请举手。

【赞美】 zànměi 〔动〕

称赞，夸奖。(praise; eulogize)常做谓语、定语、宾语。

例句 人们赞美春天，因为春天带来希望。|小孩子爱听赞美的话。|文章中有很多赞美之词。|这种艰苦奋斗的精神非常值得赞美。

【赞赏】 zànshǎng 〔动〕

赞美赏识。(appreciate; admire)常做谓语、定语、宾语。

例句 我很赞赏你这种敬业精神。|她用赞赏的目光看着他。|马克的毛笔字受到了书法家的赞赏。

【赞叹】 zàntàn 〔动〕

极为称赞。(admire; highly praise)常做谓语、定语、状语。

例句 看到这精美的艺术品，参观的人都不停地赞叹。|游客们用赞叹的口气说："这里真美啊！"|他赞叹地说："长城真雄伟！"

辨析 〈近〉赞赏。"赞叹"在称赞时伴有感叹的语气或言语，"赞赏"则重在赏识或欣赏。

【赞同】 zàntóng 〔动〕

赞成，同意。(agree with; approve of; endorse)常做谓语、定语、宾语。

例句 全厂职工一致赞同这项改革方案。|爸爸赞同我来中国留学。|大家都赞同的事情就应该努力去做。|决议通过后，房间里响起了赞同的掌声。|改革方案得到了群众的广泛赞同。|领导对我的建议表示赞同。

【赞扬】 zànyáng 〔动〕

称赞表扬。(speak highly of; praise; commend)常做谓语、主语、宾语、定语。

例句 老师赞扬了他认真学习的精神。|我们应该赞扬那些默默做好事的人。|过多的赞扬往往会产生相反的结果。|吃苦在前，享受(xiǎngshòu)在后的精神不值得赞扬吗？|有人只喜欢听赞扬的话。|我们要注意赞扬的"度"。

【赞助】 zànzhù 〔动〕

赞同并支持、帮助(现多指拿出财物帮助)。(support; aid; assistance)常做谓语、宾语、定语。

例句 下周的活动，你们能不能赞助一下？|这项工程，得到了海内外各界朋友的赞助。|摄制组一成立，就到处拉赞助。|赞助单位的捐款全部用于支援西部地区。|赞助的厂商已超过了百家。

【脏】 zāng 〔形〕

不干净(有尘土，污点等)。(dirty; filthy; unclean)常做谓语、定语、补语。

例句 窗户太脏了，早该擦擦了。|那个房间脏得很，必须彻底打扫。|脏东西可不能吃。|你把脏衣服洗一洗吧。|别把我的书弄脏了。|请别动手，摸脏了就不好卖了。

【葬】 zàng 〔动〕

❶ 掩埋死者遗体。(bury; inter)常做谓语，也用于构词。

词语 安葬 埋葬 下葬 葬礼

例句 这位医生去世后，就葬在了当地。

❷ 泛指依照风俗习惯用其他方法处理死者遗体。(dispose the body of the deceased according to local customs and certain methods)常用于构词。

词语 火葬 海葬 天葬

【葬礼】 zànglǐ 〔名〕

安葬死者的仪式。(funeral; funeral or burial rites)常做主语、宾语、定语。[量]个,次。

例句 葬礼是在今天上午举行的。|葬礼十分隆重,有数百人为他送行。|很多人自发地参加了这位英雄的葬礼。|外国友人也出席了葬礼。|葬礼的气氛很庄严。|葬礼的规模和时间还没决定下来。

【遭】 zāo 〔动/量〕

〔动〕遇到(不幸或不利的事)。(meet with; suffer; sustain)常做谓语。

例句 听说最近他又遭难了?|别提了,谁遭过我那个罪呀?

〔量〕❶ 回,次,趟。(time; turn)常构成短语做句子成分。

例句 我头一遭坐飞机,就遇上了险情。|为了生意他俩去新疆走过两遭。|遇上这种事,我还是第一遭。

❷ 圈儿。(round)常构成短语做补语。

例句 用绳子绕两遭才结实。|我围着操场跑了两遭。

【遭到】 zāodào 〔动〕

遇到、承受(不幸、不利的事)。(meet with; suffer; sustain)常做谓语。

例句 这次努力又遭到了失败。|许多建筑在地震中遭到了严重的破坏。|不管遭到多少次打击,他仍不泄气。

【遭受】 zāoshòu 〔动〕

受到(不幸或损害)。(suffer; be subjected to; sustain; undergo)常做谓语。

例句 尽管这次遭受了很大损失,但是我们要挺住。|谁没遭受过挫折呢?|他又一次遭受了不公正的对待。

【遭殃】 zāo yāng 〔动短〕

遭受灾祸。(suffer disaster; suffer)常做谓语、定语。中间可插入其他成分。

例句 两国连年打仗,人民遭殃。|上游河水一污染,下游可遭了殃。|干部搞腐败,遭殃的还不是老百姓?

【遭遇】 zāoyù 〔动〕

碰上,遇到(敌人,不幸的或不顺利的事等)。(meet with; encounter; run up against)常做谓语。

例句 先头部队与敌人遭遇了。|老人家一生遭遇了许多不幸。|他在工作中遭遇了很多困难。|奶奶遭遇的事情可以写成一部小说。|他所遭遇的情况是你我想象不到的。

【糟】 zāo 〔形〕

❶ 腐烂,腐朽。(rotten; decayed; worn out)常做谓语。

例句 这些木头在外头放了好几年了,已经糟了。|埋在地下的东西很快就糟了。

❷ 指事情或情况坏。(poor; in a wretched state)常做谓语、补语。

例句 最近股市糟透了。|她的身体很糟,总生病。|这下你可把事情搞糟了。|咱们的发言稿让他讲糟了。

【糟糕】 zāogāo 〔形〕

指事情或情况非常坏。(how terrible; what bad luck; too bad)常做谓语、补语、定语。

例句 真糟糕,钥匙忘在房间里了。|事实比想象的更糟糕。|这件事被

他弄得很糟糕。|这次会议怎么办得这么糟糕?|我从没遇到过这么糟糕的情况。

【糟蹋】 zāotà 〔动〕

❶ 浪费或损坏。(waste; ruin; spoil; destroy)常做谓语。

例句 生活再好,也不能糟蹋粮食。|别把自己的身体糟蹋坏了。|这群鸡把菜地糟蹋得不像样了。

❷ 侮辱,蹂躏(róulìn)。(insult; trample on; ravage)常做谓语、宾语。

例句 敌人把这个村子糟蹋得很厉害。|你这张嘴太能糟蹋人了。|这姑娘受到百般糟蹋,精神失常了。

【凿】 záo 〔动〕

打孔,挖掘(wājué)。(bore a hole; chisel or dig)常做谓语。

例句 冬天,渔民在冰面上凿洞捕鱼。|古人在崖上凿出了不少石窟(kū)。|村里的石匠都去石场凿石头去了。

【早】 zǎo 〔形〕

在一定的时间之前的。(earlier than scheduled or planned; early)常做谓语、状语、补语、主语,也用于构词。

词语 早春 早期 早退 早晚 早已

例句 爷爷每天起床很早。|A:天不早了,该走了。B:忙什么?还早呢。|这事你怎么不早说?|他早早地就来了。|早睡早起身体好。|同学们来得真早。|你买早了,过几天买还能便宜。|早也不好,晚也不好。

▶"早"也做名词,指"早上"。如:早操 早晨 早饭 早市 早出晚归 从早到晚

▶"早"也用于问候。如:A:老师早! B:你早。

【早晨(早上)】 zǎochén(zǎoshang)〔名〕

从天要亮到八九点钟的一段时间,有时从午夜十二点以后,到中午十二点以前,都算早晨。(morning)常做主语、宾语、定语、状语。[量]个。

例句 明天早晨有雨。|早晨空气新鲜,可以出去走走。|我特别喜欢山里的早晨。|早晨的太阳又大又红。|早晨的气温比较低。|多数人喜欢早晨锻炼身体。

【早点】 zǎodiǎn 〔名〕

早晨吃的点心;早饭。(breakfast; snack eaten in the morning)常做主语、宾语、定语。[量]份。

例句 今天的早点是粥和馒头。|食堂的早点有中西两种。|爷爷特别喜欢粤(yuè)式早点。|有的人常常不吃早点就上班。|早点的种类很多。|这个店早点的价钱比较便宜。

【早饭】 zǎofàn 〔名〕

早晨吃的饭。(breakfast)常做主语、宾语、定语。[量]顿。

例句 今天早饭吃什么?|早饭很重要,不能小看。|哥哥总不吃早饭。|妈妈每天都早起做早饭。|一放假我们家早饭的时间就不一定了。|我们食堂早饭的品种很多。

【早期】 zǎoqī 〔名〕

某个时代,某个过程或某个人一生的最初阶段。(early stage; early phase; initial stage)常做定语、状语。

例句 这是他的早期作品。|早期的电脑,很快就淘汰了。|这位作曲家早期写了不少圆舞曲。

【早日】 zǎorì 〔副〕

早早儿，时间提早。(at an early date; early; soon)做状语。

例句 祝你早日恢复健康！|但愿这座大楼能早日完工。|我多想早日住上新房子啊！

【早晚】 zǎowǎn 〔名/副〕

〔名〕早晨和晚上；时候。(morning and evening; time)常做状语。

例句 每天早晚各服一次(药)。|爸爸常常早晚出去散步。

〔副〕或早或晚。(sooner or later)做状语。

例句 这事瞒不了人，早晚人们都会知道的。|早晚也得去，还不如早去。|人早晚都要死，哪有长生不老的？

【早已】 zǎoyǐ 〔副〕

很早已经，早就。(long ago; for a long time)常做状语。

例句 入场时间还没到，电影院门口早已挤满了人。|你要带的东西，我早已给你准备好了。|她早已成了别人的新娘了，别傻等了。

【枣】 zǎo 〔名〕

一种树，枝上有刺，结长圆形核果，暗红色，可吃，果实也称枣。(date; jujube)常做主语、宾语、定语。[量]个，颗，棵。

例句 今年院里的几棵枣结果了。|枣很有营养，每天吃几个有好处。|在这儿也能买到有名的陕西大红枣。|小时候他最爱吃枣。|枣的生存能力非常强。|这两年枣的产量一直很高。

【灶】 zào 〔名〕

❶ 做饭的设备；也指厨房。(kitchen range; kitchen)常用于构词，或作宾语。

词语 炉灶 灶台 煤气灶 电灶

例句 今天我上灶，给你们做几个拿手菜。

❷ 指供在灶旁的神。(kitchen god)常用于构词。

词语 灶王爷 祭(jì)灶 送灶

【造】 zào 〔动〕

❶ 做；制作。(make; build; manufacture; create; construct)常做谓语，也用于构词。

词语 创造 制造 造价 造型

例句 这房子造得真快。|他们造这艘巨型油轮造了两年。|请用“又”造个句子。

❷ 假编。(invent; cook up)常做谓语。

例句 这伙人专门造假证件。|谣言造到我头上来了。

【造反】 zào fǎn 〔动短〕

发动叛乱；采取反抗行动。(rebel; revolt; take action in resistance)常做谓语、定语、主语。中间可插入成分。

例句 这样下去，人们还不造反？|造反的原因是官吏的腐败。|造反是被逼出来的。|你们这是造谁的反？

【造价】 zàojià 〔名〕

工程的修建费用或车、船、机器等的制造费用。(cost)常做主语、宾语。[量]个。

例句 这个造价太高，我们无法接受。|这座桥梁的造价是你想象不到的。|在确定设计方案之前，要比较一下它们的造价。|现在到处都在建房子，但如果不尽量降低造价，就很难卖出去。

【造句】 zào jù 〔动短〕

把字、词组织成句子。(make a sentence)常做主语、谓语、定语、宾语。中间可插入成分。

例句 造句是学习语言常做的一种练习。|请安娜造个句吧。|你今天造句造得不错。|我们一起做造句练习吧。|要学好汉语得多练习造句。

【造型】 zàoxíng 〔名〕

创造出来的物体形象。(modelling; mould-making)常做主语、宾语、定语。[量]个,种。

例句 这尊雕塑的造型太漂亮了!|艺术体操的造型很美。|我的头发用这种造型好不好看?|舞台艺术很讲究人物的造型。|那位年轻人就是这个造型的设计者。

【噪音】 zàoyīn 〔名〕

混乱、不和谐的声音(区别于乐音);噪声。(noise)常做主语、宾语、定语。[量]种。

例句 乐队指挥耳朵特别灵,一点儿噪音都能听出来。|过多的噪音会影响人们的生活。|这是谁发出来的噪音?|我们要尽量减少城市的噪音。|噪音的危害,很多人还不清楚。|现在许多城市都设置了噪音分贝牌。

【则】 zé 〔连〕

❶ 表示两事前后连接;就。(*indicating one action follows another*)连接两个分句或两个词。

例句 活动若遇雨,则顺延。|她这人不说则已,一说就没完。|有则改之,无则加勉。|骨伤的恢复轻则一两个月,重则三五个月。

❷ 表示因果或情理上的联系;那(那么)。(*indicating relationship between cause and effect*)常用于复句的后一分句。

例句 主观不努力,则客观条件再好也没用。|要不是值班人员及时发现险情,则后果不堪设想。|欲速则不达。|既然对方没有诚意,则我们的努力也没有意义了。

❸ 表示对比、对立。(*indicating contrast*)用于并列复句后一分句。

例句 过去是商品短缺,现在则是供大于求。|我这点儿外语能应付简单会话,讲课则差得太远。|不吃药不行,吃药则副作用太大。

❹ 表示让步的关系。(*indicating concession*)用在相同的两个单音动词或单音形容词之间,后分句有“只是”、“但”、“但是”、“就是”等配合。

例句 这本书好则好,只是太贵了。|他去则去了,只是没办成。|写则写了,但人家是否满意就不知道了。

▶ “则”还做名词,表示规范,规定。如:以身作则 规则 守则 细则

【责】 zé 〔名/动〕

〔名〕份内应做的事。(duty; responsibility; liability; obligation)常用于构词,也可用于固定短语或做宾语。

词语 职责 负责 责任 责无旁贷 责在必行

例句 爱护公物,人人有责。|天下兴亡,匹夫有责。

〔动〕❶ 要求,督促。(demand; require)常做谓语。

例句 我们要责人宽,责己严。

❷ 指摘;质问。(reproach; blame; reprove; interrogate; question closely)常用于成词。

词语 斥责 指责 责备 责问 责难

【责备】 zébèi 〔动〕
批评指责。(accuse; blame; reproach)常做谓语、定语、主语、宾语。

例句 都是我的错,不要责备他。|不要总责备孩子。|我已经责备对方好几次了。|她对你没有一点儿责备的意思。|面对责备的目光,他低下了头。|你对他的责备有点儿过分了。|这种不负责任的态度受到了大家的责备。

【责怪】 zéguài 〔动〕
责备,埋怨。(blame;accuse)常做谓语、定语。

例句 不要总是责怪别人,也要看到自己的毛病。|因为一件小事,妈妈责怪了我半天。|别用责怪的目光看着我。|他的话里满是责怪的语气。

【责任】 zérèn 〔名〕
❶ 分内应做的事。(duty; responsibility)常做主语、宾语、定语。[量]个,种。

例句 这件事责任重大,千万马虎不得。|责任和义务是两个不同的概念。|结了婚的人要对家庭负起责任。|每个公民都要对社会尽一定的责任。|这不是责任问题,而是义务问题。|我出来打工,老婆在家种责任田。

❷ 没有做好分内应该做的事,应该承担的过失。(responsibility for a fault or wrong; blame)常做主语、宾语、定语。[量]个。

例句 你大胆干吧,一切责任由我来承担。|一旦造成损失,这个责任谁负?|对当事人不仅要给行政处分,还要追究刑事责任。|出了这么多问题,领导不该负主要责任吗?|经调查,这次火灾的原因是人为的责任事故。

【责任制】 zérènzhì 〔名〕
中国在农村和工厂等实行的由专人负责的一种管理制度。(responsibility system exercised in the countryside and factories)常做主语、宾语。

例句 责任制从明年一月开始实行。|工厂实行责任制以后,效益逐年上升。|改革开放以后,农村实行了土地联产承包责任制。

【贼】 zéi 〔名〕
偷东西的人;做大坏事的人(多指危害国家和人民的人、事)。(thief; burglar; traitor; enemy)常做主语、宾语、定语。[量]个。

例句 "贼喊捉贼"这句话你听说过吧。|贼都跑了,你才来。|后来他成了一个卖国贼。|昨天晚上捉住一个贼。|贼的话你也相信?

【贼喊捉贼】 zéi hǎn zhuō zéi 〔成〕
做贼的人喊捉贼,比喻坏人为了自己逃脱,把别人说成是坏人。(a thief crying "Stop thief")常做谓语、定语。

例句 是他透漏了消息,还贼喊捉贼。|这是贼喊捉贼的伎俩。

【怎】 zěn 〔代〕
表示疑问(问状况、原因、方式等)。(why; how)常做状语。

例句 他怎还不来呀?|你说怎办好?|作业写不完,怎能不着急呢?

【怎么】 zěnme 〔代〕
❶ 询问(性质、状况、方式、原因等)或反问。(how; what; why)常做状语。

例句 你怎么不去看电影?|你是

怎么找到这儿来的？|怎么，你不知道我是谁？

❷ 用于泛指任何方式或虚指不确定的方式。(in a certain way；in any way；no matter how)常做状语。

例句 你愿意怎么做就怎么做。|怎么处理我都没有意见。|经理老讲他妻子怎么怎么好。

❸ 有一定程度。[(not) very；(not) much；(not) quite；(not) too]常做状语，多用于否定式。

例句 他给我的印象不怎么深。|他刚来中国，汉语还不怎么好。

【怎么样】 zěnmeyàng 〔代〕

❶ 表示疑问，怎样。(how；what)常做谓语、补语、宾语、定语。

例句 病人现在怎么样了？|你们厂子效益怎么样？|他在单位里干得怎么样？|张老师课讲得怎么样？|这件衣服你觉得怎么样？|你认为他是怎么样一个人？

❷ 表示泛指任何方式。(in a certain way；in any way；no matter how)常做谓语，多用于否定式。

例句 他要怎么样就怎么样吧。|不管你怎么样，我都不怕。

❸ 表示虚指不确定或不知道的方式。(how)常做谓语、补语。

例句 他现在怎么样，我也不太清楚。|你放心，他不能把你怎么样。|那儿后来建得怎么样，我就不知道了。|老师的课讲得怎么样，学生最清楚。

❹ 用于否定句中表示“不太好”。[(not) up to much]常做谓语。

例句 他的画不怎么样。|这个人的人品不怎么样，少跟他来往。|A：老同学，最近怎么样？B：不怎么样。

【怎么着】 zěnmezhe 〔代〕

❶ 询问动作或情况。(what to do；what)常做谓语。

例句 我们都去卡拉OK，你怎么着？|她一直不吱声，是生气了还是怎么着？

❷ 泛指动作或情况。(no matter what；whatever)常做谓语、状语。

例句 一个人不能想怎么着就怎么着。|你自己决定怎么着吧。|现在看来，怎么着也不行了。|她怎么着也不高兴，谁惹她了？

【怎样】 zěnyàng 〔代〕

❶ 表示疑问，询问性质、状况、方式等。(how；what)常做定语、状语、补语、谓语、宾语。

例句 这是一个怎样的国家？|怎样的方法更合适？|这东西怎样吃？|你一个人怎样去旅行？|你到底干得怎样？|自行车修理得怎样了？|最近你的学习怎样？|那里的灾情究竟怎样？|出国以后打算怎样？

❷ 用于虚指，表示状况、程度等。(how)常做状语、宾语。

例句 去年冬天没觉得怎样冷就过去了。|写着写着，不知道怎样就睡着了。

❸ 用于任指，表示任何方式或方法。(in a certain way；in any way；no matter how)常做状语。

例句 无论怎样跟他讲都没有用。|别紧张，别人怎样做，你就怎样做。

【增】 zēng 〔动〕

在某基础上加多。(increase；add)常用于构词，也做谓语。

词语 增产 增多 增高 增加 增进 增添 增长 倍增

例句 食堂新增了台冰柜。|技术革新后产量猛增。

【增产】 zēng chǎn 〔动短〕
增加生产。(increase production)常做谓语、定语,中间插入成分。
例句 今年粮食增产了10%。|厂长亲自带领工人加班,果然增了产。|公司重新制定了增产措施。|应当看到,我们具备很好的增产条件。

【增加】 zēngjiā 〔动〕
在原有的基础上加多。(increase; raise; add; augment)常做谓语、定语、主语、宾语。
例句 图书馆增加了电脑查询服务。|最近,来中国学习汉语的留学生增加得很快。|你不要再增加他的痛苦了。|增加的工资都给孩子交学费了。|增加的投资已经全部到位。|人口的增加太快了。|经过调整,一线工人有了增加。

【增进】 zēngjìn 〔动〕
增加促进。(enhance; promote; further)常做谓语。
例句 要想办法增进病人的食欲。|文化艺术交流可以增进两国的友谊。|这些活动既丰富了老年人的生活,又增进了健康。|密切关系、增进了解,是本次联欢会的目的。

【增强】 zēngqiáng 〔动〕
增进加强。(strengthen; heighten; enhance; reinforce)常做谓语、宾语。
例句 你要增强信心。|我们要增强责任感。|改革后,企业的竞争力有了很大的增强。|经过锻炼,他的体质有了明显的增强。

【增设】 zēngshè 〔动〕
在原有的以外再设置。[establish an additional or new (organization, unit, course, etc.)]常做谓语、定语。
例句 这学期增设了不少新课程。|报纸增设了一个新栏目。|校门口的银行又增设了一个自动服务窗口。|新增设的选修课学生很多。|增设的广告栏里贴满了招聘信息。

【增添】 zēngtiān 〔动〕
在原有的基础上加多。(add; increase; augment)常做谓语、定语。
例句 电脑教室增添了许多新设备。|数万盆鲜花为天安门广场增添了浓厚的节日气氛。|有了孩子虽然高兴,可增添的麻烦也不少。
辨析 〈近〉增加。"增添"所加的量较小,"增加"所加的量可大可小;"增添"不与"收支"、"面积"、"重量"等搭配,而"增加"的使用范围要大得多。

【增援】 zēngyuán 〔动〕
增加人力、物力来支援(多用于军事方面)。(reinforce)常做谓语、定语。
例句 你们快去增援。|增援部队马上就到。

【增长】 zēngzhǎng 〔动〕
增加,提高。(increase; rise; grow)常做谓语、定语及主语、宾语。
例句 要不断地增长见识,增长才干。|今年的工业生产总值比去年增长了20%。|国民经济的增长速度不能过快。|人口的增长要与经济的增长相适应。
辨析 〈近〉增加。"增长"侧重于提高;"增加"侧重于加多。"增长"多用于抽象事物;"增加"使用范围较大。

【赠】 zèng 〔动〕
意义见"赠送"。(present as a gift; give as a present)常做谓语,也用于构词。
词语 赠品 回赠 赠送 赠言

例句 出版社今天来学校赠书。|这是学校赠给我的金笔。

【赠送】 zèngsòng 〔动〕

无代价地把东西送给别人。(give as a present; present as a gift)常做谓语、定语。

例句 毕业前,大家互相赠送纪念品。|为了感谢医生的治疗,他给这家医院赠送了一面锦旗。|中国赠送的大熊猫在美国安了家。|玻璃柜里都是这几年赠送的礼品。

【扎】 zhā 〔动〕 另读 zā,zhá

❶ 刺。[prick; run or stick(a needle,etc.) into]常做谓语、定语。

例句 她钉扣子的时候,被针扎了一下。|刚才不小心把手扎破了。|脚上扎了一根刺,疼得很。|昨天嗓子扎的鱼刺现在还没弄出来。|能扎的穴位都扎了,也没见效。

❷ 钻(进去)。(plunge into)常做谓语。

例句 孩子一下子扎进妈妈的怀里。|扑通一声,他扎到了水里。|小偷几下就扎到人群里去了。

【扎实】 zhāshi 〔形〕

❶ 结实。(sturdy; strong)常做谓语、状语、补语。

例句 地基很扎实。|行李扎实地捆好了。|鞋带系扎实了吗?

❷ (工作、学问等)实在、踏实。(solid; sound; down-to-earth)常做谓语、定语、补语、状语。

例句 他工作很扎实。|他功底很扎实。|有了扎实的基础,以后干什么都行。|工作搞得很扎实。|这孩子学什么都学得扎扎实实。|你应该扎扎实实地学好基础知识。|我们都要扎扎实实地工作。

【渣】 zhā 〔名〕

物品提出精华后剩下的东西;碎小的东西。(dregs; sediment; residue; broken bits)常做主语、宾语(多带定语),也用于构词。

词语 渣子 油渣 矿渣 煤渣

例句 孩子吃完早点,面包渣儿满桌子都是。|馒头干得都掉渣儿了,还能吃吗?

【闸】 zhá 〔名〕

❶ 修在堤坝中控制水流的建筑物或设备。(floodgate; sluice gate)常做主语、宾语。[量]个。

例句 这个闸有十几米高。|所有的闸都要在汛期到来之前检修一遍。|开闸放水啦!|差不多了,关闸吧!

❷ 制动器的通称。(brake)常做主语、宾语。[量]个

例句 哎哟,闸失灵了,怎么办?|师傅,这个车闸有点儿松,给修修吧。|前面有人,赶快踩闸!|车子怎么刹不住闸了?

❸ 较大的电源开关。(switch)常做宾语及主语。[量]个。

例句 合上闸,再试一下。|哎,怎么老跳闸呢?|这个闸都黑了,换一个吧。

【炸】 zhá 〔动〕 另读 zhà

把食物放在烧开的油里弄熟。(fry in deep fat or oil; deep-fry)常做谓语、宾语、定语。

例句 妈妈总爱炸一些丸子和小点心什么的。|每天早晨我家门口小店都炸油条卖。|鱼没熟,再炸一炸吧。|中国菜讲究煎、炒、烹、炸。|今天的烹饪(pēngrèn)课老师主要讲"炸"。|油条炸的时间不能太长,不然会炸糊

的。|我最爱吃炸薯条了。

【眨】 zhǎ 〔动〕

(眼睛)闭上立刻又睁开。(blink; wink)常做谓语。

例句 她向我一个劲儿地眨眼睛,好像有什么事。|天上的星星一眨一眨的。|孩子们听得入了神,连眼睛都不眨一下。

【诈】 zhà 〔动〕

❶ 欺骗。(cheat; swindle; deceive)常做谓语,也用于构词。

词语 欺诈 诈骗 兵不厌诈

例句 警方抓获了一个诈骗钱财的犯罪团伙。|得想办法把他诈出来。

❷ 假装。(pretend; feign)常用于构词。

词语 诈降 诈死

❸ 用假话试探,使对方吐露真情。(bluff sb. into giving information)常做谓语。

例句 你别拿话来诈我,我不会上当的。|A:小心他用花言巧语诈你。B:你放心,他什么也诈不出来。

【诈骗】 zhàpiàn 〔动〕

采用不正当手段骗取(钱物等)。(defraud; swindle)常做主语、谓语、定语。

例句 诈骗应该受到法律制裁。|他们这伙人到处诈骗,坑了不少人。|犯罪分子用各种手段诈骗钱财。|他因诈骗被判刑三年。|诈骗案时有发生,诈骗的手段也五花八门。

【炸】 zhà 〔动〕 另读 zhá

❶ (物体)突然破裂。(burst; explode)常做谓语、补语。

例句 杯子一倒开水就炸了。|不知为什么,煤气罐突然炸了,幸好没炸着人。|慢点儿吹,别把气球吹炸了。

❷ 爆破;轰炸。(blow up; blast; bomb)常做谓语。

例句 为了建工厂把那幢旧楼炸了。

❸ 因愤怒或劳累而激烈发作。(fly into a rage; flare up; explode with rage)常做补语、谓语。

例句 他一听这件事,气炸了。|这个消息一公布,会场立刻炸锅了。|背了一天的生词,我头都要炸了。

【炸弹】 zhàdàn 〔名〕

一种外壳用金属制成的里面装有炸药的爆炸性武器。(bomb)常做主语、宾语、定语。[量]个,枚,颗。

例句 炸弹把整个村庄炸成了废墟(xū)。|附近发现了一颗战争时期的炸弹。|炸弹的种类很多。

【炸药】 zhàyào 〔名〕

受热或撞击后发生爆炸的物质。(dynamite)常做主语、宾语、定语。[量]种。

例句 炸药就怕受潮。|火车上禁止携带炸药。|炸药的危险性极大,使用时必须特别小心。

【榨】 zhà 〔动〕

压出物体里的汁液;比喻剥削。(press; extract)常做谓语。

例句 人们常用大豆榨油。|榨汁机当然能榨果汁。|严禁利用职权榨取民财。

【摘】 zhāi 〔动〕

❶ 取(长着、戴着、挂着的东西)。(pick; pluck)常做谓语、定语。

例句 表姐在果园里摘了一筐桃子。|要是把眼镜摘下来,我就什么也看不清。|公园里的花可不能随便摘呀!|上午摘的苹果不多,下午得加把劲儿。

❷ 选取。(select; make extracts from)常做谓语,也用于构词。

词语 摘记 摘录 摘要 文摘

例句 这些资料都是从报纸上摘下来的。|内容太多了,你摘主要的记。|你把这篇文章的重要内容摘一摘。

【摘要】 zhāiyào 〔名〕

摘录下来的要点。(summary; abstract)常做主语、宾语。[量]段,篇。

例句 会议摘要我已经整理好了。|从谈话记录中选取摘要。

▶"摘要"也做动词,表示摘录要点。如:大会发言人向记者摘要介绍了《政府工作报告》的内容。

【窄】 zhǎi 〔形〕

❶ 横的距离小。(narrow)常做谓语、定语、补语。

例句 我的房子过道很窄。|这座小桥窄得连两辆自行车都不能同时通过。|这是一座老城,窄窄的街道两旁有很多小店。|一到星期天,这个窄胡同就显得拥挤了。|火车上的硬卧做得太窄了。|盖房子的时候,这个走廊留窄了。

❷ (心胸)不开朗,范围小。(small-minded; petty)常做谓语、补语。

例句 都说女人的心眼儿窄,她可不是。|你的思路窄得很。|现在交际面窄了就吃不开。|你别想得那么窄,看开点儿就好了。

❸ (生活)不宽裕。(hard up; badly off)常做谓语、补语。

例句 到月末了还没开工资,手头有点儿窄。|孩子们上学都用钱,日子窄得很。|他们家人口多,日子过得挺窄的。

【债】 zhài 〔名〕

欠别人的钱。(debt)常做主语、宾语。[量]笔。

例句 那些债压了我好几年。|父亲留下来的债都要我还。|因为赌博,他欠了一屁股债。|伯父实在无力还这笔债。|贷款买房,借债过日子也不错。

【债务】 zhàiwù 〔名〕

债户所负还债的义务;也指所欠的债。(debt; liabilities)常做主语、宾语及定语。[量]项,笔。

例句 那些债务都由新组建的公司承担下来了。|债务太多了,压得他几乎喘不过气来。|因为产品销路不好,厂里欠了很多债务。|他要全部偿还这几项债务,至少要两年。|我们公司还有一些债务负担。

【寨】 zhài 〔名〕

防守用的栅栏;村子、兵营或土匪窝。(stockade; stockaded village; camp)常用于构词或固定短语。

词语 山寨 村寨 寨子 苗寨 营寨 寨主 安营扎寨 本村本寨

【沾】 zhān 〔动〕

❶ 浸湿。(soak; welter; wet; damp; moisten)常做谓语。

例句 提到伤心处,她不禁泪落沾衣。|早晨去林中散步,常常被露水沾湿衣裤。

❷ 因为接触而被东西附着上。(be stained with)常做谓语。

例句 刚包完饺子,手上还沾着面。|没想到会下雨,新鞋沾上了泥。|油漆还没干,小心沾上。

❸ 稍微碰上或挨上。(touch)常做谓语。

例句 绝不能让孩子沾上坏毛病。

|右脚受伤了，暂时还不能沾地。|他和我们家沾点儿亲。

❹ 因有某种关系而得到好处。(get sth. out of association with sb. or sth.)常做谓语。

例句 他沾了当局长的父亲不少光。|我从没沾过你一次光。|这笔生意要是成了，咱俩利益均沾。

【沾光】 zhān guāng 〔动短〕

凭借别人或某种事物而得到好处。(benefit from association with sb. or sth.)常做谓语(不带宾语)，中间可插入成分。

例句 他很有活动能力，我们都跟他沾光。|别看他沾他父亲的光当了处长，没本事将来还得下来。|以前谁都沾过他的光，现在他一下台，就没人理了。|她炒股发了财，是沾了在证券公司工作的光。

【沾沾自喜】 zhānzhān zì xǐ 〔成〕

形容自以为很好而得意的样子。(feel complacent; be pleased with oneself)常做谓语、定语、状语。

例句 不要刚有了一点儿进步就沾沾自喜。|看他那副沾沾自喜的样子，就知道没多大出息。|灯下，他沾沾自喜地欣赏着自己的“杰作”。

【粘】 zhān 〔动〕 另读 nián

❶ 黏(nián)的东西附着在物体上或者互相连接。(glue; stick; paste)常做谓语。

例句 口香糖粘在地上很难弄掉，可别乱吐啊。|盘子里的饺子得趁热动一动，不然凉了就粘到一起了。

❷ 用黏的东西使物件连接起来。(glue; join or connect objects with a sticky substance)常做谓语。

例句 帮我把书粘上。|邮票应粘在信封的右上角。

【瞻前顾后】 zhān qián gù hòu 〔成〕

❶ 形容做事谨慎、周密。(think twice before taking action)常做谓语。

例句 他生性谨慎，做事总要瞻前顾后。

❷ 形容犹豫不决。(be overcautious and indecisive)在句中多做谓语。

例句 大胆去干，不用瞻前顾后，怕这怕那。

【瞻仰】 zhānyǎng 〔动〕

恭敬(gōngjìng)地看，多指看死去的人或纪念物。(look at with reverence)常做谓语、定语。

例句 清明时节，学校组织学生瞻仰了烈士纪念碑。|纪念馆落成了，来瞻仰的人接连不断。

【斩】 zhǎn 〔动〕

常做谓语，也用于构词或固定短语。(chop; cut; slay; kill)

词语 斩首 斩草除根 斩钉截铁 先斩后奏

例句 他们俩终于斩断了情丝，各自过起了新的生活。

【斩草除根】 zhǎn cǎo chú gēn 〔成〕

把草连根除掉，使其无法再生。比喻彻底除掉祸根，不留后患。(cut the weeds and dig up the roots; stamp out the source of trouble)常做谓语。

例句 对待“黄、赌、毒”，我们一定要斩草除根。|对扰乱社会治安的恶势力要斩草除根。

【斩钉截铁】 zhǎn dīng jié tiě 〔成〕

形容说话办事的态度坚决果断，毫

不犹豫。(resolute and decisive; categorical)常做状语、定语、补语。

例句 他斩钉截铁地说:“不能再拖延时间了,马上行动吧。”|对送礼,他从来都斩钉截铁地一口回绝。|看他斩钉截铁的态度,就知道事情已经法无法改变了。|张校长斩钉截铁的话,增强了大家的信心。|这句话说得斩钉截铁。

【盏】 zhǎn 〔量〕

用于灯。(for lamps)常构成短语做句子成分。

例句 桌子上摆着一盏很现代的台灯。|商场里亮得跟白天一样,得多少盏灯啊!|这种吊灯每盏由6盏小灯组成。

【展】 zhǎn 〔动〕

❶ 张开;放开。(open up; spread out; unfold)常用于构词或用于固定短语。

词语 发展 开展 展开 展望 展翅 进展

❷ 发挥(能力等)。(put to good use; give full play to)用于固定短语。

词语 大展宏图 一筹(chóu)莫展。

❸ 把东西摆出了供人观看。(exhibit; put on display; be on show)常用于构词,也做谓语。

词语 展播 展览 展出 展品 展示 展现 展销 预展

例句 国际汽车博览会最多再展两天。|二楼展不了机床,只能展展服装、图片什么的。|这些东西展完了就卖。

【展出】 zhǎnchū 〔动〕

把东西摆出来展览。(exhibit; put on display; be on show)常做谓语、定语。

例句 新近出土的文物即将展出。|公司的产品在欧洲展出过。|本次服装节展出了国际最新的流行服装。|第三届国际航空展今日开幕,展出的飞机有100多架,展出时间为一周。

【展开】 zhǎn kāi 〔动短〕

❶ 张开,铺开。(spread out; unfold; open up; roll out)常做谓语。中间可插入成分。

例句 老师在黑板上展开了地图。|思路展不开,怎么打开销路?|只有展开联想,才能写出好诗。|让我们展开遐想的翅膀。

❷ 大规模地进行。(launch; develop; carry out)常做谓语。

例句 两个班级展开了学习竞赛。|一些学者就这个问题展开了讨论。

【展览】 zhǎnlǎn 〔动/名〕

〔动〕把东西摆出来给人观看。(exhibit; put on display; show)常做谓语。

例句 产品先在公司里展览,然后再正式展出。|共展览了清代的出土文物二百多件。

〔名〕指“展览”的活动。(exhibition)常做主语、宾语、定语。[量]个。

例句 快走吧,展览已经开始了。|本次展览到21号结束。|我们去参观电子技术展览吧。|11月1日到7日有个学习用品展览。|这次展览会非常成功。|据了解,展览的规模在国内是最大的。

【展览会】 zhǎnlǎnhuì 〔名〕

有目的地把物品摆出来,供人观看的一种活动;有的同时进行销售或贸易洽谈等。(exhibition)常做主语、宾语、定语。[量]个,次,届。

例句 这次展览会展出了许多工艺精品。|住宅设计展览会在会展中心举行。|大连每年都举办一次国际服装展览会。|参观展览会的人数在15万以上。|这次展览会的召开,得到了省政府的大力协助。|展览会的主办单位是市政府。

【展示】 zhǎnshì 〔动〕

清楚地摆出来;明显地表现出来。(reveal;show;lay bare)常做谓语。

例句 汉语节目表演展示了同学们的汉语水平和表演才华。

【崭新】 zhǎnxīn 〔形〕

极新。(brand-new; completely new)常做定语、补语。

例句 父母送给我一台崭新的笔记本电脑作为生日礼物。|汽车被漆得崭新。

【占】 zhàn 〔动〕 另读 zhān

❶ 取得或保持(多用强力)。(occupy; seize;take)常做谓语,也用于构词。

词语 占据 占领 霸占 占有

例句 占耕地盖房子不允许。|对不起,您占了我的位置。|你能不能先到阅览室,给我占个座儿?|对不起,想问个问题,占您点儿时间行吗?

❷ 处在某一位置或属于某一种情形。(constitute; hold; make up; account for)常做谓语。

例句 对方占优势。|赞成去南方旅行的同学占大多数。|比赛到了下半场,我们队才慢慢占了上风。

【占据】 zhànjù 〔动〕

用强力取得成功或保持(地域、场所、地位)。(hold; occupy)常做谓语、定语。

例句 我军已经占据了有利地形。|他一直占据着我的心。|靠名牌才能在同类产品中占领先地位。|直到最后,那个厂才把占据多年的校园还给我们。

【占领】 zhànlǐng 〔动〕

用武装力量取得(阵地或领土)。也用于比喻。(capture; occupy; seize)常做谓语。

例句 反政府武装占领了四个村庄。|要用健康向上的先进文化占领思想文化阵地。|我们的产品占领了一半市场。

【占有】 zhànyǒu 〔动〕

占;掌握。(own; possess; have; occupy; hold)常做谓语。

例句 这场比赛,我们占有主动权。|由于占有最新技术资料,很快就开发出了换代产品。

辨析 〈近〉占据。"占有"除"占据"的意思外,还有"处于"、"掌握"义,使用范围较宽。如:*搞研究得占据足够的资料。("占据"应为"占有")

【战】 zhàn 〔动〕

❶ 进行武装斗争。(fight; combat)常做谓语。也用于构词或用于固定短语。

词语 战场 战斗 战火 战胜 战士 战友 战争 百战百胜 战无不胜

例句 战士们越战越勇。|他们为自由而战。|宁愿战死,也不投降。

❷ 泛指斗争。(fight)常做谓语。

例句 战天斗地。|两个人战了两

个多小时，最后战成和棋。｜下半场，双方交换场地再战。

❸ 发抖。(shiver; tremble; shudder)常用于构词或用于固定短语。

词语 打战 寒战 战抖 胆战心惊

【战场】 zhànchǎng 〔名〕

两军交战的地方。也用于比喻义。(battleground; battlefield)

常做主语、宾语、定语。[量]个。

例句 战场就摆在这儿。｜这个古战场现在成了农田。｜商场如战场，一点儿也大意不得。｜抗洪大军迅速开赴战场。｜打扫完战场马上转移。｜战场附近的老百姓自愿来送水送饭，运送伤员。

【战斗】 zhàndòu 〔动/名〕

〔动〕跟敌军打仗。(fight; combat)常做谓语(不带宾语)、定语。

例句 他战斗很勇敢。｜部队在阵地上战斗了三天三夜。｜在战斗中产生了好几位战斗英雄。

〔名〕敌对双方进行的武装冲突。(fight; combat; battle; action)常做主语、宾语、定语。

例句 战斗打响了。｜战斗非常激烈。｜官兵们投入了抗震救灾的战斗。｜敌我双方展开了战斗。｜上级已经批准了我们的战斗计划。｜战斗的号角吹起来了。

【战略】 zhànlüè 〔名〕

指导战争全局的计划、策略；比喻决定全局的策略。(strategy)常做主语、宾语、定语。[量]个，种。

例句 这一战略非常正确。｜必须制定正确的发展战略。｜这是战略问题。

【战胜】 zhànshèng 〔动〕

在战争或比赛中取得胜利。(defeat; triumph over; vanquish; overcome; conquer)常做谓语。

例句 我们一定能战胜敌人。｜甲队以三比零战胜对手。｜我们要有战胜困难的勇气。

【战士】 zhànshì 〔名〕

军队最基层的成员；也泛指从事某种正义事业或参加某种正义斗争的人。(soldier)常做主语、宾语、定语。[量]个，名。

例句 战士表演了射击。｜我跟战士照了一张相。｜我们参观了战士的寝室。

【战术】 zhànshù 〔名〕

进行战斗的原则和方法；比喻解决局部问题的方法。(tactics)常做主语、宾语、定语。[量]个，种。

例句 游击战术很适合中国当时的情况。｜事实证明，这次比赛的战术是正确的。｜到底采用哪种战术？请各位发表意见。｜在“商战”中也得讲究战术。｜上次战术的失利说明我们的战术思想不对头。

【战线】 zhànxiàn 〔名〕

敌对双方军队作战时的接触线；比喻某个领域。(battle line; battlefront; front)常做主语、宾语、定语。[量]条。

例句 战线太长，部队供给相当困难。｜教育战线取得了喜人的成果。｜双方有东部和西部两条战线。｜两党组成了民族统一战线。｜思想战线的问题并没有完全解决。

【战役】 zhànyì 〔名〕

为实现战略目的，在一定的方向和时间进行的一系列战斗的总和。(campaign; battle)常做主语、宾语、定语。[量]个，场。

例句 辽沈战役是关键的一战。|他一生指挥了多场战役。|这场战役的胜利鼓舞了人们的士气。

【战友】 zhànyǒu 〔名〕

在一起战斗的人。(comrader-in-arms)常做主语、宾语、定语。[量]个，位。

例句 退伍时，战友们一直把我送到20里以外的火车站。|有位战友冒着生命危险救了我们几个。|几位新兵入伍了，我们又有了新战友。|战友情最难忘。|在战友的帮助下，小王很快掌握了技术。

【战战兢兢】 zhànzhànjīngjīng 〔形〕

形容害怕而小心谨慎的样子。(trembling with fear; with fear and trepidation; gingerly)常做谓语、定语、状语、补语。

例句 老板在面前时，她总是战战兢兢，唯恐出一点儿差错。|第一次去大公司面试，他一副战战兢兢的模样。|那个小孩战战兢兢地走了过去。|他吓得我战战兢兢，话都不会说了。

【战争】 zhànzhēng 〔名〕

民族之间、国家之间、阶级之间等的武装斗争。(war; warfare)常做主语、宾语、定语。[量]场，次。

例句 战争给人类带来了无数的灾难。|人们痛恨战争，渴望和平。|战争的破坏性是巨大的。

【站】 zhàn 〔动/名〕

〔动〕❶ 直着身体，两脚着(zháo)地或踏在物体上。(stand)常做谓语、定语。

例句 大家不要站着，快请坐！|不管什么时候，我们都要站稳立场。|再往中间站一站，好！照了。|孩子太小，还站不住呢。|车上挤死了，站的地方都没有。

❷ 在行时中停下来。(stop)常做谓语、宾语。

例句 车还没站，不要下车。|“不怕慢，就怕站”，学习、工作都是这样。

〔名〕❶ 为乘客上下车设的停车的地方。(station; stop)常做主语、宾语、定语。[量]个。

例句 火车站离学校很近。|公共汽车站换地方了。|火车就要进站了。|请问，到机场坐几站？|上下班高峰时间，地铁站的人很多。|每个站的停车时间大约半分钟吧。

❷ 为某种业务而设立的机构。(station or center for rendering certain services)常用于构词。

词语 气象站 防疫(fángyì)站 中心血站 收费站 广播站

【站岗】 zhàn gǎng 〔动短〕

站在岗位上，执行守卫、警戒的任务。(stand guard; stand sentry)常做谓语、定语。中间可插入成分。

例句 门前有保安站岗。|我肯定站好最后一班岗。|站岗的士兵十分威武。

【张】 zhāng 〔动/量〕

〔动〕❶ 使合起来的东西分开，或打开。(open)常做谓语。

例句 她张着嘴笑个不停。|让我们张开双臂，迎接新世纪！|降落伞张不开了。

❷ 摆。(set out; display)用于固定短语或用于构词。

词语 张灯结彩 铺张 张榜

例句 今年高考的考分都张榜公布了。

❸ 看。(look)用于固定短语或用于构词。

词语 东张西望 张望

例句 有个人东张张,西望望,神色惊慌。

❹ 商店、饭店等开业。(open a business)用于构词。

例句 酒店原定昨天开张,可因没准备好,开不了张了。

〔量〕用于平面的或有平面的物体。(for paper, tables, desks, pictures, etc.)常构成短语做句子成分。

词语 一张纸 一张票 一张相片 一张桌子 一张网 一张嘴 一张脸 一张羊皮 一张犁 一张古琴

【张冠李戴】 Zhāng guān Lǐ dài 〔成〕

把姓张的帽子戴到姓李的头上,比喻弄错了对象或事实。(put Zhang's hat on Li's head — attribute sth. to the wrong person or confuse one thing with another)常做谓语、宾语。

例句 我们公司有两个李经理,很容易张冠李戴。|没想到客人们张冠李戴,把我当成了新郎。|这不是张冠李戴吗?他哪儿干过这样的事啊?

【张望】 zhāngwàng 〔动〕

从小孔或缝隙(fèngxì)里看;向四周或远处看。[peep(through a crack, etc.; look around]常做谓语。

例句 老鼠从洞口往外张望了一会儿,才钻出来。|一个人从车里探头张望了一下,又缩了回去。|爬上山顶后,他们高兴地朝远处张望。

辨析 〈近〉观望。"张望"含有警觉地搜寻、打探的意思。"观望"含有拿不定主意而看事物发展的变化的意思,常与"态度"、"立场"等搭配。如:* 我们不能采取张望的态度。("张望"应为"观望")

【张牙舞爪】 zhāng yá wǔ zhǎo 〔成〕

形容野兽或坏人凶恶的样子。(bare fangs and brandish claws — make threatening gestures; engage in sabre rattling)常做谓语、定语、状语。

例句 老虎张牙舞爪,向武松扑来。|我讨厌他那副张牙舞爪的样子。|那人气极了,张牙舞爪地要打架。

【章】 zhāng 〔量〕

诗文歌曲的段落。(chapter; section; division)常构成短语,做句子成分。

例句 自传的前三章写得很感人。|这部小说共有三十二章。|我已经读完两章了。|这首长诗每章的最后几行都是抒情。

▶ "章"也做名词,表示标记、规程、条理等。如:印章 徽章 袖章 章程 章法 简章 杂乱无章|请在这上面盖个章。

【章程】 zhāngchéng 〔名〕

书面写定的组织规程或办事条例。(rules; regulations; constitution)常做主语、宾语、定语。[量]个

例句 章程具有权威性。|研究会章程什么时候下发?|大会通过了新一届委员会的工作章程。|有了章程就要按章办事。|我们必须保证这个章程的落实。

【长】 zhǎng 〔动/尾〕

〔动〕❶ 生;生长;成长。(grow; come into being; form)常做谓语。

例句 点心都长毛了,肯定是过期的。|我生在南方,长在北方。|树长虫子了,得赶快想办法治治。|一

Z

年不见，这孩子的个儿长这么高了。|伤口老也长不好，怎么回事？

❷ 增加。(enhance; increase) 常做谓语。

例句 我出国一年，长了不少见识。|青年人在实践中才能长才干。

〔尾〕指领导人。(leader)用于构词。

词语 班长 省长 校长 市长 秘书长 厂长

▶ "长"还做形容词，指年龄、辈分较大或排行最大。如：年长 长子 长媳 长孙|她比我长一辈呢。|哥哥长我两岁。

【涨】 zhǎng 〔动〕 另读 zhàng

❶ 水位升高。(rise)常做谓语

例句 河水涨上来了。|海潮涨得真快。

❷（物价）提高。(go up; rise) 常做谓语。

例句 今年油价已经涨了两次了。|现在人们对物价上涨逐渐适应了。|据说股票又要涨了。

【涨价】 zhǎng jià 〔动短〕

物价提高。(rise in price) 常做谓语、定语，中间可插入成分。

例句 商品房涨价还是落价了？|大米最近也涨了两回价。|有些涨价商品不太好卖。

【掌】 zhǎng 〔名〕

❶ 手拿东西的一面。(palm) 常做宾语、定语。

例句 以他的水平，做这件事易如反掌。|观众为他鼓掌，欢呼。|一听掌声，他知道表演成功了。|女儿是父母的掌上明珠。

❷ 某些动物的脚接触地面的一面。(the bottom of certain animals' feet)常用于构词。

词语 熊掌 脚掌 鹅掌

【掌管】 zhǎngguǎn 〔动〕

负责管理、主持。(be in charge of) 常做谓语。

例句 他 28 岁的时候就已经掌管整个公司了。|保险箱的钥匙还是由专人掌管起来比较放心。|她掌管着公司的所有账目。

【掌声】 zhǎngshēng 〔名〕

鼓掌的声音。(clapping; applause) 常做主语、宾语。[量]阵，片。

例句 会场里掌声如潮。|掌声响起来的时候，我才意识到成功了。|演出获得了一片掌声。|赛场上传出了阵阵掌声。

【掌握】 zhǎngwò 〔动〕

❶ 熟悉了解情况，因而能充分支配或运用。(grasp; master) 常做谓语、定语。

例句 至少要掌握一门外语。|我们掌握的信息还不够。

❷ 控制。(control) 常做谓语。

词语 掌握时机 掌握权力

例句 要掌握自己的命运。|明天谁掌握会场？|说话做事都要掌握分寸。

【丈】 zhàng 〔量〕

长度单位。[*zhang*, a unit of length (=3 $\frac{1}{3}$ meters] 常构成数量短语做句子成分。

例句 一丈等于十尺。|路面宽两丈五。|奶奶去商店买了两丈棉布。

【丈夫】 zhàngfu 〔名〕

❶ 男女结婚后，男子是女子的丈夫。(husband) 常做主语、宾语、定

语。[量]个,位。

例句 小李的丈夫跟她感情非常好。|她想送给丈夫一束鲜花作为生日礼物。|她爱丈夫,也爱孩子。|丈夫的礼物让妻子十分高兴。|妻子非常需要丈夫的理解和信任。

❷ 成年男子。(man)常做主语、宾语、定语。

例句 男子汉大丈夫,说到做到。|白杨树是树中的"伟丈夫"。|他具有大丈夫气概。

【帐】 zhàng 〔名〕

用布、纱或绸子等做成的遮蔽用的东西。(curtain)常用于构词。

词语 蚊帐 营帐 帐篷

【账】 zhàng 〔名〕

关于钱、物出入的记载。(account)

词语 结账 算账 账单 账户

【胀】 zhàng 〔动〕

❶ 物体由于温度升高等原因体积长度等增大。(expand; distend)常做谓语。

例句 物体都会热胀冷缩。|加热后一量,胀了两公分。

❷ 身体内壁受到压迫而产生的不舒服的感觉。(swell; be bloated)常做谓语。

例句 我吃多了,肚子有点儿胀。|坐了一天车,腿又肿又胀。

【障碍】 zhàng'ài 〔名/动〕

〔名〕阻挡前进的东西。(barrier; obstacle)常做主语、宾语。[量]个

例句 障碍都被他扫清了。|必须排除一切障碍。|留学生得先排除语言障碍,才能学习专业。

〔动〕阻挡,使不能顺利通过。(hinder; obstruct)常做谓语。

例句 广告牌障碍了行车的视线。|表面现象障碍着你的双眼。

辨析 〈近〉阻碍。"障碍"侧重于"阻隔"、"遮挡"的意思,多与"视线"、"排除"、"扫清"等词搭配使用;"阻碍"侧重于"阻挡"的意思,多与"克服"、"减少"、"进步"、"发展"等词搭配使用。

【招】 zhāo 〔动〕

❶ 举手上下挥动或用广告、通知等方式使人来。(beckon; gesture; recruit; enrol)常做谓语、定语,也可用于构词。

词语 招标 招呼 招领 招牌 招聘 招贴 招租

例句 她向我招了招手,我赶紧跑过去。|今年汉语专业多招了20名学生。|我们现在不再招人了。|这些都是新招的工人。

❷ 引来(不好的事物)。(attract)常做谓语。

例句 鱼快放冰箱吧,别招苍蝇。|这事会不会招来麻烦?

❸ 惹、逗,引起爱憎的反应。(provoke)常做谓语。

例句 你这个人怎么这么招人烦?|小王今天不高兴,别招他。|这个小孩胖乎乎的,真招人喜欢。

❹ 承认(罪行)。(confess; own up)常做谓语。

例句 把你的犯罪事实全部招出来吧。|罪犯终于招出了同伙。

【招待】 zhāodài 〔动〕

对宾客或顾客表示欢迎、接待,并给予应有的照顾。(receive; entertain; wait on; serve)常做谓语、定语、宾语。

例句 他正在招待朋友呢。|你替我招待招待客人吧。|招待工作要做得仔细周到。|有招待不周的地方请多多原谅。|在那里,我们受到

了主人的热情招待。

辨析 〈近〉接待。“招待”侧重热情地为客人安排很好的饮食等生活条件；“接待”侧重于迎接和安排，对象可以是客人，也可是其他人。此外，“招待”还有名词用法，指做招待工作的。

【招待会】 zhāodàihuì 〔名〕

招待性的会议。(reception)常做主语、宾语、定语。[量]个，次。

例句 国庆招待会将在明晚举行。|招待会自始至终充满着欢乐的气氛。|下午外交部要举行中外记者招待会。|对不起，一会儿我还要参加一个招待会，咱们明天再谈吧。|这次招待会的规模很大，招待会的档次也很高。

【招呼】 zhāohu 〔动〕

❶ 呼唤。(call)常做谓语。

例句 小张，楼下有人招呼你。|我去把他们招呼过来吧。|请你替我招呼一声孩子。

❷ 用语言或手势表示问候。(hail; greet; say hello to)常做谓语、宾语。

例句 他只是在座位上向我招呼了一下。|人太多，我们简单地招呼了一下。|那边有个熟人，我去打个招呼。|见面打招呼是起码的礼节。

❸ 吩咐；关照；照料。(take care of)常做谓语、定语。

例句 没想到能来这么多人，你替我招呼招呼。|有什么招呼不到的地方，请原谅。

【招聘】 zhāopìn 〔动〕

用公告的方式聘请。(give public notice of vacancies to be filled)常做谓语、定语。

例句 本公司招聘一名业务人员。|服务员已经招聘完了。|公司用人实行招聘制。|他去参加过几次招聘考试，可都没被录用。

【招生】 zhāo shēng 〔动短〕

招收新学生。(enrol new students; recruit students)常做宾语、谓语、定语。中间可插入成分。

例句 大学今年继续扩大招生。|学校决定到国外去宣传招生。|有的专业已经招不到生了。|目前，招生工作已经全部结束了。|请问，能不能给我两份招生简章？

【招收】 zhāoshōu 〔动〕

通过考试或其他方式接收(学员、工作人员等)。(recruit)常做谓语、定语。

例句 培训班又招收了一批学员。|今年胡师傅没招收学徒。|报名的那么多，根本招收不了。|他们都是今年招收的工人。

【招手】 zhāo shǒu 〔动短〕

举起手来摇动，表示叫人或打招呼。(beckon; wave)常做谓语、定语。中间可插入成分。

例句 已经走了很远了，母亲还在向她招手。|小刘向我招了招手，不知是什么意思。|孩子一边招着小手，一边跑了过来。|他累得连招手的力气都没有了。

【朝令夕改】 zhāo lìng xī gǎi 〔成〕

早晨下的命令，晚上就又改了。形容政令多变。(issue an order at dawn and rescind it at dusk; make unpredictable changes in policy)常做谓语。

例句 政策不能朝令夕改。

【朝气】 zhāoqì 〔名〕

精神振作，力求进取的气概。(youthful spirit; vigour; vitality)常

做宾语。

例句 张老师已经60岁了,可仍像年轻人一样富有朝气。|中学生们充满朝气。|你并不老,可缺乏朝气。

【朝气蓬勃】 zhāoqì péngbó 〔成〕

生气勃勃,充满活力。(full of youthful spirit; full of vigour and vitality)常做谓语,定语。

例句 他总是那么朝气蓬勃。|这是一支朝气蓬勃的员工队伍。

【朝三暮四】 zhāo sān mù sì 〔成〕

比喻变化太快,反复无常。(blow hot and cold; chop and change)常做谓语,定语。

例句 小李这个人朝三暮四,今天跟这个姑娘谈恋爱,明天又跟那个姑娘交朋友。|我可不想和朝三暮四的人做朋友。

【着】 zháo 〔动〕 另读 zhāo, zhe, zhuó

❶ 接触,挨上。(touch)常做谓语。

例句 这个地方,前不着村,后不着店。|他的脚受伤了,不能着地。

❷ 感受,受到。(be affected by; suffer)常做谓语。

例句 睡觉没关窗户,着风了,有些不舒服。|夜里着了点儿凉,没关系。

❸ 燃烧;也指灯发光。(be ignited; be lit)常做谓语。

例句 不好了!商店着火了。|蚊香着没着?|电灯闪了一下,又着了。

❹ 用在动词或形容词后,表示达到了目的,有了影响或结果。(*used as a complement to a verb or an adjective indicating hitting the mark or succeeding in doing sth.*)做补语。

例句 钥匙找着了!|我个子高,够得着。|没关系,这点儿活累不着我。

【着急】 zháojí 〔形〕

遇事容易激动不安;想马上行动。(get worried; get excited; feel anxious)常做谓语、定语、状语、补语、宾语。

例句 她非常着急。|孩子晚上9点还没回来,家人着急得不得了。|已经晚了,可他没有一点儿着急的样子。|学习不是着急的事,要一步一步来。|姐姐话还没说完,就着急地走了。|听到已经有人走了,他才变得着急起来。|A:对不起,我来晚了,你等着急了吧?B:没关系。|看到队员在场上紧张的样子,教练感到十分着急。

【找】 zhǎo 〔动〕

❶ 为了要见到或得到所需要的人或事物而努力。(look for; try to find; seek)常做谓语。

例句 赵明正在房间里找钥匙呢。|书能放在哪呢?好好地找(一)找。|老师已经找过我了。|他要在中国找对象。

❷ 把超过应收的部分退还;把不足的部分补上。(give change)常做谓语、定语。

例句 售货员找了我12块钱。|对不起,您还没找钱呢。|看看还差多少,我给你找齐吧。|算了,不用找了。|找的零钱,都放我这儿吧。|才找的钱又花掉了。

【沼泽】 zhǎozé 〔名〕

水草茂密的泥泞(nínìng)地带。(marsh; swamp)常做主语、宾语、定语。[量]个,片。

例句 那里的沼泽很危险。|很多沼泽都有水鸟生活。|我家乡有一大片沼泽。|这儿到处都是沼泽。|沼泽的尽头就是著名的大草原。|沼泽地特别泥泞。

【召集】 zhàojí 〔动〕

通知人们聚集起来。(call together; convene; assemble)常做谓语。

例句 请你把同学们召集起来,好吗?|院长召集大家研究下一步的工作。|学校召集全体职工开了一次大会。

【召开】 zhàokāi 〔动〕

召集人们开会;举行(会议)。(convene; hold; convoke)常做谓语、主语、宾语。

例句 今晚召开了一个临时会议。|这次会议的召开,解决了人们关心的热点问题。|热烈庆祝科学大会的胜利召开!

【兆】 zhào 〔数〕

一百万。(million; mega)常构成数量短语做主语、宾语、定语。

例句 一兆就是一百万。|这家电厂每年发电两兆千瓦。

【照】 zhào 〔动/介〕

〔动〕❶ 光线射在物体上。(shine)常做谓语。

例句 太阳照在身上,暖洋洋的。|这么强的光,什么东西都能照得清清楚楚。|用手电照照吧,看看笔是不是掉在床底下了。

❷ 对着镜子等反光的东西看自己的影子;有反光作用的东西把人或物的形象反映出来。(reflect; mirror)常做谓语。

例句 你脸太脏了,不信去照镜子。|平静的湖面把岸边的树木照得清清楚楚。|柜子真亮,连人影都照出来了。

❸ 拍摄。(take a picture)常做谓语。

例句 喂,照半身还是全身?|咱们星期天去公园照照相吧。|你相照得好,给我照两张。

❹ 常用于由政府机关发给的允许做某事的凭证。(license)常用于构词,也做宾语。

词语 车照 牌照 护照

例句 不可以无照开车。|想开商店先要办照。

〔介〕❶ 对着,向着。(towards; in the direction of)构成介宾短语做状语。

例句 照有灯光的地方走就没错。|一见面,小张就高兴地照我打了一拳。

❷ 按照。(according to)构成介宾短语做状语。

例句 就照你的意思办吧。|请照这种样式做一件上衣。|照我看,这事能成。

【照常】 zhàocháng 〔形〕

跟平常一样。(as usual)常做状语、谓语。

例句 节假日商店照常营业。|虽然下起了雨,可是球赛照常进行。|放心吧,这里一切照常。

【照顾】 zhàogù 〔动〕

❶ 注意(到);考虑(到)。(give consideration to; show consideration for)常做谓语、定语。

例句 做事情要照顾全局。|这个政策照顾到了社会的各个方面。|照顾的部门越多,事情就越复杂。

❷ 照料。(look after;care for)常做谓语。

例句 我去买票,你来照顾一下行李。|张女士既要上班,又要照顾孩子,十分辛苦。

❸ 特别注意,加以优待。(attend to)常做谓语、定语、宾语。

例句 你要好好照顾病人。|请照顾她的特殊情况,给她找份工作。|照顾对象不能太多,不然照顾不过来。|虽然是干部子女,也不能受到特殊照顾。

【照会】 zhàohuì 〔动/名〕

〔动〕一国政府把自己对于有关的某一事件的意见通知另一国政府。[present a note (about a certain matter) to (the government of a country)]常做谓语。

例句 中国政府照会美国政府,就纺织品贸易问题表明中方立场。

〔名〕照会的外交文件。(note)常做宾语、主语。[量]份。

例句 中国政府向日本政府递交了一份照会,重申了中国政府的一贯立场。

【照旧】 zhàojiù 〔形〕

跟原来一样。(as before;as usual;as of old)常做谓语、状语。

例句 虽然换了领导,但工作一切照旧。|尽管天气不好,原定的旅行计划仍然照旧。|于秘书病了,但她每天照旧来上班。|大家休息了一下,然后照旧往前走。

【照例】 zhàolì 〔副〕

按照惯例;按照常情。(as a rule;as usual;usually)做状语。

例句 今年国庆节,照例放假三天。|今天是星期天,可他照例六点起床。|每年春节我都照例去老师家拜年。

【照料】 zhàoliào 〔动〕

关心料理。(take care of;attend to)常做谓语、宾语。

例句 母亲精心地照料着孩子。|小张护士对病人照料得很周到。|有时太忙就照料不过来了。|养花需要细心照料。|经过医生护士的精心照料,我很快恢复了健康。

【照明】 zhàomíng 〔动〕

用灯光照亮室内、场地等。(illuminate;light)常做定语、主语、宾语。

例句 我们刚更新了照明设备。|新影剧院的舞台照明特别好。|这里需要照明。

【照片(相片)】 zhàopiàn(xiàngpiàn) 〔名〕

照相后得到的人或物的图片。(picture;photograph)常做主语、宾语、定语。[量]张。

例句 这张照片使我想起了一件往事。|这张照片照得不清楚。|在长城上,我们拍了很多照片。|这是在日本照的照片。|这些照片的效果不太好。|我想按这张照片的尺寸选个合适的相框。

【照射】 zhàoshè 〔动〕

光线射在物体上。(shine;illuminate;light up;irradiate)常做谓语。

例句 阳光照射在湖面上,闪闪发光。|在舞台灯光照射下,演员们显得格外精神。|药品要避免阳光直接照射。

【照相】 zhào xiàng 〔动短〕

通过胶片的感光作用,用照相机拍下实物影像。也称摄影。(take a picture)常做谓语、定语、宾语,中间

Z

可插入成分。

例句 他正给大家照相呢。|我们一块儿照个相吧。|照完相再去爬山。|公园里照相的人很多。|照相的时候请不要动。|她特别喜欢照相。|小孩子也爱照相。

【照相机】 zhàoxiàngjī 〔名〕

用来照相的器械。也叫摄影机。(camera)常做主语、宾语、定语。[量]个,台,部。

例句 这部照相机很便宜。|你的照相机比我的高级。|过生日的时候,爸爸送她一部照相机。|我照相技术不高,只会用"傻瓜"照相机。|进口照相机的价格近来下降了。|相照得好不好,不全在于照相机的好坏。

【照样】 zhàoyàng 〔副〕

照旧,跟以前一样。(as usual)做状语,也可做谓语。

例句 天气越来越冷了,林师傅还是照样到海里去游泳。|明明这里禁止吸烟,可有些人照样抽。|我说了他多少次别乱放书包,可他还是照样。

【照耀】 zhàoyào 〔动〕

强烈的光线把物体照亮,也比喻给予光明和幸福。(shine; illuminate)常做谓语,也用于"在…下"格式。

例句 初春的阳光照耀着大地。|强烈的灯光把球场照耀得如同白昼。|一副大红的对联,在雪光的照耀下,显得格外鲜艳夺目。

【照应】 zhàoyìng 〔动〕

料理;关心;照顾。(look after; take care of)常做谓语。

例句 乘务员一路照应着旅客。|餐厅服务员对顾客照应得非常周到。|国庆节我去旅游几天,你能不能帮我照应照应店里的生意?

【罩】 zhào 〔名/动〕

〔名〕套在外边的像伞样的东西。(cover)常用于构词。

词语 灯罩 口罩 罩子

例句 这个灯罩比较雅致。|做手术的医生、护士都要戴口罩。|把饭菜用罩子罩上。

〔动〕遮盖;扣住;套在外面。(cover; overspread; envelop; wrap)常做谓语。

例句 外边有点儿冷,再罩一件外衣吧。|找块儿布把电视罩上。|劫匪把头罩住,不让人认出来。

【折】 zhē 〔动〕 另读 zhé, shé

❶ 翻转。(turn over; roll over)常做谓语。

例句 别看他小,能连着折好几个跟头。|突然刹车使坐在后面的小徐折了下去。

❷ 倒过来,倒过去。(pour back and forth between two containers)常做谓语。

例句 水太热,用两个碗折一折就凉了。|宝宝别着急,妈妈把奶折一下就给你喝。

【折腾】 zhēteng 〔动〕

❶ 翻过来倒过去。(turn from side to side; toss about)常做谓语。

例句 他肚子疼得在床上直折腾。|虽然挤了点儿,你就凑合着睡吧,别折腾了。

❷ 反复做(某事)。(do sth. over and over again)常做谓语。

例句 你一会儿出去一会儿进来,折腾什么呀?|她把项链摘下来再戴上,折腾了半天才出门。

❸ 折磨。(cause physical or mental suffering; torment)常做谓语、定语、宾语。

例句 牙一疼起来真能折腾死人。|我差点儿被他折腾成精神病。|这就是你瞎折腾的结果。|中国的经济实在经受不了那样的折腾了。|我真受不了你这么折腾。

【遮】 zhē 〔动〕

❶ 一物体挡住另一物体,使不露出来。(hide from view; cover; screen)常做谓语。

例句 乌云遮不住太阳。|那座大楼遮住了我们的视线。|把伞打开遮遮阳吧。

❷ 掩盖。(conceal; overspread)常做谓语。

例句 丰收的季节,农民们遮不住内心的喜悦。|你不要替他遮丑了。|快把晒的粮食遮遮,别叫雨淋了。

【折】 zhé 〔动〕 另读 shé, zhē

❶ 断,弄断;损失;弯,弯曲。(fracture; break; snap; bend; twist)常做谓语,也用于构词或固定短语。

词语 曲折 百折不绕 损兵折将

例句 不能随便折花。|树枝被大风折断了。

❷ 回转,转变方向。(turn back; change direction)常做谓语。

例句 不知为什么,车刚出大门又折回来了。|一直往前走,走到十字路口折向西就到了。

❸ 折叠。(fold)常做谓语。

例句 孩子们把一张张纸折成一只只小鸟。|小心,照片别折了。|这些图纸折一下就能放进包里了。

❹ 折合,抵换。(convert into)常做谓语。

例句 1美元能折成多少人民币?|这车折价两万元卖给我吧。

❺ 折扣。(discount; rebate)常做宾语及谓语。

例句 今天商店所有的商品都打九折。|请问,这件风衣打不打折?

【折合】 zhéhé 〔动〕

在实物和实物间,货币和货币间,实物和货币间按照比价计算。(convert into; amount to)常做谓语。

例句 把这些货折合成美元是多少钱?|化肥每包50公斤,折合市斤,刚好100斤。|我的西装是三万五千日元买的,折合人民币两千多块呢。

【折磨】 zhémó 〔动/名〕

〔动〕使在肉体、精神上受痛苦。(cause physical or mental suffering; torment)常做谓语。

例句 这种孤独感日夜折磨着我。|失恋的痛苦曾经折磨他一年多。

〔名〕肉体或精神上所受到的痛苦。(torment)常做宾语及主语。

例句 不忍看他受病魔的折磨。|戒烟对于我来说是一种相当大的折磨。|这种精神上的折磨,我一天也忍受不下去了。

【哲学】 zhéxué 〔名〕

关于世界观的学说,是自然知识和社会知识的概括和总结。(philosophy)常做主语、宾语、定语。[量]门。

例句 哲学分唯心主义和唯物主义两大派别。|这是一个哲学问题。|我不懂哲学。

【者】 zhě 〔尾/名〕

〔尾〕表示做某事的人或具有某方面特性的人和事物。(one or those who; the thing or things which; -er)

常在形容词或动词后面，构成词或短语。

词语 学者　作者　革命者　老者　记者　文学爱好者　强者　读者　旁观者

〔名〕指前面说的事物。常与“二、三、前、后”等构成短语做句子成分。(*used together with the numbers* “二”, “三”, “前”, “后”, *etc, referring to the things mentioned previously*)

例句 就业还是继续学习，二者由你选。│成功需要勤奋加灵感，两者缺一不可。│进口或者自己研制都可以解决问题，但前者花费太大，于是我们决定采取后者。

【这】 zhè 〔代〕

❶ 指较近的人或事物。(this)常做主语、宾语、定语。

例句 这是我同学。│这是一个新产品。│我去？这合适吗？│你问这干什么？│可以用这做原料。│这孩子是你的？│这束花真漂亮！│这几个人我都认识。

❷ 众多事物中的某个或任意一个。(one of these)常做主语，宾语。常与“那”配合使用。

例句 这也不对，那也不对，他看什么都不顺眼。│这啊那的，她挑了不少毛病。│她一见面就问这问那，问个没完。│请这个请那个，怎么不请我们？

❸ 现在。指发生某情况的时候，常与“就”、“才”等配合。(now; then; in a minute)常做状语。

例句 等一等，我这就来。│这都什么时候了，你还没准备好？│听了她的话，李明这才明白过来。

❹ 这儿，这样，这个。(such; this way; so; this one; this)用在“一”和动词(或形容词)前加强语气。用在动词或形容词前，表示夸张。

例句 这一转眼才几年，我们都老了。│你这一说我就明白了。│当时，心里这一急，什么话也说不上来了。│儿子考上了大学，做父亲的这高兴劲儿就别提了。│你这聪明劲儿，一般人可比不了。

【这边】 zhèbian 〔代〕

这里，在这里。(this side; here)常做主语、定语、宾语。

例句 这边有很多好玩的地方。│这边是东，那边是西。│这边的风景特别美。│这边的人都很好。│你先生在这边吧？│往这边看，看见了吗？

【这个】 zhège 〔代〕

❶ 这一个。(this one; this)常做主语、宾语、定语。

例句 这个比那个沉，我们两个人抬吧。│这个不难。│我想要这个，不要那个。│尝尝这个吧，味道好极了。│这个孩子真懂事。│这本书特别有意思。

❷ 表示夸张。(so; such)用在动词，形容词前。

例句 大家这个高兴啊，就甭说了。│今天这个冷啊，能把人冻死！│他这个吃啊，好像三天没吃饭似的。

【这会儿】 zhèhuìr 〔名〕

这时候。也说“这会子”。(now; at the moment; at present)常做状语、定语。

例句 这会儿，他该到家了。│这会儿你又上哪儿啊？│这会儿的雨小多了。│这会儿的人最多，车最拥挤。

【这里(这儿)】 zhèlǐ(zhèr) 〔代〕

指离说话人比较近的地方。(here)常做主语、宾语、定语。

例句 这里四季如春。|这里有一张桌子、两把椅子。|你的笔在这里。|你说的公司是不是这里?|这里的特产是苹果。|这里的东西都是我的。

【这么】 zhème 〔代〕

指示性质、状态、方式、程度等。(so;such;this way;like this)常做状语。

例句 这件事就这么办吧!|大家都这么说,我也没办法。|快看啊,这么大的鱼!|这两天怎么这么热!

【这么着】 zhèmezhe 〔代〕

常指示动作或情况。(like this)常做主语、状语、谓语。

例句 这么着不是很好吗?|你就这么着做吧!|这件事这么着吧!|我这么着,可以吗?

【这些】 zhèxiē 〔代〕

指较近的两个以上的人或事物。(these)常做主语、定语、宾语。

例句 您看,这些够不够?|这些就是我们的意见。|这些年你过得怎么样?|这些学生特别努力。|今天就讲这些,谢谢大家!|我看,先买这些吧!

【这样】 zhèyàng 〔代〕

❶ 指示已知的动作、情况、性质、状态、方式、程度。(so;such;like this;this way)常做主语、谓语、宾语、定语、状语。

例句 这样才对!|这样就太好了!|今天就这样吧!|你千万别这样!|每次他都是这样。|从前是这样,现在还是这样。|这样的事情经常发生。|这样的好生活过去想都不敢想。|这件事就这样处理。|为什么要这样说?

❷ 表示虚指。与"那样"配合使用。(this;this way)常做谓语、定语。

例句 今天这样,明天那样,真叫人受不了。|一会儿这样,一会儿那样,到底怎么着?|我们虽然有这样或那样的困难,但是我们一定能克服。|每个人都有这样、那样的缺点。

【这样一来】 zhèyàng yì lái 〔动短〕

表示在某种情况下会产生后面的结果。(as a result;in this way)单独使用,常用于两句之间。

例句 没想到情况变了,这样一来,事情就不好办了。|当时哪有钱?这样一来,我就没念完高中。|1998年开始了住宅商品化改革,这样一来,千千万万个家庭圆了自己的住房梦。

【着】 zhe 〔助〕

❶ 表示动作连续不断。(*indicating a continuous action*)用于动词后。

例句 经理正说着,突然手机响了起来。|一到周末,她就带着孩子去学书法。|我们在一起唱着、跳着,一直到半夜。|我是走着来的。|你说吧,我听着呢。

❷ 表示情况、状态一直存在。(*indicating a continuous state*)用于动词后。

例句 墙上挂着一幅中国地图。|门开着,屋里却没人。|书在书架上放着呢。|玛丽穿着一身旗袍。|过年时,许多人家门口都贴着"福"字。

❸ 加强命令等语气。(*strengthening the tone of an order or exhortation*)用于动词或某些形容词后。

例句 你听着,必须马上走!|大家

Z

的行动能不能快着点儿？|那儿的冬天冷着呢！

▶“着”还用于某些单音节动词后构成介词。如：随着 沿着 顺着 接着 为着

【针】 zhēn 〔名〕

❶ 缝衣物的工具，细长而小，多用金属制成。(needle)常做主语，宾语。[量]根。

例句 一不小心，针扎了手。|一针一线，都是妈妈的深情。|我替妈妈去买几根针。|奶奶八十了，可还能穿针。|由于伤口比较大，一共缝了八针。

❷ 细长像针的东西。(anything like a needle)常用于构词。

词语 松针 指南针 时针 指针 别针 大头针

❸ 注射用的药。(injection; shot)常做主语、宾语。

例句 防疫针都打完了。|小孩的预防针打了没有？|感冒得挺厉害，打针吧。|我从小就怕打针。

❹ 中医刺穴用的特制的金属针。也指用这种针治病。(acupuncture)常做宾语。[量]根。

词语 针灸 针刺

例句 你这病扎几针就好了。|把针刺进穴位就能治病，真神了！

【针对】 zhēnduì 〔动〕

对准。(be directed against; be aimed at; counter)常做谓语(带宾语)。

例句 你的话针对谁？|这本书是针对儿童编写的。|针对这种情况，我们已经采取了措施。|针对滥捕动物的倾向，有关部门制定了野生动物保护法。

【针灸】 zhēnjiǔ 〔名/动〕

〔名〕针和灸法的合称，是中医的治疗方法。(acupuncture and moxibustion)常做主语、宾语、定语。

例句 针灸是中医的传统疗法。|针灸可以治很多病。|这个方法就是针灸。|我挺信针灸的。|针灸疗法常常具有神奇的效果。

〔动〕用针灸的方法给人治疗。(acupuncture)常做谓语。

例句 我给你针灸吧。|您会针灸吗？|我一个星期去医院针灸三次。

【侦察】 zhēnchá 〔动〕

为了弄清敌方或违法犯罪的情况而暗中调查。(reconnoitre; scout)常做谓语、定语、宾语及主语。

例句 已经侦察到了敌人的情况。|天上的飞机好像在侦察着什么。|侦察工作需要胆大心细。|为找到足够的证据，已经搞了一个多月的侦察。|侦察证实了我们对犯罪过程的分析。

【侦探】 zhēntàn 〔名〕

做从事寻找机密或案情工作的人。(detective; spy)常做主语、宾语、定语。[量]个。

例句 侦探发现了他。|我们看他像侦探。|我喜欢看侦探小说。

【珍贵】 zhēnguì 〔形〕

价值大，意义深刻，很宝贵。(valuable; precious)常做谓语、定语、宾语、补语。

例句 这些字画非常珍贵。|我一直保存着学生送给我的这件珍贵的礼物。|这些东西看起来很普通，可他却觉得很珍贵。|我把自己的人格看得非常珍贵。

【珍惜】 zhēnxī 〔动〕

觉得珍贵而特别爱惜。(treasure;

value; cherish) 常做谓语、状语、定语、宾语。

例句 我们要珍惜时间。|她很珍惜地把信放进小箱里。|她用珍惜的目光看着这张旧照片。|这种良好的关系需要珍惜。

【珍珠】 zhēnzhū 〔名〕

某些软体动物〔如蚌(bàng)〕的贝壳内产生的圆形颗粒，乳白色或略带黄色，有光泽，多用做装饰品。(pearl) 常做主语、宾语、定语。[量]颗。

例句 太湖出产的珍珠很有名。|这部书是世界文学艺术中一颗璀璨(cuǐcàn)的珍珠。|她的珍珠项链非常漂亮。

【真】 zhēn 〔副〕

实在，的确。(truly; really; indeed) 常做状语。

例句 这儿的风景真美。|你真不简单。|这真叫人高兴。|这天儿真够冷的。

【真诚】 zhēnchéng 〔形〕

真实诚恳，没有一点儿虚假。(true; sincere; genuine) 常做谓语、定语、状语、补语、主语、宾语。

例句 他的态度很真诚。|她对人十分真诚。|大家都被他那真诚的情谊打动了。|这点儿礼物代表我真诚的祝福。|我们真诚地期待着再次合作。|人和人之间应该真诚相待。|由于他的话说得很真诚，大家也就相信了。|小王的真诚终于感动了她。|我被她的真诚感动了。

【真理】 zhēnlǐ 〔名〕

真实的符合客观规律的道理。(truth) 常做主语、宾语、定语。[量]个，条。

例句 真理是客观存在的，任何人也改变不了。|真理也在不断向前发展。|实践可以发现真理，也可以检验真理。|人类一直在探索真理。|实践才能证明真理的正确性。|真理面前人人平等。

【真凭实据】 zhēn píng shí jù 〔成〕

真实可靠的证据。(conclusive proof; hard evidence; genuine evidence) 常做宾语、定语。

例句 你说是小王干的，你有什么真凭实据？|这篇报道缺少真凭实据的东西。

【真实】 zhēnshí 〔形〕

跟客观事实相符合，不假。(real; true; authentic) 常做谓语、定语、状语。

例句 这部电视剧很真实。|新闻报道要真实。|请你告诉我真实的情况。|我相信这是他真实的成绩。|这篇小说真实地再现了当时的农村情况。

【真是】 zhēnshi 〔动〕

实在是。(really; indeed) 常做谓语。

例句 我真是糊涂，怎么就没想到呢？|对不起，真是不好意思。|你真是好样的！

【真是的】 zhēnshi de 〔动短〕

实在是。用来代替不便说出口的话，多表示不满意的情绪。(*used to express displeasure or annoyance*) 常做谓语或单独使用。

例句 这个人可真是的，什么事也干不好！|真是的！不来也不打个招呼。|真是的！他连我都不相信。

【真相】 zhēnxiàng 〔名〕

事情的真实情况。(the real situa-

Z

tion; the real facts; truth)常做主语、宾语。

例句 事情的真相你知道吗?|这个案件的真相目前还没弄清楚。|如果都不敢说出真相,问题怎么能解决呢?|这明明是歪曲事实真相。

【真心】 zhēnxīn 〔名〕

真实的心意。(wholehearted; heartfelt)常做主语、宾语、定语、状语。[量]片。

例句 他的一片真心终于打动了她。|礼物虽小,可是人家的一片真心哪。|我们说了一夜的真心话。|我是真心喜欢你。|人家是真心帮你,你就别客气了。

【真正】 zhēnzhèng 〔形〕

实质跟名义完全一致。真实而不虚假。(genuine; true; real)常做定语、状语。

例句 她得到了真正的幸福。|人民群众是真正的英雄。|我认为他是个真正的男子汉。|我第一次真正地和他接触是五年以前。|到毕业了,孩子才真正懂得了学习的重要性。

【真知灼见】 zhēn zhī zhuó jiàn 〔成〕

正确而深刻的见解。(real knowledge and deep insight; penetrating judgment)常做主语、宾语。[量]种。

例句 他的真知灼见折服了大家。|这说不上什么真知灼见,只是我个人的一点儿看法,仅供大家参考。|他素有真知灼见。

辨析 〈近〉远见卓识。二者都表示见识不凡,但侧重点不同:“远见卓识”侧重目光远大,而“真知灼见”则重在见解深刻透彻。

【诊断】 zhěnduàn 〔动〕

检查,判断病人的症状及其发展情况。(diagnose)常做谓语,定语,宾语。

例句 你快去请医生诊断诊断吧。|经过医生诊断,他的病不严重。|大家都在等待丁老师的诊断结果。|让张医生给您作诊断。

【枕头】 zhěntou 〔名〕

躺着的时候,垫在头下使头略高的东西。(pillow)常做主语、宾语、定语。[量]个。

例句 小孩枕头不能太高。|这个枕头真软,里边是什么?|睡觉时,我得枕两个枕头才行。|奶奶会做绣花枕头。|枕头里的材料用什么做好呢?

【阵】 zhèn 〔量/名〕

〔量〕表示事情或动作经过的段落。(short period; spell)常构成短语做句子成分。

例句 一天里下了好几阵雨。|一阵风刮过,好凉快。|走廊里忽然响起了一阵脚步声。|她忽然觉得一阵儿剧痛,差点儿摔倒。|会场里不时响起阵阵掌声。

〔名〕❶ 古代战术用语,指作战队伍的行列或结合方式;也指阵地。(battle array; position; front)常用于固定短语,或用于构词,也做宾语。

词语 冲锋陷阵 叫阵 阵势 严阵以待 临阵磨枪 阵地 上阵

例句 没上过阵,开始有点儿紧张。|他很快就以0:3败下阵来。

❷ 一段时间(后边常有“儿”或“子”)。(a period of time)常构成短语做状语、补语、宾语。

例句 这一阵儿,她忙得很。|这阵子,你怎么不来了?|奶奶的身体是

一阵好，一阵坏。|上午父亲咳嗽了好几阵儿。|我来了好一阵儿了。|我这工作就是忙一阵，闲一阵。|那好吧，过一阵儿我再跟您电话联系。

【阵地】 zhèndì 〔名〕

军队为了战斗而占据的地方，通常修有工事。(position; front)常做主语、宾语、定语。[量]个。

例句 阵地不能丢失。|我们必须占领这个阵地。|双方展开了激烈的阵地战。

【阵容】 zhènróng 〔名〕

❶ 队伍的外貌。(battle array)常做主语。[量]个。

例句 仪仗队阵容整齐，军威雄壮。

❷ 队伍显示的力量，常用来比喻人力的配备。(lineup)常做主语、宾语。

例句 公司如今阵容强大。|客队摆出了全攻的阵容。

【阵线】 zhènxiàn 〔名〕

战线，多用于比喻。(front; ranks; alignment)常做主语，宾语。

例句 两派阵线分明。|两党结成了联合阵线。

【阵营】 zhènyíng 〔名〕

为了共同的利益和目标而联合起来进行斗争的集团。(camp; a group of people who pursue a common interest)常做主语、宾语。[量]个。

例句 他们的阵营瓦解了。|不能把他推向对方阵营。

【振】 zhèn 〔动〕

❶ 奋起。(rise with force and spirit; brace up; boost)常做谓语。

例句 不知怎么，最近我怎么也振不起精神来。|振起精神，重新开始！|听到这个喜讯，大家的精神为之一振。

❷ 摇动；挥动；振动。(shake; flap)常用于固定短语或用于构词。

词语 振笔疾书 振翅高飞 共振 谐振

【振动】 zhèndòng 〔动〕

物体通过一个中心位置，不断作往复运动。(vibrate)常做谓语。

例句 颗粒均匀(jūnyún)地振动起来。|钟摆不停地振动。

【振奋】 zhènfèn 〔动〕

❶ 振作奋发。(rouse oneself; rise with force and spirit; be inspired with enthusiasm)常做谓语、状语、宾语、定语。

例句 这消息真让人振奋。|听了他的话，大家振奋地鼓起掌来。|好消息让我感到振奋。|大家以振奋的精神投入工作。

❷ 使振奋。(inspire; stimulate)常做谓语(带宾语)。

例句 英雄的事迹振奋了许许多多的人。|她们的拼搏精神振奋着我们的民族。|这是多么振奋人心的消息啊！

【振聋发聩】 zhèn lóng fā kuì 〔成〕

比喻唤醒糊涂麻木的人。(rouse the deaf and awaken the unhearing; awaken the deaf; enlighten the benighted)常做谓语、定语。[量]种。

例句 他的发言振聋发聩，大家心悦诚服。|这几句振聋发聩的话，得到大家的一致认同。

【振兴】 zhènxīng 〔动〕

大力发展，使兴盛起来。(rejuvenate; vitalize; invigorate)常做谓语、主语、宾语。

例句 发奋图强，振兴中华。|民族的振兴依赖教育。|我们盼望着企业的振兴。

【振振有词】 zhènzhèn yǒu cí 〔成〕
理直气壮，说个没完。(speak plausibly and volubly)常做谓语、定语、状语。

例句 他来了以后振振有辞，说他自己一点责任也没有。|开始还振振有辞的货主最后不得不赔礼道歉。|他走在路上，还振振有辞地说个不停。

【震】 zhèn 〔动〕
❶ 由于强力引起振动或颤动。(shake; vibrate)常做谓语、宾语。

例句 玻璃震碎了。|鞭炮声震得耳朵疼。|火炮震得大地都动起来了。|小心点儿，箱里都是瓷器，怕震。

❷ 情绪过分激动。如：(greatly excited; shocked)用于构词。

词语 震惊 震怒

【震荡】 zhèndàng 〔动〕
震动；动荡。(shake; shock; vibrate; quake)常做谓语。

例句 锣鼓声和口号声震荡夜空。|只要事先做好宣传，相信不会出现社会震荡。|头被撞了以后，引起了脑震荡。

【震动】 zhèndòng 〔动〕
❶ 受外力影响而颤动。(shake; shock; vibrate; quake)常做谓语、定语、主语、宾语。

例句 爆炸声使她的身子震动了一下，但很快又恢复了平静。|路面不平，车子震动得很厉害。|关门的时候用力太猛，玻璃发出震动的声响。|强烈的震动使他意识到地震了。|病人经不起车子震动，最好用担架抬着走。

❷（重大的事情，消息等）使人心不平静。(shock; stir; astonish; excite)常做谓语、宾语。

例句 这件事震动了公司的所有员工。|中国经济的飞速发展震动了全世界。|这一消息很快在全社会引起了震动。|读了这本书后，我的思想受到很大的震动。

辨析 〈近〉振动。“振动”是物理学上所说的物体的摆动与运动；“震动”则指物体的颤动，以及人心的激动。如：*这个消息振动了全社会。（“振动”应为“震动”）

【震惊】 zhènjīng 〔动〕
使大吃一惊，非常吃惊。(shock; amaze; astonish)常做谓语、定语、宾语。

例句 孙教授的调查报告震惊了与会全体代表。|看了这则消息，小张震惊得说不出话来。|我努力控制住自己，没露出一点震惊的神色。|亲眼看见文物遭到的破坏，震惊的游客深感痛惜。|对于她的决定，同事们没有一个不感到震惊的。|我能感觉到他内心的震惊。

【镇】 zhèn 〔名/动〕
〔名〕行政区划单位，一般由县一级领导。(town, an administrative division generally under the jurisdiction of a county)常做主语、宾语、定语。[量]个。

例句 附近几个镇近几年变化都很大。|我们镇不太大。|这里原来只是一个无名小镇，现在成了远近闻名的旅游景点。|近几年乡镇企业

发展很快。|镇服装厂每年都能赚很多外汇。

〔动〕❶ 压,抑制。(press down; keep down; ease)常做谓语。

例句 他一说话,就把大伙儿给镇住了。|这个孩子不听话,你给我镇镇他。

❷ 安定;用武力维持安定。(calm; guard; garrison)常用于构词。

词语 镇定 镇静 镇守 坐镇

例句 总司令亲自坐镇指挥。

❸ 把食物、饮料等同冰决或冷水放在一起,或放入冰箱使变凉。(cool with cold water or ice)常做谓语、定语。

例句 把西瓜放在冰箱里镇一镇。|我喜欢喝冰镇啤酒。

【镇定】 zhèndìng 〔形〕

遇到紧急情况不慌不乱。(calm; cool; composed; unruffled)常做谓语、定语、状语、补语。

例句 开始我有点儿紧张,可很快就镇定下来了。|无论在什么情况下,都要镇定。|比赛中,我一直保持镇定的情绪。|新闻发言人镇定自如地回答了记者的提问。|在关键时刻,他表现得十分镇定。

【镇静】 zhènjìng 〔形〕

情绪稳定或平静。(calm; cool; composed; unruffled)常做谓语、定语、状语、补语、宾语。

例句 过了一会儿,考生心情镇静多了。|遇事不要慌,情绪要镇静下来。|在那种情况下还能保持镇静的心态,真不简单。|一看她镇静的神态,我也放心了。|老张镇静地告诉我:"出事了。"|留学生镇静地坐在考场上。|听到这个坏消息,她却显得格外镇静。|驾驶员努力保持镇静,飞机终于安全着陆了。

辨析 〈近〉镇定。"镇静"重在平静、不急躁;"镇定"重在沉稳、不慌乱,且语意程度较深。

【镇压】 zhènyā 〔动〕

用强力压制,不许进行活动。(suppress; repress; put down)常做谓语、宾语。

例句 起义被无情地镇压下去了。|政府对破坏社会治安的活动进行了镇压。

【正月】 zhēngyuè 〔名〕

农历一年的第一个月。(the first month of the lunar year)常做主语、宾语、定语、状语。[量]个。

例句 今年正月比较冷。|正月还没到,已经感受到过年的气氛了。|过了正月,年也就过完了。|正月十五吃元宵。|正月初一是新春。|去年正月,我是在中国朋友家过的。|正月可以去看冰灯。

【争】 zhēng 〔动〕

❶ 全力去得到或达到。(contend; vie; strive)常做谓语。

例句 在晚会上,留学生们争着跟他跳舞。|他从来不争权不争利。|北京争到了 2008 年奥运会的主办权。

❷ 在讨论或辩论中,各人坚持自己意见。(argue; dispute)常做谓语。

例句 这件事已经决定了,你们不要再争了。|兄弟俩争得面红耳赤。|他们争来争去也没争出个什么结果。

【争吵】 zhēngchǎo 〔动〕

因意见不一致大声争论,互不相让。

Z

(quarrel; wrangle; squabble)常做主语、谓语。

例句 争吵该结束了。|每天争争吵吵有什么意思?|不知为什么事,夫妻俩又争吵起来了。|你们应该好好地谈谈,别总争吵。|争吵了半天,也没解决问题。

【争端】 zhēngduān 〔名〕
发生争论、矛盾的事情或原因。(controversial issue; dispute; conflict)常做主语、宾语。[量]个。

例句 争端是由他引起的。|解决争端,还是靠互相理解和沟通。

【争夺】 zhēngduó 〔动〕
争着夺取。(fight for; vie with sb. for sth.)常做谓语、定语。

例句 我来的目的就是要争夺这块金牌。|两队争夺得很激烈。|商家想尽办法争夺市场。|他们之间展开了冠军争夺战。|这次争夺的目标是前三名。

【争分夺秒】 zhēng fēn duó miǎo 〔成〕
形容抓紧时间,不放过一分一秒。(race against time; make every minute and second count)常做谓语、定语、状语。

例句 学习应该争分夺秒,不能白白浪费时间。|看这争分夺秒的干劲儿,你们准行。|最后两个月,工人们争分夺秒地加班加点,终于按时完成了任务。

【争论】 zhēnglùn 〔动〕
各人坚持自己的意见,互相辩论。(controversy; dispute; debate; contention)常做谓语、定语、宾语。

例句 我们经常争论这方面的问题。|父子俩为足球问题争论得十分激烈。|争论的双方都不肯让步。|争论的结果是弄清了是非。|同学之间发生争论是常有的事。|这个问题不值得争论。|经过争论,我说服了他。

【争气】 zhēng qì 〔动短〕
发愤图强,不甘落后或示弱。(try to make a good showing; try to win credit for; try to bring credit to)常做谓语、定语。中间可插入成分。

例句 虽然家里很穷,可他很争气,考上了名牌大学。|女队得了冠军,为自己争了气。|小梅是个争气的好孩子。|不争气的儿子,让父母非常失望。

【争取】 zhēngqǔ 〔动〕
力求获得或力求实现。(strive for; fight for; win over)常做谓语、定语。

例句 已经月末了,你要争取时间。|我得争取早点儿把病治好。|你再争取争取,一定要把这个项目争取过来。|目前争取的结果只有两个。

【争先恐后】 zhēng xiān kǒng hòu 〔成〕
争着向前,只怕落后。(strive to be the first and fear to lag behind; fall over each other to do sth.)常做谓语、状语、定语、宾语。

例句 上课发言大家都争先恐后。|回答问题要争先恐后。|员工们争先恐后地干脏活、累活。|下课了,孩子们争先恐后地跑出教室。|在工作面前需要争先恐后的精神。|在工作上,我们鼓励争先恐后。

【争议】 zhēngyì 〔动〕
争论。(dispute; debate; contention)常做谓语、宾语。

例句 对于谁能夺冠,大家争议了半天。|不要为这件事再争议下去

了。|这个问题不值得争议。|目前,这个问题还有争议。

【征】 zhēng 〔动〕

❶ 走远路(多指军队)。(go on a journey)用于构词。

词语 长征 远征 征途

例句 考察队今日出发,远征南极。|红军二万五千里长征是中国历史上的大事件。

❷ 政府召集人或收取粮、税、土地等。(levy; call up; draft; impose; collect)常做谓语,也用于构词。

词语 征兵 征调 征购 征收 征用

例句 政府目前正在征地,下一步进行工程招标。|所得税征完了吗?|征兵工作已经开始,很多青年积极应征。

❸ 征求。(solicit; ask for)常用于构词。

词语 征稿 征集 征文

例句 征集北京奥运会徽(huī)的工作在全国展开。|留学生积极参加"外国人看中国"的征文活动。

▶"征"也有名词性,指现象、迹象。如:征兆 象征 特征

【征服】 zhēngfú 〔动〕

❶ 用武力使(别的国家、民族)屈服。(conquer)常做谓语。

例句 想用武力征服世界是不可能的。|敌人征服不了我们。|他们都曾被征服过,后来又纷纷独立了。

❷ 用某种力量制服。(conquer; win)常做谓语。

例句 小伙子把姑娘的心征服过来了。|什么困难都不能征服一个强者。|精彩的杂技表演征服了每一位观众。

【征求】 zhēngqiú 〔动〕

用书面或口头询问的方式求得意见。(solicit; seek; ask for)常做谓语。

例句 还是向大家征求征求意见再决定。|去中国留学,我想先征求一下爸爸的看法。|征求了半天,也没征求到什么有价值的意见。

【征收】 zhēngshōu 〔动〕

政府依法向人民或所属机构收取(粮食、税款等)。(levy; collect; impose)常做谓语、定语。

例句 现在已经开始征收夏粮了。|全区的营业税征收完毕。|今年征收的税款超过了往年。|个人所得税的征收办法需要逐步完善。

【挣扎】 zhēngzhá 〔动〕

用力支撑或摆脱困境。(struggle; battle)常做谓语、宾语、主语。

例句 他挣扎了半天,想把绑在身上的绳子弄掉。|小王终于从失败的痛苦中挣扎出来了。|敌人一定还会进行挣扎,不会轻易地投降的。|那匹狼还在作垂死的挣扎。|挣扎了半天的病人又无力地躺在了床上。

【睁】 zhēng 〔动〕

张开(眼睛)。(open)常做谓语。

例句 风刮得眼睛都睁不开了。|孩子睁着一双大眼睛看着妈妈。|你睁开眼睛看看吧,现在已经几点了?

【蒸】 zhēng 〔动〕

❶ 利用水蒸气的热量使食物等热或熟。(steam)常做谓语、定语。

例句 买回来的熟菜应该蒸蒸再吃。|凉饭还没蒸透呢。|我觉得蒸的饺子不如煮的好吃。|蒸过的奶瓶才能给小孩用。

❷ 蒸发。(evaporate)常用于构词。

词语 蒸气 蒸发

【蒸发】 zhēngfā 〔动〕

液体转化成气体。(evaporate)常做谓语、定语。

例句 瓶子里的液体在不断地蒸发。|在阳光的照射下,地面上的雨水又蒸发到了天空中。|加热可以提高蒸发的速度。|夏季水库每天的蒸发量相当大。

【蒸汽】 zhēngqì 〔名〕

水蒸气。(steam)常做主语、宾语、定语。

例句 小心,蒸汽能烫伤人。|哎呀!蒸汽太大了,什么也看不见。|屋子里有蒸汽,打开窗户吧。|蒸汽的湿度比开水高吧?|洗蒸汽浴很舒服。

【蒸蒸日上】 zhēngzhēng rì shàng 〔成〕

比喻事业等一天天地向上发展。(becoming more prosperous every day; flourishing; thriving)常做谓语、定语、状语。

例句 企业蒸蒸日上,工人们的日子也一天天好起来。|应当看到,蒸蒸日上的旅游业,也潜伏着危机。|中国的第三产业正在蒸蒸日上地向前发展。

【整】 zhěng 〔形/动〕

〔形〕❶ 全部在内,没有残缺或剩余;完全的。(all; whole; complete; full; entire)常做定语、状语、补语。

例句 整个教室都坐满了人。|整桌菜都是妈妈亲自做的。|我来中国整三个月了。|这些钱我想零存整取。|我叔叔在国外工作了三年整。|现在是北京时间12点整。

❷ 有条理,不乱。(in good order; neat; tidy)常做谓语,多用于否定句。也用于构词。

词语 整洁 整齐 工整

例句 他常常衣冠不整。

〔动〕❶ 使有条理;修理。(rectify; repair; put in order)常用于构词或固定短语。也做谓语。

词语 修整 整理 整风 整旧如新 整装待发

例句 你这屋里真够乱的,该整整了。|下班后我去把头发整一下。

❷ 使吃苦头。(make sb. suffer; punish; castigate)常做谓语。

例句 他当了两届领导,没有整过人。|这件事把我整得好惨哪!|对这种破坏团结的人,是该整整了。

【整顿】 zhěngdùn 〔动〕

使混乱的变为整齐的;使不健全的健全起来(多指组织、纪律、作风)。(rectify; consolidate; reorganize)常做谓语、宾语。

例句 新领导一上任,立即着手整顿纪律。|机关该整顿一下工作作风了。|这样的董事会不好好整顿整顿能行吗?|这个商店的物价混乱,应该立即进行整顿。|对市场管理方面存在的问题,有关部门已经开始整顿了。|通过这次整顿,公司纪律发生了很大变化。

【整风】 zhěng fēng 〔动短〕

整顿思想作风和工作作风。(rectify incorrect styles of work or thinking)常做主语、谓语、定语。

例句 这次整风使政府形象又有改变。|据说下个月要整风了。|历史上党内多次开展过整风运动。

【整个】 zhěnggè 〔形〕

全部。(whole; entire)常做定语、状语。

例句 今天整个学校都休息。|整个会场气氛热烈。|为什么把我的计划整个否定了?|一着急,这个外国人把饺子整个吞下去了。

【整洁】 zhěngjié 〔形〕
整齐清洁。(clean and tidy; neat; trim)常做谓语、定语、补语、宾语。

例句 李老师一贯衣着整洁。|这房间整洁得让人不敢进去。|我们小区有整洁的环境和周到的服务。|整洁的床一尘不染。|办公室收拾得十分整洁。|哥哥今天打扮得特别整洁。|谁不喜欢整洁呢?

【整理】 zhěnglǐ 〔动〕
使有条理有秩序。(put in order; arrange; sort out)常做谓语、定语、宾语。

例句 田秘书在整理文件。|今天的笔记还没整理完呢。|这么多东西,你帮我整理整理吧。|刚刚整理过的资料别弄乱了。|这批文物还要做一些整理工作才能展出。|这些经验应该认真地加以整理。|国家十分重视文化遗产的发掘和整理。

【整齐】 zhěngqí 〔形〕
有秩序,有条理,有规则;大小长短相差不多;水平接近。(in good order; neat; tidy; trim and well-groomed)常做谓语、定语、状语、补语。

例句 动作很整齐。|我们班的汉语水平比较整齐。|山下有一排整齐的房屋。|孩子们穿着整整齐齐的校服。|那些书整整齐齐地放在书架上。|学生们整齐地了说一声:"谢谢老师!"|马克的作业写得整整齐齐。|队伍走得非常整齐。

【整数】 zhěngshù 〔名〕
不含分数或小数的数,没有零头的数目。(integer; whole number; round number; round figure)常做主语、宾语。[量]个。

例句 整数容易算。|再添两个凑个整数吧。|存钱的时候,最好存整数。

【整体】 zhěngtǐ 〔名〕
指整个集体或事物的全部。(whole; entirety)常做宾语、定语。

例句 我们班是一个团结的整体。|处理这个问题要从整体来考虑。|你这样穿整体效果不错。|导师说明了他的整体思路。|这篇文章整体上达到了毕业论文的要求。

【整天】 zhěngtiān 〔名〕
全天。(the whole day; all day; all day long)常做定语,状语。

例句 星期天干了一整天的活儿。|她做好了整天的饭。|有的留学生不好好学习,整天玩。|我整天都在琢磨怎么办才好。

【整整】 zhěngzhěng 〔形〕
达到一个整数的。(whole; full)常做定语、状语。

例句 他的小店投入了整整十万元。|她的论文有整整 60 页。|这本书我整整读了三天。|昨天感冒了,整整躺了一天。

【正】 zhèng 〔副/形〕 另读 zhēng
〔副〕❶ 表示动作在进行中或某种状态持续存在。(just; just now)常做状语。常与"呢"搭配。

例句 我正听着呢。|学生们正上课呢。|肚子正疼呢。

❷ 恰好,刚好。(just; precisely; exactly)做状语。也可同"因为"连用,表示强调。

例句 我找的正是这本书。|这件

Z

衬衫大小正合适。|我参加了昨天的联欢会,正像你所说的那样,很有意思。|你也看到了企业存在的问题,正因为如此,才要改革。

〔形〕❶ 垂直或符合标准方向。(straight;upright)常做谓语、定语、补语。

例句 这条线不正。|这座房子的朝向很正。|目标在正前方。|这扇窗子朝正南。|那幅画挂得不正。|小朋友们都坐正了吗?

❷ 位置在中间。(situated in the middle;main)常做定语。

例句 把"福"字贴在门正中间吧。|从正门进校园,再向左拐就到了。

❸ 纯的,多用于颜色或味道。(pure;right)常做谓语、定语。

例句 这酒味很正。|我看您脸色不正,病了吧?|你瞧,这是正红色。

❹ 公平,合理,合法的。(upright;honest)常做谓语、补语,也用于构词或固定短语中。

词语 名正言顺 正当 义正词严 正道 改邪归正 正经 正派 正气 正义 正直

例句 我们班风气很正。|这个人人品不正。|干部应当行得端,走得正。|她做人做得正。

❺ 基本的,主要的。(chief;principal)常做宾语。

例句 崔校长是正校长。|正教授的工资是多少?

❻ 大于零的。(positive;plus)常做主语、宾语、定语。

例句 正乘负得负。|负乘负得正。|"+"是正号。

【正比】 zhèngbǐ 〔名〕

两个事物或一事物的两个方面,一方发生变化,另一方随着也发生相应的变化。(direct ratio;direct proportion)常做宾语、定语。

例句 一般情况下,勤奋和成绩成正比。|孩子的年龄和身心发育应该成正比。|我公司的投入和产出一直保持着正比的关系。

【正常】 zhèngcháng 〔形〕

符合一般规律和情况。(normal;regular)常做谓语、定语、状语、补语、宾语。

例句 今年的气候比较正常。|孩子比妈妈高,正常得很嘛。|青年男女谈恋爱是正常现象。|室内要保持正常湿度。|他的病好了,又能正常地工作了。|电脑有问题,无法正常使用。|经检查,孩子发育得很正常。|小赵今天表现得不太正常。|父亲的身体已经恢复了正常。

【正当】 zhèngdāng 〔动〕

正处在(某个时期或阶段)。(just when;just the time for)常做谓语,构成动宾词组做句首状语。

例句 你正当年轻,好好地干吧。|正当电影开演之际,忽然停电了。

【正当】 zhèngdàng 〔形〕

合理合法的。(proper; legitimate)常做定语或用于"是…的"结构。

例句 我们要保护公民的正当权益。|你这种行为是正当的。

【正规】 zhèngguī 〔形〕

符合正式规定的或一般公认标准的。(regular; standard)常做谓语、定语、状语、补语、宾语。

例句 现在私立学校也正规起来了。|他这套动作很正规。|请按照正规的程序操作。|我们这些人都参加过正规训练。|他正正规规地

Z

给爷爷行了一个礼。|那家小店还没正规挂牌就出了名。|有的小煤矿办得不太正规,需要整顿。|她的字,每一笔都写得很正规。|他们的手续合乎正规。

【正好】 zhènghǎo 〔形〕

❶ 恰好,合适。(just in time; just right; just enough)常做谓语、状语、补语。

例句 这双鞋正好。|把花瓶放在那儿正好。|今天天气非常好,正好去旅行。|我买的房子正好在山脚下。|你来得正好,我正想去找你呢。|今天的菜做得正好,不多也不少。

❷ 恰巧遇到机会;碰巧。(happen to; chance to; as it happens)常做状语。

例句 刚才见到李老师,正好当面向她请教。|那天,我正好在商店遇到了他。

【正经】 zhèngjing 〔形〕 另读 zhèng jīng

❶ 端庄正派。(decent; respectable honest)常做谓语、定语、状语、补语、宾语。

例句 那个人作风不太正经。|老张摆出一付正经的样子。|他可是个正经人。|小姑娘今天和往日不同,正正经经地坐着。|三岁的孩子把书都拿倒了,却正经地读着。|他装得挺正经,其实不是那么回事。|你就别假装正经了。|他是假正经,别上当。

❷ 正当的,正式的;合乎一定标准的。(serious; standard)常做定语及补语。

例句 不许乱说,这是正经事。|给她的钱一点儿也没花在正经的地方。|你不懂,这可是正经的进口货。|这是去哪啊?穿得这么正经。

【正面】 zhèngmiàn 〔名/形〕

〔名〕❶ 人体前部那一面;建筑物临广场、临街、装饰比较讲究的一面;前进的方面。(front; frontage; facade)常做主语、宾语、定语。

例句 银行的正面是停车场,背面是花园。|这个建筑物的北面是正面。|拍一张正面照片吧。|正面的墙上有雕饰。

❷ 片状物主要使用的一面或跟外界接触的一面。(the obverse side; the right side)常做主语、宾语、定语。

例句 名片正面印的是中文,背面是英文。|你摸摸正面,挺光滑吧?|请把姓名写在正面的左上角。

❸ 事情、问题等直接显示的一面。(the obvious side of events, issues, etc.)常做宾语。

例句 既要看问题的正面,又要看反面,才能比较全面。|从正面分析,结论是这样的。

〔形〕❶ 好的,积极的一面。(positive)常做定语。

例句 对学生要进行正面教育。|多给员工一些正面的鼓励。

❷ 直接的。(directly; openly)常做状语。

例句 有意见可以正面提出来,别在背后说。|我想正面跟他接触一下。

【正气】 zhèngqì 〔名〕

光明正大的作风或风气。(healthy atmosphere or tendency)常做主语、宾语、定语。[量]种。

例句 正气永存天地间。|经过整顿,公司正气上升,邪气下降。|在

Z

关键时刻，他表现出了一种浩然正气。|我们应该弘扬正气，打击歪风。|这位法官拒收贿赂，依法办案，谱写了一曲正气歌。

【正巧】 zhèngqiǎo 〔副〕

刚巧，正好。(happen to; chance to; as it happens)常做状语，补语。

例句 我正巧赶上了，要不就错过了机会。|那天正巧我也在这儿。|你来得正巧，正想去找你呢。|客人到得正巧，宴会马上就开始了。

【正确】 zhèngquè 〔形〕

符合事实道理或某种公认的标准。(correct; right; proper)常做谓语、定语、状语、补语。

例句 你的意见正确极了。|这种理论是不正确的。|这是正确答案，你看看吧。|搞研究得采用正确的方法。|你要正确地对待批评意见。|由于正确执行了政策，工作进展十分顺利。|你说得完全正确。

【正人君子】 zhèngrén jūnzǐ 〔成〕

指品行端正的人，或假装正经的人。(a man of honor; gentleman)常做主语、宾语。

例句 那些所谓的正人君子们，有几个是真的？|他不是什么正人君子，他这样做其实也是为了他自己。

【正式】 zhèngshì 〔形〕

合乎一般公认的标准的；合乎一定的手续的。(formal; official; regular)常做定语、状语、补语、也可用于"是…的"。

例句 我们办理了正式的结婚手续。|张先生是董事会的正式成员。|在非正式场合可以穿得随便些。|他的书正式出版了。|吴红正式参加了试验工作。|生日晚会不要搞得太正式了。|欢迎仪式弄得很正式。|目前两国关系还不是正式的。|这次谈话是正式的。

【正义】 zhèngyì 〔名/形〕

〔名〕公正的、有利于人民的道理。(justice)常做宾语。

例句 法官应该伸张正义。|谁来主持正义？

〔形〕公正的，有利于人民的。(just; righteous)常做定语。

例句 自卫是正义的行动。

【正在】 zhèngzài 〔副〕

表示动作在进行中。(in process of; in course of)常做状语。

例句 十四五岁的孩子正在长身体。|大家正在讨论工程计划。|问题正在解决。

辨析 〈近〉正，在。①"正"强调动作进行的时间；"在"强调动作进行的状态；"正在"既可指时间，又可指状态。②"在"可指动作反复进行或状态长期持续，"正"、"正在"无此用法。③"正"后面一般不能使用动词的单纯形式，常常要加动态助词或语气助词，"在"、"正在"不限。④正在只能做副词，"正"和"在"都是兼类词。

【证件】 zhèngjiàn 〔名〕

证明身份、经历等的文件。(credentials; certificate; papers; testimonial)常做主语、宾语、定语。[量]个，种。

例句 我的证件忘在家里了。|对不起，你的证件已经过期了。|进入厂区，请出示证件。|别忘了带着证件。|证件的有效期已过。

【证据】 zhèngjù 〔名〕

能够证明某事物真实性的物品或文字。(evidence; proof; testimony)常做主语、宾语、定语。

例句 证据不足,不能下结论。|证据一定要真实可信。|他们没有证据。|我们还需要寻找新的证据。|证据的真实性还要进一步调查。|证据的提供者是一位工人。

【证明】 zhèngmíng 〔动/名〕

〔动〕用可靠的材料来表明或断定人或事物的真实性。(prove; testify; bear out)常做谓语、定语、宾语、主语。

例句 我可以为她证明。|小明在黑板上写出了这道题的证明过程。|这个假设需用实践加以证明。|证人的证明没有什么新内容。

〔名〕表明人或事物真实性的文字材料。(certificate; identification; testimonial)常做主语、宾语、定语。[量]个,份,张。

例句 你要的证明写好了。|这张证明七日内有效。|找工作需要带着学历证明。|请出示一下您的身份证明。|请大家凭单位的证明办理手续。|证明的内容真实可信。|证明的有效期只有一周。

【证实】 zhèngshí 〔动〕

证明是真实的。(confirm; verify)常做谓语、宾语。

例句 事情的发展证实了我的判断。|我说的时候,小刘还在旁边证实了一番。|这件事还没得到证实。|这条消息需要加以证实。

辨析 〈近〉证明。"证实"是证明假想或预言的真实性,范围较窄;"证明"使用范围较宽,被证明的结果可以是正确的也可以是错误的。"证实"是动词,"证明"是动词和名词。

【证书】 zhèngshū 〔名〕

由机关、学校、团体等发的证明资格或权利等的文件。(certificate; credentials)常做主语、宾语、定语。[量]份,种。

例句 毕业证书要保存好。|证书带来了吗?|昨天他们俩领了结婚证书。|我有证书。|你看,证书上的照片多年轻啊!|从教育部可以查出毕业证书的真假。

【郑重】 zhèngzhòng 〔形〕

严肃认真。(serious; solemn; earnest)常做谓语、定语、状语、补语、宾语。

例句 仪式很郑重。|我用郑重的语气通知了他。|老张郑重声明此事与他无关。|他说话说得很郑重。|他的一举一动都显得十分郑重。

【政变】 zhèngbiàn 〔名〕

内部一部分人采取军事或政治手段造成的国家政权的突然变更。(coup)常做主语、宾语、定语。[量]次,起。

例句 那次政变很快就失败了。|政变在有些国家经常发生。|据报道,该国有人计划发动军事政变。|政府军 24 小时就平息了这起政变。|电台对这次政变的过程作了报道。

【政策】 zhèngcè 〔名〕

国家或政党为实现总目标而制定的具体行动准则。(policy)常做主语、宾语、定语。[量]项,个。

例句 新的财政政策取得了明显成效。|这项政策对农业的发展十分有利。|有政策就应当按政策办。|今后还要继续实行计划生育政策。|他特别强调了政策的连续性和稳定性。|县委经常检查政策的落实情况。

【政党】 zhèngdǎng 〔名〕

代表某个阶级、阶层或集团并为实现其利益而进行斗争的政治组织。(political party)常做主语、宾语、定

Z

语。[量]个。

例句 中国最大的政党是共产党。|这个政党有很多拥护者。|最近又建立了一个新政党。|你知道中国有哪些政党?|美国总统选举实际上是两个政党的竞争。|这个政党的纲领是建立民主国家。

【政府】 zhèngfǔ 〔名〕

国家权力机关的执行机关,即行政机关。(government)常做主语、宾语、定语。[量]个。

例句 政府制定了治理环境的方案。|政府就是为人民服务的。|我想去市政府,不知怎么走?|文件已发到各级政府。|对于这一问题,政府的态度是很积极的。|两国政府首脑最近将进行会谈。

【政权】 zhèngquán 〔名〕

政治上的统治权力,也指政权机关。(political power; regime)常做主语、宾语。[量]个。

例句 政权必须有合法性。|巩固政权比夺取政权要难。|如果政府腐败,迟早会丧失政权。

【政协】 zhèngxié 〔名〕

中国人民政治协商会议的简称。(political consultative conference)常做主语、宾语、定语。[量]届。

例句 今年春天,政协召开了全国代表大会。|政协在国家事务中具有重要的地位和作用。|1949年,中国成立了第一届政协。|政协委员们经常在一起参政议政。|今晚政协礼堂举行新年茶话会。

【政治】 zhèngzhì 〔名〕

政府、政党、社会团体和个人在内政及国际关系方面的活动。(politics)常做主语、宾语、定语。

例句 政治和经济紧密相联。|政治是上层建筑。|对不起,我不大懂政治。|李老师是研究政治的。|光喊政治口号不行,必须实实在在地干。|我学的是政治专业。

【挣】 zhèng 〔动〕

❶ 用于使自己摆脱束缚(shùfù)。(struggle to get free; try to throw off)常做谓语。

例句 狗用力挣开了锁链。|那匹马挣脱了绳子跑掉了。

❷ 用劳动换取。(earn; make)常做谓语、定语。

例句 我没工夫跟你们玩儿,我得挣钱养家。|要说钱,我可挣不过你。|小柱子到城里挣大钱去了。|我每个月挣的工资还不够老婆一个人花的。|春节前,打工妹们带着一年挣的辛苦钱回家过年。

【症】 zhèng 〔名〕 另读 zhēng

疾病。(disease; illness) 常做宾语。也用于构词。

词语 癌症 炎症 后遗症

例句 高血压是一种顽症。|医生治病应该对症下药。|目前,艾滋病还是一种不治之症。

【症状】 zhèngzhuàng 〔名〕

(有机体)因生病而表现出来的异常情况。(symptom)常做主语、宾语、定语。[量]种。

例句 某些病的症状不十分明显。|经过治疗,症状基本上消失了。|头痛是很多疾病的症状。|开始时并没有任何症状。|这两种症状的出现说明病得比较重了。

【之】 zhī 〔助/代〕

〔助〕表示领属关系,或一般的修饰

关系。(*used between an attribute and the word it modifies*)用在定语和中心语之间,相当于"的"。

词语 赤子之心 钟鼓之声 前车之鉴 光荣之家 无价之宝 千里之外 三分之二 当务之急

▶"之"用在主谓结构之间,使它为成偏正结构。

例句 天下之大,无奇不有。

〔代〕代替人或事物。(*used in place of a person or an object*)常做宾语。

词语 求之不得 取之不尽,用之不竭 言之有理 总而言之

例句 要成功,就要持之以恒。

【…之后】 …zhīhòu 〔名〕

❶ 表示在某个时间或处所的后面。(later;after)常构成短语做状语、宾语、定语。

例句 三天之后,我们又见面了。|开业之后,经营总的看还不错。|热情的观众跟在明星之后,送出去好远。|当干部,那是结婚之后的事了。

❷ 表示在上文所说的事情以后。(later;afterwards)常做插入语。

例句 他去了市场,之后,又去了商店。|代表团在大连停留了三天,之后,又去了上海。|这事会上已经定了。之后,不知怎么又变了。

【…之间】 …zhījiān 〔名〕

❶ 表示在两端以内的某一处所时间、范围、数量。(between)常组成短语做状语、宾语、定语。

例句 苏州在上海和南京之间。|我们约好在三点到三点半之间见面。|元旦和春节之间我打算去一次北京。|甲、乙两点之间的距离为五十公里。

❷ 表示时间短。(in a short time)常和动词或副词构成短语做状语。

例句 说话之间,她就写好了介绍信。|忽然之间,火车就开过去了。

【…之类】 …zhīlèi 〔名〕

表示与前面所说的事物相类似的事物。(and so on; and so forth; and the like)放在所列举的事物之后,构成短语作定语、主语、宾语。

例句 开学前我买了书包、笔、本子之类的学习用品。|展览会展出了彩电、冰箱、音响之类的家用电器。|这家商店饮料、啤酒之类比较全。|我想你也属甩手掌柜之类吧?

【…之内】 …zhīnèi 〔名〕

在某个时间或范围里面。(within the limit of)常用在表示时间或处所的词语后面,构成短语做状语、定语、宾语。

例句 老师要求我们一年之内看懂中文报纸。|这是计划之内的事。|在一千米之内我能追上他。|这种处理是在法律许可的范围之内。

【…之上】 …zhīshàng 〔名〕

在某个处所的上面。(above; over; on)常构成短语做状语、宾语、主语、定语。

例句 他的外语水平要在你我之上。|领导也不能高居于群众之上。|能人之上有能人哪!|10层之上的所有房间都可以看到海。

【…之外】 …zhīwài 〔名〕

超出一定范围。(outside; out)常构成短语做状语、定语,也可构成"除了…之外"句式。

例句 能做这个工作的,老王之外

Z

没有别人。|看来,他就是两个证人之外的第三个目击者。|除了星期天之外,我每天早晨都跑步。|我们去那儿,除学习之外,还参加了许多有意思的活动。|除了比尔之外,大家都来了。

【…之下】 …zhīxià 〔名〕
在…的下面,低于某一点。(under; beneath; below)常构成短语做宾语及状语。

例句 在老师的指导之下,同学们有了很大的进步。|在双方的努力之下,合同终于谈成了。|他的汉语水平在我之下。|相比之下,还是她好些。

【…之一】 …zhīyī 〔名〕
许多同类事物中的一个。(one of)常构成短语,做宾语、主语。

例句 中国是世界上面积最大的国家之一。|长江是世界上三条大河之一。|我在中国游览了不少名胜古迹,其中之一是长城。|学汉语不容易,困难之一是声调。

【…之中】 …zhīzhōng 〔名〕
在某种范围、过程的里边。(within; in)常构成短语做状语、宾语、主语、定语。

例句 三个海岛之中,绿岛是最美的。|忙乱之中,我忘了件最重要的事。|干部应深入到群众之中。|马克正处于热恋之中。|森林之中有一所漂亮的小木屋。|这孩子考上北大,是意料之中的事。

【支】 zhī 〔动/量〕
〔动〕❶ 用小东西(多为细长状)把较大的东西顶住。(prop up; put up)常做谓语。

例句 他习惯用手支着头思考。|你们下海游泳吧,我把帐篷支起来。

❷ 伸出、竖起。(protrude; raise; prick up)常做谓语。

例句 兔子支着一对大耳朵。|那家临街的小店门前支起了一块新招牌。

❸ 用物质或精神鼓励、帮助。(support; sustain; bear)常做谓语,也用于构词。

词语 支持 支援

例句 伤口疼得厉害,实在支不住了。|看起来,他的确体力不支了。

❹ 调度,指挥。(send away; put sb. off)常做谓语。多用于“把”字句。

例句 几句话妈妈就把来人支走了。|我告诉你一个秘密,不过你先把闲人支开。

❺ 付出或领取钱款。(pay or draw)常做谓语,也用于构词。

词语 支出 支取 支票

例句 把那笔钱支给客户。|我急等钱用,能不能先支给我一部分工资?

〔量〕用于杆状的东西以及队伍、歌曲、乐曲等。(for long, thin, inflexible objects; for songs or musical compositions)常构成短语做句子成分。

词语 一支烟 两支枪 一支探险队

例句 一支铅笔五毛钱。|联欢会上,她唱了一支歌。|这支队伍是干什么的?|刚才演奏的这支曲子特别好听。

▶ “支”也做名词,表示从一个系统或主体上分出来的部分。如:支队 支流 分支 支店 支气管

辨析 〈近〉枝。“支”和“枝”用于杆

形器物时，可以换用；但“枝”常用于带花或叶的事物，“支”不能。如：一支(枝)笔|两支(枝)香烟|一枝花

【支撑】 zhīchēng 〔动〕

❶ 抵抗住压力，使东西不倒塌。(prop up; hold up; sustain; support)常做谓语。

例句 几根石柱支撑着一座小桥。|风雨中，大家奋力支撑起要倒的大棚。

❷ 勉强维持。(be barely able to; maintain)常做谓语。

例句 一家人的生活重担都压在妈妈身上，她怎么支撑得了哇？|最近压力太大了，她真有点儿支撑不住了。

【支持】 zhīchí 〔动〕

❶ 勉强维持。(sustain; hold out; bear)常做谓语。

例句 父亲就靠那点儿收入支持一家人的生活。|他实在支持不住，倒在地上了。|信念支持运动员们拼搏下去。

❷ 给以鼓励或帮助。(support; back; stand by)常做谓语、主语、宾语。

例句 请领导支持支持我们吧。|老同学在经济上支持了我两年。|妻子支持丈夫为困难户服务。|绿化工作得到了群众的热情支持。|兄弟单位的有力支持使我们非常感动。

【支出】 zhīchū 〔动/名〕

〔动〕付出去；支付。(pay; expend; disburse)常做谓语。

例句 财务科一下子支出十万元人民币搞福利。|经理同意支出那笔欠款。

〔名〕支付的款项。(expenses; expenditure; outlay)常做主语、宾语、定语。[量]笔。

例句 这个月的支出跟收入大体持平。|如果支出超了，怎么办？|我们要尽量控制非生产性的支出。|为了改造老设备，需要一大笔支出。|让我看看今年的支出报表。

【支付】 zhīfù 〔动〕

付出(款项)。(pay; defray)常做谓语。

例句 买房可以先支付订金，再分期付款。|东西先让他拿走，钱由我来支付。|那么多钱，我可支付不起。

【支配】 zhīpèi 〔动〕

❶ 安排。(arrange; allocate; budget)常做谓语、主语、宾语。

例句 每天都合理支配时间，就不会忙乱了。|这些人可以由你支配几天。|业余时间怎么支配？|这样的支配不合适。|劳动力应该得到合理的支配。

❷ 对人或事物起引导和控制作用。(control; dominate; govern)常做谓语、宾语。

例句 电脑最终还是要由人脑来支配。|不能让直觉支配，要按客观规律办事。|她毕业后找了份工作，从此不再受他支配了。|为了摆脱老板的支配，她已经自己干了。

【支票】 zhīpiào 〔名〕

向银行支取或划拨存款的票据。(cheque; check)常做主语、宾语、定语。[量]张。

例句 对不起，这张支票已经过期了。|你们公司的支票什么时候到？|请给我开一张支票。|单位购买一

般不收现金，都得用支票。|这张支票的有效期是一周。|支票的用途很多，使用起来也方便安全。

【支援】 zhīyuán 〔动/名〕

〔动〕用人力、物力、财力或其他实际行动去支持和援助。(support; assist; aid; help)常做谓语。

例句 国际社会对受灾国家尽力支援。|大家都主动捐款支援灾区。

〔名〕给予的帮助和支持。(aid; support)常做宾语、主语。[量]种。

例句 我们非常感谢你们的支援。|各省给了灾区人民很大的支援。|你们的支援太及时了。|这种无私的支援表明，真是一方有难，八方支援。

辨析 〈近〉支持。"支援"没有"支持"的"勉强维持"义，一般也不用于精神方面；"支持"的词义和用法较广。如：*我有点儿支援不住了。("支援"应为"支持")|*妻子支援丈夫的想法。("支援"应为"支持")

【支柱】 zhīzhù 〔名〕

起支撑作用的柱子，比喻中坚力量。(pillar; prop)常做主语、宾语、定语。[量]根。

例句 这根支柱还挺结实呢。|那个大厅支柱很多，不太美观。|爸爸是全家的的支柱。|这个企业失去了他，也就失去了支柱。|农业是我们国家的支柱产业之一。|老刘在我们单位算得上是支柱人物。

【只】 zhī 〔量〕 另读 zhǐ

用于某些成对的东西的一个，或用于动物、某些器具、船只等。(for boats, birds, some animals, some containers, and one of certain paired things)常构成短语做定语。

例句 他怎么也找不到那只手套。|我一只脚踩到水里了。|奶奶家养了十只鸡。|一只小鸟飞走了。|妈妈给儿子买了一只箱子。|海面上划过来一只小船。

【汁】 zhī 〔名〕

含有某种物质的液体。(juice)常做主语、宾语、定语。也用于构词。[量]种，些，杯。

词语 汁液 乳汁 胆汁 墨汁

例句 西瓜的汁特别多。|我要一杯橘子汁。|菜汁的营养比直接吃菜要高一些。

【枝】 zhī 〔名/量〕

〔名〕枝子，由植物主干分出来的较细的茎。(branch; twig)常做主语、宾语。

例句 树枝被风折断了。|桃枝发满了新芽。|春天来了，柳树长出了新枝。|一棵大树有很多枝干。

〔量〕用于带花、叶的枝。(for long, thin, inflexible objects; for flowers with stems intact)常构成短语做定语。

例句 花瓶里插着两枝花。

【知】 zhī 〔动〕

明白；懂得。(know; realize; be aware of)常做谓语、宾语，也用于构词或用于固定短语。

词语 知道 通知 知名 知情 知己知彼 知根知底 知书达理 明知故犯

例句 现在不知道情况怎么样了。|上个月那封信不知家里收到没有。|这事她只知其一，不知其二。|路遥知马力，日久见人心。

▶"知"也做名词，指"知识"。如：无知 求知 知青

【知道】 zhīdào 〔动〕
对于事实或道理有认识;明白。(know; realize; be aware of)常做谓语、定语。
例句 安娜不知道这件事。|我知道你的意思。|对于汽车,我知道得不多。|你没去,你知道什么?|由于大家都知道的原因,今天不开会了。|已经知道的事,我就不说了。

【知觉】 zhījué 〔名〕
❶ 反映客观事物的整体形象和表面联系的心理过程。(perception)常做主语、宾语、定语。
例句 知觉是一种心理过程。|知觉比感觉复杂。|机器人没有知觉,不能思维。|知觉的特点是反映整个事物。|知觉的过程并不简单。
❷ 感觉。(consciousness)常做宾语、主语。
例句 虽然伤得很重,但他还有知觉。|当时我疼得失去了知觉。|虽然受了伤,但知觉并未麻木。

【知识】 zhīshi 〔名〕
❶ 人们在改造世界的实践中所获得的认识和经验的总和。(knowledge)常做主语、宾语、定语。[量]种。
例句 知识就是力量。|知识要不断更新。|人的一生要学习多种知识。|只有掌握(zhǎngwò)了丰富的知识,才能更好地为社会服务。|知识的力量是无穷的。|人们的知识结构也要不断调整和充实,才能适应时代的需求。
❷ 指有关学术文化的。(intellectual)常用于固定短语。
词语 知识经济 知识阶层 知识界 知识性
辨析 〈近〉常识。"知识"多指专门的学问,有理论性、系统性;"常识"指一般人应该掌握的基本道理。

【知识分子】 zhīshifènzǐ 〔名〕
具有较高的文化水平、从事脑力劳动的人。(intellectual; the intelligentsia)常做主语、宾语、定语。[量]个,名,位。
例句 知识分子要充分发挥自己的聪明才智。|父亲是一个老知识分子。|知识创新主要靠知识分子。|现在,知识分子的地位越来越高了。|知识分子的待遇得到了明显改善。

【织】 zhī 〔动〕
❶ 使纱或线交叉穿过,制成绸(chóu)、布、呢子等。(weave a mat)常用于构词,也做谓语。
词语 纺织 毛织物
例句 这姑娘纺纱、织布样样都会。
❷ 用针使纱或线互相套住,制成毛衣、袜子、花边、网子等。(knit)常做谓语、定语。
例句 她给男朋友织过一件毛衣。|妈妈为女儿织了一顶漂亮的帽子。|织的毛衣比买的合身。

【脂肪】 zhīfáng 〔名〕
有机化合物,存在于人体和动物的皮下组织以及植物体中。脂肪是储存热能最高的食物,能供给人体中所需的大量热能。(fat; grease)常做主语、宾语、定语。
例句 这块肉脂肪不少。|体内脂肪多了不好,少了也不行。|减肥就是要去掉身上多余的脂肪。|用脂肪可以制造肥皂。|脂肪的热量很高。

【蜘蛛】 zhīzhū 〔名〕
节肢动物,身体圆形或长圆形。能结网捕食昆虫。(spider)常做主语、宾语、定语。[量]只。

例句 这只蜘蛛真大。|蜘蛛正在捕食昆虫呢。|我不喜欢蜘蛛。|墙角有一只蜘蛛。|蜘蛛的种类很多。|这是一间无人居住的屋子,四处挂满了蜘蛛网。

【执】 zhí 〔动〕

❶ 拿着。(hold;grasp)常做谓语。

例句 群众手执鲜花欢迎来访的贵宾。|请执介绍信到公安局办理手续。

❷ 坚持。(stick to;persist)常做谓语。

例句 两个人各执一词,互不相让。|他这个人什么意见也听不进去,太固执己见了。

❸ 施行;掌管(take charge of;direct;manage)常用于构词。

词语 执行 执法 执勤 执教 执政

【执法】 zhífǎ 〔动〕

执行法律。(enforce the law)常做主语、定语、谓语。

例句 刘法官执法如山,威望很高。|执法必须公正。|法院是执法机关。|执法人员要守法。|只有公正执法,才能取信于民。

【执勤】 zhí qín 〔动短〕

执行勤务。(be on duty)常做谓语、主语、定语、宾语。中间可插入成分。

例句 今天他执勤。|明天谁能替我执一下勤?|他们要执完勤才吃饭。|执勤很辛苦。|执勤人员把大家拦住了。|这次执勤的任务是保证人代会的顺利进行。|他病得很重,可仍然坚持执勤。|即使休息,他也不忘执勤,已经习惯了。

【执行】 zhíxíng 〔动〕

实施;实行(政策、法律、计划、命令等)。(carry out; execute; implement)常做谓语、宾语。

例句 执行命令是军人的天职。|请大家严格按计划执行。|这项任务他执行得不错。|法院的判决对方竟拒绝执行。|计划生育的政策一定要坚持执行下去。

【执照】 zhízhào 〔名〕

由主管机关发给的准许做某项事情的凭证。(license)常做主语、宾语、定语。[量]个。

例句 驾驶执照该换新的了。|我的执照弄丢了,得补一个。|没有执照,是非法经营。|因为违章,交通警察扣了他的执照。|请问,办个执照得多长时间?|执照的种类很多。

【执政】 zhí zhèng 〔动短〕

掌握政权。(be in power; be in office; be at the helm of a state)常做谓语、定语。中间可插入成分。

例句 这次大选以后谁能执政呢?|她曾经执过政,后来下台了。|执政党应当特别注意防止腐败。|执政时间越长,越容易出问题。

【直】 zhí 〔动/形/副〕

〔动〕不弯曲。(straighten)常做谓语。

例句 走路的时候要直起腰来。|我正直着脖子看比赛,有人从后面拍了我一下儿。|你帮我把指挥棒直一直好吗?

〔形〕❶ 成直线的,不弯的。(straight)常做谓语、定语、补语。

例句 这条马路又平又直。|那条线直直的。|山上长满了直直的松树。|这一带山多,很少有直路。|这条线,孩子画得很直。|请你把这条绳子拉直。

❷ 跟地面成90度角的。(vertical)常做状语。

例句 电梯直上直下多快呀,干吗爬楼梯?

❸ 公正的,正义的。(just;upright)常用于构词。

词语 正直 耿直 是非曲直

❹ 说话办事爽快,怎么想就怎么说(做)。(candid;frank)常用于构词,也做谓语、状语。

词语 直爽 直性子 直肠子 直截了当

例句 他嘴很直。|她这个人心直口快。|你有什么话,就直说吧。|我就喜欢直来直去的性格。

〔副〕❶ 顺着一个方向不改变。(directly;straight)做状语。

例句 列车直达北京。|联欢会直到五点才开完。

❷ 一个劲儿;不断地。(continuously)常做状语。

例句 他看着我直笑。|孩子们冻得直哆嗦(duōsuo)。

❸ 简直。(just;simply)做状语。

例句 我厌恶得直想吐。

【直播】 zhíbō 〔动〕

广播电台或电视台现场直接播送节目。(live transmission; live broadcast)常做谓语、定语、宾语。

例句 中央台正在直播记者招待会。|几年来,我台直播了大量的文艺演出。|现场直播的球赛非常吸引人。|主持人请听众走进了直播间。|除夕晚上,家家收看春节文艺晚会的直播。|收看直播有真实感。

【直达】 zhídá 〔动〕

不必在中途换车、船、飞机等而直接到达。(through; nonstop)常做谓语、定语。

例句 这次列车直达广州。|我们乘坐的班机直达巴黎。|直达车比普通车要快得多。|去北京,直达的列车有三趟。

【直到】 zhídào 〔动〕

一直到(多指时间)。(until; up to)常做状语、谓语。

例句 直到今天我才知道王老师给我的帮助。|她直到春节才来信。|由于情况紧急,县长坐车直到市政府,向市长作了汇报。|从武汉坐船顺流而下,可以直到南京。

【直接】 zhíjiē 〔形〕

不经过中间事物的。(direct; immediate)常做定语、状语。

例句 这事的成败和他有直接关系。|科长是我的直接领导。|你应该直接和他谈一谈。|这事你可以用电子邮件直接联系。

【直径】 zhíjìng 〔名〕

连接圆周上两点,并且通过圆心的直线。(diameter)常做主语、宾语、定语。[量]条。

例句 这个圆的直径是10厘米。|广场中央的大水晶球直径是15米。|请量一下这个圆盘的直径。|沿着这条直径把圆分成两半。|直径的长度决定圆的大小。

【直抒己见】 zhí shū jǐjiàn 〔成〕

坦率地说出自己的意见。(state one's views frankly)常做谓语、定语。

例句 希望大家直抒己见,不要有顾虑。|此人敢于对重大社会问题直抒己见。|直抒己见的小杨,把想法毫无保留地全说了出来。

【直辖市】 zhíxiáshì 〔名〕

由中央政府直接领导的市。(municipality directly under the Central Governmet)常做主语、宾语、定语。[量]个。

例句 直辖市跟省基本上是平级的。|直辖市比一般的市大得多。|重庆成为中国第四个直辖市。|上海是中国的直辖市之一。|直辖市的人口一般都很多。

【直线】 zhíxiàn 〔名〕

不弯曲的线,是两点之间最短的线。(straight line)常做主语、宾语、定语。[量]条。

例句 直线最短。|小明用尺子画了好几条直线。|去学校要是走直线,用不了半个钟头。|大连到沈阳的直线距离不到400公里。

【直至】 zhízhì 〔动〕

直到。(until; till; up to)常做谓语(带宾语)。

例句 广场上的人们唱啊、跳啊,直至深夜。|孩子们将深深地怀念老师,直至永远。|他不停地跑着,直至累得躺倒在地。|大家目送着飞机升上蓝天,直至消失在天边。

【侄子】 zhízi 〔名〕

弟兄或其他同辈男性亲属的儿子,也称朋友的儿子。(brother's son; nephew)常做主语、宾语、定语。[量]个。

例句 我的侄子很可爱。|侄子小时候有很多有意思的故事。|我很喜欢我的侄子。|他供两个侄子读完了大学。|几年不见,侄子的个子长这么高了。|我这里有两张侄子的照片。

【值】 zhí 〔动〕

❶ 货物和价钱相当。(be worth)常做谓语。

例句 这双皮鞋值三百块钱。|花十块钱买支钢笔,值!|这辆二手车值不了三万块。

❷ 指有意义或有价值;值得。(worth; worthwhile)常做谓语,多用于否定式。

例句 这点儿小事不值一提。|为了买这么点儿东西去那么远的地方,不值。|给孩子请好几个家教,值吗?

❸ 遇到;碰上。(happen to)常做谓语。

例句 去年她来大连的时候正值中国春节。|我去他家,不巧,正值他外出还没回来。

❹ 担任轮到的一定时间内的职务。(be on duty; take one's turn at sth.)常用于构词。

词语 值班 值勤 值日 值夜

【值班】 zhí bān 〔动短〕

(轮流)在规定的时间内担任工作。(be on duty)常做谓语、定语、宾语。中间可插入成分。

例句 今天谁值班?|王大夫一个礼拜值两个班。|今年放假我值了三天班。|值班人员一定要认真负责。|每到节假日,领导都参加值班。

【值得】 zhíde 〔动〕

价钱相当,合算;有好结果,有价值,有意义。(be worth; merit; deserve)常做谓语、宾语、补语。

例句 这次旅行虽然花了不少钱,但长了见识,很值得。|这个问题值得研究。|花钱买健康,不值得吗?|这本画报很有意思,买得值得。

【职】 zhí 〔名〕

❶ 在某一岗位上应做的工作和承担的责任。(duty;job)常做宾语。

例句 无论在哪个岗位上,都要尽职尽责。|有职无权怎么工作?

❷ 职位。(post;office)常做宾语。

例句 总统是前天就职的。|局长已经辞职了。|对那些腐败分子,必须坚决撤他的职。

【职称】 zhíchēng 〔名〕

职务的名称,多指专业技术职务的名称。(the title of a technical or professional post)常做主语、宾语、定语。[量]个,种。

例句 职称有很多种。|职称是衡量业务水平的重要标志。|张老师评上了教授职称。|有的人虽然有高级职称,但水平也不怎么高。|对专业技术人员来说,职称的评定是件大事。|有些职称的"含金量"值得怀疑。

【职工】 zhígōng 〔名〕

职员和工人。(staff and workers; workers and staff members)常做主语、宾语、定语。[量]个,名。

例句 我们厂的女职工很多。|职工们都很关心公司的发展。|厂里今年新招了40多名职工。|政府十分关心下岗职工。|我们正在努力提高职工待遇。|这个问题应该经职工代表大会讨论决定。

【职能】 zhínéng 〔名〕

人、事物、机构应有的作用;功能。(function)常做主语、宾语、定语。[量]个,种。

例句 这个部门的职能是什么?|城市综合执法队具有多种职能。|人人都应该做好职能范围内的工作。

【职权】 zhíquán 〔名〕

职务范围以内的权力。(powers or authority of office)常做主语、宾语、定语。[量]个,种。

例句 总经理的职权很大。|领导干部不能滥(làn)用职权。|政府机关应当正确行使自己的职权。|他经常利用职权之便,谋取私利。|如果超越职权范围,就可能出现问题。

【职务】 zhíwù 〔名〕

工作中所规定担任的事情。(post; duties;job)常做主语、宾语、定语。[量]个。

例句 李老师的行政职务是院长。|经理夫人在公司没担任任何职务。|让企业给他安排个职务,并不困难。|职务聘任是由领导定的。

【职业】 zhíyè 〔名〕

个人在社会所从事的工作。(occupation; profession; vocation)常做主语、宾语、定语。[量]种,个。

例句 她的职业是医师。|教师这种职业是神圣的。|小张非常热爱自己的职业。|选择什么职业,我还没想好。|她不喜欢穿职业装。|他是职业运动员。

【职员】 zhíyuán 〔名〕

机关、企业、学校、团体里担任行政或业务工作的人员。(office worker; staff member; functionary)常做主语、宾语、定语。[量]个,名,位。

例句 公司不景气,很多职员都想跳槽。|个别职员违反了公司纪律,必须处理。|父亲是一家船务公司的职员。|我们需要一些业务能力强的职员。|最近,学校提高了职员的工资。|改革以后,职员的工作热情很高。

【植】 zhí 〔动〕
栽种。(plant;grow)常做谓语,也用于构词。

词语　种植　培植

例句　我们要在荒山上大面积植树造林。|把这几棵花植到花盆里吧。|作家只有植根于生活,才能写出好作品来。

【植物】 zhíwù 〔名〕
生物的一大类,一般有叶绿素,多以无机物为养料。(plant;flora)常做主语、宾语、定语。[量]种,类。

例句　植物和动物是世界上最主要的生物。|植物可以调节空气,保持水土。|人类离不开植物。|科学家又发现了一种新植物。|植物的种类成千上万。|植物世界丰富多彩,奥妙(àomiào)无穷。

【殖民地】 zhímíndì 〔名〕
原指一个国家在国外侵占并大批移民居住的地区,特指被别的国家管辖、失去独立权的地区或国家。(colony)常做主语、定语、宾语。[量]个。

例句　殖民地没有政治经济独立权。|印度曾经是英国殖民地。|旧中国是一个半封建半殖民地国家。

【殖民主义】 zhímín zhǔyì 〔名短〕
资本主义强国对弱小的国家或地区进行压迫统治和剥削的政策。(colonialism)常做主语、宾语、定语。

例句　殖民主义给贫穷国家的人民带来了深重的灾难。|必须彻底消灭殖民主义。|那里至今还可以看到殖民主义的影响。

【止】 zhǐ 〔动〕
不继续进行;使不继续进行。(stop)常做谓语,也用于构词。

词语　止境　禁止　停止　制止　游人止步

例句　快,赶快把血止住。|不打针就止不住痛了。|报名从10日起到15日止。

【只】 zhǐ 〔副〕 另读 zhī
❶ 表示限定范围或数量。(only;just;merely)常做状语。

例句　这个秘密只有同屋知道。|这本书我只随便翻了翻,没认真看。|早餐只吃了一个小馒头。|只一个人去可不行。|只晚了两分钟,就没赶上这趟车。|我们单位不只一个人去过非洲。

❷ 表示情况在很短时间内发生。(when;just after)多与"听"、"见"、"觉得"等表示感觉的动词配合,做状语。

例句　我还没站稳,只觉得车子飞驰而过。|只听一声大叫,他一下子倒下了。

【只得】 zhǐdé 〔副〕
不得不。(have no alternative but to;have to)常做状语。

例句　为了赶工期,我们只得加班加点。|今夜没火车了,只得住在这儿了。|钥匙忘带了,只得回去拿。|当时找不到水喝,只得忍着。

【只顾】 zhǐgù 〔副〕
专心地。(single-mindedly;just)做状语。

例句　我只顾看书,连饭都忘了吃。|她也不说话,只顾往前走。

▶"只顾"也做动词,表示"只考虑到"。如:要是人人只顾自己,社会将变成什么样儿?

【只管】 zhǐguǎn 〔副〕

❶ 表示不考虑别的,放心去做。(by all means)常做状语。

例句 有话你只管说,不要怕。|你只管放心好了,不会有麻烦的。|使用中有什么问题只管找我们,我们保修三年。

❷ 表示专一不变。(simply;just)做状语。

例句 临近考试,同学们从早到晚只管复习,别的什么都顾不上了。|风只管使劲地刮,船只都停在港里动不了。

【只好】 zhǐhǎo 〔副〕

不得不,只得。(have to; be forced to)做状语。

例句 因为下大雨,运动会只好推迟了。|别人都忙,只好我一个人去。|哪里都买不到卧铺票,只好坐飞机去了。

【只能】 zhǐnéng 〔副〕

不得不;别无选择。(have to; have no alternative but to)做状语。

例句 那条路不通,你只能走这条路了。|我只能介绍这些,因为更详细的我也不清楚。|输了球别埋怨,只能说我们技不如人。

【只是】 zhǐshì 〔副/连〕

〔副〕仅仅是,不过是;表示强调限于某种情况或范围。(only; just; merely;nothing but)做状语。

例句 这没什么,我只是做了我应该做的事。|A:先生,您要点儿什么?B:我只是随便看看。|你只是从生活上关心孩子,思想上的问题却从未注意过。

〔连〕表示转折关系。(but; except that;only)用于复句的后一分句。

例句 这套西装好是好,只是贵了点儿。|这样做我倒没什么,只是不知道别的人会不会同意。|什么都安排好了,只是还没发通知。

【只要】 zhǐyào 〔连〕

表示充足条件。(if only;as long as)常用于复句的前一分句,在主语前或后,多与"就"、"便"、"总"等相呼应。

例句 你只要给商店打个电话,货就会送来。|只要大家有信心,困难总会克服的。|只要客人提出要求,我们一定尽力满足。

【只有】 zhǐyǒu 〔副/连〕

〔副〕只好,不得不。(have to; be forced to)做状语。

例句 自己不会,只有请别人帮忙了。|如果你不来,只有我一个人去了。

〔连〕表示必需的、唯一的条件。(only;alone)常用于复句的前一分句中,与"才"相呼应。

例句 只有大家共同努力,才能把事情办好。|只有自己下水,才能学会游泳。|这活儿只有张师傅能干。|这种话只有你才说得出口。

辨析 〈近〉只要。"只要"表示有了某一条件可以产生某种结果,但有了别的条件也可能产生该结果;"只有"表示某种条件是唯一的,别的条件都不行。此外,"只要"多与"就"配合;"只有"则与"才"配合。如:只要努力,就能学会。|只有努力,才能学会。

【纸】 zhǐ 〔名〕

写字、绘画、印制、包装等所用的东西,多用植物纤维制造。(paper)常做主语、宾语、定语。[量]张。

例句 一张纸也不该浪费。|她买了许多纸。|这种纸的质量很好。|纸的种类日益增多。

【纸上谈兵】 zhǐ shàng tán bīng〔成〕

比喻空谈理论不联系实际。(fight only on paper;be an armchair strategist;engage in idle theorizing)常做谓语、宾语、定语。

例句 要注重实践,不要只会纸上谈兵。|你光说不做,不是纸上谈兵吗?|会上说了很多,但多半是纸上谈兵的话,并没有多大实际意义。

辨析 战国时的赵括,善于谈论兵法,后被赵王命为大将。在长平之战中,他只知按书本上的兵法行事而不会根据实际灵活变通,结果赵军大败。这就是"纸上谈兵"的由来。

【纸张】 zhǐzhāng 〔名〕

纸(总称)。(paper)常做主语、宾语、定语。[量]种。

例句 纸张不要浪费。|我们要节约纸张。|每年要消耗大量纸张。|最近,各种纸张的价格都上涨了。

【指】 zhǐ 〔名/动〕

〔名〕人手前端的五个分支。(finger)常用于构词或用于短语。

词语 拇指 食指 中指 无名指 小指 指头 屈指可数 十指连心 伸手不见五指

〔动〕❶(手指或物体尖端)对着,向着。(point to;point at)常做谓语。

例句 时针指向12点。|他没说话,只用手指了指。|导游指着对面的山说:"那就是泰山。"|高高的国贸大厦直指蓝天。

❷(用语言等)表示。(indicate;point out;refer to)常做谓语,也用于构词。

词语 指导 指定 指数 指示 指证 特指

例句 文章中的"我"是指作者。|老师指出了我论文中的不足。

❸靠着。(depend on;rely on;count on)常做谓语。

例句 本来全班同学都指着他拿冠军,现在看指不上了。|你不能什么事都指着妈妈给你做。

【指标】 zhǐbiāo 〔名〕

计划中规定达到的目标。(target;index;quota)常做主语、宾语、定语。[量]个,种。

例句 这个指标必须达到。|今年出国进修指标不多,明年再说吧。|我们商店超额完成了全年的利润指标。|这是硬指标,非完成不可。|指标的制定要切合实际。

【指出】 zhǐchū 〔动〕

指点出来,使人知道。(point out;direct)常做谓语、定语。

例句 老师给我指出了发音上的毛病。|这个问题,领导已经指出过多次了。|已经指出的问题应当引起我们的高度重视。

【指导】 zhǐdǎo 〔动/名〕

〔动〕指示教导;指点引导。(direct;guide;instruct)常做谓语,定语、宾语。

例句 张教授指导三个研究生。|您给他们指导指导吧!|实事求是是我们的指导思想。|王教练的指导水平相当高。|我们非常感谢您的指导。|李老师虽然身体不好,还坚持每天对学生进行指导。

〔名〕担任指导工作的人。(instructor)常做主语、宾语、定语。[量]个,位。

例句 马指导对队员的要求十分严

格。|队里来了一位新指导。|按指导的意图做吧。

【指点】 zhǐdiǎn 〔动〕

指出来使人知道;点明。(point out;give tips to sb.)常做谓语、定语。

例句 这件事请您指点指点。|老人给我指点了上山的路。|去什么地方办手续,她指点得一清二楚。|这些问题还是请专家进行指点吧。|我是听了他的指点才去的。

【指定】 zhǐdìng 〔动〕

确定(做某件事的人、时间、地点等)。(appoint;assign)常做谓语、定语。

例句 研讨会指定我做大会发言人。|领导已经指定了明天集合的时间。|前三排都是指定座席。|请到指定的地点等我。

【指挥】 zhǐhuī 〔动/名〕

〔动〕发令调动。(command;direct)常做谓语、宾语、主语。

例句 马路上,交通警察正在指挥着来往车辆。|他指挥得完全正确。|你上台来指挥指挥。|施工队伍要服从工程调度室的统一指挥。|一切行动都要听指挥。|连长的指挥没人不听。

〔名〕发令调度的人,指示乐队或合唱队如何演奏或演唱的人。(conductor;commander;director)常做主语、宾语、定语。[量]个,位。

例句 指挥一抬手,音乐就响起来了。|总指挥召开了紧急会议。|小刚的理想是长大了当指挥。|演奏必须得服从指挥。|乐团指挥的耳朵特别灵。|歌声随着指挥的表情和手势起伏。

【指甲】 zhǐjia 〔名〕

长在指尖上面的物质,有保护手指的作用。(nail)常做主语、宾语。

例句 她的指甲很漂亮。|孩子的指甲该剪了。|姐姐喜欢长指甲。|有些女孩儿爱把指甲染成各种颜色。

【指令】 zhǐlìng 〔名〕

指示;命令。(instruction;order;directive)常做主语、宾语、定语。[量]道,条,个。

例句 指令一经下达,必须执行。|这道指令出错了,无法执行。|计算机正按照指令运转。|公司给我们一个指令,要求迅速报送样品。|为适应市场经济发展,政府逐步减少了指令性计划。

【指明】 zhǐmíng 〔动〕

明确指出。(show clearly; point out)常做谓语。

例句 这个计划为公司的发展指明了方向。|《通知》指明了自首是犯罪分子的唯一出路。|刘老师既指明了我论文的不足,又指明了修改的方法。

【指南针】 zhǐnánzhēn 〔名〕

用磁针制成的指示方向的仪器,由于磁针受地磁吸引,针的一头总是指着南方。(compass)常做主语、宾语、定语。[量]个。

例句 指南针也叫指北针。|这次去山里得带个指南针。|发展规划起着指南针的作用。

【指示】 zhǐshì 〔名/动〕

〔名〕要求下级如何做的话或文字。(instruction;directive)常做主语、宾语、定语。[量]个,条。

例句 公司的指示要求月末完成设

计，下个月开工。|这个指示要迅速传达下去。|校长发出了加强校风建设的指示。|遵照中央的指示，人口普查工作即将在全国展开。|我知道总部有指示，但指示的内容不知道。

〔动〕❶ 指给人看。(point out; indicate)常做谓语、定语。

例句 路标指示我们应该向左拐。|车前后的指示灯怎么都亮着？|指示代词有"这"、"那"等。

❷ 向下级说明处理某个问题的原则和方法。(instruct)常做谓语。

例句 关于这一点，经理指示过了。

【指手画脚】 zhǐ shǒu huà jiǎo 〔成〕

形容说话时兼用手势示意。也形容轻率地指点、批评。(make gestures; gesticulate; make indiscreet remarks or criticisms)常做谓语、状语、定语。

例句 你最好别对大家指手画脚。|他什么也不干，却常常向我们指手画脚。|她正在那儿指手画脚地说着。|如果动不动就指手画脚地批评别人，谁还有积极性？|我不喜欢这种指手画脚的做法。

【指头】 zhǐtou 〔名〕

手前端的五个分支，可以屈伸拿东西，也指脚趾。(finger; toe)常做主语、宾语、定语。[量]个。

例句 这孩子手指头很长，弹钢琴很合适。|手套太小，指头都伸不进去。|由于不小心，他被机器轧断了两个指头。|指头尖儿肿起来了。

【指望】 zhǐwàng 〔动/名〕

〔动〕一心期待；盼望。(count on; look forward to)常做谓语。

例句 老李忙得很，你就别指望他了。|学生们指望着今年能得到好成绩。|我指望了十多年，孩子终于长大了。

〔名〕所期待的盼头。(hope; prospect)常做主语、宾语。

例句 大伙儿的指望大概要落空了。|这事你先别急，还有点儿指望。|已经没有指望了，你别等了。

【指引】 zhǐyǐn 〔动〕

指点引导。(point; show; guide)常做谓语、宾语。

例句 张教授指引我走上了研究之路。|我们非常感谢老爷爷的指引。

【指针】 zhǐzhēn 〔名〕

钟表上指示时间或仪表上指示度数的针。比喻辨别正确方向的依据。(indicator; pointer; needle; guiding principle; guide)常做主语、宾语、定语。[量]个。

例句 指针指向了午夜12点。|服务要跟国际接轨是我们工作的指针。|不戴眼镜我就看不清指针的位置。

【咫尺天涯】 zhǐchǐ tiānyá 〔成〕

虽然离得很近，却像远在天边。形容很难相见。(so near and yet so far — see little of each other though living close together)常做谓语、定语。

例句 我和前妻虽都在一个城市，却咫尺天涯。|我时常思念咫尺天涯的她。

【趾高气扬】 zhǐ gāo qì yáng 〔成〕

高抬脚走路，神气十足。形容骄傲自大，得意忘形。(strut about and give oneself airs; be swollen with arrogance)常做谓语、定语、状语。

例句 王老板趾高气扬，谁也不放

在眼里。|我最看不惯他那种趾高气扬的样子！|说完，李处长趾高气扬地拿起公文包就走了。

【至】 zhì 〔动〕

到。(to;until)常做谓语(带宾语)。

例句 这次列车是上海至杭州。|展出时间为十月一日至十五日。|这条路由东至西约十里。

【至多】 zhìduō 〔副〕

表示最大的限度。(at most)做状语。

例句 我至多讲一个小时。|口袋里至多有二十元钱。|今天至多10℃。

【至今】 zhìjīn 〔副〕

直到现在。(up to now;to this day;so far)常做状语，也做谓语。

例句 小王至今还不理我呢。|离开家乡六年了，至今也没回过家。|去年至今，光医药费就花了五六万。

【至少】 zhìshǎo 〔副〕

表示最低限度。(at least)做状语。

例句 你至少听到过她的名字吧？|文章写完后至少看两遍我才放心。|坐飞机往返广州，至少也要3个小时。|天气挺凉，至少得穿件毛衣。

【至于】 zhìyú 〔连/副〕

〔连〕表示另提一个话题。(as for;as to)用在分句或句子开头。

例句 大家都同意了，至于小刘，大概也没有意见。|熊是杂食动物，至于熊猫，却只吃竹子。|我们已经决定去了，至于怎么去，还没商量。

〔副〕表示达到某程度。(go so far as to;to such an extent)常做状语。

例句 他总不至于说假话吧。|约好了的，她不至于不来吧。|我至于骗你吗？|A:我口袋里连饭钱都没有了。B:至于吗？

【志】 zhì 〔名〕

❶ 关于将来做什么的愿望和决心。(ambition; ideal; aspiration; will)常做宾语，也用于固定短语。

词语 志大才疏 志同道合 有志者事竟成

例句 人从小就要立大志。|为人不可无志。

❷ 文字记录、记号。(records; annals;mark;sign)用于构词。

词语 省志 县志 杂志 标志

【志大才疏】 zhì dà cái shū 〔成〕

志向大而能力差。(have great ambition but little talent;have high aspirations but little ability)常做谓语、定语。

例句 他志大才疏，最终什么也不行。|我不喜欢这种志大才疏的人。

【志气】 zhìqì 〔名〕

求上进的决心和勇气；要求做成某件事的气概。(aspiration;ambition)常做主语、宾语。[量]种。

例句 人小志气大。|人穷，志气可不能短。|这孩子从小就有志气。

【志愿】 zhìyuàn 〔名〕

志向和愿望。(aspiration; wish; ideal)常做主语、宾语、定语。[量]个。

例句 我的志愿是当一名教师。|他的志愿实现了。|考大学时我一共填写了6个志愿。|他们有共同的志愿。|入党志愿书已经写好了。|志愿人员正在抢救伤员。

【制】 zhì 〔动/名〕

〔动〕❶ 造。(make; manufacture; produce;turn out)常做谓语，也用于

构词或用于固定短语。

词语 制造 制作 粗制滥造

例句 先制图再施工。|印制以前先要制版。|传统制表业受到电子技术的冲击。

❷ 拟定;规定。(work out; draw up; formulate)用于构词。

词语 制订

❸ 用强力约束;限定。(control; restrict)用于构词。

词语 控制 限制 制止 制约 制裁

例句 地位再高,犯了罪也要受到法律的制裁。|中国实行每周双休制。|工厂普遍采取了厂长负责制。

〔名〕制度。(system)常用于构词或用于短语。

词语 法制 制度 体制 民主集中制 所有制 家庭责任制

例句 领导负责制有利于加强管理。|轮班制能减轻劳动强度。

【制裁】 zhìcái 〔动〕

用强力管束并惩罚处理,使不做坏事。(sanction; punish)常做谓语、宾语。

例句 政府严厉制裁了一批不法分子。|不制裁走私就无法保证正常的经济秩序。|他们理所当然地受到了法律的严厉制裁。

【制订】 zhìdìng 〔动〕

拟(nǐ)定(方案、办法、计划等)。(map out; work out; formulate)常做谓语、定语。

例句 制订分配方案需经职代会讨论通过。|此项方案的专业性强,时间太紧,恐怕在一星期内制订不出来。|会前制订的技术改造办法还要在会上说明一下。

辨析 〈近〉制定。"制订"侧重于从无到有的起草拟定过程,多用于较小的对象;"制定"重在决定后的结果,多用于较大的对象。如:* 制订新《宪法》。("制订"应为"制定")

【制定】 zhìdìng 〔动〕

定出(法律、规程、计划等)。(draw up; formulate; draft; lay down)常做谓语、定语。

例句 国务院制定了社会和经济发展的下一个五年计划。|方针已经制定好了,关键在于落实。|大家一定要遵守共同制定的公约。|新制定的《水资源保护法》已经获得通过。

【制度】 zhìdù 〔名〕

❶ 要求大家共同遵守的办事规程或行动准则。(system; rules; regulations)常做主语、宾语、定语。[量]个,项。

例句 财经制度也需要改革。|学校的各项制度学生都要遵守。|公司要重新制定规章制度。|我们要在实际工作中进一步完善这个制度。|这种做法违反了制度规定,必须坚决纠正。|新制度的公布受到职工的普遍欢迎。

❷ 在一定历史条件下形成的政治、经济、文化等方面的体系。(system; institution)常做主语、定语。[量]种。

例句 你们国家是哪种制度?|封建制度在中国延续了两千多年。|社会制度不同,造成了人们思想观念的差异。

【制服】 zhìfú 〔名〕

军人、警察、学生以及某些行业人员穿戴的职业服装。(uniform)常做主语、宾语、定语。[量]套,件。

例句 他们的制服不一样。|那个穿制服的是什么人?|我分不清他们制服的区别。

【制品】 zhìpǐn 〔名〕

制造成的物品。(products; goods)常做主语、宾语、定语。[量]种。

例句 乳制品不易保存。|塑料制品现在太多了。|他们厂生产多种生物制品。|手工制品的价格一般比较高。

【制约】 zhìyuē 〔动〕

一事物对另一事物的存在和变化有限制作用。(condition; restrict; restrain)常做谓语、定语、宾语。

例句 生产与消费相互制约。|物质的生产方式制约着整个社会生活。|市场对生产有重要的制约作用。|人们的社会行为受到法律的制约。|对不公平竞争应当加以制约。

【制造】 zhìzào 〔动〕

❶ 用人工使原材料成为可供使用的物品。(make; manufacture; produce;)常做谓语。

例句 我们可以制造这种产品。|这个我们也能制造。|我们公司制造的产品很受欢迎。

❷ 人为地造成某种气氛、局面或事件等。(concoct; stir up; create)常做谓语。

例句 你别制造紧张气氛。|不法分子企图制造混乱。|这是制造假象来迷惑我们。

【制止】 zhìzhǐ 〔动〕

强迫使停止,不允许继续(行动)。(prevent; stop; deter; check; interdict; refrain; curb;)常做谓语、定语、宾语。

例句 厂长制止了这种做法。|看着两个人打到了一起,他竟没说一句制止的话。|对这种事情,一定要及时加以制止。

【制作】 zhìzuò 〔动〕

制造。(make; manufacture)常做谓语、定语、宾语。

例句 用羽毛制作工艺品。|制作费用要多少?|你们不能制作?

辨析 〈近〉制造。"制作"多用于较小的手工产品及影视作品;"制造"多用于较大较复杂的物品。如:*制作轮船("制作"应为"制造")|*制造塑料花儿("制作"应为"制作")

【质】 zhì 〔名〕

❶ 事物具有的根本属性。(character; nature)常做定语,也用于构词。

词语 本质 性质 质变

例句 量的变化达到一定程度能引起质的变化。|从贫穷到小康是质的飞跃。

❷ 产品及工作的好坏程度。(quality)常做主语、宾语、定语。

例句 量重要,质也重要,质与量应该一起抓。|这种电视机质优价廉。|今年我们厂保质保量地完成了计划。|商品和服务都要按质论价。|从某种程度上讲,质的重要性大于量。

❸ 生产或生活资料的特有属性。(matter; substance)用于构词或用于短语。

词语 木质 杂质 铁质 流质

【质变】 zhìbiàn 〔名〕

事物的根本性质的变化。(qualitative change)常做主语、宾语、定语。

例句 质变不是偶然的。|质变是由于量的积累。|量变到一定程度就会发生质变。|事态发展已经走向了质变。|质变的产生不是突然的。

【质量】 zhìliàng 〔名〕

❶ 物体中所含物质的量。(mass)常做主语、宾语、定语。[量]克。

例句 铜的质量是多少克?|在什么条件下物体质量不变?|知道了质量和速度就能计算出动量。|请你算一下铁的质量。|质量的单位是克。

❷ 产品或工作的好坏程度。(quality)常做主语、宾语、定语。[量]种。

例句 (标语)百年大计,质量第一。|质量是企业的生命。|老师应该想办法提高教学质量。|无论如何,也要保证质量。|质量问题始终是生产的首要问题。|用新设备可以生产出高质量的家具。

【质朴】 zhìpǔ 〔形〕

朴实;不矫饰。(unaffected; simple and unadorned; plain)常做谓语、定语、补语、宾语。

例句 他非常质朴。|画中透出一种质朴的美。|新房布置得质朴、高雅。|她喜欢木刻画的质朴。|我特别欣赏他的憨厚、质朴。

【炙手可热】 zhì shǒu kě rè 〔成〕

手一挨近就觉得热,比喻气焰盛,权势大。[if you stretch out your hand you feel the heat (metaphor of the imperative manner of a person with power)]常做谓语、定语。

例句 以前进口家电炙手可热,现在不行了。|一时间,他在这个地方炙手可热。|凭着一首歌,她就成了歌坛上炙手可热的大明星。

【治】 zhì 〔动〕

❶ 管理;处理;整修。(rule; govern; administer; manage)常做谓语、也用于构词。

词语 治理 自治 统治 治本

例句 治不好家的人能治好国吗?|当地群众治山治水,力争农业丰收。

❷ 除病。(treat; cure; heal)常做谓语、宾语。

例句 这病治了半年多也没治好。|快去找医生治治你的头痛病吧。|要是本地医院治不了,就去北京吧。|晕车不用治,休息一下就好了。

❸ 消灭。(eliminate; wipe out; kill)常做谓语。

例句 要想办法把虫子治干净。|没有农药怎么治得了虫害呢?

❹ 处罚。(punish)常做谓语。

例句 你们要好好地治治这群坏家伙。|法院当然可以治他的罪。|这种人不治治怎么得了?

❺ 研究。(study; research)用于构词。

词语 治学

▶"治"也做形容词,指安定、太平。如:天下大治 淮河大治

【治安】 zhì'ān 〔名〕

社会的安定秩序。(public order; public security)常做主语、宾语、定语。

例句 这一带治安比较好。|良好的治安是社会经济发展的保障。|为了维护治安,公安肩负着重要使命。|就要到春节了,一定要保证社会治安。|治安工作十分重要。|老百姓对最近的治安情况比较满意。

【治理】 zhìlǐ 〔动〕

❶ 统治;管理。(rule; govern; manage; administer)常做谓语、宾语、主语。

例句 治理一个企业不容易。|这个城市的交通需要治理。|小区的治理很见成效。

❷ 处理,整修。(harness; bring under control)常做谓语、定语、宾语。

例句 国家投入大量资金治理沙漠。|治理效果还不错。|对污染要加强治理。

【治疗】 zhìliáo 〔动〕

用药、手术等消除疾病。(treat; cure)常做谓语、定语、宾语。

例句 你的病要是不赶快治疗,就危险了。|这家医院主要治疗传染病。|我请大夫治疗过一段时间,效果还不错。|这种中药治疗的效果非常好。|她的病得到了及时的治疗。|经过三个月的治疗,母亲终于出院了。

【致】 zhì 〔动〕

❶ 给予;向对方表示(礼节、情意等)。(extend; send; deliver)常做谓语。

例句 会上院长致欢迎词。|中央领导致电慰问灾区。|两国领导互致问候。|对方已正式向我们致函道歉。

❷ 集中(力量、意志等)于某个方面。[put (one's efforts, attention, etc.) into sth.; concentrate on; be devoted to; work for]用于构词或用于固定短语。

词语 致力 专心致志

例句 王院士多年来一直致力于基础研究。

❸ 达到、实现。(achieve; reach; arrive at)用于构词或用于固定短语。

词语 致富 学以致用

例句 农民要致富离不开科技。

❹ 引起(不好的结果)。(incur; induce; lead to; beget; cause)常做谓语,也用于构词。

词语 导致 致使 以致

例句 由于长期管理不严,终致事故发生。|厂长是因累而致病的。|因艾滋病而致死者有所增多。

【致辞】 zhì cí 〔动短〕

在举行某种仪式时说勉励、感谢、祝贺、哀悼等的话。也做"致词"。(make or deliver a speech)常做谓语(不带宾语),中间可插入成分。

例句 大会主席致了欢迎辞。|请张院长向大会致个辞。

【致电】 zhì diàn 〔动短〕

发电报。(telegraph)常做谓语。

例句 国家领导人致电受灾地区,向灾民表示慰问。|请致电总经理,欢迎他来签合同。

【致富】 zhìfù 〔动〕

实现富裕。(become rich; make a fortune; acquire wealth)常做谓语(不带宾语)、定语。

例句 大批农民通过诚实劳动发家致富了。|要致富,多修路。|农民走上了致富的道路。|政府要帮助落后地区开辟致富门路。

【致敬】 zhìjìng 〔动〕

向人敬礼或表示敬意。(salute; pay one's respects to; pay tribute to)常做谓语(不带宾语)、定语。

例句 请代我向他致敬。|士兵向首长致敬。|学生们向老师致敬。|少先队员给抢险英雄献上致敬信。

【致使】 zhìshǐ 〔动〕

由于某种原因而使得;以致。(cause; bring about; lead to; result in)常做谓语(带宾语)。

例句 那时他家里太穷,致使他中途辍(chuò)学。|交通堵塞致使不少代表无法按时到会。|强烈的地震致使许多人无家可归。

【秩序】 zhìxù 〔名〕

有条理、不混乱的情况。(sequence; order)常做主语、宾语。

例句 考场的秩序很好。|秩序一乱,效率就无法保证了。|谁也不能破坏社会秩序。|大家应该遵守公共秩序。

【掷】 zhì 〔动〕

扔,投。(throw; cast)常做谓语。

例句 她掷标枪掷得很远。

【智】 zhì 〔素〕

❶ 聪明。(wisdom; wit; intelligence; brightness)常用于构词或固定短语。

词语 明智 机智 智者千虑 大智若愚

❷ 分析创造力;见识。(brain power; insight)用于构词或固定短语。

词语 智慧 智力 智能 智商 智育 足智多谋 智勇双全 吃一堑长一智

【智慧】 zhìhuì 〔名〕

辨析判断、发明创造的能力。(wisdom; intelligence;)常做主语、宾语、定语。

例句 智慧来自于学习和实践。|劳动出智慧。|文章中充满了智慧的语言。

【智力】 zhìlì 〔名〕

指人认识、理解客观事物并运用知识、经验解决问题的能力。(intelligence; intellect)常做主语、宾语、定语。

例句 你的智力没问题吧?|这可检验你的智力。|这是个智力问题。

【智能】 zhìnéng 〔名〕

智慧和能力。(intellectual power; intellectual ability)常做主语、宾语、定语。

例句 他智能很高。|学校要开发学生的智能。|智能机器人慢慢也会走进家庭。

【置】 zhì 〔动〕

❶ 搁,放。(put; place)常做谓语,也用于构词或固定短语。

词语 安置 放置 置之不理 置若罔闻

例句 你这样做会将我置于非常为难的境地。|做事要留有余地,不要置人于死地。

❷ 购买,添。(purchase; buy)常做谓语。

词语 置办 置备

例句 妈妈正在为女儿置嫁妆呢。|这么贵的电器我们可置不起。|我结婚也没置什么家当。|他搬新家时置了不少高档的东西。

❸ 设立。(set up; establish; install)用于构词。

词语 设置 装置

【置之不理】 zhì zhī bù lǐ 〔成〕

放在一边,不加理睬。(ignore; brush aside; pay no attention to)常做谓语、定语。

例句 大家这么做都是为你好,你怎么能置之不理呢?|对这种无聊的玩笑,我总置之不理。|客人来了

要热情接待，你这种置之不理的态度可不行啊。

【置之度外】 zhì zhī dù wài 〔成〕
不放在心上。(give no thought to; have no regard for)常做谓语。

例句 既然选择了当警察，就早把生死置之度外了。|为了试验成功，总工程师把一切都置之度外了。

【中】 zhōng 〔名/形〕 另读 zhòng
〔名〕❶ 指中国。(China)常用在短语中，也用于构词。

词语 中文 中式 中华 古今中外 洋为中用 中西合璧 中美会谈

❷ 范围内；内部。(in; among; amid; amidst)常构成短语做句子成分。

例句 老人家一辈子都住在山中。|他在这群年轻人中表现很突出。|周总理永远活在人民心中。|家中只有一位老母。

❸ 离四周的距离相等。(centre; middle)常用于构词。

词语 中心 华中 中央 中间 中部

〔形〕❶ 位置在两端之间的。(middle; mid)常用于构词。

词语 中锋 中秋 中途 中期 中间 中游

例句 我中指受伤了。|她直到中年才成名。

❷ 等级在两端之间的。(medium; intermediate)常用于构词。

词语 中等 中级 中学 中层 中型

例句 他考入了中等学校。|这只是一个中等城市。

【中部】 zhōngbù 〔名〕
中间部分。(central section; middle part)常做主语、宾语、定语。

例句 列车中部设有餐车。|校园中部是操场。|他的家乡在河北中部。|国家正在开发中部和西部。|我省中部地区比较富裕。|中部城市开放稍晚。

【中餐】 zhōngcān 〔名〕
中国式的饭菜(区别于西餐)。(Chinese meal; Chinese food)常做主语、宾语、定语。[量]顿。

例句 中餐讲究色、香、味。|中餐也有快餐。|玛丽学着给我们做了一顿中餐。|留学生们都爱吃中餐。|中餐的种类很多，味道也不同。|用中餐的方法做西餐怎么样？

【中等】 zhōngděng 〔形〕
在数量、质量、位置或程度的中间的。(medium; moderate; middling; secondary)常做定语、谓语。

例句 小李考入了中等专业学校。|那人中等身材，有些胖。|她的外语也就中等水平。|新款小汽车适合中等收入家庭。|这个学生成绩中等，但很守纪律。

【中断】 zhōngduàn 〔动〕
中途停止或断绝。(discontinue; break off; interrupt; suspend; intermit)常做谓语、定语。

例句 毕业后，我从来没有中断过外语学习。|两国的关系已经中断近10年了。|电力供应可中断不得。|经过抢修，中断的电路又恢复了。

【中间】 zhōngjiān 〔名〕
❶ 里面。(among; between)常做主语、宾语。

例句 那些树中间有一半是新栽的。|他们中间有工人，有学生，还

有家庭妇女。|安娜就在他们中间。|飞机掉到大山中间去了。

❷ 中心。(centre; middle; heart; core; hub)常做主语、宾语、定语。

例句 花园中间有一口井。|广场中间是一座喷泉。|你到中间来吧。|把瓷器放在箱子中间,以免打碎。|中间的人往右靠一靠。|中间的位置准备建花坛。

❸ 在事物两端之间或两个事物之间的位置。(intermediate)在句中可做状语、宾语、定语。

例句 去纽约,中间要换飞机。|上课中间他出去了一趟。|我家就在商店和学校的正中间。|这孩子的表现处于中间状态。

【中立】 zhōnglì 〔动〕

处于两个对立的政治力量之间,不倾向于任何一方。(neutral; non-aligned)常做主语、定语、宾语。

例句 你中立也可以。|他持中立立场。|我保持中立。

【中流砥柱】 zhōngliú Dǐzhù 〔成〕

比喻能起支柱作用的中坚力量或重要人物。(a firm rock in mid-stream; mainstay)常做宾语、定语。

例句 厂长可以说是我们厂的中流砥柱。|他在公司里发挥着中流砥柱的作用。

【中年】 zhōngnián 〔名〕

四五十岁的年纪。(middle age)常做主语、定语、宾语。

例句 中年应该特别注意身体健康。|许多中年妇女积极参加健康活动。|我已经到中年了。

【中秋】 Zhōngqiū 〔名〕

中国传统节日,在农历八月十五日,这一天有赏月、吃月饼的习俗。[the Mid-Autumn Festival(15th day of the 8th lunar month)]常做主语、宾语、定语。[量]个。

例句 中秋吃月饼。|你在哪儿过中秋?|中秋的月亮分外圆。

【中途】 zhōngtú 〔名〕

半路。(halfway; midway)常做状语、宾语。

例句 没想到中途遇上了大雨。|去动物园中途要换车。|我是在中途上的车。

【中文】 Zhōngwén 〔名〕

中国的语言文字,特指汉族的语言文字。(the Chinese language; Chinese)常做主语、宾语、定语。

例句 中文比较难学。|越来越多的人学习中文。|她买了好多中文书。

【中午】 zhōngwǔ 〔名〕

指白天十二点左右的一段时间。(noon; midday)常做主语、状语、宾语、定语。[量]个。

例句 中午有一场排球赛。|今天中午老师请客。|现在是中午了。|用了两个中午才把课文背下来。|中午饭去哪儿吃?|中午的电影票比较便宜。

【中心】 zhōngxīn 〔名〕

❶ 跟四周的距离相等的位置。(centre; middle; heart; core; hub; focus)常做主语、宾语、定语。[量]个。

例句 草地的中心有一个亭子。|国贸大厦在城区的中心。|这一带是市中心。|中心地段房价很贵。

❷ 事物的主要部分。(main; chief; body)常做主语、宾语、定语。[量]个。

例句 总之,中心是要坚定客户对我们的信心。|围绕这个中心进行讨论。|中心问题是信誉问题。

❸ 在某一方面占重要地位的城市或地区。(centre)常做宾语、定语。

例句 北京是中国的政治中心。|沈阳是辽宁省的中心城市。

❹ 设备、技术力量等比较完备的机构和单位(多做单位名称)。(centre)常做主语、宾语、定语。[量]个。

例句 信息中心在前边的那座楼里。|试验中心是去年建立的。|附近有个汽车维修中心。|请你去一下计算机中心。|中心的人员不多,但都是大学毕业生。|我们中心的任务是培训电脑人才。

【中学】 zhōngxué 〔名〕

对青少年进行中等教育的学校。(middle school;high school)常做主语、宾语、定语。[量]所,个。

例句 中学都有计算机课。|这个中学很有名。|小妹已经上中学了。|他很怀念那所读了三年的中学。|她想当一名中学老师。|现在,很多中学生毕业以后就出国留学。

【中旬】 zhōngxún 〔名〕

每月十一日到二十日的十天。(the middle ten days of a month)常做主语、宾语、定语、状语。

例句 天气预报说,本月中旬有两次降水。|这月中旬有个讲座。|他来的时候已经是中旬了。|过了中旬,天气可能会好转。|这个月中旬产量比上旬要高。|八月中旬的天气还比较热。|我五月中旬去日本。|爸爸三月中旬该去复查身体了。

【中央】 zhōngyāng 〔名〕

❶ 中心地方。(centre;middle)常做主语、宾语。

例句 湖的中央有一个小岛。|人群中央有个人在卖药。|湖心亭在水中央。

❷ 特指国家或政治团体的最高领导机构。(central authorities)常做主语、宾语、定语。

例句 中央下达了文件。|中央号召全国人民积极迎接奥运。|他调到中央去了。|几位科学家给中央打报告要求加强水资源保护。|中央机关干部周末去植树了。|各级政府已经传达了中央的政策。

【中药】 zhōngyào 〔名〕

中医所用的药物,以植物为最多。(traditional Chinese medicine)常做主语、宾语、定语。[量]付,味,种。

例句 中药能治很多疑难病症。|中药是中国宝贵的医学遗产。|大夫给他开了几副中药。|我最不喜欢吃中药了。|这味中药的药性怎么样?|中药的疗效有时不如西药快,但效果较稳定。

【中医】 zhōngyī 〔名〕

❶ 中国传统的医学。(traditional Chinese medical science)常做主语、宾语、定语。

例句 中医是中国的传统医学。|中医讲究望、闻、问、切。|你这个病最好去看中医。|我奶奶特别相信中医。|针灸(jiǔ)是中医疗法。|请问,中医院怎么走?

❷ 用中医治病的医生。(practitioner of traditional Chinese medicine)常做主语、宾语、定语。[量]个,位,名。

例句 全市有名的几位老中医都参加了义诊。|小男孩长大了想当一名中医。|爷爷是有名的老中医。|

中医的培养工作引起了有关方面的高度重视。

【中游】 zhōngyóu 〔名〕

河流中介于上游和下游之间的一段。多比喻所处的地位不前不后，所达到的水平不高不低。[middle reaches (of a river); the state of being middling)]常做主语、宾语、定语。

例句 长江中游有许多大城市。|他的成绩老是在中游。|中游的学生要努力。

【中原】 zhōngyuán 〔名〕

指黄河中下游地区，包括河南的大部分地区、山东的西部和河北、山西的南部。[Central Plains (comprising the middle and lower reaches of the Yellow River, including most of Henan, western Shandong, and southern Hebei and Shanxi Provice)]常做主语、宾语、定语。

例句 中原土地肥沃，物产丰富。|这位歌手来自中原。|中原文化是中国文化的源泉。

【忠诚】 zhōngchéng 〔形/动〕

〔形〕(对国家、人民、事业、领导、朋友等)尽心尽力。(faithful; loyal; true; staunch)常做谓语、定语、补语、状语、主语、宾语。

例句 这个人忠诚老实，很可靠。|他是一名忠诚的人。|几十年来，他一直表现得十分忠诚。|作为公司的职员，要忠诚地为公司工作。|他对事业的忠诚是众所周知的。|你不应该怀疑他的忠诚。

〔动〕尽心尽力地对待。(be devoted to)常做谓语。

例句 父亲一辈子忠诚国家的教育事业。

【忠实】 zhōngshí 〔形〕

❶ 忠诚可靠。(faithful; loyal; true)常做谓语、定语、状语、主语。

例句 她非常忠实。|我是贵刊忠实的读者。|他忠实地履行了自己的诺言。|狗对主人的忠实是人们喜欢狗的原因之一。

❷ 真实；完全一样。(true; faithful)常做谓语、定语、状语。

例句 文艺作品应该尽量忠实于生活。|这本传记是他奋斗的一生的忠实记录。|调查报告忠实地反映了那里教育的落后状况。

【忠心耿耿】 zhōngxīn gěnggěng 〔成〕

形容非常忠诚。(loyal and devoted; most faithful and true)常做谓语、定语、状语。

例句 他对公司忠心耿耿。|他是我们忠心耿耿的员工。|他忠心耿耿地为公司工作。

【忠于】 zhōngyú 〔动〕

忠诚地对待。(loyal to; faithful to; true to)常做谓语。

例句 我忠于我们公司，我不能做这件事。

【忠贞】 zhōngzhēn 〔形〕

忠诚而坚定不移。(loyal and steadfast)常做谓语、定语。

例句 她对丈夫相当忠贞。|她的忠贞得到了回报。

【终】 zhōng 〔名/副〕

〔名〕最后；末了。(end)常用于固定短语或用于构词。

词语 善始善终　始终　终端　自始至终　终点

〔副〕到底。(in the end; eventually)做状语，也用于构词。

词语 终归 终究 终于

例句 事情终会有个结果。|坚持下去,终将见效。

【终点】 zhōngdiǎn 〔名〕

一段路程结束的地方;特指比赛中终止的地点。(terminal point; destination; finish)常做主语、宾语、定语。

例句 一千米长跑的终点设在操场南面。|快加油!终点就在前边!|他奋力冲向终点。|在学习的道路上没有终点。|这趟车到终点是几点?|跑在前面的两个运动员几乎同时冲过终点线。|我累了,躺在了终点旁边的草坪上休息了一会儿。

【终端】 zhōngduān 〔名〕

边界;尽头。(terminal)常做主语、宾语、定语。[量]个。

例句 这条路的终端就是国界了。|我的电脑终端有点儿小毛病。|我家暖气是暖气管的终端,所以总是不太热。|资料从终端可以查到。|终端电缆与设备相连。

【终究】 zhōngjiū 〔副〕

毕竟;终归。(eventually; in the end; after all)做状语,可构成"A终究是A"的格式,表示强调。

例句 孩子终究是孩子,你就不要责怪他了。|专家终究是专家,人家的技术水平就是高。|对手终究经验丰富,胜了这盘棋。

【终年】 zhōngnián 〔名〕

❶ 全年;一年到头。(all the year round; throughout the year)常做状语。

例句 爸爸终年忙碌,很少休息。|山上终年积雪。

❷ 指人去世时的年龄。(the age at which one dies)常做主语。

例句 老人去世了,终年80岁。

【终身】 zhōngshēn 〔名〕

一生;一辈子。(lifelong; life; all one's life)常做状语、宾语、补语。

例句 老刘头儿终身未娶。|婚姻的错误选择使她贻误了终身。|"一张考卷定终身"是不合理的。|我决心在这一领域奋斗终身。

【终于】 zhōngyú 〔副〕

表示经过种种变化或等待之后出现的情况。(finally; at last; in the end; at length; in the event)常做状语。

例句 经过几年的努力,试验终于成功了。

【终止】 zhōngzhǐ 〔动〕

结束;停止。(stop; end)常做谓语。

例句 电话铃声终止了我们的交谈。|不能单方面终止合同。

【钟】 zhōng 〔名〕

❶ 计时的器具。(clock)常做主语、宾语、定语。[量]个,座。

例句 这座钟是19世纪英国制造的。|同学们商量送母校一座钟。|孩子们要去听新年钟声。

❷ 用铜或铁制成的响器,筒状,上封闭,下开大口。(bell)常做主语、宾语、定语。[量]口,座。

例句 这座古钟重2000多公斤。|每年除夕夜12点都要敲钟。|那口钟的钟声在10公里外也能听到。

【钟表】 zhōngbiǎo 〔名〕

钟和表的总称。(clocks and watches; timepiece)常做主语、宾语、定语。[量]种。

例句 这些钟表都过时了。|现在钟表普遍都很便宜。|老张会修理钟表。|这个小店专卖钟表。|钟表生意不太好做了。|过去，他开过一家钟表行。

【钟点】 zhōngdiǎn 〔名〕

❶ 指某个一定的时间。(a time for sth. to be done or to happen)常做主语、宾语、状语。

例句 钟点都过了，他怎么还不来？|对不起，我看错钟点了。|到钟点了，快上车吧。|他每天这个钟点就睡觉了。

❷ 小时；钟头。(hour)常做补语、宾语。

例句 我等了你一个钟点。|过一个钟点你再来吧。

【钟头】 zhōngtóu 〔名〕

小时。(hour)常构成短语做句子成分。[量]个。

例句 不知不觉两个钟头过去了。|考试这三个钟头可把我累坏了。|这部电影演了两个半钟头。|他们已经连干几个钟头了。|去北京的车一个钟头有好几趟呢。|这钟每个钟头响一回。

辨析 〈近〉小时。"钟头"要有量词"个"配合；"小时"可以不带量词。如：*一钟头(应为"一个钟头")|一小时|一个小时

【衷心】 zhōngxīn 〔形〕

出于内心的。(heartfelt; wholehearted; cordial)常做状语、定语。

例句 我衷心祝愿你幸福。|职工们衷心拥护新厂长。|这是我衷心的愿望。|请接受我衷心的祝福。

【种】 zhǒng 〔名/量〕 另读 zhòng

〔名〕❶ 动物及人的类别。(race)常做宾语，也用于构词。

词语 白种人 黄种人

例句 老虎是猫科的一种。

❷ 生物繁殖(fánzhí)后代的物质。(seed; breed; strain)常做主语、宾语。

例句 玉米种都播下去了。|好种出好苗。|节气一到就该下种了。|科研人员正在给牛配种。

❸ 指胆量或骨气。(guts; grit)常做宾语，跟"有"、"没有"连用。

例句 他真有种，一个人去国外创业了。|一遇到危险就往后缩，真没种。

〔量〕表示做任何事物的类别。(kind; sort; type)常和数词、代词构成短语做句子成分。

例句 这几种包我都看过了，没有特别好的。|菊花的颜色有好几种。|世界上只有一种人不会犯错误，就是死人。|在比赛中，各种情况都可能发生。

【种类】 zhǒnglèi 〔名〕

根据事物本身的性质或特点而分成的门类。(kind; sort; type; variety; class; category)常做主语、宾语、定语。[量]个。

例句 市场商品种类繁多。|犬可以分成很多种类。|你知道汽车有几个种类？|种类的划分不是随意的。

【种种】 zhǒngzhǒng 〔量〕

各种各样。(all kinds of; various; a variety of)常做定语。

例句 在那里，我们遇到了种种没预料到的事情。|种种迹象表明，这件事情可能有变化。

Z

【种子】 zhǒngzi 〔名〕

❶ 在一定条件下能发芽长成新的植物体的东西。也用于比喻。(seed)常做主语、宾语、定语。[量]粒,颗。

例句 西瓜的种子经过加工,就成了很好吃的瓜子。|蒲公英的种子可以飞。|有一种花不能结出种子。|每个坑儿放两三粒种子。|这次访问播下了两国人民友谊的种子。|种子质量可以决定农作物的产量。

❷ 体育比赛分组时,安排在各组里实力较强的运动队员或运动队。(seed; seeded player)常做定语、主语、宾语。

例句 他被定为种子选手。|甲队作为种子队参加预选赛。|我们的二号种子首先上场。|经过1小时40分钟激战,她终于淘汰了对方的一号种子。

【种族】 zhǒngzú 〔名〕

人种。(race)常做主语、宾语。[量]个。

例句 种族不同,风俗习惯也不相同。|我们反对种族歧视。|我们国家有许多种族。

【肿】 zhǒng 〔动〕

皮肤、肌肉等组织由于发炎、化脓、内出血等原因而突起。(swollen; swelling)常做谓语、补语。

例句 你眼皮怎么肿了?|骨折的地方很快就肿起来了。|刚才不小心,把胳膊碰肿了。|手背让蚊子咬得肿了个大包。

【肿瘤】 zhǒngliú 〔名〕

机体的某一部分组织细胞长期不正常增生所形成的有害物体,也叫瘤子。可分为良性和恶性两种。(tumour)常做主语、宾语、定语。[量]个。

例句 恶性肿瘤又叫"癌"。|什么肿瘤对身体都有危害性,所以要争取早发现,早治疗。|她肚子里长了一个肿瘤。|经检查,没有发现肿瘤,不用担心。|医生用了三个小时,切除了一个1公斤重的大肿瘤。|这是一家肿瘤医院。|肿瘤患者要保持乐观的心态。

【中】 zhòng 〔动〕 另读 zhōng

❶ 正对上,恰好合上。(fit exactly; hit)常做谓语、补语。

例句 我从来没有中过彩。|他一年内中了两次奖。|这个谜语你能猜中吗?|你既然看中了这幅画,就送给你吧。

❷ 受到;遭受。(be affected by; be hit by; undergo; suffer)常做谓语。

例句 听说小张中毒了。|事情不是明摆着吗?可不能中了人家的计呀!|他们中了敌人的埋伏。

【众】 zhòng 〔形/名〕

〔形〕许多。(many; numerous)常用于构词或用于固定短语。

词语 众多 众人 寡不敌众 众星捧月

例句 商量旅游路线的时候,去哪儿都有人反对,真是众口难调啊。

〔名〕很多人。(crowd; multitude)常用于构词或用于固定短语。

词语 群众 大众 民众 观众 出众 众所周知 兴师动众 法不责众

例句 (播音员)"听众朋友,下次节目再见。"

【众多】 zhòngduō 〔形〕

很多(多指人)。(numerous; multitudinous)常做谓语、定语。

例句 中国人口众多。|这本杂志栏目众多。|现代企业需要众多的管理人才。|市内有众多欧式建筑。

【众口一词】 zhòng kǒu yì cí 〔成〕

大家都说一样的话,看法或意见一致。(with one voice; unanimously)做谓语。

例句 同学们众口一词,都不愿上刘老师的课。

【众目睽睽】 zhòng mù kuíkuí 〔成〕

大家的眼睛都在看着。(with everybody watching)常做谓语、定语。

例句 众目睽睽,他不敢怎么样。|众目睽睽之下,我没法告诉你。

【众叛亲离】 zhòng pàn qīn lí 〔成〕

众人背叛,亲信背离。指不得人心,十分孤立。(with the masses rising in rebellion and one's friends deserting; be opposed by the masses and deserted by one's followers; be utterly isolated)常做谓语、定语、补语。

例句 他现在众叛亲离。|他一意孤行,最终落了个众叛亲离的下场。|不要再这样下去了,否则到时候弄得众叛亲离,后悔就来不及了。

【众人】 zhòngrén 〔名〕

大家。(everybody)常做主语、定语。

例句 众人都来劝架,这件事才算平息。|他当着众人的面说了一些好听的话。|他不顾众人的反对,决定继续干下去。

【众矢之的】 zhòng shǐ zhī dì 〔成〕

大家攻击的目标。(a target of public criticism)在句中多做宾语。

例句 话一说完,小李就成了众矢之的。|不要老想着出风头,不然就有可能成为众矢之的。

【众所周知】 zhòng suǒ zhōu zhī 〔成〕

大家都知道。(it is well-known that; as is known to all)常在句中做插入语及定语、谓语。

例句 众所周知,台湾是中国的一部分。|众所周知,缺水已经成了世界性的问题。|她准备退出影坛,已经是众所周知的事了。|尽管这个消息早已众所周知,可并没有成为事实。

【众议院】 zhòngyìyuàn 〔名〕

某些国家两院制议会的下议院名称;也指某些院制议会。(House of Representatives; Chamber of Deputies)常做主语、宾语、定语。

例句 众议院每隔两年进行一次选举。|280 名议员组成了新的众议院。|总统批准了众议院的一项新法案。

【众志成城】 zhòng zhì chéng chéng 〔成〕

大家齐心协力,就像城墙一样牢固。比喻团结起来力量大。(unity of will is an impregnable stronghold; unity is strength)常做谓语、定语。

例句 全国人民众志成城,终于战胜了百年不遇的特大洪水。|众志成城的将士挡住了敌人一次又一次进攻,一直坚持到最后胜利。

【种】 zhòng 〔动〕 另读 zhǒng

把种子幼苗埋或栽种在土里。(grow; plant; cultivate)常做谓语。

例句 他家种了五亩麦子。|一个上午种不完这么多树苗。|园林工人冒雨栽花种草,美化城市。

【种地】 zhòng dì 〔动短〕

从事田间劳动。(go in for farming; till land)常做主语、谓语、宾语、定语。中间可插入成分。

例句 虽然种地很辛苦,可是却能体会到丰收的喜悦。|种地一点儿也不简单,得靠科学技术才行。|下乡的时候他种过地。|老王种地种了十年。|哥哥不喜欢种地,进城打工去了。|老高把种地的经验都传授给我们了。

【种植】 zhòngzhí 〔动〕

把植物的种子埋在土里;把植物的幼苗栽到土里。(plant; grow)常做谓语、定语。

例句 全乡都种植了新品种水稻。|去年种植的草已经开始发挥固沙作用了。

【重】 zhòng 〔形〕 另读 chóng

❶ 分量大,程度深。(weighty; heavy; deep; serious)常做谓语、补语、定语、状语。

例句 最近,工作任务很重。|这个行李太重了,我拿不动。|俗话说,“礼轻情意重”嘛。|你这话说得太重了。|妈妈病得很重,全家都十分担心。|尽管重病在身,可赵老师还是坚持每天锻炼。|路太滑,我重重地摔在了地上。

❷ 意义、作用不一般。(important)常用于构词。

词语 施工重地 重要 身负重任 重点

❸ 不轻视。(attach importance to; lay stress on)常用于构词。

词语 敬重 尊重 看重 器重 重视 重用

▶ “重”也做名词,指分量。如:举重|几斤重?

【重大】 zhòngdà 〔形〕

大而重要。(of great importance; significant; great; major)常做谓语、定语。

例句 这项研究,意义重大。|你们肩负的责任十分重大。|我市最近发生了一起重大的事故。|全国经济形势发生了重大转变。

【重点】 zhòngdiǎn 〔名/形〕

〔名〕同类事物或整体中重要的或主要的部分。(focal point; stress; emphasis)常做主语、宾语。[量]个。

例句 文章的重点在结尾那一段。|本课的两个重点一定要记住。|做工作也要有重点。|把投资重点放在西部开发上。

〔形〕重要的或主要的;有重点的。(great; important; major)常做定语、状语。

例句 他是公司的重点人物。|邻居小强考上了重点大学。|对国家急需的人才要重点培养。|这个领域要重点研究。

【重工业】 zhònggōngyè 〔名〕

以生产生产资料为主的工业,包括冶金、电力、煤炭、石油、基本化学、建筑材料和机械制造等工业部门。(heavy industry)常做主语、宾语、定语。

例句 重工业包括电力、石油等。|现在,政府着力发展重工业。|中国的东北地区是有名的重工业基地。

【重量】 zhòngliàng 〔名〕

物体受到的重力的大小。(weight)常做主语、宾语、定语。

例句 重量是多少?|请称一下这箱水果的重量。|那是一场重量级比赛。

【重视】 zhòngshì 〔动〕

认为人的德才优良或事物的作用重要而认真对待；看中。(attach importance to；think highly of)常做谓语、定语。

例句 公司领导非常重视人才。|家长很重视孩子的学习。|这个问题我们重视得还不够。|重视的程度不一样，采取的态度当然也不一样。

▶"重视"也做名词，常做"受到"、"得到"等词的宾语。如：学生的午饭问题受到各级部门的重视。|他的建议得到了领导的重视。

【重心】 zhòngxīn 〔名〕

❶ 物体内各点所受的重力产生合力，这个合力的的作用点叫做这个物体的重心。(centre of gravity)常做主语、宾语。

例句 重心不稳，他摔倒了。|你应该把重心放在前脚上。

❷ 事情的中心或主要部分。(heart；focus；core)常做主语、宾语、定语。

例句 工作的重心已经转移了。|做事情一定要抓注重心。|现在，他处在重心的位置。

▶ 几何名词。三角形三条中线相交于一点，这个点叫做三角形的重心。

【重型】 zhòngxíng 〔形〕

(机器、武器等)在重量、体积、功效或威力上特别大的。(heavy)常做定语。

例句 我们需要租一辆重型卡车。|军事博物馆里陈列了许多重型轰炸机的模型。

【重要】 zhòngyào 〔形〕

具有重大的意义、作用和影响的。(important；significant；major；critical；vital)常做谓语、定语、宾语。

例句 公路上的标志很重要。|期末考试当然很重要。|这是一件重要的事儿，你可别忘了。|今天对他来说是个重要的日子。|哥哥把这件事儿看得太重要了。|我觉得他的作用很重要。

【重于泰山】 zhòng yú Tài Shān〔成〕

比喻意义重大。(weightier than Mount Tai)做谓语。

例句 这件事重于泰山。

【舟】 zhōu 〔名〕

船。(boat)常做主语、宾语。[量]叶。

例句 一叶小舟在湖中划动。|逆水行舟，不进则退。

【州】 zhōu 〔名〕

❶ 古代的一种行政区划，现用于一些城市名。(an administrative division in former times)常做主语、宾语、定语。[量]个。

例句 一般来说，州比县大。|通县改为通州了。|州府就在前面那条街上。

❷ 指自治地方。中国的几个少数民族、地区(市)级的。[(autonomous) prefecture]常做主语、宾语、定语。[量]个。

例句 自治州人口不多，但资源丰富。|这里20世纪50年代就改县设州了。|自治州的首府是延吉。

【周】 zhōu 〔名〕

❶ 星期。(week)常构成短语做句子成分。

例句 每周都有一次体育课。|这个周五她过生日。|他来大连已经

两周了。|我们下周去北京旅行。|周末的晚会取消了。

❷ 四周；圈子。(circumference; circuit)常用于构词或用于短语。

词语 四周 周围 周边 周长

例句 房屋的四周是用小树围起来的。|地球绕太阳一周是一年。|全体运动员绕操场跑一周，向观众致意。

▶ "周"也做形容词，指普通、完备。如：周身 周到 周全 周密|招待不周，还请谅解。

【周到】 zhōudào 〔形〕

面面都照顾到；细致而没有遗漏(yí lòu)。(thoughtful; considerate; attentive and satisfactory)常做谓语、定语、状语、宾语。

例句 他做事非常周到。|你们的服务工作确实周到得很。|这里周到的服务让客人十分满意。|这次旅行多亏了他们周到的安排。|工程计划还要更周到地研究一下。|有关这次访问的细节，也应该周到地做出安排。|我考虑得不太周到，请多多谅解。|会议的接待工作安排得很周到。|她办事我觉得很周到。

【周而复始】 zhōu ér fù shǐ 〔成〕

循环往复。(go round and begin again; go round and round; move in cycles)做谓语、定语、状语。

例句 春夏秋冬，周而复始。|学校里周而复始的生活，多少显得有点儿单调。|广告牌上，这几种图案周而复始地出现，效果不错。

【周密】 zhōumì 〔形〕

周到而细密。(thorough; careful)常做谓语、定语、状语、补语。

例句 文章的内容很好，就是构思上不太周密。|这个方案确实很周密。|经过周密的研究，终于有了两全其美的办法。|公司事先已经做了周密的调查。|她周密地思考了很多可能出现的问题。|考察队员周密地研究了周围的环境。|计划订得很周密，不会出现什么问题。|报告写得周密而详实。

辨析 〈近〉周到。"周密"重在细致、严密、没缺陷；"周到"重在无遗漏。"周密"多用于计划思考、观察、布置等方面，使用范围较小。"周到"多用于办事、服务、说话、照顾等方面，使用范围较大。如：* 你们的服务很周密。("周密"应为"周到")

【周末】 zhōumò 〔名〕

一星期的最后时间，一般指星期六和星期日。(weekend)常做主语、宾语、定语。[量]个。

例句 周末天气怎么样？|听说周末有球赛。|他一家到海边度周末了。|时间过得真快，又到周末了。|周末的活动早就安排好了。|上周末的晚会有意思吗？

【周年】 zhōunián 〔名〕

满一年。(anniversary)常构成短语做句子成分，也做定语。

例句 国庆50周年快到了。|建校80周年有哪些庆祝活动？|总理逝世25周年了。|他已经走了3周年了。|友谊商城正在举办周年庆祝活动。|今年是我校50周年纪念日。

【周期】 zhōuqī 〔名〕

事物或它的某些特征在运动或变化的发展过程中，如果多次重复出现，其连续两次出现之间所经过的时间叫周期。(period; cycle)常做主语、宾语、定语。[量]个。

例句 这种作物的生长周期有多长？|地球绕太阳一圈的周期是一年。|这种病的发病时间有没有周期？|经过几个周期的观察，终于发现了一点儿线索。|周期运动有规律可找。

【周围】 zhōuwéi 〔名〕

环绕着中心的部分。(round; around; about)常做主语、宾语、定语。

例句 厂房的周围全部种上了鲜花。|周围一个人也没有。|他环顾周围，什么也没看见。|你看看你的周围，都成了什么样子？|每个人都应该关心周围的人。|游客站在那里欣赏周围的景色。

【周折】 zhōuzhé 〔名〕

指事情进行往返曲折，不顺利。(twists and turns; setbacks)常做主语、宾语。[量]番，种。

例句 为这事我跑了两年，周折很多。|各种周折事先都要想到。|办这个营业执照，费了不少周折。|经过一番周折，终于办成了这件事。

【周转】 zhōuzhuǎn 〔动〕

资金投入生产到经过销售产品而收回；指钱财进出或物品轮流使用。(turnover; have enough to meet the need)常做谓语、定语。

例句 赶快把这批货卖掉吧，好周转一下资金。|能不能借我些钱，周转周转？|现在手头紧，周转不开。|要是有50万周转资金就好办了。|这排平房是周转房，大楼盖好以后就拆了。

【洲】 zhōu 〔名〕

❶ 一块大陆和附近岛屿的总称。(continent)常做主语、宾语或用于构词。[量]个。

词语 亚洲 非洲 欧洲 南极洲

例句 每个洲有几支球队参加世界杯赛？|世界有七大洲。

❷ 河流中由泥沙积成的陆地。(sand bar)常用于构词。

词语 长江三角洲 沙洲

【粥】 zhōu 〔名〕

用粮食或加上其他东西煮成的半流质食物。(porridge; congee; gruel)常做主语、宾语、定语。

例句 这粥很好喝。|我的胃不太好，妈妈给我熬了点儿粥。|妈妈今天特意煮了小米粥。|把粥锅放在水里凉一凉。

【昼】 zhòu 〔名〕

从天亮到天黑的一段时间；白天。(day; daytime; daylight)常用于构词，也做主语。

词语 昼夜 白昼

例句 春分以后，昼长夜短。|他不分昼夜地干，终于按时交了稿。|月光照得大地如同白昼。

【昼夜】 zhòuyè 〔名〕

白天和黑夜。(day and night; round the clock)常做主语、状语、补语、宾语、定语。[量]个。

例句 一昼夜是24小时。|长江昼夜不息地向东流去。|沉重的压力使他昼夜不得安宁。|火车跑了两个昼夜才到兰州。|写这篇文章用了我两昼夜。|他经过一昼夜的思考，终于决定留下来。

【皱】 zhòu 〔动〕

物体表面产生凹凸不平的条纹。(wrinkle; crumple; crease)常做谓语、补语。

例句 他皱了皱眉头，没说话。｜衣服皱了，熨一下儿吧。｜他把纸揉皱了。｜别闹了，把我的衣服都弄皱了。

【皱纹】 zhòuwén 〔名〕
物体表面上因收缩或揉弄而形成的一凸一凹的条纹。（wrinkle; furrow; rimple; crumple; pucker; rugosity）常做主语、宾语。[量]道，条。

例句 老人额头上的皱纹像刀刻的一般。｜不知什么时候起，皱纹悄悄地爬上了我的眼角。｜上年纪了，脸上起了一道道皱纹。｜风把河水吹出一条条皱纹。

【珠】 zhū 〔素〕
❶ 意义同"珠子"。（pearl）常用于构词或固定短语。

词语 夜明珠　珍珠　珠宝　珠光宝气　珠联璧合

❷ 小的球形的东西。（bead）用于构词，常带"儿"。

词语 眼珠儿　水珠儿　泪珠儿

【珠子】 zhūzi 〔名〕
产于贝壳的圆形颗粒，可做装饰品；也指像珠子一样的东西。（bead; pearl）常做主语、宾语、定语。[量]颗，粒。

例句 这珠子产自南海。｜为了给妻子买一串珠子，我跑了好几家珠宝店。｜看你脸上都是汗珠子，快歇歇吧。｜这些珠子的色泽不错。｜这串珠子的做工很讲究。

【株】 zhū 〔量〕
棵。用于树、草等。（for plants, trees, grass, etc.）常构成短语做句子成分。

例句 院子里种了两株石榴树。｜他家有株海棠花。｜这种树苗一株能卖二三十块呢。

【诸如此类】 zhū rú cǐ lèi 〔名短〕
与此相似的种种事物。（things of that sort; and suchlike; and what not）常做定语，也可独立成句。

例句 开会时，诸如此类的话你最好别说。｜我不再愿做诸如此类的事了。｜到了冬天，感冒、咳嗽，诸如此类的病就该出现了。

【诸位】 zhūwèi 〔代〕
敬称，总称所指的若干人。（ladies and gentlemen; you）常做主语、宾语、定语。

例句 诸位有什么意见，请发表吧。｜诸位品尝一下本店的饭菜，多提意见。｜对不起，我本来应该去迎接诸位，可实在脱不开身。｜我代表院长，欢迎诸位。｜诸位的活动日程早已安排好了。｜我们一定采纳诸位的建议。

【猪】 zhū 〔名〕
哺乳动物，头大，鼻子和嘴长，身体肥。肉供食用，皮可制革。（pig; hog; swine）常做主语、宾语、定语。[量]头，口。

例句 猪是杂食性动物。｜他在农场养过猪。｜这口猪的食量真大。｜哥哥不太喜欢吃猪肉。

【竹子】 zhúzi 〔名〕
常绿植物，茎圆柱形，中空，有节，嫩芽叫笋。（bamboo）常做主语、宾语、定语。[量]根，棵。

例句 这几棵竹子，使小院变得很有生气。｜竹子常常是画家作画的对象。｜这一带山上尽是竹子。｜做家具可以用木头，也可用竹子。｜大熊猫最喜欢吃竹子的嫩叶了。｜竹子的韧性很强。

【逐】 zhú 〔动〕

❶ 追赶。(pursue; chase)常用于构词或用于固定短语。

词语 追逐 逐鹿 随波逐流 夸父逐日

❷ 驱赶。(drive out; expel)常做谓语。

例句 把他逐出门外! |他下逐客令了。

❸ 挨着(次序)。(one by one)常与量词连用做状语。

例句 他对这些条例逐条进行了解释。|科学家们对项目进行逐项审查。|国家对教育的投资逐年上升。

【逐步】 zhúbù 〔副〕

一步一步地。(step by step; progressively)常做状语。

例句 工作逐步打开了局面。|这些事情会逐步落实的。|当年的小厂已经逐步地发展成为知名企业了。|他的学习成绩正在逐步提高。

【逐渐】 zhújiàn 〔副〕

渐渐。(gradually; by degrees)做状语。

例句 经过几年的开发,这一带逐渐繁华起来了。|我的身体逐渐恢复了。|树上的果子逐渐红了。|在老师的帮助下,我逐渐能说一些汉语了。

【逐年】 zhúnián 〔副〕

一年一年地。(year by year; year after year)常做状语。

例句 改革开放以来,农业产值逐年增长。|生活水平正在逐年提高。|由于生产成本逐年下降,汽车的价格还会降一些。

【主】 zhǔ 〔名〕

❶ 接待别人的人。(host)常做主语、宾语、定语。

例句 宾主共进了晚餐。|客随主便。|他反客为主了。

❷ 权力或财物的所有者。(owner; master)常做宾语、主语。

例句 只能有一个人当家做主。|房主说,少一万不租。

❸ 旧指占有奴隶或雇用仆役的人。(master; slave-owner)常做主语、宾语。

例句 他们主仆二人一同去钓鱼。|迎面走来了一主一仆。

❹ 当事人。(person or party concerned)常用于构词。

词语 失主 买主 主顾

▶"主"也做动词,指负责最重要的责任,提出见解等。如:主办 主持 主管 主考 主张 力主

▶"主"也做形容词,指最基本的,最重要的。如:主要 主力 主编 主导 主角 主流 主食 主题 主线

【主办】 zhǔbàn 〔动〕

主持办理;主持举办。(direct; sponsor; host)常做谓语、定语。

例句 那次世界杯足球赛由日本和韩国共同主办。|本次展览会由我们公司主办。|下次奥运会共有5个城市竞争主办城市。|上次展销会主办单位有3个,这次增加到5个。

【主编】 zhǔbiān 〔名/动〕

〔名〕编辑工作的主要负责人。(chief editor; editor-in-chief)常做主语、宾语、定语。[量]位,个。

例句 王主编今年50岁了。|我们

的主编非常认真负责。|他是杂志社的主编。|大家推选李教授担任辞典的主编。|主编的工作主要是制订编写计划和统稿。|主编的人选已经确定。

〔动〕负责编辑工作的主要责任。(edit; supervise the publication of)常做谓语、定语。

例句 他主编了一本语文杂志。|老黄主编过日报的副刊。|老张当了25年的编辑,主编的杂志很受欢迎。

【主持】 zhǔchí 〔动〕

❶ 负责掌握或处理。(take charge of; manage; direct; preside over)常做谓语、定语。

例句 这个会你主持。|王局长主持日常工作。|这位主持人主持综艺节目。

❷ 主张;维护。(uphold; stand for)常做谓语。

例句 你一定要主持正义。|老张从来都主持公道。

【主导】 zhǔdǎo 〔动/名〕

〔动〕主要的并且引导事物向某方面发展的。(leading; dominant; guiding)常做谓语、定语。

例句 大师的设计主导着今夏服装的潮流。|他在公司中发挥着主导作用。|你的主导思想是好的,但做法有些简单了。

〔名〕起主导作用的事物。(leading factor)常做宾语。

例句 国民经济的发展要以农业为基础、工业为主导。|课堂上要以学生为中心,以教师为主导。

【主动】 zhǔdòng 〔形〕

❶ 不待外力推动而行动。(act without outside impetus)常做谓语、定语、状语、补语。

例句 他工作很主动。|员工们的主动精神值得表扬。|领导要主动承担责任。|做得太主动了,反让人怀疑。

❷ 能够造成有利局面,使事情按照自己的意图进行。(take the initiative; do sth. of one's own accord)常做谓语、定语、宾语。

例句 第一步主动,以后才能步步主动。|球场上他们始终处于主动地位。|情况清楚了,就有了工作的主动权。|棋下到了一半儿,他已掌握了主动。|你还是争取主动,彻底坦白吧。

【主观】 zhǔguān 〔名/形〕

〔名〕哲学上指人的自我意识;精神。(subjective)常做主语、宾语、定语、状语。

例句 如果主观脱离客观,就会犯错误。|客观决定主观。|尽管主观愿望是好的,但结果并不好。|别埋怨别人,应该从主观找原因。|这么好的成绩是她主观努力的结果。

〔形〕不依据实际情况,单凭自己的偏见的。(subjective; peculiar to a particular individual)常做谓语、定语、状语。

例句 你看问题别那么主观好不好?|这种看法太主观了。|这只是你自己主观想象,没有事实依据。|要是主观地看人,往往会出问题。|她主观地认为是刘强的责任。

【主管】 zhǔguǎn 〔动〕

负主要责任管理(某一方面)。(be responsible for; be in charge of)常做谓语、定语。

例句 他主管销售。|这项工作由你主管。|你去找主管部门联系一下吧。|一时找不到主管领导,怎么办?

▶"主管"也做名词,指主管的人员。如:项目主管　业务主管

【主力】 zhǔlì 〔名〕

主要力量。(main force; main strength of an army)常做主语、宾语、定语。

例句 这个队的主力没都上场。|部队主力已经撤退了。|坐了两年板凳以后,他终于成了主力。|足球队又招来了两名主力。|他是主力队员。|对手很强,要用主力阵容上场了。

【主流】 zhǔliú 〔名〕

干流;比喻事情发展的主要方面。(trunk stream; mainstream; essential or main aspect; main trend)常做主语、宾语、定语。

例句 历史上黄河主流曾经几次改道。|现在,国际形势的主流是和平与发展。|我们必须分清主流和支流,只要主流是好的,就应该肯定。|主流媒体不应炒作这件事。

【主权】 zhǔquán 〔名〕

一个国家在其领域内拥有的最高权力。(sovereign rights; sovereignty)常做主语、宾语、定语。[量]个,种。

例句 主权神圣不可侵犯。|国家之间应互相尊重主权。|在主权问题上,没有讨论的余地。

【主人】 zhǔrén 〔名〕

❶ 接待客人的人。(host)常做主语、宾语、定语。[量]位,个。

例句 主人不在家。|这家的主人是我多年的老朋友。|主人热情地接待了我们。|我就是这家的主人。|你告诉女主人一声吧。|主人的热情让我非常感动。|这位小主人的良好教养给客人留下了深刻印象。

❷ 雇用仆人或占有奴隶的人。(master; slave-owner)常做主语、宾语、定语。[量]个。

例句 主人是个教师。|每天给主人做两顿饭。|她动不动就以主人的身份训人。

❸ 财物或权力的所有人。(owner)常做宾语、主语。

例句 他是钱包的主人。|遗产的主人是这个照料老人的小保姆。

【主人翁】 zhǔrénwēng 〔名〕

❶ 当家做主的人。(master)常做宾语、定语。

例句 人民是国家的主人翁。|你们要发扬主人翁的精神。|人民的主人翁地位有法律保障。

❷ 文艺作品的中心人物。(leading character in a novel, etc.; hero or heroine; protagonist)常做主语、宾语、定语。

例句 这部戏的主人翁由香港演员扮演。|小芳是这部电影的女主人翁。|作品表现了女主人翁高尚的情操。

【主任】 zhǔrèn 〔名〕

职位名称,一个部门或机构的主要负责人。(director; head; chairman)常做主语、宾语、定语。[量]位,个。

例句 办公室主任通知你去领奖金。|主任出去了,一会儿就回来。|他刚刚提升为主任。|老王是车间主任。|主任的家就在公司的旁边。|这是系主任的办公室。

【主食】 zhǔshí 〔名〕

主要食物，一般用粮食制成。(staple food; principal food)常做主语、宾语、定语。[量]种。

例句 主食吃什么？|宴会的主食是饺子。|这个饭馆有好几种主食。|面包是西方人的主食。|午饭主食的种类很多。|主食的价格不贵。

【主题】 zhǔtí 〔名〕

文艺作品的中心思想，是作品思想内容的核心，也指谈话、活动的中心。(theme; subject; motif; leitmotif)常做主语、宾语、定语。[量]个。

例句 主题只能有一个。|客套话就不说了，现在我们直奔主题。|主题的好坏决定作品的价值。

【主体】 zhǔtǐ 〔名〕

事物的主要部分。(main body; main part; principal part)常做主语、宾语、定语。[量]个。

例句 大楼的主体已经完工。|全部体育设施以可容纳8万人的体育场为主体。|主体工程将于下月竣工。

【主席】 zhǔxí 〔名〕

❶ 主持会议的人。(chairman)常做主语、宾语、定语。[量]位。

例句 会议主席由各代表团团长轮流担任。|大家一致推举他当主席。|主席的座位应该在正中央。

❷ 某些国家、国家机关、党派或团体某一级组织的最高领导职务名称。(chairman or president)常做主语、宾语。[量]位，个。

例句 中国的国家主席每届任期五年。|工会主席到工人家走访去了。|中国领导人在中南海会见了国际奥委会主席。

【主要】 zhǔyào 〔形〕

有关事物中最重要的；起决定作用的。(main; chief; principal; major)常做定语、状语。

例句 工作做得不好，主要原因是不喜欢这个工作。|无论做什么都要抓主要问题。|处理这个问题主要有两种方法。

【主义】 zhǔyì 〔素〕

❶ 对客观世界、社会生活及学术问题等所持有的系统的理论和主张。(-ism; systematic doctrine or theory on the objective world, society, or academic issues)用于构词。

词语 唯物主义　达尔文主义　现实主义　浪漫主义

❷ 思想作风。(ideological style)常用于构词。

词语 自由主义　主观主义　好人主义

❸ 一定的社会制度或政治经济体系。(social system; politico-economic system)常用于构词。

词语 社会主义　资本主义

【主意】 zhǔyi 〔名〕

确定的意见；办法。(idea; plan; decision; definite view)常做主语、宾语。[量]个。

例句 你这个主意不错。|他的主意已经定了，再劝也没有用。|怎么处理这件事，他拿不定主意。|明天就出发了，去不去她还没个主意。|你按这个主意去办吧。

【主张】 zhǔzhāng 〔动/名〕

〔动〕对于如何行动持有某种见解。(advocate; stand for; maintain; hold)常做谓语。

例句 有人主张多办一些民营大

学。|他主张先付款、后供货。

〔名〕对于如何行动所持的见解。(view; position; stand; proposition)常做主语、宾语。[量]个,种。

例句 这两种主张都有道理。|他的主张得到了大家的赞成。|情况太突然,大伙儿一时也拿不出什么主张。|我们完全同意老李的那个主张。|我把小王的主张告诉大家。

【拄】 zhǔ 〔动〕

为了支持身体用棍杖等顶住地面。(lean on)常做谓语。

例句 手术后,老人每天拄着拐杖散步。|爷爷八十多了,身体很好,走路连拐棍也不拄。

【煮】 zhǔ 〔动〕

把食物或其他东西放在有水的锅里烧。(boil;cook)常做谓语。

例句 饭还没煮好。|把奶瓶煮一煮,消消毒吧。|妈妈正在煮水饺。|这牛肉太老,怎么煮也煮不烂。

【嘱咐】 zhǔfù 〔动〕

告诉对方记住应该怎样,不应该怎样。(enjoin;tell;exhort)常做谓语、宾语、主语。

例句 每天早晨,妈妈嘱咐完了孩子才去上班。|大夫嘱咐病人好好休息。|她说:“有什么话,再嘱咐嘱咐吧。”|她想起父母的嘱咐,又坚持了下去。|在国外的三年,我一直把校长的嘱咐牢记在心间。|您的嘱咐,我永远也忘不了。

【嘱托】 zhǔtuō 〔动〕

托人办事。(entrust)常做谓语、主语、宾语。

例句 小王嘱托我到北京后一定去看看他妈妈。|大家的嘱托我都记下了。

辨析 〈近〉嘱咐。“嘱托”重在托人办事;“嘱咐”重在要别人记住什么话或该做什么事。如:* 妈妈一再嘱托我上学别迟到。(“嘱托”应为“嘱咐)|* 出国前,妈妈把家里嘱咐给了姥姥。(“嘱咐”应为“嘱托)

【助】 zhù 〔动〕

帮。(help; aid; assist)常用于构词及固定短语,也做谓语。

词语 助人为乐 有助于 帮助 助理 助长

例句 我来助你一臂之力。|真是天助我也!

【助理】 zhùlǐ 〔名〕

协助主要负责人办事的(多用于职位名称)。(assistant)常做主语、宾语、定语。[量]个,位。

例句 校长助理代表校长讲了话。|杨助理还没来。|他被选为厂长助理。|请叫刘助理来一下。|几个助理研究员搞成了一项重要的试验。|助理工程师设计的图纸被采用了。

【助手】 zhùshǒu 〔名〕

不独立承担任务,只协助别人进行工作的人。(assistant)常做主语、宾语、定语。[量]个,位。

例句 助手给他递过手术刀,手术开始了。|助手们先走了。|领导给老教授配备了一名助手。|这几天,由我来当你的助手。|最近,助手的身体不太好,我就自己干了。

【助长】 zhùzhǎng 〔名〕

帮助增长。(encourage; abet; put a premium on)常做谓语(带宾语)。

例句 绝不能助长这种风气。

【住】 zhù 〔动〕

❶ 在某地、某处或某房(间)生活或

过夜。(live;reside;stay)常做谓语,也用于构词。

词语 居住 住宿 住宅 住房 住户 住址

例句 楼下住着两位客人。|你们家住在什么地方?|丈夫回来只住了一夜就走了。|她出门都是住三星级以上的宾馆。|我住的地方离公司太远了。

❷ 停止。(stop;cease)常做谓语。

例句 风住了,雪还在下。|这雨一时还住不了。|快住手,再弄就坏了。

❸ 表示牢固或稳当。(firmly;tight)常做补语。

例句 小花猫捉住了老鼠。|你要拿住,千万别掉了。|生词太多了,记不住。

❹ 表示停顿或静止。(to a stop)常做补语。

例句 两句话就把她问住了。|听到这个消息,他当时就愣住了。

❺ 表示力量够得上或够不上;胜任。(withstand; hold out)常做补语,与"得"或"不"连用。

例句 这两天太累了,有点儿支不住了。|她承受不住这样的打击,你千万别告诉她。|A:你休息休息再干吧。B:没关系,我挺得住。

【住房】 zhùfáng 〔名〕

供人居住的房屋。(housing;lodging)常做主语、宾语、定语。[量]套,间。

例句 现在住房已经商品化了。|大城市里住房是一个大问题。|结婚两年了,可还没有一套自己的住房呢。|你恐怕得贷款买住房了。|这些职工的住房困难解决了吗?|现在,很多人的住房条件得到了改善。

【住所】 zhùsuǒ 〔名〕

居住的处所。(dwelling place;residence;domicile)常做主语、宾语、定语。[量]个,处。

例句 犯罪分子的住所被警察包围了。|那边的住所刚装修完,很漂亮。|他在海边买了一处新住所。|灾民们还没有安身的住所。|住所的四周都是草坪。

【住院】 zhù yuàn 〔动短〕

病人住进医院治疗。(be hospitalized)常做主语、谓语、宾语、定语。中间可插入成分。

例句 住院可是件麻烦事。|住院需要很多钱,准备好了吗?|他已经住了三次院了。|老黄住了二十天院,都住够了。|你这种病应该马上住院。|有一个病人急需住院,还有床位吗?|我怕住院,还是在门诊治吧。|只靠保险金付住院费还不够。|住院手续办好了。

【住宅】 zhùzhái 〔名〕

住房(多指规模较大的)。(residence;dwelling)常做主语、宾语、定语。[量]片,幢,栋,套。

例句 那片住宅很漂亮。|这些住宅都是新建的。|房地产公司新开发了很多高档住宅。|我想买一套海边的住宅。|那片住宅区环境污染严重。|市政府筹资建起了5幢教师住宅楼。

【注】 zhù 〔动〕

❶ 灌(guàn)入。(pour;fill)常做谓语,也用于构词。

词语 注射

例句 昨天傍晚大雨如注,机场关闭。|改革给企业注入了新的活力。

❷ (精神、力量)集中。(concentrate;fix)常用于构词。

词语 注目 关注 注视 注意 注重

❸ 用文字解释字句;登记。(annotate;explain with notes;record;register)常用于构词,也做谓语。

词语 批注 注解 注释 注册 注销

例句 在这段话旁边注一下吧,省得忘了。

【注册】 zhùcè 〔动〕

向有关机关、团体或学校登记备案。(register)常做谓语、定语。

例句 返校的学生今天注册。|你们这个公司注册了吗?|注册商标受法律保护。|他们单位注册的项目都搞完了。

【注解】 zhùjiě 〔动/名〕

〔动〕用文字来解释字句。(explain with notes)常做谓语。

例句 老人家一生注解过很多古书。|请用英文注解这段文章。

〔名〕解释字句的文字。(annotation;note)常做主语、宾语。[量]个。

例句 这个注解不够清楚。|那些注解读起来不太好懂。|他给这两句诗做了新的注解。|这篇古文要是没有注解,还真不好理解。

【注目】 zhùmù 〔动〕

把视线集中在一点上。(gaze at;fix one's eyes on)常做谓语(不带宾语)、定语、宾语。

例句 你穿这件衣服太引人注目了。|她年轻漂亮,当然让许多男子注目了。|人们向国旗行注目礼。|这件事引起了世界的注目。

【注射】 zhùshè 〔动〕

用针管把液体的药输入有机体内。(inject)常做谓语、定语、宾语。

例句 他注射了镇静剂以后睡着了。|护士给我注射了一针青霉素。|孩子在注射室扎针呢。|这种一次性注射器很卫生。|研究人员正在给小白鼠进行注射。

【注视】 zhùshì 〔动〕

注意地看。(look attentively at;gaze at)常做谓语、宾语。

例句 儿子目不转睛地注视着满天的星星。|手术开始了,实习医生注视着主治医生的每一个动作。|她的衣着引起许多人的注视。

【注释】 zhùshì 〔动/名〕

〔动〕用文字解释、说明。(annotate;explain with notes)常做谓语、定语。

例句 请注释一下这段古文。|于博士把疑难的句子详细地注释出来了。|你注释的文章我读过了。

〔名〕解释字句的文字。(annotation;explanatory note)常做主语、宾语、定语。[量]个,段。

例句 这篇古文的注释很详细。|中学课本注释比较简明。|每课书后都有语法注释。|这本书没加注释。|那本书的注释部分是由一位老教授写的。

【注意】 zhùyì 〔动〕

把意志放到某一方面。(pay attention to;take note of)常做谓语、状语、宾语、定语。

例句 你要注意身体。|顾客太多,有时注意不过来。|她很注意怎样能减肥。|大家注意地听导游介绍。|老师注意地听学生的发音。|学生早恋的倾向值得注意。|安全方面

Z

要多加注意。|保护野生动物应当引起全社会的注意。|队长在讲注意事项。

【注重】 zhùzhòng 〔动〕

重视。(lay stress on; pay attention to; attach importance to)常做谓语。

例句 教师应该注重自己的形象。|你要注重自己的言行。|演员都比较注重衣着。

【驻】 zhù 〔动〕

❶(部队或工作人员)住在执行职务的地方;(机关)设在某地。(be stationed)常做谓语。

例句 部队在这儿驻 10 天。|他常驻香港,一年才回家一次。|爸爸在驻美大使馆工作。|公司在北京有驻京办事处。

❷ 停留。(halt; stay)常用于构词。

例句 前边来了秧歌队,人们都驻足观看。

【驻扎】 zhùzhā 〔动〕

(军队)在某地住下。(be stationed; be quartered)常做谓语、定语。

例句 今夜就驻扎在村子里吧。|部队在山脚下驻扎下来。|那些驻扎部队每天都在操练。|驻扎的地点紧靠着一条公路。

【柱子】 zhùzi 〔名〕

建筑物中直立的起支持作用的构件,用木、石、钢材等制成。(post; pillar)常做主语、宾语、定语。[量]根。

例句 这根柱子多粗啊!|那么大的厅一根柱子也没有。|屋中间竖着一根柱子。|门前有两根柱子。|柱子上的文字是什么意思?|所有柱子的高度都是 10 米。

【祝】 zhù 〔动〕

表示良好的愿望。(express good wishes; wish)常做谓语,也用于构词。

词语 祝词 祝酒 祝福 祝寿 祝贺 祝愿

例句 祝你身体健康!|祝你生日快乐!|祝你们全家幸福!|祝新春快乐,万事如意!|祝大家一生平安!

【祝福】 zhùfú 〔动〕

祝人平安和幸福。(blessing; benediction)常做谓语、宾语。

例句 祝福你们,新郎新娘!|我衷心地祝福这些年轻人。|请接受大家的祝福!

【祝贺】 zhùhè 〔动/名〕

〔动〕为喜事表示庆祝或道喜。(congratulate)常做谓语、宾语。

例句 热烈祝贺大会的召开!|等他回来,我们要好好祝贺一下。|这事儿值得祝贺。|市领导向获奖者表示祝贺。

〔名〕庆祝或道喜的言行。(congratulations)常做宾语。

例句 请接受我们对你的祝贺。

【祝愿】 zhùyuàn 〔动/名〕

〔动〕表示良好愿望。(wish)常做谓语、定语。

例句 我衷心祝愿你们幸福!|祝愿他老人家身体早日康复!|老人对我说了一些祝愿的话。|白族姑娘给我们唱了一支祝愿的歌。

〔名〕良好的愿望。(wish)常做宾语。[量]个。

例句 朋友结婚时,我给他们送去了最美好的祝愿。|谢谢你的祝愿。

【著】 zhù 〔名/动〕

〔名〕表达知识、思想、感情的文字成品；书。(work; book; writings)常用于构词。

词语 名著 著作 译著

例句 《红楼梦》是一部名著。

〔动〕写作。(write)常做谓语。

例句 老人晚年仍著书立说。|这本书是王教授著的。

【著名】 zhùmíng 〔形〕

有名。(famous; celebrated; well-known)常做定语、谓语。

例句 李白是唐代著名诗人。|杭州是著名的旅游城市。|景德镇的瓷器最著名。

【著作】 zhùzuò 〔名〕

用文字表达意见、知识、思想、感情等所形成的成品。(work; book; writings)常做主语、宾语、定语。[量]本,部。

例句 海明威的著作差不多我都读过。|他的著作快要出版了。|我喜欢读历史著作。|张教授已经出版了很多部著作。|著作的版权当然归作者。|这部著作的印制质量不太好。

【铸】 zhù 〔动〕

把金属加热熔化后倒入模型,冷却后成为器物。(cast; found)常做谓语。

例句 这是明代铸的大钟。|雕像是铜铸的。

【铸造】 zhùzào 〔动〕

把金属加热熔化后倒入砂型或模子里,冷却后成为器物。(cast; found)常做谓语、定语、宾语。

例句 他们厂专门铸造机器零件。|小刘他们铸造过很多农用机械。|这里是铸造车间。|铸造任务要提前完成。|这些部件他们负责铸造。|一车间完成了基础部分的铸造。

【筑】 zhù 〔动〕

建,修建。(build; construct)常做谓语。

词语 筑巢引凤

例句 为防止江水泛滥,在两岸筑了两道大堤。|我们的工作是筑路架桥。|我军已经筑起了防御工事。

【抓】 zhuā 〔动〕

❶ 用手指或爪拿取。(grab; seize; clutch)常做谓语。

例句 他抓起帽子就往外走。|老大妈从筐里抓出一大把枣来。

❷ 用指或爪挠。(scratch)常做谓语。

例句 把小孩儿的指甲剪掉,就抓不了人了。|你快来帮我抓抓痒。|不小心被猫抓破了衣服。

❸ 捕捉、捉拿。(arrest; catch)常做谓语。

例句 警察抓住了两名犯罪嫌疑人。|小鸟专门抓虫子吃。|抓了半天,没抓着。

❹ 加强领导,特别着重(某方面)。(stress; take charge of; be responsible for)常做谓语。

例句 学校要抓好学生的思想道德培养。|他抓过一段时间人事。|无论做什么,都得抓住重点。|要把经济抓上去,首先得抓好教育。

❺ 吸引(人注意)。(draw; fascinate)常做谓语。

例句 这部电视剧一播放就抓住了观众。

【抓紧】 zhuā jǐn 〔动短〕

紧紧地把握住，不放松。(firmly grasp; pay close attention to)常做谓语。

例句 不抓紧时间恐怕干不完。|她对孩子的学习抓得不紧。|还有10天就比赛了，抓紧练吧。

【爪子】 zhuǎzi 〔名〕

动物的有尖甲的脚。(claw; paw; talon)常做主语、宾语、定语。[量]只，个。

例句 猫的爪子很尖利。|鸡爪子下酒特好。|老鼠有4只小爪子。|老母鸡正用爪子在地里刨食呢。|洁白的雪地上有一排爪子印。

【拽】 zhuài 〔动〕

拉。(fling; throw; hurl)常做谓语。

例句 孩子拽住妈妈的衣服不放。|他一把把小狗拽了过来。|把绳子往下拽拽！

【专】 zhuān 〔形/名〕

〔形〕集中在一件事情上的；有专门业务和技术的。(for a particular person, occasion, purpose, etc.; focussed on one thing; special)常用于构词，也做谓语、状语、补语。

词语 专长 专门 专攻 专柜 专科 专家 专心 专题 专业 专一 专用 专职 专著

例句 他特别专。|在学问上要专。|他专攻计算机。|这是专为你买的。|只有学得专，才容易学得好。

〔名〕专业学校。(specialized school)常用于构词或用于短语。

词语 中专 大专院校 财专(财贸专科学校)

▶"专"也做动词，指独自掌握和占有。如：专政 专利 专权 专卖

【专长】 zhuāncháng 〔名〕

专门的学问技能；特长。(speciality; special skill or knowledge)常做主语、宾语。[量]门，个。

例句 在这次活动中，每个人的专长都表现出来了。|他的专长是绘画。|领导安排工作，要尽量发挥每个人的专长。|我们公司有专长的人不少。

【专程】 zhuānchéng 〔副〕

专为某事而到某地。(special; special trip)常做状语。

例句 他是专程来看你的。|市长专程到北京举行招商说明会。|女儿从国外专程赶回来为父亲祝寿。

【专家】 zhuānjiā 〔名〕

对某一学问有专门研究的人；擅长某项技术的人。(expert; specialist)常做主语、宾语、定语。[量]个，位。

例句 与会的几位专家提出了宝贵意见。|发言的几个专家都很年轻。|张先生是计算机方面的专家。|我们医院有很多专家。|专家们的意见很中肯。|请问，专家招待所怎么走？

【专科】 zhuānkē 〔名〕

❶只教授某一项或一些专门技术的学校。(college for professional training; training school)常做主语、宾语、定语。

例句 专科一般学习两年，本科要学四年。|孩子只考上了专科。|妹妹不太喜欢专科。|专科毕业生可以参加工作，也可以接着读本科。|专科的特点是时间短，成材快。

❷专门的科目。(speciality; special field of study; specialized subject)常做定语。

例句 还是请专科医生看看吧。|专科词典的解释比较细。

【专利】 zhuānlì 〔名〕
法律保障创造发明者在一定时期内因创造发明而独自享有的利益。(patent)常做宾语、定语、主语。[量]项。

例句 别看小李才25岁,已经有了一项专利了。|她正在为自己的新发明申请专利。|这些都是专利产品。|我们公司的一些专利项目已经转让了。|这项专利给使用者带来了巨大的经济效益。

【专门】 zhuānmén 〔形〕
专从事某一项事的;专为某件事的。(special; specialized)常做定语、状语。

例句 这是一所培养外语人才的专门学校。|我在大学专门学服装设计。|市长是专门来参加开业典礼的。|为了上好课,我专门请教了有经验的教师。

【专人】 zhuānrén 〔名〕
专门负责某项工作的人。(person specially assigned to a task or job)常做宾语。

例句 每项工作都要有专人负责。|我们已经派专人去办理这件事了。

【专题】 zhuāntí 〔名〕
专门研究或讨论的题目。(special subject; special topic)常做主语、宾语、定语、状语。[量]个。

例句 这个专题值得好好研究一下。|有的专题至今无人问津。|我还没有选好研究的专题。|会上代表们集中讨论了一个专题。|明天有专题报告会,你参加吗?|专题学术讨论会明天在礼堂举行。|市长办公会昨天专题研究了节水问题。|要拿出方案,得先进行专题调查。

【专心】 zhuānxīn 〔形〕
集中注意力。(concentrate one's attention; be absorbed)常做谓语、状语。

例句 上课时,学生个个都很专心。|什么事必须专心才能做好。|他在国外专心攻读了五年,获得了工学博士学位。|妈妈专心地给孩子洗衣服,没听见门铃声。

【专业】 zhuānyè 〔名〕
高等学校的学业分类或产业部门的业务部分。(special field of study; specialized subject; speciality; specialized trade or profession; special line)常做主语、宾语、定语。[量]个,门,种。

例句 他的专业是历史学。|我的专业不太容易找工作。|当时,她选择了汉语专业。|小红想学计算机专业。|学生既要学好专业知识,也要加强品德修养。|只有不断提高专业素质,才能适应社会需要。

【专业户】 zhuānyèhù 〔名〕
中国农村中专门从事某种农副业的家庭或个人。(a rural family that goes in for a special kind of production; specialized household)常做主语、宾语、定语。[量]个。

例句 现在农村各种专业户很多。|专业户们迫切需要科学技术。|他家是养鸡专业户。|这个村有40多个专业户。|专业户的管理工作也要跟上。

【专用】 zhuānyòng 〔动〕
专供某种需要或某个人使用。(for a special purpose)常做谓语、定语。

例句 这辆车由你专用。|那个研究室归你专用。|这是接送上下班的专用车。|外交人员可以走专用通道。

【专政】 zhuānzhèng 〔名/动〕

〔名〕占统治地位的阶级对敌对阶级实行的强力统治。(dictatorship)常做宾语、定语。

例句 中国实行人民民主专政。|任何国家都是一种专政工具。

〔动〕占统治地位的阶级对敌对阶级实行强力统治。(govern by means of dictatorship)常做谓语。

例句 对人民要实行民主,对敌人就要专政。

【专制】 zhuānzhì 〔形/名〕

〔形〕凭自己的意志独断专行,操纵一切。(autocratic; despotic)常做谓语、定语。

例句 他很专制。|遇事不能专制,要多听大家的意见。|专制的领导不受欢迎。

〔名〕(君主)独自掌握政权的体制。(autocracy)常做主语、宾语、定语。

例句 封建专制已经基本消亡了。|反对专制,实行民主。|不消灭专制制度,社会就不能进步。

【砖】 zhuān 〔名〕

把黏土等做成的坯放在窑里烧制而成的建筑材料,也指形状像砖的东西。(brick; sth. shaped like a brick)常做主语、宾语、定语。[量]块。

例句 这些砖是用来建学生宿舍的。|建造房屋要用砖。|砖的价格不贵。

【转】 zhuǎn 〔动〕 另读 zhuàn

❶ 改换方向、位置、形势、情况等。(turn; shift; change)常做谓语,也用于构词。

词语 转变 转车 转动 转换 转移 好转 转弯 转业 转折

例句 她转了两所学校。|春天到了,天气转暖了。|人们的观念一下子很难转过来。

❷ 把一方的物品、信件、意见等转到另一方。(pass on; transfer)常做谓语,也用于构词。

词语 转达 转发 转告 转交 转让 转送

例句 我替他转过信,还转过包裹。|请把这笔钱转到这个户头上。|你把礼物转给她了吗?

【转变】 zhuǎnbiàn 〔动〕

由一种情况变到另一种情况。(change; transform)常做谓语、主语、定语。

例句 他突然转变了立场。|我们这里也应该转变转变风气。|这个转变令人兴奋。|最近,马克的学习态度发生了很大的转变。

【转播】 zhuǎnbō 〔动〕

(广播电台、电视台)播送别的电台或电视台的节目。[relay (a radio or TV broadcast)]常做谓语、定语、主语、宾语。

例句 中央电视台将转播世界杯足球比赛。|电视台转播了留学生卡拉OK大赛。|转播的时间不太好。|他们买下了奥运会的转播权。|这次转播从晚上19:00开始。|中央电视台正在进行游泳比赛的实况转播。

【转达】 zhuǎndá 〔动〕

把一方的话转给另一方。(pass on; convey)常做谓语。

例句 我一定把您的关心转达到。|他转达了公司的意见。|请你把这个消息转达给他。

【转动】 zhuǎndòng 〔动〕 另读 zhuàndòng

转身活动;身体或物体的某部分自由活动。(turn; move; turn round)常做谓语。

例句 体转运动,是身体向两侧转动。|机器人的头和手都可以灵活转动。

【转告】 zhuǎngào 〔动〕

把某人的话、情况等告诉另一方。(pass on; communicate; transmit)常做谓语。

例句 你的意见我已经转告给他了。|请转告老师一下,今天我不能上课了。|他向我转告了你的意思。

辨析 〈近〉转达。"转告"口语、书面语都常用,内容可以是日常生活中的事,也可以是较庄重的事;"转达"多用于书面语,内容是庄重的事。

【转化】 zhuǎnhuà 〔动〕

一事物变为另一事物,或事物矛盾发展过程中对立面对换位置;转变;改变。(change; transform)常做谓语、定语。

例句 我们应该把消极因素转化成积极因素。|失败可以转化为成功,好事也可以转化为坏事。|对犯错误的人要做耐心细致的转化工作。|病不是一下子得的,有一个转化过程。

【转换】 zhuǎnhuàn 〔动〕

改变;改换。(change; transform)常做谓语、主语。

例句 大家谈得正高兴,他忽然转换了话题。|不转换经营机制,就很难增加效益。|如果你觉得这么坐不舒服,可以转换一下位置。|思维方式的转换往往可以产生意想不到的效果。

【转交】 zhuǎnjiāo 〔动〕

把一方的东西交给另一方。(pass on; transmit)常做谓语。

例句 他让我把这本书转交给你。|请把这张照片转交给她。

【转让】 zhuǎnràng 〔动〕

把自己的东西或应享有的权利让给别人。(transfer the ownership of; make over)常做谓语、宾语。

例句 我想把房子转让给你。|把这批货转让给我们好吗?|通过技术转让,研究所也获得了经济效益。

【转入】 zhuǎnrù 〔动〕

转变并进入。(change over to; shift to; switch to)常做谓语(带宾语)。

例句 我们的工作已逐步转入正轨。|互致问候之后,双方马上转入正题。|一些犯罪活动转入地下。

【转弯】 zhuǎn wān 〔动短〕

拐弯;比喻改变认识或想法。(turn a corner; make a turn; change one's viewpoint or concept)常做谓语,中间可插入成分。

例句 我家离学校很近,转个弯就到了。|他是个直性子,说话从来不转弯。|劝了好半天,她才转过弯来。

【转弯抹角】 zhuǎn wān mò jiǎo 〔成〕

沿着弯曲的路走,比喻说话做事不直截了当。(full of twists and turns; speak in a roundabout way)常做谓语、定语、状语。

例句 两个人转弯抹角,半天才找

到那个小市场。|有话直说,别转弯抹角的!|我听不懂你这转弯抹角的话。|我转弯抹角地表达了我的意思,没想到他竟一口答应了。

【转危为安】zhuǎn wēi wéi ān〔成〕
从危险转为平安。(take a turn for the better and be out of danger; pull through)常做谓语。

例句 放心吧,被大火围困在楼上的群众都转危为安了。|幸亏抢救及时,老张才转危为安。

【转向】zhuǎnxiàng〔动〕另读 zhuànxiàng
转变方向;比喻改变政治立场。(change direction; change one's political stand)常做谓语、主语、宾语。

例句 保守派执政后,他立刻转向了保守派。|市场需求的转向,给我们带来了很大的损失。|大家都很痛恨他在关键时刻的转向。

【转移】zhuǎnyí〔动〕
改换位置,从一方移到另一方;改变。(shift; transfer; divert; transform)常做谓语。

例句 伤员已经转移到安全地带了。|我们应该把工作重点转移到产品换代上来。|趁着癌(ái)细胞还没转移,马上动手术吧。|人的生老病死是不以人的意志为转移的自然法则。

【转折】zhuǎnzhé〔动〕
(事物)在发展过程中改变原来的方向、形势等;也指文章或语意由一个方向转向另一方向。(a turn in the course of events; transition)常做谓语、定语、宾语、主语。

例句 文章由过去谈到现在,转折得很自然。|形势转折太快了,思想有些跟不上。|"但是"是转折连词。|在历史的转折时期,常常能出现很多英雄。|改革开放是当代中国一次重大的转折。|文章的转折有些突然,再改一下吧。

【传】zhuàn〔名〕另读 chuán
记录人的生平、记述历史故事的文字或作品。(biography; story or novel)常用于固定短语或用于构词,也做宾语。[量]个。

词语 自传 传记 外传 水浒传

例句 他专门给语言学家写传。

【传记】zhuànjì〔名〕
记录某人生平事迹的文字。(biography)常做主语、宾语、定语。[量]部。

例句 这部传记记叙了伟人的一生。|他喜欢读名人传记。|我正在采访,准备写一部人物传记。|她专门研究传记文学。|这篇文章是传记体裁。

【转】zhuàn〔动〕另读 zhuǎn
❶ 旋转;物体围着一个点或轴作圆周运动。(turn; rotate)常做谓语,也用于构词。

词语 转动 转门 转速 转梯 转椅

例句 轮子转得很快。|小风车飞快地转着。|地球自转一圈要 24 小时。

❷ 绕着某物移动。(take a lap around sth.)常做谓语、补语。

例句 你在那儿转来转去干什么?|晚上没事,到附近转转吧!|他急得直转圈子。

【转动】zhuàndòng〔动〕另读 zhuǎndòng

物体以一点为中心或以一直线为轴作圆周运动。(turn;revolve;rotate)常做谓语。

例句 河水使巨大的水车转动起来。|转动这个,就带动了那个。

【赚】 zhuàn 〔动〕

获得利润;挣钱。(make a profit;gain)常做谓语、定语。

例句 这两年做买卖赚了不少钱。|做这个不赚钱。|炒股赚的人少,赔的人多。|赚的钱都赔进去了。

【庄】 zhuāng 〔名〕

❶ 村。(village)常用于构词。

词语 庄户 农庄 村庄 李家庄

❷ 封建社会里君主、贵族等所占有的成片的土地。(manor;land owned by the monarch and nobles under the feudal system)常用于构词。

词语 田庄 庄园 皇庄

❸ 规模较大或做批发生意的商店。(a place of business)常用于构词。

词语 钱庄 布庄 茶庄

❹ 打牌或赌博时每一局的主持人。[banker(in a gambling game)]常做宾语。

例句 这局该是老刘做庄了。|下回是谁做庄?

【庄稼】 zhuāngjia 〔名〕

地里长着的农作物(多指粮食作物)。(crops;agricultural plants growing in the field)常做主语、宾语、定语。[量]片,块。

例句 庄稼遭了虫害。|看看这片庄稼,长得多好!|农民光种庄稼不行,还得多种经营。|这片庄稼地被征用了。

【庄严】 zhuāngyán 〔形〕

庄重而严肃。(solemn;dignified;stately)常做谓语、状语、定语、宾语。

例句 会场很庄严。|登山队员在珠峰上庄严宣告登顶成功。|庄严的人民大会堂是北京最宏伟的建筑之一。|会场的布置让人感到一种庄严的气氛。|这座古城让你感到庄严、宁静。|主席台挂着一面国旗,显得十分庄严。

【庄重】 zhuāngzhòng 〔形〕

言行不随便;不轻浮。(serious;grave;solemn;sedate)常做谓语、定语、状语、宾语。

例句 服装模特姿态优美,神情庄重。|石像神态庄重。|见到他庄重的表情,办公室一下子静下来。|老师那庄重的声音至今还在耳边回响。|在大家热烈的掌声中,队长庄重地捧起了奖杯。|父亲庄重地说:"做人一定要诚实。"|处长年龄不大,可举止显得特别庄重。

辨析 〈近〉庄严。"庄重"重在不随便,不轻浮,"庄严"重在严肃,不可侵犯。"庄重"多形容神情、言语、举止等,"庄严"多形容环境、气氛等。如:* 你的态度能不能庄严点儿?("庄严"应为"庄重")

【桩】 zhuāng 〔名/量〕

〔名〕一端或全部埋在土里的柱形物,多用于建筑或做分界的标志。(stake;pile)常做主语、宾语。[量]个。

例句 这个桩是公里标志。|桥桩已经立好了。|工人们正在打桩。|在这儿竖个桩。

〔量〕件(用于事情)。(*for matters*)

常构成短语做定语。

例句 妈妈有一桩心事。|你能不能帮我办一桩事?

【装】 zhuāng 〔动〕

❶ 打扮,使好看或像某角色。(dress up;attire;deck;play the part of)常做谓语,也用于构词。

词语 化装 装点 装修 装饰

例句 咱们谁装经理?|她装老太婆装得可像了。

❷ 故意做出不真实的动作。(pretend;feign;make believe)常做谓语。

例句 不懂就是不懂,不要装懂。|他装出一副可怜的样子。|你装装样子给他们看嘛!

❸ 把东西放进器物内或运输工具上。(load;pack;holds)常做谓语。

例句 这个仓房能装很多东西。|你把这些糖果都装进塑料袋里吧。|这么小的车,10 个柜子装不下吧?

❹ 把设备等固定在某处;把零件组合成整体。(install;fit;assemble)常做谓语。

例句 工人们正在装有线电视。|这条生产线一天能装多少台车?|很多家庭都装上了空调。

【装备】 zhuāngbèi 〔动/名〕

〔动〕配备(武器、军装、器材、技术力量等)。(equip;fit out)常做谓语。

例句 这些武器可以装备一个营。|集团军装备了最新式的直升机。

〔名〕指配备的武器、军装、器材、技术力量等。(equipment;outfit)常做主语、宾语。[量]种。

例句 装备非常精良。|部队有各种现代化的装备。

【装配】 zhuāngpèi 〔动〕

把零件或部件配成整体。(assemble;fit together)常做谓语、定语。

例句 发电机已经装配好了。|李师傅在那儿装配零件呢。|他当了一个装配工人。|把这些零件送到装配车间。

【装腔作势】 zhuāng qiāng zuò shì 〔成〕

形容故意做作。(be affected or pretentious;strike a pose;put on airs)常做谓语、定语、状语。

例句 不用怕他,他只不过装腔作势罢了。|这些装腔作势的家伙骗不了我。|明明是他在背后散布谣言,却还在我眼前装腔作势地充好人。

【装饰】 zhuāngshì 〔动/名〕

〔动〕在身体或物体的表面加些附属的东西,使美观。(decorate;adorn;ornament;deck)常做谓语、定语、宾语。

例句 她用自己做的布艺装饰房间。|几幅名人字画,将大厅装饰得十分雅致。|装饰图案设计得美观大方。|她特别喜欢戴装饰品。|这些花草也算装饰了。|小张一向朴素,不爱装饰。

〔名〕用来装饰的东西。(ornament)常做主语、宾语。[量]种。

例句 建筑物上的各种装饰都很精美。|每个房间都很宽敞,装饰和摆设也各不相同。|她没有任何装饰,却十分漂亮。|这座大楼设计了具有民族风格的装饰。

【装卸】 zhuāngxiè 〔动〕

装到运输工具上和从运输工具上取下;装上和拆下。(load and unload;assemble and disassemble)常做谓语、定语、宾语。

例句 码头的工人们正在装卸货物。|不一会儿,刘师傅就装卸完了一辆自行车。|他哥哥是车站的装卸工人。|装卸吊车正在繁忙地工作着。|什么时候开始装卸?|由于大雨,停止了装卸。

【装置】 zhuāngzhì 〔动/名〕

〔动〕安装。(install; fit)常做谓语。

例句 房间里装置了自动调温设备。|空调已经装置好了。

〔名〕机器、仪表或其他设备中,构造较复杂并具有某种独立功用的物件。(installation; unit; device; plant)常做主语、宾语、定语。[量]种。

例句 这个机床的自动化装置达到了国际先进水平。|那些简单的机械装置早就落后了。|指挥台由最新的电脑装置控制。|新住宅每家都安上了可视对讲装置。|新装置的操作我还不太熟悉。|这种装置的结构比较复杂。

【壮】 zhuàng 〔形/动〕

〔形〕强大;结实有劲。(strong; robust)常做谓语、定语、补语,也用于固定短语或构词。

词语 身强力壮 理直气壮 悲壮 雄壮 壮观 壮丽 壮实 壮志

例句 你瞧,那匹马多壮!|王强是个壮小伙儿。|你儿子长得挺壮。

〔动〕使壮大。(strengthen; make better)常做谓语。

例句 你给我壮壮胆吧,不然我不敢上台。|为了壮声势,球迷们搬来了几面大鼓。

【壮大】 zhuàngdà 〔动〕

❶ 变得强大。(grow in strength; expand; strengthen)常做谓语。

例句 集体经济正在不断壮大起来。|我们公司日益壮大。

❷ 使强大。(strengthen)常做谓语。

例句 我们要壮大科研队伍。|大家共同努力,壮大我们的经济实力。

【壮观】 zhuàngguān 〔形〕

景象雄伟。(grand; magnificent)常做谓语、定语、宾语。

例句 万里长城非常壮观。|滚滚黄河气势壮观。|影片展现了壮观的战争场面。|海上日出真是壮观的美景。|节日的天安门城楼显得格外壮观。

【壮丽】 zhuànglì 〔形〕

雄壮而美丽。(majestic; magnificent; glorious)常做谓语、定语。

例句 黄山真是壮丽极了。|布达拉宫雄奇而壮丽。|抗洪英雄们用自己的生命谱写了一曲壮丽的诗篇。|我无限热爱祖国的壮丽河山。

【壮烈】 zhuàngliè 〔形〕

勇敢有气节。(heroic; brave)常做定语、状语、补语、谓语。

例句 那是一场壮烈的搏斗。|文章描写了英雄牺牲时的壮烈场面。|这些士兵壮烈牺牲了。|这位英雄死得非常壮烈。|保卫战十分壮烈。

【壮志】 zhuàngzhì 〔名〕

伟大的志向。(great aspiration; lofty ideal)常做主语、宾语。

例句 年青时真是壮志凌云。|虽然不年轻了,但壮志不减当年。|一个人要是没有雄心壮志,就不能做出伟大的事业。|当年,她满怀壮志,扎根边疆。

【状况】 zhuàngkuàng 〔名〕

情形。(condition; state; state of affairs)常做主语、宾语。[量]种。

例句 现在,农村的生活状况有了很大变化。|检查表明,母亲的健康状况良好。|市长详细地介绍了这个地区的经济状况。|只要改变"等客上门"的状况,公司效益就会提高。|关于全国的交通状况,书中都作了详细介绍。|我们不能满足于目前这种状况。

【状态】 zhuàngtài 〔名〕

人或事物表现出来的形态。(state; condition; state of affairs)常做主语、宾语。[量]种。

例句 他的心理状态真让人难以理解。|那个地区的紧急状态已有所缓解。|这种精神状态怎么能干好工作呢?|队员们已经进入了最佳状态。|我们要尽快摆脱落后的状态。|实验是在正常状态下进行的。|到目前为止,伤者还处于昏迷状态。

辨析 〈近〉状况。"状态"侧重于表现形态,常与物体"心理"、"积极"等词语搭配;"状况"侧重于具体情况,常与"政治"、"经济"、"文化"、"思想"等词语搭配。

【撞】 zhuàng 〔动〕

❶ 运动着的物体跟别的物体猛然碰上。(knock; bump against; run into; strike; collide)常做谓语。

例句 车把路边的树都撞倒了。|慢点骑,别撞着人。|孩子的头撞在门框上了。

❷ 碰见。(meet by chance; bump into; run into)常做谓语。

例句 他们也去公园了,你们没撞着吗?|在商店,我撞上了一个老同学。

❸ 试探;碰。(take one's chance)常做谓语。

例句 这次我可撞上好机会了。|不知道还有没有了,撞撞运气吧。

【幢】 zhuàng 〔量〕

房屋一座叫一幢。(*for houses and buildings*)常构成短语做定语。

例句 那里建起了一幢幢高楼。|张老师家住这幢楼。|每幢房子的造型都不同。

【追】 zhuī 〔动〕

❶ 加快速度赶上。(chase after; pursue)常做谓语。

例句 都走了半个小时了,追不上了。|快跑,他们已经追上来了。|警车正在追违章车。

❷ 事后调查。(trace; look into)常做谓语。

例句 一定要把这件事的原因追出来。|那个案子还要追下去。

❸ 努力达到某种目的。(court; woo)常做谓语。

例句 他一直在追那位姑娘,追了一年了。|李老师不追名不追利,一心扑在教学上。

【追查】 zhuīchá 〔动〕

事后进行调查。(investigate; trace; find out)常做谓语。

例句 上级正在追查他呢。|出现重大安全事故,必须追查责任。|这件事情一定要追查清楚。

【追悼】 zhuīdào 〔动〕

沉痛地怀念(死者)。(mourn over a person's death)常做谓语、定语。

例句 群众自发集会,追悼这位舍己救人的英雄。|大家沉痛地追悼这位著名的学者。|追悼大会开得庄严而隆重。

【追赶】 zhuīgǎn 〔动〕

❶ 加快速度，赶上（前面的人或事物）。（pursue; accelerate one's pace to catch up; run after）常做谓语、宾语。

例句 他快步追赶上去。|我们要追赶世界先进水平。|看着火车已经远去，他只好停止了追赶。

❷ 加快速度赶上前去打击或捉住。（accelerate one's pace in order to attack or capture）常做谓语。

例句 警察在追赶什么人？

【追究】 zhuījiū 〔动〕

追问（根由）；追查（原因、责任等）。（look into; find out; investigate）常做谓语、宾语。

例句 事故很严重，必须依法追究刑事责任。|要追究下去，看看到底是谁让他这么做的。|这件事的原因，有关方面正在进行追究。

【追求】 zhuīqiú 〔动〕

❶ 用积极的行动来争取达到某种目的。（seek; pursue）常做谓语。

例句 既要追求数量，更要追求质量。|他一生追求真理。|不能只追求享受而忘记了艰苦奋斗。

❷ 特指向异性求爱。（try to win the love of; court）常做谓语。

例句 他正在追求那位漂亮的姑娘。|她追求我，追求好几年了。

【追问】 zhuīwèn 〔动〕

一定要弄清楚地问。（question closely; make a detailed inquiry; examine minutely）常做谓语。

例句 公安人员正在追问犯罪同伙的下落。|他不知道，就不要再追问了。

【惴惴不安】 zhuìzhuì bù'ān 〔成〕

恐惧不安。（be anxious and fearful; be alarmed; be on tenterhooks）常做谓语、定语、状语。

例句 小明惴惴不安，生怕爸爸知道后打他。|惴惴不安的马克接到电话后，知道考试成绩不好。|我惴惴不安地等着她回答，她却低下了头，一声不吭。

【准】 zhǔn 〔形/动〕

〔形〕完全符合实际或预期的。（accurate; exact; precise）常做谓语、补语。

例句 他投篮很准。|手表不准了。|会不会下雨，我说不准。|这孩子汉语发音发得很准。

〔动〕允许。（allow; grant; permit）常做谓语（多用于否定式），也用于构词。

词语 准许 批准

例句 这儿不准调头。|这里不准拍照。|上班不准迟到。

【准备】 zhǔnbèi 〔动/名〕

〔动〕❶ 安排好事前应该做的事。（prepare; get ready）常做谓语、宾语、定语。

例句 你先准备准备。|女儿正在那儿准备高考。|喂，准备好了吗？|试验正在进行准备。|我们已经开始准备了。|这是给父母准备的礼物。|准备工作还有不少呢。

❷ 打算。（intend; plan）常做谓语（带宾语）。

例句 我准备考博士。|放假我准备去西安旅行。

〔名〕事前该做的安排。（preparation）常做主语、宾语。

例句 大家选我当班长，我一点儿

准备都没有。|没想到来了那么多客人,准备有点儿不足。|我们已经做好了思想准备。|他讲得不错,看来是有准备。

【准确】 zhǔnquè 〔形〕
行动的结果完全符合实际情况或预期的要求。(accurate; exact; precise)常做谓语、定语、状语、补语。
例句 玛丽的发音不太准确。|你的估计准确得很。|准确的数字对统计工作来说非常重要。|他把设计方案进行了准确的计算。|准确地说,他是美籍华人。|用外语准确地表达自己的思想是不容易的。|他回答得非常准确。|小刘计算得又迅速又准确。

【准时】 zhǔnshí 〔形〕
按规定的时间不早不晚。(on time; punctual; on schedule)常做谓语、状语、补语。
例句 明天开会一定要准时。|爷爷每天清晨五点起床,非常准时。|我每天都准时到校。|火车准时进站了。|你来得真准时。|食堂开饭开得很准时。

【准许】 zhǔnxǔ 〔动〕
同意别人的要求、许可。(permit; allow)常做谓语、宾语。
例句 中学不准许学生抽烟、喝酒。|在部队时,每年准许探一次亲。|未经准许,不得入内。

【准则】 zhǔnzé 〔名〕
言论、行动等所依据的原则。(norm; standard; criterion)常做主语、宾语。[量]条,个。
例句 每条准则都经过认真研究和讨论。|这些行为准则都是公民必须遵守的。|宪法是公民的最高行为准则。|处理外交事务,不能违反国际关系准则。

【捉】 zhuō 〔动〕
❶ 握,抓。(grasp; clutch; hold; grab)常用于构词,或用于固定短语。
词语 捉住 捉襟见肘
❷ 使人或动物落入自己的手中。(catch; capture)常做谓语。
例句 不管黑猫白猫,捉住老鼠就是好猫。|警察在火车上捉到一个小偷。

【捉襟见肘】 zhuō jīn jiàn zhǒu 〔成〕
拉一下衣襟就露出胳膊肘儿,形容衣服破烂。多比喻处境困难,应付不过来。(when one pulls together one's lapels, one's elbows poke through the sleeves——have too many difficulties to cope with)常做谓语、定语。
例句 用积蓄买了房子,支出有点儿捉襟见肘了。|公司的经营状况已经捉襟见肘了,可老总照样出国、买房子。|现在正是捉襟见肘的时候。

【桌】 zhuō 〔名/量〕
〔名〕意义同"桌子"。(table; desk)常用于构词或固定短语。
词语 桌子 桌布 桌椅板凳 书桌 餐桌
〔量〕以"桌"来计算。(for guests and dishes)常构成短语做定语。
例句 我在"渔港酒家"订了一桌菜。|昨天,老王过生日,请了三桌客人。

【桌子】 zhuōzi 〔名〕
家具,上有平面,下有支柱,在上面放东西或做事情。(table; desk)常做主语、宾语、定语。[量]张。

例句 这张桌子不太适合办公。|我给您换了一张桌子。|桌子的样式是中式的。

【卓越】 zhuóyuè 〔形〕

非常优秀,超出一般。(outstanding; brilliant; remarkable; prominent)常做定语。

例句 在经济理论方面,他取得了卓越的成就。|凭着运动员卓越的发挥,我队获得了冠军。|没有一大批卓越的人才,公司的发展是不可想象的。

【酌情】 zhuó qíng 〔动短〕

根据情况(适当地处理)。(take into consideration the circumstances; act according to the circumstances)常构成连动短语做谓语。

例句 这两个不上课的学生,你们酌情处理吧。|昨天那些群众来信要抓紧时间,酌情办理。

【啄】 zhuó 〔动〕

鸟类用嘴取食物。(peck; take food with the beak)常做谓语。

例句 小鸡正在一下一下地啄食。|啄木鸟从树干啄出来一条虫子。

【着】 zhuó 〔动〕 另读 zhāo, zháo, zhe

❶ 穿(衣)。(wear; dress)常做谓语。

词语 着装

例句 小姑娘们喜欢穿红着绿。|学生们身着节日的盛装。

❷ 接触,挨上。(touch; come into contact with)常做谓语。

例句 飞机安全着陆了。|来访者说了半天也不着边际。

❸ 使接触别的事物,使附在别的物体上。(apply; use)常用于构词。

词语 着手 附着 着眼 着笔

【着手】 zhuóshǒu 〔动〕

开始做;动手。(put one's hand to; set about)常做谓语。

例句 这项工作我们早就着手了。|厂里正在着手解决职工的住房问题。|要发展经济,就得从培养人才着手。

【着想】 zhuóxiǎng 〔动〕

(为某人或某事的利益)考虑。(consider; set one's mind on; think about)常做谓语(不带宾语)。

例句 你为父母着想过吗?|遇事也要为别人着想。

【着重】 zhuózhòng 〔动〕

把重点放在某方面;强调。(stress; emphasize)常做谓语、状语、定语。

例句 你着重这个方面,别的不要管。|你着重看前言。|这两个词在意义上的着重点不同。

【孜孜不倦】 zīzī bú juàn 〔成〕

勤奋努力,不知疲倦。(diligently; assiduously; indefatigably)常做谓语、定语、状语。

例句 他工作向来孜孜不倦,废寝忘食。|我们大家都要学习他这种孜孜不倦的学习精神。|夜已经很深了,他还在孜孜不倦地读书。

【咨询】 zīxún 〔动〕

征求意见。多指向顾问之类的人员或特设的机构征求意见。(consult; hold counsel with; seek advice from)常做谓语、定语。

例句 我们咨询过专家,专家是同意的。|这个问题我也解释不清,请

你向有关部门咨询咨询吧。|咨询的方式有很多种,比如打电话什么的。|咨询费我来付。

【姿势】 zīshì 〔名〕

身体呈现的样子。(posture; gesture)常做主语、宾语。[量]种,个。

例句 他跳舞,姿势优美大方。|这个姿式比较自然。|咱们换一种姿势再照一张吧。|我不喜欢他走路的姿势。|孩子把姿势摆好了,等妈妈拍照。

【姿态】 zītài 〔名〕

❶ 姿势,样儿。(posture; carriage; gesture)常做主语、宾语。[量]个,种。

例句 不管从哪个角度看,她的姿态都很美。|那尊塑像的姿态和神情十分生动。|花园里的鲜花有千百种姿态。|我还记得当时他打球时的姿态。

辨析 〈近〉姿势。"姿态"着重指情态,既可用于人,又可用于物;"姿势"着重指架势,只用于人。如: * 天上的云真是姿势万千。("姿势"应为"姿态")| * 请大家摆好姿态,要照相了。("姿态"应为"姿势")

❷ 态度,气度。(attitude; pose)常做宾语。

例句 他故意做出一副无所谓的姿态。|他总是保持强者的姿态。|在待遇问题上,老厂长表现出了高姿态。

【资本】 zīběn 〔名〕

❶ 为获利而进行生产或经营的本钱(钱和物等)。(capital)常做主语、宾语、定语。

例句 这家公司的注册资本有几百万元。|这个企业资本雄厚。|有家外商愿意提供部分资本。|做生意需要一定资本。|资本的数额可以衡量一个企业的实力。|这是我们公司的资本统计。

❷ 比喻获取利益的凭借。(sth. to capitalize on; sth. used to one's own advantage)常做宾语。

例句 他以前当过县级领导,这成了他的政治资本。|他没有任何资本向人民索取。

【资本家】 zīběnjiā 〔名〕

拥有资本,雇佣劳动者,经营企业的人。(capitalist)常做主语、宾语、定语。[量]个。

例句 许多资本家也是白手起家的。|他从一个雇员成为一个资本家。|这本书介绍了一些有名的资本家的经历。

【资本主义】 zīběn zhǔyì 〔名短〕

资本家占有生产资料并用以剥削雇佣劳动、榨取剩余价值的社会制度。(capitalism)常做主语、宾语、定语。

例句 资本主义在20世纪有了很大发展。|要很好地借鉴资本主义。|美国是典型的资本主义社会。

【资产】 zīchǎn 〔名〕

财产;企业资金。(property; capital; assets)常做主语、宾语、定语。[量]种,份。

例句 个人资产可以由直系亲属继承。|资产重组以后,企业走出了困境。|这个集团拥有多种资产。|今年资产总额比去年增加了1/5。|固定资产投资预计全年为一千万元。

【资产阶级】 zīchǎn jiējí 〔名短〕

占有生产资料,剥削工人的剩余劳动

的阶级。(the bourgeoisie; the capitalist class)常做主语、宾语、定语。

例句 资产阶级占有了社会的大部分财富。|爷爷只是小商人,不属于资产阶级。|她很向往资产阶级的生活方式。

【资格】 zīgé 〔名〕

❶ 从事某种活动所应具备的条件、身份等。(qualification)常做主语、宾语。[量]个,种。

例句 由于犯了法,他的代表资格被取消了。|我自己做得也不好,没有资格说别人。|因服用兴奋剂,有两名队员被取消了参赛资格。|资格审查委员会由18人组成。

❷ 由从事某种工作或活动的时间长短所形成的身份。(seniority; status accumulated due to the length of time engaging in certain work or activity)常做主语、宾语、定语。

例句 一般说来,资格越老,越有经验。|在我们单位,有十年工龄就算老资格了。|老赵从来不和我们摆资格。|对方的谈判代表是个老资格的外交家。

【资金】 zījīn 〔名〕

指经营工商业的本钱,也指用于发展国民经济的物资或货币。(capital; money; fund)常做主语、宾语、定语。

例句 国家建设资金主要来源于税收。|目前,一些国有企业资金使用不当的情况仍然存在。|我想自己经营,但缺少资金。|搞汽车买卖需要大量资金。|要提高产品品质,必须增加资金投入。

【资料】 zīliào 〔名〕

生产、生活中必须的东西;用做依据的材料。(means; material; data)常做主语、宾语。[量]种。

例句 资料已经邮走了。|我们厂生产资料充足,科技水平过硬。|为了写好论文,我搜集了大量资料。|同学们外出搜集资料去了。|先对这些资料作个分析。|根据有关资料,中国人口已有13亿。

【资源】 zīyuán 〔名〕

生产资料或生活资料的天然来源。(resources; natural resources)常做主语、宾语、定语。

例句 中国的地下资源十分丰富。|有的国家人力资源不足。|要开发和利用好西部地区的各种资源。|中国有大量的人力资源。|我们能不能统计一下这里资源的种类?|要通过立法来加强资源保护。

【资助】 zīzhù 〔动〕

用财物帮助。(subsidize; aid financially; give financial aid to)常做谓语、主语、宾语。

例句 大家都来资助他一下。|这位女士资助过家乡一万美金。|朋友们的资助把我从困境中解救出来。|又有20名特困大学生得到了资助。

【滋长】 zīzhǎng 〔动〕

生长;产生。(grow; develop; engender)常做谓语、宾语。

例句 取得好成绩以后,个别同学滋长了自满情绪。|在这片树林旁又滋长出来大片的杂草。|拜金主义近来有所滋长。

【滋味】 zīwèi 〔名〕

味道;比喻某种感受。(taste; flavour; relish)常做主语、宾语。[量]种。

例句 这个菜的滋味真不错。|亲人离别的滋味,确实不好受啊。|感冒了,吃什么都没有滋味。|酸、甜、苦、辣,她品尝过生活的各种滋味。

【子】 zǐ 〔名〕

❶ 古代指儿女,现在专指儿子。(child;son)常用于构词。

词语 父子 母子 子女 独生子

❷ 人的通称。(person)常用于构词。

词语 男子 女子

❸ 古代特指有学问的男人。(ancient title of respect for a learned or virtuous man)常用于构词,也用于固定短语。

词语 孔子 庄子 孟子 老子 诸子百家

❹ 种子(常用儿化)。(seed)常用于构词,也做主语、宾语。[量]粒,颗。

词语 瓜子儿 西瓜子儿

❺ 小而坚硬的块状物或粒状物(常用儿化)。(sth. small and hard)常用于构词,也做主语、宾语。[量]个。

词语 棋子儿 石头子儿 枪子儿

例句 (下棋时)你一动这个子儿就输了。|(下棋时)这个子儿再不走就被吃了。

▶ "子"可做词尾,构成名词,读轻声。如:帽子 桌子 扣子 梳子 推子 胖子

【子弹】 zǐdàn 〔名〕

枪弹。(bullet;cartridge)常做主语、宾语、定语。[量]颗,发。

例句 这颗子弹成了纪念品。|他枪里没有子弹,不用害怕。|墙上有子弹的划痕。

【子弟】 zǐdì 〔名〕

指儿子、侄子、弟弟;泛指年轻的后辈。(sons and younger brothers; younger generation; children; juniors)常做主语、宾语、定语。也用于固定短语。

词语 子弟兵 干部子弟 纨袴子弟

例句 富家子弟多半不成器。|据说他是富人子弟,只不过家道衰落了。|这个工厂的家属区设有子弟小学。

【子孙】 zǐsūn 〔名〕

儿子和孙子;泛指后代。(children and grand children; descendants)常做主语、宾语。

例句 老王现在子孙满堂,正安享晚年。|他的子孙个个都很有出息。|中国人都是炎黄子孙。|只有保护环境,珍惜资源,才能对得起子孙后代。

【子虚乌有】 zǐxū wūyǒu 〔成〕

假设的,不存在的事情。(without foundation in fact; nonexistent; unreal; imaginary)常做定语、宾语。

例句 这种子虚乌有的事情你也相信?|说他曾与歹徒搏斗,纯属子虚乌有!

▶ "子虚"和"乌有"是虚构的两个人的名字,"子虚"即并非真实,"乌有"即哪有这个人。

【仔细】 zǐxì 〔形〕

❶ 细心。(careful;attentive)常做谓语、状语、定语。

例句 他做事特别仔细。|妈妈干什么都仔细得很。|答题时要仔细地想。|事先要把机器仔仔细细地检查一遍。|王嫂可是个仔细人。

❷ 小心,当心。(be careful; look

out)常做谓语。

例句 一个人出门要仔细。|路很滑,仔细点儿。

❸ 俭省。(economical; thrifty; frugal)常做谓语、补语。

例句 小李过日子很仔细。|一个人在国外留学,钱花得特别仔细。

【籽】 zǐ 〔名〕

某些植物的种子。常说"籽儿"。(seed)常做主语、宾语。

例句 这些籽儿种下去,明年春天就能长出小苗儿来。|我给你一些籽儿,你拿回去种吧。

【紫】 zǐ 〔形〕

红和蓝合成的颜色。(purple; violet)常做定语、补语、谓语。

例句 妹妹有一条紫围巾。|我喜欢紫花。|当时你冷得直哆嗦,脸都发紫了。|他气得脸都变紫了。|这裙子太紫了,有浅点儿的吗?

【自】 zì 〔介/头/副〕

〔介〕从、由。(from; since)常构成短语做状语、补语。

例句 他自出校门,一直在这个单位工作。|本次列车自大连开往北京。|来自俄罗斯的姑娘们跳起了欢快的舞蹈。|这封慰问信寄自海外。|这句名言引自《鲁迅全集》。

〔头〕自己。(self; oneself; one's own)常构成动词或动词性短语。

词语 自爱 自称 自尊 自力更生 自动 自发 自满 自给自足 自费 自觉 自学 自高自大 自愿 作茧自缚

例句 钱包丢了好几天也没找到,只好自认倒霉。

〔副〕当然。(naturally; certainly)做状语。

例句 人世间自有公道。|现在储备一些,将来自有好处。

【自暴自弃】 zì bào zì qì 〔成〕

自甘堕落,不求上进。(have no urge to make progress; be resigned to one's backwardness; give oneself up as hopeless)做谓语、定语、状语。

例句 公司破产后,他就自暴自弃,整天喝酒,以此来打发时间。|一次失败说明不了什么,千万不要自暴自弃。|这是自暴自弃的行为,你还不承认吗? |一个自暴自弃的人是不会取得什么成就的。|孩子自暴自弃地说:"算了,我不是上大学的料。"

【自卑】 zìbēi 〔形〕

轻视自己,觉得自己不如别人。(feel oneself inferior to others; be self-abased)常做谓语、定语。

例句 考不好也别自卑,再努力嘛。|越自卑越落后。|消除自卑心理,才能前进。

【自不量力】 zì bú liàng lì 〔成〕

不能正确地估计自己的能力,对自己估计过高。(overestimate one's strength or oneself; not know one's own limitations)常做谓语、定语、状语。

例句 你初中都没毕业,就想去应聘当秘书,也太自不量力了! |这个自不量力的家伙迟早要栽跟头。|没想到,他竟然自不量力地要竞选学生会主席。

【自吹自擂】 zì chuī zì léi 〔成〕

自己吹嘘自己。(blow one's own trumpet; crack oneself up)做谓语、定语、状语。

例句 别听他那一套,他就喜欢自吹自擂。|这种自吹自擂的做法只

会导致别人反感。|他自吹自擂地说:"这事包在我身上!"

【自从】 zìcóng 〔介〕

表示时间的起点(指过去)。(from; since)常构成短语做状语,后面常与"以后"、"以来"配合。

例句 这孩子自从上高中,就懂事多了。|自从我下海经商以后,家里的生活越来越好了。|我们俩自从相识以来,从没红过脸。

【自动】 zìdòng 〔形〕

❶ 自己主动。(voluntary; of one's own accord)常做状语。

例句 大家都自动地帮助他。|人们自动地加入了捐款的行列。|退休后,李师傅自动承担了全院保卫工作。

❷ 不靠人力的。(automatic; automated; spontaneous)常做状语。

例句 人一走到门前,门就自动打开了。

❸ 不用人力而用机械直接操作的。(automatic; self-acting; self-moving)常做定语、状语。

例句 我买了两支自动铅笔。|自动售货机既方便,又省人力。|机器手能自动工作。

【自发】 zìfā 〔形〕

由自己产生,不受外力影响的;不自觉的。(spontaneous)常做定语、状语。

例句 这次自发的捐款活动收到了意外的效果。|这是那几个人的自发行为。|学生们自发地组织起春游来了。|这么多人都是自发参加的。

【自费】 zìfèi 〔形〕

自己负担费用。(at one's own expense)常做定语、状语、宾语。

例句 我们学校的外国学生大都是自费生。|自费留学的手续怎么办?|弟弟自费去日本留学了。|每逢"五一"、"十一",都是自费旅行的高峰。|小孩看病是自费。

【自负盈亏】 zì fù yíngkuī 〔动短〕

盈利与亏损都由自己负责,没有上级或他人的责任。(assume sole responsibility for one's own profits and losses; be held economically responsible)常做谓语、定语。

例句 我们公司自负盈亏,总公司不管我们。|由于自负盈亏,员工的积极性特别高。|如今的工厂基本上都是自负盈亏的企业。

【自高自大】 zì gāo zì dà 〔成〕

自以为了不起。(self-important; conceited; arrogant)做谓语、定语。

例句 我们不能有了一点成绩就自高自大。|你别自高自大!|他自高自大的样子,我很讨厌。

【自古】 zìgǔ 〔副〕

从古以来,从来。(since ancient times; since antiquity; from time immemorial)常做状语。

例句 景德镇自古就生产陶瓷。|自古以来,两国人民的交往就十分频繁。|台湾自古就是中国的领土。

【自豪】 zìháo 〔形〕

为自己或者与自己有关的集体或个人的优点或成就而感到光荣。(have a proper sense of pride or dignity; be proud of sth.)常做谓语、定语、状语、宾语。

例句 儿子考上了清华大学,母亲十分自豪。|瞧她自豪的样儿,儿子争气嘛!|他自豪地说:"我有这个能力!"|有这样的员工,我感到自豪。

【自己】 zìjǐ 〔代〕
自身,本身。(referring to the person mentioned earlier in the sentence; oneself; own)常做主语、宾语、定语。
例句 我自己很有信心,你放心吧。|自己动手,丰衣足食。|考试没考好,他自己安慰自己,下次再努力吧。|不要贬低别人,抬高自己。|小朋友们,自己的事情应当自己做。|你可以说说自己的意见。

【自给自足】 zì jǐ zì zú 〔成〕
靠自己生产,满足自己的需要。(self-sufficiency; autarky)常做谓语、定语。
例句 中国有这么多人口,粮食生产必须要自给自足。|我们现在能够自给自足,不用再向国家伸手啦!|那儿的人们过着自给自足的生活。

【自觉】 zìjué 〔动/形〕
〔动〕自己感觉到。(be conscious; be aware of)常做谓语。
例句 几天前,他自觉不适,经检查患了肝炎。|我自觉这个意见违背了大家的意愿,便收回了。|他已经老了,可还不自觉。
〔形〕自己有所认识而觉悟。(conscious; on one's own initiative)常做谓语、定语、状语。
例句 这些学生都很自觉。|年轻人要自觉一些。|他是一个自觉的干部。|我们要鼓励这种自觉的行为。|观众都非常自觉地保持场内秩序和卫生。|一个好学生首先要懂得自觉学习。

【自来水】 zìláishuǐ 〔名〕
❶ 供应居民生活、工业生产等方面用水的设备。(equipment that supplies residents, factories, etc. with water)常做主语、宾语、定语。
例句 自来水在城市已经普及。|工人们正在为新建小区安装自来水。|市自来水公司保证自来水设备抢修工作在24小时内完成。
❷ 从供水设备管道中流出来的水。(running water; tap water)常做主语、宾语、定语。[量]滴,吨。
例句 自来水比井水干净些。|现在不少农村都喝上了自来水。|为了节约自来水,许多工厂搞了废水再利用。|自来水的价格涨了五毛钱。

【自力更生】 zì lì gēng shēng 〔成〕
不靠外力,靠自己的力量把事情办起来。[regeneration (or reconstruction) through one's own efforts; self-reliance]常做谓语、定语、主语、宾语。
例句 我们要自力更生,也要利用外援。|干事业需要自力更生的精神。|自力更生是根本的办法。|这个商场完全是靠自力更生办起来的。

【自满】 zìmǎn 〔形〕
满足于自己已有的成绩。(complacent; self-satisfied)常做谓语、定语。
例句 尽管取得了那么大的成绩,可他却不自满。|有了一点进步就自满,那怎么能行呢?|最近,小明有些自满情绪。|自满的人往往容易犯错误。

【自欺欺人】 zì qī qī rén 〔成〕
欺骗自己,也欺骗别人。(deceive oneself as well as others)常做谓语、定语、状语。
例句 不要再自欺欺人了,大家都知道他不会回来了。|这种自欺欺人的做法到头来只能既害人又害

己。|尽管他自欺欺人地瞎说,可大家心里都有数。

【自然】 zìrán 〔名/形〕

〔名〕人类生存的物质世界。(natural world; nature)常做主语、宾语、定语。

例句 大自然赋予了这座山峰无穷的魅力。|我从小就喜爱自然。|人类一定要注意保护自然。|那里有丰富的自然资源。|桂林的自然景色十分美丽。|生老病死是自然规律。

〔形〕❶ 自由发展,不经人力干预。(naturally; in the ordinary course of events)常做定语、状语。

例句 每个人都有自然免疫力,不用打针也可以抵抗一些疾病。|厂子效益不好,自然有人跳槽。|你先别急,到时候自然会见到他的。

❷ 表示理所当然。(naturally; certainly; of course)常做状语、谓语。

例句 只要努力学习,自然会取得好成绩。|我是班长,自然要给同学们服好务。|已经研究了十年,能够成功,那很自然。

【自杀】 zìshā 〔动〕

自己杀死自己。(commit suicide; take one's own life)常做谓语、宾语、定语。

例句 剧中的主人公最后自杀了。|有个青年想自杀,幸好被警察救了。|我们不赞成自杀。|经调查,那个人是自杀。|由于经常跟丈夫吵架,她产生了自杀的念头。

【自身】 zìshēn 〔名〕

自己(强调非别人或别的事物)。(self; oneself)常做主语、宾语、定语。

例句 别找他,他自身难保。|要求别人好,也要自身做好。|这次事故还要从自身找原因。|我校通过一系列办法,提高师资队伍的自身素质。|有时,他真想离家出走,求得自身的解脱。

【自始至终】 zì shǐ zhì zhōng 〔成〕

从开始到最后。(from beginning to end; from start to finish)常做状语。

例句 大会自始至终充满着团结的气氛。|大家都发了言,只有他自始至终没说一句话。

【自私】 zìsī 〔形〕

只顾自己的利益,不顾别人和集体。(selfish; self-centered)常做谓语、定语、补语、宾语。

例句 这种做法相当自私。|小王这个人自私极了。|大家都讨厌自私的人。|这是一种很自私的想法。|没想到这孩子变得这么自私。|在这件事上,他表现得非常自私。|在评奖过程中,她显得太自私了。

【自私自利】 zì sī zì lì 〔成〕

只顾自己的利益,不顾别人和集体。(selfish; preoccupied with one's own interests and having little or no concern for others)常做谓语、定语。

例句 做人不能自私自利,只想着自己。|你这么自私自利,谁愿意和你交朋友?|这种自私自利的人,大家都不爱跟他打交道。

【自卫】 zìwèi 〔动〕

保卫自己。(defend oneself; self-defence)常做谓语、定语、宾语。

例句 你说我应该怎样自卫?|歹徒行凶的时候,她顺手拿起花瓶自卫。|三个月后,小海鸥已经能够自卫了。|我学习武术是想提高自卫

Z

能力。|面对敌人的挑衅(xìn),必须采取自卫行动。|每个人,特别是妇女,要学会自卫。|危险的时候,要进行自卫。

【自我】zìwǒ 〔代〕

❶ 自己。(self;oneself)常做主语、宾语、定语。

例句 请自我介绍一下。|比赛中她终于战胜了自我,再次获得冠军。|丢了钱说是"扶贫"了,这不是自我安慰吗?|为了体现自我价值,她又换了个工作。

辨析 〈近〉自己。"自我"常用在双音动词前面,表示这个动作由自己发出,也以自己为对象;"自己"一般不表示以自己为对象。如:自我安慰 自我解嘲 自我否定

❷ 指人们对于自身的把握和认识。(ego)常做宾语、定语。

例句 现在的年轻人都追求自我。|中学生们也常常强调自我。|他的自我意识很强。|怎么做才能体现自我价值呢?

【自相矛盾】zìxiāng máodùn 〔成〕

自己跟自己或集体内部的相互之间存在对立。(contradict oneself; be self-contradictory)常做谓语、定语。

例句 报纸上以前说这种药好,现在又说不好,太自相矛盾了。|你说你赞成孩子自立,可他要自己去旅游你又不让了,这不是自相矛盾吗?|你净做些自相矛盾的事!

【自信】zìxìn 〔动/形〕

〔动〕相信自己。(believe oneself)常做谓语。

例句 我自信这次比赛能取得好成绩。|他无论做什么事情都自信能做好。

〔形〕相信自己。(self-confident; confident)常做谓语、定语、状语、补语。

例句 老李这个人自信得很。|他很自信,觉得这次自己一定能成功。|队长自信的神情感染了大伙儿。|没有自信心,怎么能干大事儿?|他非常自信地回答了考官的问题。|"我能行!"弟弟自信地说。|问到是否能得冠军,这个年轻人笑了,笑得非常自信。|张总向客人介绍了公司的发展规划,讲得很自信。

【自行】zìxíng 〔副〕

❶ 自己(做)。(by oneself)常做状语。

例句 原料方面自行解决。|周末的活动可以自行安排。|有些手续要自行办理。

❷ 自动。(of oneself; of one's own accord; voluntarily)做状语。

例句 合同期满时如无异议,将自行延长三年。|深山里的果子要是熟了,会自行脱落。|如果输入命令不对,电脑会自行退出系统。

【自行车】zìxíngchē 〔名〕

一种两轮交通工具,骑在上面用脚蹬着前进。(bicycle; bike)常做主语、宾语、定语。[量]辆。

例句 自行车是一种很方便的交通工具。|女儿四岁了,买辆儿童自行车吧。|路不远,骑自行车去吧。|中国被称为"自行车王国"。|你放心,这种自行车的质量肯定没问题。

【自学】zìxué 〔动〕

没有教师指导,自己独立学习。(study independently; teach oneself; study on one's own)常做谓语、宾语、定语。

例句 尽管四十多岁了,他还自学

了大学课程。|小刘现在正自学外语呢。|虽然是自学,她也常向专家请教。|你长期坚持自学,真了不起。|你看看吧,这是我的自学成果。|中国每年有数十万人参加自学考试。

【自言自语】 zì yán zì yǔ 〔成〕

没有对象,自己对自己说。(talk to oneself; think aloud; soliloquize)常做谓语、状语。

例句 屋里没有别人,他自言自语呢。|我听见他在自言自语:"谁用了我的钢笔呢?"|老太太很孤独,常常自言自语地说一些往事。

【自以为是】 zì yǐ wéi shì 〔成〕

认为自己正确,不虚心接受别人的意见。(consider oneself in the right; regard oneself as infallible; be self-opinionated)常做谓语、定语、状语。

例句 多听听别人的意见,不要总自以为是。|自以为是的想法要不得。|王华自以为是地说:"不就是花俩钱吗?没啥大不了的。"

【自由】 zìyóu 〔名/形〕

〔名〕在法律规定的范围内,随自己意志活动的权利。(freedom; liberty)常做主语、宾语、定语。

例句 我连讲话的自由都没有吗?|绝对的自由,在这个世界上是不存在的。|每个人都渴望自由和平等。|人要是失去自由,还有什么快乐呢?|我们有自由民主的权利。|自由的内涵相当丰富。

〔形〕不受拘束,不受限制。(free; unrestrained; unrestricted)常做谓语、宾语、状语、定语。

例句 他现在一个人生活,很自由。|这孩子从小自由惯了,特别不听话。|跟这样的好领导在一起工作,我感到自由、舒畅。|在朋友家里住,他觉得不自由。|今天的活动,学生们可以自由参加。|找什么样的爱人,你可以自由选择。|我喜欢自由的生活方式。|谁都希望有自由的环境。

【自由市场】 zìyóu shìchǎng 〔名短〕

个体商贩主要出售农副产品的市场。也叫农贸市场。(free market)常做主语、宾语、定语。[量]个。

例句 自由市场就在我家楼下,买菜方便极了。|我妈去自由市场了。|今天是星期天,自由市场的人真多。|小明的哥哥是自由市场的管理员。

【自愿】 zìyuàn 〔动〕

自己愿意。(voluntary; of one's own accord; of one's own free will)常做谓语、定语、状语。

例句 结婚必须自愿,父母不能包办。|去不去参观,大家自愿。|按自愿的原则,同学们组成几个小组。|这是自愿的事情,别人无法勉强。|小刘总是自愿参加各种公益活动。|为了帮助失学的孩子,她自愿捐献了一万元钱。

辨析 〈近〉志愿。"自愿"强调自己愿意;"志愿"强调自己的决心和志向,"志愿"还有名词用法。如:* 当一名翻译,是我的自愿。("自愿"应为"志愿")

【自治】 zìzhì 〔动〕

民族、团体、地区等除了受上级政府或单位领导外,对自己的事务行使较多的权力。(autonomy; self-government)常做定语、宾语。

例句 中国有五个省级民族自治地区。|朝鲜族自治地区，在中国东北的延边。|建国后，这个地区就实行了自治。

【自治区】 zìzhìqū 〔名〕
中国相当于省一级的民族自治地方。(autonomous region)常做主语、宾语、定语。[量]个。

例句 中国有新疆、西藏、广西、内蒙古、宁夏五个民族自治区。|新疆维吾尔族自治区地域辽阔。|自治区领导来我们这里检查工作了。

【自主】 zìzhǔ 〔动〕
自己做主。(act on one's own; decide for oneself)常做谓语、状语。

例句 现在男女婚姻自主。|我们公司自主经营，自负盈亏。

【自作自受】 zì zuò zì shòu 〔成〕
自己做了错事，自己承受不良后果。(suffer from one's own actions; reap what one has sown; stew in one's own juice)常做宾语、定语。

例句 他是自作自受，怪不得别人。|这个自作自受的家伙，再想后悔也迟了。

【字】 zì 〔名〕
❶ 记录语言的符号。(word; character)常做主语、宾语、定语。[量]个。

例句 汉语的字常常也就是词。|这个字怎么读？|小萌萌四岁就认识几百个字了。|这些都是汉语的常用字。|你这个字的笔顺不对。

❷ 字音。(pronunciation)常做主语、宾语。

例句 他说话字字清晰。|说话不要太咬字，听起来不舒服。

❸ 书法作家的作品。(scripts; writings)常做主语、宾语、定语。[量]幅。

例句 这幅字实在太美了！|我请一位有名的书法家写了一幅字。|那几幅字的价值无法计算。

❹ 字的形体。(form of a written or printed character; style of handwriting; printing type)常用于构词或用于固定短语。

词语 篆(zhuàn)字 宋体字 美术字

【字典】 zìdiǎn 〔名〕
以字为单位，按一定次序排列，每个字注上读音、意义和用法的工具书。(character dictionary)常做主语、宾语、定语。[量]本。

例句 这本字典很实用。|你的字典是在哪儿买的？|我已经能查汉语的字典了。|老师借给小张一本字典。|这本字典的特点是简单清楚。|字典的用处很大。

【字里行间】 zì lǐ háng jiān 〔成〕
字句之间，形容文章的某种意思或感情在字句中间隐约透露出来。(between the lines)多做主语。

例句 这封信字里行间都饱含着对祖国的热爱之情。|他来过两封信，但字里行间都流露出一种悲观厌世的情绪。

【字母】 zìmǔ 〔名〕
拼音文字或注音符号的最小的书写单位。(letters of an alphabet; letter)常做主语、宾语、定语。[量]个。

例句 我连英文字母还认不全呢。|俄文字母很难写。|学汉语最好先学拼音字母。|英文有26个字母。|孩子们都喜欢唱字母歌。|写的时候，要注意字母的大小写。

【宗】 zōng 〔素/量〕
〔素〕❶ 祖先，家族。(ancestor;

clan)常用于构词或固定短语。

词语 同宗 祖宗 宗法 宗族 列祖列宗 光宗耀祖

❷ 派别。(sect; faction; school)常用于构词。

词语 禅宗 华严宗 正宗 宗教 宗派

❸ 主要目的。(principal aim; purpose)常用于构词或固定短语。

词语 宗旨 开宗明义 万变不离其宗

〔量〕用于事情或钱款。(for matters)常构成短语做定语。

例句 母亲有一宗心事,始终没对我们说。|昨晚,金库被盗了,丢失了大宗的款额。

【宗教】 zōngjiào 〔名〕

一种社会意识形态,是对客观世界的一种虚幻的反映。它要人们信仰上帝、神道、因果报应等,把希望寄托于所谓天国或来世。(religion)常做主语、宾语、定语。[量]种。

例句 许多宗教在我们国家并存。|你信仰什么宗教?|我挺喜欢听宗教音乐。

【宗派】 zōngpài 〔名〕

政治、学术、宗教方面的自成一派而和别派对立的集团。(faction; sect)常做宾语、定语。[量]个。

例句 集体内部不要搞宗派。|我们反对宗派活动。

【宗旨】 zōngzhǐ 〔名〕

主要的目的和意图。(aim; purpose)常做主语、宾语。[量]个,项。

例句 这次活动的宗旨是宣传我们的企业形象。|让顾客满意是我们的宗旨。

【综合】 zōnghé 〔动〕

❶ 把分析过的对象或现象的各个部分、各属性联合成一个统一的整体。(synthesize)常做谓语、状语、宾语。

例句 我把最近收集到的情况综合了一下。|这篇报告综合了大家的意见。|论文综合地论述了这个城市的发展方向。|我们要综合地考虑这件事情。|请你把这些数据作一下综合。|请把这些信息尽快地加以综合。

❷ 不同的种类或性质的事物组合在一起。(synthetical; comprehensive; multiple; composite)常做状语、定语。

例句 对自然资源的综合利用大有可为。|消除污染必须综合治理。|本市有两所综合大学。|电影是一种综合艺术。

【棕色】 zōngsè 〔名〕

像棕毛那样的红褐(hè)色。(brown)常做主语、宾语、定语。

例句 今年棕色比较流行。|棕色,我觉得也不错。|他选家具喜欢棕色。|在众多颜色中,老王看中了棕色。|她特爱穿棕色衣服。|我买了一个棕色的皮包。

【踪迹】 zōngjì 〔名〕

行动所留下的痕迹。(trace; track)常做主语、宾语。[量]个。

例句 刚下过雨,踪迹很难辨认。|哪儿都找遍了,仍不见一点儿踪迹。|公安人员正在寻找犯罪嫌疑人的踪迹。

【总】 zǒng 〔动/形〕

〔动〕把各方面合在一起。(assemble; put together; sum up)常做谓

语，也用于构词。

词语 总称　总数　总合　总结　总括　总之

例句 把这两本账总到一块儿吧。

〔形〕全部的；全面的；为首的；领导的。(general; overall; total)常做定语，也用于构词或用于固定短语。

词语 总裁　总经理　总动员　总管　总理　总统　总账　总则　总工会　总司令　总书记

例句 总的想法是马上开工。|治病救人是医生的总原则。

▶"总"还做副词，指"一直"、"毕竟"，多用于口语。如：别总跟我过不去。|天总不下雨，干死了。|她总会明白的，你别着急。

【总(是)】 zǒng(shì) 〔副〕

一直，一向，表示持续不变。(always; consistently)常做状语。

例句 妈妈说话，你总也不听。|上班总是迟到，早晚会被"炒鱿鱼"。|我早就想和你谈话，但总是没有时间。

【总得】 zǒngděi 〔助动〕

表示事理上和情理上的必要；一定要。(must; have to; be bound to)常做状语。

例句 不上课可以，但总得跟老师请个假吧。|事情总得解决，拖下去是不行的。|这里每年四月总得冷几天。

【总的来说】 zǒng de lái shuō 〔动短〕

表示下文是总括性的话。(all in all; in general)常用于句中或句首做插入语。

例句 总的来说，继母对我还不错。|总的来说，这里比较适合发展旅游业。|总的来说，过去一年的工作做得不错。

【总督】 zǒngdū 〔名〕

中国在明清时期的地方官员；英国、法国等驻殖民地的最高长官。[(in the Ming and Qing Dynasties) governor-general; (viceroy in British colonies and dominions; governor-general; governor]常做主语、宾语、定语。[量]位，个。

例句 英国最后一位驻香港的总督于1997年6月30日夜离去。|他的祖父曾任两广总督。|这是过去总督的别墅。

【总额】 zǒng'é 〔名〕

(款项)总数。(total)常做主语、宾语。

例句 这家银行的存款总额已经超过了十亿。|我一年的工资总额不到五万元。|这是今年的利润总额。|统计一下支出总额。

【总而言之】 zǒng ér yán zhī 〔成〕

总括起来说；总之。(in short; in brief; to make a long story short; in a word)常用于句中或句首做插入语。

例句 总而言之，这儿的条件不错。|红的、绿的、白的、黄的，总而言之，什么颜色都有。

【总共】 zǒnggòng 〔副〕

一共，表示几方面数字的合计。(in all; altogether)常做状语。

例句 婚礼总共花了两万元。|我们学校总共有四百多留学生。|全家总共才两口人。

【总和】 zǒnghé 〔名〕

全部加起来的数量或内容。(sum; total; sum total)常做主语、宾语。

例句 这个汽车厂半年产量的总和是10.1万辆。|英语系学生的数量比其他几个系学生的总和还多。

【总计】 zǒngjì 〔动〕

合起来计算。(add up to; amount to; total)常做谓语。

例句 总计10.2万元。

【总结】 zǒngjié 〔动/名〕

〔动〕把一阶段内的工作、学习或思想中的各种经验或情况分析研究,做出有指导性的结论。(sum up; summarize)常做谓语。

例句 会上,他总结了自己的成功经验。|每个学生都应该总结一下这半年的学习情况。|工作都总结完了吗?

〔名〕指总结后概括出来的结论。(summary; summing-up)常做主语、宾语。[量]个,份。

例句 你的工作总结写好了吗?|让我看看你的总结。

【总理】 zǒnglǐ 〔名〕

中国国务院领导人以及某些国家政府首脑的名称。(premier; prime minister)常做主语、宾语、定语。[量]个,位。

例句 总理是选举产生的。|他当选为新总理。|你们总理的名字叫什么?

【总数】 zǒngshù 〔名〕

加在一起的数目。(total; sum total)常做主语、宾语。

例句 参加毕业典礼的学生总数是288人。|这家公司的固定资产总数并不多。|不用细说,告诉我总数就行了。

【总司令】 zǒngsīlìng 〔名〕

全国或一个方面的军队的最高统帅。(commander in chief)常做主语、宾语、定语。[量]位。

例句 总司令是位上将。|由中方担任总司令。|总司令的人选未定。

【总算】 zǒngsuàn 〔副〕

❶ 表示经过相当长的时间以后某种愿望终于实现。(at long last; finally)常做状语,句尾常带"了"。

例句 住房问题总算解决了。|分别多年的老同学总算见面了。|这么多年的努力总算没有白费。

❷ 表示碰上某种机遇,有"幸亏"的意思。(fortunately)常做状语。

例句 总算赶上了火车。|总算通过了考试。

【总统】 zǒngtǒng 〔名〕

某些共和国的元首的名称。(president)常做主语、宾语、定语。[量]位。

例句 法国总统将于今年秋季访问中国。|新总统发表了就职演说。|他是新当选的总统。|今年将选举总统。|美国的总统府是白宫。|她做过总统的翻译。

【总务】 zǒngwù 〔名〕

❶ 机关学校等单位中的行政杂务。(general affairs)常做定语、宾语。

例句 一般的学校都有总务部门。|总务工作比较繁杂。|父亲干了一辈子总务。

❷ 负责总务的人。(person in charge of general affairs)常做主语、宾语、定语。

例句 总务就是做具体服务工作的。|老王当了十多年总务了。|大家都喜欢我们的老总务。|别看总务工作很平常,可做好也不容易。

【总之】 zǒngzhī 〔连〕

❶ 总起来说，表示下文是总括性的话。(in a word; in short; in brief)一般用在句首，或做插入语。

例句 总之，一切爱好和平的人都反对战争。|有人爱吃甜的，有人爱吃咸的，有人爱吃酸的，总之各有各的口味。

❷ 表示概括性的结论。有"反正"的意思。(anyway; anyhow)用在句首或句中。

例句 总之，我反对这个决定。|不管你去还是不去，总之我买票了。

▶"总之"也说成"总而言之"。

【纵】 zòng 〔形/动〕

〔形〕❶ 地理上南北向的。(from north to south or from south to north)常做状语。

例句 京九铁路纵穿中国南北。|有名的大运河纵贯中国四省。

❷ 从前到后的，跟物体的长的一边平行的。(vertical; longitudinal; lengthwise)常做状语、定语，用于构词。

词语 纵横　纵队　纵向

例句 纵观世界杯足球赛，巴西的确是一流足球劲旅。|这是一条纵线。|请在纵坐标上标明数据。

〔动〕不加约束。(indulge; let loose; let oneself go)常做谓语，也用于构词。

词语 纵火　纵酒　放纵　纵情　纵身

例句 晚会上，员工们纵声高歌。|不能老是纵着孩子。

【纵横】 zònghéng 〔形〕

❶ 竖和横；横一条竖一条的。(in length and breadth; vertically and horizontally)常做谓语、状语、定语。

例句 这位母亲老泪纵横，悲痛欲绝。|该地区公路纵横交错，四通八达。|市内地下铁道纵横交叉。|放眼望去，纵纵横横的大小道路把市区切成许多小块。

❷ 奔放自如，多用于文学作品。(with great ease; freely)常做谓语。

例句 这首诗遐想纵横，志趣高远。

【走】 zǒu 〔动〕

❶ 人或鸟兽的脚交互向前移动。(go; walk)常做谓语。

例句 小孩会走路了。|你走得真快，我跟不上了。|太累了，都走不动了。|吃完饭去外面走走吧。

❷ 跑。(run; move)常用于构词或用于固定短语。

词语 奔走　走马观花　飞禽走兽

❸ (车、船等)运行；移动；挪动。(move; drive; sail)常做谓语。

例句 小船一个小时能走二十里。|这个表越走越慢。|你这步棋走错了。

❹ 离开；去。(leave; go away)常做谓语，补语。

例句 车刚走。|这事请你走一趟吧。|天气不好，走不了了。|把这几件家具都搬走。|送走了客人们，大家才休息。

❺ 指人死(婉辞)。(pass away; die)常做谓语。

例句 老人静静地走了。|他走了，但人们永远怀念他。

❻ (亲友之间)来往。(visit; call on)常做谓语。

例句 他们两家走得很近。|妈妈走亲戚去了。|结婚以后，我常回娘家走走。

❼ 漏出；泄露。(leak; let out; escape)常做谓语。

例句 他不小心，说话说走了嘴。|只要大家注意，就走不了消息。

❽ 改变或失去原样。(depart from the original shape, flavour, etc.)常做谓语。

例句 这包茶叶走味了。|我唱歌爱走调(diào)。|文件传到下面走了样儿。

【走道】 zǒudào 〔名/动短〕

〔名〕街旁或室内外供人行走的道路。(pavement; sidewalk; path; footpath)常做主语、宾语、定语。[量]条。

例句 这座楼的走道不宽。|草坪中间得留出一条走道。|大家要保持走道的卫生。

〔动短〕走路。(walk; go on foot)常做谓语(不带宾语)、补语，中间可插入成分。

例句 儿子刚十个月，还不会走道呢。|她走道特别难看。|肚子疼得走不了道了。

【走访】 zǒufǎng 〔动〕

访问，拜访。(interview; have an interview with; pay a visit to; go and see)常做谓语。

例句 记者走访了这家企业的经理。|春节前，市领导走访慰问了老干部。|每到假期，陈老师就到学生家里走访。

【走狗】 zǒugǒu 〔名〕

本指猎狗，现比喻被坏人收买而帮助做坏事的人。(running dog; flunkey; stooge; servile follower; lackey)常做主语、宾语、定语。[量]条。

例句 有时候，走狗比主人还凶。|他是厂长的一条走狗。|你看他一副走狗的样子，真让人恶心。

【走后门】 zǒu hòumén 〔动短〕

比喻用托情、行贿等不正当的手段，通过内部关系达到某种目的。(get in by the back door — get sth. done through pull; secure advantages through influence)常做主语、谓语、定语、宾语。中间可插入成分。

例句 走后门是一种不正之风。|走后门已经成为一种普遍现象。|你可别小看她，她可会走后门啦。|为了儿子有个好工作，老张也走了一回后门。|走后门的人一多，规章制度甚至法律都打了折扣。|严禁走后门。|有些人既反对走后门，又不得不走后门。

【走廊】 zǒuláng 〔名〕

❶ 屋檐下高出平地的走道，或房屋之间有顶的走道。(corridor; passage; passageway)常做主语、宾语、定语。[量]条。

例句 走廊里一个人也没有。|这条走廊有五十多米长。|我觉得这座楼应该有个走廊。|工人们正在粉刷走廊呢。|走廊两头各有一个活动的地方。|走廊的灯坏了。

❷ 比喻连接两个较大地区的狭长地带。(corridor, long and narrow strip of land linking two areas)常用于固定短语。

词语 河西走廊 辽西走廊

【走漏】 zǒulòu 〔动〕

❶ 泄漏(消息等)。(leak out; divulge)常做谓语。

例句 不要走漏风声。|这个消息一定是王大姐走漏的。

❷ 走私漏税。(smuggling and tax

evasion)常做谓语。

例句 这个犯罪团伙三年来共走漏税款三千多万元。|在她担任海关关长期间,关税走漏高达亿元。

【走马观花】 zǒu mǎ guān huā〔成〕

比喻匆忙、粗浅地观察事物。(look at flowers while riding a horse; gain a shallow understanding from a fleeting glance)常做谓语、定语、状语。

例句 搞调查研究不能走马观花,要深入下去。|这种"走马观花"式的检查,很难了解到真实情况。|因为时间不够了,最后一个景点只是走马观花地看了一下。

【走私】 zǒu sī 〔动短〕

违反海关法规,逃避海关检查,非法运输货物进出国境。(smuggle)常做谓语、定语。

例句 这些不法分子走私了大量毒品。|那些船专门走私汽车。|国家严厉打击走私活动。

【走投无路】 zǒu tóu wú lù 〔成〕

比喻处境非常困难,找不到出路。(have no way out; be in an impasse; come to a dead end)常做谓语、定语、补语。

例句 我实在走投无路了,不然也不会来求你。|最后,走投无路的敌人只好缴械投降。|他被债主逼得走投无路,整天不敢回家。

【走弯路】 zǒu wānlù 〔动短〕

走的不是直路近路,比喻工作、学习等因为方法不当而多费工夫。(walk in a zigzag way; work without efficiency)常做谓语,中间可插入成分。

例句 我们应先搞好调查,把方案设计好,不要走弯路。|我们这次实验走了一段弯路,主要是因为没有经验。|尽管开始时他们走了弯路,可最终还是解决了那个难题。

【走向】 zǒuxiàng 〔名〕

(岩层、矿层、山脉等)延伸的方向。(run; trend; alignment)常做主语、宾语。

例句 这条河流的走向是西北向。|这一带矿层走向不明。|这条山脉是东西走向。|请勘测一下这里岩层的走向。

【奏】 zòu 〔动〕

❶ 用乐器表演。(play; perform)常做谓语。

例句 乐队奏响了《欢乐颂》。|请奏国歌。

❷ 发生;取得(功效等)。(achieve; produce)常做谓语。

例句 没想到他的话还挺奏效。

❸ 臣子对帝王陈述意见或说明事情。(present a memorial to an emperor)常用于构词。

词语 启奏 奏本 奏折

【揍】 zòu 〔动〕

打(人)。(beat; hit; strike)常做谓语、宾语。

例句 我想揍他一顿。|你想找揍吗?

▶ "揍"的对象只能是人,不能是物。

【租】 zū 〔动/名〕

〔动〕付钱使用别人的东西;把自己的东西借给别人有偿使用。(rent; hire; charter; rent out ; let out ; lease)常做谓语、定语、主语、宾语。

例句 他们两人合租了一套房子。|这个小书亭也租书。|你租的录像带叫什么名字?|这是租的车,一天

三百块。|租有时候比买还贵。|这批商品房不允许租。

〔名〕出租所收取的金钱或实物。(rent)常用于构词或用于固定短语。

词语 租金 房租 租子

【租金】 zūjīn 〔名〕

租房屋或物品的钱。(rent; rental)常做主语、宾语。

例句 租金是每月2000元。|租金太贵了。|你还没交租金呢。|一个月付一次租金。

【足】 zú 〔形/名〕

〔形〕❶ 充分;够。(enough; ample; sufficient)常做谓语、补语。

例句 学生们的学习劲儿很足。|大家干劲儿足足的。|这些钱买房子不太足。|一个礼拜去一次超市,把吃的用的买足。|上足了肥,花才长得好。

❷ 达到某种数量或标准。(fully; as much as)常做状语。

例句 为了赶进度,足足干了两天两夜。|你看这结婚车队,足有二十多辆吧。

〔名〕脚;腿;器物下部形状像腿的支撑部分。(foot; leg)常用于构词或用于固定短语。

词语 立足 足迹 足球 手舞足蹈 画蛇添足 三足鼎立

【足球】 zúqiú 〔名〕

❶ 球类运动项目之一,主要用脚踢球。(football; soccer)常做主语、宾语、定语。

例句 足球是世界性的运动。|足球受到众多人的喜爱。|爸爸特爱看足球。|我爱人也喜欢足球。|我们全家都是足球迷。|大连被称为“足球城”。

❷ 足球运动使用的球。(football)常做主语、宾语、定语。[量]个。

例句 国际比赛的足球是专门制作的。|我买了一个足球。|小时候一下课就去踢足球。|足球的规则我不懂。

【足以】 zúyǐ 〔副〕

完全可以;够得上。(enough; sufficiently)常做状语。

例句 这件事足以说明他是认真的。|个人的力量太小了,不足以抵御自然灾害。|这东西只要一点点就足以使人中毒死亡。

【族】 zú 〔名〕

❶ 有血统关系的人组成的社会组织。(clan)常用于构词。

词语 家族 同族 宗族 族人

❷ 历史上形成的人的共同体,特指有共同起源、语言、地域、经济和文化的人的共同体。(race; nationality)常用于构词,也做宾语。

词语 民族 种族 斯拉夫族 汉族 回族

例句 A:你是什么族? B:我是蒙古族。

【阻碍】 zǔ'ài 〔动/名〕

〔动〕使不能顺利通过或发展。(hinder; block; impede)常做谓语、定语。

例句 违章建筑阻碍交通,必须拆除。|旧体制阻碍生产力的发展。|你不能起阻碍作用。

〔名〕起阻碍作用的事物。(obstacle; hindrance)常做主语、宾语。

例句 目前最大的阻碍是资金不足。|这项工作的主要阻碍是大家意见不一致。|他的一生克服了无数的阻

Z

碍。|这次行动一点也没遇到阻碍。

【阻挡】 zǔdǎng 〔动〕

阻止;拦住。(stop; stem; resist; obstruct)常做谓语、宾语。

例句 任何力量也阻挡不住历史的前进。|这辆车坏在了路中间,阻挡了道路。|不许阻挡救护车。|这次任务完成得很顺利,没遇到任何阻挡。

【阻拦】 zǔlán 〔动〕

阻止。(stop; obstruct; bar the way)常做谓语、宾语。

例句 出事的大客车横在马路中间,阻拦住了来往的车辆。|他要是发起火来,谁也阻拦不了。|对于他的行动,很多人曾加以阻拦。|路上毫无阻拦,很快就到了这里。

【阻力】 zǔlì 〔名〕

妨碍物体运动的作用力;泛指阻碍事物发展或前进的外力。(resistance; drag; obstruction)常做主语、宾语、定语。[量]个,种。

例句 这件事阻力很大。|改革政府机构阻力非常大。|我们要冲破各种阻力。|我们遇到了阻力。|这件工作能否做好,要看阻力的大小。|由于路面的阻力作用,车子慢慢停了下来。

【阻挠】 zǔnáo 〔动〕

阻止或暗中破坏,使不能发展或成功。(obstruct; thwart; stand in the way)常做谓语、主语、宾语。

例句 对儿女的恋爱、婚姻,做父母的不应该百般阻挠。|只要大家齐心协力,别人想阻挠也阻挠不了。|这种无理的阻挠居然来自个别领导。|领导班子冲破少数人的阻挠,坚决推进企业改革。

【阻止】 zǔzhǐ 〔动〕

使不能前进;使停止行动。(prevent; stop; hold back)常做谓语、宾语。

例句 多亏他及时赶到,阻止了事态的扩大。|我觉得你阻止得很对。|如发现有人破坏公物,要及时加以阻止。|对于他的野蛮行为,大家合力予以阻止。

【组】 zǔ 〔动/名〕

〔动〕使分散的人或事物具有系统性、整体性。(organize; form)常做谓语。

例句 请你把这几个字组成一个成语。|六个人组一个队。|我们准备组团去深圳考察。

〔名〕❶ 由不多的人员组织成的单位。(group)常做主语、宾语、定语。[量]个。

例句 每个组有十几个人。|口语组今天没有活动。|大家分组讨论吧。|他们成立了一个学习小组。|这些人都是你们组的组员。|谁是组长?

❷ 合成一组的(文艺作品)。(suite; series)常用于构词。

词语 组诗 组歌

【组成】 zǔchéng 〔动〕

(部分、个体)组合成为(整体)。(form; constitute; compose)常做谓语、定语、主语、宾语。

例句 大会主席团由8人组成。|100名歌星组成了义演队。|班委会的组成,对增强班级的凝聚力很有作用。|开展横向经济联合,促进了企业集团的组成。|会议确定了代表团的组成人员。

【组合】 zǔhé 〔动〕

组织成为整体。(make up; compose)常做谓语、定语。

例句 这本书是由小说、散文、诗歌三部分组合的。|这个临时家庭是由美国和中国两个国家40个人组合起来的。|近几年来,特别流行组合家具。|这种拼图游戏有三种组合方法。

【组长】 zǔzhǎng 〔名〕

小组的负责人。(a person in charge of a group)常做主语、宾语、定语。[量]个。

例句 组长通知我明天开会。|组长安排大家讨论。|我们组新选了一个组长。|小刚是书法组小组长。|这是组长的安排,你们觉得怎么样?|大家都同意组长的意见。

【组织】 zǔzhī 〔动/名〕

〔动〕安排分散的人或事物,使具有一定的系统性和整体性。(organize; form)常做谓语、定语、宾语。

例句 新年到了,每个班都组织了新年晚会。|这次郊游,你组织一下。|我太忙了,你帮我组织组织吧。|这几个学生会干部都很有组织能力。|他向我们介绍了比赛的组织计划。|美术社刚开始组织,报名的人还不多。

〔名〕❶ 系统;配合关系。(system; coordination)常做主语、宾语。

例句 这篇文章的组织很严密。|写总结的时候,材料的组织很重要。|他们的行动是有计划有组织的。

❷ 机体中构成器官的单位,是由许多形态和功能相同的细胞按照一定的方式结合而成的。(tissue)常做主语、宾语。

例句 皮肤组织,不仅人有,动物也有。|他脑部的组织已经死亡。|人体内有肌肉组织、神经组织等四个组织。|用显微镜可以观察到植物体内的组织。

❸ 按照一定的宗旨和系统建立起来的集体。(organization; organized system)常做主语、宾语、定语。[量]个。

例句 组织决定我代理书记。|这个组织太庞大了。|这些都是临时组织。|他们成立了自己的组织。|这是组织的决定。|工会要求会员们过组织生活。

【祖父】 zǔfù 〔名〕

父亲的父亲。口语称“爷爷”。[(paternal) grandfather]常做主语、宾语、定语。[量]个。

例句 他祖父是一个画家。|我的祖父几年前去世了。|我来介绍一下,这位是王先生的祖父,已经八十高龄了。|她没见过自己的祖父。|我还记得祖父的模样。|祖父的大手特别温暖。

【祖国】 zǔguó 〔名〕

自己的国家。(motherland; fatherland; homeland)常做主语、宾语、定语。[量]个。

例句 我的祖国是中国。|谁不热爱自己的祖国呢?|祖国的山河非常壮美。

【祖母】 zǔmǔ 〔名〕

父亲的母亲,俗称“奶奶”。[(paternal) grandmother]常做主语、宾语、定语。[量]个。

例句 小时候,祖母常常给我讲故事。|小王早就没有祖母了。|我是在祖母的照料下长大的。

【祖先】 zǔxiān 〔名〕

❶ 一个民族或家族的上代，特指年代比较久远的。(ancestry; ancestors; forbears; forefathers) 常做主语、宾语、定语。

例句 中华民族的祖先主要在黄河流域生活。|谈谈你的祖先吧。|让我们翻开历史，了解一下祖先的生活吧。

❷ 演化成现代各类生物的古代生物。(ancient organizms from which present-day livings or beings are evolved)常做主语、宾语。

例句 鱼的祖先也在水里生活吗？|辽西的考古发现了鸟类的祖先。

【钻】 zuān 〔动〕 另读 zuàn

❶ 用尖的物体在另一物体上穿孔。(drill; bore)常做谓语、定语。

例句 在这儿钻一个孔。|这个眼儿钻得太大了。|钻的位置不对，钉子钉不进去。

❷ 穿过；进入。(get into; go through; make one's way into)常做谓语。

例句 他一下子钻入了人群。|火车钻出了山洞。|孩子们在几个房间里钻来钻去。

❸ 深入研究。(study intensively; dig into)常做谓语、定语。

例句 他一心钻在书本里。|这几年他钻语法，成绩很大。|小王在历史方面钻得很深。|在学习上，小刘很有钻劲。

【钻研】 zuānyán 〔动〕

深入研究。(study intensively; dig into)常做谓语、定语、宾语。

例句 不好好钻研钻研，业务怎么能提高呢？|这个课题，他钻研了十多年才解决。|在这方面，老李钻研得很深。|这种钻研精神值得大家学习。|小王的钻研劲儿像他爸爸。|对此还要进行深入的钻研。

【钻】 zuàn 〔名/动〕 另读 zuān

〔名〕❶ 打眼儿的工具。(drill; auger)常用于构词，也做主语、宾语。[量]个。

词语 钻头 钻机 电钻

例句 这个钻是专门钻这个的。|打孔没有钻不行吧？

❷ 经过加工的金刚石或宝石。(jewel; diamond)常用于构词，也用于短语。

词语 钻石 钻戒 十七钻

〔动〕意义和用法与钻(zuān)❶相同。(drill; bore)

【钻石】 zuànshí 〔名〕

❶ 经过琢磨的金刚石，是贵重的首饰。(diamond)常做主语、宾语、定语。[量]颗。

例句 钻石很贵重。|结婚的时候，妈妈送了我一颗钻石。|她戴着一个钻石戒指。

❷ 用红、蓝宝石加工的精密的仪表的轴承。[jewel(used in a watch)]常做主语、宾语、定语。[量]个，颗。

例句 这个钻石用了10年，还光亮如新。|用这块蓝宝石能加工多少颗钻石？|钻石轴承比金属的耐磨多了。

【嘴】 zuǐ 〔名〕

口的通称；也指形状或作用像嘴的东西。常读"嘴儿"。(mouth; anything shaped or functioning like a mouth)常做主语、宾语。[量]张，个。

例句 小张的闺女嘴小眼睛大，特别漂亮。|茶壶嘴儿碰破了。|请你张开嘴，我看看嗓子发炎了没有。|

我给爷爷买了一个烟嘴儿。|看嘴形，就明白了他的意思。|她嘴边总是带着笑。

【嘴巴】 zuǐba 〔名〕

嘴。(mouth)常做主语、宾语。[量]个，张。

例句 他嘴巴闭得紧紧的，半天不说话。|小红生气的时候，嘴巴噘得老高。|她能说会道，长了一张好嘴巴。|她吃完，把嘴巴一擦就出了门。

【嘴唇】 zuǐchún 〔名〕

唇的通称。(lip)常做主语、宾语。[量]个，片。

例句 她的嘴唇丰满而红润。|一天没喝水，嘴唇都干了。|孩子咬紧了嘴唇，要哭了。|你别总把嘴唇涂得那么红。

【最】 zuì 〔副〕

表示程度达到极点，超过所有同类。(most;-est)常做状语。

例句 她最漂亮。|这个餐厅最干净。|我最爱吃鱼。|他最不守信。

【最初】 zuìchū 〔名〕

最早的时期；开始的时候。(initial; first)常做定语、状语。

例句 我想告诉你我最初的想法。|我对他最初的印象并不好。|最初，她也没有这个打算。|我最初学汉语是五岁的时候。

【最好】 zuìhǎo 〔副〕

劝说人做某事的委婉说法。(had better;it would be best)做状语。

例句 今天家里有客人，你最好早点儿回来。|你最好来一趟，跟经理见一下面。|房间里太热，最好先去散会儿步。

【最后】 zuìhòu 〔名〕

在时间上或次序上在所有别的之后。(final;last;ultimate)常做定语、状语、宾语。

例句 这是最后的期限，不能再拖了。|最后一个来报名的是她。|哥哥最后才来。|最后，他终于承认了。|我们等到最后，也没接着客人。|他来了，在最后呢。

【最近】 zuìjìn 〔名〕

指说话前或后不久的日子。(recently; lately; of late)常做状语、定语。

例句 他最近身体不太好。|爸爸最近准备去一趟广州。|最近的天气不太正常。|他最近几天心情不太好。

【罪】 zuì 〔名〕

❶ 作恶或犯法的行为；过失，过错。(crime; guilt; fault; blame)常做主语、宾语。

例句 他这是罪有应得。|他因为什么犯罪了？

❷ 苦难；痛苦。(suffering; pain; hardship)常做宾语、主语。

例句 战争中，老人遭过不少罪。|母亲一辈子为儿女受了多少罪呀！|为了拿到学位，我什么罪没受过？

【罪恶】 zuì'è 〔名〕

严重损害人民利益的行为。(crime;evil)常做主语、宾语。[量]个，种。

例句 他的罪恶太大了。|我们怎能忘记他们的罪恶呢？

【罪犯】 zuìfàn 〔名〕

有犯罪行为的人。(criminal; offender; culprit)常做主语、宾语、定语。[量]个，名。

例句 表现好的罪犯可以减刑。|

改造罪犯，让他们重新做人。|罪犯的生活除了劳动，还有学习。

【罪名】 zuìmíng 〔名〕

根据犯罪行为的性质和特征所规定的犯罪名称。(charge; accusation)常做主语、宾语。[量]个。

例句 这个罪名不成立。|我不承认这个罪名。

【罪行】 zuìxíng 〔名〕

犯罪的行为。(crime; guilt; offence)常做主语、宾语、定语，也可构成介宾短语做状语。

例句 他罪行累累，必须依法严惩。|他犯下了不可饶恕的罪行。|我这里有他的罪行材料。

【罪状】 zuìzhuàng 〔名〕

犯罪事实。(facts about a crime; charges in an indictment)常做主语、宾语。[量]条。

例句 他的罪状有两条。|我们已经查明了全部罪状。

【醉】 zuì 〔动〕

❶ 因喝酒过量而神志不清。(drunk; intoxicated; tipsy)常做谓语、定语、补语。也用于构词。

词语 醉人　醉鬼　醉话　醉意

例句 他醉得连话都说不明白了。|老刘醉了一天一夜。|爸爸爱喝酒，但醉的时候不多。|她醉的样子特别可爱。|小张喝醉了就睡觉。|这种酒度数低，喝不醉。

❷ 过分爱好。(be bent on; be wrapped up in)常用于构词或用于固定短语。

词语 沉醉　陶醉　纸醉金迷　醉生梦死

❸ 用酒泡制(食品)。(liquor-saturated; steeped in liquor)常用于构词。

词语 醉枣　醉蟹

【醉生梦死】 zuì shēng mèng sǐ 〔成〕

形容生活像喝酒或做梦那样昏昏沉沉，糊里糊涂。(live as if drunk or dreaming — lead a befuddled life)做谓语、定语。

例句 他有了钱，就花天酒地，醉生梦死。|我不愿做醉生梦死的人。

【尊敬】 zūnjìng 〔动〕

重视而且恭敬地对待。(respect; honour; esteem)常做谓语、定语、状语、宾语。

例句 我十分尊敬我的老师。|我们对厂长尊敬极了。|人们向她投来尊敬的目光。|(讲话)“尊敬的领导，尊敬的各位来宾：……”|她尊敬地称我为先生。|学生们对张教授充满了尊敬。|勤勤恳恳、默默无闻的清洁工受到人们的普遍尊敬。

【尊严】 zūnyán 〔名〕

可尊敬的身份或地位。(dignity; honour)常做宾语、主语。

例句 到什么时候都不能失去尊严。|维护国家的尊严，是每个公民的职责。|有人把民族的尊严弃之不顾。|法律的尊严是不可侵犯的。

【尊重】 zūnzhòng 〔动〕

尊敬或重视，重视并严肃对待。(respect; value; esteem)常做谓语、定语、宾语。

例句 我们必须尊重事实。|领导很尊重大家的意见。|你的确对他的人格尊重得不够。|安娜用很尊重的口气同老师讲话。|在老先生面前，他一副尊重的样子。|清洁工人也应该受到尊重。

辨析 〈近〉尊敬。“尊重”着重指重视的心情；“尊敬”着重指恭敬的态度。“尊重”不仅适用于个人、集体，还用于抽象的事物等，范围较广；“尊敬”一般限于个人、集体及精神、行为等，范围较窄。

【遵守】 zūnshǒu 〔动〕
按照规定行动；不违背。(observe; abide by; comply with)常做谓语。
例句 严格遵守公司的各项规章制度。|每个人都要遵守公共秩序。|这几个学生遵守纪律遵守得不好。|应当提高公民遵守社会公德的自觉性。

【遵循】 zūnxún 〔动〕
依照着去做。(follow; abide by; adhere to)常做谓语、定语。
例句 一定要遵循事物的客观规律。|我们现有的规章制度可以遵循。|这是必须遵循的原则。|关于这个问题，有没有可遵循的政策？
辨析 〈近〉遵守。“遵循”侧重照着客观规律、理论、原则去做，不偏离；“遵守”侧重照着大家共同制定的纪律、制度去做，不违背。

【遵照】 zūnzhào 〔动〕
依照。(obey; conform to; comply with; act in accordance with)常做谓语。
例句 遵照您的指示，我把这句话写入了合同。|遵照一定要法律程序。|这些规定，希望大家遵照执行。

【昨天】 zuótiān 〔名〕
今天的前一天。(yesterday)常做主语、宾语、定语、状语。
例句 昨天下了一天的雨。|昨天七月八日，星期三。|我的生日是昨天，已经过了。|会议一直到昨天才结束。|我想了解一下昨天讨论的情况。|昨天夜里没睡好。|爸爸出差了，昨天才回家。|昨天，我们家来了好几位客人。

【琢磨】 zuómo 〔动〕 另读 zhuómó
思索；考虑。(think over; turn over in one's mind; ponder)常做谓语。
例句 他的话，我琢磨了半天才明白。|你再琢磨琢磨，看看还有什么办法。|对方的意思，我还没琢磨透。|这两者之间的关系，我没琢磨过。

【左】 zuǒ 〔名〕
面向南时靠东的一边(跟“右”相对)。(the left side; the left)常做主语、宾语、定语。
例句 左有一座山，右有一条河。|大家向左转。|伸出左脚。
▶“左”还做形容词，指进步的、不正的等。如：左派 左倾 左脾气 旁门左道

【左边】 zuǒbian 〔名〕
靠左的一边。(the left side; the left)常做主语、宾语、定语。
例句 左边放一张桌子，右边放一张床就可以了。|在地图上，左边是西，右边是东。|照相的时候，你在我左边。|在会场左边，竖起了十多面旗帜。|请坐在左边的座位上。|我左边的位置还空着呢。

【左右】 zuǒyòu 〔助/动/名〕
〔助〕表示概数。(about; around; or so)常用在数词或数量短语后。
词语 一个月左右 三点左右 二十五岁左右
〔动〕支配；操纵。(master; control; influence)常做谓语。

例句 你别想左右我。|这种局面你左右得了吗？

〔名〕左和右两方面。(the left and right sides)常做主语、定语、宾语，也用于固定短语。

词语 左右为难 左右逢源

例句 左右都有人。|左右两侧摆满了鲜花。|孩子一直不离妈妈的左右。

【作】 zuò 〔动〕 另读 zuō

❶ 起。(rise; get up)常做谓语。

例句 忽然雷声大作。|那里的人们已经习惯了日出而作、日落而息。

❷ 写(画)文学艺术成品。(write; compose)常做谓语、定语。

例句 她作文章作得很好。|现在有时间了，他经常作作画，写写字。|这首歌是施光南作曲的。

❸ 当。(regard as; take sb. or sth. for)常做谓语。

例句 他不适合作主持人。|这块木板可以作什么用？

❹ 举行；进行。(do; make)常做谓语。

例句 今天有一位心血管专家给我们作报告。|感谢你为大家作了两个小时的精彩演说。

❺ 从事某种活动。(act as; become; engage in; do)常做谓语。

例句 我来给你作向导。|他真是自作自受。

▶ "作"也当名词，指文学艺术方面的成品。如：作品 杰作 画作 处女作|最近她又有新作问世。

辨析 〈近〉做。用"做"的地方大都可以换用"作"，但有时不能，如"成功之作"、"枪声大作"等。"作"可带动词宾语，也可带抽象的、书面语色彩的名词做宾语；"做"常带较具体的口语色彩的名词或代词做宾语。

【作案】 zuò àn 〔动短〕

进行犯罪活动。(commit a crime or an offence)常做谓语、定语，中间可插入成分。

例句 这家伙到处作案，罪恶累累。|犯罪分子作了案就逃跑了。|这伙人作案手段很残忍。|张某有作案动机和作案时间。

【作法】 zuòfǎ 〔名〕

做法；作文的方法。(way of doing things; course of action; practice; technique of writing)常做主语、宾语。[量]种。

例句 你这种作法太落后了。|文章的作法有很多种。|这道题有几种作法？|不按老师的作法不行吗？

【作废】 zuò fèi 〔动短〕

因失效而废弃。(become invalid)常做谓语、宾语、定语，中间可插入成分。

例句 过期作废。|这张收据已经作废了。|一年之内机票作不了废。|这条规定被宣布作废。|参观券两天以后开始作废。|作废的票不能再用了。

【作风】 zuòfēng 〔名〕

❶ (思想上、工作上和生活上)表现出来的态度、行为。(style; style of work; way)常做主语、宾语、定语。[量]种。

例句 他作风正派。|这种马马虎虎的作风应该改改了。|大家还不太习惯新局长的工作作风。|敢于负责是他一贯的作风。|作风问题能反映一个人的思想状况。

❷ 风格。(style)常做主语、宾语。[量]种。

例句 这幅画,作风朴实简明。|一个艺术家应该有自己独特的艺术作风。

【作家】 zuòjiā 〔名〕

从事文学创作有成就的人。(writer; author)常做主语、宾语、定语。[量]位,个。

例句 这位作家的作品多次获奖。|作家要深入生活,才能写出好作品。|他从小就一心想当作家。|海明威是世界著名作家。|不少文学青年都怀有作家梦。|这部小说反映的是作家的生活。

【作茧自缚】 zuò jiǎn zì fù 〔成〕

蚕作茧包住自己,比喻做事使自己受困。(spin a cocoon around oneself; get enmeshed in a web of one's own spinning)常做谓语。

例句 她自以为聪明,结果作茧自缚。|李科长作茧自缚,这三万元钱成了他贪污的罪证。

【作品】 zuòpǐn 〔名〕

指文学艺术方面的成品。[works (of literature and art)]常做主语、宾语、定语。[量]部。

例句 他的作品多次获奖。|鲁迅的作品被翻译成各种文字。|他很长时间也没写出来一部优秀作品。|贝多芬一生创作了大量优秀的作品。|作品的数量不多。|应当说,这部作品的改编不够成功。

【作为】 zuòwéi 〔动/介〕

〔动〕当做。(regard as; look on as; take as)常做谓语。

例句 我把游泳作为日常锻炼身体的好方法。|她把失败作为前进的动力。|就把这幅自画像作为礼物送给你吧。

〔介〕就人的某种身份或事物的某种性质来说。(as)常构成短语做状语。

例句 作为一个公民,应该遵纪守法。|作为学生,首先得把学习搞好。|作为一种探索,我们不能要求它一次成功。

【作文】 zuòwén 〔名/动短〕

〔名〕学生作为练习写的文章。(composition)常做主语、宾语、定语。[量]篇。

例句 他的作文语言优美、文笔流畅。|这位小学生的作文写得不错。|老师给学生们布置了暑假作文。|每次高考,语文都有作文。|这篇作文的题目得改一改。|作文评分还做不到完全用客观标准。

〔动短〕写文章。(write a composition)常做谓语,中间可插入成分。

例句 我作完了作文再写作业。|下午我们一直在作文。

【作物】 zuòwù 〔名〕

农作物的简称。(crop)常做主语、宾语、定语。[量]种。

例句 今年雨水足,作物长势良好。|作物的生长离不开阳光和水。|大豆是油料作物。|这里虽是北方,大棚里却栽种着各种热带作物。|农业技术员正在介绍作物的栽培方法。|去年作物的收成创历史最好水平。

【作业】 zuòyè 〔名〕

教师给学生布置的功课;部队给士兵布置的军事训练活动;生产单位给工作或工作人员布置的生产活动。(school assignment; work;

task; operation; production)常做主语、宾语、定语。

例句 这些作业希望同学们能认真完成。|今天的作业太难了。|士兵们已经习惯野外作业了。|我们每天都要写很多作业。|厂里制定了下个月的作业计划。|团长汇报了全团的作业情况。

▶"作业"也做动词,从事军事活动或生产活动。如:工人们正在楼顶作业。|作业现场有50多辆坦克。

【作用】zuòyòng〔名/动〕

〔名〕对事物产生某种影响的活动;对事物产生的影响或效果。(action; function; effect)常做主语、宾语。

例句 舆论的作用是不可忽视的。|他的消极作用影响很坏。|虽然有不准迟到的规定,但作用不大。|这种药有副作用。|你们要在活动中起带头作用。|应该把文艺骨干的作用充分发挥出来。|我已经体会到了这句话的作用。

〔动〕对事物产生影响。(act on; affect)常做谓语(带补语)。

例句 阳光作用于植物能够产生光合作用。|这种药可以直接作用于人体的血液循环。

【作战】zuò zhàn〔动短〕

打仗。(fight; conduct operations; engage in a battle)常做主语、谓语、定语、宾语。中间可插入成分。

例句 战士们作战十分勇敢。|双方军队在这一带作过战。|时间已到,按作战计划行动!|赵司令员具有丰富的作战经验。|这支部队擅于夜间作战。|美军在那里已经开始作战了。

【作者】zuòzhě〔名〕

文章或著作的写作者;艺术作品的创作者。(author; writer)常做主语、宾语、定语。[量]位,名。

例句 现在流行作者签名售书。|歌词的作者年仅24岁。|现在让我们来认识一下这幅画的作者。|近几年,文坛涌现出一批有实力的作者。|作者的世界观当然会反映在作品中。|你并不了解这个作者的情况。

【坐】zuò〔动〕

❶ 把臀(tún)部放在椅子、凳子或其他物体上来支持身体重量。(sit)常做谓语。

例句 我坐椅子,你坐沙发。|他只坐了一会儿就坐不住了。|来,到我这儿坐坐。

❷ 乘,搭。(travel by or on)常做谓语。

例句 坐汽车坐了一天。|这孩子已经单独坐过两回飞机了。|那次我们坐了三天船。

❸ (房屋)背对着某一方向。〔(of a building) have its back towards〕常做谓语。

例句 这房子坐北朝南。

❹ 把锅、壶等放在炉子上。[put(a pan, pot, kettle, etc.) on a fire]常做谓语。

例句 炉子上坐着水呢!

❺ 枪炮由于反作用而向后移动,建筑物由于基础不稳固而下沉。(recoil; kick back; sink; subside)常做谓语。

例句 这楼房已经向下坐了10厘米。|大炮向后一坐,发射了一枚炮弹。

❻ 瓜果等植物结实。(bear)常做谓语。

例句 这棵石榴树今年坐了不少果。|架上坐满了葡萄。

【坐班】 zuòbān 〔动〕

每天按规定时间上下班(多指坐办公室)。(keep office hours)常做谓语、主语、定语。

例句 我坐班。|大学老师不坐班。|坐班比较适合机关工作。|我们单位坐班很严格。|他们单位没有坐班的规定。|坐班的人主要是管理人员。

【坐井观天】 zuò jǐng guān tiān 〔成〕

比喻眼光狭小,所见有限。(look at the sky from the bottom of a well — have a very narrow view)常做谓语、定语。

例句 他坐井观天,对外面的世界一点儿都不了解。|尽管已经到了信息时代,但坐井观天的人依然存在。

【座】 zuò 〔量〕

多用于较大的固定物体。(for mountains, buildings, and other similar immovable objects)常构成短语做定语。

例句 学校后面有一座山。|山后是一座水库。|这座城市非常美丽。|这几年,一座座大厦拔地而起。

【座儿】 zuòr 〔名〕

❶ 坐位。(seat;place)常做主语、宾语、定语。[量]个。

例句 这个座儿是专门给老弱孕妇用的。|这里座儿多,到这边来吧。|来晚了,没有座儿了。|孩子,快起来给老奶奶让个座儿。|看看钥匙是不是掉到座儿底下去了?

❷ 放在器物底下垫着的东西。(stand;base;pedestal)常做主语、宾语。[量]个。

例句 鱼缸的座儿是橡胶的。|这个花盆下应该放一个座儿。

❸ 影剧院、茶馆、酒店、饭馆等指顾客;拉人力车、三轮车的指乘客。(customer;passenger)常做宾语。

例句 这部电影特别卖座儿。|饭店门口常有服务员拉座儿。

【座谈】 zuòtán 〔动〕

坐在一起比较自由地讨论。(have an informal discussion)常做谓语、宾语、定语。

例句 大家在一起座谈市场形势。|咱们好好地座谈座谈应对措施吧。|昨天同学们与校领导进行了座谈。|我们班明天开就业座谈会。

【座位】 zuòwèi 〔名〕

供人坐的地方(多用于公共场所),同"坐位"。(a place to sit; seat)常做主语、宾语。[量]个。

例句 这个座位太偏了。|所有的座位都坐满了。|她太胖了,一个占了两个人的座位。|在车上,小学生主动给老人让座位。

【座右铭】 zuòyòumíng 〔名〕

写出来放在座位旁边的格言,泛指激励、警戒自己的话。(motto;maxim)常做主语、宾语、定语。[量]个,条。

例句 我的座右铭是"宁静致远"。|他书桌上贴着一条座右铭。|座右铭的作用是激励自己。

【做】 zuò 〔动〕

❶ 把原料加工成可使用的物品。(do;make;produce;manufacture)常做谓语、定语、宾语。

例句 妈妈把饭做好了。|做的衣服更合体。|家具我不打算做了。

❷ 从事某种工作或活动。(do;act;engage in)常做谓语、定语。

例句 她现在在饭店里做临时工。|小赵高中毕业后就做起了生意。|小吴做过不少诗。|要做的事可真多。

❸ 举行家庭的庆祝或纪念活动。(hold a family celebration)常做谓语。

例句 等给老人家做完七十大寿再出国。

❹ 结成某种关系。(form or contract a relationship)常做谓语。

例句 他们做了四十年的夫妻,从没吵过嘴。|我愿意做您的女儿。|他们做了几十年的朋友。|老张和老王做了儿女亲家(qìnjia)。

❺ 充当;担任;用作。(be;become;be used as;act as)常做谓语。

例句 小李做妈妈了。|现在,做经纪人的多起来了。|他做过两年局长。|我这样的人一辈子也做不了官。|这些材料给你们做参考。

【做法】 zuòfǎ 〔名〕

处理事情或做物品的方法。(way of doing or making a thing;method of work;practice)常做主语、宾语。[量]个,种。

例句 这道菜的做法很简单。|这个做法很可笑。|他们不会接受你的做法。|你应该换一种做法。

【做工】 zuò gōng 〔动短/名〕

〔动短〕从事体力劳动。(do manual work;work)常做主语、谓语,中间可插入其他成分。

例句 在国外做工很不容易。|他做工很卖力。|她曾在纺织厂做工。|爸爸做了一天工,很辛苦。

〔名〕指制作的技术或质量。(workmanship)常做主语、宾语。

例句 这件衣服做工很细。|有些手工艺品做工粗糙,价格也不便宜。|出口服装特别讲究做工。

【做客】 zuò kè 〔动短〕

访问别人,自己当客人。(be a guest)常做谓语、定语,中间可插入成分。

例句 欢迎您来我厂做客。|我去老师家做过一次客。|有空儿上我那儿做客吧。|做客的时间不要太长。

【做梦】 zuò mèng 〔动短〕

睡着时大脑中出现种种不真实的形象,比喻幻想。(have a dream;dream;have a pipe dream;daydream)常做主语、谓语、宾语,中间可插入成分。

例句 做梦是一种正常现象。|经常做梦也影响睡眠。|我做了一个奇怪的梦。|你还想中大奖呢?别做梦了!

【做主】 zuò zhǔ 〔动短〕

拿主意,说了算。(decide;take the responsibility for a decision)常做谓语,中间可插入成分。

例句 婚姻大事应当自己做主。|这事我给你做主了,你就放心吧。|我自己的事我自己做主。

附录一　汉语拼音方案

〈一〉字母表

字母	Aa	Bb	Cc	Dd	Ee	Ff	Gg
名称	ㄚ	ㄅㄝ	ㄘㄝ	ㄉㄝ	ㄜ	ㄝㄈ	ㄍㄝ
	Hh	Ii	Jj	Kk	Ll	Mm	Nn
	ㄏㄚ	ㄧ	ㄐㄧㄝ	ㄎㄝ	ㄝㄌ	ㄝㄇ	ㄋㄝ
	Oo	Pp	Qq	Rr	Ss	Tt	
	ㄛ	ㄆㄝ	ㄑㄧㄡ	ㄚㄦ	ㄝㄙ	ㄊㄝ	
	Uu	Vv	Ww	Xx	Yy	Zz	
	ㄨ	ㄪㄝ	ㄨㄚ	ㄒㄧ	ㄧㄚ	ㄗㄝ	

v只用来拼写外来语、少数民族语言和方言。

字母的手写体依照拉丁字母的一般书写习惯。

〈二〉声母表

b	p	m	f	d	t	n	l
ㄅ玻	ㄆ坡	ㄇ摸	ㄈ佛	ㄉ得	ㄊ特	ㄋ讷	ㄌ勒
g	k	h		j	q	x	
ㄍ哥	ㄎ科	ㄏ喝		ㄐ基	ㄑ欺	ㄒ希	
zh	ch	sh	r	z	c	s	
ㄓ知	ㄔ蚩	ㄕ诗	ㄖ日	ㄗ资	ㄘ雌	ㄙ思	

在给汉字注音的时候，为了使拼式简短，zh ch sh 可以省作 ẑ ĉ ŝ。

〈三〉韵母表

	i ㄧ　衣	u ㄨ　乌	ü ㄩ　迂
a ㄚ　啊	ia ㄧㄚ　呀	ua ㄨㄚ　蛙	
o ㄛ　喔		uo ㄨㄛ　窝	
e ㄜ　鹅	ie ㄧㄝ　耶		üe ㄩㄝ　约
ai ㄞ　哀		uai ㄨㄞ　歪	
ei ㄟ　欸		uei ㄨㄟ　威	
ao ㄠ　熬	iao ㄧㄠ　腰		
ou ㄡ　欧	iou ㄧㄡ　忧		
an ㄢ　安	ian ㄧㄢ　烟	uan ㄨㄢ　弯	üan ㄩㄢ　冤
en ㄣ　恩	in ㄧㄣ　因	uen ㄨㄣ　温	ün ㄩㄣ　晕
ang ㄤ　昂	iang ㄧㄤ　央	uang ㄨㄤ　汪	
eng ㄥ　亨的韵母	ing ㄧㄥ　英	ueng ㄨㄥ　翁	
ong （ㄨㄥ）轰的韵母	iong ㄩㄥ　雍		

(1) “知、蚩、诗、日、资、雌、思”等七个音节的韵母用 i。

(2) 韵母儿写成 er,用做韵尾的时候写成 r。

(3) 韵母ㄝ单用的时候写成 ê。

(4) i 行的韵母,前面没有声母的时候,写成:yi(衣),ya(呀),ye(耶),yao(腰),you(忧),yan(烟),yin(因),yang(央),ying(英),yong(雍)。

u 行的韵母，前面没有声母的时候，写成：wu（乌），wa（蛙），wo（窝），wai（歪），wei（威），wan（弯），wen（温），wang（汪），weng（翁）。

ü 行的韵母，前面没有声母的时候，写成：yu（迂），yue（约），yuan（冤），yun（晕）；ü 上两点省略。

ü 行的韵母跟声母 j，q，x 拼的时候，写成：ju（居），qu（区），xu（虚），ü 上两点也省略；但是跟声母 n，l 拼的时候，仍然写成：nü（女），lü（吕）。

（5）iou，uei，uen 前面加声母的时候，写成 iu，ui，un，例如 niu（牛），gui（归），lun（论）。

（6）在给汉字注音的时候，为了使拼式简短，ng 可省作 ŋ。

〈四〉声调符号

阴平	阳平	上声	去声
ˉ	ˊ	ˇ	ˋ

声调符号标在音节的主要母音上。轻声不标。例如：

妈 mā	麻 má	马 mǎ	骂 mà	吗 ma
（阴平）	（阳平）	（上声）	（去声）	（轻声）

〈五〉隔音符号

a，o，e 开头的音节连接在其他音节后面的时候，如果音节的界限发生混淆，用隔音符号（’）隔开，例如：pi’ao（皮袄）。

附录二　常用标点符号用法简表

名称	符号	用法说明	举　例
句号	。	表示一句话完了之后的停顿。	北京是中华人民共和国的首都。
逗号	，	表示一句话中间的停顿。	春天来了，树绿了。
顿号	、	表示句中并列的词或词组之间的停顿。	长江、黄河是中国两大著名河流。
分号	；	表示一句话中并列分句之间的停顿。	语言，人们用来抒情达意；文字，人们用来记言记事。
冒号	：	用以提示下文。	女士们，先生们： 欢迎大家光临……
问号	？	用在问句之后。	你到过长城吗？
感叹号	！	表示强烈的感情。	我是多么想念我的祖国啊！
引号[①]	“” ‘’ 『』 「」	1. 表示引用的部分。	老师说：“其实汉语并不难学。”
		2. 表示特定的称谓或需要着重指出的部分。	1960年5月25日，中国登山队胜利地登上了“世界屋脊”珠穆朗玛峰。
		3. 表示讽刺或否定的意思。	这样的“理论家”，实在还是少一点好。
括号[②]	（ ）	表示文中注释的部分。	这篇小说的环境描写十分出色，它的描写（无论是野外，还是室内）处处与故事的发展紧紧相扣。

(续表)

名称	符号	用法说明	举　例
省略号[3]	……	表示文中省略的部分。	他去过北京、上海、广州……好多城市。
破折号[4]	——	1. 表示底下是解释、说明的部分,有括号的作用。	我们老师——一个年轻漂亮的姑娘
		2. 表示意思的递进。	团结——批评和自我批评——团结
		3. 表示意思的转折。	“今天好热啊!——你什么时候去上海?”海伦对刚刚进门的小王说。
连接号[5]	一 —— - ～	1. 表示时间、地点、数目等的起止。	“北京—广州”直达快车 15～30℃
		2. 表示相关的人或事物的联系。	MD-82客机
书名号[6]	《》 〈〉	表示书籍、文件、报刊、文章等的名称。	《红楼梦》 《中华人民共和国宪法》 《人民日报》 《学汉语》杂志 《学习〈为人民服务〉》
间隔号	·	1. 表示月份和日期之间的分界。	一二·九运动
		2. 表示有些民族人名中的分界。	达·芬奇
着重号	.	表示文中需要强调的部分。	提高口语水平的方法是多说多练。

附注:① “”符号叫双引号,‘’符号叫单引号。“”‘’用于横行文字,﹃﹄符号用于直行文字。只需要一种引号时,横行文字用“”,直行文字用﹁或﹃

都可以。引号中再用引号时，一般双引号在外，单引号在内，直行文字也有单引号在外的。

② 常用的括号还有几种，如〔〕[]，多用于文章注释的标号或根据需要作为某种标记。

③ 一般用六个圆点，占两个字的位置。

④ 占两个字的位置。

⑤ 占一个字或两个字的位置。

⑥ 书名号内再用书名号时，双书名号《》在外，单书名号〈〉在内。

附录三 汉字笔画名称表

笔画	名称	例字	笔画	名称	例字
丶	点	主	亅	竖钩	小
一	横	王	㇁	弯钩	豕
丨	竖	十	㇙	竖提	改
丿	撇	人	㇗	竖折	出
㇏	捺	大	㇍	横折弯	朵
㇀	提	江	㇄	竖弯	四
㇖	横钩	冥	㇟	竖弯钩	己
㇕	横折	田	㇜	竖折撇	专
㇆	横折钩	司	㇞	竖折折	鼎
㇇	横撇	登	㇅	横折折折	凸
㇊	横折提	讨	㇉	竖折折钩	弓
㇈	横折斜钩	飞	㇂	斜钩	戈
㇠	横折弯钩	九	㇃	卧钩	心
㇋	横折折撇	廷	㇜	撇折	绿
㇡	横折折折钩	乃	㇛	撇点	女
㇌	横撇弯钩	阴			

附录四　汉字笔顺规则表

规则	例字	笔　　顺
先横后竖	十	一十
	丰	一二三丰
先撇后捺	人	丿人
	大	一ナ大
从上到下	主	丶亠亠丰主
	豆	一ｒ戸戸戸戸豆
先左后右	环	一二Ŧ王王环环环
	掰	丿二三手手扌扐扮扮掰掰掰
从外到内	问	丶丨门门问问
从内到外	函	一了了了孑丞函函
	延	丿亻千正延延
先里头后封口	目	丨冂月月目
	围	丨冂冂冃同周围
先中间后两边	水	亅刀水水
	承	一了了孑手手承承

			方正
			上下相等
			上小下大
		1 / 2	上大下小
		1 / 2 3	上合下分
	贺	1 2 / 3	上分下合
	窄 吞	1 / 2	上宽下窄
	盘 总	1 / 2	上窄下宽

结[illegible]				
上中下结构	裹 [illegible]			
	曼 黍			
左右结构	群 配	1		
	侯 浊	1 2		
	刚 邻	1 2		
	错 播	1 2 3		
	数 趾	1 2 3	左分右[illegible]	
	明 暗	1 2	左矮右高	
	胆 仁	1 2	左高右矮	

（续表）

结构方式	例字	间架比例	
左中右结构	谢 街	1 | 2 | 3	左中右相等
	辨 班	1 | 2 | 3	两边宽中间窄
	衔 澎	1 | 2 | 3	两边窄中间宽
半包围结构	康屎	1 2	左上包右下
	建 道	1 2	左下包右上
	甸 匍	1 2	右上包左下
	匡 区	1 2 3	左包右
	凤 问	1 2	上包下
	函 幽	1 2	下包上
全包围结构	国 回	1 2 3	全包
品字形结构	晶 品	1 2 3	三匀

附录六　中国各省(自治区)、省会(自治区首府)、直辖市一览表

省(自治区)、直辖市	省会(自治区首府)	省(自治区)、直辖市	省会(自治区首府)
北京市		山东	济南
上海市		浙江	杭州
天津市		江西	南昌
重庆市		福建	福州
黑龙江	哈尔滨	湖南	长沙
吉林	长春	湖北	武汉
辽宁	沈阳	河南	郑州
河北	石家庄	广东	广州
内蒙古	呼和浩特	广西	南宁
山西	太原	贵州	贵阳
陕西	西安	四川	成都
甘肃	兰州	云南	昆明
宁夏	银川	西藏	拉萨
新疆	乌鲁木齐	海南	海口
青海	西宁	台湾	台北
江苏	南京	香港特别行政区	
安徽	合肥	澳门特别行政区	

附录七 中国民族简表

民族名称	主要分布地区
汉族	全国各地
壮族	广西及云南、广东、贵州、湖南等地
蒙古族	内蒙古、辽宁、新疆、黑龙江、吉林、青海、河北、河南等地
回族	宁夏、甘肃、河南、新疆、青海、云南、河北、山东、安徽、辽宁、北京、内蒙古、天津、黑龙江、陕西、吉林、江苏、贵州等地
藏族	西藏及四川、青海、甘肃、云南等地
维吾尔族	新疆
苗族	贵州、云南、湖南、四川、广西、湖北等地
彝[yí]族	云南、四川、贵州等地
布依族	贵州
朝鲜族	吉林、黑龙江、辽宁等地
满族	辽宁及黑龙江、吉林、河北、内蒙古、北京等地
侗[dòng]族	贵州、湖南、广西等地
瑶族	广西、湖南、云南、广东、贵州等地
白族	云南
土家族	湖北、湖南、四川等地
哈尼族	云南
哈萨克族	新疆
傣[dǎi]族	云南
黎族	广东
傈僳[lìsù]族	云南
佤[wǎ]族	云南
畲[shē]族	福建、浙江等地
高山族	台湾及福建
拉祜[hù]族	云南
水族	贵州
东乡族	甘肃

（续表）

民族名称	主要分布地区
纳西族	云南
景颇族	云南
柯尔克孜族	新疆
土族	青海
达斡[wò]尔族	内蒙古、黑龙江等地
仫佬[mùlǎo]族	广西
羌[qiāng]族	四川
布朗族	云南
撒拉族	青海、甘肃等地
毛南族	广西
仡佬[gēlǎo]族	贵州
锡伯族	辽宁、新疆、黑龙江等地
阿昌族	云南
塔吉克族	新疆
普米族	云南
怒族	云南
乌孜别克族	新疆
俄罗斯族	新疆
鄂温克族	内蒙古和黑龙江
德昂族	云南
保安族	甘肃
裕固族	甘肃
京族	广西
塔塔尔族	新疆
独龙族	云南
鄂伦春族	内蒙古和黑龙江
赫哲族	黑龙江
门巴族	西藏
珞巴族	西藏
基诺族	云南

【闲话】 xiánhuà 〔名〕

❶ 跟正事无关的话。(digression)常做主语、宾语。[量]句,点儿。

例句 你呀,应该闲话少说点儿,正事多干点儿。|退休后,几位老姐妹经常在一起说说闲话。

❷ 不满意的话。(complaint; gossip)常做主语、宾语。[量]句。

例句 你总是闲话多,牢骚大,好像谁都对不起你。|在背后说别人的闲话不太道德。|她生气了,好像听到了什么闲话。

【贤惠】 xiánhuì 〔形〕

指妇女心地善良,通情达理,对人和气,也写作"贤慧"。[(of a woman) virtuous]常做谓语、定语。

例句 她不仅能干,为人也贤惠。|小李娶了个贤惠的妻子。|张大爷的儿媳是个贤惠人。

【弦】 xián 〔名〕

❶ 弓背两端之间的绳状物。(bowstring)常做主语、宾语、定语。[量]根。

例句 弦一般是用牛筋制成的,很有弹性。|射手把箭搭在弦上,使劲拉开了弓。|请帮我换根弦吧。|这张弓弦的松紧不大合适。

❷ 乐器上发声的线。(the string of a musical instrument)常做主语、宾语、定语。[量]根。

例句 琴弦一般用丝线、铜丝或钢丝等制成。|她弹着弹着,忽然一根琴弦断了。|吉他有六根弦,所以又叫六弦琴。|二胡是中国传统的弦乐器。

【咸】 xián 〔形〕

像盐一样的味道。(salty; salted)常做谓语、定语、补语。

例句 海水又苦又咸。|世界上的湖分两大类,一类是淡水湖,一类是咸水湖。|我最爱吃妈妈做的咸鱼了。|我把菜做咸了。

【衔】 xián 〔动〕

❶ 用嘴含。(hold in the mouth)常做谓语。

例句 他常常衔着一个大烟斗。|燕子的嘴里衔着一条小虫子。

辨析 〈近〉叼。"衔"是用嘴含或夹住;"叼"只是用嘴夹住,常用于口语。如: * 狼衔走了一只小羊。("衔"应为"叼")

❷ 相连接。(link up; join)常用于构词。

词语 衔接

【衔接】 xiánjiē 〔动〕

事物相连接。(link up; join)常做谓语(不带宾语)、定语、宾语。

例句 白班和夜班的工作要是衔接不好就会出问题。|这两段文章衔接得不太自然,需要修改。|这部剧衔接的地方处理得很好。|练太极拳,要特别注意前后动作的衔接。

辨析 〈近〉连接。"衔接"的事物多为文章、工作、动作等;"连接"的事物多为条状的事物。"连接"可带宾语,"衔接"不带宾语。如: * 断了的电话线,很快被我们衔接起来了。("衔接"应为"连接")

【嫌】 xián 〔动〕

厌恶;不满意。(dislike)常做谓语。

例句 她那个人嫌贫爱富。|小明嫌房间太吵,到教室学习去了。|我上岁数了,别嫌我说话啰嗦。|明明自己不用功,倒嫌作业太多。

【嫌疑】 xiányí 〔名〕

X